〔道光〕濟寧直隸州志

第一册

（清）徐宗幹 修 （清）許瀚 等纂
中共濟寧市委黨史研究院 濟寧市地方史志研究院 整理

天津出版傳媒集團
天津古籍出版社

圖書在版編目（CIP）數據

〔道光〕濟寧直隸州志 /（清）徐宗幹修；（清）許瀚等纂；中共濟寧市委黨史研究院，濟寧市地方史志研究院整理．— 天津：天津古籍出版社，2021.2
ISBN 978-7-5528-1073-8

Ⅰ.①道… Ⅱ.①徐… ②许… ③中… ④濟… Ⅲ.①濟寧州－地方志－清代 Ⅳ.①K928.6

中國版本圖書館CIP數據核字（2021）第031795號

〔道光〕濟寧直隸州志

（清）徐宗幹 修　（清）許 瀚 等纂

整　　理：中共濟寧市委黨史研究院　濟寧市地方史志研究院
出　　版：天津古籍出版社
出 版 人：張 瑋
地　　址：天津市和平区西康路35號康岳大厦
郵政編碼：300051
郵購電話：（022）23517902
責任編輯：門 輝
封面設計：李 娜
印　　刷：濟南乾豐印刷有限公司
經　　銷：新華書店
開　　本：889毫米×1194毫米　1/16
印　　張：127
字　　數：2130千字
版　　次：2021年2月第1版
印　　次：2021年2月第1次印刷
書　　號：ISBN 978-7-5528-1073-8
總 定 價：1800.00圓（全四冊）

ISBN 978-7-5528-1073-8
9 787552 810738 >

《〔道光〕濟寧直隸州志》整理委員會

主　　任　張百順

常務副主任　馬建國

執行副主任　張樹禮

副　主　任　李仲波　樊翠雲　王　歡　王新華

工作人員　邵鴻志　陸　波　李治樸　楊雲峰　郭贇艷

薛新軍　屈　智　何飛飛　胥建利　王　鵬

張　倩　李　坤　高振超　王　凱　曹　鋒

井　潔　董　倩

特邀點校　李才朝

特邀審稿　李伯齊　王學成　臧志晗

前言

濟寧是儒家文化的發祥地，文化底蘊深厚，方志文化亦源遠流長。『方志』一語，即源於《周禮》。相傳該書爲周公旦所作。《周禮·春官》記外史『掌四方之志』，小史『掌邦國之志』。『四方』和『邦國』均指諸侯方國，方志就是方國之志。鄭玄《周禮注疏》曰『志，記也。謂若魯之《春秋》、晋之《乘》、楚之《檮杌》』。可見，《春秋》從本質上説就是古方志。孔子作《春秋》，提出『述而不作』的史學主張，首創『春秋筆法』，對後世史志編纂産生了重要影響。地方志編纂遵循的『秉筆直書』『述而不論』『觀點寓於事實之中』等原則，都源於孔子的史學思想。

當然，構成濟寧方志文化主幹的文獻史料是歷代志書。據統計，濟寧市及所轄縣市區現存地方舊志約六十種、七百餘卷，約占山東省現存舊志的十分之一，其中不乏名志，如《〔萬曆〕兖州府志》（易登瀛、盧學禮修，于慎行纂），《〔道光〕濟寧直隸州志》（徐宗幹修，許瀚等纂）等。歷史上，明清與民國時期，濟寧方志編修較爲興盛。明代，僅《濟寧州志》就修纂了兩次，一次在弘治四年（一四九一），一次在萬曆三十七年（一六〇九），均已佚。現存九部以濟寧作爲行政區域的舊志中，七部分别修纂或續修於清康熙、乾隆、道光、咸豐、光緒各朝，兩部修編於民國。濟寧州，其前身分别爲濟寧路、濟寧府。元至元八年（一二七一），濟州改爲濟寧府，治任城，『濟寧』作爲政區名始用；至元十六年（一二七九），濟寧府升爲濟寧路，治鉅野，領三州十六縣，今任城地爲濟州治；至正八年（一三四八），濟寧路移治任城，濟寧之名始定於今濟寧城區地。明洪武元年（一三六八），改濟寧路爲濟寧府，領任城等十二縣；洪武十八年（一三八五）濟寧府降爲濟寧州，廢任城縣，兖州升爲府，濟寧州屬之。清初，濟寧爲州，雍正二年（一七二四）升爲直隸州。

《〔道光〕濟寧直隸州志》，清徐宗幹修，許瀚等纂。宗幹，江蘇通州人，字樹人，又字伯楨，嘉慶年間進士，道光初年任濟寧直隸州知州。瀚，山東日照人，字印林，舉人出身，清道咸間的樸學家，時任州教諭。徐宗幹到任後，發現已四十年未修志，擔心文獻湮没，即設局修志，親自秉筆主修。志未完成，宗幹被調到四川保寧任職。在行程二萬餘里間，攜志稿於行篋中，每到一處，不忘潛心修志。經他同許瀚苦心經營，歷時四年，經過五次修改，終於道光二十三年（一八四三）完成。其他參編者可見志前重修姓氏名單，還有漁山書院山長、江蘇舉人楊炳春，曲阜縣知縣馮雲鵷，清平縣教諭李聯榜。咸豐七年（一八五七），知州盧朝安取原志稿再加訂正付梓行世。

該志共十卷，首一卷，末一卷，圖一卷。卷首爲序文、修志姓氏、志例、志圖、天章志；卷一爲星野志、五行志、大事志；卷二爲方輿志、山川志；卷三爲食貨志、風土志；卷四爲建置志、兵革志；卷五爲學校志、秩祀志、名勝志；卷六爲職官志；卷七爲選舉志；卷八爲人物志；卷九爲藝文志；卷十爲雜稽志；卷末爲志原、跋。内轄三十目，一百萬字。是志參稽舊志，辨章體例，增佚續補，嚴加取舍。民國時期，東方文化事業委員會編撰的《續修四庫全書總目提要》給予該志較高的評價，云『是志卷數雖較前志爲少，然内容豐富』，又云『書中於山川、人物均考據精詳，而尤注意於水利、賦役、兵事、農林等有關民生之事，洵爲卓識』。近代著名學者梁啓超《中國近三百年學術史》稱：『是志爲清代名志，可入著作之林。』

由於歷史原因，許多舊志已杳無踪影，有的則淪爲殘卷，幸存者也往往有不同程度的缺頁、破損、漫漶等問題。本志咸豐九年刻本雖在中國國家圖書館、山東省圖書館、山東大學圖書館、上海圖書館、天津圖書館、濟寧市檔案館等均有收藏，但全書完整清晰者已不多見。

近年來，濟寧市委黨史研究院（濟寧市地方史志研究院）高度重視舊志整理工作，將其納入地方史志事業發展規劃，对現存九部舊志陸續點校整理出版，今年集中整理《（道光）濟寧直隸州志》。在濟南甲骨文化傳媒有限公司的大力協助下，延請山東大學、山东師範大學等高校專家、學者，彙集多種版本，相互比照補缺，使這部《濟寧直隸州志》成爲目前最爲完整且便於使用的版本。它的再版，使幾近失傳的文化典籍獲得第二次生命。舊志整理是地方志事業的重要組成部分，也是地方文化建設的一項重要工程。這些舊志的再版問世，將對促进濟寧市經濟社會发展發揮重要作用。

中共濟寧市委黨史研究院
濟寧市地方史志研究院
二〇二一年二月

點校凡例

一、本書以日本國立國會圖書館藏咸豐七年（一八五七）重刻道光二十年（一八四〇）徐宗幹修《濟寧直隸州志》爲底本，以國家圖書館藏清咸豐九年（一八五九）重刻本爲參照本，加以標點，繁體竪排。

二、本書標點以國家頒布的《標點符號用法》爲主要依據，結合實際情況，主要用逗號、句號、頓號、引號、書名號等常用標點符號。

三、本書卷次及各卷行文、分段大體依照底本原貌，個别部分，如人物、選舉，爲兼顧版面美觀，排版時稍作調整。

四、原書之异體字一般改爲通行繁體字，但爲體現歷史原貌，原書所收之碑文中的异體字一律遵照原文，不作改動；原書之避諱字、版刻形誤字，尤其是『己』『已』『巳』和『戊』『戌』『戍』不分之誤，一律徑改。通假字保持原貌。其他凡删改、增補文字處，皆出校記。因文字异同造成人名、地名、時間、名物等歧义者，亦出校記。

五、底本中漫漶不清部分以美國國會圖書館同一版本作爲參照進行補充，個别漫漶不清且無可考證者，用『□』表示。

目録

第一册

第三册

◎卷七

◎卷八

第四册

叙

道光戊戌，徐樹人先生牧濟寧時，撰著《州志》，未及刊而行。越十餘年，朝安來牧斯州，求其稿於架閣，則泥爛塵封，幾供蟫鼠矣。幸字畫損佚尚少，公餘讀之，較乾隆中彙修之志，擷華汰縟，補漏拾遺，固已遠勝。惟當時草創甫就，未遑訂讎，其塗乙有不可識者，而編次徵引間亦稍有舛誤，思加釐定，以付剞劂氏。爰延鄉大夫馮桂山中丞、州宿學李相庭明經，參互考證，俾成完書。又得及門生數人，爲之斠斟，正其字畫，於是文從字順，可以灼然傳諸人口。豈特紓舊令尹之懷，亦以完新令尹之責也。朝安不敏，其治事遠不及徐公，於公之述作，何能爲役？況處寇擾灾荒以後，天時人事，迭有更變，始亦恐不暇爲此。年來擾者獲安，荒者獲稔，遂與斯邦士君子亟謀是志之

叙 一

成。且博尋掌故，集十九年之事迹，以爲續志。乃識其緣起，以告來者。

咸豐戊午春正月濟寧直隸州知州嶺南盧朝安叙。

序

夫州志何昉乎？自班固志地理始，蓋原本於《禹貢》「敷土」、《周禮》「職方」之意，而囊括苞舉，備存故實。迨明魏俊民、桂文襄輩，宏演其緒，作《一統志》，詳述政治駁醇，風俗奢儉，使經濟之士得溯循其初，以便其因革張弛，補偏救敝。故志也者，不徒經之裔、史之翼，而實治理之權衡也。夫士大夫受爵朝廷，出司名郡，其上下數千年凡壤賦河防、禮教兵農諸大政，名宦鄉賢、忠孝節義諸卓行，莫不按籍可考。然閱年既久，散軼居多，不有修明，後人何所稽焉？且濟寧當水陸交衝之地，舟楫往來，輪蹄輻輳，典領三縣，道路四通，其治倍難於各郡。事煩任重，膺斯職者，雖慨然懷古，思復典章文物之舊，而簿書歷碌，猶懼不給，亦何暇操柔翰、討掌故，爲徵文考獻事哉？刺史盧君，莅任以來，未及一載，政通人和。膺繁劇之任，騰報最之聲。固已超越前賢，光昭懋績。兹復搜采遺聞，網羅放佚，輯樹人廉訪之舊編，增任城近年之新事，條分縷晰，犁然可觀。余與盧君，同事有年，其治行之優長、才華之豐贍，在所素悉。今閲其州志一書，紀述詳該，文詞巨麗，爲從來作者所未備。蓋志非僅摭事迹、博談藪也，彰往以訓來，信今而傳後。後之官斯土者，得全志之良法美意，因時制宜，利必興，弊必剔，俾兆姓永登康乂。將見耕鑿含哺之民，不識不知，胥忘帝力於何有焉。以此爲《通志》之先資，而上備《一統志》之采擇，是則盧君之志也，亦余之所厚望也。是爲序。

咸豐七年歲次丁巳秋七月山東通省運河兵備道長白敬和撰於濟寧官署之清勤堂。

序

古云：「不習爲吏，視已成事。」郡邑之志乘，其政治之方策乎？抱殘守闕，援據綜核，先哲之功也。補遺繼續，斟酌通變，後人之職也。志以傳信，非以時修訂，久將就湮，後之視今猶今之視昔也。《州志》自有明，莫伯良水部始草創之，王翼廷副使乃輯成書。我朝康熙癸丑以後，初修於廖柴坡，繼修於胡書巢、藍薌墀諸君。越乾隆乙巳，王君應亭踵成之，燦然大備矣！迄今五十餘載，歷年未遠，文獻足徵，事半而功倍，亟與鄉之士大夫咨訪裒集，并檄三邑，分類詢考以續之。事有興替，今古殊科；道有弛張，先後异制。至於疆域之廣輪、河渠之原委、里俗之利病，前賢言之詳矣，所謂「已成事」也。有治法，有治人，余何贅焉？

濟寧直隸州志

道光二十年庚子中秋知濟寧州事江左徐宗幹撰。

濟寧直隸州志重修姓氏

纂修

濟寧直隸州知州升任浙江按察使司按察使 徐宗幹

續修

署濟寧直隸州知州升任登州府知府 汪承鏞

濟寧直隸州知州升任四川按察使司按察使 清安泰

濟寧直隸州知州升任山東按察使司按察使 葉圭書

現任濟寧直隸州知州 盧朝安

編輯

漁山書院山長滕縣教諭 許瀚

漁山書院山長江蘇舉人 楊炳春

曲阜縣知縣 馮雲鵷

清平縣教諭李聯榜

采輯

金鄉縣知縣邵習之

嘉祥縣知縣何鎔

魚臺縣知縣柴文富

參校

直隸大順廣道李德立

江蘇巡撫孫善寶

貴州大定府知府王緒昆

候選郎中李澍

内閣學士直上書房江西學政孫瑞珍

四川嘉定府知府邵勷

四川重慶府知府陳希曾

候補中書李聯壇

前任湖南巡撫馮德馨

五品銜生員李聯堉

采訪

候補員外郎李聯厚

舉人李均

貢生楊榮安

候補員外郎李聯發

舉人王禮耕

候補員外郎李聯灃

四川候補知縣李珣

四川候補知縣劉從善

監生楊鐸

生員趙芳馨

舉人分發江西知縣朱慶蕚

嘉祥生員候選訓導張焫

校對

河南舉人莫崇高

生員馮德富

生員張德業

生員詹守訓

生員魏志厚

生員王輝祖

生員　劉文驤

生員　宋傳均

濟寧直隸州志

例言

一、《明史·藝文志》載弘治年莫驄《志》十三卷，及萬曆年所修，僅八卷。國朝康熙癸丑，廖有恒重修，共十卷。明崇禎丙子年，州人鄭與僑《濟州遺事記》，爲《志》稿存真，尚秘而未出也。至乾隆乙巳重修，共三十四卷，采録益廣，卷帙益繁。今酌加裁定，或分或合，爲十七志以總其綱，列三十一門以疏其目，并附各類系之，仍統爲十卷。卷内引萬曆以前者，曰「明志」；其廖《志》以下，統曰「舊志」。乾隆年王《志》則最後修者也，别曰「前志」。《前志》多據《兖州府志》，州爲其所屬也。今改直隸州，故不贅言《府志》，間有援據者，曰「兖志」。《省志》曰「通志」。

一、《禹貢錐指》云：「濟，古文作泲。」《説文》「从水从𠂔」，注云「兖州之泲也」；「从水从齊」，注云「出常山房子縣贊皇山」。則「濟志」當作「泲」，《前志》云：「自昔相沿，不敢改易。」今仍從之。次字卷内非地名，皆敬謹缺筆。

一、《前志》卷首敬述「天章」，猶《通志》之先「典謨」也。濟州文物之邦，宸翰屢頒，恩綸叠沛，謹仍舊，備載首編。

一、「星野」，上考天文，《前志》列「輿地」下，今爲第一卷。以《前志》「紀年」所載祥异，分爲「五行志」次之，又别爲「大事志」一編。善言天者，必有徵於人驗休咎而慎修省也。「象緯」「星變」，非一州一邑之所主，《前志》略焉，今從之。至「形勝」「境至」，舊分爲二，今合爲「疆域」。古今沿革，并據《元和郡縣志》、洪氏《疆域志》諸書，按時代爲表，附以辨論，考方輿者庶瞭如指掌云。

一、《明志》「山川」，《舊志》因之，《前志》分「山阜」「川澤」。「川澤」先「運河」，次「湖潴」，次「泉源」，今以「泉源」附「山阜」，「河渠」則首汶、泗諸河，先原而後委也。「湖潴」次之，「漕運」又次之，所以别於河漕諸書也。「閘壩」并詳「運道」，不别爲篇。「橋梁」錯見於《前志》「川澤」及「城池門」，今合爲一篇，附之「河渠」，爲輿地之脉，民生以水利爲先，非州屬所轄而爲同城運河同知所司者，悉詳載於篇，并補輯會通。河源流及河漕利弊諸説，《前志·院道題名記》論運河始末者，亦博采附録於後，是又地方河工之不可歧而二之也。

一、《前志》「古迹」分「故址」「宅里」「名勝」「亭館」「陵墓」「碑考」諸目，而「封建」次之。今以「故址」「古迹」可資參考方輿者，并「封建」移列沿革之後，封圻遺迹與疆域山川互爲表裏，便循覽也。「亭館」并入「名勝」，「陵墓」附於「祠祀」，「碑考」編之「藝文」。又「街衢」「里社」，《前志》統歸「輿地」，今以「街衢」附「城池」，「里社」別爲「風土志」，而補紀「坊表」，以樹風聲。

一、《前志》「丁口」從「田賦」分出，今歷考各史及近年民數，爲「户口篇」，冠「食貨志」。有人此有土，「田畝」次之；有土此有財，「物産」次之；有財此有用，「賦役」次之；庶而富，富而教，「里社」「風俗」次之。此皆與《前志》目同而序异也。

《前志》於明代賦役及國朝順治十四年經制條例名目悉載無遺，又《兖州志》所編有互异者，亦兩存之。今改領三縣與兖郡無涉，悉照現行《賦役全書》編載。

一、「倉廒」及「養濟院」等類，《前志》附「官署」後，今別爲「倉儲」「恤政」二篇，愼積貯而惠煢獨，非徒紀建置年月也。「演武場」列「官署」，今移於「營制」。「營署」列「河院」後，今紀於「道廳」之次。「營制」兼載「民壯」「工食」，今入「賦役」。「古迹」「陵墓」兼及「義冢」，今入「恤政」。又「兵防」入「建置」，今別爲「兵革志」，而以「城池門」所附鄭與僑《守禦記》、周永春《守城記》、「藝文門」運河道陸耀《申明約束示》，并雜綴「門論」「兵制」各條。及新防金鄉知縣吴堦《紀事略》，并録附之。安不忘危，耀武正所以止戈也。

一、《明志》「壇宇」「雜祠」，《舊志》分「壇壝」「祠廟」「樓閣」，《前志》以「壇廟」屬「建置」，「寺觀」屬「古迹」。今「壇廟」分爲「秩祀志」，并及「雜祠」「陵墓」亦附之。祠、墓并書，便參考也。「寺觀」入「名勝志」。三縣紀金元以前者，其《前志》

秩祀未能畫一。如「宗聖祠」列「諸賢」後，「文昌」列「學校」，「龍神」列「壇廟」，而他處祠宇又入「寺觀」「壇壝」；州先社稷，而金鄉先神祇，且無先農；州先城隍，三縣先邑厲。真武廟入「寺觀」，三縣又列「廟壇」；「學校」别爲一卷，而魚臺獨書文廟。今并釐正之。

一、「學校」，《前志》統於「建置」，今專爲「學校志」。禮典樂章載在《會典》，率土所同，故依《前志》從略焉。惟「從祀」有增定，「祭器」「樂器」有損益，仍備書之，附「學宫」各祠，别列「祠祀」，「學校」專言學制也。歷年建修，爲總叙紀之，仍節録各《碑記》附之，以備稽考。

一、《明志》「職官」首「河院」「河道」，次「工部分司」，次「運河同知」。「知州」以下，附以「州同」「判官」「吏目」，而學、職在外。《前志》分「河員」爲「題名」，今統爲「職官志」，博采各碑刻補若干人，按時代改爲表五。間有《前志》未詳，任事、時代及名氏脱誤者，并考正補書，分系之「州乘」，紀州事也。是以歷代先守牧、河帥，特簡之大臣也，是以國朝先總河宦迹亦如之。「河員」内新增「揀發京員」，即昔年水部分司之遺制，與向駐濟州之巡漕察院合爲表一。各閘官專司啓閉，漕運攸關，《前志》所略，今以近年可考者并附載焉。驛丞等職員缺已裁者，仍書其名，并據碑記補之，宦迹并附卷後，不别爲篇。論定後録存者，雖有可書，例不并采人物，「藝文」亦如之。

一、「選舉」，《舊志》自明始，《前志》溯自漢魏，今合歷代辟薦科目及國朝一州三縣并武科，改爲表三，雜職、例職并附之。

一、《舊志》於「學校」列《賢迹》一篇，《前志》不敢域於人物，而錯見於「學校」「社田」「祠祀」之中，今別爲「先賢世家」一編，居人物之首，祠墓考証并附之。賢裔舊有《列傳》，及近今采訪者皆系於後。

一、《前志》「人物」「列傳」而外，區分各類，亦未見其一字莫易也。今仿《華陽國志》，不分類，統爲「列傳」。又參用史例，作「總傳」三，仍以《前志》之目繫之。「隱逸」「僑寓」「方技」，亦各爲「總傳」，一皆以時代爲序。「仙釋」則并入「雜稽志」，不別爲傳。《前志·例言》：任城屬高平，在劉宋時；改山陽郡，在北齊天保七年。自漢至晋之高平故城，在今鄒縣，自屬山陽郡，與任城無涉。王粲、仲長統諸人，皆山陽之高平人，《舊志》誤入「人物」，其說本藍《志》。而藍《志》又云「高平與任城爲脣齒，僑寓別業或亦在焉」，然仍入「人物」，而未入「僑寓」。竊謂鄒、任毗連，今昔疆界犬牙相錯，鄒人安見其非任人乎？正不必附會州境之王粲墓爲確據也，故仍從之。

一、《前志》人物先州次縣，不以時代爲序，今一代之人按州縣敘次。若前朝止有三縣人氏，仍列州人之前，如「隱逸傳」自漢王成始，「方技傳」以單颺移於前是也。漢周仁，《前志》列人物之首，録漢本書本傳所載似爲近幸之臣，以冠「列傳」未宜也。考其始，以醫見景帝，故入「方技」。

一、「列女」，「明志」分「孝節」「女德」，《前志》合而爲一，今分州人及三縣爲「總傳」二。其彙建總坊者，各按一坊之名次爲序，以彰盛典。他志有合爲「士女志」者，毋乃太簡乎？今以「總傳」統於「人物志」前。《志》云：「人物不爲生者立傳，節婦不在此例。」然婦道無儀，無須各立專傳，惟烈婦、烈女有事實宜詳者，節録附之。

一、「藝文」，《明志》分「碑記」「詩賦」爲二卷；《舊志》分「文」與「詩」爲三卷；《前志》詩文以類散入各卷之中，别爲拾遺，不盡依時代，錯雜采録爲上、中、下三卷，蓋分見各類有不盡者也。今以有關沿革、建置之文，及政事條議，或節其冗而存其略，仍分繫各卷。「詩賦」則并入本卷，不分類散附，而仿經籍志爲書目，據「金石志」爲碑目，列於前。「詩録」「文録」，以州人及宦游、僑寓所作者，搜訪遺稿，分選以時代爲序，近人則隨時編輯，不能盡依年次，又各爲上、下卷，庶幾徵文存獻，朗如列眉。其文之足資采擇而作者現存，間附各卷，或入後「雜録」，不專列「藝文」。詩則存者概不與焉，毋或濫也。

一、《前志》「藝文拾遺」上卷，列漢何休《公羊傳序》、魏棧潛《諫立皇后疏》、晉王沉《釋時論》，下卷補録漢張敞、王吉《諫昌邑王書》、仲長統《樂志論》《昌言》、魏曹植《王仲宣誄》、晉孫綽《郗鑒碑》諸篇，皆備載史傳，家藏户誦，無用再録，且不必定爲州人，而著述亦非州事，固可略也。詩則風雅流傳，李杜所作確有遺迹可徵者，仍并書之。至於後人詩録，精擇其尤雅者，若泛言興懷，無與考證，自有專選者，存「文録」。如曾志《序仲子贊》等篇爲表章先哲之文，任民育、楊定國等傳及馬烈女、鹿令姑諸篇，爲闡揚忠節之文。旁及《縣志》，周永春、高斗光等奏疏，經世之言，庶幾不朽。至於紳宦墓志、德政碑銘，宋元以前采選一二，餘并附「陵墓」「宦迹」。南池、太白樓等作，幾於充棟，共選登若干首，半皆文以人傳。此外，《前志·藝文》所載紀述建置及公牘文册，如吴樫《治水原詳》《土方夫工》等篇，附「河渠」；《過割》《催科》等篇，附「田賦」。名人贊頌、詞銘、雜著，并文檄、讞語之類，入「雜稽」。又州牧壽序等作，前人既經采録，節附「宦迹」，概不并登。

一、《前志·雜綴》，大半補録於成書之後，今分别移附各卷，如「地理辨証」入「疆域」、「人物逸事」附「列傳」之類，仍於各條下注明《前志·雜綴》，以便參稽。其無可附載，及「藝文」所遺，與「雜綴」之足廣見聞者，并「仙釋」一門，編爲「雜稽」上、下二卷。「雜稽」所未録者爲「附記」若干條，系於後。歐陽公《舊史》猶有補編，馬氏《新書》非無續稿。隨時搜輯，難期完被，剞劂雖就，仍可續收，并《前志》采録未及者爲「補遺」。

一、各郡邑志以《舊志》序文、例言并載卷首，今仿武虚谷《安陽志》例爲《志原》一卷，殿於卷末。

一、《前志》援引經史各書外，原本胡伯玉瓚《泉河史》、葉峒初方恒《全河備考》、張清恪公伯行《居濟一得》。而河道源流則陸朗夫耀《運河備鑒》，地方政典則吴潛竹樫《牧濟録》，兩書采録尤夥。州人于念東若瀛《弗告堂集》、陳旭窗伯友《海鷗居集》、徐鶴洲標《小築邇言》、鄭惠人與僑《遺事記》《名園記》、臧兆雍子彦《史外傳逸》、劉龍田淇《衛園集》、潘恬庵兆遴《知非瑣言》《正僞雜記》諸書皆有摭取者。今既詳列書目，而各卷内仍悉依前言注明「某人某書」，數典而不忘其朔也。所分卷衷於《前志》，不同者亦注明「《前志》某卷」，存昔人之舊章而不敢自是也。其就原本增益者曰「增輯」，引諸書補纂者曰「補輯」，參以己見爲「附録」，或加按加○以別之。其籌議地方公事或可備後來者芻蕘之采，及述建置以備稽考并表章前哲者，間附一二於各卷之末，不敢入「藝文」。至題咏之作，概弗及焉，惧貽譏大雅也。

一、《金鄉志》修於乾隆辛丑，《嘉祥志》修於乾隆戊戌，《魚臺志》修於乾隆乙酉。《前志》言三邑之《志》本末詳確，采訪乏人，大半本兖州舊志爲據。今斷自乾隆乙巳《重修州志》以後，分門編輯，并搜羅三縣碑記，全行摹榻，以資考証，仍不無挂漏，應俟三邑志乘有起而重修者再增訂焉。《前志》凡歷三任而後告成，今自庚子年編纂以來，勞勞鞅掌，復遠游蜀中，大半逆旅中或公餘復加讎校，舛漏甚多，辨閏分陶，并有望於是邦之賢士大夫也。

一、山左漢碑，濟州獨多。《前志》舊存，學宮以外，有膠東令及范氏殘碑皆後出土者。近年黄小松司馬（易），移漢畫像石於學宮。今兩城鄉民王鳳林家得永建五年殘石，可辨者三十三字，并移置之。又於普照寺階石，得漢畫車馬殘刻，移置漁山書院。《前志》有石闕金（唯「冢墓」記鐵塔寺井中得北宋古錢數枚而已。）州人鍾養田太學購殘銅得古彝鼎款識若干件。廣陵汪孟慈太守（喜荀）、日照許印林山長（瀚）、商城楊石卿（鐸）、州人李棨庭廣文（聯榜），摹榻考證，定爲周漢時物。并屬嘉祥廣文周遠昌、魚臺孝廉馬星翼，搜訪遺佚，歸崇川馮集軒明府（雲鵷），薈萃輯訂曰

例言

《濟州金石志》，别爲成書。兹編碑目，仍沿前志之舊。「人物」「藝文」等篇，吴江楊漱芸孝廉炳春助爲編次，訂正悉公餘自定。「先賢世家」「列女總傳」「藝文書目」「方域沿革」之類，由印林山長、棨庭廣文稽核采訪。各卷補闕拾遺，皆集軒明府之力。河渠今昔异制，廳幕徐公禄昌并參訂之。出藏書以資考証者，州人李佑庭中書聯壇、相庭庠生聯堉也。采拾詩文，高唐李生鵬搏也。與校字者，崇川劉應祺、徐毓賢及漁山書院諸門人也。校録者半爲四川保郡人，并附存卷末。論次而述其梗概如此，至於百餘年中文獻凋零闕軼，固不勝惜。而碑版磨滅，益流傳於風雨之訛。兹以灼然耳目者，捃摭而著於編云。

濟寧直隸州志圖

膠西崔儒眎畫并書

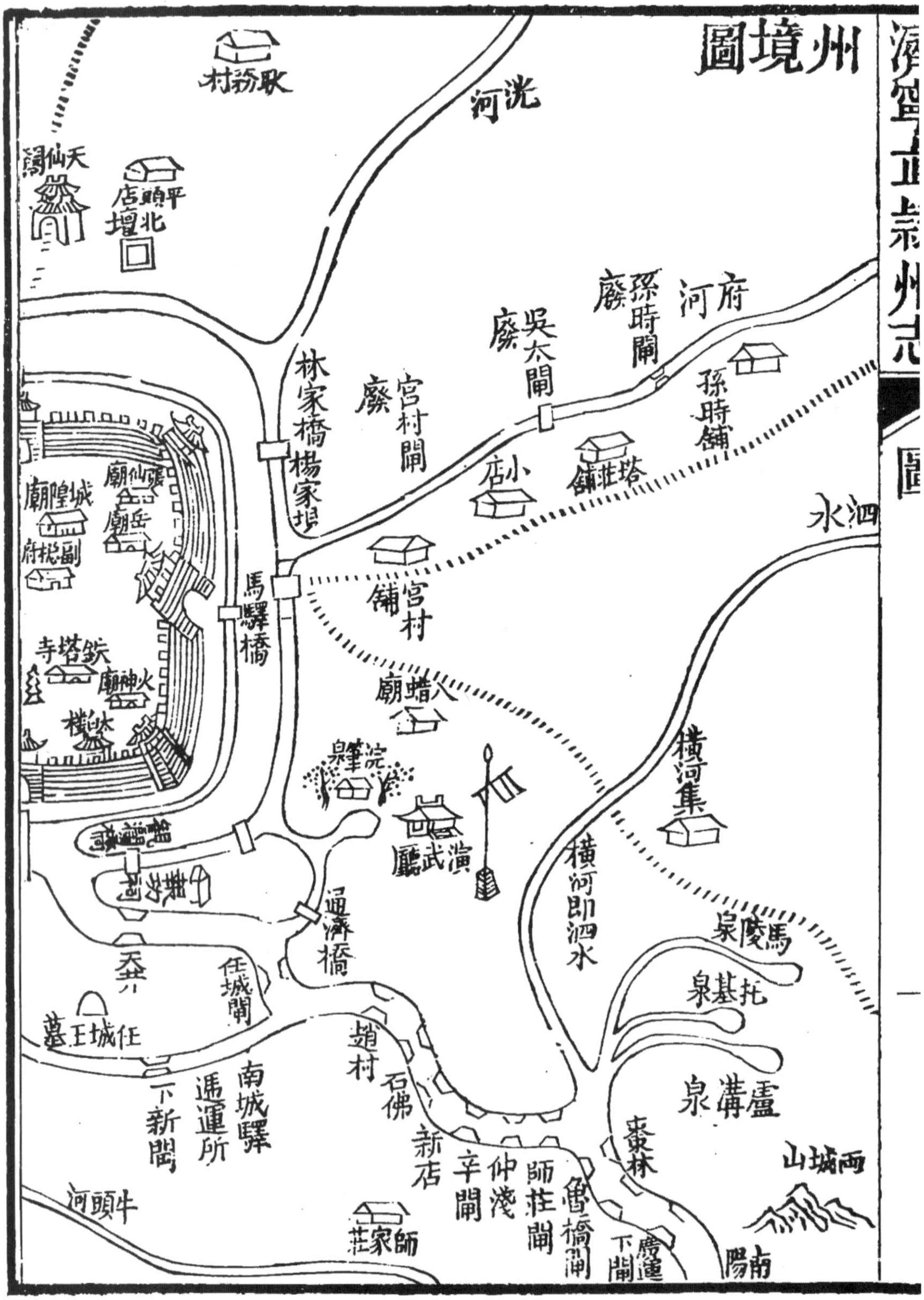
州境圖
洸河
耿莊村
天仙閣
平頭店
北壇
府河
孫時閘
廢
吳太閘
廢
宮村閘
廢
孫時鋪
林家橋
楊家垻
小店
塔莊鋪
泗水
宮村鋪
馬驛橋
城隍廟
張仙廟
岳廟
副總府
鐵塔寺
火神廟
太白樓
八蜡廟
浣筆泉
演武廳
橫河集
橫河即泗水
馬陵泉
托基泉
盧溝泉
通濟橋
天井閘
任城閘
任城王墓
下新閘
通運所
南城驛
趙村
石佛
新店
辛閘
仲淺
師莊閘
魯橋閘
廣運
下閘
棗林
西城山
南陽
牛頭河
師家莊

濟寧直隸州志 卷 圖 一

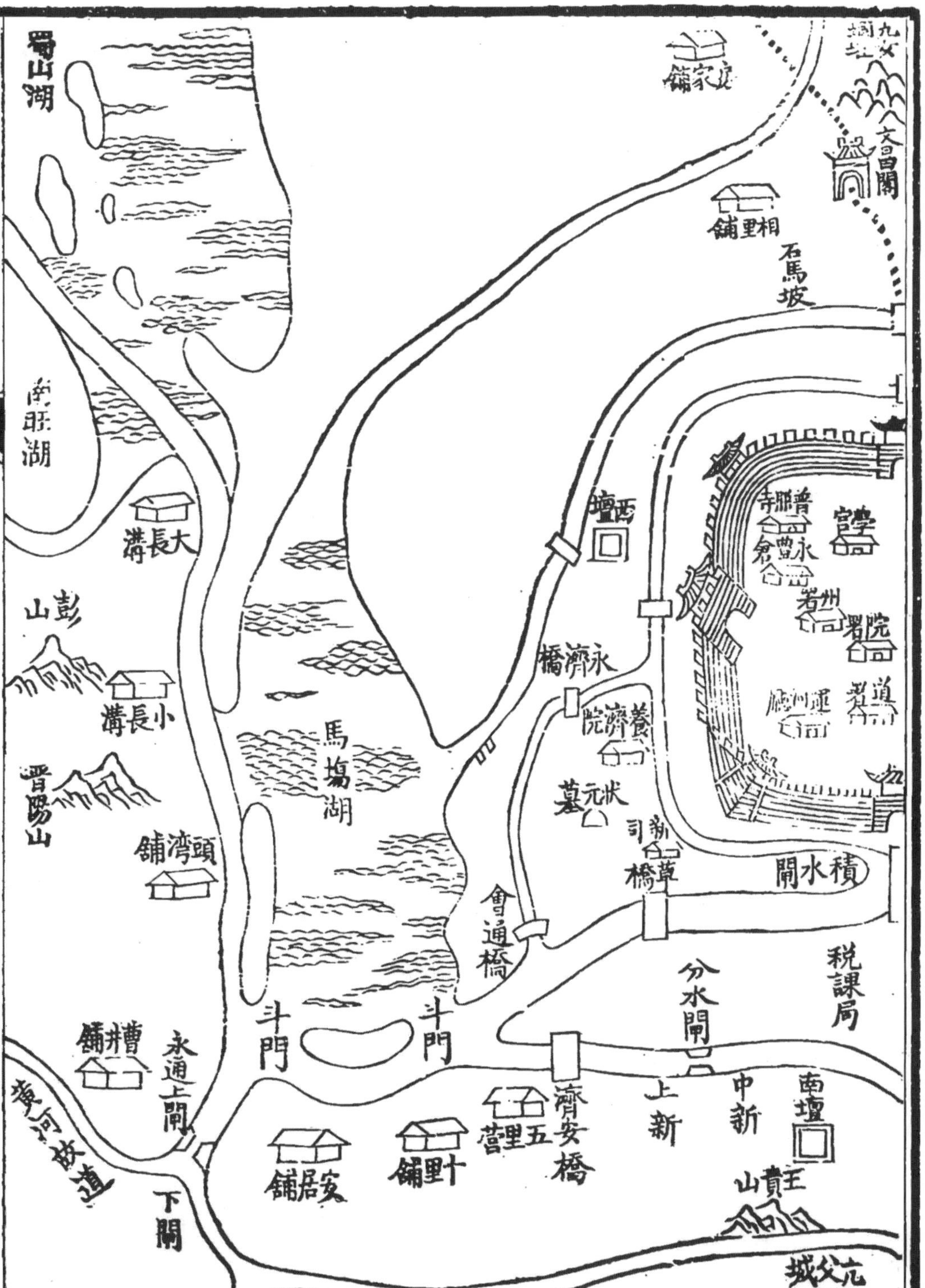
蜀山湖
南旺湖
大長溝
彭山
小長溝
晉陽山
頭灣舖
馬場湖
斗門
斗門
永通上閘
下閘
黃河故道
安居舖
十里舖
五里營
濟安橋
上新
中新
南壇
亢父城
分水閘
稅課局
積水閘
會通橋
狀元墓
養濟院
永濟橋
西壇
永豐倉
學宮
州署
院署
道署
相里舖
石馬坡
文昌閣

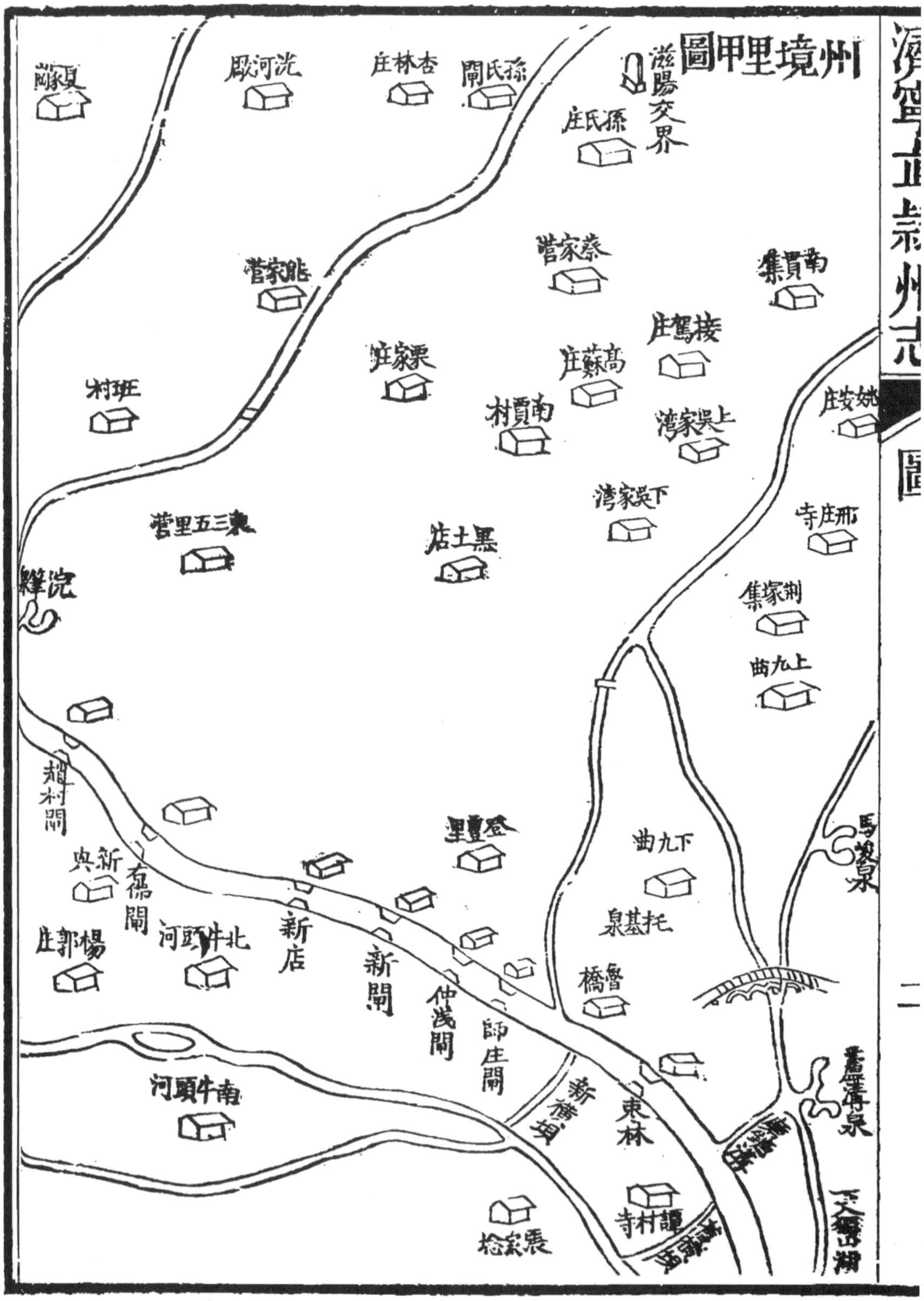
州境里甲圖
夏家廠
洸河廠
杏林庄
孫氏閘
滋陽交界
孫氏庄
泰家營
能家營
南賈集
接駕庄
高蘇庄
栗家庄
班村
南賈村
上吳家灣
下吳家灣
東三五里營
黑土店
邢庄寺
荆家集
上九曲
浣筆
趙村閘
石佛閘
登豐里
下九曲
托基泉
魯橋
楊郭庄
北牛頭河
新店
新閘
仲淺閘
師庄閘
南牛頭河
東林
譚村寺
濟寧直隸州志
圖
二

濟寧直隸州志 圖

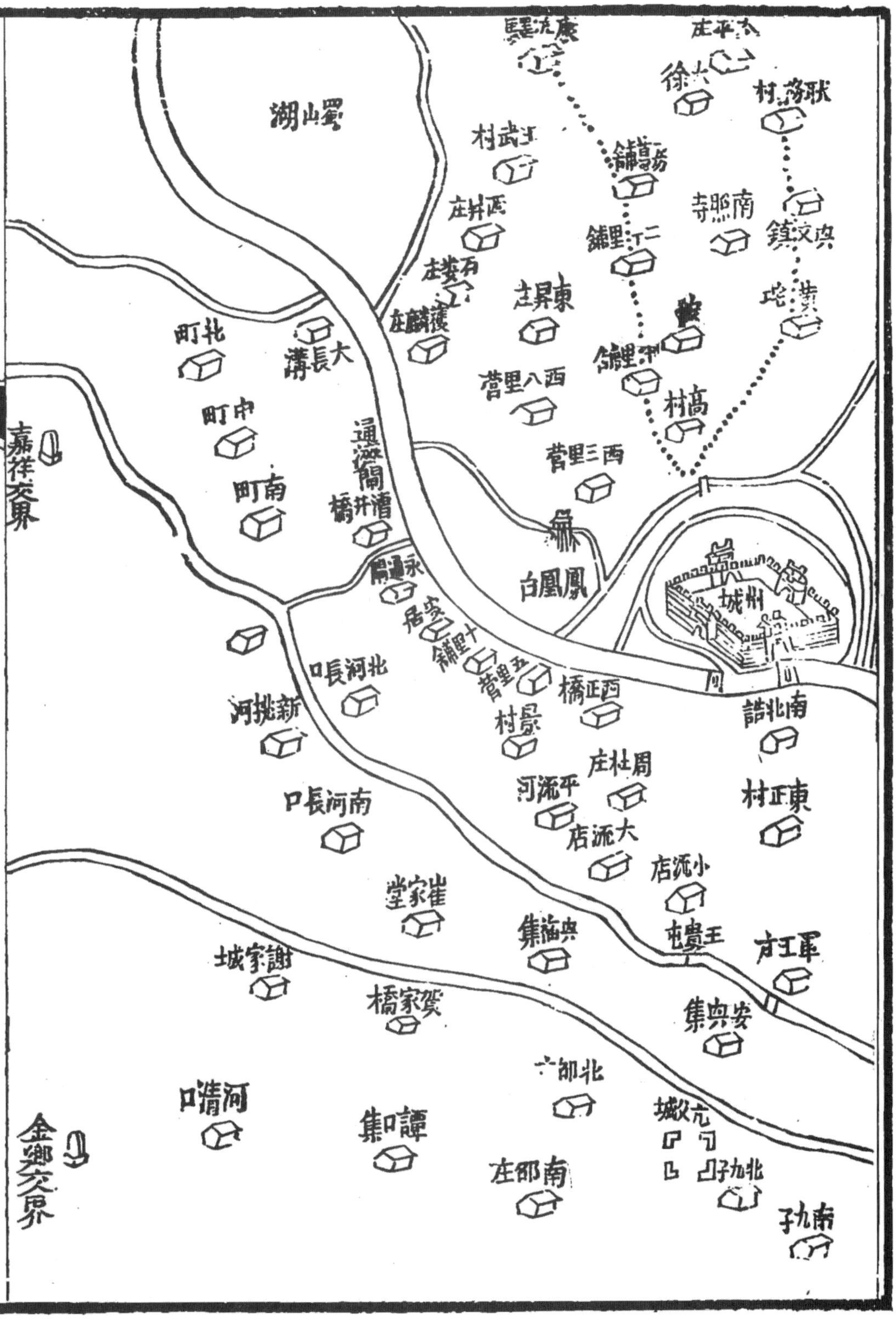
蜀山湖
大長溝
北町
中町
南町
通濟閘
清井橋
永通閘
嘉祥交界
鳳凰台
西三里營
西八里營
東界庄
獲麟庄
王武村
南照寺
二十里鋪
高村
州城
新挑河
崔家堂
謝家城
賀家橋
河清口
譚口集
南邵庄
金鄉交界
安興集
興福集
王貴屯
小流店
大流店
平流河
周杜庄
東正村
西正橋
景村
五里營
十里鋪
安居
太平庄
興文鎮

三

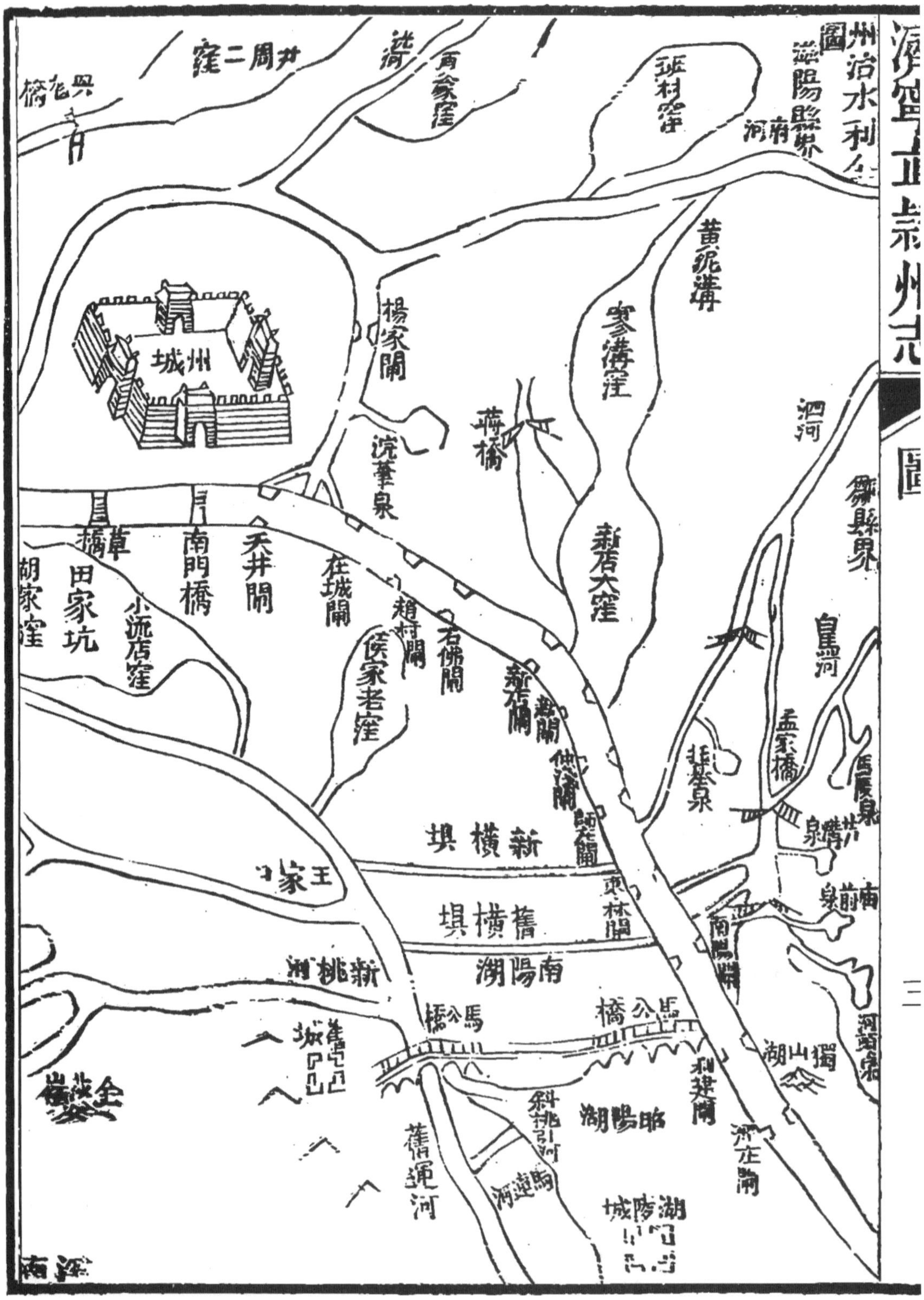
州治水利全圖
滋陽縣界
府河
州城
楊家閘
黃泥溝
泗河
新店大窪
草橋
南門橋
天井閘
在城閘
趙村閘
石佛閘
侯家老窪
田家坑
胡家窪
小流店窪
新横堤
舊横堤
南陽湖
新挑河
馬公橋
獨山湖
昭陽湖
利建閘
舊運河
湖陵城

汶上縣界
南旺湖
蜀山湖
馬場湖
大徐坡
小徐坡
大陽坡
小陽坡
通濟閘
趙王河
鳳凰山
北鳳凰山
晉陽山
張家窪
郭家窪
嘉祥縣
牛頭河
急二道河
鉅野縣界
遂山
花林山
蔡河
魚山
羊山
平山
城武縣界
唐二明窪
金鄉縣
新開河
北田寺
八里河
單縣界
魚台縣
沛縣界
江南豐縣界

牧濟録水利舊圖

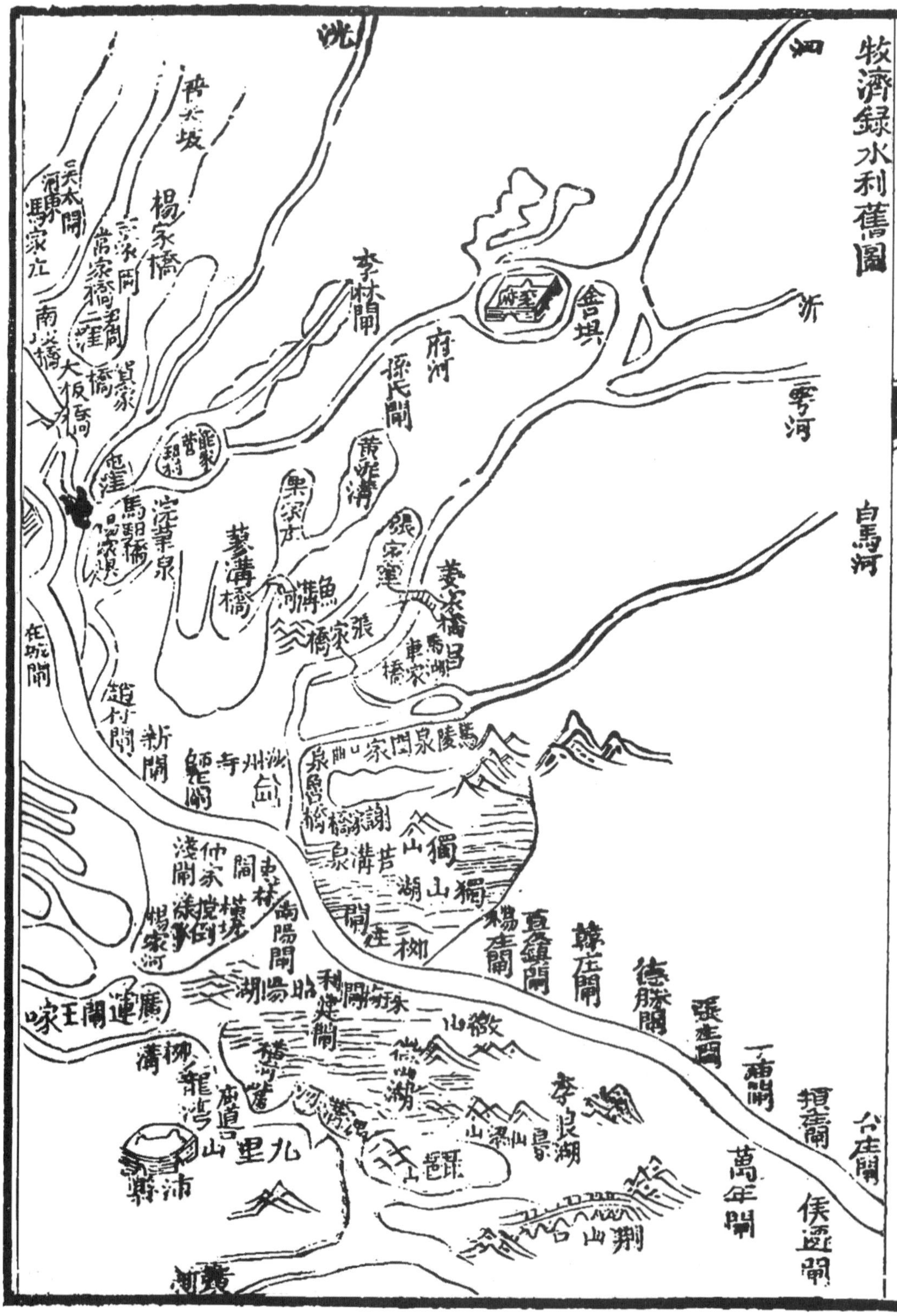
洸
泗
沂
府河
白馬河
楊家橋
李林閘
孫氏閘
南橋
大板橋
在城閘
趙村閘
新閘
馬陵泉
獨山
獨山湖
利建閘
微山
李良湖
九里山
沛縣
荆山
韓莊閘
德勝閘
張莊閘
丁廟閘
台莊閘
萬年閘
侯遷閘

漕河
馬蹄湖
南旺湖
柳林閘
寺前閘
蜀山
蜀山湖
北堤
利建閘
金線閘
蕭家窪
萬善橋
大徐坡
小徐坡
楊坡
彭祖墳
嘉祥縣
新桃河
五龍潭
安居
大井閘
金鄉縣
魚台縣

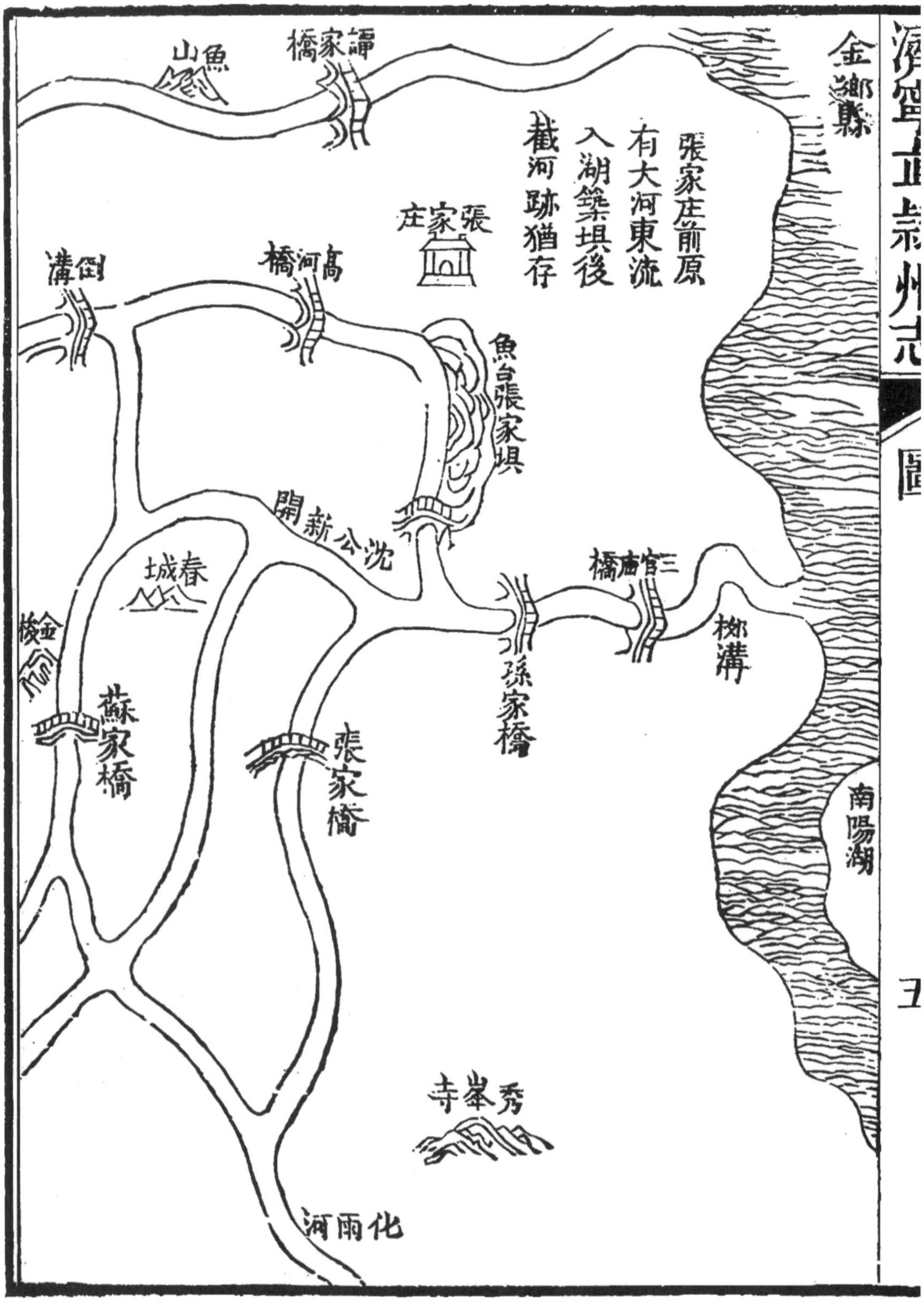
魚山
譚家橋
金鄉縣
張家庄前原有大河東流入湖築埧後截河跡猶存
張家庄
倒溝
高河橋
魚台張家埧
沈公新開
春城
三官廟橋
柳溝
孫家橋
蘇家橋
張家橋
南陽湖
秀峯寺
化雨河
濟寧直隸州志
圖
五

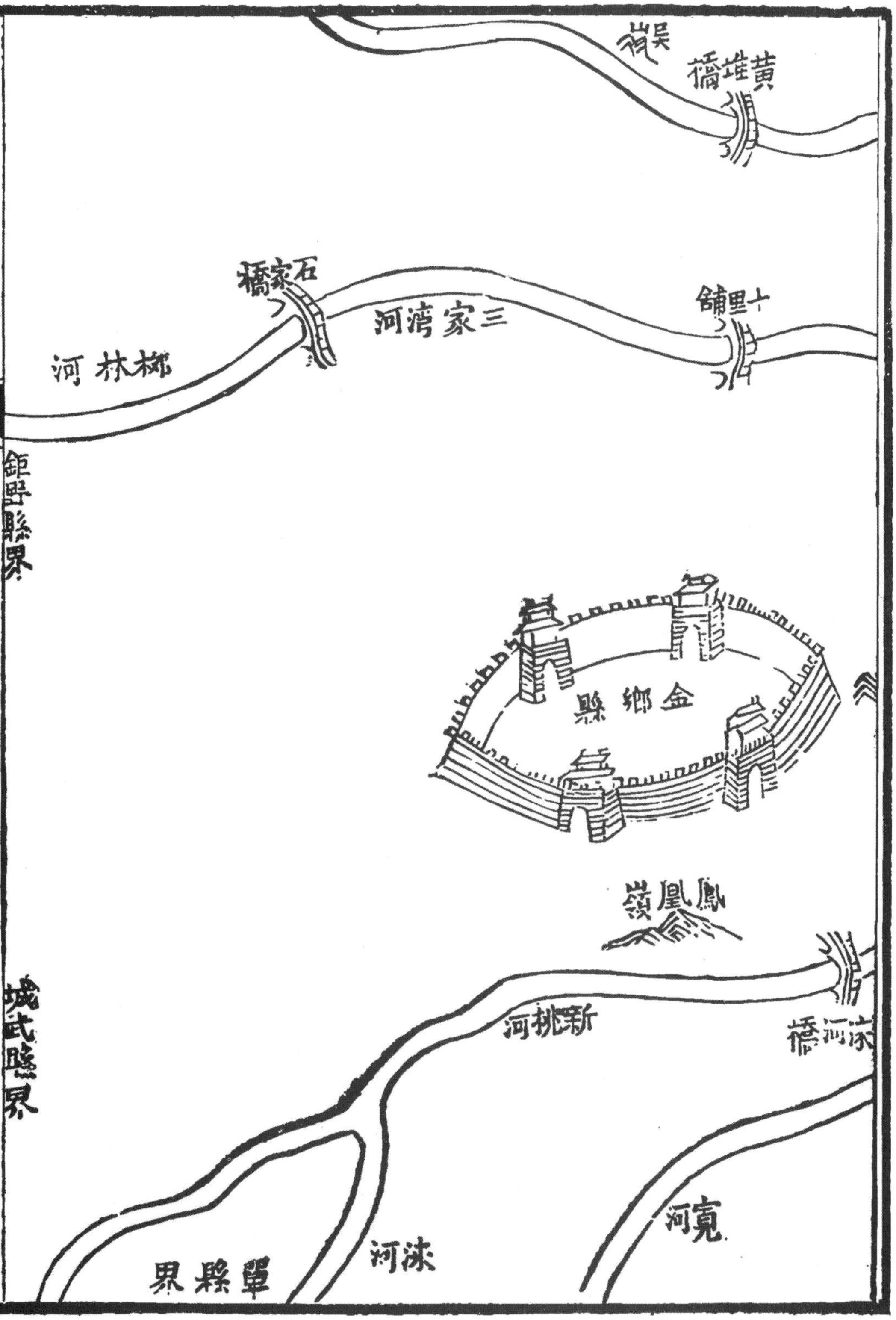
黃堆橋
石家橋
三家灣河
十里鋪
柳林河
鉅野縣界
金鄉縣
鳳凰嶺
新挑河
城武縣界
單縣界
涞河
寬河

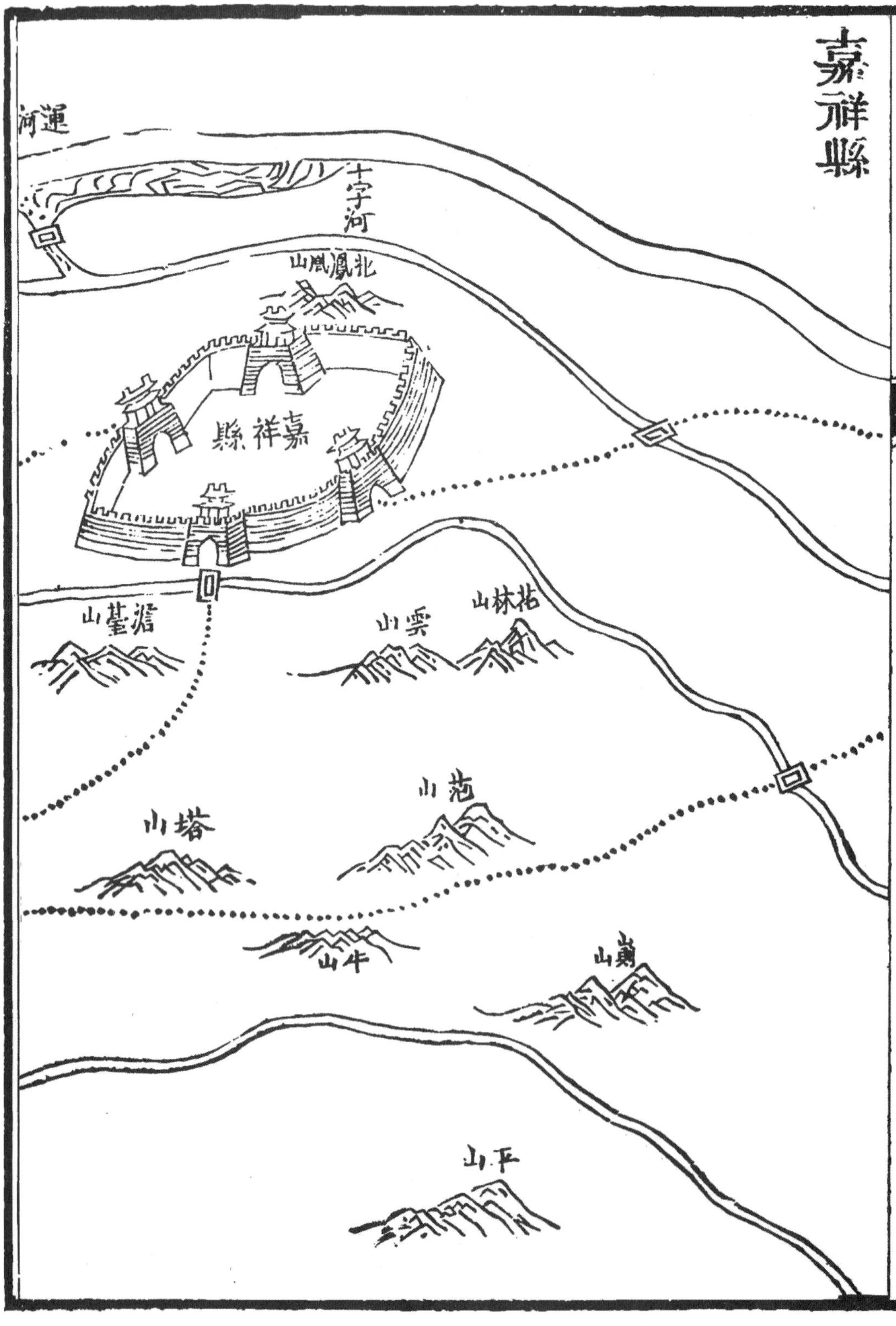

濟寧直隸州志
圖
六

寧晉縣志 圖 二

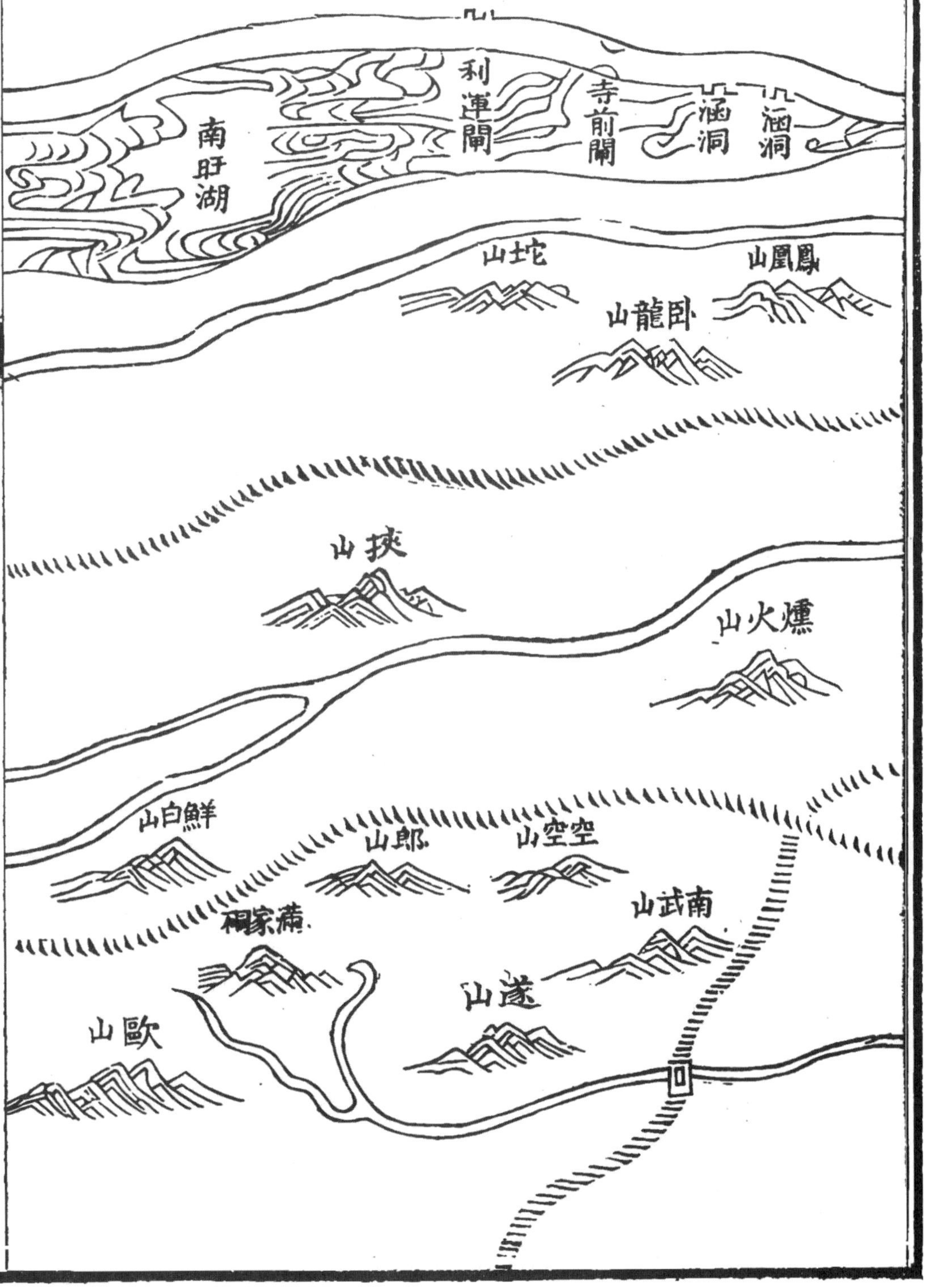

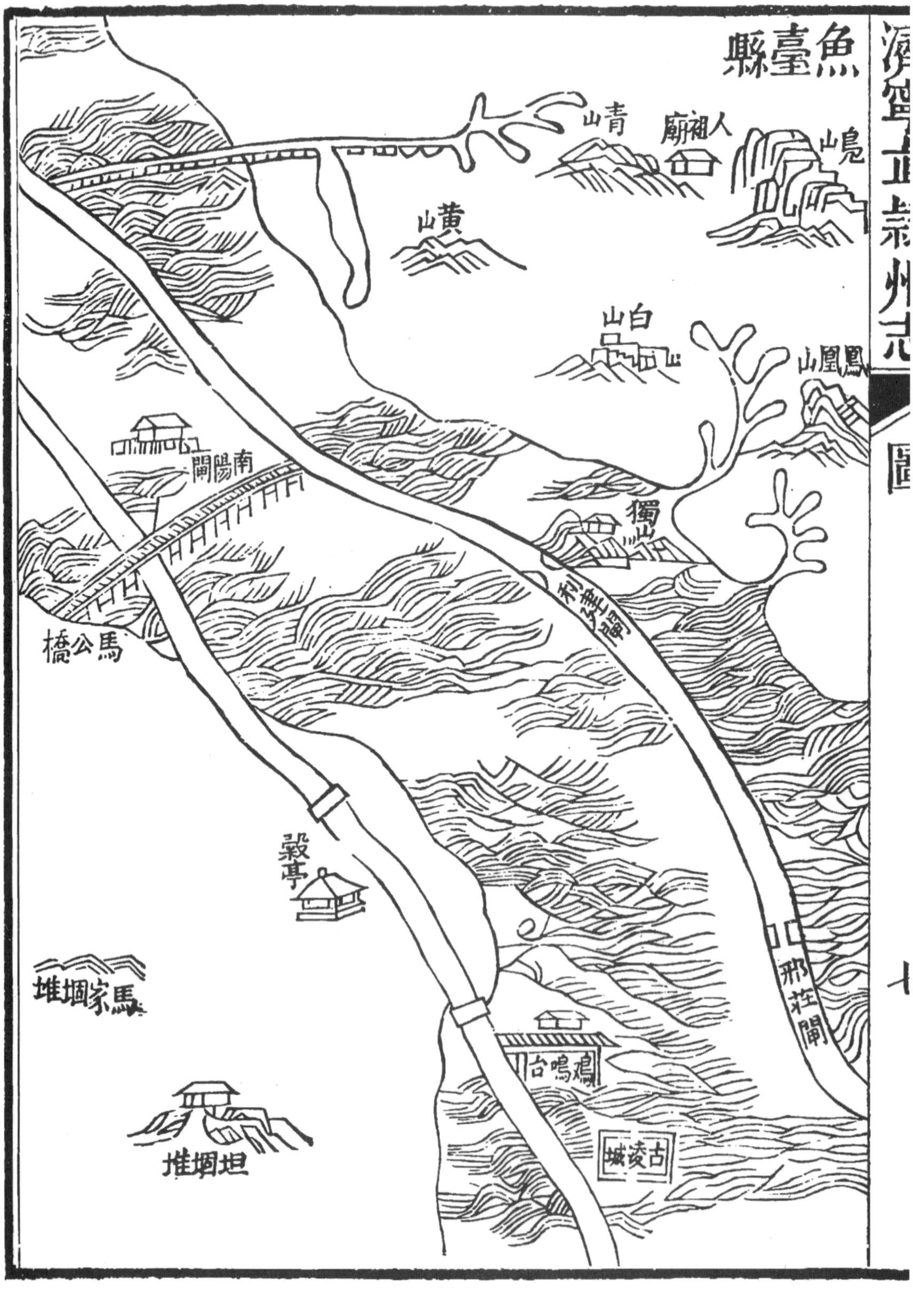
濟寧直隸州志
圖
七
魚臺縣
青山
人祖廟
嶋山
黃山
白山
鳳凰山
南陽閘
獨山
利建閘
馬公橋
穀亭
邢莊閘
馬家堌堆
鳧鳴台
坦堌堆
古陵城

〔道光〕濟寧直隸州志

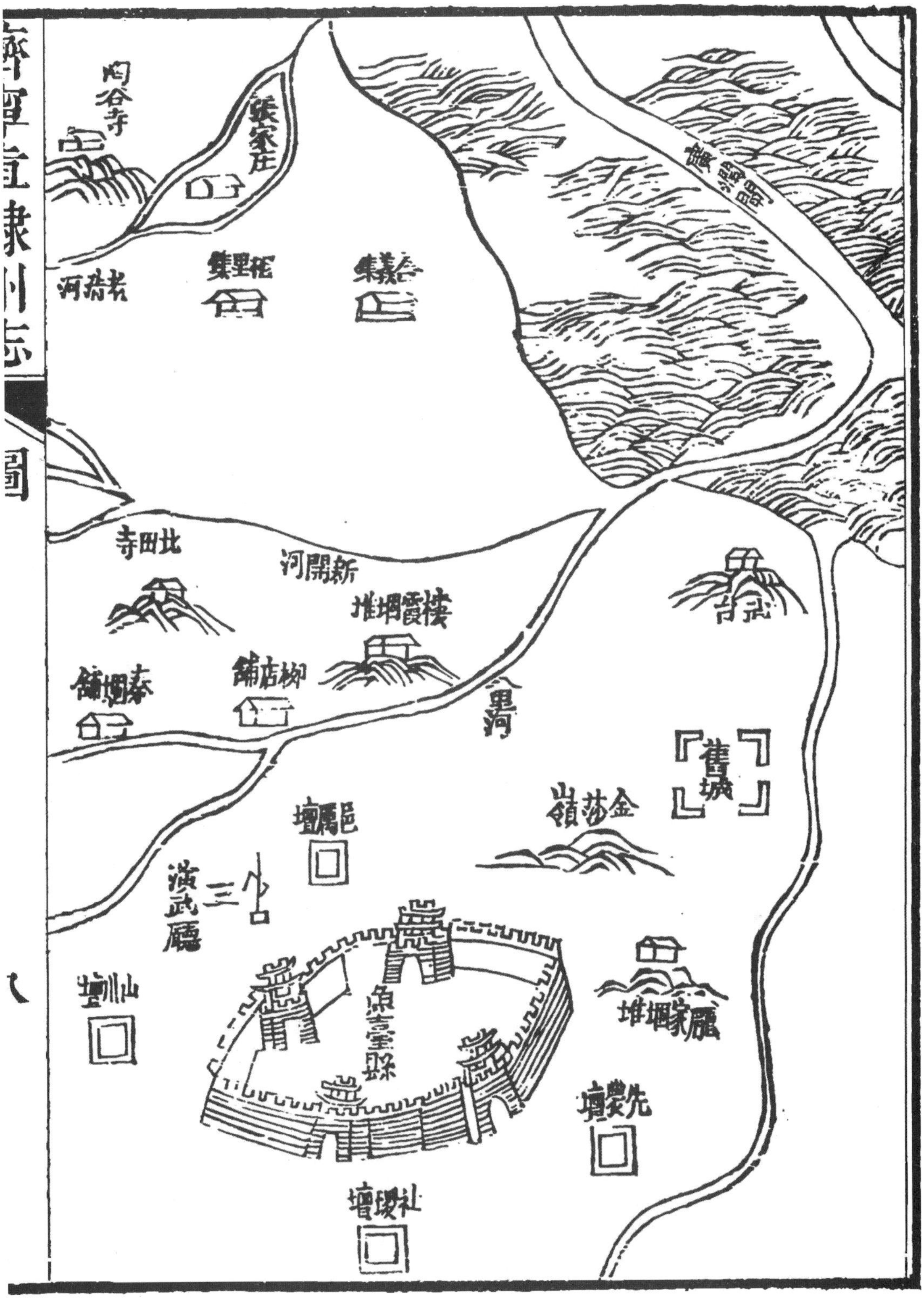
寧羌直隸州志
圖
張家庄
合義集
比田寺
新開河
柳店鋪
八里河
邑厲壇
金莎嶺
舊城
演武廳
山川壇
先農壇
社稷壇

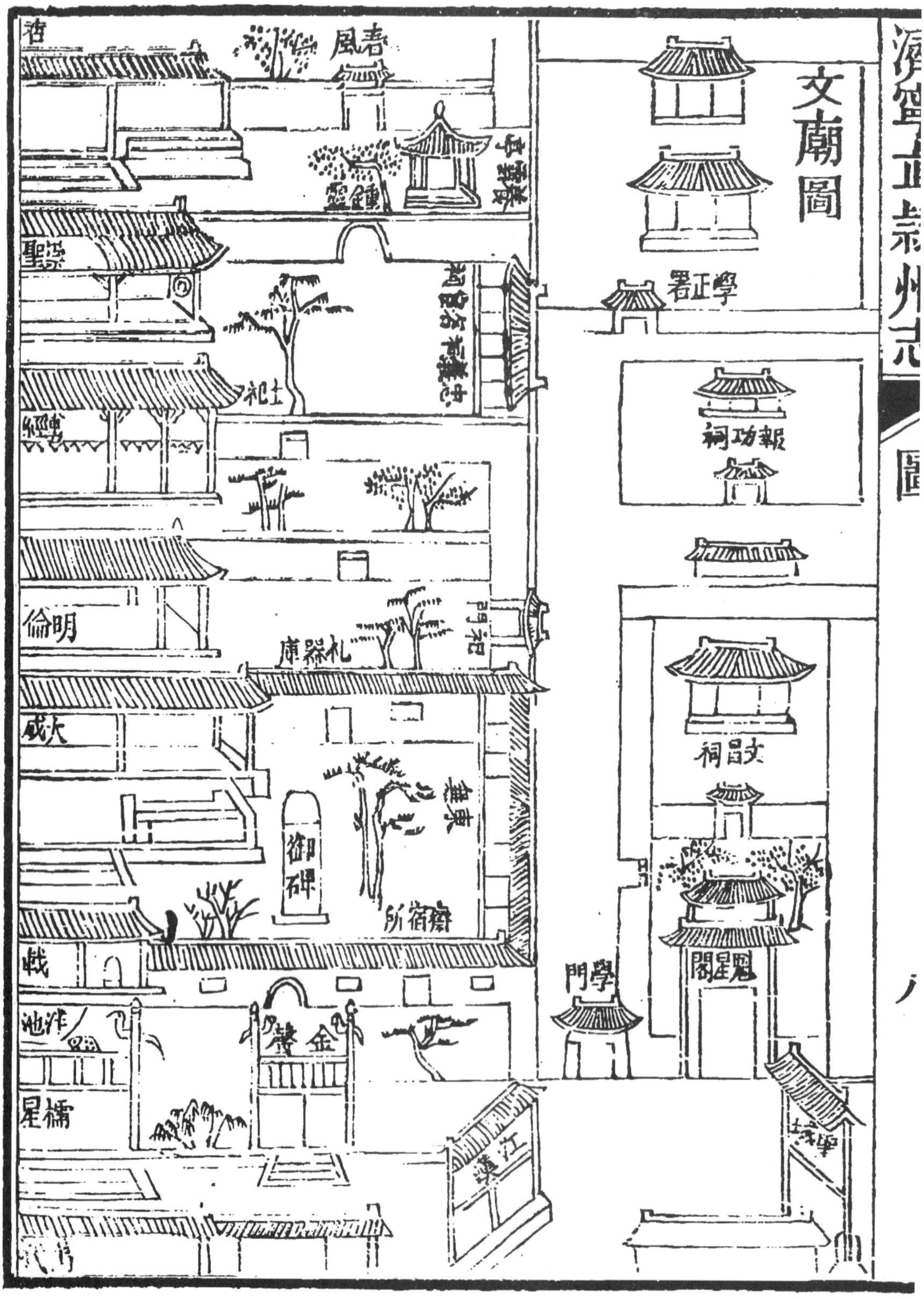
濟寧直隸州志
圖
文廟圖
學正署
報功祠
文昌祠
魁星閣
學門
春風
明倫
大成
戟
泮池
櫺星
金聲
御碑
禮器庫
齋宿所
江漢

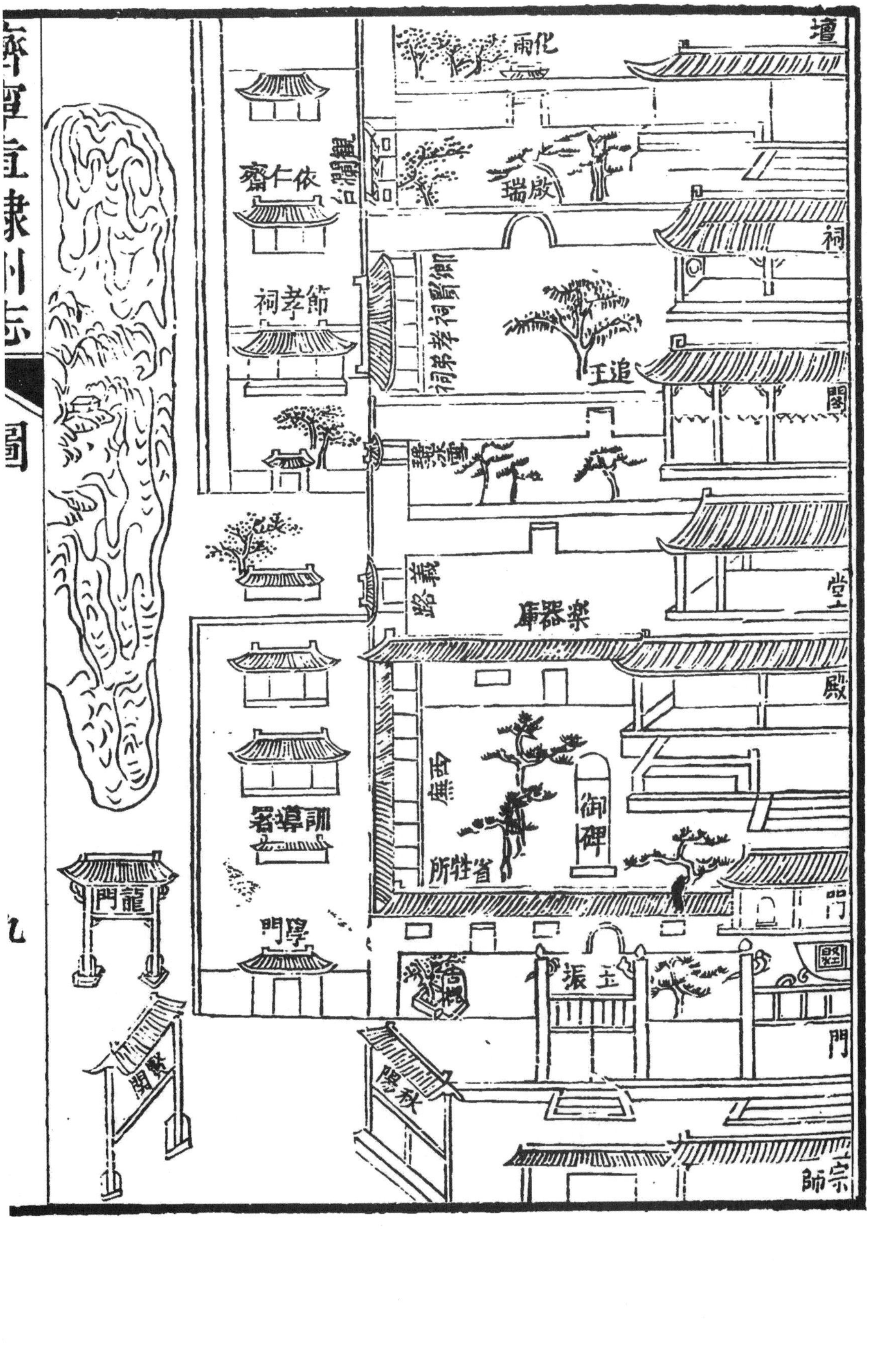
化雨
依仁齋
節孝祠
追王
義路
樂器庫
西廡
御碑
省牲所
訓導署
學門
龍門
秋陽
壇
祠
閣
堂
殿
門
門
宗師

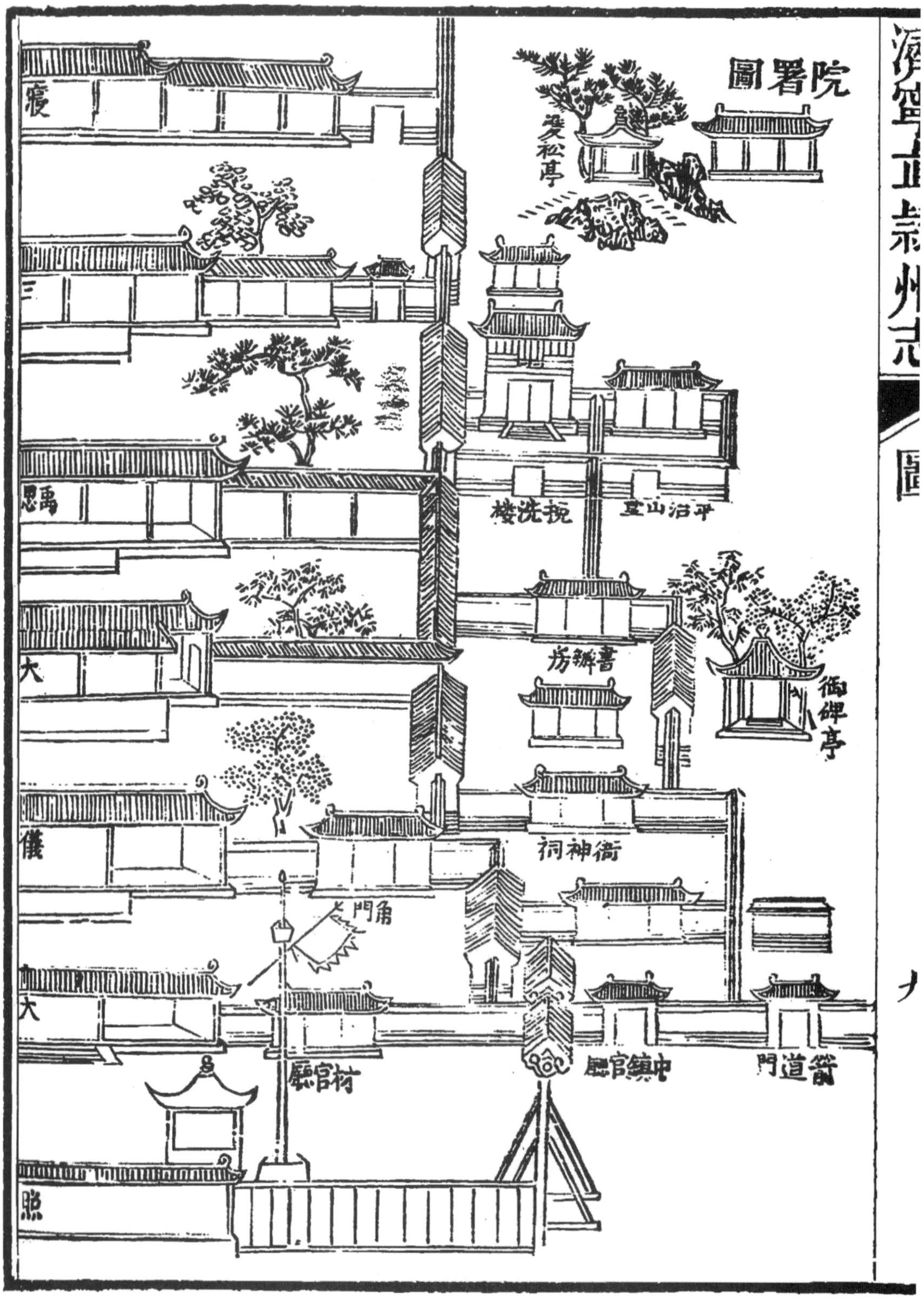
院署圖
淩松亭
挹洗樓
平治山堂
書辦房
御碑亭
衙神祠
角門
中鎮官廳
甬道門
材官廳

房
堂
書房
堂
三官廟
官廳
官廳
角門
門
門
材官廳
牆

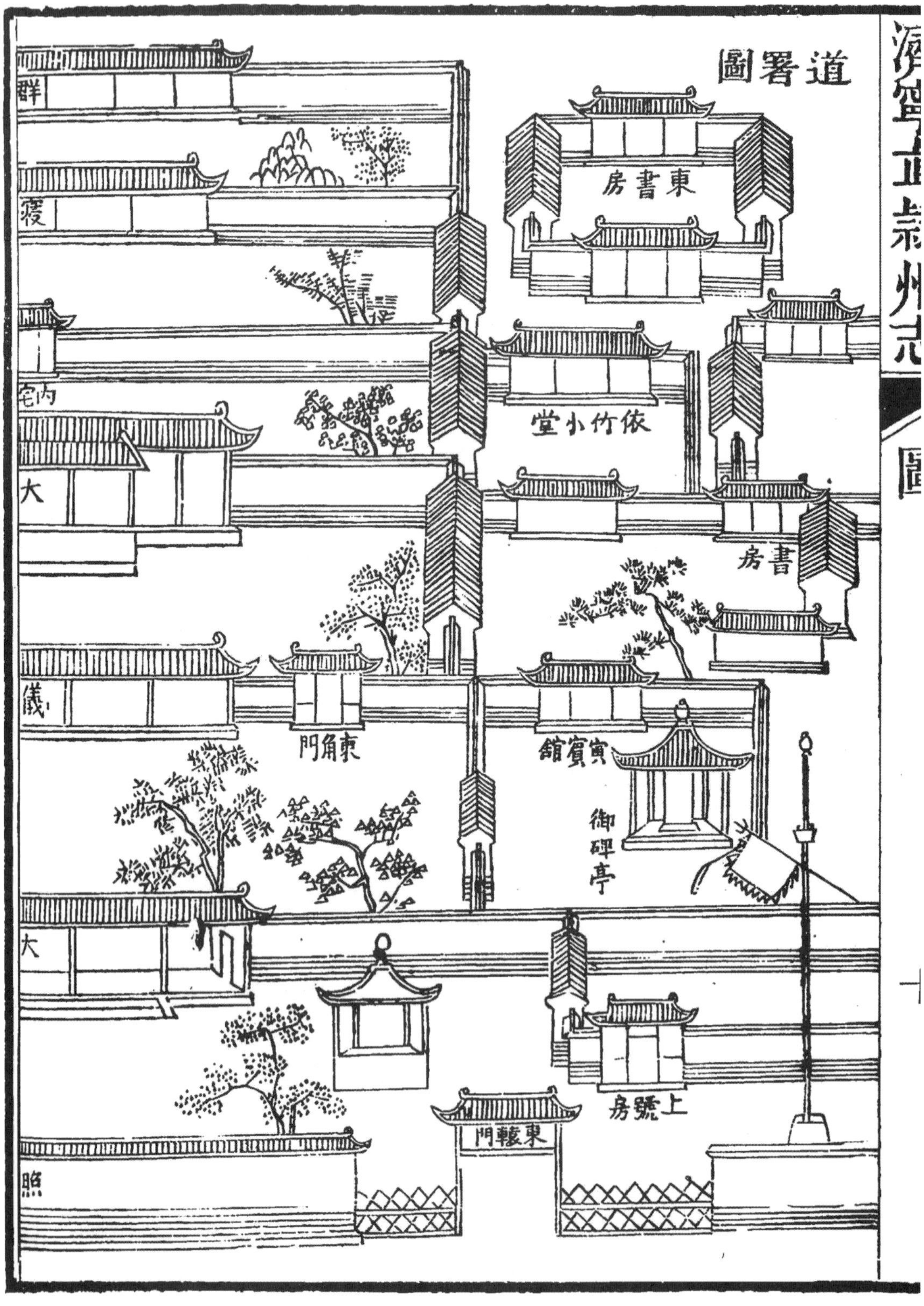
道署圖
群
寢
內宅
大
儀
大
照
東書房
依竹小堂
書房
寅賓館
東角門
御碑亭
上號房
東轅門

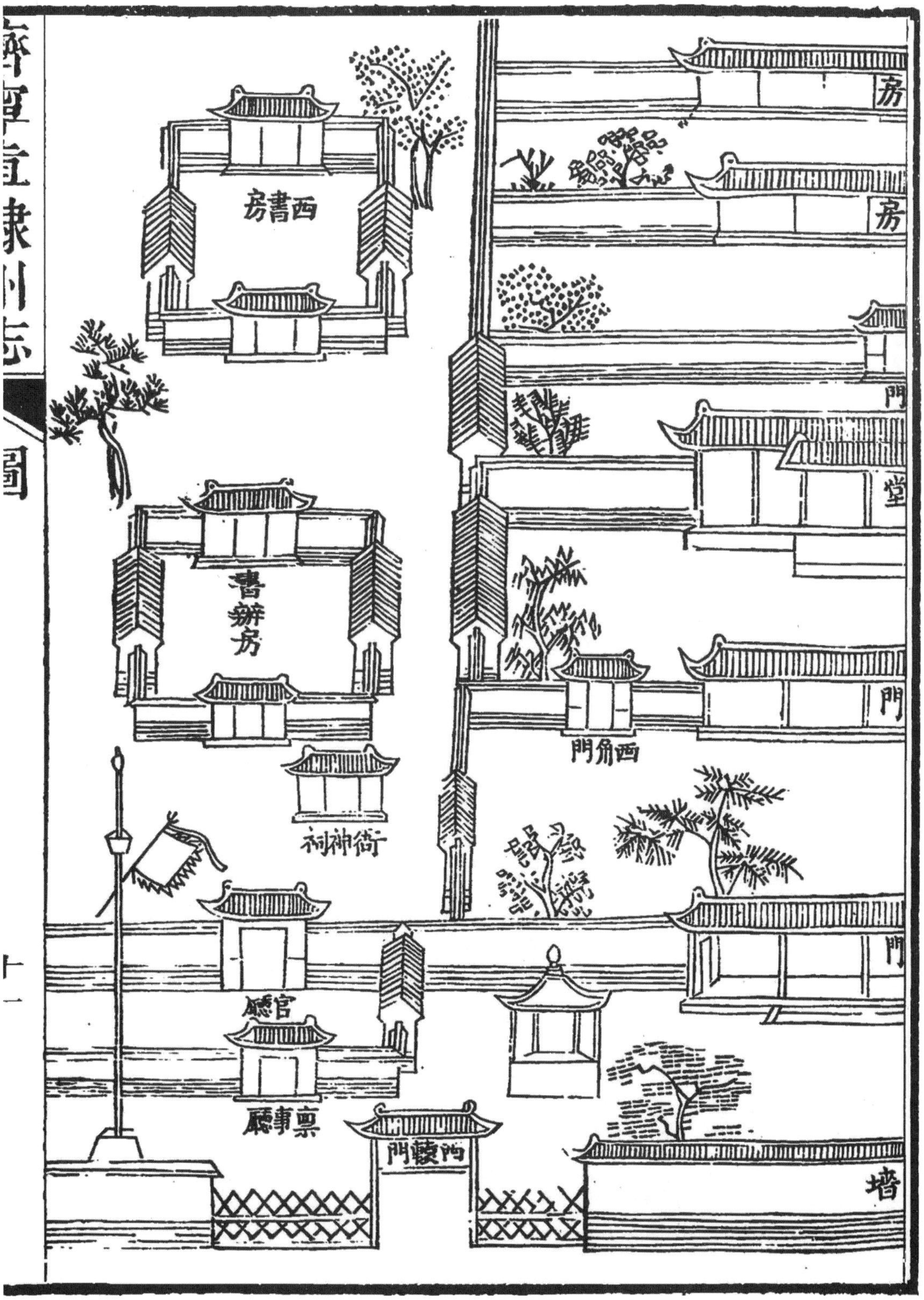

西書房
書辦房
衙神祠
官廳
禀事廳
儀門
房
房
門
堂
門
西角門
門
墻

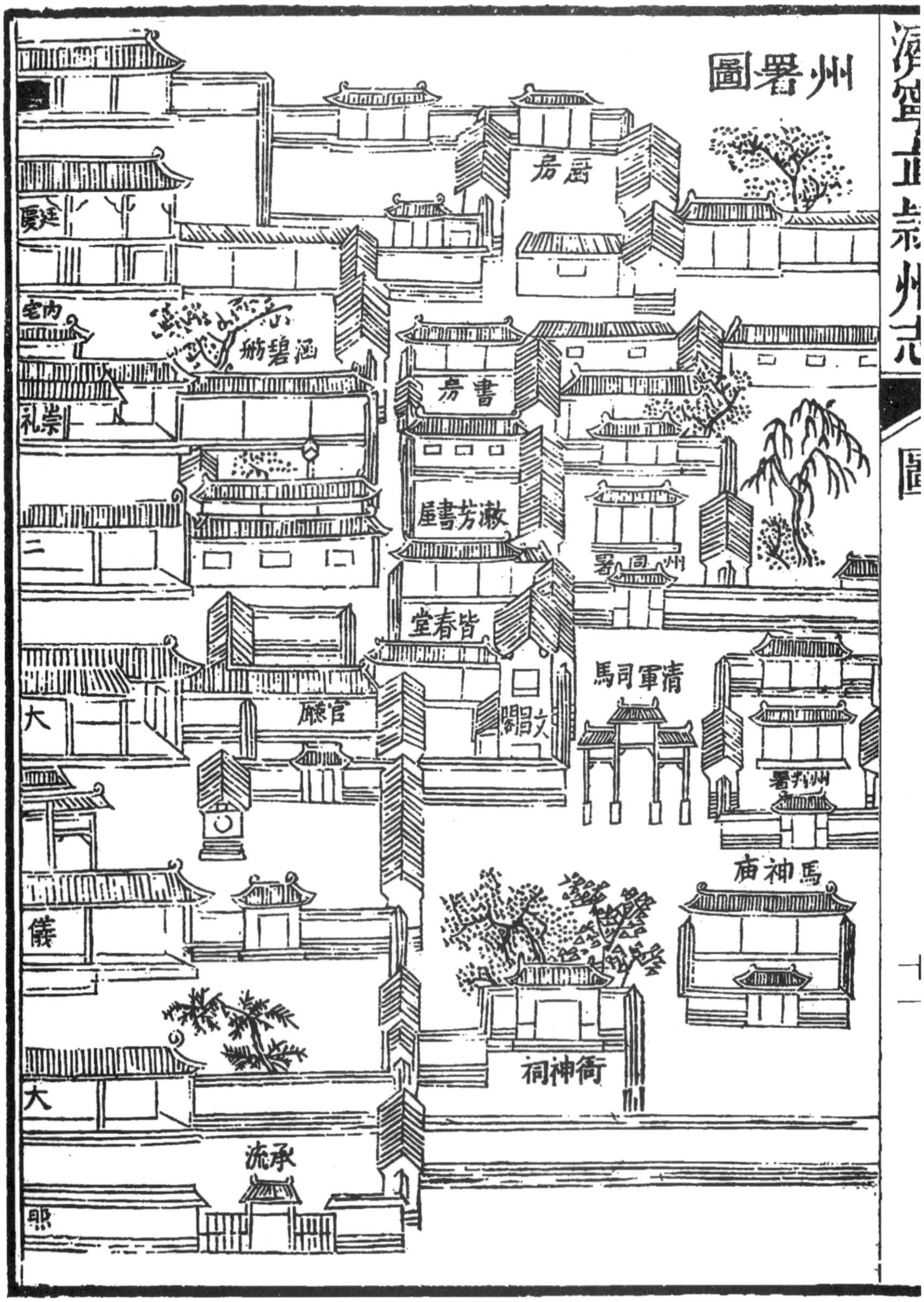
州署圖
廚房
涵碧軒
書房
漱芳書屋
皆春堂
州同署
清軍司馬
官廳
州判署
馬神廟
衙神祠
承流
內宅
崇禮
二
大
儀
大
照

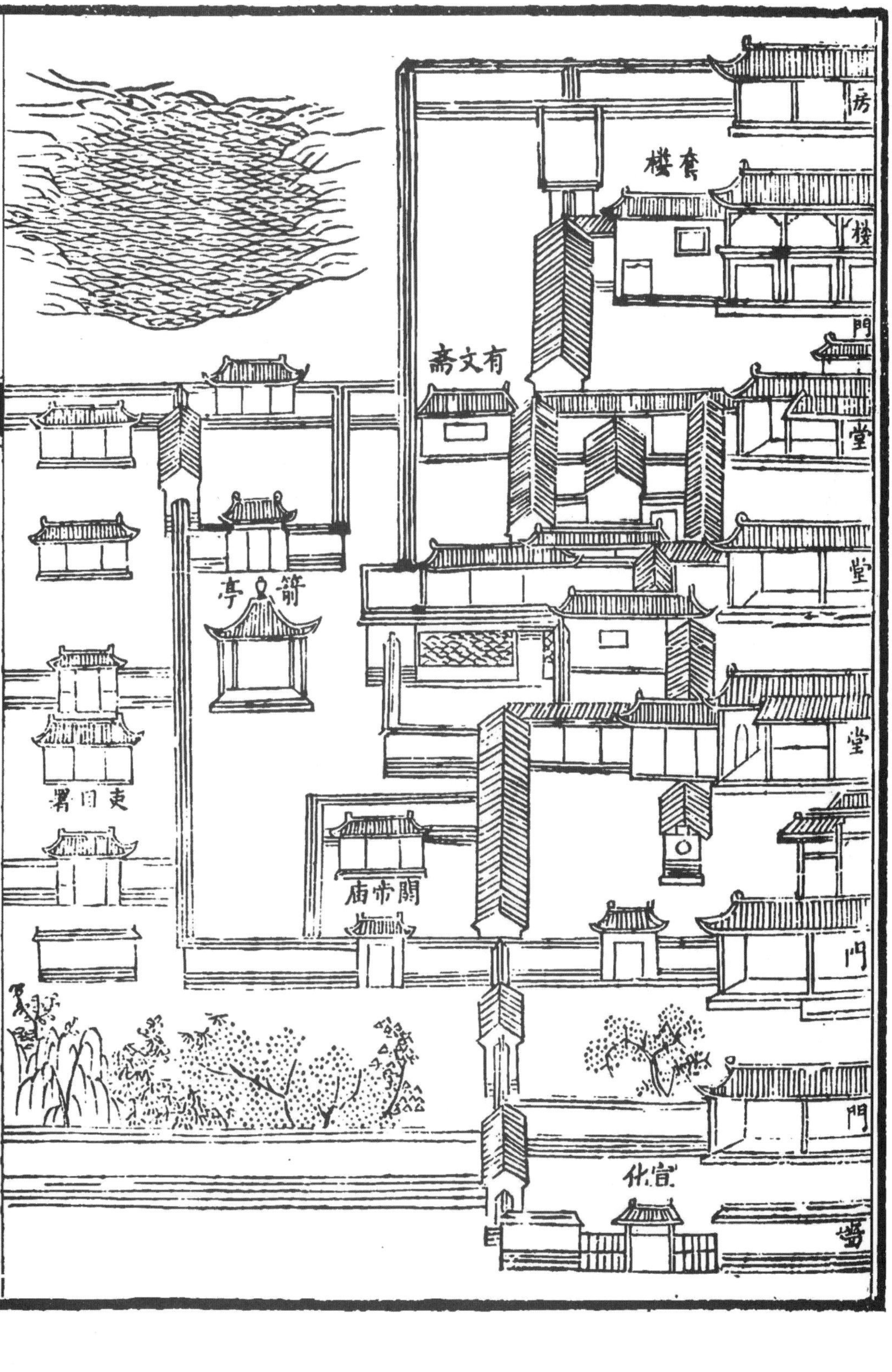
房
倉樓
樓
門
有文齋
堂
堂
箭亭
堂
吏目署
關帝廟
門
門
宣化
當

六宮奇鼓

濟寧直隸州志　圖　十三

碧甍丹檻遡參差八里
城西駐蹕時一段春寒
猶不出雨中鳧鬭輭川
詩
吳興潘本信題

宮雲窅靄出城東遠鼓
迷離野望通不是六龍
曾駐輦閶闔那得醉春
風
郡人潘呈僉題

嶧岫晴雲

濟寧直隸州志 圖 十五

望嶧樓

浮巖隱隱削銀屏際曉

芙蓉矗杳冥擬倩風殘

披絮帽晶盤直湧佛頭

青

吳興潘本信題

樓角城闉對遠山川原

繚繞畫圖間晴雲就裏

偏多事朝翰飛來暮文

還

郡人潘呈僉題

南海橋淨

濟寧直隸州志　圖　十七

菱熟蒲荒不記秋叢祠
香徵藕苍幽竹溉荷爭
依朕在爭似當年大八
溝

吳興潘本信題

城隅繩水思依〻菱熟
蒲荒藕正肥假使杜陵
人健在一樽還酒晚涼
歸

郡人潘是念題

西草渙頭

濟寧直隸州志 圖

淺水平隄鴨々浮柳邨
三五画家秌槽聲呷啞
月初上短蓫蘆根何處
再
吳興潘本信題
龝水蒹葭路不分尋常
清吹過寒雲敫从住此
澗聽慣祗怕驚飛鷗鷺
群
郡人潘呈念題

白樓晚眺

太白樓

自語仙班不再留至今
傑閣倚清虛憑欄忽憶
東坡語葉葉風帆過酒
樓　吳興潘本信題
金龜換酒足風流誰識
當年此歡酬我詠樓頭
憑寄訊青天月歸幾時
秋　郡人潘呈愈題

墨華亭
浣筆泉

史編遺恨軼長虞獸向祭祠識舊名去不掉頭元太晚出山俘似在凶清

吳興潘本信題

消息華清歎陸沉白衣蒼狗自無心何如一句墨泉水天寶乘來流到今

郡人潘呈金題

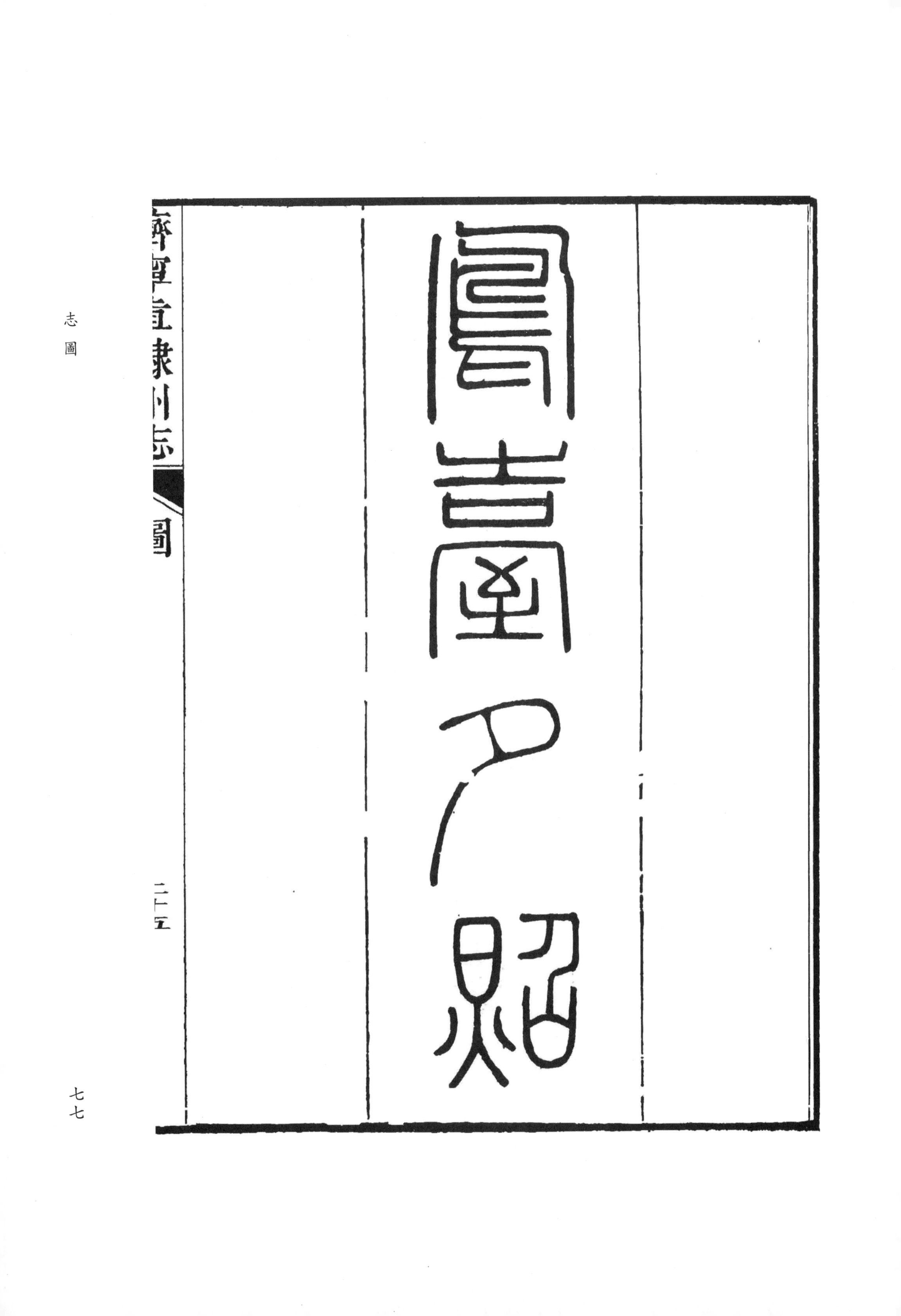

信告室户照

濟寧直隸州志　圖　二十五

鳳凰台

百尺臺高夕照斜郡名前此誤風苔朝陽自是丹山鳳莫賦孤鳧與落霞

吳興潘本佶題

突兀高臺水一方夕陽無限好淒涼百年誤坐庭花主舊事何人說鳳凰

郡人潘呈盦題

麟渡寒帆

獲麟莊

柳梢低颺渡頭風白袷青蓑落照中更向峭帆亭上望鄉心一一數歸鴻

吳興潘本信題

計程千里赴幽燕一片征帆帶遠天楓葉蘆荅秌色裏舟從指點獲麟川

郡人潘呈念題

八景圖説

行宫春樹

碧甍丹檻渺參差，八里城西駐蹕時。一段春寒描不出，雨中鳳闕輞川詩。吴興潘本信題。

宫雲杳靄出城東，遠樹迷離野望通。不是六龍曾駐輦，閶闔那得醉春風。郡人潘呈念題。

嶧岫晴雲

浮嵐隱隱列銀屏，際曉芙蓉矗杳冥。擬倩風姨披絮帽，晶盤直涌佛頭青。吴興潘本信題。

樓角城闉對遠山，川原繚繞畫圖間。晴雲就裏偏多事，朝看飛來暮又還。郡人潘呈念題。

南烟荷淨

菱熟蒲荒不記秋，叢祠香散藕花幽。竹深荷净依然在，争似當年丈八溝。吴興潘本信題。

城隅秋水思依依，菱熟蒲荒藕正肥。假使杜陵人健在，一樽還泛晚凉歸。郡人潘呈念題。

西葦漁歌

淺水平堤鴨鴨浮，柳村三五畫家秋。櫓聲咿啞月初上，短蓫蘆根何處舟。吴興潘本信題。

秋水蒹葭路不分，尋常清吹遏寒雲。散人住此渾聽慣，衹怕驚飛鷗鷺群。郡人潘呈念題。

白樓晚眺

自謫仙班不再留，至今杰閣俯清秋。憑欄忽憶東坡語，葉葉風帆過酒樓。吴興潘本信題。

金龜換酒足風流，誰識當年此勸酬。我欲樓頭憑寄訊，青天月照幾時秋。郡人潘呈念題。

墨華泉碧

史編遺恨軼長庚，獨向荒祠識舊名。去不掉頭元太晚，出山何似在山清。吴興潘本佶題。

消息華清嘆陸沉，白衣蒼狗自無心。何如一勺墨泉水，天寶年來流到今。郡人潘呈念題。

鳳臺夕照

百尺臺高夕照斜，邨名前此誤風花。朝陽自是丹山鳳，莫賦孤鳧與落霞。吴興潘本佶題。

突兀高臺水一方，夕陽無限好漁莊。百年誤作風花主，舊事何人説鳳凰。郡人潘呈念題。

麟渡秋帆

柳梢低颺渡頭風，白袷青蓑落照中。更向峭帆亭上望，鄉心一一數歸鴻。吴興潘本信題。

計程千里赴幽燕，一片征帆帶遠天。桐葉蘆花秋色裏，舟人指點獲麟川。郡人潘呈念題。

濟寧直隸州志卷首

天章志

謹按：前志卷首恭紀、欽頒學宫各碑，諸郡邑志并載，頒發匾額書籍，奎章普照，寰宇同瞻，天下所同也。駐蹕留題，山川生色，則此邦所獨也。勞心水土，軫念農桑，豈惟是一游一豫之爲度云爾哉！

康熙二十年閱河堤詩

總督河道臣靳輔勒石南池。

防河紆旰食，六御出深宫。緩轡求民隱，臨流嘆俗窮。何年樂稼穡，此日是疏通。已著勤勞意，安瀾早奏功。

康熙四十八年舟過濟寧詩

濟水平分南北流，山桃花綻古墟頭。粼粼碧浪層層樹，便覺春風起棹謳。

過八閘詩

宛轉河形一綫通，豬流叠石賴人功。天庾歲歲關飛挽，全在隨時啓閉中。

御製仲子廟詩

河口孤祠在，千年祀典存。當階松半偃，繞碣蘚堪捫。懷古題新額，遺風想聖門。行舟清晝永，岸草采芳蓀。

乾隆十六年賜河東河道總督顧琮詩

堤遥工簡息洪濤，無事常經智不勞。泉閘湖堤善瀦泄，永期轉漕濟千艘。

乾隆二十一年賜河東河道總督兼署山東巡撫白鍾山詩

治河以衛民，表裏本相因。况萃一身巨，其廑萬姓辛。寧當營供奉，匪爲事游巡。立位官須業，名言昔可循。

題鳳凰臺詩

鳳凰臺者是誰名，拔地岧嶢近大營。咫尺適逢萬幾暇，登臨遂暢好春晴。帶齊襟魯歸憑覽，女織男耕入品評。恰喜甘膏沾緑野，不誇綺畫綻紅英。眼前遠景趣無盡，雨後高軒凉峭生。萬帳官軍皆扈蹕，千村民氣自和平。紀祥應笑元嘉幻，得句寧同李白情。此去尼山云近止，出圖憶嘆不聞鳴。

鳳凰臺春望八韻　乾隆丙子御筆

乾隆二十二年賜河東總河張師載詩

疏瀹期嘉績，修防董衆僚。詎予惟使過，勵汝尚更調。法在遵潘馴，文寧藉鮑昭。魚臺全涸未，舉趾待春朝。

乾隆二十七年賜河東總河張師載

去歲楊橋決，予當咎匪卿。從來不諉過，正爾憫奔驚。清白揚前烈，奠安觀後成。修防益勤恁，最此繫民生。

乾隆三十年賜河東河道總督李宏　勒石河院署。

南河久董役，北省特掄英。試小將投大，惟明更要誠。固堤綏禹甸，輸漕達燕京。咨度久安計，寧徒扈蹕行。

南池少陵祠詩

任城南郭有南池，古迹猶存老杜祠。喬樹那知春已去，閑庭不覺步前移。何期此日仍瞻斗，可惜先生未遇時。却异東坡頻叠韵，斯人前豈易言詩。

題南池少陵祠一律　乙酉清和上浣御筆（刻石南池。）

御書杜詩

秋水通溝洫，城隅進小船。晚凉看洗馬，森木亂鳴蟬。菱熟經時雨，蒲荒八月天。晨朝降白露，遥憶舊青氈。

此杜甫與任城許主簿游南池作也，地因詩以傳，兹回鑾川途始經，遂艤舟一游，愛其詩而不更和，輒走筆成七律題少陵祠，并於落句致意焉。因思南巡蹕路所由江浙諸名勝，凡東坡題咏者不下十餘所，皆一再次韻，且有三四疊者。子美詩迹止此一篇，豈容恝然置之。然曲彌高則和彌寡，誠有未易幾及者。余究心學詩多年，個中甘苦知之最深，獨於老杜讓其精詣，蓋得諸閲歷之餘，非漫然示謙冲也。祠中舊有碑，鎸杜詩二首，爲明嘉靖間越人楊某書，其名漫漶不可識。「東岳雲峰起」篇，乃簡許主簿之作，溷附南池，誤矣。因爲别立一石，專書「秋水」篇刻之，以志數典所自。

乾隆乙酉清和上浣（南池碑陰。）

再咏南池四首

到處平成仰禹功，崇碑五字廑河工。益殷此日覲揚志，敢曰當年巡狩同。

緑波一片澹南池，樸室三間潔葺之。筆硯精良待摛藻，却吾今日畏言詩。

詩仙詩聖漫區分，總屬個中迥出群。李杜劣優何以見，一懷適己一懷君。

千秋遺迹以誰芬？咫尺城南静不紛。何事尋常許主簿，却教名字附青雲。

乙酉清和上浣再咏南池四首御筆刻石南池。

登太白樓詩

岧嶢高閣俯城闉，名字猶傳太白真。善釀者汪信知己，舉觴惟賀是佳賓。良辰漫惜方春餞，勝迹初探返蹕巡。禹戒常遵惡旨酒，醉歌無事取斯人。

登太白樓作　乙酉清和上浣御筆刻石太白樓。

過濟寧州詩

州城雄枕運河濱，珠勒徐驅覲萬民。總以平居恒廑念，那因初識始相親。豁糧爾縱謝誠切，登席吾猶愧是真。李杜詩情高萬丈，擒詞即境却逡巡。

過濟寧州詩　乙酉清和上浣御筆前碑陰。

乾隆三十六年行宫石刻。

至濟寧行館詩

計里今朝歷七十，登舟更十里而遥。過濟寧州城至登舟處尚餘十里。是宜樸宇供慈憩，况值漸車便衆翹。是日入滋陽境，以前甫作濘，雖利麥田，而行旅輜重頗難跟行，亦宜駐此以待也。何事亭臺過綴景，轉增慚愧切衣宵。情知并不勞民力，也廑商資爲此消。

至濟寧行館作　辛卯暮春御筆

題養源齋詩

行館向平原，居然置榭軒。懷哉喻階土，慰以憩慈萱。登舫將遲日，（今日行七十里，傳明朝駐蹕，便聖母憩息，後日遂登舟北上。）溯洄擬反轅。吾民籌致養，衣食是根源。

曉行絶句詩四首

夜陰弗雨漸開晴，旋蹕肩輿起曉行。記曰事凡豫則立，隨時可以驗人情。

蓂芹未展九年思，闕里迴瞻欲去遲。夾路麥苗將及尺，誰爲助長盡含滋。

松枝葦席結香棚，耆老憐他祝嘏誠。漸入滋陽別曲阜，吾民處處有逢迎。

春霖前日向西大，行潦依然馬艮腓。幸是昨朝未繼灑，欲移此澤澤京畿。

聞京師得雨詩

閣本今朝到，雨惟二寸沾。較南既渥遯，望北又愁添。是日仍微霔，青郊潤麥尖。輕輿度烟景，憂樂兩難兼。

駐蹕詩

駐蹕今番多幾日，高年宜適清和温。路程辭陸川臨舫，曉氣微凉午更暄。頗有詩書伴幾暇，何須亭榭學花園。雖然成事付不說，即境能無自訟言。

行宫八咏

書堂

到處書堂儘有書，芸香滿架拂風徐。雖然豈漫資淵博，二典三謨對慊如。

雲樓

行館臨墻置有樓，春烟幾樹拂檐浮。攀登頗覺慰心所，萬頃麥苗緑若油。

棕亭

棕亭應是學茅茨，小坐亭中轉復疑。花木試看紛繞砌，土階時世豈如斯。

月臺

平臺望月月娟娟，春宇如弓始上弦。湖石雖無九九穴，玲瓏疑待米家顛。

藥欄

縛竹爲欄曲復斜，既通透亦具周遮。個中頗有詩情在，多事何須綴假花。

花砌

蒔砌春花不記名，勝非香色勝風情。濃濃潤意初過雨，灼灼明姿恰喜晴。

竹埭

春日明知是竹秋，綠瓊無恙笋尖稠。優沾時雨滋禾麥，餘澤分教暢賞眸。

松坡

桃李叢中自覺殊，棱棱老幹翠相扶。亦知亢父非白下，拘數何須定九株。

復登太白樓

太白酒樓俯綺闉，事雖跌蕩意清真。重來此日省風俗，遥想當年迭主賓。狂入道終還一曲，渴呑海那計三巡。長歌老杜猶能憶，僂指尚應少六人。

辛卯暮春上浣御筆 前碑東側。

南池少陵祠詩

春風從此過南池，了識其間有故祠。不覺徘徊心欲醉，那緣景物望教移。大都公論定千古，何礙沈屯遇一時。氣焰怵人真者在，知然却復强爲詩。

題南池少陵祠疊舊韵辛卯暮春上浣御筆 四角亭碑東側。

南池作

城南有曲池，工部舊踪遺。便以問幽徑，何妨瞻古祠。嫌他略綴景，笑我尚言詩。門外衆人候，那知欲去遲。

辛卯暮春上浣御筆 亭碑西側。

過濟寧城作

十里雙行柳向城，五更小雨傍晨晴。爲看烟舍騈頭接，且命笋輿緩步行。鷄犬無驚覘吏治，農商有慶驗民情。一般更愜予懷者，赤子紛如父母迎。

過濟寧作　辛卯暮春上浣御筆　太白樓碑西側。

乾隆三十八年賜河東河道總督姚立德

水土掌河東，勤勞實奉公。豫疆善堤固，齊境運艘通。簡任惟其當，修防效爾忠。顧名思立德，曰次乃成功。

癸巳暮春中浣御筆

乾隆四十一年行宫八咏

書堂

芸編插架備觀書，自昔觀書輒悚予。内聖外王非漫爾，禮齊德道竟何如。

雲樓

出墻樓屋臨平野，近遠齊郊一覽中。封建井田行豈得，治民惟有爲年豐。

椶亭

誰將一具椶笠子，置在喬柯怪石間。恰似應真度杯後，七徵徵罷八還還。

月臺

望月從來藉月臺，廣寒世界素光皚。三千遍滿一輪照，豈較高低尋尺哉。

藥欄

藥欄絞縛致玲瓏，騁目仍宜内外通。點會個中具深義，視無形蓋冕旒同。

花砌

間花繞砌有餘姿，正是春風三月時。時把朝吟本無暇，黄蜂紫蝶任相隨。

竹埭

植裏號清不號研，故宜免俗愛前賢。設論本地周旋久，齊甸微嫌匪渭川。

松坡

攝山延得好佳賓，坐對籠葱意覺親。閉户未曾著書此，却看不日長龍鱗。

匹帛謡

戔戔彼匹帛，裁量用刀尺。縫紉熨帖始成衣，一絲牽引萬絲隨。古人製字有深意，至心如絲聲从思。子輿訓官曰得之，大易又戒朋從思。從來人心惟危道心微，試看一絲與萬絲。

河南巡撫徐績奏報得雨情形詩以志事

廿四五之際，魯郊微雨看。那知即其日，豫省渥膏寬。遥念心雖愜，近觀眉并攢。慰猶弗抵愧，摘句懶吟安。

登太白樓

亢父重來歷市闠，酒樓太白迹留真。助休自是斯爲主，吟咏誰堪與作賓。聊以餘閑賡舊韵，不忘正務慎時巡。詩仙已喜兹欣遇，更有南池詩聖人。

登太白樓再疊舊作韵一律　丙申孟夏上浣御筆（太白樓詩碑左側。）

少陵祠詩

城南數武有園池，池上原存工部祠。空後絶前心早下，因文緬道步遲移。誰無五字與七字，我惜此時隔彼時。自有不亡真者在，水聲雲色豈非詩。

少陵祠再疊舊韵　丙申孟夏上浣御筆（少陵祠詩碑左側。）

乾隆四十五年太白樓詩

步輦濟城曉入闉，萬民瞻就愛情真。清游趁此暇之便，豪飲殊他主與賓。却以飄然緬昔句，益教愴爾憶前巡。拈吟鬚忽七旬逮，豈是不逾矩者人。

庚子清和三疊舊作韵御題（太白樓詩碑額右。）

乾隆四十五年南池少陵祠詩

狂歌適陟太白閣，苦咏今瞻子美祠。咫尺遺踪隣左右，吾心乃覺醉於斯。

詩仙雖具出塵體，詩聖原多憂世心。问我二人優劣者，試看七字定評吟。

三間古屋亦尋常，却覺迎人翰墨香。安得清閑無一事，展開遺帙與商量。

南池少陵祠三絶句 庚子清和月中浣御筆 前碑額右。

賜總河李奉翰詩

耕當問僕世勤司，簡在南河兩載斯。特以豫工須善後，因移東省藉深知。行於無事莫過慎，防以其先豈在奇。尚此合龍盼佳信，關心遥望引愁思。

賜總河李奉翰今調河東總河之任之作御筆

乾隆四十八年賜總河蘭第錫詩

永定分司久，素知慎且勤。河東擢開府，川奠冀成勛。初任原廑念，所爲果出群。益當志黽勉，副望俾予欣。

賜河東總河蘭第錫御筆

乾隆四十九年太白樓詩

綪茷旓旌入郭闉，青蓮遺迹尚傳真。千年佳話留詩酒，一代名流稱主賓。亭北早應賦雲想，池南近可和檐巡。求賢欲以贊實政，此際無資若輩人。

登太白樓四疊舊作韵　甲辰孟夏上浣御筆（刻石太白樓。）

過濟寧州詩

清曉乘輿弗策驄，古稀遵養合知崇。家弦户誦文風蔚，幼挈老扶物象融。百歲熙和非易致，萬民親愛不期同。那堪迴首思辛丑，幸矣斯邦尚惕衷。

乘輿過濟寧州作　甲辰孟夏上浣御筆（前碑陰。）

南池詩

適纔太白試登樓，咫尺南池可罷不。一入門心生敬慕，碑亭因是聖文留。

幾株古樹護城池，池畔三間老杜祠。便弗叩遵應下拜，此人詩合是吾師。

李杜由來伯仲行，吾云旗鼓昇相當。應知學杜克念聖，學李防其罔念狂。

南池雜咏　甲辰清和月上浣御筆　刻石南池。

津貼銀准銷詩

户口日以滋，物價自騰貴。是即保泰難，可靳官帑費。前年河北決，堵宣策籌備。和雇與民價，征役弗民逮。然而奏銷時，部原有成例。增價例應駁，乃有捐廉議。吾豈肯爲斯，普許官銷賜。河復修運道，較前本一事。兹勘所築工，堅整如鱗比。田廬實可衛，議叙酬勤勩。必有所增價，亦准官銷暨。但弗勞萬民，忍更苦群吏。一二資飯食，雖有非大弊。聚斂及盜臣，傳語吾猶記。

降旨將明興等奏請捐廉歸還運道工程例外津貼銀兩并准作正開銷詩以志事。

乾隆甲辰孟夏月上浣御筆（前碑陰。）

乾隆五十三年題鷄雛待飼圖

待飼摹李畫，吾心重念之。設如歉歲值，誰救小民饑。獨我誠深懼，諸臣願共思。子輿舉稷語，應各慎攸司。

偶咏《宋人名流集藻畫册》中李迪《鷄雛待飼圖》，惻然有懷於灾壞饑民之無救也。因摹其畫，即用題迪畫韵成什，命泐石以示爲民父母之官。題李詩并書於左。

雙飛如仰望，其母竟何之。未解率場啄，誰憐空腹饑。展圖一潔矩，觸目切深思。灾壤民待哺，慎哉群有司。

戊申仲秋上浣御筆。

乾隆五十五年南池少陵祠詩

蜀中別却浣花池，城外駐兹映水祠。蘇擬韓言品可匹，庚清鮑逸論難移。一嘲一譽知高下，在北在南閲歲時。我自助休爲正務，笑斯多事又談詩。

庚戌季春題南池少陵祠三疊舊作韵御筆

登太白樓詩

唐代酒樓齊地闉，向誰從辨假和真。可知率以名爲實，漫議惟兹主作賓。將謂七言弗重疊，何期一晌又來巡。於詩於行評量處，合讓城南姓杜人。

庚戌季春中浣登太白樓三疊舊作韵御筆

欽頒額、聯

賜仲子廟額康熙三十八年。

聖門之哲。

賜草橋寺額康熙四十四年。

慈燈寺。

賜普照寺大殿額

祥雲遠蔭。

賜禮部主客司郎中張如緒之父世思百歲匾康熙五十二年。

人瑞堂。

賜仲子廟額雍正三年。

聖道干城。

賜杜甫祠額乾隆十三年。

蓋臣詩史。巡漕御史沈廷芳謹勒石。

賜仲子廟匾、聯

賢詣升堂。

三德達身修，勇故不怠；

四科從政事，果則無難。

賜天后宫額乾隆三十二年。

靈昭恬順。

賜内閣學士兼禮部侍郎黄孫懋之祖母黄維祺妻姜氏匾乾隆四年。

慶衍重闈。

八里鋪行宫額、聯乾隆四十一年。

養源齋

展圖恰對景清候，

得句多於神謐餘。
晚紅留得翻階藥，
嫩緑鋪齊幂院樓。
四壁圖書見今古，
一庭花木驗農桑。
宜詩宜畫景無盡，
時雨時暘慰莫加。
庭陰那礙蒼松蓋，
几馥還披緑字函。
烘受朝晴花蕊綻，
潤含夜雨麥苗肥。
夾路麥禾足甘雨，

繞階花木暢薰風。

濟寧直隸州志卷一之一

星野志

按：《周官·保章氏》以星土辨九州之地，所封封域，皆有分星。濟州分野，明弘治《舊志》屬奎婁，萬曆《志》屬角，《前志》并存。兹遍考歷代史志，而折衷於《左氏》。《前志》先「沿革」，次「星野」，今移於前，觀天文而後可察地理也。濟寧州北極出地三十五度三十三分二杪，仍遵二百五十里一度里差法推云。

角、亢、氐，兖州；房、心，豫州；奎、婁、胃，徐州。《史記·天官書》。魯地奎婁之分野也，東至東海，南有泗水，至淮得臨淮之下相、睢陵、僮、取慮，皆魯分也。宋地房心之分野也，今之沛、梁、楚、山陽、濟陰、東平及東郡之須昌、壽張，皆宋分也。《漢書·地理志》。自壁八度至胃一度，謂之降婁之次，雨水、春分居之，魯之分野。自亢八度至尾四度，謂之大火之次，寒露、霜降居之，宋之分野。蔡邕《月令章句》。自奎五度至胃六度爲降婁，於辰在戌，魯之分野，屬徐州。自氐五度至尾九度爲大火，於辰在卯，宋之分野，屬豫州。角、亢、氐，鄭，兖州。東平、任城、山陽入角六度。《晉書·天文志》。《前志》云：「今三縣地在漢，晉屬山陽郡。」奎、婁，降婁也。初奎二度餘，中婁一度，終胃三度。自蛇邱、肥城，南屆鉅野，東達梁父，循岱岳衆山之陽，以負東海。又濱泗水，經方與、沛、留、彭城，東至於呂梁。乃東南抵淮，并淮水而東，盡徐方之地，得漢東平、魯國、琅邪、東海、泗水、城陽，古魯、薛、邾、莒、小邾、徐、郯、鄫、鄅、邳、邿、任、宿、須句、顓臾、牟、遂、鑄夷、介、根牟及大庭氏之國。奎爲大澤，在陬訾下流，當鉅野之東陽，至於淮、泗。婁、胃之墟，東北負山，蓋中國膏腴地，百穀之所阜也。胃得馬牧之氣，與冀之北上同占。氐、房、心，大火也。初氐二度餘，中房二度，終尾六度。自雍邱、襄邑、小黄而東，循濟陰，界於齊魯，右泗水，達於呂梁。

乃東南接太昊之墟，盡漢濟陰、山陽、楚國、豐、沛之地，古宋、曹、郕、滕、茅、郜、蕭、葛、向城、偪陽、甲父之國。商、亳負北河，陽氣之所升也，爲心分。豐、沛負南河，陽氣之所布也，爲房分。其下流與尾同占，西接陳、鄭，爲氐分。《唐書·天文志》。《前志》云：「邿、任二國并在州境。方輿，今魚臺地。嘉祥，古鉅野。甲父、茅并在金鄉境。」按：杜元凱云：「昌邑縣西南有茅鄉。」今金鄉境。《縣志》改「茅」作「緡」，非。

奎二度至胃三度，降婁之次也。山東濟寧府之兗州，滕、嶧二縣，青州府之莒州，安邱、諸城、蒙陰三縣，濟南府之沂州，皆奎婁分。氐二度至尾二度，大火之次也。河南之開封府，山東之濟寧府，皆房、心分。《明史·清類天文分野書》。《前志》：「按明洪武元年改濟寧路爲府，領十二縣，金鄉、魚臺、嘉祥皆所屬。」

按：分野之説肇自《周官》，自太史公、班孟堅以後，并載於史志。唐之李淳風、僧一行，元之郭守敬，明之劉誠意，雖間有异同，不過宿度之或贏或絀，推步之或增或減，而其大旨則較若畫一。惟魏之陳卓更定郡國所入宿度，以爲任城入角六度，梁國入房五度，魯國入心三度，較之諸家，多有不合。鄭康成所云「《堪輿》雖有郡國所入度非古數」者，殆謂此也。夫降婁爲魯，大火爲宋，《左氏》所載梓慎、裨竈等占驗，俱有明文。今濟之郜亭、邾婁城，嘉祥之南武城、獲麟堆，魚臺之郎邑、匡城、武棠，皆魯地。金鄉之緡邑、梁邱、防城皆宋地。未可以後代郡國之紛更，改春秋以前之成法也。

金鄉

按：大野爲徐州之域，當入心度。《舊志》入角六度，惑於《晉·天文志》「山陽入角六度」之說。今考漢、唐《天文志》，仍依房、心爲次，《舊志》屬豫州。考《漢志》云：「房、心，豫州。」《晉志》云：「自氐五度至尾九度爲大火，於辰在卯，宋之分野，屬豫州。」既入心度，因屬豫州。不知山陽在大野之南，實爲徐州。奎、婁、胃爲魯之分野，屬徐州。魯之西南則入心三度，金鄉又爲魯西南邑，以地之疆域分星之躔次，以今之縣邑考古之郡國，金鄉其在徐之西境，介宋、魯之交乎。《清類分野》以金、單、魚爲宋分，心度分野則明白而無疑矣。《金鄉縣志》。

嘉祥

《禹貢》徐州之域，《周官·職方》屬兖，魯之南武城也。其星奎、婁、胃，其分野降婁之次。《嘉祥縣志》。

魚臺

《舊志》載《唐志》介於奎、房之間。據明之《清類分野》止當以房、心占。《魚臺縣志》。

《前志》云：「分野之説，由來久矣。有以十二次分者，以干支分者，以北斗七星分者。即列宿一家之言，而彼以屬角，此以屬婁，又復不同。善乎宛陵顧氏之言曰：『十二次配十二國，亦猶言天度者寓以名而紀其數。五行以相生爲用，相克爲功，或配合以成能，或錯綜以盡變，達於其故，引而伸之，觸類而長之，分野無不可言也。若穿鑿附會，誕妄而不經，拘牽而失實者，概無取焉。』」

濟寧直隸州志卷一之二

五行志

《前志》云：「舊以編年紀祥异，而一州之大事不可不載也，故用『竹書』之名，首以『紀年』。凡『疆輿』『建置』『古迹』所不及録者并紀之，即分見各類者亦標領於前，列於卷首。」今移分野之次，而謹述禨祥爲「五行記」；其於兵制、河防及巨典攸關者，别爲「人事記」。并入「沿革」「封建」，不并書。

周

敬王三十九年，魯西狩獲麟。今獲麟莊。

漢

地節四年五月，山陽雨雹，大如鷄子，深一尺許。

河平四年夏四月，山陽火生石中。

陽朔三年三月壬戌，隕石於山陽郡東八。

建平四年四月，山陽湖陵雨血，廣三尺，長五尺。按《前志》：「漢建昭五年，山陽橐茅鄉社有大槐，吏斷之，是夜復立於故處。」「建平四年四月，方與民田無啬生子，先未生二月，兒啼腹中，及生不舉，葬之陌上。三日人過聞啼聲，母掘收養之。」附記。「熹平二年，東萊海出大魚二，長八九丈，高二丈餘」，據《五行志》補。此與州乘無涉，因書任城王博薨而并及之也。

和帝□年任城生黑黍，或三四實，實二米，得黍三斛八斗。按晋郭璞《爾雅·釋草》注秬云漢和帝時，未詳某年，俟考。

元嘉元年夏，四月不雨，任城、梁國饑，民相食。

太康二年六月，高平大風，折木發屋，壞邸閣四十四區。四年，大水。五年，任城暴雨，害麥豆，八月大雨雹，九月池水赤如血。

南宋

元嘉十七年七月壬申，甘露降高平、金鄉，方三十里。按《兗州府志》及《前志》記南宋元嘉二年白鳥見山陽；二十六年白兔見高平、方與。附記。

宋

建隆三年春、夏，大旱，濟州等十餘州苗皆稿，蝝生。

景德三年，大饑。

天禧三年六月乙未，河決。滑州天臺口潰，没濟、鄆等州，注梁山泊，合汴、濟、汶、泗諸水，東入於淮。

嘉祐七年，大饑。

熙寧四年二月辛巳，京東自濟州至河北大風，百姓驚恐。七年，大旱，民多饑殍。

重和三年，大饑，人相食。

金

皇統元年，河決。移州治於金鄉，時河決，惟金鄉獨存。

太安二年春，大旱；六月，霖雨，斗米千錢。

元

至元十七年六月，濟寧路大水，平地丈餘。二十六年六月，濟寧等路霖雨，壞稼。

元貞元年，濟寧路大水。二年五月，蝗、螟。

大德十年春，大饑。

至大二年七月，蝗，大饑。

皇慶三年三月，隕霜殺桑。

延祐六年八月，饑。

泰定元年六月，水，有蝗。三年，瑞麥生；五月，蝗。

致和元年，霖雨，害稼。

至順三年，蝗，有蟲食桑。五月，大水。

元統二年，大水，饑。四年六月，任城、金鄉、魚臺、嘉祥大饑，

人相食。

至正四年五月，河決，泛任城。六月，大水，害稼，任城、魚臺、

嘉祥、金鄉人相食。五年，河決濟陰，濟寧路大水。八年正月辛亥，河決。十三年，河溢金鄉、魚臺，墳墓多壞。十九年九月，河決任城。二十五年二月，河北徙，泛濟寧路，漂没田廬百餘萬。

明

洪武元年，河決曹州雙河口，入魚臺。

永樂四年，蝗。發粟賑濟。九年，河北決，入魚臺。

洪熙元年，大饑。

正統二年，淫雨，汶上運河泛溢，河決陽武，灌金鄉、魚臺、嘉祥。三年，東平、嘉祥大雨，堤潰，水没州北門。八年，旱。九年，旱。十二年，旱，蝗。

景泰元年，金鄉學宫東産芝一本。三年，大水。

成化六年，大旱，泉流枯竭。七年，大饑。八年，旱，運河水涸。九年，旱，大饑。大風，紅光燭地有頃，晝晦如夜。《舊志》缺月日。十三年，地震。六月，水。十九年，大水。二十一年，地震。弘治六年，饑。會通河溢，壞官民廬舍無算。八年，河決張秋及濟寧。十年，漕河決。十一年，河南徙，濟寧、魚臺、單、金鄉等州縣皆爲巨浸，州以南諸閘盡毀。十七年九月，金鄉地震。

正德四年，旱，蝗。製水車於南旺，激水而運，免盤剥之苦。

嘉靖二年，運河水涸。八年，旱，蝗。河決飛雲橋北，徙魚臺，舟行閘面。九年，河決塌場口，衝穀亭。十三年，河南徙，運河淤。十七年，旱。二十二年，運河水涸。二十五年，運河水竭。秋，河決，水浸金鄉諸縣。二十六年，旱。河決曹縣，衝穀亭，運道淤。三十二年，河溢，運道淤。大饑，人相食。三十三年，大有年，瑞穀生。有三穗、四穗者。三十六年，河决原武，衝陷曹縣城。決北堤，由城武、金鄉入運河。

隆慶元年，大水。六年，漕河水溢。十六年，大饑。六月，龍起魯橋黑龍潭。二十二年，大水。二十五年夏，淫雨，大水。三十二年八月，河決豐縣，由昭陽湖穿李家港口，出鎮口，上灌南陽。單縣復潰，濟寧、魚臺平地成湖。三十八年，民家猪產象。四十三年，旱，大饑。

萬曆十八年嘉祥五賢祠產靈芝。補輯。

天啓二年六月二日，地震，有聲如雷。陳伯友《海鷗居集》云：「壬戌二月六日，久陰初晴。至夜三更，地大震，百年未經之變。未三月，有妖賊之禍。」《前志·雜綴》四年，大水。

崇禎十三年，旱，蝗，大饑，汶、泗斷流。十四年，旱，蝗，大饑，人相食，疫。十六年二月，大水。蠲賑，從左諭德、楊士聰請。

國朝

順治元年四月，嘉祥青山惠濟公廟有金玉之音。人以爲熙朝之瑞。二年，大水，河決，泛州南境。瑞麥生。師家莊生員李道增地産麥，有六七歧者。七年，河決荆隆口，泛州境。九年七月，淫雨，害稼。十五年，淫雨，傷麥。

康熙四年，大旱，無麥。七年六月十七日戌時，地大震。九年，河決曹縣，泛州境。十年，大水。十七年，旱，冬無雪。次年春，河道葉方恒禱於泰山，大雪隨降。二十年春，州大堂火。二十一年春，州城大火。關帝廟毁，惟神座無恙。二十二年，旱。總河靳輔倡捐施賑。六月，大雨，水没田廬。二十三年春，大饑。秋，大有年。三十七年，饑。三十九年，州民張文學妻一産三男。四十年，州民党奉珠妻一産三男。大水。人避城上。四十八年六月，淫雨。城中泛舟，七月下旬又雨，八月二日大雨。四十九年，夏，旱；秋，水。州民閻士有妻一產三男。

雍正三年，大有年。四年，大水。七年，大水，金鄉、魚臺禾盡淹。八年六月，大水。

乾隆元年，大有年。二年二月五日，有黑風從西北來，晝晦。旱。七年九月，河決石林口，湖水溢，金鄉、魚臺無麥苗。九年，魚臺蝗。十年，水。金鄉城鹹窪見城郭樹木形，逾時而沒。十一年四月，金鄉、魚臺大雨雹，傷麥。十二年秋，州及嘉祥大水。十三年春，饑。四月，大雨雹，州及金鄉、魚臺大水。二十年，金鄉、魚臺大水。二十一年七月，河決徐州之孫家集，潰魚臺堤，壞城郭。徙縣治於董家店。微山湖水，二丈三尺，泛濫六七州縣。濟寧南鄉田被水浸者八百頃，魚臺田七百頃。閏九月，東五里營王盡忠妻一產三男。二十三年秋，州及金鄉、魚臺大水。二十六年秋七月，河決曹縣劉洞口，泛金鄉、魚臺，禾盡没。金鄉城幾壞。二十八年秋，金鄉、魚臺大水。三十一年，魚臺大水。三十二年五月□日大風，拔木。金鄉産瑞麥、嘉禾。知縣王天秀繪圖。三十六年秋，水。三十九年二月三日，大風，晨晦。四十二年春，甘泉出。浚泮池，有泉出，甚甘，名曰「聖源池」。西有古槐，已枯數年，復榮。四十三年夏，旱。運河水淺，總河姚立德奉旨求雨，中軍副將王普禱於泰山，甘霖疊降。四十六年夏，大雨。秋，河決開封之考城，水淹州南鄉。自南鄉以至嶧縣文臺莊，西至曹、單，合爲巨浸。金鄉、魚臺二邑壤地漫没過半，水周金鄉城數尺。知州王道亨率其屬築月堤護城，并於四門各募船濟渡。四十八年秋，旱。以上《前志》。○四十九年，大有年。五十年，旱。五十一年春，旱，大饑。五十五年，水。五十七年，旱。

嘉慶元年，河決。二年，河決，南鄉漂没。五年，大有年。六年，大有年。七年，大有年。蝗，不爲災。八年，蝗，不爲災。九年，水。十年春三月二十三日，隕霜殺麥。得雨復蘇，麥大熟。十五年，水。十六年，旱。十七年，旱。十八年，旱，大饑。十九年，水。二十年秋，疫。二十一年，水，牛頭河決。南陽諸湖水倒灌，南鄉水深丈餘，積四年不涸。二十四年秋，水，牛頭河堤、横壩并決。七月二十□日，雷擊州城南樓。冬，大雪。

道光元年四月朔，日月合璧，五星聯珠，是年大疫。二年、三年，大雨，水。四年，蝗；五月，大風。五年，蝗，旱。八年，水。九年，水；十月二十二日，地震。十年，閏四月二十二日，地震；八月，水。十一年，大雨雹，水。十二年，水。十三年，水；冬，大雪。十五年春，旱；秋，蝗。十六年，水。十七年，蝗。十八年，水。十九年，水。四月初四日，雷擊州城北樓。瑞穀生。南鄉生員王敬思地産嘉禾，一莖二三穗，繪圖，勒石城樓。二十年六月，大雨水。泗河漫溢，牛頭河決。二十一年，瑞麥生。南鄉監生馬之騄地麥秀雙歧，繪圖，勒石城樓。二十二年，大有年。

按《前志》稱：「山左邑乘，自昔稱安邱爲最。首列『總紀』一卷，因仿其例。先以『紀年』舉一州典故之大者，提綱挈領，按年特書。」兹分爲二卷，上察之天時，下驗之人事，灾祥并紀，休咎有徵，司牧者所以志修省也。至於象緯星變，非一邑一州之所主，《前志》略焉，今從之。

濟寧直隸州志卷一之三

大事志

「分野」之後，繼以「五行」，敬天時也。善言天者必有徵於人，故别爲「大事志」附之。《前志·紀年》述《春秋傳》，今詳「古迹」「歷代沿革」「封建」，均以類分列。各卷記事，斷自秦始。

秦

二世二年十月，沛公攻胡陵、方與，十一月還車亢父。七月，沛公攻亢父。建寅次年之七月。三年，沛公從碭北攻昌邑。

漢

永始二年，山陽鐵官奴蘇令等殺長吏叛。

光武五年，龐萌反，圍桃城。帝自蒙縣趨亢父，夜行十里，駐任城，進救，大破之。

永平十四年夏四月，任城令汝南袁安遷楚郡太守。

元和二年，帝巡東郡，行過任城，幸鄭均舍。

初平元年春正月，山陽太守袁遺與渤海太守袁紹等起兵誅董卓。三年，青州黄巾賊入兖州，殺任城相鄭遂。四年，徐州牧陶謙與下邳人闕宣略任城。

魏

景元四年，司馬昭辟任城魏舒爲相國參軍。

晋

太始元年，以任城魏舒爲司徒，封劇陽子。

東晋

義熙元年，封任城魏咏之爲江陵縣公。討桓玄功也。

南宋

大明元年，任城群盜平。二月，魏人寇兖州，向無鹽，敗東平太守南陽劉胡。詔遣太子左衛率薛安都將騎兵，東陽太守沈法系將水軍，向彭城以禦之，并受徐州刺史申坦節度。比至，魏兵已去。先是，郡盜聚任城荊榛中，累世爲患，謂之「任榛」。申坦請回軍討之，上許之。「任榛」聞之，皆逃散。《通鑑》。

少帝元年，魏問大肥破方與、任城、亢父等縣，略二千餘家。

唐

武德四年，徐圓朗反，保任城，自稱魯王。劉黑闥作亂，與兗州總管徐圓朗通謀。帝使葛國公盛彥師安集河南，行至任城，圓朗執彥師，舉兵反。圓朗厚禮彥師，使作書與其弟，令舉虞城降。彥師爲書曰：「吾奉使無狀，爲賊所擒。爲臣不忠，誓之以死。汝善事老母，勿以我爲念。」圓朗初色動，而彥師自若。圓朗乃笑曰：「盛將軍有壯節，不可殺也。」乃待之如舊。《通鑑》。

五年，徐圓朗平，置兗州，領任城等縣。

開元十七年，詔贈孔子弟子樊遲爲樊伯，任不齊爲任城伯。

天寶元年，帝東封，回駕次任城。

咸通十年，徐州叛卒龐通作亂兗州，發兵戍魯橋。

宋

大中祥符二年，追封孔子弟子樊遲爲益都侯，任不齊爲當陽侯。

靖康元年，賊李昱據任城，康王駐濟州，忠翊使楊存中大破之，復任城。

貞祐二年，濟州陷於寇，州人翰林應奉李演死之，詔贈濟州刺史。章宗泰和六年舉進士第一。

元

至元十七年，置汶泗都漕運使。二十年，自任城開河，至東阿，三百餘里，立都漕運司於魯橋。二十二年二月乙巳，增濟州漕舟三千艘，役夫萬二千人。初，江淮歲轉漕米百萬石，京師海運十萬石，膠萊六十萬石，而濟之所運三十萬石，水淺舟大，恒不能達。更以百石之舟，舟四人，故夫數增多。戊辰，增濟州漕運司軍萬二千人。二十三年，罷濟州都漕運司。二十六年，罷汶泗都漕運使，立會通、汶、泗提舉司，專職河渠。二十九年，修學宮。

大德二年，建尊經閣。州人吴江州知州田章捐書五千卷實之。十年，加封孔子「大成至聖文宣王」。刻石學宫。

皇慶元年，繪塑從祀諸賢像。

元統三年，重修廟學。

至元三年，修尊經閣。

至正四年，重繪從祀諸賢像。河决泛任城、魚臺諸縣，命賈魯治之。六年，山東盗起；五月，以河决立河南、山東都水監。七年二月，山東盗蔓延濟寧、滕、邳等處。八年正月，以河决徙濟寧路於濟州；二月，以河水爲患，於濟寧、鄆城置行都水監，以賈魯爲都水。九年正月，立山東等處行都水監，專治河患。十一年十月，立中書分省於濟寧。十三年，修學宫。十六年四月，以知樞密院事實理門分院濟寧。十七年正月，命山東分省團結義兵，每州添設判官一員，每縣添設主簿一員，專率義兵以事守禦。命各路達魯花赤提調，聽宣慰使節制；二月，韓林兒黨毛貴陷山東諸郡邑；五月，以實理門爲中書分省右丞，守濟寧；七月己丑，鎮守黄河義兵萬户田豐叛，降於韓林兒，陷濟寧路，實理門遁。義兵萬户孟本周攻之，豐敗走。本周還濟寧；十二月，詔諭濟寧李秉彝、田豐等，令出降，叙復元任。嘯亂士卒，仍給資糧；欲還鄉者，聽。十八年二月壬午，田豐復陷濟寧路。二十一年八月，陝西行省左丞察罕帖木兒復濟寧路。察罕帖木兒諜知山東群賊自相攻殺，而田豐降於賊。六月，乃自陝至洛，大會諸將，鼓行而東。八月，至鹽河，遣其子擴廓帖木兒及諸將，以精卒五萬搗東平。僞丞相田豐遣崔士英出戰，大破之。察罕帖木兒以田豐據山東久，軍民服之，乃遺書諭以順逆之理，豐及東平賊王士誠皆降，遂復東平、濟寧。《元史》。二十七年十二月戊申，明兵收濟寧路。守禦濟寧，總裁滕、嶧、曲、泗、兖、鄆、曹、沛諸郡，知江淮等處，行樞密院事陳秉直遁。

明

洪武元年，大將軍徐達開塌場口入泗，以通運。尋淤，復由師莊、石佛諸閘北溯汶、濟，以達燕、冀。又開耐牢坡堤，西接曹、鄆，以通梁、晋之漕。康茂才濟師北伐，令各衛糧舟，俱赴濟寧。二年，建龍神祠於南門外。三年，置社稷風雲雷雨山川城隍壇。四年六月，遣工部主事仇□等按行黄河，發民疏浚，以通糧漕。時河經州境，濟寧董役者守禦千户張□。見黄哲詩《小序》。五年，大修城，易以磚石。七年正月，詔都督僉事王簡、王誠、李伯昇駐彰德、濟寧、正定統兵屯田。八年，修學宫。重建西齋。十四年春正月，詔行「賦役黄册法」。

建文二年十二月甲午，燕兵掠境。三年五月，燕王使都指揮李遠至穀亭，盡焚軍興以來積聚，與邱福、薛禄合兵攻濟州，破之。四年三月，都督平安率兵次州境，聞燕兵趨宿州，平安乃引兵南。

永樂七年十二月庚戌，詔濟寧至良鄉民頻年遞運者賜田租一半。九年二月，命尚書宋禮等浚會通河。用濟寧州同潘叔正之言也。開天井月河，建上新、下新二閘。遷登州、萊州、青州三府民於兖州、東昌諸府。十五年夏四月丁巳，頒《五經四書性理大全》於學宫。十七年，初浚泉源。從平江伯陳瑄之請也。

宣德六年，修學宫。

正統二年，浚州南北河道。六年，重修尊經閣。十三年，重修學宫。

景泰元年，調濟寧左衛於臨清，其所管河道以鉅野、嘉祥代之。七年，置濟寧至臨清各減水閘。

天順三年，開天井、任城月河。任今訛在。

成化四年，築彭子山壩，障大薛湖。按大薛湖在漕河西岸，北接南旺湖，南接晋陽湖，一巨匯也。成化間，僉事陳善因南旺湖水漲入大薛，漫流晋陽，水退漕涸，故立此壩。見《兗州府志》原編，又《舊志》圖有孫村湖，今皆無此名。十二年，開耐牢坡至堝場口，長九十里，名曰「永通」。十四年，修濟寧至汶上運河堤岸。十五年，頒漕禁。從管河通政韓鼎議。二十一年，德王請弃南旺湖，不許。夏鎮都水分司移駐濟寧。《通志》云：「南河都水分司，成化間設。」《泉河史》云：「始自宣德七年。」

弘治二年，修學宮，工部分司莫驄撰州志。三年，修魚臺古長堤。十年，降管閘主事盛應期驛丞。內官奏其阻滯。十六年十二月，工部侍郎李燧來視石堰。

正德四年，築楊家壩。六年，賊破金鄉。十月，劉寵、即劉六。劉晨即劉七。等焚分司署，執主事王寵，尋釋之。祀宋禮於南旺。九年，嘉祥曾子廟成。《大政記》「二年，修山東曾子廟」，至此始成。《前志》云：「弘治五年，嘉祥訓導婁奎請訪曾子後在贛榆者，授博士，主祭。下所司，恐未果行。」十四年十一月，帝親征宸濠，過濟寧。

嘉靖元年七月，逮管閘主事陳嘉言獄。太監温祥奉寶册至安陸，劾其侮慢。三年，建正學書院。十三年，築南旺東堤。十四年，築馬場湖堤。長六十里，建減水閘五座。十五年，建治水行臺於城西。十六年，修學宫。二十年，築南旺河堤，始正疆界，并及馬場湖禁民佃種。魚臺盜起，明年平。二十四年，建龍章閣於學校。三十九年，浚府河。

隆慶三年三月戊辰，革山東利建、魯橋、棗林新閘，師家莊閘官及閘夫、溜夫、泉壩夫、淺鋪夫、停役夫共六千餘名。改正學書院爲運河廳署，裁南河都水分司歸寧陽分司帶管。四年，修學宮。六年，開南旺月河。改期，大挑故也。

萬曆四年，浚南旺月河，建閘二，設督浚官。從余毅中請。十年，閘河淺澀，清查南旺、馬場二湖原界。十三年，修學宮。十五年，復設棗林閘官。十六年四月，運河水淺，山東巡撫李戴勘河，給事中常居敬會題請旨禱於泰山，大雨。十七年，築南旺湖小堤，建長溝五里石壩。二十年，浚南旺、安山、馬場諸湖。二十二年，重修南旺西湖長堤。二十四年，澈長溝上壩。先是石壩之上有土壩障水，至是撤之，民稱便。浚南旺湖。二十五年，浚浣筆泉。三十二年，開泇河，功成。三十五年，修學宮。三十七年，巡道王國楨、知州張嘉謨修州志。四十三年，修學宮。

天啓二年五月，妖人徐鴻儒作亂，陷鄆城、鄒、滕，州人戒嚴。練九營兵。四年修城。鄰邑盜起，戒嚴。

崇禎十二年，大兵南下，山東大震，總督太監高起潛以兵屯臨清、濟寧間。十四年春，土賊張文宇、劉顯等據兩城山，河標中軍副將吴道泰陣亡，道標中軍守備許□以招撫遇害，贈恤有差。濟寧副使葉重華、副將馬岱討平之。五月，東賊姚三等侵掠州境，重華敗之泗上，賊遁去。運河同知譚彩始引府河入馬場湖。是年大饑，總河張國維發帑平糶。《前志》記十三年汶泗斷流，國維禱於泰山，大雨。十五年，大兵臨城下，旋駐兖州。

國朝

順治元年正月，明以方岳貢爲户部尚書兼兵部尚書、文淵閣大學士，總督漕運，屯練濟寧。三月，總河黄希憲奔。四月，流賊餘黨至。先是，署道僉事王世瑛乘總河南奔，大張僞示，勸民從賊。及賊至，以城降，州人率鄉兵復之。僞濟寧道張問行，僞總府傅龍，僞知州任崇志伏誅。欽命户部侍郎王鰲永招撫山東，檄至，士女翕然歸順，兵不血刃。設濟寧道管南河，以兖東道管北河。總河楊方興平嘉祥滿家硐賊。二年，設城守營。五年，碭山寇作亂，發駐防兵討之。（會已就撫，還師。）濟寧道按察司僉事李時護漕自臨清回，至安山，土賊周魁軒等數千突至，時卧病舟中，奮起力戰，死之。是年，修學宫，築塞楊家壩，禁開墾南旺湖地。九年，奉旨恤賑。（州人御史王道新疏請。）十年，定南旺湖每年小浚，間年大浚。十一年，定驛遞夫馬。（南城驛馬一匹，馬夫一名，水夫一百七十名。里甲走遞馬八十匹，馬夫四十名，白夫二百二十名，青夫八十名。視舊減馬十匹，白夫二十名，青夫五十二名。）十二年，總河楊方興重建南門樓，裁永豐倉大使。十四年，定賦役經制例。十五年，停儒童科試。

康熙三年，裁訓導及管糧通判。四年，旱，奉旨蠲賑。五年，裁魯橋巡檢司。六年，裁濟寧道，設南北都水分司理河務。九年，河決，奉旨蠲恤。復設濟寧道，兼轄南北，罷分司。欽頒上諭十六條於學宫。十年，水，奉旨蠲恤。十二年，知州廖有恒重修州志。是年，復儒童科試。十三年，裁減驛遞。里甲馬十四。十四年，裁減里甲馬夫、青夫、白夫、鋪夫及南城驛水夫。十八年，總河靳輔大修學宫。十九年，復設訓導一員。二十年，重修城東門樓。二十三年，修南旺十字河斗門，加築湖堤。聖駕南巡，幸南池，免經過州、縣、衛、所丁銀。二十四年，開楊家壩，泄水出天井，尋塞之。二十五年，詔免山東地丁銀業户十之七，佃户十之三。二十七年，裁任城衛守備，歸并濟寧衛。二十八年，御製顔子、曾子、子思子、孟子《贊》，立石學宫。三十年，修南陽大堤，建長橋。魚臺令馬得楨建，名「馬公橋」。奉旨免漕糧。三十一年，總河移駐清江浦。《運河備覽》云：「在十六年後。」三十二年，知州吴樫始建倉廒。舊倉廢於兵火，積穀皆寄寺觀，其基址輒賃於民。州之有倉自此始。三十三年，知州吴樫增置廟學樂器、祭器，設樂舞生十六人。築横堤，自棗林南運河西堤至牛頭河廣運閘。防南陽湖水倒漾。按：此名舊壩，又有新壩，乾隆二十年築。修東門、南門城樓。三十四年，開楊家壩，建減水閘。河督于成龍從知州吴樫議。冬十二月，重建州大堂成。三十六年閏三月，知州吴樫建築泗河西堤并鷄嘴壩，開浚姜家橋淤淺。修北門城樓、南門炮臺。三十七年，饑，奉旨賑恤。三十八年，知州吴樫修學宫。四十二年，以班匠銀攤入地畝。四十三年秋，欽頒《訓飭士子文》於學宫。四十八年，濟寧金鄉奉旨緩徵。四十九年，奉旨蠲免地丁銀。五十一年，裁南城税庫局大使。五十二年，奉旨全免山東地丁銀，人丁以五十二年爲常額，續生人丁永不加賦。敕建州人張世思「百歲坊」。五十三年，裁東兖道，歸并濟寧道，改銜兖寧道。按《通志》一在五十七年「職官·宋宗基」下，一在是年。五十七年，運河道歸并東兖道，改銜兖寧道。

雍正二年，分爲直隸州。詔建忠孝節義祠及劉猛將軍廟。建獨山湖隔堤、昭陽堤、石閘十二及三空橋二。三年，大有年。詔以錢糧、耗銀歸公，定各官養廉。欽頒《聖諭廣訓》於學宫。四年，以丁賦攤入地畝。欽差勘議南旺、獨山、馬踏湖地，增修堤堰閘壩，支河添斗門、閘板。五年，裁館夫，減白夫、里甲馬及馬夫、青夫。七年，總河還駐濟寧。十一月，盗宋五、宋六作亂，尋伏誅。八年六月，大水，奉旨賑濟，并給貧民葺屋銀，户一兩五錢。改兖寧道，分巡曹東河道，州仍屬兖州府。九年，奉旨以上年濟、兖、東三府水灾特甚，加賑兩月，又截漕二十萬石平糶。十年，奉旨以兖州、東昌二府春夏少雨，速行賑恤平糶。十一年，減水夫。欽頒《論語》二部於學宫。十二年，減南城驛及里甲馬匹、草料。改分巡曹東河道銜爲通省河道，不兼分巡銜。

乾隆二年，旱，奉旨免山東地丁銀一百萬兩。三年，修邢莊閘及獨山湖圈堤。五年，欽頒「十三經」「二十一史」於學宫。六年，欽頒《上諭》及《四書文》《明史》於學宫。七年，裁南城驛、驛丞，以驛屬州。豁免圈堤地畝丁賦。八年，欽頒《世宗憲皇帝上諭》二部及樂器於學宫。十年，改楊家壩爲減水壩。奉旨賑濟，全免山東地丁銀。十一年，欽頒《周易折中》《性理精義》《書經》《詩經》《春秋傳説彙纂》各一部於學宫。十二年，奉旨緩徵。改泗河董家壩爲滚水壩。敕建候選州同知孫泰之母徐氏「百歲坊」。十三年春，奉旨加賑上年被水州縣三月，免山東地丁銀。聖駕東巡，欽頒《明史》《綱目》三編於學宮。二十年，欽頒《御製平定金川碑文》於學宮。改設河標中營守備爲都司。二十一年，聖駕南巡，免經過州縣地丁銀十之三。二十二年，改楊家壩減水閘爲雙石槽閘。州及金鄉、魚臺奉旨賑恤。二十四年，減里甲馬及南城驛馬。欽頒《御製平定伊犁文》及《三禮義疏》於學宮。修城。二十五年，欽頒《大清律例》《督捕則例》各一部。（《前志》「至儒學」三字衍。）修北門外火神廟壩。二十六年，欽頒《鄉會墨選》於學宮。奉旨截留汶上等縣漕米。二十七年，奉旨豁免水深難涸地丁銀。（自二十四年至是年，兩經撫臣阿爾泰奏明，豁除濟寧、魚臺糧地共二千六百餘頃。）三十年，聖駕南巡，幸南池、太白樓。三十五年，建行宮於八里莊。敕建生員孫文佑妻李氏

「百歲坊」。三十六年，聖駕東巡，幸南池、太白樓，免經過州縣地丁銀十之三。濟寧免一千一百三十七兩有奇。賜百二歲壽婦孫文佑妻李氏緞二匹。奉旨免地丁銀。秋禾水灾，六分免銀三百七十四兩有奇，七分免一千五百三十八兩有奇，八分免二千二百四十六兩有奇。三十七年夏，奉旨停止五年編審户口之例。三十八年，奉旨全免山東地丁銀。建任城書院於西郊。新司街。三十九年八月，陽穀賊王倫作亂，陷壽張、陽穀、堂邑，圍臨清。河督姚立德帥師至東昌會勦。十月，平，師還。四十年，修城東門、南門。四十一年，州仍升爲直隸州。聖駕南巡，幸南池、太白樓，免經過州縣地丁十之三。濟寧免銀一千一百三十七兩。冬，知州藍應桂大修學宮。四十二年秋，修州志。四十五年，割汶上歸究州，以金鄉縣來屬。聖駕南巡，幸南池、太白樓，免經過州縣地丁銀十之三。濟寧免銀一千三百二十六兩有奇。四十六年，奉旨賑濟寧、金鄉、魚臺被灾民兩月。共銀三萬一千二百五十一兩有奇。總河李奉翰因趙村閘距任城閘六里，奏請裁趙村閘官，移於珠梅閘管理閘務，趙村歸任城閘管理。四十七年，奉旨加賑上年被水州縣三月，截留漕米平糶。十萬石貯東昌，二十萬石貯濟寧。賑銀共十六萬三千六百七十二兩有奇。四十八年春，奉旨加賑濟寧、金鄉、魚臺灾民三月。共銀九萬三千三百一十五兩有奇。秋，奉旨展賑五月。共銀十七萬六千八百七十四兩有奇。大修濟寧以南至臺莊漕運堤工，大學士公阿桂會同河、撫、院估辦，工分四十九段，官八十餘員。用帑百七萬有奇。知州王道亨建單閘二、涵洞四。因新店上四里灣涵洞出水不暢，改建單閘，又重修下四里灣單閘，新店、新閘、仲家淺、魯橋涵洞各一。重修楊家閘。四十九年，聖駕南巡，幸南池、太白樓，免經過州縣地丁銀十之三。濟寧免銀一千三百二十六兩有奇。十一月，總漕毓奇、巡撫明興奏請疏浚微山等湖上游水利，各河渠支幹由運入湖。計工四萬九千五百四十二丈，土六十六萬一千二百八十餘方，用銀五萬五千二十三兩有奇。五十年，知州王道亨浚長濸河、牛頭河、顧兒河。○修州志。以上《前志》。

○五十二年，奉旨緩徵舊賦。五十四年，旨緩徵。五十五年，聖駕東巡，免經過州縣地丁十之三，豁免四十九年、五十五年被灾民欠錢糧。六十年，奉旨蠲免錢糧。五十二年至五十八年。嘉慶元年，奉旨撫恤貧民一月口糧，接賑四月，錢糧分别蠲緩。二年、三年，并賑恤蠲緩。四年，奉旨賞借一月口糧。九年，奉旨緩徵舊賦。十年，修楊家閘。十二年，浚牛頭河。十六年，奉旨借籽種、緩徵。十七年仍借籽種，至十八年并緩徵。十八年，教匪陷定陶，曹縣知州王旭昇率同紳民守城防禦，金鄉知縣吴階擒其黨，誅之。賊據河南滑縣，旋剿平。十九年，因大兵之後，奉旨緩徵并借籽種。二十年、二十一年秋，并緩徵。二十二年，奉旨賞一月口糧，籽種、緩徵。知州王殊渥移建楊家閘。二十四年，奉旨蠲免舊賦。至二十二年止。二十五年秋，奉旨緩徵。

道光元年，州及金鄉、魚臺被水村莊奉旨緩徵，借籽種。二年，州及金鄉、魚臺被水村莊奉旨緩徵。三年，奉旨展緩。五年，奉旨緩徵舊賦。八年至十三年并緩徵。十三年，知州王鎮建漁山書院。添設考棚。修南陽湖横壩。修青山橋。十五年，奉旨蠲免舊賦。至十年止，十六年至十八年并緩徵。十八年冬，總河栗毓美、巡撫經額布奏請重浚牛頭河、顧兒河、長澹河。十九年，州及金鄉、魚臺被水村莊奉旨緩徵。二十年，州及三縣被水村莊奉旨緩徵。知州徐宗幹請奏修運河民埝、蜀山湖堤。運河同知黄慶安請重建天井閘。總河栗毓美重修學宫。運河道徐經修馬場湖堤，浚府河。知州徐宗幹重修曾子祠，建樊子祠。二十一年，修泗河堤，請建楊家閘、新石壩。修城，浚玉帶河。官紳捐辦，奉上諭恩奬有差。重修《州志》。

濟寧直隸州志卷二之一

方輿志

沿革表

《前志》云：「《傳》有之：『任、宿、須句、顓臾，風姓也。實司太皞與有濟之祀。』其由來久矣。然任城之隸濟州也，自周廣順二年始；而濟州之治任城也，則自金天德二年始。其前如晉、宋之濟陽，則治定陶；元魏之濟州部，與唐武德所置之濟州、天寶之濟陽，則治碻磝或盧縣。皆非今之濟州也。」至金鄉屬濟州，始於五代；嘉祥屬濟州，始於金；魚臺屬濟州，始於元。至明，而三邑統屬濟州。國初沿其制，至乾隆四十五年，三縣并來屬，而升爲直隸州。疆域既定，言地志者得所折衷矣。爰據《前志》附「辨論」，以備考稽。

國朝	夏殷周	漢	晉南北朝
山東省	夏殷徐州 《舊志》：「舜肇十有二州，爲兗州之域。」	漢兗州 治濮陽。	晉兗州 治廩邱。《通釋》：按今濮州雷澤縣。
濟寧直隸州 《通志》：「濟水，南會泗，北會汶，州居其中，故以濟寧爲名。」		東平國 《地理志》：「東平國，故梁國。高帝五年，改碭郡爲梁國。景帝中，六年別	任城國
	周兗州		任城

領三縣
金鄉 《通志》：「城北有金山。」《太平寰宇記》：「鑿山得金，故名。」
嘉祥 《通志》：「魯西狩獲麟地，故名。」
魚臺 《通志》：「魯隱公矢魚處。」
順治初，因明制州隸兖州府 領嘉祥、鉅野、鄆城。
雍正二年，分

魯
宋
任國
厥國 按《通典·兖州》：「《禹貢》徐、兖二州之域，任城、龔邱即兖州界，餘并徐州域。」非也。《禹貢》「徐州大野」，自在今汶上、嘉祥、鉅野之間。《禹貢》：「濟、河唯兖州。」《爾雅》：「濟、河之間曰兖州，濟東曰徐州。」先儒以爲殷制，今之濟寧不在古濟、河之間，與夏殷兖州無涉。

爲濟東國。武帝元鼎元年，爲大河郡。宣帝甘露二年，爲東平國，屬兖州。」
任城
亢父 任城，莽曰延就亭，亢父曰順父。
樊
山陽郡
昌邑 武帝天漢四年，更山陽爲昌邑。
湖陵 莽作湖陸。
東緡

亢父
樊
高平國
昌邑 侯國。
方與
金鄉
湖陸
高平 侯國。
《舊志》：「西晋爲南平陽侯國，統三縣，隸兖州。永嘉後，没於石氏。東晋，還置高平國。」按晋《任城太守夫人氏碑》，任城國，西晋亦嘗爲直隸州領縣如故。

八年，仍屬兖州府不領縣。

乾隆四十一年，仍升爲直隸州。割兖州府之汶上、嘉祥、魚臺三縣來屬。

四十五年，以汶上還屬兖州府，割金鄉來屬。

《周禮·職方氏》：「河東曰兖州，其山鎮曰岱山，其澤藪曰大野，其川河、濟。」在周爲兖州地無疑。按《通志》：「周爲任、郜二國地。」《舊志》：「周任國，春秋時爲魯附庸。」戰國季任爲任處守，即此。

春秋

任

詩同郜。

魯

宋

方與

橐莽作高平。

按《漢書·地理志》：東平國領縣七，無鹽、任城、東平、陸、章、亢父、樊，以上共七縣。

東漢兖州治昌邑。

任城國章帝元年，初分東平置，洛陽東一千一百里。

任城

亢父

樊按自此任城始

爲郡。故沈約《宋書·州郡志》：「任城縣，本屬任城郡。江左省郡爲縣。」是任城國爲郡之證。

南宋兖州治瑕邱。

高平郡

任城初有，後省。

高平

方與湖陸省入。

金鄉

亢父按：劉宋初仍晉制，任城初縣爲任城國治，後廢。武帝永初年明承元制，以縣隸州，以州隸府。府隸中書省，後改爲布政司。其州之不隸于府而直隸于省者，謂之直隸州。康熙中尚有隸府而仍領縣者，雍正以後如今制。

極

戰國

任

宋 又屬齊。

秦

碭郡 漢梁國，又別爲東平、山陽。

任城 李白《任城廳壁記》：「任城，秦之古縣。」《舊志》：「分天下爲三十六郡，任屬東郡。」

薛郡

不屬東平。

山陽郡

昌邑

東緡

高平國 侯國，故橐。

湖陸

方與

金鄉

防東

按《續漢書郡國志》云：「任城本任國，有桃聚，光武破間，高平郡有任城縣。後趙任城國，領縣三，任城、亢父、樊。前燕任城國，光壽二年，俊以賈堅子活爲任城太守，領縣三：任城、亢父、樊。

後魏兖州

任城郡 本任城國，晋永嘉元年罷，神龜元年分高平置。

任城

亢父

鉅野

高平郡

緍 昌邑	隋	魯郡 舊《兖州》：「大業二年改魯郡。」 任城 《元和志》：「北齊天保七年，廢任城，置高平郡，改魯郡爲任城郡，廢亢父。開皇三年，罷高平郡，屬兖
麃萌于桃聚。」 三國魏 隸東郡，太守治鄄。黄初三年，分任城、亢父、樊三縣爲任城國。	唐	河南道 采訪使。治汴郡。 兖州魯郡 上都督府 任城 緊。
高平 方與 金鄉 按《魏書·地形志》：任城郡領縣三，任城、亢父、鉅野。而無樊，或此時已并入任城。	宋	京東西路 治應天府，今河南歸德府。熙寧七年，分爲京東西路，濟州屬西路。 濟州 上。 濟陽郡防禦

州。唐天寶初年，改兗州爲魯郡。乾元初年，復改魯郡爲兗州。」《前志·紀年》。

濟陰郡

金鄉 開皇十六年分置昌邑，大業初并入。

彭城郡

方與 後齊廢，開皇十六年復。郡人劉淇曰：「《北魏地志》凡百十一州，齊、周因之，每有增益。至周大象二年，通計州二百十一，郡五百八。隋開皇三年，盡廢諸

金鄉 望。武德四年，以金鄉、方與置金州。五年，州廢，縣隸戴州，徙戴州來治。仍析金鄉，置昌邑縣，八年省。

魚臺 上。本方與，寶應元年更名。元和十四年，權隸徐州，尋復故。按《通志》：唐屬兗州。「舊志」：唐以魯郡爲兗州，領十縣。其一任城，隸河南采訪使。又爲濟州，又爲濟陽郡，後升爲泰寧軍。《李翰林集》有《離濟寧

領縣四

鉅野 望。

任城 望。

金鄉 望。

鄆城 望。

單州

魚臺 濟州，濟陽郡，今理鉅野縣，《禹貢》兗州之域。春秋時其地屬齊，亦齊、衛二國之境，古郡理即碻磝城。按《地理志》注云：「碻磝，古津也。城名因之。」秦爲東郡茌平縣

郡，以州領縣。煬帝大業初，又改爲郡，置司隸、刺史，分部巡察。然則，大業以來之州，即郡也。至於復郡之後，但云置刺史分巡，而不云分天下爲幾部。且司隸、刺史，即今都御史、監察御史之屬，則是臨時分部，未有專治也。《隋書·地志》所載九州，因《漢書·志》所説《禹貢》九州分野、風土、物産、習俗之文，依仿增衍，以暢其説。蓋以隋既廢州，慮後來不復知九州故迹，故以

泛舟北行》詩，是濟寧之名在唐已見。考《元和郡縣志》：武德五年，計平徐圓朗，改魯郡，置兖州。貞觀十四年，改郡督府，無濟寧之名。

地。」《漢地理志》云：「茌平屬東郡。」後漢亦屬東郡及濟北國。宋元嘉七年，到彦之北伐，拔此城，後又失之。至二十七年，以王元謨爲寧朔將軍，前鋒入河，北拔之，因以固守于此。又置碻磝戍，或爲濟北郡。後魏大武八年，于此立濟州，又爲濟北郡，而外城即後魏王光中刺史刁宣所築。按《郡國志》云：「後魏置濟州于單于城中，即石勒所耕之處，聞鼓角之聲，此其地也。」至周建德七年，又築第二重城，置肥城

當時之郡縣考《禹貢》之疆野，庶稽古之士有所憑焉。乃作者之深意，而非隋有此九州之名也。漢承秦制，至武帝開地斥境，始置十三部，則是漢已十三州矣，不應隋只有九州。」按：《兖州府志》原編以魯郡屬徐州部，亦誤讀《隋書》也。《前志》。

按：《隋書·地理志》：「舊兖州，改魯郡，統縣十：瑕邱、任城、鄒、曲阜、泗水、平陰、龔邱、梁父、博城、嬴。

郡。隋初，置濟州。煬帝初，復爲濟北郡。唐武德四年，平王世充，改爲濟州，或爲濟陽郡，皆在此。天寶十三載，廢郡，以所隸五縣并歸鄆城。至大歷中，復立濟州。唐末又廢入鄆州。周高祖廣順二年九月，平兖州，回至鉅野，因詔於此復置濟州，仍割兖州之任城、中都、鄆州之金鄉等縣隸之。其年十二月，又割鄆州鄆城县隸之，中都却入鄆州。樂史《太平寰宇記》。

按：自此任城始屬濟州，而濟

金	山東西路 治東平府。 濟州 中 刺史 宋濟陽郡，舊治鉅野。天德二年，徙治任城，分鉅野之民隸嘉祥、鄆城、金鄉三縣。 領縣四、鎮二	
元	燕南河北道 肅政廉訪司 治真定。 濟寧路總管府 治鉅野，後徙濟州。 濟州領縣四	
明	山東承宣布政使司 治濟南府。 兗州府 金鄉 魚臺 濟寧州領	州猶不在任城也。按：宋建隆元年，始以知州易方鎮，此知州之始。乾德二年，詔階、成二州直隸京師，始不以支郡盡隸節度使，此直隸州之始也。

任城 倚。
鎮一 魯橋。
金鄉
鎮一 昌邑。
嘉祥 舊有合來、山口二鎮，後廢。皇統七年，析任城、鉅野，置嘉祥縣。《前志·紀年》。
鄆城
南京路
單州
魚臺 金天德二年，徙

任城 倚。至元十二年廢，二十三年復。
金鄉 下。初隸濟州，至元二年來屬。
魚臺 太宗七年屬濟州，至元元年并入金鄉，三年復故，八年屬濟寧府，十三年來屬。
沛
單州
嘉祥 舊屬濟州，憲宗二年割隸東平路。至元三年還屬濟州，

嘉祥
鉅野
鄆城 洪武元年，改濟寧路爲府，仍治任城。以嘉祥、定陶、曹、單、城武、魚臺、滕、嶧八縣來屬，并原領鉅野、鄆城、金鄉、任城，共十二縣。又領兗、沂、東平三州。十八年，省任城，入濟寧，改爲州，屬兗州府。領嘉祥、鉅野、鄆城、定陶、曹五縣。正統十一年，割定陶、曹縣屬曹州府，而濟寧領縣三，嘉祥、鉅野、鄆城，隸分守東兗道。《舊志》。

州治於任城。《明志》。按倚者，倚郭，即附郭也。此濟州治任城之始。《皇輿表》曰：「金，任城縣屬濟州，海陵王時移濟州治此。」

後屬單州。濟寧路，唐麟州，周於此置濟州。元太宗七年，割屬東平府。至元六年，以濟州還治鉅野，仍析鄆城縣之西鄉來屬。八年，升濟寧府，治任城，尋還治鉅野。十二年，復立濟州，治任城，屬濟寧府。十五年，還府於濟州部，却鉅野行濟州事。其年又以府治歸鉅野，而濟州仍治任城，但爲散州。十六年，濟寧升爲路，置總管府，領録事司一、縣七：鉅野、鄆城、肥城、金鄉、碭山、虞城、豐縣；州三：濟州、兖州、單州。濟州，唐以前爲濟北郡，治單父。唐初爲濟州，又爲濟陽郡，仍改濟州。周，瀕濟水立濟州，宋因之；金遷州治任城，以河水湮没故也。元至元二年，以户不及千數，并隸任城。六年，遷州于鉅野，而任城爲屬邑。十二年，以任城當江淮，水陸衝要，復立濟州，屬濟寧路，而任城廢。二十三年，復置任城，隸州。《元史·地理志》。按《元史·本紀》：至正八年正月十四日，黄河决，遷濟寧路于濟州。中書左丞李國鳳有《移濟寧路治記》。見「藝文」。

按「舜肇十有二州」，據孔《疏》禹治水時猶爲九州，舜攝位二年後，分冀爲幽、并，分青爲營，兗未分也，則任自當在徐州之域。禹受禪，復還九州之制。後之分《禹貢》疆域者，本杜氏《通典》，于兗州曰：「《禹貢》徐、兗之域。」注云：「任城、龔邱縣即兗界」，列任城于兗州下。注云：「古任國，漢爲縣，又有漢亢父縣。」以後世疆域分入《禹貢》，本《隋書·地志》。考《隋書》任城屬魯郡，而定爲《禹貢》徐州之域。胡朏明亦謂「《通典》誤任當來屬徐州」，此説是也。唯《隋書》因金鄉屬濟陰郡，而謂豫州于《禹貢》爲荆州地則謬矣。據胡氏，金鄉、嘉祥、魚臺皆《禹貢》徐州也。《商頌》「九有」，傳曰「九州也」，則殷因于夏可知。《爾雅·釋地》注者謂「殷制徐州」，注曰「自濟東至海」，任亦當在徐州之域。班《志》謂「殷因于夏，無所變改」，杜佑亦曰「殷湯受命」「亦爲九州」。《爾雅》未可據爲商制，王伯厚韙之，任應屬徐州。周《職方》「九州」，《舊志》謂「任在周爲兗州地」。案《周禮》「正東曰青州」，易氏祓曰「周并徐于青」。考淮于《禹貢》屬徐，孟諸屬豫。據下文「川澤」，則青州之西南侵豫，南并徐且跨淮，而與揚接矣。又考「河東曰兗州」，按兗以岱爲鎮，則其東南侵入青、徐大野，亦徐境也。周無徐州，蓋分隸于青、兗，故《舊志》因《職方》兗州有其澤藪大野，以鉅野去任城近，遂定任爲周之兗州。胡朏明曰：「《周禮》「正東曰青州」，《禹貢》徐州之山水皆在焉。」蓋以徐爲青地，大半入幽，而徐之西又入于兗，數言瞭如指掌。《吕氏春秋》「泗上曰徐州」，鄭漁仲釋之曰：「泗水出陪尾山，至下邳入淮，源委皆在徐州。」竊謂《職方》之青、兗，即其山鎮澤藪，其大界尚不容混。以今輿地言之，自舊黄河之東至濟水故道，由今曹州府之荷澤、定陶、鉅野及汶上、東平，濟會汶，至于太山皆周之兗州也。所謂徐州分隸青、兗者，即胡氏謂徐之西又入於兗者，不過侵入其西界，而徐之全境自在青州也。周之青州，以今輿地言之，自任城東至沂州，南跨淮，接揚州西南歸德府商邱、虞城諸縣界，故望諸爲澤藪。謂任城所屬嘉祥，接兗州界則可耳。《皇輿表》定任城爲周青州地，確不可易。《路史》：「伯爵本己姓，帝魁母家。逮黄帝以封幼子，周之繼絶也，以居風姓，今濟陽之任城。或曰仍也，故《晉志》以任與有仍爲二。」《路史》之言恐未確。案《左傳》：「任，風姓。」杜注「宓犧之後」，「今任城縣」。《孟子》趙注：「任，薛之同姓小國。」孫奭疏引《左傳》杜注「薛任姓」，是薛與任爲同姓。不知季任居守乃任國，非任姓。且任止一國，不得云諸任。《水經注》：「黄水徑亢甫故城西，夏后氏之任國也，漢章帝别爲任城縣。」案，夏后時封奚仲于薛，爲任姓。歷夏至商，仲虺居薛。武丁時，祖己徙邳，又七世成侯遷摯。《詩》「摯仲氏任」，《國語》「摯疇之國由太任」，《國名記》曰「蔡州平輿有摯亭」是也。夏后氏任姓之國，實非任國，亦不在任城。蓋魯所謂諸任者，皆謂任姓。孔疏引《世本·氏族篇》云：「任姓，謝、章、薛、舒、吕、祝、終、泉、畢、過。」言此十國皆任姓。任城之任則風姓，戰國時猶存。今濟寧州東有廢任城縣，古任國也。《路史》即本《唐世系表》，不可爲典要。鄭夾漈《姓氏略》淆而不分，《舊志》陳灴《任子祠記》兼用其説，盛百二《學海樓記》駁之詳矣。（見《任子世家》。）但于任姓之國，自薛之外亦不能確指其處，而曰「安知非廣平之任」，亦無證據。姬姓不必封于姬國，姜姓未嘗胙于姜邑，豈任姓必封任城？後世有以國爲氏，先世未有以姓爲國名者。盛氏雖知任城非任姓，猶泥于地之名任者以求任氏之封。任姓受封，不但非任城之任，并非廣平之任。任姓與地之名任者無涉，蓋太皞之後自黄帝以來，即受封于任城、東平諸處，世守其祀。地既相近，周仍其舊，而爲附庸耳。《前志·封建編》亦云：「任城之任，風姓而封于任，當以《左氏》爲據，不得以任姓亂之。」《舊志》云：「戰國屬宋，後屬齊。」《通考》又曰：「戰國初，齊衛之境。」皆臆度也。《通典》以任城隸兖州，曰：「春秋及戰國并魯國，亦邾國之境。後亦爲宋齊所侵，後人故曰屬宋。齊滅宋，故曰屬齊。爲宋、齊所侵，非爲宋、齊所奪也，自仍屬魯。」《通典》注云：「任國，太皞之後，風姓，今任城。」考諸書，任國不知亡于何時，戰國季任猶爲任處守，今州猶以濟名。太皞之明德遠矣！

濟寧直隸州志卷二之二

方輿志二

○封建

《前志》列「古迹」之次。夫「封建」以證疆域，「古迹」以考山川，皆所以定方輿，而與沿革相爲表裏者也。道古而後論今，故以「封建」與「故址」并列「沿革」之後。《前志·紀年》與「封建」詳略互見，兹專入一編，不重出，取簡明也。

任 爵未詳。按《左氏傳》「任、宿、須句」，宿稱男，須句稱子，則任爵亦在子、男之間。《前志》。

按《前志》援引《左傳》《孟子》已詳，「沿革」又引《國語》及《路史》，謂「黄帝子封於任，爲任姓」，辨亦見前。

甲父 姜媛之裔，《左傳》杜注云「古國名」。

焦 姜姓，炎帝後，武王封之，爲魯附庸。

緡 夏所封國，舜次妃女英生季釐，封於緡。《左傳》夏后相娶于有緡氏。

茅 周公子封于茅。薛瓚云：高平昌邑縣有茅鄉亭。今金鄉。

極 魯附庸。《春秋》「無駭帥師入極」，今魚臺有極亭。

郜 見《左傳》杜注，小國也。

漢

梁王 彭越王梁，高祖五年封。十年反，誅。十一年，封王恢，高祖子。高后七年，徙恢王。趙自殺，徙呂産王梁。八年，呂産有罪，誅。改梁爲郡。孝文元年，復置梁國。二年，封懷王勝，文帝子。《漢書》「勝」作「揖」。十一年，梁王勝來朝，薨，墮馬死，無後。十二年，淮陽王武徙梁，是爲孝王。《史記·諸侯年表》梁孝王武，文帝子。二年，立爲代王。三年，徙爲淮陽王。十年，徙梁。三十五年，薨。《諸侯王表》。

橐侯 將軍陳鍇，漢高帝七年封。鍇從擊代、陳、豨，有功，封橐，六百户。傳至元孫，坐酎金免。《功臣表》。按，《水經注》：「橐，山陽之屬縣也。」《史記》同。《索隱》云：「《漢志》橐屬山陽，而兩漢《志》山陽有橐縣，無槁縣。」《後漢·東平憲王傳》又作「槁」。《前志》。

山陽侯 張尚以楚相諫王戊反，不聽，死事。景帝二年，封其子當居爲山陽侯。元朔五年，坐爲太常擇博士弟子故不以實，完爲城旦。《功臣表》。

山陽王 孝王子，哀王定。景帝六年，孝王薨。分梁爲五，以定爲山陽王。立九年，薨，國除。《王子侯表》。

濟東王 孝王子彭離。景帝六年封。《史記》作「禺」。爲濟東王後，坐殺人廢，徙上庸。《諸侯王表》。

昌邑王 武帝子髆。天漢四年，封于昌邑國。始元元年，薨。王賀嗣。十二年，徵爲昭帝嗣，以淫亂廢。歸國，予邑二千户。《王子侯表》。

東平王 宣帝子，思王宇。甘露元年，封爲東平王，後以罪削樊、亢父二縣。陽朔四年，薨。鴻嘉元年，子煬王雲嗣。建平三年，坐祝詛自殺。元始元年，子開明嗣，五年薨。居攝元年，立嚴鄉侯子匡爲東平王。《諸侯王表》。按，嚴鄉侯，開明兄信。

按《漢書·王子侯表》東平思王之孫少柏，元始元年封重鄉侯。增補。

桃鄉侯　東平思王子宣。成帝二年，封爲桃鄉侯，立嗣，免。《王子侯表》。

樊　侯　樊侯蔡，兼淮陽令。高祖初以韓家子還定北地，用常山相封侯千二百户。師古曰：「本六国時韓家之諸子也，後改姓。」蔡，孝文元年封。十四年，薨。十五年，康侯客嗣。十八年，薨。孝景二年，共侯平嗣。二十一年，薨。元朔二年，侯辟方嗣。元鼎四年，坐搏掩，完爲成旦。

乘邱侯　乘邱節侯將夜，中山王子。元光五年，封。十一年，薨。元鼎四年，戴侯德嗣，薨。侯外人嗣。元康四年，免。

爰戚侯　爰戚侯當，趙敬肅王子。不得封，後三年坐與兄廖謀反，自殺。以上《王子侯表》。爰戚靖侯趙長年以平陵大夫告楚王延壽反。地節二年，封。十七年，薨。節侯祈嗣。永始四年，侯牧嗣。建有四年，以先降王，免。《功臣表》。

金鄉侯　金鄉侯不害，栗鄉頃侯護子，東平思王孫。元始元年，封。八年，免。《王子侯表》。

東漢

亢父侯　劉隆，字元伯，南陽安衆侯宗室。建武二年，封。本傳。

東平王　東平憲王蒼。建武十五年，封東平公。十七年，進爵爲王。建初八年，薨，子懷王忠嗣。明年，分東平封忠弟尚爲任城王，餘五人爲列侯。本傳。

東緡侯　馮异子璋，建武十一年封。

任城王　任城孝王尚。元和元年封，食任城、亢父、樊三縣。十八年，薨。子貞王安嗣，立十九年，薨。子節王嗣，立三十一年，薨。國絶。延熹四年，立河間孝王子博爲任城王，以奉其祀。博有孝行，增封三千户，立十三年薨，國絶。熹平四年，立河間貞王遜子、新昌侯佗爲任城王，奉孝王後。立四十六年，魏受禪，以爲崇德侯。本傳。

桃鄉侯　孝王尚子福。永元十四年，封爲桃鄉侯。貞王母弟。本傳。

湖陵侯　東平王蒼子。永平二年封。以上并《後漢書》。

魏

任城王　任城威王彰。建安二十一年封鄢陵侯。文帝即位，以功增五千户，并前萬户。黄初二年，進爲公。三年，立爲王。四年，薨于京都，子楷嗣，徙封中牟。五年，改封任城縣。太和六年，復改封任城國，食五縣二千五百户。青龍三年，坐私遣官屬詣中尚方作禁物罪，削縣二千户。正始七年，徙濟南，二千户，并增邑四千四百户。《文獻通考》。

晋

任城王　任城景王陵，宣帝弟。武帝受禪，封北海王，邑四千七百户。後改封任城，薨，子濟立，爲石勒所害。《晋書》本傳。

亢父男　江統，字應元，陳留圉人。祖蕤以義行稱，譙郡太守，封亢父男。父祚，南安太守。統襲父爵。《晋書》本傳。

後魏

任城王　和平五年，封帝爲任城王。《北史·魏太武本紀》。任城王雲，景穆子。和平時封，子澄嗣，澄子彝。《通考》。

任城公 奚牧，代人也。道武寵遇之，稱曰「仲兄」。從征慕容寶，以功封并州刺史，賜爵任城公。《北史》本傳。

北齊

任城王 任城王湝，神武帝第十子，天保初封。齊亡入周，死。《通考》。

周

任城公 于翼，字文若。尚太祖女平原公主，封安平公，邑一千户。以討賀蘭功，增一千二百户。高祖保定三年，改封常山縣公，邑二千九百户。太和初，增邑，通前三千七百户。隋文帝執政，進位上柱國公，增邑，通前五千户。别食任城縣一千户，收其租賦。開皇三年，薨，謚曰「穆」。《周書》本傳。大象二年，以任城公王景爲上柱國。《周静帝本紀》。

隋

任城公 辛彦之，隴西狄道人。周封五原郡公。隋文帝受禪，改封任城郡公，進位開府。《北史·儒林傳》。虞慶則，京兆櫟陽人。初仕周，隋開皇時授上柱國，封魯國公，食任城縣千户，以謀反伏誅。《北史》本傳。

唐

任城王 江夏郡王道宗，唐高祖兄子。以從秦王討賊功，封任城王。貞觀時，更封江夏郡王。永徽初，坐罪流象州，薨。《通考》。

金鄉男　玄宗封顏允南爲金鄉男。《唐書》。

元

濟寧王　濟寧王、忠武王按只那演。《舊志》。○元世祖昭睿順聖皇后，名察必，宏吉剌氏。濟寧忠武王按陳之女，生裕宗。《元史·皇后傳》。濟寧王蠻子台以尚公主封魯國，大長公主南哥不剌，裕宗女，適蠻子台。《元史·公主表》。閻復《重建聖廟碑》云：國初封建宗室，畫濟、兗、單三州爲魯。大長公主駙馬濟寧王分地置濟寧總管府，屬縣十六。

明

濟國公　丁德興，定遠人。以功進管軍總官，圍平江，卒於軍，贈都指揮使。洪武元年，追封濟國公。《明史》本傳。

濟寧侯　顧時，字時舉，濠人。洪武三年，進大都督同知，封濟寧侯，禄一千五百石。十二年卒，謚襄靖，附祭功臣廟。子敬，今吾衛鎮撫。十五年嗣，後爲左副將。二十三年，追論胡惟庸黨，榜列諸臣，以時爲首，坐死，爵除。《明史》本傳。

濟寧王　安僖王佑榺，德藩莊王庶三子。成化十七年封，正德七年薨。子五人，俱死，國除。《明史·諸王世表》。

魯王禄米附

魯府郡王將軍廣盈倉粟米一千九百石，每石折銀五錢六分。魯郡王將軍原撥保盈倉禄粳米一百石，每石折銀一兩。魯府廣資倉禄粟米七百石，每石折銀九錢。《萬曆志》。

禹會諸侯於塗山，執玉帛者萬國。自夏迄周，兼并無遺。而任以區區黑子之地，歷二千年，至孟子時猶存，洵所謂源遠流長者歟！兩漢封建子弟，惟得食租衣税而已。晉代以下，僅存名號，然不可謂非封建之遺意也。漢初改碭郡爲梁，任城實爲屬縣，後改屬濟東平，要皆在分茅胙土之內。元和分析任城，始自爲國，是以東平懷王以下世次從略。若夫宋之濟陽治在鉅野，任城雖隸濟陽，而張俊、周必大「濟公」之號本屬虛名，非可以漢之任城在東平食邑之內列也，故不及焉。《前志》。

○故址

《前志》分「古迹」之目七，首曰「故址」，列「建置」後。「故址」之有關沿革，乃「古迹」之可證方域者，附「封建」之次，便考訂也。其亭館之類，後代游宴之地，無關考據者，統編「名勝」於後。

任國故城 《魏書·地形志》：「任城縣前漢屬東平，後漢、晉屬任城郡，有任城。」《通志》：「任國城，即今州城之四郭，各有土城遺址。」

任城故城 《通志》：「即今州治，本任國，漢置縣。」《萬曆志》：「任城址在南關，今呼爲南小門，上建三官閣，乃任城南門舊址也。」《前志》：「按，任國城與任城縣并今州城，非一處。《魏書》任城縣有任城，與廖《志》所謂『土城遺迹者，任國之城也』，不詳其處。《萬曆志》所云『任城舊址在南關』者，唐任城縣之故城也。」

邾婁城 即邾瑕。《通志》：「邾瑕城在州南二十里。」《舊志》：「在州南十里。」《春秋·哀公六年》：『城邾瑕。』注：『任城亢甫縣北有邾婁城。』」《寰宇記》：「在任城縣南二十里。」《前志》：「或謂在鄒境。《寰宇記》及《舊志》并云在州南。」

邿亭 「邿」一作「詩」。《通志》：「在州東南亢父城內，春秋時詩國。《左傳·襄公十三年》：『取邿。』注：『任城亢父縣有邿亭。』」《漢書·地里志》：「詩亭，古詩國。」」按，漢建武二年，封劉隆爲侯，邑，《水經注》同，在黃水過亢甫故城西下。

亢父城 《通志》：「州南五十里，本齊地。《戰國策》蘇秦曰：『徑亢父之險。』漢置縣屬東平國，世祖封劉隆爲亢父侯。《水經注》『黃水東南徑亢父故城』是也。」《舊志》：「王莽更曰順父。」

按，秦置亢甫縣。《史記》秦二世二年，項梁引軍攻亢甫。又沛公自薛還軍亢甫。光武征龐萌，自將輕兵馳赴亢甫。《正義》：「《括地志》：『在任城西五十一里。』」《通鑑地理通釋》：「在任城縣南五十一里。」《三國志》：「吕布攻甄城不下，西屯濮陽。太祖曰：『布一旦得一州，不能據東平斷太山亢父之道，乘險要我。』」今州境無山險，亢甫之險指兩城山，但兩城非往來必由之道。秦之攻齊，若專攻亢甫則可。如謂所徑之路自當在兩城之北，烏有紆道而故行險者？縱今古城郭可易，而山川不易也。或有謂嘉祥山者，據《三國志》，則尤可疑。夫據東平止可斷太山之道，去亢甫二百里，未能斷亢甫之道也。

樊城

明《舊志》：「故樊城在州北，漢置縣，屬東平國。今樊垞是其地。」「樊」訛爲「韓」。《方輿紀要》：「漢文帝封常山相蔡兼爲樊侯，邑於此。據《地志》在瑕邱縣西南三十五里。或云仲山甫國，誤。」《前志》：《一統志》謂：「在滋陽縣西南。」主《括地志》。然瑕邱城在滋陽縣西二十五里，而樊城又在瑕邱縣西南三十五里，則樊城自當以在州境爲是。

唐陽城

《魏書·地形志》：「任城縣有唐陽城。」《通志》：「堂陽亭在汶上縣南四十里。《郡國志》：『東平陸有堂陽亭故縣，後省，今名堂陽村。』《地形志》：『唐陽城即此。』」

華陽城

《魏書·地形志》：「任城縣有華陽城。」《通志》：「南小城在州南，創置無考。」

延就亭

《漢書·地理志》：「任城，故任國，莽曰延就亭。」《前志》：「在城東南四十里橫坊村。」《兖州府志》云：「橫坊村先名延就亭，今仲家淺。」

按，《兖志》仲家淺閘在城南四十里，運道之衝。漢更始元年，赤眉之亂，仲子十七代孫世德自泗水卞邑遷於此，子孫遂世居焉。

甲父亭　金鄉西北。《通志》：「在縣西北境，古侯國，炎帝之後。《後漢志》：『昌邑有甲父亭。』」《左傳》：「甲父之鼎。杜注：「昌邑城東南。」

東緡故城　金鄉東北。《通志》：「縣東北二十里，本古緡國。爲桀所滅，後爲宋邑。」《春秋》：「齊伐宋圍緡。」杜注：「高平昌邑縣東南有東緡城，鄒衍曰『余登緡城，以望宋都』者也。」今名緡城阜。《前志》：按，《後漢書》及《左傳》注：「東緡即春秋緡國。」《通志》謂在今縣東北二十五里，未確。《通志》又云：「東緡城，漢縣，屬山陽郡。世祖封馮异子璋爲東緡侯。」《水經注》：「荷水東過東緡縣北，又東徑扶溝侯朱鮪冢。」是冢在故城之東。今縣治西北三里有朱鮪冢，則城非東緡之故址矣。《寰宇記》曰：「金鄉縣即古緡國。」未識所據。《通志》及《縣志》引《水經》誤，本以注爲經。朱鮪墓與緡城東西易位，故疑《寰宇記》爲無據，非也。但曰東緡，豈其緡國之東故以名歟？

按《史記·周勃世家》：「攻爰戚、東緡。」《正義》：《括地志》：「東緡故城在兖州金鄉界。」《十三州記》曰：「山陽有東緡縣，晋省入昌邑。」《元和志》：「兖州金鄉縣，本漢東緡縣，地屬山陽郡，即古之緡國。《左傳》曰：『夏桀爲仍之會，有緡叛之。』《陳留風俗傳》曰：『東緡縣者，故陽武户牖鄉也，漢丞相陳平即此鄉人也。』」兩漢時，陳留郡有東緡縣，乃故陽武户牖鄉，非山陽郡之東緡也。《通志》：「於東緡城外復緡邑。」然即東緡無二處。

梁邱城　金鄉西南。《續漢書·郡國志》：「昌邑刺史治有梁邱城。」注：「《左傳》宋公、齊侯遇于梁邱。」杜注云：「梁邱鄉在高平昌邑西南。」

按，《水經注》：「濟水又北徑梁邱城西。」《地理志》曰：「昌邑縣有梁邱縣。」《史記·楚元王世家》注：《括地志》：「梁邱故城在曹州城武縣東北三十二里。」蓋接界處也。杜注、《水經注》皆在昌邑，自《括地志》誤而地輿家多沿之。《方輿考證》亦仍其訛，惟《方輿紀要》列于金鄉縣，而糾《括地志》之誤是也。

茅鄉城　金鄉西。《通志》：「在縣西境。」茅，國名，見《春秋·僖公二十三年》傳。杜注：「昌邑縣西南有茅鄉。」又《水經注》引京相璠云：「高平縣西三十里有故茅鄉城。」

按，《府志》：「周爲侯國，周公第四子封焉。」又《左傳》注「茅鄉後爲邾邑。哀公七年，季康子伐邾，茅成子請告于吴，不許，成子以茅叛」是也。

防城 金鄉西。《通志》：「在縣西六十里，宋邑。」《左傳》：「鄭師入防。」杜注「昌邑縣西南有西防城」是也。魯有兩防邑，一在琅琊縣東南，有東故有西。

防東故城 金鄉南。《後漢書·郡國志》：「山陽郡有防東縣。」《張儉傳》注云：「在金鄉縣南。」

按，古有西防城，在縣西，其南即單縣境。本春秋時宋防邑地，後謂之西防城。後漢置防東縣，在西防之東，故名。《春秋·隐公十年》：「公敗宋師于菅，取防。」杜注：「高平昌邑縣西南有西防城。」《後漢書·劉永傳》：「永遣使拜西防賊帥山陽佼彊爲横行將軍。蓋延率平敵將軍龐萌攻西防，拔之。」注：「西防，縣名，春秋宋之西防城故城，在今宋州單縣地。」《寰宇記》：「西防故城在單父縣北四十九里，漢爲防，置兵戍于此。故城在今縣北，猶存。」今考《漢志》無西防縣。《後漢書》注謂縣名，誤也。

昌邑城 金鄉西。《通志》：「即山陽郡城。王莽之鉅野郡，後更爲高平郡。東北有金城，在縣西北四十五里。」《水經注》「荷水又東徑昌邑縣北，又東徑金鄉縣南」是也。金天德二年，省縣爲鎮，屬金鄉，入鉅野界。《後漢書》，楊震經昌邑郡，邑令王密遺金，是其「慎四知」處。《震傳》注云：「昌邑城在金鄉西北。」

按《兖州志》：「在縣西四十里，城基東西六里，南北六里。《史記》謂王賀曰：『中發，晡時至定陶，行百二十五里。』今據地里，良是。」《郡國志》云：「城有鉄柱，大五圍，出地五六尺。曾有人掘之，及泉不見。本城周十餘里，外城圍三十餘里。漢景帝三年，周亞夫引兵東北，壁昌邑中，三月破吴。楚六年，分梁爲山陽國，治此。武帝天漢四年，更爲昌邑國。宣帝時，復爲山陽郡治。後漢因之，又移兖州刺史治此。晉爲高平國治，宋移高平郡。」《志》：「高平縣以昌邑省入金鄉。隋開皇十六年，復分置昌邑縣屬曹州，大業初省。」《元和志》：「昌邑故城在金鄉縣西北四十二里，周亞夫堅壁即此城。」《金史·地理志》：「金鄉縣有昌邑鎮。」《水經注》：「昌邑城西北有金城，城内有兖州刺史河東薛槖像碑。」

槖城 即高平城，金鄉東北。《前志》云：「『北』當作『南』。」《通志》：「在縣東北境，漢縣，屬山陽郡。莽改高平，以邑之高平山得名。後漢因之。」《水經注》「泗水南徑高平縣故城西」是也。《魏書·地形志》：「高平有千秋城齊城。」《前志》：「《後漢書·東平憲王傳》注：『高平故城在鄒縣西南。』《通志》引《後漢志》：『高平東有郁郎亭。』乃《後漢書》注引《左傳》杜注之謬。杜云方輿，非高平也。」

按，《通志》云：「今縣東北二十里有山陽城，山陽治昌邑，此其爲高平也。」《魏書·地形志》又云：「高平有湖陸城。」

鷄黍城 金鄉西南。《通志》：「在縣西南三十五里，漢范式故宅。式與汝南張邵有鷄黍之約，故名。」

按，《兖州府志》：「漢荆州刺史范式故宅，今名鷄黍集。」

司馬城 金鄉東南。《通志》：「在縣境。」《郡國志》云：「城内有鐵碑，云漢浮陽侯司馬耀所築。」按《天下碑目記》云：「在金鄉東南四十里，耀所封邑也。」

春城 金鄉東。《通志》：「在縣東三里。晉太尉郗鑒所居。」《水經注》「泗水徑郗鑒城北」是也。《前志》按：「泗水所經。」則郗城當不在此，詳後。

金鄉故城 《通志》：「在縣西北四十里，鉅野界。」《郡國志》：「山陽有金鄉縣，荷水徑其故城南，世謂之故縣城。城北有金鄉山。」《寰宇記》曰：「縣在任城縣西南七十五里。唐武德四年，置金州。五年，改戴州。皆此地也。」《前志》按：「《後漢書·丁恭傳》注『東緡今金鄉縣』，合之《水經注》東緡在朱鮪墓東，似金鄉自唐至今未移，則唐金州、戴州并即今縣，不在故城也。」

焦城

嘉祥西南。《通志》：「縣西南十八里青山東，周封神農之後于焦即此。金名焦城村。」

按，《兖州府志》：「縣南十五里，世傳焦王宫殿遺址尚在，今青山惠濟廟即其地。」《嘉祥志》：「惠濟公疑即焦王，宋末子孫散去，其地仍名焦城村。」又按，河南陝州城東北有焦城。《地志》：「武王封神農後，即《左傳》所謂焦瑕也。」《縣志》似出附會。

乘邱城

嘉祥東北。《通志》：「縣東北境，魯邑。」《春秋·莊公九年》「公敗宋師于乘邱」。漢置縣，屬泰山郡。武帝封中靖王子將夜爲乘邱侯。《水經注》「洸水西南徑泰山郡乘邱故城東」是也。東漢省入鉅野。《舊志》：「乘邱在瑕邱西南三十五里，今縣本鉅野東境，與瑕邱爲近。」《前志》：「乘邱、瑕邱，東漢皆屬山陽郡。《隋書·地理志》：『開皇時，曾於鉅野置乘邱縣。』」

按，《續漢志》「山陽郡領十城」，有瑕邱，無乘邱。《括地志》：「乘邱在瑕邱西北三十五里，當在滋陽西北，去嘉祥甚遠。漢屬泰山，本不屬山陽也。」

盛百二《乘邱辨》：《爾雅·釋邱》云：「如乘者乘邱。」則乘邱自非一處。《春秋·莊公十年》敗宋師于乘邱。《左氏傳》：「公子偃自雩門出蒙皋北，而先犯之。公從之，大敗宋師于乘邱。」雩門，魯之南門，則乘邱去魯郊不遠可知。杜注云：「乘邱，魯地。」《括地志》云：「在瑕邱縣西北，瑕邱在今滋陽。」按《前漢書志》「泰山郡乘邱縣」下，師古注既引《春秋》「公敗宋師于乘邱」，乘氏縣下應劭注亦然，自爲矛盾。于是，乘氏亦爲乘邱矣。隋開皇時于鉅野置乘邱縣，大業初省，《一統志》云：「即乘氏也，嘉祥縣東北之乘邱或是隋縣，未可知。」至《山東通志》謂「春秋之乘邱」，斷非也。《戰國策》張儀曰：「齊伐趙，取乘邱。」將亦以爲春秋之乘邱乎？按《一統志》：「鉅野縣南五十里有古乘氏故城，隋時爲乘邱縣。」然訪之鉅野，無此城，故疑以《通志》在嘉祥者是。然「東北」二字不合，蓋今鉅野在嘉祥之西。又乘氏亦非一處，宋、金之乘氏則在今之菏澤矣。《前志·藝文》。

南武城 嘉祥南。《通志》：「縣南四十里，世傳曾子故里有耘瓜臺。」《兖州府志》以在南武城山下故名。後改爲阿城，今於其下建宗聖祠。《縣志》：「南武城去耘瓜臺一武，子游爲宰即此。後名阿城，阿、武聲相近之訛。城、臺迄今尚在。」

按，《舊志》「魯有武城」，此其一。曾子墓在嘉祥縣南武山之陽，參考諸書及祠墓所在，當在今費縣，《通志》亦繫之費。而《兖州志》又稱縣南四十五里有南武山，山南有曾子墓，山東南三里許有南武城，子游爲宰處。明成化元年，山東守臣上言：嘉祥南武山西南有漁者陷入一穴中，得懸棺，其前有石碣，鐫「曾參之墓」。奉詔封樹邱陵，墓在嘉祥始此。正德間，山東僉事錢宏訪得曾子之後一人于嘉祥深山中，欲請于朝，未果。嘉靖十二年，吏部侍郎顧鼎臣奏求曾氏嫡派，得質粹于江西永豐縣，遷居嘉祥。至十八年，授以翰林院五經博士，世襲以奉曾子祀。據《一統志》：「《左傳·哀公八年》『吴伐武城，克之。王犯嘗爲之宰，澹臺子羽之父好焉，國人懼』。按，此仍屬南武城，或謂子羽嘉祥人，非也。」潘耒曰：「《史記·仲尼弟子傳》曾參南武城人，澹臺滅明武城人。同一武城，而曾子獨加『南』字。南武城故城在今費縣西南八十里石門山下。」《正義》曰：「《地理志》定襄有武城，清河有武城，故此云南武城。」《春秋·襄公十九年》「城武城」，左氏注云：「泰山南武城縣。」然《漢書》泰山郡無南武城，而有南城縣，屬東海郡。《後漢書》作南城，屬泰山郡。至晋始爲南武城，此後人之所以疑也。宋程大昌《澹臺祠友教堂記》曰：「武城有四：左馮翊、泰山、清河、定襄皆以名縣，而清河特曰『東武城』者，《史記·平原君傳》封于東武城。以其與定襄皆隷趙，且定襄在西故也。若子游之所宰，其實魯邑。而東武城者，魯之北，故漢儒又加「南」以别之史遷之傳。曾參曰南武城人者，創加也。《子羽傳》次曾子，省文，但曰武城。而《水經注》引京相璠曰：「今泰山南武城縣有澹臺子羽，蒙縣人也。」可以見武城之即爲南武城也。孟子言：「曾子居武城，有越寇。或曰：『寇至，盍去諸？』」曰：『無寓人於我室，毁傷其薪木。』」《新序》則云：「魯人攻鄪，即費字。曾子辭于鄪君曰：『請出，寇罷而後復來，毋使狗豕入吾舍。』」仁山金氏言：「曾子書有此事，作『魯人攻費』。」《戰國策》甘茂亦言：「曾子處費。」則曾子所居之武城費邑也。《哀公八年》傳：「吴伐我，子泄率，故道險，從武城。」又曰：「吴師克東陽而進，舍于五梧。」《後漢志》云：「南城有東陽城。」引此爲證，今費縣西南七十里關陽鎮。又可以見南城之即爲武城。南城之名見於《史記》，齊威王曰：「吾臣有檀子者，使守南城，則楚人不敢爲寇，東取泗上十二諸侯皆來朝。」《漢書》但作南城，「孝武封城陽共王子貞爲南城侯」。而後漢王符《潛夫論》云：「鄗畢之山，南城之冡。」章懷太子注：「南城，曾子父所葬，在今沂州費縣西南。」此又南城之即南城而在費之證也。《晋書》：「南武城縣屬泰山郡，費縣屬琅邪郡。」成化中，或言嘉祥之南武山有曾子墓，有漁者陷入其穴，得石碣而封志之。疑周世未有石碣，科斗古文亦非今人所識。嘉靖十二年吏部侍郎顧鼎臣奏求曾氏後，得裔孫質粹於吉安之永豐，遷居嘉祥。十八年授翰林院五經博士，世襲。夫曹縣之冉堌，秦相穰侯魏冉之冡，《史記》：穰侯卒于陶，因名焉。《水經注》：濟水又東逕秦相魏冉冡南。近人之撰志者以爲仲弓。如此之類，蓋難以盡信也。《山東通志》：「費縣西南八十里有南城山，即曾子葬父處，亦名曾子山。其麓爲印有子游祠，其旁爲石門山，武城遺址在焉。」《前志·雜綴》，餘詳《曾子世家》。

爰戚城

嘉祥南。《通志》：「縣南二十五里，大鼎山麓。漢屬山陽郡，武帝封趙成爲爰戚侯即此。俗名團城。」

按，在縣西南，秦縣也。漢初曹參攻爰戚，又周勃攻爰戚，略東緡。初屬山陽郡。《史記正義》「近亢甫」，後漢省。

郗城　嘉祥東南。《通志》：「縣東南七里，燈臺山下。」《縣志》云：「今成坎阱，一說在魚臺東南。晉太尉郗鑒築。」

按，在故湖陵城西。《水經注》：「泗水又東徑郗鑒所築城北，又東徑湖陵城東南。」

獲麟堆　嘉祥西。《通志》：「縣西二十五里，西狩獲麟處。」《都城記》云：「鉅野縣十二里澤中，有臺廣輪四十五步，俗名獲麟堆，今折入縣境。」

按，《兗志》：「臺崇一仞，周二百餘尺，中有臺高四尺許。成化十三年，知縣高淳樹石門于上，立匾曰『麟冢』；又立碑，題曰『獲麟』。」

嘉祥故城　《通志》：「一在山口鎮，金皇統中析鉅野置縣之初也，一在橫山之陽，正隆時縣圮于水，遷治于此。」

按，大定十五年，復以水患遷于萌山下，即今治也。故城在縣西二十五里，即宋鉅野之山口鎮。相傳獲麟處，故名嘉祥。

重鄉城　魚臺西。《通志》：「縣西十五里，一云西北十一里。《左傳》『晉文公分地界，諸侯臧文仲往受濟西田，宿于重館』，杜注：『縣西北有重鄉城，今名文鄉社。』」

按，《縣志》：「在西北二十里。」《左傳》杜注「高平方與縣西北有重鄉城」，即此。《水經注》：「濟水東徑重鄉城南。」今土人呼「文香」，香、鄉聲訛，文名或由文仲也。《漢書·王子侯表》：「重鄉侯少柏。」

匡城　魚臺東。《通志》：「縣東，當作東北五十里。鳳凰山北，兩城相對，各周四五里。《春秋·僖公十五年》『次于匡』即此，非『子畏于匡』之匡也。」

按，《縣志》：「縣東北七十里，兩城東西對峙，石址尚存及肩。」《春秋》「盟于牡丘」，牡丘齊地，時往救徐，故次于匡。「子畏于匡」，在河南歸德府睢州，今亦有匡城。前明有直指使者，按部過魚臺，道經匡，以爲夫子所畏之匡也，大惡之。土人莫能自明，後因爲文勒石以辨，戒勿言匡，而稱兩城。按，《春秋》「次于匡」，杜注「地在陳留長垣縣西南」，非魚臺也。

郎邑

《通志》：「在縣城達汴門外有郎橋。《邑志》：『《春秋·莊公十年》齊師、宋師次于郎，公敗宋師于乘邱。』按，乘邱在鉅野境次，郎當在此。」

按，《縣志》云：「王謙志云：『治之西門名達汴，因昔時黃、濟經流可達汴也。亦曰跨郎。』」則郎橋在焉。

郎臺

《前志》列後，今附此。《通志》：「在縣東北。」

《春秋·莊公三十一年》：「築臺于郎。」

按，郎城在縣東北八十里，接滕縣界，魯邑。古名郁郎亭，今曰郁郎村。《左傳》：「城郎。」注云：「高平方與縣東南有郁郎亭。」《左傳》屢見，蓋魯之邊邑。《括地志》：「郎亭在滕縣西南五十三里。」《縣志》：「在縣東北一百里。」《春秋》「城郎」「築臺于郎」「築郎囿」俱此地。土人呼「郁郎」，一曰「有郎」，皆「囿」之訛。《文公十六年》「毀泉臺。」《公羊》謂：「即郎臺。」今地無囿，仍有臺，豈既廢而復築耶？抑假托也？又按，邑有兩郎，一名郁郎，一達汴門外有郎橋。郁郎與滕接壤，《括地志》所言是也。但《滕志》曰：「此郎邑，非郎城，魚臺別有郎城。」《兗州》亦云：「是郎橋之地有郎城矣。然遷治時，何必曰遷黃臺，名邑者又何止曰古棠哉？」蓋《兗志》因《滕志》之誤，而《滕志》因郁郎無城址，又以魚別有郎，故爲疑似之辨。郎橋亦無城址，似宜正之。若夫狩郎、戰郎、師次于郎，雖屬魯境，無可考證。但築囿、築臺，原爲游觀之計，必不以治軍旅，恐狩當在此。至「齊、宋次郎」，「公敗宋師于乘邱」，乘邱鉅野地，在金鄉西，疑郎橋爲確。「甲午治兵」俟陳、蔡，則郎橋爲通衢。戰郎有衛、鄭，亦郎橋爲近是。或曰，費伯城郎，在沂州地，近費故也，今尚有郎邱城。但郎邱在春秋爲祝邱，不曰郎。《隱九年》「城郎」，《桓五年》「城祝邱」，自是兩事。按，《舊志》所辨是矣。但祝邱在古爲即邱，非郎邱。魚臺又自有費亭也。至郎囿訛爲郁郎，亦謂《滕志》云爾。郁郎自足以徵泉臺，而何以穿鑿爲耶？

湖陵城 魚臺東。《通志》：「縣東六十里，孟陽泊內。漢縣，屬山陽郡。章帝封東平王蒼子爲湖陵侯，沛公起兵攻湖陵，項梁追秦嘉戰湖陵，光武討龐萌幸湖陵，皆此地。新莽改湖陸，東漢因之。」《水經注》「荷水東過湖陵縣南，入于泗水」是也。《後漢書·東平憲王傳》注：「湖陵故城在方與縣東南。」

按，《兖志》：「故湖陵城在縣東八十里，漢王陵攻湖陵即此。」《地志》曰：「故胡陸縣。」

湖陵東城 《通志》：「湖陵城東，相距不遠。」《水經注》「泗水東徑湖陵東城南」是也。其城南屬沛，東北屬滕。

按，湖陵故城與江南沛縣接界。《博物記》曰：「苟水出焉。」戰國時宋湖陵邑，秦置湖陵縣。《史記·項羽本紀》《曹參世家》并作「湖陵」，「湖」「胡」字通用。《後漢書》注：「湖陵故城在方與縣東，一名湖陸，晉屬高平國。苻堅置兖州于此，南北朝入高平縣。」《十六國春秋》：「苻堅建元十五年，以毛盛爲兖州刺史，鎮湖陵。」《魏書·地形志》：「高平郡，高平有湖城。」《寰宇記》：「湖陵故城今在魚臺縣東南六十里。」《前》《後漢書》湖陵俱屬山陽。《縣志》：「湖陵城在縣東八十里，遺址猶存，居民聚族其中。稍東復有城址，土人曰湖陸東城。其南近戚，爲沛，東北爲滕。」《滕志》《沛志》皆載之，地介徐、兖，爲漢、晉及南北朝用武之地。當群雄割據，金城湯池，亦東南大都會也。今則滄海桑田，爲澤國矣。

武唐亭 魚臺北。《通志》：「縣北十二里，武棠村。」《後漢志》：「方與有武唐亭。」棠，一作唐。《春秋·隐公二年》「盟于唐」，《五年》「觀魚于棠」，同此地。《水經注》「河水東徑武棠亭」是也。

按，《兖志》《水經注》在方與縣故城北十里，城有高臺二丈許，下臨濟水，昔魯侯觀魚于棠謂此也。《前志》觀魚臺別出，謂在武棠村後即此。《公羊》以爲濟上邑，《元和志》：「縣北十三里有魯君觀魚臺。」《寰宇記》：「高一丈五尺，周回一里。」《前志》此後載費亭，今詳後費亭城。

魯侯觀魚臺

即武棠亭。依《前志》書，《前志》列後，今移附此。《通志》「唐咸平二年因臺建寺」，即今超化寺。又縣東有花臺，相傳隱公所築。

按，《縣志》：「明孝廉王秀民記：亭湮没者久，唯臺巋然，上有寺曰『超化』。創于唐咸通五年，其下爲武唐村。土人嘗見水嚙台下，出石槨，内多青蚨，字古不可辨。在今治北三十五里。」「咸通五年」，《通志》作「咸平二年」，誤。

極亭

魚臺西。《通志》：「《左傳·隱公二年》「無駭入極，費庈父勝之」，即此。

按，《縣志》：《左傳》注「附庸小國」，疑即今栖霞堌堆也。

寧毋亭

魚臺東。《通志》：「縣東二十里穀亭鎮。」《春秋·僖公七年》「盟于寧毋」，一作「泥毋」。杜注「方輿縣東有泥毋亭」，《水經注》「河水東徑泥毋亭」是也。

按，《兖志》「縣東北三十六里」。

畫卦臺

魚臺東北。《通志》：「縣東北七十里，鳧山南，山前有伏羲廟，廟側遺迹甚多。」《齊乘志》「顓臾，風姓，實司太皞之祀，鄒魯有廟」是也。

按，《兖志》：「鳧山南麓有辛興里，里周匝，伏羲遺趾甚衆。山麓之半，東一峰名畫卦山，即畫卦臺。」《縣志》：「河南陳州有伏羲陵、畫卦臺，云自蔡水得龜，畫卦于此，從所都也。上蔡有畫卦臺，云臺四周皆産蓍草。近臺一水曰蔡溝，舊有元龜，縞身素甲，浮游其中，從龜所産也。秦州有伏羲陵畫卦臺，云雪後猶見卦痕，從所生也。」今此陵與臺雖不知自來，然濟爲古任，顓臾在魯封内，諸風姓之國皆伏羲之苗裔。武王封先帝之子孫，主其先祀，獨以斯地畀諸風姓，安知不以帝之陵寢在是故耶？

方與城 魚臺東。《通志》:「縣東二十里。漢縣,屬山陽郡。」《水經注》:「濟水東過方與縣北,爲荷水」是也。沛公自薛擊殺泗州守,北還軍亢父,至方與,亦此地。劉宋省湖陸入方與,北齊廢。隋開皇十六年,復置方與。寶應元年,改魚臺。元利四年,徙治于黄臺,爲今縣。

按,《縣志》:「古城在縣東北四十里。」《舊志》止傳其名,不詳所自,或云方與故址方與城在魚臺縣北,春秋時宋之方與邑。《戰國策》「楚人説頃襄王外擊定陶」,則大宋、方與二郡皆舉矣。秦置方與縣。《史記》二世二年秦嘉「立景駒爲楚王」,「引兵之方與」。《元和志》:「兖州魚臺縣東北,至州一百九十里。本漢方與縣,隋屬戴州。貞觀十七年,廢戴州,縣屬兖州。寶應元年,因縣北有魯君觀魚臺,改今名。縣理城,即漢方與城也。」《寰宇記》:「唐元和四年八月,淄青李師道請移縣于黄臺市,即今治也。縣北有小城,即故縣治。元和九年,武寧節度使李愬奉詔討師道,遣將李祐敗賊于魚臺,進取金鄉。十四年,愬攻李師道,自金鄉進至魚臺。」

費亭城 魚臺西南。《通志》:「在故湖陵城西。」《地道記》「縣西有費亭城,曹操初封費亭侯」是也。

按,《通志》:「在縣西南,春秋時魯費伯食邑也。」《縣志》:「魯大夫費庈父之食邑,讀如字,與季氏費邑讀如『秘』者有别。」《前志》費亭别出,謂「魯大夫費伯食邑,當即此地也」。

穀亭城 魚臺東。《通志》:「縣東二十里,即今穀亭鎮。」《水經注》:「菏水東與泗水合于湖陵縣西穀亭城下,俗謂之黄水口。」

按,《兖志》:「古濟、泗合流地,在舊運河岸。」《縣志》謂「即寧毋亭」。

鷄鳴臺 《通志》:「在湖陵城内東北隅,臺之取義未詳。俗傳楚、漢相持于此,各築城以沙河爲界。楚人以術藉鬼力夜筑,漢作臺于河之東滸,人登其上爲鷄鳴以破之。明嘉靖九年，河決梁靖口，入鷄鳴臺」，即此。

黃臺　《通志》：「在縣治西北城中最高處，以黃水得名。」

按，《縣志》：「在《舊志》中央最高，黃水不没，故名。」唐遷治黃臺，即此。今其上建關帝廟。

新城　魚臺東北。《通志》：「縣東北五十里鳳凰山麓。明嘉靖九年，河決没城，議遷縣治于此。水退，民重故土，不果徙，名曰新城。」

按，《縣志》：「築已及肩，縣堂儒學俱已折毁，并將移建。至十三年，水退，不果徙。萬曆三十二年，水復没城，又議遷治，終不果。」

舊縣城　魚臺東北。《前志》：「在今縣治東北二十里黃臺，即唐元利四年所徙治也。乾隆二十一年，河決入城，徙今治。」

以上按《前志·故址》以次備書，并援引諸書，附以辨證。以下據各志增補，以備參考。

桃鄉城　《通志》：「州東北六十里。《郡國志》『任城有桃聚』，即桃鄉。今桃鄉城在汶上境。」《春秋·襄公十七年》：「齊師伐我，圍桃。」漢置桃鄉縣，屬泰山郡。成帝封東平王子宣邑。後漢建武四年，龐萌反，自稱東平王，屯桃鄉之北。五年，光武擊萌。至蒙，聞萌圍桃城，晨夜兼行至亢甫。復行十里宿任城，去桃城六十里，乃按兵不出。既而進擊萌，破走之。」《水經注》「汶水西南徑桃鄉縣故城」。《左傳》「圍桃」，舊以爲桃邱，誤。

按，《汶上志》：「桃城在縣北四十餘里，汶河南岸。」《前志》或以入汶上，故未載。然卷首「紀年」列光武破萌事，卷末「雜綴」云：「桃聚亦曰桃城，後漢屬任城。」《光武紀》注「桃城在任城北」，《劉永傳》注云「在龔邱西北」，《龐萌傳》云「任城去桃城六十里」，《水經注》「桃鄉故城在泗汶口」，則《通志》云「在今汶上縣北五十里」，信矣。而與六十里之數不合，豈六十里之上脱「百」字耶？《兖州府志》原編云「在東阿」，而任子《家乘》云「在州北三十里房葛鋪，任子曾居此」，皆當存疑。

桓公溝 《舊志》：「源出州西界四十里萌山下，桓宣武温遣冠軍將軍毛彪生鑿此，故名曰『桓公溝』。溝在亢父城北。」

郗湖 《兖志》：「在嘉祥城南五里，晉郗太尉池也。宋、金以來潴水成湖，元末乃涸。」

秦梁 《通志》：「在寧毋亭東北。」《水經注》：「黄水南至方與縣，入于菏水。菏水東徑秦梁，夾岸積石高二丈。始皇東巡所造，因以名焉。」

按，《魚臺縣志》：「在東南五十五里。」《鉅野志》謂彼縣金山下之橋，又以《水經注》「菏水東與鉅野黄水合」之語爲據。不知《水經》謂鉅野黄水至泥毋亭，菏水與之合流；非菏水逆轉百里，至鉅野合黄也。

義城 《魚臺志》：「縣東四十里，遺世僅存鄰村寺，有金大定時《碑記》，内載地名『義城』。或民間因亂義築者，《赤盞顯忠碑銘》『義成鄉』，疑『城』『成』字訛。」

按，《縣志》：「夫子堂在縣東南三十里義城，相傳孔子適陳寓此。明僉憲普輝過之，有『夫子堂空草木長』之句。今其處爲左家堌堆，鄰於沛縣。」

○古迹

《前志》分列「宅里」等篇，其爲古聖賢流風餘韵，及宋元以前有關地志考訂者録於此，并采各志補之。

先聖池 《舊志》作「墨池」。《舊志》：「在魯橋閘下，俗名硯瓦溝，其水色墨。距州南六十里，有南洲祠，以祀先賢仲子路。」

孟獻坡 在州北二十里，俗云孟獻子墓。

樊子故里 《通志》：「州北十里。相傳爲樊遲所居。」《兖志》：「在城東十里，名赧稼村。」又云：「城北有樊子讀書處，名曰樊垞，今訛爲韓垞。」《兖州新志》

云：「樊子講學處。」

任子故里

《通志》：「在州東先賢村，相傳爲任子不齊所居。有祠在城東洸、泗合流處。」

鄭子故里

《前志》：「鄭莊在城東三十里，先賢鄭子國故居也。」

曾子故居

耘瓜臺、琴臺、書院。《通志》：「嘉祥縣南四十里，世傳曾子故居。」《兖志》：「在南武山之陽，相傳曾子耘瓜誤斷其根處也。」《縣志》：「在崩山之西，高一仞許。二臺南北相望，南臺約五畝，世傳曾子耘瓜處。曾子書院在南武山下，創廢不可考。元吴氏墓碑有『東至曾子書院』之文。明萬曆間移建城内萌山之陽。琴臺在萌山之陽，石砌極工，内刻『金太和七年蘇思忠修建』，相傳爲曾子鼓琴處。有人於此掘得古琴，思忠慕之，爲築臺，明嘉靖中毁。旁有甘泉，清洌异他所。」

桀溺里

《通志》：「縣北三十里，相傳爲子路問津處。濟水經流之地，有問津亭碑，載孔子適陳、蔡事。有渡、有橋、有庵，俱以問津名。」《縣志》云：「在相里集南，金時爲兩京通衢，名問津渡口。有沮溺庵，中二像皆田家狀。問津亭碑經黄水衝决，深没泥淖。庵亦廢，僅有橋。」按，《闕里志》：孔子六十三歲自陳如蔡，自蔡如葉，葉公問政，既而返蔡，有沮溺耦耕、丈人荷蓧事。據此，則問津當在葉、蔡之間。葉縣黄柏山云是沮溺耦耕處，下有溪爲問津處，似爲可信。

魯村

《前志》：「在南鄉，相傳魯男子曾居此。」

鄭均莊

《通志》：「在州南十里。漢議郎鄭均告歸，章帝東巡幸其舍。今名東鄭莊。」《前志》：「莊有西鄭橋，東疑作西。」

何休故里

休，任城樊人。

楊震却金處《兖志》：「在古山陽城，見前昌邑城。」

仲長統著書處《兖志》：「州北門内天齊廟前，有碑。」

王輔嗣著易處《兖志》：「州北門内西。」《前志》：「王弼故居。」

晁補之故居《前志》：「金鄉城東金梭嶺北。」《縣志》作「金莎」。按，晁氏自云：「元符中，余南歸，始自鉅野遷此邑，去張氏園百步。」詳「藝文」。

按，《晁氏族譜》：「宋晁補之父名端友，葬于任城諫議里吕村魚山下。」《嘉祥志》謂即其縣之釣魚山。但明曰任城，而任城本有漁山之名，則即任城地也。又女媧陵及各古冢，俱詳後「陵墓」。

濟寧直隸州志卷二之三

方輿志　三

○疆域

《前志》先「形勝」，次「境至」，今合編「疆域」。濟寧州并三縣，東西廣一百五十里，南北袤一百八十五里。枕岱襟徐，臨泗繞汶。綿基奠址，綰結無形。要之以德爲險，則民心强固；氣作山河，當不啻百二雄也。

州境東西廣一百五十里，南北袤一百八十五里。

東至兖州府界四十里。

西至曹州界七十里。至嘉祥縣治五十里。

南至江南徐州府界一百三十里。至魚臺縣治一百十里。

北至兖州府界四十五里。至汶上縣治九十里。

東南至徐州界一百四十里。

東北至兖州府界三十里。至滋陽縣治六十里。

西南至曹州府界六十里。至金鄉縣治九十里。

西北至兗州府界四十五里。

州東北至省城濟南府三百七十里，北至京師順天府陸路一千二百里，水路一千六百里。《前志》。

翼魯郊而控宋野，環汶水而帶泗流。舟車臨四達之衢，商賈集五都之市。《通志》。

任城東盤琅邪，西控鉅野。北走厥國，南馳互鄉。唐李白《任城廳壁記》王錡集注云：「《漢書》：『齊地東有淄川、東萊、琅邪、高密、膠東。』唐時以河南道所屬之沂州爲琅邪郡，其地正在魯郡之東三百八十里。」《元和郡縣志》云：「鉅野澤在鄆州鉅野縣東五里，南北三百里，東西百餘里。」《太平寰宇記》：「鄆州中都縣，古之中都，漢爲東平陸縣，屬東平國，亦古之厥國地。今邑界有厥亭。」又云：「徐州沛縣合鄉故城，古互鄉之地。」

南通江淮，北連河濟。控邳徐之津要，扼宋衛之咽喉。在戰國時，蘇秦所云「亢父之險」也。至元人開會通河，饋餉時經，而州之形勢益重。《方輿紀要》。

南通江淮，北達漳衛。水陸所輳，屹爲要區。《方輿考證》。

濟當兩京之中，水陸交會之區。北枕岱岳，南襟徐沛。咽喉鄒魯，唇齒鉅鄆。泗水源源匯於左，汶水洋洋流於右。郊原坦夷，土壤秀麗。此一郡形勝之大概也。《明志》。

《舊志》：「高塹深隍，水陸交會，南北衝要之區。襟帶汶泗，控引江淮，漕運咽喉。河督建節宿兵於此。」○廖《志》：按，濟來脉發軔泰山，蜿蜒二百餘里。連岡續阜，至北郭結爲星峰，其高與睥睨等。老幹抽枝，左右環抱。一由草橋回回墓繞而右，一由林家橋武靖伯塋旋而左。龍拿虎攫，真氣凝聚；水清土厚，人文攸鍾。甲乙之際，里民鑿寨濠於城北壽山之巔，龐氣漸泄。蓋濟畜於山而豐於水，會通襟前，洸流帶後。右有馬場諸湖之潴，左則洸泗兩河縈紆西來。南引吴楚閩粤之饒，北壯畿輔咽喉之勢。爲二東門户，輸挽衝途。自明末守城濟寧衛指揮張世臣築楊家壩，意在借水環城，爲守禦計。當時事定，已有建閘之議。鼎革以來，遂謂堰水利漕，堤防惟謹，無敢輕言建閘宣泄者。夫水性就下，自古爲然。今逆而遏之，使北繞入湖，山水漲時，奔决横溢，不歸其紀。無論緑野化爲白波，即潴於湖，而瀕湖漕河又皆高於湖。湖可減水，不足濟漕，是潴水而不收水之利矣。趙村、石佛二閘迤南，河東堤岸，多被嚙蝕。又每年春旱，河流涸細，湖水亦竭，究不效其涓滴之潤。儻留心國計者，究研源委，神明通變，庶幾其永賴乎！《前志》：「濟州，山東之門户。南通江淮，北達幽燕，不特亢父之險而已。聞唐之伐高麗也，鑿吕梁，堨天井，以通汴泗。引洸入汶，順流而下東海以饋餉。若然，則又不獨會通河開始爲南北之咽喉矣。」信乎地勢使然也。

金鄉縣 東西廣五十里，南北袤八十一里。州南九十里。

東一十二里至魚臺縣界。至縣治四十五里。

西四十里至曹州府之城武縣界。至縣治九十里。

南三十五里至曹州府之單縣界。至縣治七十里。

北四十里至州界。至州治九十里。

東南二十五里至江南之徐州府豐縣界。至縣治九十里。

東北四十里至州界。

西南三十里至單縣界。

西北二十五里至嘉祥縣界。至縣治九十里。

東北至省四百六十里。北至京師，陸路一千三百里，水路一千九百里。《縣志》。

漕渠左絡，大野右環。近瞻莎嶺之舒青，遠攬金山之聳翠。《通志》。

北連東岳，南俯大河；西走秦晉，東距齊燕，稱隩區焉。《縣志》。

嘉祥縣東西廣三十里，南北袤七十里。州西五十里。

東一十里至州界。

西二十里至曹州府之鉅野縣界。至縣治五十里。

南五十里至金鄉縣界。至縣治九十里。

北二十里至兖州府汶上縣界。至縣治九十里。

東南四十里至州界。

東北二十里至汶上縣界。

西南四十里至金鄉縣界。

西北二十里至鉅野縣界。

東北至省四百里，正北至京師，陸路一千二百里，水路一千七百里。《縣志》。

倚萌山而結宇，匯澹水以歸湖。岩壑幽深，井疆膏衍。《通志》。

萌山中峙，河水經流。東接濟汶，西控鉅野。南撫昌邑，北邇靈光。名都外周，河山中顧。《縣志》。

魚臺縣　東西廣一百十里，南北袤八十里。州南百一十里。

東七十里至兗州府滕縣界。至縣治一百三十里。

西三十里至金鄉縣界。至縣治四十五里。

南二十里至江南之徐州府豐縣界。至縣治六十里。

北四十里至州界。

東南三十五里至江南之徐州府沛縣界。至縣治一百里。

東北九十里至兗州府鄒縣界。至縣治一百一十里。

西南三十五里至豐縣界。

西北三十五里至州界。

東北至省城四百七十里，北至京師，陸路一千三百五十里，水路一千九百里。《縣志》。

東接鄒滕，扼衝津於漕運；西聯曹單，防險泛於河渠。《通志》。

魚於魯屬夙號名區，爲漕運咽喉。京師門户，延青接豫，控揚引徐。左前山澤，右背衍腴。綉壤錯於豐沛鄒滕金濟單父之間，幅員包夫湖陵方與武亭郎囿之勝。

州人劉淇曰：《周禮·夏官》「掌固，掌修城郭、溝池、樹渠之固」。若造都邑，則治其固與其守法。凡國都之竟，有溝樹之固，郊亦如之，民皆有職焉。若有山川則因之。又「司險掌九州之圖，以周知其山林川澤之阻，而達其道路。設國之五溝五涂，而樹之林以爲阻固」。皆有守禁而達其道路，國有故則藩塞阻路而止行者，以其屬守之，唯有節者達之。此言國有山林、川澤之險則因之以爲固，無其險則溝涂足以限戎馬之足、林木足以當隱革之用。險成於人，而不徒賴其地，故《坎卦·大象》云「王公設險，以守其國」也。井田既廢，而溝洫澮川之制剗地無餘，連阡平疇，蕩蕩極望，故在於今設險爲難，然而渠阜林木未嘗不可因其勢而默成之。是則地有古今，而因地制用者無古今也。《前志》。

按，州境東西距八十里，南北距一百五里。金鄉東西距五十五里，南北距七十里。嘉祥東西距三十五里，南北距七十五里。魚臺東西距一百三十五里，南北距六十里。《舊志》載至兖州府里數，《前志》不書，以升爲直隸州故也。三縣境至，引《通志》亦止書州界云。

濟寧直隸州志　卷二　二十四

濟寧直隸州志卷二之四

山川志一

○山阜

《前志·輿地》先「里社」而後「山川」，兹以「山川」移「疆域」之次，所以表封圻也。州境無高山，《前志》兼載九女堆之類，故曰「山阜」。導山即以浚川，泉源、河渠、湖豬、漕運以及堤堰、橋閘并以類編焉。

漁山 在城中央，闤闠櫛比，殊不覺有峰巒陂陀意，但墳起而已。

按，濟州舊有漁山書院，道光十年知州王鎮重建于北門内，州人許鴻磐有《碑記》。漁山以下皆本《舊志》。

承筐山 一作「承匡」，《名勝志》作「承斤」。《一統志》云：「州南四十里。《元和志》：『在任城縣東南七十里，相傳女媧生處。』」《寰宇記》云：「在任城縣東南七十里。」

按，《元和志》：「承注山在任城東南七十六里，山下有女媧廟。」疑「承斤承注」并「承匡」傳刻之誤。俗呼匡山，或云李白久客任城匡山讀書即此。

緡雲山 城西南三十里。山有古寺，北瞰重湖，西聯九十九峰，漕河繞其左。陟巔登眺，頗稱大觀。里人鄭文炳讀書于此。

晋陽山 州西南三十里，彭子山之南。《前志》云：「晋陽山即緡雲山。」

按，運河同和黄易，數至晋陽山，訪得漢人畫像、隋人造像崖刻、唐晋陽府君精舍碑、宋鍾金直等題名及金、元碑于山上慈雲寺中。并詳《金石志》。

疃里山 城西三十里，山麓有廟，林木翳然。

空　山　城西南三十里，童赭無草木，而岡巒嶙峋。

彭子山　州西南三十里，俗名白嘴山。運河檣帆，密織於前，湖光山色掩映而稱奇觀。《一統志》作「彭山」，《通志》作「彭村山」，俗名「蓬子」，又名「彭祖」。據《前志》稍改。

曠　山　州西二十里，與彭子山對峙。

兩城山　城東南五十里，亘鳧山西，蜿蜒如綉屏。南陽湖嚙其趾，登高而望，澄波萬頃。漁歌樵唱，與山風水聲相答。里人靳學顏讀書于此。

按，山分合如兩城，下臨南陽湖，東接馬陵、牛來二山，與魚臺連界故。并見《縣志》。古所云「亢父之險」也。《金史·地志》「任城有城山」，即此。

牛來山　州東南六十里，與兩城山相接。

馬陵山　州東南六十里，與鳧山相接。「陵」一作「嶺」。

琵琶山　州東五里，培塿迤邐。按，《志》「女媧陵在濟寧東」，疑此或是。女媧〔一〕、琵琶，俗傳訛也。其東臨泗水，今隧道尚存。《舊志·陵墓》云：「女媧陵在州東三十九里。」與此互异。《前志》。

〔一〕「女媧」原無，據〔乾隆〕《濟寧直隸州志》補。

九女堆　城北五里。舊傳檀道濟唱籌量沙所築，非是。九堆參差相向，疑古陵墓，但無碑碣可考。《前志》：「九女堆不詳所自。寧陽有元九女墓，云和成妻孫氏，女九人，立石雲山前。此以『九女』名，恐亦其類。檀道濟量沙，乃碻磝之濟州，非此濟州也。」又按，堆與靳氏鳳渚別業相近，靳學顏有《九冢詩》，或即此也。姑存以俟考。《舊志·形勝篇》所謂「濟脉發自泰山，蜿蜒二百餘里，連岡續阜，至北郭結爲星峰，其高與睥睨等」者，或云即此堆也，但不辨是土是石耳。

香葬堆 城南三十里。松竹葱鬱，皆數百年物。凡三層，形如壇壝，上建大覺寺。有郡人李鑑碑，亦不詳其所自也。

三皇臺 城南三十里大流店東。下疊磚臺方畝，松柏陰森，不甚高敞，而完樸堅固。有古碑，久壞。

鳳凰臺 城西十里馬場湖濱。相傳有鳳凰集此，故名。徐標《卜築邇言》。按，鳳凰，《舊志》作「風花」，非。《陳宸銘集》有《重修西湖鳳凰臺善果記》，《通志》圖亦作「鳳凰」。

按，《舊志》云：「風化臺屹然，一邱突起。湖濱四周皆荷花，清芬撲人。風夕倍勝，故名。遠望之，如翠嶼浮海面云。」

州境無高山，一望平曠，亢父故城在其境内，不解蘇秦何以言「亢父之隘，車不能方軌，騎不能比行」？及考樂史《寰宇記》，知嘉祥之萌山昔亦在任城境。又范巨卿墓洪氏《隸釋》謂「在任城西南四十里大頂一作鼎。山下」。晁氏《鷄肋集》云，其先墓并在任城建義鄉吕原之魚山。今二山亦在嘉祥。按，金皇統中，始析任城、鉅野置嘉祥縣。其縣皆連岡疊嶺，所謂「車不能方軌，馬不能比行」者，其謂斯乎？《開山圖》謂「亢父知生，梁父知死」，與梁父對舉，則亢父亦山名。嘉祥之中，皆可以爲亢父也。濟州之屬，南跨棠亭，北有厥國，皆平原廣川。又得嘉祥以爲西鄙，而一州之形勝，甲于諸郡矣。《前志》。

按，《元和志》「萌山在任城西四十里」，《前志》誤作「崩山」，非嘉祥之萌山。大鼎山在嘉祥，魚山在金鄉，非并在嘉祥也。或云魚山即漁山。《通志》載濟寧山有九，《兖州府志》同。《明志》「八山一堆」，《舊志》「十山二堆二臺」，《前志》因之，又增二山，凡十二山。蓋合緡雲、晉陽爲一山也。二堆、臺，應入「名勝」，《前志》列「山阜」，今從之，爲附記。

金鄉

陽　山　縣西北二十五里，在群山之陽，故名。山勢蜿蜒，而東兩峰相峙，中有隘道。北有石如屏，名曰「石屏」。

葛　山　在陽山後，山勢峻拔，中多美石，相傳葛仙所經。按，《通志》：「山下居民多葛姓。」

魚　山　縣北三十五里。山曼衍而北，形如魚伏，狀若龍迴，山南有迴龍寺。

吴　山　陽山東二里許，相傳爲吴隱之講學處。

金莎嶺　城東一里。「莎」一作「梭」，或云「莎嶺」。東抵魚臺，西接城武、曹定，綿亘三百餘里，各因地得名，實皆金莎嶺也。上多莎草，故名。見《縣志》并晁氏《鷄肋集》。《前志》云：「按，《明史》金鄉東有莎嶺，晁集《張氏園記》作『梭』。」

鳳凰嶺　縣治北四里。

金　山　晋《地道記》：「縣多山，所治名金山。山北有鑿石爲冢，深十餘丈，隧長三十丈。傍却入爲堂三方，云得白兔不葬，更葬山南，鑿而得金，故曰金山。」《後漢書》注。金鄉數山，皆空中，穴口謂之隧也。戴延之《西征記》曰：「焦氏山北有數山，漢司隸校尉魯恭穿山得白蛇、白兔，不葬，更葬山南，鑿而得金，故曰金鄉山。山形峻峭，冢前有石祠、石廟。」《水經注》。金鄉山不在縣境，以縣取名，故附之。《縣志》以高平在縣西北三十七里，謂即鉅野之金鄉山，非也。《水經注》：「泗水過高平縣西，洸水從西北來流注之。」酈道元云：「泗水南過高平山，山東西計十里，南北五里，高四里，與衆山相連。其最高頂上方平，故謂之高平山，縣取名焉。」泗水南過高平縣西，即云「又南過方與縣東」，則知高平去方與甚近。《明史》：「鉅野縣南有高平山。」《前志》。

按，《通志》：「金鄉，故高平縣，中有高平山，或即陽山。或云嘉祥之平山即古高平山。」按，《西征記》：「金鄉山冢前石廟，四壁皆青石隱起，刻古人像。」《兖志》：「山陰有清涼洞，深十餘丈，内鑿石作四小閣，相傳秦始皇避暑宫也。」魯恭即魯峻，《方輿志》《寰宇記》皆作「峻」，《水經注》誤轉寫爲「恭」。《金石録》云：「今墓與石室尚存，唯此碑已輦至任城縣學。」《通鑑》注晁補之云：「唐置金州，尋廢。」《地形志》：「冢謂之秦王陵，或云昌邑哀山冢。」《水經注》：「東南有范巨卿冢，石柱猶存。巨卿名式，山陽金鄉人。」此即大鼎山下之墓。又按，嘉祥之平山在縣南，又名基平山，與金鄉聯界。郭璞《山海經注》：「晉大興三年，高平郡界有山崩，中出千斤雄黄。」

嘉祥

萌山 在縣城内，金大定間徙縣治此。其支脉入城東爲横山，横山之前爲獨坐山，其後爲柏山。按，《元和志》：「桓公溝源出萌山之下。」一作「崩山」。

禮山 縣東南四里，其南爲魯翟山，又南爲壘山，又南爲郗山，下有郗城。按，魯翟山，《縣志》作東卧龍山。郗山，《縣志》作燈臺山。《前志》。

雲山 縣東南十四里，與濟寧緡雲山連界。

華林山 縣東南十五里，左爲東磨山，右爲閏山。《縣志》無，《省志》作「閏公山」。華林山北有高嶺，上有寨基，一名東寨山，亦曰「龍華山」。

横山

獨坐山 上有一寄亭。

柏　山

魯翟山

壘　山　在魯翟山前，西有翟師軻墓。

郗　山　縣東南七十里，西麓有晋太尉郗鑒墓。

東磨山　山圓如磨，頂平可耕。

閏　山

按，横山以下并見前，各山下依《前志》并記，仍參《縣志》標列其目，俾卧游者如列眉云。

澹臺山　縣南三里，下有澹臺橋，世傳澹臺滅明家此。其南爲潑山，又南爲羊鹿山，又爲馬山。馬山之前，爲覆釜山。羊鹿山之南，爲鳳凰嶺。《縣志》作「山」。

潑　山　縣南四里，宋元祐時建福聖院於此。

羊鹿山

馬　山

覆釜山　《前志》「釜」作「金」。

鳳凰山 縣南十三里。舊山頂有塔，一名塔山。

釣魚山 縣南十五里。山巔有石如釣臺，上有巨人迹，長尺有四寸。相連有南卧龍山，右有二石坎如盆，與釣魚山東西相對。釣魚山石窠中有鐵環，往來移動有聲。山之西，訛傳有晁錯墓。

南卧龍山 内有小洞，洞中石炕，可坐數人。

行山

來山 縣東六里。有來氏居之，故名。寨山與來山相接，金正隆時，鄉人結寨以避寇。又有板山在其北。

寨山

板山

中山 在縣南十五里。按，《縣志》：「在二十五里。」

丹鳳山 縣西南七里，前有南昭寺。

范山 縣南二十里。相傳爲范巨卿故里，舊有洪福院，西爲伏羲廟，廟西有祠，實巨卿奉其父母。并張元伯之所，元教諭趙衡正考淳化年石章可證，元末毁。

塔山 縣南二十里。上有石塔，下有紫雲洞，雲出則雨。前爲小金山，又前爲富山。紫雲洞又名吕公硐，硐中有碑，已爲樵牧所毁。

按，《前志》各硐分列，今并附各山下。

小金山

富山

青龍山　縣南二十里。前爲雲頭山，又爲土山，廣平無石，可以耕藝。又西爲固山。

雲頭山

土山　縣南二十五里。山無石，可樹藝。

固山　其石堅頑，不生草木。

琵琶山　縣南二十四里，後有胡楔山。

胡楔山

屬山　縣南三十里。山有羅漢洞，有石羅漢在荆棘中。

紫雲山　縣南三十里。南爲黄山，黄山之東爲二龍山。按，《縣志》：「黄山土皆黄色，山陽有昭慶院，山右有漢太子墓。」

黄山

二龍山

大鼎山　縣南二十五里。其形如鼎，南爲武翟山。

武翟山

老牛愁山　縣南二十五里。

布　山　縣南三十八里。旁爲跌波山，山有穴，極深。

崩　山　縣南四十里。南爲黄路山，又秃尾山與崩山爲首尾。

跌波山

黄路山

秃尾山　縣南三十里。崩山爲首，此山爲尾。

南武山　縣南四十五里。西爲水牛山，又西柏井山，舊有巨井柏覆其上。水牛山南爲真武山。

按，《縣志》作「玄武山」。南武山即古南武城山，南宗聖祠墓在焉。

水牛山　上有石牛。

柏井山

真武山

垛　山

七日山　縣南四十八里，相連者有栲栳山。七日山與玄武山接，山腰有聖壽寺，寺後岩穴中有石佛。

栲栳山

蕪莢山　縣南五十里。相連有恨虎山，西有玉琉小山，西北有度人山，南爲韭山，又南爲遂山。遂山硐即滿家硐，深可二三里。詳後。又南爲蕭氏山，西與磨山接。與磨山對者，爲英山，又有歐山。磨山硐中有石可爲磨。

按，《縣志》：「韭山，相傳宋時居人于此種韭，南遷後根尚在，雨多則遍山皆青，采之可食。」

恨虎山

玉琉小山

度人山

韭　山

遂　山

蕭氏山

磨　山

英　山

歐　山

平　山　縣南五十五里，又名墓平山。南接金鄉縣界，故疑爲高平山也。四平如掌，泉甘土肥，可以耕稼。上有秋胡廟。

隊南山　縣西南七里。其南爲壇佛山，其旁爲馬鞍山。又西南爲舟山，又西南爲商山，下有商村社。

壇佛山

馬鞍山

舟　山

商　山

小獨山　在縣西南十里，不與諸山相接。

大婦山 縣西南十二里，旁一山爲小婦山。

小婦山

青山 縣西南十五里。又三里爲焦氏山，又五里爲狹山，《縣志》作「挾山」。與青山相對者爲社山，有社山祠在山頂，明時土寇所藏。按，《縣志》焦氏山有焦王城，即惠濟公故城。東南有青山祠。又按，明《通志》嘉祥有二青山：大青山縣南二十里，小青山縣南六里，在運河西岸，亦謂之嘉祥山。

焦氏山 左有焦王城，即惠濟公故城。

狹山 縣西南二十里。上有聖水井，不盈不涸。

社山 上有洞，深不可測，昔土人持火入其中以避寇盜。

烟火山 縣西南二十里。「烟」，《縣志》：一作「種」。按，《通志》《兖志》作「烟」，誤。

鎖石山 縣西南二十二里。又牛山與鎖石山相接。明宣德間，有史老者修道于此，今名老史山。北爲洪山，石壁鐫《洪水詩》，字甚古。

牛山

洪山

陳莊山 縣西南二十八里。

佛耳山　縣西南三十里。旁爲鮮白山，又爲空空山，又西南爲南鳳凰山。空空山上有空空硐，東西俱有門，初俯而入，中則空曠，東西通透。

鮮白山

空空山

南鳳凰山

郎家山　縣西南三十五里。《縣志》作「郎山」。按，《縣志》云：「環有堤形，春秋郎臺、郎囿疑即此。」

午落山　縣西四里。迤北爲箕山、尖岳山，又西爲故縣山。「午」，《縣志》作「旿」，「箕山」作「簸箕山」，「尖岳山」作「尖山」。

箕　山

尖岳山

故縣山

西鳳凰山　縣西七里。亦名卧佛山，前有卧佛寺。相連者爲小青山、骷髏山。

小青山　上有紫虚觀，下爲社稷壇。

骷髏山

西卧龍山　縣西四十里。山陰有龍硐，幽險不可入。舊有樹百餘株，乾隆年間邑人李如璞、李瑾、高永寧等又捐資栽樹三百餘株。

棗山　縣西北六里。山之西爲護山，護山之西爲章山。按，棗山，《縣志》無。

護山

章山

北鳳凰山　縣北五里。有梅禪硐，梅禪師居之，時有巨蛇往來硐中。後梅去，蛇亦無迹。

坨山　縣西北十里，按，《縣志》：上有伏羲廟。

滿家硐即遂山硐。深可二三里〔一〕。《硐地利害論》：硐地病民，數年於茲。議者以果行蠲豁，後可長利爲害〔二〕。此一説也，不知有三害，尤有三難。自古無無餉之兵，既以地代餉，而欲奪之以歸民，則兵不足食，勢必漁民田以保其生，近硐居民終不獲耕植，此一害也。今雖與復荒并除矣，能保豪强不挪移爲奸乎？里胥不上下其手乎？復荒者不重起科乎？萬一乘間，而甲可移乙，乙可替甲，既有難正之田，又有不清之賦，此二害也。甚者，官征在籍之田，民苦無計之賦，匪特病民，抑實病官，此三害也。何謂「三難」？兵種民田，由無餉也。彼或滋蔓衍種，無有定畝，而四方流亡之户乘機竊耕，倩兵詭寄，表裏爲奸，貽害良民。欲不清，則難爲民；欲清，則兵曰「若田即吾餉」，而不可必清。一難也。長吏痛悼茲弊，數四上籲。吾意當事者不曰「議加餉」，即曰「歸民田」。以有定之餉，易無定之田，而兵必群嘩。則田仍兵故物，而終不歸之民，二難也。且硐地六十三頃，除軍國粮餉加添外，正項粮税不下三百石。征則民力不堪，不征則司計仰屋，致咎有司，三難也。爲之擇便，無如仿古屯田之制，將硐側四面均齊晝爲一屯，計兵授地，每丁若干畝，其充首領禄俸若干畝，勒之於石，植于四界，永不起科。界外民田，嚴防硐兵，不得擅侵。如此則兵有定田，不得借無餉而來脱巾之呼。民有正賦，亦不得故諉硐地而致有賦之憂。此所謂去弊必杜其端者也。《縣志》。

〔一〕「滿家硐」條據〔乾隆〕《濟寧直隸州志》補。原文「滿家硐」三字獨出，又于「地利害論」前補「硐」字。

〔二〕「爲」，〔乾隆〕《濟寧直隸州志》作「無」。

按，順治初年，總督楊方興言，滿家洞界連四縣，周圍二三百里，穴有千餘。明末荒亂，窮民聚其内，其最著者有羊山、金山、大義集、合家集、羅家屯等處，滿家硐其總名也。肅王發滿兵搗其穴，賊竄洞中，王攻破之，填其穴。餘二大硐，爲賊老巢，内有重關夾道，暗伏火器，人不敢入。因絶其汲道，增兵圍守，賊皆自縊死，諸洞由此悉平。

遂山滿家硐，形如培塿，硐凡五處。乾隆四十二年十二月，萊州府知府胡德琳、撫標中軍參將剛塔，奉巡撫檄，會同濟寧州知州藍應桂、金鄉令王天秀、嘉祥令倭什布會勘得：遂山，國初平定土賊曾用火攻，石經火煆，大半摧裂，堵壓硐口，深淺無從探量。俗呼「官山」，周圍約計六里，高三十餘丈。山前即滿家硐，莊民約九百餘户。山後有徐家邨，約五百餘户。西南有郄家莊，約二百餘户。東北有上吴、下吴二莊，約三百餘户。順治初，設立千總一員，民兵二百名。十四年，裁去民兵，改設守備一員。建官署，撥青、兖二府馬步餉兵三百名。雍正二年，添設兖鎮，復改設千總及馬步兵四十三名，以資彈壓。其西南爲蕭氏山，又西爲磨山，俱較遂山低小，不相連屬。東北爲韭山，正北爲恨虎山，又北爲蕪萸山，綿亘約四里餘。遂山南距金鄉縣界五里，西至鉅野縣界八里，東至濟寧州界十八里，北至嘉祥縣城五十里。繪圖申覆存案。文帖。

按，《舊志》：「與磨山洞東西相對，中隔蕭氏山，斷而不連，不得有二三里之深，殆訛傳失實云。」《前志》作「硐」，《縣志》并作「洞」。

《前志》云：「《嘉祥縣志》凡九十九山，蓋無棗、閆二山，而東寨、龍華爲華林之别名，不在其數也。今以《兖州府志》與《縣志》參定之。」

按，《府志》與《通志》同止八十一山，《縣志》九十九山，加以閆公山、鐵山、棗山共一百有二山。

魚臺

獨　山　縣東四十里。獨立湖中，因名。

梟　山　縣東北七十里。按，《縣志》：「在縣治東北九十里。雙峰聳翠，狀若梟翔，故名。《魯頌》『保有梟繹』是也。山下有龍泉，禱雨輒應。」

黄　山　在梟山之右，去縣五十里，黄良泉出焉。

鳳凰山　縣東五十里。

聽　山　縣東五十里。

大青山　縣東七十里。

桃花山　縣東七十里。

平　山　縣東七十里。

廟　山　縣東南七十里。又前爲寨山，後爲兖山。

寨山

兖山

按，《縣志》：「東北界有染山，又有雲寨山，在黄山後。」并載兩城山、金莎嶺。今依《前志》兩城山入州境，金莎嶺入金鄉。《通志》云：「山宗岳，岳宗岱，而東省之山具統矣。《山經》者多以岱宗發脉，西南隨河、濟而抵於渤海。」按，志之方位向背，參差不合，不知泰山之脉由遼東渡海而來。其左衛由翠屏山分支，自蒙山而達魚臺之鳧山；右衛由五努山分支，自沂山而抵嘉祥之南武山、遂山，入金鄉境。又按，《魚臺志》：「雲寨山，黄山之後山也，下名寨裏，有聖母池等六大泉，并六小泉出焉。山前有伏羲廟，上有古柏一株，高入雲表。廟前古井深不可測，相傳唐時大兵甞此所鑿，土人呼爲『皇井』。」山嶺之脉絡，水泉之濫觴也。「山經」之後，記「泉源」焉。

○泉源

泉源非獨爲濟運也，民田藉以灌溉，故列于「河渠」之前云。

《前志》云：「泉之入運者凡五：曰天井，曰分水，曰魯橋，曰邳州，曰新河。」潘司空云：「論緩急則分水、天井、魯橋均爲漕河之命脉，今皆在州境。」雖天井派今無，而歸於馬場，亦猶是也。然泉以魚臺、汶上爲盛，嘉祥之泉雖不濟運，《志》不得而略也，取其稍异者。泉之出於州者凡六：曰蘆溝，曰托基，上泉也；曰馬陵，曰南馬陵，曰兩城，中泉也；浣筆泉則微矣，今直無濟於運。有閘二：在蘆溝者曰片玉，在托基者曰碎玉，皆廢。又有在明靳氏園曰洗硯泉者，特文人之游戲耳。

蘆溝泉 距州東南七十里。出兩城店土中，南北泉頭五長十八里，南流入南陽閘，由磨鐮溝出水濟運。《全河備考》。按，蘆溝，《明英宗實録》名「盧家溝泉」，一云泉出蘆山下土池蘆溝南頭，亦曰「兩城泉」。《前志》。

按，碑云：「蘆溝泉坐落南鄉兩城下，明正德十年立。此泉係泥池，水深二尺，池圍一丈五尺。渠長里半，筒長二里半。」兩城泉與蘆溝相連，《前志》不再書，《全河備考》亦無。碑云：「浚自乾隆三十五年，泥池深一尺，圍一丈五尺。渠長里半，與蘆溝泉共流入新河，至棗林閘入運。」今二泉先入白馬河，再入新泗河，下游入獨山湖。源旺，流暢，

濟運，爲上泉。

托基泉 北距州五十里。出土中，長二里，西流入棗林閘，由龍家橋入運。《全河備考》。

馬陵泉 發源馬陵山，西距州六十里。東泉頭一，西泉頭二。長六里，西流入魯溝閘，由龍家橋出水濟運。《全河備考》。馬陵泉今入新白馬河，出孟家橋入南陽湖。白馬河出鄒縣九龍山，自城北西流會蓼河，又折而南會諸泉大水，舊由埝里閘橋下入漕。《前志》。

按，碑云：「坐落南鄉魯村馬陵山下，出平土中。自源頭至下源河口，長六里，闊四尺，徑入漕河濟運。」明正德十年立。此泉泥池，深一尺，圍十一丈三尺，渠長三十丈，筒長一百五十丈。今魯溝閘已廢，水入新白馬河，約四里，會泗河。又三里至龍家橋入運，爲上泉。南馬泉，《全河備考》所無。碑云：「浚自乾隆三十五年，泥池，深一尺，圍一丈四尺，渠長二十六丈，與馬陵泉入新白馬河、泗河。」舊在魯橋東托基泉旁，自乾隆三十年改新泗河，移魯橋東。又開白馬河于新泗河之東，故今日情形與碑不同。源次旺，流亦暢，尚堪濟運，爲中泉。托基泉在魯橋東，泥池，深尺半。大泉頭圍六丈九尺，小泉頭圍五丈四尺。渠長五十餘丈，筒長二百餘丈。水與泗河會，由龍家橋入運。乾隆三十年重立碑，云：「由泗河入運。」與今情形相仿。蓋泗河既改，舊碑淪没，故重立此碑也。源弱，流微，爲下泉。

浣筆泉 在州東關外，去會通河不數武，出土中，相傳李太白浣筆處。由通濟閘入運。《全河備考》。

按，金磚池大泉頭池圍八丈八尺八寸，小泉頭圍五丈五尺，渠長五十六丈，筒長二百八十丈。會楊家壩，至通心橋入運。明萬曆六年四月立碑。今雖有泉眼，不能流溢，爲廢泉。

黑龍泉 在州西十二里。瀕運河，其水黝黑，深無際口。龍潭下有泉不竭。

按，《前志》作「黑龍潭」，附記之，今易其名曰「黑龍泉」。

聖泉 學宮前，池有石欄，因修廟學鑿出。盛百二記。見《藝文》。補輯。

《前志》引《治河書》云：「濟寧州小泉三處，馬陵二泉至四泉。」

金鄉

福泉 在城北六里。因挑路掘出，立《天賜福泉碑》，今堙。《縣志》。按，山左之泉，甲於天下，而泰山陪尾所出居十之九，萊蕪泉六十九，新泰泉三十有五，泰安泉六十有四，泗水之泉至八十有二，此最著也。濟州之屬，惟魚臺爲最，凡二十有二。《易》曰「山下出泉」，大約山多則泉亦多。然嘉祥多山，而泉僅六七。又他泉皆歸運河，故有管泉之夫，及泉老之設。而嘉祥獨否，以無關于運河也，故獨不載於《泉河史》。至於金鄉，雖有陽葛諸山，而并不聞其有泉，《縣志》載有福泉者，特井之類耳。今特以備數云，不以其已堙而略之也。《前志》。

按，《縣志》：清泉井在學宮內，惠民井在學宮百步外，知縣盛德因建望仙橋，鑿池得之，有碑記。甘泉井在養濟院內，石羊井在縣治西，賽雨井在縣治南。又東門北有古井，修堤掘出。人皇廟前有義井，知縣李國泰修，有《記》云：「天啓七年，居民馬姓等所掘。靈鎮集有靈鎮井，井爲坎水，昔鄭占有火，而子産修井泉、疏溝渠，鄭卒不火。然則亢修水政，其旨微矣哉。」補輯。

嘉祥

感應泉 在青山之陰，惠濟公祠中，冬夏長流不竭，至祠西山麓，復入土不見。歲旱，有禱屢應。

法雲泉 在青山之陽。

華林泉 出華林山下，流瀉成溝，鄉人賴其灌溉。

三江泉 在北鳳凰山。隆慶三年，僧三江住此，有道人暫憩，僧曰：「恨此山無泉耳。」道人曰：「山自有泉，姑待之。」後天旱，草俱赤，惟青蒿特茂，僧拔之，泉應手出。

橫山泉 在大雲寺後橫山之半，水出石隙，雖旱不涸，牧羊者常飲其上。

縮　泉 在南武山，聞人聲則止，靜俟復流。并《縣志》。

按，《縣志》：普興泉在青山普興院中，有半山迸出。聖水井在挾山頂，四時常清，不盈不涸，宋時僧築室曰「聖水庵」。補輯。

魚臺

青山泉等泉二十有二 其上泉曰青山泉，即黄良泉。河頭泉、陳家泉、高家泉、高家西泉，俱在縣東北七十里。聖母池泉、西龍泉，俱在縣東北九十里。仿古泉，縣東北一百一十里。其中泉曰廟前泉、勝水泉、滕家泉、新滕泉、中益泉，俱在縣東北七十里。聖裔泉、六小泉、西六泉俱在縣東北九十里。平山古泉，縣東北一百一十里。以上共十七泉。又有本泉、小龍泉、東龍泉、何家源源一作灣。泉、廉家泉，皆下泉也。《運河備覽》。

按，《全河備考》云：黃良泉距縣東北四十里，出黃山下土中。東西長八十五丈，至三岔河共會一股。廟前泉距縣四十里，在黃良南。出土中，東西長九十丈，至三岔河。河頭泉距縣四十里，在黃良東。出土中，東西長一百七十二丈，至三岔河。陳家泉、中溢泉，距縣四十里，城東北黃山土泉，東西長一百五十丈，至三岔河，由新挑河入運。高家東泉、高家西泉，距縣四十里，城東北黃山土泉，東西長一百十五丈，至三岔河。滕家泉、勝水泉并距縣四十里，城東黃山土泉，東西長一百二十丈，至三岔河。以上九泉皆會新開河入運，至南陽閘濟運。《前志》略而弗詳，今補輯。按，新滕泉、西六泉，乾隆三十五年浚出，已報部。

元頓舉《黃良泉記》：皇慶元年壬子，東平景德鎮行司監丞、奉議大夫劉公莅官之始，克勤乃事，閱視堤岸之卑下者，增築之；水流之淺澀者，疏通之。溯流尋源，自北而南，過古任國，歷魯橋，涉泗、汶合流之次，里幾一舍，而抵黃山之麓，覺其土脉膏潤。復進而前，得泉，沮洳而出，可以濫觴者數泓，沉於泥沙間。俯而探之，溫如湯；掬而飲之，甘如醴。以杖引之，逐勢而行，又如蛇之赴壑。就僉役夫鑿而注之河，其流甚順，溶溶泄泄，不舍晝夜。即召故老，詢所稱呼，莫有知者。因以是泉出於黃山，其性最良，宜目之曰「黃良」。謀勒諸石，以告來者，遣以禮命文於予。予特佳公之任職也，故樂道之。《前志》。

滕西泉　勝家泉渠旁。以下新增各泉。

南河泉　河頭泉渠旁。以上二泉，嘉慶二十三年浚出，會黃良等泉，由新挑河入棗林閘濟運。

魚花泉　有本泉渠旁。

石掖泉　聖母泉旁。以上二泉，嘉慶二十四年浚出，會聖母池等泉，由寨裡村入獨山湖濟漕運。

明潘季馴《旱久泉微請禱雨疏》：竊惟漕河之深淺，係於泉源之盛衰。而泉源之盛衰，係於雨澤之多寡。蓋天時地利，本自相資，而人力天工不可偏廢者也。矧漕渠自鎮口閘以至臨清七百餘里，皆賴萊蕪諸泉南北分濟，道里既遠，水力自微，其所籍於霖雨者，尤不小也。臣於去年夏秋之間目擊山東地方苦旱良久，已經撫按衙門題請蠲賑。入冬，雨尚愆期，雪不盈寸，臣逆慮漕河淺澀，即嚴行司道及管河諸臣疏導泉穴、挑浚漕渠，及將汶河諸水挽入湖坡貯蓄，以待不時之需。凡可爲漕計者，似無遺力。該司道所云「浚河則河身不淺，導泉則泉穴俱闢」，誠自然者。第因山東久苦乾旱，入春雨澤全無，亢暘愈甚，陰雲稍合，旋被風散，此皆臣等奉職無狀之所致也。泉流日微，漕水日涸，閉閘積水兩日方可盈漕。所幸今歲漕糧不多，徐北業已過濟，頭帮已出臨清板閘矣。獨上江運船共計一百八十七隻尚未過濟，而鮮貢之船亦多陸續前進。臣嚴行管河各官，將南旺、蜀山、馬場、馬踏等湖封閉蓄水，取有甘結在卷。候運船至日，放水送舟，諒亦無誤。但虞狂風簸蕩，烈日薰蒸，湖水不免漸消。臣與司道諸臣，晝夜徬徨，寢食爲廢，日望天降時雨，以濟然眉之急，而竟未可得也。考之《春秋》，三月不雨，即以示警。今不雨者，自冬歷春，由春入夏矣，寧能保其不涸乎？臣查得萬曆十六年四月間，山東巡撫都御史李戴亦以久旱不雨，漕渠淺澀，會同勘工都給事中常居敬題請躬詣泰山祈禱，奉聖旨「便着該巡撫官虔誠祈禱，禮部知道，欽此」。諸臣遵行，未幾而大雨如注。蓋聖德隆盛，素格天心，意念所及，百靈效順，宜其嚮應如此。伏望我皇上，容臣比照前例，率同司道等官齋食素衣，躬詣泰時，建壇祈懇，仰冀旱魃潛消，甘霖速降。則非惟運道可免淺澀，而民生亦可望其有年矣。

濟寧州設泉夫九名，内泉老一名。魚臺縣設泉夫二十名，泉老一名，總甲一名，小甲一名，歸州同管理。

按，《泉河史》云：「濟寧判官一員，兼管河泉官一員，原額老人一名，今革。泉夫二十六名，後革四名，止存蘆溝、托基、馬陵三泉，各夫七名，小甲一名，共二十六名。後折徵十三名，見役九名，片玉、碎玉二閘停役夫四名。魚臺主簿一員，兼管河泉官濟寧州帶管，原額老人三名，今革。泉夫五十五名，後革十三名，止存東龍、平山、古泉、廉家四泉，夫十二名，小甲一名；西龍、聖母二泉，夫十三名，小甲一名；黄良、廟前，滕家，河頭，高家，東、西陳家，中溢等泉，夫十四名，小甲一名。共四十二名。後折徵二十五名，復革三名，見役十四名。今設泉河通判。」

按，《泉河史》：「汶河派一百四十五泉，濟河派九十六泉，泗河派二十六泉，新河派二十八泉，沂河派十六泉。濟寧之四泉爲泗河派，魚臺之黄良等八泉爲泗河派，東龍等七泉爲新河派，唯金鄉、嘉祥之泉不與焉，以其無濟于運也。然其澤物之功，曷可没耶！」兹考各志，補新出諸泉源，而并以井、泉附之。「改邑不改井」，井養之所關於民者大矣哉！

濟寧直隸州志卷二之五

山川志 二

○河渠

《前志·川澤》先紀「運河」，次記汶、泗諸河，運河發源于汶、泗，統曹、兖各境而名之。今别爲一編，曰「漕運」，附于後。志載水利，爲長生所關，非專爲河工、漕運書也，故先源而後委云。

汶河

汶水有數源，一出新泰縣宫山之下，曰「小汶河」；一出泰安縣之仙臺嶺；一出萊蕪縣之陽，而小汶來會之，至寧陽西北分而爲二：其一爲元朝所改，出堽城壩，南流爲洸水；其一由堽城壩西流，會坎河諸泉，入大清河，由東阿西北至利津入海，此故道也。明永樂中，宋禮用白英言，於寧陽之北築堽城壩，阻汶入洸；於東平州坎河之西戴村築壩，阻汶水，使全流盡由汶上城北二十里受濼、濸諸泉，謂之魯溝；又西南會草橋鎮白馬河、鵝河、黑馬溝，至南旺入運。何家壩在上游汶河西岸，一由開河閘下劉老口入運，一由袁口閘下石頭口入運。明萬曆十四年築。《運河備覽》。元憲宗七年，當宋理宗之季，濟倅畢國輔於汶陰堽城之左作斗門，遏汶南流，至任城入泗，以餉宿蘄戍邊之衆，謂之引汶入濟，而汶始南通於泗。世祖至元間，以江淮水運不通，自任城開渠達安山爲一閘，於奉符即堽城。以導汶入洸爲一閘；於兖州即金口。以遏泗、沂會洸水，合而至會源閘，即天井。南北分流。二十六年，又用壽張尹韓仲暉言，復自安山西開河，由壽張西北至臨清直屬御漳，謂之引汶絕濟，而汶始通於漳，此會通河所由開也。《泉河史》。張伯行云：「改河南旺，分水南北以濟漕，此宋禮之功也。不修石閘，相時啓閉，任水南流，以致運河沙淤，歲歲挑挖，遂貽無窮之害。然在改河之初，不過數丈，水之入鹽河也順，鹽河即汶故道。而赴南旺也逆，且築壩戴村，而留壩以備分泄。又坎河口無壩，歲築沙堰，一遇水漲，盡皆衝去，故水之趨海也多，而至南旺也少。運河兩岸之州縣，猶未爲大害。迨其後河日益寬，其赴南旺也易，而入鹽河也難。萬恭又累石爲灘，潘季馴復築石爲壩，至今日而沙填河底，水益爲害。乃於石壩之北又築土壩，遂使水不歸海，盡趨南旺，漫決橫潰，洋溢民田，勢所必至，是直以山東兩岸之州縣爲壑也。」《居濟一得》。

按，汶河水勢來源甚廣，當伏秋大汛，汶水盛漲之時，運河難以容納，是以西岸南旺湖設有單閘八座，以備宣泄。惟該湖九十三里，湖面廣衍，每值湖水收符定志，風浪時作，土埝工程，不足抵禦，多有衝刷殘缺之處。嘉慶四年十月，濟、嘉士民因黄水之後力難辦理，呈請增修碎石坦坡，以期永久。知州王彬詳請各憲委勘確估，共工十三段，長一千八百六十五丈。州境內工六段，長八百三十五丈。嘉祥境，工六段，長九百八十丈。臨清衛境，工一段，長五十丈。嘉慶五年閏四月，河撫兩院會奏請借帑興辦，分作三年，攤徵還款。於六年正月開山辦石，四月開工，七月一律完竣。蓋由南旺湖濱臨運河，既資協濟漕運，復賴宣泄汶水，沿湖堤埝最爲緊要故也。

泗河

州東四十里。自兖州府滋陽縣來，至南灌集入州境，南流四十里至姬家莊北屈而西流，歷新泗河口，過張家橋至仙官莊屈而南流，至魯橋沙洲寺入運河。乾隆十四年，開新泗河，南流過董家壩，歷鄒縣犬牙地，又入境會白馬河，曲折出孟家橋，入南陽湖。又乾隆三十二年，新挑引河，亦引泗河水入新河以取直。泗水出泗水縣東五十里陪尾山西，南經卞橋下，又西有泉數十。自縣之北境南流入之，皆謂之泗水。又經其縣北，又西過曲阜縣城北五里，《春秋》所謂「洙瀆」是也。洙水徑聖墓後，又西至府城東五里金口閘，俗所謂黑風口也。隋文帝時，沂、泗南流，泛濫大野，薛冑於二水之交，積石堰之，決令西注陂澤，以溉民田，號「薛公豊兖渠」。元至元二十年，開會通河，乃修薛公舊堰，爲滚水石壩以引泗水入運。延祐四年，都水太監闊闊始疏爲三洞，以泄水勢。明初，堰壩以土，旋廢。成化七年，侍郎喬毅始令主事張盛以石爲壩，錮之以鐵。夏秋水潦，則開閘泄水，使南流會沂，由埢里閘入師家莊閘河。冬春水微，則閉閘遏水，西入府城，以出濟寧。《兖州》舊志。 吴樫曰：東鄉泗河，上源泗水橋河，身闊數十丈，至橫河集漸南漸狹，出口之處闊止三四丈，全賴董家口支河以分其流而殺其勢。今鄒縣車家橋、閻家口一帶，俱淤澱不通，分殺無路，故泗水一發即至漫溢，而堤防未有不衝决者也。泗河西岸，漫没衝决，每一望汪洋。康熙三十六年，建築泗河西堤并鷄嘴壩，開浚姜家橋淤淺之處。傳集士民，照按依畝分工之法，産主助食，佃户出力，借動常平倉穀以濟之，未及兩月而工成。泗河之東，地勢原高，是以昔日惟决而西。今西堤告成，則水勢障而之東，東邊鄒、濟之界又不免被淹。亦有謀築東堤之議，然水西决，無歸泄之路，汪洋一片，經冬不消，有誤播種。至於東邊被水之情形有不同者，以南有獨山湖可歸，一漫而下，不至如西决之久積爲患也。若鄒民肯浚支河以泄之，則更可無被淹之慮矣。議築東堤，恐難保固，亦屬末務耳。《牧濟録》。《前志》云：「今已築東堤矣，徒截歸湖之路，水發仍不免衝决，此論實中肯。」

新泗河在州境董家壩，由鄒西莊入境，至孟家橋會白馬河入獨山湖。在州境内者，凑長十三里七分。蓋泗河在滋陽境内者寬深，下游入州境漸狹，屢年漫溢。乾隆十四年，在程家樓東開挑新河，由鄒縣之舊白馬河至孟家橋入獨山湖，以分泄之，其水七分由新河，三分由舊河。二十二年，鄒縣又請將濟境孫家口開挑引河三百丈，而全河之水建瓴而下，故下游之登豐里諸地方村落被淹矣。經前守覺羅普爾泰親勘，復請自許家莊北至舊河口止挑引河一道，長一百一十三丈，達舊河口，由董家壩入新泗河下獨山湖，分泄水勢，不致漫溢矣。白馬河自鄒縣境流入州境，長八里五分。文案。

《水經注》：泗水出魯卞縣北山，西南過魯縣北，又西過瑕邱縣，屈從縣東南流，漷水從東南注之。又南過平陽縣西，又南過高平縣西，洸水從西北來注之。以下入今魚臺縣。又南過方與縣東，菏水從西來注之。又屈東南，過湖陸縣南，涓涓水從東北來注之。菏水即濟水之所苞注以成湖澤也，而東與泗水合於湖陸縣西六十穀亭城下，俗謂之黄水口，蓋以黄水注於菏，故因以名焉。又東徑郗鑒所築城北，又東徑湖陸城東南，昔桓温之北入也，范歡擒慕容忠於此。泗水又左會南梁水，《地理志》曰：「水出蕃縣。」今縣徑滕城北。南梁水自枝渠西南徑魯國蕃縣故城東，俗以南鄰於漷水，亦謂之西漷水。之東北，平澤出泉若輪焉。發源成川，西南流分爲二水。北水枝出，西徑蕃縣北，又西或言濟入泗，泗亦言入濟，互受通稱，故有入濟之文。《經》無南梁之名，而有涓涓之《地理志》又曰：「其水西流注於濟渠。」濟在湖陸西而左注泗，泗、濟合流，故《地記》稱，疑即是水也。戴延之《西征記》亦言，湖陸縣之東南有涓涓水，亦無記於南梁，謂是吴王所導之瀆也。按，湖陸西南止有是水延之，蓋以《國語》云：「吴王夫差起師，將北會黄池，掘溝於商、魯之間，北屬於濟。」以是言之，故謂是水爲吴王所掘，非也。以水路求之，止有泗川耳。

道光十八年，知州徐宗幹捐修泗河西岸姚安莊民埝。十九年，捐修泗河西岸下吴家灣、齊家營等處民埝。附録。

道光二十二年，徐宗幹《請修鄒縣横河各堤議》：縣境古有泗河一道，發源泗水縣，自曲阜、滋陽入境，由北而南，歸濟寧魯橋地方泗河口入運。兩岸民埝，向係勸諭附近鄉民分段培修，以防漲溢。惟西岸之李家河口，及東南之横河口，最爲頂衝，頻年潰缺爲災。歷經勘報，雖官民設法捐築，而該處土性沙鬆，隨築隨潰。且横河口有淤沙一片，爲鷄心灘，寬長約五里許，横亘河心，沙愈高則河愈窄。一遇大雨時行，四面山水驟至，旁溢衝突。計自道光十九年至今，未離水患。附近各莊田廬淹没，年甚一年。灾緩錢糧，陳陳相因，大糧地畝皆成不毛之土。且滋陽以南至濟寧一帶，下游皆被漫淹，幾無虚歲。查嘉慶二十二年，横河堤埝曾經前縣周升令以民力未逮，詳請借帑興修，分作十年攤征歸款在案。此時，該處工程加以挑挖河灘，而沙淤日久，尚須另行取土，所費更巨。積歉之餘，民力拮据，亦較前尤甚。且李家河口近堤居民寥寥，僅兩三村莊，地少民貧，大半逃徙。核計頻年灾緩糧賦，連下游一帶并計，數且無算。是民生所繫，亦國課攸關。現在官捐無方，民捐無力，再四籌維，唯有將横河口及李家河口兩處缺口一并援案借項興修，以期一勞永逸云云。

府河

自滋陽來，於州東北蒜園入境。西流至賈家莊，南流徑楊家橋至塔口鋪，又西流過宫村北，又屈而南由吴泰閘至城東楊家閘，又北流至城東北，洸水自北來會之。西流徑城北至菜市，抱城南流，於城西夏家橋入馬場湖。初，府、洸合流，南出天井入運。後築楊家壩遏之入馬場湖，而天井之流絶。今始改壩爲閘，酌水大小，以時啓閉。其餘波合浣筆泉於任城閘之南入運，亦非天井矣。河在州境長六十里。泗水分流自金口閘河入府城，而西至西門外，納闞黨、蔣翊等七泉水，合而成流，謂之濟河，以其通於濟也。濟河至城四十里，過土樓閘，又西爲杏林閘，又西凡六十里至濟城東，合於洸水。《兖州舊志》。吴樫曰：「府河原極淺狹，自楊家水口築壩之後，全河之水皆西入馬場湖。伏秋漲發奔流，湖不能容，旁溢四漫，而各處出水之道又復淤阻。新店之減水二閘更廢無存，諸水無宣泄之路，此東鄉之水患所以不免也。」《牧濟録》。距州城東北八里曰「吴泰閘」，十八里曰「宫村閘」，又有閘曰「馬驛橋」，皆以分殺洸水之潦發者，是爲減水三閘，俱屬任城兼轄。今廢，存以俟考。《全河備考》。二閘至元中建，萬曆四年毁。今府河南有宫村鋪，去城十里，二閘瀉府河水者也。孫氏鋪閘在城東三十里。《舊志》。

明鄭與僑《開揚家壩議》：濟寧南門外，漕運咽喉也，建立兩閘：曰「天井」，曰「任城」。天井地勢高亢，全賴洸、泗二水以濟之。洸水發源徂徠山，與汶水合流，至寧陽石梁口，支分而南，會蛇眼、金綫諸泉，直趨濟城東北。泗水發源陪尾山，至兖州府城東金口壩，支分而西，穿府城趨濟城正東。正德時，洸水由城北越城西，至西南角會通橋入運。泗水由城東轉城南，至古南池觀瀾橋入運。兩水環抱，如玉帶然。嗣則二水亦時有分合，大要旱則令合，潦則令分，亦權其宜而已。至崇禎末，戎馬生郊，因城西、北兩面無險可恃，官紳公議，築壩於楊家口，攔洸、泗二水，全匯城之西北，一帶江洋，使敵人不得直抵城下。原從守城起見，非爲漕運計長久也。及順治初年，大司馬楊公見城西之水汗漫無歸，於狀元墓南開小河一道，引水入馬場湖，以備旱。但濟城形勢北昂，而東、西、南三面俱下。洸水來自東北，地勢相等，故前人特開長河，引之西行。若泗水來自正東，激之北上，若登山然。所以楊家壩一築之後，夏秋間泗流上源，如小店上下等處，恒苦氾濫，淹没民田無算，是有用之水反成無窮之害，違其性也。議者謂，楊家壩宜開。然開壩之議，正未易言。天井閘勢如建瓴，重運逆挽而上，已覺費力。再加以二水并流，浪頭洶猛，益覺難前。萬曆年間，每遇伏水大發，日挽不過數舟，弊坐此也。且二水俱由山來，各帶泥沙，會於天井。水去沙留，每歲挑浚，大費人工。楊公晚年有開壩之議，欲建滚水石壩於馬驛橋南。正慮沙之爲害，思有以障之。查城東北有林家橋一座，在洸水之南，泗水之北，距楊家壩僅兩射餘。此橋石砌堅固，爲今之計，莫若將楊家壩土塞橋之空處，再闊而堅之，令洸水仍由城北、城西至會通橋入運，泗水仍由馬驛橋下轉，至古南池觀瀾橋入運，復正德年間玉帶之舊。從來治水之術取其順，不取其逆；欲其分，不欲其合。分則力弱，順則怒平，不易之經也。此議一行，兩水皆有益於漕，而民間淹没之患亦免，所需人工有限。或於浮橋改建一閘，石塊粗備，基址亦堅，事半而功倍。楊公挑浚小河仍不廢，當洸水有餘之日，亦可分注入湖。一舉而數善備，或可備采擇云。《確菴稾》。

按，今楊家壩已改立閘于馬驛橋北，而水患仍不能免，府河不深闊也。塞林家橋，令洸水不與府河并行入運，亦分殺之一策。然洸水勢猛，逼令北流，城西一帶仍不免漫溢也。

附記。

楊家壩在濟寧城東，泗河之水貫兖府西流，合洸水同經此口，南入運道。原未嘗設壩，正德間因劉寵之亂，築壩引水西繞，以爲濟城外護，始有壩基。然事平即開，仍得通運。自明季崇禎十七年，流寇猖獗，東省震動，於是復築此壩，障水護城。此一時固圉之計，至今未改。每遇伏秋水漲，不能泄瀉入湖，兩岸民田大受淹没之害。且泗、洸之水爲此壩所遏，由夏家橋入馬場湖而後濟運，其道反迂。不若改壩爲閘，時啓時閉，急則借以濟運，緩則儲以待用，而民田無淹没之虞矣。《全河備考》。

按，陸氏耀云：楊家壩總河楊方興堵築，康熙三十四年開通，建減水閘。乾隆二十二年，改建雙槽石閘，伏秋水漲，啓板宣泄，由韋馱棚、通心橋、觀瀾橋、西小門、草橋五股分泄，而其議實始於《備考》一書。蓋閱四十年，而其策方行云。府河于乾隆五十二年，巡撫同興會同總漕奏請借項挑浚。嘉慶十七年，復奏請借項挑浚，將土增培堤埝，州境工十九段，長六千九百六十九丈零，滋陽縣境工長一萬二千八百餘丈。嘉慶十六年，知州王旭昇會同滋陽縣知縣陳醇勘估，詳請奏明借項挑浚，共工四十二段，長一萬四千六百一十七丈五尺。嘉慶二十二年，巡撫陳預、總河葉觀潮奏請借項修築府河南堤，自孫氏閘起，至湖口大王廟止，共工三十二段，長四千七百零八丈。嘉慶六年，知州金湘詳請建修楊家閘并上下石翅。嘉慶十年，巡撫全保、總河李亨特奏准，動項重修。嘉慶二十一年，知州葉肇楠詳請移建閘座，接修東岸民埝，長二十丈，改建石工。二十三年知州王殊渥詳請，巡撫陳預、總河葉觀潮奏准，動項興辦挑浚府河，自小店西起至韋馱棚止，工十九段，長四千八百四十八丈。道光二十年，署運河道徐經疏浚府河各下游，由通心橋、太和橋等處宣泄入運。知州徐宗幹倡捐疏浚府河支流，出觀瀾橋入運，復玉帶河之舊。

附録道光二十年知州徐宗幹《請修閘上石工并添建閘下石壩議》：州城東楊家閘一座，係瀾棚、府、洸等河之水，入馬場湖瀦蓄濟運。遇有損壞，歷經請帑興修。嘉慶二十二年，前州王牧復詳請修，并接修閘上石壩岸，迄今二十餘年，保固例限久滿。該閘歷經汛水淘刷，又兼連年上游滋陽等縣伏汛盛漲，灰縫滲漏，墻石酥損。諸水匯合，涌注敞板，減泄閘上水頭高於閘下八九尺不等。水勢溜急，衝激金門，兩墻身及轉角雁翅多有滲漏，并閘上壩岸三十二丈被水冲損潰溢。東南鄉一帶，直至運河岸内，復漫堤入運。現在水勢稍退，于閘上捐修土堤，暫行圍堵，免致再淹民田。該處莊民懇求購備石料，加修完整，以資抵禦。并以閘下自雁翅起至馬驛橋岸土埝，共長四十餘丈，距閘口甚近，大汛以後，奔騰下注，兩岸附近居民紛紛遷徙，須一并改建石壩岸，以期一勞永逸。近年日夜防險，目睹本係實在情形。但工程較大，州境連年被水歉收，難以勸諭民修，擬合援案稟請委員會勘，樽節估辦。或先將閘上壩岸預爲購料，赶辦之處祇候約示，再請修楊家閘石工一案。叠蒙批飭，何敢屢瀆？

但有不得不縷晰再陳者。府河爲泗河支流，發源兖郡，州境居其下游，北高而南下。至州城東關外，與洸河分流。恃閘座收束，繞城入湖。一經潰溢，不但恐泄湖瀦，兼有洸河自西匯入，直灌州境，東鄉南注，漫及運河東岸石佛、新店一帶，運河并漲。則内外汪洋一片。上年官堤，間有殘缺，河員皆謂兼受坡水漫灌所致，曾經詳細具稟在案。雖運堤隨即堵修，無礙縴道，而回空過竣，即煞壩興挑，不能再放坡水。是以東南鄉窪下之區，年年灾緩，此閘上漫溢之情形也。至閘下，則逼近城關，民居稠密，近河廬舍甚多，每遇汛漲風雨，居民紛紛遷徙，徹夜號救之聲，慘不忍聞。上年秋間，另于廟宇及空閑店房栖止，貧民捐散饃餅維時。東門用土屯堵街巷，水深四五尺，扎筏往來。幸先已倡捐，同紳民新挑城濠及玉帶河一道，宣泄較易，半月以後，稍稍安定。然止上游漫缺，閘墻滲漏，并未傾圮。閘下土埝，亦未全行坍損。情形業已如此，設使衝决過甚，不但東南鄉依舊淹没，東關一帶亦成澤國。此州民屢屢籲請改修石工之緣由也。查府河堤埝綿長，距閘較遠之處，水勢平趨，不甚洶涌。向係勸諭民修，唯附近各莊，連被水灾，未可徒恃民力。又非運道可比，更不敢援案遽請借項一律興修，是以歷年加培，隨時捐辦。蓋土方易以爲力，而石工與需費過煩，實係無法籌墊。自上年采辦石料，運至工次者，已有十分之六。居民皆同聲相應，勢難中止。若將就補苴，萬一汛漲异常，不能抵禦，則堵築工料所費更巨。稍可得已，斷不敢爲此嘵嘵也。至閘座尚可設法戧護，即由州先行捐辦，巡撫托渾布、總河牛鑑奏准興修。

附《修防條約》：照得府河民埝原爲捍禦水勢，保衛田廬，例係近河一帶各村莊按照界址，撥夫修防。去歲汶、洸并漲，以及諸坡之水匯注，將南賈村地方及在城東北關一帶堤埝冲缺。其近城東北關因民窮户少，及楊家閘上石工浩繁，業經籌款修理。又南賈村地方分管之三段，長三百三十丈，殘缺過甚。及小店西頭缺口，雖經該紳民等撥夫修堵，昨經親詣查勘，復飭工書帮寬，加土行硪，俱已修理完竣。所有夫工飯食，俱由州給發。該約地人等不得藉端苛斂，自示之後，務須恪遵，分定段落，議定章程，竭力防守。如有無知之徒，藉端苛斂，以及陽奉陰違，怠惰偷安，許紳民等指明稟究。

一、各河民埝，原應公同修防，是以工隨地界，糧從地出，此乃一定舊章。而無知鄉愚，就輕避重，只顧眼前便宜，或任意推諉，或無憑妄扯，結訟不休，貽誤要工。卒至田禾被淹，廬舍不保。今已按地分段，務須恪守界址，不得再行推諉。

一、伏秋汛漲之時，東關二鋪、楊家閘上一帶堤埝取土甚難，南賈村之馮家口、沙窩、馬鱉口等處取土亦不易，宜於收麥後，取河灘之土，堆積土牛岸上。多一尺之土，河内即多受一尺之水。亦各按段妥辦。

一、堤頂或五十丈，或一百丈，搭設窩鋪一座，撥夫二名，該管莊民。或二十畝，或三十畝，撥夫一名，或三日一换，或五日一换。晝則抬土，夜則看守，以防偷掘。若對岸有糾衆强挖匪徒，即飛稟本州，會營拿究。

一、窩鋪内用銅鑼一面、木梆一個、油紙燈籠一個、筐五個、扛子五根、鐵鍁二張，并蓑笠二件，以備風雨。

一、搭設窩鋪，自初伏前十日搭齊，至八月初十日止。該約地與各莊分段公議，殷實紳民三五人五日一换，爲總查，各督率本莊人夫，輪流防守，并造册送案備查。

一、防險書役飯食由州按日給發，如藉端滋擾，許該里民指名稟究。

以上各條，本州不時親查。或人數不足，或器具不全，定將該里民同約地枷示河干不貸。

楊家壩自總河楊方興已經堵閉，祇因濟寧紳衿士民潛謀馬場湖地肥美，盡皆占種，故楊家壩時常盜開。楊家壩一開，而西湖之水涸矣。今議必爲嚴禁，如有盜開者，即以盜決河防論。《居濟一得》。府河與洸河合流，由楊家水口出天井，自建壩遏塞，折而西流，入馬場湖。湖不能容，乃有決溢之患。康熙三十四年，適運河水微，糧船難行，余見河督于公，力請開楊家壩以接濟漕運。即日開撤彙疏，題明在案。余復爲酌劑，於壩南馬驛橋修閘設板，水大則泄水救農，水小則閉之蓄水待運。但兩水一發，俱出天井閘，勢甚大，恐糧船上閘費力。舊馬驛橋南篦子市原有減水壩一座，復於故處重爲修設，水大則過壩分流：一出通濟橋，一出關南小壩口，以殺其勢。第府河甚淺狹，洸河亦廢堤防，每水發，即見漫溢。應將府河挑浚深闊，洸河修築堤岸，則兩水安流，永可無虞。洸、府二河合流，出楊家水口，其勢甚猛，雖有篦子市減水壩，猶宣泄不及，每年常至漫溢。欲於水之南東岸，再建一石壩，分泄水勢。由太平橋、德勝橋與篦子市壩水合流入運河。苦經費無出，適有貢生閻大成者，慨然捐金二百四十，獨任其事。余即詳明給匾嘉奬，勒石以記。《牧濟録》。以上二條皆楊家壩未建閘以前之説，并見《前志》，補叙於此。府河北岸班村迤西有溝形二道，迤東有五家溝一道，又沙蔣溝一道，蕭家溝一道，俱疏銷於滋陽境羅河，漫出太平溝，一名思泥溝。三元溝之水歸府河。《前志》。

洸河

自滋陽縣界，於州東北二十里入境，西南流至夏家岡，南流歷黄垞，至城東北謝家營之東南，與府河合流，入馬場湖。元時于汶水之陰，堽城之左，作斗門遏汶南流入洸，謂之洸水。明成化間，於新堰鑿河十餘里南入於洸，從高吴橋西南入州境，會泗水，繞城入天井閘濟運。崇禎十七年，濟寧衛指揮張世臣築揚家壩，改由城北而西，自夏家橋入馬場湖。《舊志》。洸水，本汶之支流也。自寧陽縣東北堽城壩分流，西南徑寧陽西三里，又南徑滋陽縣西南，又西南流至濟寧州天井閘入運河。《水經注》：「洸水上承汶水於堽縣西闡亭東。《爾雅》『汶别爲闡』，其猶洛之有波矣。西南經盛鄉城西，又東徑寧陽故城西，又南洙水枝津注之，又西南徑乘邱縣故城東，又東南流注於洙水。」《寧陽縣志》：「元初於堽城左作斗門，遏汶水入泗，於是洸流始盛。」至元六年，以奔流衝激，泥沙填淤，乃議浚之，自閘口至石刺以通其源；又自石刺至高吴橋南至王家道口，凡五十六里有奇，以達其流，而洸河復治。二十年，會通河開，北自奉符爲閘，以導汶水盡入於洸；東會泗水，出於任城之會源閘，而始分。明永樂九年，又築堽城壩以遏汶水，惟壩南官莊河入洸，洸流始微。成化十一年，主事張盛復爲堽城石閘，稍分汶水支流，以入於洸。徑寧陽西南兩崖之間，有東西兩閘，以備蓄泄。南匯蛇眼諸泉，流入滋陽，於是洸水入漕之流滔滔不絶矣。《一統志》。吳樫曰：洸河之水，次於府河，惟楊家水口閉，則與府河交入馬場湖。每至兩水并漲，而諸窪積水，匯入馬場者十之九，入蜀山湖者十之一。其間各地方率多淤梗，不能曲折通利。而五里營之減水閘，亦多堙廢。安居、十里營二減水閘，又每築塞以蓄水濟運，不能以時啓放。蜀山湖之金綫、利運二閘，亦蓄泄失宜，湖堤每歲致决。諸水既無行道，又無出路，此北鄉水患之所以不免也。《牧濟録》。洸水流入滋陽，有二水入之，其一東北諸山之水會而西流，謂之官莊河；其一西北諸山之水會而東流，謂之漕河。皆至高吳橋入洸，又西南流至濟寧會沂、泗二水入運。《兖州府舊志》。

按，《水經注》：「洙水自卞與泗亂流，西南徑魯縣之北，今曲阜。分爲二流。北爲洙瀆，南則泗水。」今則北爲泗，南爲洙。洙水西北徑孔里，又西南枝津出焉。枝津至寧陽故城南，城在今寧陽縣南。入於洸水。洙瀆至乘邱故城東南，城在滋陽縣西北。洸水注之。故洸水先納洙枝津，次入洙瀆，至高平縣西城在鄒縣之西南。入泗。王元啓曰：晉穆帝時，兖州刺史荀羡自洸水引汶通渠，至東阿征慕容蘭。是時，洸水已爲運道。太和中，桓温北伐，掘渠通濟。後劉裕西入長安，又廣其功。《濟寧圖記》《前志》。

按，元李惟明《重浚洸河記》云：洸河乃汶水之支流也，名不載於傳記，或因舊而加以新名，亦不可知。其源則出於泰山郡萊蕪縣原山之陽，折而之南，達於會通漕運，南北其利無窮。會通之源洸也，洸之源汶也。時霖雨作，泰岱萬壑溝瀆之間合注而之汶，洪濤洶涌，泥沙溷奔，徑入於洸，此洸所以淤填也。至元六年，監丞宋公浚自閘口至石刺，事鐫於珉。然洸之源雖通，而其流猶梗。公謂不疏其流，源將安之？又恐前功徒費，後患復萌，使會通之津從而涸也。詢及其佐，得壕寨岳聚所度，自石刺至高吳橋南王家道口，淺澀者延袤五十六里百八十步。呈准中書，符下東平，濟寧兼贊厥役，本監及二路夫以口計者萬有二千。浚自至正二年二月十八日，落成於三月十四日。《泉河史》作劉承記。又按，《運河備覽》云：弘治十七年，山東都御史徐源奏分水龍王廟前起，至濟寧天井閘，通計九十里，水共高三丈有奇。緣水性就下，若將洸河浚深，則汶水盡出濟寧，南流徐吕，恐濟迤北直至臨清四百餘里，仍復乾涸，必梗漕運。又洸河上截自舊堽城壩口起，至柳泉共九十餘里，廢弃年久，無益運河，不必挑浚。自柳泉起，至濟寧係汶、泗諸水會流之處内四十餘里，淤塞者半，應合疏通導引。二水專接濟寧迤南運道，自此之後洸河遂廢。

《泉河史》：「洸水自城東北分兩支，一會府河出天井，一西流環城而南，至分水廢閘之西入於運。」鄭真《學碑記》：「昔洸水不會府河，亦不入馬場湖，由城北轉而西，又南流出會通橋入汶水，至濟安之草橋東，流至觀瀾亭，始與泗水會，即府河。下天井，環城抱繞，若玉帶然。」《前志》。

牛頭河

上承菏澤寶珠口之水，下流又受引河。乾隆三十一年開。所泄南旺以南宋家窪之水，於州西南四十里，自嘉祥縣流入境。東南至吴家莊南，歧爲南北二股，旋復合流至王家口西岸，納顧兒、苜蓿二河，入魚臺界。在州境者一百里，至魚臺塌場口入漕。《明史·地理志》：「一名『塔章河』，或又作『塔張』。」初納南旺湖芒生閘之汶水，至永通下閘又受永通上閘所泄運河之水。」今二閘久閉，明時亦於此行運，故有閘有淺，皆設夫，後皆廢。

按，《全河備考》云：牛頭河在州西南二十里，漕河南岸，即耐牢坡上。有永通閘泄出漕渠之水，至魚臺縣塌場口入舊運河，蓋黄河之故道也。牛頭河西，自耐牢坡口東，至魚臺縣之塌場口九十里，係明初徐達所開。不惟可以通運，而濟寧以南窪地之水，由之泄入昭陽，實濟寧以南之水道也。自穀亭淤而塌場口塞，濟寧南鄉遂歲受水患。仍應浚牛頭河，使達昭陽諸湖，以通蓄泄。而濟寧南鄉一帶窪地，倘能築岸分圩，效江南閘秧種稻之法，以獲水田之利，即可轉荒瘠而變膏腴，亦存乎其人之興舉也。

明洪武元年，河决曹州雙河口，流入魚臺。命徐達開塌場口入於泗以通漕，此即牛頭河、永通閘河道也。又雙河口一曰灉河，黄河自曹縣入山東境，至曹州城東折而北流，分爲二支。其一支入於雷澤，其一支入於鄆城，謂之雙河口。黄陵岡既塞，涸枯不常，雙河口水又東南流爲牛頭河，經嘉祥、濟寧至魚臺塌場口入漕。牛頭河由濟寧西二十里首受永通閘泄出漕渠之水，注耐牢坡，至魚臺塌場口閘、廣運閘而出，入於舊渠，蓋黃河故道也。明初，用兵梁晉，開此渠以資運道，故建永通閘於此。正統以後，防塌場口之潰，故建廣運閘於南漕渠，水盛由此行舟。黃河自曹州雙河口來，亦由此入運渠北徙，河水南流，此河與故渠同塞。邇年，鉅、鄆、陶、嘉四縣泊水來自西北，曹、單、城武、金鄉四縣泊水來自西南，皆是。牛頭河出鈞勾嘴，由舊運河經穀亭、沛縣至留城入運。下流阻塞，漫爲巨浸，韓莊河支渠蓋欲泄此也。《兖州舊志》。黃哲曰：洪武辛亥夏六月，工部主事仇公、中書宣郎觀公奉旨按行黃河，北環梁山，逆折西至鉅野、曹、濮，達盟津。發民疏浚淺壅，俾通糧漕。予亦承乏分領東平之役，濟寧則有守禦千户張將軍董其事焉，諸公偕會梁山。余記元年春奉命溯河北來，時兵始襲汴舟，師逾彭城，北入汴南塔張口，溯漫流而西。三年，余朝京師，道出其左，則塔張之津已淤。舟之汴、洛者，北趨戈泊口、任城，開河閘西以行。今由梁山，則迂其故流又及千里矣。且晨夕遷徙無常，漕舟苦焉。蓋其瀰漫奔决，能困兖、豫、徐、冀數州之民，而深不足引舟漕。有司常具舫尋源標幟以前導，翊日則又徙而他流矣。塗路朽壤流沙數百里間，篙楫畚鍤無所施其功。議者欲上聞，有復堰黃陵岡之舉。噫！此元季之覆轍，何足與議哉！乾隆二十九年，魚臺縣知縣馮振鴻開南陽岔河以達西北坡水。自是牛頭河水由岔河以歸南陽湖，而鈞勾嘴以下之故道廢。《兖州志》。吴樫曰：牛頭河上源通芒生、永通閘、萬善橋三路之水，南旺湖從芒生閘入牛頭河，自河淤塞，水不南下，因將芒生閘永閉。乃汶上之民欲泄南旺湖水，并欲泄連湖之宋家窪水，未悉南北水勢高下情形，不顧利害，屢屢條陳請開上源，豈非以鄰爲壑？蓋牛頭河下流八龍灣、廟道口等處，久已淤斷不通，即永通、萬善之水尚不能容泄，而况南旺湖一瀉，建瓴而下，勢且十倍。牛頭河堤岸立見崩潰，西南一帶莊田皆瀦而爲湖，民其魚矣。欲放牛頭河上源之水，必先將牛頭河下流梗塞之處盡爲疏浚深通，乃得順流暢達無阻。如下流未通，則上源之水斷斷無開泄之理也。《牧濟録》。運河道章軺云：「吴氏此條未確。如去年雨水稍大，嘉祥長潭河及金鄉御溝河水漲漫，亢父城東北俱成澤國。而宋家窪初無積水，此牛頭河以下不因宋家窪爲患之明證。又廣運閘以上橋梁甚多，每橋之上下水面高卑二三寸。至新挑河橋以上，至宋家窪又約七八十里，以每里高四寸爲率計之，宋家窪應高新挑河二丈有餘，是牛頭河亦不能阻遏上游諸窪之水。今宋家窪以下引河現已挑浚，窪水已涸，未見其以鄰爲壑，皆臆度之詞。且吴氏意主南旺湖而言，宋家窪亦不甚重，後人不得以此藉口。」

道光十八年，徐宗幹《縣衛莊民分挑宋家窪議》：查勘宋家窪引河，勘明計長一千七十丈，係於三里營分界。該處俗名「衛工頭」，是與汶上分工之所。引河以南之韓家莊、楊家屯、狄家樓、王家橋等莊，均係軍屯，距河三五里不等。詢問居民，俱係衛户。五六里以外，爲州屬嘉祥地界。引河以北爲南旺湖，以南皆汶上縣境。卷查嘉慶十三年前「運河道檄飭會同挑辦嗣據署嘉祥縣李令禀」稱：引河坐落衛境，不便勸挑。而前署州徐牧亦移復并無州境管轄，互相推諉，迄無成議。復禀本道批飭籌款挑辦在案，又查屯丁等呈稱：引河乃宋家窪附近居民於乾隆三十年利已起見，呈請汶上縣自行開挑。丁等坐落嘉祥縣境，宋家窪四畔并無屯地，懇請免挑。是以道光三年，汶民復呈請挑辦，亦未定議。今揆度情形，宋家窪開通引渠，原於汶民有益，而衛民居其下游，因各河淤墊，難於宣泄，不願接挑。衛民不挑，汶民挑亦無益。牛頭等河不挑，衛民挑亦無益，總以窒碍難行而中止。此屢經飭辦，終未定案之原委也。竊思河渠所以濟運，疏浚所以便民。分官工宜定所管之地，用民力祇論附近之民。村莊既近河渠，無論何州何縣之民，即應派夫分段挑挖。各衛田廬，當於附近之狄家樓傳集鄉民狄旺等詳細詢問，僉稱貼近引河村莊除汶境外皆係衛民。亦有承完州糧者，地糧在州境，而人民在衛屯。諭以上關漕運，下利農田，率土之濱，莫非子民，毋得偷安惜費，亦無不樂於從事。唯以屯衛附近引河，盡令衛民承挑，恐力有未逮。應請以距引河十里以内村莊，東至牛頭河堤，西至汶境爲止，均匀出夫。其嘉祥縣村莊，由該縣承辦。卑州亦不敢稍存畛域，無分縣衛，幫同勸辦，以冀事克有終，不至因循貽誤。再汶民所以遲延未挑，由於衛民之不肯接挑。今疊奉檄飭，且下游牛頭河現已詳請估挑，斷不敢再事觀望。請先飭汶上縣，赶緊挑浚，并請俟牛頭等河開工後，一律興挑。上下無阻辦理，庶爲妥速。至汶上縣應挑工段四千餘丈，與現勘段落，并無牽涉，無庸會勘云云。牛頭河閘四：曰廣運上閘，地名吉家淺，屬魚臺，距廣運北八里；曰廣運下閘，地名釣勾嘴，東距南陽閘一里；曰永通下閘，一名明境，北距永通三里，成化十一年建；曰永通閘，即耐牢坡，距州西二十里，洪武四年建。永通本名梭堤集。牛頭河淺二十：曰廣運，曰馬家，曰梅家，曰吉家，曰張家；以上屬魚臺。曰夾灣，曰大留，曰張家，曰夾河，曰永通，曰禮義，曰大河，曰談家，曰王貴，曰王家，曰馮翟，曰邢家下，曰邢家上，曰牛頭河，曰堝場口。《泉河史》。明商輅《永通河閘記略》：今漕運總兵、平江伯陳鋭，故平江恭襄公曾孫，自兩廣總鎮移董漕運。頃至濟寧，見運舟上閘之難，因以所聞耐牢坡舊河詢之居民，有進而告者曰：「是河不通舟楫已逾百年，宣德初恭襄公嘗命工疏浚，未及成而公捐館，至今人猶惜之。」君乃躬詣相度，遂會總督漕運、都憲李裕移檄山東管河副使陳善、通判陳翼，出公帑之積，鳩工市材，自耐牢坡至堝場口計九十八里，其間石橋、土堰、灘淺、淤塞一一疏之。耐牢坡口舊有減水閘，移進二里許，改置大閘。又增置堝場口閘，以節下流之疾。於是水勢平夷，舟行便利，因改耐牢坡河曰「永通河」，閘曰「永通閘」。其新設堝場口閘，曰「廣運閘」。閘各有廳，皆三楹一軒，翼以兩廂，拱以門樓，衛以垣墉。挽舟有具，供役有夫。經始於成化乙未春二月，畢工於是歲夏五月。事聞朝廷，特設閘官莅之。蓋是河故迹，《郡志》載：至元六年，黄河水溢，自曹縣界東北流，瀦鉅野澤，從東南經嘉祥縣蓮花池，抵古濟州以西二十五里，爲耐牢坡。南經魚臺縣大堝場，入會通河，即今運河。當時，江南舟楫俱於此經行。洪武戊辰，河水復溢，而此河因塞，自魯橋以北，皆舍舟從陸，設爲車站。永樂辛卯，復命大臣疏浚河道，止從近州閘河用工，而是河遂廢。夫廢於前而興於後，果誰之功乎？於是漕運中都留守把總、都指揮高輿，南京各衛把總、指揮徐昇輩，相率來徵予文，立碑示久，遂次第其始未爲記。

按，翁大立《開廢渠泄積水疏略》曰：臣查國初洪、永間，開濟寧迤西耐牢坡，引曹、鄆黄河水，經堝場出穀亭，以爲運道。今上有芒生閘通南旺，中有永通閘通濟寧，下有廣運閘通穀亭者。謂舊黃河之下湖陵城小道尚存，舟航可達。惟湖陵城之下，黃河既退，地形反高。臣乃督令兗州府同知章時鸞、沛縣知縣李時，自留城之回回墓大開決口，以達佃户屯。再開淤澱，以達李家口。遂與鴻溝相通，使穀亭、湖陵城之水皆入昭陽湖，昭陽湖之水又由鴻溝以出。若汶、泗漲，則由斗門宣泄，鴻溝可以納流；汶、泗水消，則斗門封閉，漕河可以免涸，唇齒相依之形也。由芒生閘以至廣運閘，由廣運閘以至湖陵城，由湖陵城以至回回墓，上下三百里，皆與漕河相接，首尾相銜之勢也。漕河爲主，鴻溝爲輔，譬之閥閱之家，旁開側户；艨艟之艦，尾繫輕舠，緩急相濟之意也。由此勸之，則耐牢坡之復開，不惟可以變濟寧以南之窪地爲膏腴，而漕河藉此以吐納，亦未始非蓄泄之利也。方恒《瀕運諸湖水田議略》曰：近歲承乏河干，時履疆域，相度邱原，得觀滕、沛、魚臺各被淹之處，益知東南之水田，未嘗不可立陂也。誠仿東南治田法，就其被水患者中間開爲支河，四圍築以圩岸，最爲便易，乃爲之。時其耘耔以種秧苗，備其桔槔以資車戽，則水荒弃地不難變爲沃壤。獨此國用匱乏，生民困苦之時，以牛種廬舍問之上，上無餘財；以升科告佃責之下，下無餘力。是以逡巡而不敢行。是莫若仿元人虞集所言視田授官之意，開力田之科，能闢水田若干頃者，予以幾品冠帶，多者秩以遞增，其田即授爲永業。如是永著爲令，則既有閑田以酬其開墾之勞，復有冠帶以勵其急公之念。凡有餘力之家，有不踴躍趨事者乎？二條。增輯。

按，東省八閘及江南邳宿一帶運河，直至中河楊莊，每年漕運往來全賴微山湖水源源接濟。而微湖蓄水向賴上游牛頭河所受各州縣坡水，由南陽、昭陽二湖遞達微湖，方能灌輸無絀。往時牛頭河淤塞，坡水不通，乾隆五十二年「辦理漕濟水利案」内奏明疏挑。後閱二十年，復因曹工、豐工相繼漫溢，黃水泛漾，該河淤塞不通。嘉慶八年，巡撫鐵保會同尚書費口奏請興挑，嗣因辦理張秋各工，未及同時并舉。嘉慶十年，委員勘估魚臺士民以牛頭河開通，魚邑民田受淹，具控查魚邑濱湖，衿民多有占種湖灘淤地，一經挑通，水及湖灘不能墾種。而上游之濟寧、嘉祥、鉅野、金鄉、汶上等縣民田，每遇積潦，水無去路，往往被淹。亦指魚邑以鄰爲壑，屢請疏浚牛頭河。各持一説，迄未舉行。嘉慶十一年，微山湖收水僅一丈，未符定志一丈二尺之數。撫河兩院會委各道查勘傳集該處年老軍民，詰以牛頭河係數百年來舊有之河，近年始經淤塞。從前深通時，并未聞淹及該縣。水性就下，地卑則水亦隨之而卑，斷無地卑而水仍高之理。且昭陽、微山兩湖周圍三百六十里，容納之地甚寬，而湖水由湖口雙閘入運。又有寬三十丈之滚水壩及朱姬、馬令、三里減水等閘可以暢放宣泄。以牛頭河一綫來源，寬不過數丈，即使偶遇淫潦，匯注微湖，亦何致漫溢爲患？士民輸服，此議挑牛頭河以來屢興屢止之原委也。嘉慶十二年九月，微湖存水祇有八尺三寸五分，高於運河水面有限，河道總督吴璥奏准估辦在案。是牛頭河一道關係漕運，并一州五縣水利民田，倘既挑之後，再有淤塞，端有望於後人矣。

長澹河　上承嘉祥之澹臺河，於州西四十里入境，爲急三道河。東南流至張官屯爲苜蓿河，徑亢父故城北，又東與顧兒河合，又南流至王家口入牛頭河。在州境長六十五里。雨則水盈，旱則水涸。長澹河，一作「常」，《通志》以爲即南清河之隨地异名。詳後。

吴檉曰：苜蓿河、羅家河皆受諸坡之積水。東西分注於牛頭河者也，苜蓿河淤，而急三道諸水氾濫矣。羅家河淤，而平流諸窪停積矣。且牛頭河廣運閘以下八龍灣、廟道口等處，皆梗塞不通，上有來源，而下無去路，反致南陽倒灌而上，水勢日高，堤防亦日增。即使苜蓿河、羅家河并已疏通，其出口處地形反低，亦不能會衆水以達牛頭河。總之，西南之水惟藉牛頭河爲宣泄，今下流淤澱已甚，此西南二鄉水患所以不免也。《牧濟録》。

道光十八年，巡撫經額布、總河栗毓美奏挑牛頭河，工六十段，長四千八百四十三丈。長澹河工四段，長二千七百丈。顧兒河工八段，長五千五百四十四丈。

金山河　歷鉅野、嘉祥、金鄉三縣，於州西南五十里入境，爲顧兒河。東流徑亢父故城南，又東與苜蓿河合，東南入於牛頭河，今亦淤矣。金山河自鉅野縣章縫集匯水，東流徑谷家莊、閻家橋，又東南徑邢家窪，繞金鄉山，至唐家窪入嘉祥縣界，爲蔡河。又東流徑滿家硐，北徑湖水窪，又東至翟家口，入金鄉縣界。又東徑齊家橋，至談家橋入濟寧州界，爲顧兒河。又南徑亢父故城會苜蓿河，至王家口與牛頭河會。《通志》。

平流河 在州西南二十里。無源，而地下又北受運河堤滲出之水，故四時不涸。餘波南溢，於夏莊窪由羅家河入牛頭河。羅家河在州南三十里。吴檉曰：安居、十里營等處之水，皆經平流河合新店諸窪，由羅家河從李家口而入牛頭河。《牧濟録》。

濟水有三：四瀆之濟，一也；府河一名濟，二也；又泗水縣東一里，發源珍珠泉，北流入泗者，三也。府河因州得名，州則以四瀆之濟得名。然按《水經注》，濟瀆不在今州境，因今之濟州非唐、宋、金之濟州也。惟古有黄水，爲濟水菏澤分流之别名，徑亢父之西，又南流合於菏水。菏水下流，亦在今州屬魚臺境。然黄水之迹，則已不可尋矣。濟水至乘氏縣分爲二，其東南流者，過乘氏縣南，又東過昌邑縣在魚臺界。北，爲菏水。又東過湖陸縣南，東入於泗水，酈氏云：南爲菏水，北爲濟瀆。菏水過方與，徑金鄉城南，又東徑武棠亭北，又東徑泥母亭，又東與鉅野黄水合，菏澤舊誤「澤」爲「濟」，非。别名也。上承巨澤諸陂〔一〕，澤有濛淀、盲陂。黄湖水東流，謂之黄水。又東徑鉅野縣北，又東南徑任城郡亢父縣，在州境。又謂之「桓公溝」。南至方與縣，入於菏水，又東徑秦梁。《水經注》。

南清河自菏澤縣雙河口分支，東流爲清河，此南濟也。即《水經》所云「南爲菏水」。南受定陶縣諸水，東北流徑清浪集、李家莊，至許家樓，入鉅野縣界，爲閻家河。東北至支家屯，有蔣家河，水入之。又東北徑董官屯橋、田家橋、天鵝泊、雙碑泊、李家橋、邵家口、薛家橋，又繞城而北，徑豬水口、蓮花池、石碑泊、坂罾口，至安家橋南，有黄沙河水入之。又東南流分而爲二，一支東流，徑蔣家林、馮家莊，至獲麟集，入嘉祥縣界。又東南徑楊家橋，至丁家樓。一支東南流，爲薛公新河，徑姚家橋至陶官屯，鉅野縣境内行一百五里，凡諸河徑行州縣有不載里數者，皆係上源故道紆折斷續，不便遽定也。入嘉祥縣界。繞種火山，至馬官屯，二流復合爲一。東徑丁家橋，爲澮臺河。又東徑澮臺橋、于家橋、陳官屯，嘉祥縣境内行三十三里。又東南入濟寧州界，俗名「急三道河」。又徑錢紀屯，至紅廟屯、喻官屯、張官屯，爲苜蓿河。又東南徑劉家屯會顧兒河，至王家口與牛頭河會濟水故瀆，自菏澤縣寶珠口入鉅野縣界，爲安興墓河。東北入鄆城縣界，折而東，至龍母廟，有北行故道，此本北濟，由鄆城東七里鋪柳條園下注安山湖。詳前「北條水」。爲土壩所塞，遏之東流，徑柏林鋪、御屯、黄堆集，又東南至紙坊，入嘉祥縣界。本黄河决道。東至萬善橋，左接芒生閘泄水故渠，芒生閘在南旺湖南，設以泄漲，今塞。爲小黄河。南流徑王家橋，至李家橋，入濟寧州界。又南徑第八屯，至新挑河，有永通閘泄水，入之。永通閘在濟寧州運河通濟閘之南，泄運河溢水西注，折而南入南陽湖。又東南入耐牢坡，徑河長口橋、唐家口橋，至王貴屯橋，爲牛頭河。南至王家口，會苜蓿、顧兒二河之水，又東南徑劉家橋，入魚臺縣界。又南徑張家莊，至廣運閘。即塌場口。又南徑梅家莊、李家橋，至柳溝河口，與柳林、淶河二水會，合流南入舊運河。舊運河上承鉅野、嘉祥、菏澤、曹、單、定陶、城武、濟寧、金鄉之水，會於柳溝河，入釣勾嘴，在南陽湖西有馬公橋。徑玉皇廟，至穀亭鎮，入舊運河。又南徑八里灣閘、白塔寺、鷄鳴臺、沙河橋、湖陵故城，至安家口，自北田寺至此，行一百六里。入江南沛縣界。南注塔具湖，又東南至夏鎮西之李家口，入微山湖。一支西南徑西柳莊、留城、黄家閘，至荆山橋，又南由泉河至猫兒窩入運。一支東南匯湖水，由滕縣之湖口閘，在韓莊之南入運河。《通志》。《水經注》所謂「南濟」「北濟」，胡渭謂其分流在滎澤之東，而北濟又爲濮水，於菏澤之東復合。至乘氏以下，又分爲南北二支，北爲濟瀆，南爲菏水。菏水所經，在今之鉅野、金鄉、魚臺之地。《水經》所述，已非禹迹。至黄河南徙，運河北開，濟水故道亦不可問。况河决不常，曹、兖之交，皆其縱横之區乎？《通志》述諸水源流甚悉，必如此而後牛頭、苜蓿、顧兒三河之源流始明。然或竟以爲南濟之下流，則不可耳。《前志》。

〔一〕「澤」原作「野」，據《水經注》改。

吴樫《治水條議》：濟寧地處最窪，河湖環繞，水患更甚於他邑。數年以來，築堤浚河，無時不爲宣泄防禦。然其患不能盡除者，蓋緣田間水道梗塞之處甚多，工費浩繁，未能盡爲疏通。而隣封歸壑之道，又淤澱不能順流之故也。茲奉飭疏浚，遍行四鄉，傳集鄉耆、里老人等，公同查勘地勢，相度河形，確議疏浚、宣泄之要。一東鄉有洸、府二河，年久河身淤淺，堤岸矮缺，不能束水。每遇山水漲發，即漫溢爲患，此洸、府二河當行挑浚堤岸，當行培築也。又泗河自陪尾山發源，沂水合流，經府城迤邐而南入州境。其形勢，上源甚寬，出口之處甚狹，山水一發，即泛濫衝决。河西地勢卑窪，屢受淹没，爲東鄉大患。今雖築西堤一道，以障狂瀾，但泗水之發，其勢甚猛，水口狹窄，不能順流而下，必至旁决横衝，一綫之堤，勢所難保。必開支河，以殺其勢，方不致有過顙之患。查董家口原係分殺泗勢之支河，經鄒縣之車家橋，由閻家口穿白馬河出謝家橋，入獨山湖。今年久淤塞，鄒民一者畏難，不肯挑浚。二者利種淤河之地，不欲挑浚，反藉口云有害於彼，輒爲阻撓。夫水有來源而無去路，是以停積爲害。今挑引歸湖，何害之有？且前與鄒令會同查勘，至馬坡地方一片皆有積水。若挑此河，從閻家口入湖，則鄒境之水俱順流而下，是鄒、濟均獲其益。無奈鄒民狃於習見，不詳勘河地形勢，一味作梗。惟嚴飭該縣，協力挑浚，或另委員會同確勘，酌議挑浚，庶鄒民不得横生他議也。又班村窪宜疏入府河，張家窪、魚溝河等窪，宜疏入新店坡，係東鄉諸水所聚之區。查舊制，新店閘上下俱有減水壩，以達於河，今湮廢年久，無門可泄，至水積久不消，有礙播種。今當重建閘二座，以時宣泄，俾坡水得入運河，則可免積淹之患。又城東楊家水口，係泄洸、府二水，經馬驛橋出觀瀾橋、天井閘入運河之要道。自築壩以來，二水西入馬場湖。水發時，湖滿不能容納，而又無宣泄之路，每至横溢成患。康熙三十四年，經前河憲於開通引水濟運，比年以來，隣近民地得免淹没，而運道亦賴無淺阻。今馬驛橋已修爲閘矣，水長啓泄入河，水消閉蓄歸湖，蓄泄得宜，可永免洸、府二水之患。其中慮有潛爲作梗之人，狃於故常之見，將來復借端築塞，亦未可定。惟祈申飭永遠遵行，此乃東鄉疏浚水道之情形也。一南鄉牛頭河之東，則有平流河、小流店窪、新店窪、侯家老窪一帶諸水，舊由羅家河入牛頭河，今羅家河淤塞，應浚。牛頭河之西，則有急三道諸水，上承嘉、鉅等處之水，平漫而下，其勢甚大，舊由苜蓿河入牛頭河，今苜蓿河淤塞，應浚。其間水道，經臨清衛諸屯地方，應飭該衛協力挑浚者也。至西鄉大長溝、宰家窪、大徐坡，舊有故河一道，由彭祖壩經曹井橋、永通閘入牛頭河，今皆淤塞，應浚。查牛頭河乃濟寧上源，諸邑出水之要道，其關係非僅在州也。自魚臺縣之柳溝、穀亭、八龍灣等處，以及江南沛縣之廟道口等處梗阻，不能順流南下，以至泛濫停積。濟寧居諸邑之下，受患更深。數年來，雖浚河築堤，備竭防禦之術，然止能用功於咽喉之間，不能達於心腹，又焉能達於尾閭。然止能言之，而不能行之，惟祈主持調度，以除去此患，此又西南兩鄉疏浚水道之情形也。至於北鄉高村、南照寺、耿務村、大徐、石樓村等地方諸窪之水，可疏入馬場湖。康莊驛之蘇家等窪之水，可引歸蜀山湖，俱就其形勢之便也。惟蜀山湖之金綫、利運二閘，馬場湖之安居、十里營二閘，蓄泄啓閉，不失其宜，則諸窪之水有所歸，而不爲患矣。蜀山湖在汶境，馬場湖在濟境，乃濟寧衛河道蓄水濟運之櫃也。衛河官惟務蓄水，濟、運二閘啓閉失宜，每見湖水泛濫，田湖莫辨，鄉民合詞，籲求開閘而不能。將來，州、衛必有相爭之勢。夫蓄水者湖也，未聞蓄水於民田之内也。今與濟寧衛管河官議，於馬場湖十里閘刻一石爲水志，湖水上志，則啓閘泄之；湖水下志，則閉閘蓄之。如此則可垂永久，不待争論而蓄泄得宜。湖水無泛濫之患，而坡水有歸壑之門，運道民生，兩有裨益，此又北鄉疏浚水道之情形也。總而言之，濟寧惟東鄉之泗河、南鄉之牛頭河爲患最大。泗河之患，疏浚董家口之支河以殺其勢，保固堤防以禦其衝，可保無虞，尚有力可用。至牛頭河下流不通，屬在江南地方，無力可施矣。然魚臺縣之柳溝、穀亭、八龍灣，挑通河由横河嘴入湖，亦足去牛頭河患之半也。其四鄉諸窪之水，或疏之入湖，或引之歸河，皆就其形勢高卑、道里遠近，便於用工面諭。雖工程甚多，而鄉民皆知自救，切膚其情，甚爲踴躍，各願展力。其應挑丈尺、夫工數目，遵行造册，并繪圖貼説，伏候鑒奪。其夫工各就受患之地，并令附近之處協力按畝分工。新正農閑之時，即與工挑浚。其中或有無力貧農，應否借給倉穀，以資日用？俟秋收催還，統祈批示。牛頭河自姜家水口起，至劉家橋界碑止，應疏浚三處：姜家水口；張家堰南頭起，至李家莊止；劉家橋起，至界碑止。府河至蒜園界碑起，至楊家壩，止應疏浚二十三處：蒜園西墩鋪東河北岸；許家林河南岸；孫氏閘上攔門灘、孫氏閘下人家頭西灣、大路邊河北岸；大路邊迤西河北岸；盧家橋上河北岸；能家營橋上河東岸；郭家莊西河北岸；趙家林西河北岸；黄家林西河南岸；大堤頭東河南岸；大堤頭西河北岸；邱家林西河北岸；塔口鋪橋上河北岸；塔口鋪西頭三聖廟河北岸；三聖廟西舊水口河北岸；小店東頭河南岸；小店西頭河北岸；武泰閘東柳園前河北岸。東鄉疏浚四處：吴家灣地方張家窪一處，由陸家橋、仙家橋、歸新店坡入運河九曲地方。泗河董家口支河一道，由九曲南車家橋、閻家口穿白馬河入獨山湖内，州境自董家口至九曲南小廟止。接駕莊地方魚溝河一處，上接黄泥溝河，南出蓼溝坡橋，入新店坡内。班村地方班村窪一處，自杏林莊起，經元帝廟東、汪家莊西，過班村入府河内。新店閘上下，各照舊制，設立减水閘一座。南鄉應疏浚二處：牛頭河地方，河東羅家河上受烏龍潭、張千家窪、孫家窪、郝家窪、小流店諸窪之水，由平流河、侯家老窪，下出李家口，入牛頭河。安興集地方，牛頭河西苜蓿河上，自急三道五空橋起，由錢家屯、紅廟屯、康家橋、俞屯、亢父城、蘇家莊、全家橋、甘河頭等處地方，至王家水口出牛頭河。西鄉應疏浚一處：大長溝地方，宰家窪、大徐坡水由彭祖壩至運河，涯堤河至白嘴、曹井橋、火頭灣入牛頭河。上源永通閘内北鄉應疏浚七處：高村地方，孟獻坡窪上接耿務村之溥天坡，受滋陽、寧陽倒坡之水，由楊家橋、扈家橋、大務橋折入興龍橋河，總歸二十里鋪龍拱橋河，以入馬場湖内。南照寺地方，薛家窪之水，西入房葛鋪大坡，由二隆橋出一板橋，入破石橋，歸馬場湖。耿務村地方，扒魚溝、常家橋上接寧陽坡水，由高村後坡石橋入興龍故河，經興龍橋歸二十里鋪龍拱橋，由二龍橋過張家匯、蔣家溝、坡石橋、五羊坡，入馬場湖。大徐地方，大徐窪、新莊窪、于家泊窪上接汶上坡，由沙溝河東村王府集東，入常家橋河。石樓村地方，鄭家窪水南入普家窪，由小石橋歸蓮花池、五羊坡，入馬場湖内。有溝門岡、蔣家橋二處：二十里鋪地方，姜家窪水由李家道口至堰口、蔣家橋入石門坡，出破石橋，從五羊坡歸馬場湖。康莊驛地方，蘇家窪上接汶上坡水，由高家窪經張會家堤口，入蜀山湖。《牧濟録》《前志·藝文》。

乾隆四十九年，漕督毓奇、巡撫明興《會奏東境水利工程疏》：伏查東省運河西岸南陽、昭陽二湖，係承受上游曹、單、城武、定陶、鉅野、金鄉、魚臺等處坡水，及汶上、嘉祥、濟寧各州縣之水，由舊運河歸湖，下達微山湖瀦蓄。自乾隆四十六七年間，豫省曲家樓黃水注山東境曹、單一帶，直至南陽湖西岸。而是時諸河并漲，一經清水頂阻，勢即散漫，沿路停淤，所有舊時之支、幹各河，半多淤墊，須亟爲疏治。庶雨水過多之年，上游坡地，不致久淹；下游各河，更可得暢收之益。今查各處幹河之最大者曰中渠河、南渠河，在定陶本分二支，至城武、鉅野合流爲萬福河，至金鄉爲柳林河，又合新挑河，至魚臺入新開河，歸運河。二曰北渠河，自定陶至菏澤爲洙河，至鉅野爲瀦水河，至嘉祥爲澹臺河，至濟寧爲長澹河，由牛頭河歸舊運河。一曰夏月河，從曹縣楊圜堤口起，至城武入新堤河，至單縣入樂成河，金鄉入新挑河，合柳林河入魚臺新開河，歸舊運河。一曰白花河，從曹縣春木寺起，至城武入桶子河，至單縣入八里河，歸樂成河，亦遞入於魚臺之舊運河。又查趙王河，自曹縣紙房集起，歷菏澤、濮州、鄆城北流，另爲一路至壽張沙灣口入運，由東岸五空橋浚水壩泄入大清河，歸海。至該河中段，係自鉅野分支，至鄆城一帶，其尾段至嘉祥之白蓮花寺地方，另以汶上宋家窪坡河之水爲來源，至濟寧入牛頭河，歸於魚臺舊運河。以上諸河，或同爲一派而因地殊名，或各爲一河而支分幹合，總以舊運河爲尾閭，由此歸入南陽湖。其迤南又有馬連河歸入昭陽湖，此曹、單以下各河歸湖之原委也。現在諸河除菏澤、濮州、定陶等處，俱屬通順，其在曹縣、單縣、城武境內者，現有新冲河身與舊河間段通連，即可由此達彼，作爲幹河。至趙王河頭北流入運一股，并無停蓄之區，祇係水大時分泄泛漲，無關濟運。其中段在鄆城分支之處，久已淤墊，且地形甚高，即水大之時，該河左近民田亦無妨礙，均可無庸估辦外，惟有城武至鉅野之萬福河，金鄉之柳林河、新挑河，魚臺之新開河、舊運河，因從前黃水漫注，地處下游，河身盡淤，而濟寧、嘉祥地方係漫水倒漾所及，是以趙王河之尾段與生頭、澹臺等河，亦多淤墊。今將各河身受淤之處，全行估計挑挖，口寬三四五丈，底寬二三四丈，挑深三四尺不等。其舊運河馬公橋一帶，爲諸河分流匯入南陽湖之處，必須大加估挑，口寬二十丈，以資吞納。至馬公橋以下即爲昭陽湖，其西岸舊有馬連河，因舊運河迤南之水歸湖。然其路稍紆，水大之時，尚恐宣泄未暢。今於馬公橋下添斜挑新河一道，長六百丈，其口底自三十丈以至十二丈不等，使河水由此徑捷入湖，仍酌疏馬連舊河，以備多路分消，更資暢達。又查南陽湖以北舊有横壩一道，計長一千二百餘丈，爲湖坡分界之地。今上游各河之水入湖既暢，必須將横壩加築高寬，攔蓄湖水，使之盡達下游，不至倒漾入坡，淹及民田。再查各處橋洞，亦多淤積，今已于估挑各河身之内，一并接連疏導，無庸重複另估，以節錢糧。以上疏浚各河，及斜挑新河等工，統計工長四萬九千五百四十二丈，修築横壩長一千二百六十丈，通共計土六十六萬一千二百八十餘方，估需銀五萬五千二十三兩零，應請照數動撥司庫銀兩，多撥幹員，會同各該縣廣集人夫，于明歲春融之時，分投赶辦。其挑河之土，俱令堆於西岸，即勸諭附近鄉民分界夯硪，作爲堤埝。如該河挑深四尺者，加以堤高一二尺，將來即可容納五六尺之水，既不致漫及民田，而於束水歸湖之道更有裨益矣。至此外尚有曹縣之順成河，城武之冉家河，單縣之淶河、嘉河，鉅野之蔡河，金鄉之金山河，濟寧之顧兒河，均屬支流，現俱通順。其中稍有淤積，應與該處之岔河、小溝及上游新冲河身内間有未平、尚須順勢之處，俱令該管州縣勸用民力，自行疏導，務期春夏之交一律赶辦完竣。仍俟工竣之日，臣等會同確核造册，咨部題銷。如此分别估辦，庶伏秋雨水盛行之際，自曹、單以下綿延數百里之水，無不順流而下，由支及幹，暢歸於湖，濟運便民，均收實效矣。

《前志》編州境窪水之後，今移列於前，而以魚臺各湖分隸湖瀦之次，則脉絡易於分明也。已見《州志》者，仍標其名，文重衍者不書。

金鄉

淶河　源出汴水，從單縣東北入邑境，至引河口與柳林河會。《兖州府志》参《縣志》，下同。按，即新挑河，《縣志》分爲二。

柳林河　在縣西由鉅野入境内武家坑，又會彭家河，徑石家橋、高河橋東行，直達魚臺之南陽湖，乃舊道也。今高河橋築上壩，别開引河一道，由蘇家橋入淶河，同流入北田寺河。

金山河　即蔡河，又名顧兒河。詳見前。

三灣河　在縣南十里。來自城武東，流入濟。以其經流三邑，潆洄數曲，故名。

按，即柳林河，《縣志》作「三家灣河」。

馬家河　在縣北二十五里。東通魚臺，西通嘉祥。

壽　河　在儒學前。源通洙水，積年不涸。

渠家橋河　在城東北四里。康熙四十八年，知縣沈淵浚。

寬　河　城南三十五里。由韓汶店趨東，北入新挑河。

石家河　縣西北八里。二河據《縣志》增補。

黄母河　即黄河故道，在縣北三十五里。

周敦倫《金鄉黄水記》：乾隆二十六載辛巳六月，連降淫霖，上流瀵涌而來，飄忽震蕩，環攻城堤，西南一帶，尤當其衝。土疏水迅，隨築隨潰。多方捍禦，始免冲决。迨七月二十日，競傳漕縣劉洞口决，水將至。二十二日夕，云水且大至，城外居民，扶老携幼，相率入城者絡繹不絕。未幾，又有走而呼者，四門盡屯矣。無何，犬聲起於西南，怒號砰湃，萬竅俱鳴，蓋已潰堤，抵城而没其半。當是時，城外漂蕩，城内驚擾。繼之夜犬狂吠，與洶洶之聲相雜，不知所措。而北門出水溝口，涌溢街巷，倏成巨浸。當倉皇時，謀塞内口，而水自外入，仰出若數泉，轟起尺餘，實以土囊不能遏。邑侯麥公馳至，議塞外口，懸百金，募善泅者。外口故伏城橋下，橋已漂水，扼於岸，凌厲噴薄，力不克施。爰豎以長椽，繫以修綆，斗折盤旋，久之方達其處。以毡綿之物塞之，而水之内攻者始息。初，屯門土而未扃，以便往來候視，及水陡長，急因外城之門旋爲水所奪，於是閉内門實以土。水入瓮城，深數尺，力猛勢迅，從墻罅中迸出，泚泚有聲。急截木爲樁埽，以草土附墻而堅築之，高與水平。自亥至辰，水勢漸定，巡視城隍傾圮，相勢築塞。越兩日得完固，始慶更生焉。獨念負郭居民奚啻萬室，聞水至，老幼婦女奔集城内，依庵就廟，昏夜哀泣。丁壯營護室家，不忍捨去，有乘筏者，有騎屋背者，有栖息於樹者。傾墻倒壁，轉瞬漂泊，村莊隨流而盡。二十五日，州牧葉來勘，且多挾舟楫。緣邑侯麥發役，星夜馳報，乞舟以濟不測故也。比至，先開倉廪，平市價，計漂没田宅，以請賑恤。痛定思痛，何日忘之？憶前三載春夏之交，邑人謀浚河，務欲深廣，岸尤高厚，謂可納數縣之水而下注。識者已不無隱憂，謂南北距城僅數里，岸峻則水之近城者不得泄，勢必壅激。及河入魚境，會圍如帶，更橋以東之，壩以攔之，砌石路以紆迴之。上流勢如建瓴，而下流不得遽瀉，金邑遂成澤國。雖曰天災，而習坎出坎，均有人事焉，因叙其巔末而爲之記。

《水經注》：「濟水至乘氏縣西分爲二，其一東北流，其一東南流，過乘氏縣南，又東過昌邑縣北，又東過金鄉縣南，又東過東緡縣北，又東過方與縣北，爲菏水。」《郡國志》：「山陽金鄉縣，荷水徑其故城南，世謂之故縣。泗水亦徑高平縣西，洸水從西北來注之。」所謂洸水者，洙水也，今已堙不可考。且泗、洸亦不涉今縣境，姑附識之。《前志》。

按，沈淵云：邑有水道，重溝洫也。金鄉東南與豐、魚接壤，地勢卑下，承曹、濮、定、鄆、城、嘉、鉅、單八州縣之上流，所恃分導者，城南之新挑河與城北之三家灣河。南北兩河，夾城而東，至倒溝橋合流，又東逾高河店，徑魚境張家莊。先是，張家莊前原有大河一道，通流入南陽湖。自康熙三十年間，魚臺前令馬某，與本邑前令梁某，即莊前大河橫築東西壩，以截其流。而於壩之南，疏小河，寬僅丈許，引流折入孫家橋，遽達柳溝，以入於湖。河益隘折，而泄益需遲。迄今，金、魚之民，并被其害。然今之情形，與昔又异，而水患益甚，何則？金邑所謂河者，皆坡水也。河故無岸，汩汩而來，亦滔滔而往，惟張家莊截壩，遂成關隔。今則河皆有漕，漕外有岸，樹之柳株，形同漕運，向所謂張家壩者，皆接聯而爲岸，不得目之爲壩。即張家莊前故河，亦日就淺淤，不得復指爲河矣。此形勢之异也，何以云水患尤甚也？向之患在於壩，今之患在於岸。或曰，岸所以束水，有岸則水不泛濫。不知河之貴於有岸者，上流皆源泉，恐益以淫潦暴漲，故爲之岸，以防潰决。若金邑之河，所受者皆田間之水，有岸則野水不得入，逆泛而肆溢，害及田禾。即有水口，亦必上流無水，而後能入。若河中水盛，且從入水之口而出，抑又何自而得入也？此岸之爲患於田者一。且岸爲束水計也，每當水大之日，岸上有深一尺者，有深半尺者，終漫散於田，而不能束。夫水大不能束，水小必不爲患，又何取於束？徒使河與田中多隔閡，使小民耕耘弗便耳。且向也消涸易，今更消涸難。向也無岸，其流暢沛，故水易下。今則待河水歸漕之日，而後野水由水口而入於河。夫以水口之微，而消曠野之水，其流細，其下遲，故曰難也。至於消涸難，則耕種更不宜時矣，此岸之爲患於田者二。向使河之下流，不會於一，亦可以岸，何也？河不交會，則河中容上流之水在兩岸之外者，夾岸而趨，無兜裹斯無囤積。金邑城南之河，與城北之河交會於孫家橋，而金城處其中。其下也形如囊括，其上也勢如箕張，所以上流奔注，皆囤聚於城。不惟灾及田園，而且患在城邑，乾隆二十六年之事可睹矣。是歲以前，匪無水患，而城無慮也。河之有岸自二十三年始，二十五年六月大雨，一夕即與堤平，城之四門，皆積土備囤。秋七月二十一日，黄河口決；二十二日，圍金鄉城，逾堤而入，城幾不守。迄二十五日，南陽湖方有黄水，自曹至金二百里，金至南陽九十里，而遲速相反者，皆新築兩岸會束其流，以致上涌不下也。故岸愈高，斯水愈逼，而患愈大，此岸之爲患於城者三。然則，除岸遂可以無患乎？有岸，則新增之患也；岸除，則舊日之患在於張家壩者猶是也。夫岸之在金邑者，邑主之；壩之在魚境者，能越俎而代之乎？從來善爲己謀者，必與人謀；欲蠲己害者，必使人利。昔之欲開壩者，以故河寬廣，勝於孫家橋之窄淺也。夫開其舊，以塞其新，利在金，必害在魚。猶之截北流以徙於南，魚謀其利，而亦終不免於害。蓋水束於下者，必積於上；積於上者，必潰於下。此其較著者也。試問，魚邑築壩以後，有金邑受水患，而魚邑慶豐年者乎？所謂害則兩害者也。若夫利，則亦有兩利。金鄉上承諸州縣之水，有兩河以受之，入魚境則會於一。夫一河必不能受諸流，所以在北則北患，從南則南患。爲金、魚兩邑謀，莫如使河之入魚境者，亦爲兩河以泄之。其由南之新挑河而來者，自北田寺孫家橋入柳溝，以達於湖。由北之三家灣河而來者，自高河店、張家莊前之故河，疏浚以達於湖。是則其流分，其勢必殺，而金邑無腹滿之患，魚邑亦無鄰壑之憂。此兩利之術也，惜無有以開河之説啓之者。若專爲金謀，而不病於魚，惟掃除河岸，以仍舊制，以固金城，庶不至如魚城之汩没於波濤中而不悟也哉！據《縣志》補輯。

金鄉知縣邵習之《勸減水害示》：前曹州府吴太守給鉅野告示曰：「本府爲爾等審慮熟籌，仿照江浙溝洫之法，猶之大道兩旁挑濠，即以墊道。假如爾民有地十畝，與其十畝全被水淹，不如割去左右二畝，在於兩旁開溝，長短廣狹，各隨地畝形勢。挖深以一丈爲率，所挖之土即將八畝之地培高。相率行之，則百畝有溝二十道，千畝有溝二百道，雖遇霖潦之年，各溝皆可納水。而培高之地，瘠壤亦成沃土。收水之溝，亦可養魚種藕，仍使地無遺利。其貧民僅有三畝、五畝者，亦可照此循行。但興利除害之事，難於慮始，今本府願與該邑曉事紳士、富室、衿耆覿面勸商，俾各先爲倡始，在於自己地内試行挑溝之制，如果夏秋兩潦，獨有此地不淹，則既行之。有效自必衆仿共行，從此水害變成水利，豈非合邑大幸」等語。此示已約有一二十年，鉅邑之民，徒有挖隣地爲溝，貽害他人，而於本地未有行之者。大概人情只顧目前之利，以爲水潦未必年年皆有。即有水，可以請緩，緩後可望豁免，何苦預爲此勞民傷財之事。今北鄉連年被水，官民交受其困，本縣久有是心，不得前人之言，終覺雖善無徵，況事有同而异者。鉅邑向無河道泄水，故原示内有「查《縣志》前明隆、萬之間，薛君決策開河，民受其賜，久之堙塞」等語。金邑則有柳林等河，東西等溝不過加以疏浚，便可泄水。尤低窪者，再加以溝洫之制，即如本年連日暴雨，亦可相安無事。如有倡始遵行者，當稟請優加獎勵。特諭。

嘉祥　運河由小長溝入境。

澹臺河　即南陽清河，詳見前。姚河泊在縣南二十里，即姚官屯河也。自鉅野縣薛河、新河，繞種火山而東至馬官屯，入澹臺河，皆爲南清河之分支。

按，文案，乾隆五十年知縣祁恕士，道光五年知縣楊士雲挑浚。

金山河　即蔡家河，詳見前。嘉慶十八年，知縣周雲鳳挑浚。

洛　河　在縣南五十五里，平山之西。秋胡妻投河即此。明正德間，大雨，民田没，疏通二十餘里，以泄水勢，後復淤。《縣志》。

舊黄河　在縣北十里。西接鄆城東南，經州界入塔章口，後河水遷流，遂淤。河北有古堤一道。《方輿勝境》云「馬頰河經鄆城縣」，疑即此河。按，東昌之馬頰河，已非九河之馬頰。《縣志》以此爲馬頰，非也。《前志》。

按，趙王河，乾隆五十二年知縣劉翰周，嘉慶十五年知縣戴圮承挑。牛頭河，嘉慶十三年知縣王德修，道光十九年知縣李培荃承挑。二河源流，俱見前。《縣志》云：「濟水故瀆在縣南五十里平山之西，姚河之水入之。運河在縣東北。」詳後「漕運」。

魚臺　運河在辛莊橋入縣境。

菏河 在縣南七里。《兖志》。按，《縣志》：「即南清河。」

沙河 從滕縣西流入境，經縣東南十里爲沙河鎮，過雙龍橋下，入昭陽湖。

按，《縣志》分北沙河、南沙河。

泥河 在縣東二十五里。東南流徑沛縣，入於泡河，其東達於漕。按，《水經注》：「泡河謂之澧河，在豐縣，至沛入泗。」

清河 在縣東北十二里觀魚臺下。由穀亭西流，入嘉祥界。

孝感河 在穀亭鎮，相傳有子負母而渡者，故云。

舊運河在縣東二十里，即穀亭鎮也，古濟、泗合流之地，爲河漕要衝。北自南陽，南至湖陵，相距五十里。嘉靖三十四年，河決飛雲橋，尚書朱公來治河，始開夏鎮新河，而故道弃不用。

黄河故道舊自曹州雙流口，經嘉祥、鉅野出縣境塌場口，入運。明嘉靖九年，河決上流，分爲三支，一經城南由菏河、泥河入運。一經城西又過城北，由穀亭入運。二支皆自單縣來。一支則自金鄉南，至縣境塌場口入運。塌場口者，南陽下流也，其旁曰「釣魚磯」，謂之「小塌場口」。

按，《縣志》「泗水故道」引《水經注》：出魯汴縣故城東南，徙縣東南，流至方與縣東，菏水西來注之。「漷水故道」，出東海合鄉縣，西南流入郝，至湖陵縣入泗。鴻溝在縣東七十里。《兖志》有「硯瓦溝」，在縣東北三十里。又云：牛頭、新開二河，爲湖水上源，南、昭二湖之水皆其所停蓄也。其由舊運河達沛界者，原止十之二三，自沛縣淤塞，河流阻絶，兩河之水統以湖爲消納之所。夫河賴湖以消納，則治河必先治湖，通其尾閭，使湖能受水，河流不疏而自下。否則，湖水盈溢，容納無地，即日取河而浚之，將安往乎？故疏河非魚邑之急務也，不得已而議疏，當酌河路之遠近、水性之順逆、民力之多寡，期於民不勞而事易舉。乾隆二十九年，奉檄疏河，飭令自廣運閘以下一帶河身，俱一律挑浚。邑令馮振鴻親詣河干，相度形勢，其入南陽湖者，有廣運閘下之岔河一道，不過二里許，直達湖心，路近而勢順。其入昭陽湖者，由釣勾嘴至紙房莊，延長六十里，且濱湖之地高於湖心，路遠而勢亦逆。請開南陽湖岔河，以達西北泊水。蒙巡撫崔□題准在案。自是牛頭、新開兩河之水，由岔河歸南陽湖，而釣勾嘴以下之舊運河遂廢。魚民疏河之力，可以稍舒矣。新開河在縣治西北四十里，上接曹、定、城武、單、金諸邑之水自金鄉界北田寺起，至柳溝村，橫貫牛頭河，而東注南陽湖。過馬公橋，入昭陽湖，達東南沛縣安家口，凡百有六里。安家口者，昭陽湖之下口，塔具湖之上口也。自白鼠寺至安家口十里之間，河身寬三里，泥草壅塞，水流微弱，不能泄入塔具湖，以入圍河支渠。下至李家口，又有橫石壩，約長六里許，亦土沙壅塞，不能泄水微山湖，東入韓莊閘以濟運，并不能南入荆山口，由泉河至猫兒窩以入運。康熙二十九年三月，前令馬得禎詳請上源曹、定等州縣，下流徐、沛等州縣，一概挑浚，至三十年告成。西自北田寺，至柳溝村，皆口寬五丈，深五尺。即以浚河之土，夾岸築堤，至安家口，接連昭陽湖，計程長八里，深廣倍之。新、舊河身，一例取土沿岸築堤，蓋浚河所以防水，而築堤乃以防溢也。乾隆二十三年，因舊堤塌損，復加修築，由北田寺而東至南陽，與圈湖堤屬約長四十里。夾河築堤，高五尺，寬八尺餘，南北相距約二里許。至二十八年，復增築焉。舊運河在昭陽湖西，即牛頭河之下流也。上承牛頭、新開二河之水，由釣勾嘴出湖徑穀亭鎮，又南徑八里灣、白塔寺、鷄鳴臺、湖陵城，入沛縣界。經豆虎店、楊家河等處，入茶城河，折而東出荆山口歸運，此舊道也。後因沛界之豆虎店等處，河身淤塞，遂南注塔具湖，過夏鎮西之李家口入微山湖，由荆山口閘分道入運。補輯。

魚臺縣知縣馬得禎《新開河記》：魚邑地處低窪，原爲諸邑下流，復加河道疏浚，水愈迅集。苟非堤防夾束，勢必汪洋浸漫，禾黍廬舍，安有存遺？故疏河者，他邑之利。加以築堤，又加以遠浚湖口者，魚民不得已之務也。先是，明萬曆間嘉、鉅、鄆、定、曹、城、濟、單、金九州縣，合辭上請，關魚開河，即此渠也。沛縣堅閉下口，爭稱以沛爲壑，於是邑民汹汹，懼水中積，魚其沼矣。署篆州判楊之翰訴於上云：「邑居窪下，素爲衆水必趨之區，今議挑浚，又係衆水經流之處，若下流有泄，豈敢中梗？奈沛邑壅塞，宣泄無從。」情頗切至，事獲中止。康熙二十七年八月，余承之茲土，下車問民疾苦，咸告水患，即欲周行隴畝，區畫築堤，如江南水利法，但以歲儉未遑也。康熙二十九年，奉詔蠲全租一年，乃於正月召士民而告之曰：「皇恩浩蕩，民力稍裕，築堤之工可以舉矣。且臨莅各憲，一皆清忠愛民，興利除害，是所樂聞。倘事機已失，不可不慮。」士民踴躍呼曰：「此民生已事也，惟在計工酌夫而已。」適奉濟寧道碑轉奉總河批據：城武、單縣、金鄉俱請浚河，余乃巡歷各鄉，察高下，度水勢，自金鄉界起，若羅家屯、金魚店等七處皆受災，窪地防切于疏。自北田寺起，至宋家莊迤東柳溝止，約二十餘里，爲水道咽喉，疏切於防。乃復告士民曰：「曩議築堤，固謂防魚一邑之水也。今水合數縣，源集千里，淹没之患，浚河難免，不浚尤難免矣。惟亟築堤，以浚爲築，以築爲浚，庶乎可用。」遂請于各憲，于是疏河築堤之工舉矣，時二十九年三月初旬事也。民果踴躍赴工，至七月二十八日，風雨驟至，陸地騰波，竟以河堤粗具，窪地得無虞。蓋魚民於時益信築堤之有賴，而浚河之不可以苟焉而已也。獨是水至歸湖，不得迅下，病在沛阻下口，無從疏泄。上請道憲轉詳河院，委前太守祖允圖親勘查議，時已季冬矣。次年正月，春冰將泮，府憲單騎來縣，余從至安家口，沛令亦至，周圍察視，遂從安家口尋流而上，勘至魚臺、金鄉、單縣、城武，以及鉅野、昌邑集、柳林集、清凉寺等處，經歷五百九十餘里。內有堤河一道者，有二三道者，自上流鉅野、昌邑集入城武縣，東入單縣，轉入金鄉，入魚臺，又轉入安家口，報命于河院曰：「上流通則不潰，下流通則水去自捷，如不先開浚安家口，使水有所歸，將上流各縣雖疏浚與不疏浚等耳。若安家口誠能先加疏通，上流各縣雖或疏浚愆期，亦未至便傷禾稼也。故欲免鉅野、金鄉等縣之水患，亟當開浚安家口，誠恐口外有民之田地廬舍，致蹈以鄰爲壑之愆。今查視俱汪洋巨湖，一望無際。又據沛縣生員閆文煥等俱稱，安家口泄水咽喉，若獲開浚，沛邑與有利焉，且甚益漕，亦願挑浚安家口，則其無關沛邑田地可知。不特無關沛邑田地，其并有益沛邑田地可知。」河院大悦，檄行濟寧、淮徐二道一體疏浚。維時二月初旬，少壯咸集，鍤畚畢具，其趨事之勤，蓋不啻子來之意也。余於是喟然嘆曰：事機之不可失也如此夫！非值恩詔蠲租，則士民恐無餘力；非上憲肫摯救民，則沛口必不能開。自此以往，魚臺百年不能下泄之水，一朝可以宣泄無虞。曹、定、城、鉅、單、金衆縣會放之流，或可不爲魚患。禍福轉移，不容髮間矣。則是河堤疏築與湖口之浚也，豈非各上憲鼎彝必勒之勛，而縣令所藉以力民務者哉！

王謙志《書後》云：魚邑勢處下流，潦水匯浸，聽其自至，已屬難堪。况開渠導引，俾數千里之瀝、十餘州縣之波而畢萃乎？不有築堤，何以防害？山右馬侯，下車即巡歷相度，築堤禦灾，繼奉憲檄，成堤一百有六里。公于是事，有數善焉：單騎巡閲，不避寒暑，是其勤也；按畝派夫，士民一體，是其公也；仰體上憲，事無煩擾，是其謹也；初聞浚河，舉國皇皇，公以築堤，爲之開導，民情貼然，是其勇也；諸邑浚河，意惟泄水於魚臺，公不與辨，但開沛口，輸之巨浸，以達長淮，是其略也；工成民欲歸德于公，稱河曰「馬公渠」。公聞之，凛然推德上臺，易名「新開河」，則又虚懷若谷，淵涵萬頃者矣。余每與諸生講論及此，輒有感念泣下者，故附書之，俾後之君子見侯之自記，知其事迹有如此者。

魚臺縣知縣馮振鴻《請開南陽岔河議》：前奉檄飭，將舊運河上自廣運閘，下至八里灣等處，逐段疏浚，以泄濟寧牛頭河之水。竊思魚、濟雖云隔屬，均赤子也。苟利于濟，魚民何敢憚勞？但查牛頭河自劉家橋入境，經廣運閘、柳溝莊，抵馬公橋，約五六里。一帶河身，緊逼南陽湖邊。每秋潦水集，湖河一片，下與昭、微二湖相屬，同趨湖口，是牛頭河在魚境，原以湖爲消納之所，不恃河爲宣泄之路也。由馬公橋而南，約有五六里，至鈎嘴出湖，經穀亭、八里灣、湖陵城、鷄，鳴臺等地，約六十餘里，流入江南沛縣界。緣沛境舊運河身，久經淤塞，水不下咽，仍由魚境匯入昭陽湖。竊以南、昭二湖，雖因地异名，實則同爲一壑。其自昭陽入湖，與自南陽入湖，路分遠近，而歸泊之所非有二也。今若逐段疏浚，工巨用煩，民勞拮据，究之下流已塞，別無去路，可資分消，是濟寧民不收疏河之利，而魚臺百姓徒受疏河之累也。伏見廣運閘下，有東南岔河一道，約長二里許，直達南陽湖心，路近而勢順，應請自劉家橋起，至岔河入湖處止，開寬十餘丈，引牛頭河水斜入南陽湖。當冬春水落、湖河分行之時，亦可資其宣泄。而鈎鈎嘴以下之舊運河，去路阻絶，無庸議挑。庶濟水有入湖之路，而魚臺民人亦省挑浚之力矣。

又《勘荆山河議》：查荆山河上接微湖，下通漕運，蓋濟寧、魚臺、滕縣、沛縣四境湖水之尾閭也。其上游之支河有三：曰茶城河，曰内化山河，曰小梁山河。分引湖水南注，過張穀山，合而爲幹，統名曰荆山河。由張穀山抵毛村，古橋在焉，橋長約四五里許，下建涵洞一百五十九座。今河雖淤塞，橋洞宛然可數。以橋准河，當亦加之。蓋以十數州縣之水，同歸一壑，自非廓其有容，何以暢流無阻？過橋而南，經吴市、小店等莊，至紀家渡，復分三支：其北爲王母山河，其中爲倪家溝新河，其南爲彭家舊運河，分道入運。以上首尾各支河，現寬三四丈至五六丈，深一二尺至三四尺不等，其中腹幹河寬六七丈至十餘丈不等，水深與支河同，較之曩昔僅存十之一三焉。此緣河長流緩，淤泥停蓄，兼以逼近黄堤，每遇伏汛，黄水由斷頭堤漫溢而出，挾沙帶泥，擁入河身，底日高而口日狹。是以金鄉、濟寧、曹縣、單縣，以及豐縣、沛縣、銅山與魚邑諸泊水，上有來源，下無去路，散漫四溢，匯爲巨浸。所由來者漸矣夫！是河自北而南，由高就下，地形非不順也。其淺狹之處，止緣泥土壅塞，非有山脚、石根難於疏鑿也。而其土性堅强，又非若流沙壅積，旋開旋塞，而堤岸不立也。應請自微山湖濱起，抵紀家渡，逐段估挑，去其淺狹。引湖水出三支河，過荆山橋而南下，其紀家渡以下之支河，惟彭家河岸多沙磧，易致冲塌。而王母山與倪家溝二河，地形低窪，河流亦直浚而深之，導河水以入運，可以暢流無礙矣。

○湖豬

《前志》統列「川澤」，今別爲一篇。

馬場湖 在城西。明時令民養馬處，故有草場，湖因以名。音或訛爲「廠」。《明史·地理志》：一作馬腸湖，一曰馬常泊，一曰任湖，一曰西湖，一曰南華，一曰蓮池陂。周六十里，其西、南兩岸抱運河，舊有三斗門，曰五里營、十里鋪、安居鋪，今五里營之斗門廢。明初與汶水之支河通，又舊有馮家壩滚入蜀山湖之水，今則蜀山之水，涓滴不入，專蓄府、洸二河之水，與汶無涉矣。國朝雍正九年，修築堤岸。又乾隆四年，自田宗智起，至火頭灣、北運堤止，增築圈堤二千五百七十九丈。明永樂戊午，工部尚書宋禮言：「會通河以汶、泗爲源，夏秋霖潦泛溢，則馬常泊之流，亦入焉。汶、泗合流，至濟寧分爲二河，一入徐州，一入臨清。河流淺深，舟楫通塞，繫乎泊水之消長。然泊水夏秋有餘，冬春不足，非經理河源，及引別水以益之，必有淺澀之患。今汶河上流，自寧陽縣堽城閘已築壩堰，使其水盡入新河。東平州之東境，有沙河一道，本汶水支流，至十路口通馬常泊，比年沙淤，宜趁時開浚。況沙河至十路口，故道具存，不必施工。河口當浚者，僅三里。河中宜築堰，計百八十丈。」從之。《明太宗實録》。湖東自田宗智莊至五里營，計七里二分八厘。南自五里營至安居，計十一里四分。西自安居至火頭灣，計十里三分。北自火頭灣至李家營，計五里六分。自李家營至田宗智莊，計五里八分。《泉河史》。馬場湖原受蜀山湖之水者也，由馮家滚水壩入湖，故於五里營建束水堤一道以蓄水，又建減水閘一座以泄水，又於十里鋪、安居各建減水閘一座，以備蓄泄，此古制也。自馮家滚水壩堵筑，開五里營堤口，而馬場湖乃不受蜀山之水，而受府河之水矣。府河即泗河也，既引泗河之水入馬場湖，自應於馬場湖内開河一道，於大長溝開一泗河口，放水濟運，如南旺、汶河口之制，則泗水始爲有用矣。以泗水濟南運，以汶水濟北運，而北運之水自無不足之患矣。《居濟一得》。馬場湖之北，自文家莊至長溝築堤一道，中有陂石橋上通二十里鋪、龍拱橋，爲諸水入湖要道。再南又有自樊净堌堆至白嘴堤路一道，所留橋門甚窄，不能暢達。有曠山老僧，憨拙真誠，可托令其募資改作。

有原任温州衛守備劉巖，倡捐改造，多留橋空，挑浚梗淤，此後西北鄉之水患庶可免矣。《牧濟録》。

按，馬場湖自濟寧衛界起，至運河堤止，長十二里七分六厘。嘉慶二十二年，巡撫陳預、總河葉觀潮奏請借項修築馬場湖堤，共工四段，長二千七百三十八丈。又三空橋北移，建單閘一座。濟寧衛境，湖堤工二十段，長一千九百五十七丈一尺。魚臺縣境南陽、昭陽、蜀山等湖堤，共工十七段，長二千二百三十三丈。道光二十年，總河栗毓美、署運河道徐經，捐修馬場湖堤，重建涵洞。

南旺湖

爲濟寧運河之上源，占汶上、濟寧、嘉祥三州縣之地，汶水之所潴。《水經注》所謂茂都澱水「西南出，謂之鉅野溝」是也。本受汶水支流，至明築戴村壩始，全受汶水矣。其東有湖曰「蜀山湖」。堤屬州境者：南旺湖自王家路口，至馬家廟，計長八里七分有奇。蜀山湖自獲麟莊，至汶上縣界，計長三十七里三分。乾隆三十七年，奏明借動司庫銀兩，修築自汶上甘公碑界起，至嘉祥天仙廟止，實共長九千一百八十三丈。西南有芒生閘，泄水入牛頭河，今廢。

按，湖西南現有芒生閘，泄水入牛頭河。《前志》云「今廢」，想未重修以前也。各湖與馬場湖相表裏，且與州境相錯，故類叙焉。

南旺湖跨漕運東西，其東湖跨汶河南北，南曰「蜀山」，北曰「馬踏」，圍百五十里，原係水櫃。嘉靖二十年，定立界石，除豁税糧，以杜侵占；周圍種柳，以防盜種。東自大晏橋起，由小河口至秦家舊閘，計長三十里。南自秦家舊閘出田家營，至孤柳樹西界，計長四十六里。西自孤柳樹起，由宏仁橋至北界，計長三十四里。北自宏仁橋起，跨黑馬溝，由苑村至大晏橋石界止，計長四十里。《泉河史》。湖在汶上縣西三十里。宋時與梁山濼水匯而爲一，周圍三百餘里。明代周圍九十三里，漕渠貫其中，湖分爲二。東湖廣衍，倍於西。跨汶南北，南曰「蜀山」，北曰「馬踏」。三湖其初則一湖也，全形北高而南下。萬曆間，周圍築堤，凡一萬九千七百八十八丈零。北接馬踏湖，西北接安山湖，南接馬場，以及昭陽諸湖，綿亘數百里，於五水櫃之中前代以南旺、安山等五湖爲水櫃。最當要會。測其地形，與任城太白樓岑齊，南北通運之脊也。西湖環築堤岸，一萬五千六百餘丈。既開大渠，與堤并長，湖内復縱横穿小渠二十餘道，聯絡引水入漕。東湖以東，地勢漸高，無煩防遏，止植柳豎石，以封疆界。南至長溝小河口蘇魯橋，北至田家樓受水之處，亦堤而渠之，視七湖工又倍之。今湖身日淤，彌望民田，舊制不可復問矣。朱國盛《治河書》。湖在運河西岸，周迴九十三里，圈堤一萬五千六百餘丈。湖之東堤，當分水口，有斗門八座，減水入湖，以時放水，南北濟運。北有闞家壩、五里鋪壩二口，南有十字河閘。雍正四年，加修湖堤，添設斗門閘板，將闞家壩、五里壩改建石閘。《通志》并《前志》。

嘉慶五年，總河王秉韜奏請借項修築南旺湖堤，州境工六段，長八百三十五丈。嘉祥縣工六段，長九百八十丈。臨清衛境一段，長五十丈。照乾隆三十八年借項興修之例，補修土堤，加增碎石坦坡，長一千八百餘丈。又以芒生閘爲分泄湖水之路。自乾隆五十二年，改建涵洞之後，亟應折修，歸曹、濟水利河渠案内辦理。金鄉、魚臺境内河渠，有估挑民地一千三百餘丈，奏奉諭旨：二麥正當揚花之時，竟行開工，不無踐踏地畝，於秋收後勘辦。嘉慶二十二年，奏請借項修築臨清衛境南旺湖堤，工二段，長四百丈。

蜀山湖

一名南旺東湖，周六十五里一百二十步，地千八百九十餘頃，除宋尚書祭田地二十頃并高地八頃五十三畝令民種外，其餘一千八百六十九頃四十六畝二分蓄水濟運。由永定、永安、永泰三斗門蓄，出金綫、利運二閘濟運。乾隆四十年，設立子堰，清理河地，除宋尚書祭田并兵夫工本各地外，餘湖若干頃畝，議以所收湖租，酌爲收割水草之用。堰内爲湖，外爲地，立石表界，永禁侵佃。《居濟一得》，參《運河備覽》。蜀山湖在運河東岸分水口之南，周迴六七里。湖堤自馮家壩起，至蘇魯橋止，共長三千五百一十丈。嘉祥、汶上分屬汶水上流，有收水口三：徐家壩口、田家樓口、南月河口。河之西堤，鄰運河，有放水二閘：曰金綫，曰利運。雍正四年，修堤築堰，并將徐家堤等三口，改建石閘，名曰：永定、永安、永泰。《通志》。湖圈堤坐落濟寧、汶上、嘉祥三州縣境，舊有堤長六千九百七十八丈。乾隆三年，請帑帮修。又東面州境内，蘇魯橋起，汶上縣北界顔珠止，向無堤岸，湖坡相連。四年，題請增築二千五百九丈。於汶上境内添建涵洞二，濟寧境内添建涵洞三，泄民田坡水入湖。《前志》誤汶上境添建涵洞三，今更正。又有楊家河，亦泄民田坡水，遇伏秋多雨，則汶上馬莊泉、蒲灣泊水由此河歸湖。四十年，以東南堤岸單薄，經河督姚立德奏請砌石工并碎石坦坡，共二千三百四十一丈。《運河備覽》。

乾隆四十年，大學士高晋、巡撫楊景素、河督姚立德《疏》：蜀山湖周圍六十五里，坐落汶河之南。運河之東，素名水櫃，助濟南北運行，實爲東省諸湖中最關緊要之區。臨汶有永定、永安、永泰三斗門，臨運有金綫、利運二單閘，用資蓄泄。先因秋冬之間，湖中潴水，多少不等，多則湖堤受險，少則不足濟運。乾隆二十八年，經前任運河道李清時酌定水志，以伏秋汛内，連底水收至七尺三寸，煞壩至開壩，又續收水二尺五寸，合計共蓄湖水九尺尺寸。詳明前任河臣張師載批准照辦在案。嗣此十數年以來，湖中水勢歷係按照詳定尺寸，以時收蓄，并無貽誤。緣湖之東北，只有馬莊一泉入湖，涓涓細流，此外别無來源，全賴收蓄汶水。而汶河冬月煞壩以後，至次年春月開壩，計三個月挑河期内，泉源漸弱，汶水歸漕。縱雨雪較多之年，所收汶河清水，不過二尺上下，於來年漕運，不能有濟。是以重運尾帮過後，必須於伏秋汛内，連底水先期收至七尺三寸以外，再加冬月收水二尺餘寸，湊足九尺七八寸之數，始敷全漕應用。此歷年籌辦濟運之章程也。今部臣以收蓄伏秋渾水，於湖河全局，亦恐有碍。此固慎重全湖淤墊，恐致多縻錢糧之意。玆臣等考之歷年卷案，又諮詢諳習工員，每年汶河泛水，漲發不過三四次，每次長水不過五六日，旋長旋消。永定、永安、永泰三斗門，及金綫、利運二單閘，統計口寬六丈餘尺。汶河長水之際，爲時既促，不得全行開放，使之進水暢利，以資收蓄。而伏秋泛水，挾泥帶沙，水性渾濁，不免停積。然由各引渠流入湖中，爲清水頂阻蕩漾，勢緩力綿，散漫於湖灘、渠道，尚不致淤積湖心。隨周圍履勘歷年所挑者，皆係湖邊引渠，并未挖過湖身。探視湖中，底土色黑，較數十年前即稍有淤墊，此亦理勢之自然。

其於湖河全局，則實無妨碍。臣等再四講求，悉心籌酌，蜀山一湖既無來源，非收蓄汶河伏秋盛長之水，不足以濟漕運。若必俟十一月煞壩後，始行收蓄清水，其時汶水歸漕，不足以資收瀦，實於濟運無益，是收水不得不在伏秋盛長之時。行之多年，雖有停淤，不過在湖邊引河、渠道之間，不致淤及湖身，多費錢糧。所淤之引河、渠道，每年冬底勘明估定，春初如式挑挖。所用錢糧，亦屬無多，似屬有利無患，應請仍循舊例辦理，無庸另定章程。惟是每年收水，定以九尺七八寸之數，不無過于拘泥。查山東濟運，别無辦法，全賴水櫃收水。而蜀山湖又爲諸湖之第一水櫃，收蓄水勢，自應多多益善。于常規之外，多蓄數寸，以備雨泉之不足。其定有常規，未能多蓄之故，蓋恐收水過多，冬間西北風浪，湖堤受險。本年臣姚立德察看該湖臨運一帶，堤工單薄，業經奏請，將險要處所分别修砌石工并碎石坦坡，各加高頂土二尺，現在興修。自此以下，地勢漸高，舊有民埝，臣亦飭濟寧州于秋收後，勸民一律修整，足禦風浪。從此，堤工可期鞏固，即使每年多收水一二尺，亦可無虞汕掣。測量湖中，現已收水七尺六寸，較定數已多三寸。將來煞壩，再收汶水三尺以外，總以收水一丈一尺爲度，俾瀦蓄充盈，于濟運更爲有益。增輯。

乾隆四十三年，大學士高晋、河督姚立德《會勘蜀山湖疏》：勘得蜀山湖周圍六十五里，收蓄汶水濟運，由永定、永安、永泰三斗門收水入湖，從金綫、利運二單閘出水入運。向年原定收水九尺七八寸，於乾隆四十年九月内議定，應以收水一丈一尺爲准。惟上年因夏秋雨少，汶源甚弱，重運過後，湖中僅存底水八尺。百計疏浚，并將汶上、寧陽二縣原由魯溝入汶之濼、澢等十二泉，設法疏導，使之由春秋壩流合馬莊一泉，同入蜀山湖，以廣來源，始得加收二尺二寸。現在連底水共一丈零二寸，雖缺額八寸，而湖面現高運河四五尺不等，亦足敷用。惟是泉源大小，全在雨水之多寡，若遇雨水稀少，汶弱泉微，恐不足恃。詳加勘籌，蜀山一湖，舍收蓄汶水之外，别無良策。祇以汶水發於伏秋，來時甚驟，消落亦速，水小之年不及多收，蓋由各斗門較窄之故。今量永定斗門，現寬一丈八尺，進水尚利。永安、永泰二斗門，各止寬一丈，石底亦高七寸，進水較少。

酌議將二處斗門，各添磯心，改爲二孔，寬一丈八尺，落低七寸，與永定斗門相同，較之原寬丈尺已增倍餘。并將引渠一律挑寬，可以隨時多收。但伏秋水濁，進水既多，湖中難免淤墊。因查三斗門以內相距湖心本遠，臨汶灘上低窪之處甚多，儘可容納金綫閘後至徐家莊湖坡之上舊有攔水停淤土埂一道，年久僅存基址。今擬將此一帶土埂培築高厚，并於引渠臨湖之處各建斗門一座，遇伏秋泛時，先將臨湖斗門下板關攔，將汶水收拾灘上低窪處所，俟其澄清，即將臨湖斗門全啓，灌入湖中。其引渠并窪處所澄之淤，仍於每年冬底勘明，挑挖疏治。其挑起淤土，或帮培子埝，或移放遠處，以免淤積，有礙入湖水道。至沿湖圈堤石工，現俱整齊，惟孫村、吴家坑、觀音嘴等處，草工四段，共長三百五十丈。每年尚須修做，若改砌碎石坦坡，既省歲修之繁，更可一律穩固。《前志》。

按，蜀山湖一區，蓄水濟運最關緊要，惟收水定志以一丈一尺爲度，然雨水充足之年，原可不匱。當天時亢旱，即收符定志，仍有不足之虞。道光十六年五月，總河栗毓美札飭，擬於定志之外，酌量多收，以備不虞。所有四面堤埝，另行加高培築，飭令確勘估報。當經查明，州境分管工段內有鴨、劉等五莊坐落湖心，若令收水多增，則有妨於民廬，僅可加增一尺。四面殘缺堤埝，估計照舊修築，其估計工十五段，長二千五百一十丈。於十八年三月開工，四月完竣。奉藩司批准，分作五年流攤歸款。文案。

嘉慶十四年，知州王旭昇請奏借項修築蜀山湖堤，工十七段，長二千五百十丈。汶上工十三段，長四千九十五丈。道光十六年，總河栗毓美議以收水一丈一尺爲度，不敷濟運，加收一二尺，堤埝另行加高。胡家莊等處，添建堤三百七十丈，又加帮堤十二段。道光十九年，知州徐宗幹捐修堤，工四段，長八百二十丈。二十年，請巡撫托渾布、總河牛鑒奏修蜀山湖堤，工十九段，長二千八百一十七丈。

馬踏湖　在運河之東，汶河之北，周三十四里。湖上有鈎泊水，匯入北湖，出開河閘，迤宏仁橋入運。其帮湖運堤自禹王廟起，宏仁橋止，二千六百六十三丈。其湖堤三千三百餘丈，土築以蓄汶水濟運。原有北月河口、王義土口、徐建口，亦無子堤。《全河備考》。湖圍堤長五千九百六十三丈，汶水上流有收水口二：曰徐建，曰李家口。湖西堤隣運河，有放水口二：曰新河頭、宏仁橋。雍正四年，修堤築堰，將徐建等二口并新河等二口，改建石閘。《通志》。乾隆二年，又帮築堤二千一百八十四丈六尺。臨汶口門，今惟徐建口、李家口二處矣。《運河備覽》。吳㮨曰：《全河備考》云：「馬場湖之西口爲冯家壩，長十餘丈，以備宣泄，此運河蓄泄之一區也。」又云：「蜀山湖堤，自馮家壩起，至蘇魯橋止，共長三千五百一十丈，以蓄水濟運。歷歲收蓄汶水，每水大，則出長溝滚水壩，入馬場湖。汶民執此句爲條陳開壩泄水之由。自明季久廢，現從蘇魯橋、陳蔡口注之。」又云：「馬踏湖，汶水漲則匯入北湖，出開河閘，迤北由宏仁橋入運。」按，汶水自南旺分流，七分歸北[二]。每冬挑河，築月河壩堵截汶水，北則入馬踏湖，南則入蜀山湖。此兩湖原係煞壩時分泄汶水之區，故《全河備考》云「歷歲收蓄汶水」也。其云長溝滚水壩入馬場湖者，即馮家壩也。原謂「自明季久廢」，今改築土壩，因甃以石，并一帶湖堤，責成嘉、鉅主簿管理，歲歲加修，工程達部，不容蜀山湖涓滴過壩誠，以此壩有斷不可間之勢，而湖堤必應保固者也。乃汶上縣民貪種湖地，欲泄湖水，謬據《全河備考》內之説，屢屢條陳，請開此壩。殊不知，湖水形勢，變遷不常，自當因時制宜，不可執一而論也。如以蜀山湖水必當泄入馬場湖，則譬若昔時運道本由牛頭河，何以改行今之運河耶？即此可見，不宜執古以論今也。況《全河備考》但論昔時原委如此，并未嘗謂應開此壩也。考昔之馬場湖，有三閘以泄水，今者五里營閘堙廢已久，而安居一閘又所泄微細，十里營閘，㮨纔爲修復，全河之水惟賴此一閘爲宣泄，猶恐泛濫之患未能一時全除。且蜀山胡大，而馬場湖小；蜀山湖高，而馬場湖低。北鄉本境諸窪之水尚不能容納，每苦淹没。況挑河煞壩之後，汶水半入蜀山湖，冬水雖小，而積蓄三月，勢必彌漫，經春解凍，益復洶涌。而馮家壩及陳蔡口一帶堤岸，正當蜀山湖偏注之要衝，若輕易一開，蜀山全河之水傾注而下，不特濟之北鄉盡爲巨浸，即衛境運堤斷無不衝决者，其爲害非細故也。又考，蜀山湖原有尹家溝泄水之所經，前運河廳任機修築石閘，名曰利運，又金綫閘堙廢，舍而不問。顧欲開久塞之壩，以隣爲壑耶？夫湖水之形勢，今昔不同如此，而猶欲執《全河備考》之説，屢謀開泄以灾鄰，此真謬妄之甚者也。《牧濟録》。

嘉慶二十二年，借項修築汶上縣境馬踏湖堤，工九段，長二千七百五十丈。

〔一〕〔乾隆〕《济寧直隸州志》爲「七分歸南，三分歸北」。

附州境三鄉窪水

東鄉杏林莊起，有河溝折而西流，經元帝廟迤東，至汪家莊迤西，乃分兩股：一由能家營歸府河，一由班村之西南經吴泰閘歸府河。粟家莊上受滋陽黄泥溝之水，由魚溝河出蓼溝坡，歸新店坡。吴家灣之張家窪水，由陸家橋、齊家橋、石橋、仙家橋出黑土店，歸新店坡。吴泰閘南府河漫溢之水，由赧稼村東、西兩坡分流，一出五里營橋，一出蔣橋歸新店坡。孫氏閘西一帶府河漫溢之水，匯於粟家窪，由蓼溝坡橋入新店坡。泗河東九曲地方之水，總出董家口支河，歸獨山湖。

西北鄉窪水〔二〕，夏家岡之夏家窪、黄家窪水，由黄垞歸洸河。耿務村大徐等地方，有三大窪，一曰扒魚溝，由常家橋、南坡橋、興龍橋出二十里鋪。龍拱橋河；一曰于家泊窪，連接新莊窪、大徐窪，由沙溝、趙王河、王府集出龍拱橋河；一曰溥天坡，由楊家橋、石家岡經扈家橋至大務橋，入孟獻坡分兩道：一從師家營，由相里橋、孔家河出五羊坡，歸馬場湖；一從興龍橋出龍拱橋河，與扒魚溝、于家泊二水皆由龍拱橋出二龍橋，經張家匯出石門坡，由坡石橋歸馬場湖。薛家窪、黄家窪大坡之水，皆由房葛鋪經二龍橋出一板橋，至張家匯合流姜家窪水、由李家路口出蔣家溝合流。王武村之鄭家窪，由溝門岡經普家窪、蔣家橋、田家小坡出長堤南小橋，至蓮花池、五羊坡合流。五里屯東窪水，由北關外天仙閣歸外海河。石馬窪水，由寨河歸外海河，俱出夏家橋，歸馬場湖[三]。康莊驛之蕭家窪水，由蘇魯橋歸蜀山湖。魏家窪、解家窪水，西流入蘇家窪，可引至房葛鋪、高家窪，從張會家堤口歸蜀山湖。王家窪水，由北堤口入蜀山湖西南鄉。大長溝之宰家窪、大徐坡水，俱由彭祖壩入宗家坑，順運河西堤，經白嘴、曹井橋、火頭灣至永通閘，歸牛頭河。十里營之烏龍潭，并張千家窪、胡家窪、孫家窪、郭家窪，及小流店窪、郝家窪，皆由平流河，經楊郭莊合新店諸窪、侯家老窪之水，入羅家河，從李家口歸牛頭河。常家窪、薛家窪水，由全家廟西歸牛頭河。急三道上受嘉祥、鉅野、鄆城之水，自五空橋分兩段，經臨清衛屯所，過亢父城，至安興集入苜蓿河；由張家堰出王家口，歸牛頭河。九子集窪水，亦由苜蓿河歸牛頭河。《牧濟録》。

〔一〕「窪水」二字，原文漫漶，據〔乾隆〕《濟寧直隸州志》補。

〔二〕「歸」字原缺，據〔乾隆〕《濟寧直隸州志》補。

乾隆辛酉，《重修古運河南岸分工保固碑記略》云：濟寧城西二十里古運河口，即牛頭河。有閘曰「永通」，蓋古運河由此自北轉西。自河廢閘，亦壅塞，則水不轉西而南矣。南岸楊家堤，歷年久遠，卑矮殘缺，每伏秋坡水大至，河不能容，先漫溢而後沖决。康熙四十八年，大水堤潰，里人進士張爲經同各莊人等，具呈濟寧道張伯行，差驗撥官夫四十餘名，運河分府蘇稷與本州趙之鶴親臨督催。又五十五年，及雍正五年、八年亦然。其屢修而屢潰者，以通力合作，未嘗計丈均分也。乾隆四年又决堤南，張琬、徐秉衡等具呈本州張綸親臨相度形勢，詳閲古碣曰：「此南岸一綫之保障，宜亟築勿遲。嗣後倘有毁壞處，仍照前工補修，毋得觀望。」五年春，遂行票，令公差同各莊人，計工均分，自永通閘西至板橋東，共若干丈，咸踴躍争先，不日成之，堤岸鞏固，故筆之於石，以志不朽。乾隆六年三月二十日，廪生湯天誠記，時全性書，濟紳士公立。濟地西南鄉最爲窪下，馬房屯諸村落，恃楊家堤爲一綫長城，縱使堅固，保無奸民偷毁乎？《月令》「季春之月，命司空循行國邑，周視原野，修利堤防，道達溝瀆」，著以爲令。蓋無歲不修，天下事無一勞永逸之理。是以，乾隆四、五年以後，十五年、二十四年、二十六年、三十七年，大水决堤，勢如建瓴，數十村莊盡爲陂澤。士民屢次告灾，先後如知州王令遠、席芬，河院張師載，河道李清時，今河南巡撫徐績守州時，親臨相視，或委員督修，撥官夫以助民力。故徐公撫東日，村民亦嘗赴轅呼籲，公深知其害，即批檄州衛，速即興工。又令春和農隙，委員督理修補，思患豫防，其案牘呈詞可考也。又三十一年，署州篆龔孫枝道出安居，適遇楊家堤决，未莅任即停車傳集民夫，三日而工竣，幸保無害。夫不待民之呼號，而救之惟恐不急者，有土者之責也。而民之自計，寧反後乎？若依《月令》之法，預爲之備，亦必不至潰敗不可收拾也。《前志》。

按，《前志》：嘉祥郗湖在縣西南五里板山之西，舊有困雁灘，今淤。又蓮花池在縣東南長河三里，魚臺聖母池在沙河鎮南，皆窪水之頭也。附記於此。魚臺境内各湖有關瀦蓄者，并書於後。

南陽湖 在魚臺縣東北五十里。《備覽》云：「三十里，周四十里。」今九里。牛頭河、新開河之水所匯也。東距運堤西畔廣運閘、柳溝諸村，北界州境橫壩南，則馬公橋也。橋以南即昭陽湖矣。《縣志》。

昭陽湖 一名山陽，又名刁陽。周一百八十里，上接南陽湖西北數州縣坡水，下會滕縣微山口濟運。《縣志》。湖界滕、沛、魚臺三邑之境，舊設减水閘十四，遇湖漲啓閘泄水，下達微山等湖，以濟韓莊東泇河運道。《會典》。昭陽湖在運河西岸，居魚、沛之間，魚臺爲南陽湖，沛爲昭陽湖，共長九十里。東岸湖堤六十四里，雍正二年建有閘十二座、三空橋二座。運河水大，則開泄入湖。《通志》。

按，《縣志》云：昭陽湖長八十里，周一百八十里。上接南陽湖西北數十州縣之泊水匯焉，下會滕縣之微山湖，同出荆山口濟運。至荆河淤塞，尾閭不通，民田時被浸没。雍正元年，前河帥建議，自南陽下修復前明原建減水閘十四座，於運河南岸每歲糧艘過境後，啓閘引漕水入湖，以防冲激堤岸。至是，來水益多，宣泄無路，匯爲巨浸，淹没爲灾者經三十餘年，魚民苦之。乾隆二十三年，開伊家河，上起微湖，下至江南邳境黄林莊入運。復建湖口閘，滚壩長三十丈，與湖口閘、引家河三路，分泄微湖之水。二十八年，巡撫崔□以伊家河不甚暢流，復請挑浚荆山口等處，上起湖尾之茶城内化山、小梁山，三河逐加疏浚，合而注之荆山橋。復由荆山口開浚王母山、倪家溝二岔河以屬運，袤延數百里，費帑項七萬有奇。又加浚伊家河，增建滚壩數十丈，自是上下通流，湖水消涸。先是，邑令馮振鴻詳沈不涸地一千三百零四頃六十九畝五分四厘三毫，现盡涸出麥禾，有秋魚民死而復蘇矣。馮振鴻曰：「魚以一隅之地，而受數十州縣之水，鄰壑堪嗟，爲沼是懼，所望於上之人節宣而補救之者，夫豈微哉？概自坡河疏而來源盛，荆口塞而去路微，而西堤減水諸閘復引漕河之水，横貫其中，所以散漫四溢，横决而不可制也。夫上游已開之河，勢不可以復塞，無以節之也，道在宣之而已。始則塞斷頭堤以防黄水之淤，繼則開伊河、建滚壩以開入運之路，兹復挑浚荆口復其故道，所以防維之者，無弗至矣！至減水諸閘，原以保護堤岸，然變而通之，於各閘口量加閘板數尺，常則束水下達，遇有泛漲，自可越板而過，不致冲激堤岸，是亦減半之道也。采訪輿論，僉以挑挖爲首務，蓋以河深則水不歸湖，而所挑之土培植兩岸，亦可無憂冲决。然工巨用繁，且挑浚之後，果可暢流無碍，亦或仍憂囤積。此其地勢情形，必須通徹上下，細加審勘，未可據一方之情勢而定議也。」《縣志》。

獨山湖 在魚臺縣東。周一百九十里，北界州境，白馬、泗河諸水匯焉。東受滕縣沙河諸水，而縣境諸山之泉俱在凫山之麓，合爲三溝入湖，由東堤十八水口入運。《縣志》。獨山湖在運河東岸，周一百九十六里，東接山坡，北受泉河諸水，西南二面即運河東岸。雍正元年，建東湖土堤一道，留水口十九處，各築草壩以時蓄泄。《通志》。明張純

《南陽減水閘石堤記》：南陽之東有獨山，山下有坡，厥地平衍卑窪，舊爲滕、魚諸泉所匯。自宫保朱公奏鑿新河坡始〔一〕，蓄爲湖，資灌注也。然每遇伏水驟發，則奔濤傷堤，於是用石凡三十餘里，各留口引水入運河，闊不過十餘丈。水溢河漲，非有以宣泄，必潰。於是有減水閘十四座，大者二，各三洞，小者十有二。始事於隆慶元年秋，訖於今冬之十月。堤防既固，宣蓄得宜。其規畫盡制，皆公經畫，而郎中游季勛、涂淵則承委經理，後先繼續者。純不敏，亦襄厥勞。工告竣，因請余記。國家罷海運，漕會通，然河之西北與黃河鄰，故洪水之爲運道梗，屢屢有之。有則治，治而去，去之而復來，則又治。治之功愈奇，而民之膏脂亦已竭矣。夫爲國家建大計，何能惜錙銖，第終非久遠，豈策之上哉？迄嘉靖乙丑，黃水決豐、沛，舊運淤没，視昔尤甚。公承命治之，乃舍沽沛，議滕、薛之墟開新河焉。自南陽至留城，新者凡一百四十里；復留城自境山，舊者凡五十三里，而黃河之患息。顧茲上源三河之水，惟沙、薛最爲大，夏秋潦則奔突怒沖，勢不可制。然亦河之利也，吾將資以爲利，則又因之以爲害，乃酌利害而壩堰之。議與薛之水，築王家口等壩，障使南趨，由豸裏出地濱溝；沙之水，築皇甫等堤，導北流，會南陽湖。而是堤與閘亦次第舉，水得湖以爲容，湖恃堤以固，閘以泄則水不暴，運不能傷，美哉！公之用意遠矣！湖舍舊而圖新，因高以避險，不與水爭尺寸，而橫逆之勢自消，所謂治之以不治也，斯爲上策。他如堨薛水以南趨，去其害之甚也。導沙入湖，并諸泉以爲蓄，翦其害且贏其利以待匱也。昔都御史王以旂復四湖爲水櫃，蓋即此意。故自昭陽復，而沽沛舊渠實賴以濟。然其地卑下，素爲黃水所必趨，其趨之而東，勢必橫決舊河，而後及湖。天下事，其可兼得歟？今之新河，昭陽居其西，南陽居其東，縱使黃河之水從西逆奔，則有昭陽爲之受；山之水自東突衝，而南陽湖有以爲之蓄，是又一昭陽也，謂非天地所造設以待今日歟？然則是湖也，資新河以利濟，而茲堤茲閘則全新河以收功者，是安可無記？《前志》。

〔一〕「公」字原缺，據〔乾隆〕《濟寧直隸州志》補。

嘉慶二十二年，巡撫陳預、河督葉觀湖《奏湖河堤埝應修各工循例借項修築疏》：上竊照東省濟寧、魚臺、汶上等州縣，及濟寧、臨清二衛境内所轄之馬場、南陽、昭陽、獨山、南旺、馬踏各湖，均係潴蓄之區。此内昭陽、獨山湖堤岸係南糧經臨縴道，尤關緊要。又濟寧運河東岸府河一道，自兖郡城分支，由州境入於馬場湖，收蓄濟運。以上湖河堤埝，向係民築民修。連年以來，因伏秋雨泛，水勢過多，汶、泗、府、洸各河泛漲，并山泉坡水匯注，所有運河潴水，各湖較定志多至數尺。當水勢盛漲之時，無不拍岸盈堤，以致各該處堤埝風浪汕刷，日漸卑矮殘缺。濱臨低窪之地，每遇水發，即被淹没。現在尚有未經涸復之處，實於運道民生大有關係。運河道洪範稟稱：勘明濟寧州境内馬場湖圈堤共工四段，共長二千零三十八丈，估土二萬四千一百方零；又單閘一座，前經冲塌，應行移建，估銀三千一百兩零；又府河民埝共工三十二段，共長四千七百零八丈，估土七萬四千五百三十二方零，連碎石工長四十丈；又坐落濟寧衛境内馬場湖圈堤共工二十段，共長一千九百五十七丈一尺，估土三萬一千一百六十方零；魚臺縣境内南陽、昭陽、獨山等湖堤岸共工十七段，共長二千二百三十三丈，估土三萬二千一百十七方；臨清衛境内南旺湖圈堤共工二段，共長四百丈，估土一萬六千十三方零；汶上縣境内馬踏湖圈堤共工九段，共長二千七百五十丈，估土四萬八千五百五十五方零。因年來附近湖河之區被水歉收，若仍責令民修，實屬力有不逮。應請奏明，援照成案，借帑興修，分年攤徵還款等情，查東省蜀山湖堤埝於乾隆三十六、四十二等年，并嘉慶十七年均經奏明借帑修築，有案。今馬場、南陽湖堤等工事同一例。通共估需銀四萬九千餘兩，先於司庫地丁項下動支借給，與修工竣，分作八年攤徵歸款。

按，《前志》：「魚臺河道内并載陽城湖在縣東南七十里，自寨、兖二山南流，會滕縣大烏泉水，匯而爲湖，别爲小河，自鷄鳴臺以東溢而入運。」《縣志》無，今别列湖潴，補書于此。

濟寧直隸州志卷二之六

山川志　三

○漕運

運河之水，發源汶泗，在濟寧州管轄之內。考南自珠梅閘，北至寺前閘，爲閘一十有五。其中河道，有屬曹州府之鉅野者，有屬兗州府之鄒縣、汶上者，有屬濟寧衛者，而并領於運河同知。乾隆四十一年，改濟寧爲直隸州，并改運河同知爲濟寧州屬河道同知。《舊志》曰：「會通河乃統名也。元至元二十六年，用壽張尹韓仲暉言，自安山開河北，至臨清以屬漳水，渠成，賜名『會通』。」則下游河道也，統上下游言之，皆可名會通云。

珠梅閘北四十里《備考》：「四十八里。」至邢莊閘 南陽閘官，兼管閘夫二十四名。○創建年月無考。國朝乾隆三年，修加頂面石二層，金門寬二丈二尺五寸，高一丈五尺。

制閘必旁疏爲壩，以待暴水，如月然，曰月河，此處無。

王家口古淺一，今不淺。邱家水口新淺一，東岸水口十四：王家水口，今廢。傅家水口，徐家南水口，徐家北水口，滿家南水口，滿家中水口，滿家北水口，王家水口，張家水口，馬家北水口，孟家南水口，尤家北水口，石家水口，邱家水口，俱明隆慶年建。

辛莊橋滾水壩，乾隆二十七年建，長二十丈，高一丈四尺四寸。西岸單閘七，俱明隆慶元年建，曰徐家下單閘、徐家上單閘，曰滿家單閘、王家單閘、邵家單閘、石家單閘、邱家單閘，乾隆二十三年俱加高石面二層。

按，滿家單閘北明嘉靖元年建滿家三空橋一座，三金門各寬一丈，高一丈三尺二寸，長六丈六尺。增輯。

邢莊閘十二里至利建閘　又名宋家口，南陽閘官兼管閘夫二十四名。明嘉靖四十五年建。國朝乾隆三十五年，修加頂面石二層，金門寬二丈一尺，高一丈五尺五寸。

明游季勛《利建閘記略》云：先皇御極之四十四年，河堙沽沛，上命大司空朱公治之，乃謀開新河首南陽，導水東南行，相地建閘，檄有司分治，而以南陽之下十五里爲第一閘，屬之濟寧。堰水盤基，泉從中溢，百桔槔不能徹，尋涸尋盈，數旬弗績，衆難之，予亦擬改卜焉。胡知州尚志、鄭判官夢陵以爲，無逾初地著之，得「利建」，繇意益决，轉樞運水利以千計，晝夜番休，民踴躍弗怠。五越月，閘成，料具制周，視他閘尤壯。無何，胡以致仕行，予亦報竣還朝。又明年，予再役河上，往閱諸閘，有塞亢而梗者、有制疏而圮者，而濟寧所建獨稱完績，因名曰利建，以著辭與言有默契云。景知州一元請予記，遂書以授之。胡子，績溪人；鄭子，縉雲人。景代胡知濟寧事，聞喜人。

月河長九十三丈，馬家三孔橋，新淺一。

按，馬家三孔橋，明嘉靖元年添建。橋頭單閘一座，田家單閘一座，金門各寬一丈，高一丈三尺二寸。增輯。

東岸水口三：曰邢家水口、姚家水口、利建水口。

西岸單閘二，曰馬家三空橋，曰利建單閘，俱隆慶元年建，國朝乾隆二十三年修。

利建閘十八里至南陽閘　有魚臺主簿、南陽閘官署閘官一員，閘夫三十二名。○元至順二年建，國朝乾隆三年修，加頂面石二層，金門寬二丈二尺，高一丈九尺二寸。月河長七十一丈。

土地廟至人家南頭，人家北頭至月河口、趙家水口下、趙家水口上，共新淺四。

東岸水口二：曰趙家水口，馬家上水口。

西岸單閘二：曰趙家單閘、五里單閘，俱明隆慶元年建，國朝乾隆二十三年修。

以上爲魚臺主簿汛　主簿一員，淺夫四十三名。兩岸堤長一萬五千三百丈，官堤二萬二千八百二十四丈七尺，至王家水口起，至四里灣界碑止，計程八十五里，入州境。

南陽閘十二里至棗林閘　閘官一員，閘夫二十四名。○元延祐五年建，國朝乾隆二十三年修。金門寬二丈二尺，高二丈七尺六寸，由身各長二丈三尺，東西兩岸上下雁翅各長一丈，月河長一百八十丈。

橫壩下新挑河新淺二，硯瓦溝古淺一，即磨鐮溝，仍淺。

東岸水口二：曰新挑河，受黄良等泉之水入運；曰磨鐮溝，受白、泗二河，并魯橋東坡水入湖，在獨山湖上游。

棗林閘《備考》：「十一里。」**至師莊閘**　舊名師家店，仲家閘官兼管，閘夫二十四名。明隆慶三年，裁師莊新閘二官，以仲家淺兼管。○元大德二年建，國朝乾隆二十三年修，金門寬二丈，高二丈八尺，月河長四十丈。

棗林閘下魯橋師莊閘上古淺三。今俱淺。

東岸水口一，曰魯橋泗河口，明成化年間此處建有魯橋閘。乾隆四十八年，知州王道亨添建魯橋沙州寺擺渡口涵洞一座。《治河方略》云：「沂之下流通乎埢里河，鄒之諸泉入於白馬河，并濟、魚二州縣等泉，各出魯橋閘入運，爲魯橋派云。」○《全河備考》：「棗林迤北六里，至魯橋閘月河長一千一百六十丈。」今改正河是也。自魚臺而北九十里至濟寧，其東岸係鄒縣境，魯橋、師莊之間有埢里小閘一，横遏泗水入漕。

按，《河程記》：「隆慶四年，改月河爲正河，魯橋閘遂廢。」所設埢里小閘，今亦無存。

《兗志》：「東岸魯橋沙州寺至石佛，舊有堤一道，向係民修。康熙十七年，總河靳輔采、同知任璣議築修，名曰『靳公堤』。」○棗林之北有士壩一道，横亘牛頭河、運河之間。乾隆二十年，築以防南陽湖水倒流，謂之新壩。又有康熙中知州吴檉所築，謂之舊壩。《前志》。

師莊閘五里《備考》：「十五里。」**至仲家淺閘** 閘官一員，閘夫二十四名，有閘官署。○明宣德四年建，國朝乾隆三十二年修，金門寬二丈八尺，高二丈八尺八寸。按，《運河備覽》作「宣德五年建，金門寬二丈八寸，月河長一百八十丈」。本閘古淺一。今不淺。

東岸涵洞一，在月河内。乾隆三十年，建泄坡水入運。按，《運河備覽》作「乾隆三十三年建」。乾隆四十八年，知州王道亨重修月河裏涵洞一座。

仲家淺閘六里《備考》：「五里。」**至新閘** 舊名黄楝林新閘，仲淺閘官兼管，閘夫二十五名。○元至正元年建，國朝雍正六年修，金門寬二丈一尺，高二丈八尺八寸，月河長二百一十丈。本閘古淺一。今仍淺。

東岸涵洞一，在月河内，泄坡水入運。乾隆四十八年，知州王道亨重修月河裏涵洞一座。元楚惟善《會通河黄洞新閘記略》云：會通河導汶、泗，北絶濟，合漳南，復泗水故道，入于河。自漳抵河，袤千里分流，地峻散涣，不能負舟，前後置閘若沙河、若穀亭者十三。新店至師氏莊猶淺澀有難處，每漕船至此，上下畢力，終日叫號，進寸退尺，必資車於陸，而運始達。議立閘，久不决。都水監丞也先不華，分治東平之明年，思緝熙前功，以紓民力。慨然以興作爲己任，乃躬相地，宜黄、棟林適居二閘間。遂即其地，庀徒蕆事，經始於至正改元春二月己丑，訖工於夏五月辛酉。先是，民役於河，凡大興作率有既廪爲常制。是役將興時，適薦饑，公因預期遣壕寨官李獻赴都禀命，冀得請俾貧窶者得竄其身藉以有養。及久未獲命，不忍坐視斯民饑且殍，遂出公帑，人貸錢二千緡，約來春入役還官。無何，糧亦至，民争趨令，其軫民瘼如此。又初開月河於河東岸，闢地及咫，礓礫錯出，畚鍤無所施。迨營閘基，近西數武，舉黄壤及泉，訖無留礙。雖國家洪福所致，抑公精誠感格天地，鬼神亦陰有以相之也。推是心以往，何任弗克？負荷何政不能舉？行將見接武夔龍，不晚矣。公哈剌乞台氏，始由近侍三轉官受，今除是役也。董工於其所者，令史李中、壕寨官薛源、政奏韓也先不華。工師徒長，不能備載其列。碑陰。

新閘六里《備考》：「八里。」**至新店閘**　舊作「辛店」。閘官一員，閘夫二十五名。○元大德元年建，國朝雍正八年修，金門寬二丈，高一丈九尺二寸，月河長二百丈。

本閘古淺一。今仍淺。

東岸涵洞二，一在閘下，乾隆元年建，二十三年折修，宣泄黑土店坡入運。乾隆四十八年，因上四里灣涵洞出水不暢，知州王道亨改建單閘一座，重修下四里灣單閘一座，月河裏涵洞一座。

新店十八里至石佛閘　閘官一員，閘夫二十五名。○元延祐六年建，國朝雍正三年修，金門寬一丈九尺五寸，高二丈二尺五寸。《全河備考》云：「掘土中，得石佛十二，故名。」

按，此閘雍正三年折修時，金門展寬五寸，加高一尺，實寬二丈，高二丈三尺五寸，月河長二百三十丈。

本閘古淺一，又花家淺古淺一。今仍淺。

石佛閘五里至趙村閘 閘官一員，閘夫二十五名。○元泰定四年建。《北河續記》作「至正七年」。國朝乾隆二十三年修，金門寬二丈五尺，高二丈二尺五寸，月河長二百五十五丈。有石壩，明洪治元年建。

按，《運河備覽》：「二百五十丈。」

本閘古淺一，又楊灣古淺一，即窑灣。今仍淺。乾隆四十六年，總河李奉翰奏將趙村閘官一員裁汰，其閘務歸在城閘官管理。

趙村閘六里《備考》：「西北三里。」至任城「任」俗訛「在」。閘《備考》：「原名下閘，閘官一員，閘夫二十五名，帶管下新閘廢閘夫四名，隨同任城閘夫應役，共閘夫二十九名。」○元大德七年建，國朝乾隆三十三年修，金門寬二丈八寸，高二丈九寸。

元俞時中《任城東閘記》：至元二十年，朝廷初以江淮水運不通，乃命前兵部尚書李奥魯赤等調丁夫、給庸糧，自濟州任城委曲開通河渠，導洸、汶、泗水由安民山至東阿三百餘里，以通轉漕。然地勢有高下，水流有緩急，故不能無阻艱之患。二十一年，有司創爲石閘者八，各置守卒，春秋觀水之漲落，以時啓閉，雖歲或亢暘，而利足以濟舟楫。惟是任城閘東距師家莊袞六十里，土壤疏惡，霖潦灌注，承乏歲月，至是始壞。時都水少監、分都水監事石抹奉議，適膺其任，聞之中書省易而新之，陶土爲甓，采石於山，其材用所須不費於官，不取於民，率指授役夫爲之，不數月，厥功告成。仍即其地之西偏，修飾廳事，以爲使者往來休憩之所。公退，因録其同事者職役姓氏，以告後之來者。

月河長四里，自閘下起，至濟安橋止。閘三：曰下新、中新、上新，自下至上，相去一里。下新即任城之月河，上新即天井之月河。本閘古淺一，又通心橋新淺一。

東岸濟寧州，自任城閘下真君廟起，至天井閘上濟安橋止，皆在州城外，曰韋馱棚，曰通心橋，分泄楊家壩府河下注之水。按，通心橋即通濟橋，俗訛爲「心」。

任城閘一里三分 《備考》：「又西北一里。」**至天井閘** 《備考》：「原名中閘，又名會源閘。官一員，閘夫二十八名，又帶管上新閘廢閘夫六名，隨同應役。又南門草橋二橋夫二十三名，共夫五十七名。」「天井即會源之故處，但會源閘如南旺之分水口，與今天井形勢大不同矣。○元至治元年建，國朝乾隆十九年修，金門寬二丈九寸，高一丈八尺。○舊説唐武德中，尉遲恭鎮盧龍，穿渠于濟以通漕，故閘底尚有唐武德七年尉遲敬德建石刻。考武德七年，敬德方隨太宗於幽州備突厥，無鎮盧龍事。

閘上觀瀾橋，洸、泗所經，今已淤廢。○泗、沂西下，夾流而南，出泗水、曲阜、滋陽、寧陽，會汶與洸以入。元人所謂會源閘者，爲天井派。○濟安橋爲任城閘下南岸月河之上口，每歲挑河開此口門，使水由月河出任城閘下天井塘，河方可挑挖，工竣仍堵閉。《前志》。

以上爲濟寧州州判汛。 州判一員，淺夫一百三十三名半。兩岸堤長一萬三千五百丈，官堤一萬九千七百二十九丈，自魚臺縣四里灣交界至二里半，舊稱五里營。止計程七十五里入濟寧衛界。自閘下起，至小長溝止，南岸爲鉅野縣境。

元揭傒斯《濟州會源閘記》：皇帝元年夏六月，都水丞張侯改作濟州會源閘成。明年春二月，具功狀遣其屬孟思敬至京師請文勒石。惟我元受命定鼎幽薊，經國體民，綏和四海，辨方物以定貢賦，穿河渠以通漕運。乃政任城縣爲濟州，以臨齊魯之交，據燕吴之衝，導汶泗以會其源，置閘以分其流。西北至安民山，入於新河，達於臨清，地降九十尺，爲閘十六，以達於漳南。至沽頭地，降百十有六尺爲閘十。又南入於河北，至奉符爲閘一，以節汶水。東北至兗州爲閘一，以節泗水。而會至之閘[二]，制於其中。歲益久，政日弛，弊日滋，漕度用弗時，先皇帝以爲憂。延祐六年冬，詔以侯分治東阿，始修復舊政，誕布新令，嚴暴横之禁，杜奸利之門，南疏北導，靡所寧處。明年冬，以及期請代，弗許。往視濟閘，峻怒狠悍，歲數壞舟楫，土崩石泐，岌不可待。乃伐石區里之山，轉木淮海之濱，度工即功，大改作焉。明年，皇帝建元至治三月甲戌，朔侯朝至於河上，率徒相宜導水東行，堨其上下而竭其中，以儲衆材。撤故閘，夷坳㳂，徙其南二十尺，降七尺以爲基。下錯植巨栗如列星，貫以長松，實以白石，溉視其地，無有所罅漏。衡五十尺，縱百六十尺，八分其縱，四爲門縱，遜其南之三、北之一，以敵水之奔突震蕩；五分其衡，二爲門，容折其三，以爲兩墉。四分其容，去其一以爲門崇，廉其中而翼其外，以附於防。三分門縱，間於北之二以爲門，中夾樹石，鑿以納懸板。五分門崇，去其一以爲鑿，崇翼之外更爲石防，以禦水之洄洑衝薄。縱皆二百三十尺，爰琢爰甃，犬牙相入。苴以白麻，固以石膠。磨礱鏟磢，關以勁鐵。崖削砥平，混如天成。冠以飛梁，偃如卧虹。越六月，十有三日己卯訖功，大會群屬，宴於河上以落之。工徒咸在，旄倪四集，酒舉樂作，揮鍤决堨，艤桌啓鑰，水平舟行，伐鼓歡呼，進退閑暇。其稱侯之功、頌侯之德者，雷動雲合。且拜曰：「惟聖天子繼志述事，不易任，以成厥功，惟億萬年享天之休！」是役也，以功計：石工百六十人，木工十人，金工五人，土工五人，徒千四百二十人。以材計：木萬一百四十有一，石五千一百二十有八，其廣厚皆倍於舊，甓二億一千二百有五十。以斤計，鐵二萬五千五百，麻二千三百，石之灰三億三萬三百三十有四。以石計，粟千二百有五十。視他閘三之，視故閘倍之。其出於縣官者，鐵若麻、木十之七，石五之一，粟五之三，餘一以便宜調度，不以煩民。此其大較也。初，侯至之明年，凡河之隘者闢之，壅者滌之，决者塞之，拔其藻荇，使舟無礙。禁其芻牧，使防有所固。隆其防而廣其址，修其石之岩阤穿漏者，築其堤之疏惡者，延袤贏七百里。防之外增爲長堤，以閼暴漲，而河以安流。潛爲石竇，以納積潦，而瀕河三郡之田民皆得耕種。又募民采馬藺之實，種之新河兩岸，以錮其潰沙。北自臨清，南自彭城，東至於陪尾，絶者通之，鬱者澌之，爲杠九十有八，爲梁五十有八，而挽舟之道無不夷矣。乃建分司，及會源、石佛、師莊三閘之署，以嚴官守。樹河伯、龍君祠八，故都水少監馬之貞、兵部尚書李奥魯赤、中書斷事官忙速祠三，以迎休報勞。凡河之所經，命藏冰以待渴者，種樹以待休者，遇流殍則男女异瘞之，饑者爲粥以食之，死而藏、饑而活者，歲數千人。是以上知其忠，下信其令，用克果于兹役也。侯亦勤且能矣！然古者三載考績，三考黜陟幽明，故人才得以自見。方世祖皇帝時，天清地寧，群賢滿朝，少監馬公等得以陳力載勞、垂功無窮者，慮之遠，擇之審，任之專也。向使侯竟代去，雖懷極忠甚智，無能究於其職。是以侯之遇也，惟兹閘地最要、役最大。馬氏之後，侯之功爲最盛，故詳於是碑，以告後之人。侯名仲仁，河南人，辭曰：昔在至元，惟忠武王。自南還歸，請開河渠。自魯涉齊，以達京師。河渠既成，四工率從，萬世是資。朝帆夕檣，垂四十年，孰慢而隳。翼翼張侯，受命仁宗，號令風馳。徵工發徒，既滌既疏，齊閘攸基。先鷄而興，既星而休，觸冒炎曦。疾者藥之，死者櫝之。奚有渴饑，拊循勞徠。信賞必罰，勿亟勿遲。十旬之間，遹績于成，智罔或遺。洋洋河流，中有行舟，若遵大逵。舳艫相銜，罔敢後先，亦罔敢稽。賢王才侯，自北自南，顧盼嗟咨。曰惟京師，爲天下本，本隆則固。惟帝世祖，既有南土，河渠是務。四方之供，於千萬里，如出跬步。聖繼明承，命官選材，惟侯之遇。昔者舟行，日不數里，今以百數。昔者舟行，歲不數萬，今以億慮。惟公乃明，惟勇乃成，惟廉則恕。汶泗之會，有截其閘，有菀其樹。功在國家，名在天下，永世是度。

〔一〕「至」，〔乾隆〕《濟寧直隸州志》作「源」。

道光十九年，運河同知黃慶安重修建。

天井閘三十里《備考》:「三十五里。」至通濟閘。閘官一員,閘夫二十八名。○明萬曆十六年建,國朝乾隆十八年修,金門寬二丈,高二丈四尺,月河無。《備考》云「七十二丈」,誤。五里營、十里鋪、安居古淺三。今俱不淺。永通閘、曹井橋古淺二。今仍淺。又馬家口、北楊園上下、北交界新淺三。北岸十里鋪、安居二閘,南岸永通閘,即耐牢坡,泄運河水入牛頭河,今閉。

以上爲濟寧衛北汛千總汛。千總一員,兵夫九十五名,內外委一名,百總三名,軍夫二十五名。兩岸堤長三千二百四十丈,官堤三千三百七十七丈。自州二里半起,至鉅野縣曹井橋止,計程十八里,入鉅野縣境。又兼管嘉祥、汶上二汛河道。千總署在安居。○明唐文獻《通濟閘記略》云:頃者漕河淤淺,萬曆戊子上命工科都給事中常居敬周覽河漕形勢,至鉅野縣火頭灣,地介於濟寧天井閘、寺前鋪,上下相距各三十里許。宜建閘以瀦水勢,報可。於是特起大中丞潘季馴,總理河道。公即以疏瀹之功自任,伐石鳩夫,甃砌工緻,不數月而功成。特勒貞珉,以志成功之自云。同任其事主其議者,巡府都御史李戴、宋應昌,巡按御史吴龍徵、鍾化民、陳惟芝、賈名儒,按察使曹子朝,參政郝維喬,副使曹時聘,僉事和震。綜理其間者,工部郎中吴之龍、李民質,主事蕭雍、王元命,知府易登瀛,運同羅大奎、陳昌言,知縣殷汝孝,實與同事焉。

通濟閘三十里《備考》:「三十五里。」至寺前閘舊名棠林,閘官一員,閘夫二十六名。○明正德元年建,國朝乾隆二十二年修,金門寬二丈,高一丈八尺。東岸爲汶上境,西岸爲嘉祥境。○《明武宗實録》:「正德元年,添設袁家口、寺前鋪二閘,以地在南旺之南、開河之北,地勢高下懸絶,至春末水淺舟膠，漕運阻滯故也。」○《居濟一得》云：寺前閘最宜嚴謹，故南旺之水南行最順。此閘一不嚴謹，則水之泄於南者太多，而北運勢必淺阻，此一定之理也。若逢天旱之年，汶水不足濟運，開利運閘以濟北運，則此閘尤爲緊要。此閘既嚴，而柳林閘、十里閘、開河閘俱不下板，而水始可以通行北注。若一閘下板，水即不能往矣。乙酉初夏，汶河水微，不能濟運，已經用此法以濟北運，甚覺有益，故附志於此。《前志》。

月河，見後寺前至南旺。

火頭灣，梁家口即楊家河灘，白嘴，黃沙灣，小長溝，大長溝，十字河古淺七。今仍淺。又沙山北、朱家河灘、張家路口、天妃廟、北王家河灘、關帝廟、傳家祠新淺七。

東岸石閘三：曰民便閘、利水閘、金綫閘。民便在白嘴稍南對岸，與馬場湖堤相近，泄五洋坡水入運。金綫閘於乾隆二十五年移建柳林之北，《居濟一得》云：白嘴宜建閘一座，使馬場湖水由此入運，則不至一泄無餘。○陸耀云：「乾隆三十九年，將民便閘圈入馬場湖内，不煩建閘，而水自從此入運。」

西岸口門一，曰十字河，泄運河异漲入湖，今廢。

涵洞二，曰關帝廟雙涵洞，乾隆二十四年建。

嘉慶二十四年，添建傅家祠單閘一座，在雙涵洞北，金門寬一丈四尺，高一丈四尺四寸，泄水入南旺湖。

陸耀云：「乾隆三十九年開壩之始，汶水微弱，不能南北灌注，因閉寺前、柳林，使汶水專往北行。而啓雙涵洞并挖傅家祠堤岸，俾往南行，頗得其益。」

寺前閘十二里至南旺閘。

又名柳林閘，閘官一員，閘夫十八名。○明成化六年建，國朝乾隆三十七年修，金門寬二丈，高二丈一尺。

舊月河，明成化六年建。又有靳文襄之新月河，今皆廢。

寺前、孫村柳堤，南旺古淺四。今仍淺。小元帝廟、大上廟、利建閘、徐家口門新淺四。

東岸利運閘明嘉靖年建，國朝康熙十九年、乾隆三十七年修。金門寬一丈三尺，高一丈三尺二寸。

西岸單閘曰小土地廟，乾隆三十五年建。

以上爲鉅、嘉主簿汛。主簿一員，淺夫九十一名半。兩岸堤長七千三百丈，官堤七千一百三十五丈。自鉅野縣曹井橋起，至嘉祥縣孫村止，計程四十一里，入汶上縣境。

南旺上閘十里，《備考》：「又北九里。」至南旺下閘。又名十里鋪上閘，閘官兼管閘夫十八名，有汶上縣丞南旺閘官署。

按，汶上主簿於乾隆四十六年奏請，與寧陽縣縣丞對換，改爲汶上縣縣丞。《前志》作「汶上縣主簿」，今改。

明成化六年建，國朝乾隆十六年修，金門寬一丈九尺，高二丈一尺六寸。

鵝河即老鶴巷，田家口即王化莊，闞城即觀音堂，古淺三。今仍淺。

東岸金綫閘，本在寺前閘之南。乾隆二十五年，運河道李清時改建柳林之北南旺分水口，上承汶河之水入運。明永樂九年，以濟寧州同潘時正言，命尚書宋禮，役丁夫一十六萬，浚會通河。用老人白英計，築戴村壩遏汶。全流出汶上之西，入於南旺，由分水龍王廟前南北分流。

西岸斗門八，曰：焦鸞、盛進、張全、孫强、彭石、邢通、劉賢、常鳴，俱明永樂年建，國朝康熙五十六年、乾隆十七年修。每遇伏秋暴漲，開放泄水，掣沙入河。今焦鸞斗門久廢，其張全、盛進、孫强、彭石四斗門亦淤，止邢通、劉賢、常鳴三斗門，及十里閘下之關家大閘，收水入湖。

南旺下閘十三里，《備考》：「十五里。」至開河閘。閘官一員，閘夫二十六名。西岸有閘官署。○元至正間建，國朝康熙五十七年修，金門寬二丈，高二丈一尺五寸。

關家閘、五里鋪新淺二。

東岸新河頭閘，創建年月無考，雍正四年修，金門寬一丈，高一丈八尺，泄馬踏湖水濟運。

西岸閘座二，曰關家大閘，曰五里鋪閘。

開河閘十六里，《備考》：「十二里。」至袁家口閘。閘官一員，閘夫二十六名，有閘官署。○明正德元年建，國朝乾隆二十三年修，金門寬一丈九尺六寸，高二丈二尺八寸，月河長一百七十丈。

本閘古淺一，即館驛門。又劉家口即劉老口，今俱淺。

東岸洪仁橋閘創建年月，及寬高丈尺，均與新河頭閘同。水口一曰劉老口，上承何家壩所泄汶河有餘之水入運。

以上爲汶上縣丞汛。縣丞一員，淺夫七十二名。兩岸堤長一萬一百七十丈，官堤一千七百三十一丈，自孫村起，至靳口閘上止，計程五十六里，入東平州境。

運河廳同知所屬自王家水口起，至袁口閘北止，計程二百七十五里一百八十步，入東平州境。内設州判一員、縣丞一員、主簿二員、守備一員、千總二員、閘官八員。

按，《前志》作「主簿三員」，今改。

按，嘉慶二十五年，知州徐紹薪詳請巡撫錢臻、總河李鴻賓，奏修運河東西兩岸民埝，工三十六段，二千九百九十丈。道光十九年，知州徐宗幹捐修東西兩岸民埝。道光二十年，詳請巡撫托渾布、總河牛鑒，奏修東西兩岸民埝，工三十七段，長三千四百八十七丈。明于湛《總河題名記》：王者宅中圖治，必挽天下財賦，以給經費。我朝始由海運，繼由陸運，凡三變，乃改今河運。然地勢中高，南北迤邐就下，乏水以濟。濟水伏流齊魯，隨地溢出爲泉。泉在東郡凡二百八十有奇，各以近入汶、泗、洸、沂諸水，東流赴海。文皇帝命工部尚書宋公禮，修復會通河，伐石起埝，東遏諸水，西注漕渠。南北分流，北流者會漳會衛，上接白河；南流者會河會淮，下接寶應、高郵諸湖，而漕渠遂亘南北。浚泉以廣其源，建閘以節其流，築堤以防其潰决，列鋪舍以通其淤淺。闢湖潴水，以時其蓄泄；引水灌洪，以平其險阻。備夫以供其役，銓官以司其事。董之以主事八，各有專職；臨之以郎中三，各有分地。監司守令，亦與有責焉。又以地廣事劇，役重費繁，宗統不可以無人，乃敕差大臣一人，總理於上。爰集衆思，以舉群策。歲挽東南四百萬石，萬艘鱗次而進。時當盛夏，維揚迤北，乘風揚帆；南旺迤北，順流放舟。既脱海運之險，亦無陸挽之勞。四方萬國，五材百貨，罔不畢集。民命獲全，國計斯裕。文皇帝開濟之功，同於天地；諸臣弼成之績，要以不可泯也。《禹貢》一書，記神禹治水之績，與《典》《謨》《訓》《誥》并列爲經，昭示罔極。我朝前此效勞諸臣，水部分司各有題名，而總理大臣漫無所考，豈非缺典耶？嘉靖丁酉，予承乏是任，深用慨惜，乃構亭公宇之東偏，爰披往籍，録宋禮以下若干人，立石題名，而各疏履歷其下。仍虛左方，以俟將來，庶後來者有考焉。或曰：「海運由浙西，不旬日可達都下，較之河運費省而功倍，邱文莊《衍義補》言之詳矣。近年言者，亦多厭運河之勞，而欲舉文莊之策。子顧極言河運之利，而欲侈諸臣之功，示諸久遠，何也？」曰：「海運之法，作俑於秦，效尤於元，祖宗已弃之。策，三代以前未聞也。文莊計漂溺之米，而不計漂溺之人，故以海運爲便。不知米漂而載米之舟，與駕舟之卒、管卒之官，能獨免乎？考之《元史》二十八年，海運漂米二十四萬五千六百有奇，至大二年漂米二十萬九千六百有奇。即如文莊言，每舟載米千石，用卒二十人，則歲溺而死者殆五六千人。河運之費，費於人，所謂人亡人得者，損上益下者。王者以天下爲家，又奚恤哉？」曰：「海運誠不可復矣！今之河運，築堤建閘，并以人勝，時不常泰，人不皆良，能保無意外之變乎？」曰「：變不可保也，海胡可蹈哉？今之黄河，經行河南之祥符者，去衛河僅七十里，鑿而通之，萬夫一月之力也，議者徒以衡决爲難。竊以爲，黄河之難，不難於海也。二道并設，而各從其便，常可也，變亦可也，是則可爲也。」曰：「此尤不可之大者！先朝河决張秋，運道梗塞，罄數省之力，捐不貲之費，再歷寒暑，乃克底寧。衆方幸其南，子欲引之北，吾不知其何説也。如子之言，且將爲運道憂矣。」曰：「今之黄河，固古之運道也。昔固北行，而今始南遷也。民間舟楫，往來如織，未嘗一日廢也。在古則宜，在今則否；在南則利，在北則否；在民則可，在公則否；在海則易，在河則難，吾亦不知其何説也。」此不穀之見也，謹并志之。嘉靖戊戌正月金壇于某記。

潘季馴《總河題名記》：題名者何？題總河諸臣之名也。題之者何？考其人、鏡其事某也，善從而帥之某也，未善從而改之。凡以爲河也，夫談何容易哉！自北通州以致浙之武林，凡三千七百餘里。通州至天津，則資潞、白、桑乾諸河，抵直沽入海。由天津至臨清，則資漳、衛之水而與汶合。由臨清以至徐州之古洪，則資汶河而與泗合。由洪至清河縣，則黄河挾沁、汴、涇、渭諸流，經河南出豐碭，而合汶、泗於古洪之鎮口閘外，歷徐、邳、靈、睢、桃、宿以抵清口，而與淮合由清口入清江浦。裏河至寶應，則資通濟閘所納黃淮分派之水，以達高寶諸湖，而浮舟抵江矣。由鎮江之京口閘以至常州，則資江潮之水，故視潮之大小以爲盈涸。抵常則宜溧諸山之水相濟，而借其入江之速也。由常至浙，則資苕、霅諸溪之水，此運道之大都也。而漕河各有憂焉，馮夷扬波，則河湖有洚洞之虞，而内漕安如衽席；祝融煽虐，則内漕方慮涸轍，而河湖瞬息千里。至如清、黄交會之處，黄漲則高，内灌成淤，水勢所必然，未可以人力勝者。此天地之大河有憾焉！而總河者不亦難乎？然水有道，得其道則順，不得則逆，吾求其所以順之者乎？昔成祖建鼎燕京，餉道爲急，尚書宋公禮浚復元會通河，導汶出南旺，分濟南北，而二百年享其利。沭陽伯金公純浚黄河故道，引水入塌場口，會汶入淮，而運道遂通。陳恭襄公瑄提管家湖通清江浦，以河爲運，而元人海運之患遂絶。弘治年間，河决張秋，劉忠宣公大夏董夫塞之，築長堤，自武陟至沛，碭千餘里，蟺蜿外護，至今稱之曰「太行堤」，而漕道遂安。嘉靖甲午，河南徙魚、沛、濟、單，匯爲巨浸，内漕淤墊，運道梗阻，議者另鑿一渠，而中丞劉公天和毅然争之曰：「宋公之業，安可弃哉？」畢力疏浚，而故漕遂復。嗚呼！高山仰止，景行行止！數君子者，非我師乎？馴，猥瑣鄙人，不足挂人齒頰，謬承明命，自嘉靖乙丑，歷隆、萬，四役於河矣。而不能仿佛數君子之萬一，以貽後來者之安，真可愧矣！雖然，夷考數君子之治河也，皆以循復故道爲主，未嘗有私智穿鑿，炫奇驚新，博名高，要捷徑者。夫禹之治水稱神矣，而疏九河、排淮泗、决汝漢、瀹濟漯，乃其胼胝之功也。晦翁夫子釋之曰：「疏，疏通之也。曰决、曰排、曰瀹，亦疏通之意。」則知九河、淮、泗、汝、漢、濟、漯，皆天地固有之河，禹特疏之以復其故，非創鑿也。《禹貢》云：「九澤既陂，四海會同。」傳者曰：「九州之澤，已有陂障，而無潰决，則四海之水無不會同，而各有所歸。」是所以固其疏决排瀹之功者，惟陂障是圖耳。蓋必如此，而後謂之行所無事，謂之大智，謂之神禹。之數君子，其深得禹之心法乎！余不敢望數君子之後塵，而循兩河之故道，守先哲之成規，則固竊有志焉而未之逮也。舊有碑樹之堂左，數君子之名在焉。石無餘隙，有司以再建爲請，余不自揣而妄識其端。恭襄公以非總河，缺其名氏，而其功不可泯也，故爲著之。若其未善而當改者，馴其人云。

萬曆庚寅季冬之朔，雪人潘季馴撰。按，嘉靖七年，總河盛應期於昭陽改換新河，功半而罷，至朱衡始成之。隆慶三年，翁大立請開泇河未果。萬曆三十二年甲辰，李化龍卒開之，而漕運以利。潘司空必以另鑿一渠爲非，亦偶然之偏見。

王國楨《河道題名記略》云：國家定鼎燕京，仰藉東南歲漕四百萬石以給京師，惟是漕渠一脉，爲之咽喉。漕渠通塞，國計盈縮，以之漕故重，漕重則任漕者亦重。且此地水陸交衝，四方商旅雜處，貨財萃聚，釁蘖萌生，易爲餉道梗。永樂初，會通河始開，嘗命大司馬統兵十萬鎮守濟寧矣。正統五年，以山東參政理河事，天順二年設御史一員、副使一員，整理南北河漕。正德七年，設主事一員管理，而方面之臣始罷。隆慶時，兵部侍郎萬公總督河道，奏立軍門，設管河兵巡一人以佐之，濟寧道所從來矣。夫曰管河有疏浚淪注之責，曰兵巡有防禦敉寧之任。先是諸君子皆海内名賢，振猷展采，奏績河工，昭灼在人耳目。然而當其事者，亦難矣。河不潰而四出，即馮夷爲政，慮在咽喉，舉國家大命脉而懸之一衣帶之間。戈鋋朽鈍而不銛，如劇盗横閭左十餘發，發輒與使相掎角。間有大俠至，欲以丸泥扼其喉，而據以爲資。幸藉聖天子威靈，諸君子相與灑沈澹災，不遺餘力，究之安瀾覆盂、定革隱刃，固諸君子之神情有以綰結之也哉！《前志·題名》。

李如圭《治水行臺記》曰：我太宗文皇帝建都幽燕，資東南財賦以實京師。永樂初，由海而運，每歲不免漂溺。繼乃修復元時會通河運，然會通河實賴山東諸泉源焉。泉源散在各州縣，舊制每泉各置泉夫、老人，以供疏浚之役，州縣委官領之。兖州府既設管泉同知矣，而復設工部主事一員，專管督理，蓋欲其泉之常達，而爲漕舟之利也。百餘年來，遵行罔失，糧運大通。回視海運，安危得失，何啻天淵矣！奈歷歲既久，立法本意，多未講求，故挑浚之功則密，而浚泉之力則疏，以致有山東泉微之説。近歲黄河决飛雲橋、决穀亭鎮，衝溢運道，反謂藉之以行舟，其誤甚矣。邇者黄河南徙，濟寧而下一帶閘河泥沙淤澱，舟不能行。嘉靖乙未夏，始用人力挑通。然泉源既云微，而河水則又徙，河道雖復，水安賴焉？時余致政家居，仰荷聖恩，起於山林之中，授以河道之責，以丙申仲春至濟莅事。時河水淺涸，舟甚艱行，衆爲余危之，余曰：「不然，山東閘河因泉源而開，欲河有水當於泉源求之。」乃申飭府、州、縣官員，務以浚泉源、導泉流爲事，定限完報。余乃駕舟，閱視濟寧湖水，見其波光浩蕩，即諭衆曰：「此水亦可以濟矣。」衆曰：「河高湖卑，水將安出？」余乃令管河官將湖水開渠，引至河邊，置造桔槔之具，掣水入河。已而南旺、安山等湖，俱施以此法。隨又將各處淤塞溝渠，皆爲疏導，諸停蓄之水咸得以入於河。甫及兩月，各處泉源浚矣，泉流導矣，水且至矣，漕舟之行略無阻滯，而亦無事於挑撈之功、桔槔之力矣。仍令管河官，將各湖堤修築蓄泄，以備旱潦。因慮山東一帶閘河常賴修治，而修治之道，器具爲先。濟寧舊無廠舍，往歲遇有修治，工完，器具即於所在貯之，漫無稽考，且多損失。況臨河亦無館署，糧船過濟，殊乏督理之地。余乃謀於管河郎中楊君旦、管閘員外郎邵君元吉、管泉主事顧君翀，於城西臨河易地貿材，命匠督役，中爲門堂，以便臨視督理。堂之左右爲廠房，以貯器具。圍之以垣墻，華之以繪畫，固之以鍵鑰，守之以夫、老。經始於夏五月，落成於秋八月，匾名之曰「治水行臺」，偉然爲漕河壯觀！楊君輩謂余宜有言以記之，且余以治水爲任，固不可以不文辭。蓋嘗思漕河形勝，誠天造地設而有所待者。夫自通州以至儀徵，凡三千里，而南旺分水，適當其中。南由閘抵徐州，則會黄河至淮安入海。而揚州湖水接之，以達於江。北由閘抵臨清，則會衛河至天津入海，而通州白河接之，以達於京。南北地里之遠近既侔，而水道之接濟亦類，雖圖畫亦不能盡其妙，誠天下河道第一形勝，我聖明億萬載無疆之業也。項年以來，因河道多事，專命大臣總理，而黄河亦兼治焉，蓋以黄河利害與運河有相關耳。余以菲謭，濫叨斯寄，每思兩河修治，大要不同。竊謂，治運河者須治其源，而河有體用，源乃體也，河其用也。治黄河者，惟治其流，而水有常變，小者常也，大其變也。治運河者，浚泉導流，不少懈怠，則體立矣。而又挑淺、修閘、築壩、治堤之類，其用亦行，河其少艱乎？近余具題議處漕河急務，已蒙睿旨：漕河全賴泉水，近來多致淤塞，及被豪强侵占，吏部便推選素有才幹同知一員，專一疏浚，差去部官務要同心督理，不許虛應故事。通行遵奉矣。治黄河者，於水之常遇有沙泥淤塞，則用人夫駕船於水中，以鐵扒并尖鐵鋤浚之，使沙泥隨水而去。夫淤塞既除，則水得其道，自無衝决之患。更修築堤岸，以禦水之變，或護城池，或防耕種，使民得遂其安養，而免淹没之虞，則黄河之事可少濟矣。今黄河三委：一由蘭陽大名山東至蕭縣出徐州，一由寧陵、夏邑、宿州出宿遷，一由亳州合渦河會淮水出清河。三委俱當疏浚通流，以殺水勢。第人多狃於俗見，惟以瀰漫之勢爲言，謂黄河爲神水，不可治，要在斷然行之耳。近余具題議處黄河大計，亦荷俞允，依擬施行矣。若夫今日徐、吕二洪，則在用黄河之水由蕭縣出者，經小浮橋與閘河泉水合流共濟焉，是皆於其要處致力如此。顧余以一得之見，因事制宜，輒乃自信，抑嘗試之，若有驗然。且以職務所關，不敢隱默，因并兩河於此發之，以備高識遠覽之君子采焉。至於修建之詳，不多及，謹記。時嘉靖十五年丙申冬十月朔日。《前志·建置》。

王鏊《分司題名記》：正德四年春，都水主事王君仲錫受命分司濟寧，乃考圖相方，循舉庶政，人用嘉悦。因考前任氏名碑諸亭，以示永久，予爲記其成績，其詞曰：維濟州據齊魯之交，當南北道里之中，受泗、沂、洸、汶諸水分流，其地斗峻，勢若建瓴，厥流湍激易涸，漕行孔艱。前元疏鑿百方，僅濟旋塞。國家定都幽薊，歲漕東南，以給都下，於是謀夫獻畫，丁壯用命，改築河流，避危趨易。又疏諸泉，以壯其源。增修諸閘，以節其流。漕道斯通，公私利之，蓋百三十年於兹。然每當春夏，旱熯爲虐，河流如帶，漕舟鱗次待濟者動千萬計。又况中外臣工，獻新朝正，商貨番琛，四面駢集，争先覬便，敓攘嗷呼，欲疾而遲，欲通而窒。惟分司得人，號令嚴重，疏浚有法，則旱乾爲水溢；啓閉有程，則鬥争爲退讓。予過山東，水涸舟膠，寸步莫前。王君乃以南人灌田之法，轉輪激水，舟遂克濟，往來者皆稱其便。舳艫千里，魚貫而至，千艘萬檣，武夫詵詵，不嘩不争，粤惟都水君之令。皇都翼翼，倉庾維億，陳陳其積，既安既食，是惟都水君之績。君曰：「前人之功，其何可忘？」用鑱諸石，以無忘其始。增輯。

國朝靳輔《總河題名記略》云：昔者，尚書宋公禮導汶出南旺，至今三百年賴之。陳恭襄公瑄堤管家湖，而海運絶。劉忠宣公大夏築太行堤，而運道安。宫保潘公季馴主復故道，而河稱一治。今者水濱寂寞之鄉，諸君子之陳迹，固無异於衆人。而流風餘韵，即三尺豎子猶能道之。然則觀諸君子之所傳於身後者，名實之際，不可識乎？余得生諸君子之後，有所則傚，幸矣。而力有所限，學焉未逮。嘗考黄河南徙之迹，由禹到今，即其入海處所，已相距千三四百里。則數千年中，東衝西突，遷徙不常之况，亦可想見。今者河日寬深，寬深則雖有暴漲之水，自能容息，而不至於氾濫遷徙。倘善守之，或者河之氣数當亦治歟？

按，《兖州志》云：「兖之爲域也，黄河帶其裔，漕渠貫其中，盖襟喉之地矣。」國家定鼎燕都，仰給東南，惟是一綫之流，以供天府。故漕渠通塞，則度支由之盈縮；而河流順逆，則漕渠視以通塞。二者皆國之要務。《府志》所載，本之《通志》。而《前志》所載，本之《運河備覽》。二書不可偏廢，詳其目而略其綱，無以考源流而論得失。至於各閘形勢，官斯土者，皆有司漕之責，不可不瞭然於目也。爰博采，以諸書補之。○元之會通河，自安民山至臨清，共二百五十里。其自任城至安民山，共一百五十里，則初開之濟州河也。至明時，重加疏浚，始統以「会通」目之。元至元二十年，命兵部尚書李奥魯赤等，自任城開渠，達於須城安民山，自濟寧至東平，凡一百五十里。自奉符爲閘，一曰堽城，以導汶水入洸。東北自兖州爲閘二，曰金口、曰黑風，以遏泗水，會洸，合而出於任城之會源閘，即天井閘也。分流南北，自任城至沽頭，地降一百十有六尺，爲閘九：曰分水，曰天井，曰任城，曰趙村，曰石佛，曰新店，曰師家莊，曰棗林，曰南陽，南入於河。至正間，又於新店南建黄棟林新閘，其北流者至安民山入清濟故瀆，經東阿至利津入海。通漕由海道達直沽，即今天津也。後因海口沙壅，又從東阿舍舟，陸運經二百里，抵臨清，下漳、御，以北道經茌平。地勢卑下，夏秋霖潦，艱阻萬狀。至元二十六年，詔從壽張尹韓仲暉、大醫院令邊源之請，遣禮部尚書張孔孫等，復自安民山西南開河，由壽張西北徑東昌以至臨清，凡二百五十里，引汶絶濟，直屬漳、御。北自安民山至臨清地，降九十尺爲閘八：曰荆門下，曰阿城上，曰阿城下，曰七級上，曰七級下，曰周家店，曰李海務，以資節蓄，賜名會通河。至正間，又於南旺建開河閘，然當時河道初開，岸狹水淺，不任重載，每歲不過漕數十萬石。故終元之世，海運弗輟。明洪武初，河决曹州，從雙河口入魚臺。時方用師梁、晋，命大將軍徐達開塌場口入於泗，以通漕運。二十四年，河决原武黑牟山，由舊曹州鄆城兩河漫過安山湖，而會通河淤，乃於濟寧西二十里開耐牢坡口引漕運。黄河水由牛頭河九十八里，至魚臺之塌場口，出穀亭以爲連道，北有忙生閘通南旺，中有永通閘通濟寧，今謂之舊黄河是也。成祖都燕，河海兼連，江淮之漕，沂、黄河抵原武，陸轉至衛輝下御河達京，歷八遞運所，民苦其勞。永樂九年，用濟寧州同知潘叔正言，遣工部尚書宋禮，并都督周長、侍郎金純，役丁夫十六萬五千人，疏浚會通河故道，自濟寧至臨清，三百八十五里。禮以會通之源，必資汶水，乃從汶上老人白英計，於寧陽之北築堽城壩，以遏其入洸之流；於坎河之西築戴村壩，以阻其入海之路，使全汶西南流，由黑馬溝至汶上之南旺口分而爲二，北流抵臨清者什之六，南流達濟寧者什之四。南旺者，地勢高，决其水，南北皆注，所謂水脊也。又增置各閘，自分水北至臨清，歷閘十七，而達於衛南；至沽頭，歷閘二十有一，而達於淮。又奏浚沙河入馬場泊，以益於汶。又奏開新河，自汶上袁家口左徙二十里，至壽張之沙灣，接於舊河，而會通河以復。又命侍郎金純，自卞城荆隆口，下達魚臺塌場口，築堤導河，經二洪入淮。漕事定，爲罷海連。成化間，於分水口南建一閘，曰南旺上。於北建一閘，曰南旺下。每三年大挑，以疏其淤塞。又於閘之左右，各建减水閘一，曰斗門：一通馬踏湖，一通蜀山湖。平時則斗門盡閉，中閘常開，放水入運。遇洪水，則斗門盡啓，中閘下板，沙泥盡隨斗門入湖，大挑始爲省力。又增建袁家口、安山、靳家口、沙灣等閘。又修沙灣以北元人所建各閘。又於濟寧天井閘，南穿月河四里許，置三閘，曰：上新、中新、下新。於師家莊閘北，增仲家淺閘，南增魯橋閘。又建一小閘，曰埢里，遏泗水入漕。又於濟寧永通閘南，建閘一，曰永通下。於南陽閘東建閘一，曰廣運。又於魚臺之吉家淺建閘一，曰廣運上。又於孟陽泊南建閘一，曰八里灣。水小則由天井閘而南，水大則開永通閘分流，由牛頭河下廣運閘而南。總由南陽湖達穀亭，經昭陽湖西岸之孟陽泊閘。又南經八里灣閘，過沛城達飛雲橋。此後，又從沙河橫截昭陽湖西南，經沛縣東，抵赤龍潭，轉入秦溝，出茶城，以通大浮橋，今之舊運河是也。正德間，河決曹、單，直衝沛邑，趨飛雲橋入運。工部侍郎崔巖，役丁夫四萬二千有奇，弗能塞。俟其自定，而後築堤捍之。嘉靖初，沛縣、曹、單、城武、塌場口黃河屢決，自濟寧至徐、沛，運道悉淤。都御史劉天和，築曹、單長堤障之，運道始通。既而河決野鷄岡，徐、吕二洪俱涸。兵部侍郎王以旂浚李景口，引水由蕭縣出小浮橋濟洪。後曹縣復決，衝穀亭。迨房村之決，漕舟阻閣於邳以下者至二千餘。都御史魯鈞疏浚下流，役夫數萬。未幾，自新集至小浮橋悉淤，全河之水俱徙於此，從沙河至二洪，無復漕渠之迹。於是，另議開河，而南陽新河之道啓矣。○夏鎮、留城、李家口、鎮口等河，均謂之新河。今運道所由，南自李家口北，至南陽閘，計一百二十餘里。明嘉靖初，河決沛縣，工部侍郎胡世寧上言：「運河之塞，河流致之也。使運道不假於河，則亦易防其塞矣。莫若於昭陽湖東岸，滕、沛、魚臺、鄒縣界，擇土堅無石之地，另開一河，南接留城，北接沙河口。就取其土，厚築兩岸，爲湖之東堤，以防河流之漫入、山水之漫出。而隔出昭陽湖在外，以爲河流散漫之區。」下其議，總河盛應期以爲可行。役丁夫九萬八千開渠，自南陽經三河口、薛河、沙河、趕牛溝，俱會此口，過夏村即夏鎮，抵留城，百四十里。閱四月，怨讟上聞，褫職停工。自是，四十年無敢言改河者。至嘉靖四十五年，運道大壞，工部尚書朱衡謂：「黃水未消，工難措手。惟南陽至夏村，地高土堅，黃水不侵，河路徑捷，挽輸更便。」疏請開挖，以備運道。兼采都御史潘季馴議，請浚留城口至白洋淺舊河，屬之新河。言官有狃於沽頭舊運，而乘雨久水溢以阻其成者。會給事何起鳴以勘議上言：「舊河難復，新河宜開。」得報，可。時南陽口至仲家口，已通舟行，惟夏村迤北十七里未與水接，乃加力開浚。創利建、珠梅、夏鎮、西柳莊四閘，砌馬家橋、埽口石堤，遏河之出飛雲橋者入秦溝。淺浚復留城至赤龍潭舊河五十餘里，以接泉水。六月，工甫績，適暴雨横溢，嚙新堤幾盡。百中橋至白洋淺一帶，亦淤。言官復劾衡誤河工，而衡報糧艘已過薛河，抵南陽出口北上，得不問。迨九月，馬家橋石堤成，在南陽閘南。水南趨秦溝，飛雲橋之流始斷。而言者終以復舊爲便，衡言：「黄水自西來，而舊河在昭陽湖西，横截舊河，以達湖水。去沙停河，所以數年必一淤。若新河，則在湖之東，相距漸遠，黄水淤塞舊河，而不及新河，有之矣。未有至新河，而不淤舊河者也。」隆慶元年，山水驟漲，衝塌薛河石壩，復淤。三河口糧艘多壞，議復嘩然。給諫吴時來言：「舊河已不必議，惟新河所受上源山水，亟宜疏浚。」詔仍下衡區畫，乃經理沙、薛。上流既開東邵支河，以殺其勢，即於東邵築土壩，薛河口築石壩，以障其流。又挑王家口支河，以泄薛河之水。即於王家口、爹裡溝，俱各築土壩，以攔薛水之溢。引薛河水，由吕孟湖出地濱溝。挑皇甫支河，以泄沙河之水，即於皇甫、翟家口、宋家口各築土壩，以捍沙河之趨。引沙河水，一由尹家湖出鮎魚口，一由獨山湖出滿家口。又築三河口石壩一座，南陽湖石堤三十餘里，凡建閘九，築堤十三，置減水閘十四，開支河九十六里。三年，又於昭陽湖以東，沙、薛二水所從入舊河處，開鴻溝廢渠，達李家回回墓，而東出流城閘，計六十餘里，以泄積水。自此，運道俱由三河。改夏村爲夏鎮，然有夏鎮河，有留城河，有李家口河，有鎮口河，總名之曰「新河」。夏鎮河爲尚書朱衡所開，乃循盛應期未竟之緒。其河起南陽七十八里，至王家口由朱家集折而東，又南經夏村五十七里，至留城是也。留城河乃尚書朱衡采潘季馴議，疏浚舊河屬之新河者。其河北至滿家橋四十里，南經泰山，由茶城口四十五里出濁河是也。自李家口河開，此河遂廢。李家口河則潘季馴所開，以避留城一帶之湖水者。其河自吕公堂迤西，轉東南，經龍堂至内華閘，以接鎮河口，共一里。鎮口河則都御史陵雲翼所徙，一十八里内建三閘，隨舟出入，爲啓閉者。閘成，不勝黄水之灌注，閉日常多。諸湖泛溢，新舊兩渠仍通，爲一二十年間屢變屢遷，總以地逼於黄，故河患不息。於是再議開河，而泇河之道啓矣。以上俱載《通志》，衛河、泇河非濟境，故不録。○善治水者，爲其水大而能治之使小，水小能治之使大也。水大而能治之使小，所以除水之害也。水小而能治之使大，所以資水之利也。故古之治河也易，今之治河也難。古之治河，止以除水之害；今之治河，兼以資水之利。惟其止除水之害，故禹之治水，使水以四海爲壑而已，無餘事。惟其兼以資水之利，故不得聽其以海爲壑，必使之曲折迴旋，致其水爲有用之水，而其餘乃歸之於海也。此善治水也。若竟聽其以海爲壑，則不得資水之利矣。若使之曲折迴旋，致其水爲有用之水，而其餘不使之歸海焉，則資水之利，而究不免於受水之害，烏睹所謂善治水者乎？國家歲漕，東南數百萬以實京師，所藉者會通河一綫之水耳。故方其旱也，則運道乾涸而漕病。及其潦也，則潰溢衝决，民病而漕亦病。所貴乎善治水，有使水不至於甚大，而堤岸無漫溢之虞，民田免淹浸之患；使水不至於甚小，而運河不致於淺澀，糧艘不致於艱阻，斯已矣。南陽閘官管南陽、利建、邢莊三閘。此三閘最關緊要，下板一不嚴，而魯橋、棗林勢必淺阻。故此三閘與棗林閘，均宜俟會牌，必上下兩閘，閉中間一閘，乃可啓板，則水勢不致妄泄，而糧運無淺阻之患矣。師莊閘宜酌量上下水勢，俱足則此閘宜下板蓄水。如棗林閘上水淺，船不能行，糧船既過棗林閘，棗林閘閉板，即啓師莊閘，如仍淺阻，即并啓仲家淺閘，則船自易行矣。石佛閘閘背亦低，趙村閘背既接高四尺，石佛閘背亦宜接高三尺，閘板宜下十四塊，則上源有蓄，不至過泄。趙村閘閘背亦低，任城閘背既接高五尺，趙村閘背亦宜接高四尺，閘板宜下十六塊，始足蓄水，而糧船不至淺阻。任城閘，舊例下板十八塊，始足蓄水。蓋天井閘高，此閘最下，若下板或少，則水一泄無餘。故此閘最關緊要，其稽查之勤，宜倍於天井，始足以關上源之水，而不至於下泄，此南運之一大關鍵也。其放船之法，亦宜隨到隨放。則濟寧以南之船，自不至於壅積矣。天井閘宜用板十五塊，使水蓄在閘上，常使有餘，毋使不足。此閘啓板，任城閘須下板十八塊，勿使水泄過多。如下邊水小，酌量啓一二塊，放下些須，務使足用而止，不可過淺，須與任城閘兩相照應。通濟閘，舊例下板十二塊。但閘夫利於少下，故閘之上下每有阻澀，須時爲稽查，使板全下，則運艘自可通行矣。十里鋪閘，在五里營閘之上。五里營已廢，不必言矣。至十里鋪閘，亦不可輕開，蓋此閘界在湖心，一經開放，則湖水一泄無餘。惟白嘴開放無妨，安居閘亦不可輕開，爲其泄水太甚故也。必俟白嘴不能入運，方可開放此閘。永通閘，所以泄運河之水入牛頭河者也。每逢水漲，運河難容，則由此閘宣泄。故天井閘水不甚大，糧船得以遄行。自永通閘堵閉，運河之水無處宣泄，天井閘水勢湍激，糧船難行。今議復建此閘，水大則泄之，水小則蓄之，誠宣泄之善道也。寺前鋪閘，宜下板十八塊，蓋板須多下，則水不大泄也。如閘上水大，則令由盛進口、張箱口入南旺湖以蓄之，務使水足濟運而止。水小則宜加板，草塞席貼，毋使泄水。此閘最關緊要，南泄太多，則水之北行者少矣。柳林閘爲南運第一閘，最關緊要，須多下板，草塞席貼，不可輕忽。蓋南行水多，則北運之水必少矣。且此塘無慮水大，水大則由斗門入南旺湖以蓄之。北運用水，則放之北行；南運用水，則放之南行，斷不可使之輕易過柳林閘也。開河閘板，可不必下。開河若下板，北運再無不淺阻之理。或曰：「開河不下板，十里閘下糧船淺阻，奈何？」曰：「俟糧船淺阻時，再將開河酌量下板三五塊，至糧船齊幫後，則將板盡啓放。及船放完時，閘板又不必下矣。」以上《居濟一得》。〇石佛閘，雍正三年拆修，金門展寬五寸，加高一尺，實寬二丈，高二丈三尺五寸。自上而下，每尺收進五寸，計至閘底實收一尺一寸五分。乾隆三十八年，突有杭嚴幫新造之船卡住不行，歸咎閘門太窄，議請改建展寬。當以一丈九尺丈竿緫量，閘墻七八尺以下方不能容。又以一丈八尺九寸丈竿緫量，閘墻一丈七尺以下方不能容。以上皆寬二尺，容受一丈九尺之竿，均屬有餘。因何卡住，該船不能前進？當經閘官將船身細量，則寬至一丈八尺四寸，站板尚在其外。因思運丁造船，并不遵照漕規一丈四尺四寸之定例，妄欲拆造閘座，遂其私圖，以便多裝貨物。不知船重貨多，一遇水小之年，在在阻攔，即塘河寬廣之處，亦難駕駛，安得一一歸咎於閘門之狹小耶？此於漕政大有關係，備録於此。《運河備覽》。

○橋梁《前志·川澤》錯列「橋梁」，後附「橋、社」，今以「橋梁」別爲一門。

飛虹橋　南門。金門寬二丈二尺七寸，高一丈六尺八寸。

朝天橋　北門。

通泗橋　東門。

通津橋　西門。

馬驛橋　在東門外，跨府河，一名泗水橋。

林家橋　在東門外，跨府河。《兖志》。

大蔣橋　石砌三洞，城東八里，泄府河漫溢之水入陂。

姜家橋　石砌九洞，州東三十里，跨泗水上。明萬曆中，耆民姜龍湖建，尋爲水衝。康熙十一年，里民胡若琦、劉宗允各捐金，僧照智募化重建。

通濟橋　城東南二里。

夏家橋　西門外，石砌三洞，跨府河。

曹井橋　城西十八里。

望仙橋 北門外，石砌一洞，跨府河。

龍拱橋 城北。

濟民橋 城東南，馬驛橋南。正德三年，主事童器建。

太和橋 小閘後板橋。

觀瀾橋 城東南天井閘上，洸、泗二水所經。

蓼溝橋 城東南二十里，《萬曆志》云：「椽吏宋清建。」

兩川橋 城東南魯橋鎮，《明志》云：「金創修。」

會通橋 南門外，洪武四年建。

草橋 城西南，又名西草橋。明永樂九年建，跨漕河。

濟安橋 城南，跨月河上新閘口。明永樂九年建，天順三年修，主事孫仁移置。今曰濟陽橋。

西鄭橋 州西南，「白衣尚書」故里。

張家橋 城東九曲莊，《明志》云：「里人程位修。」

陂石橋 城西北二十里，《明志》作「破石橋」。○以上并見《通志》。

仙公橋 城北。《明志》云：仙障創修，靳學顔《記》云：「在城東南三十里馬家溝上，舊以木植仙，公用三百金易以石。公名璋，字朝用。嘉靖三十四年四月。」

廣惠橋 在城東北十里洸水之東。明弘治時建。○劉槩《記略》云：濟爲古任城，西有大澤，餘三面亦多卑濕。每夏秋霖雨連作，横污瀰漫，望無涯際。郡東北十里許，厥土惟下，嵫陽山一帶行潦趨於此匯瀦。既大決，入於洸，其道横截大塗。當是時，驅者、載者、徒者病於淖。鄉善士侯剛、邵潤者，相聚以謀鳩工，跨水道東西爲橋基於兩涯，而架過其上。廣尋有半，長四尋，中爲門以過水，高尋之半。門者以磚，基者、架者皆以石。稍稍南去里許，又爲小橋一。始於癸亥八月，訖於明年甲子十月。橋既成，名之曰「廣惠」。

積水橋 南門之右城河由此與運河通。

永濟橋 西門外武勝街北。康熙五十六年，州人王隆卿等重建，有碑。橋下有馬冢，乾隆丙戌，知州龔孫枝埋馬於此。

青雲橋 永濟橋西。乾隆七年，劉、靳等姓重建，有碑。○按，城西之水汗漫無歸，順治初，總河楊方興曾開小河於狀元墓西，引入馬場湖。今不然，南則出會通橋，西則由青雲、永濟二橋歸城河，繞城西南角，由南門之積水橋入運河。并《前志》。

按，《通志》載濟寧橋二十有一，《府志》止載其五，兹從《明志》增一，《舊志》增一，《前志》增六，共二十有九。《前志》尚有列入「川澤」者七，今并書之。

小南門橋 跨中新河。永樂九年，同知潘叔正建。《泉河史》。

三控橋　跨馬場湖府河口。康熙年重修，原名便民橋，有明萬曆四十年知州唐世柱碑、陳伯友《記》。○「控」當作「空」，今從碑。

五里營大橋　城東五里。有鳳陽府知府、州人李明易《碑記》。《前志·采訪》。

毛連橋　片玉閘下。

站馬橋　碎玉閘下。并見《泉河史》。《前志》入「泉源」。

硯瓦溝橋　魯橋閘下。

魯　橋　唐時建，歷宋、元、明，屢修。元潘士文《重修魯橋記略》云：任城之南六十里，有曰魯橋者，館傳在兹，東通齊魯，西連鉅野，南引淮楚，北抵京師。歲時諸王大臣朝會貢獻，經涉於此者，非舟即驛，橋當衝要，非細務也。稽諸遺記，自宋景德三年，迨天聖八年，已再完立。治平甲辰，又復完之。歷元符，迄政和，屢廢屢興，其來尚矣。皇元泰定三年，又爲新之。延及至正四年，黄河泛濫，與會通、洸、泗接敵，蕩潰日久，靡策可除。兼以霖潦，相仍諸山之水，洶涌合流，一滙於中。至正八年六月己未十三日戊寅，以水故而橋大圮。橋既圮矣，驛道弗通，使臣至此，悉靡獲濟。假民居以爲休憩之所，民甚病之。越明年春，濟寧判官李朝信勸率耆舊，欣助樂施之一二，欲疊故基而復前迹。至是，以水故而功弗克。乃錮石爲垛，市巨木，命工爲浮梁，以便驛道。工以傭僦，民用樂趨，繚以木欄，長與橋齊。未逾浹旬，厥工告畢。行者居者，兩無所苦，其功利未可以歲計也。

安阜橋　東門外，跨玉帶河。河久淤成路，道光二十年，倡捐挑浚，庋木以通往來，民咸謂不便。工竣，勸商民公修板橋，以復舊制。補輯。

橋社附　知州吴樫《牧濟録·橋社議》：《周禮》：「司險氏掌九州之圖，以周知其山林、川澤之阻，而達其道路。」又按，《工律》内載：「凡橋梁、道路，府、州、縣佐貳官提調，於農隙之時，常加點視，修理務要堅固平坦。若損壞、失於修理、阻礙經行、津渡之處，應造橋梁而不造，應置渡船而不置者，提調官吏坐罪有差。」是古司險之職，分責之天下地方官矣。濟寧當水陸交衝、舟車會聚之地，往來如織。設道路、橋梁不加修治，阻礙行旅，即是曠廢職業，釐不敢不慎也。運河九閘，各設有抽橋。而四境之内，大小河道甚多，或原無橋，或有而傾倒、損壞及狹小、危險，應建應修者，不一而足。工料之費，無出捐則力有不能。派之地方，則勞民動衆，不敢行也。濟俗有進香社會，每一方推一二鄉評信服之人爲會首，有願入會者隨力輸貲。會首經管生息，每年爲名山進香之費。因曉勸仿香社之例，立爲橋社。平日零星捐積，不覺費力，一遇有應修橋梁，取用裕如也。其無橋社之所，如有僧人情願募化建修者，聽之。或有義民捐修橋梁及設義渡者，獎勵成之。至於通衢大道，其地勢卑下者，一經久雨，則泥没踝膝。水積成渠，行旅艱難。或阻絶經時，或遠從紆道跋涉之苦，其何以堪，豈非守土者之責耶？於是督令附近鄉民，挑取路旁之土，築高增闊，深其溝洫，水有所泄。夾路更課民植柳，俾久雨免泥淖之苦，盛暑有濃陰之蔭。然須每年十月間，遍行查勘，遇有損壞，即加修治，毋得歷久壞盡致難施工，則往來行人長有履坦之樂矣。爲勸設修橋社會以利行旅事，照得濟寧爲四達交衝、五方雜處之地，行旅往來，絡繹不絶。而河津通衢所設，皆係浮橋，車馬經行，易以損壞。屢經設法修葺，奈橋多費繁，難爲歲修經久之計。查濟俗，習尚競舉社會，有佛會、神會、香會、燈會，種種不一。會首於朔、望日，醵取社錢，爲禮佛、賽神、進香、燒燈之費，以求福田利益。但求之冥漠不可知之地，何如修治橋梁，濟人利涉，作現在功德乎？合行給簿勸諭爲此示，仰某處鄉約，將本州勸設橋社之意，傳知所在居民，共舉修橋之社如香社例。公議年高德劭、鄉評素重者爲會首，該鄉約相協料理，凡入社之人，聽其多寡，輸錢於朔、望日，收貯會首處，登注簿内，以備修橋之用。年終，將簿繳查鄉約，會首若有不公及侵用情弊，在社之人即據實具禀，以憑查究。東關五：東門橋、東關一鋪暨城内東南隅兩地方。馬驛橋、東關一鋪。得勝橋、東關二鋪。浮橋、河東二鋪。觀瀾橋。河東二鋪。南關六：南門橋、南城一鋪、二鋪、九鋪暨城内西南隅四地方。天井橋、南城六鋪。

任城橋、南城五鋪。下新橋、南城七鋪。南小門橋、馮段村。中新閘橋。本地方。西關四：西門橋、西關一鋪暨城内西北隅兩地方。夏家橋、西三里營地方。草橋、草橋一鋪暨草橋河南涯東西。濟安橋。草橋二鋪。北關一：北門橋、北關一鋪暨城内東北隅兩地方。橋梁與水道相經緯，不得離而二之，不別分門。而橋社之説，真仁人君子用心也，故附於此。有志濟物者，或聞風而興起焉，其利溥哉！然非符令迫脅所可行也。《前志》。

附

王公渡 在草橋西。有碑記。

金鄉

凌雲橋 在儒學奎樓前，舊名「望仙橋」。《縣志》云：「在奎樓西有釣鰲臺，康熙時知縣沈淵重建，移閻家橋石作石墩，架以木梁，有碑樹橋旁。」今俱圮。

青雲橋 在學宫前。元延祐時，知縣牛天麟建。明成化時，知縣盛德重修。前有木坊一座，天啓時知縣李國泰易以石。面橋曰「青雲」，面路曰「雲路」。

望仙橋 在青雲橋南。乾隆十八年，知縣饒夢燕重建。并《縣志》。

春城橋 在東郭外，明商人徐全建。

蘇家橋 在城東五里。《兖志》云：「舊七洞，康熙時重修，增爲十二洞。」明廩生周道盛建，共七洞，久圮。康熙時，知縣沈淵重修，增爲十二洞。有《記》。

夾薰橋 在南堤，石砌三洞，明邑人周永春建。《前志》作「來勛」。

周公橋 在東南堤外，周永春建。

閻家橋 城東南六里。

大河橋 城南二十里。

十里鋪橋 城北十里。

道口橋 城東北十里。

石家橋 城西北十二里。

八里河橋 城西北石河上。以上并見《通志》。

淶河橋 城東南，原名八里橋。乾隆二十八年重修。《兖志》。鄉民霍大禮建，乾隆二十八年，知縣麥子淳移閻家橋、魏公橋、周公橋石廣修。

濟衆橋 在黄堆集，石砌，三洞。《兖志》。明知縣劉廣舉創建。

小石橋 接東堤，明鄉民朱卿建。

東堤橋 明鄉民張玫、王志學修建。

西堤橋 接西堤，明鄉民高晚等修建。

惠民橋　在西堤裏，明鄉民崔自立修。

惠廣橋　西郭外，明商人徐全建。

新　橋　南門外，明義官趙圮建。

廣通橋　接北堤，明知縣楊楫建。

新石橋　二座，在十里鋪，明鄉民莫自孔創建。

廣濟橋　河家店南，鄉民王復與楊澤修建。以上并《縣志》。

按，《通志》載金鄉縣橋十有一，兹從《兖志》增二、《縣志》增十一，共二十有四。

嘉祥

澹臺橋　城南三里澹堇山下，二十一洞。明教諭如皋周詔《城南二橋記略》云：成化癸巳，義官曹守信氏首倡，善士曹福聚總其事，城隍上曰：廣濟山川；壇下曰：澹臺邑令劉淵委福聚守壇舍，蠲其丁役，專修橋梁。成化二十年仲春月記。○邑人劉懷珍記，舊十二孔。趙述言、劉世賓修其八，餘則時應宿、夏茂清、王養性糾衆爲之。崇禎九年十月記。

廣濟橋　城西南二十里。《縣志》云：「在南門外。明成化中，義士曹瑾等捐資建。」按，廣濟橋，《縣志》與《通志》不同，蓋非一橋也。明嘉靖二年，訓導瑞安朱偉《記》

云「昔三洞」，今合爲一。邑侯某倡捐，與義民并將橋南路修築，直抵澹臺橋。

土山橋　城南二十里，土山集之東，古黄河上。《縣志》云：「明天順中，里人晁福海首衆爲之。」

堌頭橋　城南二十五里。《縣志》云：「堌頭村北。明城化中，道人唐有才修。」

魯翟橋　城東五里。《縣志》云：「明成化中，知縣張慶建。」

丁家橋　城西南九里。《縣志》云：「里人丁孟建。」以上并《通志》。

萬善橋　城西北十里。鄉賓王橚、劉綸遠等重修。

白家橋　城北十里。

王家橋　城北十五里。并《縣志》。

按，《通志》載嘉祥縣橋有六，《兖志》同。兹從《縣志》增三，橋共有九。

魚臺

秦梁橋　縣東南二十五里。《水經注》云：秦梁是也。詳「古迹」。

郎　橋　在舊治西門外。所謂「郎橋夜月」，即其址也，今圮。并《縣志》。

富民橋

南　橋　俱在城東二十里穀亭鎮。

郎施橋　西門外。

雙龍橋　城東南五十里，跨沙河。

鉅濟橋　城東北二十里穀亭鎮。

南陽壩　城東北二十里。以上并《通志》。明甄夢弼有《邑令王世蓋修南陽堤橋贊》，見《縣志》。

飛龍橋　在穀亭鎮。

岱航橋　在百里村東。河形宛然，相傳即趙王河也。并《縣志》。

馬公橋　《兗志》云：「城北五十里南陽鎮之南，下臨昭陽湖，爲衝要大道。康熙三十七年，知縣馬得楨創建，知縣金虞廷、張丕亨繼修。雍正十一年，副總河劉勸捐修，知縣馮振鴻《記》云：捐銀二萬有奇。」《縣志》云：「乾隆二十二年，水漲橋圮，馮振鴻修復。於橋西石路下設涵洞十七，以通湖水。三十七年，加寬十丈，增設橋洞。」《前志·川澤》作「康熙三十年涵洞七座」。馮《記略》云：湖水泛張，金濟積澇，壅而不下，議者無所歸咎，謂是橋實障之。有以其議上聞者，旋奉檄决水口一十八處，以資宣泄，而是路幾廢。逾年，水勢漸殺，請于各水口修建涵洞，上覆浮橋，使湖水暢流，而路亦不廢。估費九百餘金，協濟三百兩，餘自捐焉。唯逼處湖心，易至傾頽，踵而修之，所望於後人也。

按，《通志》載魚臺橋六，兹從《兗志》增一、《縣志》增四，共十有一。

附

蘇家壩 在沙河店北。

龐家堰 任城南六里。

穀亭渡 在穀亭鎮。

按，壩堰渡口凡三見，《通志》《府志》載其二，《縣志》略，今補之。

山泉石路在縣北七十里，往來孔道，瀕河爲患。乾隆三十年南巡，屬車經此。自大水口起，至青山泉河止，計長七百八十丈。兩邊砌石，壁高八尺，外植排樁，以防傾圮。中廣一丈六尺，實以土，杵築堅固。下建涵洞一十七座，湖水暢流，人不病涉。《前志》。知縣馮振鴻《記略》云：乾隆乙酉，將於濱湖之新挑河立行營焉。臬司富、道臺李、知府葉、同知陀公請河督葉、巡撫崔、藩司梁修建橋路，振鴻董其事。司廳李恒遵協修計，用銀九千有奇。增輯。

按，《前志·山川》附列「藝文」，以類記也。今以文案及記叙備考者，循舊書之，并增補名篇於後，其詩詞等類悉入「藝文」。

明陳伯友《通濟橋記》：自會通河開，由濟城而南爲任城閘，城之東則浣筆泉在焉。泉水涌出，向西南以與會通合。其河口在閘之南，適當商民輳集之處，昔人建橋其上，名爲「通濟」，其來已久，嗣屢壞屢修。萬曆三十四年，又就壞石傾欹將仆，行者兢若履冰，車馬戒爲畏途，或遷别道以過，人咸苦之。文學高君及諸好義者，相與咨嗟：「奈何令橋坐壞，以爲人苦？」則又曰：「修之不堅，猶勿修也。」乃號好義者，各相捐助，未幾而貲稇集，工子赴，則又曰：「橋可舉矣。」屬僧汝慧董其事，而僧又屬諸好義者經紀其用。起三十五年，次年告成，基深固，砌整密。又建神祠於橋右，西向以鎮水口。河東之居人，喜橋之成而高首事者之義，群請記於余。余行役僕僕，不遑搦管。至天啓改元，適以祝釐過里，則又復申前請。余乃進諸居人而問之曰：「若之修通濟橋也，抑知通濟之義乎？」居人曰：「濟當南北咽喉，子午要衝。我國家四百萬漕艘皆經其地，仕紳之輿舟如織，閩、廣、吴、越之商持資貿易者又鱗萃而猬集，即負販之夫、牙儈之侣，亦莫不希餘潤以充口實。冠蓋之往來，擔荷之擁擠，無隙晷也。斯其所通而濟者大也。」余曰：「固也。上古民俗淳慤，機智不起，麋鹿可游，鷗雀可群，不爭故耳。迨末世而人鶩於利矣，即纖毫之羸、尺寸之獲，且裂眦攘臂，而父子兄弟不顧也。是利藪也，固争囮也。魚之并目，鳥之比翼，蟶之待飼，蟩之待扶，有之以爲通也；鷄之呼食，蜂之共蜜，螟之似蜾，雛之哺烏，有之以爲濟也。人不過此七尺耳，争利以養此七尺耳。七尺者人，而禮、義、廉、耻尤人之所以人。胡乃一入利場，而交逐交角，賈機賈智，神魂之所托，夢想之所游，以至嗔喜嚬笑，俯邱頤睫之間，罔非媒取之計，而巧得之術甚之螫毒蜮射，不可方物者？不過爲此七尺耳。嗚呼！居常則七尺之外不相通濟，有如江湖同舟而遇風，則胡以越貊齊聲而望救？適空谷者聞足音而䩰，居异域者一見同國之人歡若平生，何以同閈共閭、朝處暮游之儕，而一遇小小利貲，乃反面而掉臂且相仇也？或之甚也！況乎覬覦無涯，命數有定，貪者不邀於分外，拙者不損於分内。千金之子，室積如邱，而終夜吃吃；丐者一果腹，而充然有餘。兩者貧富岐，而足、不足之願則比之懸矣。苟一曉於通濟之義，則知利者天地之物，譬一泫之源，而人共斟酌焉。分内不遺，分外不黷。入也于于，出也雍雍。各相範於禮義廉耻，而完此七尺之所以爲人。乃爲交暢於不争，而於通濟之義也大矣。」居人曰：「唯唯。」遂授而鐫之石。《前志·川澤》。

按，各橋碑不備録。録此兼論風俗之文，非徒作杠梁之記也。

魚臺知縣馮振鴻《青山橋改修石路議》：奉憲檄發估册一本，於各橋座仿運堤單閘式樣，由墻燕翅俱用雙料裡石，而於原估石路改用上工，估費八千三百餘兩，加節省以免賠累也。但是路南逼湖濱，東西横列，而上游白馬、泗河諸水自北而南，直衝其下，不比他處堤堰順河束水，易資捍衛也。前令張因地接鄒、滕，爲往來孔道，曾設法籌辦修建石橋、土路，以通行旅，而旋成旋毁，訖無所就。總緣土性鬆浮，風浪搏擊，隨水潰散。路潰則橋無所依，石工雖堅，亦難孤立。竊見馬公橋地踞湖心，歷今數十年未至坍塌，其工程頗爲完好。應請照依馬公橋式樣，不分橋路，俱用碎石叠砌，灌以灰汁。而於橋路之旁，先密布排樁，以防傾陷。細加核計，以橋座所節省，補工之嬴餘，較之憲册，所增不過一千五百餘金。而路與橋座一律完固，永垂久遠。不獨差事無誤，即往來居民以永戴鴻德于無既矣。至某待罪魚署，歷有年所，修舉廢墜，諸多未遑，所有增加銀兩，情甘捐賠其經費之數，仍照憲册報銷可也。

濟寧直隸州志卷三之一

食貨志

○户口

建邦設都民爲重，故「疆域」「山川」之次先登「户口」。《前志·户口》沿《舊志》，止載明以來。兹遠溯史志，見歷代盛衰之略，并詳列郡邑，以與方輿互證。近以道光二十年文册爲據云。

漢

東平國 領縣七。無鹽 任城 東平陸 章 亢父 樊

户 十三萬一千七百五十三。 **口** 六十萬七千九百七十六。

山陽郡 領縣二十三。昌邑 南平陽 成武 湖陵 東緡 方與 橐 鉅野 單父 薄 都關 城都 黄 爰戚 郜成 中鄉 平樂 鄭 瑕邱 甾鄉 栗鄉 曲鄉 西陽

户 十七萬二千八百四十七。 **口** 八十萬一千二百八十八。

東漢

任城國 領三城。任城 亢父 樊

户 三萬六千四百四十二。　口 十九萬四千一百五十六。

山陽郡 領十城。昌邑　東緡　鉅野　高平　湖陸　南平陽　方與　瑕邱　金鄉　防東

户 十萬九千八百九十八。　口 六十萬六千九十一。

按，以上《續漢書》孝順永和五年户口之數。

《文獻通考》載魏文帝景元四年，户六十六萬三千四百二十三，口四百四十三萬二千八百八十一。有統數，無分數。

晋

高平國 統縣七。昌邑　鉅野　方與　金鄉　湖陸　南平陽　高平

户 三千八百。

任城國 統縣三。任城　亢父　樊

户 缺。

按，《晋書》載武帝太康元年有户數，無口數。

南北宋

高平太守 領縣六。高平 方與 金鄉 鉅野 平陽 亢父

戶 六千三百五十八。 口 二萬一千一百一十二。

按，以上《宋書》孝武大明八年戶口之數。

北魏

高平郡 領縣四。高平 方與 金鄉 平陽

戶 一萬一千一百二十四。 口 二萬五千八百九十六。

任城郡 領縣三。任城 亢父 鉅野

戶 八千五十。 口 二萬一千七百八十六。

按，《文獻通考》載北齊戶三百三萬二千五百二十八，口二千萬六千八百八十。後周戶三百五十九萬，口九百萬九千六百四。有統數，無分數。

隋

彭城郡 領縣十。彭城 蘄 穀陽 沛留 豐 蕭 滕 蘭陵 符離 方與

戶 十三萬二百三十二。

魯郡　統縣十。瑕邱　鄒　曲阜　泗水　平陸　梁父　博城　嬴　任城　龔邱

户　十二萬四千一十九。

濟陰郡　統縣九。濟陰　外黄　濟陽　城武　乘氏　定陶　單父　金鄉　冤句

户　十四萬九百四十八。

東平郡　統縣六。鄆城　鄄城　須昌　宿城　雷澤　鉅野

户　八萬六千九百。

按，以上《隋書》大業五年，有户數，無口數。

唐

兖州魯郡　領縣十。瑕邱　曲阜　乾封　任城　龔邱　金鄉　魚臺　萊蕪

户　八萬七千九百八十七。　口　五十八萬六百八。

鄆州東平郡　領縣九。須昌　壽張　鄆城　中都　鉅野　盧　平陰　東阿　陽穀

户　八萬三千四十八。　口　五十萬一千五百九。

按，以上《新唐書》開元二十八年户口之數，《舊唐》同。《元和郡縣志》：「兖州魯郡開元户六萬七千三百九十一，鄆州東平郡開元户三萬三千三百八十九。」

宋

濟州濟陽郡防禦 領縣四。鉅野 任城 金鄉 鄆城

户 五萬七百一十八。 口 一十五萬九千一百三十七。

單州碭郡團練 領縣四。單父 碭山 成武 魚臺

户 六萬一千四百九。 口 十一萬六千九百六十九。

按，以上《宋史》崇寧時户口之數。

金

濟州刺史 領縣四。任城 金鄉 嘉祥 鄆城

户 四萬四百八十四。

單州刺史 領縣四。單父 城武 魚臺 碭山

户 六萬五千五百四十五。

按，《金史》有户數，無口數。

元

濟寧路總管府 領録事司一、縣七、州三，州領九縣。鉅野 鄆城 肥城 金鄉 碭山 虞城 豐

濟州領縣三。任城 魚臺 沛

兖州領縣四。嵫陽 曲阜 泗水 寧陽

單州領縣二。單父 嘉祥

户 一萬五百四十五。 口 五萬九千八百一十八。

按，《元史》至元二十七年户口之數。

明

濟寧州 領縣五，後領縣三，詳「沿革」。

户 三千三百七十六。 口 三萬四千一百六十六。

按，《兖州府志》：明洪武二十四年户口之數，萬曆初年清審過九，則人丁四萬三百二十四丁半。三十七年，五十四里不分等則，人丁五萬二千三十八。内除優免，實在

當差四萬九千五百五十四丁。在城十四里，曰在城一圖、四圖、五圖、七圖、八圖，曰南城一圖、四圖、五圖、六圖，曰草橋一圖、二圖、四圖、六圖、七圖，凡八千二百四十丁。東鄉十一里，一圖至十一圖，凡九千四百六十六丁。南鄉十四里，一圖至十四圖，凡一萬三千三百五十四丁。西鄉九里，曰二圖、四圖、五圖、六圖、七圖、八圖、九圖、十圖、十一圖，凡一萬四百八十八丁。北鄉六里，一圖、二圖、四圖、五圖、六圖、七圖，凡一萬四百九十丁。

國朝

順治元年，册報一萬七千五百九十丁。十年至十四年，新增三千三百，共二萬八百九十。

康熙元年至八年，新增二千四十三丁，并原額共二萬二千九百三十三。

乾隆三十一年，册報户五萬二百五十一，口一十七萬七千四百三十八。四十二年，册報户六萬七千一百九十七，口三十七萬七千二百九十三。男二十萬三千六百九十七，女十七萬三千五百九十六。《前志》。

道光六年，增益人丁十二萬七千四百七十四。十九年，册報户七萬九百十三，口四十萬二百三十九。大口男十二萬七千六百二十，女一萬六千三百三十一。小口男八萬七千八百七十，女六萬八千四百十八。二十年，册報户十萬七千七百二十一，口五十萬三千八百。大口男十六萬八千八百二十三，女十五萬九千七百三十四。小口男八萬八千九百三十，女八萬二千三百十三。

金鄉 原額一例人丁二萬一千二百二，增益人丁四千八百七十七。《兖志》。

乾隆三十三年，户二萬七千六百四十，口十七萬六千四百三十五。

道光六年，增益人丁七萬七百九十四。十九年，册報户四萬八百四十四，口二十萬一千二十七。大口男七萬八百二十二，女六萬八千九百四十九。小口男四萬一千九百四十六，女三萬九千三百十。二十年，册報户四萬八百五十四，口二十二萬一千五十七。大口男七萬八百三十，女六萬八千九百五十二。小口男四萬一千九百五十七，女三萬九千三百一十八。

嘉祥 原額一例人丁一萬二千一百四十四，增益人丁一千五百三十七。

乾隆三十三年，户一萬三千九百二十七，口九萬九百五十五。

道光六年，增益人丁三萬四千六百二十三。十九年，册報户二萬三千九百十四，口十萬一千六十四。大口男三萬八千一十五，女三萬四千二百十六。小口男一萬五千九百八十三，女一萬二千八百五十。二十年，户二萬四千二百三十，口十萬一千九百四十三。大口男三萬八千四百八十五，女三萬四千三百七十三。小口男一萬六千一百四十八，女一萬二千九百三十七。

魚臺 原額一例人丁三萬三千五百十九，增益人丁二千四百三十一。

乾隆三十三年，户三萬四千二百三十五，口二十三萬五千九十。

道光六年，增益人丁六萬二百三十一。十九年，册報四萬二千七百四十八，口十八萬一千二百九。大口男五萬九千七百四十五，女五萬六千四百八十八。小口男三萬四千八百九十六，女三萬八十八。二十年，户四萬二千七百五十三，口十八萬一千二百八十七。大口男五萬九千七百四十九，女五萬六千五百十六。小口男三萬四千九百二十，女三萬一百零二。

按，《前志》丁、賦并詳，今劃分「賦役」，兹編止載户口、人丁之數。

考《周官》大司徒「掌建邦之土地之圖，與其人民之數」，小司徒乃「均土地，以稽其人民，而周知其數」，此户口之説所由昉也。皇甫謐《帝王世紀》云：「禹平水土，民口千三百五十五萬三千九百二十三人。周公相成王，致治刑錯，民口千三百七十一萬四千九百二十三人。」自漢以後，户口并詳各史《地理志》中。《舊志》以爲元以前無考者，非也。自有口率出錢之法，民以有生爲累。州當漕運之咽喉，守閘、撈淺、浚泉無不取給，於夫役法之繁，較他州更甚。我朝寬仁厚澤，自古未有丁口增，而賦不加。又以丁從地之多寡，無與於賦之增損，而父子兄弟始陶然有生之樂矣。《前志》。互詳後「賦役」。

濟寧直隸州志卷三之二

食貨志 二

○田畝

《前志》悉本《兖州舊志》，今節其煩冗，而以現行《賦役全書》爲准。

勝國之末，水旱頻仍，繼以兵疫，土地荒蕪。較之萬曆初年，遂至缺額殆半。國朝蕩平區宇，還定安集，積漸開墾，至康熙八年增益三千餘頃。百餘年來，又復增益千頃有餘。然水深難涸之處，又屢行蠲豁，故尚不及前明舊額之數。蓋州之西南，兩鄉環以巨浸，自亢父故城之東又皆沮洳之鄉。留有餘不與水争地，此盛治之宏謨深意也。然無曠土，無游民，入其疆土，地闢非良，有司之責而誰責哉？《前志》。

明萬曆間清丈過，四等地一萬三千九百三十三頃二畝二分五厘有奇。二十七年及三十三年，兩次豁除水占荒地，實在成熟地一萬三千七百六十八頃五十二畝七分有奇。

明于若瀛《均平地糧議》○濟舊額地四千餘頃，糧二萬一千八百石有奇。迨嘉靖二十四年丈後，地增三倍，糧增千石，額非其舊矣。然法久愈弊，挪重爲輕者隱占，累輕爲重者包賠，漸有不均之嘆焉。則何以故哉？蓋地有四鄉四等，而四鄉中各有高下，南北兩鄉相去未遠，東南兩鄉則遠甚矣。東鄉最上，糧從天，然亦有低窪鹹碱、不任犁耕者。一概以天徵糧，則雖非包賠也，有包賠之苦。南鄉最下，糧從地，亦有高阜膏腴可爲蔬園者。一概以地徵糧，則雖非隱占也，有隱占之實。此而不均，則挪重爲輕者厚享其利，累輕爲重者獨膺其害，奈之何？不亟爲計乎？大都人情狃於常，亦適於變。狃於常則嗒然，如失其固有。適於變則洒然，若熱中而飲之冰。嗒然者不過二三豪猾，隱占者而洒然者衆矣。此不可不權之也，然又有説焉。欲區分其高下，則足迹罔能遍，而奸氓以肥爲磽，益開其弊竇。欲多定其等第，則頭項涉於繁，而積書差貧賣富，反藉爲騙資，茲無恤喀然者而稍躋之洒然者。無如一郡分四鄉，每鄉三等，除官地并開墾花絨地，共三十八頃八畝一分五厘七毫，該糧三百三十一石三升五合二勺一抄四撮四圭、花絨一百七十四斤六兩五錢五分三厘二毫照舊派徵外，將四鄉宅基園場盡爲上地，其餘隨各鄉定上、中、下。如其地高阜膏腴者八分，低窪鹹碱者二分，則爲上；其地低窪鹹碱者八分，高阜膏腴者二分，則爲下；其地高阜膏腴、低窪鹹碱者半，則爲中。大約東鄉以十分言，則上四、中四、下二。南鄉以十分言，則上二、中三、下五。西北鄉以十分言，則上三、中四、下三。三等定，則隨各鄉高下而糧增減焉。東鄉地額三千七百七十五頃六十一畝四分四厘二毫，糧額八千六百八十三石八斗八升六勺一抄五撮六圭。三分之上四分得地一千五百十頃二十四畝五分七厘六毫八絲，每畝攤糧二升四合。中四分得地如上數，每畝攤糧二升三合。下二分得地七百五十五頃十二畝二分八厘八毫四絲，每畝攤糧一升一合。通其地三千七百七十五頃六十一畝四分四厘二毫，不失原額，共糧七千九百二十八石八斗七升有奇，於原額欠糧七百五十五石有奇。南鄉地額五千一百八十三頃九十二畝八厘二毫，額糧四千九百五十七石六斗七升九合四勺四抄三圭五粒。三分之上二分得地一千三十六頃七十八畝四分一厘七毫六絲，每畝攤糧二升二合。中三分得地一千五百五十五頃十七畝六分二厘六毫四絲，每畝攤糧一升二合。下五分得地二千五百九十一頃九十六畝四厘四毫，每畝攤糧五合。通共地五千一百八十三頃九十二畝八厘八毫，不失原額，共糧五千四百四十三石一斗一升有奇，於原額溢糧四百八十五石四斗二升有奇。西鄉地額二千二百頃六十三畝六分五厘一毫，額糧三千九百九十二石四升七合五勺八抄五撮一圭。三分之上三分得地六百六十頃十九畝八厘五毫三絲，每畝攤糧一升九合。中四分得地八百八十頃二十五畝四分六厘四絲，每畝攤糧一升八合五勺。下三分得地如上數，每畝攤糧一升六合五勺，通共地二千二百頃六十三畝六分五厘一毫，不失原額，共糧三千九百七十一石八斗八升九合有奇，於原額欠糧二十石一斗四升有奇。北鄉地額二千六百一頃十二畝五分二厘，糧額四千七百五十石五斗二合九勺八抄四撮。三分之上三分得地七百八十頃三十三畝七分五厘六毫，中四分得地一千四十頃四十五畝八厘，下三分得地如上數。共地二千六百一頃十二畝五分二厘，不失原額，共糧四千七百四十八石五斗五升有奇，於原額欠糧一石九斗七升有奇。東、西、北三鄉糧額共欠七百七十七石一斗有奇，除補足南鄉溢數，尚欠二百九十一石有奇。以防步弓短少，丈出新地，仍照各鄉三等攤足，不失原額則已。如地浮，則於東南鄉上、中，西北鄉上、中、下量減；如糧浮，則仍攤入各鄉上地。如是則肥者不獨專其利，磽者不獨受其害。雖不能畝畝區分、人人遂願，二三豪猾或暫折其奸欺，而百年來儳極尪羸之夫倘藉以少瘳乎？《弗告堂集》。

國朝

順治初年，承明季之後，土地大半荒蕪，經四年、六年分別豁免，十四年定《賦役全書》，成熟之地存六千七百六十八頃五十一畝有奇。

成熟一則民地四千一百七十二頃九十五畝八分六厘有奇，外豁除荒地一千九百二十二頃七十九畝八分三厘有奇；二則地二千四百六十三頃一十五畝六分二毫有奇，外豁除荒地五千一百五頃六十一畝四分七厘有奇。衛公宗聖仲廟成熟一則地六十四頃，二則地四十頃，寄莊一則地一百五十三頃，二則地一百九十三頃。額外荒地成熟者二十三頃七十七畝，外除荒地一百三十二頃五十六畝二分三厘有奇。更名地成熟者五十四頃九十六畝九分六厘有奇，內孫氏閘廠八頃四分，孫氏南大小廠金旗屯二十八頃八十四畝八分九釐有奇，洸河屯一十八頃一十一畝六分七釐，外共除荒地一十一頃二十畝一分二毫有奇。馬場租地一則一頃八十二畝四分一釐有奇，二則二頃四十八畝。自順治十二年至康熙五年，節次開墾三千二百七十六頃三十二畝二分一釐有奇，共成熟地九千五百六十六頃四十二畝六分七釐，一則民地四千五百五十五頃一十一畝八分一釐有奇，二則民地五千一十一頃三十畝八分六釐有奇，餘宗聖以下等頃畝與舊額同。○明衍聖公孔允植《獨山屯祭田記》：共地大頃二百三十八頃，嘉靖年間，總河朱衡將祭田開浸運河，以安山、馬踏、蜀山三處地補還，崇禎十一年記。○順治八年，衍聖公孔興燮《祭田記》：開除湖地抵補外，藕地乾地共三百零三頃八十二畝。增輯。○雍正四年，除水沖地畝一十一頃五十五畝二分二釐有奇，内一則地四頃六十一畝八分三釐有奇，二則地六頃九十三畝三分九釐有奇。○乾隆七年，除圈堤地畝二十九頃五十八畝二分五釐有奇，内一則地二頃八十六畝四分四釐有奇，二則地二十六頃七十一畝八分一釐。又除額外荒地六十七畝。二十四年、二十七年，除水深難涸地畝一千三百二十三頃五十六畝三分三釐有奇，内一則地五十八頃四十八畝一分七釐有奇，二則地一千二百六十五頃八畝三分三釐有奇。二十九年起科，十九年所勸墾二則地三頃九十二畝二分七釐五毫。

乾隆三十七年後，現行《賦役全書》。

成熟一則民地五千四十九頃五十四畝五分九釐四絲五忽五微，二則民地五千三百七十九頃五十七畝一分一釐四毫二絲八忽五微五纖。衛公宗聖仲廟地，及寄莊地頃畝并同舊額。○額外荒地成熟者二十六頃八十八畝，民糧原額地六十六頃二十七畝六釐二毫，即舊之更名地，此數并馬場地在内。○乾隆三十七年，將更名字樣删除，改作民糧原額地。孫氏閘廠大畝地九頃二十七畝六分二釐三毫，孫氏南大小廠金旗屯大畝地三十一頃一十八畝二分六釐，洸河屯地一十八頃一十五畝九分七釐，馬場租地頃畝與舊同，河灘籽粒地二十三頃八十四畝三厘，原額三十五頃七十八畝六分，除荒十三頃四畝七厘，新墾一頃九畝五分，河灘租苘地二十一頃七十八畝三分七厘，學田地二頃九十六畝八分七厘四毫。

金鄉 原額二等徵糧地共九千八百八頃八十七畝八厘三毫八絲，原額中地九千七百三十四頃六畝四分八厘三毫八絲。

順治四、五、六年，除荒中地六千五百四十七頃四十八畝一分八厘八毫，節年新墾中地六千四十六頃六十三畝七分一厘四毫八絲四忽。

乾隆二十八年起科勸墾地一十畝四分一厘三毫，實在成熟并新墾地九千二百三十三頃三十二畝四分二厘三毫六絲四忽。原額下地七十四頃八十畝六分，原額額外荒田地二頃六十二畝六分二厘八毫五絲，除拋荒地二十一畝一分二毫五絲，實在成熟地二頃四十一畝五分二厘六毫。原額馬場租地八頃，原額學田三等地四頃八十四畝三分八厘，一等附郭地四十三畝，二等地一頃五十三畝，三等地二頃八十八畝三分八厘。

嘉祥 原額不分等則，一例徵糧地五千五十二頃九十九畝三分九厘。

順治四、六等年，除豁拋荒地三千五百二十四頃四十四畝一分五厘五毫，節年新墾共地二千八百一十七頃四十九畝二分五厘一豪八絲六忽八微，實在成熟并新墾共地四千三百四十六頃四畝四分八厘六毫八絲六忽八微，寄莊地二百六十八頃二十五畝。原額額外荒田地十八頃二十九畝四分一厘，除拋荒地十五頃十三畝四分一厘六毫六絲二忽。

乾隆元年起科首報地六頃八十二畝，實在成熟并首報共地九頃九十八畝，原額成熟河租地十四頃六十八畝，原額河灘籽粒臺基地一頃七十七畝，河灘賃基地七百六十三間，首報逾額河灘賃基地七百二十八間，原額學田地一頃二十七畝五分。

魚臺　原額不分等則，一例徵糧地一萬二十八頃九十八畝一分二厘。

順治四、六等年除荒地五千五百四十七頃六十五畝八分，業經節年新墾復額。○乾隆二十四年，築城挑濠，奉文除豁地七十九畝四分八厘九毫。又水深難涸地畝除豁地五百九十五頃八十二畝九分三厘。二十六年，移建壇廟、衙署等項，奉文除豁地七十三畝八分。二十七年，水深難涸地畝奉文除豁地七百八頃八十六畝六分四厘，實在成熟共地八千七百二十二頃七十五畝二分八厘。節年勸墾額外一例大糧地九十畝三分三厘，原額額外荒田地六十五頃四十三畝五分，首報逾額額外荒田地二十二頃四十五畝九分一厘八毫，更名原額大畝、小畝共地九頃二十五畝一分八厘。内三廠大畝地六頃二十五畝一分八厘，鳳凰山小畝地三頃。又首報額外鳳凰山小畝地二十九畝二分，原額馬廠租地十頃六十九畝四分七厘，原額河灘籽粒三等共地四十九頃五十一畝八厘，原額協濟徐州椿草除拋荒外實在成熟并節年首報共地十七頃七十四畝一分三厘九絲四微四纖，原額賃基六等房二千二百七十三間，原額學田地二頃五十畝，升租藕蔘地十五頃六十八畝五分，升租泉灘地十四畝。

按，《前志·地畝》末附姜氏義宅、張氏義田，今附「里社」之後。田賦，國用之制也，故未可并列云。

順治六年，兵科給事中李用質《疏》：竊惟灾傷荒亡，一經察明，即行蠲免，皇恩浩蕩，無遠弗届。户部行文，於起運存留分别减除，奉宣德意，復極明晰，有司果能設誠致行，則遐邇均沾汪濊，而無有名無實之嘆矣。無如奉行者之不盡善也，不於荒亡之中確加查審，又不於起存之内遵行清覆，吏胥乘機恣其攤派。地應全免者，僅減其半；丁宜盡豁者，務足其額。直將荒亡餘銀暗加於熟地之中，此上有蠲免之名，而下不沾其實，正以包賠，階之厲耳！當此災傷頻仍之際，本身正項尚多逋負，額外雜費更苦追呼，而復使之包荒代丁。哀此煢黎，勢不至盡荒盡逃不止。即如臣鄉濟寧，萬曆年間每畝起科不過三分二厘。及順治元年，猶相沿如故。至二、三、四三年，遞年累增，每畝徵至四五分有餘，此外雜費更有數倍於此者。即其《賦役全書》元年條銀止徵一萬三千六百有奇，二、三兩年除河餉另例外，徵至二萬二千三百零，四年徵至三萬一千五百餘兩。臣思賦制既定，歷久不變，夫何初年至四年遂大相懸絶如此乎？蠲免之旨，昭若日星。以熟包荒，奉何明文？歷來經管，任意詭冒增加，雖見任有司留意剔厘，但以成例取盈，不能盡一。及今不徹底清楚，永定規則，年復一年，有何底止？臣三載外吏，蒙恩拔置耳目之司，聞見有據，敢不披瀝入告？伏祈敕部確察，更正施行。

張履祥《楊園聞見録》：山東一省，土田五十一萬七千五百頃。萬曆六年，加徵七十四萬餘金。崇禎七年，有言利計臣稱：「東省額地一百七萬七百四十餘頃，較《會計録》溢地四十五萬餘頃。」奉旨勘報，將按籍加徵。撫按以下，茫然不知所對。移牒各郡縣，亦未有晰其原委者。逡巡四年，屢旨詰責，無所引據以駁寢部議。濟南府左衛經歷司蔡會龍建議詳明，切中利害，時海鹽彭公觀民爲濟南府守，即據其議，以覆所司。撫按以之入告，部科無以難，事遂寢。其議曰：神祖初年，江陵當國，思綜核名實以致富，强撰爲《會計録》一書，疑郡邑土田有未登版籍者，詔下海内履畝而丈尺之。其賦以上田爲准，中田上地一畝三分准一畝，下田中地一畝五分准一畝，下地二畝准一畝，無論深山窮谷，尺寸俱藉於有司。有司承上風旨，減土田弓制以量之。郡縣故弓，四尺爲一步，殺其五之一，以三尺三寸之弓量之。郡縣咸有溢田，吏胥因緣爲奸利，民間擾擾思亂。江陵既殁，有司争言加額之困，民於是變通其意，分三等：上地視舊賦，中地三畝而當一，下地四畝而當一，田額仍舊，此田頃多寡不同之繇也。先王建國，藏富於民，履畝加賦，見譏史册。江陵不能行於太平熙穰、金甌無缺之時，今豈可施於逆闖鴟張、揭竿思逞之日？况青、齊爲三輔之襟帶，臨、德實神京之咽喉，以凋敝之民而倍徵其賦，實流寇之驅也。假令一夫作難，四百萬漕艘帶水中斷，天下安危繫焉，豈止數千萬緡而已哉？《前志·雜綴》。

濟寧直隸州志卷三之三

食貨志 三

○物産

《前志》踵舊而不言所自，三邑并略。兹自《明志》以下，一一詳考物土之宜，而布其利，爲治之本務也。

穀之類《明志》十。

麰麥 小麥 蕎麥 黍 稷 稻 粱 薥秫

芝麻 穀

豆之類《明志》五。

黄豆 绿豆 黑豆 豇豆 青豆《舊志》合之，增以二。

菽 豋 菽有黑、黄、青、緑、豇、扁、豌、羊尾，凡數種。豋，野豆也。○《前志》增以二。

穄 玉蜀黍 黍，黄米也。薥秫，即蜀黍，一名高粱。《前志》云：《吕氏春秋·本味篇》「陽山之穄」，注云：「關西謂之糜，冀州謂之鏖。」按，穄，黍不黏者，一名鏖，燕趙之民謂之鏖，讀如梅。齊魯人罕知有鏖矣，大概以穄爲稷，稷但呼小米，而粱秫或呼小黄米，以别於黍之黄米也。○《齊民要術》云：「刈穄欲早，刈黍欲晚。穄晚多零落，黍早米不成。稷熟速刈，乾速積，刈早則鐮傷，刈晚則穗折，遇風則收減，濕積則藁爛，積晚則耗損，連雨則生耳。」○《本草綱目》云：蜀黍「北方最多」，《廣雅》曰：荻粱，木稷也。此亦黍稷之類，而高如蘆荻。種始自蜀，故曰蜀黍。汪穎曰：蜀黍，南人呼爲蘆穄。○徐光啓《授時通考》云：古所謂黍，今亦稱黍，或稱黄米。穄則黍之别種也。今人以音近，誤稱爲稷。古所謂稷，通稱謂穀，或稱粟。粱與秫，則稷之别種也。今人亦概稱穀物之廣生而利用者，皆以公名名之。如古今皆稱稷爲穀，晋人稱蔓菁爲菜，吴人稱棗爲果、稱陵苕爲草，洛陽稱牡丹爲花也。穄之苗、葉、莖、穗，與黍不异。經典初不及穄，後世農書輒以黍、穄并稱，故穄者黍之别種也。《爾雅注》：虋，赤粱粟；芑，白粱粟。皆好穀也。言粱又言粟，又言穀，故粱者稷之别種也。凡黏穀皆可爲酒，秬黍黏，故人以爲酒。秫者黏稷，亦可爲酒，故陶潛種五十畝秫，非蜀秫也。蜀秫古無有也，後世或從他方得種，其黏者近秫，故借名曰秫。今人但指此爲秫，而不知有粱秫，誤矣。

按，《金鄉志》有薏苡，《魚臺志》有菱米，均可以佐穀者也。《嘉祥志》豆有五色，已見前。

元泰定丁卯，《瑞麥圖説》云：泰定丙寅冬，李侯文晦守濟，明年夏，瑞麥生，而劉氏大器之别墅爲尤异，穗有岐而至四五者，衆欲上聞。侯拒之，劉氏乃藏圖於家。至正癸未，汪澤民、白守忠并有《記》，刻石太白樓。詳「藝文」。○金鄉《四瑞記》：乾隆丁亥，四郊麥秀兩岐，穀亦一莖雙穗，而且棉實八房，菽高盈丈。先後上之，大官僉曰「瑞兆」，一時傳爲盛事。

《前志》。

道光十九年己亥秋，城南王敬思地生瑞穀，一莖三穗。二十一年辛丑秋，西鄉馬之騄獻兩岐瑞麥，并刻石太白樓。

己亥秋，城南王生敬思呈《瑞禾圖》，請刻石紀之。夫盛世不言符瑞，而志乘例紀祲祥，勒石城樓。昔之人有行之者，因并摹刻，以備考稽云。徐宗幹跋，華亭廖雲槎、商城楊鐸、吴江陳泉繪圖，日照許瀚記，云：樹人刺史治濟一載，嘉禾生華亭，廖裴舟雲槎仿泰定三年《瑞麥圖》故事，繪爲圖，刻石太白樓。今年夏，瑞麥又生，監生馬之騄以獻兩岐。异觀也。考濟自漢和帝至我朝順治二年，黍、禾、麥之瑞凡四見，書史容有缺佚，要之固罕覯事也。今則不三年間，嘉瑞叠臻，謂非有所感召而致然歟？《瑞應圖》曰：嘉禾者五穀之長，盛德之精也。文者异本而同秀，質者同本而异秀，濟所産者，禾與麥皆同本异秀，與質符，質者實也。我皇上御極廿餘年來，每諄諄以一「實」字勵群工、賢有司，奏符守土，仰體聖心，能以實心行實政，而實惠及民，其應顧不宜爾耶！州人士咸异其事，請商城楊石卿作圖刻諸石，與《嘉禾圖》并置太白樓，亦以紀實云爾。道光辛丑七月。

蔬之類《明志》二十三。　葱　韭　蒜　芥　白菜即菘。　菠菜即菠薐。　薺　菜　蔞蒿即茵陳。　生菜　芹　莧　藤蒿　萵苣　蔓菁　胡荽即蒝荽。　藕　山藥　茄有紫白各種。　斤豆　胡蘿蔔　白蘿蔔即萊菔，有紅白各種。　眉豆角即扁豆。　蠶豆角按，眉豆、蠶豆應入菽類，《舊志》增以九。　蕨　荼即苦菜。　蕓臺　芋　香芋　嵩嵐　莙薘俗名豆角。　甘露　茼蒿《前志》增以四。　薯蕷　蕃薯　百合　茨菇

嵩嵐即擘藍，南方謂之芥藍，葉可擘食，故北方謂之擘藍。可作俎，又可作靛染帛。按，嵩藍是芥藍之轉音，《舊志》如此從濟俗稱也。蕃薯見《南方草木狀》，至明萬曆時盛於閩中。乾隆十七年，奉文勸種，遍於中土。甘露，露滴入土而生，白如玉，長二三寸。茼蒿，莖圓，嫩葉如蒿。

按，《金鄉志》有薤、馬齒；《嘉祥》有黄花、鸛嘴；《魚臺志》有金針、秦椒、茴香。又蒲菜産湖中。各湖荷莖初茁，采爲菹，甚佳，俗名藕絲菜，杜詩所謂「佳人雪藕絲」也。

瓜之類《明志》九。　王瓜　西瓜　絲瓜　甜瓜　冬瓜　菜瓜　金瓜　瓠　葫蘆長而瘦曰瓠，短而大曰匏。

按，《金鄉志》有王瓜、南瓜；《嘉祥志》有東瓜、北瓜。

果之類《明志》十三。　棗　柿　梨　核桃　羊棗俗名軟棗。　桃　杏　李

梅　石榴　沙果　蒲桃　櫻桃《舊志》增以七。　柰　栗　銀杏　無

花果　蘋婆　林檎　文官果《前志》增以五。　棠梨似木瓜而小。　蓮子

菱芡　櫾見《金鄉張氏園亭記》。

按，《金鄉志》有花紅、香梅；《魚臺志》有木瓜、橘柑、香櫞、佛手柑。又荸薺，水產也。○五穀蔬果，民食攸關，詳載品類。花卉，以下常見共有者，僅紀其名。

花之類《明志》二十一。　蓮　葵　菊　玉簪　金盞　木槿　石竹

鷄冠　扁竹　金雀　薔薇　捲丹　牡丹　芍藥　月季

鳳仙　紫荊　迎春　翦紅羅　翦秋羅　馬纓即夜合。《舊志》增以二十。

春梅　探春　海棠　丁香　碧桃　絳桃　金沙菊　酴醾

紫薇　素馨　四季槐　虞美人　木香　秋海棠　百合

玫瑰　白鶴仙即玉簪。　山丹　臘梅　素馨《前志》增以一。　美人蕉

按，《金鄉志》有金銀藤、龍爪、棣棠；《嘉祥志》有芙蓉、迎春；《魚臺志》有玉蘭、綉球、水仙、寶相、凌霄、十里香、鐵綫蓮、子午蓮、金絲桃、金菊、蜀葵、夾竹桃、翠梅。

草之類《明志》七。 苜蓿 葦 蘆 茅 莠 馬藺 香草《舊志》增十九。

竹 蘭 藍 茜一作茜竹。 藜 莎夫須。 藋 稗 穇 蔓

茨 白蒺藜 薜荔 雁來紅 虎耳 垂盆草 夏枯即靡草。

蕭艾 蒿《前志》增以七。 萱 蓼 書帶草 荇藻 蒲 蘋萍書帶草根

可爲菹。劉淇曰：馬藺一名荔，《月令》所謂「荔挺出」也。苜蓿種之能克鹹。藜俗名灰灰菜，幹老可爲杖。莠，一名狗尾草，韋昭《國語注》：莠「似稷而無實」。陳伯友《北隴農記》：「葉青而黑者莠也。」

萱草，《明志》入花類。

按，《金鄉志》有水葱、蓑衣草；《嘉祥志》有吉祥草；《魚臺志》有文草，又有菰、蔣、荻、葦，皆水草也。

木之類《明志》十五。 松 柏 桑 榆 柘 楮 楸似梧而小。 柳 槐

椿 青楊 白楊 梧桐 棠 楝《舊志》增以六。 檜 槲 椒

樗即臭椿。 白蠟 皂莢《舊志》增以二。 楷 檀城東北隅劉氏園舊有楷一株，經圍數尺。

按，《嘉祥志》有甘棠、櫟；《魚臺志》有梓、棠棣、檉、烏柏、紅葉。又云：檉，本蜀産，近始有，性易生。烏柏脂可爲燭，白蠟多取爲農器，遠販鄰邑。杞柳以其條爲箕、斗、叵

羅、栲栳之類，通行四方。

藥之類《明志》二十六。 地黄 白芍 栝蔞 茴香 薄荷 枸杞 益母 艾 芡實 蓮房 瓦松 浮萍 杏仁 槐實 藿香 地丁 花椒 麥門冬 車前子 蓖麻子 白蒺藜 牽牛一名鼓子花。 葶藶子 桑白皮 酸棗仁 地骨皮《舊志》增以三十六。 天門冬 苄 菖蒲 芣苢 半夏 防風 茺蔚即益母。 菟絲子 薯蕷 蒔羅 薏苡仁 商陸 蒲公英 忍冬藤 夏枯草 豨薟 旱蓮草 香附 王不留行 槐角子 茱萸 枲耳 紫蘇 鳬葵 木瓜 夜明沙即伏翼糞。 刺猬皮 露蜂房 蠐螬 原蠶蛾 班蝥 三稜 蛇床子 柴胡 白丁香 酸漿草《前志》增以一。 決明

按，《金鄉志》有桃仁，柏子仁，天花粉，蒼耳，扁蓄，大、小薊，青箱子，蒼朮，小茴香，浪蕩子，白芥子，牛膝，蟬蛻，紅花，遠智，黄精，何首烏；《嘉祥志》有葛根、木

賊、狼毒、射干；《魚臺志》有金銀花、蠶沙。

按，金銀花即忍冬藤。藥物已見各類，依《前志》別爲一條而重書之。

禽之類《明志》二十三。

鷄　鵝　鴨　鴿　鵲　鴉　燕　鳩即布穀。　鴟

雀　梟　鵪鶉　蠟嘴　黃鶯　鷺鷥　啄木　鸛　鶴　鶩

鸇　鸜鵒　鳧　黃鸝《舊志》增二十一。　鵜即淘河。　天鵝　鷀鳩　鷙

鴇　鵁鶄　鸕鷀　鷹　鶻　鳶　練鵲　鴛鴦　翡翠　鳧

鷖　烏　鴷即斫木。　鵀即戴勝。　鶺鴒　百舌　巧婦　鵂鶹《前志》增以二。

慈鴉　水鴨

按，《嘉祥志》有鴟、鷗；《魚臺志》有灰鶴、山鷓、阿鷄、山鷄、蝙蝠。

獸之類《明志》十二。

馬　牛　驢　騾　犬　豕　羊　狐　貓　兔

貛　鼠《舊志》增以三。　貆　黃鼬　獐《前志》同。

按，《金鄉志》有貉、狸、猬；《嘉祥志》有狸奴、狼獾；《魚臺志》有狼。

水族之類《明志》鱗屬七。 鯉 鯽 鱖俗名薺花。 鮎一名鰋。 鱣即鱓，俗作鱔。 鰌

魴介屬四。 鱉 蟹 蛤 螺《舊志》合爲水物，增以六。 鱮一名鰱。 鰷 鰱 鰻

蚌 蟶《前志》增以二。 鱧一名七星魚。 蛙

按，《金鄉志》有田鷄；《魚臺志》有黃頰、鯊、鱒。舊城壕間出銀魚。

蟲之類《明志》二十二。 蠶 蜂 蝶 蟋蟀 蝟 蝎 蛇 蝎虎 蟬

蜘蛛 蛾 螽斯 蜣螂 螳螂 蚯蚓 蠐螬 蝦蟆 蜻

蜓 蝙蝠 蝸牛 蚊蚋 螢《舊志》增七。 蠅 守宮 鼠婦 蚱

蜢 絡緯 促織 蜥蜴《前志》增二。 天牛 水蛭皆可指名者。《兖州府志》云：「促織一名蛩，方頭，長身，聲大，與蟋蟀异。」

按，《金鄉志》有蚗蠖、科斗、蜜蜂、螻蟈。

貨之類《舊志》三十二。 繭 絲 綿 絮 縩 麻 綢 絹 綿布

蜜 蠟 油 燭 醋 酪 麵 糟 酒 糖餳 醬 鏊鹽

百藥煎　硝碱　石灰　筆　桑皮紙　印色　油胭脂

烟即菸。　藍靛《前志》增以二。　墨　吉貝子墨出嘉祥竇氏。

按，《明志》：「濟有棉、桑之産，實惟蠶織之業。然其人多貧寒，不得衣，豈諺所謂『物豐於所聚，利竭於所産』耶？抑風靡俗奢，不以暴殄爲戒耶？」○《嘉祥志》云：「嘉邑介於兖、徐之間，《禹貢》所制二州之貢，嘉邑不一産焉，何也？夫方物之生，爲民利，亦爲民殃，久矣。然則，兹邑之民，不已幸乎？若布帛、菽粟，佐征徭而供賦税，長童孺而養耆年，可一日缺哉？故書之。」○《魚臺志》云：「按，邑境高平之田少，水之所鍾，瀰漫沮洳。惟是蒲、葦、藕、魚是利，蓋各有地主焉。獨山、昭陽二湖，土人多種菰草，嚴冬魚寒則聚於其中，周外圍薄，以鐮芟草，層層捲之，得魚無算。詩人之歌《魚麗》，杜老之觀東津，殆未多讓。古人紀『矢魚』，有由然也。且菰米可食，菰草可爨，可以葺屋，可以養牡，故居民利之。」○又云：「秦尚書紘，宅基在穀亭鎮。有梁姓者，取土和泥作硯，圓者居多。立一小窑於赤盞氏墓旁，燒之堅樸潤澤，不讓銅雀、香姜，有銘曰：『乾其體，坤其腹。兑其口，鼎其足。多識前聞以大畜。』八分書。又楷三字『兄海著』，篆三字『梁公硯』。流傳四方，今亦不可多得矣。」○《前志》引王貽上《香祖筆記》云：「門生武林沈蓀磵芳，主任城書院。有諸生饋墨數丸，云土人所製，形如掘丸，磨之甚黝黑，則兖墨猶有傳其法者。芳，康熙庚午舉人，選攸縣令，未任。有《梵夾集》。今孫寄圃相國藏墨甚佳，其家製也。」

附區田法

《漢書·食貨志》云：「后稷始圳田，以二耜爲耦，廣尺深尺曰圳。長終畝，一畝三圳，一夫三百圳。而播種於圳中，苗生葉以上，稍耨隴草，因隤其土，以附苗根。比盛暑，隴盡而根深，耐風與旱，故儗儗而盛也。」又云：「武帝末，以趙過爲搜粟都尉，過能爲代田，古法也。一歲之收，常過縵田，畝一斛以上，善者倍之。過使教田太常、三輔，用力少而得穀多。」○館陶孫宅揆《區田説》云：昔湯有七年之旱，伊尹始作區田。元王禎《農書》推本氾勝之之法，以爲每田一畝，廣一十五步，每步五尺，計七十五尺。每行占地一尺五寸，計分五十行。其長一十六步，每步五尺，計八十尺。每行占地一尺五寸，計分五十三行。長廣相乘，得二千六百五十區。空一行，種一行；隔一區，種一區，留空以便澆灌，又可疏風，方不熱壞苗，且以其土壅根。除隔、空，可種六百六十二區，區深一尺，用熟糞二升，與區土相和，布種匀覆，以手按實，令土與種相著。苗出時，每一寸留一株，每行十株，每區十行，留百株。別製廣一寸長柄小鋤，鋤多則糠薄，若鋤至八遍，每穀一斗，得米八升。如雨澤時降，則可坐享其成。旱則澆灌不過五六次，即可收成結實。鋤時，四旁土深壅其根。種既密，穗又長大，時恐風吹折。其爲區，當於閒時，旋掘旋下。春種大麥、豌豆，夏種粟米、黑豆、高粱、穈、黍；秋種小麥。隨天時早晚，地氣寒暖，物土之宜，節次爲之，不必貪多。毋論平地山莊，歲可常熟。近家瀕水者爲上，不必牛犁，惟用鍬钁墾劚更便。貧家大率區田一畝，足食五口。丁男兼作，婦人童子量力分工，定爲謀業。若糞治得法，灌溉以時，雖遇災旱，不能損耗矣。《齊民要術》云：兖州刺史劉仁之，在洛陽曾爲之，一畝可百石，人多疑焉。古斗，三當今之一，或者以是歟？康熙丁亥，桂林朱蘊叔龍耀爲令邑，處萬山中，高陵陡坡，非雨澤不能有秋，爰取區田法試之。後爲太原司馬，在平定亦然，收每區四五升，畝可三十石。於是圖説刊布之，以爲務農者勸，此則近事之明徵也。徐元扈先生言：「三代制産，非以多予之爲厚也。」《語》云：「務廣地者荒。」《詩》云：「無田甫田，維莠驕驕。」后稷爲田，一畝三畝；伊尹作區田，負水灌溉。古之治地者，盡力盡法，而不務廣。禹時，稷爲農師，洪水初治，作乂之士甚多，恐民務廣地，以致荒蕪。故限田五十，使精於業。即五十畝，可食八口之家矣。豈不諒哉！《古文徵信録》《前志》。○桴亭陸氏世儀字道成，大倉人。《論區田法》云：趙過代田之法，其簡易遠過區田。蓋區田之法，必用鍬钁墾掘，有牛犁不能用，其勞一。必擔水澆灌，有車戽不能用，其勞二。且隔行種行，田去其半；於所種行内，隔區種區，則半之中又去其半，田且存三四矣。今以代田之法，參區田之意，更斟酌今農治田之方而用之。凡未下種之初，先以牛犁治田圳，圳深一尺，廣二尺。長終其畝，圳間爲隴，隴廣一尺，積圳中之土於隴上。一畝之地闊十五步，步當六尺，十五步得九十尺。當爲圳隴三十道，圳之道爲衡溝以通灌輸。夫圳隴分，則牛犁用矣；衡溝通，則車戽便矣；圳廣於隴，則田無弃地矣。乃令治糞，糞各以土所宜。及時播種，播種之法一如區田，先以水灌溝，使土少蘇，平其塊壘。乃徐播種，以手按實，蓋之以灰，而微潤之。苗出耘之如法，使其中爲四行，行相去五寸，間可容鋤。生葉以上，乃漸耨隴草，隤土以附之。其應下壅，及應閣水、復水，俱依今農法治之。又云：今人不種區田者，一則不知其法，一則工力費，一則水田冬夏積水，不便開溝分圳。唯高田可分圳，又有不便者，高田冬必種麥，麥至夏至方獲，若區田則清明、穀雨時已將播種。其開溝分圳，須於冬春之間畢工，是因穀而廢麥，所以終不可行也。然今人欲種早花或早稻，則冬間便荒地，不種二麥，東省名爲春地，留種早禾者，其言曰「雖少一熟地，力總在不較輸也」。早花之穫，不及區田，然農人猶能舍彼就此，况區田乎？能分早花、早稻之田，以種區田，庶幾兩得矣。又云種烟法：近有自湖廣來者，云彼處種田，有區種法，畝可得米十石，因以其詳，告之鄉人。鄉人曰：「理或有之，吾鄉有種烟者，其説近此。」先掘地爲區，每區深、闊各三尺許，熟糞壅之，每區種烟一株，漸鋤土壅烟。既成，每區得若干斤，每斤得金若干，計每畝約得金十兩。即此法也。《思辨録》。○按，區田之法，區，《文選注》：音鄔侯切。人每苦其難。今觀濟寧種烟者，其工力與區田等，而不畏其難者，爲利也。然烟之利在一己，而五穀之利在天下。己亦未嘗不利，何不勉而行之？無犯「賤場師」之譏也。「淡巴姑」之爲物，始於明季，本産遐方，今則遍於天下。而濟州之産，甲於諸郡。齊民趨利若鶩，無异弃膏腴以樹稂莠。三覆劉氏《種烟行》，見「藝文」。不禁爲之三嘆也。《前志》。

盛百二《臧氏種蜀黍記》：區田之法，無人能言，言亦不信。今觀濟州種烟草之法，即仿佛區田意也。大約膏腴盡爲烟所占，而五穀反皆瘠土。夫烟，毒草也，穀，養人者也。人之鶩利，其忘本一至此乎！東鄉臧氏之叟，世以讀而兼耕，叟尤精于稼穡，忽以種烟地用之蜀黍，其説謂：「方畝之地，種烟草三千株，今種蜀黍亦如之。不令其多，以中數計之，畝得烟葉五百斤，斤得錢十五文。蜀黍每株三穗，共落實一合，官量二合。畝得六石，官量十二石。中價石一千五百文，孰豐而孰歉乎？又烟有時不能速售，蜀黍無不售之時。種烟工費居六之四，蜀黍僅居六之一，其煩勞則種烟倍于蜀黍，吾何樂而不爲？」於是先以一畝立之程，爲鄉里先聞其秸，比之常地粗而堅，已兩倍矣。噫！一州之人皆如臧氏，更以其法樹稷與麥若菽。吾知毒草之地，悉爲嘉禾，穀不可勝食矣！即不能廣種，人各以八畝爲率，可無凶歲矣。叟名咸，字虚齋，康熙壬子舉人禧之後，其子亦并能文，名在鄉校。注。畝以三千爲率者，畝積二百四十步，步積二十五尺，相乘得六千尺。每尺一株，可六千株。虚其半以爲畝，且休地力，故止三千。《前志·藝文》。又《增訂孫氏教稼書》「治鹻法」云：鹻地寒苦，惟苜蓿能暖地，不畏鹻。先種苜蓿，歲夷其苗，食之。三年或四年後，犁去其根，改種五穀、蔬果，無不發矣。又鹻喜日而避雨，或乘多雨之年耕種，往往有收。又一法，掘地方數尺，深四五尺，換好土以接引地氣。二三年後，則周圍方丈地，皆變爲好土矣。鹻俗作堿。《前志》。

濟寧直隸州志卷三之四

食貨志 四

○賦役

户部覆准山東通省州、縣、衛、廳，各項丁銀，均攤地畝糧内徵收，每地銀壹兩，攤丁銀壹錢壹分五厘。其開墾地畝，係升科後遇五年編審之期，合一縣丁銀，計新舊地銀，按兩攤減，各就一縣之地均算。

先儒陸清獻有言：「今之州縣，或分地丁而爲二，即租庸法也。或合地丁爲一而總派於地，即兩税法也。」《舊志·序》云：「合役於賦中，而口有常算，計畝均輸無偏輕偏重之虞，亦無舍富役貧之擾，名曰『條鞭』。濟之改九則，行條鞭，已百年矣。」由此言之，則人丁歸於地畝，早已行之。然役在賦中，時或役在賦外。《會典》云：直省丁徭，有分三等九則者，有「一條鞭」者，有丁隨甲派者，有丁從丁派者。一省之内，則例各殊，總之在下者之不能實力奉行耳。至此始歸畫一，從古未有之善政也。明萬曆以前，分户爲上、中、下，三等九則，徭役不均，民以大困。萬曆四年，知州邊溉詳請改爲「條鞭」，止於每丁額徵銀二錢，自此不分等則。○洪武十四年，詔天下編賦役册，以一百十户爲一里，推丁糧多者十户爲長，餘百户爲十甲，凡十甲，甲凡十人(一)。歲役里長一人，甲首一人，董一里一甲之事。先後以丁糧多寡爲序，凡十年一周，曰排年。一里編爲一册，首總爲一圖。鰥寡孤獨不任役者，附十甲後，爲畸零。僧道給度牒有田者，編册如民。科無田者，亦爲畸零。每十年，有司更定其册，以丁糧增減而升降之。册凡四，一上户部，其三則司、府、縣各存一焉。上户部者，册面黄紙，故謂之黄册。年終進呈，歲命户科給事中一人、御史二人、户部主事四人，厘核訛舛。其後黄册祇具文，有司徵税編徭則自爲一册，曰白册云。凡役民自里中正辦外，加糧長、解户、馬船頭、館夫、祗候、弓兵、皂隸、門禁、厨斗爲常役，後又有斫薪、煤柴、修河、修倉、運料、接遞、站鋪、閘淺夫之類，因事編僉，歲有增益。嘉、隆後，行「一條鞭法」，通計一省丁糧，均派一省徭役。於是均徭、里甲與兩税爲一，小民得無擾，而事亦易集。然糧長、里甲，名罷實存，諸役卒至，復僉農氓。條鞭法行十餘年，規制頓紊，不能盡遵也。《明史·食貨志》。○銀差、力差二種，自行條鞭之法，力差則計其工食之費，量爲增減。銀差則計其交納之費，加以贈耗，悉皆折辦於官。雖有二差之名，其實一例徵銀矣。○明萬曆三十七年，額徵不分等則，一例每丁徵銀二錢，實徵丁九千九百一十兩八錢。成熟民地、寄莊、優免三等一、二則地，共徵銀三萬一千九百八十二兩五分八厘。《前志》。

〔一〕「甲」字原無，據《明史·食貨志》補。

劉淇曰：萬曆三十五年以前，賦役之科凡四：曰夏税，曰秋糧，曰馬草，曰徭役。徭役者，丁也；夏税、秋糧者，楊炎之兩税也；馬草又其額外改折者也。唐「租庸調」即古者粟米、力役、布縷三征。以明賦考之，足知兩税但兼租調而已，力役猶自爲一科也。至萬曆中，始行條鞭法，三征并而爲一。且額外立諸名色，盡編正賦，一時便之，沿之至今。然條鞭既屬正供，一遇度外事故，不得不額外羡取。條鞭未行，不過取之額外而已，至是則額外之中又額外焉，此明季以來已著之弊也。自條鞭行而催科分數之法立，麥出地未二寸，而民已受笞於庭，桁楊相望矣。二月賣絲，五月賣穀，殆近此也。淄川高司寇珩有言曰：明初定隔征、現征之法，季世猶踵行之。隔征者，今年征去歲之糧，如夏税、秋糧、馬草之類。現征者，如徭役、驛站、兵餉之類，其《賦役全書》可考也。場圃既登，先後辦賦，長吏從容而課繭絲，直從枕席上、署上考焉。今夏，秋糧緩征之令屢下閭閻，且曰討萬曆年則例而講求之，卒未嘗議及隔征、現征爲可循也。又曰：原額大糧地外，復有額外荒地諸項初，不知其所自來。堂邑黄中丞有云，明末正額地荒，因有荒田納租之額。歷來有司每遇催糧，户頭報完之日，即賞給荒地二三畝，責令開墾，三年納租，或勒令捏報開荒二三畝。其間有地遠人惰者，率有納租之名，無受地之實。愈積愈多，由是户户皆有有租無地之民，是荒田名輕而實重也，賞地名利而實害也。《衛園集》《前志》。

國朝康熙八年，原額共二萬二千九百三十三丁，除優免本身，實在當差二萬一千九百六十八丁。至五十二年，奉旨嗣後編審，增益人丁止將實數具奏，但據五十一年丁册定爲常額，續生人丁永不加賦，除優免、豁除，實在當差二萬六千八百四十丁，自此遂爲定額。

雍正四年，奉旨將人丁攤入地畝條編。《賦役全書》。

明自崇禎辛未後，人丁漸以缺額。庚辰辛巳，連年饑疫，重以兵燹，至壬午清審，僅一萬六千九百四丁而已。國朝順治初，人户凋殘，地畝荒蕪，見丁缺少，致煩駁查，里甲無可上報，因籍及流户，隨經駁正，免徵。又黄河大决，田廬漂没，里胥因緣爲奸，丁地淆亂，歲無常數。順治六年，兵科郡人李用質始奏請勘覆，而士民猶有以地包丁，以熟包荒之議。州人鄭與僑《遺事記》曰：黄册五年一造，例也。但法久弊生，吾濟五十四里，人二萬丁，除優免三千丁外，實一萬七千十五丁。戊戌纂造之役，大里每丁科三錢，小里每丁科四錢。筆札之費，亦自無多。府司部胥之使用，里胥户書之乾没，竟至五千餘兩。○按，順治中當差丁數，《舊志》未審，觀鄭《記》可以得其大略矣。

吴檉《編審議上》：濟寧原編人丁二萬六千六百餘丁，内有地之丁不及一萬，而無地之丁乃至一萬六千有奇。其中故絶逃亡、老病孤貧之丁，及虚丁、朋丁不啻數千。坐是催征不前，徒勞敲扑，官民交受其累。夫濟都會，殷庶之地，所編二萬六千八百餘丁，未爲多也。即以有地富厚之家當之，亦足以滿此額數，何無地單丁乃至如許之多？考厥由來，其弊有四：一則派分里甲之弊。舊例編審，拘定各甲舊額，一甲之中户口日添，丁不加增；户口消落，丁不加減。於是强宗盛族、子姓成行者，多脱名籍外。而門祚衰薄、孤苦伶仃者，仍納丁糧，即祖父亡故、兄弟流移，猶挂人丁之名。包賠上納，良因拘定各甲之額，必欲頂補足數，不相通融故也。二則開報不實之弊。每當開報之期，大概假手胥役、里長，所增、所除未嘗面驗本人，惟憑開報，以致富豪有力者賄囑而幸免，鄉愚貧乏者重叠而妄增。死絶之名，仍挂里甲；逃亡之户，扳累親人。此甲人多，以額足而不報；彼甲户少，以丁缺而揑添。甚至户頭幾姓朋報一丁，不實、不公之端，難以枚舉。三則州籍影射之弊。濟寧五方雜處之區，大半外方人氏，在州置産立户。又隣境之民，與臨清、濟寧二衛屯軍，買濟之地，住濟之房者甚多，皆稱不係本州之人，丁在原籍，不應兩處當差。而奸猾之徒因而托名影射，此窮丁、虚丁所以益多也。四則濫冒優免之弊。鄉紳、舉貢、生員例得優免本身，若雜項、職員、武生、兵弁、衙役各項名色，《全書》未載，今皆一概濫免矣。又先聖、先賢各廟，原有洒埽之户，應免徵丁。而奸猾之民，勾通作弊，亦托名聖府及顔、曾、仲、孟各莊頭門下，假充廟户，冒免丁差。在聖府賢裔，各仰體聖朝崇重德意，深自謹約，未嘗干預有司編丁之事，而私相影射往往而有也。余竊觀濟寧政令，廢弛已久，民間疾苦，莫可名言，而最甚者，莫如人丁一事。康熙三十五年，適届編審之期，余悉心考究，奮志澄清，將從前各弊縷悉條陳，詳明上司，請假三月，自七月初旬爲始，至十月終告竣。先定里甲，州分五鄉，鄉分四十五里，里分十甲，此定制也。乃濟寧畸零甲分甚多，如某里一甲，而一甲之中又有十數甲，將前後左右與諸姓氏分列爲名，而各甲皆然。一甲即有一里長當差，從前里長至一千有餘，余自行滾單之後，一概革除，而甲分尚未畫一。今將畸零甲户盡數删却，本一甲者歸并一甲，本二甲者歸并二甲，一一歸并，以復各里十甲之制。去繁就簡，使奸民不得跳甲逃里，挪輕避重。里甲既定，然後審丁定法。十六歲成丁，六十歲除丁，此即力役之征，古代庸之道也。今日之丁，不能人人盡編，然必家有地畝，始編其丁。使丁繫於地，地出丁銀，可無逃亡代賠之弊，亦免貧民偏累之苦。若不問有産，是人皆征，大失朝廷寬大之德矣。如江浙地方，人丁有從地起者，有地有丁，無地無丁，地多者丁多，地少者丁少，畫一均平，可以歷久不變。曾奉憲行查，議可否照行？究屬惟曹州、單縣係照地編丁，但此兩處丁銀輕，地數多，每畝攤派不及一厘。而濟寧丁銀既重，地數又少，若將丁銀派入地糧之内，每畝至五六厘之多。雖免窮丁之累，而地糧過重，亦復偏累難行。且沿習已久，一旦紛更，懼滋擾累，非下吏所敢輕議也。今余仍審人丁，而以有地畝者爲准，似亦補偏救弊之微權，法令、民情，兩不相悖。既已革除里長，亦不假手胥役，裹糧簡從，遍歷各鄉，逐户親審，必驗其年過十六以上，家有恒産，實名實丁，乃編名入册。若虚丁、老丁、窮丁、廢疾丁、孤寡丁，悉爲豁除。矢公矢慎，應增者必增，應免者必免。惟以闔州統算，不以各甲分編，非例得優免者，不得濫免、影射。至於外籍之人，置有房産，既已立户，即應當差，豈有居濟之地、入濟之籍、納濟之糧、食濟之利，長子孫、畜僮僕，猶可托名外籍，不納丁銀乎？試問他處，按地派丁外，借人之地亦得除免丁銀耶？余不論遠方鄰近，或民或軍，凡入州版籍、買州地土，殷實之家，俱按户一例編丁，於是虚增、揑減、飛灑、花分、冒名、跳甲種種弊竇，悉無所施。計除免無告之民，與無人之丁，幾及萬數。而從前脱漏、影避、冒免等丁，莫不清出，庶幾增除、核實無復偏累之弊矣。審丁之時，免丁、增丁者俱給與印信，照單免者，單内注明應免緣由，收存爲據，增者遵照。當差後有死亡病廢等情，許其具稟繳單，查明豁免，另行頂補。○《編審議下》：

□人丁既清，因及地畝。夫則壤定賦，疆里攸分。凡地土之等則、界限，固宜劃然清楚，不容紊也。乃濟寧版籍棼如亂絲，等則混淆，界限參錯，考之舊制，全無確額。有地係一則糧派二則者，有糧在此鄉而地在彼鄉者，有地在一里而糧分數甲者，有糧在一甲而地分數處者，糾纏紛錯，雜亂難稽。蓋一則地改爲二則，其糧減半；二則地改爲一則，其糧增半。奸猾之徒，每通同册書，冒法作弊，改重爲輕，挪輕爲重，莫可窮詰。又有原係一則地，急於求售，而買者乘急抑勒，賣者無奈，輒改爲二則過糧，於是地已賣盡，剩有空糧。又有將二則地冒爲一則，出賣過割，所存一則地反改爲二則之糧，歷年久遠，再經轉移，遂至迷謬。更有寄莊一項，《舊志》：凡外籍之人置買此州之地，雖立户辦糧，其差徭在本籍，而此處不復編丁，别立名色，謂之寄莊。故正賦之外，有加徵之銀以代其役也。查原額寄莊，一則地一百五十三頃，二則地一百九十三頃。然屢經買賣，過割混淆，均失寄莊之實，致奸民冒推，册書妄派，亦一弊也。《全書》内額載行差一則、二則，及河灘、莊田、馬廠、衛公宗聖寄莊等地，計一萬一千四百三十餘頃。今指一鄉一區而問之曰：是有一則地幾何？二則地幾何？則茫然不知，良田無坐落册籍可考也。是以豪强日益叢奸，良善日益損害，每當受詞之期，控告欺隱詭挂、改則遺糧等事者不知凡幾。余乘編審之期，逐户審丁，即逐户審地，設立自報供單之法，先期出示，曉諭頒發單式，令闔州花户，將本名下地畝，照各鄉地方開明坐落、莊村、條段、畝數、四至，并納糧、里甲，一一填寫單内。於編審時，親自投遞，將親報之單與糧册核對，有參錯不符者，窮詰原來，悉爲改正。至於莊糧無從追溯源流，惟於康熙三十二年以余到任前所派定者爲準，永遠不許改易。後有典賣，仍推莊糧。闔州分爲五鄉，每鄉立圖册一扇，鄉統地方莊村，將花户供單區分條析，挨次攢編，撮彙成籍，如魚鱗册式。由各户以知某村、某莊某等則地若干，由各村莊以知某地方某等則地若干。計五鄉成數，以合一州之總，尺寸之地，不能遺漏，不必行丈量、均編之法，而疆界大概可定。核定之後，每户給一照單，單内將所有人丁幾何、則地幾何、坐落里甲，一一注明，鈐印給發，永遠存照。以後有典賣與人者，開明等則、里甲、坐落、數目，彼此報明，换給照單。

而父子兄弟分析完糧者亦然，據增者以查減除之户，由減者以查增置之户，一增一除，核對相符，各注於册。等則既明，界限亦定，各鄉之地，莫不犁然可考。雖有神奸，亦無所施其巧，而欺隱詭挂、改則遺糧等弊，可以永免矣。但濟俗虚而不實，余德愧凉薄，未能感化。所開供單，猶有未盡的確者，須再行清查，方能核正。然懼紛擾，未敢率行，尚有待於後之賢者也。○《過割議》：□古之論田賦者，必曰「先正經界」。一省有一省之經界，一府有一府之經界，一州縣有一州縣之經界，至於一鄉亦必有一鄉經界，一里亦必有一里經界，劃然不可紊也。昔人云：「有分土，無分民。」「天下輿地，分而爲省，省分府，府分州、縣。此省之人，置彼省之地，則必於彼省立户納糧，未有將彼省之地過割於此省者也。此府之人置彼府之地，此州縣之人置彼州縣之地，莫不如此。而一州縣之地分爲幾鄉，一鄉之地分爲幾里，凡一鄉一里，地若干畝，定經界不可紛更，亦如省、府、州、縣之有疆域也。然則，此里之人置彼里之地，但應就户過糧，其地仍屬彼里，而彼里之人置此里之地者亦然。人隨地，地不隨人。人譬則鳥也，地譬則樹也。鳥之棲樹，彼此任其所之，未聞可移樹就鳥也。里有定地，地有定數，則歷久推收，無患隱漏矣。上地、下地，等則一定，雖年更主易，糧額不能混亂矣。故律載：典賣田宅不過割者，按畝加杖，其田入官。而移丘換段、那移等則，與減瞞、詭寄、影射等弊，罪亦如之。條例又載：移丘換段、詭寄灑派者，全家抄没。立法如此之嚴者，惡其變亂版籍、混淆賦税也。乃今過割者悉廢古制，南里之人置北里之地，將地即過割於南里；東里之人置西里之地，將地即過割於東里。以地隨人，不以人隨地，是猶聽其移丘換段矣。相沿如此，視爲固然。里甲既亂，經界難分，致滋無窮之弊，而釀無窮之訟。欲復古制，必須分疆畫界。是非不可爲，而勢有不能行。惟有因時制宜，立補偏救弊之法，以圖略復古制耳。余於康熙三十五年編審時，帶清地畝，設立二册，一曰「地畝坐落册」，刊發自報供單，令花户將本名下地畝、四至、條段、等則、數目、坐落、地方、莊村，逐一據實填單，開報彙齊。按地方撮歸一處編造，猶古魚鱗册之式也。四鄉地方，共一百有二。即就地方分疆畫界，以地方代里，以莊村代甲，猶昔里甲之制。計各村莊而成一地方之總，計各地方而成一鄉之總，計四鄉而成一州之總。今指一地方而曰，是有地若干畝，內一則若干畝，二則若干畝，瞭然在掌也。有典賣者，但於地段下注明過糧，而坐落永無移易。人户有遷徙，而地畝無遷徙。此册一定，其詭隱脱漏者，無所容其奸矣。此「地畝坐落册」之法也。一曰「丁户居址册」，用滚單催徵之法，按照人户、居址編派，産多者雖各鄉俱有地畝，而錢糧總歸一户名下輸納。此册一樣三本，一本發單頭傳催，謂之「滚單簿」；一本付櫃書查照收銀，謂之「坐櫃簿」；一本付户房存查，謂之「存案簿」。其存案者，即所謂「赤曆」也。凡過割者，將此收、彼除之數，於「存案簿」本户下注明，乃糧隨户過，非地隨户遷，此「丁户居址册」之法也。查「地畝坐落册」則知地段之所屬，查「丁户居址册」則知錢糧之所在。自設此二册，一經一緯，則版籍可清，而賦役不混。參之古制，庶其有當乎。往時過割，惟憑册書開報，遂致百弊叢生，莫可窮究。余謂過割之義，不止是過户推糧，而糧之等則是否原額，地之畝數果否確實，其價已完、未完，其産已交、未交，有無准折盤剥、逼勒投獻之情，有無盗賣冒認、换易重複之弊，凡交易中葛藤纏擾之事，要須一一清楚，方合過割之義。蓋過割者，謂從此推過之後，如以刀割物，截然分開，無復聯屬未斷之處也。乃今皆不計及，官惟重税契，民間又未能事事詳慎，遂致遺留訟端，爲害匪小。濟之俗例，凡欲典賣田宅，必先讓原業本家，次則典主，次則地隣，皆讓過不要，然後售與他人。尤可笑者，原業本家有歷年久遠、事隔兩朝、賣經數主者，猶稱原業；而本主之外，不特兄弟叔侄、同産之親，即疏遠一族之人，亦稱本家，皆得援例混争。夫弃産者，必有迫不能待之勢，必要到處讓過，已屬難堪。乃有本心欲得，而故稱不要；或抑勒賤價，不照時值；或本無力量，姑且應承。及至賣主不能久待，另售他人，非托名阻撓，即挺身告理。弃産之人，率不免此。至於交價不完、交地不足；未分之産，一人私賣；已賣之産，重復又賣；轉賣者回贖未清，回贖者措勒不放；未税之契，典賣難憑；祖遺之田，糧額不合；更有二則之地，賣主冒過一則之糧；亦有一則之地，買主勒過二則之糧；以及地少糧多、地多糧少，與弃産賣糧、逃亡遺累，種種情弊，難以枚舉。余諮訪紳士耆民，酌定官契之法，將交易中各項事端，皆分析條列，刊於官契之後。凡有典賣田宅者，先查明官契條約，事事不犯，然後成交。即用官契投税，不許另行私立底契，致滋弊端。每歲十月，開收之期，曉示過割，令本户具呈。而民間所其之呈，體式不一，開注款項不明，因刊定一呈式，并地畝、條段、四至單，將户籍、住址、典賣年分、地畝數目、等則、坐落，皆按照填注。取賣主地糧照票，與本户照票，同官契一并附呈核明。另給過割合同票，依呈所開，逐一注明，用印鈐蓋，中分爲二，一除一收，分領一紙存照。此增彼減，仍各换給地糧照票，將過割之户各自注册。另立「收、除總號簿」二本，查照登填「存案簿」，以爲派造下年滚單之底册。如此，則册書無權，經承無權，既無遺累之處，自無争訟之端，而諸弊可絶，始於過割之義爲不謬矣。《前志》此篇入「藝文」。

按，自丁銀派於地銀，一切之弊，不禁自止，何煩如此苦心哉！然不睹此文，後人將相忘立法之善矣。如以不切於時務，概不之取，則書胥之册籍已足，何用志哉？

楊炎兩税之法，固謂兩税之外無一毫取於民矣。乃間架借商、除陌之錢，又不旋踵而興。明太祖初令民種桑麻木棉，不種者出絹，或棉布各一匹。其後遂有折絹錢之徵，是兩税之外復益之以庸調也。萬曆「條鞭」之法甚善，而行之不力，其後軍興孔棘，無藝之徵雜然而起，徒法不能以自行。信哉！嘗謂兩税、條鞭之法，至今日而始盡善。官不苦勾稽之繁，民不覺追呼之擾，上下相安，百有餘年，雖千萬世，守之可也。又濟州三屬，嘉祥丁銀較他縣特重，自攤入地畝，不患不均。惟金、魚地則皆不分等，其故不可得而知。地之高下有遷改。又明末淆亂，不可清埋，故一律徵之。然核其實，二邑每畝額徵之數，僅與本州二則地略同。所以不分等則者，一例以二則論也，蓋亦當時立法忠厚之一端乎？

順治元年，令各省賦役，照萬曆間則例，其天啓以後加增者，悉行豁免。其時見丁缺少，實在丁銀之額，不過三千五百有奇而已。而猶或不足，里甲無可上報，因而籍及流户，每丁徵銀三分，後經駁正，流户免徵。又丁地淆亂，賦無定額。十四年，奉旨命户部左侍郎王宏祚照萬曆間則例，斟酌時宜，以定額徵、除豁免荒地外，應徵銀二萬四千八百五十六兩四錢五分七厘有奇。内除紳士、優免、雜辦六百七十六兩八錢，實徵銀二萬四千一百七十兩六錢五分七厘有奇，徵正耗米五千四百二十九石二斗有奇。又十六年，漕米百石，正耗外加閏耗銀五兩，共銀三百八兩七錢九厘。閏耗米五石，共米三百八石七斗九合。并加開墾新增漕米，實徵六千一百七十四石一斗八升二合一抄九撮。

順治十四年，定正經制條例。起運本、折正費通共原額銀二萬二千八百三十五兩七錢一厘有奇，除荒銀九千六百一十八兩四分四厘有奇，實徵銀一萬三千二百一十七兩六錢五分六厘有奇。原額本色米九千八百五十六石五斗六升九合有奇，除荒米四千四百二十七石二斗八升六合八勺有奇，實徵五千四百二十九石二斗八升二合一勺有奇。

康熙十二年，額徵丁銀四千三百九十三兩六錢，地銀三萬三千九百二十一兩一錢二分有奇，共三萬八千三百一十四兩七錢二分六厘有奇。徵本色米七千三百一十四石四斗六升三合三勺有奇。又閏耗銀、米亦入正項地畝編征，自康熙十年爲始。

康熙五十五年賦役舊制《兖志》濟寧款目。

一則地每畝徵銀四分五厘有奇，米一升二勺有奇。衛公宗聖仲廟地，每畝徵銀三分六厘有奇。二則地每畝徵銀二分二厘六毫有奇，米五合一勺有奇。衛公宗聖仲廟地，每畝徵銀一分八厘有奇。額徵丁銀五千三百六十八兩，額徵地銀連人丁銀五千八十兩共四萬三千九百二十六兩七錢六分五厘六絲六忽有奇，共米八千四百八十四石九升四合六勺有奇。

乾隆三十七年後《賦役全書》

額徵丁銀四千二十七兩四錢九分四厘有奇，地銀三萬六千四百五十七兩九錢八分四厘有奇，合丁、地共銀四萬四百八十五兩四錢七分五厘有奇，正耗米共八千石一斗六升七合六勺有奇。凡每畝徵額，并與康熙十二年同。雍正三年，奉文：通省應徵丁銀，自雍正四年爲始，攤入地銀内徵收。查本州應攤徵人丁銀四千三百九十二兩三錢三分四厘五毫有奇，内於乾隆七年奉文圈堤地畝除豁人丁銀八兩五錢二厘六毫有奇，又於二十四年奉文水深難涸地畝除豁人丁銀九十九兩三錢九分五厘九毫有奇，又於二十七年奉文水深難涸地畝除豁人丁銀二百五十六兩九錢四分一厘六毫有奇，實應攤丁銀四千二十七兩四錢九分四厘二毫有奇。較現在人丁共該銀五千三百六十八兩，實減人丁銀一千三百四十兩五錢五厘七毫有奇。

按，原額丁銀本五千三百六十有奇，因通省均攤每地銀一兩、攤丁銀一錢五分有奇，東盈則西縮，故止應攤四千三百九十二兩有奇。《前志》。

民地一則共徵銀二萬二千七百八兩三錢六分七厘有奇，共徵米四千九百九十五石三升六勺六抄三撮四粟三顆。二則地共徵銀一萬二千九十六兩二錢六分三厘有奇，徵米二千六百六十石七斗四升六合四勺四抄五撮有奇。衛公宗聖仲廟一則地共徵銀二百三十兩二錢一分五厘有奇，徵米六十三石三斗九合五抄三撮。二則地共徵米一十九石七斗八升四合七抄九撮，潤耗銀二百六十一兩二錢九分七厘四毫九忽，潤耗米二百六十一石二斗九升七合四勺九撮。

寄莊一則地共徵銀一百五十三兩，二則地共徵銀九十六兩五錢，於雍正十三年攤入地畝。乾隆七年至二十七年，歷次除豁兩則地，實共徵銀二百二十八兩七錢七分五厘有奇。

原額額外荒地及新墾，共徵銀八十兩六錢四分。

更名地，孫氏閘廠地共徵銀一百兩三錢三厘有奇；孫氏南大、小廠，金旗屯共徵銀二百一十八兩二錢七分四厘有奇；洸河屯地共徵銀一百二十兩九錢一分四厘有奇；馬場租地一則地共徵銀八兩二錢六分九厘有奇，二則地共徵銀五兩六錢二分一厘有奇；河灘籽粒地每畝徵銀二分，共徵銀四十七兩六錢八分六毫；河灘租蒜地每畝徵銀二分，共徵銀四十三兩五錢六分七厘四毫；

學田地每畝徵租銀二分，共徵銀五兩九錢三分七厘四毫六絲。

樓房一十三間半，共額徵租銀二兩一錢六分；房屋二千七十七間，每間徵租銀八分，除倒壞房屋四百三十八間，共銀一百三十一兩一錢二分；投領房基三百三十六間，每間徵銀八分，共徵銀二十六兩八錢八分。

班匠銀六十九兩七錢五分，於康熙四十二年攤入地畝徵收。

道光十六年《賦役全書》

額徵銀四萬四百八十一兩六錢五分四厘有奇，米七千九百九十九石三斗九升六合六勺有奇，內改徵黑豆一千五十石、麥五百九十七石。

起運款目以下道光十六年以後現行《賦役全書》。

地丁銀二萬八千三百三十三兩五錢七分八厘有奇。內有道光十六年裁減驛款銀七百四十九兩六錢八分八厘，歸入腳價銀一百一十九兩七錢六分七厘；歷科舉人車價銀八兩六錢八分二厘；本色京庫地畝棉花絨六斤八兩三錢三分九厘，每斤徵銀七分，共徵銀四錢五分六厘；鋪墊銀六分五厘；腳價銀三厘；牛角弓面一十副，一分四厘六絲五忽六微，每副價銀七錢，共徵銀七兩九分八厘。

兌軍攢運本色正耗米六千五百三十一石八斗五合九勺。輕賫銀四百一十八兩一分六厘，席草銀四十九兩一錢二分六厘，潤耗銀二百六十一兩二錢七分二厘，潤耗米二百六十一石二斗七升二合二勺。

臨清倉本色正耗米一千二百六石三斗二升八合六勺。脚價銀一百五十五兩五錢八分四厘，盤費銀六十六兩六錢七分九厘，席草銀一十兩五錢五分八厘。

監察御史黄敬璣《臨、德二倉折米疏》：□爲折米宜照時值，以免民困事：臣閲邸報，見部覆科臣劉如漢條奏楚省協解黔米，念其每石折銀一兩累民，以後免徵折色，奉有俞旨。仰見我皇上視民如傷，不肯一事累民也，乃今日之大爲民累省。又有臣鄉臨、德二倉米麥折銀一事，前據山東巡撫劉芳躅題《明改折倉糧》一疏，部議：臨、德二倉係運軍行月等項之用，今積貯米麥儘足一年支放，應將八年分每米一石折銀一兩、每麥一石折銀一兩一錢，徵完解部。此蓋照順治十七年之例也。查順治十七年，米麥之價尚貴，與時值不甚懸遠。今歲米麥之價，每石不過三錢，是賣三四石之本色，方得完一石之折色也。伏乞敕下部議，或仍徵本色，不妨於行月糧外留供别項之用；或照時價折銀，庶小民免其苦累矣。抑臣更有請者，凡本地之米，應當充本地之用，斷未有將本地之米解赴他處，又將他處之米領回供用，往返費無限之脚價，以累民生者也。如濟寧州係兵船不時往來之地，例有津貼船隻口糧等米，乃該州有臨倉米石。每年解運臨倉，又從德倉領米回濟以津貼之用，往返一千三百餘里，其所領之米，尚不足充脚價之費，里下賠累，萬不能支。幸該撫移咨户部，將本地臨倉之米留供本地之用，其有不足方向德倉領米，已蒙户部允行在案，甚爲便民。其米已經徵支過半，今忽奉文盡催折色，解交臨倉，勢必重派。乞敕部臣查照前議，仍留本色爲地方貼船等費，永著爲例，則往來脚價，省窮民無限之物力，庶不負我皇上愛民之意也。康熙八年八月日，奉旨：「該部議奏。」奉部准議。吴樫《臨米始末議》，見後。

按，《前志》兑軍攢運正耗米六千五百三十二石四斗三升五合三勺，潤耗米二百六十一石二斗九升七合四勺，臨倉米一千二百六石四斗三升四合八勺，潤耗等款銀數畸零，亦與現行賦役不符。隨時增損，悉遵照更正，不再録。

學田租銀五兩九錢三分有奇。

存留款目

河道夫食銀三千六百四十一兩六錢四分二厘有奇。夏鎮河夫銀一百三十八兩八錢八分，閘夫停役銀四兩，撈淺鋪溜夫停役銀一千一百九十四兩，停役泉夫銀七十八兩。代編魚臺縣停役撈淺夫銀三十一兩二錢八分三厘，椿草銀三十兩，閘溜、撈淺鋪夫、椿草銀二百八十五兩。溜夫見役，本州師家莊閘溜夫一名，工食銀一十二兩四錢。閘夫見役，任城閘夫二十五名，石佛閘夫九名，師家莊閘夫八名，共夫四十二名，工食銀四百六十八兩七錢二分。本州地方撈淺夫見役五十一名，工食銀六百三十二兩四錢。淺鋪夫見役三十六名，工食銀四百四十六兩四錢。椿草銀二兩一錢六分。又夏鎮河夫銀八兩六分，籽粒銀七十一兩五錢七分二厘，賃基房屋荒蕪銀三十五兩四分，樓屋房間銀一百三十三兩二錢八分，租蘗折銀四十三兩五錢六分七厘，房基銀二十六兩八錢。

官俸役食銀二千八百四十五兩三錢九分六厘四毫。運河道俸銀六十八兩二錢七分一厘，門子四名，工食銀二十三兩五錢七分二厘；皂隸十二名，工食銀七十兩七錢一分六厘；快手十二名，工食銀七十兩七錢一分六厘；轎傘扇夫七名，工食銀四十一兩二錢五分一厘；聽事吏二名，工食銀一十一兩七錢八分六厘；鋪兵二名，工食銀一十二兩四錢。運河同知俸銀五十二兩一分六厘，門子二名，工食銀一十一兩七錢八分六厘；皂隸十一名，工食銀六十四兩八錢二分三厘；步快八名，工食銀四十七兩一錢四分四厘；轎傘夫七名，工食銀四十一兩二錢五分一厘。本州知州俸銀五十二兩一分六厘。門子二名，工食銀一十一兩七錢八分六厘；皂隸十二名，工食銀七十兩七錢一分六厘；仵作四名，工食銀二十三兩五錢七分二厘；馬快八名，工食銀一百三十一兩九錢五分三厘；民壯三十五名，工食銀二百八十兩；看監禁卒八名，工食銀九十四兩二錢八分八厘；轎傘扇夫七名，工食銀四十一兩二錢五分一厘；庫子四名，工食銀二十三兩五錢七分二厘；斗級四名，工食銀二十三兩五錢七分二厘。州同俸銀六十兩，門子一名，工食銀五兩八錢九分三厘；皂隸六名，工食銀三十五兩三錢五分八厘；籠馬傘夫二名，工食銀一十一兩七錢八分六厘。州判俸銀四十五兩，門子一名，工食銀五兩八錢九分三厘；皂隸六名，工食銀三十五兩三錢五分八厘；籠馬傘夫二名，工食銀一十一兩七錢八分六厘。吏目俸銀三十一兩五錢二分，門子一名，工食銀五兩八錢九分三厘；皂隸四名，工食銀二十三兩五錢七分二厘；馬夫一名，工食銀五兩八錢九分三厘。本州學正又復訓導共俸銀八十兩，齋夫三名，工食銀三十七兩二錢；膳夫三名，工食銀二十兩六錢六分六厘；門斗三名，工食銀二十二兩三錢二分。任城閘、天井閘、石佛閘、新店閘、仲淺閘、棗林閘官，各俸銀三十一兩五錢二分。各皂隸二名，工食銀一十二兩四錢。（《前志》有趙村閘官，及南城驛丞俸役，今裁。）遞鋪司兵六十七名，工食銀五百六十兩四錢八分。孤貧八十四名，口歲支月糧并冬衣布花銀三百二兩四錢。

南城驛站夫馬工料銀二千七十九兩九錢六厘有奇。里甲夫馬工料銀一千八百七十七兩七錢八分四厘供廪銀二百七十三兩五錢。（詳「驛遞」。）

雜支銀三百二十六兩五錢三分九厘。修理龍亭帳幔等項銀一錢四分四厘。祭祀文廟銀三十五兩，香燭銀一兩二錢五分。崇聖、鄉賢、名宦祠銀四兩。山川社稷壇銀四兩。邑厲壇銀四兩三錢八分。武廟銀三十兩。文昌祠銀二十兩。二款起運項下扣支。鄉飲銀三兩四錢七分二厘。廩生廩糧銀二百六十兩四錢。歲貢生正、副盤費銀一兩七錢三分六厘。歲貢生袍、帽、傘蓋等項銀一十兩四錢一分八厘。歲貢生迎賀旗匾等項銀一兩七錢三分六厘。

耗羨

國朝初承明制，有官俸而無養廉，故有耗羨之徵。正供之外，有司以意加收爲私用，以火化之耗爲名，正賦一兩，耗銀居十之二，或不止焉。雍正三年始定賦，一兩加耗一錢四分，以爲大小各官之養廉。由是賦有定則，而有司不得多取矣。本州正賦四萬四百八十一兩六錢五分四厘，定額征耗銀五千六百三十一兩四錢三厘。

起運耗銀二千十六兩三錢八分七厘。

坐支起運、折色脚價、舉人車價、四七脚費銀一百三十三兩八錢八厘。

解糧道耗銀一百三十四兩五錢七分六厘。

解河道耗銀四百七十四兩六錢三分三厘。

《前志》解漕項三二八脚費銀二十三兩八錢一分九厘有奇，解漕項五三脚費銀三兩八錢六分有奇，解倉項一四耗銀三十二兩五錢九分八厘，解倉項五三脚費銀一兩二錢三分四厘有奇。又存留運河同知養廉銀八百兩，今照現在解支數目登載。

坐支養廉 知州一千四百兩，州同八十兩，州判六十兩，吏目八十兩，六閘閘官各六十兩，共三百六十兩。又知州公費銀一百九十二兩。

吴檉《催科論》：濟寧起存額賦四萬三千有奇。考從前征收之法，用里長承催、坐差督率。古制一里十甲，而濟之舊例，一甲之中又添十數甲不等，以前後左右及諸姓氏爲名，冠於一甲之上以別之。而二甲、三甲至十甲皆然，計千有餘甲之多。一里有一里長，一甲有一甲首，甲首即一甲之里長也。當編派之時，必先定甲分，彼甲以苦累求分，此甲以户少求合。前一甲稱後一甲之某某户應歸於前，左一甲稱右一甲之某某户應并於左。每日紛稟不下數十餘紙，有實意求准，以遂其所欲者；有反求不准，以絶人争執者；甚有求情面而行囑托者。糾纏紛擾之中，經承册書亦得夤緣作奸，其弊有不可言者矣，此多分里甲之弊也。既定甲分，乃報里長，除紳衿勢力之家不報外，其善良殷實之户必不願充。而充者大概是貧窮無賴之人，包攬代役耳。故每甲里長坐定此人，而年年舉保之時，必串通甲内奸惡之户，擇其可欺、可詐者，聲言舉報，賄而得免，又易一人，輾轉不已。不遂其欲，則認真舉報。及其承應之日，暗中掣肘，使之催納不前，囑令坐差，限限帶比。受此數番，而後心膽俱喪，身家難保，未有不極力求退者。良善殷實之户，恐遭此害，敢不輸誠納款，哀求舊日之里長代爲應役乎？此舉報里長之弊也。夫此里長既皆貧窮無賴之人包攬充應，其舉家之衣食，經年之用度，坐差之規例，比較之使費，合而計之，爲數不資。各甲人户，錢糧多寡不同，一里長每年派取花户者，最少有十四五兩，多者必有二三十兩。如甲内糧少，其花户之所出必且浮於正額，即紳衿兵役之家尚不能免其科索，而編户小民之遭魚肉者，概可知矣。計千有餘里長勒派之數，幾與額賦相等，民力幾何，輸納焉得不難乎？花户完欠，惟責成里長，怙勢紳衿、强悍兵役與奸頑之户，痛癢不關，任呼不應，里長徒受血比，無人依限全完。而鄉愚無知者，或將應完之銀付里長代納，一入此輩之手，便作私家之用，完官者十無二三，因而買囑坐差，賄托經承，以求免比。坐差經承，亦利其所有，百計彌縫，曲爲掩飾，混開欠户，差役摘拿。一役到鄉，鷄犬爲之不寧。及至水落石出之時，里長遠揚潛避，或拿親保追賠，或拘花户重納，遺害不可枚舉。故歷年從無歲内全完之事，蓋小民既有重重剥削之費，力必不能急公。而紳衿兵役又抗欠不納，徵收焉得不難乎？此用里長催糧之弊也。一里派一坐差，闔州四十五里，坐差四十五名。坐差之盤費食用、季禮年規等項，皆各里長供送派給，不待言矣。每逢比較之限，便是買賣上門，而承行之饋送、皂隸之班錢與各役之分例，莫非坐差爲之吹嘘需索，叱咤横行，飲啖不了。内既勾合經承，外復通同里長，屢屢開拿欠户，票後一單開列多户。本官以錢糧爲急，信手標行，坐差既奉本官之差遣，即作本官之威福，以里長爲心腹，以欠户爲肌肉，恣意凌虐。里長曲意調停，欠户不能全完，畏其帶比，未有不以正供爲緩、買放爲急者矣。勒索既遂，却將真正赤貧之户無錢可索者，稱爲頑户，帶到應比。無錢使用之人，受責必重，鄉民睹此血比之慘，誰不懼怕？以後一聞坐差下鄉，人人心驚膽戰。坐差之聲勢益增，里長之科索益甚，此分派坐差之弊也。至於每年過割之後，此推彼收，必須開除清楚，然後照額編征。册書經管，其事誠不能盡革，而一里一人足以辦事，乃一里至有三四人不等，如許册書，何一不取足於里民者？里中多一册書，里民即多一番使用，此多用册書之弊也。夫爲民牧者，首重錢糧，百姓終歲勞苦，以供賦税，絲粟之入皆其汗血之所出也。伺乃催科無術，任用里長坐差，多用册書，致令百弊叢生。以國家惟正之供，爲奸徒漁利之地；以小民養命之源，爲蠹役營私之計。既以厲民，兼以自累，興言及此，愧恨滋深。先是，奉憲革除里長通行滚單，又未能洞悉立法之原委，奉行不善，徒滋繁冗。官未受滚單之益，民先受滚單之累，終致扞格不行。乃將里長改爲單頭，雖换里長之名，仍存里長之實，上下相蒙，實未嘗遵行滚單之法也。余竊惟催科之善，莫善於滚單，因講求古法，推考時宜，折衷損益，務期至當之規。先將里長、坐差盡行革去，而册書選擇十數人，一人而兼管數里，餘皆裁汰。按滚單古法，惟照里社分單，有南鄉之人田在北鄉之里者，有東鄉之人田在西鄉之里者，一單之内錯雜各鄉之户，其有相隔數十里、百餘里之遠者，人不相識，居處難尋，不惟單不能滚，抑且令花户相率而路，謗怨交興矣。今悉照保甲門牌册，挨次編單，但論居趾，不論里甲。一單之内皆係隣近熟識之人，早晚便於滚催，而無奔走尋覓之勞也。古法以十户爲一單，然户籍繁多，地方闊遠，若必拘古法則分單過多，官有改點之繁，民有紛擾之累。今酌定村莊大小、錢糧多寡，一單之内户以五十、糧以一百兩爲則。在民易催，在官易查也。自易知由單裁革之後，小民不知本名歲額徵輸之數，惟憑册書編次，則多派少派，飛洒脱漏，弊或所不免。糧册甚繁，一時難以户户核算，今將每户人丁與地畝糧數，注清本名之下，花户按單自知納糧之數，册書無從作弊矣。滚單舊式，用一單紙，百姓傳催，數日即擦損破壞，難以復傳。今訂單爲簿，紙張必須堅厚，簿殼夾層實裱，仍用護封盛之，雖滚至末限，依然無損。一年錢糧盡載入一單之内，照定例分爲上、下五分，立二十限完納，每十日爲一限。上五分十限，自二月開徵，滚完之後，正届農忙，停徵，將單繳收查核。下五分十限，自六月開徵，計止九月，可遵例報完。以簿内銀數最多之户，先爲單頭，令傳催。一限完足應催之數，即繳單改點次多未完之户傳催，若將本身錢糧應完五分之數未至限期先自全完，即准改點。有卧單不催，及催不足數、抗不繳單者，則發傳票，令該地方轉催本户自來赴比。如違限不遵，始差役拘查，薄責示警。或有逃亡死絶之户，所遺丁糧無人承納者，則勉捐代完，不以波累餘人。古法點單頭於户名上，加一硃圈，改點之時，抹去前圈，另圈一户。但無應完之數、定限之日，恐鄉民不明，致有錯誤。且硃圈非字迹之比，或有改换之弊。今用一印記，鈐於單頭之上，注明應催銀數、日期，使其便於查看遵守。至於花户納銀，令先付官銀匠驗明，只須足色，不論錠件，不用打印，即將官備封袋面同粘固，將里甲、户名、糧數填寫封袋上，再用小單與封袋面一式者照依一樣寫明，親自赴櫃。將小單交付收書，眼同查對清楚，照填串票、銀封，自投櫃中。不許收書過手，以防抵换及奸民混賴之弊。收書不過查驗封面、登記底簿流水、給發串票，而不許需索一文。所用銀匠，捐給工食，止令估看成色，其勒掯、傾錠、打印、包攬、代納等事，概行禁止。自力行滚單之後，不煩追呼，比較當年銀糧，即得早報全完，未嘗扑責一人。蓋民間既無他費，又不煩擾，遂覺寬然有餘，輸將甚易。而余亦竊喜自負，庶幾催科之中稍得撫字之意也。

《臨米始末議》：倉糧項下有臨清廣積二倉，本色、正耗并新增米一千二百六十石有奇，原係起解臨清督關者也。後因過往官兵需米應付，於康熙八年題定，將此米留濟支用，逐年奏銷。至康熙二十四年，通省臨米皆改折徵銀，而濟寧之米仍徵本色，留支應付，遂著爲例。例雖如此，而每年必須詳請由府司轉院咨請部示，大部允行，文後必曰「支放有餘，仍解臨關。」每應付至年終有餘剩之米，復請留如前。夫事無一定之例者，可彼可此，無所適從，仍當請示。今留支定例，已歷數十年，從無改移，亦無請而不允之事，何必多此一請？且臨關無所用米，故皆改折；濟寧必須用米，故獨留支。改折與留支，均屬定例也。何改折者不煩請示，而留支者仍要請示耶？此等往返具文，豈不可省？不知具文可省，而規例相沿，有斷不容省之故也。每年請咨留支所需之費，往日陋例出四關斗户及寫船埠頭，此輩豈情願急公乎？不過假此爲名，便可横行勒索，以飽所欲也。余已盡爲革除，凡有所費率皆自任，亦云累矣。康熙三十二、三兩年，内應付少而餘剩多，計有存倉米二千四百餘石。臨關移會藩司嚴提起解，余以成例不可破，幾番具詳力請，始得照舊留支，然存貯日漸紅朽而不可食。陳陳相因，不思變通之計，必致爛弃而有賠補之累。河道總督標下四營兵丁有額給月糧，一年兩次估價，按季支放，或赴司請領，或就近撥兑。夫過往官兵之口糧與駐扎官兵之月糧，同一動用錢糧，余因詳請將此留支，臨米如應付無餘則已，如有餘剩則搭放河標兵丁。冬季月糧盡數支完，逐年清楚，每名搭放無多，而兵丁盡在同城支領甚易，亦莫不樂從。既免起解之煩，又無朽腐之慮，變通之計，莫便於此。并請遞年遵行，永以爲例。維時方伯張公護理院印，允爲題請，不意經承將詳内「遞年遵行，永以爲例」八字私自删去，題請之後得部議。余以爲此事得妥，非特公私兩便，實可爲一定之規，以垂永遠之利。踴躍急公，勉力從事，部議遂允行矣，祇以删去原詳「遞年」「爲例」字樣。而每年留支之請，仍不能免。至康熙三十六年請示之時，部文又止准留支，不准搭放，謂原疏内并無「爲例」字樣也。余復理前説，詳請再三，始得咨覆。又勉力從事，乃得允准。至康熙三十八年，先經臨關援例，呈明部示無异矣。後咨覆撫憲文内，又復「不允搭放」，仍令起解。部文之前後互异矛盾如此，必至咨請至再而後定。夫留支臨米是題定之例，搭放兵糧亦是題定之例，例既一定，而繁文不免，此公務之所以難辦，而任事之所以受累也。余略記其始末，非欲表白苦心，尚冀遵例永行，免日後復行提解之擾耳。并《牧濟録》。

金鄉　當差人丁一萬一百四十九丁，每丁徵銀一錢一分六厘有奇，共徵丁銀一千一百八十一兩四錢六分七厘有奇。雍正四年，奉文攤入地畝，共攤丁銀二千九百三十五兩五錢九分七厘有奇。

原成熟并新墾中地，每畝徵正供并雜辦九厘，胖衣等銀二分七厘有奇，麥四勺有奇，米三合四勺有奇，共銀二萬五千一百九十一兩八錢六分三厘有奇，麥三百七十七石九斗七升八勺有奇，米三千一百四十八石五斗八升二合七勺有奇。原額下地每畝徵正供雜辦并九厘，胖衣等銀一分三厘有奇麥二勺有奇，米一合七勺有奇。共徵銀一百二兩四分八厘有奇，麥一石五斗三升一合一勺，米一十二石七斗五升三合九勺有奇。額外荒地成熟者，每畝徵銀三分五厘，共徵銀八兩四錢五分三厘有奇。

馬場地每畝徵銀四分，共徵銀三十二兩。

學租一等附郭地，每畝連房租徵銀一錢六分，共徵銀六兩八錢八分。二等地每畝徵銀三分，共徵銀四兩九錢五分。三等地每畝徵銀二分，共徵銀五兩七錢六分七厘有奇。

康熙十一年奉文：漕糧每正米百石加潤耗銀五兩、米五石。

班匠攤入地畝徵收，銀二十三兩四錢。康熙四十二年。

現行賦役徵銀二萬八千五百四十八兩九錢九分二厘有奇，麥三百七十九石五斗二升一合九勺有奇，改米。米三千四十六石一斗四升九合一勺有奇。

起運款目以下道光十六年《賦役全書》。

地丁銀二萬二千二百六十兩五錢九分三厘。又京庫花絨、狐狸皮、牛角弓面折徵等銀一十四兩七錢一分八厘零，歸入地丁起解。扣支祭祀銀五十兩，折色脚價銀五十七兩一錢一分六厘有奇，歷科舉人車價銀二兩七錢四分四厘有奇。

漕糧兑軍攢運本色正耗米二千一十六石二斗九升二合五勺有奇。輕齎、席草、脚價共銀二百五十七兩二錢九厘有奇，潤耗銀八十兩六錢五分一厘有奇，米八十石六斗五升一合七勺有奇。運軍行糧本州永豐倉小麥改米三百七十九石五斗二升一合九勺有奇，又粟米七百一十一石六斗三升二合七勺有奇。州庫鹽鈔銀一百四十兩二分二厘有奇。

臨清倉本色正耗米折銀一百五十六兩八錢五厘有奇。脚價、盤費、席草等項共銀四十一兩二錢七分有奇。

德州倉本色正耗米二百三十七石五斗七升二合二勺有奇。脚價、盤費、席草等項共銀六十四兩四錢六分六厘有奇。

學田租銀十七兩二錢三分七厘有奇。

存留款目

河道夫食銀三千九百五十八兩二錢二分四厘。細目詳各縣志，不再書。

官俸役食銀一千一百九十兩七錢五分六厘零，里甲夫馬銀一百六十二兩七分九厘。詳「驛遞」。

雜支銀二百六十一兩九分七厘有奇。

按《前志》云：「金鄉地惟中、下二則，舊賦載在《會典》，自明萬曆四十六年與崇禎四年以軍興孔急，先後加增，名曰『遼餉』。迨國初諸邑各詳請豁除，惟金邑連遭黄水，户口逃亡過半，拋荒田地奉特旨概行豁免，每歲徵賦無幾，未便再請豁除，沿爲定額。」《沈志》因載明賦全款并録遼撫加餉，原疏今不復備載，僅將原額暨加編數目附録，庶不没前人軫念民賦之意。《縣志》云：「原額中地每畝二分一厘零，加編遼餉六厘零。原額下地每畝一分零，加編遼餉三厘零。」

嘉祥　當差人丁四千九十四丁，每丁徵銀二錢八厘，共該銀八百五十一兩五錢五分二厘。

雍正四年，將丁銀攤入地畝，共攤銀一千四十四兩六錢五分九厘有奇。原額增銀一百九十三兩一錢七厘有奇。

原成熟并新墾地每畝徵正供、雜辦并九釐，胖衣等銀二分有奇，米一合八勺有奇。共銀九千兩二錢四分三釐有奇，米八百一十五石四斗七升五合八勺有奇。○寄莊地除正項在，於原額地畝内派徵外，每畝再徵銀一分五釐，共外徵銀四百二兩三錢七分五釐，奉文攤入通縣地糧派徵。○額外荒地成熟者每畝徵銀三分共銀二十九兩九錢四分，成熟湖租地每畝徵銀三分共銀四十三兩八錢。○河灘籽粒臺基地每畝徵銀四分共銀七兩八分。○河灘屋基地每間徵銀三分共銀二十二兩八錢九分。

逾額河灘賃基每間徵銀三分共銀二十一兩八錢四分。

學田地每畝徵租銀四分五釐，共銀五兩七錢三分七釐有奇。

康熙十一年奉文：漕糧每正米百石加潤耗銀五兩、米五石。

班匠攤入地畝，徵收三十兩六錢。康熙四十二年。

現行賦役徵銀一萬八百三十八兩一錢二厘有奇，米五百五十八石二斗八升五勺有奇。

起運款目以下道光十六年《賦役全書》。

地丁銀八千四百九十五兩一錢八分四厘有奇。又京庫地畝、花絨、狐狸皮、牛角弓面等項，共折徵銀四兩五錢九分四厘有奇，歸入地丁起解。折色脚價銀一十三兩三錢一厘有奇，歷科舉人車價銀二兩三錢五分四厘有奇。

漕糧兑軍攢運本色正耗米五百三十六石八斗八合二勺有奇。《前志》：「兑軍攢運正耗米五百三十七石五斗五升八合有奇，隨漕輕賫、席草、盤費共銀六十兩八錢一分二厘有奇，潤耗銀二十一兩四錢七分二厘有奇，米二十一石四斗七升二合三勺有奇。」

臨清倉正耗米折銀二百二十二兩二分三厘有奇。脚價、盤費、席草銀共銀四十七兩六錢三分四厘有奇。

學田租銀五兩七錢三分七厘有奇。

存留款目

河道夫食銀四百六十五兩七錢五分一厘有奇。

官俸役食銀一千一十兩三錢九分六厘有奇。

驛站里甲夫馬銀二百七十二兩二分七厘有奇。詳「驛遞」。

雜支銀二百五十六兩四錢六厘有奇。

魚臺　當差人丁一萬八千九百二十三丁，每丁徵銀一錢共該銀一千八百九十二兩三錢。

雍正四年奉文：通省丁銀攤入地畝項下。本縣應攤丁銀二千四百三十兩六錢四分六厘有奇，較原額增銀五百一十一兩三錢四分六厘有奇。

原成熟地并節年新墾地每畝徵正供、雜辨并九厘，胖衣等銀二分三厘有奇，米一合四勺有奇。共徵銀二萬四百二二兩四錢三分二厘有奇，米一千二百七十一石六斗四升七合三勺有奇。額外荒地每畝徵三分，共徵銀六十七兩三錢七分七厘有奇，無米。○更名地每畝徵銀一錢五分，共徵銀九十三兩七錢七分七厘。○鳳凰山小畝地并額外每畝徵銀一分，共徵銀六兩五錢八分四厘。

馬廠租地每畝徵銀二分九厘，共徵銀三十一兩四錢七分八厘有奇。

河灘籽粒三等地，每畝上者徵銀三分中者二分五厘，下者二分，共銀一百二十兩。賃基六等房，每間徵銀五分至一錢五分不等，共徵銀四十一兩四錢九分六厘有奇。

學田地一頃十四畝，每畝徵銀四分八厘零。一頃三十六畝，每畝徵銀一錢四分九厘零，共徵銀二十五兩八錢六分。

升租藕蔘地每畝徵銀四分，共徵銀六十二兩七錢四分。

泉灘地每畝徵銀四分，共徵銀五錢六分。

康熙十一年奉文：每漕糧每百石加潤耗銀五兩，米五斗。

班匠攤入地畝銀一十二兩一錢五分。

現行賦役徵銀二萬三千七百兩四錢四分四厘有奇，米一千二百七十三石八斗二合七勺有奇。

起運款目以下道光十六年《賦役全書》。

地丁銀一萬六千四百三十八兩二錢二分八厘有奇。內有道光十六年裁減驛款項下七百五十一兩六錢五分八厘，歸入起運京庫地畝、花絨、牛角弓面折徵等銀三兩七錢五分有奇。又扣支祭祀銀五十兩，折色脚價銀四十兩七錢四分三厘有奇，歷科舉人車價銀三兩一錢九分三厘有奇。

漕糧兑運正耗米一千二百二十四石八斗一升三勺有奇。隨漕輕賫席草共銀八十六兩四錢九分九厘有奇，潤耗銀四十八兩九錢九分二厘有奇，米四十八石九斗九升二合四勺有奇。

臨清倉正耗米折銀三十七兩六錢三分二厘有奇。腳價、盤費、席草共銀九兩三錢三分八厘有奇。

學田租銀二十五兩八錢六分。

存留款目

河道夫食銀三千六百二十五兩四錢六分九厘有奇。

官俸役食銀一千一百二十三兩四錢三分有奇。

驛站里甲夫馬銀二千七百七十七兩二錢九分五厘有奇。詳「驛遞」。

雜支銀二百六十六兩六錢六分六厘有奇。

雜税

税契銀無定額，三縣同。

課程銀無定額，金鄉五十一兩七錢八分二厘，嘉祥六十九兩一錢九分，魚臺三百九十四兩三錢。

當稅銀每座五兩，金鄉三十兩，嘉祥二十兩，魚臺四十五兩。

牛驢稅銀四十六兩七錢一分。金鄉三十二兩二錢六分三厘，嘉祥十二兩，魚臺三十二兩八錢二分。

牙雜稅銀六百七十三兩。金鄉七十三兩五錢二分九厘，嘉祥六十六兩九錢，魚臺一百五十七兩三錢五分。

吴樫《雜稅論》：額外之徵六：曰課程，曰牙雜稅，曰牛驢抽稅，曰班匠，曰稅契，曰當稅。稅契聽民投納，當稅照鋪徵解，此二項無論矣。課程額徵一千二百一十八兩有奇，乃稅課局大使經管徵解者，定例原止徵外來客貨，謂之「落地稅」，而本境土産之物，皆不得徵。從前有濫及鄉民麻枲之屬，亦俱不免，此法所當禁者，固已嚴行禁止矣。至於小車脚驢、駝載負販者，雖亦外來，而貨物無多，資本有限，勞其筋骨以博蠅頭，利之有無，尚不可知，落地之時，先須抽稅。更有聞知貨不得價，甫落店家，旋即他往者。巡攔之役，輒借漏稅名目，拘留倍罰，异鄉客旅往往有含屈而莫辨者。濟當水陸要衢，商貨雲集，量度所征，足額有餘，豈可誅求無藝，利盡錙銖，遍及小車、脚驢、負販營生之輩乎？此則一概嚴爲禁止，不許亂徵。牙雜稅一項，舊例凡外處商賈到濟買貨者，起脚之時，不論貨物之精粗貴賤，陸路計車、計駝，水路計包、計件，按道路之遠近而征之。歲終循例造册奏銷，然額解止六十五兩有奇耳。乃差役四出騷擾闤市，勒索不休，駝載征無遺物，商販視爲畏途，殊爲濟市一大敝政。余莅任之始，即嚴行禁革，將額稅責成牙行辦解。夫商貨聚集之处，謀充牙行者争先恐後，令辦此些須之稅，頗爲裕如。然行多則經紀必雜，交易多累。余酌量本大貨多者，定爲十八行，分别派稅。詳明上司，刊示木板，永爲定例。其餘負販微物，聽民貿易，不許私自立行。然牙人領帖，例有帖價之入，額稅既已不缺，豈肯以此自玷？因而一帖不給，止令各行公同互保，殷實之人充應完辦額稅，免其帖價。然有應解花絨、牛角弓面等項，本色額徵定價甚少，委官采辦解京，例有帖費，向皆出自里下，殊爲煩擾。因畫變通之道，乃勉勸牙行任之。蓋經紀不費本資，赤手而得商用，歲入頗厚。今既不取其帖價，惟令照行大小，公議認辦本色某項若干，給發額徵價銀，解交委官，計其所費不過帖價十之二三耳。以十餘牙人情願輸官之物，充國家之要務，免闔州之科派，省私益公，雖非經制，其於古人通變宜民之道，似乎有合也。牙行人等俱歡然樂從，如期辦解，行之數年，絶無稱累者。牛驢税議定城鄉共十一集設有牛驢經紀，額解止二十六兩有奇。按賣價每兩抽税三分，此例人皆通曉，不能有濫徵多索之弊。顧念吏目寒曹束以功令，無可假借，惟賴俸薪，難支朝夕，因將此項委之抽收額解辦公之外，稍有贏餘，聊爲養廉之助也。至若班匠一項，但有應解之額，實無可徵之人。考其源流，即古匠籍之丁銀也。明朝初年之制，凡作工匠，人皆隸於官，世守其業，遂以匠爲籍。今既無匠籍之制，而舊册已不可考，即使有考，而子孫已不習其業，何從徵之？歷來惟將民間各項工匠之人，派徵班匠之税。夫諸色貿易之人，擁重資、獲厚利者，丁銀之外，毫無他徵。而區區手藝貧民，窮日之力，所得工值不足養活數口，反以班匠爲名，既納人丁，又納班匠，横加科派，豈情理之平哉？若藉此爲取盈之計，多徵於額外，致令胥役爲奸濫派，則又不忍言矣。額解班匠六十四兩有奇，濟寧各項工匠甚多，有所去取，則不均一，若是匠即徵，豈不苛擾？在城者繁雜，各鄉者遥遠，查報催納之人，不免藉端科索。余是以一概豁除，自爲設法完解。至康熙三十五年，有絲行經紀具呈，情願認輸班匠。叩其意，以余不行給帖，隨人貿易，恐將來有奪其行業者，故願認完班匠。雖曰急公，實自爲計。其所輸猶不及從前之帖價，因從其所請，歷年照行，遂爲成例。然終非經常永遠之法，竊惟今無匠籍、民籍之分，要之皆民籍也。既徵丁銀，似宜豁除班匠。否則，派入條鞭之内，每畝所增不過渺漠之數。於國課無損，而貧藝有濟。然須請詳入告，乃可改除。前郡守陳公曾是余所議，具詳中請撫憲，惜其格於時事而未上，留心民瘼者當必舉行，余惟有志而未逮也。

《雜差論》：百姓有地者納糧，有丁者當差，而丁銀之徵即當差之謂也。瀕河州縣之民，丁銀之外，又有河夫之役，所謂力役之徵，亦是公家正差，除此别無差徭矣。乃濟寧故習，無名之差甚多，里民不勝其擾。其他未敢斥言，即就本州衙門陋弊而論，如門子、禁卒、燈夫、轎夫、庫子俱有額設工食，以爲不敷所用，又復坐占地方帮貼食米，則有差；厨子、水夫、火夫、更夫，工食則有差；新官到任，鋪堂填宅，則有差；修里衙門，取用材料，則有差；新歲更換桃符、執事，則有差；端午、冬至兩季換傘扇、桌幔等，則有差。跪牌、挂牌等一應公用之物，無一不有地方行户承直。曾有備傘一柄，牌甲派錢至八十千文者，一事如此，其他可知。由州推之，則上下衙門概可知矣。至於奉行一切公務，承應一切過往差使，無事不出諸地方，相沿日久，視爲成例，恬不爲怪。除紳衿、兵役之外，無有不派差之地方，無有不應差之民户。更可笑者，某地方是某衙坐差，某工匠是某衙門占役，凡百工技藝之人，無一不分認衙門。答應此衙門者，彼衙門即不得傳唤。是以狡獪之徒鑽營各文、武衙門，挂名充役，希免雜差，幾至十室而五矣。惟有老實務本貧民，一任吏胥之追呼，坐受地方之魚肉，莫可伸訴。余到任之始，訪知諸弊，即大張曉示，將昔日之積害弊政，臚列明白，痛行革除。或有應行之公務、應辦之物件與應付一切差使，皆躬親料理。雖有酬應賠墊之費，亦是有司之責，余自任之，不煩民力。至於承直上司衙門，事不可已，則别爲設法。如前河道總督董公、于公，莅任時修理衙署、備辦鋪設，所需不資，并無經費，向皆派之地方鋪户者，余斟酌具詳，議請概行有河務州縣官捐資公備，衆擎易舉。其他類此，斷不擾民。如事屬可已，或力所不能者，則徑行請免。上臺軫恤民隱，無有不俯允者也。竊惟爲民父母，毫無德澤及民，而先厲民以自奉，動曰「體統所在，規矩如是」，不知有一衙門之體統、規矩，即有千百家之科派擾害也，余深耻之。數年來，凡工匠夫役與一切動用之物，一絲一粒，俱照民間給與工值平價。厨火等夫亦自給工食，未嘗自役一人，派取一草。以身先之，與所屬交相砥礪，處己以約，務在恤民。里民正供而外，庶免雜差之累矣。并《牧濟録》。

附録知州徐宗幹《革小車行示》：州屬遞解人犯等差，絡繹不絶，不能不設立小車行，隨時雇備，而有此名目。則小車行遇有推運一切貨物者，勢必任意扣留需索，現在許成義等致訟有案。今將該行暫行革除，遇有遞解等差，着值户頭役隨時雇覓。向發車價，每輛發錢二百文，今酌定滋陽、鄒縣、嘉祥加大錢一百文，寧陽、汶、金鄉加大錢一百五十文。本州於點解時，當堂捐發。又聞鄉民賣麵亦有麵行名目，以津貼小車行爲名，私抽行用，小民蠅頭之利，何以堪此？着永遠禁革。

《禁拿牛車示》：照得鄉民製備牛車，載運糧食、柴薪，非客商外來騾馬車輛可比。州境地當衢要，運送餉鞘、遞解人犯及河督衙門差務，不得不需用車輛，均係發價雇備。現聞車行人等，借差爲名，妄拿鄉間牛車，藉端勒索，殊堪痛恨，合亟示禁。自示之後，不准拿鄉間牛車應差，即騾馬車輛及驢駝往來，亦須放空時隨時雇備，不得於商旅過境任意訛索。倘敢故違，拘案嚴懲。此諭！濟州車行之害，千里而外，行人裹足，蓋由土棍與差役串同把持，而卒不能遽革者。河督每年赴河南查工兩次，需車百數十輛不等，必須一月以前早爲雇備。雖由州按日支發喂料，飯食皆車行人等中飽，或坐扣房飯，用一扣十，甚至賣放虛報，無弊不作。隨時認真稽查，當堂支發雇價，并嚴禁妄拏鄉車，爲害或可稍輕耳。嘗議令四關糧行承雇應差，不用車行，乃行之未果。前河督栗恭勤公時爲廑念，余擬由州備價，先期交廳員，即於河南雇來，回濟時，亦由州給價。此外官差，概令自雇，則車行可以無用。惜乎議未定而公已捐館矣，是所望於後之君子善爲之。

《船行示》：爲嚴禁勒索過往船隻以便商旅事：照得濟境水陸通衢，商船來往絡繹，豈容船行留難阻滯？假以辦差，任意扣留船隻，得錢賣放，甚將客載之船混拿訛詐。種種弊端，難以枚舉。前經妥立章程，示禁在案。現值開河之際，不時商船往來，恐該行頭藐法抗違，合再嚴禁。凡商船過境，任其往來，倘敢仍蹈前轍，假差混拿、扣留勒索，該船户商民指名禀案，以憑按例究辦。一、官民雇船，毋許虛站，船如雇妥，言明水脚若干，該行填注船票，給客收執。起程時先付三分之一下，餘按站交付，中途不許全數索取。一、船行抽用，無論船隻多少，每銀一兩，照例取銀三分；每錢一千，取錢三十文，不得違例多索。一、船户攬載客貨，全憑船行照料，將到次船隻先行登記，儘先裝運。其餘以次攬載，船隻任客揀擇。雇船之時，該行領看先到之船不妥，另看次到者，毋許高下其手，致船户有守候之虞。一、商民到地雇覓船隻，其有願在行内食飯者，起身時將所用米麵菜蔬，照時值市價給與，該行毋許額外多索。一、商船過境，任其往來，不許假藉差使，擅寫紙條，封貼商船，留難勒索。如遇差用船，該行請領印封，需船幾隻，照數赴房，將封條填注船户姓名，登記號簿備查。倘敢假冒多領，該房查明禀究。一、恐有不法棍徒假冒行人撞騙，飭該行人等各帶腰牌，客商船户認明帶有腰牌行人，交易不致有冒充混訛之弊。以上立定章程，行户人等倘敢不遵條規，復萌故智，許受害商民指名禀案拘究，追價給還原主，照例治罪。

此諭！

《牲畜牙行示》：照得州境牲口集市訪有外來匪徒冒充牙行，本地土棍相與朋比勾串，以致奸徒乘之，消贜鄉民，受其訛索，被竊牲畜之家，每至冬間，層見叠出。即買賣牲口，易滋訟端，均由於此。今據各集張士功等認充經紀，前來除取具認狀，照例具詳請帖外，現今暫各給腰牌一面，俟領帖後仍行繳回。各集場無腰牌者，一概不准評買牲畜。合行出示曉諭，如買賣牛驢馬匹，均同官牙評價，照例抽税，不准令各處私紀説合。所有現充經紀等，遇有形迹可疑、語言支離并私紀三五合夥抽收税用，或匪徒代賊消贜，或回民串賣私宰，即同約地盤獲，禀究該經紀等。倘敢故違，及勒索鄉民，藉端滋事，定行重處不貸。

《革羊行示》照得私宰牛隻，屢經查禁懲辦，并將起獲牛隻詳明賞給。被竊耕牛較多，未經獲賊之家，暫資耕作在案。雖偶爾斷絶，仍有復犯不悛者。除仍嚴密查拿，着該地隣人等隨時呈首，如匿不告官，一并治罪。至回民人等，以屠宰爲業，每有捨此無以營生，以身試法，甘蹈刑網而不辭。今本州再四籌維，與其執法以治其罪，不如設法以全其生。查州境設有羊行，時届冬令民人食牛，不如食羊。而食羊者少，以羊肉貴於牛肉，且以羊行有官差，不無把持情事。今將羊行名目除去，無分官民，一概公平價買。凡以屠宰爲業者，概准其宰買羊肉，不許羊行需索帮貼。羊肉賤則食牛肉者少，宰羊者多則宰牛者可以歇業。雖牛羊何擇，而牛爲耕作所需，宰牛爲賊窩所聚，以羊易牛，究於民生有益。至羊行承辦祭祀羊隻，臨時酌加價值，以示體恤可也。

鹽引

明初派鹽一萬二千引，萬曆間派一萬六千八百九十二引。

國朝額銷一萬二千四百二引。《兖州舊志》。按，府新《志》：康熙年額銷一萬四千二百一十三引。

道光二十年原額一萬六千二百五十七引。

金鄉　康熙年額銷四千一百七十五引，現額銷五千四百引。

嘉祥　康熙年額銷二千三百二十四引，現額銷三千五百二十一引。

魚臺　康熙年額銷九千二十一引，現額銷一萬一百七引。

濟寧直隸州志 卷三 三十五

濟寧直隸州志卷三之五

風土志

○里社

《前志》，「街衢」「里社」列「形勝」「境至」之次。「里社」與「户口」相表裏，丁賦之源也，市集税課所出，故并列「賦役」之後。「街衢」附「城池」。

○在城地方凡二十二

東南隅 一千五百四户。

東北隅 一千五十一户。

西北隅 一千三百二十八户。

西南隅 一千三十四户。

以上城中。○按，元貞二年《修學後記》碑陰有「四隅」社長、耆人等姓名：王德、趙福、宋珍、丁信、安適、祝旺、唐嵓、李興、張義、張清、徐英、劉泉、黄貴、于津、酈旺、趙衍十六人，可見「四隅」之名其來已久。

河東三七鋪 八百三十六户。

河東五鋪 五百八十五户。

河東二鋪 六百六户。

河東四鋪 一千一十五户。

東關二鋪 一千三十六户。

東關一鋪 一千一百四十户。

北關一鋪 八百九十七户。

南城一鋪 一千三百一十一户。

南城二鋪（二百七十户。）南城五鋪（一千户。）

南城六鋪（四百户。）南城七鋪（一千九十四户。）

南城八鋪（二百八十七户。）南城九鋪（八百九十二户。）

馮段村（九百九十二户。）中新閘（一千四百五十六户。）

草橋二鋪（一千二百四十三户。）西關草橋一鋪（九百一十八户。）

以上近城。

○東鄉地方凡二十二（凡一百七十七莊。）

東三五里營距城五里凡四莊：（户五百八十一。）

趙家莊　前三里營
後三里營　五里營

班村距城九里凡二十一莊：（户八百八十二。）

林家橋　秦家莊　昇仙營　紅廟
吴家閘　前郭家莊　中郭家莊　後郭家莊
邵家莊　史家莊　柏家莊　蔣家莊
關王廟　大黄莊　小黄莊　楊家樓

楊家橋　高家莊　劉家莊
潘家莊　孔家莊

能家營距城十八里，凡四莊：户二百五十。

郭家橋　楊家橋
王家橋　盧家營

孫氏店距城三十里，凡五莊：户一百五十。

本　店　李家屯　黄家屯
祖家營　小新莊

孫氏閘距城三十五里，凡七莊：户二百八十。

本　閘　張家莊　茶　庵　褚家屯
蒜　園　馬家莊　蔣家屯

杏林莊距城三十五里，凡七莊：户二百六十。

鄭家莊　傅家廟　王家橋　龐家村
孫趙莊　汪高莊　丁家莊

洸河廠距城三十里，凡五莊：户二百七十四。

卞家廠　許家廠　郭家廠
陳家廠　王家廠

蔡家營距城二十里，凡六莊：户一百八十四。

本莊　田家莊　張家莊
周家莊　楊家莊　黃家莊

南灌集距城三十五里，凡八莊：戶六百四十二。

南并集　東灌冢　黃家莊　八家院
丁家莊　榮家橋　伊家莊　董家莊

栗家莊距城十七里，凡一莊：戶八十三。

本莊

高蘇莊距城二十里，凡七莊：戶二百四十七。

高廟莊　前蘇莊　後蘇莊　王家莊
張家莊　孫家莊　宗家營

姚安莊距城四十里，凡四莊：戶一百一十三。

李家莊　高家場
姚家莊　劉家莊

南賈村距城十二里，凡八莊：戶七百五十。

本村　塔口鋪　小店　前八里鋪
後八里鋪　八里營　大郝村　小郝村

接駕莊距城二十五里，凡八莊：戶六百七十二。

杜家莊　鄭家莊　宋家莊　魏家莊
姜橋莊　口子頭　伊家營　二十里鋪

上吳家灣距城三十里，凡六莊：户八百。

本灣　垞河　鄭莊
元莊　常家營　後十里營

下吳家灣距城二十五里，凡十三莊：户七百六十五。

前十里營　蔡家莊　賈家莊　舒家莊
草橋圈莊　申家莊　李家廟　崔家院
韓垞店　陸家橋　孟家井
齊家營　劉家營

荆冢集距城五十五里，凡二莊：户二百七十三。

本莊
馬家莊

邢莊寺距城五十五里，凡十莊：户三百五十一。

趙家橋　大拐子頭莊　小拐子頭莊　王傅寨莊
牛家廟莊　蘇家莊　張家莊　李家莊
張家園
孫家莊

上九曲距城五十五里，凡十一莊：户五百四十五。

九曲店莊　蘇家莊　潘家莊　劉家莊
姬家堂　李家莊　范家莊　孫家莊
小張家莊　徐家樓
于家莊

下九曲距城五十里，凡九莊：户五百九十七。

九曲店莊　程家堂　黃家莊　潘家莊
宋家集　程家樓　高家莊　羅家場
張家橋

登豐里距城四十里，凡十一莊：户八百六十。

南王莊　北王莊　洌莊店　黃家莊
姜家莊　仙家莊　鄔家莊　高家莊
宋家莊　朱家莊
卓家廟

黑土店距城三十五里，凡二十莊：户九百三十。

本莊　孫家道口　王家堂莊　趙家莊
李家廟　黃家樓　古柳樹莊　鍾家行莊
後石橋莊　陳家莊　任家寨　王家莊
劉家營　聶家莊　孫家莊　楊家莊
潘家行莊　劉家莊
靳家莊　前石橋莊

○南鄉地方凡三十一凡三百六十莊。

趙村距城九里，凡四莊：戶二百一十四。

河東莊　廉家莊　河西莊　張家莊

石佛閘距城十八里，凡三莊：戶五百有三。

河東莊　月河莊　河西莊

新店閘距城三十六里，凡二莊：戶三百有四。

河東莊　河西莊

仲家淺距城四十六里，凡五莊：戶五百三十六。

河西莊　泗河涯　河東莊　仲家莊　曹家莊

師家莊距城四十六里，凡二莊：戶一百二十二。

河西莊　河東莊

魯橋距城六十里，凡十六莊：戶一千二百九十九。

小中街　東街　又東街　北街
南街　西街　南大街　劉家莊
胡家岡　熊家莊　馮家莊　葛家橋
丁家營　楊家橋　秦家莊　運河西

棗林距城六十六里，凡二莊：戶三百一十。

河東
河西

兩城距城七十里，凡七莊：戶一百四十五。

本街　小北莊　龍王廟街　南北街
黃家街　南魯村　北魯村

譚村寺距城六十里，凡十一莊：戶三百一十四。

新挑河　河南莊　河西莊　徐家莊
韓家樓　后竇家莊　前竇家莊　杜家莊
高家莊　郝家莊
劉家樓

張家堰距城五十五里，凡五莊：戶一百四十八。

張家堰　李家口　朱家莊
李家莊　劉家莊

南九子距城五十五里，凡十七莊：戶四百七十一。

九子本莊　劉家樓　南陳莊　南李莊
王家莊　朱家莊　郭家莊　董家莊
武家莊　東董莊　吴家莊　張家莊
車家莊　倪家莊　東陳莊　李唐橋
高家莊

北九子距城五十二里，凡二十二莊：户四百一十六。

李家莊　侯家樓　西李家莊　張家莊
張家店　前張莊　西周家莊　北徐莊
小王家樓　大王家樓　西艾家莊　白家莊
小周家莊　大周家莊　代家莊　東艾莊
南徐莊　南王莊　后張莊
夏家莊　馬家店　棗張莊

安興集距城四十里，凡十四莊：户五百懸三。

邵家莊　王貴店　宋家莊　王家莊
李家莊　孫家莊　門家莊　梁家橋
韓博士莊　高家莊　陳家莊
南李莊　蘇家莊　安興莊

南北詰距城八里，凡十四莊：户四百九十二。

陳家莊　甄家莊　黄家店　小新莊
李家樓　王家莊　後八里店　八里店

許家莊 張家莊 靳家莊
八里廟 呂家莊 孫家莊

東鄭村距城十二里，凡十一莊：户四百七十六。

本村 沙家莊 田家坑 單家行
茹家行 毛家行 任家樓 孫家井
前孟家莊 後孟家莊
尹家營

楊郭莊距城二十里，凡二莊：户一百三十四。

楊家莊
東田家莊

新興距城十二里，凡三莊：户二百七十五。

新興 白家莊
長林村

南牛頭河距城五十里，凡二十三莊：户五百四十八。

鄭家堰 郝家莊 趙家莊 李家莊
邢家莊 南宮莊 郭家堰 東鄭莊
朱家廟 劉家莊 北趙莊 居王莊
北宮莊 侯家莊 王家莊 陳家莊
卞家集 汪家莊 田王莊 全家橋
鄭家莊 小王家莊 大王家莊

北牛頭河距城三十里，凡二十六莊：户五百有三。

鄭家莊　仲家莊　潘家莊　孫家莊
滑家莊　白家口　前白家莊　後白家莊
南高家莊　陳家莊　趙家莊　前侯家樓
北鄭家莊　侯家樓　祝家莊　鞏家莊
郭家莊　北白家莊　北高家莊　吴家莊
萬家廟　十三行　譚家莊　王家莊
小李家莊
大李家莊

周杜莊距城三里，凡六莊：户三百六十五。

周家莊　杜家莊　季家莊
譚胡莊　韓家莊　烏家莊

潭口集距城五十里，凡十六莊：户六百九十四。

本集東　本集西　鳳凰店　高家莊
帥家莊　朱家莊　盧家廟　趙家莊
西王家莊　邵家莊　周家莊　王家廟
郭家莊　東李莊　西李莊　梁家莊

賀家橋距城四十五里，凡九莊：户三百三十二。

賀家橋　任家莊　司家莊　趙家莊
王家莊　崔家莊　田家莊　朱家莊

王家廟

興福集距城四十五里，凡十莊：户三百六十五。

本集莊 周家莊 倪家莊 田家莊

司家莊 卞家莊 張王莊 朱家莊

瓦屋張莊

蔡家莊

河清口距城五十五里，凡十八莊：户六百一十七。

河清口 沙土集 許家莊 傅家莊

劉固庵 孫家莊 東劉莊 後盧家樓

姚家坊 東盧家樓 西盧家樓 前盧家樓

馮家莊 梁王莊 東張莊 西張莊

前張莊

王家莊

平流河距城二十里，凡十二莊：户三百五十二。

迦河莊 小楊家莊 戚家莊 張家橋

許家莊 劉家樓 東大魏莊 李家莊

河南魏莊 東小魏莊

周家莊 韓家莊

大流店距城三十里，凡十莊：户三百六十二。

本街 南街 太平莊 郝家莊
劉家莊 王家莊 姚家莊 小新莊
梁家橋
陳家莊

小流店距城三十里，凡十五莊：戶六百一十五。

小流店 西北村 東北村 吴家村
張家莊 孫家路口 傅家村 前陳莊
谷家莊 范家莊 王家莊 捧李村
王家莊 後陳莊 劉家莊

謝家城距城四十里，凡二十二莊：戶五百五十五。

前謝家莊 後謝家莊 趙家莊 田家莊
東張莊 瓦張莊 大李家莊 顧家莊
門家莊 謝劉莊 南胡莊 陳家海
朱家莊 孟家營 孟家莊 高家莊
東李莊 賀家莊 東胡莊
梁家橋 苦水張莊 茹家莊

南邵莊距城五十五里，凡二十莊：戶四百三十。

周家莊 南劉莊 李家樓 張楊莊
北劉莊 張史莊 興隆莊 牛家莊
本寺莊 田家莊 花馬劉莊 中馮莊
西馮莊 興隆莊 魏家集 韓劉莊

西王家莊　南王家樓
賀家莊　東馮行

北邵莊距城五十里，凡十六莊：户三百二十五。

周家莊　北李莊　武家莊　夏家莊
蕭家莊　包家莊　路家莊　東邵莊
田家莊　馬家莊　張家莊　楊邵莊
南田莊　南李莊　彭家莊　杜家海

景村距城十八里，凡十五莊：户六百四十一。

半邊店　小張家莊　張家莊　小鄭莊
傅家莊　邵家莊　程家莊　前魏莊
中魏莊　後魏莊　陳家莊　小魏莊
郝家莊　李家莊　許家莊

○西鄉地方凡十八凡二百八十三莊。

西三里營距城三里，凡二十三莊：户八百有九。

夏家莊　大劉家莊　小朱家莊　吴家莊
小新莊　小吕家莊　李家樓莊　宋家莊
楊家林莊　小孟家莊　滿家莊　王家莊
小劉家莊　菜市莊　小姜家莊　馮家莊
三義廟莊　小姜家莊　趙家莊　大孟家莊
董家莊　東江家莊　江家莊

西五里營距城五里，凡五莊：戶三百六十七。

興隆莊　大謝莊　南岸小莊
謝家莊　二里半莊

西八里營距城八里，凡十九莊：戶七百九十五。

蔣家營　唐家營　劉李營　梁家營
台前莊　吴家莊　孫家莊　黄家莊
姜家莊　張鄭莊　小陳莊　前劉莊
後劉莊　楊真莊　田家莊　大陳莊
崔家堂　張家莊
杜家廟

西十里鋪距城十里，凡七莊：戶三百五十四。

南河岸　河北岸　劉家莊　張家莊
史家海　大新莊　朱家莊

西鄭橋距城十五里，凡九莊：戶五百五十三。

木街莊　張宇莊　孟家莊　屈劉莊
胡家莊　西八里廟　小張家莊　藍家莊
宮王莊

安居距城十五里，凡六莊：戶六百八十九。

東西大街　運河南岸　後北廠街
河北岸　張家莊　宮白莊

南河長口距城三十五里，凡十七莊：户七百八十七。

東西本街　孟家廟　楊柳莊　馬家莊
姬家莊　李家莊　單家莊　劉家莊
高家莊　孫家店　張劉莊　高李莊
孫王莊　湯流莊　田家莊　王家莊
王劉莊

北河長口距城三十里，凡三十四莊：户九百九十二。

本街莊　潘家莊　趙家莊　東劉莊
小燕口莊　大燕口莊　秦家莊　後家莊
前家莊　馮翟莊　郝家莊　傅家莊
中家莊　馬家莊　李松莊　吴家莊
小秦家莊　翟家莊　後李家莊　劉家莊
馬家海　西李家莊　卞家莊　朱楊莊
小紙房莊　大李家莊　小喬莊　徐家莊
蔡家莊　小江家莊　大喬家莊　張家寨
薄周店莊
房家莊

崔家堂距城三十五里，凡十五莊：户六百有六。

本莊　小韓家莊　大韓家莊　韓梅莊
張樊莊　前劉家集莊　後閻家寺莊　前王家莊

史家莊　東王家堂莊　小唐家莊　韭菜姜莊
小姜家莊　後王家莊　王家堌堆莊

新挑河距城三十五里，凡二十二莊：戶七百四十九。

本莊　盛家莊　姜家莊　吴家莊
馬家莊　井家莊　小張家莊　崔家莊

周村鋪　柳園莊　大張家莊　前陳莊
後陳莊　賈家橋莊　草廟莊　商家莊

東賈莊　趙家莊　王姚莊
馬家莊　小江家莊　張小樓莊

永通閘距城二十里，凡六莊：戶三百八十九。

劉家營　河東莊　河北莊
河南莊　劉家莊　楊家莊

漕井橋距城二十里，凡十六莊：戶六百八十七。

本莊　胡家營　小胡營　陳家莊
大唐家莊　小阮家莊　侯家莊　小唐家莊

扛子劉莊　任家莊　劉家廟　河西岸莊
汪家莊　興隆莊　火頭灣河西　河東岸莊

南町距城三十里，凡十六莊：戶六百七十。

高廟莊　大張家莊　大劉家莊　朱家莊
竹匠李家莊　腰劉家莊　三劉家莊　趙家莊
三劉小莊　傅家莊　韓家莊　董家莊
前朱家莊　田家莊　小張家莊　吴家莊

中町距城三十五里，凡十八莊：户七百八十五。

前趙莊　後趙莊　李家莊　崔家橋
空山前莊　空山西賈莊　興福莊　樓張莊
高家莊　山東莊　山後莊　山西莊
山前莊　瓦李莊　陳家莊　後賈莊
曹家莊
杜家莊

北町距城四十里，凡十一莊：户五百。

大張莊　小張莊　葛家莊　新梁莊
後梁莊　木集莊　溪家莊　東張莊
胡家莊　土山莊
曠山莊

大長溝距城三十五里，凡二十九莊：户一千二百七十四。

本街　北街莊　前街莊　新莊
天仙廟北街　元帝廟南街　衙門口莊　小張莊
元帝閣西街　觀音閣南街　朱傅營莊　官傅營莊
張傅營莊　城子崖莊　康家廟莊　李家山莊

小吳家莊　趙家堂　王家堂　劉家山莊
張家山莊　鄧家山莊　王家山莊　大韓家莊
河南莊　小韓家莊　秦家嘴莊
王家莊　陳家莊

東昇莊距城十里，凡十六莊：戶四百五十六。

仙家莊　觀音堂莊　張家莊　湯王莊
艾家莊　孔家莊　趙家莊　柳家莊
于家莊　黃家莊　魏家莊　闞家莊
鄭家莊　祁家莊　扈家營莊　靳家莊

西昇莊距城二十里，凡十四莊：戶八百二十四。

前店莊　後店莊　文正莊　翟家莊
陳家莊　房家莊　白家莊　張家莊
大王店　王馬莊　蘇家莊
南陳莊　潘王莊　興隆莊

○北鄉地方凡十四凡一百五十六莊。

高村距城五里，凡二十一莊：戶六百八十五。

呂家寨　左家寨　小黃家莊　方家莊
曹家寨　宋家廟　新莊　姜家樓
楊家莊　大黃家莊　小婁家莊　曹家營
前紅廟莊　後紅廟莊　戴家莊　黎家莊

汪家莊　史家莊　蕭家莊
八里廟　李家堂

興文鎮距城十五里，凡四莊：户一百六十一。

本街　前郝家營
後郝家營　小王家莊

耿務村距城三十里，凡十六莊：户八百六十三。

耿村街　莊頭　栗鄉　雙廟
張家爐　蘇家莊　蔡王莊　曹家廟
劉李莊　胡家莊　新莊　伊家莊
郗家莊　熊楊莊　謝家莊　鄭家莊

夏家岡距城二十里，凡十二莊：户八百二十四。

夏家營　岡上莊　義和莊　新莊
劉家莊　鄭家營　楊家莊　賈莊
窑上莊　楊家莊
汪家莊　孫家莊

南照寺距城三十五里，凡十二莊：户六百有一。

王府集　濟昇莊　郭家莊　戴馬莊
梁家莊　李家莊　河東莊　胡家莊
朱家莊　薛家莊
大屯莊　鄭家樓

大徐距城三十五里，凡八莊：户五百八十八。

大徐街　徐家海　萬閻莊　宋家莊
曾家莊　周家莊　新莊　張金莊

康莊驛距城四十里，凡十三莊：户九百有四。

本街　北村　南村　大張
小張　胡莊　趙家營　蕭家莊
蘇家莊　寨子村　袁家莊
劉家莊　邵家莊

太平莊距城四十五里，凡四莊：户二百七十九。

辛家莊　解家莊
康家莊　樊家莊

房葛鋪距城三十里，凡十一莊：户一千有四。

本街　程徐莊　石塘莊　高范莊
李家莊　鍾家海　福寧莊　葛亭集
劉家海　聶家莊
江段莊

二十里鋪距城二十里，凡十莊：户四百二十四。

本街　陳家莊　李家莊　朱家莊
呂家莊　前馮家莊　後馮家莊　馮家寺

秦家莊　梁家莊

安阜村距城二十五里，凡十五莊：户五百六十一。

十里鋪　孟家營　姜家莊　鄒家莊　潘王營　莊家莊　師王營　吴家堂

張馬莊　趙家廟　元帝廟　于園　白家莊　傅家莊　田家莊

黄垞距城十里，凡九莊：户六百五十。

謝家營　薛家口　苗家營　楊家莊　劉家莊　馬家莊　曹家廟　張家莊

小張家莊

王武村距城二十八里，凡十三莊：户四百六十八。

前魏莊　宋莊　王莊　後張莊　後魏莊　東張莊　滕莊　党莊

張莊　王馬莊　崔莊　翟趙傅莊　錢莊

石婁村距城三十五里，凡九莊：户四百九十五。

獲麟莊　南田莊　李家海　梁家莊　袁田莊　張家坊　薛家莊　前陳家莊

南陽李家莊

按，州境村莊改舊增新，分合不一，今據道光二十年編查文案：東鄉二十二地方，一百八十莊；南鄉三十七地方，二百九十莊；西鄉廿地方，三百四莊；北鄉十五地方，一百五十六莊。各地方户數亦《前志》所載，今統計四鄉共七萬九百二十一户。

濟寧衛屯莊 在州境者。

北五里屯今屬臨清衛。　葛家屯

軍王張屯　金旗屯

臨清衛屯莊 在州境者。

興隆屯　前三里屯　後三里屯　常玉屯

右三里屯　蔣橋屯　蓼溝屯　五里屯

八里屯　大務屯　八里廟莊　馬房屯

陳家屯　杜鮑屯　薛家屯　唐家口

王家廟莊　梁家橋　劉紀屯　王貴屯

廉官屯　胡官屯　劉官屯　紅廟屯

喻官屯　吴狄屯　張官屯　四劉屯

許振屯　蕭官屯　二八屯　第八屯

金王屯　錢趙屯

紀家屯

按，《前志》濟寧衛四屯，今三屯；臨清衛三十五屯；今三十六屯。《前志》三縣缺焉，今補，附于後。

金鄉 里社十：興禮 西平 白埞 思齊 柳里 方邱 東大 鷄黍 路地 魚埞 分爲五十四方 東方：三里廟 和風集 東馬店 高河店 魯莊集 化雨集 孟家堂 大孟店 思齊廟 常鎮集 呂常寺 雲霄集 順河集 趙家口 南方：霍堌寺 馬家集 寨里集 興隆集 鷄黍集 東大觀 三官廟 洛城集 趙村寺 司馬集 巢埞寺 王家廟 石佛寺 韓汶店 西方：西關 西五里堠 魚埞寺 路地 葛村集 石明集 羊徐寺 城堌店 王成寺 柳園村 羊山集 朱家店 李家堂 魚山鋪 北方：北五里堠 十里鋪 幡竿廟 大義集 安家堂 新篁集 孟家屯 黃堆集 卜居集 古城 東井 白埞集

嘉祥 里社十四 任城 城東：坊廊 來范 花林 城南：商村 附石臘屯 遂山 滿硐 附歐山屯 四屯上 附郎山上屯 城西：長樂四屯下 附郎山下屯 長直 城北：章山 忙生上 忙生下

魚臺 里社八方 康熙間因舊治定名，今俱在縣東北。乾方：西北隅 石豆集 古安集 相里集 趙家店 坎方：十里鋪 辛莊村 武棠集 廣運閘 合義集 古城集 艮方：東北隅 南陽鎮 東單 寨裡 古村集 地頭 畚頭 垤斛 福興 郁郎 震方：穀亭東 穀亭西 王家樓 關王廟 葛家橋 沙河東 沙河西 巽方：東南隅 苗家村 杜家廟 常家店 離方：郭家廟 周家堂 化家村 田家集 夏家村 豐魚集 坤方：西南隅 新城 存留寺 李家橋 兌方：西關 錢家村 柳店鋪 文香集 沈家集 張家集

崇眉集　永福集

以上各縣志。

按，今魚臺里社分仁、義、禮、智、孝、弟、忠、信爲八方。

市集《前志》止載《市集論》，今據《舊志》補輯。

布市在旱石橋迆西。　棉花市在南關。　牛市在北門外。　驢市在南關。　菜市在東關。　柴市在東門裡。　雜糧市四關俱有。　鷄市在南關。　箆子市在東關。

荆家集　南井集在東鄉。　子略集　潭口集　沙土集　安興集　九子集并在南鄉。　曈田集在西鄉。　禮教集在北鄉。　以上《明志》，今隨時俗更易，仍循舊書之，不忘其朔也。

明汶上令栗仕可《市集論》云：市之害其大者有三：富者乘催科之急，以扼農民，賤取其粟，轉鬻他境，使粟死金生，每涉冬春，糴價踴貴，此害之在商者也。豪滑托名給帖，受權量而私易置之，樸野之民持物而貿者陰奪其十一，猶假公租以横索焉，此害之在市魁者也。一切供應舊委於下，值既半減，復不時給，指行科斂，幾同攫市，此害之在胥隸者也。今公私同價，隨時給金，衙官自愛，祇奉約束，民免一害矣。若時斂散以復常平之法，謹權量以申畫一之制，庶市無擾乎。《前志》所引汶上《舊志》語意不全，今備録之。

百户爲里，里立社以祀五土、五穀之神，明制也。而飲社讀法，自古以來莫不皆然。陳平爲宰均，而一里之人遂服。《周禮》里宰比長，并下士爲之。　漢百家爲里，里有魁；十里有亭，亭有長；十亭爲鄉，有三老、嗇夫、游徼主教化、賦役、盗賊之事，有秩者謂之少吏。蓋去民愈近，則其鑒察愈易，此漢治所以近古也。　自隋唐以來，此法不行。然爲長吏者能舉一邑一州之村舍、聚落，時時燭照數計，而所謂里保鄉約之奸僞，亦以時留意而監察焉，則庶幾乎。《前志》。

按，明嘉靖三年，巡撫陳《申明鄉約牌》云：洪武禮制，每里建立里社壇場一所，就查本處淫祠寺觀毁改，爲之不以勞民傷財。仍行令各該當年里長，自嘉靖元年二月起，每遇春秋二社，備辦猪羊祭品，依書式寫祭文，率領一里人户致祭五土、五穀之神，務在誠敬豐潔，用虔祈報。祭畢就行會飲并讀抑强扶弱之詞，成禮而散。即於該里内推選有齒德者一人爲約正，有德行者二人副之。照依鄉約事宜置立簿籍二扇，或善或惡者，各書一籍，每月朔一會，務在勸善懲惡、興禮恤患，以厚風俗。鄉社既定，然後立社學，設教讀以訓童蒙，建社舍積粟穀以備凶荒，古人教養之良法美意率於此寓。果能行之，則雨暘時若，五穀豐登，而賦税自充。禮讓興行，風俗淳美，而詞訟自簡。何待於催科，何勞於聽斷，而水旱盗賊亦何足慮乎？此敦本尚質之政，良有司者所當加意舉行，不勞催督。各將領過鄉約本數、建立過里社處所、選過約正約副姓名，備造文册。各另徑自申報，以憑查考。其舉之有遲速，行之有勤惰，斯有司之賢否於此見焉。定行分别勸懲，決不虚示。

風俗

《前志》列「物産」之前，兹以附「里社」之後。《前志》所載婚喪、俗尚、禮節及四時伏臘通行者弗備書，書移易風俗之説爲有裨也。「歲時」「月令」皆統紀於「風俗」云。

濟當河漕要害之衝，江淮百貨走集，多賈販，民競刀錐，趨末者衆，然率奔走衣食於市者也。郊野之氓務耕種，愿樸畏法。士美秀有文，彬彬儒雅，科名稱盛。里中慶吊往來有親睦之風。人多善良，無暴戾恣睢之習。急公賦、怯争訟，此濟俗大端也。《明志》。按，《前志》引用李白《廳壁記》，已入「藝文」。

元旦祀神，祀先，賀尊長，禮受業師，更相賀歲。

立春出土牛，商賈飾臺閣彩樓、扮古賢孝，迎春於東郊。

正月上元，張燈，爆花，架鞦韆。

二月二日填倉，春分釀酒，拌醋，冰泮取魚。

清明插柳，祭墓，覆土，看花，踏青。

端午繫絳縷，飲菖蒲酒，佩禳瘟避毒符。

六月六日取水，作麯，釀酒，窨麵醬，晒書，曝衣。

七月中元祭墓。

八月中秋陳瓜果，拜月，食月餅，禮受業師，逆女歸寧饋節。

九月九日饋花糕，釀菊酒，登高。

十月一日祭墓，剪紙爲衣，曰「送寒衣」。

臘月八日食粥，以五穀、棗、栗爲之。

二十三日夜祀竈，掃舍，是日嫁娶無禁忌。

除日易桃符、門神、春聯，饋節，陳祀儀，守歲，是日嫁娶無禁忌。

按，《前志》稍繁，今合《明志》而節録之。

明太祖御製《民間祀先祝文》：維年月朔日，孝孫某闔門眷屬告於高曾祖考妣之靈曰：昔者祖宗相繼，鞠育子孫，懷抱提携，劬勞萬狀。每逢四時交代，隨其寒暖，增减衣服，撙節飲食。或憂近於水火，或恐傷於蚊蟲，或懼罹於疾病，百計調護，性恐不安，此心懸懸，未嘗暫息。使子孫成立至有今日者，皆吾祖宗考妣劬勞之恩也。雖欲報之，莫知爲報。兹者節届，春夏秋冬令。天氣將温熱凉寒，追感昔時，不勝永慕。謹備酒淆羹飯，率闔門眷屬以獻，尚享！此文當時民間通用，至今猶有傳之者，頗有關風俗也。

鄭與僑《儉戚説》：人子而忍薄其親，是毛羽之行也，義之所不敢出也。司風化者，教人子以薄其親，是導人以毛羽之行也，尤義之所不敢出也。雖然情固罔極，禮貴得中，徇情抑禮，事必難行。有名爲厚而卒歸於薄者，有心斯世者始不得不鰓鰓慮之。吾濟喪禮近則侈甚，諸需不備，喪不敢舉。有一柩停數載者，有一家而停數柩者。無論殯葬違期，禮法所禁，即水火盜賊更屬可虞。猶記癸未二月，東城火，焚柩至一百六十餘具。甲申四月，傳流賊有暴柩之罰，一時踉蹌掩埋，不可勝數，雖士夫之家亦然。由此觀之，厚乎？薄乎？何若稱家有無，蚤歸泉壤之爲妥其親乎？所患風俗已成，積習難破，驟與營葬之家言徇禮抑情之事，必不肯行。余意欲借戚識中之有長慮者，代爲挽回，一家有事，群抑損之，使主喪者費而無用。久之，漸識所遵，庶黜浮返雅，死者得早歸九泉矣。因條其款約於後。孔子曰：「禮與其奢也，寧儉；喪與其易也，寧戚。」余因祖其言爲《儉戚説》，亦猶行古之道也。

一、酒筵。祭而散福，禮也，止可行於家祭之日。若親友吊奠一概設筵，且日凡數舉，使人子忘哭泣之哀，僕僕於杯杓、登降之間，恐禮之所不載也。此後吊奠之客，一茶便行，喪家備而不用，久則自不備矣。

一、孝布。尺布纏頭，原爲本族服盡者言之，合閭里之人群爲成服，無是禮也。推玄冠不吊之義，吊客各備一素巾，入門則著之，喪家與而不受，久則自廢矣。此事吾兖郡與闕里俱行之，踵之亦便也。

一、祭帳。祭必有誄，禮也，祭畢則焚之。吾濟舊用紙軸，今則群然用綾緞矣。徒飾觀美，與死者何益？往返之間，且爲彼此大累。嘗見淮上有事之家，客舍預懸布帳數幅，親友來奠，書誄詞於紙，粘挂帳上，祭畢則焚，此事不失古昔之意，當仿而行之。不然，仍用紙軸亦可。

一、棺罩。吾濟數十年前，里社中有製成棺罩，或以布，或以絹，有事之家俱來租用。今則窮工極巧，富者費數百金，貧者亦不下數十金。生而茅檐瓦舍，死而龍閣鳳樓，有是禮乎？費數月之工，旋付祖龍，暴殄實甚！此後或仍租用，或從省約，有識者定不逐流俗之波，爲狂瀾一柱。親友亦勿以其簡率也而非議之，則淫巧自杜矣。

一、家祭。祭而割牲，雖係典禮，然自富貴之家行之則可，若一概取必，萬萬不能。所以驅百姓而從釋元之教，端必由此。宋儒劉氏璋曰：「凡祭不必皆殺牲，歿後祭品，當從生前之所好。」蘇子曰：「宗廟之祭，所以追求先祖之神靈。」是以思其平生起居飲食之際，而設其器用、薦其飲食，所以司馬氏《祭儀》用時蔬時果、生肉乾肉、食餅糗糕之類，朱子祭品與司馬氏略同，南豐曾氏用節羹、醃鵝刡粥，建安劉氏用串肝子、猪白割、血羹、肉汁。推諸賢之意，皆徇先人生前之所好，事死如事生也。遵此行之，諸物可祭，諸人可祭。省經醮之資，即可敦禮洽情，誠爲至便。

一、誦經。釋元誦經，名曰「超度」。生而善良，死後必不墮落。果若罪孽滔天，一二俗僧凡道安能拔濟？偶一行已屬不可，况逐七爲之乎？鳴鈸聲鼓、擊鍾振鈴，念罷圍坐大啖，真是可笑。薄修祭禮，力挽頹風，須先望之游聖人之門者，孔子論孝曰：「生事之以禮，死葬之以禮，祭之以禮。」先言事而後言葬、祭，孝死不如孝生也。生前定省缺然，歿後徒飾觀美，金錢費盡，亦何益於二人哉？吾願有父母者，亟圖菽水之歡，勿留風木之恨。知年愛日之誠真，莫真於此矣。不然音容難再，奉養無期，皋魚所以仗劍而悲也。懷烏情者，聞余言能不怦怦心動歟？《明志》。

廖有恒曰：蓋風俗之必有美惡也，固也。苟侈美而諱惡，即有移易之思，孰與權補救哉？濟寧當水陸之衝，四方舟車所輳，奇技淫巧所集，其小人游手逐末，非一日矣。又邇畿甸圈田之後，縉紳冠蓋，往來僑栖，而轉徙之民僦處浮寓，流土雜居。愚者務奢靡，沿流放效；頑者争錙銖，欺僞叢生。幾失變魯至道之舊，此亦省方觀民所宜却顧而深慮者也。史稱周魯天性文學，民齗齗有桑麻業，猶有淳樸遺風焉。其君子以讀書慕道、德通經濟者爲賢，又兼習應世之文，科名頗盛。世宦之家，耻姸飾輿馬，黄髮致政，徒步里門，袒褐平頭，澹如也。巨室婚嫁，羞於論財。朋友死而貧者爲之經紀其喪，撫其遺孤。農夫稼穡，不習商賈之事，租税先入者爲良民。子弟不修本業而奕博飲酒者，人皆賤之。婦女勤織紡，早作夜息。名家望族女子，不宴會，不游行祠廟、郊野，此皆流風善俗之可稱者也。至若富顯召賓，頗以飲饌相尚，水陸之珍，常至方丈，中人慕效，一會之費幾耗數月之食。喪葬之家，置酒留賓，若有嘉客輀車，糾結華蓋，擬像宫室，錦綉金碧，雕繢陸離，貴者百金以上，貧者亦不減三五十金。民間喪柩有十餘年濡滯不舉者，吊喪無問疏戚，遍貽麻巾枲帶，盛陳葬儀，炫耀衢路，走馬拍杆、雜耍優劇，以致觀者婦女兒童接隊駢闐，塵昏障日，以觀葬之多寡、詳喪禮之厚薄。里人鄭孝廉與僑有《儉戚説》，陳廷尉宸銘輩有《五篋約》，雖極力維挽，莫或轉易。往數十年，後生見前輩，必嚴重之，欽其行義，奉爲模楷。邇者漸成侮老之習，即貌敬者而背輒姍笑之，浮薄群處，議論風生。其又甚者，儒服市心，力求壟斷，滿口駔儈，恬不知耻。女死，索嫁時裝賫，健訟不休。或育有子女年近桑榆者猶然，大率多無賴下户也。嗚呼！風俗猶江河也，趨日下矣。伊於胡底？濟以醇謹之俗，不數十年而徑庭若斯，識者有文勝質漓、驕生禮廢之憂。夫民之趨上也捷於令，教化亟行，隱若樞機，有心權補救者，安可不爲之却顧而深慮也？

《舊志》。

吴㮅曰：賈誼陳政事，輕簿書、期會而重移風易俗，以俗流失世敗壞爲懼。宋儒羅從彦云：「教化者，朝廷之先務；風俗者，天下之大事。」故上有教化，則下有風俗。風俗之美惡，其機固不在下也。一事之利而民好焉，吾爲興之；一事之害而民惡焉，吾爲除之。豈遂足以盡吾分乎？夫利害之係於民生者，不過一時一事。風俗中於人心，必且延於一國，及於數世而難變。孔子責子貢讓贖人之金，取子路受拯溺之牛；宓子寧使敵人刈吾麥，而不使民有樂寇幸取之心。其所見者，遠且大也。濟寧地近聖人之鄉，世沐詩書之澤，宜其素嫻禮教，風俗淳美矣。乃澆薄貪殘，難語敦龎淳樸之俗；剛暴囂訟，絶少仁讓雍睦之風。種種陋習，皆足壞人心而傷元氣、滋流弊而長刁風，所當亟爲移易者也。余既注釋聖諭，諸條悉應禁應改之惡俗，刊布勸誡，舊染實深，祓濯匪易，未敢即望回心嚮道。然時時留意，隨事勸懲，不敢但急於簿書、期會之間，而置風俗於不問也。

略舉其最甚者記之：

一、争財産而傷天性。人心貪鄙，習尚澆漓，同父兄弟、同祖伯叔每爲數金之財、數畝之産，錙銖争較，不但無義讓之心，并無公平之念。尊長欺蔑卑幼，卑幼凌犯尊長，滅絶天理，視若寇仇，暗中算計，挺身控告。甚則投托勢要，冒充旗下，希圖多分强奪。若本家之孤兒、寡婦分有厚産者，族中莫不虎視眈眈，群相魚肉。此等事非特市井中有之，而簪纓大家、衣冠士子中亦有之也。

一、尚剛暴而不顧上下之分。凡父黨、母黨之尊長，與鄉鄰之高年、父執之朋友，平居無事，既少謙恭遜讓之禮。偶涉毫髮嫌疑，一言不合，遂肆無忌憚，惡聲相加，老拳相向，往往而有也。

一、奢侈而不節儉。凡婚喪吉凶之禮、交際來往之儀，與服食起居，都無節制，爭華鬥靡，彼此競勝。觀其行事，似非富厚不能至此，究竟致飭於外，內實空虛，但圖目前體面，不計日後艱難。人烟如此繁庶，幅員如此廣闊，又係水陸都會之地，百貨紛來，貿易有利而閭閻不能殷實者，良由奢侈無度之所致耳。

一、停柩不葬。古葬禮之期，今雖不能悉遵，而先靈魂魄入土爲安，豈可久停於家？乃士庶之家，往往有停二三年至數十年者，暴露之慘，水火之虞，皆不念及。推其所由，有兄弟分産之後，消長不一，貧富不同，富者不肯獨任，貧者不能公出。或一人獨費公産，以致彼此推諉，延挨歲月。再則酷信風水，久尋不得善地，必欲藉祖父已朽之骨，邀子孫未來之福，雖久暴露，亦所不計。更有中等人家，亦要做富貴之體面，力量不能遂，遷延年久。再則，極貧人家竟久停不顧，甚有遷居别處，弃置不問者。

一、出喪浮費。喪禮以哀爲主，喪事厚死者，謂衣衾棺椁、朝夕哭奠上食之事也。若徒飾外觀，炫人耳目，不惟靡費無益，實失哀痛誠心。故聖人曰：「與其易也，寧戚。」況禮當稱家之有無，非分過費，雖曰厚於所親，實非禮之本意。乃濟俗出喪，即一棺罩有用錦緞，花草人物，備極工巧，費數十金及數百金、百餘金不等。至紙札故事，擺列里許，搭臺演劇，及娼妓走索賣解、傀儡角觝等戲，博人歡笑，自謂誇耀鄉里，其實靡費無益，且令孝子忘哀作樂，陷於十惡之條，尤大不可也。在富貴之家已爲奢不中禮，乃平等者亦欲作此體統，囊無餘資，弃産借債，往往温飽之家出一喪事，便至艱難，日就窮落，至有不可問者。無論非禮非分，就其所爲，已死之祖、父榮耀有限，而子孫因此困苦至於不堪，獨非玷辱乎？

一、有新喪者必有家祭，又謂之堂祭。先擇日發柬，遍招親友、陪祭，更請通贊、鳴贊、讀祝禮生。凡酬爵、上香、進饌、獻帛、備食、送神、焚香、陪祭，親友皆變服隨主祭者行跪拜之禮，儀文繁縟，竟日達夜。禮始畢，乃演劇飲客。計一祭所費不資，有喪之家以此爲累，而陪祭人益厭苦之。然格於俗例，必不能免。夫人子自祭，其親陪祭者惟親族之卑幼，趨蹌執事耳，豈可遍及疏遠之親族朋友乎？況繁文非禮，觀劇忘哀，尤不可訓也。

一、引釘勒索。出嫁之女在夫家病死者，收斂蓋棺之時，若使女家親人不到，其公姑、丈夫俱不敢專主。雖中年以後，兒孫滿前者，亦必如此。女家因得借此名目，妄行措勒，需索不休，甚有搶其女之衣飾，毁其家之物件，辱其婿之父母、姊妹。此告人命，彼告打搶者，比比皆是，尤習俗之最可惡、最可笑者也。

一、凡年幼子女患病，醫治日久，其勢不能生者，輒曰「是討債者」。垂危時不待氣絶，即舉而委之郊野，聽其爲犬狼所食，甚或手斃之，曰「弗使再來討債」。非獨愚民如是，而士人亦間有之，滅絶天性，殘賊人倫。似此惡風，禁之宜亟，古人有按殺子者之罪，先於殺人之盜賊，蓋此意也。

一、行家鋪户坑騙外客。濟寧百貨聚集之地，客商貨物必投行家。或時值行情遲滯，豈能悉得現銀交易？不得不將貨物轉發鋪户，一經發出，墮騙局者十有七八，非行家移取侵蝕，即鋪户相通分啖。即至臨後清結，或將後客抵空，委曲彌縫，百計掩飾。久之水落石出，則一人飄然逃避。其不逃者，盡委之在逃之人。既無對證，難以坐追，客商不能久等，折本銜恨而去。彼探其去，後復又行其誆騙故智。每歲行家鋪户以脱逃見告者，定有數家。如不爲禁止，將來商賈相戒，裹足不前，則此地之生計因而削落矣。

一、和略人口。每有外方奸徒串通本處地棍，或方略而誘取，或和同而引賺，將婦女幼童冒稱兒女弟妹，轉嫁轉賣，得銀分肥。甚有販去异域、落於水户者。蓋五方雜處之地，人之去來無定，蹤迹難查，易藏奸宄也。

一、强暴鬥狠。不必大仇大恨，但因口角嫌疑、細微事故，動輒號召多人，糾合黨羽，聚衆執械，兩相鬥毆，勢同對壘，謂之打架，往往有致傷人命者。

一、游惰惡習。浮浪子弟不務本等生業，三五成群，結交生事，側帽披衣，聳肩邪步，口無正言，行無正事。窺探人婦女，引誘人子弟，酗酒行凶，無所不至，俗謂「闖將」是也。

以上各事，皆濟俗之最甚者。余或委曲開導，或指陳勸諭，或設法格除，或嚴行禁止，或塞其本源而末流自絶，或去其太甚而積漸消弭。凡有關於風俗者，事事留心，不敢少懈，年來亦漸改觀而未能盡變。賈子曰：「移風易俗，類非俗吏之所能爲。」每誦此言，深自愧負也。《牧濟録》。《前志》。

臧子彦曰：旭窗陳先生，祖南陽人，與高姓祖同來卜居，至關南則百物聚處，客商往來，南北通衢，不分晝夜，高氏祖遂居之。陳氏曰：「此地可致富，非吾志也。」於是入城觀東南隅多有子孫效梨園者，曰：「後日子弟必有度曲忘學者。」去之，觀西南隅多有子弟聚賭博者，曰：「後日子弟必有以博簺廢學者。」又去之，觀東北隅多有子弟樂酣飲者，曰：「後日子孫必有沉湎荒學者。」又去之，至西北隅，見其地人罕，曰：「此可以居矣。」遂卜居焉。今後裔皆聚族於斯，濟人至今傳之。《史外傳逸》。《前志》此條附「街衢」，今移此。

按，《前志》云：「士大夫家多用文公家禮，間有繁簡不同，近復雜以俗禮而遵用正禮者，亦日趨文縟。俗尚雜糅，承訛莫辨，觀此則習俗相沿由來久矣。近唯婚禮親迎一節，尚爲近古云。」

附《前志·雜綴》引《正訛雜記》二條

賢裔仲行可名秉恭，五歲失怙，逾三十五年，其母殁於康熙乙酉冬，將奉兩柩合葬。先是，其父初娶於李，三月而殁，葬於祖塋。頻經水漲，馬鬣屢封，啓壙不見前棺。李既無出，李之父族嫡支亦絶，群曰：「棺既失迷，即以兩棺合葬可也。」行可涕泣稽顙，索之四旁，終以三柩依次而窆焉。又爲之立主，以奉蒸嘗，一時三黨嘖嘖，無不稱其純孝。又陳秋湘名心浣，亦葬前母如禮，而於前母之族恩誼有加焉。陳秋渚名心淇《燼中存》一書内云：「濟寧之不葬前母，自康熙甲子年始。」行可之伯父始襲翰博，玉鉉先生有無子之庶母李氏，葬於父墓之側，每祭必躬親，且諭其子孫祭掃勿替，曰：「余不先庶母食也。」賢門孝行，均足爲世法矣。

順治以前名帖，世交用「通家」字，同省用「鄉」字，親戚用「眷」字，同榜用「年」字，同榜之兄弟子孫用「年家」字，而「年丈」「年翁」無泛用者。近世「通家」二字專爲師生之用，而「年」「家」二字人人概施矣，然顧名思義，終覺難安。又親友名帖用「眷」字，近日兩家又加一「姻」字。按，「眷」即親屬意，加「姻」字不幾複乎？《昏義》注：「妻父曰婚，婿父曰姻。」今統曰姻，於義亦不括，不如止用「眷」字爲妥。

金鄉　俗樸風古，士專弦誦，民務耕織，士大夫婚禮不論財，喪次不用浮屠，鄉民則不然。

嘉祥　俗尚淳厚，民多務本，椎魯少文，寧野之風猶有取焉。

魚臺　地多沈斥，其俗謹厚畏法，連經蕩析，民氣始復。敗群躍冶之徒則既少矣，惟農鮮蓋藏，士須砥礪耳。

按，《前志》據《兖志》，今據《通志》及各縣志節叙一二，觀風者可以得其大概矣。又《前志》引《漢書·地理志》云「山陽好奸盜」，蓋古今之不同也。

上之所感，謂之風；下之所成，謂之俗，積漸使然也。風教一墮，百年不可復振，豈不然哉？濟爲四方冠蓋之所集、百貨商賈之所聚，其人磊落英多，以文章氣誼相高。而士庶居室之都麗，亦甲於二東。然渾樸之風，亦因之而鑿矣。稽之太白之《記》，知自古而然，非一朝一夕之故也。夫國奢則示之以儉，儉則示之以禮，漸漬薰陶，還淳反樸，其在有風教之責者乎！《前志》。

附知州徐宗幹道光十八年《禁攬頭分界示》：濟境居民稠密，貧富不等，婚娶喪葬，靡月不有。素有攬頭，自製扛幡、燈轎等物，各分地界，包賃包雇。遇有事之家，每致措勒多錢，或事前預行支討，富者或可勉從，貧者竟爲所制。私分地界，互相把持，如有越界自雇者，即糾衆滋擾，以致民間婚喪之家動多掣肘，屢滋訟端，實非便民之道。爲此示，仰閤濟軍民人等，自示之後，凡有婚娶喪葬之家，或在本方雇賃，或在外方辦理，不拘地界，聽其自便，亦不得有意吝勒價值，藉滋事端。倘仍有私立地界，把持爲難者，即協同該約地指名禀案，以憑重究。士民勒石城隍廟。前據土工黄姓控賈姓等私賃扛幡，因諭令：紅白事件，不分地界，聽便雇覓。結案後，仍復抗撓，即差押賈姓將所有扛九付并張姓八付，運城隍廟内交住持代爲收管。城鄉貧民，聽便酌給錢文取用，事過遂還。在案。

道光十八年《與紳耆書》：某月日召濟上父老而諭之曰：州境夙稱富庶，民風素號淳良，近來漸習浮夸，日久益形澆薄。推其所由，父兄之教不先，子弟之率不謹，司牧者固不得辭其責爾，父老亦不得無咎也。世禄之家不肯聘請嚴師，富厚之家不能絶交損友，往往持家甚謹，勤苦積累，非不望後人成立，而姑息寬縱，聽任嬉游，與匪人爲密友，結惡少爲良朋，朝夕往來，漸染邪僻。資質雖美，血氣未定，烟館、酒肆、賭局、娼家，一經導引，即入迷途。知其家道素豐，誘令揮金如土，或串通中証典押田房，或逼立券約重利滚折，至親好友亦代瞞其家長，甚且取利分肥矣。訟棍奸胥必唆告於公庭，因而傾家蕩産矣。祖父畜積之業，頃刻成灰，而年老氣絶矣。孀寡養膳之資，一朝付水，而孤兒餓斃矣。始則溺愛，不明逸居飽暖，流爲乞丐匪徒，而紳宦之書香遽斷矣。繼而懲創過嚴，潰敗决裂，迫於愁急無路，而人命之争訟又起矣。富者貧矣，貧者賤矣，城市蕭索，田野荒蕪矣。言念及此，能不寒心？奸詐之商儈、下流之衿監設圈套、爲罟阱，以善良爲魚肉，國法所不容。亦天理所不宥。悖入之財，理無久享，報應不爽，終亦必亡耳。自後有子孫并未分産，另度私借利債，而祖父不知者，不准告追。子孫借債，私立祖父之名，私立欠約者，照違犯教令治罪。其利過三分者，中保之人并加究懲。至買賣田房，書寫文約，各令親族向一家之尊長當面交割，不准用房土經紀從中唆弄。其借貸銀錢券據，不准專用生監及有頂戴者作中。生監爲少年子弟屢作中保者，即行革究。本州婆心苦口，懲勸兼施，唯望爲父兄者刻刻防閑，爲子弟者時時猛省。爾等之子弟，即本州之子弟也；害爾等之子弟，即害本州之子弟也。士之子恒爲士，農之子恒爲農。商賈盡爲富家，鄉里共成美俗。多行善事，同享太平，

是在爾諸父老之助爲訓迪也。慎之哉！

道光二十一年《勸民善俗諭》：蓋聞和親康樂，胥由革薄從忠；任恤睦姻，要在黜浮崇實。閭里婚喪等事，親族鄉鄰互相慶吊，此民風之近古也。唯有喪之事往往非親非故，并無執事，飽餐終日，坐食滿堂，絶無哀痛之情，徒爲餔啜之計。主人既不便逐客，親友亦不敢多言。是以有力者徒滋縻費，無力者必至停喪。似此澆漓，永宜禁約。至於喜慶之事，或以酒食饋貽，厚薄皆隨其意，或以銀錢佽助多寡，各量其情，禮尚往來，均無不可。若裁剪綾綢，書寫字句，將有用之匹帛，作無益之虚文，既不可爲衣履之需，又不能爲縞紵之答，均可儉省。若夫親朋偶聚，伏臘相酬，三爵之醉宜防，五簋之風可復。爾紳耆人等公立條約，勸導鄉鄰，共挽奢浮，盡成善俗，所厚望焉。

《闔州士民公刊奉諭轉相勸諭文》：吾濟數十年來凋敝日甚，固出生齒日繁，物力昂貴，實因人心澆漓，風俗侈靡。即有一二務實之人，亦迫於習俗，勉强從衆。若再經數年，生計艱窘，不知伊於胡底？幸際徐州尊軫念民艱，詳明曉示，謹將宜改諸事略舉數條，望桑梓親友力加掃除，庶幾人心復古，物力漸充，不勝翹企之至。

一、賀禮之送綾對也。以有用錢買無用物，求人書寫，浪費筆墨，何如將應用之物酌送一二，抑或竟折銀錢，此往彼還，均有裨益，豈不更便？

一、酒席之過於豐盛也。從前舊俗，早飯不過八碗，晚飯不過十喜而止，從無熱吃燒烤之説。今則無論貧富，每有宴會，動以十六樣、二十樣爲美，食未及半，早已饜飫，以後

諸品竟屬虛設，豈非暴殄？再，從前所飲不過本地燒酒、黃酒，今則非南酒不可，似此靡費，往往一飯破中人之産，何如仍照舊俗，每席以八樣、十樣爲准，有減無增，魚翅、燒烤、南酒之類，一概不用，豈不省而易辦？

一、喪禮之過於虛靡也。喪具稱家之有無，今則專事浮文，陳設鋪墊，燈采棚罩，無不精益求精。且邀集毫不相識之人，紛紛吊送，別名爲社，自爲壯觀，其實無謂。至凡民有喪，匍匐救之，爲各有執事爲主人分憂也。今則非親非友，素昧生平，藉同街共井之誼，爲飽食歡飲之計，呼朋引類，至再至三，此風最爲頹敗。現奉州尊慨切禁諭，以後有事之家毋庸避嫌爲也。

一、衣服之過於華麗也。從前耕讀貿易之家，所穿多係雅素棉布，充裕者亦不過繭綢、山綢、西機、沈綢之類。今則湖縐、洋呢視爲尋常，而且纓帽緞靴，天青、玄青色外褂，樣樣必備。至於女衣之裝飾，更極踵事增華。試問終歲所獲幾何，而如此虛耗，安得不日即窮敗？主持家政店務者所宜，常常誡諭，力返淳樸。

一、鴉片之流毒，原係外夷愚我軍民，乃迷不知晤，轉相效尤。試思數十年間，殷富之家敗於此習者，何可勝數？即有宵小藉此獲利起家，幸則殁其身，否則灾害立至。現今英夷肆擾，我東魯素稱秉禮見義勇爲，宜如何痛心疾首、力除惡俗以保身家而忠君國耶？同心合力，共挽頹風，先自此邦始矣。

以上數條，略舉大概，有心者即此類推，凡事務爲節儉，不尚浮華，量入爲出，何難漸臻饒裕？抑聞之「儉以養廉」，又曰「和氣致祥」，誠能大改澆漓，共守淳樸，既無貪嗔忮求之念，并鮮欺騙陷害之機，彼此相親相睦，自然感召天和，更造無疆之福矣。

東鄉士民公呈鄉約條規二十七則

一、吊喪之客概不待席，惟二十里路以外者勢難遽歸，待以便飯六味。

一、陪祭之客，無分遠近，概從遠客例便飯。

一、送殯之客，二十里路外者，亦待以便飯，近客與街鄰一概不待。

一、吊喪送殯女客，待與不待隨男客例。

一、祀土題主官及相禮大賓，俱隨喪主誠意待之。

一、執事者隨遠客例。

一、五服以内孝眷隨遠客例。

一、五服以外本家有執事者，待；無執事者，雖送禮亦不待。二十里路外者隨遠客例。

一、懇請摯重者隨喪主誠意待之，雇覓者不在此例。

一、各客跟役待與不待各隨其主，席之厚薄隨喪主意。

一、新喪開吊皆隨殯葬例。

一、親友賻儀厚薄各隨素日往來。

一、凡博棍招引端公、花鼓、説書等類，爲誘賭計，并藉端科斂。因而莊農工人深夜竊聽，以致盜賊乘間肆竊。故弭盜之法，莫先禁賭。以後有局賭及招引前項匪徒者，莊鄰公首究逐。

一、族中無賴子弟盜伐塋樹，及訛借不遂反恃强凌弱、酗酒唱罵，除族長治以家規外，鄉鄰公同稟究。

一、凶惡欺壓良善、暗中害人者，許四鄰公同稟究。

一、忤逆不孝不弟者，閤里指名公稟。

一、窩娼之家知名不稟者，罪坐四鄰。

一、悍婦聚賭，辱罵翁姑及本夫者，公同稟究。

一、潑婦聚衆搶奪禾稼，除地主協同約地稟究外，罪坐夫男。

一、清明前十日牧放牛馬踐食麥苗者，公稟究懲，并將牲口入官。

一、高糧秀穗後，無論旱澇，非問明地主采劈秫葉者，公請枷號示衆。

一、土棍不許包攬看坡。

一、挑唆詞訟扛幫作證者，鄉鄰公同禀究治罪。

一、城鄉廟宇容留賊匪，晝散夜聚，并游僧野道與异言异服之人，罪坐住持。

一、破壞空廟，鄉鄰公禀拆卸；或改修義倉，立社存糧；或建立義學，延師設館。

一、錢鋪平戥砝碼，一律較准，有私攙鉛小錢者禀究。

一、斗秤經紀須用木樘過官斗，不許行户捆頭抬秤。

附

姜氏義宅義田

在北關。明兩淮鹽運副使姜桂芳仿范文正公規制，捐設贍族。崇禎時，其仲子内閣中書遇武、季子生員遇主又續捐若干畝，總漕周鼎深顔其堂曰「敦睦」，有知州胡鳳閣《碑記》。

張氏義田

在北鄉高村等處，共九百九十五畝有奇，在籍潞安府知府張淑渠捐設贍族。乾隆四十二年十一月，舉人張淑齡等呈州批准立案，正供之外例免雜差。具呈舉人張淑齡、張克相，生員張淑齊、張克桐、張克棟、張克檠、張大觀住臨清衛馬房屯地方，爲公懇立案以成義舉事：竊齡族人盈千，率多貧乏，先人欲立義田贍族，經營未就。有齡弟前任潞安府知府張淑渠仰承先志，割已産之半以贍族人。其地坐落城北高村地方，共一、二則地九百九十五畝三分二厘五毫，族内貧士、貧人頗食其利。蒙前任撫憲徐□親書「張氏義莊」匾額，懸挂莊房。伏查義田贍族始於范文正公，後雖有仿行之者，然皆不能經久。蓋以未經立案，致成争競之門。惟范文正公奏明立案，雖嫡派子孫不得私賣，族人、外人不得私買，載在志書，故至今不廢。我朝張司寇照之祖張洪置義田一千畝，奏明立册存案，載入縣志。張氏子孫不得擅賣，族人、外人不得擅買，違者照律治罪，欽遵在案。今淑渠家非饒裕，而食指繁多，淑渠與其子克棟恐後人貧乏，擅賣地畝，致義莊不能垂久，又恐族人衆多，或有盗賣盗買等弊，齡等以爲，非禀明立案，勢難垂遠，爲此公懇查明存案，載入志書。淑渠子孫雖貧不得擅賣，外人不得擅買，其遠近族人更不得恃强争競侵奪，及盗買盗賣義莊地土、房屋、倉糧并一切器用等物，違者許族人公禀，照例治罪。則張氏貧乏族人，可永食義莊之利，感戴鴻慈無既矣。抑齡等更有請者，淑渠義莊條例首完國課，下餘錢粟方贍族人。凡一切惟正之供已先踴躍完納，惟正供之外恐有額外雜差等項，伏查食義莊糧粟者皆係啼饑號寒不能自存之人，救死不贍，實難辦額外差役。查范文正公義莊規矩有云「義莊及白雲寺差役，并蒙官司蠲免」等語，伏查淑渠義莊自設立以來，前任及今數載從無絲毫派辦雜差，仰見體恤至意，第恐日久有胥役鄉保借端擾累之處，爲此公懇俯憐無告煢獨，優恤格外，查照范氏義莊之例，永遠蠲免差役。金筆存案，并入志書，則齡族人食義莊糧粟貧士貧民永無苦累，更感戴於生生世世矣。地段、坐落、頃畝、納糧、姓名詳載文册。

按以上二條，《前志》附「田畝」，今移列「里社」「風俗」後，而居「表坊」之前者何也？欲挽澆風，當自敦睦始，州人士可以興矣。

○坊表

各志多列「建置」，《前志》未載，今補書之。表宅里以樹風聲，是以入「里社」「風俗」之篇也。

金

文章節義狀元坊 在城内院門口街，爲金泰和六年舉進士第一、官翰林應奉、贈濟州刺史李演建。國朝嘉慶十六年三月，知州王旭昇修。道光十四年二月，知州王元濤重修。盛百二《重修狀元坊記》：金故中順大夫、應奉翰林、贈濟州刺史李公坊，在河督軍門之東，人稱爲「狀元坊」者也。公諱演，字巨川，任城人。舉泰和六年進士第一，除應奉翰林文字。貞祐二年，元兵南下，公方以憂家居墨衰，佐刺史守城三日。城陷被執，大將見其衣冠非常，且知其名，脅之降，不屈，死之。事聞贈濟州刺史，詔有司立碑，今碑在學宫。而坊之始建在明中葉，風雨漫漶。辛未歲，或舉而新之，髹工不識，掩其題名，久則幾忘之矣。甲午，河督仁和姚公以治水餘閑，大興書院，鼓舞多士，尤以名教爲首務。考求故迹重葺之，以還舊觀。其經營、參贊任木石之費、丹雘之工者，則知州藍君應桂之力。夫表厥宅里，樹之風聲，政之大經也。濟之人請百二書之于坊，以志不忘，且使後之人有所稽焉。

明

旌表孝行坊 在南城五鋪，運河西岸。萬曆十六年，爲生員李守信建。

皇恩旌節坊 在東南隅石門口街。崇禎三年，爲故民王揚庭妻張氏建。

國朝

芳流千載坊 在東北隅城隍廟街。康熙四十年，爲歲貢潘好遜妻黄氏建。

敕褒節孝坊 在河東四鋪。康熙四十五年，爲庠生吴纘祖妻孔氏建。

升平人瑞坊 在南關扁担街。康熙四十五年，爲户部主事張世恩百歲建。

天恩褒節坊 在院門口。康熙五十五年，爲生員張漢翀妻陳氏建。

恩綸旌節坊 在東門大街。康熙五十五年，爲生員王遂妻楊氏建。

皇恩褒節坊 在西北隅倉門口街。康熙五十五年，爲儒士周之祥妻駱氏建。

萬民感恩坊 在南門外河涯濟陽會館前。雍正四年，爲知州趙之鶴建。

節孝坊 在南城五鋪古路街。雍正十二年，爲庠生黄文治繼妻葉氏建。一在小閘河西，乾隆年爲故民汪傑妻程氏立。一在東關二鋪，道光三年爲孟永錫妻夏氏建。一在北鄉二十里鋪，道光六年爲段懷璐妻陳氏建。

光生泉壤坊 在城北十里鋪南。爲朝議大夫江蘇揚州府清軍同知加一級王貽哲妻劉氏建。

完節成孤坊 在東北隅城隍廟街。乾隆九年，爲廣西永淳知縣楊世清妻高氏建。**恩綸寵錫坊** 在北門內。乾隆十八年，爲知州時超妻黃氏建。**慈孝兼完坊** 在東南隅楊翰林街。乾隆二十一年，爲封職王懷遠繼妻孫氏建。**貞操順德坊** 在西南隅州前街。乾隆二十六年，爲福建同知李時華妻許氏建。**一門雙節坊** 在南鄉周杜莊。嘉慶二十二年，爲冷宗盛妻韓氏男克峻妻寇氏建。**敕褒節烈坊** 在南鄉南北詣。道光十七年，爲監生李延滋妻楊氏建。**敕褒節孝總坊** 在州學節孝祠前。道光十七年，爲節烈婦女郭趙氏等四十一名建。

按，以上并據采訪載入。道光二十年，請旌節烈婦女五百七十九口，已奉部覆准建總坊。并詳「列女傳」。

按，濟上舊爲文物之邦，科第簪纓之族，楯櫼相望；忠孝節義之門，比閭連屬。惟兵燹遷移，風雨剥蝕，僅就現存者紀之。其餘自有「選舉」「人物」及「烈女傳」可徵也，不備書。

金鄉

元

孝子石坊 在北門街東。元時爲孝子孫氏建。

明

鄉舉坊在東門街。爲洪武甲子舉人劉渙建。觀光坊在縣治街西。爲景泰癸酉舉人李俊建。鍾秀坊在西門街北。爲正統戊辰進士高崇建。掇英坊在縣治東大街。爲成化乙酉舉人蘇文建。攀桂坊在縣治東。爲天順壬午舉人王圮建。世科坊在縣治西。爲弘治壬子舉人李鉞建。登第坊在縣治南。爲舉人李質建。經魁坊在縣治東南。爲舉人王哲建。按，李質、王哲二人，「選舉」及「題名」不載，或係張質、王華之誤。進賢坊在縣治南。爲成化辛卯舉人高士通建。亞元坊在西門大街。爲成化癸卯舉人高士達建。儀鳳坊在東大街。爲成化戊子舉人周璣建。恩光坊爲贈御史周璣建。重光坊爲正德丁卯舉人周允中建。御史坊爲御史周允中建。雙瑞坊在東門街。爲正德庚午科舉人李淮、李河建。承光坊爲工部郎中李檠建。鵬霄振翼坊在縣治南。爲正德己卯舉人尋志道建。兄弟科名坊爲嘉靖甲午舉人辛哲、丁酉舉人辛吉建。進士坊爲嘉靖甲辰進士李燧建。恩榮坊爲贈郎中楊魁建。天衢接武坊爲嘉靖登卯舉人周濟用建。金榜題名坊在東南街。爲進士郭東藩建。天官大夫坊在東門街。爲郎中胡汝桂建。流芳坊在西門街。爲節婦高氏建。雙節石坊爲程氏、楊氏建。昭恩坊在縣治東。爲贈户部主事尋琚建。承恩坊在縣治東。爲贈户部主事辛克鼎建。秩宗清署坊在東門街隅首。爲禮部郎中郭東藩建。青瑣榮封坊在大街東隅首南。爲封禮科給事中周大備建。春垣都諫坊在大街東隅首西。爲禮科給事中周永春建。功高保障坊在北閣外。爲遼東巡撫周永春建。完節培倫坊在北門隅首。爲節婦胡氏建。

國朝

千古道源坊 在學宮南。乾隆四十八年，知縣饒夢燕建。**戴德坊** 在西關人皇集。爲知縣郭允彝建。**旌節坊** 在城北大義集。**旌善坊** 在西關人皇集。**節孝坊** 一在周家樓，爲節婦蕭氏建。一在宗家營，爲節婦高氏建。一在宗家營，爲節婦張氏建。一在賈家樓，爲節婦秦氏建。一在趙家村，爲節婦李氏建。一在白坨集，爲節婦王氏建。一在殷家林，爲節婦袁氏建。**烈女坊** 在石屋，爲烈婦李氏建。

一門雙節坊 在縣治西北五里。爲節婦周氏、孫氏建。

嘉祥

元

旌表石坊 在遂山。元時爲節婦武氏建。

明

登雲坊 在城内東街。爲永樂甲午舉人賈寧建。**擢桂坊** 在東街。爲永樂丁酉舉人邱經建。**鄉貢坊** 在隅首北。爲永樂庚子舉人李迪建。**冲霄坊** 在西街。爲永樂庚子舉人徐彬建。**進賢坊** 在西街。爲永樂癸卯舉人王彪建。**觀光坊** 在縣治西。爲景泰癸酉舉人宋濯建。**拔秀坊**在縣治前。爲景泰丙子舉人徐昌建。**進士坊**在紫雲山。爲景泰丁丑進士宋德建。**月桂秋香坊**在西街。爲成化庚子舉人王達建。**世科坊**在縣西。爲成化癸卯舉人宋矩建。**飛騰坊**在西街。爲成化癸酉舉人曹玉建。**亞元坊**在隅首。爲成化丙午舉人曹琛建。**騰蛟起鳳坊**在隅首北。爲弘治乙卯舉人劉思明建。**恩榮坊**在隅首東。爲弘治丙辰進士曹琛建。**豸綉坊**在西街。爲弘治庚戌進士曹玉建。**進士坊**在西街。爲正德甲戌進士黄嘉賓建。**父子科第坊**在西街。爲嘉靖壬午舉人王扇建。**節婦坊**在來范社。爲陳秀妻成氏建。**敕封石坊**在隅首北。爲贈文林郎陳奉先妻謝氏建。**貞節坊**一在土山集，爲秦玩妻梁氏建。一在西街，爲廩生高汝梧側室王氏建。

國朝

升平人瑞坊在章山里。爲庠生梁心始建。**節孝坊**一在章山里，爲梁德秀妻張氏建。一在馮家海，爲馮賜貴妻高氏建。一在隅首東，爲劉鄧穮妻楊氏建。一在北隅，爲李鵬飛側室趙氏建。一在西門內，爲張珩妻黄氏建。一在隅首北，爲張典妻高氏建。一爲張篇妻吴氏建。**一門雙節坊**在四屯下王家莊。爲王蘊經妻丁氏、王蘊綬妻歐氏建。

魚臺

元

孝子坊在縣東北五十五里。爲孝子賈虔建。

明

魚龍變化坊在舊城學宫。登瀛坊爲洪武癸酉舉人王顔建。鄉貢坊爲宣德癸卯舉人高諒建。步武坊爲宣德乙卯舉人王繩建。鯤化坊爲正統甲子舉人陳善建。進士坊爲天順丁丑進士龐勝建。文光坊爲成化丁酉舉人韓岱建。化龍坊爲成化丁酉舉人劉珂建。天衢坊爲弘治乙卯舉人陳憲建。奎光坊爲弘治乙卯舉人汪東澤建。蟾窟秋香坊爲弘治乙卯舉人王擢建。飛騰坊爲弘治辛酉舉人韓襄建。丹山起鳳坊爲正德丁卯舉人張富建。滄海騰蛟坊爲正德丁卯舉人朱禄建。奎光萬丈坊爲正德丙子舉人高棟建。總戎坊爲總兵韓雄建。天壽完節坊爲黄甲妻奚氏建。雙烈坊爲生員甄慥妻妾建。宧門貞節坊爲武宏妻甄氏建。

國朝

懿節永貞坊在轂亭鎮。爲韓一龍妻陳氏建。寶婺聯輝坊在轂亭鎮。爲韓彪繼妻王氏、妾盧氏、曹氏建。坤節棱棱坊在轂亭鎮。爲段化龍妾元氏建。華閥賢媛坊在舊城内。爲王天申妻甄氏建。節孝坊一在兩城街，爲史通裕妻王氏建。一在朱家廟，爲朱壇妻楊氏建。一在王家花園，爲王大美妻劉氏建。一在灣裏莊，爲李中蘊繼妻劉氏建。一在大宋家莊，爲宋允妻李氏建。一在屈家莊，爲屈克昌妻韓氏建。一在舊城西關外，爲武待徵妻徐氏媳常氏建。

姑媳同貞坊 在朱家莊。爲朱雲妻劉氏媳高氏建。

節烈坊 在舊城西關。爲方彬妻劉氏建。

聖朝人瑞坊 在東山韓家樓。爲百歲老人韓吉甫建。

按，以上并載三縣《志》。

濟寧直隸州志卷四之一

建置志一

○城池

昔吕新吾之居鄉也，以寧陵城惡，首議展拓而新之。諸故家咸不便，獨違衆論，竟以成功，且爲《守城書》以遺後人。其後乃卒受其庇，故曰「安不忘危」「有備無患」也。《前志》以鄭氏《守禦記》附焉，今與金鄉《守城記》諸篇并列《兵革志》，軍旅之事，無關建置也。

州城舊以土築，明洪武三年，濟寧左衛指揮使狄崇重建，易以磚。高三丈八尺，頂闊二丈，基寬四丈，周九里三十步。外磚内土四面，各二里九十七步有奇。東三百七十丈六尺，南四百三十八丈二尺，西四百三十三丈八尺，北三百九十二丈四尺，共長一千六百三十五丈。女墻凡三千六百。國朝順治初并一千八百。

按，鄭與僑《守禦記》明末時已并之，今垛口惟七百六，明時大修，可考者萬曆年指揮楊方亨、崇禎年知州董則喻也。國朝大修者三，總河楊方輿、知州吴檉及史錦。又南北門樓知州藍應桂修，四門左右舊各有小門，今惟南東北三門有之。《前志》。

明陳伯友《修城記》：濟寧，東省一都會也。天下無事，爲商賈貨財之所輳。設有不虞，則草澤之雄耽耽思據之。故曹操爲兗州牧，而人語之曰：「河、濟，天下之要，亦將軍之關中、河内也。」則濟洵重地云。其城頗稱堅厚，而屢圮屢修，相傳已久。天啓初，戍樓委謝，垣墻崩壞，適董公儆我守是邦，曰：「城之不修，守土者之責也。」謀之諸紳及諸父老，咸以爲役大而難，顧公曰：「事在不可已，烏可以無措而止？」于是亟請于上官，得存留二千緡，公曰：「是可與興事矣。」乃簡官役董其事，而以鄉耆有行者核之。諸匠作日給錢，木、石、磚、灰隨時償值，不使冒破。有不足，俾各里以夫助之人，均其勞。於是趨事者衆，而工日起，至甲子落成。頹者彌壯，傾者彌堅。太白酒樓益增而高，宏麗稱是。東南戍樓，標以奎星，示興文也；西南戍樓，標以宗聖，示景賢也。及四門樓各戍樓，其崇焕莫不如之。余以差過里門，衆請余爲記，因感於任事之難也。凡事之興也，暗者昧之，怠者弛之，不昧且怠而且爲築舍之所摇、半途之所阻，則事亦旋興旋廢。惟燭於當然，奮於必然，而又永堅於不得不然，故能樹功不朽。若城之修也，慮金錢無措則不能修，慮請發不裕則不能修，或又慮開銷易於起議、動衆易於賈怨，則亦四顧彷徨而不能修。公鋭意擔當，一切异慮悉以屏之，故成也。當壬戌妖賊之變，不旬日墮三城。濟縉紳官民晝夜荷戈登陴，惶惶慮不守。有城若此，復何慮哉？即今餘孽未盡熄，而觀此氣象必戢其逆志、銷其邪萌，則數仞垣賢于十萬師矣。尤有進者，濟三面環水，營無可厝，馬無可馳，儘可據以爲守。惟北方爲諸省通衢，平坦曠蕩，易於受敵。説者謂，浚隍使深通水以成大渠，其故河俱在，廣而廓之，匪艱也。如是則周圍皆水，四塞鞏固，是在圖地利者加之意耳。公二載前已遷河間貳守，合郡攀留，得以府銜仍管州事。至此譽益騰，功益茂，行且超擢樞衡。乃其迹之在濟者，則固與濟城永存矣。據《前志》稍改。

城門　南曰「宣阜」，榜曰「野入青徐」。東曰「綏華」，榜曰「鄒魯接壤」。西曰「萃成」，榜曰「湖山毓秀」。北曰「宗翰」。榜曰「雲達海岱」。其榜皆總河靳輔書，今廢，重製懸之。東門迤南水門一處，鐵窗。四門樓南曰「翽鳳」，崇禎十七年毀。國朝順治十二年，總河楊方興重建。北曰「望岳」，東曰「聖化」，康熙二十年，總河靳輔修。西曰「思麟」。榜曰「金湯承奠」南，「拱翼神京」北，「氣連海岱」東，「汶濟澄清」西，總河奉天，于成龍書。月城樓，南曰「會通」，北曰「拱辰」，東曰「賓暘」，西曰「近治」。總河靳輔重建，月城、女墻凡三百，今惟會通存，餘廢。

四角樓　東南曰「皃繹」，康熙初改名「五奎」。東北曰「洸泗」，西南曰「凝翠」，改爲「曾子樓」，以三省書院改運河同知署，移像於此。西北曰「耀金」。

敵臺　得勝樓之西曰「壁宿臺」，北門之東曰「牛宿臺」，西門之北曰「箕宿臺」，西門之南曰「井宿臺」。敵臺與城平，自内而下炮眼三層，明末所建。壁宿臺，炮眼四十四；牛宿臺，炮眼四十六；箕宿臺，炮眼三十三；井宿臺，炮眼無考。今皆廢，又舊周圍踮臺六百一十八、炮臺二十一，今廢，惟存東面炮臺五。

太白樓　在翽鳳左。明洪武二十四年，狄崇建。重修者：正統中都督趙輔、成化中副使張穆、國朝總河楊方興、知州陳灴、史錦、樊浚生、藍應桂。按，《前志·古迹》云：康熙十八年，總河靳輔修，河道葉方恒記。乾隆四年，知州五涼張綸有《重修碑記》。乾隆三十年，署知州龔孫枝重修。道光七年，總河嚴烺捐修，運河道李恩繹有碑記。互詳「名勝志」「藝文志」。

玄武樓 在翩鳳右。天順元年毀，重修；八年，又毀。

得勝樓 一名「文勝」，在望岳樓西，又名「奎光樓」，今廢。

明楊士聰《奎光樓記》：濟之北城樓有翼於右者，曰「得勝」。相傳武廟時流寇攻濟之西北，城已隳矣。守者中夜詭爲幔城，雉堞肖焉。黎明，寇遥見，以爲神，乃遁去。用是建樓城上，蓋以旌武功也。然濟郡黌宫故在城之西北隅，相距非遥。樓之建且久，有爲黌宫謀地形者，以爲樓在宫之西，不若在宫之後，乃爲改建北城上，與黌宫直，石易其名曰「奎光」。至是，諸君子暇而登眺，謂樓之虚無所奉也。遂醵金募工，塑魁星之像於其中焉。夫魁，斗柄星也。奎主文章，而實魯之分野星也。二星不同，即世所圖爲像者，非真有之也，因「魁」字而肖似爲之耳。然世俗相沿，皆以爲文事之應，則其异同有無，亦姑置勿論，但余因是而竊有感也。夫諸君子之爲是舉也，蕲以爲文事重也。夫今之所不足者，豈文也哉？四郊多壘，天下事且孔棘矣，褒衣博帶之儒所執以取世資者，一切無所用之，而憂時者鰓鰓於武備之不張與積習之難振。近者，主上雅意重武，隆賓興之典，至與文試等，而一時典試文臣復以不克稱旨，皆斥罪有差。蓋武之於今日極重矣，安有樓以武建而反被以文名、加以魁像也者？余竊有説於此，文武者，人才之异號；豪杰者，文武之總名。即欲分之而無可分也，第世無真文人耳。真能文者，其人必武。昔齊人伐魯，冉求爲左，樊遲爲右。即我朝靖遠威寧，功業炳然，夫非出自學宫、舉以制科者乎？《詩》曰：「矯矯虎臣，在泮獻馘。」曰「虎臣」，此以知崇文之不必輕武，而重武之不必抑文也。然則斯樓也，即名爲「得勝」，名爲「奎光」，更從而塑像之，而引以屬於學宫，亦胡不可？諸君子皆一時名流，其結社爲文也，有重瞳破釜沉舟之氣。夫士之所以就功業者，氣也。今日爲文戰之雄，异日即禦武之資，方將於斯樓卜之。吾願諸君子深自愛也，庶幾以余言爲左券乎？

國朝王第魁《重修南門城樓記》：□濟城頭舊有層樓，四面翬飛相映。而南門樓則俯瞰河流，運艘銜尾而進，尤五方輻輳之地，而一郡保障之巨觀也。會甲申寇亂，樓毁。我朝鼎定，大司馬楊公行河建牙，亦既疏瀹，著有成績。又修文廟，以崇文；修武廳，以講武。至是復創建南門樓，俾與先修之外樓屹然并峙，使人望焉而知爲雄鎮。且不藉財於府庫，不役夫于里甲，一切材具，悉捐俸金平市之。檄城守陳游戎率其城兵以築城樓，事順而人悦，子趨忘倦。始於順治八年五月二十五日，至本年十月二十五日，爲時無多而告成。是役也，其美有五：北拱京師，南控青、徐，所以尊一統之勢也。踞漕運之咽喉，消奸宄之睥睨，所以造萬年之安也。集晝舫鳴橈於城下，而稽其先、督其後，轉輸若加之迅者，所以居邇而致遠也。萃轂擊肩，摩于城中，而撫以仁、教以義，愛戴若加之固者，所以寧下而親上也。役起而民無物力之費，役畢而民有捍禦之樂。大司馬之舉者，百廢而此其一；民之受于大司馬者，百仁而此其一。誠哉！器博者無近用，道長者爲功溥也。夫一役而五美備，其于治也恢恢乎有餘裕矣！古之論治曰：「大抵取便國利民多者，則可爲。」殆深知大臣之用心也。爰勒貞石，以垂不朽。公諱方興，字滹然，滿洲籍遼東廣寧人。

靳輔《重修濟寧州城樓碑記》：□任城爲視河者駐節地，以其處漕運咽喉也。然襟帶汶、泗，扼水陸之衝，自古談形勝者率指爲山左要區。故環師以鎮，而亦隸其標於河，則是天庾之飛挽與封圉之綢繆，厥任維均有無容岐視者矣。余于丁巳春拜督河之命，自皖而北。時淮揚罹昏墊者十餘載，黄流躡淮内奔，泱漭無際，以故荒度南省者無虚晷。其駐任則十不一焉。然下車時自謁廟學外，即閱闉隍、討保障，乃目睹戍樓之剥落，岌岌有就圮狀，不禁蒿目者久之。爰稽任城之制，匝雉樓櫓凡十有三，暉映相望，以成犄角者，舊矣。其在南門者曰「翽鳳樓」，明末遭寇毁。及順治辛卯間，大司馬滹然楊公重新之，至今三十餘年。南樓之賴以翬飛者，公之澤也。其自南溯東而北而西，爲舊樓者十二楹，歲久不獲葺，以故摧蝕日甚。守土者率以費不資時絀，莫敢請。嗟乎！任之爲任，猶昔也。其處水陸之衝，而爲山左之要區，自若也。倘僅日飛挽是亟，而坐令守禦頽廢，莫之省憂，將國是、民瘼之謂何耶？惟是爲工既博，誠有非一手足烈者。於是援沂城捐修例，特疏以請，遂檄諸寮采，倡率集事，并檄監司郡丞輩董成之。始於戊午之夏，迨辛酉冬告落成焉。兹因守土者之請，用勒珉以紀歲月。其襄事姓氏，例得并書於碑陰云。據《前志》稍節。

吴檉《修城記》：□官守之於城池，重於倉庫。雖承平無事，偏偶小邑，亦不可使有殘缺不完，况濟寧地當南北咽喉、漕運鎖鑰。河道總督統攝四營將士，駐節於此，誠重鎮也。乃城之東南北三門層樓，榱棟垣墉勢將就圮，西門外樓闕焉未建，而城垣亦數處坍塌，歷十餘年未有謀及者。定例：修城不得動錢糧，皆須急公捐備。前任奉行修理，雖經估報所需工料，終未興修。檉莅任後，詳報捐修，於康熙三十三年正月興工。先修南門樓一座、東門樓一座、城垣四處、炮臺一座，凡辦木料、磚灰、瓦石諸物及工匠夫役，俱照民間平價給發，計共費銀一千二百六十五兩二錢零。是役也，河督于□倡捐銀六百兩、紳衿捐工錢七十九串之外，餘俱檉勉捐。所委督工之官，則稅課局大使李一英、南城驛驛丞章射斗也。尚有北門外樓、北城得勝樓及南城炮臺城垣一段未修，西門外樓未建。至三十六年，又詳蒙河督董□劄移撫院李□暨藩臬各道，共捐發銀七百三十兩。復興工修完北門樓暨南城炮臺，計工料共費銀九百三十七兩八錢有奇，内檉自勉捐二百餘兩。所委督工之官則吏目劉汝本、稅課局大使沈廷棟也。兩次共修城門樓三座及城垣五處，計三十二丈，庶幾壯麗完固，然無絲毫累及里民，亦未嘗短價一物、白役一夫也。按查前任原估册報，數處工價四千餘兩。檉奉上臺允許，所請捐資飭修，敢不躬親料理？凡一磚、一石、一夫、一工，必自稽察，總不假手吏胥，是以比原估之數得節省過半。當興工之始，有爲檉方切不敷之慮，不謂節省如許。若非躬親其事，必且金錢虛費，而工程終致不完，亦烏從而知其弊？天下工役之事，核實之與浮冒，類如是夫！至西門外樓暨北城得勝樓，緣河督董□連歲經理淮黄，南工多事，未暇顧及。檉比年亦以公務殷繁，無力捐資，致此二處未能建復，尚有待於後日云。

乾隆二十八年正月，知州史錦《重修記略》云：四城樓、四角樓并外面墻炮臺、垛口以及四門馬道，其費紳士李文彩、鹽行茹林等公輸共九千一百四十兩有奇。《前志》。

池周十三里二百三十五步，闊四丈五尺，深一丈五尺。

橋 南「飛虹」，北「朝天」，東「通泗」，西「通津」。《前志》作「釣橋」。餘附記各橋，并詳「橋梁」。

劉淇《西門水溝記》○歲在乙丑，濟寧自四月積雨，六月十日霪雨大作，城中水暴長，衢巷皆没，屋廬壞十六七，民爭趨城。二十，雨繼作，水又增長，拿舟往來。八月二日，復雨，自子竟巳，水倍前，士民號於州太守趙公之鶴，請開水道由西門泄西南、西北兩瀦之水，從之。掘至數尺，見甃石甚長，頗有人記憶此下故有溝以泄瀦水，但歲久塞耳。於是相與計，東城獨有水門，故瀦水即日消落，今開水道暫耳，非遠久畫，不如因其故迹，遂增甃之。雖不及水門泄水之速，亦庶幾少紓暴溢之患。僉憲劉□及運河司馬許□聞之，嘉勉鼓舞，于再于三，捐石佽金，賉厚惻怛。于是，户勸人奮，唯恐在後。不一月，溝成。自城門至闉闍，一十三丈；南至南瀦，九丈五尺；北至北瀦，十一丈，共三十三丈五尺。四面甃石，受水之口閑以石，以闌穢敗；導水之口閑以鐵，以備奸偷。先夏啓治，以防壅塞。費凡二百金以上。於是士民相與感前日之墊溺疾苦，而樂寧止於方來也，來告淇曰：「非吾僉憲、司馬、州主不及此，子其記而刻諸石，以示無窮。」淇僑居濟寧三十餘年，先壟在兹，雖羈旅乎，即州民矣。且前日之墊溺疾苦固備嘗之，則方來之寧止亦將波及，敢以不文辭？爰系以詩曰：我聞古昔，政在安民。好好惡惡，如營厥身。高城深隍，所以守邦。苟民不有，邦孰與守？其或蒙焉，乃憚革興。捍患禦灾，縮朒因仍。受人牛羊，且羸以瘠。彼牧謂何，□而□邪。歲赤奮若，霪潦薦凶。蕩蕩濟城，浩於湖江。婦孺哀號，坐罍以逃。睥睨之間，瓜廬周遭。剗削萬屋，如郊如坰。泛泛楊舟，載浮載憑。昏墊漂摇，穀泄腿腫。自夏徂秋，邦人大恐。乃號于州，以憂仁君。西闉渠開，濤决雷奔。藹藹僉憲，敦敦司馬。弗康弗愉，哀我填寡。厥渠乍通，匪爲巡圖。石而實焉，乃彼舊模。輦石其崇，佽金其豐。爾急爾患，其可從頌。乃嘉勞之，又勤劭之。其有不勸，衆叫笑之。雲錘鱗集，金錐彪舉。不日成之，慶忭歌舞。于萬斯年，民既寧止。于萬斯年，公多受祉。踽踽羈旅，秩秩言詞。傳世信後，匪諛匪私。康熙四十九年十月某日。《衛國集》。

城西之水汗漫無歸，順治初總河楊方興曾開小河於狀元墓西，引入馬場湖。今則不然，南出會通橋，西由青雲、永濟二橋歸城河，繞城西南角由南門之積水橋入運河。《前志》。

按，乾隆五十三年，紳士李瀚、劉丕烈等捐修城垛并挑護城河二千一十二丈，寬六丈，深八尺，及西門外通運支河，并修觀瀾橋及四門各橋座，公輸一萬一千一百兩有奇。巡撫長□、總河蘭□會同具奏，奉旨褒奬在工紳士李雲溪、李研溪、劉輝宇、劉盛華、劉衍緒、劉毓魁、李祖亮、鄭如岱、李作霖、陳玉峰、朱睿良、杜蔭南、戴普庵、時春澤、時端溪、時玉全、朱序芳、宋文藻、李芝田、孫龍溪、高孔一、王斗盈、杜紹霞、杜孔賓、張君瞻、許東瞻、陳伯莪、靳震宇、任鷞蒼、張際盛、趙繩武、李睿峰、朱東美、井承華、許華瞻。據《文案》補書。

按，歷任勸輸，本境紳士認段捐修。嘉慶十六年，知州王旭昇報明四門城樓向爲分貯河標四營軍裝之地，因年久磚瓦木料率多碱鬱。十五年夏、秋大雨，城樓坍塌，應請修理，計：四門正樓四座，上下各十間；南門月城樓上下六間；四角樓上下各十間；樓台地面并前後女墻九十一丈六尺；馬道八蹬長八十七丈；馬道門樓八座；大小城門十七。合共需工料銀一萬二千四百七十九兩零。蒙撫憲同奏，准動項修理。於本年十二月開工，十七年七月完竣，共銀一萬二千三百九十九兩零。旋經部議，核減一千九百四十二兩，咨追王任在案。嘉慶二十年，城守營移報六月十七日北城外層月城掣塌東首大墻八尺。二十四年，城守營移報六月二十六日雷震東門，城上火藥庫三間火藥六千四百九十一斤八兩全行轟没，及城上宇墻震倒十三丈二尺。又七月二十五日，南門城樓大墻臺坍塌，長五丈，寬三丈八尺。二十七日北門迄東敵樓一座全行坍塌，并報明委勘在案。道光七年，署知州邵元章屢經請修，因經費未充，歸緩工辦理。總河顔檢、運河道李恩繹倡率黄、運兩河各廳與本州紳士公捐修理南門裏券城臺、城樓、北門外礮岸長十二丈，月城大墻長十丈，并北門城樓一座。是年五月開工，閏五月完工。道光十六年，知州吴梯倡捐勸修，邀集首事紳士舉人李均、貢生楊榮安等鳩工督辦，至十七年署知州克興額接辦修完東北隅等處。道光十八年，知州徐宗幹重修，并籌增書院經費，作育人材。城西舊有任城書院，歸河員經理，存項充裕。城内增建之漁山書院，并添設考棚，所用工料已捐資興修外，唯師生修脯尚未籌及。曾將舊有荒地八頃，議請丈明招佃，爲書院及義學經費。嗣查明實係荒蕪多年，連年被水，無從墾種、修膳等項，歷係捐備。十九年四月間，率同各紳士等將書院内外重爲修飭，添蓋房屋，并城關舊有義學八處，復加整理，另置地畝。同鄉民李福安等捐施，共地九十餘畝。又將州境玉露庵、三官廟兩處從前官紳捐施廟地撥出十項，爲書院膳田，按季繳租，詳准在案。又蒙前河憲栗將□存廳修蓮亭項下撥銀二千兩，按一分爲書院膏火。又捐錢三千二百千，易銀二千兩發當生息。因州境各典所存任城書院及各項生息銀兩過多，移交濟寧、臨清兩衛。境内當商收領，亦按一分生息，按季由州移支。核計現定課取額數無多，足以敷用，如有餘，存爲義學修脯之用。此重修城垣各工及創建書院、考棚并現在籌備書院經費之原委也。

道光二十二年，城工完竣，後經巡撫托渾布奏請奬叙，奉上諭：托渾布奏官紳捐修城垣等工，請分别奬叙一摺，又單開捐輸各員名著吏部，一并議奏。此項工程免其造册，報銷該部知道，單并發，欽此。

吏部議將捐銀六千兩以上，現任登萊青道王鎮給予加三級；捐銀二千兩以上之候選主事李聯澧，給予加二級；捐銀一千八百兩以上候選員外郎李聯厚，應給予加一級，紀録三次；捐銀一千二百兩之運河同知黄慶安，應給予加一級，紀録一次；捐銀八百兩至九百兩以上舉人張榮泰、王禮耕應各給予紀録三次；捐銀五百兩以上之候選通判王廷簪，應給予紀録二次；捐銀二百兩至四百兩，濟東泰武臨道徐經、濟寧州吏目莫維翰、四川嘉定府知府邵勳、貢生捐州同銜朱墉等各給予紀録一次；捐銀一萬兩以上之濟寧直隸州知州徐宗幹，應給予知府職銜；捐銀三千兩之試用府經歷朱長孺，予以本班到班，分缺間用；捐銀五千兩以上之候選通判李聯鴻，將本身職銜減半作抵，核計應給予鹽提舉職銜；捐銀一千兩以上之生員李聯堉、文童孫應遴，各給予鹽運司知事職銜；捐銀三百兩至六百兩以上文童扈宗冉、黄攜、李鼎書、孫毓秀、孫世俊、王式穀，監生孔昭舉、王大猷等各給予八品頂戴；捐銀二百兩之文童李承洪、朱馥蘭、李源，監生冷訦等各給予九品頂戴。至試用人員，議予本班到班，照分缺間用之例，先用正班一人，次用議叙一人。以奉旨後接到部文之日起，按班計算，不積本班之缺。捐銀八兩以上之捐職布政司理問李復曾，捐銀六百兩以上之捐職通判朱佑增，捐銀四百兩以上之捐職同知李承奎，捐銀三百兩以上之捐職布政司理問夏洸，捐銀二百兩以上之捐職州同劉敬，捐職布政司理問李大桂等，據户部覆稱并未注明捐年月日，無從檢查，應俟題覆後行文該撫查明

聲覆到日，再行覆辦。

按，歷年塘河冬挑，積土附近，城根高如山阜，會同運河廳將河工移土公項再捐廉增益，即梯越加培城内土坡，洵一舉而數善備也，數年後仍宜援照行之。

知州徐修城後，道光二十餘年，州人孫善寶、王緒昆、李聯厚、

李聯堉、孔昭舉五人分段修。咸豐四年，州人孔昭舉、李聯澧、李聯堉三人又分段修。此兩次皆有碑在城上，可查。

金鄉縣城周七里三十步，高二丈三尺，基闊二丈七尺，頂一丈二尺。

城門　東曰「東作」，西曰「西城」，南曰「南薰」，北曰「北共」。

池闊四丈六尺，深一丈一尺。

舊本土城創始失考。按，《通志》：「縣本東漢置。」明萬曆年間，知縣楊楫、杜靡、李鳴世相繼全甃以磚，并胡汝桂記其略云：「往者高魁、唐鵬增修繕城，今御史趙賢飭楊侯修治，縣丞王三益、典史朱文林、鄉民胡姓等共襄其事。萬曆十二年六月。」國朝康熙四十九年，知縣沈淵重修，有《記》。張霖《記》云：「三年而工始竣。」乾隆四十二年，知縣王天秀重築。《前志》。

護城堤周十一里，高九尺，厚一丈二尺。

明周永春《修堤記》：余邑大堤周圍一千六百餘丈，歲月侵尋，方憂日圮。辛未、壬申兩年，淫雨爲虐，叠罹河决之警，黄流汎濫，勢成懷襄。其始至也，值邑之印佐俱缺，人情洶洶，咸思竄避。余首伐園樹爲樁，糾園丁爲夫，捐資倡助，危堤獲保無恙。及再至也，水較前更高，勢益烈，南、北二方水與堤平，衝射處舊址僅留尺許，衆謂必不能守。余與邑侯詹公共坐堤上，時已入夜，呼燈火、呼匠役、呼畚鍤，脣焦舌敝。加直覓夫，沽酒犒賚，自昏達旦，不敢寧處，而南面水勢漸平。次早，由東而北亦皆如是。時苦無土，每土一筐給錢五文，每夫一日夜給錢六十文，闔邑負畚至工及以酒食犒者絡繹不絕。水勢既定，邑人士咸向余向勞苦，余曰：「未也，河口未塞，安保水不再至？倘水再至，勢必無堤。堤之不存，城于何有？逆料至此，真有寢不帖席、食不下咽者矣。是故堤之當修，不待智者而後知之也。」客曰：「子之議修堤，良是。但歲方大祲，經費何出？」余曰：「無憂！邑雖小，獨無縉紳之家乎？獨無携資而覓子母于吾邑者乎？屋宇鱗次，有甘淪于洪波中而不思出資自衛者乎？且歲祲而思拯之，借此役也。」余于是置募疏：一扇門攤則例一扇，房分上、中、下三等，輸銀有差。會鉅野令井公攝邑篆，余乘間告其事，遂發自理贖鍰銀八十七兩六錢，又申准東兖道陸公將發下賑荒銀三十八兩四錢，亦改充修堤之用。未幾，而邑侯王公至。侯具幹才，居恒究心世務。初至，余謁見，即首以堤訊余，謂「此議不可緩」。後少暇，舉募疏及則例扇請裁定之，遂蠲吉三月初九日興工。是日雨，越十一日，畚鍤興矣。時堤外土未盡出，先將園土用夫一百七十五名修樣堤九十二丈，頂闊若干，高若干，示式也。堤外非園即宅基，以余土先之，嗣是土出浸廣，鄉紳素封及商賈之家俱如約門攤，銀漸次輻輳，即貧不能輸者聽出力，免銀。時年大荒，民艱食，議每夫日給錢三十六，於是貧民蜂擁而來，招募及門攤夫約用一千一百一十五名。擇委鄉民有材幹者分督，七工并興，辨色而出，日入而歸。萬杵雲屯，歡聲雷動，民忘其勞，工極堅實，玆故何也？公之言曰：「不一勞者不永逸，何以勞之？惟有鼓舞一法，明示勸懲之公而已。其人役有拮据從事、不曠時日者，予有賞；不然者，罰及之。其督工有朝夕催促、不憚勞瘁者，予有賞；不然者，罰及之。」公既捐多金，又頻犒賚，恩綦厚矣。時歷各工，叮嚀訓誡，法綦嚴矣。各夫役及督工鄉民感恩怵法，竭蹶恐後，宜也。自三月十一日起，至四月二十二日止，僅四十餘日而工告竣。根闊三丈五尺，頂闊一丈五尺，高一丈五尺。方事之殷也，兖西道謝公巡方適至，聞舉此役，欣然往閱，步至工所，勞來相勸，又捐俸金三十兩。工役益用鼓舞，合之木役，官師、紳士、商氏各捐不等，總計用銀一千三百零六兩，而功成矣。二十三日，舉宴落成，衆咸快之，蓋不意斯工之速成若此也。破土之時，雨濡沾裳。興工後，匝月晴霽，又似天意佑助。事機之難，適遘者與？

據《前志》稍節。

按，《縣志》云：明弘治十六年，知縣高魁、主簿唐鵬重修。天啓二年妖亂之後，知縣楊于國議增瓮城於四門外，渾用大石，高與城等。工未舉，遷去。成之者，知縣張著銘也。周永春記，鄉耆李林等助之。嗣是傷於霖雨，城垣門樓漸多塌損。天啓五年，知縣李國泰捐俸修補外城，甃磚大半風化，復立官窑造磚補完。創南城腰鋪二座。夫役取之在官者，民間不知有興作。後四門城樓歲久傾圮，國朝康熙十二年知縣傅廷俊重修，四十九年又重修。後六十年，黄水衝灌，傾塌幾盡，奉文發帑修築。○重修磚城一座，周圍共計一千三十六丈，底寬一丈七尺，頂寬一丈一尺。民修共長五百八十五丈三尺八寸，官修共長四百五十丈六尺二寸。乾隆三十八年經始，四十三年告竣。

嘉祥 縣城周四里，高一丈五尺，厚一丈。

縣城本鉅野地，金皇統中置縣，初治山口鎮，正隆中遷於橫山之陽，大定十五年還今治。始築土城於萌山之麓，明成化三年知縣趙瑄重修，東北跨萌山，無隍池，自城南轉而西，僅長里許。

城門 東曰「瞻魯」，西曰「麟游」，南曰「南武」，北曰「鳳城」。

儒學前開一門曰「采芹」，崇禎間東兗兵備道陸夢龍檄始砌以石。十二年，知縣李昌年爲捍禦計，與紳士高斗光等捐資修。國朝康熙十三年，知縣徐之駿重修。乾隆五十六年，知縣張晉請帑重修。按，《縣志》：明弘治十四年僉憲馬鸞檄知縣李倫開設西南馬道，城跨山之上者皆砌以石，約五之一，歲久復圮。萬曆二十二年，知縣劉思顔重修。崇禎十二年，復修，用石十之八、磚之十二，鄉宦杜嘉慶等領修。乾隆間，知縣德音重修。

魚臺 縣城周七里餘，高二丈二尺，厚一丈。新城周四里一分，高二丈三尺五寸，基闊二丈四尺，頂寬一丈。舊治方輿，唐元和四年遷於黃臺，土城半圮于水。元泰定間，縣尹孫榮祖劃築西北一隅。

池闊三丈，深二丈。按舊城廢址，環以大小二堤。舊城三門：東曰「迎岱」，西曰「達汴」；南橫菏北，無門扁，曰「望京」。明萬曆三十二年，河決南旺，由豐沛入境，爲城郭患，巡撫黃光纘督令增修重堤以保障之。國朝乾隆二十一年，河決城壞，遷治於縣境之西南董家店，買民地七十九畝四分。二十二年，知縣馮振鴻始建城，用帑三萬九千一百有奇，即新城也。馮《記》。

城門 東曰「控皃」，西曰「映莎」，南曰「鎮黃」，北曰「通濟」。各有月城建樓其上。

護城堤周五里，高七尺，厚七尺。乾隆二十七年，知縣馮振鴻捐築。邑人武翰《止遷城議》○嘉靖十三年，河決曹、單。

洪濤直趨魚臺，城幾没。會直指上疏，請遷城市，翰建議曰：本縣遺址數里，先因河決已移高阜一隅。成化暨弘治、正德間，數遭大患而誠無虞。今洪水自城東西已分，乃奏議遷徙。且本縣歷年既久，廬舍經營，孰無故土之思？兼之十室九空，烏能折運舊産以就新創？况本縣與曹、鉅水口相距一百五十餘里，泛濫來此，不過四漫，必不甚爲城患。而老城環繞，屹然可蔽，修其一二殘缺尚可撑持。藉令必弃久宅之城市，依新刈之蓬蒿，哀鳴嗷嗷，其不堪甚矣！昔盤庚遷都，利害甚明，衆猶胥怨。蕞爾小邑，欲隔運漕遠徙山麓，又將何所資藉而得緩須臾之死？故城不改遷，則黄河之灾僅及一邑。令城必遷，則窮疲赤子，盡傷元氣。某等皆係敝民，祈蠲免糧差，厚築護堤，安受天灾以俟河變，暫止大費以廣矜恤，托處高原以就去來，觀水緩急以圖進止，庶官民稱便焉。增輯。

按，《縣志》云：新城初名董家店，距縣境西南隅，去舊治十八里。乾隆二十一年，巡撫楊錫紱建議遷城，遂於此立縣治焉。其脉自金鄉之金莎嶺迤邐而東，萊河左環，菏河右抱，梟繹諸峰，環列拱峙，遥映於前。地形四圍突起，爲縣境最高之處。獨基地稍窪，堪輿家所謂「突中窩」者是也。二十二年，知縣馮振鴻修東城及東南面，金鄉令麥子淳修西南與西面，滕縣令陳鶚修北面，皆奉委承辦城之制外，爲磚壘内築土附之，周長六百四十八丈。四門各置瓮城，建樓其上。始於二十二年三月，至二十三年六月告竣。規模視舊城稍隘，而地處高原，磚壘完固，縱有水患，可資捍衛矣。

舊城堤，明萬曆間邑令吕大濩修築。堤内民田五十餘頃，今衝決爲潴。新城堤，乾隆三十七年知縣馮振鴻捐俸所築也。《前志》未詳，今補輯之。守土者以保障爲急，固未可没其名也。

○街衢

《前志》列「境至」後，今移此。

東南隅南北街　舊四，今增六。楊翰林街　大文家街　東門南馬道　馮家院街　柴禾市街　麯房街　眼藥胡同　米家井街　石門口街

東南隅東西街　舊七，今增十。鐵塔寺街　雙井街　臨清衛街　塘子街　晁家街　曾坑涯街　南門東馬道　太白樓街　霍家街　鬥鷄廠　一天門街　小文家街　財神閣街　文昌閣街　旱石橋街　湯家胡同　楊翰林坑涯

東北隅南北街　舊六，今增十二。金山庵街　川廊街　孔雀庵街　小教場街　元帝廟街又名太子坡。　傅家街　東門北馬道　甄家街　衛監街　山子石街　陰柳胡同　九道灣胡同　聖公宅胡同　臨清衛胡同　莫家亭街　邵家花園街　洪牌坊街　漁山書院街即北門大街。

東北隅東西街　舊四，今增六。城隍廟街　邵家街　古察院街即今濟寧衛街。　北門東馬道　總府署前街即東門大街。　游府後街　太平巷　時家胡同　丁家胡同　楊坊巷

西南隅南北街　舊六，今增六。扈家街　熊家街　州署前街即西門大街。　河院署前街　鄔家街　西門南馬道　道門口街　院門口街即南門大街，當作院門東街。　泉河廳街　廳西街　鼓手營　塘子胡同

西南隅東西街　舊六，今增十。運河道街　運河廳街　申家口街　周家街　黃家街　南門西馬道　天津府街　孫家街　郭家街　棋盤街　卧牛坑涯　方家胡同　更道胡同　廳西坑涯　尚家園街　田家園街

西北隅南北街　舊六，今增九。關帝廟街　普照寺街　泮宮街一名雲路街。　德新巷　大于家街　西門北馬道　天香閣街　三聖廟街　戴家口街

水口街　駱家胡同　倉胡同　荆家胡同　陳家胡同　馬王廟街

西北隅東西街

舊六，今增三。　河院署後街　州署後街　學宮街　郭家園街　關帝廟街　關帝廟前街　北門西馬道　小于家街　龍門口街

東關外街

舊八，今增四十九。　安阜街　粉房街　玉露庵街　馬驛橋街　張家胡同　楊坊巷　火焰門街　解家胡同　左家胡同　清華洞街　浣筆泉街　浮橋口街　虮蜡廟街　篦子市街　騾馬市街以上東關一鋪。　白家胡同　菜市街　白家園街古名極樂園。　栗家園街　核桃園街　觀瀾橋街　蓮亭街　劉家莊街以上東關二鋪。　既濟巷　二鋪頭街　大閘口即運河北岸。　薑店街　水次倉街　閔家胡同　魏家火巷以上河東二鋪。　小紙店街　新開口街　吉祥胡同　曹家胡同　聖公佃街　卧佛寺街　通心橋街　皮坊街　林家灣街以上河東三鋪。　鐵鼓廟街　果子巷　棗店閣街　大炭溝街　小炭溝街　迴龍溝胡同　太和橋街　興隆橋街　文家園街　羅家胡同　蕭家園胡同以上河東四鋪。　牌坊街　花街　文昌閣街　仙家園街　周家胡同以上河東五鋪。　七鋪大街　杜家胡同以上河東七鋪。

南關外街

舊二十四，今增六十六。　稅務街　驢市口街　打銅巷街　工字巷　巨門口街　三皇廟胡同　剪子股街　財神廟街　棉花市街　仁里街　古考院街　金家胡同　安平巷　下凹街　冰窖街　五衢巷一名水胡同。　靳塘子街以上南城一鋪。　鷄市口街　紙房街　杆石橋街　燒酒胡同　布市口街　扁担街　倪家街　財神廟街以上南城二鋪。　竹竿巷　塘子街　常門口街　清平巷　响鈴閣街　太平街　三筒碑街　鼓樓街　普濟堂後街即吏道街。　白家胡同以上南城五鋪。　打繩巷　新街　官才巷　永豐巷　土地廟街　磁器胡同　清真巷　爐坊街　康家胡同　馬家園胡同　白家園街以上南城六鋪。　七鋪大街　龍行胡同　小壩口街　楊家胡同　孟家胡同　褟褙巷　回回巷　水胡同　綉頭廟街　皂角胡同　壩口即運河南岸。　磨盤胡同以上南城七鋪。　八鋪大街　關帝廟前街　張家場院　米家場以上南城八鋪。　小南門大街　油簍巷　里仁巷

糖坊巷街 闕路街 皇經閣街 甄家胡同 神路街 古義井巷 鐵子胡同 楊家胡同 駱家胡同 楊家園胡同 以上南城九鋪。 馮段村大街 劉家胡同 來鶴觀街 古路溝街 仁里街 金家胡同 香鋪胡同 王母閣街 朱家園街 金魚坑涯 以上馮段村。 中心閘街 興隆街 柳行街 卧虎橋街 藍衣堂街 以上中心閘。

西關外街

舊六，今增十九。 社稷壇街 即夏家橋街。 福壽街 曹家胡同 武勝街 文勝街 土城街 陳家花園街 以上西關一鋪。 新司街 即任城書院街。 孟家胡同 三聖廟街 灣槐樹 即運河北岸。 土地廟街 狀元墓街 船廠街 以上草橋一鋪。 草橋口街 呂公堂街 二神廟街 大金家胡同 永盛巷 濟安巷 一名屠猪巷。 税務街 小金家胡同 火神廟街 慈燈寺街 皇棚灣街 以上草橋二鋪。

北關外街

舊五，今增六。 大石橋街 天仙閣街 文昌閣街 火神廟街 牛市街 三官廟街 即常清觀前街。 太平胡同 三聖巷 駱家園胡同 旺勝街 張家胡同 以上北關一鋪。

明楊定國《義井巷創修石路記略》云：濟上當南北要衝，而義井巷又當濟上要衝，其居民之鱗集而托處者，不下數萬家；其商賈之踵接而輻輳者，亦不下數萬家。望烟火而知生聚，聆鳴吠而羡繁殷。庶而富，富而教，將在於此。以故其地多出人杰，起而創不朽之事易，沈塾以清寧，則以上裨吏治，下奠閭閻，而令往者來者于焉利賴，事非得已而有不可誣者。義井巷北，濟民橋南，以地濱運河，每歲疏浚，河土山積，一當淫雨，壅淤尤甚。行人有蜀道之嘆，居者有竈蛙之嗟。蓋二百年于兹矣。鄉民唐承等毅然謀創，始乃請部州掘地去壅，伐山作道，意雖果而資不裕。又恐有志不逮，以墮厥成，各商之集兹土者，僉輸重資爲倡，街民協力，同舉于是，采石興工，奔走於岩谷、瘴癘之間，越數載而始成。自橋南以抵鋪頭，長約里許，用石千塊。從此環而居者，室廬無恙，婦子晏如，泉貨永通，國課攸賴。蒙霜衝露之衆，一憩息而知爲樂郊。則此路之成，固以下慰民情，上裨公家，其視興得已之役、極土木之工、竭匠氏之力而爲無益之費者，緩急得失何如也？是役也，俞請則都水關中寧□、郡伯汝南胡□，成于我郡伯天中董□。以開土則河廳寧鄉胡□，以選日則守備郡人張宗岱，以倡義則巨商昌江程時振、新安程茂稷等。至若募緣則鄉民唐承、馬□，監收則汪幼鉉、高賓，督匠入山采石則陳所見也。例得并書。天啓辛酉孟秋。管子曰：「四民不可使雜處，雜處則其言哤，其事亂。」魏孝文之營洛也，韓顯宗言道武之初，創基撥亂，日不暇給，然猶分別士庶，不令雜居，工技屠沽，各有攸處。此自古以來經營城郭、辨方正位之法，凡國都以及郡邑無不宜。然而五方雜處，濟爲尤甚。善乎！陳氏之祖之擇里也，宜其有後矣。《故志·街衢》而附録之。《前志》。今附「風俗」。

按，《舊志》街巷不詳，《前志》分四隅、四關，較備。其未盡載及所增者，補之。又《前志·公署》濟寧分司引《泉河史》云：舊錦衣四衢皆土淖不可行，其後迤西始易以石。今西門外大街濱臨河灘，雨後泥濘，行人苦之。道光二十年，由永濟橋武勝街至草橋口墊高三尺五寸至一尺不等，兩邊開濠，即以土覆中道，而以小石砌徑路於中。蓋爲西路往來通金、嘉及曹、鉅等處要津，從此行旅稱便。南門大街商賈輻輳，勸紳民按鋪房間數捐修平坦。惟西門內石路未及一律平鋪，車馬行走不便，捐集工資未齊，因而中止。近候補同知王緒昆等稟商河督慧公，勸捐接修完整矣。

濟寧直隸州志 卷四 十

濟寧直隸州志卷四之二

建置志 二

○公署

按，《前志》云：「州爲都水監之所駐，故公署特多。先以州署者，志爲州作也，故署亦志之，志所以道故也。」《前志》兼及常社倉與養濟院等處，茲則倉儲、恤政各自爲篇。修建諸記，有關因革，附以備考。其燕居之所，凡題、敘，歸入「藝文」。

州治在西門内，廳事正堂三間，顔曰「阜成」，康熙中知州吴檉題。東西爲庫房。堂下東爲吏、户、禮三房，西爲兵、刑、工三房。堂東爲承發司，前夾於堂塗者爲皂隸房，中稍南爲戒石坊。本爲亭，知州王孫蕃易以坊。儀門三間，東爲寅賓館、衙神土地祠，西爲獄。大門三間，前爲影壁。阜成堂之後爲宅門，門内二堂三間。又其後爲三堂。顔曰「崇禮」，知州胡德琳重建。又其後爲内宅門，門内爲延慶樓，知州藍應桂創建。崇禮堂東爲涵碧舫，賓客燕會之地。二堂之東爲觴白軒，南爲皆春堂，亦胡德琳建。後爲漱芳書屋。皆春堂之巽方爲文昌閣，藍應桂建。《前志》。

明南直通州判官濱州王汝言《重修濟寧州署記略》云：嗟哉！記不徒然也。世之務爲觀美者，恒侈費以傷財；好爲創建者，必勞民而叢怨。如是而記之，何益哉？郡守張公曰：余不佞，自承命趨程，方入治之境則見商賈輻輳，喜得其和矣。及登州之堂，則見棟宇恢宏，喜得其居矣。迨入衙之室，則見甍摧瓦墜、四壁蕭然，晝則日隙於東，夜則星懸於榻，甚而風雨飛則滲漏成渠、塵埃撲面。自成化癸卯迄嘉靖壬戌，歲久相沿，傾圮日甚，視諸茅檐草舍猶蔽風霜者，殆不如也。每退食之餘，輒凛然於岩墻屋漏之下，深爲老母懼焉。竊恐一勤民力，衆議沸騰，此念方興而復止者屢矣。已而思之，君子之事親，所以盡此心也。今余奉親命而竊禄於斯，顧以居處重貽吾親之憂，其如此心何？於是，不得已而爲修飭之舉，三閱月而告成。爰自前庭、後序、墻内公堂五間，名曰「自新」。堂之東西隙地植蔬果、鑿井池爲日用歲時之供。堂後寢室七間，名曰「禄養堂」。堂左右兩厢各三間，室東隙地書室三間，名曰「慎獨堂」。室後庖厨三間，厨後供室九間，凡總計若干間。惟循諸舊址稍益修飭，不雕不繪，匪樓匪臺，以待風雨，以垂悠遠，誠一勞而永逸也。言作而嘆曰：「有是哉！君之誠有足記矣。夫不務觀美，則財雖費而不至於傷；不爲創建，則民雖勞而不至於怨。况一財不動諸官，一物不斂諸民，抑何傷且勞哉？」公吴松人，諱星，字月鹿，號甘白。嘉靖己酉秋闈，言得幸附驥尾，未敢以不文辭。若夫文章載于簡册，德政屬於口碑，心迹定於公論，俱昭昭也。奚庸贅？嘉靖四十二年癸亥秋八月既望。增輯。

按，《前志》云：「《舊志》與今异，宅門本在二堂之外，今則在宅門之内，當云『二堂本在宅門之外』。」「今二堂仍在宅門内，曰『節愛堂』」。唯三堂在内宅門之内，與《前志》异。三堂即延慶樓故址也，道光年間毁於火，知州吴梯重建。二堂之東有聽雨軒，今爲雙槐書屋，知州王鎮建，翟云升題額。知州徐宗幹改名「斯未信齋」，劉溥題額。大堂之西有幕廳。今二堂之西有廳，道光十九年毁於火，知州徐宗幹重建，顔曰「鑒水」。東有軍器庫，今改作。正堂之西爲河庫，運河丞所管，今歸州。

大門之左爲陰陽學，右爲申明亭、旌善亭。舊并在州治門外之西，皆明初所建。凡有善惡皆書名中以示訓戒，四鄉皆有之，後唯在治門獨存。康熙十二年修志時猶在，後廢毀。

東有歷科進士坊，西有歷科貢舉房。明末毀。

今大門外二坊，曰「任城古郡」「亢父名邦」。戒石坊曰「天理國法人情」，左曰「興利除害」，右曰「察吏安民」。大堂，知州趙之鶴題曰「持平」。二門，知州定海藍應桂題聯云：「北馬南船，水陸交衢通十郡；襟齊帶魯，吏民表率領三城。」知州徐宗幹大門聯云：「地方兼漕運，河防保障，介兗、曹，水利農田，惟有將勤補拙；人物近賢關，聖域秀良，鄹鄒、魯，民風士習，尚其返樸還淳。」大堂聯云：「老吏何能，有訟不如無訟好；小民易勸，善人總比惡人多。」附記之。謹按，「亢父名邦」今改「濟水名邦」。

吴檉《重修大堂碑記》：濟寧州治廳事以康熙二十年毀於火，葺蓬茨以視事，官數易，未之建也。蓋濟爲南北要衝，水陸交會之地，人最雜，事最繁，號稱難治。簿書期會，奔走供應，日不暇給。官此土者，不數年輒更去。廳事之不得復建，無怪也。顧念國家承平日久，所在山川形勝、古帝王賢聖陵墓祠宇暨登臨游觀之地，皆奉詔以次營建，或加修理，所以彰治化之隆、昭太平之象者備至。此州廳事，則天子命吏以教養斯民之所也。夫奉天子命以來，而處於蓬茨之下懸治象以來萬民之觀，毋乃褻國體而輕所事乎？康熙三十二年秋，余承乏來此，顧而愧焉。然檢較一切公務，所宜興厘改革、損益變通者甚多，方汲汲竭心力以圖之，未暇謀及此也。閱二載，公務稍有成緒，爰以薪米之餘爲鳩工庀材計。而州之紳士、商民暨諸屬吏聞之，皆相率鼓舞，願各隨其力以勷厥成。乃擇於康熙三十四年七月初二日經始，落成於十月十有二日。凡庭楹棟礎不事雕飾、不施彩繢，昭其儉也。既成，因顔之曰「阜成堂」，不敢忘教養斯民之責，俾出入瞻視以自警，且與州之人交相策勵也。而今而後，多士登此堂，則當思非公不至；庶民望此堂，則當思農桑本務；訟獄者，則當思息事省事；輸將者，則當思急公親上。庶於阜成之義其有當乎！堂之後爲穿堂，舊亦毁，重新之。大門左右垣、衙神廟、兩廊、書吏房皆修治之。穿堂西復構數楹，爲公退檢點案牘之處，胥役自事者亦於此，不令數數入內署，所以慎樞機也。堂成後，次第營構，又二載乃苟完備云。因筆之而記其興作之始末，而協資與出力之人、董率之有勞者皆得書其姓名於碑陰，以俾垂於後云。

徐績《重修衙署碑記》：乾隆二十三年夏，績奉命來守濟寧。先是，雍正初先大父爲分守兖寧道，駐節濟寧，而外大父趙公實爲州守。今三十餘年，績又承乏於此，溯仰風徽，深愧非譾劣者所能繼武，且懼咎戾之積，或至隕越以貽前人羞。夙夜兢兢，不遑自逸。居三年，州人咸相與便安之。於是，衙署歲久弗葺，夏五月命工整其傾圮而易其故材之朽壞者，且加堊飾焉。由是，燕居之堂、肅賓之舍煥然一即於新。明年，會天子南巡狩，於行在召見，蒙恩以知府擢用，則績又將候代以去，不復能久居於此矣。自惟竊祿數載，於事無一可書，區區廨宇之間，支頽補敝，亦詎足以煩紀載？惟念幼侍先大父之旁，丁寧訓勉，屬望良至。今濟寧即公舊臨莅之邦，得時時悚惕其精神。而外大父爲守於此，前後十有八年，諸所興爲，具有條法，至今一一可遵。以績之無能，忝兹要劇，幸無大戾，且邀恩得遷擢以去者，寧敢忘其所自來乎？乾隆二十七年壬午春二月某日。

胡德琳《崇禮堂記》：濟之爲州，當舟車之會，江淮、兩浙、荆湖轉輸之咽喉，故又爲河道總督之治所。文武冠蓋與首郡匹，堤、湖、堰、瀦、防、閘之工，其役特煩。而四方往來，皇華旌節之送迎無虛日。南船北馬，百貨萃聚，人物殷富，繁華之習浸淫鄉里，五方之民，爰居爰處，剛柔不一。又卒伍之士與齊民雜糅，往往齟齬而不相諧，其調劑斷决惟於有土者是問。余以菲材承乏，方夙夜惴惴，以不克勝任爲慮。奉檄之日，進而請約束於方伯尹公，公曰：「州，故劇邑，號難治。然子大夫以敦厚崇禮爲先，其殆庶乎？《記》曰：『君子恭敬、樽節、退讓以明禮。』莅官行法之道，言約而該且廣以大矣。推此類也，爲國以禮，何地之不可理？何民之不可治乎？」余退而志之，不敢忘。州之治于元爲路，明初爲府，視他邑較宏敞。而宅內廳事之處，所謂「三堂」者，頗卑下。因乘農隙培其基而崇之，雖廣狹無加於初，榱瓦一如其舊，而爽塏則過乎昔矣。經始十月某日，以十二月某日訖工。按，「三堂」之名始見於唐，虢州劉刺史其州宅臨水，故有亭臺島嶼，偕子弟飲酒賦詩其中。今之三堂，朝夕于焉敬事，名同而實异，非飲酒賦詩之所也。因思方伯公語，名之曰「崇禮」，以寓目自省。且禮之一言，非僅治濟者賴之，即凡有臨民之責者亦無不賴之。不特愚魯當奉以周旋，無敢失墜；即後之視事於斯者，亦當守之而勿失也。故既以顔其堂，復爲之記，非第識始事、訖工之歲月已也。

附録知州徐宗幹《鑒水堂記》：廳事建於康熙三十四年，詳前州吴君《重修大堂記》。道光十有九年臘月二十四日，有祝融之警，鳩工重新之，三月而落成，顔曰「鑒水」，志修省也。州境河湖縈繞，利曷以新？害曷以除？其毋居廣厦而忘斯民之安宅乎？

州同知署在州治夾道東。

管河州判署在州同知署南。今廢。

吏目署在州治西夾道。

器皿廠新司在城西南草橋，嘉靖間都御史盛朝選建，今廢。《兖志》恐是「洪朝選」之誤，《省志》有「盛時選」，乃隆慶時巡按，非都御史。○南城驛驛丞署在南門内。《通志》。○稅課大使局在南門外，稅務街署在魯橋。并見《舊志》。巡檢司，今俱廢。

學正訓導署詳「學校」。

醫學在南門外運河北岸，《兖志》云：「在州治東。」

陰陽學 在州治東。按，今在州治西北，今俱廢毀。

僧正司 在普照寺東，爲清署館。明末爲中營中軍署。

道正司 在城隍廟西，《兗志》云：「在頤真宮。」《前志》列河員署後，今附此。

總督河院署 在州治東，或曰元總管府舊治。明永樂九年，工部尚書宋禮建，弘治間尚書陳某、隆慶間都御史翁大立重修。《兗志》。原係濟寧左衛署。宣德二年，調衛臨清，改置軍門。正堂六楹，後堂六楹，顔曰「禹思堂」。後爲部院宅，左爲「帝咨樓」，曲周劉榮嗣建。國朝三韓楊方興改爲「雅歌樓」，今名「挽洗樓」。又東爲「後樂圃」，李從心及楊方興皆有《記》。乾隆四十二年，總河姚立德改額爲「平治山堂」。西爲射圃，本屬儒學。康熙初，廣寧盧宗峻改入署內。《舊志》：翁大立隸書《四思堂箴》：禹、稷、伊尹、周公。書《孟子》文刻題名碑陰，在大堂左。

按，明宣德時，河道總督駐曹州，嗣以督漕往來濟上，遂改建爲行署。後移駐江南清江浦，而濟寧之竹署不改，仍爲巡視河防、往來駐扎處。國朝雍正七年，分總河爲三，今與南河爲二，北河歸直隸總督兼管，而山東河道總督仍駐濟寧，兼管河南河道，另建行署於河南之儀封縣。

濟寧院署二堂，係靳文襄公康熙十八年建。乾隆辛亥七月，李奉翰重建，有《記》刻石。大堂顔曰「清慎勤」，曰「保障北流」，曰「尊聞集思」，皆靳輔立。曰「勤慎敬謹」，白鐘山題。二堂顔曰「澹泊寧静」，張鵬翮題。大堂聯曰：「三德日宣，合僚吏軍民而底績；百川手障，會濟河沁洛以朝宗。」白鐘山題。大門外坊二座，左曰「砥柱中原」，右曰「轉漕上國」。内向右曰「平成」，向左曰「清晏」。知州徐宗幹重建，改「清晏」曰「底定」。

運河道署

在院署西，舊係濟寧衛署。康熙九年，復設，管河道，因改衛署爲道署，而移濟寧衛於察院舊署。康熙十一年，副使岳登科重修，正堂六楹，前抱厦如堂數。德堂四楹，岳登科創建，左爲客廳，右爲書吏房，東爲書軒，後爲居宅。堂兩列爲皂隸、門子房，儀門東爲寅賓館，西爲衙神、土地祠。

乾隆四十年春，大堂灾，運河道章輅重建，有《重刻題名記》。康熙四十四年，御書「布澤安流」，賜分巡濟寧道張伯行，敬懸大堂。又顏曰「鑒民如水」，姚立德題。又曰「職思其居」。聯云：「粳稻轉江淮，引汶通泇，先哲之勤勞堪念；圖經在方策，後張前葉，當年之典則猶存。」皆章輅題。

按，《前志》述運河道今昔沿革，其公署堂室不詳，今據《通志》《舊志》補書之。

運河同知署

在州署西南。《全河備考》云：明隆慶三年建，原係曾子書院，後爲頤真宫，即正學書院。正堂四楹，東爲客廳，西爲庫吏房，後西居宅〔一〕，西爲三檜堂，老檜三株，數千百年物也。撫寧翟凌雲建，今廢。後爲委蛇閣，麻城王有容建。東西爲書吏、皂隸房，儀門東爲寅賓館，西爲土地祠。大門前牌房翟凌雲題曰「三省」，蜀譚絲改曰「司農重計」。東西牌房，東曰「符分望國」，西曰「餉轉神京」。

〔一〕〔乾隆〕《濟寧直隸州志》，「西」作「爲」。

康熙九年，運河同知王有容《修署題名記略》云：建臺六楹，顏曰「三省」，以此地原祀宗聖也。後建樓四楹，顏曰「禹蔭軒」，以余職在治水也。署前表坊，一曰「裕國」，一曰「宣儲」，欲出入自警厥職也。雍正三年，運河同知楊三炯以署之西偏爲曾子故居，別建曾子祠，桐城方苞記。互詳「祠祀」「藝文」。

按，今大堂顏曰「思省堂」，王興堯題。大門外坊曰「兩河領袖」「五水權衡」。大堂聯云：「綱維當汶泗之交要，使溝洫河渠皆無憂夫水溢旱乾，方是克供厥職；控制及齊滕之路，儻謂因原竟委必嚴辨於此疆彼界，便非利濟爲心。」同知黃慶安題。

泉河通判署 在運河廳署後。乾隆三十八年，通判萬年瑚增建，任城山長盛百二記。

按，今泉河廳署坊曰「功分轉運」「任重虞衡」，大堂曰「敬信」，嘉慶二年古吴顧禮琥題。

河標中軍副將署 在東門内大街。

按，中軍協鎮署，康熙三十八年左都督王允昌有《題名記碑》。嘉慶二十二年添建中營箭廳，副將清德記。道光十年，修大堂、抱厦等處，副將惠泉記。俱有碑。

城守營都司署 在北門内大街。

守備署 在東門内。

左營參將右營游擊及中營都司左右營守備署 皆賃民居。《前志》。

按，各營署《前志》附「河院」後，今移此。現今舊署皆廢，俱賃民房居，先城守重地方也。

濟寧衛署 在東門内，本察院舊署。

按，《明志》：五所在城中四隅，衛者本明指揮使所居，有嘉靖十四年指揮使《題名記碑》。乾隆二十八年重修，守備王公謨有《記》。道光六年，守備張夢熊重修土地祠，有碑記。

臨清衛署 在南門内，順治初移駐。

巡漕使院　舊在南池，今在草橋之東，賃民居。《前志》載沈廷芳《南池使院詩》，入「藝文」。

撫按察院　在東北隅，改爲濟寧衛後又改爲察院。按，《通志》：「仍爲衛署，明洪武七年知州趙文德建。」

布政司行臺　在院西，今改入總河署内。

布政分司　在州治左，成化間知州吴元聰建。

按察司行臺　在州東。

分守東兖道行臺　今改爲中軍廳，左軍門東左。

兵備道署　在州治東北隅，本爲沂州兵備道建，其後不設，遂廢。隆慶二年，尚書朱衡題設管副使，都御史萬恭題加兵備職銜，於此駐節。

治水行臺　在城西，明李如圭有《治水行臺記》。見「漕運」。

工部分司署　今爲普濟堂，康熙末曾改書院。

濟寧分司　在州南門外東向。成化五年，主事畢瑜始改正南向。隆慶三年主事笪東光、正德三年王事童器、十年主事東魯、隆慶元年主事張克文、萬曆二十一年主事韓范、二十六年主事胡瓚、弘治六年主事蔡錬、十七年主事林焕、嘉靖二十年主事楊撫先後重修。建前坊曰「轉漕要會」，東曰「節宣國脉」，西曰「飛挽京儲」，主事楊撫立，萬曆二十四年主事陸化淳重建。又東坊曰「國賦通津」，西北曰「司空行署」，循河之涯南曰「排泗」，胡瓚題。舊曰「濟川」，巡鹽御史畢三才重修。北曰「瀹濟」，主事張克文題。分司衙門前曰「都水行臺」，後「砥柱中流」。

按，以上并見《前志》，據《兖志》及《泉河史》并參采訪，今俱廢。《前志》於此詳記坊額，而院、道及知州各署俱略焉，故於前補書之。

《方輿紀要》云：「任城縣故署，今州治。」按，李謙撰《冀侯去思頌》云：朝命設江淮漕運司，以州廨爲治所。侯以公署所以布政，僑寓民居可暫不可久，乃即任城故署立州廨。蓋至元十二年廢任城縣，冀侯建州廨在二十一年至二十三年，復置任城縣，又不知署在何處。漕運司之故州治，恐即今河院署也。

按，《前志》李白《任城縣令廳壁記》末云「唐任城縣城在今州城稍南」，則唐任城縣署亦非元任城縣署也。姑附於此。李白《記》入「藝文」。又《前志·官署》後記「馬廠在普照寺東」，「有馬廠自當有太僕寺行署，蓋明末已廢，故失之」。又南城一鋪有古考院街，昔年曾建學院署，後因附兖郡考試，遂廢。今州試在漁山書院考棚。

金鄉

縣署在城中，正大門三間，上爲譙樓，東爲旌善亭，西爲申明亭。儀門內東爲土地祠、爲寅賓館，西爲監獄。儀門內直北爲大堂五間，前爲露臺，臺上置日晷，石嘉量。石臺前甬道、戒石坊，堂東爲庫樓，東西爲書吏房，堂下東西皂班房，堂後爲宅門，內爲二堂五間，東爲官宅。自宋乾祐二年知縣王宣美建，元知縣甯□建戒石樓，元貞元年知縣武城王□重修，教諭徐濟記。明洪武元年，縣丞李瑾重修。正統十一年，知縣沈義增建。天順四年，知縣龍駿改建大堂、二堂。隆慶三年，知縣崔元吉修。六年，知縣邊溉重修，邑貢生黄國光記。嘉靖五年，知縣蔡泮修，訓導周官記。國朝乾隆三十二年，知縣王大秀重修四瑞堂。詳「物産」。

典史署在縣署西南。

教諭訓導署賃民居。

駐防署曹州營汛在縣治南，康熙年知縣沈淵建。

陰陽學在縣署東。

醫學在縣署西。以上并《前志》。

嘉祥

縣署在城内東北萌山之麓。大門三間，儀門内東爲土地祠，西爲監獄房。大堂三間，東爲庫房一間，堂下東西爲書吏房，堂後爲二堂三間。又東爲三堂三間，東南爲内宅，南向正房三間。舊署頗湫隘，明洪武四年，署縣事主簿王禮始加修葺。天順七年，知縣張慶重修增建。國朝順治五年，毁於兵。康熙十年，知縣徐之俊重修創建，規制始備。

乾隆三十年，知縣翟朝宗重修，有《記》。五十一年，知縣祁恕士請修。嘉慶十八年，署知縣周雲鳳重修。

典史署　舊在縣署儀門内東南，久廢，賃民居房。

教諭訓導署　賃民房。

駐防署　兗鎮左營汛在城内。

醫學　陰陽學　俱在縣治西街。

魚臺

縣署在北門東，大門三間，儀門傍置夾門，門外東爲土地祠。門内大堂五間，前有抱厦，甬道上建戒石坊。堂東西爲書吏房，堂迤東爲書房，兩院，各六間。宅門内二堂三間，官庫在大堂東夾室，内庫在二堂東。内宅，正房五間。乾隆二十四年新建，知縣馮振鴻承修，有《記》云：乾隆丁丑冬，予由隰沃丞尹魚邑，值縣治新遷，城社、廟學諸大務次第修舉，未暇達及于官廨。越明年，諸務告成，卜地于北城之東偏爲公署堂以外，所以臨民而出治者，規模不可以不宏，體制不可以不備，其他屋宇取具而已，無侈糜焉。按，《魯語》曰：「署，位之表也。」國家設官分職，畀之以位。而署之廣狹，即准其位之崇卑，非徒示優寵、庇身家而已，蓋將使之顧名思義，以自適於治，是故堂高而明無壅蔽也。自堂抵門，甬道相屬，無回曲也。外門長闢，廣聽受也。内門長閎，杜夤緣也。賓從有游息之所，集衆思也。下逮吏胥，各有寧宇，聯臂指供驅策也。君子居其位，思稱其職，必將明爾心志，正爾步趨，廣見聞，杜私謁，日與二三賓從從容謀議于帷幄之内，而吏胥無敢干者。如是，則人稱其位。雖齋居斗室，綽然自有餘地，否則壅蔽其心志，回曲其步趨，塞聽受之門，開夤緣之竇。燕朋溺師，日逐逐於酒食游戲中，而吏胥皆得受其奸。如是，則位浮於人，雖峻宇雕墻，亦自覺厠身之無所矣。予以薄德叨膺民社，偃仰於高堂廣厦間，惴惴焉曠位之是懼！于其成也，書以自警。至其規制之大小、工費之多寡，已詳邑乘，不復書。乾隆三十四年仲冬季。

管河主簿署 在南陽鎮。

典史署 在縣署西。

教諭訓導署 在明倫堂左右。

南陽閘官署 在南陽。

駐防署 沙溝營汛在北門内。

南陽行署 順治十四年河院朱之錫建。

河橋水驛丞署 在南陽鎮，今廢。

按，《前志》各縣官署，據《兖志》《舊志》，兼載「倉儲」「恤政」，今并分編。官署依《前志》節録之。内宅房室時有改作，各縣乘可考也，無用備書。又各縣僧、道會司俱住廟，不并録。

濟寧直隸州志卷四之三

建置志 三

〇倉儲

常平倉在官學西，廒十四座，共六十二間。蓮亭預備常平倉在南門外之東，廒十六座，共九十六間。內六座，知州藍應桂建。倉穀本運河道管理，雍正十三年改歸州。

按嘉慶二十年，蓮亭倉廒移建城内普照寺，基十六座，共九十六間。知州王彬詳請題咨，今已圮。

社倉舊在西鄉，今并入常平倉。

水次兌漕倉在城東南關外，廒七座，共二十三間。今廢。

永豐倉在普照寺東。各處所輸運丁行糧貯焉，今廢，其地賃爲民居，凡五十三户，歲收租銀五兩三錢七厘。

按，今爲移建新倉處。

吴檉曰：濟寧州舊倉自明季廢於兵火，其基址輒許民間租、造房屋。歷年所捐穀石，皆散寄廟宇。康熙三十一年，前撫佛公知各屬多無倉廒，捐銀建造，濟寧州分得銀二百三兩一錢二分，前任領貯於庫，以經費不足未行建造。余於三十二年到任，始鳩工庀材，諭居民撤去其屋，酬其費，清出舊址，造倉十大間，共用銀二百八十二兩，余實捐銀七十八兩。三十四年，又勉力捐造十大間，并官廳一間，計銀二百六十六兩。三十五年，有入官無礙之銀二百三十兩一錢，具詳復造東、西兩廒二十三間，余實捐銀一百五十一兩五錢，共費二百八十四兩六錢。三十九年，復建南廒并大門七間，計一百四十四兩七錢，此係新納例監及牙行經紀急公捐辦。于是有倉三十八間，各廟宇所貯之穀始得全運入倉，蓋歷八年而始完云。《牧濟録》。

金鄉 常平倉在縣治東，房十五間。知縣沈淵重建預備倉，在縣治東。明知縣盛德重修東、西倉各二十一楹，今廢。《縣志》。社倉舊在城四處，在鄉十處。社長經管，乾隆三十二年奉文知縣經管。《兗志》。

按，《前志》云：「城内四座，鶏黍、葛村、陽山、大義、黄堆、化雨、白坨、霄雲等集，共倉十六座。明知縣楊楫創建，以備賑貸，後俱廢。」雍正十年，知縣高恕奉文捐置社倉。乾隆二十二年，奉文改歸常平倉。水次兑軍倉在安居，久廢。義倉在城東十五里，明郎中胡洞建。今廢。《前志》僅列常平倉、社倉，今增補，雖已廢，尚望有舉之者耳。

嘉祥 常平倉在縣署迤東，房四十三間。按，《前志》云：「十四廒，今十六廒，房五十一間。兑軍糧倉在長溝，水次倉十四間，久廢。」社倉在縣署迤東，房六間。乾隆三十二年建。《縣志》云：「在城二座。」

魚臺 常平倉在縣署東，廒口八座，倉房五十間。倉不敷用，每分貯南陽、穀亭等處，以近水次易於撥運。社倉乾隆三十二年，歸縣管理。

按，《縣志》云：「倉廒在縣署東，基地長四十步，寬十五步。屋宇四周按『乾』『坎』『艮』『震』『巽』『離』『坤』『兑』八方編列字號。」

按，《通志》云：「州倉在州署東、西。舊倉八十四間，康熙年間建。新倉二十八間，雍正八年建。金鄉倉，在城隍廟東，并察院街舊倉三十三間，康熙年間建，雍正九年增修倉一間。嘉祥舊倉三十四間，康熙十九年建。新倉九間，雍正九年建。魚臺倉九間，雍正八年建。」觀此可見昔日倉儲之足矣。

州額貯常平倉穀十二萬八千石，溢額捐輸穀一千三百八十石，原貯社倉穀二千三百九十七石一斗七升一合六勺。每年運河道捐穀三十石，知州捐穀十石，共捐穀四十石。

金鄉額貯常平倉穀二萬一千石，原貯社倉穀一千三百六十三石四斗零八合五勺。《前志》：「一千四百五十二石，每年知縣捐穀八石，典史捐穀二石。」

嘉祥額貯常平倉穀一萬四千石，原貯社倉穀二千五百七石五斗七升二合六勺。《前志》：「三千三百三十一石，每年知縣捐穀二百。」

魚臺額貯常平倉穀四萬一千石，原貯社倉穀二百六十八石四斗八升一合五勺。《前志》：「一千九百十五石，每年知縣捐穀二石，教諭捐穀五斗，訓導捐穀五斗，典史捐穀五斗，閘官捐穀五斗，主簿捐穀五斗，共捐穀四石五斗。」

按，道光二十年，州倉連穀價共存一萬六千三百五十六石三升四合一勺，金鄉九千五百六十七石七斗七升九合，嘉祥三千九百八十八石四斗九升四合九勺，魚臺一千一百八十四石九升九合一勺，麥八十二石八斗，折穀一百三十八石。社倉，各縣於修志之年，據文册記載，故于《前志》未符也。

吴樫曰：積貯，國之本計，民之命脉也。濟之常平預備倉既廢，在官無顆粒之積，至康熙二十九年始開常平倉捐納事例。又奉每畝捐穀三合之行，於是始有積穀，歷年增益。除已動支賑濟外，見存穀二萬三千五百一十一石有奇，亦不爲少矣。余既設法建造倉廒，收藏有所，但陳陳相因，積久不動，恐有蒸變朽腐之虞。按，漢耿壽昌倡立常平倉法，春夏借與農民，秋冬加息還倉，既以濟民之急，又可歲增積貯。宋朱子復有社倉法。乾道四年，崇安歲荒民饑，朱子請于府，得米六百石賑貸，夏受粟于倉，冬則加息以償。歉蠲其息之半，大饑盡蠲之。凡十四年，以米六百石還府。見儲米三千一百石，以爲社倉不復收息，故雖遇歉歲，民不缺食，詔下社倉法于諸路。夫常平之法以借貸濟民之急，以加息裕國之儲。而社倉之法則一借一還，不復加息，全主利民矣。然推陳出新，均惟借之一法。今春借秋還之例，即古之成法。但一經請詳允借，則百姓紛紛而來。其間有奸徒冒借者、有鬼名混借者、有非貧民而借以販賣者、有代借而中飽者、有鄉約地方包借而侵漁扣克者、有蠹役侵欺而假揑借領者、有數人同借而一人暗領者、有保人分肥者、有經管之人需索者、有爲債主逼迫而借以還賬者、有無賴之徒借而花費者、有劣衿把持多借者、有貧生數數求借者。一有不察，即不免此諸弊，後日必不能依期如數還倉。縱使借穀者皆係真正貧民，往往借日容易，還時艱難。秋成之後，斷無如期而至者，勢必至差役拘比，多一番催科紛擾。萬一收成歉薄，便至不可收拾。故借出之日，在民雖沾緩急周恤之恩；責償之日，在官便有拖欠虧空之累。居今之時，行古之法，誠亦有難言者。宋時既下朱子社倉法於諸路，未聞有行之得法如朱子者，余豈敢謂古法之不善？第恐泥古而不知變通，未必有利於民生、有濟於國計也。陸象山曾云：「社倉固爲農之利，然年常豐、田常熟，則其利可久。苟非常熟之田，一遇歲歉，來歲秧時缺本，乃無以賑之。莫如兼制平糴一倉，豐時糴之，使無價賤傷農之患；缺時糶之，以摧富民封廩騰價之計。析所糴爲二，每存其一，以備歉歲代社倉之匱，實爲長便也。」又李悝謂魏文侯曰：「善平糴者，必謹觀歲有上、中、下熟。上熟其收自四，餘四百石；中熟自三，餘三百石；下熟自一，餘百石。小饑則收百石，中饑七十石，大饑三十石。故上熟則上糴三而舍一，中熟則糴二，下熟則糴一，使民適足價平則止。小饑則發小熟之所斂，中饑則發中熟之所斂，大饑則發大熟之所斂而糶。故雖遭饑饉水旱，糴不貴而民不散，取有餘而補不足也。行之魏國，國以富强。」論者謂此即常平社倉之祖，象山之説亦本於此。然則，常平社倉原自有糶之一法，不獨借也。李悝所云則斂而後糶，象山所云則糴而後糶。今積貯如許，不煩斂、無庸糴矣。每歲青黄不接之時，米價大概騰貴，貧民必多艱食。余謂將見儲穀三分之一平價出糶，禁止販賣居積及有餘之家冒糴等弊。一時出糶穀七八千石，則穀價斷無有不平者。彼大户封藏待價之米穀，知無涌貴之望，亦必盡數而賣，價將更賤，貧民一斗之價且可糴穀二斗，與暫時借給、收成責還者，其受益多也。收存穀價，秋冬仍糴穀入倉，如有盈餘，以備賑濟。及公用之需，既無借時之弊，又無還時之擾，并無虧欠之累。況糶一存二，即遇荒年亦有備無患，而穀價未始不可放賑也。一糶一糴，周而復始，穀無三年之陳，又何蒸變朽腐之足慮乎？實于國計民生兩有裨益，計無便於此者。但積穀皆屬報部之項，非經題請允行，則有司者顆粒不敢動也。或謂倉穀久存無用，應照大、中、小縣酌量存留，餘俱變賣存庫。遇有凶荒賑濟，則于隣近所在糴買。夫水旱之災所被者必非一州一縣，凶荒之歲，穀價必貴，未有此地穀價昂貴而隣近之穀價平而且賤者。且彼此均欲買穀，此往彼買，彼亦來此買，即無遏糴之令，亦無可買之理，此必不得之數、必不可行之事也。特以積穀數多，收藏不易，看守惟艱，懼有耗折、浥爛，致干賠償之例，故建此議。所以自爲則得矣，所以爲國計民生則非余所知也。《牧濟録》。

按，《金鄉縣志》云：「漢時郡縣多置社倉。」王浚川議曰：「今鄉民村落多結社積錢，至年終乃分所有。然與其積錢，不若積穀。積穀數年，可以備一鄉凶荒，今宜令民積穀爲便。然良法美意，存乎其人，若有司借此以騷擾，奸豪借此以侵漁，出入不明，收放無法，豈曰社倉之利哉？」《嘉祥縣志》云：「考《周禮》，旅師『聚野之鋤粟、物粟、閑粟，用以質劑致民而平頒之』。春散秋斂，均其政令，即社倉意也。」國朝常平積穀，縣各萬餘石。外設社倉，多則穀數千，少亦不下千餘石。每歲酌其盈虛，乘時出易，以資補助而免紅朽。至秋，則視其所入之豐歉而分别免息、蠲緩焉。儲蓄不爲不多，規畫尤復詳備。其或經理失宜，出納不善，未免有名鮮寔在司牧者

加之意

耳。

劉汶《預備倉貸穀議》：康熙庚午，山東巡撫佛倫請積穀備荒，畝徵四合，别貯於倉，因下其法於各直省。癸酉巡撫桑格上言，倉穀已足，請停四合之徵，於是天下州縣皆有積穀矣，謂之預備倉。辛巳，御史李發甲疏請開倉貸民，春放秋收，二分取息，如朱子社倉之法。方今聖人在上，耆德盈廷，嘉謀讜論，豈小儒輒能窺測？抑民生利病亦盛世甄陶之士所宜究心。嘗讀朱子《學校貢舉私議》，謹依仿斯體，擬作一通，聊當格物，質諸師友云爾。謹按，朱子社倉，即王安石青苗之法。然而青苗害民，社倉便民，何也？青苗以錢貸民，而收二分之息錢；社倉以穀貸民，而收二分之息穀。錢與穀不同也。青苗錢必貸於縣，社倉穀則貸於鄉。縣與鄉不同也。青苗之出納，官吏掌之；社倉之出納，鄉人、士君子掌之。官吏與鄉士君子不同也。青苗意主於富國，故歲雖不歉，民雖不急，亦必强之貸而取其息；社倉意主於救荒，故必儉歲貧民願貸而後與之。强貸與願貸不同也。青苗雖帑藏充溢，猶收息錢；社倉始唯借府穀六百石，至十四年之後還六百石外，尚餘三千餘石，足以備荒，遂不復取息，但每石加耗米三升而已。取息與耗米不同也。此利害之所由分與？頃者，臺臣奏請以預備倉穀貸民，春放秋收，二分取息，如朱子社倉之法。竊以爲臺臣所奏，乃朱子始立社倉不得已之權宜，非十四年以後經久之良法也。又預備倉之制，與社倉微有不同。誠如臺臣所請，其細碎不便於民者，不勝臚列，姑言其弊最大者有五焉：社倉穀積於本鄉，近者比屋，遠者數里，負戴甚易耳。今

之倉穀在縣不在鄉，遠鄉貧民無舟車引重之具，勢不能匍匐數十百里而求升斗之穀。若欲移穀於四鄉大鎮以便民，則儲蓄無地，挽運無資。然則，其能貸穀者，不過城中關外游食之子、無籍之徒耳。本圖賑益農民，究竟農民一無所得，其弊一也。社倉乃鄉黨之私事，可以鄉人主之，今則公家之事矣。出納之際，必藉吏胥。其放穀也，朽腐糠秕，迫脅領取，愚民不敢不受；其收穀也，淋尖踢斛，名爲加二，其實則加倍，又加四矣。其間期程迫促，符檄追呼，公人酒食之具，出入賄賂之需，道路往來之費，旅宿守候之累，必不能免，民將重困，其弊二也。歲之豐儉不常，則貸穀多少，每歲不等。苦定例每年春放秋收，歲終總核，其加二之入，則縣令視爲定額，不敢缺少，以妨考成，非按里抑配，即按畝濫徵。抑配，則不借者亦必强之借矣；濫徵，則不得穀者亦必還穀矣。陝西籽粒一案，不肖官吏以此二法殃民，向所目擊心痛者，今又將遍殃各直省矣，其弊三也。社倉之法，原因借官穀作本，勢須還倉，又六百石之穀不足爲荒備，故不得已而取加二之息。及至官穀已償、積穀已足，遂不加息，但取耗米三升。假令朱子早得三千石穀，必不加息矣，豈待十四年後乎？今預備倉穀，大縣數千石，小縣亦不下千石，八百石略足支一縣之饑，可以不取息矣。若仍依死法不知變通，窮民既有償息之苦，倉庾又有穀滿之虞。蓋屋織席，費出何所？取辦民間，又須生事。且五年之後，穀倍於今，穀多農少，借者益希，而有司仍責每年加二之額，其勢不得不出於抑配、不得不出於濫徵。本以救民，反以害民，其弊四也。各縣倉穀挪移者多，實貯者少；朽蠹者多，完好者少。縣令正苦虧空，無術補苴，忽得此例，必以朽蠹與民。或實無倉穀而造爲領狀，以欺上官。上官或受其賕，陰爲之庇，則縣令益無顧忌，公然按里、按畝均派還倉。此亦陝西籽粒已然之弊，必復見於倉穀，其弊五也。五弊并興，則是慕社倉之名而得青苗之實，甚非計也。然則，爲今之計，宜何從？曰：亦惟行朱子十四年以後之社倉耳！然且不能悉除五弊，僅可免其三焉。蓋立法防弊，十得其七，已爲良法。其十之三，則待人而後行，非法所能及也。所謂三弊可免者，一曰貸穀與民，并不取息，但收耗米，每石三升，如朱子之法，則弊少十之三矣。二曰貸穀多少以豐凶爲酌量，歲終造册詳報，不預限其數，則弊又少十之二矣。三曰先查倉穀，實貯若干、朽腐若干、虧空若干，據實首明，免其前愆，責令停升停俸，陸續補完，准與開復。若以朽穀與民，或僞寫領狀、私派田里者，立即革職拿問，從重治罪。督撫、司道、知府徇庇，不即揭參，或被科道糾彈，或被旁人告發，并治督撫、司道、知府之罪。如此，則弊又少十之一矣。此法一定，設有賢能督撫仰體皇上加惠元元至意，任使循良，各以其忠厚、惻怛之誠，爲長久深遠之計，盈縮之數，因地制宜；斂散之方，因人授事。勿中飽於蠹胥，勿漏卮於游手，勿任法而苛急，勿慢令而後時，庶幾彼三弊者亦以漸去，而水旱不憂、上下與足，則變而通之存乎其人，非可以一切之法束縛馳驟之也。謹議。《前志·藝文》。

附録知州徐宗幹《擬義倉條約》：蓋天時難恃，居安不可忘危，人事須籌有備，方能無患。濟州南接淮徐，西連曹，臨運漕，此爲重鎮，兵防雖密，先宜蓄積芻糧。瀕河易受偏灾，國用有常，豈能博施賑恤？爲政莫急於足食，便民莫善於義倉，准古制而變通，期衆擎之易舉，爰擬條約，屬告紳耆。如其所議未周，不妨各抒所見。法貴可久，事在必行，幸勿因循，是所厚望。一、設倉之官倉貯官穀，未可淆雜，自應另設廒座，城内民居稠密，唯州署土地祠後東南隙地寬廣，可以營建，且亦易於稽察。但城垣各工甫竣，再興土木，勸辦需時。茲擬借鐵塔寺廟内空房存貯，鎖鑰歸首事紳士收執，印封隨時赴州請領。如房屋門窗須加修補，及應用席片等項，所費無多，易以籌辦。各鄉紳耆有願照辦者，即於各莊或數莊公議借用，寬整廟宇，妥立章程，禀明存案。將來或糶、或放本莊之糧，仍給本莊之人各顧各莊，較之立社、賽會更爲有益。一、管倉之大義，倉爲便民而設，民勸民捐，民收民放。然非地方官總其大綱，則無所統攝，唯書役人等，一概不得過問。茲擬請紳耆本城二人、四關四人，一人總其事，五人副之。設捐簿二本、倉簿二本，空白用印，一存内署，一存總管之手。收穀時，赴署請出登記，核對後，以一送署，届期隨時領繳。一年以後，如積穀甚多，辦理妥協，詳請獎勵。一、捐穀之方勸捐以年内爲期，輸穀以新正爲始，分投勸辦。城内一人、四關四人，副管者司其事。各立草本，年終於總管處彙記登入印簿。州城存糧本少，不能多捐，然唯存糧既少，尤不可不善爲勸捐。今定每日每家出穀五合，不扣小建，每月一斗五升爲一分，一季四斗五升，有閏六斗。願出一分至十分、百分者，各聽其便。春三月、夏六月、秋九月、冬十二月均於是月二十五日收穀入倉起，至月底止。首事者持捐簿知會，如期交倉備用。官烙升斗，公平量收，收過一户，於印册内蓋用某季收訖戳記，末結總數，至年底結大總數。鎖固後，官用印封，即責成住持僧人看守，并取該約地收管存卷，鑰匙繳存州庫，非首事人不准交付。如此，行之以漸，用之以舒。無論貧富，量力可爲。鄉間各自議設，城内不必勸及，以省往返轉運之勞。如城鄉殷實紳民願捐數千百石，一總入城倉者，每石合銀一兩，照例詳請奏明優獎。一、放穀之制。義倉成法，有出有納，有借有還，以時加息，是以愈久愈多，最爲良策。但司事者既難其人，而出借者或還不如數，非受追呼之累，即生争訟之嫌。不如酌定成規，有收無放，俟數至五千石以上，如實在糧價昂貴，出糶十分之三四，以平市價，令各糧行先交錢文，後發穀石變價，交首事公議存。殷實紳商之家，酌量加息。遇穀賤之年，再行買補，或提用若干，爲修建倉廒之用。三年以内，雖糧價極貴，亦不得擅動。三年以後，如果必須動用，爲出陳易新之計，公同呈明詳報各憲存案。一、所出放仍一面收捐，或寺内不敷存貯，另備公所，臨時妥議行之。至勸捐及收放穀石，首事者茶飯、車轎之費，悉由自備。倉内量收，一切人等亦由首事各帶誠實工人，隨時自行酌賞飯錢，不准借用倉書斗隸。如首事者或外出、或有事故，各自舉報，妥人接辦。每季收穀若干，及將來出穀若干，應隨時繕寫花名，榜示張貼，以昭核實。官倉缺穀，顆粒不准挪抵，應立石存案。

濟寧直隸州志　卷四　二十二

濟寧直隸州志卷四之四

建置志　四

○恤政

《舊志》缺而未載，《前志》載而未詳，後之人欲知良法美意之所在，烏從而考之？茲爲稽其建置、核其名數、詳其經費支發，而漏澤園、義地并附於後，俾守斯土者覽之，得以循名而責實，斯發政施仁爲不虛云。

養濟院在西門外草橋北，大門一間，房三十二間。《前志》：「今在草橋北文勝街路東，現存房屋六間。額内孤貧八十四名，每年額設口糧并冬衣布棉，花銀三百零二兩四錢，除扣小建五日，實支銀二百九十八兩二錢。浮額孤貧十名，每年實支口糧銀三十五兩五錢。」

按，以比正、浮孤貧九十四名，正額由地丁坐支，浮額赴司具領。自道光十年，知州王鎮每名每月加增制錢一百文，每年共增制錢一百十二千文，由現任捐給。道光二十一年，知州徐宗幹請增額孤貧五十名，每名月給口糧制錢一百五十文，每年共制錢九十千文，由普濟堂捐輸義田租内撥給制錢十六千。二百五十文支發不敷，現任捐給，詳明立案。

李順昌《重修養濟院勸輸文》：嘗聞帝德如天，憂深昏墊；王仁逮下，哀切煢獨。蓋以無告之民，含髮戴齒，形异情同，仁人君子軫恤之所必先也。今本州孤貧七十二名口，疾病連年，幾作黎邱之鬼；饑寒并日，行爲蒿里之魂。不佞受事，司牧乏芻，徒有曠官之可誚。深幸上臺蠲金發粟，起白骨而肉之。不佞捐俸授餐，愧鑿隧而灌矣。暫能糊口，終苦露居，或時而鑠石流金，菜色何堪暑雨？或時而裂膚墮指，鶉衣難勝風霜。業已泣訴綉衣，批行鼎建。查得西門外舊養濟院一區，基址尚存，群材俱毁。官帑如掃，重修未敢輕言；民骨已枯，加派安能出口？所念此輩誕生珂里，有如燕榜厦飛；待斃蓬郊，不啻蟻瞻橋渡。爲此齋心虔告，沐手摛詞，敬啓仁德鄉先生及好義長者，思野蘿附木而榮，游魚蔭瓦而息，各捐桂林之杪，共成覆簣之山。在號寒啼饑之氓，既同聲而頌義，即挑脚刺船之漢，亦撫心而佩慈。陰德難名，陽功甚著，較之琳壇梵宇、緇舍真宫，所得不更多哉？

按，李公治濟多惠政，州人祠祀之。今祠圮，石像尚存。吴樫贊「惜年遠遺澤就湮」，讀此猶可想見其爲官也。

普濟堂在南城五鋪，大門、二門、三門各一間，廳三間，樓上、下十間，房四十間。《前志》云：「普濟、育嬰二堂，在打繩巷南，即舊工部分司署也。雍正十三年，河督王士俊檄建，有條約十則，用木榜，藏河院署。」知州張綸《記略》云：「創於河督黔南王□，嗣河督朱□、河道王□率諸廳捐俸倡建於城南五鋪，舊工部治所。而於其西爲育嬰之所，七月初二日始事，十一月初八日落成。」

今普濟堂在南關古樓街迤北路東，共房五十八間，現存十二間。官紳捐輸義田地五頃六畝五厘二毫三絲，計十段，每年租銀一百二十六兩零七厘。籌備經費交當水銀三千兩，每年生息銀七百二十兩，前任知州王報虧有案，不敷由現任捐支。

正額貧民三十八名，每名月給米三斗、鹽菜、制錢一百文，每年支米一百三十六石八斗，制錢四十五千六百文。浮額貧民三十八名，每名月給口糧米一斗五升、鹽菜、制錢五十文，每年支米六十八石四斗，制錢二十一千八百文。看堂人二名，每年工食銀十二兩。

附録知州徐宗幹《請增額收養孤貧議》：爲詳請立案事，竊照原設養濟院一所，收養正、浮額孤貧九十四名；普濟堂一所，收養正、浮額孤貧七十六名。每月應給口糧，督同吏目，當堂散放，按月俱報在案。兹查歷年陸續報懇食糧注册聽候挨補者，已積至四十餘名之多。必須額内有亡故、遺缺，方能以次頂補。查該貧民等均係疲癃、殘疾、孤獨無依，且多有年在五六十歲以上者，若專俟挨補，則食糧無期，殊甚憫惻。現酌於正、浮額孤貧之外，添設增額孤貧五十名。自本年閏三月起，每名每月折給口糧制錢一百五十文，不扣小建，按月隨同額内貧民當堂散放。惟此項經費，統年計算共需制錢九十千文。查州境南鄉北九子地方有義田一頃七十五畝，其田因何而設，緣年分久遠，案卷無存，無從查考。查訪居民，係從前紳士因地土瘠薄情愿充公後，交馬步快班里差承種。歷年官納錢漕，因思該役等每年有工食可領，不必再令承種，另行招佃認租，每年繳納租價制錢六十五千文，作爲增額孤貧口糧之用，其餘不敷，查有向來各鋪户捐制貧民棉衣之項可以撥入支用。至冬間棉衣，再由州添捐，嗣後如養濟院、普濟堂兩處出有正額孤貧名缺，均以普濟堂浮額挨次撥補。所遺浮額之缺，即以增額撥補。如此酌增，庶待哺貧民稍資糊口。除將散放名數、日期，隨同額内孤貧按月開摺呈報外，擬合詳請批示。奉司詳院核批有案。

一、增額孤貧以五十名爲率，另給腰牌隨同養濟院放糧之期，領制錢一百五十文。以現在未補貧民，挨順年月統録一册，除補增額外，餘俟以次推補。續報者，亦以次注册遞推。

一、養濟院孤貧無分正、浮，每月大建連恩賞領制錢三百餘文。普濟堂有正、浮之分，正額定數領制錢四百餘，浮額領制錢二百餘。今將兩處正額、大建，俱定三百五文。養濟院、普濟堂兩處正額缺出，以普濟堂浮額撥補。普濟堂浮額遺缺，以增額貧民撥補。

一、現在未補各貧民造具住址年貌册，逐一細查，如有亡故即開除，核定榜示，以免遺漏。

一、派糧房副書二名，專司其事。仍於增額内點孤貧一名，隨時稽查，以杜冒濫。

一、馬步快承種義田，另行招租，每年交全租共制錢六十五千文。普濟堂正額，每各提撥制錢五十文，共制錢二十二千八百文。又南關外估衣攤，願捐棉衣，每年共制錢三十二千五百文，通共一百二十千二百文，爲增額口糧額用，每名每月隨同各孤貧支領。

育嬰堂在西門外武勝街

乾隆四十一年，河督姚立德、運河道章輅建。

按，今育嬰堂在西關武勝街路東，房屋二十六間，籌備經費交當本銀二千四百兩，每年生息銀五百七十六兩，由州解運河道署每季發銀二百二十兩，運河廳具領轉發天井閘。官分給乳婦十三名并看堂人二名口糧工食，內外科醫生二名藥餌及經書、紙筆、飯食之費。餘存道庫，爲冬季棉衣、夏季單衣與修理房屋之用。

《普、育二堂條約》，奉河督王口檄飭建造普濟、育嬰二堂，詳准條約十則：

一、窮民入堂居住，必需分別核實，不宜冒濫也。窮民之內，或筋力未衰，或有親戚可倚，或始則孤幼、繼而長成，如此之類，猶可糊口，未便概行養食。必確查果係鰥寡孤獨、朝不謀夕、實難存活者，方准入堂居住。至若行乞、奸徒，所謂敗群之輩，亟宜驅逐。

一、窮民男、婦不一，當分居以別內外也。窮民雖係困苦，然皆仰給於官，衣食無缺。若不早爲區別，則群居聚處或至逾閑蕩檢，故令男、婦各居。單身男子，三人共房一間。單身婦女，亦復如是。夫婦全者，一户同居一室，俾得仍然完聚。男子在前一層房屋居住，婦女在二層房屋居住，中間隔以墻垣，務使內外嚴肅，不得混雜往來。

一、窮民口糧、衣食之類，宜每名按時酌給也。查窮民實在到堂者，男、婦共六十五名。又臨清衛移撥堂內二名，每名大口給米七合，小口減半，每名每月給予鹽菜、柴薪，共大制錢一百文。至於衣服，無論大小口，每名夏給單布褂、褲各一件，冬給棉布襖、褲各一件，兩年一換。又每三名共住房一間，草鋪一，大床席二領，小鍋一口，水罐一個，磁

碗三隻，竹箸三雙，俾衣
食、栖息均無缺乏。
一、羸老、殘疾窮民，宜令人代爲炊爨也。蓋窮民而至殘疾，則時時卧床伏枕，扶掖難
行。此等之人既無執爨之力，又乏親屬使令之便，若計口授餐，必至仍爲餓殍。故每日
需照人口米數代炊給食，則殘
廢均沾而無向隅之泣也。
一、窮民疾病、死亡，宜設立醫藥，給予埋葬也。窮民之内，疾病固所時有，死亡亦所不
免。凡遇患病窮民，隨撥醫生，用藥治痊。設或不起，給以棺木，領埋。查堂近城闉，人
烟輳集之地，其藥料、棺木臨時自可措辦。惟醫生一名，須在堂聽候。豈無内顧之憂，且
有藥餌之費。每月應酌給醫生口糧，藥本銀二兩，俾無枵腹賠累之虞。再有异鄉孤苦
患病者，另有房屋三間，令其在内調治，給予藥餌、糜粥，俟其
病愈回籍，歿則棺木掩埋。其藥餌等費，亦在堂内支用。
一、堂内樓房、上下兩廂庫房、厨竈以及器皿之類，宜逐一酌定也。内樓五間，上貯米
穀，可免潮濕之虞。内樓之下、中廠三間，以作公所，正懸憲制匾額，兩邊各隔一間，以
爲存貯零星銀錢、什物之所。東廂房五間，許令辦事人在内住宿。西廂房五間，作爐
竈、厨房并貯煤炭、雜用家伙等項。再厨房内木桌二張、木凳四條、大鍋二口、中鍋二
口、小鍋二口、水缸四隻、水桶二隻、磁碗四十個、竹箸
四十雙，至鏇、杓、瓢、盆之類，則隨時陸續買置可也。
一、堂内管理、執事人役，宜酌量派撥也。窮民衆多，事又煩瑣，必需有董理之人。又有
執事代勞之役，方能諸事就理，庶不至於冗費。應於紳士内選擇老成殷實好善者二人，
掌管三年，若有勞績，即詳請給匾奬勵，或延爲鄉飲賓、介。再覓代炊之人二名，兼司門
户，給與工食。又擇衙役中老成謹厚者，使之專司出入、火燭、門户之類地方，官不時查
察，或委佐雜巡防，
勿使冗雜滋弊。

一、堂内錢糧、米穀，宜年終造册核送，并入交代，勿致侵漁虛耗也。查紳衿人等，捐助腴地四百五十四畝，計每歲有收之年除完納錢糧漕米正供之外，約所存籽粒一百五十餘石。又共捐銀三千兩，交與典鋪生息，除用之外尚有盈餘，仍陸續買置地畝，示垂不朽。以上籽粒、銀錢，凡堂内經收支放以及動支應用，必須開造四柱清册，年終轉呈查驗，再請歸入交盤册内一并交代，則錢糧永遠實在，而無侵耗之弊矣。

一、收育嬰孩事宜，當豫爲酌量也。凡收養遺弃嬰孩，即需乳哺，故以乳母爲首務。查民間雇乳立約，必言定三年價銀十兩，管其衣食。蓋嬰孩於三年之後自能飲食，毋庸乳母故也。今堂内雇覓亦應悉照民間價值，每月給予食米三斗。至嬰孩幼時襁褓、衣服，稍長一體酌給口糧以及疹痘、疾病所需藥餌，均於堂内支給。但育嬰設立城市，凡深村偏僻之所，或因路遠，苦無人力抱送；或畏人含羞，仍行暗中遺弃，均未可定。應再設留嬰龕二座，如式置造，木龕中填棉絮，不致風寒之患；懸空高挂，毋爲禽獸所傷。又需聽自置龕内，不必另設人役看守。惟着看堂人等，於每日清晨看視，有即送堂乳哺。至往來行路之人，或見遺弃道傍嬰兒，但能抱送到堂者，官給賞銀三錢。

一、民間願領堂内嬰孩撫爲子息者，應聽從民便，仍取具甘結存案。凡有遺弃嬰孩，因念其無人鞠育，故令代養，原非終身可以養給。除民間無子之家門户單寒，願領堂人男孩撫爲養子，或領女孩爲女、爲婦，皆聽民便。但奸良莫别，或有假冒無子，情願領養，而實則希圖略賣取財者，亦未可定。故必取具地隣，切實甘結□□□案，則奸徒畏法而嬰孩終身有托矣。以上十條，雍正十三年閏月榜。

同仁公所在北門内大關帝廟東。

乾隆四十五年，官紳、士庶公建，爲施棺而設。知州王道亨依蘇州錫類堂施棺之例，酌定條規，因亦顔其堂曰「錫類」。任其營度之勞者，秀水張春臺陽和也。錫類堂知單大棺一具，每愿制錢五文。小棺一具，每愿制錢一文。凡施棺公所，各設支票照發。

盛百二《同仁公所記》：《洪範》曰：「皇建其有極，斂時五福，用敷錫厥庶民。」九疇五福，雖操自天，而錫之則自皇。蓋以攸好德爲錫福之本，故聖人在上，民不夭札，幼有所養，老有所終。又考《秋官》，蜡氏掌國之骴禁，毋使暴露，有死於道路者，則埋而置碣，懸其衣器以待其人。《地官》「五家爲比，五比爲閭，四閭爲族」，教之以孝友、睦姻、任恤，又令其死相葬埋，此其仁政之一節也。我國家深仁厚澤，漸漬有年，靈蠢之倫皆含生遂性，自士庶以及里巷之人，莫不懷好德之心，必世而仁，非一朝一夕之故也。山左濟州人民最爲繁庶，而又水陸交衝，四方雜處，其鰥寡孤獨以及羈旅客死者，殮無以棺，棺無以厝，暴露於荒郊野寺之中，往往而有。因有樂善之士，創爲同仁會，舉先聚經費建立公所於城中，關神勇廟之東，使司事有所栖止。後廠置棺，大小全備，既取給輒補製以儲之，權輿於此。凡推廣漏澤之意，將次第舉行焉。按其條例，初不藉乎聚米輸金，分立董事，傳知遠近，諸願捐錢者，每一棺大者五文，小者一文。積少成多，衆擎易舉。規制之善，無以加之。夫「合抱之木，生於毫末；九層之臺，基於簣土；千里之行，始於足下」，何者？非始於小、終於大乎？漢昭烈言：「勿以惡小而爲之，勿以善小而不爲。」又凡事「可與樂成，難與圖始」，今既成矣，猶願與於兹事者永久而勿替焉。今歲之冬，濟上諸君屬吾邑張子春臺書其本末，請記於余。余嘗承乏任城院長，又與修州志，凡有義士好善樂輸者，必謹而書之，無敢或忽。況是舉上體聖天子好德之心，下以錫福庶民，甚盛舉也，其何敢以不文辭？因用其大旨，俾勒貞珉，庶幾後之覽者推類而擴充之，仁民愛物之心莫不油然而興起也。夫乾隆四十五年十一月記。補輯。

按，道光十八年，舉人劉弈堂、李均等議設同仁局施棺，捐置義杠，顧覓杠夫，代埋無主旅櫬，及無力安葬之柩歸入義冢。據呈詳明咨報立案。又州民朱萬興等捐設義罩。

廣仁公局

嘉慶十九年，州人士公立冬間收養乞丐。

棲流所

在東門外。道光十八年，據首事王薈宗等請，於東關二鋪舊置宅基添蓋房屋，冬季收養流丐，煮粥賑之。

附録知州徐宗幹《新立栖流所條約》八則：栖流所由來久矣。溯查道光四年文案，鄉耆宋懷義等呈，稱自嘉慶十九年州人士公立廣仁局，冬間設栖流所收養乞丐，行之者有年。厥後宋懷義之子德和呈繳北關店一所，僅數間，衿民吴遐徵、朱翼亭、朱佩和等勸租增設，并請施饘粥，道殣則捐資埋之，行之者亦有年。道光十八年，據首事王薈宗、王泳、王家柱、吴思泰、陳毓秀、趙雨亭、沙振益等，於東關二鋪舊置宅基添蓋房舍，隨與運河廳德暢亭司馬籌捐興修。是年及十九年收養貧民甚衆，至二十年秋潦屋圮，改租東關齊家店房五十五間，計日捐發口糧，冬臘循舊煮粥，益周備矣。第按年添租，無定所，非久計也。查該店主輾轉遞更，始齊姓，繼趙姓，後易汪姓，今又爲嘉蔭堂。計原值制錢六百貫，該業主願捐三分之一，契賣入官，永爲栖流公所有。僑寓之前任蘇州府豫簣山太守益。捐廣仁局百金，又紳民公捐工賑項下餘存百金，共易制錢二百六十九千二百有奇，添捐一百三十千七百有奇，共制錢四百貫。當堂立契交割，計一則糧地二畝一厘，糧名改撥官捐，東至左家胡同，西至街中，南至程姓，北至趙姓，清丈立界，鈐印存檔，酌議條約，

并勒石記之。

一、定限制以示區別，并妥議章程也。栖流者，栖流丐之無歸者，非貧民可概住也。查孤貧正浮額，設養濟院九十四名，普濟堂七十六名。本年以待補人衆，詳請添設增額五十名，以馬步快承種義田租息等項撥用。已補糧者，概不得借住。惟養濟院在草橋北，普濟堂在打繩巷南，久已坍。捐各貧民大半皆自覓住處，今定於每年正月散放流丐以後，將後院向東開門，查明浮額内貧婦七十以上者，實係老疾無可栖托，准其報明暫住，俟養濟院等處修復後，即移歸故處。或於收養流丐時，覓附近庵、觀閑房暫居，交春搬回。

一、分内外以示嚴肅，并酌籌修理也。前院居男丐，後院居女丐，中隔墻垣，設門以時啓閉。男丐六七人或八九人住一間，每間挑一人管領，將各花名分貼住屋門外，以免紛淆。每年正月散放之後，前院有首事者派人經管打掃、修理，妥議租賃，至九月底止。所得賃價，扣爲看店人工食，餘作隨時修補之費，年終交賑存查。十一月以後，安置流丐，

次年正月爲止。後
院照前議辦理。

一、捐口糧宜昭核實，并清查籍貫也。每年十一月中旬以後，城關各約地查外來流丐送案，户書造册，付知刑書，備文遞籍，派差役一名，一并捐賞口糧，妥爲護送出境。其實係本境人氏，無家可歸、無人可倚者，由户書問明注册，送交首事登記花名及入店日期，填給腰牌，按五日一次赴庫請領。無分男女，大口每日每人制錢三十文，小口每日每人制錢十五文。如實係羸病殘廢者，即非本境人氏，亦暫行收養，另屋居住。如願回籍，仍行遞解。每日分别管收，除在按十日，由户書繕榜，同花名册夾送，查對硃標，發貼店門，以杜朦混。至冬臘煮粥，無用再發口糧錢文。未煮粥以前，首事人等擇誠實者二人，着充院頭，代買湯飯，不准衆丐擅自出店。

一、施粥賑宜加體恤，并籌備器具也。每年交冬，自河帥以下官員、紳商捐米於城外，設廠煮粥，散給貧民。近年飭各約地編查户口後，即將粥票令其查明極貧者，先行按户分給，届期持領。向來栖流店窮民不准赴廠，以粥票交首事人等一總領去分散，但天氣寒冷，設廠亦不得附近，應即查明大小口若干，將米石、柴薪運至店内，即擇流民年力稍壯者，令汲水執爨。鍋竈由州借備安置，事竣發還。
筲、瓮、盆、罐、碗、箸等件，廣仁局首事勸捐承辦。

一、散棉衣，須禁典賣，并嚴查偷換也。向例冬間各商捐備棉衣，散給普濟堂、養濟院兩處貧民，并各巷更夫、人役。又南門外估衣攤公繳制錢三十二千五百文，置買不敷，由州捐備。查收養流丐人數不定，衣褲并捐，勢未能逐名遍給。且有旋領旋賣，甚至病卧在地，被他丐剥取，或死後仍以赤身掩埋，應責成首事人等查明。男婦六十以上、幼丐十五以下者，隨時開單，禀請賞捐。如有前項情弊，惟首事人等是問。其年壯乞丐，大半孽由自作，尚帶破爛衣褲者，不必給與。嚴閉門窗，厚鋪草苫，或添用鷄毛，由首事於衆商民公捐項下妥爲辦理。其問明
遞解者，當堂酌賞，免致中途凍斃。

一、施藥餌并捐棺槥，宜從實憐恤也。每日由首事督令管院者，晚間打掃糞溺，清晨多煮薑湯，逐名散給。需用錢文同口糧賑并領有患病者，於附近專請醫生一名，隨時診視。應用藥料，開單由署發給，年底捐送醫生制錢十千，煎藥一切責成院頭照料，首事隨時監視。其有病故者，院頭刻即稟知首事，即令在院之年壯者，赴廣仁局請義杠抬棺，赴郊外義地深埋。着首事派人監視，一面報知署内，以便查驗。

一、禁奸匪，兼防火燭，應認真巡察也。收養流丐良莠不齊，或喧呶争鬥，或聚賭作奸，或偷出行竊，均所不免。店門内另設潔静屋一所，首事輪值一人、户書一人，在内上宿登記，一切賑目，隨時查察。有前項匪徒，立即稟請究逐。店門外間住誠實差役二名，夜間督令約地派撥更夫巡邏，書役、飯食按日請領，首事人等自備。管理年久，飭學舉膺鄉賓年歲未符者，給匾示獎。

一、養幼丐，并查小店，兼酌撥挑工也。沿河關夫、閘夫，大半皆幼壯流丐，交冬封河，多入關外窮人小店，偷竊爲生。凍餓身斃，或藉尸圖賴，或拋弃殘毁，無所不至。一經封禁，而冬挑興工又須召集人夫。今有官所可歸，不准再住小店。如河工興挑之期，尚能出力工作者，稟明准其赴工。即將名册開除，既在工次棚廠居住，有糊口之地，不必回所。其年尚幼稚無可營生者，交春以後或分給各廟宇，有養贍之住持或殷實好善之紳商，酌留養育，造册存案。如有逃亡事故，與收養者無干。若父母認領，亦聽其便。至女丐單身十餘歲以上者，官所亦不准收養。以上各條，既以周恤煢獨，亦可清静閭閻。每年之費用不少，而無形之裨益良多，後之君子與州人士當無不樂從也。道光二十一年十一月記，勒石栖流所門外。

漏澤園

凡三處：一在西關一鋪，地三畝；一在南關馮段村，地十畝，俱明萬曆間知州唐世柱捐置；一在東關二鋪，地五畝。國朝康熙十七年，濟寧道岳登科捐置。

乾隆四十二年，濟寧知州定海藍應桂捐義冢，一則地二十畝，坐落西鄉三里營。錢漕官爲捐納地，交玉露庵住持經管。給與號簿，隨時登記。別捐地五畝，以爲香火之用。立石爲記。《前志》作「義冢」，入「古迹」「墓陵」。

按，嘉慶三年，前任魚臺縣知縣周令買本州南鄉兩城二則地七段，計八畝七分六厘，施爲義冢，過糧有案。

四關義地

南城八鋪：明萬曆十九年，韓和尚施地七畝。萬曆二十五年，袁湯施地四畝。萬曆二十六年，董正階施地六畝。萬曆二十七年，董尚志施地八畝。馮段村：康熙元年，甘露庵施地二畝。東關三鋪：康熙七年，邢帶欽施地二畝。中新閘：康熙十二年，秦雙泉施地十一畝。西關一鋪：康熙十八年，李朝紀施地五畝。東關二鋪：康熙二十年，王子洪施地六畝。南城八鋪：康熙二十一年，鄭國柱施地三畝。中新閘：康熙二十九年，高士顯施地五畝四分。北關一鋪：康熙三十年，潘兆遴施三畝。河東四鋪：雍正六年，蕭梅施地七畝。雍正十年，李瑞貞施地十一畝。

按，嘉慶五年，浙江仁和人汪聚源自置南城八鋪地一分八厘，建蓋房屋。遇有該鄉靈柩覓便歸里者，暫爲攢厝，請免派差徭，批准在案。道光九年，南關回民置買中新閘地八畝八分作義冢，前任城守營把總金容呈明在案。

東鄉義地

班村：康熙三十年，楊毓延施地六畝。康熙三十一年，楊淑旺施地四畝。康熙四十年，楊曉曙施地三畝。康熙五十年，潘兆遴施地四畝。孫氏店：順治十年，玉皇廟衆姓施地三畝，觀音堂衆姓施地一畝。孫氏閘：康熙三十一年，季成玉施地三畝。杏林莊：順治七年，張連如施地三畝。南賈村：順治十年，娘娘廟衆姓施地三畝五分。康熙元年，關帝廟衆姓施三畝。康熙十年，觀音堂衆姓施地二畝五分。黑土店：康熙十年，張朝桯施地一畝。康熙三十年，楊拔茂施地三畝。雍正元年，陳際森施地一畝。上吴家灣：順治八年，常汝涐施地二畝。下吴家灣：雍正五年，蕭梅施地七畝。接駕莊：順治五年，趙天開施地二畝。康熙二十五年，宋心施地三畝。南貫集：雍正五年，李廷桂施地三畝五分。登豐里：順治九年，熊克承施地一畝。順治七年，柴士禮施地一畝八分。康熙三年，任甫友施地一畝三分。荆冢集：康熙五年，程爲同施地五畝一分。康熙十年，伊起山施地五畝六分三厘。高蘇莊：康熙五十年，楊義道施地四畝。姚安莊：康熙五年，李獻可施地二畝。康熙四十八年，又施地二畝。

按，乾隆五十年，生員李大峒自置東鄉紅廟二則地十畝，施爲義冢，其糧撥入官項下，有案。

南鄉義地

趙村閘：雍正二年，蕭梅施地五畝。新店閘：順治九年，張永茂施地八畝。小流店：順治八年，李明於施地五畝。順治十年，張克緒施地五分。康熙十八年，秦應惠施地五畝。康熙二十九年，秦元祥施地四畝。仲家淺：康熙二年，仲洪烈施地二畝二分。北牛頭河：明萬曆二十四年，鄭儒良施地四畝八分。

按，道光二年，州人劉翰立等呈明，南關外西大林前許長清施地六畝，請立碣免糧。道光十年，中新閘清真寺地一則地五畝一分二厘八毫，二則地二畝八厘零，全德名下一則地一畝六分一厘，施爲義冢。十四年，浙紹公仁堂商人沈震漁自置本州南關南城八鋪一則地七畝六分八厘，作浙紹公仁堂義冢。十八年，童生李昌書自置南鄉周杜莊一則地十一畝六分一厘；童生邵春保自置南鄉周杜莊一則地六畝八分九厘；十九年，監生曹綸同子武生爾英、爾健捐南鄉興隆屯一則地六畝三分，并施爲義冢地。廣仁局收管其糧，俱撥入官捐項下。

西鄉義地

西三里營：順治二年，廣德庵施地二畝。順治十年，張振吾施地三畝。西五里營：萬曆三年，謝山坤施地二畝。大長溝：萬曆四十五年，王永基施地二畝。萬曆十二年，孫珍施地三畝八分。南河長口：順治十年，觀音堂施地一畝。

按，乾隆五十年，當商李洪昌自置西鄉三里營一則地六畝五分六厘，施爲義冢，其糧撥入官捐項下有案。

北鄉義地

黄埪：康熙六十年，張公威施地五畝。雍正八年，王秀章施地四畝。夏家岡：康熙六十年，李永宗施地四分。雍正四年，王紹祖施地六分。雍正六年，張文法施地三分。耿務村：康熙五十五年，閆文輝施地六分。康熙五十七年，關帝廟施地二分。康熙五十八年，鄭應春施地三分。康熙五十九年，李太如施地三分。康熙六十一年，丁天木施地三分。雍正三年，鄭士恒施地三分。雍正五年，李純吉施地五分。雍正七年，天齊廟施地三分。雍正八年，鄭宏思施地一分。雍正九年，王洪子施地三分。雍正十一年，王廷賢施地四分。高村：康熙十六年，馬驥公施地五分。康熙四十七年，戴靳氏施地三畝。康熙六十年，唐明施地一畝三分。雍正十二年，駱天保施地二畝。安阜村：康熙四十年，張泰然施地三分。康熙五十年，鄭心又施地三分。南照寺：康熙六十一年，楊萬春施地三畝。雍正三年，楊焕章施地二畝。北二十里鋪：康熙三十年，觀音堂施地五分。康熙五十五年，駱惠也施地六分。房葛鋪：順治十年，李可振施地一畝。康熙元年，李淑安施地二畝，江燦施地三畝。康莊驛：康熙五十六年，徐方平施地一畝五分。康熙六十年，觀音堂施地一畝。文案。《前志》。

江寧義地

在八里鋪廟迤北路東，一則地二畝七分。乾隆十九年，上元、江寧、當塗三縣人在濟貿易者，公置以葬無力歸籍者，後又續置一則地二畝餘。三官廟僧人席振租種承糧南門外，有元寧會館李雲衢等管理義地，則銅匠鋪曾繼豐、高恩崇等經理。

按，乾隆五十一年，錫類堂自置北鄉黄埪一則地六畝二分三厘，并東鄉五里營一則地五畝三厘。又嘉慶四年，生員苗春播自置北鄉黄埪地四畝，并施爲義冢，其糧并撥入官捐項下。

旅歸園 在州城北門外常清觀東。道光二十一年，河督文冲捐貲，檄甲馬營巡檢朱兆奎建，計地十五畝五分六厘八毫。園分四區，中建堂三楹，外設栅欄，旁爲門臺，有規條十二則：

一、園專爲官、幕兩途，旅櫬無力回籍歸葬者而設，若本處軍民及雜色人等，則有本州義冢在，不得入園濫葬。

一、園分四區，均以松墻爲界，編列「元」「亨」「利」「貞」四號。堂後東北區編入「元」字號，專葬合祔柩；西北區編「亨」字號，專葬女柩；堂前左、右編入「利」「貞」二字號，專葬男柩。

一、園中建堂三楹，設龕三座，祀所葬者木主。中龕供合祔位，左龕供男位，右龕供女位。

一、園内四區共計七百十六穴，縱横定地一丈，葬者照應歸之區挨次開壙，不得任意挑揀，多占餘地。兹另繪園圖懸於堂内東山墻，用烏絲界出葬穴，每區計若干排，每排計若干穴，以示定限。

一、每區編列字號，如東北區編入「元」字號，共計十排，每排十二穴。以東首第一穴編入「元」字，第一號至十二號完，即以第二排東首第一穴爲十三號，使一字到底，簡而不繁，且便於紀載查考。餘區類推。

一、園内各穴，均用壬山丙向。濟寧土薄，今酌量地脉所宜，壙深五尺，封高三尺，墓前各立石碣一道，書其本身姓氏、官爵、里居，大書深刻，庶其异日子孫便於尋覓，或後人顯揚願遷歸故土者，聽其自便。

一、運河一帶，南自台莊起，北至德州止，凡有河工官、幕，旅櫬停厝各廟已及三年之久，後人無力運柩回籍，如家有祖塋餘地可葬者，許附近汛閘各印官查明呈報，由兼管園務官出具印領，每柩一具，發給路費銀二十兩，飭令後人運柩回籍歸葬。如無後人，或有後人而家無立錐之地，旅櫬停厝各廟已過三年者，亦由附近汛閘各印官查明呈報，發給運費，定於每年春季鋪水之時，舟運到濟，入園埋葬。

一、園中每年清明、中元、十月朔於旅歸堂設祭一次，各龕用供菜一分，每分五簋，五飯，五饅首，香燭紙帛一分，后土神焚帛一分。兼管園務官主祭。

一、園中每年於清明節各墳添土一簣，若遇風雨剥損墊陷者，隨時添築，總以三尺舊志爲度，不得矮小，俱着落園丁修理，不開公費。

一、搬運城廂各廟旅櫬入園埋葬，槓由官發定夫十六名，開壙、圓墳、添土、立碣、設位等費，每柩一具發給銀五兩。

一、搬運四外旅櫬，由水路運到，每百里給銀一兩五錢；由陸路運到，每百里給銀三兩二錢。六十里以外，發給百里經費。

一、園内大小柏樹共計一萬一千八百五十五株，禁止樵牧折損。如有偷竊等情，看園人稟報送州查究。若待經官查出，則惟該園户是問。

按，義地叢葬之區，官、幕客死者，每不願錯雜其中，是以停厝淹滯尤多，久將求如叢葬者而不可得。兹園甫成，安厝者不數日以百十計，嗚乎！其利溥哉。署運河道徐經《碑記》：任城爲河帥駐節之所，東河需次之員自丞倅以逮佐雜，群萃州處，與會垣埒，橐筆之士，亦麇集焉。數十年來，仕而卒於官，與幕而殁於斯者，纍纍相望。或道里遼遠，山川間阻，不能歸骸骨故土。間以子孫貧困，無以爲扶櫬資，權厝荒郊，栖靈廢寺。白楊衰草，蛛網塵封，歲時膢臘，無盂麥、束芻之奠，是大可哀也已。今長白文一飛河帥，以節鉞來鎮東河，庶政具舉，惠澤旁洽，思仿古祀厲之義與漏澤之規制，使得妥其靈爽，爰捐資檄甲馬營巡檢朱兆奎相度隙地。既於城北常清觀東市地一區，芟其榛艿，平其窿窪，繚以墻垣，制以兆域，顏之曰「旅歸園」。凡官、幕之貧不能歸櫬者，咸得葬焉。其園之畝數則東縱六十六步，西縱七十步，南衡四十二步二分五厘，北衡六十七步七分，積步實成地十五畝七分六厘八毫也。其園之四址，南北爲坑，西爲路，東爲潘家塋也。外設栅欄，旁爲門臺，以壯觀瞻。中建堂三楹，以祀所葬之木主，則園之門堂也。以次編號，凡號爲域十，凡域爲地一丈。男葬堂前陳塗之兩旁，女葬堂後之西偏，合祔者葬堂後之東偏，則園之規條也。夫天地爲萬物逆旅，鬼之爲言歸也，斯園之建，俾數十年飄泊旅魂得所依歸，豈非醲澤浹於幽扃，仁風翔於河澨歟？草創伊始，命書其事，爰叙事之顛末，勒諸石以垂久遠焉。道光二十一年二月既望。

濟寧衛普濟堂在州城外王家屯，官基共瓦草房二十三間。

金鄉

養濟院在縣治東南。房二十二間。

按，《縣志》：舊在縣治東北。洪武時，知縣范士廉建。成化時，知縣盛德移置東南閒曠地。天啓時，知縣李國泰重修。今存房屋十間。

額内孤貧二十四名，每年額設口糧并冬衣布花銀八十六兩四錢，除扣小建，實支銀八十五兩二錢。浮額孤貧三十一名，每年實支口糧銀一百十兩零五分。

普濟堂在西關。知縣楊恕建。士民公捐置房十八間，地七項三十七畝。知縣麥子淳置地十五畝，官紳捐置義田十一項八十六畝六分六厘，每年獲雜糧一百四十三石一斗。貧民五十五名，每名月給口糧米一斗五升、鹽菜、制錢五十文。每年支米九十九石，制錢三十三千文。看堂人一名，每年工食銀十二兩。支發不敷，由縣捐給。

按，《縣志》云：「在西關人皇集街路東。雍正十二年，知縣高恕建。」高恕與「職官」合，《前志》云「楊恕」，非。

育嬰堂在西關。雍正十二年，邑紳張元善創，捐房二十間，地四頃二十七畝。

按，《縣志》云：「在西關玉皇閣内路東。」

漏澤園在東郭外三里官道，有碑。

嘉祥

養濟院在西門内。七間。

按，《縣志》：「在東門内。」今存房屋六間。

額内孤貧十三名，每額設口糧并冬衣布花銀四十六兩八錢，除扣小建，實支銀四十六兩一錢五分。浮額孤貧四名，每年實支口糧銀十四兩二錢。

普濟堂在縣署西。房三十四間。

按，《縣志》：「雍正十三年，知縣李松奉文修建，有《記》。」今久圮。官民捐輸義田地四頃一十畝，計九段，每年共收獲雜糧九十一石零九升，柴草六千一百五十斤。

籌備繹費交當本銀六百兩五錢八分，按一分起息，每年息銀七十二兩零七分。

貧民二十七名，每名月給口糧三斗，每年共支雜糧九十七石二斗。每名給鹽菜五分，每年共支銀十六兩二錢。每名月給柴草六十斤，每年共柴草一萬九千四百四十斤。支發不敷，由縣捐給。

育嬰堂在西門內。共房十間。今采訪在東門內，房十一間，今圮。

漏澤園在橫山後邑厲壇西。又二處：一在城東三里，一在城西一里。

魚臺

養濟院在東門內。房五間。

按，《通志》：「在南關。」《縣志》未載，今存房屋二間。

額內孤貧六名，每年額設口糧并冬衣布花銀二十一兩六錢，除扣小建，實支銀二十一兩三錢。浮額孤貧二名，每年實支口糧銀七兩一錢。

普濟堂在東門內。房二十四間。

按，《縣志》：「基長九步，寬十五步，共建草房二十四間。置買義田地五十畝，每年收米四十石。籌備經費交當本銀八百兩，每年息銀九十六兩，此款已報虧。」

原報貧民一名月給口糧米三斗、鹽菜、制錢一百文。每年共米三石六斗，制錢一千二百文。續報貧民三十六名，每名月給口糧一斗五升，每年共米六十四石八斗。每名月給鹽、制錢五十文，每共制錢二十一千六百文。支發不敷，由縣捐給。

育嬰堂在東門内。房六間。

按縣志在普濟堂東基長九步寬十五步共建草屋六間。

漏澤園在西門外。見《兖志》、《縣志》未載。知縣馮振鴻有《請收埋暴露棺骸議》:「每棺一具,捐銀二錢。」

按,漏澤園之設,始於宋元豐中,以收埋貧民死無所殯者,古人掩骼埋胔之意也。明成化中,詔建漏澤園於京師時,山東參政文安邢居正檄所部各建一所,凡貧民死無後者,悉收瘞於此。今官捐以外,民間又有義地之設,散於各鄉,尤爲善舉。《兖州府志》云:「濟寧義冢,地凡八十八處。」又云:「州當水陸交衝,五方雜處,流寓頗多,不有義冢,能無暴露?故志其座落處所,有案在官,無俾侵越,庶日久不至湮没,是亦仁政之一端也。惟三縣紀載未詳,推廣而奉行之,又何可緩哉?」

知州吴檉《賑濟説》:康熙三十五年秋,久雨,卑窪之地悉遭淹没,積水不消,至不能播種二麥,以不及成灾分數,格於定例,未得蠲免。是冬,米價騰貴,人人阻饑。有請下遏糴之令者,余辭之。濟寧,水陸交衝之地,與他處不同,逐末之人多於務本之人。有糴濟寧之穀販住别地者,即有糴别地之穀販至濟寧者,適相等也。一來一往,貧民藉以得食者,正復不少。若下遏糴之令,販來之人恐無,他客轉買必且裹足不前,故遏糴非荒政之上策,古人論之詳矣。有請下平價之令者,余亦辭之。趙清獻公知越州時,兩浙旱、蝗,米價涌貴,諸州皆榜衢路禁增米價,公獨榜示令有米者增價糶之,於是米商輻輳,米價更賤。又文潞公知成都,值米貴,不抑民價,只就寺院立十八處減價糶米,仍多張榜文招糴,翼日米價遂減。又范文正公知杭州,斗粟百二十文,公增至百八十文,商賈争先而至,價亦遂減,皆古人已試法也。凡物少則必貴,多則必賤,但當求多,不必求賤。若遏抑市價,强定其數,則外境之商以無利而不來,本境之米户待價而不糶。米穀益少,價安得平乎?不如聽其昂貴,使外商聞風而至,米户争先出賣,價未有不平者也。有請招徠流亡者，余亦辭之。內荒之時，流亡之民，處處皆有其至吾境而寄居謀食者，自當加意存恤。若一聞有招徠之示，則必紛紛而至，灾民聚集，既恐蒸爲疫癘，兼恐謀爲不軌，貽害匪小。即不至有此，而無地處之，無米食之，必且填於溝壑，是招徠而殺之矣，可不慎耶？有請禁止造酒者，余亦辭之。濟寧人烟繁庶，水陸經過者絡繹不絕。又有文武各衙門及四營兵丁，故民間賣酒爲生者甚多。若概行禁止，則俱失業矣。在大鋪家猶可，若販賣之輩與造酒工作之人，不皆驅而爲饑民乎？況有此造酒家，則必有販米、販麵而來者，未必耗損本境之糧。禁止之後，販者不來，未必即增益本境之糧。總之，造酒誠爲縻費，而禁止造酒，亦未遽能平米價，而有濟於民也。有請括借大户者，余亦辭之。大户積米果多，止宜委曲開導，使之出糶。彼即不糶，而其米仍在本地。要知饑荒未至十分之甚，不難設法救濟，須保全富家，留爲餘地，豈可先自擾亂耶？有請設廠施粥者，余并辭之。煮粥之廠必設於城市，不能遍及鄉村，多不過四五處耳。是必食粥，饑民皆在城市則可，若鄉村遠來，則不便矣。濟之境地有遠至四五十里、七八十里者，四鄉饑民，一聞賑粥，誰不思食？路遠者不能猝至，腹既饑矣，豈能疾走？以早行計之，近者辰巳時至，稍遠者午後至，再遠者抵暮至，極遠者窮日之力亦不能至。如此奔馳，止食一瓢之粥，遂能延其命乎？況過午而至者，并不能得此一瓢之粥也。饑民入城，遠者必不能歸，嚴寒之夜宿於何處？再遇風雪之時，則饑寒交迫，僵於道路、仆於坑谷者，不知其幾。欲以救民之生，反速民之死矣。即能來食粥之人，必皆强壯男子則可，若老幼、殘疾、婦女則不便矣。群百千人而聚於一處，强者争先，弱者落後，而老幼、殘疾、婦女必不能擁擠而前，則推跌踐踏，實可慮也。少年婦女必遭無賴之辱，兼生奸騙之謀，尤可慮也。且遠方流移之民，莫不聞聲奔赴，吾煮粥之米，未必相繼，則虛聲累人，爲害匪淺。余謂煮粥不如散穀，零散不如頓給。查有存倉未報部穀九百二十七石零，因詳請發出賑濟。又河道總督董公與各上臺，余與所屬各官共捐穀二千石，而縉紳富商因秋成無收，雖有樂施之心，奈無多餘之穀。余定議詳請，將常平倉穀酌量借與，如借一百石，則留三十石捐賑，至明年秋收照還一百。蓋借於騰貴之時，還於有收之後，通長計算，猶未捐也。於己無損，於己甚美，故莫不樂從。乃得捐穀一千石，共得穀四千石有奇。因將應賑之人分爲二等，鰥寡孤獨、老病殘廢與極貧者爲一等，每名給穀五斗。次貧者爲二等，每名給穀三斗，小口折半給。所難者，查核得實、散給有法耳。約地與民相習，宜無不知其貧富者。猝傳各處約地封閉公所，令查照保甲册，將兩等應賑之户，分別摘出，嚴諭秉公有賞，不公必究。分撥書吏爲其開造，一日即開完矣。仍令速回，再加查察，如有誤開、遺漏者，禀明改正，亦一日即改完矣。設立綿紙照票，四寸闊，六寸長，將一定之字刻板印刷，用印鈐記，携帶册票，親歷各鄉，按册查核。再有誤開者，除之；遺漏者，增之。當面給與印票，票上填注某地名、某人、大口幾名、小口幾名及一等、二等字。一身不能遍歷，分委佐貳屬員，一體照查。先據約地所開之册，可約知應賑人數，亦可約知分查完畢之日數，即預爲酌定放賑日期。四鄉分爲四日，書寫告條，親查之日，隨便曉諭，内開明：「依期各携布袋，赴倉領穀。非至期不得先來，老幼殘病及婦女許令親隣代領。」倉廒前三面俱立欄木，執事之人在欄木内，領賑之人在欄木外。於鄉紳富商借用大、小布袋三百餘，記號明白。先令斗級將穀分五斗、三斗及小口一半之數，公量入袋，運堆欄木之内。仍命親信人監察，大書高脚牌三面，將領賑地名挨次排列，諭令依序而進，不許攙越擁擠。再令聲音洪亮之役，按地名傳呼，驗明印票，一等者一名，給五斗；二等者一名，給三斗，小口各給一半之數。將量定之穀，過於饑民所携袋中，再將空袋量運。如此轉换，不致耽遲等候，且無錯誤多寡也。凡無票之人，推擁至前者，定係無賴奸徒，立即責懲。四日而四鄉已畢，查有失誤未到者，統於第五日補領，所有布袋照記號發還。其老幼、殘疾、婦女倩人代領者，逐一開出，委佐貳屬員親至各鄉查問果否領給、有無扣剋，如有侵扣之弊，嚴究追還，而饑民莫不均沾實惠矣。計賑濟九千餘人，至諸生中之貧者，尤爲可憫。小民雖貧，猶可負販傭工，自食其力。而諸生多在學校，身列宫墻，惟以誦讀爲業，别無營運之事，所賴以供朝夕者，止此薄地數畝，既被水淹，則半菽不飽，束手無策矣。且有素無産業，而止賴舌耕之士，當此米珠薪桂，饘粥難供，尤當加倍賑濟。余行學查明貧生數目，不限家口多少，每名給穀二石，運行學中，令其自取。不與饑民同領，恐傷士子之體也。至次年正月，尚難接濟，又蒙巡撫部院李公題請接賑，余仍照前法散給，計發穀五千餘石，賑濟萬人有奇。既得兩番賑濟，雖值灾荒而野無餓殍、人無流亡，四境安堵如故。誠知救荒無善政，然不敢不盡此心力也。《牧濟録》。《前志·藝文》。

知州徐宗幹《放粥議》：州城内外貧民，向例十二月設廠散粥。先期委員點驗給票，男婦紛來，漫無區别。游民惡丐，不定何處人氏，得票皆可領粥。實在本地窮民，未必盡沾實惠。聞昔年有老幼擁擠斃命，或孕婦因而亡身者，良可憫也。今有栖流所，將流丐全行收入，而憑保甲户口册密傳各該約保嚴切面諭，按名查問。極貧之户若干、口若干，酌給票若干，令其各自按户散給。附近公正紳耆再分給若干張，以便查補，届期憑票支領。城内城外，借用廟宇，多設一二廠，免其長送奔走。實係鰥寡老疾者，地隣持票代領。領過一次，于票内蓋用「某日領訖」戳記，仍交原人代回。如年歲荒歉，或於十一月起，至正月底止。或交新正改放粟米，各廠炊爨執事之人，即派用貧民之孤獨者，俾資糊口。另備票若干張，酌量賞給各衙署聽差、窮役及城關汛房守夜兵丁并各街巷更夫。其監押及軍徒、人犯於驛號内另行煮粥，兵役人等即歸驛號支領。栖流所内另給薪米，各自煮食，既可禦寒，又免出外滋擾，各廠内自臻清肅也。

（清）徐宗幹 修 （清）許瀚 等纂
中共濟寧市委黨史研究院 濟寧市地方史志研究院 整理

〔道光〕濟寧直隸州志

第二册

天津出版傳媒集團
天津古籍出版社

濟寧直隸州志卷四之五

兵革志

○營制

《前志》曰：「『兵防』入『建置』，列『學校』後。」今以繼「倉儲」「恤政」，先「兵」「農」而後「禮樂」也。」《前志》未詳者，并據《兖州志》補之。明鄭與僑《守禦記》、《前志》附「城池」，今并采《金鄉紀事》及談兵諸説合編焉。至歷代征伐之役，已詳「大事記」矣。

河標三營 唐咸通中，徐州卒龐通之亂，兖州發兵守魯橋鎮，以備侵佚。明永樂時，行軍司馬屯兵至十萬，尤爲重鎮。今河帥所統，雖以防河爲專責，而鎮守亦賴之。

國朝特設城守一營，而河汛亦分其責，故皆統于河帥。防河之與防城，無非捍衛斯民也，豈得歧而二之哉？

中營中軍副將 俸薪、蔬菜、燭炭、心紅、紙張共銀三百七十七兩四錢五分八厘。馬糧十五分。步守七。步戰八。○都司一，原設守備，乾隆二十年改。俸薪等銀一百四十七兩三錢九分四厘。步守五。馬糧五。○千總二，每員俸薪銀四十八兩。步守四。馬糧一，把總四，每員俸薪銀三十六兩。步守三。馬糧一。○外委千總一，雍正七年添設外委千、把總。馬糧一。步守一。○外委把總二。步守一。馬糧一。馬戰兵八十四，每名月支銀三兩一錢，内除還穀石銀四錢一分，每名每月實支銀二兩六錢九分。步戰兵一百四十一，每名月支銀一兩七錢五分，内除還穀石銀二錢五厘，每名每月實支銀一兩五錢四分五厘。步守兵一百四十六，每名月支銀一兩二錢七分，内除還穀石銀二錢五厘，每名每月實支銀一兩六分五厘。四營、城守營同。

左營參將 原設游擊，乾隆四十二年，河帥姚立德奏改。俸薪等銀二百四十七兩三錢四分。步戰六。步守二。馬糧七。○守備一，俸薪等銀九十兩七錢六厘。馬糧四。步守四。〇千總二〇外委千總一〇外委把總二〇馬戰兵九十。步戰兵一百四十一。步守兵一百五十四。

右營游擊

俸薪等銀與參將同。〇守備一〇千總二〇把總四〇外委千總一〇外委把總二。馬戰兵九十二。步戰兵一百四十一。步守兵一百五十四。

濟寧城守營都司

守備一〇千總一〇把總二〇外委千總一〇外委把總二。馬戰兵五十。步戰兵一百二十。步守兵三百六。以上兵數依今制，與《通志》數不同。《前志》。順治元年，因明舊，設河營，隨總督河道都御史駐濟寧州。設中、左、右三營，領以副將、游擊、守備、千、把。每營經制馬、步兵一千名，專資防河護運。五年，添設濟寧城守營，經制步兵一千名，領以都司、守備、千、把，存城分汛，統于河標。自順治六年至康熙六十一年，裁撥抽調馬步兵，共二千零三十二名。順治六年，調赴廣西共七十九名。十二年，裁汰城守營兵四十四名。十三年，調赴廣西兵八十四名。十五年，調赴浙江兵二百三十三名。十八年，調撥梁山營兵一百四十七名。康熙四年，四營共裁兵三百一十名。七年，裁兵共二百一十九名。二十一年，撥兗州營一十名。三十年，調防中河兵一百四十五名。三十四年，裁隨丁共二百名。四十四、五、六、七、八等年，裁兵共五百六十一名。雍正元年，核存四營經制馬、步兵共一千九百六十八名，內三營共一千五百名，城守營四百六十八名。八年，抽馬兵四十七名，內左營十七，中、右各十五，歸江南河標。九年，增馬、步兵一千名，馬二、步八。中營加馬六十七，步二百二十二；左營加馬六十八，步二百二十三；右營加馬六十五，步二百二十三。城守營加步戰一百三十二；十三年，改撥馬、步五百名，加增兗鎮。《通志》。

乾隆三十二年，河督李清時奏稱城守差務紛繁，較之中、左、右三營爲尤甚。向雖設有馬兵六十六名、守兵四百六十八名，兵數不少，差使足以敷用。第查營中定例，兵丁由守拔戰，由戰拔馬。今城守營僅設馬、守二糧，并無戰餉。遇有馬兵缺出，即以守兵越補，未免過驟。且以四百六十餘名之守兵，候拔數十名之馬糧，人多缺少，往往壅滯。其中儘有年力强壯〔一〕、漢仗出衆、弓箭純熟、辦差勤奮之人，年久不能得一馬糧者，以致守兵缺出，招募餘丁，亦甚艱難。臣查中營原設戰兵二百七名、守兵一百四十三名；左營原設戰兵二百五名、守兵一百四十五名；右營原設戰兵二百七名、守兵一百四十二名，均係戰餉多于守餉。獨城守營僅設守兵四百六十八名，并無戰餉。營制原未均平，應請即在中、左、右三營內各裁減戰兵四十名，共一百二十名，撥歸城守營管轄差操。仍于城守營內裁減守兵一百二十名，分給中、左、右三營各四十名管轄差操，以抵撥出戰兵之數。似此通融互換，裒多益寡。統計河標并無增兵添餉之項，而各營兵數仍復如舊。營制適均，由守及戰，循序遞拔，各無壅滯。而城守營添此戰餉，可以鼓勵戎行，招募亦易，于營伍差務似
有裨益。兵部議准。

〔一〕「儘」，〔乾隆〕《濟寧直隸州志》中作「信」。

各河防汛

自江南徐州界起，至張秋鎮止。左營分防漕河十四汛，南自辛莊橋接江南徐州營界牌起，北至濟寧城守營韋馱廟界牌止，計河程一百五十里。徐家口、馬家口、邢莊閘、利建閘、南陽閘，以上五汛係魚臺縣河道，駐防馬兵三十二名、步兵一百九十六名。棗林閘、魯橋、師家莊、仲家淺閘、新閘、新店閘、石佛閘、趙村閘、關南頭，以上九汛係濟寧州河道，駐防馬兵一十八名、步兵一百五十四名。其餘馬、步兵存城。城守營分防漕河七汛，南自關南頭、韋馱廟接左營界牌起，北至中營小長溝界牌止，計河程五十一里。韋馱廟、三官廟、濟安臺，以上三汛係本州河道，駐防步兵二十一名。安居臺一汛，係濟衛河道，駐防步兵八名。通濟閘、白嘴臺、小長溝，以上三汛係鉅野縣河道，駐防步兵二十一名。其餘馬、步兵存城。中營分防漕河十六汛，南自小長溝接城守營界牌起，北至右營王仲口界牌止，計河程八十六里半。小長溝係鉅野縣河道，駐防步兵七名。大長溝、寺前閘、孫村臺，以上三汛係嘉祥縣河道，駐防馬兵八名、步兵五十名。柳林閘、南旺堡、十里閘、劉老口臺、袁家口閘、王老口臺、張八老口堡、

靳家口閘、河西堡，以上九汛係汶上縣河道，駐防馬兵五十名、步兵二百三十八名。靳家口、河東堡、花園頭臺、王仲口堡，以上三汛係東平州河道，駐防馬兵八名、步兵五十五名。其餘馬、步兵存城。右營分防漕河十二汛，南自王仲中營界牌起，北至張秋接壽張營界牌止，計河程七十八里。王仲口臺、長張口臺、界牌臺、安山臺、十里鋪臺、防河臺、裕國臺、戴家廟，以上八汛係東平河道，駐防馬兵二十六名、步兵二百零七名。壯猷臺、通濟臺，以上二汛係壽張縣河道，駐防步兵四十四名。沙灣係東平、壽張、東阿三州縣河道，駐防步兵四十五名。張秋鎮汛係陽穀、壽張、東阿三縣河道，駐防馬兵一十四名、步兵五十三名。其餘馬、步兵存城。《通志》。

民兵 馬快手八，民壯三十五。《前志》并載「工食」，今詳「賦役」。舊制：馬隊民兵十五、步隊民兵二十一、馬快手十八、步隊民壯四十三、守城民壯八十。舊魯橋巡檢司，明屬沂州兵備道，弓兵二十名。國朝將明設道標兵悉裁歸營，弓兵并革。《兖志》。

演武場 在城東。旗臺、將臺，總河楊方興創建。《前志》列「官署」，今移此。

附濟寧衛掌印守備一、管河千總二、更番管河前帮領運千總二、更番領運隨帮官一、押空旗丁一百五十名、後帮領運千總二、更番領運隨帮官一、押空旗丁一百八十五。任城衛裁留千總二、更番領運隨帮官一、押空旗丁四十七。明制世職指揮、千户、百户及部選經歷、鎮撫等官，國朝悉裁，改今制。又裁任城，歸并本衛，隸兖州府。順治中，有土官、百總之名，不知何時革去。并《兖志》。

按，中營，道光四年裁馬戰兵一名，改添額外外委一員，共額外外委三員。道光十三年，裁馬戰兵一名、步戰兵三名、步守兵三名，實在馬戰兵八十名、步戰兵一百三十八名、步守兵一百四十三名，共兵三百六十一名。左營，道光四年馬兵額缺，撥出一分，添額外外委一員，共額外外委二員。道光十二年，裁馬戰兵二名、步戰兵三名、步守兵三名，實在馬戰兵八十七名、步戰兵一百三十八名、步守兵一百五十一名，共兵三百七十六名。右營，道光四年裁馬戰兵一名，添額外外委一員，共額外外委二員。道光十二年，裁馬戰兵二名、步戰兵三名、步守兵三名，實在馬戰兵八十九名、步戰兵一百四十三名、步守兵一百四十五名，共兵三百七十七名。城守營，道光四年裁馬戰兵一名，添額外外委一員，共額外外委三員。道光十二年，裁馬戰兵一名、步兵二名、步守兵三名，實在馬戰兵六十名、步戰兵一百十八名、步守兵三百二十一名，共兵四百九十九名。

附運河營守備二、千總二、把總分防外委九、運河廳戰兵三十三、守兵百三十六，專司修防。

金鄉 兗州鎮曹州營分防金鄉縣汛把總一員、馬兵六、步兵三十五。《前志》。○按，今曹州别爲鎮，分防專屬兗州營。

民兵 馬快手八、民壯二十八。

演武場 在南門外迤東。

嘉祥 兗州鎮中營分防嘉祥縣汛外委把總一、馬兵五、步兵三十一。滿家硐千總一、兵四十三。《兗志》：滿家硐營守備、把總各一員，馬戰兵六十名，守兵二百零九名，馬六十匹，官馬六匹。滿家硐互詳「山阜」。

民兵 馬快手八、民壯三十二。

演武場 在西門外。

按，乾隆五十年，馬兵六名、守兵三十七名。嘉慶二十三年，撥歸曹州營馬兵三名、守兵八名。

魚臺

沙溝都司營分防魚臺縣汛外委把總一、馬兵二、步兵一十九。

民兵

馬快手八、民壯三十五。

演武場

在北門外。

明州人鄭與僑《守禦記》：天啓二年壬戌五月，妖人徐鴻儒倡亂，西陷鄆，東據鄒、滕，濟處其中。時總河大司空陳道亨、僉憲熊文燦約紳衿商守禦之策，衆曰：「濟城堅可守，但貨財輻輳於關，弃關擁孤城，無益也。欲守關，莫若練土著便。」遂簡四關丁壯，得數萬人，分爲九營：曰「太平」、曰「奏凱」、曰「勇奮」、曰「仁育」、曰「義正」、曰「智勝」、曰「信義」、曰「文成」、曰「元武」，擇士民之有膽智者統之。此九營，鄉兵之始也。閱八月，寇平，二公相繼遷去。濟人講武不怠，雖修練儲備匪一朝夕，然次第舉行，有可述而志者。城垛原二千六百有奇，恐口多矢集，人少力分，間塞其半，止存一千三百有奇，每垛以兩夫守之。督塞之法：一口給錢五十文，磚石聽夫自取，不移時而工告成，此并垛之始也。按垛製：巨斧一，三眼槍一，猛棍一。棍用榆、棗，高與眉齊，圓其本，期於可握；棱其末，期於可擊。此制械之始也。垛口各製箭簾一，四圍以木中實，以竹或束蘆代之。竹蘆宜横不宜竪，横則矢不能入，用架承置陴上。此製簾之始也。城每面用紅夷炮十位、滅敵等炮百位，拐子炮、浮梁機（宜作「佛郎」，國名。）又倍之。紅夷得之題留，滅敵等炮括資招商，往山右置買，此製炮之始也。鉛子大小視炮口爲度，俱預爲製造。以兩孝廉、兩諸生監之，造成分貯各城樓與各守領之家，而嚴核其失落。此製彈之始也。火藥欲細、欲乾，細則存乎人工，乾則全在于酒，如入酒時稍雜以水，臨期點放必有濕滅之患。開局普照寺，而以官儒之勤慎者監視，買酒、入酒必身到眼到，故火藥多而皆適於用。硝磺得之上官清查私販與罰贖，不足則平價易之。此製藥之始也。藥先貯西寺之萬佛閣、東寺之伽藍殿，殿毀而藥化不存，因買西寺僧人真秀空地。掘深數丈，建庫房三間，嚴其鎖鑰，高其藩垣，專人典守。此製庫之始也。炮乘高乃能及遠，四城按方建二十八臺，火炮分列其上。仍慮敵臨城下，大炮無所施，於城之臺左右各築小臺一，以備順城炮之用。臺上俱以木屏爲障，又起高架而覆其顛，以蔽流矢，心閑手閑，點放不致錯亂。此築臺之始也。炮銃雖多，器具須全，凡炮車、炮鏟以及榔頭、舂棍、竹筒、藥袋之類，無不畢具，貯有地而載有册。此製具之始也。有器，患於無人，選三百名分布各臺，專習火攻。擇土官之曉練者督之，餉則加諸地畝，有事不許調發，名曰「城守營」。此城兵之始也。兵不練不精，練須有其地，北城建將臺、設轅門，按期城操，以行賞罰。此教場之始也。於城瞭眼中貫木爲「工」字形，以撞雲梯。又用兩長杆釘木板於其上，視雲梯所在，向垛上掩之，名曰「雲梯蓋」。此禦具之始也。八樓各設游兵，以五人爲一伍，一人執小旗，二人持鈎，二人持斧。凡雲梯所在，分頭往援，專擊梯而登城者。此游兵之始也。磚石須大，滚木須粗，聽垛夫采取，有力之家不得阻撓。此木石之始也。兵無盔甲，不能對壘。時有贛州、蘇州解京盔甲，總河題留，頒給四城，光可耀日。此盔甲之始也。四面按方向，各臺按星宿，俱需旗幟。倉卒不備，命尼僧各募於大家之婦女，越宿而就。此旗幟之始也。八樓各懸一鐘，四關塞口亦然。何方有警，關鐘先鳴，樓鐘繼之，人即登城。此號鐘之始也。四門樓與太白、得勝二樓，上官與大紳居之。四角樓，領兵官與監紀、孝廉居之。二十八臺，每臺擇紳冑、士民之勇敢者，一人爲首，各選勇士五十人，以臨敵可共生死者爲主，凡臺左右之垛夫即隸之。一人鎮定，五十人俱不驚潰；二十八人鎮定，一千四百人俱不驚潰；一千四百人鎮定，一千六百垛夫無有敢驚潰者。此分汛之始也。城半懸燈籠，城下置塘火。每十垛以二夫瞭望，一更一換，官紳分班巡察。此夜防之始也。每十垛以一青衿總理，分住城堡。垛夫則五人共起一窩鋪，嚴其火燭，戒賭、飲。有力者聽令自備，窮民量給料價，或勸富室願捐者資助之。此窩鋪之始也。十垛備水瓮一、鐵鍋一，或借之行户，或括之富家、酒店。此備水火各器之始也。城頭既備，城内宜嚴。各巷口修栅欄一座，而以本巷兩諸生監守本街，餘丁輪司啓閉。城外有警，嚴禁行人，遇有火灾，聽官司差人救護，不許出栅驚竄。此設栅之始也。嚴保甲之法，官紳分地挨查，但有可疑，立加清理。此保甲之始也。城内既清，隨嚴門禁，每門正官一員、兵官一員、大紳一、孝廉四、青衿十，分班坐守，出入譏察。此坐門之始也。城之西南狀元墓，高與城齊，東北、西北兩面皆空闊受敵。各造虚心敵樓一座，每樓或費五六百金、或費千金，以皆解嚴之後，捐助有餘，故及之。此敵樓之始也。

護城河水僅一帶，官紳大姓分地疏排，自一二丈以及二三丈不等。城之北、西兩面，舊有重河，但苦淤淺，亦分工開浚。又官築楊家口壩，挽洸、泗諸流，繞城之北之西達於漕，城得設重險焉。此疏河之始也。城所恃者關，關無所恃，何以爲守禦計？聽民挑浚濠塹，作墻其上，約十餘里，屹然金湯。其資則輸之商賈富姓，窮民亦樂以力自效。此外城、外河之始也。城既設，又分立寨口，起架敵樓、吊橋。每寨屯兵爲戍，草橋一，草橋之西楊家林一，濟安橋一，藍衣堂一，玉皇廟一，壩口一，陶姑寺一，南城七鋪一，卧佛寺一，文昌閣一，炭溝一，兖軍倉一，菜市一，東關頭一，馬驛橋一，楊家壩一，驢馬市一，娘娘閣一，茶庵一，牛市一，凡立寨二十餘處。各立公製炮銃，無事司盤詰，有事嚴守禦。此外寨之始也。濠塹雖設，尚苦窄淺，决金綫閘令湖水盡灌城之四周，又于運河下流如任城、俗作「在城」。趙村、石佛等閘，俱爲填閉。仍設游兵，防西十里鋪之盗，决四關，一望皆汪洋矣。此積潴之始也。凡敵遠，外城炮及之以護關；敵近，寨口炮及之以護城。中外一體，上下一心。此交衛之始也。自是而明偵探，選兵民中捷足數人，厚其廪給，四出遠哨。耳目既明，防閑益力。此哨探之始也。自是而聯鄉村，四關各營於附近村落各發號令，每村自成一旅，數村共成一營，能守則官兵爲之聲援，以重藩籬；不能守，收入各寨，以資捍衛。此聯絡之始也。人多用繁，儲蓄宜講。城中如郭家園、姜家園皆空地，可構廬舍，聽鄉民分租營建，糧草預貯其中，以備進城食用。大姓莊儲及各州縣水次倉俱移城内，一以實城，一以清野。此儲蓄之始也。凡城關之外，各擇要地，分伏萬人，暗籌毒物，又要虚實相間，令敵莫測。此埋伏之始也。凡兹各項，爲費不資，出之河道羸餘者五，道州罰贖者二，士人捐助者三。捐助之法，請公祖父母于公所，紳衿畢集，矢公矢慎，逐大姓面爲推敲，衆論僉同，官爲注册，不許紛更。其餘中户每隅選行優八生，登門勸諭，但取樂輸，不强人以不堪。此捐助之始也。册既定，鄉約傳摧完納。每隅以兩孝廉、四青衿監收，每晚總交大紳處。凡遇公用首事者，具領狀于大紳處關取。主收者不主貯，主貯者不主支，官吏不得過而問焉。此收放之始也。諸事既舉，不特弭亂，抑且救災。濟遇大饑者三，開粥廠五十餘處，煮、散皆委士人。且恤老有社，保赤有社，所活不下數萬，以素有備也。大疫者再，或施藥餌，或掩骨骸，一倡百和，全無慳囊，以素有備也。大火者一，癸未二月，城東南兩隅頃刻俱燼，萬户喪氣，通融安置，委曲周全，人無遷徙之苦，以素有備也。不寧惟是，歷年來奢藺訌於南，闖獻擾於西，援剿諸兵絡繹不絶，少逆顔行，焚掠立起，至濟獨斂迹以過，以素有備也。土寇蜂起，北如李青山，西如李鼎鉉，南如張文宇，東如楊三畏，號稱數萬，近濟三十里内無敢置足，以素有備也。戊寅壬午，東省殘破者八十餘處，兖郡殘破者一十九處，環攻濟城，力守不下，至今稱南北雄鎮，以素有備也。究其留心民社，加意綢繆，總河如張國維、黄希憲，監司如馮元颺、楊毓楫，鎮將如張文昌，府丞如管鳳鳴、閻調鼎，州守如董則喻、王孫蕃、胡鳳閣，美當備書。至於紳胄士民，人分猷，家宣力，名難悉紀。其終始於事，而心血俱嘔者，則濟寧衛掌印指揮使張世臣、孝廉任民育也。於戲！前事者後事之師，倘使三十年桑土至計無所傳述，前人苦心既就湮没，後人何所據以爲繼起之藉乎？余共事甚久，諸大計俱參末議，知之頗悉，故粗著其概，令後之君子考稽故實。宦此地者，勿視官爲傳舍，畢力經營；生此地者，常慮城爲漏舟，同心補葺。庶名與城而俱永，家與邦而均安，豈非不朽盛事哉？此余載筆意也。《遺事記》。《前志·城池》。

兖州東昌素有無爲等教，愚民從者甚夥。天啓二年，廣寧失守，人心震動。而其教主西有徐鴻儒、東有張東白者，遂因而煽亂。徐聚衆數萬，在鄆濮之野，據梁家樓；張亦聚衆數萬，在鄒之楊徐鎮。於五月之十三日，徐賊破鄆城，張之黨攻鄒縣，而張在縣爲内應。於十八日鄒城亦破，滕縣亦於是日破。兩處幾十數萬，連破三城，遠近失色。於是兖西道徐公從治徐公，海寧人，仕至山東巡撫。死萊州孔李之難。率督各印官，聚練鄉兵剿殺，徐賊數窜，由濟寧城南三十里外渡河，而東與鄒、滕之賊合，鄆遂復。山東巡臣趙公彦督領總兵等官親至兖州，而賊嘯聚力攻兖者三次，魯王恐捐銀十餘萬，犒人殺賊，士卒奮勇，連敗賊三陣，其鋒少挫，乃堅守二城。游兵退，屯紀王城，賊漸無糧，且生疫。滕中之賊，乘夜出城掠食，而官兵遂復滕。又堅守鄒縣者月餘，百計設法攻之，許各脅從者以不死，乃獻城。而張與徐將爲潜逃，其黨呼其名，而我兵縛之，鄒亦復。餘賊領衆萬餘，南入徐州，所過殘掠。隔於黄河不能渡，又西北行。各州縣嚴兵以備，賊稍稍散去。至鉅、鄆、曹、濮之間，官兵追捕殲之，遂滅。賊將首徐、張等三十餘人械京，宣捷獻馘，

殪西市，傳首天下。

天啓甲子，妖人徐鴻儒西陷鄆侯三等，東破鄒、滕，來往交通，而濟處其中。時當事者自號知兵，膽實恇怯，城門盡閉，不敢以一矢相加遺，獨求城中光棍所謂棰手者日戮之。然疑心太過，謂城中盡棰手也。搜剔不已，雖大紳之家不能免吹索焉。日夜伺察，舉城如在沸鼎中。閲七月，撫軍趙公誘擒妖人，當事者亦遷去，濟人方得寢食。是時也，如醫用芒硝、大黄，雖能攻疾，而元氣亦大傷矣。及崇禎辛巳，張文宇反於潭溝集、劉顯反於九子集，城南一帶，烽火燎原。時監司濟上者，昆山葉公也。諱重華，號香城。公命中軍守備許諄誠往討之，許庸懦不敢前，乃造詞悚公曰：「城中紳衿皆通賊，師出城虚，非計也。」公曰：「皆草竊耳。安有紳衿甘心附賊者？是必逆黨巧用反間，摇亂人心，故爲此説。」公於是益與紳衿相結納，嚴門禁清，保甲信用，士民不疑。凡民間乘機訐告，概置之不問，一味鎮定，以收人心。陰請上臺發兵會剿，大將馬岱統甲士至，公出兵犄角，一鼓殲之。地方以安，濟人奉公真不啻手足之親頭目也。公殆醫藥中之參苓，專培元氣，而邪火未始不除。究之先日以暴聞者，因縱放闖賊，竟被大戮，葉公身名兩泰，子孫鳳舉鸞翔，項背相望，天之福佑善人何如耶？太史公循良、酷吏并傳，其意念深遠已。《遺事記》。

初廣東解部金花銀四十萬，以賊梗，寄濟寧庫。總河黃希憲欲携之南行，恐紳民不從，乃先散各官役若干、各紳民若干、各營兵若干。紳士之銀，僅有其名，多乾没於衙役。賊將郭升至，知有此銀，按籍而追。夾副將盧鳳鳴及知州朱光，其銀立集，大都畏賊，各出賠補，共得銀一十三萬。以舟載赴東昌，未及用而遁，銀遂留東昌。凌駉與諸紳借以招叛將張國勛，東昌諸紳實未嘗出一文。厥後，張鳳翔等南來，此銀尚餘八萬。夫追銀則有濟寧，捐餉則有濟寧，惟賊所餘之銀，濟寧不得而問焉。乃東昌叙功而濟寧不及，何也？楊士聰《核真略》。

六月十七日，舟抵濟寧。鄉兵頭目李允和、米繼宗來見，欲留余，余語以：「天津道孫公移文相留，余力拒之，且吾義不從賊，萬苦南來，若中道而留，何以自解？」諸人唯唯而去。濟寧自賊未至時，城守粗備，署道僉事王世瑛乘總河黃希憲南奔，大張僞示，甘心從賊，賊至即以城降。五月十二日，濟紳潘士良等以賊將刑拷追銀，人心駭憤，遂因鄉兵擒斬賊將傅龍、僞防禦使張問行，士良署總河。同上。

甲申，京師陷，濟寧各衙門皆爲僞官所據，防禦則張問行，州則任崇志，總府則傅龍。一日，集紳士至城隍廟，索金銀寶玉，一時紳士但楚囚對泣而已。忽報東門旱石橋火，各僞官救火而散思逸矣。而楊九率太平營自南門入，李舜宇率奏凱營自東門入，三僞官皆就戮，土賊悉殲無遺，百姓始出湯火，皆任先生孔當與潘先生士良、鄭先生與僑之潛謀密計，故聲色不動，轉危爲安矣。乃流寇既靖，而楊九反驕横，索兵餉、開告訐、擅生殺，甚於流寇。先生又以術柔之，人獲以安。臧子彦《史外傳逸》。以上《前志·雜綴》。

鄭與僑《倡義記》：崇禎甲申三月十九日，流寇李自成攻陷北都，人心瓦解，濟城督鎮各官統兵南遁。賊僞權將軍郭升遂於四月二十五日率黨入城，僞道、府、州官次第到任。二十六日，將濟營遺留殘兵赚至教場，攘奪衣械，分隸各賊鎖禁。二十七日，先栲州衛，次及營弁，次及士民，刑掠之慘，天日爲昏。廿八、廿九，邏騎四出，各境騷然。栲完，白鏹山積，一半載舟，一半馬駝，於五月初一日揚去。初二日，又有僞權將軍白舉統衆復來，擾攘益甚。初五日，僞户政方允昌諸暨人。以催漕繼至，命州官製夾棍四十副，餘刑倍之，見郭賊囊飽，意復垂涎也。初八日，回兵頭目楊樸被捉。樸莽人也，手揮巨斧，將刑具砍碎，兼殺賊差，號於衆曰：「婦女自縊，男子披甲，當死中求生耳。」鄉民和之者漸衆。白賊聞變，擐甲欲戰，見人情汹汹，恐衆寡不敵，因好言撫慰，自殺其生事者二人，以安衆心。衆稍定，賊乘夜遁，方賊亦隨之而南。初十日僞防禦使張問行清苑人。張挂僞旨，尚書索銀十萬，侍郎七萬，督撫五萬，餘各有差。開載所不及者，許人密告，人始無生全之望矣。僞州牧任崇志山西壽陽人。謀於十一日械諸紳於城隍廟，僞運河同知劉主敬山西人。取銅製夾棍，所留僞掌旅傅龍陝西人。領兵五百戍守，分踞人家，恣横不已。十一日，州差役催諸紳赴廟，甚急。紳衿、義民集議於任宦園中，僉曰：「今日之事，先發爲勝。且百姓向不敢逆賊顔行者，怵於其威，并感於其假仁假義耳。今憤矣，憤則可用也。」諸紳一面赴廟，一面密傳四關鄉兵頭目與城中士民之解事者。時東門内適有火災，僞州牧往救，因暫令諸紳歸，諸紳遂赴南城頭陀庵誓師。濟舊有編練鄉兵九營，遂派定李允和、楊樸領太平營、奏凱營入城捕賊。其仁育、義正、智勝、勇奮、元武、文成、嚴翼七營，分圍四門與城四面，防賊之潰，諸紳仍入而爲内應。甫入，賊覺，四門旋閉，傅黨登城矣。城中市民一時俱裹白頭，森布街衢。城頭之賊遂不敢下，未及上者輒戮之。鄉兵官徐成美又計紿傅龍出城，賊無主自亂。武生王憲礦，鄉耆朱文綉，潘、任兩宦家丁楊重等劈開南門，任宦與弟舉人任孔昭、武舉楊芳蔭，祠生仲文瑞劈開東門，兩門之師遂入，分頭捕誅。諸生楊再震等同鄉兵捕得僞防禦張問行，諸生周鐸、王來徵等同鄉兵捕得僞府同知劉主敬、僞州牧任崇志。時已暮，城頭賊俱聚南、北兩樓，用大炮紛紛下打。太平營頭目李春茂曰：「昏夜勿與戰，戰恐兩傷。設栅圍之，曉自成擒。」黎明，北樓之賊果束手受縛。其在南樓者，猶下擲藥罐如雨。有以火槍攻之者，火入藥烘，樓與賊俱飛雲霄中，肢分而墮，觀者快之。五百賊止逸其三，至城西麥仁店，又爲鄉兵所獲，竟無一得脱者。鄉兵戰没者，丁、景、魯三人而已。時南北阻絕，西平之捷音未至，南都之喜詔未頒，衆謂：「事無統屬，何以令衆？」士民於十二月擁原任侍郎潘鄉宦士良署總河事，原任知縣任鄉宦孔當署濟寧道事，原任推官陳鄉宦宸銘署都水工部事，貢生李以莊署運河同知事，濟寧衛經歷周久傳署濟寧州事，濟寧左、右兩營則以李允和、楊樸分攝，分布鄉宦楊澤等、舉人鄭容等、諸生劉禧慶等、衛弁孟應兆等，於四門、四城及四關各寨發偵探，竪義旗，整營兵，戢暴亂，清查火藥、炮硫，恤陣亡鄉兵事畢，漏下三鼓。諸票皆舉人孟瑄親書，手腕幾脱。而協贊則吏員李國柱、聯絡布置則武生楊化龍，游客陳諫功居多也。十五日，奉大行龍亭於州堂，將叛逆張問行、傅龍行獻俘禮，誅之州前。官紳士民號哭成服，兒童走卒莫不哀痛，自堂階至衢巷泪痕皆滿。哭罷，問二凶尸，則諸童子已寸磔飼犬矣。遣副將周邦臺、諸生孫慎一等團練南鄉，諸生孫允泰等團練東鄉，指揮黎承祖、義勇徐則明、張英等團練北鄉，諸生張耀朗、許世藎等團練西鄉。四關仍以九營鄉兵官陳洵、楊生華、程三進、高起倫、劉顯、李聯芳、朱國材、樊世魁、趙治寧、仲新、栗肇機等，及參謀諸生蕭中振等分統之。城内則以諸生楊紳、楊通睿、靳于讓、熊人兆等分隅整練，以備策應。諸生楊蘇霖等專司募餉，而以貢生陳宸箴、韓洪愈、宋可賢、鍾應銓、楊土英主出納。於是發牌各州縣，擒拿僞官；傳檄各路，號召忠義。一路由沂州達登、萊，一路由濟南達天津，一路由臨德達河朔，一路由宿、徐達淮、揚，一路由曹、單達穎、壽，以穎州守任民育濟人也。民育見檄，遣諸生李道生賫至南都，督輔史公手扎褒獎。十六日，恤死事、犒有功，所費不貲，皆紳衿大姓括金爲之。潘司寇三千金，楊太史士聰、孫主政景耀、徐侍郎標子諸生伯煌、陳副郎宸誦、楊大令鳳振，或二千，或一千，或數百，皆傾囊急公者。兗州府僞府尹高克家、山西人。僞推官董旼璽山西人。聞濟城起義，脱迹西逃。十八日，遣太平營將官米繼宗追擒之，并獲誅。僞兗東防禦使劉浚本、山西人。汶上僞縣令李士灝，繼又擒至。魚臺僞令尹保衡、鉅野僞令曹家麟、鄒縣僞令楊名升、嘉祥僞令趙廷獻。以上俱山西人。俱在州監候。嗣是，各州縣或擒解僞官，或呈送僞契，或討札，或乞兵，數日内兗屬廿七城恢復幾盡，爲賊堅守者獨有金鄉與曲阜兩縣而已。維時賊老營屯，大名董學禮屯宿遷，郭陞屯濟南，介濟俱肘腋間，大勢不去，濟患正未可量。廿日，矯傳鳳楊督師牌，聲言百萬接應二東牌於廿四日到省，省城士民歡聲如雷。賊將郭陞、張國勳遂於是夜互相殘殺，分頭逃竄，濟南空而青、萊一帶義旗皆動矣。是役也，當四海無主之日，前無所依，後無所憑，祇以紳衿忠憤、鄉勇血誠，遂使大憝立剪，名義以彰。無奈江南諸執政鼠鬥穴中、虎逸柙外，置李賊不共戴天之仇於不問，可勝嘆哉！是日也，余幾遇害者再。東門啓余與同袍孟公瑄統兵上北城，北樓賊火炮突發，一彈如疾鳥飛臨，余頭少俯，彈遂過裹首白布，錚錚有聲。次晨，同任公孔當押賊過南門，南樓賊矢下如雨，余兩人同五僕避對城一民居門樓下。適鄉兵六人押一赤身賊下城，至余前，雙手一揮，六人皆倒。賊奔奪余刀，余轉身掩過，遂奪任劍，兩相持間，余用刀戳賊脅，賊負痛走，余僕柳慶雲追落其首。此賊猙獰十倍於人，使劍一到手，余七人齏粉矣。余一人屢危如此，衆人可類推也。記此以見吾

濟之痴忠云。與僑又記。

附札付　協理京營戎政太子太傅、兵部尚書張爲欽遵明旨收録良將以資征剿事：照得總兵官任之琦，文武全才，智勇兼備，於本年九月内已經督師閣部史題爲倡義恢復事，奉聖旨「任之琦倡義恢復，弃家南歸，深可嘉尚，著以總兵官加左軍都督同知用。該部知道」，欽遵在案。本部欽奉上諭，凡有智謀勇略之士，悉札以實授職銜。茲爾功業表著於東土，倡義丕顯於天下，且兩次禦賊，屢建奇功，業經總河、撫按題擢。今值闖賊肆虐，本官斬僞復城，活捉僞將軍傅龍、僞防禦使張問行等，恢復兖郡二十七城，功績懋著。爲此札，仰本官即以奉旨職銜任事，益奮忠赤，共圖恢剿。候再著功績，即行特疏入告，奬以優异。須至札付者。《前志·藝文》

金鄉周永春《守城記》：緡當魯西鄙，民習弦誦，不聞軍旅。壬戌之夏，有妖黨徐鴻儒等陰謀不軌，聚衆賈敬屯。其地係曹、鄆之交，勢頗震鄰。五月初九日，邑侯楊公甫受事。公以館陶調緡邑，道聞寇警，驅車疾馳，心火内鬱，濕毒外侵，方卧閣調攝。無何，十四日，鄆變見告矣。是日，兖西道用令旗調鄉兵一千名，催檄如雨，城中人心洶洶。公詰旦

不遑盥沐，力起視事，登城周覽，調度機宜。計垛口二千一百有奇，每一垛壯丁一名，五垛豎一小旗，設梆一、燈籠一；二十五垛豎一大旗，爲一牌，青衿領之。在城杆夫不敷，取之鄉間。又紳士富家各助夫有差，而二千一百餘名，咄嗟立辦。以丁壯枵腹難用，置簿勸輸。時李守緒等當先樂輸，衆競輸恐後，不數日有糧七百餘石，每丁日給糧二升。凡城守之具如擂石、滚木、悶棍、灰瓶、槍鈎、遮牌之類，靡不咸備。晝觀夜聽，勞逸更番，靡不均適。城垣損壞者，垛口低下者，腰鋪傾圮者，靡不修葺。又中取河夫浚隍，務使深闊，足資防禦。又令四門設夜巡，遴青衿中勤敏老練者若而人，儒士武生中勇健有志略者若而人，俾分任厥役。委重廣文、孝廉各一人，挈其綱領。一切巡察之法，靡不詳備。公周歷四門，不少休暇。方是時，公受事伊始，百事皆創，無可因仍，拮据荼苦，有難言者。然其應變倉猝，而立法井井如此，法立矣。又以恩澤未孚，人心未固，一旦有警，各鳥獸散，乃率紳士、耆老昭告于神，揮涕而言曰：「某不敏，待罪茲邑，誓共存亡。所不與父老子弟堅心死守而有二心者，有如日。」語畢大哭，紳士耆老亦大哭。公又慮城中或容奸宄，爲家置門單，互相稽察。更擇殷實子弟素嫻弓馬者，分方巡邏。至於麻搭、鈎杆、水缸一切救火之具，隨所分之巷而一一備之。當其事者，無不體公德意，人人勤慎。内防已嚴，又慮外來奸黨溷入城中，於是南、北、西三門皆墐塞之，獨留東門以通往來，令丞、尉輪司啓閉。又擇老練者，四方專司盤詰，佐以青衿練達者數人，驗其出入，給以票記，衆所素識者方與之，非是則不得。有强梁者輒械治之，奸人用是凛凛不敢窺左右焉。又聞賊黨焚燒大野，四關則請遼將僑居者爲統帥，選四關壯丁并遼將所帶健丁千二百餘人，晝則合營團練，夜則分守要路，金鼓杆梛之役咸相呼應。又虞營伍初立，器械不足，軍聲未震，公先爲捐俸，佐領、廣文以次輸助，集匠四十餘人，倍日給餼，創大炮十六位、神槍千杆。五月二十日，侣家樓賊平，縉以鄉兵即前兖西道所調者，回至鉅野暫憩。遇賊盤據梁家樓者，於六月初十日東徙，鄉兵尾其後。十三日，在邑西絶河集男、婦逃竄者肩摩于道。公亟延遼將於東門樓，謂之曰：「寇至矣，公宜領新兵迎擊。大炮在前，馬步軍分兩翼突衝，可獲奇功。但秫田正茂，勿墮伏方爲完策耳。」

將行，虞士餒，下令城中各具麵餅餉之，故人人踴躍。又虞鄉兵不齊，兵力未厚，則令二尹領守東關之鄉兵及夫數百人，并糾集陽山、大義、白蛇等處之鄉兵約三千餘人，與遼將新兵爲助。時賊方在大義集北，炊未畢，我兵鼓行而前，炮聲震天，賊弃釜中熟糜，踉蹌而東。我兵直前追躡，雖斬俘不多，而賊膽已落，此六月十四日事也。次日，賊至卜居集。隔旦東行，不敢焚掠，逢衣冠輒傴僂問姓氏，或散錢與童子以結其歡，觀者如堵。有諸生王姓者，并僕誤入賊中，賊令其僕汲水，夜分乃罷。臨行，賊首謂之曰：「我本欲襲爾邑，緣邑中有某知兵，不得不避去。」蓋以余曾待罪遼左，與聞兵事，又遼中官弁、健丁避難投余者甚多，爲賊所憚故耳。十六日晚，賊至鄭家堰。次早，由鄭家堰過河東。九月二十日，河東賊據滕邑，食匱，潰圍而出，挺而走險。淮兵披靡，勢如封豕長蛇，將薦食縣境。公下令内外防禁，比前倍爲劼毖。令遼將統兵官鄉兵防堵於趙家口、大孟店、霄雲寺等處，賊知有備，由縣鷄黍集西奔，謂鄉民徐姓者曰：「知爾防備甚嚴，又某督領遼兵，我疾馳而西，毋我窮追，我在此插白旗，不爲焚殺事。」噫嘻！賊兩過縣境，不敢近城，誰之功也？所有守城諸方略，可法於天下，傳於後世，余記其巔末如此。雖余不敏，無能佐公末議，然公調度有法，感孚以誠，燭事如燃犀，聞言如納谷，則余亦庶幾得展一籌云。公諱於國，山西太原府陽曲縣人。《前志·城池》。

附金鄉張誠基《寧州用兵教約》：一、江西兵不習戰陣，恐其臨時畏懼，務須恩威并用，并講説大義，以鼓其胆。仍宣明軍法，使知進則有功，退則必死，庶可無退怯之虞。一、出兵行走，務須結隊，不可大意散行。又不可離賊尚遠便放槍炮，俟與賊對面，酌看槍炮能及，方可一齊施放。務須進退依法，萬勿自相防碍。一、對敵必看地利，不可冒險前進。若遇地勢可以埋伏，誘賊入局，是謂善着。一、追賊更須留心，不可入彼埋伏。一、臨陣最要和衷，不可各執己見，總以公事爲重。若能一戰殲賊，無論何路，彼此皆爲有功。如推諉取巧，即是喪盡天良，神天亦不佑之也。一、行軍務須嚴整，兵丁如有不聽約束者，即以軍法從事。一、賞罰必要公明，不可稍存私見，庶弁兵盡力。一、臨敵務須認真上前殺賊，使賊懼怕，則殲滅較易。若虛張聲勢，賊情狡猾，未必不爲看透，不惟無益，而且有害也。一、對陣有正兵、有奇兵，以正兵與戰，而以奇兵冲其兩旁，或抄其後路反擊，成前後夾攻之勢，更爲得力，且以防彼之奇兵冲抄也。一、約束兵丁務須嚴明，如有擾累民家，務須盡法處治，以警其餘。同伍兵丁知而不舉，一并坐罰，切勿姑息。一、用兵最要知賊之虛實，務在擇人確探。至自己謀爲却要極其機密，不可爲賊所知。一、賊匪皆本地之人，與鄉勇無所區别，恐其詐充鄉勇，隨我營中，爲害甚大。兵丁短少，不能不借鄉勇之力，固當推誠相待，然須酌看情形，恐有賊匪混厠其中，用之仍須防之也。一、反叛，罪不容誅。臨陣以盡殺爲是，或其中有婦女、幼孩，又有被脅之人，臨陣畏懼，四散奔逃，或丢弃器械，跪地乞降者，皆可寬其一綫，不可誅殺，但須防賊人譎計，或先以此等情形懈我軍心，彼却忽然冲擊，不可不慮。該將等臨陣如見此等情形，尤須加意嚴備，高聲諭令降人遠遠散去，不宜令歸我兵之後。一、賊人敗走，或有遺弃器械什物，不可拾取，只要追賊，俟收兵回時檢拾，未爲晚也。增輯。

運河道陸燿《曉諭士民示》：照得壽張匪徒滋擾地方，本屬不成事體，不過數十捕役可以擒縛了事。奈百姓久享太平，不知兵革，一聞賊起，互相恐動，强者幸而逃生，弱者被其劫制，驅迫前行，恃爲護衛，流言四布，遂謂其黨盈千，不知此中僅止無賴數輩，餘皆安分良民也。今蒙河撫院提兵奮擊，誅戮大半。其幸存偷息者，自知罪在不赦，欲渡衛河遠揚，則其伎倆可見，且亦無南竄之意，灼然易知。况内有青、登勁旅，外有直、豫聲援，京營數千，又復裹糧壓境，雖有强大跋扈之師，尚當折角挫衄、求生不獲，况此潢池赤子被其驅脅者乎？濟寧去臨清四百里，中有東昌大郡扼其要害，豈能插翅飛渡，擾我四封？州牧身膺民社，先事預防，勸諭紳士募集鄉兵，無非爲保護民生起見。一切采辦軍需，俱照市價平買，出示通諭，有目共知，此有司之責，而亦紳士所當分憂其患者也。乃聞里巷訛傳有欲移家出城者，夫賊在四百里之外，未嘗一矢相加，而先不免轉徙逃亡之慮，此必爲鄉鄰親戚所竊笑矣。况濟寧本一都會，又有河標勝兵持戟帶甲，賊即南來，必向僻邑小縣兵單備寙之處，不敢窺此富强，自取滅亡。移家出城，意欲何爲？至於鄉閭百姓，又欲入城自保，此亦非計。田廬蓄聚俱在四鄉，一經移徙，即本處宵小從而生心，窺其户牖，奪其積聚。否則，要之半途，攫其財賄，此臨清之賊不至而自生荆棘者也。其爲不可，亦與城中欲出者相等。夫十室之邑，必有忠信。鄉民聚處一莊，即可各自防守。如館陶武生王建基率領鄉人殺賊，立授千總；臨清回民拒賊於禮拜寺，厚蒙嘉賞。如此之類，勇氣首推於一郡，義聲表著於四方，豈不可慕可敬？而顧甘爲東奔西竄、流移不定之民乎？夫大敵當前，尚賴衆志成城，況今并無一賊，何爲易惑難曉？如謂賊氛甚遠，不應預爲籌備，則大不然。自古居安思危，有備無患。今賊雖北向，安知不以前途阻截，退而南奔？或有零星竄走，不敢公然爲盜，因而昏夜肆竊者，亦不可不預爲警備。然則經營籌畫，該牧大有苦心。本道監司此地，勞苦憂患，均與爾百姓共之。其各敬聽箴誨，毋得無故相恐，妄生尤怨。凡屬紳士，亦當明白曉勸，上以輔助有司之不逮，下以綏安易動之人心，本道實重有厚望焉！

又《申明約束示》：照得壽張賊匪已被官兵殺戮殆盡，其勢已成瓦解，但望風奔竄、潛匿草間者尚多。濟寧當南北之衝，人烟凑密，士馬雄强，闔城紳士糾合民兵，保護鄉里，教門義勇亦復志切同仇，人人自奮，願爲先驅。此誠可見國家百年之教養，而亦山左風土醇厚、願忠者衆。本道側聞高義，深爲嘉尚。惟是兵以義起，亦須統馭有方。今與紳士公議，量推德望素重者爲之首領，各率所部人衆，晝夜防守，以衛閭閻。并於隣縣交界處所，各設探馬，一聞警急，視本道令箭所至，立即起程前往迎截。除教門義勇三百名自願盡數啓行，其東南、西南兩鄉各民兵三百名内抽撥一百二十名、北關民兵一百六十名内抽撥六十名，共成三百名，隨同前進，餘俱各分地界保護城厢。本道亦率標兵及本屬健勇出城接應，以壯聲援。至城内民兵，交濟寧州知州親督登陴。四城門除已撥兵把守，再添派文武員弁，各率勇壯，晝夜巡防。凡爾兵衆，常須謹備三日乾糧，無事則收貯待用，有事則携帶出城。匪賊遠來，不能持久，期以三日，無不成擒。濟寧四境，俱在三四十里之内，附近村莊有能執兵跟隨者，各將花名造送，事定分别獎勵。闔城紳士及教門武舉等現爲首領、册籍有名者，平時約束有方，臨事復奮勇出衆、擒斬盜賊、獲犯較多者，本道即據實申請，指名保奏，如館陶生員趙之枚、武生王建基之例。今以爾紳士人等嚮風慕義，爲國宣勞，本道仰沐聖恩，急圖報稱，敬順輿情，參以管見，有所未便，許爾紳士坦白直言，轉圜之聽，於是斯在。

《守禦之方》：一、白晝鋪户等照常開設，不得闗閉遷徙，揺惑人心。一、遇面生可疑之人，立即通知防汛兵役，加意盤查。一、各家門首多設盛水器具，常令滿貯，以防夜間失火，乘間被劫。一、多備火把、燈籠，以防暮夜之間猝有警急。各自燃點，照料門户。一、各製精鋭器械，晝夜防守，遇有警急，各自爲衛。一、民兵須常在要隘處所，不得四散游行，急切呼應不靈。一、紳士所轄民兵，每日各自查點，須令聞呼即至，毋聽遠離滋事，先爲民累。一、衆紳士各懷智略，捍禦有方，亦須與城中文武呼吸相通，有所籌畫，即行面商，毋照平居無事，金玉爾音。

《剿賊之方》：一、剿賊須多其部伍，以分賊勢。如我兵三百人，當分爲六處，每一首領各率兵五十人，聚爲一隊，相離各四五十步。賊就一處，則五處合擊。若其每隊分應則牽率之，使不得再合。我兵復以三百人分爲六隊助之，又以大兵呼噪接應，擒之必矣。一、各兵除執精鋭器械，遇賊奮擊外，仍各携帶繩索，以備擒縛生口。并各帶火把一個，以備燒賊輜重。一、出城之日，各備三日乾糧，或出而不遇賊，或遇而不接仗。每至夜間，仍須每五十人團結一處，相離一二十步，一隊有警，則五隊齊呼殺賊。如賊不來，仍分番潛出擾之，使晝夜不得安寧。賊自遠來，疲憊者多，以逸待勞，有何不獲？一、備黄布大旗二面，一書「招撫脅從」四字，一書「擒拿賊首」四字，竪立交界。遇釋仗歸命者，略問口供，押送進城。如係奸細，立即處斬。一、夜間人衆，莫辨真僞，日入之後，本道當以兩字下令，傳知各隊。昏夜相遇，此以上一字遥呼，彼即以下一字相應。如云「天地」二字，此云「天」，彼則應以「地」也。合者爲我兵，否即爲賊。一、用兵之術，神變無方，隨時下令，各有機宜。各紳士既懷忠悃，務須心志畫一，不得各出意見，違誤害事。以上各條與衆紳士和衷商定，自示之後，便爲金科玉律，各宜實力奉行。如有不遵約束者，亦當以三尺嚴繩其後。《前志·藝文》。

金鄉縣知縣吴堦《紀事略》：嘉慶十八年夏，余以縣令需次濟南，隨巡撫同在臨清催漕。六月二十三日，金鄉縣代行典史梁玉振具禀，縣南有匪徒夜聚晝散，形迹可疑。次日，又准張學使鵬展移咨，據金鄉教官禀同前由，撫軍一面飭司查辦，一面密委轅弁左壽寧赴金鄉密訪。七月初六日，夜漏三刻，撫軍召余坐密室，屏左右，手示訪單三紙，曰：「此左外委往金鄉訪得實在情形，事已如此，能不速辦？黄知縣非任事才，因案留省，現乏可用之員能辦此事，汝思誰可往者？」余舉二三人以對，撫軍意殊不然。次早，遣人謂余曰：「公意欲君往，君其勿辭。」余唯唯，撫軍忻然召余曰：「此事大有關係，非汝往不可。至彼察看情形，隨機應變，毋存化大爲小、化有爲無之見。到任半月，必須辦有眉目。在我入闈監臨以前，先禀慰也。」因發札二件，一委署金篆，一委拿匪徒。奉札後，因幕府案牘未了，擬遲數日成行。初十日，聞金鄉黄令在省暴卒，撫軍促余即行。十一日，發臨清。十三日，至省，謁兩司。十五日，由省起身。十八日，高吴橋途次，晤鉅野縣王明府，朝恩。云赴撫軍行轅請咨，撫軍告以金鄉查拿教匪，鉅邑毗連，恐有竄匿，令其回任協拿。次日，偕至濟寧，與本州王刺史旭昇相訂，恐金邑差役與匪通氣，則須州役緝捕，期五日後約會辦理。二十日，余抵任接印。二十一日，見邑紳原任河東道張觀察，體公。余舊識也。極言地方不靖，首惡崔士俊倡教惑衆，勢同燎原，不久必有奇變，本城紳士均擬避禍州城。又言七月初間，崔士俊在于城西茂林椎牛張宴，享客八日。縣役營兵盡往，不赴招者僅某某數人耳。是晚，左外委壽寧入見，撫軍委令隨余在外偵探作耳目者，具言近日各匪因先有委員張揚，俱已潛避，未易就獲。余于三日間雜出尋常告示第二紙，即列入「禁止誣告邪教」一條。二十二日晚，左弁謂余曰：「今日此示大有裨益，若輩放心，當即出頭矣。」又言匪人孫占標於本月二十七日，在李家閣請客。二十八日，朝考放官，其事甚確，余默計此二日間可以設法掩捕。二十三日點卯，令各班頭連環互保，又令各班頭役公保散役并無習教通教之人，擇誠樸者備爪牙之用。二十四日四鼓，忽據營員知會，有鉅野差役數十人，在于南鄉拏一教匪牛香而去，且在西關飯鋪出名单一紙，上列訪犯三十餘人。蓋鉅野縣機事未能慎密，以致差役越境鹵莽。余亟恐風聲一播，各匪仍即潛逃，難于措手。次早二十五日，密召東皂頭李爲，專辦崔士俊，民壯頭和明玉，快頭侯興全、胡士全分辦南路各匪，皆耳授密語，重示賞罰，并令各不聞。二十六日，獲匪人孫占標、張文明、揚玉錦、趙成元，并訪單未載之李樂成。二十七日，又獲李允魁、李允黨、李一祥、李振住、昌興周，而李爲用計鈎獲崔士俊到案，余不以邪教相詰詭，云：「有人在省控汝尋常事件，須解往一質當，亦不加刑具。」又獲李允和一名。二十八日，將十二人解州。又獲吕華客、楊靄行、李明魁、李照近、楊凝、楊麻六人，二十九日解州。是日，東鄉和風坊民劉題可、劉繼宗各首其子劉侒、劉伍入教同黨劉汝霖、高峻峰、周拴共五人差拘，并獲嚴訊，不承父兄隣佑証曰：「汝等日夜燒香念誦，不聽勸誡，口稱不久都是没頭的人，還來管我，非群謀不軌而何？」余乃加以刑訊，始據承稱教首崔士俊所傳「真空家鄉，無生父母」八字口訣，每早東向跪接太陽，誦二十七遍；午間南向跪太陽，誦五十四遍；晚間西向跪送太陽，誦八十一遍。入教者每人出根基錢，多少不等。出百文者，劫後給地一頃。本年八九月間，白陽大劫，刮黑風七晝夜，惟入教之人臨時各給「奉天開道」小白旗即可免禍，其餘遭劫，一概死亡等語。是日又獲宋大勇一名，崔士俊大徒弟也。八月初一日，余赴濟寧隨同本州提訊已解之十八人，均垂首閉目，謹認勸人爲善，避劫免禍而已。初三日，本州押解十八犯進省，余回縣，又獲周永康、徐孟林、孫得清三人，同劉侒等暨宋大勇共九犯，於八月初八日解省。先期初七日，接撫憲批禀，以獲犯妥速極加獎勵，并云：「即當專摺奏補金鄉，勉以剔掘根株，始終勿懈。」十八日獲解張淑標、褚貴全二名，并崔士俊之婿李敬修，崔士俊在省供扳王普仁、張懷亮、高毓藻等，奉文密拏，前後一并獲解。先據李敬修供出崔士俊之師朱成貴，曹縣扈家集人。朱成貴之師徐安幗，直隸人。徐安幗之師在河北，不知姓名。總頭在雲城，地方極北近京。又云：「雲城是總名，遠望是雲，近看是城，地方極爲寬廣，南至黃河，北至燕，東至東海，西至山，此中有數萬人，俱是同教。」又云「我丈人官號『天下都招討兵馬大元帥』，合縣皆知。人又稱我爲『後軍督府』，劫後將李鄉紳房子作我府地。」等語。刑房張自修密稟云：「城北十里鋪有周姓少年匪徒等數人，在飯鋪肆口狂言，語甚悖逆。」余命李爲密拘，旋將周廷林、周體清、周緒軒、周存保、翟興貴五人到案，皆偉壯桀驁，茹不吐實，加以嚴刑，始據承認周廷林引進，投呂華客爲師，教以練習武藝，臨時有用。所供輾轉傳教之師崔士俊、朱成貴，徐安幗，與李敬修供同，惟稱總教頭姓劉名林，住近京二三十里之内，素與太監來往。又供上邊傳下來的話爲「大令」，徐安幗傳下來的話爲「小令」。前有小令，本應八月中過劫，今改爲九月間了。余得此供，寢食不寧，二十三日手作密啓，馳告撫軍。二十四日，將五犯解省。先是，十六日訊得李敬修之供，即選差幹役焦燦給以文批，并致曹縣姚令密札，令焦燦先至扈家集，踩准朱成貴踪迹，再投曹縣文札，以便密拏。不料姚君國旃痰迷病久，見札不省，輒付劣幕發房，具稿遲之。又久，朱成貴聞信，得以遠颺。焦燦于二十九日回金，云：「奉批踩知朱成貴在家，二十日到曹縣投文，静候數日，并無舉動。直至二十六日，撫院差官到縣，姚本縣始同差官往拏，僅獲犯兄朱成珍一名。搜獲大白旗一面、小白旗一面，均有字迹。」余前後歷訊，犯供俱云「臨期給發白旗」，及聞此語，明知不久有變。自獲犯解省一月以來，案情愈辧愈大，惟撫軍一人尚不斥余爲非，然亦覺其稍甚。以下官僚則嫉妒而唾罵，非笑而訕謗者不知凡幾，即有二三知好，亦復遺書規勸，不宜過舉。余固知諸君皆守經之人，未可語猝然之變，而金鄉决難無事。既任守土，惟當早自擘畫，因赶緊編查保甲，頒發門牌，募選壯丁，操演備用，均于九月初一日爲始。適陰雨十日，地方寂無動静。初九日辰刻，忽有西葛村鄉民高光貴求見，具言：「向開染坊生理，有舊夥程明修昨日告稱，『初十日午後本縣將有大亂，四鄉殺戮，囑令小人將母妻搬往伊家避難。伊已得有白旗，可以免劫』等語。小人聞言驚駭，當以好言致謝，因先見告示，『凡有匪徒消息，概須禀官』，是以特來密禀。」余即加以奬慰，囑令竟將母妻搬住，如能探出實情，并取獲白旗呈驗，當重賞。一面簽差密拘程明修，并由六百里馳札知會鉅野、城武，一體防備。飯後，余偕幕客傒補縣丞史致謨假登高爲名，由北門登城周視，城堞圮缺過甚，默籌守陴之具，某處應設卡鋪、某處應即搶修，目規心計。至南門，日已向晚，囑史君再閲東面，余即下城詣張觀察，詢問外間近日情形。觀察云無所聞，惟近日衙門書役頗稱甚服本官，可爲父臺稱賀。余告以高光貴之語，觀察愕然，云：「此言不可不信，父臺計將安出？」余曰：「城中曉事紳士計百餘户，願君密語傳知，每户爲我預備一二人，執持器械，早晚有警，聽庫樓鳴鑼緊急，須各赴縣署助勢，余别有調度。」觀察唯諾，余歸署，已暮。點查班役并募丁，共有一百二十餘人，諭令三日之内各給飯食，晝夜毋離官署，一切公事暫停。檢閲官庫，得鳥槍八杆，殘舊刀數十件，分給各役，聊壯聲威。夜三鼓，余出署巡夜。三鼓四點，同衙撫軍委弁左壽寧并周武舉適至，告余云：「奉委查訪地方情形，定陶、曹縣一帶村莊，每夜常有數十人深更聚語，不解何事。適在單縣换馬，縣中告知接到本道六百里公文，直隸長垣縣初六日教匪殺官。又傳聞河南滑縣亦有戕官劫獄之事，尚未奉文。」等語。余乃益信高光貴之言不妄。四鼓再出巡夜，初十日黎明回署。未奉明文，不敢張皇閉城，派妥役二十人分路查街，曉諭居民，「凡有形迹可疑之人入城者，即行查報」，辰刻拘到一人。程明修嚴鞫至午，毫無確供，僅認投師入教，因令少休，給以飯食再訊。余亦飯畢，倦極假寐。幼子孝鉞踉蹌入告曰：「教匪多人持刀執旗反入大堂矣。」余愕然，急出查視，見多役擒執二人，白旗利刃，紛然高舉，勢甚凶悍。余急命斷兩賊脛骨訊問，一名趙廷三、一僧名清方，係東方教首周福蘭一股。又據巡役在北門拏獲蘇景海一名，即僧清方之弟，均共同教約會本日午後分起入城，至晚放火殺官、劫獄屠城，現在進來人尚不多。余急令四城閉門，傳紳士分段守城，而令典史及長子孝鏊沿街口諭，「凡城外人之在城者概令速出，否則查拏嚴究」。蓋因倉卒無備，寧使已入之匪縱令暫出，靖一時之患也。三賊之就擒也，實縣民柳甸華之功。柳在署前開鋪賣茶，舊亦曾充縣役，其族祖柳志學現充快頭。是日，三賊在鋪吃茶，甸華幼女年甫十二三，往來斟水，告其父曰：「彼三人者，衣領中似皆藏有械物，穿衣甚多，不審何故？」甸華審視甚疑，詣縣密告。柳志學糾衆往視，三人即分路各散，一入城隍廟，一入縣頭門，衆役近身盤詰，即卸衣拒捕，旗刀并現，遂以被擒，蘇景海則走至北門甫就獲也。余一面飛稟，一面知會鄰封各自戒嚴。是夕，守城燈燭不齊，以香燃火，雜置雉堞，聞衆匪之未入者數百人伏于城南張家墳，謀以深更潛入，遥見城頭火光，始各散去。十一日，料丁分垛，示諭鄉村各爲防禦。午刻，接城武札，初十日早間曹縣、定陶同時劫獄戕官，曹令姚君全家二十八口遭害。定陶以本任入簾，賀令德瀚代理，故僅以身殉，殺幕友數人。賊匪號稱數萬，現在蹂躪曹、定之間。余思金鄉賊匪本與曹賊通氣，設或全股東來，我邑最爲吃重。飛稟撫軍，乞兵守禦，一面會紳士于明倫堂議，分設守正、守副，堡長、垛長名目，派能事有識者充之。設臺站于四路，以通軍報。選幹丁爲細作，分探賊情。十二日，部署略定。十三日，余率紳士、軍民、書役集城隍廟誓神，不覺聲泪激越，衆皆號泣，應曰：「惟公命是聽！」因謀欲捍外寇，先清内患，凡城中之素行無賴及與匪通氣、衆所共知者，咸驅出城，聽其改過，事後歸復，于是城匪肅清。又出示各鄉，令小村莊并入大村莊，聽民各自團練，擒首從賊匪者，賞格有差，人心稍定。是日申刻，兖標守備蔣廷杰、千總張慶帶兵一百五十名到縣。十四日，河標參將齊國珍、守備孫魁一帶兵二百名到縣。本州發餉銀一千兩，并代募守城鄉勇三百名同來。余以守具粗完，不欲再用客丁，厚犒遣回。是日，奉文將趙廷三、僧清方、蘇景海正法梟示。十五日辰刻，余方坐堂訊賊，忽聞城頭鑼聲馳報，城南火起，有賊焚掠村莊。余亟登西樓，見城外自南而北，逃難百姓拖老挈幼，號哭狂奔，僉曰興隆一帶被焚矣。俄頃，探報賊匪數百人由葦子坑起事，李卓立、劉西祥、周全忠、趙伯當、吕華楝、吕華棠爲首，皆馳馬披紅，沿路焚裹。其時，齊參將、孫守備尚劄城外，余促令領兵迎賊。南行數里，不見賊而還，登城分汛協守。申刻，探報葦子坑、李家菜園、李家墓廟、李家小樓、李家閣、興隆集、史家廟、張家廟、張家小莊、張家大樓莊、陳家口十一處，均遭焚殺，裹脅男、婦約四百餘人。當晚勢必撲城，因益嚴守禦，奈處處殘缺，搶修不及，勢甚危急。官署、婦女各爲自經之具，誓以死殉。戌刻，河標游擊海凌阿以兵二百名至，蓋撫軍慮金鄉教黨仇余，恐不免爲姚、賀之續，特益以兵，俾壯捍衛。余慮本縣賊情既熾，若每日裹脅數百人，愈裹愈衆，且恐定、曹諸匪求合，則孤城必不能支。因决策必須以剿爲守，而參將齊君托言奉調守城，不肯出戰。海君至，余慷慨與言，海君奮然曰：「賊果烏合，誠易破耳。明日盡出騎兵，先以弓矢探賊，可擊則擊之。」余敬禮而謝曰：「君誠不愧爲滿人，願君以大義勸曉齊君，共立此功。」漏四下，海君報余，准于翌日同出擊賊。五鼓，探報賊衆次日鷄黍集早食，分投焚掠，閻場晚食，向晚攻城。是夜，賊知城守添兵，竟不敢來。十六日辰刻，探報焚掠田家口、陳家莊、孔家莊、李家莊、柳園莊、王家莊，余促官兵出城，啖以重賞。于是齊、海二將各帶馬兵五十，張千總帶馬兵十二，巳刻出西門，與賊接仗于閻場，守備孫君以鳥槍手百人出城接應。酉刻，官兵勝仗入城，斬首八級，馘耳十五，復奪獲騾馬器械并白旗多件。予爲將、備諸君置酒稱賀，犒每兵白金一兩。蓋賊衆不虞出剿之速，見官兵皆膽落，裹脅者鬨散，餘亦獐皇鼠竄。余以賊被創，謂官兵夜不復出，當晚必匿巢穴左近，急派幹捕李成三帶役五十名，益以四班二十人，面授機宜，分投掩捕。十七日巳刻，搜獲首賊周全忠、節方聚、周科、張瑩，又馘耳一人，閉口不言姓名，同先獲之程明修，共六賊，一并斬首。又獲朱猫、劉奇、賈爲、王鶴亭四人，各斷脛骨。又獲王文燦、蘇景周、趙啓兒、周騷狐、周大嘴、楊景升、魏廷棟、謝大舉八人，同事前就獲、審明入教之李啓鰲、張照遠、李芳、李元、李洪、李長春、魏朝棟七人，并挑脚筋。十八日，興隆集鄉民捆送賊匪周應甲、張西剛，鷄黍集鄉民捆送李貴擰、徐景雲、張起存、龐玉、節二和、李閨女、程兔，趙村約地捆送魏滿、焦三義、孟傳濤，又鄉民李景純捆首胞侄李孟元，以上十三人皆審明插旗持械、焚掠拒敵，確有證據，并斬首。其情罪較輕之杜法孟、張繼善、范六、趙來地、胡頂、白學、張士明、王有、柳其新九人，各斷脛骨。情節又輕之高文富、馬夫安、張永安、趙萬清、王拴五人，并挑脚筋。是日，本州發餉二十兩。十九日，西葛村、興隆集各鄉民捆送十六人，審明反賊楊岳觀、單留憨、張麻子、王賈、王東有、朱清山、王朝居、張倉、邱信、張玉林、張起雲、范文祥十二人，皆斬。情罪較輕之魏幅元、郭三、王興元、王興邦，各斷一腿。二十日，探報逸賊匿于鷄黍集以南，官兵出捕，獲賊朱賡士、郭安等，將郭安、孫三、高柱、張明、臧與甲、吕清峰六人斷腿，任百文、任二年、王升、張知德、李雲方五人挑筋。又獲東鄉賊首周福蘭，并赴濟南謀反之劉林富，二十一日審明，即與朱賡士、劉興珂四人同斬。又獲情罪較輕之胡文思、郝二孟、郝玉住、邢德安、龐德新、張超、張須、張行、江文標九人，各挑脚筋。二十二日，獲頭目趙伯當，并反賊孫來住、高玉柱、趙道、曹廣林一并斬首。范中和、劉鳳年、劉清吉、趙恒士、馬泰峰、楊升、石峰七人，挑筋。二十三日，獲賊耿明順，尋四田、任士珍、張秋兒，審明同斬。情罪較輕之張三科、李梅、胡奉祥、張闖、張長住、張成住、張士敬、張福、大張三、小張三、牛四、牛遂、張騾十三人，俱挑筋。二十四日，獲匪王鳳林、姜文炳、劉興懷、劉門兒，各挑筋。自十六日官兵勝仗，賊勢撲滅，余遍出告示，曉諭鄉民，急編牌甲，十日齊全。良民憤切同仇，紛紛縛獻，匪黨無所容身，有畏罪而闔户自經者。大局肅清，雖不免尚存伏莽，但使曹賊不東，本境可保無事。二十五日，探報豫賊占據滑城，上命直隸温制軍承惠爲總統，督重兵圍剿。又同撫軍督兵，于二十三日駐扎曹郡，刻期剿賊。二十六日得省信，知京師有匪賊攔入禁城之事，首逆爲林清，蓋即所謂劉林者。撫軍以先期密奏，奉旨優奬。是犯供太監交往之言，果亦不謬。余自初十日變起以來，調度守禦，審鞫賊匪，羽書、條教皆出手裁。早晚登城，日凡三四，目不交睫者十數晝夜，喉喑不復有聲，又腹疝患劇，自揣難支，激切稟請暫假，并乞替人。撫軍憐余不訛，二十七日批稟，委袁令潔接署。二十八日，斬馬泰峰、馬士美、趙清。挑筋二人，郝鳳祥、富經。申刻，袁令至，出撫軍手札勞余，并賜金二百，遣馬隊十人迎余赴大營養病，余即交印卸事。邑民聞余將去，城中士女羅跪大堂，闔廂及近郊百姓環叩城門，懇留共守。余不得已，婉稟撫軍，爲之暫留，力疾帮辦。凡余在任，斬戮叛賊共五十名，斷腿、挑筋次匪八十三名。事前解省之崔士俊等四十二犯，斬決十五人，絞決二十二人，監斃三人，監候發落二人，以上皆由省辦理。余交卸後，袁任正法辦理諸匪，不再開録。三十日，戴河帥均元過金鄉，具言京師叛逆之事，邑中紳士、鄉民連名具牒，赴河帥乞保留余。河帥慰勞，許以轉告撫軍。酉刻，探報運司劉清、參將馬建紀。二十七日各帶兵勇，在定陶、方山與賊連接三仗，大獲全勝。守備劉大用以二百人殲賊于賈家樓，焚殺甚衆。二十八日，劉、馬二公克復定陶，聞之以手加額。十月初一日，偕袁君集紳士于城隍廟，議設守城公局，聽紳士自行經理，各捐資爲持久計。初二日，沂州福協鎮帶兵由魚臺赴定陶，宿西關。初三日，劉都轉清手書，告三十日韓家大廟之捷。初五日，邑紳李庭禧官東城正指揮，專足寄到家書，叙述大内之變甚詳。初六日，恭讀御製《遇變罪己詔》，仰見聖明至德，曠古所無，臣下皆當愧死。是晚，得初四日扈家集捷報，劉、馬二公聚賊而殲，焚戮匪黨數千，于是東賊略盡。頭目之漏網者，咸歸滑縣，餘皆星散逃死。十一日得信，撫軍奏捷叙功，以余事前獲匪，首發逆謀，後又剿賊守城，稱爲「忠誠能事」，請升曹州府桃源同知。連日知會守將，分兵赴鄉巡哨，境内寧貼，惟滑賊未破，不能解嚴。十五日，諭邑紳張中丞誠基勸捐守城公費，有寡婦周戴氏者富有田産，自願捐良田二頃，典錢一千七百緡，助守城費，余亟獎勵之。十七日四鼓，接撫軍六百里飛飭，奉到諭旨：「吴堦准其升授桃源同知，欽此。」二十二日，眷屬赴濟寧暫寓。時縣境愈寧，余病亦少瘥，擇期須赴新任。二十三日，紳士數十人至署攀留。二十四日，赴守城局，檢閲捐簿，已得萬餘金，計可支守禦、善後四五月之費。午後，城關百姓三百餘人羅跪大堂，涕泣留余。先是，余以客兵不能久駐，而城汛守兵僅十八名，亂後不足以資内衛，勸諭在城紳士分四門各出子弟兵五十人，隊長各六人，草草團練，旬日共得二百二十四人，製備旗幟、器械。二十五日，余與袁君演閲，教以行列止齊、金鼓進退，居然一旅之師。議以守兵撤後，五日一操演，間日一登城，周巡城堞，用壯聲威。從此有餉、有兵，善後規模略具。二十六日，在城婦稚二百餘人，羅拜大堂，求見乞留，群慟失聲，余亦爲之感涕，好言慰勞，告以「東賊已盡，善後具備，爾等從此安枕，可以永享太平。我奉命改官，去留不能自主」，乃各怏悒而散。是晚，生員李九標偕委員在曹縣孫家老屋地方，拿獲大賊首李卓立，并賊屬男婦老幼共四十七人。余與袁君徹夜訊鞫，因係金鄉首惡，會稟請示辦理。二十八日辰刻，余起身赴曹州，自署前以至郭外，士民遮道餞余，塡衢塞路，洒泪嗚咽。余亦不勝傷感，勉爲各飲半觴，乃至大醉。自到任受事，至此凡九十七日。是役也，事前諮訪得實者，張觀察體公；幕中設議行事者，史縣丞致謨；書役中得力者，刑房張自修、東皂頭李爲爲最；守城共事官僚則侯補縣丞史致模、教諭王元培、訓導梁輝生、典史魯鏞、署典史梁玉振、把總趙自振、協守紳士若干人、捐資紳士商民若干人，姓名各附于後。十二月初十日，大兵克復滑城，豫賊肅清，東省撤防，同撫軍奏叙軍功，余保守將海游擊爲金鄉戰功第一，奉旨賞戴花翎。蓋閻場之勝雖小，而關係極大，設是日不出，則賊匪日裹日衆，更無剿理，勞師糜餉，金邑又將設立大營，幸而一戰撲滅，非海君一人勇敢，不及此。其次，千總張慶恩賞藍翎，本邑紳士議叙有差。

《保甲示》：

一、先造牌甲册籍，縣境四鄉五十四方，共計一千三百二十三莊。每莊給與牌甲册一本，定於九月初一日交約地，散給各莊。令莊長同一能寫字人逐户填就，户各行業人數，限十日内交約地呈縣。

一、次給十家總牌并門牌，總册俟前項牌册彙齊後，即接十户編爲一牌，牌書十户姓名。諭以互相稽察，有犯連坐之法。令十户公置高脚木牌一面，粘貼輪日，竪立各家門首。再發烟户總册，仍令莊長逐户詳開男女名氏，限二十日交呈。

一、次給各户門牌，俟總册彙齊，即照册每户給一門牌，將本户各家男女詳開名氏、年貌，發給該户，各自裱糊於木板之上，懸挂門首，聽候本縣挨查。

一、十家牌既設之後，概以十牌爲一甲，設一甲長管理合甲之事，仍統之以方。十甲爲一保，設一保正，仍系之以社。書爲某某社、保某某、方第幾甲，以便查考。

一、甲長必選誠實能幹之人，保正必舉品端望重之人。每牌十家中有爲匪之人、不法之事，牌長告之甲長，甲長告之保正，視其事之輕重，酌量報官辦理。倘有徇庇，分別責處。

一、門牌册每一年查明改正一次，人數、田地有增減，行業有更改，其事責成里長、保正，其費仍出之於官。每三年册内查改既多，須换造新册一次。保正充至三年，稱職者詳請上司優給頂戴，甲長稱職者優免差徭，以示奬勵。

一、城關牌甲册每一街巷各給一本，先行造報，仍照四鄉十家爲一牌，十牌爲一甲，城關統爲一保，以歸簡易。

以上各條，本縣鋭意舉行，刻期收效。册籍紙張不及千金之費，本縣盡出己資，不用一書一役，下鄉擾累約地，亦不許藉端需索分文，察出杖斃，各宜凛遵。

《招募官丁示》：爲招募官丁以資訓練事。照得本縣額設民壯差事繁多，不敷操演，經本縣面諭四班頭役，各保誠實少壯十人，名爲義勇，官丁共四十名，兹定於九月初一日，開操演技。所有規條合行明示：

一、此項官丁仍分四班學習，每班雇募教師一名，按月給以工食銀三兩，一個月教成。

一、所習技藝拳脚：第一長槍，第二雜技、鳥槍、刀棍之類，第三但能拳脚、長槍，練熟即爲成就。

一、自九月初一日起，逐日操練。每日每丁給以飯食錢五十文，教師二百文。該班頭役按五日一次具領給發。

一、每五日操演一次，四班互較優劣。每十日本縣親閲一次，考其學習勤惰、技藝生熟，分别賞罰。

一、限一個月練成之後，造一官丁總册。每年每名捐給工食銀六兩，仍分四班，一月一班，輪流在縣上宿。

一、上班十人日間聽候差遣，晚間上宿防夜。每日每丁給發飯食錢五十文，并另給上班衣帽。

一、此項官丁照依營兵之例，凡有紅白家事，官爲賞恤，以示優勵。

一、此項官丁既名義勇，凡入選之人須禀三氣：一曰正氣，二曰義氣，三曰和氣。本縣面爲訓解，訓先於練，各丁均須熟習。

一、操演五禁：一不許笑，二不許多言，三不許争吵，四不許後到先散，五不許任意坐卧。

一、不遵教演者，教師同班頭隨時禀逐。不用心學習者，隨時禀責，不可寬貸。

一、應備槍杆四十杆，逐日演用。應備號帽四十頂、號褂四十件，官閲之期穿戴，常時貯庫。

一、查縣境向有義和拳名目，係奉嚴禁。今本縣莅任，重在肅清教黨，稍寬義和拳以自新之路，但須革除舊習，痛改前非，方能自保身命。如有拳勇出衆者，不妨投充官丁，來者不拒。與其作匪類之義和，何如作官丁之義勇？本縣甚願血氣少年，俱各改邪歸正，將使有勇知方，奉公事上，有厚望焉。

一、小村莊人家如遇警恐，先期搬入附近大村莊，將糧食、家口一并載往，聚集人衆，即可准備。如願搬入城者，每户各製一木牌，長八寸、寬六寸，有柄，上寫明家口、人數，先期報縣，烙印以便臨時照驗放入，無牌者不准入城。

一、係匪徒烏合之衆，并非真有武藝，但恃其人多，蜂擁聲喊，使人驚恐，我們若懼怕避他，便上他當了。今每一大村莊，聚人既多，大凡男人六十歲以下、十六歲以上，皆可手執器械。賊喊，我亦喊；賊上前來，我亦上前去，本事總是一般。賊见我不怕他就自然退去，所謂邪不勝正。况有官兵、丁役隨處接應，村野安如泰山，切切不可驚惶，自行亂擾。以上二條，鄉莊百姓切記切記！聽我之言，雖危必安。本縣乃爾等之父母官，爾等之身家性命即本縣之身家性命，决不誑爾也。

一、關外人家如果驚慌，只須將婦女老幼預先在城内找下安身之處，將糧食、細軟帶進城中，其餘男丁六十以下、十六歲以上者，照常安業。

一、關外男丁，本縣逐户開入牌甲册籍。果有驚變，人人各執器械一件，西關不下千户，總有二千餘人，排列大路口，迎禦賊匪。加以官兵壯丁，聲勢既壯，賊斷不敢前來，切切不須驚恐。

示諭在城小户居民人等知悉，照得守城一事係各保身家性命，爾等雖係小家，亦有性命。上城守護，乃分内之事，各應自備飯食。倘至十分危急之時，一刻不能移動，家中無人送飯，然後酌令堡長代做飯食，此本縣格外之恩也。若守城牌夫概想優給飯食，則教匪滋事，轉爲爾等吃飯地步，此事斷不可行，此風亦斷不可長，合亟嚴示。自示之後，爾等實在無業貧民，既不能糊口，即不能守城，聽爾等搬出城外，各自營生。若安住城中，不肯守城者，朝廷法令一定難以容恕。俟本縣挨户嚴查，注册辦理，各宜凛遵。

《守城示》：守城與行兵一般，賊來緊急之時，如敢違令者，軍法從事。平時有犯，亦必責打。今將號令開後：

一、賊匪現在未來，每天日平西時，聽城上擂鼓一通、鳴鑼一周爲號，必須上城，各安汛地立定。

一、賊匪近城，若在五六十里間，便須晝夜在城，准其相近二人輪流暫歇。

一、緊急之際，不許寸步移動，不許回頭看視，不許多發一言，兩眼只朝外看，倘敢作驚慌聲惑亂人心者，重責；因而失機者，斬。

一、緊急之際，各人家中備飯送吃，大小便俱在本處，自己隨手收拾。

一、每日四五更最關緊急，更要小心。

一、每遇風雨雪夜，更要小心。每二人酌備席片一張遮蓋，堡長製備。

一、每夜梆聲不許間斷，但人聲必須悄静，方能聽城外賊踪。城樓每更轉點時，只准喊一聲「大家小心」，挨次接聲，餘時不許妄出一聲。

一、城各垛口俱自帶碎石亂磚，以便打賊。

一、守城各丁總要想此事乃各保身家性命之事，是爲自己，不是爲别人受辛苦。其有實在貧苦少吃者，堡長、守副、各紳士自能隨時周恤。

一、本縣乃守城之主，凡有號令，必須隨時遵照。守正、副轉告堡長，堡長轉告垛長，垛長轉告各丁，若有密令，必須耳語，不許錯誤。

《團練示》：

一、四門每門爲一隊，約以五十六人爲足額，多則綴之於什尾。隊長一人，執大旗領之。什長五人，各執小旗，旗分四色：南紅鑲白邊，北緑、東藍、西白，俱鑲紅邊。每隊大旗一面，小旗十面。

一、每丁各備長槍一杆，隨身短器聽便。

一、行次：南隊第一，北隊第二，東隊第三，西隊第四。

一、十日一點卯，五日一會操。點操之日，俱聽縣署庫樓上鳴鑼爲號，鑼鳴二次齊集頭門内。如遇警急，一聞鳴鑼即集。

一、點卯之期，止須高聲應名，不許行禮，所謂「介冑之士，不亂行列」。

東城協守紳士：職員蘇國翰、周雲峰、周墫、李松筠、張際瀛，生員馬國士、李應箕、張懷珍，監生周雲坪、李爲綽、張際均、周華雲、吴蘭若、吴芝昇，童生周韞錦。南城協守紳士：職員張起峰、張錦峰、張華年，生員王登雲、周衡雲，武生李長清、康蔚斌、周峨雲，監生李逢甲、李華年，童生張華峰、張象峰、張文峰。西城協守紳士：舉人尋騰鳳，優貢教習李庭業，職員李貞泰、李敬吉、李蘭芳、李鉅庭，生員尋衍棻、李湘、李泰雲、尚沅、李庭萊、周自明、尋衍林、李逢英、尋衍采、尋騰鶴、尋衍樽，武生周雲錦，監生李修翎、高敬修、李頡雲、李廉祥、白珩，童生李朝瑗、蘇韞、蘇登甲、李培業、李培松、李筠圖、李芳田、尋騰麟、尋延長、周長齡、李震源、李長策、周運泰、李書長、李鳴桂、尚箎徵。北城協守紳士：職員周嘉猷、袁庭緗、周嘉模，貢生周玉峰，生員周秉鈞、孫河、周維綸、李玉墀，監生周之恪、周之魯，童生張振矩、孫松齡、朱仲執、高鳳苞、周敦虞、孫清漣、孫茂林、張珝、張璧、周嘉紱、楊青雲、周維懋、孫掄樞、周應禮、孫桂森、周焕錦。管理公局紳士：舉人尋方瀚，貢生尚興渭、尋方深，生員高天瑾、康肇基，童生周翔龍。

團練城丁紳士：領旗武舉李萬清等四人，什長武生周泰清，監生李春田，童生李鵬摶、監生蘇景清等十三人。管理卡房紳士：貢生張廣居，州同職銜李如時，監生王琳璨、霍士炘。以上皆奉旨獎叙有差。首報逆謀士民：

生員李來陽、李九標、李位思，鄉民高光貴。

生員李九標、李來陽夏間曾赴學，出首匪徒，又密告訪事左弁，以致賊匪銜恨。李家菜園李姓亦爲首公呈之人，全家七口被害。焚李九標房屋，劈棺毁尸，受禍最慘。奉旨賞給舉人，一體會試。縣民高光貴赴縣密告急變，始知有程明修初十日大亂之語，因而設備，次日擒獲僧清方等，得保全城，皆該民之力也。奉旨賞八品軍功職銜。縣民柳甸華開茶鋪，幼女見逆匪蘇景海等三人衣領藏有刀械，以告甸華，因而糾衆追捕，擒獲城中。紳士各家田宅，教匪已早約事成瓜分，若非高光貴等先爲密首，即格鬥亦難保全，合城齏粉矣。公局提二百金代買一宅與高光貴入城居住，官賞百金。又賞柳甸華之女五十金。民婦周戴氏倡捐上地二頃，典錢入守城公局。紳士劉燦若捐錢六百餘千，徐啓縉、張慰祖、張鎮峰、李傳瑛、白珩、周佩錦、張盛客、李安聚、申鑒溪、李汝沛、殷大輈、孫信源、張貴榮、康宗緒、張廣居、霍士炘、張坤西、馬廷梁、周殿鰲、李學奇、周敦庸、張錦峰等皆捐資三四百千至一百千者，并書之。

濟寧河標帶兵官弁：海凌阿、齊國珍、田英魁、徐貫一、馬福信、楊英魁、孫魁一、李金城、吴尚德、艾龍彪、米大勇、馬兆簡、張志善、李振、李鳳來、程國寧、孟東珍。

州牧徐宗幹《查辦捻匪議》：

一、請將三縣營汛撥歸河標也。捻匪勢衆，必須兼用弁兵。三縣偶有稟報要案，各該縣汛兵無多，尚有留護倉庫、監獄及解犯、轉餉等差，有事須會營督辦，或應移會隣汛協捕，方不至抗拒，另滋事端。而金鄉、嘉祥營屬兖鎮，魚臺營屬曹鎮，遇有查辦事件，關會各該管營員，緩不濟急。卷查吴前任請撥兵協捕，各犯聞風逃散，一無就獲。日前，魚臺縣申報汛兵，被匪拒傷，及知會曹鎮營員，而犯已遠颺。非兼用本州同城河營弁兵，不能迅速掩捕。惟河標城守營弁兵未奉明文，不敢擅離汛地。河憲駐工日多，具稟批回，亦須時日，較各府守營可以立時移調者不同，辦理實多窒礙。應請將三縣分防兵丁撥歸河標城守管轄，遇有結夥捻匪，即可就近會營，馳往查辦。河標守營本係操防營，所有官員、弁兵止須調換營頭，於舊制并無損益。倘因營制未便更張，或遇有要案，准其一面稟報，一面調撥協捕，不必守候行知始行，出汛亦可得力也。

一、請責成各衛弁實力稽查也。濟寧、臨清兩衛，屯莊分寄於兖、曹、濟各屬，又在各州縣交界處居多。雖緝捕責在地方，而鄉約、保正皆衛署人役，呼應不能應手，是以窩留匪類，難以破獲。如曹屬之扈官屯、于官屯等莊，前經訪明窩家往拏，已聞信逃竄，是其明證。查疏、防處分係地方文、武之責，與衛備無涉。各衛保甲向係隨同地方稽查，而各處分列寄莊耳目，本難周遍。濟、臨兩衛，近在同城，現已移會該備抽查户口，并擬與各屬會銜出示，飭各地鄰遇有匪徒，隨時首告，給以重賞，違則連坐。并由衛差催糧之便，隨時查訪。在各屯民亦非盡知情容留，實因畏其凶悍，慮及劫殺放火，不敢結仇。如地方官隨訪隨拏，官民一體，自可群起而攻，匪徒無托足之所矣。再，衛弁不管地方一切公事，而緝捕一項本武職專司，應令兼任其責。兖、濟沿河一帶，設各捻匪與游帮匪徒勾結，更易滋事。各衛弁於所管屯莊内，獲犯有功，失察有過，應明定章程，以昭懲勸。

一、各縣壯丁應請酌籌經費也。各州縣額設民壯原有工食可支，但衣幟、器械、火葯、鉛丸。平日演習有犒賞，臨時調用有飯食。設有應辦事件，額設之數總不敷用，須於別班調撥，或招募地方健壯丁民，非優給錢文不能望其奮勇。該役等護解人犯、餉、硝以及防守監倉等差，支銷工食，而率領辦案必須另籌經費。州縣瘠苦居多，雖疊奉檄行，實力操演，然仍恐有名無實。非州縣之敢於泄視也，苦費用無出耳。即值大閲之期，雖旗幟鮮明、器械犀利，恐亦一時照耀耳目，難保不彼此借用，或以兵丁代爲操演。如奉調派，仍不過此數名窮役而已。此係實在情形，不敢壅於上聞。近來每遇緝辦重案，因河營兵丁不能出汛，各壯役未能敷用，隨時招募别無過犯之革退兵丁，及各營餘丁。考糧未准者，令其隨同前往，如出力再送營挑考。至操演民壯之期，考課武生步箭，城鄉年壯子弟習武者，亦准演看，分别獎賞。不願當差者，仍令歸農，遇有應辦事件，隨時調集。然繁庶地方行之較易，而各縣難以照辦，應請另籌經費，或於緝捕經費行息項下酌撥飭發，或由各州縣自行酌議籌款撥用，禀詳存案。俾壯丁得贍其身家，而知方先使有勇，州縣不慮及賠累，

而治賊不患無才也。

一、請專派委員督辦也。查各捻匪窩留此縣，擾害彼縣；窩留外省，竊劫本省。頃刻出境，及會捕而遠揚已久。且各州縣捕役其能事者，若駕馭得法，則爲賊者皆捕賊；其無能者，如豢養知恩，則不能捕賊，亦不敢爲賊。否則，百弊叢生，有所謂「死門子者不與賊通也」，有所謂「活門子者與賊通者也」。不與賊通者，賊勢過衆，則捕已先遁矣。與賊通者，兵役未到，則捕已送信矣。有此邑之捻匪而藏身於彼邑之捕班者；有本境之捕役而暗爲彼處之捻匪者；有與捕役交通，不害本境，捕役亦樂於徇隱者；有因鄰境緝拿嚴緊，挾嫌故囑捻匪擾害者；有因本官比責過嚴，逃入隣境捻匪黨内，以爲害本境者；有此處捕役與彼處捕役不睦，互囑捻匪竊劫，以相報復者，或本係一夥，互相縱容交易而退者；有捕役受比不過，或希冀重賞，向捻頭婉商交出一二，裹脅小竊之人以搪塞者；有捻頭圖得重利，設計誘出夥黨，令捕役截拿而朋分賞項者；有捻匪被捕役買出作眼卒，至被捻匪殺害者。所傷者捕也，實賊也；有被兵役追捕，而膽敢持械拒傷，甚且携帶鳥銃傷人者。傷人者賊也，實則捕也。賊之種種爲害，捕賊之種種爲難，

皆由於各州縣此疆彼界，不能無分畛域。而地方應辦公事甚多，勢不能合數州縣常常親身會拏，且不能數州縣會拏。而風聲一無泄漏，往往車馬未出城，而賊窩已空。州縣恐激成事端，立干參撤，難保不以無事爲安，因噎廢食。蓋人少則勢不敵，而凶惡性成，轉致政體有損；人多則機不密，而良民雜處，難以玉石俱焚。該匪徒之肆無忌憚，皆由於此。應請於丞倅州縣候補者遴委强幹能事者一員，并於候補參游以上酌派一員於曹、濟等屬周歷巡行，不拘何州縣人役、不拘何營弁兵，均准其隨時知會調用。賊匪愍不畏死，而兵役不敢遽行殲斃，應將「拒捕，格殺勿論」之例明白曉諭。

一、有捻匪踪迹，密速飛調，聲東擊西，不但不用捕役跟拏，并州縣署中一切人等均不令其知曉。設使聞風走遁，可以一路往追，無分疆域。或竟抗拒逞凶，可以就近駐扎，設法擒拏。所有委員薪米及兵役飯食等項，請於緝捕生息項内發給，委員自行支用，不用州縣應付。俟查辦一二起，地方安静，即行撤退。如緝獲重犯多名，并請優加獎拔，以爲激勸。再，審辦積匪往往輾轉關查，動多牽制，獲犯應由所在州縣解省究辦。如係結捻匪徒，即循照山東沂、曹三府拽刀手滋事之例，一律問擬。俟盗風稍息，仍歸舊例。如此辦理，似近張皇，然綿綿不絶，將尋斧柯。沿河之區，水手易於結夥；歉收之境，饑民必致脅從。且邪教即已盡除，恐奸宄難期悉化，防患初萌，奏效易而保全多也。

又《調兵考糧議》：濟屬河標弁兵，當大帥駐工之時，赴行轅考缺，祇候親閲。各兵貧乏之者居多，餘丁與考者未能必得，往返徒勞。現届整頓軍務，自不容稍有冒濫，而下情實在爲難，亦不可不以上達，可否由該營將官或委中軍先行考定某缺、某人，申報後再由工次調驗？即不必餘丁同行，在得缺者自不以跋涉爲苦。或俟回轅覆閲，如有不符，仍行革換。該將官予以應得處分，綜核嚴明，而優加體恤，則人皆挾纊矣。竊思地方微員，何敢越瀆？但有所見聞，不敢默爾而息。當此多事之秋、用人之際，得其心而後可得其力也。

○驛遞

《前志》云：「明制，凡郵傳送迎及舟車、夫馬、廩糧、庖饌、裀帳之供，皆驛丞主之。凡遞送糧物、囚徒，有遞運所大使、副使主之。州當水陸之會，郵政爲最繁，故并設焉。而衝僻之勢，今昔不同；驛遞之設，亦漸裁減。茲詳述其因革之由，以備掌故。至于站地、馬種之征，雖歸正賦，亦當時得失之林也。」今悉依原本而删其舊制之繁冗焉。

南城本水驛 明洪武五年建，舊設驛丞在壩口南河之西。明時設馬及驢，國朝順治初僅設馬一匹，其後亦裁，分里甲馬以屬之。歷年以來，又覆酌減。乾隆七年，汰驛丞，以驛屬州，合而爲一，然猶存南城驛馬之名。

走遞馬一十八匹 草料連閏銀三百三十四兩。**馬夫四名** 工食連閏銀四十九兩六錢。**鞍屜、棚廠、槽鍘等** 銀二十兩四錢六分六厘。**裁留水夫一百六十一名** 工食連閏銀一千六百六十三兩四錢六分八厘有奇。**水夫二百三十名。** 工食銀二千三百七十兩三錢八分三厘。內裁去六十九名，餘存留水夫工食銀，以備臨時雇役。又舊有庫子、館夫，今無。

乾隆三十五年正月，知州胡德琳謹呈：南城水驛原額水夫二百三十名，共工食銀二千三百七十六兩三錢八分三厘。雍正十一年，奉文減夫六十九名，工食銀七百一十二兩九錢一分五厘。所減銀兩，應付差務、船價及額外雇夫動用，餘剩批解。現在水夫一百六十一名，共工食銀一千六百六十三兩四錢六分八厘。乾隆二十四年，准太僕寺少卿范條奏：水站夫役原爲應付差使而設，運河皆於十月煞壩興挑，次年二月初開壩鋪水行船，計四月之久，既無差船往來，水驛錢糧盡屬虛設，請行裁減以歸實用。嗣經撫臣奏：東省沿河各役額設水夫，向例長養在驛，按季給發工食，并非計日零給。該夫役均係附近無業窮民，每名每日僅支工食二分七厘，本不敷用。因長年給與工食，伊等閑空即在河干尋趁，添湊糊口，是以長養在驛，從不走散，遇有差使，即可隨時應付。若以煞壩之期，即將各驛工食裁減，此等窮役不能枵腹，勢必四散，各自謀生。一遇開壩之時，另行募充，一時驟難齊集。倘有要差臨境，必致貽誤。且定例東省煞壩之期以十一月爲始，開壩以南漕船隻頂臺莊爲准，并非十月煞壩、二月開壩。覆奏，奉旨：俞允著照所請行。文案。《前志》。舊有城東、康莊二驛，蓋明初南北大道由鄒至濟、由濟至汶，不經府城故也。其後路多東出，故濟寧馬驛俱裁，乃於南北水驛設馬二十二匹、驢二十六頭，馬有正、副，驢以馬易。隆慶四年，議者以濟爲水路之衝，將馬裁革，以致陸行者深稱未便，旋復馬一十四匹、驢九頭，馬仍正、副，驛仍買馬。比舊減一十三匹，走遞不敷。後本府通判包大燿議將驢量增一十三頭，易馬一十三匹，查取泰安、壽光等州縣原編驢工食銀每頭二十四兩，解赴本州發驛，以復原額之舊。《兖志》。

里甲走遞馬三十二匹草料連閏銀五百九十五兩二錢。馬夫十八名半工食連閏銀二百二十九兩四錢。抄馬牌子、工食連閏銀二十四兩八錢。行差白夫八十名工食連閏銀九百九十二兩。鞍屉、棚鍘等銀三十六兩三錢八分四厘。供廩。銀二百七十三兩五錢。○按，里爲里長，甲爲甲首，前代費出民間故耳。今則支銷正賦，而猶沿其名。然其馬謂之長生馬，有倒斃者，官自買補，不與驛馬同。《前志》。○里甲夫馬，歷年裁減，考康熙十三年裁里甲馬十匹、馬夫五名，共工食草料銀四百三十四兩，歸并沂州編徵支給；李家莊驛十四年裁里甲草料減半，銀一千一百十六兩；供廩銀，五百四十七兩；里甲馬夫五名，工食銀六十二兩；中伙減半，銀二百二十五兩，俱歸丁地起運。又裁青夫八十名，銀六百六十一兩三錢三分有奇；館庫十名，銀四百六十兩；館夫二名，銀十八兩。十五年，又裁白夫二百二十名，工食連閏銀二千七百二十八兩；南城驛水夫四十六名半，工食銀四百八十一兩七分九厘有奇；裁驛馬草料減半，銀四百二十七兩八錢；又裁中伙減半，銀二百二十五兩，歸于地丁。二十年，里甲草料及馬夫工食及供廩及青夫、南城驛草料及水夫、館庫夫皆准復一半。雍正三年，裁撥馬牌子三名，工食連閏銀三十七兩二錢；水夫九十三名二分半，工食銀九百六十三兩五錢七分六厘有奇；中伙銀一百二十八兩二分九厘有奇。又雍正五年，裁館夫二名，工食銀十八兩。六年，裁白夫三十名，工食連閏銀三百七十二兩；又裁里甲馬二十三匹，草料連閏銀六百四十一兩七錢；馬夫十一名半，工食連閏銀一百四十二兩六錢；又裁青夫四十名，工食連閏銀三百三十兩六錢六分有奇；又裁館庫五名，工食銀二百三十兩；又裁中伙銀四十八兩五錢八分五厘，歸起運。雍正十一年，裁水夫六十九名，工食連閏銀七百一十二兩九錢一分五厘。所減銀除額外雇夫并巡漕船隻動用，餘剩批解。十二年，又裁里甲馬匹草料，連閏銀三百四十四兩一錢，鞍屜、棚廠、槽鍘等，照河例每馬一年支銀一兩一錢三分七厘，裁銀五兩七錢九分三厘有奇；裁南城驛馬匹草料連閏銀二百一十三兩九錢，鞍屜等銀三兩一錢四分九厘有奇，歸起運。乾隆二十四年，減里甲馬五匹、馬夫二名半，減南城水驛馬五匹、馬夫二名半，裁馬夫工料等歸起運，銀二百五十九兩三錢七分。《前志》。

康莊驛 《方輿紀要》云：「在城西北五十里。」《前志》云：「城東驛，在城東泗水橋西。與康莊并置，二驛今俱廢。城東驛，舊志曰：『東關馬驛。泗水橋，亦曰馬驛橋。』」又魯橋驛、穀亭驛、南城驛、河橋驛，皆爲遞運所。河橋驛舊設水夫四十八名，今屬魚臺。又《前志》詳列站地舊制，今不書。

金鄉 里甲夫馬等項，馬三匹草料銀五十五兩八錢。驢一頭草料銀九兩三錢。馬夫二名半工食銀三十一兩。白夫五名工食銀六十二兩。鞍屜、棚槽等銀三兩九錢七分。

嘉祥 里甲夫馬等項銀三百二十兩二錢六分，除裁減外。馬七匹草料銀一百三十兩。驢一頭草料銀九兩三錢。馬夫四名工食銀五十五兩八錢。鞍屜、棚槽等銀八兩五錢二分。白夫五名半工食銀六十八兩二錢。

魚臺河橋水驛在舊縣東三十里，北至本州城南水驛四十里，南至兗州府嶧縣萬家莊水驛四十里。本驛水夫二百三十名工食銀二千三百七十四兩八錢八分。供應中伙廩糧支銷銀四十八兩三錢八分。舊設沙河、魯橋二水驛，明嘉靖四十五年并爲河橋驛，移於穀亭鎮。適中，北至濟寧州，南至沛縣，俱九十里。又將沙河遞運所亦歸并爲穀亭遞運所。隆慶五年，運河挑成，復將驛地改設南陽，仍名河橋驛，濟寧、穀亭遞運所俱裁。舊編水夫分配各水驛，乃魯橋、沙河及穀亭遞運所并而爲一也。《前志》。里甲夫馬等項原銀四百一十七兩七分，除裁減外。馬五匹草料銀九十三兩。驢二頭草料銀一十八兩六錢。馬夫四名工食銀四十九兩六錢。鞍屜、棚槽等項銀六兩八錢二分。白夫一十五名工食銀八十六兩。

附

馬政《兗志》云：明洪武初年，令民户養馬。久之，設群牧監養馬。二十八年，裁革監苑，令有司提調孳牧。永樂初年，設太僕寺寺丞十二員，分駐外郡，分管種馬。府置通判一員，州置判官，縣置丞或薄各一員，衛指揮所千户或百户各一員，皆專主馬政。宣德四年，令山東濟南、兗州、東昌三府領養孳生馬，每五丁養騍馬一匹，三丁買兒馬一匹，不免糧草，山東之民自是始困。成化六年，奏定兩京太僕寺種馬額數共十二萬五千匹，每二年照例納駒，更不搭配，於内揀選備用及補種馬之闕，其餘賣銀貯庫，遇備不數，量支買補。北直隸七府免糧養馬，每地五十畝領兒馬一匹。山東省濟、兗、東三府計丁養馬，每五丁領兒馬一匹，十丁領騍馬一匹，丁差、田糧俱不得免。嘉靖二十一年，沂、費、郯、滕州縣旱澇、蝗蟲爲災，將備用馬匹改徵折色，每匹徵銀二十四兩。行之九年，民困稍蘇。四十二年，將兗州府所屬州縣全改折色，東人稍蒙其惠。國朝順治元年，更令改折，每匹折色二十四兩，本色二十五兩。其改折價銀，州、縣、衛、所照前明萬曆年丁地原額派徵，解京充餉。二年，不論本、折，每匹徵銀三十兩，遂爲例。五年，以前各項錢糧總歸户部。六年以後，仍著各部等分管。康熙五年，兵餉匱乏，定馬價新增之令，三年盡裁歸地丁。《前志》。

鋪舍

附黄敬璣《論夫役疏》：竊惟沿河一帶地方，兵船不時往來，勢必用民夫拽縴。若各官爲國爲民，實心任事，在百姓不過用一日二日之力，必且樂于急公，有何苦累？乃近來派夫官吏，不惟不恤民隱，或反乘以爲利，以致積弊多端，其苦累有不可言者。從來夫有定額，乃有司一遇用夫，每每多派數倍，通同蠹役，私折銀錢，官役分肥。鄉愚無知，不得不聽其魚肉。此僉派時之苦也。船隻未到，州縣惟恐臨期有誤，或十日、半月之前將夫拘齊，盈千累百，鎖禁寺廟之中。寒天有凍餒之憂，暑天有疫癘之患。且有離家二三十里者、有離家五七十里者，家屬饋送飯食，以致農務盡廢。此守候時之苦也。及船隻一到，各船水手如狼如虎，陵虐百端，或逼索銀錢，或奪其口糧，稍不如意，鞭棍交加。此拽船時之苦也。若前途有夫更換，尚可早回。萬一前途夫役不齊，即將見在之夫遠送百餘里或二三百里不等。各夫糧米已盡，枵腹奔走，往來乞貸無門。此過站時之苦也。或本處苦累已極，又派隣近州縣解夫協濟，然每每延挨不前，或反爲不肖之官折銀入己者有之，徒飽貪官之腹，究無救于沿河之民。將來沿河一帶地方，田荒民逃，有不可知者矣。伏祈天語，申飭各官：嗣後兵船經過，大張告示，船若干隻、用夫若干名，令小民輪流應役。其隣近州縣作何協濟，務裨實用。如有多派折銀等弊，道府即揭報督撫，題參治罪。仍請敕下部臣，發滿、漢字義告示，張挂河干，不許各船水手凌虐需索，庶夫役樂于急公，是亦蘇息民困之端也。

又沿漕河一帶州縣，各設撈淺夫及閘夫等項，歲有常額，載在經制。原與州縣青白夫、轎傘夫等項相同，各有額設工食，例應官爲雇募，不當派之里下者也。自故明以來，從無私帮之説。後來名爲雇募，而里民每名私帮銀二三十兩不等。各官避加派之名，不肯定其數目，以致差役恣意勒索。相沿十數年來，小民之苦累不可勝言，則疾苦誠莫甚于此矣。臣思州縣青、白等夫俱係官募，未聞誤事。何獨于撈淺等項，苦累小民，至于此極耶？雖曰民間私幫，官吏未嘗染指，然既有額設工食，何爲私幫如此其多耶？應飭各州縣，夫役工食不許本官剋減，不許衙役侵漁，不許夫頭扣除，俱令官爲雇募，勿得累及小民。每年取里下無私帮甘結一紙，申報河督存案。凡州縣于經制之外，或有添設無益之夫，盡行裁去，以寬民力，則苦累可少蘇矣。至軫恤夫役，又有道矣。聞知沿河一帶俱有河灘土地，舊例給夫耕種，以爲餬口之資。因前任河督禁止，遂弃此膏腴，徒爲可惜，實無益于水利也。今請敕下河臣，從長酌議，每夫量給若干畝，免其賦税，則招募之夫盡成土著之夫，而小民私帮之害可永杜矣。

○鋪舍

遞鋪十七處總鋪 鋪司一名，兵七名。州治東。 宮村鋪 城東十里。 塔口鋪 城東二十里。 孫氏鋪 城東北三十里。 相里鋪 城北十里。 徐龍鋪 城北二十里。 房葛鋪 城北三十二里。 司徒鋪 城北四十里。 賈氏鋪 城西十里。 曹井鋪 城西二十里，并鋪司一名、兵四名。 横道鋪 城南二十里。 姚莊鋪 城南三十里。 孫家莊鋪 城西南四十里。 大翟鋪 城西二十里。 周村鋪 城西南二十八里。 大河鋪 城東十里。 河長口鋪 一名小河鋪，城西南二十八里。并鋪司一名、鋪兵一名。鋪司每名工食七兩二錢，兵每名八兩四錢。又運河道鋪兵二名，工食銀十二兩四錢。《賦役全書》《前志》。

金鄉鋪舍九處司兵二十二名。縣前鋪縣東十里。永豐鋪達魚臺。西留鋪縣治南。降林鋪縣南三十里，達單縣。葛村鋪縣西十三里。東大鋪縣西三十里，達城武。義樓鋪縣北十里。黄南鋪縣北二十里。魚山鋪縣北三十里，達本州。

嘉祥鋪舍原十一處今并爲三處，司兵十一名。縣前鋪東十里，接州境。興龍鋪縣西十里。麟游鋪縣西三十五里。

魚臺鋪舍三處司兵九名。縣前鋪　陳家集鋪縣西十里，舊在柳店。秦堌鋪縣西北二十里。并《前志》。

濟寧直隸州志　卷四　五十五

濟寧直隸州志卷五之一

學校志

《前志》并列「名宦」「鄉賢」各祠，而以「社學」及「書院」附於後。至從祀位次及典禮樂章概略焉。按，陸氏《靈壽志·例》云：「通行在《會典》者皆不載。」今從之。而從祀内有增定者仍備書，以資厘正。「文昌宫」及「名宦」「鄉賢」等祠互詳「秩祀」，蓋兹編專爲學校作也。

○廟學

唐開元以後，郡邑通有孔子廟，而廟與學未合爲一。宋初，凡州邑皆立廟，士不滿百人者猶不得立學。慶曆以後，乃遍天下。自明以來，一州一邑無不立學矣。其鄉里社學，猶黨庠、里塾之遺也。《前志》。

大成殿

至聖先師，四配：顏子　曾子　子思子　孟子

十二哲，皆塑像：閔子　冉子　端木子　仲子　卜子　有子　冉子　宰子　言子　顓孫子　冉子　朱子

廟中從祀像，始元皇慶元年。明永嘉相張璁題易木主，兩廡賢像盡撤，惟先師像生員王鎰以死護守，他學宫皆木主，濟黌像獨存。《前志》。

康熙五十一年，升宋儒朱子爲先賢，列十哲之次。乾隆三年，又升祀有子，皆木主。四十二年，知州藍應桂補塑二像，兩廡各十六室。先賢先儒皆木主。

先賢東廡祀：蘧瑗　澹臺滅明　原憲　南宫适　商瞿　漆雕開　司馬耕　梁鱣　冉儒　伯虔　冉季　漆雕徒父　漆雕哆　公西赤　任不齊　公良孺

公肩定　鄡單　罕父黑　榮旂　左人郢　鄭國　原元　廉潔　叔仲會　公西輿如　邽巽　陳亢　琴張　步叔乘　秦非　顏噲　顏何　縣亶　樂正克　萬章　周敦頤　程灝　邵雍　共三十九人。

西廡祀：林放　宓不齊　公冶長　公晳哀　高柴　樊須　商澤　巫馬施　顏辛　曹卹　公孫龍　秦商　顏高　壤駟赤　石作蜀　公夏首　后處　奚容蒧　顏祖　句井疆　秦祖　縣成　公祖句茲　燕伋　樂欬　狄黑　孔忠　公西蒧　顏之僕　施之常　申棖　左郈明　秦冉　牧皮　公都子　公孫丑　張載　程頤　共三十八人。

先儒東廡祀：公羊高　伏勝　董仲舒　諸葛亮　后蒼　杜子春　王通　范仲淹　魏了翁　李侗　歐陽修　楊時　胡安國　呂祖謙　蔡沈　王柏　吳澄　許謙　趙復　陳憲章　王守仁　呂坤　蔡清　劉宗周　孫奇逢　共二十五人。

西廡祀：穀梁赤　毛萇　孔安國　高堂生　鄭康成　范甯　韓愈　陸贄　司馬光　羅從彥　陸九淵　真德秀　韓琦　李綱　胡瑗　尹焞　謝良佐　張栻　陳淳　何基　黃幹　文天祥　許衡　金履祥　陳澔　胡居仁　薛瑄　羅欽順　黃道周　陸隴其　湯斌　共三十一人。以上均北上東西向。

禮器庫在大成殿東　今存禮器瓦鐙一、瓦鉶二十二、木簠四十四、木簋四十四、木豆一百六十七、瓦樽十二、水牲俎三十四、祭帛匣三十四、銅爵八十、籩豆一百七十七。

樂器庫在大成殿西　今存樂器麾架一、祝一、敔一、搏拊架一、琴桌一、瑟桌一、塤二、鐘架一、磬架一、旌節架一、羽干三十六、羽桶一、應鼓架

一、籥桶二、麈一、搏拊一、琴四、瑟四、簫二、笙二、笛二、排簫二、銅鐘十六、石磬十六、旌節二、篪二、應鼓一、羽三十六、籥三十六。

按，殿廡及庫，乾隆十三年里人李廷銓、四十二年知州藍應桂大修。《前志》。

戟門三楹 今門内列漢碑五，見「碑目」。

齊宿所三楹，在戟門左。知州藍應桂扁曰「致誠」。

省牲所三楹，在戟門右。

泮池在櫺星門内。舊在影壁外。乾隆四十二年春，知州藍應桂重浚，有泉涌出，立石泉上，題曰「聖泉」。舊有橋，康熙中州人虞令潘兆元重建，今無。盛百二《聖泉記》，見「藝文」。

按，今甃石爲方池，在照壁内。

櫺星門三。按，《明志》石刻「萬代宗師」，今同。東西各一門，曰「江漢」，曰「秋陽」。

東西二坊，東曰「崇聖學」，西曰「育賢才」。康熙二年，郡人陳扆誦。十九年，總河靳輔屢修。乾隆四十二年，知州藍應桂修。按，二坊今曰「聖域」、曰「賢關」。

照壁一座，左、右欄門各一。

按，各郡邑照壁向南，書「太和元氣」，《前志》亦載。今照壁在聖泉池之南，應於北面補書。壁今貼民宅，亦無左右門。

泮宫化成坊　亦名雲路坊，前臨大街。康熙間，郡人鄭與僑重修，久圮。

按，今後曰「憲章文武」，前曰「禮門義路」。

崇聖祠　舊在敬一亭。後明嘉靖戊戌，總河于湛重修，莆田王俊記。乾隆丁酉，知州藍應桂改移敬一亭故址，舊曰「啓聖明」。嘉靖九年建，祀叔梁公，以先賢顔無繇、曾點、孔鯉、孟孫激配享，先儒周輔成、程珦、朱松、蔡元定從祀。國朝雍正元年，封先師五代王爵：肇聖王木金父，裕聖王祈父，貽聖王防叔，昌聖王伯夏，啓聖王叔梁紇。改今稱，增張迪從祀。《前志》。

名宦祠　在崇聖祠左，明初與鄉賢祠皆在學西，後始移於崇聖祠左右，在今稍北。

按，《舊志》：「嘉靖二年建，宣德六年學正虞鎬重修。」

鄉賢祠　在崇聖祠右。按，《舊志》：「嘉靖三十五年，知州黄堂重修。」

忠義祠　在名宦祠南。

孝弟祠　在鄉賢祠南，舊與忠義合，在學西。以上四祠，并知州藍應桂建，并詳「廟祠」。

節孝祠　知州藍應桂即忠義祠故址建。又雍正三年，知州趙之鶴奉文建者，在楊翰林街，詳「列女傳」。

雍正元年，奉恩旨旌表忠孝、節義，於地方公所設立祠宇，知州趙之鶴敬立石。

按，《前志》載二十堂、遺愛堂、四忠祠、靳公祠、報功祠，今并詳「廟祠」及「宦績」。

文昌祠　在廟東，詳「廟壇」。

明倫堂　六楹，在大成殿後。明總河王士翹建，國朝總河靳輔重建，知州藍應桂修，號舍東西各七間。嘉靖二十六年，總河詹瀚建，郎中王九思記，今無。西齋明洪武八年方克勤重建，有碑記。興詩、立禮、成樂三齋，在明倫堂東，俱裁，存一爲學正署。宣德六年碑陰有進德齋齋長李翔、謝塤，養正齋齋長李英友、秦鼎、周綬，修業齋齋長王衡、王謐，《舊志》不載，豈即西齋與？依仁齋在杏壇西墻外，知州藍應桂建講堂三楹，周以垣門，在二老堂後。靳輔建講堂，初擬爲講德書院，旋移於學東。康熙四十七年，改爲四忠祠。《前志》。

尊經閣　在明倫堂後。元大德三年，知州李宗武建。至元三年，知州偰朝吾修，陳儼、王宜振有《記》。明總河王士翹重建。國朝總河靳輔修，知州藍應桂重建。

明時，學正陳瑄《碑記》爲後人磨去，明倫堂前「魁」字石背刻「指南」二字者是也。尚有磨泐未書者，隱隱可辨。

欽頒書籍　敬列《大事記》。

敬一亭　在尊經閣後，今改作。明嘉靖五年，御製《敬一箴》。六年，令天下刻石學宮，因建亭以覆之，《敬一箴》居中，旁列石刻程子《四箴》及范浚《心箴注釋》。國朝康熙十八年，總河靳輔重建。乾隆四十一年，知州藍應桂改爲崇聖祠，移諸石刻於尊經閣下。龍章閣，嘉靖二十四年總河周用詹瀚建，在敬一亭後，久廢。樊維祖《碑記略》云：

「明倫堂後有尊經閣，閣後敬一亭。亭陰爲居民僦占，因售其址，建閣於上，尊奉御製。前與尊經閣相輝映，崇聖製也。」按，此則今杏壇即其故址。

杏壇亭　在崇聖祠後，知州藍應桂建。

學正署　舊賃居學外。康熙十七年，運河同知任璣揆度明倫堂東空地，請於河道院，命州學正孟鏐募建，費工料銀三百金，募諸生得半，餘半學正輸。宅後房五區，門役居之。宅西自東齋房至名宦祠東，南北長十八丈許，界以墻垣。《兖志》。

射圃　康熙五年，總河盧崇峻改八河院署。洪武三年，詔定學校射儀，築射圃，建觀德亭。今之存者鮮矣。《前志》。

學基界址四至：《前志》「太元和氣」照壁南民舍墻址，東至民舍，西至龍門，迤北與倉基隣，後至城墻。康熙十九年，總河靳輔所清學基界址，自櫺星門起，至啓聖祠後墻止，南廣五十四步一尺，北廣三十九步不等，南北長一百三十一步，共計二十三畝二分二厘零。櫺星門影壁内外，東至東牌坊，西至西牌坊，南至影壁迤南路口，南廣十九步一尺，北廣四十二步不等，南北長四十六步一尺，共計四畝六分九厘零。東宫墻外，東至方宅止，留滴水地，廣二分至一尺不等，南北長三十一步，共計地三分五厘零。西宫墻外，西至水池東涯止，留滴水地，北廣一尺，南廣四步一尺不等，南北長一百三十一步，共計地八分一厘零。水池原屬學内，地基東至西宫墻滴水地，西至永豐倉基，北至謝延祖宅，南至路，南廣四步，北廣二十步，南北長一百四十六步一尺，共計地七畝四分九厘零。北宫墻外，東至楊碑，西自水池東涯，北至許姓，南北廣十五步一尺，東西長二十五步，共計地一畝五分七厘零。永豐倉西原有學基一段，南至街，北至水池，東至路，西至預備倉基，南廣十五步二尺，北廣十一步不等，南北長一百步，共計地四畝二分八釐零。濟寧道按察司僉事葉方恒、兖州府運河同知任璣、知州趙鍾華、州同任三益、判官寧紹先、吏目王之輔、學正孟鏐立石。

學宮在州治東北，至元間監州冀德方始創廟宇。其後，知州郭景仁、李宗武、張仲仁，總管王德修相繼重修。洪武三年同知劉大昕、正統間知州陳亮相繼重修。規制與他州同，大成殿後爲明倫堂五間，堂後爲尊經閣五間，閣後爲敬一亭，亭後爲啓聖祠，左爲名宦祠，右爲鄉賢祠。萬曆三十五年，知州劉嗣傳重修，郡人于若瀛有《記》。四十三年，知州唐世柱重修。國朝順治五年，總河楊方興重修。九年，郡人鄭與僑捐葺。後民居錯處，蕪穢不堪。康熙十七年，總河靳輔捐金倡修，徙居民，廓清地基，命濟寧道葉方恒協理、運河同知任璣督修，遂將大成殿神門、欞星門撤而新之，殿後兩齋、東西義禮二門及尊經閣、敬一亭并爲重建，更擴兩齋之十二間爲十八間。二老堂，以祀總河陳堯、王士翹，舊在學東偏，移建西偏。堂後建講堂三楹，周以垣門。東西兩廡，自明倫堂以至門外崇聖、育賢兩坊并重修。學宮周圍繚以垣，舊影壁去欞星門南遠，行人穿走褻慢，移近内數武。兩翼亦益以垣，東西建柵欄門各一，以止行人。由影壁南行，壁前左右近民居，仍界以墻。有碑記。任璣倡議建學正宅，康熙二十年秋，雨潦大降，學宮西北隅水深五尺，鄉賢祠圮。州紳王天眷、鄭與僑等糾金重建，任璣捐金助成，州判任紹先捐修神臺。二十一年，貢生陳心佑、生員駱日新等糾金造啓聖及配享先賢、先儒神龕三座，栽松、柏樹百株。學正孟鏐、生員王文學各捐製正殿座前黄綾帳幔一挂，四配四挂。《前志》。

按，《前志》載元明以來建修廟學《記》，今總叙於後而節選若干篇以備考。

元翰林學士李謙《重修濟州廟學記》[一]：濟州自五代治鉅野，地居下流，河數爲患。金天德一年，徙治任城。任城，古風姓國，漢、魏嘗封建宗王，畎澮之潤接洙、泗，聖人遺化在焉。户知讀書，人漸禮訓，前代名士輩出，故其廟學視他郡爲尤盛。金季薦經喪亂，惟柱礎僅存。革代以來爲州者，創小殿五間於故基之前，象設雖具，而規制狹隘，不足以展禮容。嗣政率因循苟簡，安于固陋。至元甲申，朝城冀侯德方自沛來監是郡，居久之，政通人和，乃興滯補弊，百廢俱舉。顧廟貌謂寮屬曰：「是能興化之地，而庳陋若是。吾屬爲國牧民，不致力興復，可乎？」首捐己俸，爲諸人倡。取材於山，得巨木，度故柱礎，跨而梁之，爲大殿五間。經始於庚寅秋，落成於明年夏。高明堅整，於郡治實甚相稱。若賢廡、若師生之舍，方次第作新，而入爲監察御史。先是，侯具書幣聘東平文儒楊演，俾主教導，陶冶士類。居數年，作成者爲多。侯既去，諸生合鄉耆請記其事。至元三十年春二月記。又《修學後記》：至元二十九年，監濟州冀侯德方新作大成殿，甫成，入爲監察御史。越明年，其子泰襲爵。又明年，雲内郭侯景仁自孟州來知州事。謁拜之日，見其殿宇崇峻，而兩廡闕然，門觀堂序，庳陋莫稱，乃謀於冀侯曰：「聖天子即位之始，首以興學詔天下。而吾州密邇闕里，未有以稱明詔，其可乎？且尊府興作之初，意將不特止此。聞公帑尚有餘貲在，盍圖之？」冀侯復曰：「泰以非才猥嗣郡寄，逮今纔期月，繼成初志，誠有所未遑。幸今公至，言舉斯役圖之，此其時矣，敢不黽勉左右之。」翼日，詢諸同僚，更倡迭和，莫有异議。乃擇謹厚可授以事者，得州吏劉鈆、王居柔、張仲則，以役屬焉。居頃之，同知州事劉庭玉、判官和洽相繼受代。郭侯身任其責，首捐俸金，相以力役，爲諸人倡。視事稍隙，則以身董之，風雨寒暑不之恤，故人各赴功，惟恐其後。爲東西廡，爲神門，爲講授之室，爲弦誦之舍。又度學西南外壖隙地爲屋，以居教官，潔其楹，蓋無慮百餘計。

經始於元貞元年之春，落成於二年之冬。

〔一〕〔乾隆〕《濟寧直隸州志》作「重建大成殿記」。

元儒學副提舉王宜振《重修尊經閣記》：學者欲求帝王之治於千百年之下者，惟觀乎道；欲求帝王之治與道，惟觀乎經。經所以載道也，人之所以爲人，帝王之所以爲治，聖人之所以爲教，何莫非道？筆之於經，垂之萬世，昭若日月。人生於數千百載之下，不能得聖人之道於口傳面命之間，則考之於經信而有徵，不啻如親相授受。舉而措之國家天下，施之禮樂刑政，士君子得之以膏馥其胸臆、黼黻其文章、發揮其事業，經之有益於人也多矣。學校乃宣明教化之地，聖人以道爲教，將以厚人倫、美教化、移風俗，捨經何以哉？閣而庋之，時而閱之，峨冠博帶以臨之，以示尊禮之意，此閣之所以名也。濟爲四瀆之一，距洙、泗爲甚近，杏壇木鐸之遺響，日接於時人之耳目。經訓修明，道化淪浹，千載一日，衣冠文物之盛，甲於他所。巋然靈光，宫殿突兀。環以三間，翼以兩廡。聖師像位，繪塑如法。又有重檐杰閣屹乎其中，榜曰「尊經」，凡古今之奎章寶畫、聖經賢傳、諸子百家、奇聞异見之書，皆錦標玉軸，寶而藏之於其上，以垂久遠。向所謂石渠、天禄、芸閣、秘府之儲，將不是過。蓋大德戊戌，知州克誠李侯所建，距今二百餘甲子矣。歷歲愈遠，摧圮滋甚。職教者以歲入之不給，坐視其敝，而莫之恤，甚非所以尊禮聖經之意。元統乙亥之夏，同知偰朝吾來佐是州，見而憫然大懼，風雨凌震，榱桷腐落，倒架傾籯，散亂編帙，使爲士者於聖人之教無所聞，爲政者於古帝子之治與道無所見，將何以訓於今而傳於後？此實有關於風化之大者！乃斷自心畫，會材委工而經理之。工費浩繁，學無恒産，則首捐廪，稍以爲之倡。不給則以諗夫邦大夫、士之仁且賢者與夫民之可以義起者，叶力以贊其成。杰棟飛雲，重檐溜雨，梯衡楶棁，塗墍丹雘，咸與維新。爽而不卑，文而不華。乃架乃櫝，經史异嚮。軸帶帙籤，新若未觸。其人亡，其書存，其政與教未嘗不舉也。嗚呼！經之不可一日無也，偰君爲天下後世慮也遠矣，是不可以不書。偰君字世則，妙齡好學，至治辛酉科進士。其昆季登上第者六人，詩書之澤未艾也，故其爲政知所本云。

元翰林學士陳儼《尊經閣記》：六經如日中天，孰不知尊而仰之哉！矧維濟密邇洙、泗，寔六經所自出。士生其間，其知尊之也久。初無與於閣之有無，雖然學有書，無所於栖，則何以示崇敬？此尊經閣所以作也。越大德戊戌秋九月落成。州學正劉端仁、浙西道庸田使柳侯之子師惠徠東平謁儼，出前益都經歷王端書，且致州人士之言，請曰：「侯自下車，以作新民爲己任。顧瞻廟貌，按圖考制，皆完之。謂講授弦誦，育堂有室，獨經籍不屋以藏，豈不大闕？」行視其地，褊逼弗稱，遂購地三畝於比隣，提點羅道義於是庀工蕆事，并手偕作。屬役於州吏劉鉛、陳謙，縣典史王左州、學正李彰等，侯爲指授面畫，身任之，僅五閲月而訖功。凡一錢不取於官民，皆州僚吏、大夫士不勸而叶成也。鄉士田章新，除吴江州判官，願以書五千卷實其閣，侯爲大書，名扁其上。世降，鼓篋之徒遺其本而攻其末，舍其晶而獵其粗，雖曰治經，寔曰蠹經。是以書愈多，而愈不得其要。《傳》曰：「雖有嘉肴，弗食不知其旨也。」豈聖天子下詔勸學之意乎？豈良民吏儲卒作士之望乎？凡在門墻，其以是相諗，侯名宗武，字克誠。廳事、驛舍、譙門、三皇廟皆葺而一新。時因農隙，悦以使之，故民不知勞云。又《從祀繪塑記》：濟距鄆五舍而近隣壤也，爲善政否，日聞而知。至大辛亥，璽授奉議大夫、濟州達魯花赤脱脱木兒方侯，「達魯花赤」國語謂監司，始兹來莅。首謁宣聖廟，周視殿序，見其從祀之列，像設雖具，體但土木，而繪飾未加焉。侯曰：「廟貌宏邃，兹尚闕然，可後乎？願首割月俸繼成之。」即與知州郜汝舟、同知州事李世長、判官閻伸明、功曹劉善長，常揚，暨州屬吏，咸出俸金。州中耆宿、士大夫，聞而各捐楮幣欣助之。侯擇吏之謹飭者孔仲、胡貞、田思忠以屬兹役，聽政之暇，身董莅之，風雨不輟。乃創左邱明至韓愈像二十有四，及六十二子塑，旒衮韍金彩，絢爛奪目，備具告成，費以緡計，五千有奇，民不知勞。侯視政，審先後緩急若此。又若宣德化、敦勸庠序、賓禮文儒，公退講讀經史，起石梁以濟病，涉美迹尚多，未易枚舉。皇慶改元春正月，州學正張申立抵東平來見，出侯之功緒一通，及左掾霈軒手畢作而請曰：「吾州方使君爲政計，先生聞而知之，幸識厥事。」予謂像設非古也，然被之冕服，猶可考見古人之法像。蓋使人合三才之道，昭于服用，得于觀感而化者，禮之用也。雖歷代彌飭，登降、品數不同，而五采彰施于五色，以别上下，曾不外乎十二章之遺制也。故樂爲書之。」侯朔方腴族，世爲皇姊魯國大長公主魯王藩府官僚，繇奉訓大夫濟寧路、諸色人匠總管府監司授今職云。

明靳學顔《修學記略》云：按《志》，濟寧州學蓋創自金、元，迄今三百餘年。地縱廣僅若干丈，前爲先師廟，櫺星、戟門，殿廡率用王者事，亦時有修治，毋壞。殿後不數弓爲明倫堂，其高視殿僅十之六七，又逼仄。所與揖讓而講其中者爲師四人，弟子殆四百人，不中旋折，位置罔序。堂後僅三丈，爲尊經閣，檐四敞而中隘，無所貯，亦莫可陟降。閣後地益湫下局促，堪輿家言應在士仕中厄，不利遠邑。嘉靖癸卯以來，工部尚書吴江周公、都御史玉山詹公始相繼出藏金，鬻閣後民地，北拓若干丈，築土增高，建龍章閣、饌堂暨諸生號舍若干間，而勢若舒以達矣。然明倫堂與閣既逼弗稱，又日剥圮，未有撤而易者。去年壬戌三月，安福吾崖王公以都御史奉制書莅濟。三日謁廟，禮成，退而受師生謁於堂，載觀於閣，謂諸生曰：「是弗改弗稱，弗稱弗宜也。」諸生舉前事對，公毅然曰：「吾能新之。」於是歸坐府中，召匠者手圖以示曰：「堂視舊高八尺、深九尺，去殿而北六丈六尺五寸，閣去堂而北又六丈，視舊高、深各加九尺，縱、廣加二丈有奇，歲終當告成事。」遂檄所司，以費計工。乃諸生相顧賀而半疑信焉，所司捧檄難之，跽而請曰：「費巨，安出？」公曰：「不官不民不汝瑕疵。」請輸作，曰：「河夫之歇役。」請監工，曰：「河員。」請石，曰：「修閘之餘。」請巨材，曰：「第爲基，基成而材至。」公視門下人某，予之金三百，曰：「持吾檄，往某所易木，以某期至。」果如言。季秋，漕務稍集，群工乃發，胥役輪番，官師迭省。而諸生有父老兄弟，聞聲慕義，躬親土木，經離寒暑，不賞而勸，以臻厥成。又掄其餘材，盡易諸廨，以居學官。又闢隙地爲永巷，而東出作學門，以應生氣，咸如公指。費金凡若干，共四百餘兩，蓋其私錢云。

明于若瀛《重修記略》云：我太祖高皇帝首重斯文，列聖相承，躬祀孔子惟虔，教化隆洽，於今爲烈。吾濟又近聖人之居，去闕里僅三舍。無論發明聖道，代有其人。即俊選爲弟子者，多取上第。二百年來，彬彬盛矣。邇者學宫頹圮，萬曆丙午，郡侯劉公愓然興感曰：「此守事，無難，捐俸新之。」遂出金若干兩爲倡，郡士大夫及孝廉、博士弟子各有捐助，以署學正張應完董厥事，訓導韓瑚、孟周、孫茂蘭協贊之。斵材陶甓，更者寨外池，依頫而橋，其上易坊爲欞星門。外設屏，因舊曰「雲路」「崇聖學」「育賢才」三坊，曰「戟門」，曰「傍大門」「中門」，曰「大成殿」，曰「啓聖」「文昌」「名宦」「鄉賢」四祠，曰「尊經閣」，曰「明倫堂」，曰「二老堂」，曰「敬一亭」，曰「兩廡」，曰「齋宿」「省牲所」，曰「前後四齋」，曰「郡博士四衙」，焕乎一新矣。張君等乃伐石，徵予言以紀侯之績。侯名嗣傳，甲辰進士，蜀之漢州人。

總河靳輔《重修碑記略》云：濟寧，故任國也。其距闕里也僅二舍餘，東接鄒，西鄰武城，洙、沂、汶、泗諸水經流乎境内，洋洋乎聖賢教澤漸被，而涵濡之也不深且遠哉？粤若此邦，名德則任子不齊，爲孔門七十子之一。他如閔子、原子、季路、子貢、子羔、子遲之徒，或生或葬，或僑居兹土，遺迹昭昭，在人耳目。逮孟子時，以季任慕道，亦嘗由鄒之任云。夫以近聖人居，若此其甚。而群賢萃處，流風未泯，宜其俗猶愿樸，多善良士，閭里相親，睦敦彝倫，鮮暴戾恣睢之習，信如《舊志》所傳矣。念昔魯侯在泮，小大從公，順長道而屈群醜，乃至飛鴞亦懷好音，幾與鎬京辟雍媲美，則崇勵學校若是其重以亟也。若濟之承流於魯也，多士德心，匪偏詘也。今頖林芹藻猶與棫樸菁莪競秀否乎？逮夙駕戾止，周覽廟庭，則廟貌圮矣，學宫荒矣。不爽塏而湫隘，則廬舍櫛比其間，蕪穢不除，畜牧充牣。嘻，其甚矣！怪而詰夫司鐸，則曰：「是傍附編氓，僦居隙地，以贍學租之匱，沿而弗禁久矣。」噫！有是哉？義利之辨不明，孰不可忍者。是用痛心疾首，檄諸學使亟罷之，爲溺職戒。屏厥竄處，而繚以周垣如故址，罔得越。已乃倡率僚屬捐俸而鼎新之，一時同志響應，工作畢舉。廢者重建，敝者增修，自康熙戊午夏五經始，迄己未仲冬落成。丹雘既施，貞珉用紀。於戲！政教首係乎學校，振古如兹。凡爲吏當知先務，矧濟州士庶密邇杏壇，曾不若深山窮谷猶知誦法聖訓而尊奉之，緇流羽客且能維護法門而崇飾之，乃相率爲因循苟且而末務視之，淪胥至此，未聞惄焉省憂者，則安冀其興化振俗、復古返始乎？夫興化振俗若礱器然，先飭其具，而後材可成。今學之修也，具則已完矣。復古返始，若浚渠然，毋壅其流而後源可溯。今廟之修也，流則已導矣。由是而良其材，俾勿窳；探其源，無或昧，自在官師之守備此邦之人勉進之哉！余雖皇皇焉閔厥蠱壞，一試整飭，而胼胝河干，席不暇暖，安所得從容升降其中，與都人士講求聖賢遺意？則繼此之事多志焉未逮者，予日望之而不能悉志其説也。附記增修各工：大成殿、兩廡四十四間，啓聖祠、名宦祠、鄉賢祠，櫺星門、東西兩學門、八字墻、明倫堂、尊經閣。又重建各工：戟門、敬一亭、二老堂，并門樓二座。又影壁、兩欄門、兩牌坊、東西兩學房十八間，并門樓二座，周圍界墻共一百六十五丈。通記用銀三千四十四兩。

藍應桂《重修記》：濟州學官，自康熙己未靳文襄公大修以後，幾百年矣。其間，州守吳檉曾加塗塈丹雘。乾隆丁卯，里人李廷銓捐金二千，其所修止於大成殿及文昌祠而已，其餘半爲榛蕪、瓦礫之場。凡莅任此者，非不有心大舉，顧費無出，或席不暇暖，徒存虚願。余自壬辰承乏於兹，忽忽屢易星霜，風塵簿書，碌碌未暇，每即黌宫，未嘗不爲之踧踖也。至丙申秋，始發憤捐金首倡，自殿廡至櫺星門外左右坊，以次整理。丁酉二月，又自明倫堂以後興工，幸天氣晴和，圬人、梓人寒暑不輟，得以從容而告蕆事，亦天假之緣也。總而計之，有因其舊而新之者，大成殿、明倫堂及戟門、影壁、左右坊是也。有重建者，櫺星門、兩廡、崇聖、名宦、鄉賢、忠義、孝弟諸祠與尊經閣是也。有特創者，杏壇及養雲亭、觀瀾臺是也。周垣一百六十餘丈，亦皆重築，而覆以瓴甓焉。其位置則忠義、孝弟祠，向在學西垣外，今與名宦、鄉賢二祠相比，皆翼於崇聖祠之前。蓋崇聖祠即昔之敬一亭，而杏壇即昔之崇聖祠也。於丁酉仲冬既望落成。又舊學西有二老堂、遺愛堂，東有靳公祠，皆以報其振興學校之功。惟靳公祠僅存，亦污穢狼籍，今爲重築，易名報功，自元以來有功學校者，并祀之。其南則文昌祠，移其門南向，上建魁星閣，舊所無也。先是，雍正初奉文建節婦祠，在城東南隅，今更建於舊忠義、孝弟祠故址，别自爲門，以便出入。復於節孝祠之北爲依仁齋，齋東爲門，與杏壇相通，以便講道論德者栖息之所。興工於今歲二月，至六月畢工，前後興作凡三閱寒暑。費白金九千餘兩，諸紳士所樂助居三之二，其餘則余所拮据也。去歲三月，浚泮池，忽有泉涌出，池兩枯槐重生且茂，州人相賀，以爲天與人文之兆。及秋闈榜發，獲雋者四人，解首與焉。又武闈領解者，亦州之北鄉人而籍汶上者也。天人感應之理，容或有之，然亦氣運之自然，余不敢貪天之功，以爲己力。特靳公爲河帥時，總督山東、江南、河南三省，且廟學敝敗不至如今之甚，所費特三千金而已。今以一州一人之力，經營慘淡，所費不啻再倍，余之心力瘁於是矣。昔之爲《學記》者，首推南豐、臨川，而項平甫《枝江學記》、王遵巖《夏津學記》皆人所傳頌，發揮已盡，無取再續陳言，但據事直書，記其興工告成之歲月而已。其助余董役、始終任勞不倦者，膠州諸生墨雲崔子儒視也。乾隆四十有三年歲次戊戌季夏某日立石。

按，《前志》近年重修廟學各記，以此篇終，規制亦自此大備。且其述廢興之由，簡而賅，不惟其文，惟其實也，故備書。

廟學總叙　按，濟州廟學毁於金季，元至元二十九年，監濟州冀德方始作大成殿。元貞二年，知濟州郭景仁繼之，始作東西廡、禮門、講授之堂、弦誦之舍，翰林學士李謙爲之記。大德三年，知州洛陽李宗武作尊經閣，鄉士吴江判官田章以書五千卷實之，翰林學士陳儼記。皇慶元年，監濟州方脱脱木兒繪塑從祀賢儒像，陳儼記。并見前。元統三年，知州祁陽張仲仁捐修，濮陽辛明遠記：「助工者，同知忽都不華，判官周顯祖，幕賓劉良、成謙，濟州吏陳素，義士周節。」後至正元年，同知偰朝吾重修尊經閣，儒學提舉王宜振記。至正四年，知州蔡思中重塑賢像，學正孔克亮記。至正十三年，濟寧路總管王德修重修，衍聖公孔克堅記。至正二十四年，濟寧路達魯花赤昇嘉訥重修，衍聖公孔希學記。明洪武八年，濟寧知府方克勤重修儒學西齋，廬陵夏侯霽記。宣德六年，知州金華陳亮重修，寧陽修撰，許彬記。時共事者，貳守王彦成，節判金鼎、任澤，幕賓馮麟，學正陳瑄，訓導劉桓、趙本、朱志華、李麒。正統十年，别駕江夏、王彦成重建文昌祠，衍聖公孔彦縉記。正統十三年，知州貴溪傅霖重修大成殿，學正長樂陳瑄記。又有上梁文，并刻石。成化十三年，知州孫蕃爲進士題名，吏部侍郎青齊劉珝記。弘治二年，水部主事莫驄重修，有記。嘉靖二年，改文昌祠爲名宦、鄉賢祠，有記。嘉靖七年，頒《五箴》，作敬一亭，刻石。嘉靖十六年，總河澧州李如圭重修，郡人劉澤記。嘉靖十七年，署知州靳喻、蕭鄺允建啓聖祠，學正莆田王俊記。嘉靖二十四年，總河周用重修，建立龍章閣，鄆城樊繼祖記。嘉靖二十六年，知州李克善創建諸生肄舍，鄠杜、王九思記。嘉靖三十五年，有公舉鄉賢崔雲鶴《碑記》立學。嘉靖四十一年，總河王士翹重修，郡人靳學顔記。嘉靖四十三年，浮梁金達記。隆慶四年，總河翁大立重修，郡人鄭真記，并題名者郡守譚經、郡貳仲元學、郡倅陳嘉誥、李騰蛟、郡幕齊以莊、學博士李嘉猷、邢大器、李鳴鳳、吴自勵、庠生周一夔、潘蟾。萬曆十三年，知州許昌宋祉重修，晋江留敬臣記。萬曆十五年，濟寧道高尚志一作忠。重修，郡人于若瀛記。萬曆三十五年，總河獲鹿曹時聘興學德政，知州劉嗣傳重修，并于若瀛記。萬曆四十二年，知州巴陵唐士柱重修，郡人楊洵記。此元明二代建修廟學之大略也。國朝順治五年，總河楊方興重修儒學，平原任有鑒記。順治九年，鄭與僑、任孔昭等重修，有記。康熙十九年，總河靳輔重修，有記。二十五年，紳士戴沂等塑裝神像，種植槐、檜、側柏、桐、杏等百餘株，有記。三十年，紳士潘兆元補修西廡、東垣、泮橋，有記。四十八年，建四忠祠，潘兆遴記。雍正元年，建忠義、孝弟二祠，有記。乾隆七年，貢生李廷銓重修大成殿及文昌祠，學正臨淄于棠記。四十三年，知州定海藍應桂大修。五十八年，知州王轂重修，有記。又《文昌祠》《節孝祠記》、盛百二《聖泉記》、郡人史本《修學記》，并有碑。嘉慶二年，續大成會疏言「積資存貯修學之用」，高如岱記，有碑，在杏壇東。嘉慶十六年，知州王旭昇倡議捐修，與櫺星門外增甬路、石橋，俗名狀元橋前建「憲章文武坊」，南照墻挑浚方池，四面石柱、石欄，中有「騰蛟」二字石刻。道光十三年，總河吴邦慶、栗毓美、知州王鎮先後倡捐重修，均有碑記。又於文昌祠路南購民基，建魁星閣於上。道光二十一年，知州徐宗幹於捐修城工案内撥款，修理自大成殿、大成門、東西廡、庠門、省牲、齊宿二所，以及崇聖祠、杏壇、文昌祠、報功祠、更衣所。紳耆李德立等董其役，一律整修，并塑像及禮樂器皆新之。詳前「城池」。昔藍君《重修記》云：「是年秋闈，獲雋四人，解首與焉。」吴邦慶《重修記》云：「是歲春禮闈，改庶吉士者三人。」今庚子工竣，秋闈獲雋七人，解首亦與焉，縣學二人，凡九人，得魁選者二。雖成俗不在科名，興學非因望報，而文運之興固有自云。

學田 舊無額設，後額外設立學田二頃九十六畝八分七厘有奇，詳「賦役」，三縣同。

學額二十名，廩膳生三十名，增廣生二十名。舊例，入學一州及汶上、嘉祥、魚臺三邑撥入兖州府學者四名。乾隆四十一年，改直隸州。雍正八年，東省例於府學額以二名撥入州學。所有本撥給二名，以一名定爲州，其餘一名三屬，按次輪撥，武童亦然。文案。明陳伯友、唐擎元世柱郡伯《課最榮封序》云：州試儒童常千有餘。公曰：「濟縱多材，安得如此壅積乎？」童而稍長者進而言曰：「吾濟以一州兼附兩衛，民間之習於誦讀者固多，而軍丁之求爲進取者亦復不少，乃額取如故也。」公以詢於諸士曰：「果若孺子之言，則濟材之沉淪多矣。且凡天下有衛之處，多立衛學，况兩衛乎？奈何其以相溷也。」諸士曰：「濟之受扼固也。儒童之難於進取，特其一耳。且補廩、起貢額設三十，分之兩衛，各十人，州止得十人，反不如小邑尚有廩二十也。臨清衛遷而軍丁未遷，臨清有衛之名而無衛之實，補廩、起貢未見其少；濟寧有并衛之實，補廩、起貢未見其多。懸絶如此，安得稱乎？惟是比之德州兩衛，則設學亦宜同耳。」公因豁然爲主此議，取儒童即分州、衛兩案，嗣向德州討取故實。又諄諄與上官言，據諸士議，爲之請命，無不劃然允者。後雖以鄰郡比例而暫罷，然而此議終不可罷也。《海鷗居集》。

按，《前志》後列「鄉飲賓」，今附「選舉」後。

○社學

自明以來續設，共十九處，俱廢。國初特設三處，城中一處，南關二處。

舊在城四關八處、四鄉五處，并無存。康熙十三年，總河王光裕捐俸九十八兩有奇，建設三處，一在儒學，一在草橋，一在工部分司東。每處置房六間，圍墻一座，延師化導，俾先知孝弟，以敦倫紀；次習經藝，以圖進取。《舊志》。

社學始自明洪武八年，延師以教民間子弟，兼讀御製《大誥》及本朝律令。正統時，許補儒學生員。弘治十七年，令各府、州、縣建立社學，選擇民間幼童十五以下者，送入讀書，講習冠、昏、喪、祭之禮，其法久廢，寢不舉行。《明史》。《會典》：順治九年，題准每鄉置社學一區，擇文義通曉、行誼謹厚者充社師，免其徭役，量給廩餼優贍。提學按臨日，造姓名册，申報查考。康熙二十五年，覆准州、縣、社學，近多冒濫，令提學嚴行查革。雍正元年，覆准州、縣設學，多在城市，鄉民子弟不能到學，照順治九年例，州、縣於大鄉、鉅堡各置社學一區，擇生員學優行端者補充社師，免其差役，量給廩餼，凡近鄉子弟年十二以上、二十以内有志學文者，俱令入學肄業。造姓名册，於學臣按臨日，申報查考。如社學中有能文進學者，將社師從優獎賞。如怠於教習、鑽營充納，查出褫革，并該管官嚴加議處。務期啓發蒙童，成就俊乂，以修三代術序之法。又云，康熙五十二年，令天下州縣多立義學。雍正元年，凡現任官員生祠、書院，皆改爲義學。《前志》。

社田　舊社有學無田，不十載而學廢。康熙十三年，總河王光裕又查得無礙官地，作延師之資。一在大教場東，不妨操演，閑地一頃一十四畝。又城西、北二面一頃二十六畝，共二頃四十畝。令每處分給八十畝，概免差徭。《舊志》。三姓義學在城東垞河，村人祝氏、唐氏、劉氏三姓捐地共建。采訪。《前志》。

按，《前志》列賢裔仲博士、閔博士宅，并世襲名氏，今詳「人物志」補編「先賢世家」。

按，學宫杏壇義學，嘉慶二年知州王彬建。東關普濟庵義學，道光八年知州楊嗣曾建。今俱廢。總河栗毓美建義學五處，教兵丁子弟，一在東南隅五龍宫，一在東北隅元帝廟，一在大悲庵，一在邵家街，一在西北隅關帝廟。每處修脯制錢三十千，又節金七千五百，經費發典生息，由州移解中營副將轉發。有《記》，入「藝文」。知州吴梯立義學八處，一在東關浣筆泉，一在北關天仙閣，一在東北隅玉皇廟，一在東南隅將軍廟，一在西北隅土地廟，一在東鄉靳家莊，一在西鄉安居新莊，一在北鄉耿務村。每處修脯制錢三十千，銀四兩，由州捐發，舉人李均管理。

○書院

三縣并附「學校」。

講德書院 在學東文昌祠後，三楹。州人黃承芳等建，有碑。王天眷《記略》云：大司馬紫垣靳公建牙濟水，受事後夙夜匪懈，往復河干，築塞疏浚之勞，身自先之。是以百廢具興，川靈效順，行且告平成矣。戊午夏，因謁文廟，慨棟宇傾頹，蕪穢不治，且故址半爲民間侵蝕，喟然傷之，謂：「濟當南北衝要，庠序乃興賢育才之地，今摧圮若是，何以昭示四方，鼓勵來學也？」隨飭所司，清釐隱占，首捐俸金。遴管河道葉方恒司費，運河丞任璣督工，經始於康熙戊午四月，落成於己未十月。舉照壁、戟門、神門、大成殿、尊經閣、敬一亭、兩齋房重建一新，又四周繚以重垣。而兩廡、明倫堂及啓聖、名宦、鄉賢三祠，則更加完美。凡所需者，皆捐之官，民間不與焉。事竣，公蠲辰釋奠，自僚屬以迨士庶，圜橋門而觀者，莫不忻抃舞蹈，稱爲盛舉。諸紳衿謀欲建祠、肖像，以報公德。公謙遜弗處，無已，則於廟左隙地，創書院一所，俾歲時、伏臘肸蠁長存。咸奉公之教言爲大宗主，因擬其額曰「講德」，蓋欲講究公崇學校之至意於無窮也。夫河臣之職在河耳，而公推其饑溺由己之念，凡國計民生，所在不憚勞、不惜費，務爲遠大之圖，即修學一端可知其治水矣。公諱輔，字紫垣，遼東人。康熙二十年辛酉五月立石。

潘兆遴曰：「書院之建，出自黃奕留之意，而輪貲亦居十分之九。先建於學西二老堂之北，屋已成，又建學東。靳公不欲塑像，不令立生位。鄭確菴爲葉公方恒作《記》。」《知非瑣言》。又云：「先兄修泮水橋，添兩廡格子各四扇及東圍墻若干丈，州牧姚公爲之記，建碑。添啓聖祠匾，係揚州余櫄菴名斌書；添文昌祠匾，係武進李玉菴名楨書。靳文襄講學書院坊原無字，余題『千秋模範』四字，李玉菴書。」此條《前志》入「雜綴」。

南洲書院 在魯橋運河上，有仲子祠，今廢。《泉河史》。按，今沙洲寺之旁有仲子書院，當即此。

正學書院　在城西南隅，有正學祠。嘉靖三年，主事楊撫建，郡人劉槩記。見「藝文」。後改祀宗聖。或云：正學祠，明知州張寰建。《泉河史》，參《震川集》。

三省書院　一名曾子書院，即正學書院。後爲頤真宫，今爲兖州府運河同知署。

濟陽書院　即舊工部分司署，今爲普濟堂。《張伯行行述》云：濟陽舊有書院，歲久傾圮，特爲新之。大司馬張鵬翮創立濟陽書院，濟寧道蔣陳錫及知州吴樫敦請陳孟養爲師，有《濟陽課藝》一册行世。吴樫《陳文介墓表》。

舊任城書院　在總河軍門東漁山。乾隆二十八年，運河道李清時建。濟寧書院久廢，乾隆二十四年，運河道李清時查出南旺、蜀山、馬場諸湖隙地共七頃六十四畝，與兖州府少陵書院地，中隔漕河，不相連屬，因有復興書院之議。委臨清州州判谷敬儒查勘，凡祭膳膏火等地，均屬義田，皆免升科。每年成熟之時，濟寧州州判同南旺主簿徵收變價，上河庫以備書院修脯、膏火之用。定掌教修膳共一百三十兩，肄業生員十五名，童生五名，膏火三百四十兩，家人、火夫、皂隸工食四十二兩。二十八年，知州史錦以修城餘銀七百兩置學舍。次年，河院葉存仁始延原任温處道、湘潭張九鈞掌教。《前志》。

新任城書院　在城外西南新司街。乾隆三十八年癸巳，總河姚立德建，《記略》云：濟州書院之設，由來屢矣。而南州書院之在魯橋者，尚不與焉。正學書院建自明嘉靖時，講德書院始於國朝鄉宦黄承芳諸人爲靳公生祠之權輿，書院特其名耳。濟陽書院在任城閘之西，今廢爲普濟、育嬰堂。任城書院之名，見於《香祖筆記》，有「康熙壬子，武林沈蓀磵芳應河道總督聘主任城書院」之語。按，其時河督爲王公光裕，《州志》修於後一年，而其名不載。問之故老，亦皆茫然，或在青華洞之旁。細訪之，有石坊卧地，署曰「書院」，初不言任城，蓋康熙初胡氏義學耳。其所以屢興而旋廢者，以無久遠之經費也。乾隆二十八年，安溪李公清時復建任城書院於漁山，知州史錦置舍宇。公又以湖地兩税之入爲束修、膏火，近以新例河灘之地不得侵占爲田捐而去之。余莅河之三年，與兵備使吴江陸君謀所以擴充之。知州藍君捐金，改卜城西南運河之濱、草橋之北，較之漁山屋舍增三之二，而師生修膳之資亦幾倍之。至經史子集與日用器具皆無外求者，其用力亦云勤矣。藍應桂《記略》云：書院舊在督河軍門之右。三十八年，制府姚公以其湫隘，且冠蓋旁午，於弦誦非宜，於是相宅於西郊新司街，得王氏之居，捐金九百餘兩易之。而經史子集圖書之藏、几案床榻之具、庖厨湢浴之所，并余之所營購也。若束修膏火、日用之需，有好義諸紳士所捐白金若干，又得舊書院售價六百，存於質庫，歲收子金若干兩，而度支之費可以無缺矣。學舍房宇視舊增三之二，其中曰「樂儀堂」者，講論會文之地。堂之後學海樓上奉先賢任城伯任子木主，配以金贈濟州刺史、翰林應奉巨川李公。公之節義文章，同於宋之文山，其墓即在今書院之北不半里，附祀於此宜也。元時書院肄業有明經者，始升之國學，今一例課以制義，蓋非制義無以明其能治經也。士以制義進，仍以經義進耳。功令所頒四經三禮以及《十三經注疏》具在，無待外求。肄業於斯者，豈可不知自勉以仰副制府之盛舉哉？新司街者，前明嘉靖時建器皿廠新司於此，故名，今改爲書院街云。

書院藏書目録：

《御纂周易折衷》二函、《性理精義》一函，《御製佩文韵府》二十函、《韵府拾遺》二函、《淵鑒類函》二十函、《歷代賦彙》十函、《全唐詩》十二函、《欽定書經傳説彙纂》二函、《詩經傳説彙纂》四函、《春秋傳説彙纂》四函、《唐宋文醇》二函、《唐宋詩醇》二函、《内府板十三經》共十七函、《二十三史》共七十七函、《通典》六函、《通考》十六函、《通志》二十函、《國語注解》一函、《戰國策》一函、《古文眉詮》四函、《宋詩鈔》四函、《祠綜》一函、《尚書釋天》二本、《舊州志》一部、《新州志》一部。

任城書院交當生息銀兩分别支用各款：

一、交當紳士樂輸銀三千兩，按月二分起息，每年得息銀七百二十兩。遇閏加增。又續添舊書院銀六百兩，亦以二分起息，每年一百四十四兩。

一、息銀按季交庫，由州解道，轉發監院、泉河廳支放。

一、掌教每歲束修二百四十兩，膳金八十兩，節儀十二兩。

一、掌教開館酒席銀二兩。

一、每月十六日官課掌教酒席銀一兩二錢。

一、每月初六、二十六日課掌教酒席銀六錢，共計一兩二錢。

一、内課生童二十四名，每名每月膏火銀一兩，每年共銀二百八十八兩，遇閏加增。舊例正月、臘月停課，每年算十個月，每月給銀一兩二錢。河道陸公改爲每年每月銀一兩，按月通給。

一、課卷每本六厘。

一、看門人役一名，每月工食銀一兩，計十二兩。

一、厨子一名，每月工食銀九錢，一年計十兩八錢。

一、火夫一名，每月工食銀六錢，一年七兩二錢。

一、掃堂夫一名，每月工食銀四錢，每年四兩八錢。

以上工食遇閏加增。

一、監院、書辦飯食、紙筆，每年給銀八兩。

一、運河道、濟寧州衙門書辦，均有辦理書院一切事宜，每年各給銀八兩，共十六兩。

一、修理書院及家伙什物，俱由州衙門隨時備辦。嘉慶十七年，知州黄炳有《交典各款生息記》：膏火獎賞及收養貧民、犒賞操演之資，不得憚於生息，擅自交官云。

龍門大社 在學宫西，明陝西布政司右參政郭汝西圃後爲文社，外有龍門坊。鄭與僑曰：「郭大參孫重熙、重傑闢講堂、建號舍，多士課習其中。陳太常旭窻、王璽卿坦山、汶上人。汪水部孺石長洲人。遞爲主盟。」《名園記》。

山長題名：舊任城書院張九鈞字甄齋，湖南湘潭人，雍正癸丑進士。吴履綏浙江石門人，乾隆辛酉舉人。儲寶書江南宜興人，乾隆庚辰進士。陳慎字虚齋，浙江錢塘人，乾隆辛酉舉人。劉天寵號梅峰，陝西城固人，乾隆乙未進士。錢浩然字集齋，江南吴縣人，乾隆庚午舉人。原任鄆城知縣。張宿字星海，江西德興人，乾隆丙子舉人。

新任城書院盛百二字秦川，浙江秀水人，乾隆丙子舉人。前淄川知縣，與修《志》。沈升嶠字舫蠡，浙江烏程人，乾隆甲午舉人。并《前志》。

近年任城書院盧文乾字惕三，福建人，己酉舉人。前福山知縣。嚴圻字子卿，浙江人，丙申進士。文鴻字賓淑，江西人，乙酉舉人。戴增字益生，江蘇人，辛卯舉人。漁山書院許瀚字印林，日照人，乙未舉人。與修《志》。

漁山書院在北門内，知州王鎮建。州人許鴻磐《記略》云：道光十年，中峰王公莅任，於北門内購故宅一區，計五畝八分有奇，西偏建考棚，東偏爲閲卷之所。試已，即爲諸生考業之地。大門上起樓，塑魁星像。大門内迤西爲小龍門，門内考棚七十五間，内可坐千人。中起懸龕，供文昌。連官廳吏屋等八十間，屬之考棚。大門内廳事、講堂以及廂房、齋庖四十五間，屬之書院。董其役者，舉人李鴻來、李均也。

按，漁山書院之設，始於升任登萊道王鎮知濟寧時倡議興復，添立考棚。第經費未備，紳士公議撥城東玉露庵地二百畝、城北常清觀地八百畝。由州詳明批准立案，并立收支章程，刻膳田碑陰。

附録知州徐宗幹《增撥膳田記》：書院何爲而設也？崇正學也，端士習也。經正民興，風化之原也。豈惟是揣摩舉業、弋科名云爾哉！嘗見通都大邑，每多古刹叢林，金澄紺碧，緇流羽士，飽食逸居，而家塾、黨庠寒畯子弟糊口而恐不贍。韋布之士，兀坐青氈，舌耕終老，良可慨已。士爲四民之首，司牧者其能恝然置之耶？濟城舊有漁山書院，久已圮廢，後於城西添建任城書院，歸河廳經理。王中峰觀察前在州任，倡議勸捐，興復舊制，於北門内購地鳩工，并添立考棚，迄今稱便。房舍落成，而經費未備，師生修脯分廉俸以濟之，非可久也。栗樸園河帥莅濟上，五年於書院、學校尤三致意焉。徐桓生太守攝運河道篆，重定訓課規條，黜浮崇實。黄蘅洲司馬職任宣防，協衷共濟。鄉之士大夫等，又皆相與有成。一時秀良子弟，德行文藝日起，有功書院，其不至虚設矣乎！道光己亥冬，河帥飭撥道庫生息餘項二千兩，發存運河廳。又籌捐銀二千兩，分交濟寧、臨清兩衛。典肆均自道光二十年爲始，取什一之息，師長之修脯有所出，而生徒之膏火尚未敷也。又與玉露庵僧人達典、常清觀道士張永智等議，分僧庵地二百畝、道觀地八百畝，各立約劑，仍暫交僧、道佃種，按年輸制錢五百貫。申明各憲立案，一切收支章程備載碑陰。以游閒無益之虚縻，作培養人材之實用，庶幾經正民興，仰副聖天子作人之雅化，而無負河帥各憲爲國儲賢之至意。

與有增廓而無廢墜，則所望於後之君子。

《書院龍門記》：道光己亥三月十日，雷電出户牖間，兩扉砉然見龍爪痕。次年秋闈，于生如川發解，濟上同舉九人，魁選者二。經綸霖雨，此其先聲耶！君子震以致福，省躬修德，斯待時而動，毋徒以爲文也，諸生勉乎哉！

金鄉學　始於唐開元，在縣治西。宋紹興中，徙北門裏。大觀元年，安定胡世將有《金鄉縣學記》，今岱岳祠也。金大定間，縣尹聶天祐遷於縣治東。泰和年間，阿海重修，城武主簿邑人錢充記。元至元間，縣尹劉源、牛天麟、周仲誾遞修，編修曹元用記。至元十六年，監縣木梁課、主簿楊廷秀葺殿廡。延祐二年，牛天麟與監縣薛里吉思、主簿解光輔、縣尉鄭婁明等重捐修，監縣黑的兒贊成之。明洪武初，縣丞李瑾重修。成化年，知縣盛德修，學士吴寬記。明倫堂在廟後。崇聖祠在堂東。名宦祠、鄉賢祠夾泮池左右。萬曆時知縣楊楫、劉廣譽，天啓時舉人張文燦，崇禎初知縣李國泰皆重修，有記。國朝貢生張士表、教諭王克生、知縣沈淵重修，有記。知縣王之錡重修，教諭王建中記。知縣饒夢燕、麥子渟、王天秀，教諭暹逢元并重修，有記。有明德、新民二齋，久廢。雍正八年，奉文創建忠義、孝弟祠，在鄉賢祠南。《縣志》。講文堂在明倫堂東墳書臺上，元縣尹劉思義建。元徐容齋云：「舊誤『焚書』，明弘治間副使邵寶扁曰『文儒』。」《通志》。王之錡《記》：「襄事者，紳士宋洪宸、黄曾周、應旌、周棫。康熙六十年二月。」乾隆五十三年，知縣孫映輝、學官黄惟壂、韓賡宸，紳士袁預慶、李錫齡等重修。

學額十五名，廩膳生二十名，增廣二十名。

學田　四頃八十四畝三分八厘。嘉靖間，教諭楊守道增置田三頃六十畝，知縣任奎記。會課田九頃八十五畝有奇，内明萬曆知縣彭鯤化置田三頃、魏照乘置田一頃、天啓間知縣李國泰置田五頃五十畝、鄉宦秦士奇施田三十五畝三分，周永春有《會田記》。明庠生馬出光《人皇集記》云：「知縣歸德劉□增學田二十餘畝。」

按，《縣志》：「明生員辛先甲捐高河南地一頃九十三畝。」又云：「雍正三年，巡撫陳□飭查，教諭張虞言等詳明，將會田發歸儒學，充諸生月課之用。有餘酌給貧生膏火。」補輯。《進士題名碑》，明御史邑人李燧記。

山陽書院　知縣沈淵創建。乾隆二十五年，知縣麥子渟重建，撰碑。擴舊增新，有田一頃八十八畝。修工餘銀六百兩，每年生息以爲束修、膏火之費。記云：「助工者紳士周繼萃、馬振宗也。」道光四年，訓導張柏恒、紳士李庭禧、尋衍棻等重修，建麗藻堂。二十二年，生員張維堅捐種樹。

嘉祥學 在縣治南。金皇統間，嘗於嘉祥村東北山口鎮創造，已爲河患，學毁。鄉進士翟三俊倡建於獨坐山之右，繼又爲河所淤，簿尉朱世甫修葺。大定二十一年，知縣竇迪遷於萌山之陽。明昌二年，知縣胡肇重修，邑人翟師軻記。金季又毁。元初，邑人常信之、曹子和、馬孝先、侯直卿輩即故址創殿四楹。至元三年，縣尹劉榮祖始遷今地。濟寧教授邑人趙衡正記云：「單郡尹楊口與故應昌同知王政、都監仇玉、税使田良弼、宛邱主簿李益、前監邑金鄉楊忽秃剌、縣尹時用、畢舜舉、教諭程矩、監邑兀芹、楊尹、壽卿賡與王尹、監邑伯岳觧、縣尹劉慜、主簿楊仲明、典史王楫、提領李琛、仇益、吏目陳安政、前廣東道宣慰都事孫激、直學李孚與孝先之子馬楨皆先後協力修建云。大德三年五月記。」至正三年，縣尹劉敬重修，後復圮。明天順八年，知縣張慶鼎建齋堂。成化間，知縣高淳修建門廡，知縣劉淵增置號舍。嘉靖間，縣丞韓文爨重建文昌祠。元人趙衡正、蘇若愚，明大學許彬、户部主事檀芳邃、教諭李湘各有《學記》。萬曆十六年，鉅野知縣華亭殷汝孝有《重修采芹門記》。名宦、鄉賢二祠，俱附「學宫」。

國朝順治八年，知縣張泰昇、教諭霍希賢、訓導吕祚蕃捐募重建明倫堂、鄉賢祠。康熙五年，生員杜貞恒重建啓聖祠。康熙十一年，教諭侯大武募修。五十六年，知府金一鳳、知縣宋公壁、李松重修。五十九年，教諭吴瓚記：「邑令宋倡捐修學宫，助工者諸生董桐、石鳳翽、李思問、劉炤遠、杜晙、張岡、李焜、高遠綬、王樞、常敬儒、梁方。」乾隆元年，知縣李松記：「助工者紳士劉鄧穩、張承公、王從龍。」據《縣志》增輯。

學額十二名，廪增同前。

學田 一頃二十七畝五分。

宗聖書院 遺址在南武山下，今專廟之東。創、廢俱無考。明萬曆間，邑令田可貢改建於城中萌山之陽，仍照專廟例配享從祀，詳後「廟祠」。復爲啓聖祠，奉先賢曾氏晳，以元、申、華、西從祀。賜博士第，在城内，曾氏世襲。詳「先賢世家」。

按，《縣志》：「巡道許大定松齡、守金一鳳、邑令李松、博士曾衍𣛴、曾興烈、曾毓墫相繼增修，有記。」正殿五間，東西廡各三間，大門外一貫三省、二坊，後樓三間，上藏御書，下設聖像。雍正十一年，兖州鎮大同曾謨有記。互詳「陵墓」。

道光二年，巡撫琦善《興復宗聖書院記》：國家崇儒重學，祀典昭垂，四配、諸賢既以時釋奠、祭菜於至聖廟中，而又於其所生之地建立專祠，并設有書院，置博士與奉祀生世守之，其禮至詳且盡。嘉祥城南四十里，舊有宗聖書院，在南武山專廟之左。前明萬曆時，博士承業以距城稍遠，往來官吏，瞻拜維艱，請於邑令，移至城中。其以書院名者，謂南武，昔爲宗聖傳道講學之處，而冠以「宗聖」，正以重奉祀先賢。如至聖尼山、聖澤兩書院及述聖中庸書院，皆於祠廟外，俾孔氏後人司其祀事，則固不得以爲一邑之公所也明甚。舊制，堂中祀宗聖，左右配以述聖、亞聖，東西兩廡祀陽膚等十門人。於乾隆三十九年，援尼山書院例，并祀宗聖父母、宗聖夫人、宗聖二世、三世子孫於後樓，是則名爲書院，實仿廟制，此豈家塾、黨庠所能牽混？且神像巍然，尤宜糞除洒掃，以昭肅静，而可使生徒雜處其間哉？嘉慶十五年暨十八年，知縣陸令、周令先後倡議建設義學。經紳士等捐錢若干數，顧以一時苟簡，于院内築室爲之，即有藉端圖占者，刊碑曰「嘉邑書院」，致滋訟争。夫以培植人材之計，而假館于宗聖家廟中，本于禮有缺。且以「嘉邑」易名，久將使崇祀之典失其實，不尤嘉祥人士所共蹙然不安者乎？事據，博士紀連呈請衍聖公，咨請部示，行文到院，轉飭釐正，延今八載，未復舊規。本部院忝任封圻，撫兹賢聖父母之邦，目睹士民舉措倒置，不知尊師重道，心竊惄然憂之。爰行司飭縣稽古證今，幸得明田縣令創始及我朝康熙、乾隆年間重修各記載，碑版鑿鑿可考，其爲宗聖家廟也何疑？爰責成縣令并該學教官亟正原名，俾曾氏世守奉祀，邑之士民不得妄思争占，以杜混淆而崇祀典。尤欲使宗聖後人與生宗聖里者讀其書、瞻其堂奥，緬南武遺澤之留，而不忘乎書院創始之意。庶幾觀感興起，上接省身克己之緒論與明德新民之微旨焉。則是舉也，又不獨爲曾氏一族奉祀計也。除轉咨禮部，并移會學政衍聖公外，用記其顛末，俾勒諸石，庶邑之人知所遵守，以垂永久。至義學所以育人材，既經紳士捐輸，應飭縣令另行相度地基，妥爲建立，合并書於石云。道光二年壬午六月穀旦。

魚臺學 初在舊縣治西北，元季毁於兵。明洪武二年，知縣謝榮祖重建。嘉靖九年，河決，傾圮。十五年，教諭宋希文重建殿廡。四十二年，縣丞張仕大修，規制乃備。國朝康熙三十年，知縣馬得正重修。乾隆二十一年，縣治以水徙，知縣馮振鴻移建新治之東北隅，南北一百二步，東西六十步。大成殿七楹，兩廡各九楹，戟門三楹。名宦、鄉賢、忠義、孝弟及節孝祠、省牲所、更衣亭并在戟門外。崇聖祠在殿東北。明倫堂在殿後。敬一亭在明倫堂後。《前志》。嘉慶二十一年，知縣潘尚楫《重修記》云：「董其役者，武舉馬毓秀、監生繆增禄也。」

三縣附祀各祠姓氏，并詳後「廟祠」。

學額二十名，廩增同前。

學田 原額二頃五十畝，知縣馬得正補捐學田二頃六十畝九分五厘。《前志》。

崇德書院 在穀亭鎮。嘉靖間，邑人韓襄偕隨顯建，有講堂齋舍。

棠谿書院 在穀亭鎮。嘉靖間，分司主事楊撫建，今廢。

馬公書院 在舊縣城，知縣馬得正建，一作馬得順，邑人劉芳聲有記。

饒公書院 在縣署東。

按，《縣志》：「在舊城。乾隆二十年，知縣饒夢燕建。」《前志》作「馮振鴻建」，然名曰饒公，或馮任續成之也。

義學 在縣署東。知縣馮振鴻建，有記，其略云：「魚治自乾隆丁丑改遷，至癸未夏生員楊向榮等捐地基一畝五分，自出廉俸以成之。」

濟寧直隸州志卷五之二

秩祀志

上丁之典，率土攸同，已詳「學校」。《前志》附祠「學宫」者，今分列「秩祀志」，諸先賢及報功各祠之後，蓋學校與祠祀各以類分也。其壇廟次序亦與《前志》不同，禮在則然也。

○壇廟

《傳》曰：「民，神之主也。古者聖王先成民而後致力於神。」「非忠於民者，其能信於神乎？」有濟之祀，其來已久。而漕河、百泉之神，典禮所宜祀者，皆列於「壇社」之後。其不在祀典，及雖在祀典而非境内之山川，又不若漢前將軍爲令典所通祀者，皆列「寺觀」。《前志》。

社稷壇 在州西門外。洪武七年，濟寧府知府趙好德建，水衝圮壞。國朝康熙十二年，知州廖有恒重築。

《明史》：「洪武元年，頒壇制於天下郡邑，俱設於本城西北，右社左稷。十一年，定同壇合祭。」「里社，每里一百户，立壇一所，祀五土、五穀之神。」《前志》。

按，壇高三尺，方廣二丈五尺，四出陛，各三級，北向爲前。前九丈五尺，後旁各五丈，繚以周垣，出入以北門。道光二十年，知州徐宗幹重修築。

風雲雷雨山川壇 在南小門外西南一里。明洪武二年，濟寧府同知劉大昕建。并城隍之神共一壇，與社稷壇皆每歲春、秋仲月上戊日致祭。

按，壇高二尺五寸，方廣二丈五尺，四出，各有陛。南陛五級，東、西、北皆三級，四面各十五丈，繚以周垣，出入以南門。道光十九年，知州徐宗幹修築。

先農壇 在東門外。雍正四年，知州馮慶長建。雍正五年爲始，每仲春亥日祭先農，行九推禮。所收米粟，以供粢盛。

按，壇高二尺五寸，寬二丈五尺。正廳三間，奉先農神主隨壇。道光十九年，知州徐宗幹重築，并修復先農廟。田四畝九分，在東關外里許，劉家莊迤東。祭儀：各官俱蟒服，濟寧州吏目進犁，天井閘官進鞭，農官牽牛，總河秉耒執鞭，中營千把四員隨之，運河道插種，濟寧知州、運河同知助之，在城閘官執青箱，九推九返，鼓吹兩列，歌童唱《三十六耒詞》。禮畢登觀耕臺，觀農夫終畝。復詣更衣所換朝服，率文武各官望闕行禮。○《三十六耒詞》：「當今天子重農桑，紹行耕藉法帝王。時當三月春載陽，東方諸侯考舊章。先期齋宿夜未央，北方初落露瀼瀼。旌節遥臨麥隴芳，先農壇峙東南方。肅將誠敬容貌堂，十郡寮屬競趨蹌。九推自古數有常，十千維耦列雁行。綠蓑簦笠短衣裳，舉趾田中白日長。既戒既備東作忙，一犁春水插新秧。五歷十雨兆農祥，花村陌上耒耜張。牧童牛背笛悠揚，婦女饁餉隨夫倡。阡陌青青錦綉鄉，芃芃黍苗放花香。三時力作百穀昌，是刈是穫預滌場。擔負提携田舍郎，穎栗秬秠貯倉箱。穆陵無棣有餘糧，河海波恬風泱泱。八蜡順成由上蒼，人事經營賴贊襄。史書大有帝治光，遺秉滯穗走如狂。百室盈盈富蓋藏，黃童白叟樂且康。羔羊春酒躋公堂，齊祝萬壽歲無疆。」補輯。各壇廟通行禮儀，祝詞不備書。

城隍廟

在州治東北。明洪武二年，濟寧府同知劉大昕建。萬曆四十年，重修。崇禎十六年，大門毁於火。濟寧道副使楊毓楫倡修，里人陳宸法、潘雲龍、楊再震、周鐸、楊伸、楊蘇霖等重新之。毓楫有《記》。國朝乾隆三十四年，邑人程鑒明、史擎玉等重修，舉人秦燦有《記》勒石。

明陳伯友《修城隍廟記略》云：國初封天下城隍，而公、侯、伯异爵。時爲濟寧府，故神爲威靈公。後改府爲州，而名號仍舊。其有廟，不知創於何時，後屢修，各有《記》。萬曆四十年，又就圮。鄉民張尚賢等，結社糾財，謀新之。而郡伯唐公亦捐俸二十金爲帥，於是合郡之好義者願施頗多，至是落成。《海鷗居集》。

按，嘉慶十六年，知州王旭昇禱雨，即應捐修殿廡。道光二年，知州趙毓駒重倡修。二十年，知州徐宗幹重修東廊。都土地廟，在城隍廟東北，見《明志》。《前志》入「寺觀」，今附書于此。今署東土地祠曰「福德祠」，或云「蕭曹祠」，或云「衙神」。今履任必祭門，即古人祀户之遺意。蕭何作律，爲刑名之祖，有司祀之，禮亦宜也。倉神廟，在倉廒內。獄神廟，在儀門西，俗云祀皋陶。《前志》未載，皆政典所關也，并記之。補輯。

郡厲壇

在城北關天妃閣東隅。《明史》：洪武初定制，歲以清明及十月朔日致祭，設城隍神於壇上，無祀鬼神等位於壇下之東、西。府、州祭郡厲，縣祭邑厲，設壇城北，里社祭鄉厲。後定以清明日、七月十五日、十月朔日。

按，壇周五丈五尺，高二尺四寸。前出陛，三級。繚以周垣，門南向。嘉慶二十三年，州人公修行禮畢，詣朱將軍主前一揖。將軍詳「人物」。○《前志》作邑厲壇。

八蜡廟

在城東寨河外。舊有廟，頗高敞，後圮，今碑記尚存。

按，《前志》次列劉猛將軍、金姑并司蝗之神，今移後。

文昌宫

在學宫東，明宣德時建。正統十年，州判王彦成修。國朝康熙十二年，知州廖有恒、學正趙自立重修。乾隆戊戌，知州藍應桂改門南向，上建魁星閣。《記》：云

文昌自唐、元、宗以來，代有封號，其曰「補天開化文昌司禄帝君」則宋元祐時封也。其立祠學宫，則自建炎始也。至明以後，天下學校無不祠祀，猶國之有社也。學之巽方有文昌祠，其門本南向，不知何時易而西，形家以爲非是。昨丁酉春，其南面之墻忽圮，是科捷者四人，解首與焉，形家言信有徵矣。予爲更新，復南向之舊，聳其上以爲魁星閣，左建「惜字亭」，從衆議也。中翰李君雲溪與有力焉，工畢記其改作之由於石，後人庶勿輕爲改易也。乾隆七年重修，學正于棠《記略》：粤稽文昌之名，始於《天官書》有「文昌宫六星」之説，而後人以張仲孝友實之。又有《文昌化書》一編，雖輪迴幻化之事近於荒誕，儒者所不道，而憑心田以廣福地，可以挽頹風、崇古道，用以扶世翼教，所

關非淺鮮也。州學東偏文昌祠創制於明宣德間，制度荒陋，殊爲不稱。本州貢生李子廷銓者慷慨好義，獨以身任其事，捐資三百餘金，撤其舊而更新之。諸生有戴子敬行者，鳩工庀材，綜理其役。乾隆七年歲次壬戌仲冬。道光二十年，知州徐宗幹重修文昌閣，在城東南，州人李以易記。道光七年，州人許鴻磐《記略》云：創於國初，修於康熙壬午。兹劉文柏、徐中成偕鄉士等捐資重修，計費一千八百餘。于文昌樓在龍神廟西偏，乾隆三十二年，河督姚立德爲運河道時建。前有惜字爐，每朔望會首焚化。

按，文昌樓下，疑即河神總祠故趾。今奉祀栗恭勤公，詳後。州城内外及各鄉文昌閣不備書。《前志》附「學校」，而他處祠宇又列「寺觀」，今并書於此。五魁樓在東南隅城上，文昌先代祠在正殿後。補輯。

風伯廟

按，《魏志》：「亢父縣有女媧冢、風伯祠。」風伯當是風后太昊之後，與女媧皆風姓。女媧廟在古邾婁城内，《志》云「承筐山下」，皆無考。《前志》別列女媧廟，今附書。

按，今風神廟在城内鐵塔寺中西北。嘉慶十七年，知州王旭昇捐建。道光十八年，署知州克興額重修風神廟，祀風伯之神。《前志》載風后，非風師也。

火神廟

一在東門内，郡人周品有記。一在河東，一在南小門外，一在東關。《會典》：「六月二十三日祭司火之神。」

今致祭在東關内南門外廟，順治十五年重修，鄭與僑《記》，有碑。

龍神廟

在運河北岸，舊在南門外。明洪武二年，同知劉大昕建。萬曆時，尚書舒應龍移建於運河北岸。永樂元年，知州李顯忠修。弘治六年，判官李賓重修。見《泉河史》。明盧輔《記略》云：濟城之南，洸、泗合流之滸，有龍神廟，起於元壬辰，崇其謚曰「靈源宏濟王」，迄今二百餘年矣。李侯敬之爲蜀望族，以銓曹來判是土，職司水部，堤防、津梁、郵亭、邸舍咸以次繕理，而民不告勞。因睹廟祠傾圮，於是以漕河權貴之家專貿易而漁民利者，抑之使出資自贖。不期年，庀材鳩工，鼎新斯宇。祠凡三楹，左右廡六，神門之宇亦三，内塑像者五，扁曰「龍神廟」。濟之士民懷其德，不忍没侯之善，相與礱石，屬爲記。

李堯民《龍神祠記略》云：濟故當漕艘孔道，商民帆檣往來其地者，無不乞靈龍神、河神兩祠下。龍神舊祠湫隘，不容旋馬，而河神亦僅附報功祠前楹，廟貌輕淺，駿奔雜錯。大司空粤西舒公奉璽書治之明年，一日睹兩祠闕狀，乃謀之部使韓君、陸君、治兵使梅君、龔君暨治河陳君、唐君，改建於城東南大河之陽，檄萬守終始其事。祠之門合而中分之，左龍右河，巋然對峙。經營之需，皆司空河緡，民無所費，不兩月告成。今與龍神祠同門而對峙者，爲文昌樓。前爲天后宫，求所謂漕河神祠不可得矣，且碑亦不存。神祠西有三官廟，廟後有玉皇閣，本平江伯祠。

五龍宫 在東南隅一天門。明萬曆間建，乾隆五十七年修。道光十七年，總河栗毓美重修，有記。咸豐三年，設團練總局於此。

井泉龍廟 在南關扁担街。順治三年修，有碑記。道光十九年，重修。補輯。

馬神廟 在城西北隅，《兖志》云：「在州治東北。」《會典》：「歲九月一日祭馬神。」今在預備倉，一在里驛内，爲致祭之所。衛歌「騋牝」，魯頌「駉牡」，藉以觀政，非僅爲置郵也。

按，陸氏《靈壽志》云：「『斗魁戴筐，六星爲文昌』。《周禮》司中、司命，由來久矣。貌而象之，則道家之説。三代以上，神祇無廟而祭者。龍神之祀，自宋始，或地祇之主龍者。馬祖、先牧，見《周禮》。」陸《志》以馬神列「八蜡」之次，蓋祀之從古者也。夫祀文昌、祀風、祀火、祀龍、祀馬祖，皆祀星辰耳。風師，箕也。大辰，大火也。「龍見而雩」，祀龍禱雨之始也。馬祖，天駟也。皆天神也，後人必求其人以實之，没爲列星之説，其理或然，不可爲典要。故以并列「岳瀆」「地祇」之前，與《前志》次序不同云。

東岳廟 在城隍廟迤東，後殿東北碧霞宫。知州萬民命建，州人王道明記。乾隆三十六年重修大殿，郡人王横記，有碑，一在魯橋西，元大定時建；一在兩城鎮北，俱有碑。

按，《前志》列「寺觀」，以非境内山也。然祀河亦非盡在境内，岳、瀆并尊，且濟爲魯地望，泰山甚近。梁父、亢父，皆東岳支脉所在。今廟内兼列地府十王等像，俗制相沿，然亦本梁父主生、亢父主死之説也。山川爲地祇，故列於河神之前。唯廟中有廣生等祠。入「寺觀」。雖高禖爲古禮，而近於附會。又有金姑廟，今書於後。泰山行宫娘娘廟、炳靈王廟，《前志》并列「寺觀」，皆東岳神也。今書東岳，而各廟附記於後。

漕河神廟 舊在天井閘上，總河舒應龍移於運河北岸。所祠有諸湖神、汶水神、大河神、洸水神、泗水神、百泉神、濟水神。郡人李堯民有記。《泉河史》云：「漕河神祠在濟寧州城南天井閘上，不詳創始。萬曆二十二年，知州萬民命移於河東漕運總府中，祀東海之神、西瀆、淮、北瀆濟、洸、泗、汶、沂、百泉諸河、閘壩、堤堰各神，有司春秋致祭。」又云：「閘河神無專祠，每歲正月上旬遞祀天井、在城二閘，先期該閘，請分司命官行禮。今但祭龍神祠。」《前志》。

禹王廟 在南門外，舊在義井巷。康熙初，運河同知王有容移建南門外，舊爲巡撫黃克纘生祠，并詳後「報功祠」。

按，《前志》禹王廟載群祀之後，又關帝廟按時代列先賢祠之後。今以禹王廟書於「岳瀆」之次，移關帝廟於敕封各河神之前。而諸先賢祠别爲一編，則於義似更爲允協矣。文廟已詳「學校」，不再書，三縣同。

關帝廟 在學宮東北，創始無考。康熙二十二年，城東門内火，廟毁，神像略無所損，几案籤簿亦有，群相嘆异，踴躍捐輸。不數月，廟貌重新，其詳勒石廟門左墻壁。乾隆三年，僧人王汶璐勸捐重修。一在南門瓮城，學正宋守塘有記。一在東門内稍北，一在河東大炭溝。廟有鐵鼓，知州萬民命、郡人韓洪愈各有記。王道亨《捐置香火地園記略》云：「自畿甸以逮婦孺，無人不瞻像而起其敬。我國家既崇其封號，復飭所在有司致祀。祀典之隆至，并於先聖，則守土之吏，顧可不仰體斯意而益致其兢兢乎？濟寧城厢内外，舊有關帝廟四。城内東北一廟，爲有司春秋致祀之所，詢廟僧以香火自出，則云聽之祈禱之人。竊惟事神之道，祗憑一誠，誠之所在，即神之所在。香火者，所藉以將其誠者也。膺治民之責者，不必躬入廟中。凡夫事關民瘼，無時不默禱於方寸，以祈神之庇佑。苟非有旦夕弗怠之香火，曷以自將其誠？爰出廉俸五十爲倡，州人士一時義輸，共四百金，置地園若干畝，收其歲入，以供香火。而廟僧洒埽供役之資，亦於是取給焉可也。共置坡地十五畝七分四厘，置園地八畝九分七厘三毫，俱坐落西三里瞥地方董家莊。

按，帝廟城鄉供奉甚多，茲紀其朔望展謁、春秋享祀之所，餘不備書，三縣同。

河神總祠 在東小門外運河岸上南池右。康熙六年，總河楊茂勳建，題請敕封，有記，并題疏鐫石。今爲金龍四大王廟。詳後。廟内中爲金龍大王像，左有英猷侯蕭公像，右爲順天王晏公像，并敕封。又有靈佑襄濟黄大王牌，新設。

按，今祠中又有朱大王像。敕封朱大王鎮東侯，楊四將軍鎮西侯，九龍將軍鎮南侯，張將軍鎮北侯，及柳將軍神位。總河楊茂勳有記。朱侯詳「宦迹」。乾隆四十五年，儀封大工告成，有默佑之功，大學士公阿奏請，褒封「助順永寧侯」。豫河兩岸先後立廟，奉敕建，賜名「嘉應觀」「惠安觀」「佑寧觀」「慶順祠」。每年春秋上戊，照

龍神廟儀
致祭。

金龍四大王廟

在天井閘北岸，一在在城閘東。此廟在天井閘署左，與南池右不同。明陳文《重建會通河天井閘金龍山神廟碑記略》云：天井閘舊有金龍四大王廟一所，積久頹毀。前總督漕運右參將湯公節，俾衛、州官屬及郡義士捐資以更新之。經始於正統戊辰十月三日，至臘月而廟成。而神未有像，會冬官主事益都劉讓來理閘事，乃募往來之好義者助緡，循舊塑神像坐立者凡七位，及門户、窗牖與几席、供具未備者悉置新之。閘官朱銘言其靈佑，考之元都水監丞張侯重建濟州會源閘既成，立河伯、龍君祠八。故都水監馬之貞、兵部尚書李奥魯赤、中書斷事忙速祠之，以迎休報勞。此廟未詳創於何時，今諸祠皆廢，是廟獨存，或者謂即龍君祠之一也。助資者，濟寧衛指揮使趙玘、左衛指揮僉事王咏、郡守廣信、傅霖、貳倅周勝、張榮、何永澄、吏目鄭琚、徐勉。義士之助資者，列諸碑陰云。金龍山神之廟祀，始明太祖，元時未有也。河伯龍君祠，即龍神廟也。按，神姓謝，諱緒，行四。錢塘安溪村人，隱於金龍山。德佑二年，宋亡，投苕水死。明太祖取臨安，見神金甲横槊空中，助戰其後，擁護漕河，屢著靈异。天啓四年，詔封「護國濟運金龍四大王」。國朝康熙四十年，總河張鵬翮奏請敕封「顯佑通濟昭靈效順金龍四大王」，春秋致祭。《前志》。

張家橋金龍山神廟，鄭與僑《記略》云：漕渠穿於唐武德間，尉遲恭鎮盧龍時運道也。在濟境者，惟泉是賴。自有明宋尚書禮引汶灌濟，以北引泗灌濟，以南泉之涓滴，皆軍國命脉所關，故泉政益重。泉水灌輸於漕，則漕利；泉水汗漫於野，則漕病。此濟郡河渠利病之大較也。濟寧東南三十里許曰張家橋，蓋昔人跨梁於泗以通鄒、滕之往來者。按，泗發源陪尾，由兖南闕入濟，東至魯橋鎮，與漕會。其上源闊且深，至張家橋河身狹而淺，河岸薄而低，夏秋間山水泛漲，堤必潰。湍湃之勢，西奔不數里，輒嚙漕之東堤。夫水不利漕而反嚙漕，防之遏之，不待再計而决矣。歲癸巳，河决數十丈，總河楊公亟檄運河丞李公治之，不逾月而工成。甲午復决，繼李者爲佟公與郡侯韓公，復加修築工較前益堅，堤較前益厚。於是河流順軌，水盡歸漕，而民田亦大稔。文學熊君謂：「人事盡矣，仍當乞靈於神。」創建金龍四大王廟於堤上，選材徵力，成於衆善信者什之二，文學自備者什之八。廟成，徵余言以記其事。楊公名方興，廣寧人；李名正華，獻縣人；佟名養鉅，遼東人；韓名威宣，蒲州人；熊名夢兆，暨督工濟寧衛管官周鐸、米養淳皆本州人。尉遲無鎮盧龍事，説見天井閘。《前志》。明兖郡庠生劉濟川有《重建魯橋閘水神廟記》。劉珝、吕士先、張希曾、僧安柱修於嘉靖三十六年。

劉猛將軍廟

在曾坑崖。雍正二年奉文建。十二年，令有司於冬至後三戊日正月十三日致祭。

按，劉猛將軍之列在祀典，自雍正二年始，從直隸總督李維鈞之請也。或云曾封「中天王」，然神之諱傳聞不一，始蘇《志》以爲宋武穆公錡之弟鋭，弱冠成神。或云元指揮吴川劉公承忠，見《饒陽縣志》。本泰州牧唐君《扶鸞録》，而以爲武穆者居多。《堅瓠集》載《怡庵雜録》：「宋理宗景定四年三月八日敕略云：邇年以來，飛蝗犯境，賴爾神力，埽蕩無餘爾。故提舉江州太平興國淮南江東浙西制置使劉錡，今特敕封爲『揚威侯天曹猛將之神』。似爲可據，然今廟貌皆爲弱冠之容，未知何故。」見盛百二《柚堂筆談》。又按，《蘇州府志》云：「劉猛將軍，宋景定間建廟。」《前志》。《通志》：「南宋劉宰，字平國，金壇人。紹興元年進士，仕至浙東倉司幹官。卒，謚文清。」道光十八年，知州徐宗幹重修建。

金姑神廟

在東岳廟西，亦司蝗之神。乾隆三十年，權知州事、曹州府同知龔孫枝建。《前志》。

按，疑爲先蠶之神。

天后宫

在天井閘河北。乾隆三十一年，總河李清時建。次年奏請御題「露昭恬順」額。

旗纛廟 在河督署東，四時秩祀。里人徐日書記，總河楊方興、朱之錫、楊茂勳、苗澄俱有《記》。《會典》：「歲九月初一日致祭軍牙六纛之神。」今州縣於驚蟄、霜降兩日祭之。

按，今各營將弁於霜降日赴演武場致祭。

先醫廟 在東岳廟西，俗稱三皇廟。見《明志》。

按，《會典》：先醫廟每歲春二月、冬十一月上甲日致祭，正列伏羲、神農、軒轅，四配勾芒、風后、祝融、力牧。兩廡各十四人，皆古名醫。今東岳廟内西院内百工皆祀其始爲制作者，黄帝始製衣冠，庖犧始爲火食，并祀先醫者。想據嘗百藥之説，亦先嗇、先蠶之遺意也，故與金姑等祠并附於三皇廟。今兩城《三皇廟碑記》云：「先醫補天地所不及，故配三皇也。」東北隅三皇廟，明萬曆十八年州人于若瀛記，石、崔二瞽者所創云。補輯。

公輸子廟 在城隍廟西。康熙九年重修，郡人袁州佐記。

按，祀魯班，亦木工報本之祀也。《前志》列「寺觀」，今與先醫廟并書於各廟之後。經典有據，有功於民，非二氏之説可比也。

先賢諸祠 報功等祠并附。

宗聖祠 在運河廳署西。雍正初，運河同知楊三炯重建，方苞《記》入「藝文」，互詳「公署」，并後嘉祥。按，《前志》諸賢祠下引《孔子弟子考》，節叙之，蓋未敢儕於「人物傳」也。今補編「先賢世家」，故不再書。《前志》列諸賢祠後，今移前。道光二十年，賢裔毓栴等重修。附録知州徐宗幹記：濟城西南隅舊有正學祠，明嘉靖間水部楊撫改建書院，奉祀宗聖曾子，郡人劉概爲之記。又名「三省書院」，後爲頤真宫。至隆慶三年，改建兖州運河同知公廨。國朝雍正初年，同知楊三炯仍建祠於廳西，記云：前吏者以署隘，遷主於西城樓。又於隙地治燕私之齋，先賢祀享、諸生講誦之地盡取而不留一區，其必有不得於心者矣。因就其址構數楹，迎主定祀，此復建祠之所由也。近年曾氏後或遷居其中，莫之能禁。爲賢裔者，果能以時洒埽，典守無斁，亦良善也。乃堂階草茂，穹室烟熏，井竈葱薤當於門，楎椸帷薄施於室。且婚於斯、喪於斯、聚非族於斯，詬誶喧囂，袒裼曦噫，無所不至。以視昔之所謂不得於心者，殆又甚焉。式間瞻拜之下，禁之戒之，復婉以勸之，不可，然後逐之，又從而扃鑰之。今四氏子孫唯曾氏後稍爲式微，嘉祥博士紀瑚謹守廬墓，安貧篤學，饘粥不能贍，州城國學生毓栴、毓楓慨然有肯構之思，鳩工庀材，既齊既稷。時届秋祀，蠲潔告成。請設廟夫掌管鑰，非祭之日，外人不得出入。同族有占居者，鳴於官。并乞立石記之，爰叙其顛末，俾曾氏子孫世守勿替，以仰承昔賢崇奉之志。而後之官斯土者，將有感於斯文，余亦庶幾告無罪焉。是爲序。庚子八月上丁日。

仲子祠

在仲家淺。翰林院五經博士仲于陛重修。嘉靖時，總河劉天和重修，夏言記。國朝康熙六年，巡鹽御史顧如華重修，尚書戴明説、給事中汪之洙、同知王有容并有記。河督朱某、東撫周某、浙督趙某皆助捐。《兖志》云：「祠在城南四十里。漢更始元年，仲氏避赤眉亂，自泗水卞邑流寓濟寧，建廟横坊村，今仲家淺也。世襲博士，春秋主祭。祀田一十九頃三十五畝，廟户二十一。」《明史》：「崇禎十六年，詔授于陛翰林院五經博士，子孫世襲。賜泗水縣、濟寧州田六十餘頃，户三十一，以奉其祭祀。」今《賦役書》仲廟一則地六十頃二則地四十四頃。《前志》。

明陳伯友《仲子祠祭田記略》云：「萬曆丁丑，浙東大中丞王佐視河濟上，一日謁仲子祠，曰：『廟貌新矣！春秋禋祀，犧牲粢盛安所從出？』仲氏之裔有衣冠者數人前曰：『是予祖也。族人醵金而辦之，固其分也。夫安敢妄覬？』公曰：『是守土者之責。』乃捐俸爲易田若干畝，永爲祭田。其裔九卿等俾予勒文以記。」又《重修仲子祠記略》

云：「唐侯捐俸若干錢爲復修計，春秋牲牷族衆醵金而設之。侯復核二祭，費銀六兩，并於州取辦。萬曆甲寅，祠告成，復於門外樹大坊，其裔九卿請記之。」萬曆四十二年十二月，明北京河道御史涇陽許守恩《仲子廟略》云：「子路卒於衛，其後在濟之南，廟在運河之右。因其後仲烈銓等之請而爲之序。萬曆十六年孟春吉。」明鄉貢古鄒周希孔《重修仲子祠記略》云：「萬曆壬子，楚人唐侯守任城，撤舊祠而恢之。奉祀生九卿俾記其事。夫二程之祠幽豫，并建徽國之《譜》。吴、閩同錫，仲子雖卞産，而子孫世居此土，烝嘗相望，固仲子所享也。萬曆四十一年孟冬吉。」明兖州知府程尚寧《仲子書堂記略》云：「郡大夫構社學其傍，以訓仲氏族人。郡泉大夫博野劉瑶治河，憩其中，曰：『此仲氏家學也，不宜以社名。』或易以『仲氏學』，嫌與三氏同，扁曰『仲氏書堂』。嘉靖二十二年十一月。」明福建右布政使蕭山來斯，行仲子祠，《記略》云：「碑多稱其勇行、喜過諸事，而未有及其深得聖門死生之説，故表而出之，以告同志者。崇禎三年三月望日。」又御史河南田子堅、知州信陽董則喻、總河宜興周鼎贊、知州巴陵唐世柱、商城胡休、雄縣王孫蕃《祭文》，并見碑記。增輯。

按，《仲里志》創始於唐任城令賀知章，金元以後代有修葺。國朝康熙二年，增修坊曰「志隘乾坤，氣凌今古」。中爲正大門，左曰「忠信」，右曰「明决」，殿旁左爲聞喜堂，右爲中興祠。今寢殿有樓，上奉祀仲子先代，曰「鼎茵堂」。大學士阮元記云：「自嘉慶十七年壬申九月，予奉命督漕務，舟過仲淺閘，敬謁先賢仲子祠，其翰博恬菴公以先賢寢殿碑文屬予。予思自古帝王之『孝以天下養，宗廟享之』，帝王以下至於庶士生則致其養，祭則致其敬。廟制雖有差，孝子之道則一。然歲履霜露，感懷風木，豐祭不如薄養，此先賢仲子所以累茵列鼎，欲爲親負米而不可得也。先賢從孔子適四國，未能一遇。其後仕衛，以終曾不獲從大夫列。尊養之隆，未之逮也。今先賢之殁，二千歲矣。唐始封仲子爲衛侯，建祠於濟寧州南運河之濱。明加封號曰『衛公』，國朝稱先賢而不爵，弗臣之義也。初立廟爲殿三楹，唐任城令賀公所作也。崇禎間，奉敕建修，規模始大。國朝以來，鹽政顧公彩、撫軍明公興、鐵公保復嗣修之。門塾更新，而寢殿猶缺焉。施公鸞坡，江南名翰林也。嘉慶丁卯，主任城書院講席，謁先賢廟，議建寢殿，遂捐資二千金。十月五日經始，越次年正月告成。追祀先賢四世，各立主於其中，且顏其堂曰『鼎茵』。夫古之廟制，前廟後寢，廟可居神，寢藏衣冠也。上治祖禰，宜各一廟。然後世報祀先賢，不能備廟數追崇上世，合祀於寢。殆禮以義起，與於時，春秋肆祀，合食一堂，修上祀之肇歲，展先賢之孝思。曾子曰：『孝子之身終。』終身者，非終父母之身，終其身也。若仲子之永懷負米，雖終其身，猶未終也。自寢殿成，千百世俎豆不廢，一如先賢之靈奉膳堂上，而孝子之志以成孝子之身，乃終矣。斯其與古帝王饗親同揆，而施公尊賢好義之舉，亦并傳不朽云。爰走筆以應之，其詞曰：於惟仲子，聖道于城。既叙十哲，從祀上丁。乃建崇祐，肇禋維禎。越千餘載，厥貌崇閎。不有寢殿，奚妥先靈。爰始爰謀，十日經營。棟起檐飛，垩壁丹楹。施公所作，奕奕寢成。惟禰惟祖，高曾陟庭。崇祀報本，先賢以寧。昔也致養，今也薦誠。孝子之心，至性至情。仁者之粟，其香其馨。鼎茵堂上，淯嘉酒清。百世不祧，養親如生。」○嘉慶元年，被黄水冲圮。二年，六十七代博士仲貽熙請修，知州王彬轉詳曲阜縣知縣吴鍾岳勘估。九年，巡撫鐵保於張秋漫工餘平項下撥銀九百九十餘兩。十一年，工竣。文案。

任子祠 在洸、泗合流處，祀先賢任不齊。康熙五年，其裔孫進士孔昭具呈奉部重建，後即以孔昭配祀。水部陸舜、兖州府知府彭繩祖、知州陳灴俱有記。乾隆十九年，知州王今遠請帑六百金重修。康熙間，奉祀生任銓、任洪道、今奉祀任世本、任懷琴俱咨部遞補。○宋真宗祥符元年幸魯，遣吏部尚書陳堯叟致祭。國朝乾隆三十年、三十六年、四十一年巡幸，遣吏部侍郎范時綬、内閣學士察善、太常寺正卿德爾泰致祭。○康熙五十八年，李樹德《六賢祠田碑記》：「濟寧州北鄉王武、石婁等村有地一區，碑曰『任子祭田』，莫知所自始。康熙五十一年，清查地畝，勘其田約十七頃有奇，又得民間私隱者十八頃。兖郡金守以私隱之十八頃，給閔子、端木子、高子、曹子、樊子五賢之後。上其議於藩司侯公、撫院蔣公，既允行，且以其地形窪瘠，仍如舊例，免其起科。丙申冬，予由總戎任巡撫，復有州民鍾王等援開懇爲辭。予飭查卷案，一照原議，復酌租額豐歉，定爲永創，勒石垂遠，以杜争端。」○知州陳灯《重建廟碑記略》云：「余於康熙七年四月來守濟，按《志》濟爲古任城，任爲黄帝少子禺陽始封之地，即以爲姓。歷唐、虞、夏、商至周，以太任與又封奚仲之後於薛。薛，任姓也。别封伏羲之裔風姓於任，故兩地皆有任姓。春秋時，任子不齊爲孔門七十二子之一，雖史稱楚人，蓋薛自齊宣時并於楚，薛距濟僅四舍。考厥源流，産於濟而徙於薛，有唐封爲任城伯，殆原所自云。濟東郊舊有祠，歲久蕩爲風烟。其裔孔昭，順治辛丑成進士，興懷先祠傾圮，欲重修葺。遂呈禮部咨行，撫軍查明，特允所請。於履任之九月二十二日經始，鼎造爲楹者，四周界以垣，不百日而工竣，巍然巨觀。以余有督理之責，且分俸佐之，徵言以記其事。共襄其成者，大宗伯外庫、祁車白，俱滿洲人；梁清標，真定人；黄機，錢塘人；少宗伯布顔察不害、常鼐，俱滿洲人；董安國，遼陽人；王熙，宛平人；曹申吉，安邱人；祠祭司正郎徐旭齡，錢塘人；黄虞再，伏羌人；副郎徐萬全，遼陽人；方角、施天裔，滿洲人；徐國相，廣寧人；郡太守彭繩祖，黄安人。」

按，《任氏家譜》云：「舊有特祠在古任城汶泗坊，今在東關二鋪劉家莊，周垣七十八丈二尺八寸。」乾隆五十四年，祀生任文運請修，知州王道亨轉詳滋陽縣知縣周士拔勘估，巡撫長於司庫耗羡項下准撥銀六百九十九兩零，仍先由州墊修。五十五年工竣，不敷銀三百五十十兩，賢裔呈請自行捐補。道光二十一年，知州徐宗幹據賢裔貢生任學石呈請復修，轉詳在案。

高子祠 在城東。康熙初，賢裔生員高昭等重建。《兖志》：「祠在州東二十里泗河岸，俗呼其村曰『高廟』。」明洪武間建，今六十五代孫高哲奉祀。○按，世家賢裔象覆云，其族有在衛者、穎者、曹者，并於沛者，亦如在濟。若近聖之居，斷當以濟爲正派云。

按，祠本在城東泗河之濱，乾隆四十六年黄水衝圮，移建城内東門大街。乾隆六十年，六十五代祀生高渠請修，知州王彬轉詳嘉祥縣知縣臺士佳勘估。嘉慶二十年，藩司楊某撥漫工餘平銀九百十兩零，知州張秉鋭承修，十四年工竣。六十七代孫高如岱《記略》云：「吾祖先賢共城公孝友因心，慈惠及物，其功德孚於人。至於政教未施，而頑率已革，揆之禮典，於祀爲宜。舊有廟在泗之壖，唐宋以來興廢莫考。至明洪武間，五十五代孫聖保公重修廟制一楹，茅茨土階，僅容瞻拜。因世遠年湮，風雨傾圮，康熙年間六十五代孫哲公遷其祠於高蘇莊，建中堂三楹，門樓一座，歷歲久遠，漸就傾圮，今惟基址存焉，裔孫等目睹心惻。幸逢五十五年萬壽恩詔，六十五代孫奉來公爰率族人赴各憲懇求奏請發帑項重建。嘉慶十二年，王州牧奉行，先後給銀九百兩。爰集族人僉議，謂舊廟地既卑下且僻遠，今以無舊貫可仍，不若遷於城，與學宫密邇，春秋釋菜，從祀爲便。乃於城東門内買宅一區，中堂三楹，塑先賢共城公遺像。漢先儒高堂生與先賢同所自出，以傳《禮》功，祔祀於左。東西廂各三間，祭器存焉。前後屋宇十數椽，以會族人、以修祀事皆有餘裕。即舊加新，始己巳春，迄庚午夏工竣。前建崇門，以臨通衢。六十七代孫世賢又以廟貌聿新，而祀事未沐隆恩，非所以慰先靈，躬率族人謁戴州牧，請援例遣官，備祀致祭。」○祭田三頃七十七畝，康熙五十一年分撥。

樊子祠

在州東報稼村。《一統志》作「郝家」。康熙中，六十六代奉祠孫樊賓修。見《兖志》。

按，《樊氏家乘》云：「傳道於濟北十里許樊垞村，葬於鄒邑西北三十里陶城。今祠久廢。道光二十年，創建於城内大關帝廟街路南、漁山書院之西北。本係尼庵，改建祠，添立房屋，山長許瀚同諸生訪舉七十代嫡裔樊萬春居之，爲請奉祀，并娶農家女薄氏爲室。總河文冲、知州徐宗幹共捐制錢五百千，工費所餘置贍田。」

曹子祠

在州城外運河東岸。康熙中，六十九代奉祀孫曹應詔修建。○《兖志》：「曹子後裔流寓任城，馮段村南有祠故址，生員曹文明呈明有案。」《前志》。

今在城内城隍廟街路南，本慈雲庵。道光二十年，知州徐宗幹改建訪，七十三代嫡裔曹承科奉祀。

鄭子祠 在鄭莊。鄭與僑《游淮偶記》云：「鄭子，海州人。朐山，海州境内之山也。」《家譜》云：「鄭子，闕里人。設教任城東二十五里泗水之濱，因家焉，今名鄭莊。卒，葬於村東一里許。」唐開元二十七年，立祠。雍正三年，奉部行查，有七十七代孫鄭其學給奉祀生照。其學卒，長孫支蕃嗣。今在城隍廟街路南，本西來庵。道光二十年，知州徐宗幹改建，舉八十二代嫡裔鄭季成奉祀。

陳子祠 在城東古柳樹。乾隆二十七年，禮部准後裔陳烺建，即以烺奉祀。文卷。今在城内東門大街迤北，本重興庵。道光二十年，知州徐宗幹改建，七十七代嫡裔陳修釗奉祀。

司馬子祠 在城西南司家莊。祀先賢司馬牛，裔孫司馬恒修。按，《前志》補遺於末，今移此。以上并先賢祠。

何邵公祠 在北門外常清觀内，祀漢何休。道光二十，年知州徐宗幹立。補輯。

白衣尚書祠 在城東十里大蔣橋，祀漢鄭均。

雙忠祠 在灌冢，祀灌嬰與闕壯繆。祠有唐槐。并《前志》。

杜文貞公祠 在南池之北。乾隆戊辰，巡漕御史沈廷芳重建。左壁有石刻小像。國初總河楊方興曾重建，久圮。巡漕沈廷芳《碑記》《請賜唐臣杜甫祠額札子》《謝賜唐臣杜甫祠額札子》及各詩，并見「藝文」，互詳「名勝」。

李太白祠

錢希白《南部新書》云：「任城令廳有李太白祠。」

二賢祠

元初所建者在任城縣治東北，延祐時遷太白樓西，至正二年移建樓東。《碑記》。

按，今并祀於青華洞，元曹元用、汪澤民并有記，見「藝文」。

浣筆泉二賢祠

在城東門外泉上，祀賀知章、李太白，春秋秩祀。祠在泉之北，曾并祀少陵爲三賢祠。見《泉河史》。

按，乾隆五十六年石刻：「任城東關外有泉一泓，唐李供奉白浣筆處。沈青齋觀察重修之，五月落成，節使和希齋記。」以上互詳「名勝」。

邵子祠

在邵家集，康熙六十年重建。邵元燕《記略》云：「蜀山湖有邵夫子祠，相傳夫子過汶之魯曾憩息其間，遂設講堂於蜀山之陽，後人即爲祠以祀之。自元開會通河，潴湖蓄水，祠旁地漸淪没。順治初，巡撫方大猷令知州劉某訪求遺迹，將捐俸復之，解任不果。余叔士標亦屢訪不得。近年亢旱，湖乾碑現，百餘人撼之不動。時吾族數人往視，起之輕如葉，載歸。去其泥塗，露『邵夫子祠』四字，背有小字，莫能辨。於是鳩工重建，索余記之。」

按，《邵氏譜》云：「康節公二子，長伯温，次伯長，由洛陽遷居山左，由汶上徙濟寧。於湖上設堂講《易》，後即其地建祠。在城北康莊驛有公遺像。」雍正六年，欽賜「道宗洙泗」額。康熙四十三年，十八代孫元煊由衍聖公給照奉祀，令以「文景貞元會，性理世澤長」十字爲支派，有奉祀札付。

報功祠

在南門東土阜上，原祀尚書宋禮、萊陽周長、平江陳瑄、侍郎金純，有司春秋秩祀。隆慶六年，總河侍郎萬恭致祭。國朝康熙十六年，總河靳輔于中央奉神禹，以諸賢配。乾隆三十九年，總河姚立德增元明以後有功諸臣。明萬恭《重修報功祠記》：「濟寧，故任國也，當濟、洸、沂、泗之交。唐武德中，尉遲敬德爲盧龍節度使，苦北地餉道乏絶，乃間呂梁。夫呂梁者，非孔子所舊觀龍門者。尉遲公以其險類真呂梁，故藉名，如東坡赤壁者云。溯四百里而上及任，爲天井閘，閘故尉遲公所建，特堅緻不敗，底石博厚專車，刻云：『大唐武德七年，尉遲敬德建。』而今治河者誤爲元人分水創建者，非也。元肉食者鄙，襲唐人之誤，餉上都向天井而分水焉。夫濟寧地聳，與徐境山巔齊，洶勢便形利矣。乃仰視南旺，而南旺地聳，又與任城太白樓岑齊，激而逆諸南旺，凡九十尺，胡可分水？宋司空則從南旺分流焉，而古天井閘故在，然委也，非源也。報功祠逆濟寧南門而峙，沂、泗流於右，濟、洸流於左，皆匯於祠之前，分拆千二百里而入於安，東注於海。則報功祠實扼濟、洸、沂、泗諸水，而襟帶於任。載在祀典，以報諸水神。及宋司空而下，治河諸臣之功，無有佚墜。隆慶壬申河敗，餉道不支，天子召臣恭治水。河平，遂命臣恭禋報功祠。將事徘徊，蓋敗垣頹楹就圮矣。余爲有司言，此何以章國家之祀典，而續尉遲公、宋司空之雄圖？乃以壬申五月治河臣後祠，六月治水神前庭，七月治二碑亭，八月治垣及門。明年二月，堙門河尋丈，而錮之石堤。奉諭《祭報功祠文》，建亭而勒貞岷焉。蓋鳥革翬飛，朱棟翠甍，而濟、洸增長，沂、泗增深矣。二月坎河石灘適成，汶水洋洋東奔，觸祠如騰驤；運舸西馳，掠祠如貫魚。余乃登太白之樓，俯南池之流，溯沂泗，迎汶濟，顧張都水使者而嘆曰：『洋洋乎！巍巍乎！』唐人創之，無王會之盛；元人繼之，無建瓴之便。宋司空乃振長策，招四方而侈王會，居高而建瓴水。余與君復堙坎河，役全汶，以南浮長江大河之舟楫，而帆檣萬里，簫鼓揚波，令唐人有遺算而元人無全功。是祠也，天壤俱弊可也。遂刻石，後來者考徵焉。萬曆元年癸酉

春王正月

立。」

按報功祠中木主祀元濟州倅畢輔國、都水監丞張楷、兵部尚書李奧魯赤、壽張尹韓仲暉、太史院令邊源、都水監馬之貞、禮部尚書張孔孫、兵部郎中李處巽、中書斷

事官忙速兒、都水監丞張仲仁、宋伯顔不花、也先不花、同知東平路事伯顔察兒、工部尚書賈魯，共一十四人。明工部尚書宋禮、兵部侍郎金純、都督周長、平江伯陳瑄、陳鋭、總河徐有貞、王恕、白昂、劉大夏、王以旂、盛應期、朱裳、劉天和、李如圭、潘季馴、朱衡、翁大立、傅希摯、萬恭、舒應龍、楊一魁、劉東星、李化龍、李從心、周鼎、張國維、兵部尚書李承勛、刑部尚書胡世寧、工部侍郎藺芳、總漕侍郎陳廌、給事中常居敬、濟寧副使黄承元、陳善、參政朱國盛、濟寧分司王寵、孫仁、莫驄、陳煐、南旺分司胡瓚、張盛、北河分司張縉、徐九思、夏鎮分司楊守相、運河同知章時鸞、濟寧同知潘叙正、汶上老人白英，共四十有六人。國朝總河楊方興、朱之錫、靳輔、王新命、楊茂勳、于成龍、張鵬翮、陳鵬年、齊蘇勒、嵇曾筠、白鍾山、徐湛恩、張師載、李宏、李清時、吴嗣爵、姚立德、袁守侗、何裕誠、陳鳳翔、徐端、李亨特、葉觀潮、吴璥、栗毓美、河道葉方恒、張伯行、何煟、陸耀，共二十有八人，統計八十有八人。

總河靳輔《重修報功祠碑記略》云：「濟寧州城南天井閘之東有祠曰報功，祀宋康惠而下治河諸名臣於其中。前代以來，春秋薦馨不絶。歲丁巳銜督河之命來駐任城，仰瞻榱桷，巡覽檐楹，則皆傾圮不支，敗礫朽椽，寢爲無知者籬爨間物。噫嘻！是非直貽先賢之恫，爲後人之羞也。而濟之南郊故有禹廟三楹，益湫隘而庳陋，非所以崇永賴之報。方低回周覽，俄見道觀中有平江伯陳恭襄木主附列神几之上，不覺嘆异。隨亟謀所以更置者，因念南旺禹廟僅有廢址，而基址較倍廣，盍重建以還宏敞之規，而移像於彼？更葺兹三楹，以移祀恭襄，則神聖與名臣位置兩得矣。又念禹之禋祀於濟也，所從來久，不可以廢也。宜於報功祠之中央更立一主，而諸賢次列於左右，若四配、十哲之於宣聖，則諸賢直上繼隨刊之統矣。詢諸僚吏，僉曰：『善哉！一舉而三合宜焉。』莫不慨然協力，首營兹祠，相與運陶甓、揉堅良，故其材不賦而具，其役不發而集，一撤其故而鼎新之，凡兩閲歲而成。又相與謀厥可久，而屬余志其始末云。」○道觀者即三官廟之玉皇閣，《舊志》所云舊爲平江陳瑄祠，後人改爲玉皇閣耳。《前志》。總河姚立德《重修報功祠記》：「國家承元、明之後，定鼎燕京。歲漕荆揚粟數百萬，以實京師。雲帆蔽空，銜尾遞進，刻期鱗集，無敢後期。此固聖朝如天之福，亘古未有，豈人力也哉！然會通河所資泗、洸、汶三水，究其原委，南北分馳。又與御河、漳水本不相屬，乃能使之曲折以達，範我馳驅如六轡之在手，洵非人力不爲功。有元中統以來，經營圖度，其細微不可殫述。大約自引汶入洸，以益泗漕，餉蘄宿之兵，而江淮之舟楫通。從任城鑿河達安民，引洸入清、濟故瀆，既又從安民鑿河達御河，而推挽之勞省。至明改分水口於南旺，而轉漕益利。若夫從清口入河，溯流至徐州之吕梁入運，歷洪濤之險七百里，牽挽之勞，百倍於今。自泇河開，而避黄流之險者三百里；皂河、中河繼開，而絶河亂流。萬斛之舟，直從枕席過，謂非元明以來及我朝諸公創議經營、胼胝之力哉？濟州據南北之中，爲泗、汶、洸、濟各水之交，督河使者之治所舊有報功祠，創建不知所始。前明隆慶六年，曾敕總河侍郎萬恭致祭且重修，立碑記事。蓋祀宋尚書、周萊陽、陳平、江金侍郎四人而已。國朝康熙丁巳，靳文襄公又重爲整理，奉神禹木主於中，而以治河諸臣爲配，亦以宋尚書爲首。夫改移分水口於南旺，其功於會通誠爲第一。然非元人創基於前，尚書亦未能成此巨伐也。泇河之議始明之，隆慶屢興屢阻，歷二十餘年而功始成。塹山剗石，引泗合沂，爲功艱且巨。前人任其勞，後人享其利，且皂河、中河踵事者亦易爲力矣，寧可忘其所自哉？祠自文襄至今幾百年，其中雖亦間有修治，不免因陋就簡。歲在甲午，余與運河兵備使吴江、陸□始捐金撤新之。奉神禹於前殿，又徵諸故籍，考求本末，增祀有元以來迄於我朝，凡有功可録者若而人。記云：『法施於民則祀之，以死勤事則祀之。』諸公蓋無愧焉！或曰：『唐尉遲敬德爲盧龍節度使，實引泗出吕梁通汴。武德七年，建天井閘，由汶入濟故瀆，以餉遼海之師，元人會源閘之建即踵其故迹。萬侍郎《報功祠碑》以鄂公、宋尚書之雄圖并稱，今何不及？』曰：『萬侍郎雖有是説，而報功之祀，當時無名。且鄂公建功於盧龍，與上都無涉。會通河之功自元人始，則祀典亦斷自元人，又何疑焉。』」○嘉慶二十年，總河李鴻賓、吴璥重修，吴璥記。

陳恭襄侯祠

在南門外河岸。靳輔《重修碑記略》云：「歲丁巳，余奉命視河。時以淮揚昏墊孔亟，故胼胝畚鍤，頓轡淮陰者十之九。諦觀堰堤陂障諸往迹，竊嘆恭襄公緯繣之懋，而淮之民崇公廟貌以尸祝者，至今無替云。至濟城爲梯航上游，昔之泝神功者，既建有禹王一廟，又以公之有勛於北河也，亦築公祠於南郭之滸，所由來矣。逮余省工南旺，見其地復有禹廟一楹，視濟宇恢廓有加，然而黍離茂草之感，則兩地三構，略同一揆，良有足慨者。且南旺之禹廟，所奉惟木主而已。至濟湄之廟祠，則皆有像以祀者。而今乃或暴霜露，或寄精藍，視蒼鼠古瓦之感，不更异耶！茲度南旺之宫廷舊制猶偉，因輝其甍棟，并迎濟像而妥之。其公之故祠，舉斷碣頹垣，已無遺迹。於是以故廟之址，改爲公祠，更新其榱題，以奉公像。則庶幾神靈草莽之感，其或可稍慰乎！」○祠今無考，蓋去報功祠亦不遠也。

黄公祠

在南門外，祀黄克纘，後改爲禹王廟。明陳伯友有《巡撫鍾梅黄公生祠記略》云：「方河伯不靖，黄灌南陽，濟三十里外即成巨壑，湰洞浩渺。會通中斷，漕艘占風而進，平地溺米無算。總河、大司空咨議浚朱旺口，以泄下流。派夫二十萬人，經費八十萬兩。泗上諸郡縣應任其半，而濟爲大司空駐節之地，首聞是役，人人失色，若蚊之負山。而公即走濟上，與司空會議。派夫借鏹，犁然有條。而公又曰：『無鏹是無河也，而無民是無鏹也。奈何以軍國大計，獨累一州？』乃通檄六郡，未派夫州縣，各輸鏹著干緡，無碍銀不足，變倉穀補之，解赴河工，爲幫貼費。當是時，大司空沉璧於水，而率各長吏親爲負薪，經半載而工乃竣。然工竣而濟之子婦室家尚得完聚者，誰之力也？自榷税之議興，税璫陳增負嵎於徐，擇肉而食。濟控南北咽喉，貿遷要會，頓河居民借商賈餘潤以爲命者，無慮數千家。增以過税爲名，遣官舍參隨遍行抽取。他處無論，即濟四關市廛之地，竪旗立榜，持杖而呼者數百人。自舟航車馬之所載，以逮鷄豚蔬薪之細，罔不察及，不則徑奪之矣。民驚而走，幾乎罷市。公具疏，言：『礦税未有停期歸并，事當速議，將各州縣包納礦税六萬兩、蒲臺鹽税、秦山香税各包三千兩』。酌議既定，得俞旨『按季徵解』，而税棍乃撤。又數年，增乃死。使無是議，民不勝其荼毒，濟必大亂。是稅雖未即止，而濟之閭巷市肆尚得無恙者，誰之力也？至其他如禁斗稅以止科索，調閘架以蘇横斂，恤饑饉以救灾祲之類，種種不可殫述。而獨其大役不偏累，則濟始不至沉爲魚鼈，而保其皮骨；虎冠不横噬，則濟始不至啖爲魚肉，而遺有殘喘。則公所造德於濟，而濟之銜德不置者，兹二者其大已！」

張公祠 在報功祠東，今無考。見《舊志·張國維傳》。

靳襄公祠 在天井閘。康熙四十二年建，幕友兵備道銜陳潢配享。《前志》。

按，祠額曰「昭代一人」，曰「兩河師表」。乾隆五十三年重修。○祠中有總河楊茂勳木主，應入報功祠。

李公祠 在游府後街，爲知州李順昌建，有碑記。今圮。

趙公祠 在南門外河南濟陽會館。祀知州趙之鶴，肖像摹石。《前志》。

按，祠中有巡撫徐績書《州太守趙侯傳》。詳「宦迹」。

李公祠 在龍神廟内，旁祀總河李清時。乾隆三十三年，總河姚立德率屬建，捐銀三百兩，生息以備祭祀。記云：國朝以治河稱最者，首推靳文襄公，繼則張清恪公。靳公之績詳於黄，張公之績詳於運。是以《居濟一得》之書，遂爲運河圭臬。而私淑清恪之傳者，則惟安溪李公。公任運河道最久，沈潛寢食其中，又多心得，師其意而不泥其辭，如減何家壩以泄汶之盛漲也，添建滚水壩、落低三空橋以泄河西州邑之水也，移金綫於柳林之北以濟北運也，展寬四女寺壩以泄衛河之漲也，此其犖犖大者。其餘善政，不可一二數。公嘗書座右曰『有水濟運，無水淹田。帑不虚糜，功歸實用』，四語盡之矣。曾守嘉興、兖州二府，有遺愛，兹不具論。在河道九年，調淮徐道，旋擢河東河道總督，在任三年，調山東巡撫，卒於官。而余在運河道時，受公知最深，謬承針芥之合，遂倡率捐金，建祠於龍神廟内之前，西向肖像其中。四月工竣，又捐百金存質庫，收其子金以爲歲時祭祀之費。及余遷淮徐，後由山東按察司來任今職，時以不克繼公之績爲懼，而典型猶在，未嘗不黽勉步趨。竊嘗考明以來名臣如陳公瑄、張公國維之祠，久廢皆不可問。恐後之視今，亦猶今之視昔也，遂追爲此記，勒石祠内，俾後人有所考云。乾隆四十三年六月某日。」

按，今爲二公祠，并祀姚公。補輯。

盛百二《訪三祠記》○濟寧《舊志》載，有河神總祠在南池之右，云康熙初，河帥楊公茂勳建。又漕河神祠，明河帥舒公應龍建。歷問之人，人不知也。又有玉皇閣，舊爲平江伯陳恭襄祠。後人建閣，上奉玉皇，下祀平江伯府尹程嗣功。有記，初不言閣在何處。濟上之玉皇閣、玉皇廟不可一二數，又歷問之人，人亦不知也。夫漕河神與平江祠之建在勝國，其莫考固宜。若河神總祠建自國初，且志云楊公曾請敕封作記，并奏疏鐫碑祠内，豈可遂同弁髦？一日過南池，其右有金龍四大王廟，因遂訪之。入門豐碑二屹立庭中，就審之，即楊公《奏疏》與《祠記》也，而漕河神祠仍不可得。因憶《泉河史》載州人李堯民爲舒公所作《龍神祠記》云：「龍神河神，門合而中分，左爲龍，右爲河。」恍然而悟，今龍神廟右新建之文昌閣、李公祠，即當時河神祠之故址矣。以其廢久，故楊公復有河神總祠之建耳。然廟中之碑，尋之無片石存，或云昔有，往往埋之土中矣。出廟門而西，與爲比隣者則三官廟也。冀有所得，因并訪之。門内有嘉靖四十五年《三元宫碑》，又有隆慶辛未《水府三官碑》。蓋始爲三元宫，後又爲三官廟，廟凡三層。最後忽睹玉皇閣庭中東序有碑陷壁，則萬曆丁丑應天尹程嗣功《平江伯祠記》也。而平江水主，又易爲梓潼帝君矣。時纂《州志》將成，二旬之間，三疑頓釋，備書之以見考據之難，亦使後人有所徵云。夫世之奔走恐後、乞憐於土木者，非以迓福而禳禍乎？不知鬼神之乘除興替，亦惟人所爲。嗚呼！天地爲爐，造化爲工，又有司之者矣。戊戌二月望日。

栗恭勤公祠

在龍神廟内東樓下，祀總河栗毓美。道光二十年，知州徐宗幹同州人立。按，公已奉文祀名宦祠。補輯。

朱將軍祠

在城隍廟東院，祀義士朱錦。道光二十年，知州徐宗幹立。

今祭邑厲壇旁設朱將軍位，有《傳》，附「人物」。補輯。

知州徐宗幹撰《傳》曰：「將軍，濟州東鄉人。明初土寇圍州城，鼓而噪曰：『但得知州而甘心焉，不然則盡屠。』軍民惶懼，并力死守。賊環攻之，益亟。朱貌似知州，大腰腹、目炯炯，于思于思，衣其衣，冠其冠，距躍而起曰：『官亡則城亡，城亡則民亡。死予一人，而一城官民皆生矣。』夜縋城下，大呼曰：『知州來也。』賊蜂擁，攢刃刺之，血淋淋不能辨。賊稍退，兵集圍解，城賴以全，州人到今稱之曰『朱將軍』。紳士王緒昆等請旌其功，以其相傳聞异辭，或以爲隸卒也，不果行。嗚乎！術不可不慎也。然成仁就義，所争者一死耳。高爵厚禄、印纍纍、綬若若者，每多難苟免。而臧獲妾婢，往往以一死報主。當時不稱，没則已焉。同此丹心，未登青史，悲夫！論曰：方春夏時，百卉齊榮，交錯庭階几席間。及風饕雪虐，則萎敗枯朽。或深藏窟宅，苟延一綫生機而已。然則當亂世，與社稷共存亡者，松柏耶！士君子矢名節而揚清芬者，梅耶！竹耶！陬澨編氓，曉然於率士之義，舍其身家者，其深山幽谷之勁草，而莫知其名者耶。吏胥莠民也，或以爲非種之必鋤焉。如將軍者，何以稱焉？嗚呼！海内多事之秋，用人者其可拘乎哉？」

史公祠

南關吕祖堂内，有知州史錦木主。補輯。

○學宫各祠

明洪武四年，詔天下學校各建先賢祠，左祀賢牧、守令，右祀鄉賢。國朝雍正元年，禮部議覆行令直省、州、縣各建忠義、孝弟祠於學宫祠門内，立石碑刊刻姓氏，已故者設立碑位。

名宦祠

漢任城令袁安　任城長周磐　任城相楊秉　任城相劉儒　任城令劉祐○南朝宋任城令羊規之○北魏濟州刺史段榮高季式　任城公奚牧○北周任國公于翼○唐秘書監賀知章　濟州刺史裴耀卿○五代周濟州刺史任漢權○宋知濟州姚鉉　通判濟州陳堯咨　知濟州謝文瓘　忠翊使楊存中　濟州團練推官畢士安　任城主簿劉顏○元三州總管石天禄　濟寧路總管胡祇遹　答里麻　董摶霄　單州判官蓋苗　濟州達魯花赤冀德方　知州李絅　判官畢國輔○明濟寧知府方克勤　知州蔣資　傅霖　濟寧衛指揮狄崇　州同知潘時正　知州史誠祖　祝祥　州判葛興　州訓導和承芳　工部主事分司侯一元　任城衛指揮鮑東萊　工部主事泉閘分司胡瓚　兖州府知府程學博　運河同知劉芳譽　知州唐世柱　總河張國維　河道葉重華　濟寧衛指揮張世臣　國朝總河楊方興　三省總河朱之錫、李蔭祖　濟寧河道方兆及　濟寧道張伯行　兖寧道余甸　巡撫山東都察院李鈵　楊延耀　布政使王用霖　侯居廣　按察使吴毓珍　兖東道潘超　糧道朱廷楨　濟東道韓鎬　宋廣業　學道徐絅　學政趙中李　臨清衛守備李承恩　知州李順昌　徐士訥　吴檉

名宦、鄉賢皆據《通志》《萬曆志》、文册及舊時木主參定。蓋苗以有功於濟，祀之宜也。而唐以前之濟州刺史與此無涉，賀之章亦未爲任城令，然有其舉之，莫敢廢也。惟隋之虞慶，則不可入也。《前志》。

按，《前志》載五十五人，今考祠中木主，有明知府朱祥、濟寧判府段約、國朝按察使宋犖、運使劉清、運河道王念孫，并總河栗毓美共七人。補輯。

鄉賢祠祀

漢上黨太守魏應　白衣尚書鄭均　諫議大夫何休○魏徐州刺史吕虔　陳郡太守孫該○晋尚書僕射魏舒　荆州刺史魏咏之○宋知右州瞿守素　秘書監

榮諲 尚書左丞李邴○元鎮江總管段廷珪○明都察院副都御史楊浩 刑科給事中王鎮 曲阜訓導曾濤 右副都御史劉澤 寧國守鄭文炳 商邱訓導袁墨 西華令張龍交河令崔雲鶴 吏部侍郎靳學顔 山西副使靳學曾 六合令董潤 貴州布政使于錦大名太守鄭真 聞喜令仙豸 大理寺卿王湘 魏縣教諭楊士慕 陝西布政司參政郭汝 郏縣令扈魁 朔州知州臧石 山海衛教授潘蟾 獲鹿教諭臧惟允 太原府通判寇來賀 淮安同知姜桂芳 應天府尹李堯民 鶴慶守李燦 陝西巡撫于若瀛 東光令周一龍 河南布政司參政楊洵 洛州令呂正音 太常寺卿陳伯友 荆州府通判潘士謙 虹縣訓導邵鳴秋 霸州道副使張耀采 知蒲州張文一 行人司靳于統 文縣令楊鳳振 西安守楊鳳翥 左春坊諭德楊士聰 內閣中書姜遇武 陽曲令任孔當瑞州推官趙洙清 户部員外陳宸誦 國朝山西道御史邵士標 建南道王道新 攸縣令王宏 工部侍郎王天眷 雲南道御史黃敬璣 四川太平令任孔昭 江南鹽驛道楊宗震 户部主事陳益修 翰林侍讀學士潘應賓

按，《前志》載六十二人，今考祠中木主有：元儲司院山長進士羅曾 明工部郎中孫景耀 武昌府通判李大順 吴江知縣劉鐸 汝州知州張梓 東昌教諭戴敏學陝西按察使 江東 山西孝義令潘篔 工部員外朱紘 國朝恩貢生高如岱 禮部郎中李楨 贛榆令周於德 欒陵訓導潘汴琅 翰林庶吉士呂顯祖 山西潞安守張淑渠 懷遠將軍阮性浩 生員戴有臨 湖北副使尹士俍 賜檢討孟興炎 黄業炘 當陽知縣李芳 香山大使宋愉 翰林編修沙澄 臨朐訓導黃敬球 淄川訓導李化鵬 龍里令楊名寀 都察院左副都御史仲永檀 平度學正孟淑尼 會稽令高居寧 舉人孫承祖 通政司王廷臣 鳳陽守李以易 天長令潘兆遴 龍川令潘好讓 京山令李壯 福泉令戴行仁 歲貢生王永清 固安令魏爾康 户工部法曹兼督史大倫 太學生楊宗聖 海南長寧令孫鏡 鄉進士趙涵清 萬載令楊鐸

外有嘉祥教職兼主簿蘇若思，共四十五人。補輯。

忠義祠

金翰林應奉李演○明簽江南行樞密院事趙德勝 刑部主事鄭瑄 揚州守任民育 兵部尚書徐標 鄧州知州楊佩 深州知州李燭 武城訓導汪應科 武昌通判湯三俊 安廣左都督楊振宗 安東游擊阮應兆 揚州府幕友陳善 諸生楊定國 濟寧衛指揮張鳳 王清 千户張鑒 河標副將劉良弼○國朝兵河道李時 河標中軍副將吴道泰 河標游擊張思孟 白鴿營守備房星 參將惠世溥 義士則元 段約 李斌 明王鑒 吴自然 鄭與僑 舉人孟挺 蘇成宗 都督簽事陳永清 常州副將王天祐

按，《前志》載録三十一人，今考祠中木主有：明廣東都司文成 廣東游擊蘇貞太 諸生孫允泰 行人司潘士美 參將潘輝祖 貴州參議李睿 衛指揮文顯 鳳陽守備文星耀 郡廪生劉有源○國朝江西守備阮性淳 歲進士任之琦 雲南總兵吕九如 温州總兵王運 廣東參將劉世臣 歲貢張廷英 拔貢鍾應銓 府學生員李燮等一十七人。

孝弟祠

元魏鐸○明段瑀 李守信 蔣貞 王果 程選 張濟民 劉汝新、汝化 湯之任 徐守繕 李鳴雷 錢京 天啓丁卯舉人王道明○國朝傅光祚 李耀昇 張鳴鶴 姜羽翔 秦治世 常省 楊芳昇 閔萬錦 劉泰徵 曾繼祖 鄒衍洙 鄭學紋 李維心 劉元忠 潘夢麟 楊瓚 邱岳 贈檢討潘好儉 進士熊士偉 贈朝議大夫張世思 貢生王勷 順治五年《學碑》有傅光祚。諸人《前志》李耀昇以下係明人。

按，《前志》載三十五人，今考祠中木主有：明庠生李經世 封指揮李材 庠生李榮春○國朝劉梁 劉檢 孟德仁 劉維學 許樹德 許承乾 范塘 舉人楊欽 劉欽 五經博士仲承述 舉人李荷川 太學生劉焯 理問許敏秀 監生張文倫 鄭璠 生員戴預 沔陽分州王耀 貢生高濂 舉人馬協寅 庠生靳高峸 州同知王銓 贈文林郎王鈞 例贈登仕郎百歲神若瀛 共二十六人。增輯。近增孝子徐貫一。

節孝祠 詳「列女傳」。知州藍應桂《節孝祠記略》云：「州舊有節孝祠，在城東南隅。前知州趙公之鶴所建，其地湫隘。余既修學宮，當尊經閣西墻之外有嘉樹二，側臨清池，因重建祠三楹。於樹之北立主記名，一遵雍正元年詔旨。於樹南爲祠門，擬築『懷清亭』於雙樹之間，而以事未遂，因書之石。後之君子，或有同志焉，所深望也。乾隆四十三年夏記。」《前志·藝文》。

二老堂 祀明總河吴江周用、玉山詹瀚。在學西，久圮。

遺愛堂 祀明總河王士翹、陳堯，久圮。鄭真有記。見「藝文」。○二老堂相傳祀吾崖王公、梧岡陳公，即于念東《中丞曹公德政碑記》亦云：「惟廖志以二公爲周、詹二人。今學西隙地，群指爲二老堂故址者，有碑存焉。細審之，乃遺愛堂碑。嘉靖四十四年，太守鄭真爲王、陳二公作也。記中絶無『二老』字，則知廖志謂二老爲周、詹者，未可遽云謬矣。周、詹兩公有功於學，與王、陳同，靳學顔記可考也。因《萬曆志》及廖志俱不載遺愛堂，故傳訛耳。張遂寧《兖州府志》云：『二老堂，康熙十八年靳公移於學西。』然廖志刊於十一年，已云二老堂在西矣。且《萬曆志》圖本在西，與文昌祠遥對。竊恐移而西者，乃遺愛堂也。」《前志》。

四忠祠 祀楊佩、李燭、徐標、任民育，在學西遺愛堂後，久圮，今改祀忠義祠。○潘兆遴《記略》云：「明崇禎之季，濟人以死殉官者，先後得四人：順天府保定縣升鄧州知州楊公佩、深州知州李公燭，同死壬午之難，事聞贈山東布政司參議。至總督畿南山東河北兵部尚書兼右僉都御史徐公標、楊州府知府任公民育，則死於最後，故贈恤未及。先後大節，同炳日星，事久論定，輿情鬱極。濟人揮涕相告，以爲人臣事君至九死不回，可以爲忠矣。且同學比肩接踵者有四人，真名教之盛事，而桑邦之極榮也。於是衆議僉同合祠，請諸州牧，申上官建祠四楹於州儒學西偏之隙地，一龕以合祀之。闢門二楹，於東南隅爲神道，額曰『四忠祠』。經始於康熙四十七年之初夏，七閱月而告成。

以祠管鑰掌之四公裔孫之賢者，非時無啓，以期潔浄嚴肅。祠東逼鄰官舍，後之司鐸者勿假祠作書館、接賓客、貯器物，更不得架矮屋於院宇、穿私竇於墻垣，壅蔽喧溷，以滋怨恫。堂自階南距二老堂後墻五十尺，東西繚垣距四十四尺。四公神位以爵序，爵同以科分序。首徐公，次任公、楊公、李公。康熙已丑年孟秋，潘應賓等公立。」此碑今移忠義祠下。《前志》。

按，今昭忠祠在關帝廟東，祀陝西游擊徐萬寧、中營馬兵沙允清等。詳「人物」。

靳公祠 在學東文昌祠後，祀總河靳輔，即故講德書院。

學校報功祠 乾隆四十二年，知州藍應桂即舊靳公祠建，祀元濟州首建學校達魯花赤冀德方　知州郭景仁　李宗武　知州張仲仁　同知濟州偰朝吾　濟寧路總管王德修　濟寧路達魯花赤昇嘉訥。○明總河李如圭　于湛　周用　詹瀚　王士翹　陳堯　翁大立　曹時聘　濟寧道高尚忠　工部分司莫驄　濟寧府同知劉大昕　知州傅霖　蔣資　陳亮　蕭軏　劉嗣傳　唐世柱　○國朝總河靳輔　河道葉方恒　運河同知任璣　知州吴樫

按，《前志》載二十八人，今考祠中木主有：總河楊方興　吴邦慶　栗毓美　補輯。

○附記廟祠 各廟不盡在祀典，而士民所崇奉祈祥者，未可盡斥爲淫祠也，然不勝書。今考《前志》列入「寺觀」，及有前代《碑記》可資以道古者附記之。

三義廟 在小東關。

濟寧直隸州志　卷五　二十九

娘娘廟 在天齊廟東，明嘉靖時建。今稅務街有碧霞元君廟，又魯橋鎮元君行宮。明萬曆十五年，南京户部古鄗程嗣功有記。

葛仙祠 在城隍廟西。

張仙祠 在東岳廟迤東。盛百二《柚堂續筆談》云：「蜀神仙張四郎修道於邛州白鶴山，常挾彈視人家有災疾者，輒以鐵丸擊散之，蜀人畫像以祀。見放翁《老學庵記》以爲孟昶者，非也。或云神名『遠霄』，五代時人。」

江東廟 在城隍廟迤東。明郡人陳宸誦《重修宣封護國江東嘉濟崇惠顯慶昭烈忠佑王廟碑記》云：「忠佑王廟，傳聞建於崇聖館，即西南隅運河廳署也。昔有客在都中乞，卜如響，負聖像至濟祀之。後建河廳，有善士蓋君隨移於此。碑記不存，考《搜神記》，忠佑王姓石，諱固，秦時贛州人。生而英烈，歿爲神，祠在贛。每陰雨晦冥，受職於東岳，而綜理人之生死禍福。又考《東岳寶誥贊》，本來閩地，立業南方云。善士蒯某與婿孝廉王某起而修之，計募於辛未，訖於壬申。道士徐大輿亦與有力焉。崇禎十年十一月立。」《蘇州府志》：「神，秦人。漢高祖六年，灌嬰略定江南，至贛城，神見於某山，告以克捷之期。凱旋，牲酒款謁。立廟贛江之東。至孫吴時，遷神於吴，頗著靈异。蓋江東者，贛江東也。乾隆元年重修，見城隍廟東廊社房記石刻。」《前志》稍節。

二郎廟 一在西門瓮城內，一在城東洸、泗合流北一里餘。二郎神即嘉州守趙煜，斬蛟者也。不知何代封爲清源妙道真君，見查慎行《人海記》。宋知和州周虎作《神祐王廟碑記》云：「開禧二年，寇勢孔熾，和州幾陷。夢見一人，冠三山冠，衣白袍，謂虎曰：『吾隋人趙煜，知子忠義，故至此助。』子明日寇合戰，見一人羅馬持杖，一如所夢。凡三十三戰，敵氣沮折，大創而去，封爲『聖烈昭惠靈顯神祐王』。」又云：「王始從李珏隱青城山。隋煬帝時，爲嘉州牧。州有犍龍爲害，王出奇策除之。隋亂，王隱去。後江水泛溢，蜀人見王於青霧中，乘白馬超波而過，水患遂平，民爲建廟灌口。唐太宗不豫，禱於王，疾旋瘳，詔封『神勇大將軍』。明皇入蜀，護蹕有靈，加封『赤城王』。真宗時，命張乖崖平蜀，賴神相告成，言於朝，改封『清源妙道真君』。」又皇甫汸《長洲志》云：「神，灌州人。六月二十四日爲神生辰。」《杭州志》云：「姓鄧，名遐，字應遠。陳州人。爲桓温參軍，歷冠軍將軍、數郡太守。襄陽城北水中有蛟爲害，神入水斬之，鄉人德之，爲立廟。以嘗爲二郎將，故尊爲二郎神。又或相傳，爲秦蜀守李冰之子。」明萬曆九年碑記云：「西門瓮城内，舊有二聖神祠，一曰『崇寧至道真君』，一曰『清源妙道真君』。」《前志》。

今西門内祠久圮，神像露處。道光二十年，知洲徐宗幹祭告，掩埋於西城外，改奉木主。

崔府君廟 在運河西岸。元好問《崔府君廟記略》云：「唐崔子玉府君祠，所在有之。或謂『亞岳』，或謂之『顯應王』者，皆莫知所從來。府君，定平人。太宗時爲長子令，有惠愛之風。本道采訪使與長子尉劉内行弗備，且有贓賕之鄙。時縣有虎害，府君謂二人者宜當之，已而果然。及一孝子爲所食，乃以牒攝虎至，使服罪。一縣以爲神，而廟事之。」蘇天爵《元文類》。《杭州府志》：「府君，祈州鼓城人。父禳，禱於北岳，夢帝賜美玉二枚，吞之，因名珏，字子玉，又名亞岳。唐太宗感夢，封護國公。宋真宗加王號。高宗南渡，宿府君廟，有神扶其首，則追兵至矣。忽見白馬，乘之，宵行七百里。至禦兒鄉，其馬忽不行，視之則泥也。帝至杭州，爲立祠，賜額『顯衛』。」

三元宮 即皇經閣，在南關西偏，里人江中漢等捐金倡募。閣凡三層，東爲關帝閣，西爲文昌閣。郡人陳益修、王道新創建，王道新、鄭與僑、黄敬璣各有記。一在魯橋鎮，明萬曆三十五年建，有碑記。

呂祖堂 在南關皇經閣左。里人李材建，傍有隙地，其孫李辰璣、佩斗、佩璵結茅爲室，植花竹，疊山鑿池。明天啓元年，有呂純陽鸞筆述石刻，堂後有壽星閣。

許真君廟　在河東七里鋪。江西運丁公建，總漕楊錫紱又擴充之，建行館爲駐節之所。

泰山行宫　在税課街西。郡人魏人望記：「一在濟陽橋月河口，一在河東。」郡人郭汝記：「一在魯橋鎮，明萬曆時創修卧像。一在兩城鎮，明天啓初修。俱有碑記。」

玄武廟　在城西二十里耐牢坡，徐標記。見《小築邇言》。又真武廟在北關，郡人劉概記：「一在運河驛北，一在城東南隅。」僧祖文重修，郡人楊鳳翥記。即五龍宫。乾隆五十七年，城武善士王士璋募修，有碑記。又真武閣在棗店街北通孔道，久圮。里人胡若琦捐金，僧智照募化重修，郡人楊賢、徐州牧新安方瑜俱有記。即玄帝閣。明隆慶元年修，并有碑。又兩城鎮真武祠，明弘治七年耆士張義、閻雲建，正德五年修，魚邑貢生李鈁記。又曰：元帝廟，隆慶二年修。一在魯橋鎮，嘉靖三十七年，并有碑記。

三官廟　一在東岳廟前，郡人陳伯友記。一在運河北岸，一在河東岸，俱郡人靳學顔記。一在北關。又三官閣，在南小門，郡人于若瀛記。明隆慶三年重修，有碑記。《前志》。

玉皇閣　舊爲平江伯陳瑄祠，後人建閣其上，祀玉皇，府尹程嗣功記。康熙十五年重建，郡人潘好讓記。乾隆五十七年重修，郡人陳品重記，俱有碑。又玉皇廟，在南小門迤西，仙源吉從善重修。魯橋鎮有中天玉帝廟，乾隆三十六年修，并有碑記。《舊志》。

天仙閣　一作天妃閣，在北關東北。爲謁岱通衢，持香頂禮者，歲無虚日。郡人鄭文炳記。又百子堂，在税課街南。

通利王廟　在魯橋閘。元大德五年重建，有碑記。

炳靈王廟　在兩城鎮東岳廟内。金天德間建，兗州學正郡人唐度仁記。明昌元年四月，村老徐成子、徐桐、鄭彦子、鄭日雲重修。

金鄉

社稷壇 在縣治西。明洪武十七年，知縣范士廉建。成化十六年，知縣盛德改建西郊外。

風雲雷雨山川壇 明洪武二年，縣丞李瑾建。成化十七年，知縣盛德修。

先農壇 在東郊外二里官道北。《前志》闕。據《縣志》補輯。

城隍廟 在縣治東。明洪武十七年建。

按，《縣志》：明知縣范士廉建，知縣盛德、張誥先後繼修。明嘉靖二十二年，邑人辛吉有記。國朝康熙二十九年，知縣梁浩之倡修。雍正十年，知縣高恕重倡修并記。邑廩生尋衍棻《廟社記略》云：「嘉慶癸酉九月十一，僧清方懷刃入城，將爲掩襲之計。見白衣老父招之入廟，適與捕者相遇，遂以就擒。邑人士感神佑之昭昭也，相與約社祭賽者所在多有，如王興義等其一也。夫神者，聰明正直而一，豈以區區牲醴爲重輕哉？顧自吾民計之，免兵燹之苦，獲保聚安，生死骨肉，其貺厚矣。豈可情隨事遷，漫不思所以報耶？則夫奔走廟庭而薦陳恐後者，亦行其心之所安而已。道光四年三月日記。」土地祠在縣治儀門東，明知縣李國泰重修。補輯。國朝嘉慶十一年，創修蕭曹祠，舉人王登銓記。

邑厲壇 在縣北。明洪武十七年建，成化十六年改建。有石刻明太祖《御製祭文》一通。

按，現在郡邑《祀厲壇告文》，即太祖文節改之。另有《告城隍文》。

八蜡廟 在縣城東春城埠上。景泰六年，主簿方伯輝建。

文昌廟 在書院東北。

火神廟 在縣治東。明知縣盛德建。

龍王廟 在北關外官道東。明知縣高魁建。○三廟并見《縣志》。《前志》缺，今補輯。

馬神廟 在縣治西。明宣德八年建。按，《縣志》：在治東，明知縣李國泰捐廉重修。國朝康熙年間，知縣沈淵重建。

關帝廟 在舊東關外。順治三年，移縣治南西司東，壽官莫志孔建，知縣麥子淳重修。順治十三年，壽官李林玉復興，魏正誼、李堪棟等修；邑人胡芳記。有碑。

附

真武廟 在北關外。元至元元年建，明景泰元年主簿方伯輝重建，教諭盧與齡正統十一年記云：「宣德初，邑令張□、太尹沈義并修。」又，玄帝廟一曰「玄天宮」。崇禎三年，王欽妻翟氏修，邑庠生王吉士記。○《縣志》載：三皇廟，縣治東十二里。明隆慶年，誥封郎中劉洞建。藥王廟，在南關外。明知縣李國泰建，久廢。康熙年間，知縣傅廷俊重建於東關外。又署東有吕祖祠，典史魯鏞記。陽山華祖祠，邑人吴國用、楊成選修，庠生李振遠記。補輯。

《前志》與「壇廟」并列，今附記於後，嘉祥、魚臺并同。

范張祠　在東門外，祀范式、張劭，舊在城東。明成化十六年，知縣盛德建。萬曆六年，邑人郭東藩移建東門外。請撫院令有司奉祀，祭用仲春、仲秋戊日，郭東藩記。見「藝文」。

按，邑東南三十里鷄黍集迤東三里許古城村，相傳爲巨卿故宅，集右有范張祠。成化中，邑令盛德構堂而奠焉，汝南彭鯤化有記。潞河李某相繼增修。國朝康熙四十八年，知縣沈淵倡修，有記。又修配廳，歲貢李奮翼記。道光十九年，邑人李國榮重修，增生李應璽記，并有碑。補輯。

石將軍廟　在儒學前，元至元十年建。石像高七尺，戎衣撫劍，或云元忠義總管石珪。

按，《通志》：「珪總管山東諸路，守曹州。爲金人所得，不屈，死之，其麾下爲立祠。」即此。

周將軍祠　在縣東門外，乾隆三十三年重建，有《傳》，見「人物」。《前志》缺，補輯。

按，《縣志》：「在二賢祠東。」「二賢」未知何指。

盛公祠　在縣南三十里，明天啓時知縣李國泰建。《前志》。按，志不詳何人，疑即明縣令盛德。

○學宫各祠

名宦祠　漢太守龔遂　張敞　秦彭○宋邑令石曼卿　徐處仁○金邑令聶天佑○元縣尹成野賢　主簿楊循禮○明巡撫宋學朱　右布政蘇宏祖　知縣龍駿　盛德　高魁

宋鼎　石漢　宗周　劉廣譽　縣丞王濟美　宋鶴年　主簿唐鵬　教諭楊守道　諸祖○國朝巡撫楊廷耀　布政使陳極新　衛既濟　按察使蘇昌臣　吴毓珍　郎永清　東

兗道潘超先　兗州知府黃士奇

李世敬　通共三十一人。

鄉賢祠　漢范式　丁恭　張匡　仲長統　伊籍〇三國魏涼茂　滿寵　王弼〇晉虞溥　郗隆　郗鑒　郗愔　郗恢　檀憑之〇南北朝宋檀道濟　檀祇〇齊檀超〇唐　郗純　郗士美〇元馬超　劉持中〇明高翥　劉富　任勵　王佑　高崇　朱紋　李春　秦旻　李榮　郭囊　胡洞　胡汝桂　周大備　郭東藩　周永春　李士元　張文燦　周永康　國朝李振璣　高潔

共四十一人。

按，《縣志》云：兩祠諸公悉依《舊志》開載。查「宦迹」「人物志」有德績茂著而采輯漏遺，或紀載詳明而祀典缺略，願同志及時而舉，毋致積怨恫於神明云。〇明胡汝桂記云：金鄉丞威縣夏臣同鄉大夫李燧、郭東藩同修，其時祠祀九人而已。

忠義祠　明楊廷高　國朝周如春　楊淮高陽　李化湛　周世德　共六人。

按，雍正七年碑文，前三人爲忠義，後三人爲孝悌，蓋本二祠合而爲一也。

節孝祠　詳「烈女傳」。〇以上附祀學宫。

義烈女祠　在西門外迤北。康熙三十年建，邑人周格《金鄉義烈女碑記略》云：「明崇禎甲申之三月，流寇殘京師，海内如沸。凡蟻聚之衆，莫不乘機肆其攻掠，東南所至，蹂躪無完土。金鄉以蕞爾邑，瀕水陸之衢。是月十六日，有妖賊『翻天鷂』者屯騎西門外，佯稱闖官安民，時人情汹汹，罔知所措，幾欲啓關延之。義烈女者，初不詳其所自，以被擄置前行，忽揮守者揚言曰：『狂賊紿汝，速閉門，毋取屠戮。』語未訖，賊怒，手刃之濠邊。於是城上益嚴備禦，炮矢争發，賊尋驚潰去，全城賴以無恙。康熙壬申，距義烈之死已五十年，父老及見者猶往往追道救城事，且揮涕曰：『恨向當喪亂，藁葬匆匆，即令欲求抔土所在，已湮没不可得矣，况其里居、姓氏之若疑若信者哉。』一時聞之，咸咨嗟嘆息，不能釋諸懷抱。爰謀所以祀之者，得請於官。春三月，建祠西城外，即其捐生之處也。越七年，復議勒石，以垂不朽。女子稱『義烈』，蓋私謚云。」知縣沈淵記。見「藝文」。濟寧州境臨清衛馬房屯車户馬思敬女年十九，互詳「列女傳」。乾隆元年，邑人周緝、周建極勸捐監修，周之母高氏并捐，施紳士用格、劉桂圃、王鑣皆助之，邑令王恕記。

真姑邵氏廟 在縣西北柳園村，祀南武城魯秋胡妻。明嘉靖時建，萬曆時知縣彭鯤化復新之，有記。《前志》。餘詳「雜稽」。

嘉祥

社稷壇 在縣西七十里小青山下。

風雲雷雨山川壇 在縣南三里澹台山下。明洪武八年，知縣葉得全建。《前志》。

先農壇 在縣東門外。

城隍廟 在縣東萌山之陽。明洪武二年，主簿楊宏建。天順七年，知縣張慶重修。

明嘉靖四十年重修，知縣韓文爨記云：「歲丙辰上元，周侯儒復建。」《縣志》：「左丁巳道士周守陽、周太玉、杜清琴募修，戊午聽選官杜欽禮、楊守廉，司掾邵登高、王一中、士民張堯共捐修，成於辛酉之冬。助工者，生員李玳、士民王宗仁、權文秀、李文學、陳洪道、翟節、苗禄、郭魯也。」國朝嘉慶十八年重修，邑增生宋運青《記略》云：

「嘉邑，武城故地，夏公子武受封於此城之所由昉也。其曰『南武城』者，以北武城之屬於東昌者言之。而定襄、清河，皆有武城。定襄在西，故清河爲東武城，與定襄皆隸趙，在魯之北，則嘉邑之爲南武城也信矣。人情樸厚，俗有儒風，弦歌之化，歷久不衰。加以代有賢宰，史不絶書。其以城隍爲保障，而非徒資以祈福祥、除禍灾也明甚。既建廟，復祀壇，水旱癘疫之灾、雪霜風雨之不時，於是乎禜之。邑民慕義，何處不勉爲之？結社建醮，講信修睦。董德仁倡其事，從之者百餘人焉。士子講求典禮，淫祀必黜，正神則敬而遠之，以不違俗者率鄉人以『祭神如在』之誠，以不從俗者示鄉人以『天遠人邇』之道。醵錢辦物，聊當歲時伏臘之樂。所剩餘貲施之廟，以圖其久；勒之碑，以明其義。而敬神之道、遠神之義，兩得之矣。嘉慶癸酉三月記。有碑。」增輯。

邑厲壇　在縣北門外萌山之下。

八蜡廟　無考。○按，《縣志》云：「在獨坐山前。」○劉猛將軍廟在八蜡廟左。

文昌祠　在學東。順治三年，邑人高斗光建。○按，明嘉靖四十年，知縣韓文爨重建，教諭李相記，有碑。

火神廟　在西門外。

龍王廟　在北門外。

伏羲廟　在縣西圬山之陰。金大定十五年，李平重建，邑人宋子貞記。

按，《縣志》作圬山廟，有四，惟圬山巔修復猶存。又，三皇廟在獨坐山之陽。

關帝廟 在東門外，明嘉靖間建。崇禎十六年，知縣江文淳重修，有記云：「崇禎壬午冬，寇夜偵城，彷佛見公憑城而坐，至明敗去，彈丸乃得全。董其工者，李生維碩、義民高萬里、高九成也。」國朝康熙五十六年重修，邑廩生梁肅記。見「藝文」。

按，文昌、關帝各廟，《前志》缺。今補輯。

崇祐廟即惠濟公廟 在縣南十五里青山之陰。《通志》云：「廟與焦王城相近，祀古焦王，有漢建寧元年碑著其靈，應號『青山君』。晉永安間，奉車都尉金鄉申宏立石爲頌。宋崇寧元年，敕廟爲『崇祐』，封『靈應侯』。宣和三年，加封『惠濟公』。宋元以來，禱雨祈晴輒應。」至正元年，縣尹劉敬重修。宣德間，知縣閆傑金、教授趙衡正、元主簿蘇若思、曹鼎俱有碑記，選入「藝文」。

按，宋淳化六年，新修三門，鄉賢呂應記。元大德二年重修。明萬曆四十年，知縣劉某重修，邑人陳文剛記。國朝順治十年重修，廩生董方大《記略》云：「考惠濟公，其先蓋神農之後，周寧王克商，封之於焦地，在宏農陝縣云。其後數傳，苗裔散處，嗣有土宇，所居地仍名焦，示無改故封。今南武城之焦，其一也。按，公即焦之始封君，未詳何爵。然世有功德於民，土人以時祀之，不忘世典，廟户杜應舉葺而治之。聞之甲申歲，土人姚惟則等避寇亂入廟側深硐中，寇屢欲劫硐，聞有音自廟中來，如鈞天廣奏者。三日，寇驚怖散去，土人以是獲免。若此者，豈土人奉公久，公假是以解其危耶？抑公厭亂，揚是音以導人心之和耶？即不然，國將昌協風至，公將以是音鳴太平之盛耶？此不可謂非公神靈之一驗，豈區區禱雨即應云乎哉？順治十年癸巳季春上浣記。」雍正十一年重修，知縣李松記，并有碑。

按，《前志》載：「昭惠靈顯真君廟在縣南五十五里蕭氏山，前元元統元年創。」《縣志》云：「單父儒學直趙惟善記其事。」又，「翁翁廟在范山右，元延祐五年百户楊壯建。水旱禱之輒應，邑人馬驌記。今毀。」《縣志》「楊壯」作「楊旺」。又，《縣志》有靈公廟，在忻落山南，宋時建。疑皆祀惠濟公也。又，萌山之麓有呂祖祠，典史袁善寶有記。

先賢祠 五。

先賢曾子祠

在縣南四十五里南武山陽，祀曾子點。見《通志》。《前志》：「萊蕪侯廟在宗聖廟西，春秋祀享，如啓聖公。」按，曾皙，宋大中祥符二年封萊蕪侯。

按，《縣志》云：「廟在宗聖殿西，正殿五間，寢殿三間，東西廡各三間，咏歸門三間，庖厨三間。」○明正統十三年，金鄉教諭盧與齡有《創建萊蕪侯廟記略》云：「僉憲蕭啓督飭嘉祥縣宋善主簿張景昭、典史趙宗、教諭呂士華、訓導卜溥修建，正統十三年三月記。」文與後許彬大略相同。

宗聖曾子廟

在南武山陽，縣南四十五里。明正德九年建。

按，《縣志》云：「創建無考。」明正統九年重修。弘治十八年，山東巡撫金洪以規制卑陋，疏請恢廓。明翰林學士許彬《重修郕國宗聖廟記略》云：「南武城在兖州西嘉祥、金鄉縣界，南北各去四十五里。正統甲子，教諭温良請修葺，奉蒙俞久，僉憲蕭啓、兖州知府焦福督兩縣并工重建。經始乙丑秋，落成於丙寅春二月。廟成，像宗聖公於前殿，奉萊蕪侯臬夫人於寢殿，而宗聖公、曾元并坐於左右，各以夫人配之。丁卯，大參馬諒命兖州同知姚昱、金鄉主簿方伯輝即廟左創建新祠，遷萊蕪侯夫婦像而祀之。曾元、曾申位於兩廡，宗聖公獨居舊廟。天理民彝，於是乎正。天順四年，兖郡節推范雲讀、金鄉教諭盧與齡《萊蕪侯廟記》，而缺《宗聖公廟記》。歸語太守郭鑒，屬予記之。」○明太僕少卿瑕邱劉不息《重修南武山宗聖公廟記略》云：「江西曾質粹得世襲，没，子幼，有乘間冒襲者，予爲論奏，定質粹孫承業。中丞趙賢、侍御錢岱、參議查志立、僉事詹沂檄所司撤南武山之廟而新之，成於萬曆己卯十一月。共事者，東昌同知劉堯卿、金鄉令楊楫、城武令工都、滋陽簿韓應麒、嘉祥幕夏正宗、濟寧倉曹宋之誥、義官劉煥、嘉祥令毛進德請記。萬曆七年十二月。」○明嘉祥知縣高平田可貢創建宗聖書院，《記略》云：「曾子講學故址在今廟之左，不可考。博士承業請修復之，中丞漢川尹應元、御史永年張大謨、兗守高安陳良材檄下，經始於己亥七月，落成壬寅十月。又，故墓若廟僻在南武之麓，今就城中隙地城隍廟之右而建焉，略仿廟制而創以己意。講堂六楹，曰『日省堂』。東西齋房各四楹，曰『主忠』，曰『行恕』。後爲復屋四楹，曰『高明廣大之樓』。樓左有井，曰『潤身』。右爲湢室，曰『其嚴』。前爲儀門四楹，曰『宏毅』。萬曆三十年十月吉。」○明山東巡撫御史桐城馬孟禎《曾氏家廟記略》云：「嘉靖丙戌，曾子五十九代孫質粹來東埽墓，援顏、孟例上請。癸巳，詔求宗聖苗裔，吉水同姓不宗名遂者冒充，希詔屏斥之，援質粹博士賜第、撥户、給田。庚辰，質粹没，子昊早亡，孫繼祖幼病，目以曾孫承業襲。始請建廟，并奉質粹公偕楊夫人爲中興祖，不祧。萬曆甲寅落成云。質粹留胞弟質清居永豐之木塘，守父母墳塋。公弃家北歸，始開堂構於故里也。萬曆四十一年記。」○明巡按御史瀛海張嘉會《曾氏賜第記略》云：「世宗肅皇帝特旨發帑爲治廨宇，俾得同於顏、孟二氏。萬曆五年，承業襲職，始臻厥成。萬曆四十二年記。」○明吉州知州邑人龐經《額設禮生題名記略》云：「嘉靖二十二年，援顏、孟事例，有廟則有田，有田則有祭，有祭則有禮生。布政司帖附近州縣，令民間俊秀子弟嫻禮度者充是，選得若干人，李獎、毛鸞、張有憑、龐一鶴。請爲記。嘉靖三十四年乙卯三月吉。」○明劉光國《請改四氏學疏略》云：嘉靖年間，世襲博士始復還山東，依守墳廟，曾氏子孫悉照三氏例施行奉旨是。」○明禮部尚書黄士俊《題覆疏略》云：「十五世孫曾據避新莽，自武城徙豫章，則曾宏毅之派也。又數十世而有曾鞏之孫曾志，自豫章宦越，流寓會稽，則曾益之派也。鞏，宋代大儒。志闔門死節，請另給衣巾世祀，仍以宏毅嫡派襲宗聖世爵。崇禎八年九月初三日。」○明户部尚書石星《補給祭田疏略》云：「嘉靖年間，准撥給祭田四十四頃，坐落鄆城。今年遠荒廢，止丈出四十頃。合將本縣開荒熟地除出五頃，共四十五頃撥給曾廟爲祭田。及查佃廟人户，清出濟寧州四户、汶上縣六户、鄆城縣五户，俱造册給付本官，永爲供祀。應除丁糧，照例除豁。未足地土，待續有開荒，再行補給。林廟佃户，容令各州縣審編均徭之日，另行撥給。」

明季寇亂，廟圮。國朝順治年間，捐貲粘補。康熙五十六年，兖州府山陰金一鳳與邑令宋公壁倡捐重修，至雍正十三年請帑重修。正殿七間，中奉宗聖曾子，東配述聖子思子，西配亞聖孟子。東、西廡各三間，從祀東：陽膚、公明儀、公明高、公明宣、孟儀。西：樂正子春、沈猶行、單居離、公孟子高、子襄。寢殿五間，中奉宗聖及宗聖夫人。正殿前戟門三間，戟門外東、西齋房各三間。神厨、神庫共六間。前爲御碑亭一座，宗聖門三間，石坊三座，中曰「宗聖廟」，東曰「三省自治」，西曰「一貫心傳」。愼獨門三間，三省堂三間，寢堂五間，庖厨三間。每歲春秋，二仲宗子、翰博以上丁日率族人致祭。春秋次丁，知縣致祭。御製「道傳一貫」匾額。欽頒祭器，爵十一、鉶一、簠十、簋十、籩四十、豆四十、帛匣五。乾隆十四年，總河顧琮《敕修宗聖廟記略》云：「十有三年二月二十五日，駕幸闕里，推恩四氏，特令儒臣撰文賜祭，親製御贊，壽之貞珉。翰林博士興烈尤蒙優眷，錫賚有差。」○乾隆三十九年，兖河道松齡《記略》云：「明萬曆間，廟墓距縣遠，移建書院於城中，林廟漸圮。今捐俸倡修，工費白鏹一千三百有奇。經始於壬辰春，落成於甲午秋。」○翰博曾毓墫《書院題名記略》云：「歲辛卯，太守福森布謁先祠，邑令李楫請修葺廟林、書院，嗣觀察松命、鄒邑典史王賡颺勘估一千三百餘金，越年工竣。乾隆四十年孟春吉。」○又《重修大學書院記略》云：「癸丑秋，不戒於火，乃集林廟公項并衆捐助重修。告成，家孝廉衍東乞劉石菴協揆書扁額。時嘉慶丙辰十月也。」增輯。

言子祠

在縣南四十五里崮山西，祀言子偃。明成化間，改建於獨坐山麓。○《前志》：「子游祠，成化間知縣武英改建。今廢，止存碑。」

《縣志》云：「即子游所治武城舊地。元末遺址尚在，至正間遭大水，碑石淤没，祠基僅存。成化丁未重建。嘉慶二十四年，知縣朱士廉改建於萌山之陽。」增輯。

五賢祠 在城隍廟西。中奉曾子、子游、澹臺子、黔子、高子。萬曆間建，梁間生靈芝一本。

澹臺祠 在萌山之陽，嘉慶八年建。奉祀生，七十一代孫中成。知縣江左臺士佳《記略》云：「舊在城南二里許澹臺山陰，僅存故址。建於城内，庶幾春秋享祀不廢。祀生請咨部給照。」

按，明萬曆十八年，邑令朱應遇修，巡按御史鍾化明記。國朝乾隆三十二年，知縣翟朝宗重修，記在縣治東萌山之麓，并有碑云。

漢范巨卿祠 在縣南二十里，祀漢范式。○按，《縣志》云：「在范山之陽。」

學宫各祠

名宦祠 魯國武城宰言子游○金縣令胡肇○元達魯花赤伯岳解　朵落　縣尹封從植　李恩　主簿王禮　蘇若思○明知縣鄭文炳　張慶　程文　董錦　化之行　毛進德　朱應遇　劉思顔　龔仲敏　賈應墀　田可貢　劉之亮　李昌年　江文焞　○國朝知縣徐之駿　吴雲卿　齊宗德　曹景濂　劉翰書　李松　王麟度　郝大倫　吴兆基　德音　林觀海　黄道銘　李楫

共三十有五人。據祠主補輯，下同。

鄉賢祠 先賢澹臺子○漢御史大夫晁錯○晋將軍郗隆　太傅郗鑒　司空郗愔　徐、兗二州刺史郗曇　司徒左長史郗超　司空郗融　都督郗恢　少府郗邁　雍州刺史郗誂○唐中書舍人郗純　工部尚書郗士美○宋國史院編修晁補之　京兆府司録事晁咏之○明御史曹玉　主事曹琛　員外郎黄嘉賓　贈郎中高爵　巡撫高斗光　員

外郎杜嘉慶　翰林學士張丕吉　東鄉知縣劉子久　盂縣知縣逯學禮　○國朝江寧府同知張惟賢　常寧知縣黄繼祖　廣州知府張瑗　訓導梁心始　貢生馮純祖　又有吴子、李子，共三十有一人。

忠義孝弟祠

明孝子侯慶　杜克義　張來鳳　義士郝鳳　石福　王子玉　張福　教授李一才　○國朝生員高賓　歲貢張山題　張懋學　主事王扇　教諭王達　同知李超麟　共一十有四人。

按，以上三祠姓氏，皆據石主可考者，否則無稽矣。有心風化者，可不慎與！

節孝祠

《縣志》云：「在學門東。」詳「列女傳」。○以上附祀學宫。

晉郗文成公祠

在縣東南七里郗城左，祀晉太尉郗鑒。《縣志》云：「元末毁於兵。」

平山廟

在縣南五十里平山上。相傳魯秋胡妻邵氏以貞烈爲神，拜雨輒應。山下戊戌鄉居民多邵姓云，即氏族裔也。戊戌鄉跨金鄉、嘉祥二邑，在金鄉西北界。

按《縣志》：「至元間，濟寧教授趙思祖《記略》云：『西枕洛河，北跨英山。林木茂美，露冷風清。歲旱，邵氏裔率田畯荷蓑笠往祈於廟，未歸而中途大雨即至。亦呼邵姑姑廟。至元元年春，主簿夏清率耆老禱雨即應，其子興請立石記之。』」

魚臺

社稷壇

在南門外。

風雲雷雨山川壇　在北門外。

先農壇　在東門外。知縣馮振鴻有記。○明正德年，縣簿王某、縣尉羅某禦流賊，禱於廟，大風，晦，賊敗走，城守以完。邑人韓襄有《報賽記》。

城隍廟　在東北隅學宫東，附祀土地。

邑厲壇　在西門外。

八蜡廟　在西門外。《前志》云：「各廟多新建。」○劉猛將軍廟，乾隆五十一年奉文立。道光六年，改建於八蜡廟東。知縣李若琳記。有碑。

文昌廟　《前志》缺，而獨於群祀書文廟，或即文昌之脱誤也。《縣志》：「邑人夏五奇修建，朱國鑣記。」

龍神廟　在舊治東郭外。

火神廟　在舊治南門外，明正德十二年建。一在新城南門外。

馬神廟　在舊治馬廠東，洪武時建。

伏羲廟　在皁山麓。廟後有冢，冢東有畫卦山。元中統二年，東平孟祺記：「趙道堅、孔志純修。」至元二十九年，王公楝記：「滿德、王和、劉珍、孟輿、李旺、李珍、李文乞爲記。」

又華重修，侯咸、王仲

又，三皇廟在城内，教諭張遵頤記。

大禹廟　在南陽鎮。

新河水神廟　在南陽鎮。明尚書朱衡、都御史潘季馴鑿夏鎮新河既成創建。

明工部都水郎中南昌涂淵記：「嘉靖歲乙丑，河决沽、沛，黄水逆流，從華山入飛雲橋，至穀亭境山諸道，淼茫迅激，運艘阻艱，先帝廑憂，簡命大宫保鎮山朱公治之。公馳徐沛間，閲歷運道，視汪洋澎湃數百里，淤淖深陷，茫無跬足舉手地。且東闞昭陽湖地卑窪，黄水自西奔湖，勢必横截舊河，即開勢必重淤，是作無益以糜費耳。考之嘉靖紀元迄今，河凡八淤，概可見。乃稽往牒、博群議，開鑿新河，疏奏，得報可。時大中丞印山潘公實協理之，會以憂去，公悉心殫慮，相地度宜。首南陽迄留城中，歷三河口諸墟，疏鑿一百四十一里八十八步。越昭陽湖東以辟黄水，仍復留城至境山舊河五十三里。是時，濱河射利輩惡其不便己私，浮議群起，中外沸騰。而公之見彌定、守彌堅，雖瀕殆，一身以國計利賴所係勿恤也，以此卒成其功。舳艫相銜，往來利涉，視舊河更捷。浹旬，漕卒舟子莫不稱快。蓋自馬家橋堤成而飛雲之派斷，飛雲流斷而秦溝之勢盛，俾全河畜奔，有所宣泄，然後沛民得平土以居，而黄水之患消。自黄甫諸壩築支河成，則沙河之水匯獨山湖，出南陽以接運。自王家口間諸壩築支河通，則薛河之水由吕孟湖出地浜溝以南徙，然後運河長堤可恃無恐，民亦藉以安業，而山水之患消。至若建閘座、築堤防、導泉源、蓄湖泊、開月河、布人夫、設鋪舍、種樹植，立減水閘以捍汛溢，砌南陽石堤以蓄水利，規模經制，倏然大備，永爲運道悠久之計。然其中潛孚默運之功若有神助，人之智力或不逮者。工既竣，知州景一元、判官鄭夢陵乃請立廟南陽祀之。竊觀神之在天下，猶水之行地中，無往不存。况漕河重務，軍國之大計，生民之命脉係焉。其變通沿革，神實司之，若影響桴鼓之捷者。粤昔聖帝明王，修五岳四瀆，名山川澤，各有定制，所以報陰陽之功故也，兹新河神廟之建即此意與！廟制厥面坎，坎者水也，有保障兹水之義。及神像甫成，忽一人外至，云夜夢神人，兩與索鬚，不知所謂。及視之，所乏者此，遂截鬚奉神以去，若天賜然，此又神功一驗。推此以保艾新河，將垂休萬古弗替也。而宫保公開創之功、感格之誠，亦自不可泯者。兹因景子請記於余，遂書之以識歲月云。隆慶二年十一月記。」

關帝廟　在西門内，知縣馮振鴻有記。明稱關王廟，正德年間重修，高登記「顯靈退流寇」云。

按，《縣志》：「帝廟所在多有，唯在穀亭者爲最宏敞」云。○又董店鎮泰山行宫，中書楊淮記。

○學宫各祠

名宦祠　明知縣宫志　尹就湯　國朝知縣陳士凱　馬得禎

鄉賢祠　王麟　宋亮　劉珂　王四聰　劉芳聲　劉澄　房辰

忠義孝弟祠　在戟門外，《縣志》缺人。

按，順治初年，副總胡公平寇救民，可爲忠義之冠，應入祀。并稽核文册，采訪遺佚補之。

節孝祠　詳「列女傳」。

○陵墓

《前志》附「亭館」「寺觀」後，統以「古迹」。今移於「祠祀」之次，瞻廟堂之盛典，表廬墓之芳踪，尋覽爲便。《前志》稍略而次序亦紊，今重爲釐訂，詳書時代、爵里，并補其闕遺。考邱首之封，亦以慰景行之慕云爾。

古女媧陵　在州東南三十九里。《太平寰宇記》：「任城縣有女媧陵，在縣東南三十九里。」《明志》云：「《太昊記》曰：『女皇氏媧，雲姓，太昊之女弟也。出於承匡。』注云『山名，在任城縣東南七十里。』」女媧生處，考史，陵在華州。《舊志》云：「太行一名皇母山。濟源陵山、峨眉女媧洞、閿鄉風陵堆。唐祭女媧陵於陜州，宋祭女媧於趙州，故華州、趙州、任城皆有遺迹。」《前志》云：「《新唐書·五行志》：天寶十一載六月，虢州閿鄉黄河中女媧墓，因大雨冥失其所在。至乾隆二年六月乙未夜，瀕河人聞有風雷雨聲，曉見其墓涌出，下有巨石，上有雙柳，各長丈餘，時號風陵堆。」則陵宜以在虢州者爲信。仍而不去者，有其舉之，莫敢廢之意乎？《元魏地形志》：「陵在亢父。」《元和志》：「陵在任城縣東南。」是唐時亢父已并於任城也。增輯。

孟獻子墓　在州北二十里，即孟獻坡地，大二畝。見「古迹」。

先賢鄭子國墓　在城東三十里泗水濱，距鄭莊東里許。據《鄭氏家乘》補輯。

樊父冢　在城西北二十里。先賢樊子之父。俗呼樊家堌堆。

荊冢　在耕種里，俗名荊軻墓。按，流寓有荊先生，或是其墓。

漢

丞相灌嬰墓　在州東三十里，地名灌冢。封濟陰侯。明初，李副使睿封其墓，立享堂。

按，《漢書》：灌嬰，睢陽人。食潁陰，二千五百户。以丞相薨，謚曰懿侯。《通志》作濟陰，誤。明單父王舜耕有《漢潁陰侯丞相灌公墓志》，見「藝文」。

白衣尚書鄭均墓　在州北十里鋪。《前志》作「鄭君」。詳「人物·世家」。

諫議大夫何休墓 在州北二十里。休以漢光和二年卒，《天下名勝志》引《家記》作「晋」，誤。詳「人物」。

景君墓 《前志》載景君墓有三：一爲謁者，一爲郯令，一爲北海相。考謁者，以元初元年五月卒；郯令以元初四年三月卒；北海相以漢安二年八月卒。并任城人。碑在州學，墓佚，俟考。

郎中王政墓 按，政，字季醻，元嘉三年正月卒。碑録云：「碑在任城縣墓前。」今在州學。

郎中鄭固墓 按，鄭固，字伯堅，以延熹二年四月卒。碑在州學，墓佚。

少傅何君墓 碑録云：「在任城縣墓下。」

不其令董恢墓 碑録云：「濟州任城有董恢墓，雙石闕。」按，《前志》諸墓并不言所在，今補輯。又，武氏諸墓今在嘉祥。見後。

魏

關内侯王粲墓 在州南五十三里，近亢父城。見《名勝志》《家記》。《前志》引《太平寰宇記》：「在任城縣南五十二里，近亢父城。」

唐

任城王李道宗墓 在州南二十里。《明志》：「唐宗室功臣，封王任城。」

按，《前志》云：「城南石虎坡有雙石虎，與墓近，或云即其墓前物也。」

東平太守墓 在耿務村。按，章仇元素，贈東平郡太守，任城人。有碑。詳《碑目》。

宋

楊緯墓、楊節之墓 并在任城千秋鄉千秋里，見晁補之《鷄肋集》。千秋里不知所在。按，元張氏墓在真武廟南，碑有「千秋鄉社」之語，蓋即任城千秋里也。

都魁墓 在運河岸舊分司署前，明焦竑記。

李氏塋 在小郝村，見《金石碑目》。

金

狀元李演墓 在州西二里。詳「人物」。按，李狀元官應奉翰林文字，贈濟州刺史，《通志》作「翰林學士」，誤。碑在州學。

教授賈敬墓 在城東南三十里泗水上横坊村。敬，金季人，官教授。元汴梁路教授楊演撰墓碑文。

丁氏墓 在城東之南井集。石闕，明昌時建，有「敕授南陽葉縣令第十一代孫丁克儉」十六字，下缺。又有碑在土中，不可辨。〇《前志·補遺》，今移此。

元

張氏墓 在真武廟南。墓碑高二尺許，可識者惟「千秋鄉社至元張氏」八字。

任城郡公札忽兒觧墓 在城西三里潘士良墓北。碑云：「元封中奉大夫河南江北等處行中書省參知政事護軍任城郡公札忽兒觧之墓。中書平章事翰林學士承旨知制誥兼修國史奎章閣大學士銀青榮禄大夫涼國公趙世延書。至元三年歲在丁丑二月吉日中奉大夫荆湖道副使男怯朝立石。」

按，札忽兒觧見《元史》前至元三年丙寅，此云「歲在丁丑」，則後至元三年也。《前志》「副使」二字闕，今補。

蔡州知州石府君墓 在西門外。碣云：「元武略將軍蔡州知州石府君墓，奉議大夫均州知州兼管本州諸軍奥魯勸農事趙璧書。皇慶元年大都路廣靈縣主簿男元容立石。」

河曲主簿石君墓 在西門外。碣云：「太原路河曲縣主簿石君墓，趙璧書。皇慶元年歲次壬子四月朔丙寅十有二日丁丑。下缺。」石氏二墓皆在李狀元墓之東南數十武，石府君墓在東，石君墓在西稍南。

中議大夫趙義墓 在城南寧車灣。碑云：「賜祭葬贈中議大夫墓。元至治二年曹州尹男趙璧、趙德立石。」

忠翊校尉鄭公墓 在城東二十五里接駕莊。碣云：「敕賜忠翊校尉濟寧路同知濟州事妻封宜人張氏祔。至正元年六月日，忠翊校尉嘉興路崇德州判官文固、授濟寧路單缺二字。陰陽文瑞授前缺二字。路蒙古字學文亨立。」《前志》「興」上缺「嘉」字，今補。

宏農郡侯楊公墓　在城南路旁。神道碑題：「大元贈亞中大夫濟寧州總管輕車都尉追封宏農郡侯楊公之墓。」

潘堯莊墓　在城東泗水上，據《舊志·隱逸》。

都總管府經歷李公墓　按，墓不知所在，碑在北門外，題云：「敕授高良河大護國仁王寺都總管府經歷李公墓。至正元年五月望日男庸并孫男立石。」

善士佐公墓　墓不知所在，碑在北門外，題云：「元故善士佐公之墓，承務郎歸德府判官致仕寧士儀書，至正七年三月吉日子君輔立。」按，此二碣本在北門城址砌石。道光二十年，因修城，而見移至城隍廟内。補輯。

明

楊將軍墓　在城西馬場湖濱三空橋旁，有「贈懷遠將軍濟寧左衛指揮同知楊公碑」。名字缺。洪武甲寅立，衍聖公孔希學撰文。《前志》補遺，今移此。

光禄卿胡榮墓　在州東五里，俗稱皇親墓。明寧宗皇后姓胡氏，諱善祥。世爲州右族，曾祖守儀，福建侯官縣丞。祖父友娶鍾氏，生榮，即后父也。《前志》詳載胡后始末，今附「雜稽」。

指揮王佐墓　在城南高村，今名南北誥。明永樂時濟寧左衛指揮，授明威將軍。

武靖侯趙輔墓　在州東五里，與胡榮墓相近。○按，明趙輔，成祖時以戰功封侯，襲世伯。

都督狄崇墓 在城南五里都江原，奉敕修造。〇按，明狄將軍崇，濟寧左衛指揮使，升鎮守廣東都督。〇都江原，今名狄家林。《前志》。

武略將軍董政墓 在城西三里營董家莊。碑前題：「武略將軍。」旁有永樂年月。碑陰云：「將軍諱政。」又似「岐」，不可辨。

段彦時墓 在城南三里。彦時精醫，湖廣按察副使呂棠爲墓志。《前志》據采訪。

指揮趙榮墓 在城南三里。宣德時，濟寧衛指揮，授昭勇將軍，有御祭碑。

副憲楊浩墓 在城東五里，奉敕修造。〇按，楊浩官右副都御史。《前志》載成化二十二年五月十四日《諭祭文》云：「遣山東布政司左參政張盛諭祭曰：『爾以通敏之資，擢秀鄉闈。歷判鹾司，升知畿郡。勤於撫字，而進參大藩；克效旬宣，而簡任方伯。肆拜都憲之副，丕著安輯之勛。顧委命之方隆，乃懇辭以休致。宜享桑榆之樂，何遽人世之違。追念往勞，特賜葬祭。靈其有知，庶兹欽服！』」

布政使于錦墓 在城北八里九女堆前。〇按，于錦官貴州左布政。明兵部尚書蹇達撰墓表。詳「人物」。

明兵部尚書蹇達撰墓表曰：「公字實甫，别號東石。其高王父穩自萊陽，以良家子從成祖靖難。徙濟寧爲衛人，歷六世，封承德郎、户部主事。賢者是爲公父，娶於孟，封安人，生四子，而公爲長。甫髫即向父曰：『兒家世力田，非經術無以亢宗。』遂下帷讀書，久之業日精，每試輒屈其儕伍。癸卯舉於鄉，甲辰成進士，授户部郎，監兑於吴。身處膏脂，不以自潤。既竣事，而舟發吴門，出槖装以示諸從吏，蕭然圖書也。王直指津津談之，於是公之節藉藉薦紳間矣。嘉靖庚戌，大將軍仇咸寧鸞借寵靈索軍需張甚，公主餉通州，不少抑損，刻意餉事，視同舍郎先期，鸞無以難。方公之脂車督餉也，而安人在危城中，公謂：『脱城破，安往？』安人曰：『妻道與臣道等耳！君爲王事馳驅，如有急，妾獨不能以頸血膏刃乎？』公壯其言，而事以集，安人有力焉。擢遷河南臬事，改任楚臬。辰州倅陳仕者，廉吏也，不善脂韋，失督府歡，坐謫戍。公力辨其冤，督府心銜之，公不爲動，曰：『爲朝廷執三尺法，奈何罪不辜以求合也？』歷七年，參議越中。又三年，臬秦中，亦以見拙宦云。饒與徽衢接壤，故稱盜藪。先是，募越兵三千人待之。及賊平，而都御史欲驟解之以省餉，乃移兵於饒以衛饒，而陰實奪之餉。公在副臬於江西，適分部饒州，爲請餉者數矣。一日，兵中有夜噪者，公度其實爲餉，示居兵無恐，而以禍福諭之，縛其渠二人，而懲其黨十數人，悉泥首歸命。當是時，公特片言，玩悍兵數千人於股掌之上，竟以無虞，公誠有大造於饒。成直指特疏薦公，中外快之。俄參知陝西政事，再進山西按察使、右布政使，尋轉左貴州。貴州古鬼方，土漢雜居，公所以保釐之者，悉中肯綮。其嚴操履如爲郎時，獨不習其風土，謂安人曰：『吾入官幾三十載，兢兢奉職，庶萬一酬主恩。而茲衰且病，安得戀戀於瘴鄉也？孺子可教，吾以寄孺子乎？』遂拂衣歸。歸而杜門謝干謁，自課子外，日窺圖史，或賦詩於山水間。公操心長者，無多藏而好施予。俎豆於鄉，名壽并隆云。」

少宰靳學顔墓　在城東二里。隆慶中奉敕修造。〇按，《通志》：「在州北一里。」

通判崔雲鶴墓　在黄垞村。

大將軍趙崇璧墓　在州北三里。〇按，《前志》作「趙鄭并子崇璧墓」。

大學士于慎行撰墓碑曰：「將軍字國璋，號謙齋，濟寧人。父白樓公，以指揮起行間，佩鎮朔將軍印，總兵宣府。將軍襲父官，亦佩鎮朔將軍印，總兵宣府。父子皆名將也。白樓公爲人狀貌魁梧，髯垂及腹。將軍頳面隆准，音吐如鐘，頎然修幹，在班列無與齊眉。白樓公御士嚴有紀律，將軍沈鷙寬博得士心。白樓公有才數，而將軍用誠。將軍名長者，然廉而好施，則父子一也。其先居魚臺，六世祖榮，洪武中從軍爲士伍，籍彭城衛。榮生忠，從靖難爲副千户，籍濟寧衛。忠生勝，正統己巳入衛，擢指揮僉事。勝生雄，雄生禄，俱世官。禄生卿白樓公，配張夫人。一日，夢虎嚙己，寤而生將軍。將軍甫六七歲，器度老成，嘻笑多驚人語，嘗羅甓爲城，斬竹爲戟，分立群兒，揮之左右，如肄鶴列，白樓公奇之。及長，好讀故記，多所通曉。善道説，即經生談士，莫窮其辯。白樓公既老家居，將軍當承父爵，以獨子奉晨昏，不忍去。白樓公力趣之，乃行。里丈人或善當路，欲介書游其名，將軍謝曰：『辱丈人念甚厚！第方裹足出門，未有尺寸效，輒從長者求知，即幸而試右，非所願也。』里丈人益重之。既襲爲指揮，屬有河工，將軍所築堤堰，視他校獨完，由是知名。檄掌衛篆，益能其官，擢都指揮，部六郡士，戍薊門。再留守中都，調萬全都司，升大同參將，又協守副總兵駐老營堡。既又四年，召入爲中軍都督府督都僉事，督京城内外捕。會大慶，封驃騎將軍。又三年，宣府大將缺，擇禁帥廉有才者，廷推將軍，賜璽書遣焉。至則徧閲諸屯堡，部裨將修舉，日夜行視，不避風雨，以是勞瘁。逾年，上謁山陵，輿疾提兵入衛。至懷來，病困，乞骸骨，不許。又疏請，賜乘傳歸，而將軍不起矣。將軍兩世北邊，邊人德之。及卒，一軍皆爲流涕。濟父老以爲，白樓父子咸有士風，然無後，相與累欷悲之。將軍爲將，善撫士卒，與同甘苦而行法無所曲貸，故創建修舉皆精堅，可垂永久。其守衛篆也，嘗核逸卒主名，以所屯田出租，取代更焉，所部舟無後至，而逸者亦復。其戍薊門，建敵臺，第爲上上。其參將大同，修石城五、墾田二千餘頃、造甲三千。其協守山西，修石城一、造甲二千。至鎮上谷，修營愈衆，未奏功以没。會貢市城，有詔：『故將軍崇壁久勞苦邊，其令守臣往祭，賜金以葬。』蓋异數也。白樓公歷將四鎮，最後雲中罷，而餘田租八百金，封識之帑，歸則甚貧，没無以葬。及將軍仕二十年，居多膏腴，竟亦無所漁獵。或謂將軍少自潤，將軍嘆曰：『世皆知先將軍不名一錢，令兒子隤家聲，何顔上先人伏臘？』故將軍再世，貴益貧。然其仕長安，傾身結客，至埽門爲具，禄入不給，以是成名爲大將云。或語予：『將軍以無子多内，遺命遣之，有二姬不去，夫人厚予簪珥，曰：未亡人旦暮從地下，若屬安歸乎？行矣，毋自苦。二姬泣對：幸備下陳，不忍污志，以死從夫人。今夫人言若是，奈何？逡巡退而縊於室，釋之蘇，乃與俱歸。』嗟乎！此可以知將軍矣。將軍生嘉靖庚寅，卒萬曆甲申。配任氏，封夫人。女子一，適靳雯，郡諸生。于生曰：『自予游長安，所聞見西北邊名將，材器勛績固卓然可紀，至如操持廉慎、終始不渝，則無逾趙將軍父子，非鄒魯遺俗使然邪！夫將患不廉耳，誠廉，何所不濟？烏問他哉！』《前志·家墓》。

太僕寺卿楊賢墓
在城東。

遼海監軍黃子美墓
在城南高村。

廷尉王湘墓
在城北十二里。萬曆二十二年奉敕修造，于慎行志銘。

明東阿于慎行撰墓表：「王湘公，字大清，居近『六逸』之迹，自號竹陽。其先萊之平度人，國初以士伍西徙，隸濟寧衛。世有隱德，至父贈公諱信，施人累善，日益有聞。初室於李，舉漢及滄；再室劉，舉公及江、湑焉。公狀貌魁碩，弱不好弄。未冠，補博士弟子，與季湑同時，聲相埒也。嘉靖乙卯，偕計吏上。乙丑，舉進士，以博學宏辭改爲翰林吉士。時館選久停，首膺茂簡，魯人榮之。隆慶改元，解館，爲山西道監察御史。姜夫人卒於邸，援省僚例乞假，得以喪歸。期而逆宋夫人，宋夫人者，故中丞鉅野宋公滄孫也。禮成，詣闕還報，奉命巡視內藏，條列五事，痛革弊習。及設官吏、平權量，如十庫法，禁帑肅然。出按貴州，調畫機宜，振紀布惠，蠻峒懾服。無何，請急歸省，而丁母夫人艱。萬曆癸酉，服闋北上，塗遇海上運舟，漂捐過當，衛士冤號，疏請亟罷海運，專用漕挽，以息民勞，有詔『如御史議』。遣按順天，時罷兩關使者，以公兼攝。公身行障塞，繩以三尺，如其故，使大將軍以下奉約惟謹。御史按畿內，滿歲輒更，程書迫急，獄囚久繫，不時報遣，多瘐死者。公爲先期核請，論出二百餘人，三輔無冤。乙亥，内察署河南道。

故相有所風解，執弗肯從，以是見嗛，推視南畿，學政從中沮止，改按江西，旋升陝西按察副使。妖徒李一真聚衆行劫，吏莫能制，公授方略殲焉。遷浙江布政司參政，分守金衢，汰冗剔蠹，興革爲多。義烏少年多去本業，應募從軍。公命長吏加意拊安，遇有召募，應以浮民，毋發閭左。壬午杭營之變，衢兵聞風，將謀不譓。公乃登壇集衆，示以軍法：『健兒爲國暴露，官不負汝，毋干黄鉞！』士叩頭，諸弁訖無敢嘩。是年，遷本省按察使，旋改山西。至則擢湖廣右布政使，期年轉左。上遣中貴人從司寇郎治江陵，公爲藩長，主議，請毋以故相播及全楚，司寇從之，籍其見産以報，無所株連。中貴欲復遼國，公請大集吏民，問便宜狀，皆謂不可。因據其議以復中貴，弗能奪也。此兩事有大造於楚，楚人德公，而公爲故相所抑，反全其孥，世尤多公長者。每歲催稽賦税，裁闊狹相貸，宗人長禄給發以時，毋使撓法。郡邑輸賦，令官解自視衡石，管庫無與焉。文書上下，應時給發，或不越宿。稽核賦法，裒益盈缩，攝其要領，著之圖籍，以爲永式。故事：采木之役，内金於司，受而出買，弊端交多。公度郡邑遠近，令以便宜召買，司受其成，不問出入，費省而速及。他所裁損，歲可巨萬，秩滿奏績，策書褒美。大父宣、父信，皆左布政使。大母唐、母劉皆夫人，兩元配有令號焉。居楚五年，還南京太僕寺卿。抵滁，值歲不稔，出秩金糴穀以倡賑施，滁人賴之。未幾，升南京大理寺卿，庭平爰書，一以律文從事，無所唯阿。嘉興陸公時爲司寇，亟稱服之。嘗與一要人有郤，遂構煩言。上知公忠慎，有詔廷尉第歸，今且召用矣。公在位幾三十年，奉法守官，誠心體國，端方慎重，事無妄發，故所至皆有績效，去而見思。平生恬静簡樸，無所紛華。外坦中介，不工俯仰。當塗故舊，請問疏闊。歸，日與昆弟親戚醵社歡飲，使車及門，輒匿不見，亦無報書，識者嚴之。居家敦倫樹軌，内行甚修。子弟遵其軌度，一門雍睦，動有禮法。與鄉人處，坦素謙冲，不作貴倨。聞軍民疾苦，輒爲言之。吏或不使知，煢獨無告。時有施舍，里民頌義焉。病而群禱於祠，没而悲嘆，其得人如此。卒年六十有六。」

洮岷副使郭汝墓

在城東大將橋。

中丞于若瀛墓

在城北八里九女堆于錦墓左。若瀛官陜西巡撫，《前志》載萬曆三十九年五月諭祭文曰：「惟爾品格真醇，才猷暢藏，擢第有陳情之請，孝切哺烏；運籌殫靖國之謨，名高司馬。逮升華於卿列，益養重於留都。暫領天閑，遂膺節鎮。憫三秦之凋弊，連章可泣鬼神；布四塞之仁風，挾纊每孚士卒。魂游岱岳，泪滿峴山。爰念勞臣，特頒祭典。」《賜祭文》應入「列傳」，依《前志》附此。

太常陳伯友墓

在城北五里。按，伯友官太常卿。《前志》載崇禎四年八月十一日《諭祭文》，遣分守東兖督理糧餉兵備道、山東布政司右參政蔣如奇《諭祭文》曰：「惟爾才猷練達，器識閎深，挾制策以奮迹巍科，筮大行而肅將主命。清貞砥俗，黄扉著補衮之稱；勁節匡時，青鎖矢回天之力。肆封章彪炳，久誇長孺之河東；洎憲臯風猷，其載召公之分陜。已需節鉞，暫擢奉常。而爾政有苦心，身無媚骨。林下幾年恬卧，家徒四壁蕭然；中外揚歷彌艱，終始孤貞不改。憲邦未建，易簀俄聞。朕緬憶舊勛，良深悼惜。式隆俎豆，永賁松楸。撫淑配之同淪，表徽音於合體。爾靈不昧，尚克歆承。」

大參楊洵墓

在城西北三里。〇按，洵官淮徐兵備右參政。《前志》：楊洵并子士聰墓在城西里許，明刑部侍郎宋玫志墓。詳「人物」。

明刑部侍郎萊陽宋玫撰《墓碑文》曰：公號昆源，世家濟。其大父母、父母以公貴故貴。公年十二，有烈考喪，張母淑人、丁母淑人、孫母室君髽帶麻帷，守視内務。兄弟江、潮、澄、湛、河、溢、濂、汲及公毳杖靈衣左右，酬外事往來外吊者。聞公泣哭，咸睊視勺酬，袖半面，擴門求出。初，烈考未老，愛視公，曰：『大家門者必是子。』訣絶，諸兄必告言公，知公也。公敬恭遺教，勉自决擇，能委己於伯氏，而簡經義書文以贍養其性。出應萬大司空試，錯雜千人中，光氣動司空。司空念之，置第一。是時，鄉老知事者皆曰：『某亡，某之子之文足以起其人，某不亡也。』公既九兄弟，家猶九析，公與兄汲侍丁淑人，弱承一門。諸兄弟子員，例復其身，事勢相驅，汲以身困，淑人取公之業續之。公亦困爲秀才，補餼，石襄飦粥。汲又掾職，隔流在外。不日，兄故、母故，我故略動其心。由是，鄉老知事者又能量公藏器，將必措之邦國而施之於民。萬曆四年，中試舉人，年二十一。士情炎炎，謀稻粱，手足交走。公乃自飭理，不干官人，官人不敢弄以心。己卯年二十四，有張淑人喪，黽勉終事。諸兄告不足，顧謂涕曰：『我自靖我道，如是也。』汲汲斬斬，庀有就，六姻會哭，皆稱如其禮。二十年，公於時蓋年三十七，對策神宗二甲七名，賜進士第，除南京刑部江西清吏司主事。二十三年，調禮部精膳司，署郎中。在刑部，擢摘良奸，有貴而麗者曰：『法在，治之。』有富而麗者曰：『法在，治之。』有眚灾而麗者曰：『法在，宥之。』罪人盡情，則生死爲恩。天子勞之，甫居禮部，晋知揚州府。二十九年，考績，晋浙江按察司副使，備兵防海，仍轄本府。公自初平民之訛亂凶驕、槌擊制使之徒者，蠲去屬州縣負逋之緡錢凡百千萬，凡減倍半者，江海戟戍醪犒惠鮮者，稽人士之藹鬱自奇者，開館廩其無力次其胄之姓族者，廉風俗故事存諸長老者，開官河而商不利、商不利乃民以利者，條漕官便宜又以上利國家者，張皇戎兵之嬉偷者，公盡心於揚，先後五餘歲云。乙巳，晋參政備兵蘇松。蘇松之國，地少人滿，農仰於商，女子勞於丈夫，既染綉之藉二三，其畝税丁錢而輸納導行，又數倍其本事。海壖邑市，罛罾争水，泅波鶩没，轉相魚劫，蜂營蟻屯，勢者爲招，故官民憚惜，若不可爬梳。公至，悉去之，民人呼喜。居二年，公兄汲卒，丁淑人慟。公弃官歸，郡人阻留，公竟歸，曰：『鳩杖不老，吾可以老矣。』越辛亥三十九年，丁淑人喪，公昊天哭，哭爲病，公之病始諸此。喪除，天子念之，除寧前備兵，不就。又改淮徐，迫三命，就之。居三月，不樂，又弃官歸。公出處終始，將此定矣。夫道教陵遲，箋注紛汩，誣民賊天，莫知埃極，君子之責也。公勖毖在昔，道老愈尊，接聞公言，如遠客得歸。以故，士好自見，無不捐氣才、折勢體，求爲門人。門人之功者、名者、股肱四輔者，固皆公之門人也。今上天啓四年，公嗣人士聽公中式舉人，舉人肖公，公樂家門復無須大，然更大之公知之，亦猶烈考之知公也。七年春，公卒。公配聶淑人，承衾啓手足。公舉人鷄斯匍匐，升屋而號。公孫通睿、通俊、通久衰四升，其哭就位。公几杖封而在，公冠履列敦彝而在，公文言嗜樂孫子知之、山川藏之。久無不在，公如也。嗚呼！公保民幹國，勞在上下。今之鄉老知事者，夫孰知其事親敬兄者？舉此而厝之，而皆本於學問之途哉！公生嘉靖丙辰，卒天啓丁卯，壽七十二。此爲公之墓云。」

太守鄭文炳墓　在北郭城蔭村。○按，《舊志》云：鄭文炳、鄭真，俱官知府，先後佐中樞，茂著邊功。文炳守寧國，真守南康、大名，俱有惠政。死之日，至不能具棺殮。總河麻城劉公嘉其行，捐俸立桌楔，鎸誥敕於懸窶之石。捐公費銀置墓田百畝，奉祭祀，田在塋之四圍。孫孝廉鄭容、鄭與僑皆能恪守先業。其先刑部主事鄭瑄殉土木之難，骸骨未歸，殮衣冠而葬之，墓亦在此。《前志》作「鄭文炳及子真墓有古柏六十餘株」。增輯。

大司馬徐標墓　在州西十八里安居莊。按，標官總督畿南三省兵部尚書。石坊題「忠孝世家」。

國朝

兵部侍郎潘士良墓　在州北滿家莊。

以上《前志》未分時代，官職并略，今參考史志補書。

御史王道新墓　在城西八里營。

工部侍郎王天眷墓　在黄垞。

濟寧道岳登科墓　在城北。登科，鐵嶺人。康熙九年任濟寧道。

孝子段瑀墓　在北鄉三十里鋪南。

郎中李楨墓　在苗家營。婿劉淇志銘。

按察使劉毓秀墓　在城東八里。孫柏，安徽按察使，祔葬。

劉汶墓　在八里鋪。按，劉淇《衛園集》有《亡弟魯田墓志銘》云：「君諱汶，姓劉氏，魯田，字也本，河南確山人。王父諱顏。考，通議大夫、山東、四川按察使，諱毓秀。君其季子也，生而穎悟過人。年十八，舉山東丁卯鄉試，既連不得志春官，即絶意仕進。於書無所不讀，皆能深知其梱奥肯綮。少多病，學毉，輒往往先時處人生死，有驗。已乃學佛，斷弃葷肉，數數病最，力不少變。既揀選，終不一謁。選人勸之仕，笑而不答。性孤峻，喜智數，剛果好斷，常爲人所不肯爲。愛憎之口，或不能齊，然其高朗洞達，要非流俗人所可庶幾者。使天假之年，磨礱湔濯，以造厥成，其必有可觀，惜乎其止于是也。所著《太極論》一卷，凡十餘萬言。《雜文》一卷，《詩》四卷。易簀時，精明揞拄，略無昏廢。謂君了無所得，不可也。卒於康熙四十六年十月七日，得年三十有八。娶戴氏，男子二：潤根、潤本，女子一。越四十八年三月二日，葬於濟寧城東八里鋪之兆。淇，君之仲兄也。吾兩人齊契同方，於兄弟之中尤有朋友之誼。自君之亡，失左右手。痛君惜君，曷維底耶！爰志其藏而爲之銘，其辭曰：先大夫之澤，將於君乎克家，而君遽然，其謂之何？匪夫人之才，遂無以觀厥成，云何其嗟！雖然生不競榮，死不怛化，無亦或難耶！嗚呼！已而已而。」《衛園集》。

刑部侍郎喬世臣墓　在城南郗江原。

張士藻墓　在馬房屯。○按，曹鑒倫《研露堂文集·墓志銘》云：「濟寧有砥行力學之君子，曰張君，諱士藻，字抒采。爲明勛裔，隸臨清衛籍。始祖諱從世，世襲千户，自中葉失官，至六世祖諱理，卜居濟寧之西鄉馬房屯。祖諱遷，號南莊者，又徙於屯之北家焉。父諱震，以好善名於鄉。生二子，君其仲也。幼有夙慧，年十九與兄士蘊同補博士弟子員。性至孝，明季盜賊充斥，其鄉遇警，君時在安居鎮，倉皇赴難，奮刀躍馬，諸少年相率從之。賊驚散去，而父母得安。先是，有以危言力阻之者，君泣曰：『父母罹難，子忍獨生乎？』辛巳歲，父以疫疾，君衣不解帶，目不交睫者三閱月。父病且死，君抱持痛哭竟日，而父得復生，人謂純孝所感也。逮殁，事母尤以孝聞。無間於宗族閭黨之言，且篤於同氣，與兄同居四十年，式好無尤。念兄多病，以長子爲之。後未三載，而兄與子俱殁，哭之過時而悲。其於女兄弟亦然，養其甥之孤者，俾有成立。推而敦睦族誼，猶子、從孫以百計，皆休戚一體。婚姻死喪，傾囊資助。以及里黨困乏，推解不少吝。有趙某者以事繫獄，將鬻其子，君助以五十金，且率隣里白其冤。有于某、陳某者，各以夙所負三十金持還，君却之，曰：『先人之券已焚矣。』人尤以爲難。其爲德於鄉者，不能枚舉也。少自力於學，數踏省門不得遇，曰：『我有子可教矣。』浩然不以屑意也。先娶於王、於米，皆無子。後娶於左，一乳生爲經兄弟。君不及見爲經成進士，於康熙己酉七月二十三日寅時告卒矣，距生萬曆壬子二月十一日卯時，得年五十有八。嗣後秉持家政，課子成名，則皆左之力也。左爲濟寧望族，年十九歸抒采，舉案相莊。撫米所出女如己出，教孿生兩子慈而嚴。抒采君殁，姑逾八旬，爲、經兄弟才十歲耳。安人搘拄門户，荼苦備嘗，曲事其姑，迎養其母，備物盡志，宗黨嘖嘖，孝婦、孝女無异詞。夫孝，百行之原也。抒采以孝兒見稱於其母，而左安人復以孝著聞。嗚呼！亦難矣。又聞爲經之在桂東也，訓以努力盡職，黷貨爲戒。今爲經以治行奏，最備臺省之選，皆安人有以成之，可不謂之賢母哉？乃爲經奉召入都，方幸與母相見，而安人已於康熙壬午十二月十八日未時得疾卒，距生明天啓丁卯七月二十九日未時，享壽七十有六。先爲經之歸十日耳，此爲經所以椎心泣血、抱終天之痛於無涯矣。爲經辛未進士，湖廣桂東縣知縣，調繁寧遠，今行取候考選。娶潘氏，繼娶馬氏。次爲綸，歲貢生，娶靳氏，繼娶仲氏，女四人，皆適名族；孫五人：秉琳，歲貢生；延慶，庠生；延祚，秉琅，延禧。孫女五人，曾孫一人。今年甲申十月，爲經持行述乞銘於余，曰：『先君之歿已三十餘年矣，今將以乙酉二月二十日舉我母而合葬焉。敢以刻石之詞請。』往余甲子主山東省試，舉爲經第五人。今見其容，有墨而言之哀也，深嘆其能孝，蓋有得於其賢父母者與。爰按其所述以志之，而爲之銘曰：『以遇則嗇，以德則豐。既豐厥德，令譽何窮。閫德配之，門閥以崇。一乳兩子，長則顯融。有光熊熊，銘此幽宫。』」《研露堂集》

吏部郎中張爲經墓 在城西三里安居莊。○按，爲經，士藻子。康熙辛未進士，歷官吏部郎中。

侍講學士潘應賓墓 在城東北黄垞。益都趙執信書表。

副都御史仲永檀墓 在仲家淺。

内閣學士黄孫懋墓 在城北方家莊。

浙江提督李燦墓 在城西三空橋南。乾隆六年，賜祭葬。

開化總鎮吕九如墓 在城北二十里館。乾隆二十年，賜祭葬。

江西協鎮陳永清墓 在濟安台南。

惠應詔墓 在城東林家橋。

州佐朱文震墓 在東鄉古柳樹。文震字青雷，歷城人，在莪之孫。爲廣西州佐，充四庫館校書，善隸書、詩、畫。乾隆丁酉，卒於京城，葬濟寧。

大學士孫玉庭墓 在城北李家營。子善寶，江蘇巡撫，祔葬。

顧孝女墓 在狀元墓下。姑蘇人，事實不可考，據墓碑采入。

琉球國貢使阮大鼎墓 在濟陽橋。乾隆三十年三月五日，大鼎朝貢回，卒於德州。其都通事魏獻蘭請於濟寧安葬，以便貢使往來省祭。例給棺木銀二十兩，遣官致祭，地基一畝三分五厘，方十步。知州張爲鑊主喪，四月十二日立石，題云：「琉球國副使、正議大夫阮大鼎宜部親雲上墓。」《前志》據文卷列呂九如墓之次，今附記於此。《鄉祭文》：「遠人效歸化之義，入貢天朝；國家隆恤死之恩，均施外域。爾阮大鼎因使入貢，跋涉遠，來黽勉急公，間關況瘁。方期早竣厥事，不意在途遽殞。朕用憫焉，特頒祭典，以慰幽魂。如爾有知，尚其歆享！」

金鄉

漢

昌邑王墓 在縣西四十里，見《通志》。《縣志》云：「在金陵集山上蓮花七峰下，前有三台山對峙。」《前志》引《水經注》云：「焦氏山東即金鄉山，有冢謂之秦王陵。山上二百步得冢口，塹深十丈，兩壁峭廣二丈。入行七十步，得埏門。門外左右皆有室，可容五六十人，謂之白馬空埌。門內二丈得外堂，外堂之後又得內堂。觀者皆執燭而行，雖無他雕鏤，然治石甚精。或云是漢昌邑王冢，所未詳也。」

扶溝侯朱鮪墓 在縣西三里，前有石堂。《縣志》云：「壁上鐫人物衣冠、罍缶罐竈之類，或負携掬摳之狀。」《夢溪筆談》云：「衣服惟朱鮪石堂所刻真漢制。」按，《水經》：「濟水東過東緡縣北，又東徑漢將軍扶溝侯淮陽朱鮪冢是也。」鮪係新市人，爲更始大司馬，歸光武爲少府，封扶溝侯。屬河内陳留郡，不知何故葬此。《前志》濟水作菏水，又稱乎狄將軍墓，北有石廟。

荊州刺史范巨卿墓　在城南鷄黍。《縣志》：「明知縣李國泰築，表以石碑，有記。」按，《通志》云：「嘉祥大鼎山前有范式墓，諺云『大鼎山前十八冢，末末東頭范巨卿』是也。碑係蔡邕八分書。今移濟寧學。則金邑應無巨卿墓。」《前志》入嘉祥。

魏

太尉滿寵墓　在縣境，見《碑目》。

晉

司空檀道濟墓　在緡城堆。久爲黄水淤没後塌一窟露石碑形，摹其題名識之，邑人周天錫題詩。補輯。

元

總管高顯墓　在縣西十五里。按，顯官徐、邳、滕三州總帥。《前志》作「徐、沛」。

金鄉尹孫清墓　在州南樂城東。

明

魯昌邑王墓在縣西四十里。

孝子李春墓在城西七里。

主簿楊春墓在城東十里。

方伯楊挺高墓在城東三里。

遼東巡撫周永春墓在城東南八里。

國朝

左都督趙永吉墓在城西三十里。

川北總兵周一德墓在城東南三里。

郭烈女墓在城西北五里。按，以上六墓，據《縣志》。補輯。

馬義烈女墓在西門橋北十餘步，即其死節處。

附小兒墓。《縣志》云：「在城南門外西隅，墓上有青石數塊，不知所从來。疑古有二小兒争日，孔子不能窮，金鄉故魯下邑，或即此小兒乎？録此以俟博古君子。」

按，石馬坡在城北五里，石虎坡在城南五里，今石尚存，不詳所自，見《明志·古迹》，疑古墓華表之類，范式墓記所謂名件也。

嘉祥

宗聖曾子墓　在縣南四十里南武山之陽，距舊城約五里。有碑曰：「郕國公宗聖公之墓」。明成化初，山東守臣上言：「嘉祥縣南武山西南元寨山之東麓，有漁者陷入一穴中，得懸棺，其前有石碣，鐫曾參之墓。」弘治十八年，山東巡撫金洪奏請建享堂石坊一座，匾曰「宗聖墓祀」。期春用清明、冬用孟朔，宗子博士主祭。見《通志》。《縣志》云：「乾隆十九年重建。」

按，道光十年三月，御史王兆琛以宗聖廟林傾圮，奏請動存款修葺。經巡撫訥爾經額於是年九月赴省西校閲營伍，親詣南武山敬謹查勘，督同濟寧知州王鎮、嘉祥知縣李心蓮樽節確估，連栽種樹株共需工料銀二萬五千二百六十三兩二錢六分八厘，由藩司劉斯嵋查明廟工生息一項。嘉慶十四年，民人李聯芳呈捐修理廟工，專款給發興修，奏准。於十一年八月開工，二十二年四月工竣。增輯。互詳「祠祀」。

魯秋胡墓　在平山下。據《縣志》。補輯。

漢

御史大夫晁錯墓　在縣南十五里釣魚山下。

按，錯，南陽人，何出葬此？意爲鉅野晁氏之祖墓。見《通志》。《縣志》云：「釣魚山下翁仲、石馬、羊虎俱存，近爲晁姓争田者埋其碑，惟焦城新林金學士党懷英所撰墓表尚存，可考。」按，《晁氏家譜》云：「漢御史大夫晁公之墓，在河南許州東門外一里許，有碑。乾隆三年，許州府教授孫開正立，有記。每年春、秋二祭，知許州官行禮。」則此在嘉祥釣魚山者，非錯墓。《前志》未載，補記于此而辨之。

太子墓 在縣南三十里紫雲山西。上有石亭堂三座，年久没於土，不盡者三四尺。石壁刻伏犧以來祥瑞及古忠孝人物，極纖巧。漢碑一通，亦餘三尺許在土外，中有一孔，文字不可辨。相傳爲漢太子墓云。

廬江太守范式墓 在縣南二十五里大鼎山前。額曰「漢廬江太守范府君碑」，今移州學。《水經注》：「秦王陵東南范巨卿冢石柱猶存。」即此。今墓淤没，不知其處。并詳金鄉。

武氏墓 在城南五十里。按，漢從事梁字綏宗，吴郡丞武君字開明，燉煌長史武班，執金吾丞武榮字含和。墓在嘉祥城南武翟山前。武翟一作武宅，又名紫雲山。武氏石室，宋元以來散落殆盡。乾隆五十年，錢塘黄易、洪峒李克正等先後訪得，凡四十餘石，計武梁祠畫像前石室一十四，兩面者二；後石室十、石柱一；左石室十、祥瑞圖四；及燉煌長史武班碑一。即其故地。樹石立祠，以垂永久。增輯。

晉

太尉郗鑒墓 在縣南七里郗城旁。墓前二石，台高約二丈，悉鏤花卉。其頂斗拱工細，鱗瓦參差。砌石成門而中斷其半，望之如燈檠也，土人故名燈台山。《縣志》云：「在燈台山西。」補輯。

宋

贈特進吏部尚書晁宗簡墓

按，補之《改葬記》云：「慶曆四年九月，葬祥符，地卑多水。大觀四年三月，改窆於任城漁山。」又云：「補之始學地理，行視魚山崦中若虎、若牛，回抱踞盼，勢盤礴可喜，乃厚其價取之。手植四松，定南北。既命師袁才筮地，袁徙其域稍東纔五尺而止。前卜丙室，遷庫部公夫人之柩至是。以特進公劉夫人宅丙室，而將壬、甲二室遷庫部。公與補之考朝議公以從，特進公兆焉。」

虞部郎中晁仲參墓

按，王安石志銘云：「仲參，字孝先。治平四年五月，卒於通判舒州事。熙寧二年正月，卜葬濟州任城縣諫議鄉吕村之原。夫人壽安縣君公孫氏。」

朝議大夫南陽伯晁仲熙墓

補之銘：元祐元年三月甲戌，右朝議大夫致仕上柱國南陽縣開國伯食邑七百户賜紫金魚袋晁公，卒于紹聖三年正月丙申，吉葬於濟州任城縣諫議鄉吕村之原。諸孤聚而言曰：「我君樂善好義而畏人知，《詩》固有之曰：『相在爾室，尚不愧于屋漏。』又曰：『君子無易由言耳，屬于垣。』我君之言行，雖州閭懼莫之盡，惟垣屋漏。」其不可欺，諸孤尚識之。乃相與誘公之婿承議郎、知開封府祥符縣事王仲博敘次世家、爵里、行事，仲博行狀亡。而以告其族孫補之，使銘，曰：「凡親者亦不可欺也。」補之涕泣言曰：「以屬卑且不肖，則何敢謂宜？抑母使公之事墜於地，則誄且稱諱，亦不得辭也。」公諱仲熙，字子政。其先澶州清豐人，後徙開封祥符。贈太師、中書令諱某，曾王父也。贈太師、中書令謚文元，諱某，王父也。贈金紫光禄大夫，諱某，父也。光禄娶趙氏南安郡夫人，繼趙氏南陽郡夫人，而公南安出也。文元公以儒宗、耆老、令德事真宗，爲翰林學士賞延。其孫初授，公將作監主簿，遷太常寺太祝、監單州酒。即以才稱，故宰相王公珪爲三司判官亟薦之，再監鄧州酒，歷評事光禄大理丞，撤酤區、複墻鈎、檢出入，摘其積年奸蠹，皆不得隱。課乃大登，應賞不自言，且當爲縣矣。而以南陽夫人隨季官河間，復監瀛州倉，便養。歲得圭田粟數百斛，以分同列之無者。又監泗州稅，淮溢浸城且壞，守以下皆乘城捍淮，公力居多，以勞選通判憲州。州近塞，守武臣喜争，公獨與歡而於事未始屈。凡金穀犴獄，纖悉疑似，皆陰爲辨，而守不知也。徙通判鄭州、復州，皆有聲。歷太子右贊善大夫、國子博士、虞部、比部、駕部員外郎、監店宅務、左莊庫，遷虞部、比部郎中，知均州，改朝散、朝請大夫。民有僞稱官者，自云給事公府，齋供武當山飯僧，所過邀饋犒。初，謁見公，公即知其欺語，吏隨至館捕之，得僞御寶文書以抵法，遠近皆驚。判南京國子監，遷右朝議大夫，管勾鴻慶宫，監東岳、南岳廟，皆寓濉陽。凡十餘年杜門蕭散，幅巾燕坐，樵蘇不入，而幾微未嘗見於色。故人親戚過者爲公嘆息，而公意不在是，怡然自得，若顧西山言爽氣者。聞之莊周，稱北郭順子使人之意也消，補之不能名順子何如人而對。公未語，胸中之膠擾者已定，譬諸飲冰，内熱立解。順塗而往，知古人之所以近於道者，必有在也。享年六十有八。娶張氏，崇德縣君。男端弼，登進士第，朝請郎。端介，宣德郎。端修，太平令。端粹，虞城尉。端厚，假承務郎。女長適王仲博，狀公行者也。次適通直郎、通判安州鄭猛。次適羅田尉高道華。次適相州録事參軍高公秉。孫十人，曰資之，登進士第，相州司理參軍。順之、完之、頌之、葵之、述之、疑之、《譜》作夫之，又在頡之後。頡之、蓺之、檦之，《譜》作蘸之。未仕。曾孫一人，曰公紹。公少孤，事南陽以孝聞。篤愛其弟，有人所難能者。爲人忠信平夷，寬裕不矜伐，趨事静以敏，自奉養儉薄，而遇人之急，至解衣賙之恐不足。其罷，均州尚强，即求散局，不以家空竭爲慮。尤不喜權，其樂彼與此同，而自謂得於此者多也。昔文元公嘗言吾，自幼及老歷官臨事未嘗挾情害物、傾人售進。其晚節著書垂訓，多慎刑戒殺之意。而公性中和，敬人而愛物，蓋近文元之曰「自南陽殁，凡三十年其院無期喪，康寧令終，人以爲積善之報」云。銘曰：道不可知，而恬愉者常近之，不僞者幾得之。其嗜欲深者其天機淺，鷗舞不下，肺肝已見，若此者，其生世役役，没世有餘患。嗚呼！公平厚性近仁，誠應乎真，生無累於明其安者，身没無責於幽其安者。神粤天所以爵人者，不惟其貴，惟其德，視後之人。《鷄肋集》。

著作佐郎晁君成墓

黄山谷志銘：「君成晁氏，事親孝恭，人不間於其兄弟之言。與人交，其不崖异，可親；其有所不爲，可畏。喜賓客，平生不絶酒，尤安樂於山林川澤之間。一世所願治生，諧偶人仕，原注「仕」疑作「事」。遇合蓋未嘗以經意。生二十五年，乃舉進士，得官，從仕二十三年，然後得著作佐郎，四十有七以殁。君成處陰匿迹，家居未嘗説爲吏。及爲吏極事，事有不便民，上書論列甚武。爲上虞令，以憂去，民挽其舟，至數日不得行。使者任君成按事并使刺其僚，君成不撓於法，不欺其僚，盡心於所諉不爲之作噧矢也。任宦類如此，故不達。少時以文謁宋景文公，景文稱愛之。晚獨好詩，時出奇以自見。觀古人得失，閲世故艱勤，及其所得意，一用詩爲囊橐。熙寧乙卯，在京師病卧昭德坊，呻吟皆詩。其子補之榻前抄得，比終略成四十篇。蜀人蘇軾子瞻論其詩曰：『清厚深静，如其爲人。』序具《藝文譜》。濮陽杜純孝錫狀曰：『哭君成者，無不盡哀，皆知名長者也。』狀今亡。子瞻名重天下，孝錫行己有耻。其於兄弟交游，有古人所難。補之又好學，用意不朽事，其文章有秦漢間風味，於是可望以名世。君成之後，殆其興乎！故論撰其世出、游居、婚宦，使後有考。銘詩以嘉其志願，而不哀其不逢。君成字也，名某。晁氏世載遠矣而中微，有諱迥者，事某陵爲翰林學士承旨，以太子少保致仕，謚文元，生子執政開封，晁氏始顯。君成曾祖諱迪，贈刑部侍郎。王父諱宗簡，贈吏部尚書。父諱仲偃，庫部員外郎。刑部，文元母弟也。夫人楊氏生一男，則補之。女嫁某官張元弼，進士。柴原注作葉。助、賈碩、陳琦三幼在室。補之以元豐甲子十月乙酉葬君成於濟州任城之吕原，其詩曰：不澡雪以嫮清，不闒墮以徒汙。林麓江湖，魚鳥與爲徒；通都大邑，冠蓋與同衢。制行不膻，人謂我愚。人爭也，人謂我非。夫彼弃也，吾趨；彼汲汲也，吾有餘。浮沉兮孔樂，壽考兮不怍。高明兮悠長，忽逝兮不可作。河濁兮濟清，任邱兮佳城。御風兮驂雲，好游兮如平生。深其中，廣其四旁，可以置守，俾無有壞傷。值松柏兮茂好，對爾後之人。」《山谷集》。

大理寺丞晁端本墓

按，補之銘云：「大理於補之爲叔父，以甲子十月葬魚山。七月，夫人閻氏祔於魚山之塋。」

雄州防禦推官晁端中墓

按，補之銘云：「端中，字元升，漢大夫錯之後。後家開封，徙鉅野。宗簡之孫，仲偃之子。元符三年四月卒，五月與前夫人胡氏合祔於任城吕原魚山。」○《前志》作「端仲」。

朝請大夫晁端仁墓

按，補之銘云：「端仁，字堯民，仲參之子。崇寧元年七月終於家，十月葬於濟寧任城縣之魚山。」夫人錢塘縣君葉氏。

禮部郎中知泗州晁補之墓

按，張耒志云：「補之字無咎，大觀四年卒，葬於任城吕村之原。」

按，《晁氏宗譜》云：「右塋在今嘉祥縣，泗州守補之所定，以葬奉議君端友。後徙，特進宗簡葬焉。」今其域墓門三，各有翁仲、石馬。中爲大冢，稍前有二冢，《泗州記》所謂「丙、壬、甲三室」是也。左六冢爲三行，又左二冢爲一行，皆東向。右前祔六冢爲三行，皆西向。又後十冢，皆西南向。以《譜》考之，宗簡、仲偃、仲參、仲熙、端友、端本、端中、端仁皆葬焉。又《泗州記》云：「特進五子皆葬魚山。」今自仲偃、仲參外，《譜》并闕其名。又，泗州府君補之《譜》亦云「葬魚山」。今考其地，在魚山左青山之陽法雲寺側，僅存石門。相傳前有里民馬正誤穿其穴，見享堂中有金銀器、端溪硯三方，族人訴之官，封殖之如故。今爲寺僧耕田，墓處不可識。○《前志》云：「晁氏、楊氏諸墓皆在任城之吕原鄉及千秋里。」考其地，則吕原土斷入於嘉祥，而千秋里不知所在。今嘉祥釣魚山下有翁仲、羊虎，蓋宋時晁氏之墓，人誤以爲晁錯。《兖州府新志》有晁補之墓，不知不僅補之也。今據《鷄肋集》及《山谷集》詳列之，使後有所考云。○《前志》載晁氏七墓，而無特進一墓，兹從《晁氏宗譜》補之。又，《前志》載王龜齡及夫人晁氏墓，不言所在，俟考。晁補之《與魯直求墓志書》：「補之再拜！補之不孝，熙寧中先君捐館舍於京師，於是家在吴，貧不能以時葬。罪逆偷活，奄奄至今，慚魂愧影，將以今年冬十月歸窆鉅野之魚山。重維先君懷道守志，與世齟齬，未五十而歿。不有信於今，必有信於後，故涕泣有請於左右，冀魯直哀之。先君行事，具濮陽杜侯狀，今所論録其大概出處補之所知而願述者，以備遺逸。先君爲人敦厚靖恭，事親孝兄無間言。善與人交，外寬裕，人易以親。而中介然，不苟喜賓客。家居不絶酒，不樂爲吏，至累歲不調，乏無擔石，亦不以經意。曠達樂山水，意所欲往，初不以事阻。方其酣咏得意，忽然忘老，視外物無與易也。嘗道姑蘇，樂之，留累月不得行。小舟入震澤，道遇大風，舟欲覆，指東西山談笑無忤。乏糧米，山中無所得，猶登覽忘疲，補之懇求還，乃還。又嘗道吕梁，洄，不通，留閲月。補之問津無虚日，客南來者必從之，曰：『吾舟下徐，無難乎？』一人曰：『不可。』補之有慍色。一人曰：『可。』補之愉然而喜。先君笑之曰：『夫行者之於道路，不中休，不却行而已，問則惑焉。既問之又從而喜慍之，惑已甚矣。若知修身之欲速者乎？亦猶是也。』作《問津説》以示補之。尤嗜爲詩，悲歡得失一寓於此。其詞怨而不迫，有集若干卷，眉山蘇公序之，其略曰：『清厚静深，如其爲人。而每篇輒出新意奇語，宜爲人所共愛。』謂先君有其實而辭其名，以比漢中侯吏李郃。比疾病卧昭德坊，猶爲詩不輟，以指書空，吟哦枕間，神色翛然。補之從旁録之，逮啓手足，尚得詩四十篇。惟是先君平生奇蹇，不遇故事，業見於世爲少。其大概出處若此。魯直與補之諸父厚，而補之不肖，魯直辱知之深。補之平居誦其言、學其人，謂足以發幽隱，慰先君於地下者，莫如魯直也。故忘罪逆，冒昧自致。魯直亦矜其意，慨然許之，幸甚幸甚！補之再拜。」《鷄肋集》。

劉諫墓 在任城縣吕村原，見《鷄肋集》。《前志》并及配孟氏墓。

張鼎墓 在任城縣諫議鄉吕村，見《鷄肋集》。《前志》并及配許氏、孫氏墓。

濟、鄆二州都巡使李温墓 在縣東南禮山前。孟忠彦表其墓，今有碑。

金

鄉貢進士翟師軻墓 在縣東南壘山之陽。《前志》云：「有文集行世。」

元

張總管墓 在縣東南花林山。治水有功，敕葬於此。按，《縣志》：「至順三年，升濟寧路總管，至正間敕葬於此。生女一人，適五十五代衍聖公。有墓田一百五十頃。洪武、景泰間，官爲募民開種，租入孔氏以供祭祀。」○《前志》云：「翁仲、石馬、羊虎、華表、穹碑在焉。《舊志》逸其名。」

禮部尚書滿讓墓 在縣南二十里。○《縣志》云：「在富山陽。」

總管段廷珪墓 在縣西二十五里，在麟冢東北。元鎮江路總管，父子兄弟俱爲名臣，墓方八十畝，翁仲、石馬、羊虎俱在。《前志》。

段氏先塋 在嘉祥縣西酒莊。嘉祥城西二十餘里酒莊社有段氏祖墓。元時，祖孫父子并以宦迹顯。百年以來，子孫散落。墓地凡八十餘畝，頗爲他姓所侵。乾隆四十四年己亥，旁有尺許地忽自陷，遠近訛言或於穴内得諸葛自燃釜。於是段之子孫居鉅野名克昌者，入穴窮之，乃明萬曆庚戌嘉祥令唐山劉之亮所撰《重修碑記》。出之，訟於官，久之始得歸其侵地焉。《前志》萬曆三十八年季秋教諭孫有光、訓導陸卿、典史蕭可逢同立石，文云：「謹按前牒，段公諱楫者，以元天興間仕爲山東行省參謀，始家於嘉祥縣之酒莊社。以公廉精幹，封中議大夫、歸德府知府、上騎都尉，追贈鉅野伯。一子諱證，仕爲柳州路治中，封太中大夫、濟寧路總管、輕車都尉，追贈鉅野侯。子三人，長諱廷珍，仕爲平江路此下當有「吴」字，《碑記》缺。江州州判。仲諱延珪，仕爲太中大夫、鎮江路總管。季諱延瑞，仕至徽州萬户府知事。以上三世，俱葬酒莊西原麟冢之東。墓四方，八十畝，翁仲、羊虎暨元集賢大學士王思廉墓表存焉。迨及國朝，子姓星散，各爲兆域，多在章山長直之里。今黄門給諫諱然者，其嫡派也。數世以前，僑寓楚之江夏，數傳及公，以射策成進士，登萬曆乙未朱之藩榜。晋秩諫垣，職司封駁，明目張瞻，論列侃直，錚錚有聲。前歲以銜命北上，間道出嘉祥，趨前壠展謁之。搜其族姓之在嘉者，合而示敦叙焉。仍貽書不佞曰：『嘉祥余梓里也，遠祖仕勝國，著宦績者累世，掩玉西郊，閱歲久矣。華表僅存，松楸告萎，水木縈思，首邱重念，於我心有凄凄焉。明府實惟余長，竊願徼寵靈焉。』不佞乃爲之新其垣楹，增其坊表，核其衛塋之田没於民間者，出而復之如數。且爲之禁樵牧，示守護焉。閱數月而事竣，乃復礱貞珉，爲文紀之，曰：『猗歟休哉！夫人世庚移，滄桑屢易。吴札之劍已灰於夜臺，漢儲之魚久湮於潛闥。馬鬣牛眠，没者何算？繄自勝國，迄於今朝，歷禩數伯，其間龍戰鹿逐，雲擾鼎沸，兵燹幾經，能使一抔之土常新、三泉之固不毁者，曾幾何哉？乃公家遺冢，佳城鬱鬱，巋然獨隆。而三百年後，復有都諫公崛起而灑拂焉，是惟天眷勛庸，神明呵護，陰騭長發，夫是以後先輝映，愈久愈新也。公今正色凛朝端，直聲震海寓，華夷仰望，秉均曳履，可計日臻者。勛猷鴻駿，大軼前烈。南荆東魯，异地同光，詎惟一姓一鄉之榮？予小子且叨隙照無涯矣。

謹記。』」

統軍使經歷孫孜墓 在禮山李温墓後。《縣志》：「在禮山前。翁仲、羊虎、石碑俱在。趙衡正爲之記。」

明

參議李迪墓 在崱山前。石馬、羊虎、坊碑俱在。

同知徐彬墓 在黄路山前。望氣者謂，其塋有异人鍾生。忌者鑿山壞之，彬與其子昌止以登科終。二墓據《縣志》補輯。

僉事曹玉墓在縣東橫山。

太僕寺卿黄嘉賓墓在縣北小青山。

鄉賢杜家慶墓在花山東。

國朝

宏文院侍讀張丕吉墓在西鳳凰山之右。○二墓據《縣志》補。

按，《縣志》：「唐幽州都督薛仁貴墓在縣東北二里橫山之陽」，「漢御史大夫晁錯墓在縣南十五里釣魚山下」。晁錯墓據《晁氏家譜》，在河南許州東門外一里許。晁氏爲錯之後尚可牽引附會，薛仁貴據《唐書》「墓在絳州」，更屬訛誤。《縣志》言，有人耕種於此，仇人埋磚刻字，誣訟毀先賢墓，令神其事而修之。《前志》俱未録，今從之。

魚臺

伏犧陵在縣東北七十里，其前有廟。

漢

李佐車墓在舊治西南。

按，廣武君諫陳餘説韓信事，載《史記》《漢書》，而葬此無考。或隨韓信王楚，信敗後遂居此，不復仕乎？何以謀略能下淮陰之拜，不聞別建功業於漢也？今其冢，土人呼謝家堌堆。有人作室，偶取堆上片石支棟，石遂爲祟，禱之不愈云。

董永墓 在舊治西南三十里。

按，董永，青州博興人，流寓德安，有傭身葬父感仙姬爲偶事，而葬魚臺無考。但定陶有三鬷亭，在縣西南十里。蔡墨云：「舜封豢龍氏於鬷川。」《九州要記》云：「董父好龍，舜遺豢龍於陶邱，爲豢龍氏。」《漢書》：「曹國有三鬷亭，湯伐桀處也。」然則董氏實始定陶。定陶近魚，其分宗异族，必不遽遠。董永雖産青州，其先蓋兖人也。近相里集有王生者，於土中得一碑，額爲「桀溺里董氏大葬記」，其略亦曰：「昔虞舜時有董父者，實甚好龍，帝嘉之，賜姓曰董。厥後春秋有董狐，孔子嘉其書法不隱，稱良史。漢有董仲舒，舉賢良，拜江都相。三國名將則有董允、董恢、董襲，晋逸民則有董養、董京」等語，而未及董永。又曰：「已葬之祖諱俱不記。」又曰：「魚臺有姓曰董氏，家世承承爲桀溺里相里村人，其所從來遠矣」等語。則《舊志》載西南者，固西北之訛。而董永者，或董氏之遠祖，其墓特爲董墓，未必即董永墓也。又或其祖復有董永實葬於此，未必即傭身葬父獲遇仙姬之董永也。及考孝感，祇有董父墓，而無永墓。青州博興亦無永墓，則又疑其果葬於此矣。

魏

王粲墓 在舊治東北。

按，粲自漢獻帝時，由高平徙家長安，後奔荆州依劉表。表卒，歸魏武，甚寵任之。建安二十一年，從征吴，道病卒，還葬故里。文帝臨其喪，語從官曰：「仲宣好驢鳴，各作驢鳴以送之。」於是赴客皆一作驢鳴。今濟寧州亦有王粲墓，云在城南五十二里，未知孰真。然魚固高平地也，當爲故里云。以上三墓據《縣志》補書而附辨之。

元

赤殘顯忠墓 在縣東五里大攝村。封濟寧郡伯，在治東北二十里大攝村之原有墓碑，俗謂之「九女碑」云。梁公燒硯窑在墓傍。

明

魯鄒平王墓 在縣東北凫山之麓鳳凰山麓之東。諱泰塍，明魯藩靖王第三子也。宣德四年封，薨葬此。《縣志》：「天順八年薨，謚莊靖。」

滋陽王墓 在縣東北長壽寺側。

按，鉅野王泰墱，鄒平王泰塍，安邱王泰埣，樂陵王泰壆，東阿王泰望，五人皆魯靖王肇煇之子，分封之始祖也。葬各州縣，悉魯藩境内地。諸志所載邑號複見，其爲始封與傳世之王均不可考。○《前志》云：「王諱當清，明魯藩莊王第一庶子也。成化十四年封，薨葬此。」《縣志》云：「莊王庶六子。嘉靖十八年薨，謚榮莊。」增輯。

《前志》後附「義冢」「義田」，今移入「恤政」「義田」後。

濟寧直隸州志卷五之三

名勝志

○勝迹

《前志·古迹》分「故址」「宅里」「名勝」「亭館」「寺觀」「陵墓」「碑考」，凡七。今以「故址」及「聖賢宅里」可參考「方域」者移於「沿革表」下，「寺觀」分出各條附各「祠祀」之後，「陵墓」附於「壇廟」，「碑目」編入「藝文」，餘統之曰「勝迹」。「寺觀」，二氏所宗，而古刹叢林爲游觀之地，故與「亭館」并列云。

射戟臺 在州南門外。相傳漢吕布爲昭烈射戟解兵處。《前志》列「故址」，云：「射戟在小沛。」仍《舊志》存之。

栗里畔 在城西七里許。栗里先生耕此，農爲讓畔，至今有方畝無敢耕者。按栗里不知何人，或是陶姓，但非淵明耳。

李白故居 《太平廣記》：「太白於任城縣造酒樓，其居在酒樓前。有《寄東魯二稚子詩》，在金陵作。」

太白酒樓 在南城上。唐李白客游任城時，縣令賀知章觴白於此，後人因建樓焉，唐人沈光記。元監州冀德方復於任城縣治創二賢祠，祀賀與李。延祐三年，判官趙議甫移於樓東百步，學士曹元用記。見《通志》，《明志》同。「議甫」當作「義」。

按，曹元用記云：「更築堂以像二賢，是樓於祠爲二，今合爲一。」《舊志》云：「咸通中建樓，唐沈光有記，大篆書。碑製六楞，若柱。」今官庖借以爲墻，砌入左壁，土封烟黔，東邊僅數行字可辨。○按，光記作於咸通二年辛巳，時樓已瓦缺椽蠹，則樓之作當在咸通以前。今碑立於樓後，無復土封烟黔之嘆矣。《前志》：「《太平廣記》曰『白於任城縣構酒樓，謂太白所自構』，恐未必然。據唐人《甘澤謡》云，許雲封自言：天寶改元初，某生一月，時東封迴駕，次任城。外祖李謨聞某初生，乃抱詣李白學士，乞撰令名。李方坐旗亭，當壚賀蘭氏年九十餘，邀李置酒於樓上，外祖高笛送酒。詳見「方術」。恐此即所謂太白酒樓，乃賀蘭氏之樓，後人因白嘗醉於此，故以名歸之。然當日之酒樓不知其處，今在城上者乃後人特建耳。」王漁洋《秦蜀驛程後記》云：「濟寧州太白樓下俯漕河，憑高眺遠，據一州之勝。碑版林立，惟唐人沈光記大篆最古，其左爲二賢祠，祀太白、賀監。」○按，大篆當作小篆。太白《任城縣廳壁記》所云「邑宰賀公」，其名不可考，後人遽以賀知章當之。然據《新》《舊》二書，知章初未嘗爲任城令，見王琦《太白集注》。《前志》又云「碑版林立」，失其大半。李白有「壯觀」二字，亦不存。傳聞泥格樓下壁間，嘉慶辛酉巡漕梁上國得之。北垣複壁間，徙置州黌。今樓中「壯觀碑」乃後人摹刻也。修建互詳「城池」，碑記、題咏節録附之，并選入「藝文」，南池等類同。

靳輔《重修記略》云：「世傳太白嘗游任城，時賀公知章爲任令，觴之城樓。後世雖小夫孺子，無不指而目爲太白樓者。及考譜傳，言天寶初公至長安，賀公一見，賞其文，言於明皇，詔供奉翰林。初不言賀公曾令任城也。而公爲《任城令廳壁記》云：『某探奇東蒙，竊聽輿誦，輒記於壁，俾後賢知賀公之絶迹也。』又何以稱焉？豈兩賢酬酢果於斯時，而傳顧疏略失載歟？且長安相遇時，賀公已遷太子賓客，豈一見賞其文者，殆非乍識之謂歟？抑當賀監黄冠歸里，公亦尋請還山，復之齊魯，而適會飲於茲歟？皆未可知也。要無足深考，獨計當時烜赫如力士、艷煽如太真，炙手可熱，公卿争奔走焉。未幾而化爲荒烟，蕩爲冷風矣，不聞有斷瓦頹垣可覓其遺迹而吊其榮落者。即彼華清之宫、沈香之亭，亦復何有？而茲樓乃巋然特峙，遠近往來，指顧稱道不絶，豈不以其人哉？任故多名勝，而以是樓爲甲。值歲久傾欹，登眺者殊苦窘步，欲想見公之風概而無從。余以督河駐任，爲之踟躕惝惘，因與葉憲副、任郡丞諸同志勉捐餼資而更新之。」

明巡按御史瑞陽熊相《酒樓記略》云：「予停舟樓下不啻十餘度，今始一至焉。危欄初俯，天際正陰，四山溟濛，不復辨遠近。而南旺諸湖，水雲簸蕩，風檣北來，如鑊沸烏飛，頃刻不知所極。官道有蕩，黃塵蔽之，但聞鑾聲鏘鏘而無所見者，往來之車馬也。衆賓曰：『慘哉！若秋也。』未幾浮雲四收，萬象畢露，泰、嶧諸山如在几案。凝目視之，令人有壁立萬仞意。翔鷗浴鷺，岸柳汀蒲，漁夫牧子欣欣然皆若有以自適者。賓曰：『何如？』予曰：『春乎舒矣！』乃近視之，官航商舶旁午於河司，閘者水盈則啓，涸復閉之。邪許之聲，時斷時續，坐列肆爲販負，與執使牒索夫卒者，啾唧喧呼，時一聞之，殊爲可濁，僉曰：『此固城市也。』已而，囂聲漸寂，星月皎然，捲簾岸幘，飛觴爲樂。壺隽者擊矢而歌，仰天俯地，無一物可攖其懷。不知二公在當時曾有此樂否？則又不勝其清者，僉曰：『幾山林矣。』久之，客歸，相向揖曰：『可慘可舒者，天也；呼清呼濁者，人也。一日之内，情景備矣。吾輩官倶臺諫，奉天子命於一方，民之慘舒、化之清濁，舉在於我。今日之游豫，顧豈偶然哉？』賓爲誰？都御史、理河嘉定龔宏，巡撫永平王翊，御史清軍平陸劉玶，鹽法餘姚陳克寧，主爲瑞陽熊相也。正德十五年仲春記。」

明劉楚《登太白酒樓記略》云：「太白酒樓在故濟州，今濟寧府南城門上。壯麗雄偉，四望夷曠，有汶、泗二水經其前。開河、安山山湖諸水匯其西，鳧繹、龜蒙、徂徠、岱宗諸山復左顧，聯絡於東北，皆紆青浮白，以舒斂出没於雲烟縹緲之際，而齊魯方千里之勝可指顧而見之者矣。右階西南，上有古石柱，高可丈，四五觚植而涌蓋其上。周圍刻小篆記文者，唐沈光之所作也。其左階東南隅有《二賢祠記》石刻二通，蓋昔之州人嘗祀太白與知章賀公於其上者也。李白負奇氣，好仙游，其足迹幾半天下，凡江漢、荆湘、吴楚、巴蜀與夫秦晉、齊魯，山水名勝之區，亦何所不登眺，何日不酣暢？而以酒樓名天下有二焉，其在洛陽天津橋南，董糟邱所造者，今存亡興廢類不可知。獨兹樓以沈光記文，遂留傳至今，豈偶然哉！」

南池　在城南運河岸側，上有觀瀾亭，杜詩「晚涼看洗馬，森木亂鳴蟬」即此地也。《明志》云：「南池，唐杜子美與許主簿泛舟游於此。」國朝順治六年，總河楊方興重建，州人劉淇記云：「濟寧今城，金元徙建，汪水雲詩所謂『新濟州』也。舊城更在南二里許，今謂之小南門，杜員外《南池詩》云『城隅進小船』，則南池當在小南門左右可知。今城南漕渠之陽曰南池者，乃股引汶、泗之支流而爲之者也。其地可數十畝，夾池皆古柳，東西各一亭，東曰『濯纓』，西曰『君子』。西亭前後列樹梧、楸，皆百年外物。芙蕖彌望，静香襲人。池北距城足二丈，東西相去二百步。城上重屋爲太白樓，與東亭相直。每及殘秋，菱熟蒲荒，蟬鳴森木之句居然在眼，於以憑吊往踪、流連時物，是亦宴賞之區、風雅所托也。」明玉山詹瀚《書少陵詩石刻後》云：「嘉靖二十六年丁未夏，予治水暇日，築濯纓臺於池上，覆以亭。」

盛百二《書南池石刻少陵詩後》：「右少陵與任城主簿游南池及邀許主簿作，爲明嘉靖三年甲申工部分司楊撫所刻石。唐之任城縣南門，在今濟州城南二里，蓋金元時改築故地。今之南池，非少陵時之故迹。池上舊有觀蓮亭，嘉靖元年河帥李瓚所建也。又有廊廟江湖堂，十一年河帥戴時宗所建也，并有記可據。獨南池之名，不知所始。《萬曆濟州志》有明初人《濟州八景詩》，南池不與焉。李瓚記有『正德丁丑，知州康某植蓮濠中』之語，戴時宗記有『闢城南隙地，鑿池築臺』之語，初不援引少陵。又南池詩存者，都隆慶後人之作，故疑南池之名當始於嘉靖時，而不能定其爲何人。今得是刻，其始於楊撫無疑矣。然其初人不知信，故戴記在後十年亦無一語及之。詩後楊自有跋，附會支離，不可致詰。天下古迹大都如是矣。庚子四月二日書。」《前志·舊文》。

道光七年河督嚴烺重修河道，李恩繹《記略》云：「工既落成，守以汜埽之役，領以職掌之官。歲值慶賀舉禮之期，節帥率僚屬文武，以昧旦具朝服序立跪拜，於以厲其直亮之氣，而生忠愛之心。是又昔賢之流風餘韵，有以感發乎性情之自然，而出於不自知者。即以其地爲藎臣教忠之壇宇坊表可也。」

觀蓮亭 在濟寧州南東小門外。亭枕城濠，內植蓮。明嘉靖二年，知州黃堂建，治河都御史李瓚有《記略》云：「觀蓮亭在觀瀾橋之北，僅三十步許。正德丁丑，知州康世臣植蓮濠中，每當盛開，邀致政長史張君顒、知州劉君概載酒泛舟淤其中。逮今五六年，根深茂密，不啻千百本。菡萏叢出，清香襲人，然無亭館以寄游觀。先是，道人募緣築基，壕本結鄰於蓮池，乃構大堂三楹，塑神祠之。時水部主事楊君撫奉例撤去，堂未之毁。余命知州黄堂小結一亭，連於堂後，甃以磚石，繚以木檻，扁曰『觀蓮』。嘉靖癸未夏六月朔日，總理河道、工部右侍郎濮陽李瓚書。」按：瓚字宗器，東昌濮州人。嘉靖時，知州黄堂有二，一霍邱人，一内鄉人。記稱癸未，爲嘉靖二年，則霍邱黄堂也。留鶴亭，《明志》云：「在南池内。嘉靖時，封景王於楚，留白鶴二隻，因名。」得樹齋，總督河道顧琮建。庭有老槐二株，漕使沈廷芳、顔其楣有詩。按：此似非在南池，依《前志》并書。○廊廟江湖堂，一作江湖廊廟堂。《泉河史》云：「南池北，嘉靖十一年中丞戴時宗建。時宗，字宗道，晋江人。」《通志》作「長泰人」。記云：「柳子曰：『夫氣煩則慮亂，視壅則志滯。』余至濟之十日，行水魚臺，乃按觀濟之郊，涉梁宋之墟，求水受病處，歸而圖三策以獻，倦且休。乃發堤上閑卒，闢城南東隙地，鑿池築臺，構堂一區。稍暇輒偃仰其中，可以散煩懑、發幽思，或時以勞官屬切劘治理。有賓客至者，與之飲酒賦詩，於以通上下、平物情，而度能勸功、考政問業之意寓焉。既成，題曰『廊廟江湖』。客有過我者，曰：『何居？』曰：『子不聞范子之言乎？古者君子在江湖則憂其民，今吾與子身雖萬里，然猶系名通籍，日持大農之錢，是何异廊廟之尊者乎？吾涉滄衡，臨漳衛，浮汶達濟，逾河津，跨汴泗，長淮之野大川十數，小水殆百，駕長風、凌巨浪，是何放迹江湖之遠者乎？夫食人之食者，當憂人之憂。禹，大聖人也，思天下之溺由己溺之，而况下於禹者乎？余少而食禄，今壯且老，吾懼夫報主之無術，而冒身湖海之區，其間鮫鰐之异形、風濤之异勢，吾將懼身名之徒辱。范子處其一，余兼處其二；范子憂其半，余兼憂其全。余方憂吾憂，故以名吾堂。自吾之爲茲堂也，余見夫南而北、北而南者，孰非登名於朝而思爲廊廟之寄者乎？其間走蜀走楚、走吴走粤，而燕趙齊晋之士時至焉，孰非懷江湖之思者乎？獨不有感而憂吾憂？斯惟吾君吾民之休，抑亦茲堂之休。』客唯而退，今因記其語於堂上。堂後有亭曰「後樂」，其義系於堂，故不載也。嘉靖壬辰十月望日。○後樂亭在廊廟江湖堂後，一云濟州新亭，明張岳記云：「比年河泛溢，都水歲調吏卒起堤防救水，費以巨萬計，水至堤輒壞，不能支而患愈甚。嘉靖十一年春，御史中丞梁岡、戴公時宗奉璽書來理河事。公之策則不然，其言曰：『往者河水東南流，經梁宋入淮，其別流由故汴道過彭城下呂梁，昔出南河以與之會，二水分流故徐沛以北無水患。已而，彭城流絶，梁宋經流之道又弗利，河始騰蹙而上，環曹、濟、徐、沛百里匯爲水區。夫不深求所以泛溢之故，區區增修堤防，恃數尺之土以捍洶涌之勢，宜其激之而反甚也。』又曰：『徐沛以北地勢高，於以分道殺水，勢爲易。水乘高趨下，自淮入海，道遠又淺且隘，以分投之，則淮浦之患方始爾。是年秋，公策水將至，先浚故汴道，視常水迹所及，果減去二三。議以冬初水落冰未堅大徵役，悉理諸經流之淤淺者。又以餘力經畫淮浦，疏其入海之道。蓋公之持論，及所施爲次第如此。濟寧爲公治所，公以六月歸自汴梁，度其規爲已有成緒，乃發餘卒，於南郭外少東直城闉闍隙地以爲燕勞賓客之所，池臺亭館俱備，題其堂以『廊廟江湖』四大字，而扁臺上小亭曰『後樂』。季秋，岳適自京師道濟，公觴於堂中。酒酣，移席堂上，憑欄四望，慨然語曰：『子知吾所以名亭之意乎？盍記之？』岳謂：『公固分廟堂之憂以來者也。功既有緒矣，乃又退托於江湖之遠，若不勝夫憂且慮者，其微意可遽測哉？漢儒談灾异，或以河溢爲陰氣盛，盛極反元，故水不潤下而逆行爲説。過鑿不切事情，亦不可謂無是理，然未易言也。』公之職河，爲重其憂，常惟河爲切，岳故詳其重且切者，以見公於職事盡心如此，且俾後之人有考也。」

觀瀾亭

南池上。明成化時，知州孫維翰建，吏部侍郎東吴錢溥記。今爲報功祠。《泉河史》云：「濟、洸至州城東南入天井閘，有亭曰『觀瀾』。下有池，蓄荷數畝，環太白樓下，世傳爲古南池。」《前志》云：「按，《泉河史》似觀瀾亭即觀蓮亭。又，萬曆《州志·圖》觀瀾亭在觀瀾橋北。然據李瓚及錢清二記，則二亭不可混而爲一。且觀瀾亭，記在兩河之間，則外爲運河，内爲楊家壩所泄之府河，在今報功祠無疑。隆慶六年修報功祠，開拓基址，移於橋北。今南池非少陵時南池也。明初《濟州十景詩》，南池不數焉。

李瓚《觀蓮亭記》『植蓮濠中』，不名池也。戴時宗《廊廟江湖記》始云『闢城南東隙地鑿池築臺』，亦名南池。南池之名，始於嘉靖中葉乎？《南池集》。嘉靖以前詩惟殷雲霄一首，而《舊志》及《兖州府志》載其詩，題作《濟寧》，一作《題濟寧圖》。詩中南池皆作南湖，安知不謂南旺或南陽也？」

按：南池舊制頗陋，自康熙甲子以來，鑾輅南巡，璇題勒石，炳耀千秋，由是池亭祠宇焕然一新。前爲御製碑亭，後爲杜文貞公祠，規制整齊，允稱勝地。嘉慶乙亥，河臣既塞睢州决口，又率屬捐俸重修，從此歲加補葺，經費歸運河廳管理。道光十九年，總河栗毓美於歲修盈餘項下酌提二千兩生息爲漁山書院膏火。近與南池并合爲一，州人統名曰「蓮亭」，蓋沿觀蓮亭之名也。元旦、冬至及恭逢萬壽聖節爲河督以下官員祝厘之所，向多游人宴集，今由河廳司管鑰爲肅清云。

浣筆泉　在州東門外，舊傳太白浣筆處。明嘉靖五年，主事白旆築亭其上，東穿畦三畝，蒔蔬菜以供賓客。萬曆二十六年，主事胡瓚《重修記》云：「去會通不數武，外史載賀監知章令任城時供奉主於此。泉北有堂三楹，舊祀二賢，已以南池故，并祀杜公，乃浚之加深，池繚以石欄，令人時其疏瀹。築大小堤二百八十餘丈，屬之河堤，外護以柳，且構方亭泉，上榜曰『墨華』。又於泉之東南掘池，得泉以助其流。計畝四分有奇，管河判官羅一夔、指揮鄔爾極咸與其事。」崇禎九年，知州古雄王公增浚之，并建泉、亭，有碑記。國朝順治八年，總河楊屬、主事史載重修，有記。乾隆十五年，知州席恒軒捐修，祠翼以廊，前堂三楹，顔曰「文水」。旁配以廳，中限以門。鑿方員二池，皆曰「浣筆」。兩池之間有亭曰「夢花」，西一亭曰「影雲」。巡漕太原楊二酉記，書石祠下。河屬丞倅王它山、馮開武、喬雪巖，時徵三等勷其事，陳望亭、張拱北、韓子廑等監工。乾隆五十六年，河督李□重修後堂，起層樓，樓上祀李、杜、賀三公像。堂前仍構墨華亭，築室如舫，跨以小橋。漕使長白和琳記，俱有碑。運河同知錢塘黄易爲之圖，學使翁方綱詩，并刻石嵌壁上。并詳「藝文」。近設義學。以上《前志·古迹》。

○寺觀

慈燈寺　在州城西門外草橋南。聖祖仁皇帝南巡，命巡撫趙世顯建。按，慈燈寺本一茅庵，康熙四十四年重建。詳附記。

普照禪寺　在城西北隅，齊梁古刹也。有六楞唐碑，字多闕載。寶曆二年重修。又有金党懷英隸書二碑、正統間護藏敕碑，僧正司俱用寺僧。康熙十年僧妙净捐金重新。《舊志》：大殿額，郡人于若瀛題。寺南有虎溪橋。藏經閣在寺内，有明正統時御賜《藏經》。萬曆初毁，總河劉東星、郡人于若瀛重募建。閣外有正統十年《御賜藏碑記》，金趙渢照公銘塔，陳宸銘《重修藏經閣記略》，詳「附記」。

鐵塔寺　在河督軍門之東。郡人于若瀛題額，古釋迦寺也。原名崇覺寺，在漁山東，創於北齊皇建中。鐵塔，宋崇寧乙酉歲還夫願，常氏鑄造。有十四字在塔之東北面，兩片相同，竭目力乃得見之。常氏夫，徐永安也。當時只七級未完，明萬曆九年，郡侯蕭公、分府龔公集衆補上二級，銅質金章，四圍垂以風鐸，高插雲霄，居學宮巽方，實文筆峰也。郡人王梓、王均《記略》，見「附記」。○雲翥，佚其姓名。《鐵塔歌》：「釋迦寺中古鐵塔，霜鐸層層響鞳鞳。喚醒勞人一夢空，滿目西風寒颯颯。兩行小字爲題記，兩面相同文十四。常氏鑄造還夫願，大宋崇寧乙酉歲。當時七級功未完，會遭事變圓難滿。後人更補常氏願，增成九級支雲端。狂風暴雨朝朝著，歷盡顛危鐵如故。不須舍利亦堅牢，暗中揭諦金剛護。我聞此寺更在先，創自北齊皇建年。拾得武平石佛像，樓頭供養生雲烟。石佛鐵塔常相向，洗盡浮華窺色相。元貞又有雙鐵獅，旗纛廟前作儀仗。吁嗟宋室危難守，崇寧北徙靖康走。惟有鐵石不能移，永鎮任城無量壽。」又，石佛像造自北齊武平元年，僅存下半。乾隆甲寅五月，黄易補全，仍供鐵塔寺内，下座字亦不全，謹識「武平」「元年」「薛匡」「王」「兄」「薛仕」「雋」「女佛暉」「顛造」「石像」「家眷」「屬」，係造塔時掘出。○准提閣，在寺殿後。里人邱養昇等、僧人宗月捐募鼎建，上供藏經。○聲遠樓，在寺左，臺高丈許，上建危樓，懸鐘其內。鐘形甚古，厚尺許，五夜撞之，聲聞數十里。濟寧道無錫龔勉書匾，明許彬《重建鐘樓記》，有碑，詳「附記」。

唐宏法寺

在城南三十五里横坊村，臨泗水，今廢。金大定六年，任城主簿閻時升所記《重修戒牒碑》尚存。

玉露禪林

在東門外。有董允璐《大悲閣記》，乾隆四十年知州藍應桂有《永免差役文》，住持貫默勒石。○釋迦禪寺，在州治東，元末毁。○頤真寺，在州治南。元延祐七年建，當即頤真宫。在三省書院後，後改運河同知公署。○大悲庵，在西門外河北岸，舊爲關帝廟。僧海筏募修，元宣尉副使韓惟良記。○卧佛禪寺，在河東大南關曹家街迤東。萬曆二十五年建，郡人楊洵、于若瀛記。○慶雲寺，在城西三十里縉雲山。按，《省志》《府志》作慈雲寺。○觀音庵，在鳳凰臺。明萬曆中，總河劉東星建。見《陳扆銘集》。○華嚴庵，在東門外。舊爲茶庵，總河劉東星易今名。宋國士建，僧如慧重修。○法華庵，在北關外，舊爲茶庵，久圮，僧成一募建。殿前藤花一株，大可蔽畝。庵西爲入都孔道，施茶湯，歲以爲常。○普濟庵，在東關楊家壩。僧法光募建，爲南北接衆叢林，今廢。○瓶月庵，一名地藏庵，在城内東南隅。三面環水，僧寬秀重修。内有水陸神像，名手所繪。按，像今移東門内火神廟。○白衣觀音庵，在城西南隅，郡人于若瀛記。○石佛寺，在石佛閘河東，内有玉皇閣。寺内有溧陽馬孟河一龍草書石刻，人稱馬狀元書，非也。明靳學顔《重修石佛閣記略》云：「濟寧石佛閣瀕河，曰『元帝觀』，不詳肇自何年。至正二年，曾一修之。迨我皇帝之十三年，遣監臣齊金增建玉皇閣。其後歲久剥圮，道士吴存禮募工復修。」見《兩城集》。○元會庵，在州治東北，明宣德三年建。○古准提庵，在浣筆泉之東。○陳思殿創修，陳聖圭有記。○准提庵，在城東北隅邵家街，即蕪園故址，尼僧德明創建。德明本節婦也。見劉淇《衛園集記》。入「藝文」。○放生庵，在東門外迤北。○永勝庵，在草橋西運河南，里人鄭與僑記。○大生庵，一在東門外，一在税課街南。○興福寺，在城北二十里，唐時建○顯福寺，在城北三十里耿村。○南照寺，在城南二十五里王府集。○阮家寺，在城西新挑河。○邵莊寺，在城南潭家口集。○邢莊寺，在城東荆家集。○峨嵋庵，在皇經閣前。里人江中漢等建，楊通睿記。○廣德禪林，俗呼赤脚和尚廟，在城西里許。○沙洲寺，在魯橋汶、泗交會處。三面環水，複閣重樓，林木陰翳。東有仲氏讀書堂。○興國寺，在兩城鎮。户部主事黄芳有《建醮記》。○葛仙翁祠，在城隍廟東。○古清真寺，在運河南岸。○以上《前志》《舊志》《兖志》及采訪附書之。

來鶴觀 在城南，中有八卦亭。

青華洞 在浣筆泉東。里人胡若琦築爲堂，祀純陽真人。喬木森鬱，有亭臺池館。其後壘土輦石爲洞，峪岈幽邃。入其中者，如穿岩谷。旁建義學。按，青華洞本王孝廉敦臨舊圃，見後。

王母閣 在南關外。周圍皆水，一阜屹然中立。里人鏮金建閣其上，取西望瑶池降王母之意，遂以名閣。緑柳參天，朱甍映日，有蓬島、方壺、葯房、貝闕之目。

常清觀 在北門外里許。前爲三元宫，明季兵科李用賀建。康熙十七年，城守營守備李時泰、吴凌霄等修。康熙己卯，建玉皇閣，西爲鍾、吕二仙祠。乾隆壬戌，又建雷祖、三清二殿。

神霄萬壽宫 一作庵。永樂七年建。今得劉敏中記，其建乃在元大德時，非明永樂。庵蓋宫之訛，豈永樂時爲釋氏所據，改爲庵歟？

極真觀 又名極真宫，在城西南隅，女道士妙靖真人所居。元仁宗賜名萬壽宫。按，運河廳署本是頤真宫，廖志於寺觀失載，見於《兖州府舊志》，訛爲寺云。延祐七年建，在州治南。而極真萬壽宫之賜號，正延祐時，在任城西南，與《府志》在州治南之説亦合，則頤真宫即極真宫無疑。元張養浩有《極真萬壽宫記》。○慈燈寺以下，并見《前志·寺觀》。多有名人記載、題咏，并入「藝文」，而列其目於此。三縣寺觀不備書，書其金元以前者。○金鄉曰萬春宫，曰神游觀，曰白鶴觀。○嘉祥曰大雲禪院，住持定賢、悟見、妙昇，金孟忠彥，明劉馨有記。曰大護國報恩寺、曰長壽院、曰壽聖寺、曰興隆寺、曰福聖院、曰洪福寺、曰昭慶院、曰清涼寺、清涼院、曰法雲禪院、曰普興禪院、曰圓明禪院、曰聖井庵、曰紫虛觀、曰通神觀、曰神霄觀、曰清神觀、曰青龍觀，元縣尹曲阜孔克任有記。○魚臺曰大慈寺、曰觀音寺、曰崇明寺、曰長壽寺、曰壽聖寺、曰西龍泉寺、曰福興寺、曰洪福寺、曰大聖寺、曰青龍寺、曰聖佛寺、曰共衣寺、曰超化寺，并唐、宋、金、元時建。《前志》或云古木修篁、泉石交映，或云岩巘清幽、林麓森然，或云翠環碧滃、儼若洞天，皆昔名勝地也，今半爲茂草矣。

呂公堂 在城西糧市街南。明末諸生王來微號薦吾者隱居於此，今其子孫增葺。孫寄圃相國題有「薦吾先生讀書處」。補輯。

○園亭

楊翰林宅 在城東南隅，明楊翰林街諭德楊士聰故居。

百歲里 明徐大司馬標母恭人諸氏壽百歲，里民立碑記瑞，郡人楊士聰作《仁里大年頌》。《前志》云：「當在西湖南。」

徐中丞舊宅 在馬場湖南。明徐標《小築邇言》《安居西湖記》云：「在濟西十八里。」

鄭節士宅 明孝廉鄭與僑舊居，在河院軍門西北，有書帶草堂、暇懶館、柿葉齋，今歸他姓。

柳待堂 天長令潘兆遴宅曰柳待堂，在鐵塔寺南，故在南門内塘子街，今爲督郵所居。此則當時北宅，其孫移額於此，尚有夢草堂、春夢樓、聽桐書屋，皆非其舊矣。跋云：「康熙壬辰秋杪，奉檄過里門，指階前隙地，命兒輩植柳待我，俟碧絲垂垂，余亦將緩緩歸矣。」恬菴老人題其額，爲顧藹隸書，藹詩及各詩入「藝文」。

雲岩書屋 魚臺縣東山麓。明初邑人王麟書室，有學士解縉銘、祭酒胡儼詩。見《通志》。

四思堂 魚臺東北南陽鎮，明尚書朱衡宅。朱公謀開新河以避黄决，與總河潘季馴廬于河岸，凡九閲月。斯堂之建，亦精意所留也。《通志》。

以上并見《前志·宅里》。三縣近代遺迹唯魚臺有二，餘與「故址」附「沿革」。○《前志》次及「亭館」，仍書浣筆泉、墨華亭，今已見前，不再書。

集玉園 在城之艮方，明蒲城令劉兆奎梅村别墅也。中爲事友堂，太常陳旭窗伯友筆。後有樓，虬松一株，如張蓋。稍東有臘梅，枝葉皆蟠曲於地，花大如錢。一楷徑數圍，高拂雲際。一石層巒叠嶂，奇秀玲瓏。井泉芳洌，以地近洸流脉，或相接濟。人有「三奇」之譽，謂「水奇」「石奇」「木奇」也。崇禎壬午，城守斬木爲禦敵之具，花草亦蕩爲風烟矣。以下皆《鄭氏名園記》。

間園 在州東北，明副使靳學曾别業。見《通志》。集玉園東不數武，堂曰「間間」，中丞于文若若瀛筆。東倚城，登高遠眺，兩城三水，直几案間物。燼於崇禎癸未之火，今僅有茅屋數椽。

大隱園 明聶户部櫟創始，後歸少府姜秋宇桂芳。北接間園，南接拙園，高柳長榆，垂陰里許。

拙園 在大隱園東。明少宰靳學顔築，門曰「養拙」，堂曰「任拙」，室曰「夢拙」，亭曰「忘拙」。有金沙溪、惠連橋，又有「君子」「聊以」二堂、借山亭，負城面渠，榛棘蒼莽中依㟝嶁而結之。前構一石，高與堂等，今卧茂草中矣。

蕪園 在城隍廟後，明廷尉王竹陽湘廢圃也。其地多植松柏，中丞徐標重新之，鑿地爲池，雜植竹木，築土爲山，結亭其上。

賓暘園 在東門内，李少府所築，後歸孫繕部景耀。入門狹甚，循綫路而北，可百弓許，曠然四闢，别有天地。〇以上東北隅園，凡六。

西園 在泮宫後。明參政郭汝創，其孫重熙、重杰闢講堂、建號舍，曰「龍門大社」。北負城，右襟堞，前抱泮宫，可五十畝，顔曰「城西老圃」。堂曰「灌息」，東西小樓分峙，晨昏登眺，朝爽夕佳。互詳「學校」。

王園 在學前，明指揮王鳳宇别業。王雖武弁，有雅人深致。後歸侯、趙兩司李[一]，各割其半。

[一]此處疑有誤，[乾隆]《濟寧直隸州志》作「後歸侯、趙兩家」。

適園 在州署西，舊爲明方伯于東石錦花圃，嗣大中丞文若復修之。長松夾道，修竹蔭庭，樓曰「超閣」、堂曰「弗告」、門曰「一邱一壑」。樓前錦川二石，高與檐齊。月上梧桐，色如深碧。中丞長嗣割半起宅，包園宅内。未幾，懼高明之瞰，自毁其樓。

周園 《舊志》云：「一名説劒園，在州治西北。明總戎周文燿雅歌處。大不逾畝，密樹繁華，蓊鬱可愛。庭前佛手柑二株，拔地撑天，緑雲滿院。由門入室，皆俯躬而前。門内柿樹結實如柑形，异種也。」

元隱園 《舊志》云：「槐隱園，明刺史鄭真别墅。真自大名歸，高卧此園，有『看花汗漫稱狂客，解綬歸休作老農』之句。古槐一株，大可蔭畝，嘯咏其下，因以名園。」在州後陳太常宅之西。崇禎初，太常叔子架屋其上，不知其園矣。〇以上西北隅園，凡五。

因園 在州城東南，明參政楊崑源洵宅後圃也。堂曰「澄碧」、館曰「容安」，與李白酒樓相望。見《通志》。嗣君士聰增建怡白閣，左復爲臺曰「清迴」，把酒嘯咏其，上恍與青蓮酬酢。北地梅少，此園獨有二十餘株，諸品俱備。士聰有《梅記》一篇。

竹園 逾因園東垣少北。明大將軍趙棨禄園，後歸楊太守鳳翥。北地艱水，此地城潦所集，宜竹，故名竹園。樓扁「近仙」，以白樓在望也。

潘園 枕因園之左足，面對高城。明聞喜令仙見泉豸所築，後歸文學潘時見。有亭有樹，有池有梁。門外渟泫，曲折汪洋。右溯迎薰，左達賓暘。一葦所如，可釣可觴。○《前志》載以韵語，似歌詞，未省何人所作。

文園 由潘園駕小艇而東，折而西，梧柳森蔚，丹堊入望者，文園之醉白閣也。閣前老樹拿空，古藤蟠結附之。較諸園雖狹小，猶之曹、檜、邾、莒建國規模，非三家村所擬也。舊屬文太學，今歸任貞野，近爲衛署。

宋園 文園北去不半里。宋聯婚魯藩，園多富貴氣，牡丹尤盛。不三十年，爲瓦礫，花庭三楹尚在。

張園 在鐵塔寺前，明大參張六符耀采所構。寺鐘傳爲神物，洪亮清越，高卧園亭，晨昏聽之，泠泠清人夢魂。楊崑源嘗贈聯云：「勝地耽幽，幾向樽前邀素月；諸天住近，時從花外度疏鐘。」嗣君改爲「居停」，高棟照通衢矣。○以上東南隅園，凡六。

李園 《舊志》云：「抱瓮園在頤真宫後，文學李美元多才因龍洲張中丞志孝故址爲園。饒松柏，多文官果。春深花茂，珠綴壁聯。」今一亭一堂尚在。

孫園 《舊志》云：「雅集園南門西，明繕部孫玉華景耀。創爲之。輦石叠山，未就而廢。林木翳然，有城市山林意。」《前志》云：「花木無多，廊舍甲一時。自金陵歸，載來九石，多斧鑿痕，人皆少之。」楊太史有詩紀其事。○以上西南隅園，凡二。

負郭園　出天仙閣折而左，園在洸水之曲。洸水，汶支流也，由石羊口會蛇眼、金綫諸泉，徑薛家口而南，負郭占其一灣焉，明靳少宰三園之一。有飯牛堂、于野堂、壙然亭、攬秀樓、倚月橋、泉石諸勝，《前志》云：「少宰歿，地易主，止銀杏二株尚是少宰手植。」有《洸曲記》。

王園　在牛市迆北，明王廷尉湘舊圃。其地多竹多松柏，銀杏一株，摩霄負漢，大數十圍。今圃廢而樹在，銀杏不結實，樹有牝牡，信然。

黎園　直北三里，大百畝，明指揮黎某所創。樹枳爲垣，東西啓兩門，近入都子午道。坐卧蔭樾中，閲名利客，冷眼覷破熱腸矣。

朱園　《舊志》云：「淇園在相里鋪北，明朱叔度紘爲孝廉時植竹滿園，故名。桃李成蹊，春風乍暖，一望如簇錦疊霞，牡丹芍藥尤盛。」○以上北郊園，凡四。

張園　出賓暘門百步，泗水縈其東，土城矗其北，天然佳勝也。明大參張燿采築室其上，有堂有樓。登樓望大嶧山，石理畢見。雨後攢藍，雪餘堆玉，令人有御風想。《前志》云：「園中一石，儼如恒岳。大參所置，今不知所存。」

臨溪草堂　明楊光禄賢自號臨溪，結茅洸泗之上。

避塵園　在濟寧州馬驛橋汶、泗合流處，明侍郎靳學顔别業，自有記。《舊志》云：「靳少宰學顔三園之一，在馬驛橋南，汶、泗合流，東南兩面相繞，堂曰『樂饑』，又曰『清華』，取諸此也。閣曰『含虚』，齋曰『獨寤』。有延景、聽秋、知魚、緑萼四軒，習坎、吾與、晚秀三亭。又有釣臺、石塘、溪橋、水檻、觴渠、硯泉、鶴汀、蘆坡、柳堤、花徑諸勝。構小樓，題曰『四我』，取莊生假我、勞我、佚我、息我之義。歿後竟葬於此。」《前志》云：「昔嘗自署云：『地繞三溪塵不到，門垂五柳晝常關。』其幽静之致足見矣。」按，《兩城集》有《三樓詩序》，謂「半卷」「涵虚」「清華」也。

董園 《舊志》云：「不窺園近浣筆泉，望避塵止隔一水，泉水下注成渠。泉之南、渠之東，一望鬱蒼者也。明董潤以六合令歸老，多種杏，一松可蔭畝，枝盤曲如囷形。」今杏尚在。《前志》云：「每值清明，士女多醉其下。松下環坐，可容數十人，今商旅多墓於此。名園化爲黎邱矣。」

王園 在演武場後，明孝廉王熙載敦臨舊圃。其地腴甚，樹木十年即合抱，諸花開放亦肥膩异常。今改爲清華洞。

仙園 北枕泗流，西襟城堞，中丞劉東溪澤舊壤。明聞喜令仙豸得之，有五粒松，夭矯離奇可愛。

藹園 《舊志》云：「劉園在林家橋北，濱汶水，明壽州守劉概枕流處。古木參天，柴門常扃。」《前志》云：「在洸水之濱，傳至澤生孝廉數世矣。鄭中順曾贈聯云：笑舉一觴，倚席歌殘雲外月；間將六物，臨灘釣破水中天。」

劉園 在五里營，文學劉太液稼圃之所。去城漸遠，入不厭密，避地者所喜居也。果實更自纍纍。

楊園 在後班村，明指揮使文星燿村墅，隱君楊德菴繼有之。前爲門，進爲廳，再進爲樓。樓後即園，名花雜，牡丹至以畝量，每當開放，登樓坐玩，色味并佳。○以上東郊園，凡九。

仲蔚園 在城西二里許，運判張汝材梓別業，孫來賢隱於此。賢有花癖，奇英异卉不憚數千里致之。自少及耄，躬自灌蒔，别類分色，方畦曲塍，雲錦燦然，海内所有，是園皆有之。又以接枝易條，奪胎換骨爲工。未幾，廢爲蔬園，但菜花崢嶸，搖動春風耳。松梅尤備，菊與牡丹更繁。牡丹有訥紅一株，花大如斗，曹州成封君訥齋手植而成者。隱君得子種之，十年餘乃放一花，妖艷异常。楊太史詩有「名葩奪盡一天春，魏紫姚黃何足論」之句。隱君死，遺言葬於梅圃。「可憐張仲蔚，風雨亦瀟瀟」，誦此不禁泫然。

于園　夾城與郭之間，三面皆崇墉。社稷壇在其南，大樹蕭蕭，上干霄漢，可稱四塞之地。園之左右，雙河環帶。稍北復闢三徑，松檜蔚然，于中丞長孫文學于青岳懋嘉築室居之，此係于中丞舊圃。少北以松爲墻，又開三徑，乃青岳所築。

陳園　與西門徑對，明進士陳我愚扆銘得之周氏者。地雖儉，實占勝場。秋水時至，宛在中央。

白園　狀元墓高與城埒，登其上，湖光瀲灩，烟雨蒼茫。武城九十九峰，或蹲或伏，若拱若揖，歷歷在目。墓西流水潺湲，游鱗倦羽時來點綴水面。文章白方焴園亭適在其下。

李園　在狀元墓西二里許。李多才翦茅新啓，花木初榮，樓臺始建。登樓西眺，湖光如練，一往而深。○以上西郊園，凡五。

汪園　任城閘穿巷而東曰太和橋，橋東即汪園，徽商所建。

徐園　一在太和橋泉溝之西，僅如掌大，猶太華之一峰也。一在溝東，迴廊曲舍，婉轉而入，閉門可當深山。

趙園　明武靖伯之族有家濟上者，園乃二百餘年舊址也。喬木蒼藤，不啻「甘棠蔽芾」。崇禎壬午以後，花木凋零，想亦氣運使然。

李園　《舊志》云：「竹圃在城南八里，即白衣尚書故里，太學李道陞際明之圃。道陞貞心介節，矯矯自好，性善種竹與臘梅。竹中虛外直，凌霜雪，青青不改。百花有開有卸，獨臘梅香老枝頭，不隨春風上下。陞之樹此，不啻濂溪愛蓮、淵明愛菊者矣。」

黄園　在八里廟，黄隱君居之。一帶垂楊，下拂水際，春風掩映，直如張緒當年望而知有至人托處。○以上南郊園，凡五。

賓仙館　在鐵塔寺東，文學王鴻運小築也。地僅彈丸，花木繁盛，構草亭曰「仲宣」。

臧園 在南井集，文學臧履所築。一堂一亭，不甚曲折，而名花雜植，世外桃源也。

承雲草堂 在城北相里鋪，文學鄭道同别業。園可十畝，而名花异果，羅致植之，即不合土宜者亦極茂盛，則灌溉護惜之力也。道同爲鄭刺史四子，有學，能詩文。

鳳渚别業 在城北相里鋪。靳學顔《記略》云：「嘉靖丁酉，劾病歸。爲偶然臺，臺後爲湖干草堂，東曰挹爽，西曰迎暾，前爲相里精舍，中爲蕪亭，别有記。」

也園 在城北紅廟，少司空王天眷别業。《雅會圖記》：「也園者，予自少司空歸田後所築也。先是，郭北有靳少宰兩城先生負郭園，繼而又有予曾叔祖大廷尉竹陽公緑竹園，日久廢矣。濟之人經過遺墟，輒多人地之思，惜其不再見也。予一日閑步春郊，見近城多菜圃，獨有隙地一區，樹木森攢，蒼鬱可愛。西望一帶河流，蜿蜒如游龍飛練。東則泰、嶧諸峰，環拱若屏障，暮紫晨青，烟雲滿目，喜曰：『予當老於是矣。』遂結茅爲堂，堂前植花木，色色相間。迤南復鑿一池，中狹外闊，上架小橋，水自地中暗泉灌入，源源而來，人不知所自。夏月荷香撲鼻，游魚戲水，對之可以令人忘倦。池南復因土爲臺，覆以草亭，匾額『野香』。人坐其上，清風吹袂，飄然若仙。旁則槐柳參天，杏桃交加。春時花開爛熳，燦若紅霞，人望之，疑是武陵道上。臺後復有修竹千竿，劍葉攢風，烟梢拂面，其一片幽光寒影，直引人於清凉世界矣。維時瑞伯熊君、静庵邱君、元潤楊君、密臣邵君、泗濱鍾君、金章羅君、伭液楊君，或琴或棋，或清談，或雅歌，無不各極風韵。又有介公魯水、惠人賡虞、梅巖公燮數君子工詩，即景倡和，撚鬚自得。予不揣，亦率爾酬答，不無狂態，詩之工拙弗計也。時而杯盤狼籍，醉卧夕陽；時而洗盞更酌，潦倒月下。城頭鼓角沉沉，陶然忘歸，快矣哉！嘗思爲園多在富貴之家，歌臺舞榭、曲水假山，非不極其宏麗。然花卉叢雜，樹木俳偶，細觀之殊少幽趣。兹則荆門蓽壁，草鋪苔痕，無意爲園而園成矣，此『也園』之所以名也。世人結社，每多勢利之合。冠蓋赫然，侍從林立，往來宴賞之間，各相矜炫，而形骸未化，拘忌猶存。兹則合樽雜設，案無奇饈，接袂連肩，座多寒士。見則飲，飲則醉，名利不縈其懷，是非不入其耳，無意爲樂而樂生焉，此『也園會』之所以名也。予嘗有詩曰『温公獨樂未足擬，淵明三徑差堪比』，又曰『雖無車馬填門盛，時有賓朋過訪頻』，見足矣其大概矣〔一〕。因倩善手爲圖，每會必懸之壁間，面面相對，益增歡暢。斯園也，不特紀盛一時，亦見余尚簡樸不尚紛華，甘寧靜不甘營逐。生平心事，大都如此耳，是爲記。康熙二十六年丁卯中秋七十五老人魯源王天眷題。」

〔一〕「見足矣其大概矣」，〔乾隆〕《濟寧直隸州志》作「亦足見其大概矣」。

意園 在晁家街。康熙丁卯，上虞令潘賡虞兆元所營也。有賜間堂、一水亭、城鏡樓、客逋山房，有池有山，其石皆取自鄒邑陽徐山中。又，一水亭南錦川石二，乃于青岳懋嘉園中故物。見潘兆遴知非瑣言。

嘉樹堂 在浣筆泉南，胡若琦别業。

北潘園 在北門西濠上，爲學士潘應賓别業。中有大椿軒、賦閑堂，有橋有池，古木參天。門外亭浤洋溢，巨觀也。後歸孫副使，易名代園。

按，《舊志》所載園亭，自集玉至承雲，三十有四，《前志》增入十四，共四十有八。明《鄭氏名園記》云：「李文叔記名園謂『園圃之興廢，雒陽盛衰之候也；雒陽之盛衰，天下治亂之候也』。宋都汴，秦、楚、蜀、滇胥取道於雒，故雒之盛衰，天下之氣運歸之。我國家兩京并建，濟處其中。盛時舟車，衰時兵革，莫不先乎濟而後受于天下，是濟之盛衰，猶之雒之盛衰也。刑清政簡，惠及林泉；寇擾兵訌，慘遍邱壑。不出園而全濟可知，不出濟而天下可知。余之紀此，亦竊取夫文叔氏之遺意焉耳。崇禎癸未九月九日鄭與僑確菴書。」《前志》云：「州素繁華，人物風雅。園亭池館之勝，甲於諸州。」《鄭氏名園記》可考而知也。《舊志》所載，似即本鄭記稍有改竄。且記有志無者八，志有而記無者三。今以記爲主，記遺而見於志者附於其後。其他一亭一館，先後雖已次叙，而不與記相混者，欲存其真也。噫！鄭氏作記之時已有盛衰興廢之感，平泉草木，今又豈堪重問耶？

藎園 在北郭外八里許，郎中李澍東泉别墅，牡丹尤盛。

李園 在趙村運河東岸，李承楷别墅。

朱園 在州前街，州人朱墉宅。○三園增補。

宋張氏園亭 在城北，宋御史張肅子畋修，石曼卿題詩，晁无咎爲之記。見「藝文」。○以下三縣

講文堂 在金鄉縣學東墳書臺上。元至正時，縣令劉思義建。見《通志》。墳書臺，詳「學校」。

柏風臺 在城南里許，明御史周允中子判官濟川、郎中濟用修築，教諭山陰諸祖記。時大中丞李晦夫燧、少卿胡芳甫汝桂、副使郭兩峰東藩、主事章一菴吉，皆邑文獻，萃薈往來，歌咏其上，極時之盛。

馴鶴園 在城南三十里，邑貢生李鑣修。○以上金鄉。

處順堂 在崱山之麓，普惠真人張志剛建。元末毁於兵，猶有黄水香一本，爲故物云。

清風亭 在縣内萌山之巔，金令常大同所建。大定十一年九月，完顔率書「清風亭」三大字。元至順壬申，縣令徐慶甫重修，主簿李野先記。《縣志》云：「在縣治後。」

一寄亭 在獨坐山之巔，元訓導婁奎所建，奎自爲記。

御風亭 在萌山前麓。明萬曆間，縣令劉廷魁建。

冲霄亭 即一寄亭故址。明萬曆間，知縣劉元亮建。

觀風亭 在察院後。從前題咏甚富，今廢。○以上嘉祥。

丞相里 在治西北五十里，今稱相里集，丞相不知何代人。按，漢時官丞相者，環鄰不下二十餘人，惟邑無之。或是里古屬他邑，名歸他乘。或客官寄寓，因成故里，俱未可知。觀《水經注》，已有方與縣丞相里，其非後人假托明矣。

龍臺 在舊治西南，與文廟對峙。臺有井，相傳中有神龍，故名。「龍臺飛雨」，舊八景之一也。後於臺上建文昌閣，井覆閣中。又，龍王池在堂上，南廣八尺，深五尺餘，雖經旱潦，不溢不涸。水旁有石隆起，叩其聲如雷。

思白亭 在穀亭鎮崇德書院右。明萬曆中，邑令白希繡治魚有惠愛，既升諫垣去，邑人思之，爲勒碑作亭，額曰「思白」。後，尹劉志仁更新之。

瀟灑園 庠生劉漢佐别業也，在舊城西郭市南水外柳林深處。門面金莎嶺，内多植松柏，竹石名花，無所不有。曰「春芳亭」、曰「鏡堂」、曰「嫩雲齋」，四圍短垣，亦邑之勝概也。○以上魚臺。

君子軒 不詳所在。明祭酒安武劉震記云：「弘治九年夏，余舟次濟上，謁冬官主事蔡君懋成。入門數十步，折而東趨，再踰限，有賓位焉，虚中敞外，題曰『君子軒』。軒之前，方垣周遭，甓其南趺，爲小臺，種竹二三本。新笋辭籜，方津津秀以緑。臺北甃小池，一溝横稱臺。荷葉圓疊，兼老嫩，出池尺許，交翠可人。時地官王正郎璘督工至，同坐軒中，君從容酬客，相歡忘曙，塵滓如蜕千里外，多二物助也。予因笑曰：『軒之得名，固有濂溪君子花，而竹則未有説也。然虚心勁節，歲寒一操，非君子不能。君兼取之，殆以人之君子而契物歟？』君曰：『不然。煉寓軒下幾三載，南北冠蓋，日應給無暇。苟俚人俗吏，無由與賓席。況瓜期瞬息，後來者必皆俊彦，君子之名，亦安得而專之？』予曰：『善！君子於物與軒，不自居之，而以視人、望人，正君之所以爲君子歟！君兄懋鄰，舉成化丁未進士，任南京秋官主事，今改冬官。君繼舉弘治庚戌進士，任今職。聞有况以雙鳳，圖而歌之者。夫麟鳳爲聖瑞，君子類也。君雖不自居，亦惡乎辭？昔王彦方行義化鄉人，稱君子鄉；杜子美之重衛賓，則曰君子堂。千載而下，又有君子軒，古今人曾謂不相及耶！』君於是喜，謝曰：『敢不勉！』遂書以告後之居是軒者。」補輯。

濟寧直隸州志卷六之一

職官志一

《前志》云：「附郭之邑不及郡守，限於分也。」今濟州已别於府而自爲郡，則兖郡丞倅與濟無涉。然濟運衛民，農田水利不能歧而二之。况漕河要津，州牧亦分任其職，凡河防諸同僚近在一城，與守土者共休戚焉。《前志》首列總督、河道，據河渠各書而參以碑記，别之曰「題名」，且三縣不分時代，各自爲篇。兹自漢以來并依正史所載，及金石所傳，皆以時代爲次而爲「表」六，有條不紊，披卷瞭然。紀前代官職，先書牧令。州乘，紀州事也。國朝官職，接前明河督以次編輯，而後及州牧以下名官，不必以「題名」别之，而秩序自明，體制亦合。「宦迹」附後，不别爲篇，便尋覽也。

歷代職官表

漢	任城令	袁安	字邵公，汝南路陽人。明帝永明初任，有傳。
		劉祐	字伯祖，中山安國
唐	任城令	元	佚其名，高祖調靈初任，見趙明誠《金石録》。
		鄭延華	滎陽人，開元二
宋	濟州刺史	曹翰	大名人，太祖建隆時任，有傳。
		姚鉉	字寳之，廬州合肥人。進士，真宗咸
元	濟寧路行中书省	帖兒理帖本	行中書省參知政事，分省濟寧，至正十二年任。
		實理門	行中書右丞，分院

人。桓帝時任，有傳。

任城長

周　磐　字堅伯，汝南安城人。和帝時任，有傳。

任城相

劉　儒　字叔林，東郡平陽人。桓帝時任，有傳。

楊　秉　字叔節，宏農華陰人。桓帝時任，有傳。

橋　羽　梁國睢陽人。太尉

十六年任，有傳。《前志》作「延葉」。

任城丞

賀　佚其名，開元時任，有傳，見《李白廳壁記》。

盧　瓚　范陽人。開元時任。

任城主簿

孟　景　平昌人，開元時任。

盧　潛　見《李白集》。

平時知濟州，有傳。

李師中　字誠之。楚邱人，進士，知濟州，有傳。

王子韶　字聖美，太原人。進士，哲宗元祐時知濟州，有傳。

翟汝文　字公巽，丹陽人。進士，徽宗時知濟州，有傳。

謝文瓘　字聖藻，陳州人。進士，徽宗時知濟州，有傳。

田　棐

濟寧，至正十六年任。

松　壽　行中書省右丞。

陳秉直　守濟寧，總裁滕、嶧、曲、泗、兖、鄆、曹、沛、諸郡，知江淮等處，行樞密院事，至正二十四年任。

時公權　守禦濟寧、河南、江北等處，行中書省右丞，至正二十四年任。

也　速　山東省平章政事，兼知樞密院事，至正二十七年任。

元子。

鄭　遂

補。

爰　延

陳留外黃人。

亢父合

荀　彧

字文若，潁川人。以上見《前志》，八人，補一人。

昌邑令

昌邑王官并附。

王　式

字翁思，東平人。武帝時昌邑王師，有傳。

許主簿

見《杜甫集》。

任城尉

王子言

琅邪人。開元時朝散郎。

裴　迥

河東人。開元時任。

游　芳

開元時將仕郎。按：以上五人同鄭延華并見《橋亭記》。

李　客

據《舊唐書》及《范正傳》《李公新墓碑》。

朝奉郎、尚書司封郎中、知濟州事，見嘉祐八年濟州《蓮華漏記》。

濟寧團練推官

畢士安

字仁叟，代州雲中人。太祖開寶四年任，有傳。

濟州防禦使

李端慤

字元伯，潞州上黨人。真宗時任，有傳。

濟州團練使

王　能

廣濟軍，定陶人。真宗時任，有傳。

崔　訏

行中書省郎中，至正二十四年任。

石　確

行中書員外郎，至正二十四年任。至正二十四年學碑以郎中員外爲省首領官，《舊志》闕，《前志》未詳，今補之。又有椽吏馬澄。○李士明○宋宏左右司典吏○馬克威○待程○徐成等名并附記。

濟寧路達魯花赤

行軍都彈壓附。

伯德元

王　吉 字子陽，琅邪人。昌邑中尉，有傳。

龔　遂 字少卿，南平陽人。昌邑郎中令，有傳。

許廣漢 昌邑王郎中。

王　密 荆州人，舉茂才。○按：以上五人，并見《前志》及《金鄉縣志》。

山陽太守

張　敞 字子高，河東人。

韋　□ 佚其名，肅宗乾元初任，見《金石録》。

庾　賁 字文明，潁川人。代宗大歷初任，有傳。

金鄉令

康若虚 見孫逖《序》。

武先禮 開元十一年任，見孝宗《孔子贊》石刻。

金鄉尉

韓邠卿

濟州通判

周　起 字萬卿，鄒平人。進士，有傳。

陳堯咨 字嘉謨，閬州人。舉進士第一，有傳。

蔡　齊 字子思，洛陽人。真宗時任，有傳。

王　曾 字孝先，益都人。真宗時任，有傳。

李　迨 東平人，高宗時任，行州事，有

元貞時任，見元貞二年《修學記》碑陰。

荅里麻 高昌人。至治元年任，有傳，祀忠義祠。

董摶霄 字孟起，磁州人。國子生，至正初任，有傳，祀名宦。

穆理直 至正時人，見至正八年《移濟寧路治記》。

普　化 至正十三年任。

哩　頭 至正十三年任。

宣帝時任，有傳。

朱博 字子元，杜陵人。成帝時任。

王梁 漁洋人。光武時任，有傳。

周榮 字平孫，廬江人。章帝時任，有傳。

秦彭 字伯平，扶風人。章帝時任，有傳。

呂羌 潁川人，開元時任。

金鄉主簿

樂思問

鄭仙印

盧懷芳 以上三人并見《孔子贊》石刻。

方與尉

王日雲 開元時任通直郎。二人見《橋亭記》，《縣志》佚，餘并見《前志》。○《元和志》：寶應元年方與改魚臺縣，《橋亭記》在開元時，故曰「方與」。

傳。

監濟州稅

劉隨 子仲豫，開封考城人。進士及第，《前志》云「知濟州」，有傳。

任城主簿

劉顔 字子望，彭城人，有傳。○《前志》十四人，今從《宋史》補二人，唯姚鉉知濟州，周起、蔡齊通判濟州，與《宋史》不合，辨見「宦迹」。

李頌 至正二十四年《學碑》。○《前志》作「嘉納」。

升嘉訥

曹政 魚臺縣行軍彈壓，攝濟、兖、單三州行軍千户，升濟寧等處行軍都彈壓。○《前志》列省首領官、達魯花赤五人，據碑補普、哩二人。

濟寧路總管 幕僚附。

按檀不花 元初任，見閻復《重建聖廟碑》。

石珪 新泰人。濟、兖、

單遷　河南人。

劉景宗　庚陵人，見《華陀傳》。

劉芳　東牟人。

薛勤

祝睦　字元德，濟陰人。桓帝時任，有傳。

翟超　桓帝時任，有傳。

袁遺　字伯榮，汝陽人。獻帝時任。

尚文　據《縣志·藝文》補。

方與令

宋元鳳　通直郎，見儀鳳四年《栖霞寺碑》。

五代周

濟州刺史

任漢權　蜀國人。顯德元年任，有傳。○按：《前志》止云見顯德二年《屏盜碑》，李昉撰，考碑題「大周推誠奉義翊戴功臣特進檢校太保使持節濟州諸軍事行濟州刺史兼

將仕郎，見建隆四年《濟州廳壁記》。

金鄉令

張廷庶　官至銀青光祿大夫。

王宣美　太原人。

尹熙　奉議郎，濟南人。大觀元年任，兼管宗室財用、學事。

石延年　字曼卿，幽州人。真宗時任，有傳。

單三州總管，有傳。

石天祿　珪子，襲爵。太祖時歷濟、兗二州總管，有傳，祀名宦。

胡祗遹　字紹聞，磁州武定人。至元十四年任，有傳，祀名宦。

桑元答兒　元統三年碑。

劉承祖　字開之，至正二年，見《二賢祠碑》。

別魯沙

楊　淮

字伯邳，華陽人，見《司隸校尉碑》。

金鄉長

侯　成

字伯盛，山陽防東人。靈帝時任，有傳。

薛　諮

字公謀，汝南人。有《德政碑》，見趙明誠《金石録》。「諮」或作「詣」，非。

史　恢

河南高陽人。冲帝時任，見《武班碑》。

防東尉

御史大夫上柱國西河郡開國公食邑一千三百户」，可以補《新》《舊》二史之闕。○《舊五代史》：濟州自廣順二年以鄆州鉅野升爲州，割兖州之任城、中都、單州之金鄉等縣隸之，是五代至周始以任城隸濟州，梁、唐、晋三朝雖無明文，自仍以漢之濟北爲濟州也，惜職官《新》《舊》二史皆未詳也。

徐處仁

字擇之，應天穀熟人。徽宗時任，有傳。

金鄉主簿

朱漢恭

金鄉尉

達奚日新

○以上七人并見《前志》及《金鄉志》。

金鄉鎮將

李　潤

咸平二年，見嘉祥石刻。

見至正八年《移濟寧路治記》。

吕　魯

字子唯，京兆人，見至正八年《移濟寧路治記》，有傳。

楊　惠

總管兼河防，見至正三年《二賢祠碑》。○《前志》惠下缺。

王德修

至正十三年《學碑》。

張良佐

李國鳳記，幕僚，未詳何職，見《移濟寧路治記》。○以上并見在《前志》。

司馬季德

山陽人，有傳。○以上十八人，《前志》三人，據《縣志》及碑刻補十五人。

魏

山陽太守

鄭渾 字文公，河南開封府人。文帝時任，有傳。

胡烈 文帝時任，有傳。○以上二人見《通志》及《金鄉志》。

晉

魚臺令

梁灝 鄆州須城人。太宗雍熙四年任，有傳。○見《前志》及《魚臺志》。○《嘉祥縣志》云：「秦漢至唐宋，地分屬濟寧、鉅野，故職官不載。」

金

濟州刺史

徐文 字彥武，萊州掖縣人。天眷初知濟州，有傳。

僕散渾坦 蒲與路挾懣人，皇統時世襲濟

○《前志》誤列行中書省右丞時公權，今移前。

濟寧路同知

賈棟 至正十三年任。

濟寧路判官

張仲行 至正十三年任。

伯顏察兒 至正年任。

伏不花 至正年任。

濟寧路推官

石文蔚

高平太守

劉莊 太原人。

徐含

徐翻

高平相

陸英 吳郡人。

金鄉長

薛詣 河南人。○按：即漢薛詣，《前志》分列，姑從之。

任城太守

州，有傳。

劉璣 字仲璋，益都人。進士，大定初任，有傳。

紇石烈 貞祐四年任，兼知軍事、提舉河防常平倉事，見《李應奉碑》。

同知濟州防禦使事

紇石烈胡剌□□ 晦發川唵敦河人，天德初任。○有傳。《前志》貞祐四年《李應奉碑》作「濟州刺史」。

濟寧路轉運使

至正年任。

濟寧路經歷

王恭 至正年任。

馮允初 至正年任。

濟寧路知事

孫伯善 至正年任。

濟寧路照磨

圭士孚 至正年任。

濟寧路譯史

王都

羊□ 佚其名，武帝太始年間任，見新泰《孫夫人碑》。○按：《晉書》王國改太守爲内史，太始三年轉封任城王，之國。王國不宜稱太守，蓋淆亂相稱如桓彝，見《武帝紀》，稱宣城内史，而《桓温傳》亦稱太守，見《授堂金石跋》。○《晉書》羊祐兄發，長子倫，高陽相；弟暨，陽平太守祜，伯父秘，京兆太守；子祉，魏郡太守。或曾莅任城，而史官略之也。

南北朝宋

高平太守

李瞻 薊州玉田人。進士，貞元三年任，有傳。

濟州萬户

烏林搭刺撒 正隆時濟州押軍萬户。

活女 完顔部人。皇統時濟州萬户，有傳。

謀衍 活女弟，有傳。《前志》作「完顔謀衍」。

石古乃 謀衍弟。天德元年任，有傳。

至正年任。

濟寧路通事

伯顔察兒 至正年任。

濟寧路豐洛庫

王佐 副使，元貞二年修學碑。

濟寧路司獄

冀利用 至正十三年。

濟寧路石佛閘提領

張文英 至正十三年任。○濟寧路同知以

潘　詞

見《通志》。

任城令

羊規之

泰山鉅平人，有傳，見《前志》。

北魏

任城太守

高德範

渤海人。文帝時任，有傳。○一作「德純」。

李　湛

孝莊帝時任，有傳。

耿僧珍

濟州通判

黃　勝

須城人。

任城尉

劉　煥

字德文，中山人。進士，天德元年任，有傳。

任城主簿

閻時升

見《宏法寺碑》。

濟寧倉都監

孛朮魯

貞祐四年，濟州倉草場都監權司候，見《李應

下，《前志》止載豐洛庫一人，今據碑刻補出。此外又有司吏○樊嗣宗○胡居仁○郝郁○楊士彬○杜遵禮○馮守道○王纈○劉惟古○馮時吉○朱思明○董日新○李居仁○馬志仁○范欽祖○翟國臣○嚴明善，凡十六人，附記以補《前志》所未及。

濟州達魯花赤

冀德方

字正甫，朝城人。至元二十一年任，有傳，祀名宦。

征虜將軍，見曲阜〇《李仲璇碑》，興和三年。

馬顯都 同上。

北齊

任城太守

高德乾 文帝時任。

北周

任城太守

孫郡守 佚其名。寧翔將軍、大都督。

任城郡主簿

奉碑》。〇以上《前志》十八，據《金史》補四人。孛术魯氏，《金史》有阿魯罕，隆州人。在貞元時，距貞祐前六十年。紇石烈氏胡剌，在天德初，又在貞元前，當是二人，《前志》合爲一人，非。劉焕本任邱尉，非任城尉，辨「宦迹」。

金鄉尹

聶天祐 嵫陽人。太定九年任，有傳。

烏古論阿海 振遠人，泰和三年任。

冀泰 德方子，至元三十年任，見楊桓《酒樓碑》。

韓也先不花 大德中任，見《加封至聖碑》。

方脱脱木兒 翔方人，見皇慶元年《繪塑碑》，有傳。

阿爾思蘭 延祐時任，見延祐七年《加封碑》。

春童承事 至順時任。

濟州知州

閭長嵩　搜揚好人，平越將軍。二人并見鄒縣《小鐵山磨崖志》，乘失載。○《山左金石志》：「搜揚好人，乃北齊所設官，即徵求遺逸之意。」

隋

魯郡太守

蘇　威　字無畏，京兆武功人。有傳。

鄭善果　榮澤人。

魯郡長史

皇甫誕

金鄉尉

杜伯璘　東沂人。

金鄉主簿

温迪罕荅懶出　泰和三年任。

金鄉縣醋務都監

劉　濟　泰和三年任。○《前志》《金鄉志》載聶、杜二人，今據碑刻增三人。

嘉祥令

胡　肇　字子初，管州人。

趙文輝　至元二十九年任。

董　珪　真定人，見至元三十年《酒樓碑》。

李　絅　字文晦，濟南人。泰定中守濟州，有傳，祀名宦。

郭景仁　元貞二年《學碑》。

李　晟　元貞二年碑。

李宗武　字克誠，洛陽人。大德初任，有傳。

字元憲，安定朝那人。○按，《隋書》：「字元慮，安定烏氏人。爲魯州刺史。」而于《志寧碑》云：「授廣府長史。」無魯州文，疑脱漏。《通志》云：「隋罷州置郡。」或可通稱也。

魯郡司馬書佐

陳孝意 河東人，有傳。

濟州刺史

高欽 先賢高子後，詳「世家」。○增補。

明昌元年任，有傳，祀名宦。

常大同 大定間任。

竇迪 大定間任。

李迪 大定二十四年任。

嘉祥主簿

朱世甫

孟允蹈 大定二十一年任。

孟忠彦

郜汝舟 皇慶元年碑。

王鏞 延祐七年碑。

張仲仁 知本州諸軍事、奥魯勸農，見元統三年《學碑》陰。至元二年，《歐陽元聖廟碑》云：「總管張仲仁。」

蔡思中 至正二年《二賢祠碑》。

劉儀 至正四年《學碑》。○《前志》誤作「劉後」，下缺一字。又以録事附知州後，不知爲濟寧路屬以上七人見《前志》及《嘉祥志》。

魚臺令

鄒　華　東阿人，永安元年任。

烏延鋭　隆州人。進士，太安初以單州守署魚臺令，有傳。○以上見《前志》及《魚臺志》。

也，今改正。

孫　撝　録事，見「宦迹」。○元統三年碑陰有濟州司吏馮文元。○郭從義○宋德○戴好古○李居誼○馬明德○典史宋大亨○傅敬祖○潘世驥○王鎮○鄭惟元等，并補附之。

濟州同知

劉庭玉　泗水人。至元三十年《大成殿碑》。

丹牙答思　元貞二年碑。

李世長 皇慶元年碑。

趙吉甫 延祐三年《二賢祠碑》。○《前志》：「吉甫其字也，不知其名。」

李仁 延祐七年碑。

忽都不花 元統三年碑。

偰朝吾 字世則，枝江人。進士，元統乙亥任，見至元三年《尊經閣碑》，有傳。

鄭□ 佚其名，至正

元年墓碑。

史永懷 至正四年《學碑》。○《前志》「永」字缺。

李侃 見莘縣《李希愈志銘》。

乞台奉議 同知閘事。

濟州判官

赤盞顯忠 字遂良，元初任，有傳。

畢輔國 元和初任，有傳，祀忠義祠。

和 洽 陽穀人，至元三十年《酒樓記》。

李 榮 元貞二年碑。

張 楷 字道宣，東平人。至元初任，有傳。

闞仲明 皇慶元年碑。

趙義甫 延祐三年任。

輔 熙 延祐七年任。

周顯祖 元統三年《學碑》。

張忽都帖木兒

同上。

楊企賢

至正三年《學碑》。

李宗漢

字彦文，衛輝人。至正九年《魯橋碑》。

田友直

至正二十四年《學碑》。○《前志》錯列知州李絅，今改正，并補列畢輔國一人。

濟州吏目

司吏附。

楊　文

元貞二年碑。

靖　鑑
字明叔。延祐三年《二賢祠碑》。

吴君章
同上。○君章，其字也，名佚。

張永傑
延祐七年碑。

王延瑞
同上。

賈　彦
至正四年《學碑》。○元貞二年碑陰，又有濟州司吏金良。○陳謙○李瑞○田茂四人。又吏目，《前志》有邢某名。

濟州税務

安唯淑 至元中監濟州税。○前至元甲子濟南《安氏先塋碑》。

阿都撒蠻 元貞時提領，元貞二年《學碑》，下同。

惠普 大使。

傅興祖

張天祐

杜□ 佚其名。

潘亨

張珍

田　稑　以上六人并副使。

管思忠　延祐年大使，延祐七年《聖廟碑》。

張守智　元統三年大使。

羅知義　副使。○二人《前志》無，今據碑補。

濟州行用庫

周　仁　元貞年大使。○《前志》缺名，今補。

柳師宗

張　玉

于　志　以上并副使，見元貞二年碑。

侯　庸　元統三年副使。○《前志》止前四人，今據碑補入。

濟州常平倉

常　通　大使。

張　佺　大使。

王良佐　大使。

孫　榮　副使。

趙重恕 并見元貞二年碑陰。

驛站

燕舜鐸 將仕佐郎、濟州驛令，延祐七年《聖廟碑》。

商信 馬站提領。

王全

薛閏

魏興 本站提領。

鄭興

王信成　上六人，并見元貞二年碑。

任城縣達魯花赤

八忽歹　元貞二年碑。

慶　壽　同上。

玉速不花　皇慶元年碑。

佛家奴　進義校尉、任城縣達魯花赤，延祐七年碑。

任城縣尹

李子良

元貞二年碑。

于　潤
皇慶元年《學碑》。

解思誠
承事郎、任城縣尹，延祐七年碑。

崔　英
延祐七年《聖廟碑》。

宋文昭
縣尹，兼本縣諸軍奧魯勸農事，元統三年《學碑》。

崔　謙
至正四年《學碑》。

蓋君玉
見《嘉祥志》。

侯　弼　至正二十四年《學碑》。

任城主簿　主案牘或兼諸軍奥魯。

張伯福　元貞二年碑陰。

明理帖木兒　進義副尉、任城主簿，延祐七年碑。

鄭公弼　兼尉，元貞二年碑陰。

王汝楫　將仕郎、任城主簿，元統三年《學記》。

曹師文　至正四年學碑。

任城尉　主捕盜。

劉思温　任城縣尉，延祐七年碑。

李居貞　元統三年碑。

任城典史　主文移。

王佐　元貞二年碑。下同。

常用

王定

雋禧

王佐　大德三年《尊經閣碑》。

趙惟賢　至正四年《學碑》。

宋守中　皇慶元年碑。

王允中　至正二十四年《學碑》。

縣司吏

楊信

孫信

殷守謙

王安居 并見元貞二年碑陰。

教授

楊　桓 中統四年任。

趙衡正 至元時任，見《嘉祥志》。

夾谷之奇 至元初任。

孔希貞 至正四年《學碑》。

孔思善 至正十三年《學碑》。

學正

仙抱一 後至元三年碑。○《前志》脱「一」。

曹仲吉 皇慶元年《學碑》。

馬益 元貞二年碑。

劉端仁 大德三年《尊經閣碑》。

王誼 延祐七年碑。

趙商輔 元統三年《尊經閣碑》。

孔克亮
至正四年《繪像碑》。

劉　炎
至正四年《學碑》。

楊家奴
至正十三年《學碑》。

蒙古學正

段答海
元貞二年碑。

王　晋
延祐七年碑。

梅也先
元統三年《學碑》。

學録

張榮祖　元貞二年碑。

徐　理　至正十三年《學碑》。

州直學　附齋長。

楊　悌　元貞二年碑。

張從簡　同上。

耿端禮　同上。

劉思問

見延祐七年碑。

王志規
元統三年《尊經閣碑》。

李　彰
同上。

宋志學
至正四年《繪像碑》。

陳素立
至正四年《學碑》陰。

朱　顯
至正二十四年《學碑》。

楊惟謹
齋長。按：直學之

與訓導等，皆有司聘請，故不見於《元史·百官志》。宋制亦有直學，而《宋史·職官志》亦無。直學亦名學直，蓋備言之則曰「某學直學」，約言之曰「學直」，專言之則曰「直學」也。元貞二年《修學後記》題名尚有禮生李彰，及儒人康文禕、寧元輔、常讓、學典祝某等名，則庶人在官矣。○又李謙《重建大成殿記》云：「冀侯具書弊，聘東平文儒楊演，俾主教導，陶冶士類，不知演所居何職。」可證當時學正教授之類，亦皆守令聘請矣。

任城縣教諭

王　亨　元統三年碑。

董　信　至正四年《學碑》。

趙惟譽　同上。

訓導

王士英　元貞二年碑。

馬　驥　至正四年《繪像碑》。

醫學

李誠 濟寧路醫學正，見延祐七年碑。

張慶祖 學正。下同。

馬裕

陳信

庾益 教諭。下同。

陳讓 以上并見元貞二年碑。

杜允正 延祐七年碑陰。○按：元貞二年《修學後記》碑陰題名甚衆，有濟寧路知房楊潤、奥魯詳議馮唯積、奥魯千户成鱗、泗汶等河都漕運使司奏差劉瑞、常亨、邵榮、濟州孔目畢亨、傅顯祖、劉源、董積、高簡、尹亨等。而濟寧路僧録、道録、陰陽、教諭及師巫提領焉。○《前志》尹亨「亨」字闕，今補。○元治河各官祀報功祠，俱詳「宦迹」。

元 金鄉

孫　青 金鄉人。

王　皓

成野賢

牛天麟 以上并見「宦迹」。

周仲誾

皇甫亨 見「宦迹」。

宋　鎔 彰德人，有德政碑。

劉思義 見「宦迹」。

也孫台 達魯花赤。

孔克紹 兼管本縣諸軍奥魯勸農事。

劉克謙 保定人。有《去思碑》。

嘉祥

朵　落 見「宦迹」。

利尼赤

楊忽突刺

舍利歹

孛魯古歹

兀芹和尼赤子

伯岳觧 見「宦迹」。

秃滿歹

忻　都

道　家

明安達兒

魚臺

朵羅歹

吉　思

張維炳

孫榮祖 四人并見「宦迹」。

李居時

楊　祚

楊世寧 一人，并見「宦迹」。

孟之晋

劉守道

尚敏德 教諭。

聶　靦

劉十顔鐵木兒 見「宦迹」。
劉 翀 縣尹于明。
木梁課 監。○有《重修廟學記》。
安 禮 監。
墨的兒 見「宦迹」。
劉 源 尉。○有《增置學田碑》，在學宫。
張 珪 尉。
翟居敬 尉。
尚 達 教諭。
王 楫 教諭，清豐人。
張 肅 教諭。
周 鼎 教諭。

哈喇不花
傅伯達 尹。
桑完璧
孫 仔
管伯玉
張國用
路 平
劉 恩
劉 寬
吴 楫
石榮祖
時 用

鞏裕之
明 安
蕭敬謙 醫學教諭。
孟祇祖 主簿。
薛朵兒别歹
吴榮祖
李 亮
張顯祖
睦嵓肖
孫世忠 縣尉。
趙得源 東平人。
潘 仁

楊循禮

楊挺秀　三人并主傳，增補。

蕭　澤

李　恩　見「宦迹」。

張端仁

邵顯祖

畢　儞

劉　庭

楊　仁

李　賓

王國楨

劉　慜

唐世英

張　信

任守信　典史。

陳　岫

○三縣元職官爵里多未詳，依《前志》以次書之。

岳　寧
馮天澤
薛元禮
趙　璧
王　愿
于　潤
鄭濟銓
徐　介
徐慶甫
孔克任詳「宦迹」。
夏　清
王　禮見「宦迹」。

李　恩

王　海

楊仲明

李廷訓

韓　珪

封從植見「宦迹」。

趙可行

李野先

翟國英

蘇若思見「宦迹」。

高　翔

朱　鎔

劉伯川典史。
崔近禮
趙欽
劉或
王恩
孟純紀
張貴
杜楨
王昇
程矩教諭。
尹思庸
吴熙

馬惟庸 訓導。

李　奇 著述甚富。

《前志》云：「官職之名，古今雖有异同，求無慚司牧則一也。」州自漢爲任城郡，至宋、金爲州，州即郡也。又元嘗爲濟寧路總管，其握虎符、綰銀章，固巍然方面之臣也。今則自名宦以外，學士、大夫不能盡舉其姓氏，而况丞、簿以下乎？《舊志》叙職官自明始，脱漏者已多，至明以前更不之及。今考據史志、碑記及本志名宦，得若干人以著於篇。自漢以下皆依時代類叙，自元以下則依官佚而次之。《舊志》訓導有三，有永豐倉大使、副使，税庫大使，南城、城東、康莊、河橋四驛丞，南城及魯橋二遞運所大使，魯橋司巡檢，《舊志·職官》即不載。又文案無徵，僅有一二見於石刻者，不能具矣。至三邑職官失考尤多，概闕疑焉。

濟寧直隸州志卷六之二

職官志二

明職官表

知府 知州	濟寧府知府	洪武 涂芳 元年任。 段約 祀名宦。 方克勤 字去矜，號介軒，寧海人。四年任，有傳，祀名宦。
同知	府同知	劉大昕 二年任，有傳，祀報功祠。
通判州判	府通判	胡處謙 二年任，見《永通閘記》。 賈□ 佚其名。八年任濟州别駕，見《重建西齋記》。有傳。
教職	府學	李益 八年任。 任烈 兗州人，見《任子家譜》。○并教授。 律啓源 八年任。 胡復性
雜職	任城縣主簿	周允 八年任。○據《前志》，見《西齋記》。

趙好德

七年任。

蔚　珍

按，明《萬曆志》載知府三人：段約、方克勤、蔣資，俱入名宦，《廖氏舊志》同。《前志》據宣德六年修《學碑》始改正，今從之。

濟寧州知州

洪武十八年改。

傅　霖

江西貴溪人，有傳，祀名宦。

史誠祖

八年任。○并訓導。○《前志》誤「性復」，今據《西齋記石刻》正。

山西解州人，有傳，祀名宦。

永樂　祝祥　進士，有傳，祀名宦。

宣德　蔣資　字遂良，廣東電白人。洪武甲戌進士，六年任，有傳，祀名宦。

吳元聰

區世英　廣東高明人。

潘淑正　一作時正，浙江仙居人。八年任，有傳，祀名宦。

高榜　北直薊州人。

尚嵩　六年任。

郭良節　六年任。

州判　管糧。

劉禮　六年任。

陳文拱

趙迪

州學

呂迪　字茂恭，訓導。

郭爵　福建莆田人。六年任學正。

虞鎬　姚江人，八年任。

州吏目

馮麟　六年任。

永豐場大使胡銘、副使岳靖、崔友。○稅課局

江西人。

傅霖　十年再任。

王敔　下邳人，六年任。

正統

陳亮　字友直，浙江東陽人。六年由蘇州同知調任，有傳。

王彦成　江夏人。六年任，有傳。

夏玉彦　六年任。

任澤　六年任。

王彦成　江夏人。十年任，有傳。

李浩　廣西富川人，八年任。

劉桓　山西潞陽人，八年任。○并訓導。

李迪　見《學碑》。○學正。

陳瑄　福建長樂人，十三年任學正。

趙本　寧津人，六年任。

朱志華　永川人，

大使蘇鼐。○南城驛驛丞張文質。○城東驛驛丞郝震。○康莊驛丞阮宗。○遞運所大使呂讓，并宣德年間任。

南城驛丞張榮○城東驛丞林璠○遞運所大使柯府○稅庫局大使張清○并正統年間任。

景泰

劉隆 順天人。

天順

于鑒 三年任。

王琚 浙江人。

郝敬 河南祥符人。正統戊午舉人，四年任。

六年任。

卜溥 十三年任。○以上訓導。

陶鼎 二年任，據碑補。

陶君弼 四年任。○并學正。

劉璣 三年任。

蔡瑞璧 五年任，并吏目。

驛丞朱貴、李秀、朱諒○大使重德陞記。○杜全○馬隆○楊能○宋亨并見天順二年碑。

成化 劉平 直隸人。
劉文寵 順天人。
甘華 江西豐城人。由冠縣升任。
孫蕃 字繼翰，南直揚州人。天順甲申進士，十三年任，有傳。
張宗 順天人。

沈源 十三年任。
戴記 昌黎人。景泰癸酉舉人，二十一年任。有傳。

陳翼 十一年任。
李泊 文安人。
葛興 字應正，南直績溪人。有傳，祀名宦。
游琪 十二年任。
王倫 十三年任。
閻和 二十年任。
王澄 二十一年任。

闞儀 山西蒲州人，十三年任學正。
朱昇 陝西浦南人，十三年任。
張敦 北直蠡縣人，十三年任。
李愍 河南杞縣人，二十二年任。○并訓導。

王佐 十三年任。
李裴 二十一年任。○并吏目。

弘治

蕭軏　二年任。

傅皓　河南祥符人，五年任。

張寧　山西大同人。

康世臣　南直蘇州人。

周從時　五年任。

陶琳　二十一年任。

徐子麒　二年任。

沈璿　五年任。

何本原　五年任。

顏琛　二年任。

李賓　字敬之。四年任，有傳。

李悦　北直安州人，二年任。

盧安　五年任。

劉恒　廣東歸善人。

姚江　河南固始人。○以上學正。

盧翰　浙江山陰人，二年任。

李忱

永豐場大使韋勉○喬銘○李鋭　税課局大使段綸○王敬　城東驛丞○楊垣　遞運所大使季文學○《前志》作「喬勉」，誤。「税課」作「庫」，既缺名，今據碑補正。

正德　許經　河南安陽人。

李鳳　山西洪洞人。舉人，十年由邢臺遷任。州人劉概有《李侯禱雨有感記》。

賈存哲　十六年任。

孟諒　十六年任。

黄安　十六年任。

二年任。

盧輔　和陽人，五年任。

徐鸞　五年任。

和承芳　山西平定人。升唐山知縣，有傳，祀名宦。

李鳴鳳　山西交城人。

余瓚　福建莆田人，正德辛未進士。

唐鳳

李賓　正德十六年任吏目。

嘉靖

張寰 字九清，南直昆山人。二年任，升通政使參議，有傳。

黄堂 安徽霍邱人，三年任。

王訓 河南内黄人。

范栻 浙江鄞縣人，升府同知，有傳。

閔廷珪 湖廣武陵人。

王昱 二年任。

陶震 四年任。

蕭鄺允 江西新喻人。十六年由北直通州經歷升任。

黄寀 福建莆田人，三十五年任。

尉登科 四十二年任。

楊遷 河南武安人。

陳言 二年任。

羅其瑞 二年任。

周夢鱺 十六年任。

韓弼 陝西人，十七年任。

陸義 廣西賀縣人，十七年任。

葛澗 二十四年任。

包眼 十六年任。

蔣鉞 二年任。

王俊 福建莆田人，十六年任。

張雲漢 陝西人，二十四年任。

楊承祉 三十五年任。

劉恒 四十一年任。○以上學正。

包博 二年任。

李惟清 山西人。

雷宗遠 湖廣藍山人。

靳臣 十七年任。

徐來庭 二十六年任。

賈曾 山西渾源人，三十五年任。

仝詔 南直上海人。

楊宥

韓　瓚　陝西人。

楊　祚　江西太和人，十九年任。

李　彬　廣西人，十六年任。

史　鶬　浙江餘姚人，升府同知。

張崇德　陝西咸陽人，二十三年任。

李元善　一名克善，又作充善。山西長治人。舉人，

王　電　直隸人。

賈　選　河南祥符人，四十二年任。

鄧　瑞　江西浮梁人，四十三年任。

二十四年任。

休　焕　二十六年任。

姬克蒙　北直定興人。監生，二十五年任。

陳　松　北直任邱人，三十五年任。

孫　滿　南直休寧人，三十五年任。

袁　楨　字斯玉，南直吴縣人。貢生，三十七年任。

王　禄　二年任。

潘　偉　二年任。

江　鯤　十六年任。

李思恩　十六年任。

馮　金　十六年任。

王舜華　十七年任。

孫　凱　十七年任。

段文宏

南直無錫人，四十二年任。○《前志》缺名。

齊以莊　河南臨漳人。

王允武　南直鹽城人。

麹應龍　新城人。

孫　鎬　南直廣德人。

孫若蘭　北直隸人。○以上并吏目。

二十六年任，升府同知。

孫良心 河南滎澤人。舉人，二十九年任。

黄　堂 河南内鄉人。舉人，三十一年任，升長史，有傳。

王道平 南直華亭人。舉人，三十三年任。

李一德 福建晋江人。舉人，三十四年任。

雀繼經 北直易州人。

左　禄 江西豐城人。

韓魏邦 北直易州人。

林　麃 浙江寧海人。

嚴守仁 浙江餘姚人，四十二年任。

周　棐 浙江鄞縣人，四十三年任，見碑。

鄭夢齡 四十四年任，

二十四年任。

韓元利 二十四年任。

楊　琮 二十四年任。

周　璠 二十六年任。

劉邦瑞 三十五年任。

陳　坤 三十五年任。

陶　枋 三十五年任。

石　玹 四十四年任，

张星　字月鹿，南直華亭人，舉人，三十六年任。

胡尚志　南直績溪人，舉人，四十一年任。

隆慶

景一元　山西聞喜人，舉人，元年任。

譚經　廣東南海人，三年任。

仲元學　南直高郵人，四年任。

楊叙　福建建安人。

見《仲廟碑》，浙江縉雲人。

周京　福建莆田人。

陳加誥　湖廣人。

劉九韶　直隸人。

蕭淵　江西南城人。○以上并管糧。

見《仲廟碑》。

吳子礪　南直壽州人，四年任。

張時叙　河南武安人。

郝汝松　陝西綏德人。舉人，六年任。

王自新　北直鷄澤人。

張　塀　南直太湖人。

闞成章　南直常州人。

熊一之　江西南昌人。

蒲之津　登州府文登人。〇以上學正。

李嘉猷　四年任。

邢大器　山西洪洞人，四年任。

孫　緒　陝西安定人。

留敬臣　福建晋江人。萬曆丙戌進士，十三年任。

萬曆

邊　溉　北直任邱人。舉人，五年任。

羅文煒　江西廬陵人。舉人，六年任。

蘇唯肖　河南洛陽人。舉人，六年任。

孔宏復　曲阜人，六年任。

蕭文璧　陝西延安衛人。舉人，八年任。

宋　祉　河南許州人。十三年任，有

王世構　江西人。

馮　翼　河南人，十三年任。

王　宜　順天人。

葉常春　江西貴溪人。

胡本濬　南直貴池人。

程子洛　陝西鳳翔人。

秦加績　南直常熟人，十九年任。

馬三槐　北直真定人。

李繼典　福建縉雲人。

潘　實　字仰誠，南直吴縣人。貢生，十一年任。

陳富春　福建人，十三年任。

李文烺　十三年任。

金　漢　江西人。

梁儲臣　廣東人，十

蘇朝陽　福建南安人。舉人，十五年任。

黄文炳　江西南城人。

段文綺　二十四年任。

王時泰　福建閩縣人。

郝　岳　河南光州人。

武紹祖　陝西涇陽人。

朱　讓　山西平定人。

劉文祐　北直人，十五年任。

温　舉　十九年任。

張應時　北直人。

朱與之　浙江海寧人。

姬　愷　北直人，十三年任。

胡良宦　直隸人。

潘守義　福建人。

傳。

張崇雅　北直大名人。舉人，十七年任。

郭承緒　北直順天籍，山西襄垣人。舉人，十九年任。

秦加績　十九年由同知署任。

歸大賓　字台麓，南直長洲人。歲貢，二十年任。

萬民命

闞三省　南直太和人。

沈紹宗　南直廣德州人。

陸應元　南直太倉人。

韓邦域　福建侯官人。

韓廷輅　山西洪洞人。

邵宗堯　南直興化人，三十五年任。

程　道　陝西西寧人。

九年任。

楊之翰　陝西漳縣人。

唐萬禄　廣東人，十五年任。

范　鉄　浙江人。

刑一誠　南直盧江人。

卞繼儒　南直霍邱人。

郁名臣　浙江仁和人。

趙存仁

張應元　浙江鄞縣人，三十五年任。○以上并《萬曆志》。

王納諫　濟南肥城人，舉人。四十二年任，中萬曆丙辰進士。

徐啓鼎　舉人，四十七年任，見《仲廟碑》。以上學正。

潘之麟　南直懷遠人。

陳一正　北直永平人。

程　環

李時茂　山西汾州人。

戴一貫　南直休寧人。

段丕顯　山西澤州人。

丁　貐　山西陵川人。

陳應禮　南直山陽人。

錢國寶　廣寧衛人，二十五年任。

何文衢　福建太寧衛人。

江西南昌人。舉人，二十二年任。

萬尚烈　江西新建人。舉人，二十七年任，有傳。

王邦彦　浙江會稽人。舉人，二十八年任。

劉嗣傳　四川漢州人。甲辰進士，三十二年任。

張嘉謨　陝西城固人。舉人，三十六年任，有傳。

以上俱見《萬曆志》。

常　慥

鄒中岳

李猶龍　四川彭水人。

胡鳳閣　北直永年人。

徐德亮　四十年任。

蘇士昌　四十七年任。二人據《仲廟碑》補。

福建晉江人。

蕭鳴世　湖廣景陵人。

谷雲龍　順天密雲衛人，三十五年任。

盛延祐　浙江桐縣人。

文子美　陝西三水人，四十二年任。○以上《前志》并據《萬曆志》。

郭　徽

胡宗臣　見《仲廟碑》。判官，萬曆四

河南息縣人。

吴　必　南直懷遠人。

劉一元　北直成安人，十三年任。

李守正　山西平定人，十五年任。

石國楨　東昌范縣人，十五年任。

張應聘　新城人，十五年任。

吴自修　山西汾州人。

韓聞韶　南直合肥人。○以上并《萬曆志》。

楊　賓　四十二年任。

葉子望　四十二年任。

馮　勳　陝西華州人。○以上并吏目。

李充元　陝西袁州人。三十八年署任，有傳。

唐世柱　湖廣巴陵人。舉人，三十八年任，有傳，祀名宦。

胡　休　河南商城人。舉人，四十四年任，有傳。升寧國府同知，見《仲廟碑》。

董則喻　字儆我，河南人。舉人，四十八年任，有傳。

十七年任。《前志》管糧判官據碑補九人。

石　玹　河南考城人，四十二年任。

楊時輝　山東蓬萊人，四十二年任。

王　諫　山東人，嘉靖庚子科舉人。

趙　潤　南直江陰人。一作「瀾」。

王　治　順天大興人。

魏中立　北直曲陽人。

趙良翰

北直元城人。

張一選 章邱人。

梁　珠 河南修武人。

閔心學 南直霍邱人。

張九叙 山東東昌府朝城人。

姜一鵬 齊河人，二十五年任。

朱邦才 歷城人。

高尚忠

遼東定遠人。

韓　翊　濟南陽信人，三十五年任。

單進之　遼東復州衛人。

孟　周　昌邑人，三十五年任。

孫茂蘭　禹城人，三十五年任。

張威如　字與嚴，堂邑人。○以上《萬曆志》。

許國俊 四十二年任。

呂和聲

馬逢圖

張焕如 字寶夫，堂邑人。貢生，有傳。

陳培猷 堂邑人。

張焕儒

薛本岱

李初研 俱見《仲廟碑》。萬曆年任訓導。

天啓

方應瀚　江西新建人。舉人，二年由吴縣教諭升任。

甄偉璧　字連城，河南許州人。舉人，七年任，有傳。

陳一元　北直遵化人，舉人。

崇禎

王孫蕃　字生洲，北直雄縣人。舉人，五年任，有傳。

鄧　鵬　南直金壇人，舉人。

蘇　澍　福建晋江人，十六年任。

王嘉禎　学正。

崔如發

趙時止　二人并訓導，俱崇禎年任，見《仲廟碑》。

沈　浤

馮　賓　十六年任。○并吏目。

陳金聲 福建侯官人。拔貢，十三年奉特旨任。

胡鳳閣 北直永年人。貢生，由本州同知升任。

朱光 字朱鷺，北直保安人。崇禎庚午舉人。十六年任。

《前志》載州同周勝，州判張榮、何永澄，吏目鄭琚、徐勉未詳任事年月，見正統戊辰陳文《天井閘金龍山神廟記》。

明

知縣

金鄉縣知縣

洪武 許復初

范士廉

王義

永樂 謝儀 十五年任。

宣德

正統 王清 五年任。

縣佐

縣丞

李瑾 監生。

主簿

教職

教諭

趙琬 南直武進舉人，升國子監司業。

周恭 江西進賢

訓導

張克儉 金鄉人。

劉安 河南祥符舉人，擢監察御史，升山東副使。

雜職

典史

沈義 浙江德清舉人。

景泰

天順 朱昭 雲南永平人，監生。

龍駿 江西萬載舉人，祀名宦，有傳。

成化 韓益 北直任邱

程宏 山西太

方伯輝 武定人，吏員。

趙禎 順德人。

楊春 江西崇仁

舉人。

文奐 四川舉人。

羅昭 舉人。

貝煦 浙江上虞舉人。

沈實 南直華亭舉人，升福州府教諭。

杜思信 北直景州

聞善 南直英山

監生。

卓越 福建福寧人，舉人。

方伯輝 江西武寧人。

盛德 河南汝州人。進士，祀名宦，有傳。

韓斌 順天昌平人，舉人。

弘治

萬稷 河南祥符人，舉人。

谷人。

王猝

鄉貢，祀名宦，有傳。

唐鵬 北直獻縣監生，祀名宦，有傳。

舉人，升國子助教。

蘇正 北直玉田舉人。

金銑 南直吴縣監生。

張宏 浙江歸安舉人。

闞安 臨淮監生。

劉嗣榮 順天昌平舉人。

監生。

賈芝 南直安東監生，升阜平教諭。

劉鑒 浙江臨海舉人。

宋炎 北直任邱監生。

張袒

彭瑁　北直獻縣人，舉人。

宋鼎　陝西甘泉人。監生，祀名宦，有傳。

正德

高魁　河南新鄭舉人，祀名宦，有傳。

王希用　北直河間人，舉人。

孫鎰　北直滿城監生。

高慶　濟南府德州監生。

張安

王禹

曹泰　陝西隴州監生。

任銘　南直當塗監生。

李樸　南直江寧舉人。

王志德　河南西平舉人。

盧與齡　江西豐城舉人。

張玉　河南彰德監生。

高昇　河南臨穎監生。

錢滄　河南光山監生。

郭聰　北直寧津監生。

劉煜　南直江浦監生。

周宫

刑增　陝西醴泉人，吏員。

李宜禄　南直沛縣人。

王九經　北直静海吏員。

趙繼宗 陝西同州舉人。
田耀 浙江定海舉人。
韓錫 北直蠡縣舉人。
嘉靖
焦汴 馬邑人，進士。
蔡泮 江西南昌舉人。
李士奇 陝西沔縣舉人。

黃沙 南直監生。
周懋 監生。
居仁 陝西監生。
何廷佩

甯文奎 山西蒲州人。
王懷禮 北直深澤監生。
趙琨
雷鏜

馮世甯 河南獲嘉監生。
馮紳
諸祖 浙江山陰舉人，升岳陽縣，祀名宦，有傳。

南直寶應人。
洪交 北直來安人。
吳淮 北直真定監生，升教諭。
羅迴 南直宿遷監生，升教諭。
張雲

黃光朝 吏員。
盧選 吏員。
葉還 吏員。
喬良才

林大道 福建莆田舉人。

王宇 北直趙州官生。

鄒龍 南直定遠監生。

張誥 南直舉人。

王沂 順天平谷監生。

宗周 福建興化舉人，升任知府，祀名宦。

監生，升知縣。

李繼勛 北直宣化監生。

胡九齡 北直容城監生。

吴鎬 北直景州吏員。

王問賢 吏員。

沈文和 南直吴江儒士。

王濟美

監生。

李舉 南直丹徒監生。

郜國 監生。

張汎 監生。

張經 監生。

崇福祥 監生。

普琨 監生。

陳道

陳情 河南修武監生。

楊守道 字希中，號敬齋，廣東海陽監生，祀名宦，有傳。

霍鉞 河南監生。

陳九功 福建舉人。

張卿 河南遂平監生。

劉期遠

河南安陽監生。

路宏 升王府教諭。

彭朝陽 南直丹徒監生。

王經 監生，升鄆城教諭。

劉恒 南直監生，升濟寧州學正。

賈湖 北直邯鄲監生。

山西人，吏員。

陳霆　山西大同監生。

任奎　安徽亳州監生。

王詔　南直江寧監生。

陳文同　順天舉人。

馬玳　陝西南京監生。

王天叙　河南孟津舉人。

山西平順監生，祀名宦，有傳。

劉秉均　順天懷柔監生。

監生。

魯邦幹　北直贊皇監生。

于宜民　北直定興人。○以後缺裁。

江西舉人。

閻希周　河南新蔡監生。

劉鼎　北直慶雲升儀真教諭。

宋化　河南彰德升藁城縣教諭。

吴尚質　山西長治升魯府教授。

崔衢　陝西耀州監生，升定陶。

時兆文 南直長洲監生。

王秉禮 南直宣城監生。

石　漢 河南汝寧舉人，祀名宦，有傳。

隆慶

王文學 北直饒陽舉人，升太僕寺丞。

崔元吉 北直開州舉人，升通判。

邊　漑

汪　楷 南直桐城監生。

宋鶴年 北直高陽吏員，祀名宦，有傳。

夏　臣

路　正 河南新鄉人。

楊秉中 河南裕州監生。

張仁覆 北直邢台

韓　昌 北直贊皇，升海豐教諭。

祝　俊 南直舒城監生。

李　誥 北直長垣吏員，升倉大使。

鄭大爲 福建莆田吏員。

字雨田，北直任邱舉人，升濟寧州知州。

萬曆 楊楫 字知江，河南商邱進士，有傳。

杜⿱麻木 北直永年進士，調歷城。

李鳴世 北直井陘舉人，升東平知州。

李以唐

北直威縣監生，升王府。

范儒 山西萬泉衛監生，升知縣。

王三益 河南懷慶恩貢生，慶雲知縣。

錢大華 浙江諸暨監生。

孫樸 河南中牟歲貢。

王愼 北直吳橋

舉人，升知縣。

張鳳翼 萊州府高密監生。

朱田 浙江樂清人，升南京武學教諭。

陳光祚 萊州府濰縣監生，升曹州學正。

吳之美 山陽歲貢。

湯沐 東昌府莘

劉益冬 河南郟縣監生，升教諭。

林可學 東昌聊城人。

閻希哲 北直南宮舉人，後登進士。

蕭尚孚 濟南長山

朱文林 南直舒城吏員，升南康主簿。

黃諫 南直山陽吏員。

趙大倫 南直江都吏員。

田在 曲州吏員。

河南武安進士。
桂有根　河南汝陽進士，有傳。
陸　仁　南直長洲舉人。
任時芳　四川鹽亭進士，升户部主事。
王堯相　河南洛陽舉人。
穆景星　湖北沔陽進士。

監生。
吴　賓　陝西監生。
陳　萱　南直合肥監生。
錢　楝　浙江桐鄉歲貢。
程　淙　北直隆平監生。
龐伯恩　廣西博白選貢。
陳光裕　浙江會稽

縣歲貢。
王　萊　青州府高苑選貢。
邵　倬　浙江永嘉舉人。
鞠　東　大嵩衛選貢。
張良漢　濟南府淄川歲貢。
薛如玉　浙江嘉善舉人。
宋朝聘

監生。
李　蕃　東昌夏津歲貢。
李　貴　遼海衛歲貢。
楊　素　東昌府高唐歲貢。
崔希賢　太平歲貢。
馬文軏　登州衛歲貢。
魯行可　德平歲貢。

劉宗商　順天薊州吏員。
羅汝貴　浙江臨海吏員。
王　泰　北直天津吏員。
方應曉　南直吏員。
王堯臣　山西吏員。
趙大賓　山西吏員。
戴　冠

郭增光　北直大名進士，調萊陽，有傳。

彭鯤化　河南汝陽進士，有傳。

劉廣譽　河南商邱舉人，卒於官，祀名宦，有傳。

魏昭乘　河南滑縣進士，有傳。

吏員。

韓朝臣　山西恩貢。

伍啓仁　福建莆田吏員。

北直廣平歲貢。

王　賓　青州府高苑歲貢。

劉　樸　北直贊皇歲貢。

劉夢陽　南直嘉定舉人，升白水知縣。

張邦豫　浙江奉化舉人。

郭學義　唐城舉人，升建昌知縣。

王光襲　安邱歲貢。

張東鎮　堂邑歲貢。

張　教　淄川歲貢。

劉作霖　章邱歲貢。

宋　禎　遼東衛歲貢。

趙　椿　濟南濱州歲貢。

王象震　新城歲貢。

江西南昌吏員。

秦學增　山西曲沃吏員。

余有慶　南直宣城吏員。

黃宗益　彝陵吏員。

許天相　海陽吏員。

崔應鸞　平度歲貢。
張嘉祐　霑化歲貢。
賈應時　益都歲貢。
宋本然　河南汝州歲貢。
武世貴　山西澤州歲貢。

張翰翔　掖縣恩貢。
劉愛民　萊州高苑恩貢。
裴良儒　雲南楚雄歲貢。
李　槃　山西交城歲貢。
呂時暘　掖縣歲貢。
馮惟言　章邱歲貢。
馮嘉賓　浙江桐鄉

天啓

楊于國　山西陽曲人。丙午舉人，東昌同知，有傳。

張著銘　號心盤，山西陽曲人。丙辰進士，升兵部主事。

宋時獻　山西長治選貢生。

李國泰　字仲開，北直保定舉人。

童大行　湖北孝感吏員。

顧士良　南直昆山監生。

鄭五全　浙江山陰人，以魯府審理正署任。

楊忠誨　雲南石屏舉人，升汶上知縣。

王　賓　新安歲貢。

張漢陽　東昌觀城舉人。

歲貢。

葛汝禮　德州歲貢。

高　撰　禹城歲貢，升寧縣知縣。

郝近明　高唐歲貢，升臨邑教諭。

白可貞　北直遷安吏員。

李宜正　福建福清吏員。

李可芳　北直高邑吏員。

崇禎
吳國柱　陝西鳳翔舉人。
詹豸綉　江西浮梁舉人。
王之瓚　北直保定舉人。
劉　光　北直肥鄉舉人，升德州知州。
亢　耀　河南靈寶舉人。
韓　鍵　膠河拔貢。

張　斗　河南温縣恩選。
段可舉　遼東人，有傳。

蘇　曉　北直安肅歲貢。
尹先覺　安徽潁州舉人。
朱　先　濟南萊蕪歲貢。
朱咸慶　北直晋州舉人。
王道純　南直淮安歲貢。
薛梅芳　南直高郵歲貢。

張允文　濟南歷城歲貢。
劉致中　北直獲鹿歲貢。
曹克甲　東昌濮州歲貢。
高衍慶　萊州府膠州歲貢。
李如松　濟南武定歲貢。
張芳聲　東昌恩縣歲貢。

徐十捷　山西河津吏員。

嘉祥縣知縣

葉得全 洪武七年任。

虞士隆 十六年任。

劉　敬 二十年任。

縣丞

蕭　盟

主簿

宏　承 二年任。

教諭

鍾士亨 二十年任。

訓導

傅宏謨 濟南武定歲貢。

王廷當 濟南陵縣歲貢。

趙慶順 北直延慶歲貢。

曹用貞

典史

李　矩 武陽人。

鄭　宏 順天密雲人。

林　瑗 福建龍溪人。

永樂　鄭文炳　河南内黄人，有傳。
石　索
宣德　項惟玉
廖　顒
閻公杰　八年任。
正統　張　穆　浙江於潛人，三年任。
宋　善　字復初，北直唐山人，九年任。

崔　巍　北直唐縣人。〇以後缺裁。

吴　賢　陝西華州人。
張景昭　十四年任。

温　良　山西陽曲人，九年任。
吕仕華　四川夾江人，十二年任。
樓　梯

杜　亨
戴　璨　字宇明，南直建德人。
卜　溥　字文博，南直興化人，十四年任。
江　懋

彭　瓚
毛　志　濟南長山人，十年任。
趙　宗　北直保定人。

景泰
趙徽
侯諒　陝西咸陽人。
天順
劉贇　陝西白水人，四年任。
張慶　河南鈞州人，有傳。
倪敬　南直宣城人。
楊晉

字克孝，浙江東陽人，十二年任。

字自勉，貴州人。

南直盱眙人。

趙　宣　字克用，南直華亭人。

孟　弼　字良佐，北直成安人。

高　淳　字順卿，湖廣巴陵人。

成化

程　文　字天章，山西陽曲舉人，十三年任，有傳。

劉　淵　北直無極舉

戴允中　三年任。

廖　宏　達縣人，四年任。

程孟璣

張　慶　北直鷄澤人，四年任。

丁志升　南直宣城人，四年任。

彭　弼　字文佐，河南祥符人，四年任。

葉　森　字文秀，福建松溪人，四年任。

蒲陽經

杜　信　陝西華州人，二十二年任。

人，十四年任。

陸宏　南直高郵監生，十五年任。

武英　河南滑縣舉人，二十二年任。

浙江開化人，四年任。

曹拳　南直松江人，四年任。

李顯　字景輝，北直廣宗人。

侯泰　字文通，山西臨汾人。

呂真

王應祥　南直泗州人，十五年任。

彭海

龍翥　南直望江人。

邱宏　字克容，浙江山陰人。

周詔　十九年任，官至侍郎。

甄諒　字信之，北直定興人。

李輔　字良佐，河南太康舉人，十四年任。

婁奎　字應奎，浙江天台人，十九年任。

弘治
李倫　字常道，河南陳州舉人，九年任，改濰縣，升通判。
齊雲　河南新野人。弘治癸丑舉人，歷升浙江嘉興府同知。

南直宿州監生，二十三年任。
段公輔　四川德陽監生，元年任。
萬志貴　南直壽州監生，二年任。
李塘　北直慶雲監生，九年任。
李偉　監生。
鄭祥　山西石樓

張嶼　六年任。
胡政　北直獻縣人，十二年任。

莫禺　淮陽人，元年任。
楊杲　南直清河人，四年任。
林文迪　福建閩縣舉人，九年任。
柴森　山西絳州人。十三年任，升隴西教諭。
張霆

王相　山西襄垣人，十年任。
劉贇　河南臨穎人。十五年任。

正德

鄭瑛 字景輝，南直長洲舉人，六年任。改河南襄城縣。

管聲 陝西盩厔舉人，七年任。

金麒 字恒甫，南直上元人。官生，十三年任。

監生，十二年任。

張寅 山西陽曲人，十五年任。

胡瓚 北直永豐監生，元年任。

鄧儒 北直南宮監生，七年任。

董楨 浙江鄞縣人，七年任。

夏嶂 字朝用，浙江錢塘人，九年任。

于茂林 字孔秀，甘肅蘭州舉人，十二年任。

字德威，河南湯陰人，十五年任。

景雄 山西臨汾人，二年任。

張緩 字進之，南直金壇人，三年任。

朱偉 江西高安人。十一年任，升浦城教諭。

楊賓

李銘 北直元城人，五年任。

朱顏 山西安邑人，六年任。

顧文魁 浙江臨海人，十年任。

高宗英

周景

劉悦 字時習，河南安陽舉人。五年任，調嶧縣，改山西馬邑，後改延安府教諭。

嘉靖

尚杰 河南湯陰舉人，元年任。

龍欽 字則敬，湖廣茶陵進士。三年任，升工部主事。

路中 字宗堯，順天平谷舉人，四年任，調

李梅 北直藁城監生。○以後缺裁。

封環 字佩之，河南武陽人。二年任。

王价 字建之，北直昌平人，九年任。

趙僎 浙江山陰人，十年任。

南直懷遠人，十五年任。

羅時裕 四川富順人。十六年任，升景陵教諭。

王澤 河南泌陽人，四年任。

趙逵 山西大同人，七年任。

卞槐 南直靖江人，九年任，升滕縣教諭。

河南宜陽人。

陳朝縉 廣東茂名人。

李玉 北直河間人。

魏鉞 北直故城人。

任實 順天霸州人，十三年任。

吳璋 字六松，浙江會稽人，二十二年任。

滿城，又調平遂。

康科　字子進，湖廣江夏舉人，七年任，調聊城。

王時佐　字廷輔，順天順義歲貢，九年任。

張禹弼　字汝隣，山西平定舉人。十一年升南淮通判，歷通州、臨清知州。

蔣炳　字子明，直

周鴻　南直鹽城人，十年任。

馬九思　字汝城，北直新樂人，二十年任。

劉誥　字天章，浙江松陽人。選貢，二十六年任。

李相　字德正，河南湯陰人，三十五年任。

仝榜　字子元，南直睢寧人，

吴聯芳　北直行唐人，十六年任。

陳禕　南直英山人，十八年任，升武安教諭。

賈恭　北直成安人，十八年任，升武安教諭。

易明　字孔昭，甘肅河州人，二十四年任。

周格

田尚經　字伯常，山西沁州人。二十六年任。

馮漢　字志高，北直真定人，二十六年任。

王欽　字宗堯，南直全椒人。二十九年任，升武定吏目。

吴德　字清大，福建莆田人，四十一年任。

朱幟　字子建，南直太湖人，四十

隸歲貢，十五年任。

朱文綉 河南滎澤監生，二十年任。

鄭守思 湖廣長樂舉人，二十年任。

馬應龍 字伯翔，南直上元歲貢，十三年任，調鷄澤。

賴朝陽 字文鳳，江西萬安舉人，二十六年任。

四十四年任。

江西吉水人，二十四年任。

馬人慈 字汝教，北直廣平人，二十六年任。

傅儀 北直冀州人。二十八年任，升泰安州學正。

成貫 字惟清，陝西岐山人，三十年任。

穆德深 字克修，山西大同人，

四年任。

馮瑀 山西陽城人，四十五年任。

段子愚 字希顔，山西蒲州舉人。二十九年任，升淮安府通判、蘇州府同知。

周儒 字汝珍，南直上元舉人，三十五年任，升商州知州。

董錦 北直東明舉人，三十九年任，有傳。

孫耀 字孟蹈，南直太倉舉

三十五年任。

程希田 陝西寶鷄人，三十七年任。

鄭起潜 字應雷，福建仙游人。

陳梅 字一魁，河南夏邑人。四十一年任。

人，四十一年任。

牛　安　北直束鹿人。歲貢，四十三年任。

化之行　字孟川，湖廣蘄州舉人。四十四年任，有傳。

慶隆

楊　枚　河南祥符舉人，六年任。

簡廷仁　廣西馬平縣舉人，二年任。

張　銑　江西吉水人，五年任。

趙天民　北直河間人，三年任。

李雲同　南直揚州人，六年任。

杜　松　河南内邱人，五年任。

萬曆

李　柟　河南許州舉人，三年任。

毛進德　河南汲縣歲貢，六年任。

查子化　南直懷遠歲貢，十年任。

許　儆　字省夫，河南靈寶歲貢，十二年任。

殷汝孝　南直華亭舉人，十四年任，調鉅野縣。

朱應遇

江如練　萊州府即墨人，元年任。

郭如梅　東昌府臨清人，四年任。

俞希杰　南直徽州人，七年任。

廖惟俊　江西新建舉人，八年任。

蔣　正　南直淮安人，十四年任。

李忠臣　陝西涇陽舉人，十八

袁大魁　河南臨漳人。

樊志義　山西河曲人。

胡從知　兗州府青城人。

徐光璨　東昌府武城人。

吕大有　濟南府商河人。

范　煦　青州府諸城人。

王　洋　江西東鄉人，二年任。

夏正宗　江西豐城人，六年任。

李應和　南直丹徒人，九年任。

宋　廷　武曲人。

張應弼　南直廬州人，十三年任。

陳宗賢　江西永新人，十六年任。

字時倉，福建侯官舉人，十五年任，調按察司照磨。

劉思顏 字孔賢，河南鞏縣歲貢，二十二年任，有傳。

龔仲敏 字惟學，湖廣公安舉人，二十三年任，有傳。

賈應墀 字龍樓，河南安陽舉人，二十五年任，升河間府同知，有傳。

田可貢

年任，官至參政。

陶淩雲 廣西全州人。舉人，二十年任，升零陵知縣。

趙時振 字起潛，南直上元舉人，二十三年任。

經仁傑 字德英，廣西全州解元，二十六年升河陽知縣。

汪晉吉 湖廣崇陽人，二十九年任升鄒平知縣。

李　與 濟南府長清人。

周服冕 河南虞城人。

趙師閔 遼東人。

陳兆玉 字允良，山西潞安人，二十三年任。

秦之璽 字國珍，北直冀州人，二十三年任。

楊　紋 陝西武功人，

戴進忠 字惟良，河南嵩縣人，三十一年任。

李　蓁 河南滑縣人，三十四年任。

馮邇嘉 浙江慈溪人，二十七年任。

高景行 北直任縣人，三十年任。

劉熙詔 北直永清人，三十二年任。

吴維震 福建大田人，

山西高平舉人，二十六年任。

馬 鐸 北直定興舉人，三十一年任。

馮 聘 河南安陽選貢，二十一年任。

王懷德 北直高陽舉人，三十四年任。

劉之亮 字執之，北直唐山舉人，三十六年任，升平涼同知，有

彭允芳 湖廣茶陵人，三十三年任，升寧羌州學正。

孫有光 登州府福山人，三十六年任。

周良相

李 蓁 沂州府莒州人。

彭 澤

閻作民 濟南府德州人。

二十七年任，升滋陽王教授。

王興學 濟南府利津人，二十八年任，升新蔡王教授。

曲遷梧 濟南府長山人。三十年任，升茌平教諭。

張燕翼 南直滁州人。三十年任，升臨潁教諭。

陸 卿 南直昆山人，三十五年任。

三十五年任。

蕭可逢 江西萬安人，三十八年任。

方良臣 浙江淳安人，四十一年任。

雷 端 南直人。

羅國才 浙江人。

傳。

邊檑 北直任邱舉人，四十一年任。

劉廷魁 北直寶坻舉人。

程道庠 南直歙縣舉人，四十六年任。

陳嘉言 河南洛陽人，三十六年任。

桂枝苾 濟南府德州人。

傅揚烈 北直新河人。

曹應薦 山西吉州人。

苗浡然 東昌府邱縣人。

朱一龍 東昌府高唐人。

天啓

涂可成　湖南零陵舉人，元年改璧山縣。

耿　啓　北直東鹿人，進士，三年任，調國子助教。

張鵬舉　北直南和歲貢，四年任。

趙二儀　湖南安福舉人，五年任，卒於官。

李開疆　青州府博興人。

徐天寵　鰲山衛人，三年任。

蘇齊韓　南直人，六年任。

楊守朱　東昌府濮州人。

陳移桐　遼東人。

郄鴻業　北直鉅鹿人。

吴中行　遼東人。

高　凱　浙江山陰人。

徐一誠　江西安福人，五年任。

師應時　陝西富平人。

馮永寧　山西聞喜人。

崇禎

施寶正　南直涇縣選貢，元年任，升饒州府通判。

侯　魯　山西榆次舉人，四年任。

劉　延　四川閬中選貢，五年任。

李昌年　字青巖，陝西富平舉人。十一年任，升保定府同知，有傳。

江文淳　字雅涵，南直

宋登雲　濟南府德州人，元年任。

楊懷正　南直海州人，二年任。

毛　側　河南陽武人，三年任。

孫喬宗　貴州人。四年任，升開封府教授。

郭蓮堂　青州府日照人。六年任，升登州府教授。

李嘉會　萊州府掖縣人，元年任。

劉師益　雲南人，二年任，升和平教諭。

郭　塙　河南獲嘉人。二年任，升鄒縣教諭。

賈三章　山西静樂人。七年任，升霑化教諭。

郭登魁　北直内邱人，十年任。

蓋增啓　陝西富平人，二年任。

葉魁春　浙江慈溪人。

劉晶玉　順天大城人。

王　仕　陝西富平人，十二年任。

陳應時　順天大興人。

賈葵忠　陝西人。

武進舉人，十四年任，升上元縣。

趙希獻　字杓卿，陝西三原選貢，十六年任。

魚臺縣知縣

洪武

謝榮祖　二年任，有傳。

葉憲祖　七年任，有傳。

縣丞

王誠　浙江上虞人，進士。

主簿

教諭

連守範　江西樂安人，八年任。

杜季　甘肅隴西人，九年任，卒於官。

許鳴亡　東昌府濮州人，十三年任。

訓導

閻餘康　南直贛榆人，十六年任。

宋亮　魚臺人，八年任。

典史

郭子儀

顧亨

永樂　宮志　河南安陽人，四年任，有傳。

宣德　蘇弼　北直清河人，監生。

王亮　北直青縣人，貢生。

洪麟　河南杞縣人，貢生。

李顏　陝西岐山人。

劉哲　北直房山人，監生。

莫義　湖南益陽人。

張安　浙江永康人。

李讓　順天順

楊政　湖廣黃陂人。

黃永發　南直崇明人。

王鑒　山西長子舉人，十年任，有傳。

奚銓　南直巢縣舉人。

王巍　山西應州舉人。

劉善　南直丹徒人。

韓甯　北直鹽山舉人。

尹岩　南直靈壁人。

尹岩　南直靈壁人。

于慶　北直東光人。

正統

梁翰　南直邳州人，貢生。

景泰

原端　北直唐山貢生，有傳。

義人。

楊瑨　順天順義人，有傳。

郭繼祖　陝西三原人。

李訓　浙江海寧人。

楊聲　河南固始人。

呂貞　河南夏邑人。

寇尹　北直鹽山人。

張文質　甘肅隴西人。

潘震　浙江金華人。

于震

劉鑒　北直靈壽人，舉人。

王弁　南直華亭舉人。

陶鎔　南直潁州舉人。

李純　北直寧善人。

周郁　河南祥符人。

陳統　廣東潮陽舉人。

杜肅　山西蒲州人。

查宏　南直太湖人。

彭旭　南直沛縣人。

許譓　南直蕭縣人。

天順

倪昇 順天平谷監生。

成化

王鼎 北直任邱監生。

陳華玉 福建莆田舉人。

李濬 南直潁州人。

李澄 南直太平人。

榮慶 南直常熟人。

邵庶 河南靈寶人。

河南閿鄉人。

葉貞 河南閿鄉人。

史立正 浙江鄞縣人。

吴滄 南直長洲人。

侯爵 湖廣寧遠人。

鄭甯 莊浪人。

馬盛

黄茂 江西吉水儒士。

馮琄 北直無極舉人。

羅昭 南直太和儒士。

劉鳳 河南濬縣舉人。

林泉 江西宜春人。

雷熙 湖廣襄陽舉人。

袁煜 山西潞州人。

賈瑄 南直丹徒人。

孫成 南直六安人。

馮敬 南直宣城人。

張會　順天霸州監生，有傳。

戴炎　沔池舉人，有傳。

賀楨　山西安邑監生。

崔演　山西澤州貢生，十七年任，有傳。

劉顯　湖南耒陽人。

徐頊　十七年任，有傳。

司馬有法

李倫　河南嵩縣人。

陳倫　河南嵩縣人。

顧宗　南直昆山人。

范質

四川蓬州人。

胡繼榮　浙江龍泉人。

邢玘　北直霸州人。

胡整　山西沁水人。

王通　南直鹽城人。

王制　北直南樂人。

張澤　福建莆田舉人，十七年任，有傳。

賀深　江西永新舉人。

謝樂山　河南固始舉人。

林炎　南直盱眙人。

袁友　河南永城舉人。

傅榮　雲南永平人，十七年任。

張維　甘肅涇州人。

弘治 孫斐 南直六合舉人，有傳。

鄧安 順天大興舉人。

河南湯陰人。

竇廣 盧陵人。

房銘 北直房山人。

徐鑒 南直海州人。

王漳 河南臨漳人。

江塾 河南臨漳人。

程亨 河南臨漳人。

李旺 南直六安人。

李舉 北直棗强人。

曾憲 南直太和舉人。

歐亮 福建莆田舉人。

谷高 山西潞安人。

阮時懋 福建閩縣舉人，有傳。

馬文 直隸人。

羅鯨 河南鹿邑人。

韓𦅫

張本 北直安肅舉人。
李文敏 河南汲縣舉人，有傳。
正德
包祥 順天舉人。
王相 山西洪洞舉人。
魏彥昭 北直容城進士，有傳。
宋廷傑 南直海門監生。

張文正 汶水人。
周亨 山西蒲州人。
包欽 南直武進人。
賀政 北直雄縣人。

楊廉 北直曲周人。
王鸞 南直霍邱人。
郭珍 河南安陽人。
王鼎成 北直灤州人。
克成 北直灤州人。
王政 甘肅伏羌人。

訾玉 陝西神水舉人。
高璿 河南襄城舉人，有傳。
錢鳳 河南濬縣儒士。
王鏞 浙江上虞舉人。
梁宗器 廣東高要舉人。

張起淵 江西金溪人。
曾日升 河南上蔡人。
丁儒 河南郾城人。
張鳳 河南郟縣人。
馬道之 山西陽曲人。

福建龍巖人。
李自良 四川眉州人。
楊可敵 江西豐城人。
陳憲 湖南衡陽人。
高堂

任惠　順天涿州監生，有傳。
田璋　河南登封貢生。
嘉靖
劉鼎　山西文水人，舉人。
鄒暘　江西新淦監生，有傳。
宮湖　山西陽曲舉人。

支尚文　河南商水人。
吴瑶　應天人。
周尚文　陝西耀州人。

王鎮　河南登封人，有傳。
孟瑞　河南登封人。
馬璋　河南安陽人。
徐文藻

蔡綱　江西九江舉人。
凌雲鳳　江西新城貢生。
宋希文　湖廣黄岡舉人，有傳。

鄭暹　順天三河人。
杜斐　河南新鄉人。
丁冕　南直丹徒人。
黄驥　廣東南海人。

趙厚　河南鞏縣人。
羅紀　江西撫州人。
程景　北直遵化人。
王成

周南　北直南樂監生。
陳桓　南直定遠舉人。
張仁　南直六安舉人，十六年任，有傳。
史元中　字鹿泉，浙江鄞縣舉人，有傳。
崔尚禮　北直安肅舉人，有傳。
李堯年

駱現　甘肅兩當人。
韓伯　北直欒城人。
李聰　順天涿州人。
沈瑠　浙江嘉善人。
楊琥　江西安仁人。
趙維時　南直碭山人。

蔡時茂　廣東順德舉人。
甯居簡　山西翼城貢生。
趙延松　北直鷄澤貢生。
仇仁溥　北直井陘貢生。
秦伯文　南直無錫舉人。
曹津　南直揚州舉人。

李經　河南蘭陽人。
馬謙　南直靈璧人。
孫懃　北直開州人。
紀賢　南直泰州人。
劉廷瑞　順天懷柔人。
朱鏵　江西弋陽人。

江西安仁人。
韓廷德　河南蘭陽人。
林仁　河南蘭陽人。
蕭完　河南蘭陽人。
劉文章　陝西扶風人。
何信　北直廣宗人。
何聖瑞　北直廣宗人。
王繻　河南長葛人。

山西渾源貢生，有傳。

陳尚訥　湖廣黄岡舉人，二十八年任。

袁　揚　北直雄縣人，官生。

魏朝相　字見溪，順天薊州貢生，二十九年任，有傳。

傅師説　河南祥符貢生。

潘元翰　廣東番禺舉

尤子卿　福建晋江人。

戚　范　順天大興人。

曹尚仁　北直容城人。

王　棟　河南夏邑人。

杜　經　河南武安人。

徐維城　廣東博羅人。

錢　熙　浙江新昌舉人，四十二年任。

濮　玫　浙江歸安貢生，四十四年任。

王朝俊　江西貴溪舉人，四十五年任。

任　昕　河南盧氏人。

張　糖　河南南陽人。

陳　璘　山西保德人。

張　琦　山西陽曲人。

劉朝選　淳縣人。

竺　該　浙江嵊縣人。

魏子霓　陝西醴泉人。

人，有傳。

岑性 南直邳州舉人。

郭恬 字壺山，舉人，四十二年以兗州推官署任。

賀貢 山西壺關貢生。

隆慶

宋機 北直開州歲貢。

馬河 陝西宜君舉人。

徐一介 陝西醴泉人。

張仕 四川西充人，四十二年任。

陳來鳳 山西陽曲人。

安棟

胡來貢 通州人。

胡可大 陵陽人。

王柏 浙江仁和舉人。

韓江 北直保安州舉人。

張大武 北直行唐人。

胡襘 泰安府泰安人。

屈崇禄 北直獲鹿人。

郭朝士 山西太谷人。

辛東周 河南長葛人。

方榛 南直安慶人。

翁思言 廣東人。

李揚泰 浙江縉雲貢生。

萬曆 張守約 初年任。

張澍 字沛吾，南直婺源舉人，三年任，有傳。

王都 南直南陵舉人，六年任。

陳聚德 南直無錫人。

王東山 山西安邑人。

袁恂 南直全椒人。

呂子芳 南直通州人。

提舜卿 北直河間人。

錢兆宜 南直通州人。

張體乾 東昌府博平舉人。

張騰 河南陜州舉人。

馮時忠 北直獲鹿舉人，五年任。

徐際 四川酆都舉人，十年任。

栗鎧 南直揚州人。

耿錞 濟南府新城人。

侯登仕 河南許州人。

吴臣 武定人。

盧實 北直易州人。

高輔 南直金壇人。

黄雲鵬 浙江餘姚人。

張宗儒 北直固安人。

唐堯夔 南直溧陽人。

王琮

宋聚奎　字焕宇，山西定襄歲貢，七年任，有傳。

白希綉　字夢山，陝西膚施進士，十年任，有傳。

劉志仁　解梁舉人，十四年任，有傳。

陳　懿　十八年任。

孫　佶　由別駕署任，有傳。

阮國信

黄　穆　北直南皮人，三十年任。○以後缺裁。

彭應登　南直山陽人。

李守正　南直廣陵人。

王教行　山西興縣人。

郭　完　山西興縣人。

周封魯　南直上元人。

李應聘　南直上元人。

張應標　河南臨漳貢生，十六年任。

王欽誥　北直大名舉人，二十一年任。

彭守己　濟南府青城舉人，二十三年任，有傳。

張　瑼　東昌府范縣舉人。

田永祐　東昌府博平人。

趙文理　青州府益都人。

楊　瓊　山西襄陵人。

劉三錫　陝西涇陽人。

張天樞　遼東遼陽人。

王一鳳　登州府招遠人。

南直溧陽人。

陳明尚　南直青陽人。

林廷春　五年任。

高　純

魏繼孝

姚舜邦　浙江烏程人。

甘太冲　浙江豐城人。

劉文炤　三十九年任。

河南睢州舉人，二十一年任，有傳。

楊之翰 陝西漳縣人。二十三年由濟寧州判署任，有傳。

尹就湯 山西興縣選貢，二十三年任，有傳。

鄭　任 二十六年任。

呂大濩 河南輝縣舉人，三十三年任，有傳。

牛文明

范文煥 福建莆田人。

唐宗林 浙江人。

范登雲 順天懷柔人。

薛君聘 河南滎陽人。

秦奎光 河南滑縣人。

趙鶴算 廣東連山人。

王來聘 北直寧晋人。

張四勿 萊州府膠州人。

字見龍，山西汾陽貢生，三十七年任，有傳。

孫雲仍　南直丹陽選貢，四十年任。

李一鼇　陝西貢生，四十二年任。

郭　恬　字壺山，陝西舉人，四十二年由兗州府推官署任，有傳。

陳蒙吉　浙江臨海舉人，四十三年，有傳。

王之澍　登州府招遠人。

趙祖禹　廣東人。

宗鼎爵　廣東靈山人。

宋希程　北直高陽人。○以後缺裁。

天啓

陳景源 南直宜興舉人，元年任，有傳。

劉席民 山西安邑進士，三年任，有傳。

呂黃鐘 山西澤州進士，六年任，有傳。

崇禎

劉文明 北直鹽山貢生，元年任，有傳。

鄭滂 字甘澍，河南湯陰進士，三年任，有傳。

王鼎臣

井 鍱 陝西人。

蘭奇芳 山西岢嵐州人。

盛文暘

許可教 青州府樂安貢生。

趙祖禹 四年任。

王一麟 濟南府臨邑舉人。

葛士英 南直宿州舉人。

成聯芳 山西文水人。

胥用禮 浙江義烏人。

盧 盛 山西臨汾人。

李毓萼 山西人。

陳登霄 湖廣黃岡人。

王世藎　順天平谷舉人，五年任，有傳。

張文顯　陝西膚施選貢，八年任，有傳。

李士才　河南郟縣舉人，十一年任，有傳。

鄧承黻　河南新野籍，廣西全州舉人，十六年任，有傳。

浙江人。

楊廷彥　陝西人。

高　益　河南信陽人。

張可選　濟南府淄川舉人。

鞏可傳　濟南府青城舉人。

董　儒　東昌府清平貢生，十五年任，有傳。

劉芳耀　陝西咸寧人。

王之蕃　河南孟津人。

王廷益　浙江會稽人。

張修德　北直永年人。

濟寧直隸州志 卷六 五十九

河道職官　總督

總督河道都御史

洪武

永樂

宋禮　字大本，河南永寧人。九年以工部尚書任，有傳，祀報功祠。

金純　字德修，南直泗州人。監生，九年以刑部右侍郎任，升尚書，有傳，祀報功祠。

道

濟寧道

王晏　字士寧，南直盱眙人。二十年以山東布政司左參政督開運河。

分司同知

工部都水分司

通判

管泉通判

州判閘官雜職　附

濟寧州判

周　長　南直天長人，九年以左府都督任。謚「忠毅」，有傳，祀報功祠。

陳　瑄　字彥純，南直合肥人。十三年以平江伯充副總兵任，贈太保，謚「恭襄」，有傳，祀報功祠。

劉　觀　北直雄縣人。進士，十五年以刑部尚書任。

宣德

黄　福　字如錫，昌邑人。四年以工部尚書任，謚「忠宣」。

夏　濟　工部員外郎，宣德時任。

辛　壽

金　鼐　以下管河州判。

羅　斐

景泰

石璞　字仲玉，河南臨漳人。永樂辛卯舉人，二年以刑部尚書任，有傳。

袁文華　南直崇明人。監生，三年以山東按察司僉事升副使，提督濟寧等處河道。

榮華　副使，九年任。

王聰　左參政二年任。

王琬

河南人，管閘主事。

黃瓚　一作「贊」。臨川人，宣德癸丑進士。

劉讓　益都人，監生。

張寰

并宣德年任。○閘官周思中、于潛、方嗣生○濟安壩官王政。

王永和 四年以工部尚書任。

徐有貞 字元武，北直宛平籍，南直吴縣人。進士，五年以都察院右都御史任，官至華蓋殿大學士，封武功伯，有傳，祀報功祠。

四川巴縣人。貢生，任僉事，督浚運河。

陳忠 僉事。

趙全 參議。

古鏞 山西祁縣進士，僉事。○以上三人分理治河。

劉整 參議，三年任。

陳雲鵬 浙江餘姚人。進士，右參政，四年任。

南昌人，宣德己酉進士。

陳臻 一作「溱」。蘄州人，宣德壬子貢士。

天順

陳蘭　南直江陰人。進士，僉事，五年任。

梅森　南直上元人。進士，左參議，六年任。

胡鼎　僉事。

李瓚　參政，元年任。

劉進　北直灤州人，監生，由僉事任。

孫仁　貴池人，景泰辛未進士。

王臣　長安人，景泰進士。

何廣　字博之，滑縣

柳文　三年任。

潘實　五年任。

閘官耿和○郭永泰田敬○閆威○宋廷陳仕○龍昇○沈志并據順二年碑補。

成化

喬毅 字志宏，六年以工部尚書任。

王恕 字宗貫，陝西三原人。正統戊辰進士，七年以刑部右侍郎任，升吏部尚書，加少保，有傳，祀報功祠。

李禺 廣東博羅人。進士，十六年以工部尚書任。

薛遠 十七年以户部尚書任。

陳善 僉事，升副使，分理河道德州至濟寧，七年任，祀報功祠。

尹樸之 參政。

王廷言 僉事。

人，天順庚辰進士。

謝敬 德州衛人，天順丁丑進士。

畢瑜 字廷珍，貴溪人，成化丙戌進士。

過璘 字大璞，平湖人，成化丙戌進士。

諸觀 字民瞻，餘姚人，成化丙戌進士。

俞璣

高昇 十五年任。

陳彬 二十一年任。

杜謙 字益之，北直昌黎人。景泰甲戌進士，二十年，以工部尚書任。

弘治 **陳政** 南直南陵人，五年以工部尚書任。

傅希悅 副使，二年任。

字廷美，無極人，成化壬辰進士。

洪漢 字天章，章邱人。成化壬辰進士。

陳奐 字朝美，漳浦人。成化乙未進士。

陳愈 字節之，淳安人。成化辛丑進士。○一作「程」。

莫驄 字伯良，一云曰「良」。無錫人，成化辛丑進士，

呂儆 陝西臨漳人。監生，十五年任。

李賓 五年任。并見管糧。在城閘官周勝，二年任。

白昂
字廷儀，南直武進人。天順丁丑進士，十四年以户部左侍郎任。官至刑部尚書，加太子太傅，謚「康敏」，祀報功祠。

劉大夏
字時雍，湖廣華容人。天順甲申進士，五年以右副都御史任，官至兵部尚書、太子少保，謚「忠宣」，有傳，祀報功祠。

謝綗
湖廣巴陵人，副使。

沈純
南直山陽人。進士，左參政。

閻仲宇
陝西隴州人，副使。

史相
副使。

廖忠
僉事，升副使，七年任。

張鼐
字用和，歷城人。成化乙未年進士，副使，元年任。修《州志》，有《序》。

程頊
字廷臣，上饒人。成化丁未進士。

蔡鍊
字懋成，餘姚人。弘治庚戌進士。

盛應期
見《河院題名》。

曹琚
字仲玉，桂陽人。弘治丙辰進士。

盧宅仁

七年任，官至巡撫都御史。

李　善　陝西隴州人，僉事。

楊元茂　副使。

冒　政　南直泰州人。成化乙未進士，十七年任，參政，官至府寧夏巡撫。

崔　巖　湖廣孝感人。進士，左參政，官至工部侍郎、總督河道。

袁　經

字伯居，四會人。弘治己未進士。

林文焕　字允中，漳浦人。弘治己未進士。

正德

崔巖　湖廣孝感人。進士，以工部右侍郎任。

李堂　浙江鄞縣人。進士，以工部右侍郎任。

劉愷　字承華，北直新安人。弘治庚戌進士，四年以右副都御史任，官至禮部尚書，掌通政使司事。

趙璜　字廷實，江西安福人。弘治庚戌進士，十一年以

僉事。

吴璋　南直歙縣人。進士，曹州兵備副使，兼理山東河道，七年任。

童器　字大用，平陽人。弘治己未進士。

王寵　字仲錫，歙縣人。正德戊辰進士。

東魯　字布曾，華州人，舉人。

侯一元　字應乾，泰安人。正德甲戌進士。

葉珩　字鳴玉，蒲田人。正德丁丑

劉州　北直東光人。舉人，五年任。

工部右侍郎任，官至工部尚書。

龔宏 字元之，南直嘉定人。成化戊戌進士，十三年以工部右侍郎任，有傳。

李瓚 字宗器，山東濮州人。弘治丙辰進士，十六年以工部右侍郎任，官至户部尚書、提督倉場。

嘉靖

章拯 字以道，浙江蘭溪人。弘治壬戌進士，六年以工部右侍郎任，官至工部尚書。

江良材 僉事，六年任。

王暘 字明叔，河南河

進士。

陳嘉言 字伯行，安右護衛人。正德甲戌進士。

兗州府同知

章時鸞 南直青陽人。舉人，四十五年任兗州府運

陳遵 福建興化人。歲貢，四十一年任。

束書 安徽蕪湖人，

盛應期 字思徵，南直吴縣人。弘治癸丑進士，六年以右都御史任，有傳，祀報功祠。

潘希曾 字仲魯，浙江金華人。弘治壬戌進士，七年以工部右侍郎任，升兵部左侍郎。

李　紼 字廷章，河南固始人。弘治乙丑進士，十年以右副都御史任。

戴時宗 字宗道，福建晋江人。正德甲戌進士，十一年以右僉都御史任。

內人。進士，左參政，十四年任。

呂　陶 字淑鈞，北直真定人。進士，副使。

查應兆 字瑞徵，南直長洲人。進士，副使。

謝　蘭 僉事。

胡宗明 河南副使。

余　錂 參政，二十一年任。

河同知，管理新河，升副使。

楊　撫 字安石，餘姚人。正德辛未進士。〇以下《前志》列分司。

白　旆 字文之，新鄭人。舉人。

李邦直 字汝司，茂名人。嘉靖癸未進士。

楊本仁 字次山，杞縣人。嘉靖己丑進士。

邵元吉

三十五年任。

李　金 浙江縉雲人，三十五年任。

常陳章 北直隆平人。

徐文訓 浙江永康人。歲貢，四十三年任。

鄭夢陵 縉雲人。

朱裳
字公垂，北直沙河人。正德甲戌進士，十一年以右副都御史任，祀報功祠。十八年再任。

劉天和
字養冲，湖廣麻城人。正德戊辰進士，十四年以工部右侍郎任，官至兵部尚書，加太子太保，有傳，祀報功祠。

李如圭
字國寶，湖廣澧州人。弘治己未進士，十五年以右副都御史任，官至户部尚書，有傳，祀河上及州學報功祠。

谷嶠
字維升，北直豐潤人。嘉靖戊戌進士。管河左參政，三十年任，官至鄖陽巡撫。

羅復
字雨巖，江西南昌人。嘉靖癸丑進士，濟寧副使，四十三年任。

李幼滋
字義河，湖廣麻城人。嘉靖丁未進士，濟寧副使，四十四年任。

梁夢龍
字乾吉，北直真

字德旋，餘姚人。嘉靖壬辰進士。

萬汝楫
字濟卿，瀘州人。嘉靖乙未進士。

沈良
字貞夫，莆田人。嘉靖乙酉貢生。

周土
字厚卿，太倉人。嘉靖辛丑進士。

吴必孝
字純卿，餘姚人。嘉靖辛丑進士。

于　湛　字瑩中，南直金壇人。正德辛未進士，十六年以右副都御史任，二十四年再任，升户部右侍郎，祀州學報功祠。

胡纘宗　字世甫，陝西秦安人。正德戊辰進士，十七年以右副都御史任，改河南巡撫。

郭持平　字守衡，江西萬安人。正德丁丑進士，十八年以右副都御史任，升工部右侍郎，兼右僉都御史。

周　用

定人。嘉靖癸丑進士，任副使，官至兵部尚書，謚「貞敏」。

徐　節　副使。

張　任　南直嘉定人。進士，副使。

胡　湧　江西星子人，副使。

熊　桴　湖廣武昌人，參政。

劉　贇　河南洛陽人，僉事。

陳夢鶴　字子羽，益都人。嘉靖丁未進士。

呂　廕　字承之，陽信人。嘉靖丁未進士。

陳茂禮　字履卿，慈溪人。嘉靖庚戌進士。

林　敬　字確成，漳浦人。嘉靖癸丑進士。

王陳策　字師董，泰州人。嘉靖壬戌進士。

字行之，南直吴江人。弘治壬戌進士，二十二年以工部尚書任，官至吏部尚書，有傳，祀州學報功祠。

韓邦奇 字汝節，陝西朝邑人。正德戊辰進士，二十三年任，以副都御史官至南京兵部尚書。

詹瀚 字汝約，江西玉山人。正德丁丑進士，三十五年以右副都御使任，官至刑部左侍郎，有傳。

胡松

柴淶 浙江鄞縣人。進士。副使。

黎元 四川涪州人，僉事。

董文寀 僉事。

陳奎 副使。

郭天禄 北直定興人，僉事。

黄㽦 字雲浦，四川富順人。嘉靖丁未進士，濟

達其道 字行甫，任縣人。嘉靖壬戌進士。

葉以蕃 字承叔，遂昌人。嘉靖壬戌進士。

李承緒 字伯餘，永新人。嘉靖壬戌進士。

字茂卿，南直績溪人。正德甲戌進士，二十六年以右副都御史任，官至兵部尚書。

王守 字履約，南直吴縣人。嘉靖丙戌進士，二十七年以右僉都御史任，升南京副都御史。

方鈍 字仲敏，湖廣巴陵人。正德辛巳進士，二十八年以右僉都御史任，官至户部尚書。

何鰲 字巨卿，浙江山

寧副使，四十五年任。

劉庠 字恩臺，湖廣鍾祥人。嘉靖壬戌進士，濟寧副使。

陰人。正德丁丑進士，二十九年以右副都御史任，官至刑部尚書。

汪宗元

字子允，湖廣崇陽人。嘉靖己丑進士，二十九年以右副都御史任。

連　鑛

字伯金，北直永平人。嘉靖丙戌進士，三十年以右副都御史任，改督漕運。

曾　鈞

字廷和，江西進賢人。嘉靖壬戌進士，三十一年以右副都御史任，升工部右侍郎，贈刑部尚書，謚「恭肅」。

胡　植

字立之，江西南昌人。嘉靖乙未進士，三十四年以右僉都御史任，四十年再任。

孫應奎

字文卿，浙江餘姚人。嘉靖己丑進士，三十五年以右僉都御史任。

王學益

字虞卿，江西安福人。嘉靖己丑進士，三十六年以右僉都御史任，升南京工部尚書。

王廷

字子正，四川南充人。嘉靖壬辰進士，三十八年以右副都御史任，官至左都御史。

林應亮

字熙載，福建侯官人。嘉靖壬辰進士，三十九年以右副都御史任，升南京户部侍郎。

孫植

字斯立，浙江平湖人。嘉靖乙未進士，四十年以右僉都御史任，官至南京刑部尚書。

王士翹

字民瞻，江西安福人。嘉靖戊戌進士，四十一年以右僉都御史任，升右副都御史，有傳。

吴桂芳

字子實，江西進賢人。嘉靖甲辰進士，四十二年以僉都御史任，官至兵部左侍郎。

李　遷

字子安，江西新建人。嘉靖辛丑進士，四十一年以右僉都御史任，官至南京刑部尚書。

陳　堯

字敬甫，號梧岡，南直通州人。嘉靖乙未進士，四十三年以僉都御史任，改刑部右侍郎，有傳，祀州學報功祠。

孫　慎

字用修，大寧都司人。嘉靖甲辰進士，四十四年以僉都御史任。

潘季馴

字時良，浙江烏程人。嘉靖庚戌進士，四十四年以右僉都御史任，官至工部尚書，有傳，祀報功祠。

朱　衡

字士平，江西萬安人。嘉靖壬辰進士，四十四年以工部尚書任，加太子太保，有傳，祀報功祠。

隆慶

翁大立 字儒參，浙江餘姚人。嘉靖戊戌進士。二年以應天巡撫副都御史任，有傳，祀州學及河上報功祠。

潘季馴 四年以右副都御史再任。

萬　恭 字肅卿，江西南昌人。嘉靖甲辰進士。六年以右僉都御

洪　忻 字龍江，山西蒲州人。嘉靖壬戌進士。濟寧副使，六年任。

顧應龍 南直吴縣人。嘉靖乙丑進士，五年任。

何其賢 字少愚，休寧人。舉人。

吴鳳瑞 蘄州人，舉人。

劉　岸 高陵人，舉人。

沈載墉 北直三河人，元年任。《前志》嘉靖，今據《泉河史》移此。

李騰蛟 北直贊皇人。歲貢，三年任。

史任，有傳，祀報功祠。

羅　潮　營州後屯衛人。

笪東光　字景陽，德興人。嘉靖乙丑進士。

張　純　字碩恒，漳浦人。嘉靖乙丑進士。

劉　泮　字汝化，江都人。嘉靖壬戌進士。

張克文　字宗質，新淦人。隆慶戊辰進士。○四人《前志》列「分

萬曆

傅希摯 字承弼，北直衡水人。嘉靖丙辰進士，四年以山東巡撫任，改陝西巡撫，祀報功祠。

李世達 字子成，陝西涇陽人。嘉靖丙辰進士。五年十一月以右副都御史任。

潘季馴 六年三任，升工部尚書，十六年四任，加太子太保。○再任在一朝者并書。

陳于楷 山西臨汾人。嘉靖壬戌進士，濟寧副使，元年正月任。

馮敏功 字元卿，浙江平湖人。嘉靖乙卯舉人，由河南參政調山東管河道副使，二年任。

潘允端 南直上海人。任按察使，兼右參政。

吴道明 字豫齋，北直元城人。嘉靖乙丑

司」。

曹文鐸 元年任。

樊克宅 順天霸州人。舉人，三年任。

王一鳳 北直博野人。舉人，九年任。

龔天申 湖廣澧州人。舉人，十年任。

武　城 陝西寧州人。舉人，十四年任。

陳昌言 河南真陽人。舉

李國祥 江西南昌人。監生，二十七年任。

易　禄 江西廣昌人。監生，三年任。

高　奎 浙江臨安人。監生，五年任。

劉　俶 湖廣人。歲貢，六年任。

余守誠 浙江海寧人，知印八年任。○《前志》作「守城」。

陶　淳 湖廣黄崗人。選貢，九年任。

凌雲翼
字洋山，南直太倉人，進士。

王廷瞻
字雅表，湖廣黄崗人。進士。

舒應龍
字時見，廣西全州人。嘉靖壬戌進士，二十年四月以工部尚書加太子太保，有傳，祀報功祠。

楊一魁
字子選，山西安邑人。嘉靖乙丑進士，二十三年四月以掌院都御史任，升工部尚書，加太子太保，祀報功祠。

進士，濟寧副使，二年二月任。

邵元哲
字古愚，南直上元人。嘉靖乙丑進士，濟寧副使，五年十二月任。

邱　淅
字厚山，江西南城人。嘉靖乙丑進士，濟寧副使，八年八月任。

高尚忠
字訥軒，河南祥符人。萬曆丁丑進士，濟寧副使，十二年七月任。

曹子朝
字洵川，順天三河人。嘉靖丙辰

人，十五年任。

高自修
四川嘉定人，舉人。

唐　楨
南直無錫人。舉人，二十一年任。

劉廷桂
湖廣江夏人。萬曆壬辰進士，二十七年任。

汪兆龍
陝西金州人。舉人，三十六年任。

劉崇正
南直儀真人，舉人。

李文郎
廣西融縣人。恩貢，十二年任。〇一作「文烺」，「十五年任」。

章其藴
南直績溪人。歲貢，十八年任。

史　爌
浙江紹興人。監生，十九年任。

蘇世霖
直隸永平人。選貢，二十年任。

朱應和
陝西咸陽人。吏員，二十二年任。

羅一夔

劉東星 字子明，山西沁水人。隆慶戊辰進士，二十六年八月以工部右侍郎任，祀報功祠。

李　頤 字惟貞，江西餘干人。隆慶戊辰進士，三十年正月以右都御史任，有傳。

曾如春 字元祥，江西臨川人。嘉靖乙丑進士，三十年四月以工部右侍郎任。

李化龍 字子田，北直長

進士，濟寧河道按察使，十五年九月任。

郝維喬 河南扶溝人。進士，參政。

和　震 河南祥符人。進士，僉事。

周夢暘 濟寧副使。

呂　坤 字淑簡，河南寧陵人。進士，濟南守道、左參政，浚泉，十六年任。

曹時聘

劉芳譽 河南陳留人。萬曆癸未進士，三十七年任，祀名宦。

方遇熙 福建邵武人。舉人，四十八年任。

王國柱 浙江錢塘人。舉人，泰昌元年任。

管學經 浙江鄞縣人，舉人。

尹　言 威縣人，舉人。

楊文煒

陝西略陽人。選貢，二十四年任，有傳。

王鼎台 廣東東莞人。

鈕　鋭 浙江會稽人。

郭天允 濟源人。

李　潤 湖廣宜都人，三十五年任。

楊一蒙 浙江常山人。

聞于皋 貴州永寧人。○按：以上并

垣人。萬曆甲戌進士，三十一年四月以工部右侍郎任，官至尚書，加太子太保，祀報功祠。

曹時聘

字嗣山，北直獲鹿人。隆慶辛未進士，三十三年二月以工部左侍郎任，有傳，祀州學報功祠。

劉士忠

字純卿，號華石，陝西華州人。萬曆甲戌進士，三十八年四月以右僉都御史任。

王佐

字嗣山，北直獲鹿人。隆慶辛未進士，濟寧副使，十七年九月任，升河督。詳見前。

張朝瑞

字鳳梧，南直海州人。隆慶戊辰進士，濟寧副使，二十年六月任。

梅淳

字凝初，南直當塗人。隆慶辛未進士，濟寧參政，二十一年二月任。

龔勉

字毅所，南直無錫人。隆慶戊辰進士，濟寧副使，二十二年十

固安人，恩生。

鄭國彥

劉琚

蔣士元

宜興人，舉人。

高自修

四川嘉定人，舉人。

王繼聖

襄陽人，舉人。

羅大奎

略陽人，選貢。

見《萬曆志》。

莊允武

见《学碑》。

張聞善

四十二年任，并見《仲廟碑》。

字翼卿，號大蒙，浙江鄞縣人。萬曆癸未進士，四十六年四月任，升工部尚書。

二月任。

江學詩　字津臺，北直棗强人。舉人，濟寧副使，二十六年十二月任。

黄承元　字輿參，浙江秀水人。萬曆丙戌進士，濟寧副使，二十七年六月任，祀報功祠。

衛一鳳　字桐陽，山西陽城人。萬曆庚辰進士，濟寧副使，二十八年十一月任。

汪可受　字静峰，湖廣黄

吴邦泰　順義人，舉人。

錢達道　常熟人，舉人。

劉師朱　開州人，舉人。

李忠臣　涇陽人，舉人。

許仲舉　錢塘人，舉人。

龔道醇　武進人，舉人。

梅人。萬曆庚辰進士，三十年由霸州兵備、參政升山東按察司管漕河道，三十六年再任。

汪光岸　僉事。

傅良諫　字忠川，江西臨川人。嘉靖乙丑進士，濟寧副使，三十一年九月任。

顧雲鳳　字瑞庵，南直常熟人。萬曆丙戌進士，濟寧副使，三十三年六月任。

蔣良晋　武進人，舉人。

曾應驄　浦田人，舉人。

焦思讀　新河人，舉人。

史宣政　溧陽人，舉人。

白　鯤　南和人，舉人。

余毅中　字子執，銅陵人。萬曆甲戌進士。

王國楨　字翼廷，山西安邑人。萬曆己丑進士，濟寧副使，三十七年八月任，有傳。

趙世禄　字紫房，浙江鄞縣人。萬曆辛丑進士，濟寧副使，四十一年四月任。

周泰峙　字孟巖，南直金壇人。萬曆丁未進士，濟寧副使，四十四年三月任。

柯　昶　字和山，福建莆田人。萬曆甲辰

○以下《前志》列「分司」。

張文奇　字原正，長洲人。萬曆丁丑進士。

馬玉麟　字德徵，昆山人。萬曆丁丑進士。

邵伯悌　字本敬，貴溪人。萬曆庚辰進士。

蕭　雍　字思賢，涇縣人。萬曆癸未進士。

王元命　字長齡，蒲城人。萬曆庚辰進士。

進士，濟寧副使，四十七年六月任。

韓　范　字思兼，沁水人。萬曆丙戌選進士。

陸化淳　字君復，常熟人。萬曆壬辰進士。

胡　瓚　見「宦迹」，著《泉河史》。

馬從龍　字之龍，新蔡人。萬曆壬辰進士。

沈孚先　字白生，嘉興人。萬曆戊戌進士。

袁應泰　字長卿，鳳翔人。

萬曆乙未進士。

湯　沐

安陸人，萬曆壬辰進士。

曹震陽

字樨春，海寧人。萬曆丁未進士。

周士顯

字恩皇，京山人。萬曆辛丑進士。

俞當泰

字元祉，泗州人。萬曆乙未進士。

甯　瑻

一作「熑」。字永懷，郃陽人，萬曆癸丑進士。

天啓

陳道亨 字孟起，號蠡源，江西新建人。萬曆丙戌進士，元年四月以工部右侍郎任，官至南京兵部尚書，謚「清襄」。

房壯麗 字威甫，號素中，北直安州人。萬曆乙未進士，三年五月任。

朱光祚 字世貞，號上愚。湖廣江陵人，萬曆乙未進士，四年十二月。

李從心 字敦矩，號介石，北直南樂人。萬

熊文燦 字心開，貴州永寧衛人。萬曆丁未進士，濟寧道左參政，元年四月任，官至兵部尚書，總理七省軍務。

唐嗣美 字翼如，浙江嘉興人。萬曆甲辰進士，濟寧副使，二年八月任。

費兆元 字臺簡，湖州烏程人。萬曆乙未進士，濟寧副使，四年三月任。

王化行 字京臺，福建閩縣人。萬曆丁未

房象乾 陝西三原人。舉人，七年任。

李果嘉

雷震宇 「雷」一作「霍」。

任大仰

周　淳 蒲圻人，舉人。

逯光輝 汾西人，選貢。

張萬目 遵化人，選貢。

母揚祖 字趨廷。貢生，元年任，有傳。

蘇　芳 陝西略陽人。

馬　永 陝西洮州人。〇以上《前志》志「管州判」，今據《泉河史》及碑補十七人。

曆壬辰進士，六年正月任，升户部尚書，加少保，祀報功祠。

進士，濟寧副使，七年十二月任。

賀康載　江西人，舉人。

薛玉衡　字偉符，定海人。萬曆己未進士。

羅　寬　字斗南，光州人。萬曆丙辰進士。

熊　江　字元邱，富順人。萬曆己未進士。

董志稷　字天麟，海寧人。萬曆丙辰進士。○四人《前志》列分司。

崇禎

李若星　字紫垣，號燦巖，河南息縣人。萬曆甲辰進士，元年任。

朱光祚　四年正月再任。

劉榮嗣　字半舫，號簡齋，北直曲周人。萬曆丙辰進士，六年九月任，有傳。

周　鼎　字實甫，號在調。萬曆癸丑進士，八年十月任，升工部尚書，祀報功祠。

張國維

董　暹　字蘇白，湖廣江夏人。萬曆甲辰進士，濟寧河道按察使，元年十二月任。

孫紹統　字華坪，陝西華州人。萬曆丙辰進士，濟寧河道按察使，三年十二月任。

王三德　字宜蘇，河南永城人。萬曆癸丑進士，濟寧僉事，四年十二月任。

閔心鏡　字符斐，浙江烏程人。天啓壬戌進士，濟寧副使，

瞿淩雲　北直撫寧人。貢生，元年任。○《兖志》作「霍」。

譚　絲　四川人，舉人。○一作「綵」。

閻調鼐　山西臨汾人，貢生。

宋士中

高　佐　翼城人，舉人。

茹時芳　貢生。

朱朝勛

字玉笥，浙江東陽人。天啓壬戌進士，十三年四月任，升兵部尚書，有傳，祀名宦。

黄希憲
字又生，江西分宜人。天啓乙丑進士，十六年正月以工部右侍郎任。

五年十二月任。

徐九章
字思健，北直景州人。萬曆癸丑進士，濟寧副使，七年二月任。

黄日昌
字源倘，福建晋江人。天啓乙丑進士，濟寧河道，八年十二月任。

徐 標
參議。

孫如洵
字木庵，浙江餘姚人。萬曆癸丑進士，十年二月任。

馮元飈

開封人，恩貢。

李芳藴
永平人，恩貢。

曾文蔚
泗州人，舉人。○《舊志》多脱誤，今據《兖州府志》原編及《運河備覽》參定《前志》。

張醇儒
字念銘，太倉人。舉人。

汪邦柱
字儒石，長洲人。萬曆己未進士。

張獻廷

字留仙，浙江慈溪人。天啓乙丑進士，十一年由運判署濟寧道事。

龔而安 字又安，江西南昌人。萬曆乙未進士，濟寧副使，十二年三月任。

葉重華 字香城，南直昆山人。崇禎戊辰進士，濟寧副使，十三年六月任，有傳，祀名宦。

王維新 北直廣宗人。天啓丁卯舉人，濟寧監軍道僉事，十四年二月任。

字豸山，宣城人。官生。

丁汝驤 字叔潛，仁和人。舉人。

楊之易 字勉齋，應山人。官生。

吴化鳳 休寧人。○以上六人，《前志》列「分司」。

楊毓楫

字剡伯，雲南宜良人。天啓辛酉舉人，濟寧監軍道副使，十五年八月任。○據《運河備覽》補五十五人。

濟寧直隸州志卷六之三

職官志 三

國朝河道職官表

總督	河東河道總督	順治 楊方興 字溥然，滿洲廂白旗人。舉人，元年九月以兵部右侍郎任，加太子太保，祀名宦，有傳。	朱之錫 字益九，號梅麓，浙江義烏人。順治丙戌進士，十四年	
道 乾隆以前為濟南道。	運河道	朱國柱 字盤石，遼東瀋陽人。元年九月由啟心郎任。	李岦 字元中，山西解州人。舉人，二年九月任，有傳。	談天佑
廳 河營官弁詳「武職」。	運河同知	楊茂魁 字苑捷，遼東瀋陽人。貢生，二年三月任，升關內道。	李正華 字茂先，直隸獻縣人。拔貢，五年五月任，升松江知府，有傳。	
	泉河通判 雍正五年設，駐濟寧。			
佐	濟寧州判	楊名遠 遼東人。	郭運久 山西應州人，五年任。	袁時泰 陝西富平人。
		葉其藎 浙江山		
雜 閘官附。	魚臺主簿	張茂猷 北直人。	李元泰 山西石樓人。	張名榜 恒水人。吏員，十七年任。

以兵部尚書兼副都御史任，加太子太保，有傳。十八年四月再任。

楊茂勳 字燕石，遼東人。十七年以兵部右侍郎任，升湖廣巡撫、貴州總督。

苗　澄 字大生，滿洲籍，直隸任縣人。十七年九月以都察院右僉都御史任。

字正寰，遼東錦州人。監生，五年三月任。

王第魁 字聚五，湖廣鍾祥人。廪貢，八年閏二月任濟寧河道。

何啓圖 字瑞徵，陝西華州人。廪貢，十一年八月任濟寧河道。

杜　果 字景略，號影庵，江西新建人。順治丁亥進士，十三年三月任濟寧

佟養鉅 字魁庵，遼東人。貢生，十一年二月任，升冀南道。

趙攀勝 字抑甫，直隸柏鄉人。恩貢，十六年九月任。

邵洪庚 字星蓮，浙江餘姚人。貢生，十七年四月任。

陰人。

王心介 江南貴池人。

康熙

盧崇峻 字斗山，遼東廣寧人。五年四月由廣東總督任，調山陝總督。

河道。

楊奇烈 字元初，遼東蓋州衛人。貢生，十四年九月任濟寧河道。

方兆及 字蛟峯，江南桐城人。順治甲午舉人，十七年八月任濟寧河道，有傳。

岳登科 字捷元，遼東鐵嶺南人。拔貢，九年八月任。

葉方恒

王有容 字古亭，湖廣麻城人。貢生，元年四月任，升遵義知府。

翁有祥 福建莆田人。

張鳴鳳 字凌雲，直隸肥鄉人。貢

穆元正 浙江會稽人。吏員，九年任。

陳　平 遼東人。廕生，十八年任。

楊茂勳　六年二月由貴州總督加太子少保，因病致仕。

羅　多　奉天人。八年以工部右侍郎任，升山陝總督。

王光裕　字中立，奉天人。十年以兵部左侍郎、左副都御史任，官至兵部尚書。

靳　輔　字紫垣，奉天人。順治己亥進士，十六年

字嵋初，江南崑山人。順治戊戌進士，十七年二月由兗州同知升任。

董安國　字甯寰，漢軍鑲紅旗人。蔭生，二十一年六月任，升四川按察使，詳河院。

楊廷耀　字彤華，漢軍正紅旗人。筆帖式，二十七年十二月任，升山東按察使。

韓作棟　字公吉，漢軍

劉澤遠　字仁寰，湖廣安化人。恩貢，九年三月任。

李得貴　字仲良，漢軍正白旗人。官學生，九年十月任。

葉方恒　十三年五月任，升濟寧道。

任　璣　字訒庵，陝西涇陽人。順治辛丑進士，十七年正月任。升處州知府，官至長蘆鹽運使。

生，以上并見《舊志》。

潘育岳　十八年任。

甯紹先　順天大興人，十九年任。

李有鵬　字飛九，遼東廣寧人。二十八年任。

楊哲性　湖廣武昌人。三十四年任。

徐成棟　漢軍正黄旗人。四十六年任。

王德興　清源人。監生，二十二年任。

劉　鼎　陝西富平人。吏員，二十四年任。

徐聖智　浙江山陰人。吏員，二十八年年任。

衛　□　山西曲沃人。貢生，三十四年任。

楊　梓　江都人。歲貢，四十年任。

何　夢

四月由安徽巡撫任，三十一年再任，十一月卒於清江署中，謚「文襄」，有傳，祀名宦。

馬　齊　滿洲人。二十七年六月任。

王新命　字純嘏，四川潼川人。貢生，二十七年九月由浙閩總督任。

于成龍　字振甲，漢軍鑲黃旗人。蔭生，奉天籍。三十二年正月由左都御

鑲藍旗人。蔭生，二十八年十月任。

佟國聘　字君莘，漢軍正藍旗人。蔭生，三十一年六月任。

趙景元　字簡齋，江南休寧人。歲貢生，三十四年六月任。

蔣陳錫　字念祖，江南常熟人。康熙乙丑進士，四十年四月任，調天津道。

張伯行

陳良謨　字顯夫，漢軍正藍旗人。監生，二十六年二月任。

遲　炳　字容庵，漢軍正白旗人。監生，二十九年二月任。

魯一輔　字天臣，漢軍正紅旗人。監生，三十一年四月任。

羅　景　字景瞻，滿洲正白旗人。監生，三十四年七月任。

張懋齡　四川潼川人。四十八年任。

王世德　五十年任。

任日昇　湖廣漢陽人。監生，五十六年任。

張　翼　江南徐州人，六十年任。

安徽懷寧人。監生，四十六年任。

周　仁　江蘇鹽城人。監生，五十年任。

戴　宜　山陽人。監生，五十四年任。

盧曰俊　漢軍鑲黃旗人。監生，六十一年任。

史任，三十七年再任。謚「襄勤」，有傳。

董安國 字寧寰，遼東人。廕生，三十四年五月由總漕升。

張鵬翮 字運青，四川遂寧人。康熙庚戌進士，三十九年四月由兩江總督任，官至吏部尚書，加宮保，謚「文貞」，有傳。

趙世顯 漢軍鑲紅旗人。四十八年

字孝先，河南儀封人。康熙乙丑進士，四十二年三月任，升江蘇按察使，官至倉場總督，謚「清恪」，有傳。

劉光業 漢軍鑲藍旗人。監生，四十五年十一月任，調湖南衡永郴桂道。

許大定 字晏清，江南江陰人。監生，五年十二月任，調湖北督糧道。

宋基業

蘇稷 字容齋，滿洲正紅旗人。監生，四十二年六月任，升銅仁知府。

許大定 四十五年六月任，升濟寧道。見上。

徐成棟 字翊蒼，漢軍正黃旗人。監生，五十年六月任，調江南宿虹同知。

張廷霖 字聖木，號呂庵，浙江歸安人。歲貢，五十六年三月任，調南工。

任。

陳鵬年 字北溟，號滄洲，湖廣湘潭人。康熙辛未進士，六十年任，謚「忠勤」，有傳，祀名宦。

雍正

齊蘇勒 滿洲正白旗人。元年任，加太子太傅，謚「勤恪」，祀賢良，有傳。

尹繼善 滿洲鑲黃旗人。雍正癸卯進士，謚「文端」，官至文華殿大學士，

字嘉蕤，江南長洲人。監生，五十七年二月任。

余　甸 字田生，福建南平人。進士，六十一年七月任，調山東督糧道。

徐湛恩 元年四月任，升山東按察使，後任副總河，見河督。

楊三炯 字千禾，浙江諸暨人。舉人，三年十二月任，有傳。

張懋齡 四川遂寧人。五十七年任。

董廷柱 五十八年任。

楊三炯 三年十二月任，升兗寧道，見上。

巴　潮 五年任。

邱三錫 江南蘇州人。七年任。

郭　燦 五年任。

許佩璜 八年任。

張　綸 涼州人。優貢，十二年八月任。

吴廷清

張　瑄 湖廣襄陽人。十一年任。

周　衢 十一年任。

錢　溥 浙江嚴州人。十三年任。

李敏祜

何　渠 安徽天長人。監生，三年任。

吴從信 河南商邱人。貢生，四年任。

柳廷鈞 江蘇徐州人。監生，七年任。

七年二月署任。

孔毓珣 字東美，曲阜人，至聖裔。恩貢生，七年三月任，謚「温僖」。按：孔温僖本江南河道總督，兹據碑録之。

嵇曾筠 字松友，江南長洲人。康熙丙戌進士，七年任，官至文華殿大學士，贈少保，謚「文敏」，有傳。

田文鏡

傅澤浩 字樸庵，漢軍鑲黄旗人。廕生，五年二月任。

吕維炳 字虎文，漢軍鑲藍旗人。監生，六年六月任，調江南淮徐道。

王鴻勛 字功圖，漢軍正白旗人。監生，八年七月任，原銜濟寧道管南河，設兗東道管北河，設東兗分巡道。國朝康熙初年，裁兗東道濟寧道，另設南、北河

白　鑅 漢軍正白旗人。監生，七年十二月任。

浙江錢塘人。七年任。

章邱人。十三年任。

李維完 江蘇山陽人。監生，八年任。

薛樂天 江蘇無錫人。監生，九年任。

李天寵 濟寧州人。監生，十年任。

孫廷鏞 江蘇金匱人。監生，十一年任。

漢軍正黃旗人。以總督兼任。

沈廷正
漢軍鑲白旗人。九年任。

朱藻
字鹿園，漢軍鑲白旗人。康熙甲午副貢，九年十月任。

孫國璽
漢軍正白旗人。進士，九年任副總河。

白鍾山
字毓秀，漢軍正藍旗人。筆帖式，十三年正月任，調江

都水分司。九年，復設濟寧道，兼管南、北河道，罷分司。五十七年，又裁東兗道，歸并濟寧道，改衡兗寧。雍正九年，改衡山東河道，兗州另設兗莒沂道。十一年，以曹州屬兗沂道，以東平州屬濟東道，專設河道。十二年，改稱督理通省運河道。乾隆元年，加兵備衜。《前志》。

南河督，有傳。

劉勷 山西人。十三年任副總河。

徐湛恩 字沛璜，滿軍正藍旗人。武進士，以兵部御史任，有傳。

乾隆

完顏偉 字清逸，滿洲鑲黃旗人。八年正月以兵部侍郎任，有傳。

顧琮 字用方，滿洲鑲黃旗人。十三年六月由

陳德 字定齋，貴州普安州人。康熙癸巳進士，四年任，調江南盧鳳道。

高越 字步青，漢軍鑲黃旗人。監生，八年十一

傅振宸 湖北安陸人。貢生，五年八月任。

高沅 漢軍鑲黃旗人。監生，元年六月任。

張潮

高越 漢軍鑲黃旗人。元年八月任。

郭有甯 滿城人。監生，二年十月任。

呂肅高

汪容 元年任。見「同知」。

李雲龍 五年任。

紀鈞 五年任。

聶之道 江西南昌人。監生，六年任。

楊山立 山陽人。吏員，七年任。

吴承謨 安徽宿州人。監生，七年任。

總漕調任。

白鍾山　十九年二月再任。

張師載　字文渠，號愚齋，河南儀封人。康熙丁酉舉人，二十二年二月由總漕調任，官至兵部尚書，謚「恪謹」，有傳。

葉存仁　字心一，號墨村，湖廣江夏人。二十八年十二月由河南道撫升任。

月任，調濟東道。

高　晉　字昭德，漢軍鑲黃旗人。蔭生，十三年六月任，升山東按察使，官至文華殿大學士、兩江總督。

盧憲觀　字石林，浙江仁和人。乾隆丁巳進士，十四年五月任。

史　昂　字抑堂，江南溧陽人。雍正己酉副榜，十四年十二月由兗沂曹道調補，升甘肅

江蘇山陽舉人，九年十二月任，升蓬萊州知州。

王汝礪　字宅山，河南考城人。十三年九月由候補州同署任。

馮啓奕　浙江仁和人。監生，十八年十月任。

李雲龍　河南祥符人。監生，十九年三月任。

楊　綬　江蘇陽湖人。監生，二十六

河南新安舉人，三年正月任。

汪　容　河南商邱人。四年六月任。

馬占鼇　安徽桐城人。五年十二月任。

張曾肇　安徽桐城人。蔭生，十一年八月任。

徐志豳　浙江德清人。副榜，十二年十二月任。

馮啓奕

張映樞　甘肅涼州人。十五年任。

顧岳齡　江南蘇州人。十八年任。

吴承謨　二十年任。

陳　謇　河南光州人。二十二年任。

萬年謨　江西建昌人。二十六年任。

高文玉　二十五年任。

羅　瑛

徐傳清　蘇州人。監生，十三年署任。

鄭毓英　河南夏邑人。監生，四年任。

秦　溥　江蘇金匱人。監生，十八年任。

蔣紹芳　大河衛人。監生，二十一年任。

宋　曒　元和人。監生，二十二年任。

嚴之煜

李　宏　字濟夫，號湛亭。漢軍正藍旗人。二十九年六月由淮徐道升任，調江南河道總督，有傳。

李清時　字授侯，號惠圃，福建安溪人。乾隆壬戌進士，三十年八月由淮徐道升任兵部侍郎，調山東巡撫，有傳。

嵇　璜　字尚佐，號拙修，江南無錫人。雍正庚戌進士，三十二年七月由禮

布政使。

金祖静　字會川，江南吴縣人。雍正己酉副榜，十九年閏四月由濟東道調任。

蔡學頤　河南盧城人。二十年十二月任。

李清時　二十一年十一月任，調江南淮徐道，升總河。詳「河督」。

何　焻　字謙之，浙江山陰籍，湖南

年六月任。

彭　理　漢軍正藍旗人。監生，二十三年五月任。

白樹屏　漢軍正白旗人。二十四年二月任。

顧岳齡　江蘇長洲人。二十四年九月任。

王興堯　二十五年九月任，升西安知府，升運河道。見上。

浙江仁和人。監生，十三年四月任。

張廣基　漢軍正黄旗人。十四年二月任。

時廷銓　濟寧人。貢生，十五年五月任。

陳恩義　浙江海寧人。十五年八月任。

大　章　漢軍鑲黄旗人。十八年四月任。

浙江上虞人。監生，二十九年任。

白樹藩　直隸涿州人。監生，四十一年任。

胡寶臣　順天大興人。監生，四十一年任。

胡儁德　江西寧州人。貢生，四十六年任。

喬　金　江蘇上海人。四十八年任。

王所禮

北通州人。三十年任。

姜　旭　浙江錢塘人。監生，四十五年任。

喬　金　江蘇上海人。四十七年任。

鄭　謙　江蘇如皋人。監生，四十七年任。以上并見《前志》《魚臺志》。

天井閘官

陳錫章

馮　棟

部尚書任，官至大學士，謚「文恭」，有傳。

吴嗣爵 字樹屏，浙江錢塘人。雍正庚戌進士，三十二年十月由淮徐道升任，調江南河督。

姚立德 字次功，號小坡，浙江仁和人。廕生，三十六年八月任，有傳，祀報功祠。

袁守侗 字執沖，號愚谷，山東長山

靖州人。生員，二十九年七月由河南開歸陳許道調任，官至河南巡撫，加總督銜，太子太保，謚「恭惠」，有傳。

姚立德 三十年二月由濟南知府升任，調江南淮徐道，後任總河，官至兵部尚書。詳「河督」。

王興堯 字澄宇，號梅影，江蘇華亭人。監生，三十四年由西安知府升任，

陳思義 浙江海寧人。三十二年九月任。

汪　容 河南虞城人。監生，三十三年八月任，升刑部員外郎。

魏逢堯 江蘇沛縣人。監生，三十五年八月任，升延安知府。

章　輅 三十八年十二月升任運河道。見上。

韓　煦 四川合州人。

徐　績 漢軍正黄旗人。舉人，二十年二月升濟寧知州。

楊德仁 廣東嘉應人。進士，二十二年十二月任。

顧嵩楷 關中人。貢生，二十四年六月任。

王正來 直隸真定人。拔貢，二十四年閏六月任。

張際盛 江蘇銅山人。二十五年正

樂陵人。優貢，四十九年任。以上并見《前志》。

吴敏思 江蘇銅山人。乾隆丁酉拔貢，五十二年二月任。

馮　堜 順天涿州人。監生，五十二年三月由主簿署任。

胡起鳳 順天大興人。監生，五十四年五月由從九品署任。

徐　鼐

張禹臣

丁觀圻

陶　棉

在城閘官

王繪陛

滿　桂

韓鳴佩

戴廷枚

王繼貞

茹仁祚

石佛閘官

劉繼瓚

人。乾隆甲子舉人，四十四年由刑部尚書任，調直隸總督。

陳輝祖　字雨亭，湖南祁陽人。蔭生，四十四年十二月由河南巡撫升任，調江南河督。

李奉翰　字薌林，漢軍正藍旗。監生，四十五年二月任，調江南河督。十二月再任，五十四年三月三任。

國泰　調河南開歸陳許道。四十年再任，調兗沂曹道。

孫廷槐　字右階，號芥舟，浙江仁和人。乾隆壬戌進士，三十六年五月由河南開歸道調任，升山東按察使。

陳繩祖　字孝祐，號絙橋，湖南祁陽人。三十七年由户部郎中任，調甘肅西寧道。

陸耀　字青來，號朗四十一年四月任。

羅煐　四十四年四月任，升運河道。見上。以上俱載《前志》。

馮鵬飛　浙江慈溪人。乾隆辛未進士，五十一年六月任。

龔孫枝　字梧生，江蘇江寧人。乾隆甲戌進士，五十二年十月任。

黃易　月任。

謝沈生　江蘇武進人。監生，二十五年四月任。

顧鵬齡　江蘇長洲人。二十五年六月任。

高文玉　江蘇武進人。監生，二十五年六月任。

顧秉衡　二十五年十月任。

稽瓚　江蘇無錫人。副貢，二十六江蘇吴縣人。乾隆己亥副貢，二十五年六月任。

滕開業　江蘇桃源人。考職，六十年三月由府經歷署任。

徐汝楫

陸詩

新店閘官

陳業莊

王鈐基

余見龍

仲淺閘官

嚴甫田

吴育泰

虞輔唐

棗林閘官

温而肅

字拙齋，滿洲正白旗人。監生，四十五年九月由山東巡撫兼任。

韓　鑅　字序東，號蘭亭，貴州畢節人。四十六年二月由淮徐道升任。

何裕誠　字惺庵，浙江山陰籍，湖南靖州人。貢生，四十七年八月由淮徐道升任，調河南巡撫。

蘭第錫　字素亭，山西吉州人。乾隆

甫，江蘇吴江人。乾隆壬申恩科舉人，三十七年由濟南知府授西寧道調任，官至湖南巡撫，有傳。

章　軺　字乘殷，號質庵，浙江富陽人。監生，四十一年任。

沈啓震　字位東，號青齋，浙江桐鄉人。乾隆庚辰恩科舉人，己丑中正榜，四十四年十月任，五十四年四月再任。

字小松，浙江錢塘人。監生，五十四年十月任，有傳。

阮廣曾　順天大興人。議叙，六十年閏二月任。

年十二月任。

王興堯　二十七年五月任。見「同知」。

徐朝桂　江蘇昆山人。監生，二十八年任。

張　傅　山東黄縣人。三十年正月任。

童肇驥　浙江會稽人。三十年閏二月任。

呂又祥　江蘇沭陽人。

曹廷銓

楊秉乾

朱　灝

庚午舉人，四十八年五月由永定河道升任，調江南河督，有傳。

羅　煐　字禹光，號雲亭，浙江上虞人。貢生，五十年十二月任，調直隸永定河道，五十九年六月再任。

龔士煃　五十七年由運河同知護理，五十八年又護。

唐侍陛　字贊宸，號芭洲，江蘇甘泉人。廕生，五十七年八月任，調兖沂曹濟道。

歸朝煦

三十年四月任。

江　澍　安徽桐城人。監生，三十二年六月任。

張爲蘉　直隸景州人。監生，三十二年九月任。

張符升　江蘇蕭縣人。貢生，三十二年十月任。

莊經文　浙江秀水人。副貢，三十三年九月任。

張惇典

字申叔，號梅坡。江蘇常熟人。

孫星衍 江蘇陽湖人。乾隆丁未榜眼，六十年十月由兗沂道兼署。

山西孝義人。舉人，二十四年四月任。

張松孫 江蘇華亭人。三十五年正月任。

洪世儀 福建南安人。舉人，三十五年八月任。

布　顔 蒙古鑲黄旗人。恩蔭生，三十五年十二月任。

王鳳詔 安徽潛山人。三十八年任。

胡　增　江西萬年人。乾隆癸酉舉人，三十八年任。

程國檠　字良甫，號竹坡，順天宛平人。監生，四十年任。

陳本義　湖南湘潭人。監生。

張光昱　字曜堂，江蘇江都人。拔貢。

白樹藩

馮鵬飛

嘉慶

康基田　字茂園，山西盂縣人。二年十月由江蘇巡撫升任，調江南河督，有傳。

司馬騊　字容川，江蘇江寧人。監生，二年十二月由山東布政司升任，卒於漕河工次。

吴璥　字松圃，號立崖，浙江錢塘人。乾隆戊戌進士，四年三月由河南布

策丹　字壽年，號芝圃，蒙古正黄旗人。官學生，元年二月任，升河南按察使。

黄易　六年十月由運河同知護理。

高三畏　字惕若，號知岩，河南郟縣人。乾隆庚子進士，七年二月任。

嵩山

龔士烇　江蘇長洲人。監生，三年六月任。

黄易　五年正月再任。

徐日簪　字柳塘，江蘇陽湖人。廕生，七年三月任，歷升濟南知府。

何洲　漢軍正黄旗人。監生，十二年七月任。

字乘六，浙江寧波人。

康試組　江蘇清河人。監生，八年二月任。

徐章　江蘇吴縣人。副貢，十年七月任，十三年三月任。

劉光遠　河南鄭州人。監生，十一年九月任。

華燦　江蘇無錫人。監生，十五年六月任。

董有恂　漢軍正黄旗人。恩監生，二年三月由汶上縣丞署任。

李大業　浙江會稽人。監生，四年十月由嶧縣丞署任。

康試組　江蘇清河人。附監生，六年八月由經歷署任。

王玫　江蘇清河人。

陳錫章　江蘇震澤人。監生，三年二月署任。

胡正宗　順天宛平人。監生，三年四月署任。

黄炳　漢軍鑲紅旗人。監生，三年十一月署任。

汪元琨　河南夏邑人，原籍江蘇。貢生，五年四月署任。

政司升任，調江南河督。十一年四月再任，升刑部尚書。十九年二月三任，二十年三月、二十五年四月署任。

王秉韶　字三韓，號含溪，漢軍鑲紅旗人。乾隆丁卯舉人，五年三月由河南布政司升任，卒於蘭陽。工次。

嵇承志　字翼青，號籊浦，江蘇無錫人。乾隆庚寅舉人，七年八

八年由東昌府知府護理。

王念孫　字懷祖，號石臞，江蘇高郵人。乾隆乙未進士，九年正月任，調直隸永河道。道光十年，祀名宦，有傳。

徐國楠　字讓木，號古梅，浙江蕭山人。乾隆癸丑進士，十四年八月任。

章承斐　十七年九月由運河同知護理。

沈惇彝　字叙軒，浙江歸安人。十三年九月任。

章承斐　浙江歸安人。監生，十五年六月任。

莫夢齡　字商山，河南盧氏人。廪生，二十三年八月任。

朱長垣　江蘇吴縣人。監生，十七年正月任。

劉執桓　山西洪洞人。廪貢，十九年十月任。

嚴　理　字午橋，安徽桐城人。監生，二十年四月任。

監生，八年閏二月署任。

温承祚　山西太谷人。吏員，九年五月署任。

繆元淳　安徽蕪湖人。監生，九年十一月由縣丞署任。

樊士鏘　山西臨汾人。拔貢，九年十二月任。

張玉誠　江蘇宿遷人。乾隆甲寅副貢，十年三月任。

王兆麟　江蘇銅山人。監生，五年四月署任。

鍾　元　福建武平人。監生，五年八月任。

虞輔唐　大興人。十六年二月任。

沈德基　浙江德清人，順天籍。十八年六月署任。

姜承煦　錢塘人。監生，十九年五月署任。

月由長蘆運司升任。

徐　端　字肇之，號心如，浙江德清人。九年五月由徐州道任，調江南河督。

李亨特　字曉園，漢軍正藍旗人。十年正月由江蘇按察司升任，十六年正月再任。

馬慧裕　字朗山，漢軍正黄旗人。乾隆辛卯進士，十三年七月由盛京刑部侍郎升任，調

陸　言　字有章，號心蘭，浙江錢塘人。嘉慶乙未進士，十七年十一月任。

洪　範　字養泉，號石農，安徽歙縣人。監生，十八年三月任。

劉執桓　山西洪洞人。廩貢生，十三年三月任，十六年閏三月再任，十八年十二月三任。

張芳鼎　江蘇蕭縣人。監生，十三年四月任。

朱顯曾　江蘇上元人。監生，十八年三月由縣丞署任。

汪元坤　順天大興人。監生，十八年六月由府經歷署任。

王繼鏊　江蘇丹徒人。二十年三月任。

潘第元　安徽壽州人。監生，二十二年二月署任。

田信格　江蘇桃源人。附監，二十三年八月署任。

龐　立　浙江海鹽人。二十五年四月任。

天井閘官

高　渭

漕運總督。

陳鳳翔　字竹香，江西崇仁人。十四年八月由永定河道升任，調江南河督，有傳。

吉　綸　字止齋，滿洲鑲藍旗人。監生，十五年十二月由山東巡撫兼署。

戴均元　字可亭，江西大庾人。進士，十八年十月任。

李鴻賓

徐　銘　順天大興人，原籍江蘇。監生，十八年十月由縣丞代理。

金國璋　安徽桐城人。監生，二十年三月任。

何慶澄　山西靈石人。嘉慶甲子副貢，二十一年二月任。

范慶長　二十二年十月任。見「通判」。

任　銈

羅　洋

周存義

宋思齊

毛　槐

宋載洵

張世涵

王承佑

華肯堂

程　熙

在城閘官

師慕祖

司馬高

字鹿苹，江西德化人。嘉慶辛酉進士，十九年六月由巡視東漕御史補授河東副總河，二十年正月任，二十四年八月再任。

李逢亨

字培元，陝西平利人。乾隆丁酉拔貢，二十六年六月由永定河道升任。

葉觀潮

字丹崖，福建閩縣人。乾隆癸卯舉人，二十一年十一月由永定河

浙江蕭山人。監生，二十三年七月任。

呂棠

順天大興人。監生，二十三年八月任。

馮爾熾

王承業

丁暐

王承祐

周垍堂

孫謙

王德培

石佛聞官

周文鏕

楊澄

施培

丁芮掄

道升任，二十四年十月再任。

張文浩

字蓮舫，順天大興人，原籍浙江。監生，二十五年四月由江南淮海道升任。

章　寶

查鯤化

龐　立

程　榮

新店閘官

蕭斯掀

楊學美

馮爲杠

于其源

仲淺閘官

王福林

蔣念祖

黃良弼
李　英
蔣鳳儀
棗林閘官
黃建功
金　堤
沈國堂
汪元珅
張開皞
顧廷杏
鈕宗元
許文誥

道光

姚祖同 元年七月由河南巡撫兼署。

嚴烺 字小震，浙江仁和人。監生，元年七月由河北道升任，十一月再任，調江南河督，六年三月三任。

琦善 元年十月由山東巡撫兼

莫夢齡 元年七月由運河同知護理，五年四月再護。

覺羅慶善 字仲璠，滿洲鑲藍旗人。元年十二月任，升江蘇按察使。

李恩繹 字巽甫，號東雲，漢軍正白旗人。嘉慶戊辰進士，五年

朱長垣 字雲帆，江蘇吳縣人。監生，十年閏四月任。

德克金布 改名德鈞，號楊亭，滿洲正黄旗人。道光壬午舉人，十八年四月由京員任。

黄慶安 字衡洲，福建永福人。道光壬辰進士，十

馮名棠 字秀森，浙江桐鄉人。監生，元年六月任。

錢　倬 浙江嘉善人。監生，二年十月任。

錢　熙 字緝齋，浙江嘉善人。監生，六年十二月任。

何慶澄 元年二月再任。

王長卿 二年三月任。見「通判」。

劉執桓 二年十二月四任。

孔廣禄 江蘇桃源人。監生，十三年五月任。

徐　埰

馬廣成

張敦壎

谷啓昆 直隸豐潤人。監生，五年二月署任。

倪春臺 山陰人。監生，七年閏五月任。

屠得平 會稽人。監生，十三年五月任。

徐　鑾 大興人，浙江

署。

張井　字芥航，陝西膚施人。嘉慶辛酉進士，四年十二月由河南開歸道升任，調江南河督。

林則徐　字少穆，福建侯官人。嘉慶辛未進士，十一年十二月任，調江蘇巡撫，升兩廣總督。

吳邦慶　字靈峰，直隸霸州人。嘉慶丙辰進士，十二年五月由

七月任，升長蘆鹽運使。

朱長垣　十三年四月由運河同知護理。

敬文　字廉階，滿洲鑲白旗人。十三年五月由浙江嘉興知府升任。

徐經　字拜庚，號桓生，江蘇嘉定人。嘉慶己卯進士，十九年八月由候補東河知府署任。

九年八月由京員任。

王長卿　字曼雲，順天大興人。嘉慶戊辰舉人，十年二月任，十四年六月再任。

畢元善　順天大興人。嘉慶戊辰舉人，十年十一月任。

張漢　字梯仙，江蘇蕭縣人。監生，十一年十一月任，十七年四月再任。

王承業　字錦堂，江蘇金壇人。監

姚廷俊　順天大興人，原籍浙江。監生，十六年七月由天井閘代理。

文鴻　字賓叔，江西萍鄉人。道光乙酉舉人，十六年八月任，十七年十二月再任。

范慶長　十六年十月再任。

陳孝揚　直隸豐潤人。嘉慶庚申副貢，十六年十一月任。

籍。監生，十五年閏六月署任。

徐達報　上虞人。監生，十九年五月代理。

姚廷俊　大興籍，浙江人。監生，十九年十一月任。

天井閘官

金薩保

熊道鑲

席雲

徐鑾

江蘇巡撫升任，有傳。

栗毓美　字箕山，號樸園，山西渾源州人。嘉慶辛酉拔貢，十五年五月由河南布政升任，卒於胡家屯工次，謚「恭勤」，有傳。

牛　鑒　字鏡堂，甘肅武威人。嘉慶甲戌進士，二十年二月由河南巡撫兼署。

文　冲　字一飛，號竹吾，滿洲鑲紅

清　平　字康農，滿洲正黃旗人。嘉慶丙子舉人，二十年十二月任。

生，十四年正月任。

蔣原培　字叔同，江蘇常熟人。監生，十四年八月任。

文　鴻　十七年二月州判署任。

馮爾熾　字雙帆，浙江桐鄉人。監生，十九年三月任。

賴　安　字仁宅，漢軍正黃旗人。嘉慶己卯舉人，二十年四月任。

劉印戈　河南永成人。道光辛巳舉人，十八年七月任。

王世相　順天宛平人。監生，十九年八月任。

周　鈞　字秉之，號慎葊，江蘇江陰人。道光戊子舉人，二十年正月任。

毛鳳梧

林　淮

王　濤

姚廷俊

朱兆奎

張世霖

在城閘官

黃元禮

應如楠

應　賢

朱　珩

黃　鵷

旗人。蔭生，二十年三月由湖北按察司升任。

朱　襄　字唯齋，號雲溪，安徽蕪湖人。嘉慶庚辰進士，二十一年九月由江蘇淮揚道升任。

慧　成　字裕亭，滿洲鑲黃旗人。道光丙申進士，二十二年由侍郎任。

鍾　祥　號雲亭，漢軍。嘉慶戊辰進士，歷任山

范慶長　字竹初，浙江錢塘人。監生，二十一年三月署任。

郭承緒　字叔徽，號浦南。山西壽陽人，道光壬午優貢，二十二年二月任。

姚元壽

方祖惠

黃　池

莫樹槐

石佛聞官

谷啓昆

俞汝楫

李載賡

章　瑄

徐達報

張永慶

侯培之

東巡撫、浙閩總督，道光二十三年任。

包　燦
田秉鉞
陳兆泉
孫　淦
新店閘官
徐錫疇
應如枌
蒯晋保
仲淺閘官
吴士超
吴經彦
棗林閘官

彭紹墫
南陽歷年 魚臺閘官
張國紀
居長盛
陳　良
時　璽
袁善良
沈肇魁
楊景秀
金重華
李洪儒
田　勛

張治鼎
伊淑尹
朱　銑
紀黄中
戴　宜
戚文爵
趙　欽
徐傳清
吴茂祖
陳武敏
嚴之煜
盧　熙

王敦義
王性愷
馬文瀚
王金鼎
施　培
徐　鈺
戴際雲
吴拱宸
夏國賓
康　莊
王　淳
趙振聲

汪守箴

汪英灝

屠　湘

倪春臺

張紹武

王殊濯

洪　燦

《前志》不載閘官，年遠無考。然職司啓閉，漕運攸關。今將州汛所屬，自乾隆五十年以後，臚列姓名。南陽閘則《魚臺志》，遠年尚有可徵者，備録附之。其一人而兩任，及一缺而再任者不復書。

工部都水司

《前志》云：「南旺分司仍駐濟寧，康熙十四年裁。」

順治

任有鑒　山東平原人。貢生。

史　載　字筆公，河南蘭陽人。順治丙戌進士。

魯道焜　字奇男，江南華亭人。舉人。

唐賡堯　字載歌，浙江會稽人。順治壬辰進士。

劉元琬　字芝林，河南汝寧人。順治己丑進士。

胡尚衡　江南涇縣人，順治壬辰進士。

張有光　字揆元，江南青浦人。順治乙未進士。

孫允恭　江南丹陽人。

王　澧　字蘭陔，江南常熟人。順治癸未進士。

邵於道　浙江慈溪人，順治戊戌進士。

巡漕

駐濟寧。

京員

分發運河，自道光十三年始。

康熙

陸舜 字吴洲，江南泰州人。康熙甲辰進士。

納錫 滿洲人，九年任。

佟成年 遼東人。貢生，九年任。

達乎理 字貫一，滿洲正黄旗人。十二年四月任。

雍正

鍾國義 字亦松，浙江山陰人。順治戊戌進士，十二年四月任。以上十五人并載《前志》。以後缺裁，

乾隆

倉德 滿洲鑲黄旗人。給事中，元年任。

恒文 滿洲正黄旗人。監察御史，二年任。

侯嗣達 江南金匱縣人。監察御史，四年任。

都隆額 滿洲正紅旗人。監察御史，四年任。宗室

吴元安 江南上元人。給事中，五年任。

金　溶　順天大興人。進士，監察御史，六年任。

張　湄　浙江錢塘人。進士，監察御史，七年任，十五年再任。

李敏第　河南夏邑人。進士，監察御史，八年任。

沈廷芳　浙江仁和人。進士，監察御史，九年任，十二年再任，有傳。

周祖榮　漢軍鑲紅旗人。給事中，十年任。

宗室周　甯　滿洲鑲黄旗人。給事中，十一年任。

程鍾彦　浙江嘉善人。進士，給事中，十三年任。

楊二酉　山西太原人。癸丑進士，兵科給事中，十四年任。

程盛修　字南陔，江南泰州人。雍正庚戌進士，户科給事中，十六年任，官至順天府尹。

朱若東　廣西臨桂人。乙丑進士，工科給事中，十七年任。

伊靈阿　滿洲鑲藍旗人。户科給事中，十八年任。

立　柱　滿洲鑲紅旗人。户科給事中，十九年任，二十年再任。

恩　丕　滿洲鑲白旗人。世襲騎都尉，兵

科給事中，十九年任。

方世儁　江南桐城人。己未進士，工科給事中，二十一年任。

海　明　蒙古鑲黃旗人。吏科給事中，二十二年任。

佟　琳　滿洲鑲白旗人。兵科給事中，二十三年任。

耀　海　滿洲正白旗人。吏科給事中，二十四年任。

覺羅明善　滿洲鑲藍旗人。掌雲南道監察御史，二十五年任，二十七年再任。

洋海　滿洲鑲藍旗人。世管佐領，吏科給事中，二十六年任。

德成　滿洲正黃旗人。掌山西道監察御史，二十八年任。

温如玉　直隸撫寧人。乙丑進士給事中，二十九年任。

塘古泰　滿洲正藍旗人。生員，給事中，三十年任。

葛俊起　河南進士，三十一年任。

喀爾崇義　滿洲鑲白旗人。生員，刑科掌印給事中，三十二年任。

范宜賓　漢軍鑲黃旗人。廕生，兵科掌印

給事中，三十三年任。

瑚世泰 滿洲正白旗人。蔭生，户科給事中，三十四年任。

伯興 滿洲鑲白旗人。蔭生，吏科給事中，三十五年任。

高樸 字旭亭，滿洲鑲黄旗人。兵科給事中，三十六年任。

郎圖 滿洲人。京畿道監察御史，三十七年任。

滿岱 滿洲鑲紅旗人。浙江道監察御史，三十八年任。

王猷 字元亭，號凌溪，奉天義州人。壬

申進士，工科給事中，三十九年任。

成德 滿洲正藍旗人。生員，給事中。

邱日榮 字水亭，玉山人。辛巳進士，給事中。二人并四十年任。

覺羅敦岱 滿洲鑲黃旗人。給事中。

西平 滿洲正白旗人。給事中。

邵庚曾 大興人。刑科給事中。

索興阿 滿洲鑲白旗人。刑科給事中。

德爾炳阿 滿洲正白旗人。河南道御史。

毓奇 滿洲鑲黃旗人。內閣學士在任，升漕運總督。

佛喜保 滿洲鑲紅旗人。京畿道御史。

嘉慶

阿那布　滿洲鑲紅旗人。給事中。

和　林　字希齋，號可園，滿洲正黄旗人。五十三年任。

富興額　滿洲鑲白旗人。五十七年任。

閻泰和　字竹軒，號墨園，山西平遥人。乾隆壬辰進士，五十八年任。

宗室斐靈額　滿洲鑲藍旗人。五十九年任。

祝雲棟　字柳村，河南固始人。乾隆辛丑進士，六十年任。

宗室慶　岱　滿洲正藍旗人。元年任。

范三綱　字荆坡，山西平陸人。乾隆戊戌進士，二年任。

鄧再馨　字蘭溪，貴州普安人。乾隆甲辰進士，三年任。

敷文泰　滿洲鑲藍旗人。四年任。

王念孫　詳「運河道」。

五　德　滿洲正紅旗人。六年任。

梁上國　字斯儀，號九山，福建長樂人。乾隆乙未進士，七年任。

博慶額　宗室　滿洲鑲紅旗人。八年任。

達靈阿　滿洲鑲黃旗人。九年任。

多　福　滿洲正紅旗人。十年任。

和靖額　滿洲正黃旗人。十一年任。

和　静　滿洲正黃旗人。十二年任。

文　修　滿洲正紅旗人，十三年任。

趙佩湘　字芸浦，江蘇丹徒人。乾隆癸丑進士，十四年任。

吴邦慶　詳「河督」。

周　鉞　字清之，號鑒堂，河南商城人。嘉慶辛酉進士，十六年任。

韓鼎晋　字峙霍，號樹屏，四川長壽人。乾隆乙卯進士，十七年任。

甘家斌　四川鄰水人。乾隆癸丑進士，十八年任。

李鴻賓　詳「河督」。

卓秉恬　字晴坡，號海帆，四川華陽人。嘉

光道

王耀辰 字拱如，號平章，浙江烏程人。嘉慶戊辰進士，二十三年任。

盧浙 字容庵，江西武寧人。嘉慶己未進士，二十二年任。

王松年 字鶴汀，號晴嵐，陝西渭南人。嘉慶辛酉進士，二十三年任。

塔勒炳阿 滿洲鑲紅旗人。二十四年任。

焦景新 字晴川，號午橋，直隸天津人。嘉慶辛酉進士。

富明 原名富通阿，字松濤，滿洲正藍旗人。元年任。

徐法績 陝西涇陽人。嘉慶丁丑進士，禮科給事中，十三年三月到工。

余本敦　字朗山，江西安福人。嘉慶己未進士，二年任。以後缺裁。

盧毓嵩　江蘇元和人。嘉慶庚辰進士，户部主事，十三年三月到工。

德　鈞　兵部主事，十三年三月到工，運河同知。

徐　經　翰林院編修，十五年四月到工，補東昌府，升濟東道，并署運河道。

陶福恒　道光癸未進士，山東道監察御史，十五年四月到工，補懷慶知府。

周　鎬　字岐生，號卿珊。道光乙酉舉人，户部主事，十七年三月到工。

黃慶安　工部主事，十七年三月到工，運河同知。

徐啓山　安徽六安人。道光己丑進士，工部主事，十九年三月到工，補泇河同知。

汪喜孫 嘉慶丁卯舉人，户部員外郎，十九年三月到工，東河候補知府。

嚴文瀚 道光乙未進士，吏部主事，二十一年三月到工。

孫家良 道光丙申進士，内閣中書，二十一年三月到工。

濟寧直隸州志卷六之四

職官志 四

國朝州縣職官表

知州

順治

高元美 河南祥符人。生員，元年任。

朱光 直隸保安人。舉人，元年復任。

劉鏺 字本庵，湖廣澧州人。貢生，二年任。

遲日震 字蕃吾，遼東廣

州同

佟遵道 遼東人。

李習英 湖廣巴陵人。五年任。

范有明 遼東瀋陽人。

潘得榮 字仁則，遼東瀋陽人。有傳。

學正

陳培猷 東昌府堂邑人。貢生。

馬一星 五年任。

邢士誠 濟南府禹城人。

劉啓瀛 沂州府莒州人。

訓導 復設

侯三接 順天通州人。五年任。

尹志仁 濟南府新泰人。

趙之屏 濟南府長清人。

狄懷明 濟南府萊蕪人。

吏目

李應龍 福建福清人。五年任。

于之杰 順天大興人。

閻明忠 山西靈石人。

寧人。貢生，四年任，有傳。

王來福

遼東人。貢生，八年任。

金朝聘

蓋州人。貢生，十年任。

韓威宣

字肅卿，山西蒲州人。順治丙戌舉人，十二年任。

陳翼鵾

字斗山，遼陽人。生員，十四年任，有傳。

李順昌

字燮五，直隸新

王景陽

山西趙城人。

張君珍

青州府臨朐人。

榮登升

靖海衛人。

王嶢生

濟南府長山人。

成盛世

濟南府青城人。

姜　炎

登州府招遠人。

安人。順治三年舉人，十八年任，有傳。

康熙

陳　灯　字虎侯，江南丹徒人。順治乙未進士，七年四月任。

廖有恒　字紫坡，四川射洪人。順治甲午舉人，九年五月任，有傳。○以上俱載《舊志》。

楊滋夔　漢軍正黃旗。蔭生，十四年任。

趙鍾華　漢軍鑲黃旗人。蔭生，十七年任。

吕萬成　字敬庵，浙江餘姚人。恩拔貢生。

任三益　十七年任。

田多稼　直隸河間人。二十二年任。

張仲達　二十五年任。

葛九調　字鼎臣，直隸延慶人。三十年任。

冀化龍　青州府益都人。順治丙戌舉人，三年任。

趙自立　字耐庵，武定府霑化人。

林日章

孟　鏐　十七年任。

蘇學軾　二十七年任。

郭元樞

鹿　烺　十九年任。

郭元樞　二十二年任。

王廷驥　濟南府長山人。三十六年任。

左起都　登州府萊陽人。四十六年任。

李慶春　濟南府長山人。四十八年任。

沈鵾化　字子鵬，浙江仁和人。監生。

王之輔　十七年任。

章射斗　二十八年任。

劉汝本　浙江山陰人。三十五年任。

吴　枚　五十二年任。

孫廷楨　五十六年任。

陳良弼　撫順人。監生，二十五年任。

王孳覲　順天三河人。蔭生，二十七年任。

徐士訥　字恂若，浙江淳安人。康熙丙辰進士，二十五年任，有傳。

姚永煦　字載照，直隸宣化人。康熙丙午舉人，有傳。

吴　檉　字青圻，浙江錢塘人。議叙，有傳。

程　銓　順天宛平人。四十四年任。

徐百慶　會稽人。監生，四十九年任。

陳文燦　紹興人。五十九年任。

錢汝俊　江南太倉人。

李　瑗　安寧人。

三十年任。

王廷驥　三十九年任。

何伯順　四十六年任。

陳建宜　濟南府長山人。

蔣文起　濟南府歷城人。

馮正緒　青州府諸城人。五十七年任。

鄭　澎　武定樂陵人。六十一年任。

盧廷玉　浙江仁和人。監生，五十六年任。

趙之鶴 字松年，漢軍正白旗人。筆帖式，四十六年任，有傳。

雍正
馮慶長 山西代州人。歲貢，三年任。

高令樹 順天文安人。雍正癸卯舉人，五年任。

鍾　華 江西萬年人。

吳際文

許載清 順天宛平人。

吕兆麟 江南長洲人。

姚永嘉

王天倪

王特選 兖州府滕縣人，康熙乙酉舉人，三年任。

孔興振 曲阜人。五年任。

宋世俊 字東峰，膠州人。舉人，七年任。

孔衍栻 兖州府曲阜人。三年任。

牛　枚 濟南府章邱人。七年任。

董丕基 濟南府齊河人。十三年任。

張揆文 元年任。

周　衢 六年任。

黄　濬 六年任。

魯國泰 七年任。

葉　斐 七年任。

章湯鑣 七年任。

乾隆

張　綸　甘肅武威人。廪優，元年任。

高　沅　字蘭汀，漢軍正黄旗人。三年任，升同知。

周道濬　浙江山陰人。監生，七年任。

馬兆英　浙江山陰人。八年任。

河南人。升雲南知州。

席　芬　江南蘇州人。

王　璋　四川成都人。

陶　淳　順天大興人。十九年任。

張金城　直隸天津人。

顧士安　順天大興籍，浙江仁和人。

于　崇　五年任。

王雲圻　濟南府齊東人。十一年任。

趙　湦　武定府蒲臺人。十八年任。

李雲溶　東昌府聊城人。二十二年任。

趙士薦

李雲岐　萊州府濰縣人，九年任。

党　倣　濟南府歷城人。十一年任。

李　倣　登州府黄縣人。十四年任。

萬鶴鳴　武定府蒲臺人。十九年任。

劉　琦　八年任。

周鳴岐　九年任。

陳　焕　三年任。

凌　晋　九年任。

陳　漪　十七年任。

和振業　十七年任。

黄道立　二十三年任。

馬希尚 四川德陽人。拔貢，八年任。

王爾鑒 字在玆，河南盧氏人。雍正辛丑進士，九年任，有傳。

呂兆麟 江南長洲人。監生，十一年署任，十八年再任。

朱履臺 浙江長興人。貢生，十二年任。

周　溥 漢軍正白旗人。監生，十二年任。

李含芳 直隸保定人。乾隆己卯解元，二十九年由蒲臺縣丞署任。

徐　湘 浙江蘭溪人。監生，三十年二月由試用縣丞署任。

徐道嘉 雲南楚雄人。

簡貴朝 貴州大定人。乾隆己卯解元，三十三年任。

劉熊載 江蘇靖江人。乾隆戊子副貢，三

登州府海陽人。二十三年任。

黄任世 萊州府即墨人。三十年任。

蕭麟趾 東昌府堂邑人。雍正癸丑進士，三十八年任。

王興先 登州府黄縣人。四十一年舉人，任。以上并見《前志》。

丁夢陽 沂州府日照人。乾隆己卯舉人，五十四年九月升。

王毓楷 臨清州武城人。二十年任。

梁　璣 濟南府長山人。二十三年任。

傅　試 萊州府高密人。二十三年任。

張鶴年 臨清人。三十一年任。

馮　坊 東昌府冠縣人。三十四年任。

張成度 萊州府掖縣人。廩生，四十年任。

柴續祖 二十九年任。

黄國柱 河南登封人。二十九年任。

陳起雲 甘肅皋蘭人。監生，三十九年九月任。

夏本修 江西德化人。監生，五十年任。附以上并見《前志》。

大　章　滿洲鑲黄旗人。乾隆丙辰舉人，十三年署任。

席　芬　江南吴縣人。生員，十三年任，十四年再任。

七十四　滿洲鑲黄旗人。乾隆丙辰進士，十三年署任。

王汝礪　十七年由同知署任。詳「運河同知」。

王今遠　直隸曲周人。乾隆丙辰進士，十八年任。

十七年三月任。

吴三登　廣東龍川人。舉人，三十八年任。

范學孜　山西長子人。乾隆乙酉舉人，四十二年八月任。

高其濬　四十二年署任。

藍嘉璐　浙江定海人。附監生，四十四年八月署任。

陳宏濟　江蘇江陰人。監生，四十五年六月由候補鹽經

田　鈞　曹州府鉅野人。乾隆丙午舉人，五十九年五月由訓導兼署。

王繼洵　兖州府泗水人。歲貢，五十九年任。

趙衍訓　萊洲府膠州人。乾隆庚辰舉人，五十九年十月任。

以上并見《前志》。

李復本　兖州府汶上人。歲貢生，五十六年正月署任。

于應祥　萊州府濰縣人。歲貢，五十六年十月任。

田　鈞　曹州府鉅野人。乾隆丙午舉人，五十七年十月署任，五十八年再任，六十年三任。

趙其璜　東昌府冠縣人。乾隆乙酉拔貢，

蔡應彪 浙江仁和人。乾隆丁巳進士，二十年署任。

劉化成 河南新鄭人。乾隆壬戌進士，二十年由寧遠知縣署任。

金式瑋 漢軍正白旗人。監生，二十年署任。

彭　理 漢軍正藍旗人。二十年署任。

沈廷枚 甘肅寧朔人。拔貢，二十一年任。

歷署任。

戴世篆 安徽婺源人。乾隆戊子舉人，四十八年八月任。以上并見《前志》。

戴廷枚 順天東安人。吏員，五十年十一月由按照磨署任。

劉錡麟 順天通州人。監生，五十六年三月由布經歷署任。

杜宗曜 安徽貴池人。監生，五十七年四

五十八年正月署任。

李華咨 曹州府單縣人。廩生，六十年正月署任。

徐　績　漢軍正藍旗人。乾隆丁卯舉人，二十三年任，官至山東巡撫。

史　錦　字存素，浙江餘姚人。雍正丙午舉人，二十七年任，有傳。

陶　淳　順天大興人。監生，二十九年由州同署任。

龔孫枝　字梧生，江蘇江寧人。乾隆甲戌進士，二十九年署任。詳「運河同知」。

月署任。

王定恒　順天昌平人。五十七年六月由府經歷署任。

劉　均　順天宛平人，原籍江蘇。五十九年三月由府經署任。

陳　桐　江蘇靖江人。乾隆庚子副貢，五十九年十一月由州判署任。

宋宗夏 江蘇長洲人。監生，三十年任。

馬家良 安徽懷寧人。三十一年署任。

彭紹謙 字蔚林，江蘇元和人。乾隆丁卯舉人，三十二年署任。

張爲穫 字升同，景州人。貢生，三十二年任，升登州府。

胡德琳 字書巢，號碧腴，廣西臨桂人。乾隆壬申進士，三十四年任，升東昌府知府，有傳。

樊濬生　字西渠，陝西城固人。乾隆己卯舉人，三十五年任，升湖州知府。

直隸州知州　四十一年改直隸州。

藍應桂　字芷林，號薌墀，浙江定海人。乾隆戊午舉人，三十八年任，有傳。四十一年再任，坐升。

曹　銘　直隸人。乾隆

庚辰舉人，四十三年署任。

王道亨

字應亭，江蘇吴縣人。乾隆庚午副貢，四十三年閏六月由莒州升任，五十三年九月再任，五十五年九月三任，六十年六月四任，有傳。

張玉樹

字蔭堂，陝西武功人。乾隆辛巳進士，五十年二月由膠州升任，五十四年十二月再任。

劉永銓

字仲衡，漢軍鑲紅旗人。監生，

五十年四月由莒州升任，五十二年正月再任，升湖北漢陽知府。以上俱載《前志》。

蔣基培

江蘇常熟人。附貢生，五十一年四月由東平州署任。

士　魁

滿洲鑲紅旗人。監生，五十三年四月由青州同知任。

方應時

湖南巴陵人。監生，五十五年七月由濱州署任。

王　毅

安徽阜陽人。貢生，五十五年十一月由魚臺縣代理。

歸朝煦

江蘇常熟人。監生，五十六年任。

李維謙

直隸遵化人。監生，五十六年四月由江西寧州升任。

王　穀

安徽黟縣人。增生，五十七年九月由德州署任。

徐國才

安徽懷寧人。監生，五十九年六月由膠州升任。

王　彬　山西汾陽人。監生，五十九年十二月由濮州升任，六十年十一月再任。

嘉慶

金　湘　浙江錢塘人。吏員，五年正月由陽穀縣署任，八年正月再任，九年九月三任，有傳。

王　彬　六年二月三任。

李如珩　雲南鶴慶州人。乾隆壬午舉人，七年二月由濮州署任，九年七

馮　策　順天宛平籍，浙江錢塘人。元年十二月以從九品署任。

葉觀潮　二年三月任。詳「河督」。

翟翔儀　貴州畢節人。乾隆己亥舉人，二年九月署任。

孟昌期　福建蒲城人。乾

于　漟　萊州府濰縣人。廪貢，四年十月署任。

聶敬修　濟南長清人。恩貢，七年十二月署任。

宋兆京　泰安府泰安人。廪生，十七年由訓導兼理。

梅之芳　濟南府長山人。

趙德鳴　萊州府膠州人。乾隆己酉拔貢，元年正月署任。

辛志敏　兗州府汶上人。乾隆丙午舉人，二年十二月署任。

洪文林　臨清州人。歲貢，三年正月任。

李文若　武定府商河人。

胡成祥　河南光州人。廪貢生，二年十月署任。

黄成業　浙江人。監生，五年三月任。

章天磻　安徽銅陵人。貢生，五年八月署任。

余　煌　浙江鎮海人。五年十二月署任。

月再任。

黃　炳　漢軍鑲紅旗人。監生，十一年九月由曹縣署任。

張秉銳　江蘇丹徒人。乾隆己酉進士，十二年二月由滕縣署任。

高占魁　直隸遷安人。乾隆丙午舉人，十三年二月由冠縣署任，十三年五月再任。

毓　岱　字東巖，漢軍鑲黃旗人。官學生，十三年三月

隆戊子舉人，二年十二月任。

宣國煒　安徽含山人。十四年七月署任。

劉清祥　陝西咸陽人。嘉慶庚申舉人，十四年九月任。

任有源　河南息縣人。監生，十六年十一月以試用縣丞署任。

羅澤适　四川宜濱人。乾隆己亥舉人，十六年十二月任。

王治洽

廩貢，十七年十二月署任。

李　容　兗州府滋陽人。嘉慶戊午舉人，十八年七月任。

劉醴潤　兗州府汶上人。乾隆丁卯拔貢，二十三年二月署任。

蔣　瀾　武定府陽信人。嘉慶戊午舉人，二十三年七月任。

嘉慶戊午舉人。

杜　菡　武定府濱州人。歲貢，十五年七月任。

李作哲　十六年閏三月由學正兼署。

徐從旭　登州府文登人。嘉慶庚申舉人，十六年閏三月署任。

宋兆京　泰安府泰安人。廩貢，十六年十月任，十八年十月再任。

王履五

李　翽　雲南晉寧人。監生，六年十月代理。

任　灝　順天宛平人。吏員，十年七月署任。

包昌鼎　直隸清宛人。監生，十三年七月署任。

周善祥　直隸清苑人。監生，十二年四月署任。

吳久灼　湖北江陵人。廩生，十二年九月代理。

由青州同知署任，官至江西巡撫。

張兆棨 順天宛平人。乾隆戊申舉人，十三年閏五月由滕縣代理。

徐　霖 浙江錢塘人。乾隆丁酉舉人，十三年六月由濮州署任。

王　嵩 順天大興人。監生。

王旭昇 字麗峰，順天寶坻人。附貢生，十四年三月由

江西南城人。貢生，十八年七月以試用縣丞署任。

王文焕 順天固安人。監生，十九年八月以從九品署任。

曹應旭 浙江嘉善人。監生，十九年九月以試用縣丞署任。

張家梓 字北山，湖南湘潭人。乾隆庚子舉人，二十年二月任。

王廷瑞 貴州都匀人。乾

武定府商河人。嘉慶癸酉拔貢，二十三年四月署任。

楊敦震 邱縣人。歲貢，二十三年十月任。

方榮曾 安徽桐城人。監生，十二年十月任。

段森淵 山西洪洞人。監生，十三年正月署任。

李　濟 直隸永年人。監生，十三年七月署任。

楊壽楨 順天大興人。監生，十四年三月代理。

方　錡 順天大興人。監生，十四年四月署任。

歷城縣署任，有傳，十五年三月再任。

宋懋祁
字華仙，江蘇長洲人。監生，十五年二月由候補州署任。

覺羅名禄
滿洲正藍旗人。官學生，十九年九月由候補通判署任。

丁維鏞
順天宛平人。監生，二十年二月由禹城縣署任，二十年八月再任。

童浚德

隆庚子舉人，二十年十一月任。

朱　錦
江西新城人。監生，二十三年七月以府經歷代理。

丁宗洛
字瑶泉，廣東海康人。嘉慶戊辰舉人，二十四年九月任，後卒于官，有傳。

王肇聲
福建南平人。貢生，二十四年八月以布經歷署任。

陳廷瑛
順天宛平人。監生，十四年八月任。

高本莊

嚴　楷
浙江仁和人。監生，十五年一月署任。

谷繼勛
江蘇吴縣人。監生，十五年九月任。

王　澧
浙江山陰人。監生，十七年六月署任。

殷　坦
江蘇江陰人。監

福建同安人。乾隆戊申舉人，二十年七月由候補知縣代理。

葉肇柟
字楚香，順天大興人，原籍浙江。監生，二十年九月由荷澤縣署任。

戴嘉穀
字昆禾，江西大庾人。廕生，二十一年閏六月由候補知府署任。

王殊渥
字古愚，順天寶坻人。乾隆甲寅舉人，二十二年八月由東昌同知調任。

生，十八年六月由試用縣丞署任。

紀瑚
直隸晉州人。廩貢生，十八年九月任。

徐鈖
字石生，江蘇清河人。附監生，二十年閏六月由歷城縣主簿署任，歷升惠民知縣。

呂紹賢
字洄如，順天宛平人。監生，二十五年九月由菏澤縣升任。

楊嗣曾
字魯生，河南商城人。嘉慶乙丑進士，二十五年十二月任，道光十年再任。

道光
趙毓駒
字盥溪，貴州桐梓人。乾隆壬子舉人，元年十月由滕縣升任，有傳。

謝　煦
字龍門，浙江會稽人。貢生，三年三月由州同

陳效曾
江蘇溧水人。監生，元年七月以試用縣丞署任。

丁宗洛
元年八月再任，十一年六月三任，十四年十月四任，十七年七月五任。

李　鑾
濟南府德州人。廩貢，元年三月署。

張象津
字漢波，新城人。乾隆庚子舉人，元年十月任，有傳。

趙延溥
登州府寧海州人。嘉慶辛酉拔貢，十二年正月署任。

王錫朋
萊州府高密人。歲貢，十五年七月任。

彭宗傑
直隸清苑人。二年六月任。

龔　詔
福建閩縣人。監生，二年八月任。

紀樹蔭
直隸獻縣人。監生，六年五月任。

知代理。

王朝幹 字翰屏，奉天承德人。嘉慶戊午舉人，三年三月由單縣署任，四年十一月由德州升任，六年六月再任，歷升濟南知府，有傳。

胡道垠 字蒼崖，湖北孝感人。監生，三年九月由高唐升任。

楊士雲 貴州貴筑人。嘉慶己巳進士，四年十月由嘉祥縣兼理。

周宗華

陳毓秀 廣東海康人。附貢生，十一年五月以試用吏目代理。

鄭永翰 江蘇銅山人。監生，十四年七月署任。

顧功亮 原名秉埱，四川閬中人。監生，十七年六月以從九品代理。

莫維翰 二十一年十一月由吏目兼護。

劉繼瑞 陝西朝邑人。監生，二十一年十

楊昭華 兖州府泗水人。廪貢，三年十月署任。

辛志敏 兖州府汶上人。乾隆丙子舉人，四年三月任。

劉　漪 茌平人。嘉慶癸酉拔貢，十五年正月署任。

吳金臺 武定府濱州人。廪貢，十五年二月署任。

劉欽正 安邱人。乾隆乙卯舉人，十五年六月任。

時式金 曹州府單縣人。廪貢，十五年十月署任。

車椿年 字西村，海陽人。道光辛巳舉人，十七年四月任。

顧　芳 順天大興人。監生，七年五月署任。

楊廷贊 順天大興人。監生，議叙，七年八月任。

趙　霈 順天宛平人。監生，七年十一月代理。

文景賢 順天大興人。監生，七年十二月署任。

錢　楨 直隸清苑人。監生，七年八月任。

字蓮西，四川涪州人。乾隆壬子舉人，六年四月由平陰縣署任，升曹州府桃源同知，十二年正月再任。

邵元章　字粟園，順天宛平人，原籍江蘇。六年七月由濱州署任，升東昌府同知，署濟南府知府。

王　鎮　字中峰，順天大興人。乾隆壬子舉人，十年六月由膠州升任，十二年三月再任，歷升濟南知府、登萊青道。

二月由藩庫大使署任。

王　佑　字伯生，號申之，直隸大名人。道光戊子舉人，二十二年四月任。

孟飛熊　臨清州人。廩貢，十五年九月署任。

王鈞韶　青州府諸城人。道光壬午舉人，十五年十一月署任。

修嵩南　字峻峰，海陽人。嘉慶乙卯舉人，十六年三月任。

王仲淇　江蘇吴縣人。十年九月任。

鄒福蔭　江蘇附監生，十一年十一月任。

馮朝梓　浙江桐鄉人。監生，十三年五月代理。

鈕大純　浙江山陰人。十三年十一月代理。

李　鈞　順天大興人。監生，十七年十一月代理。

劉　芳

王元濤
字松亭，奉天寧遠州人。嘉慶癸酉優貢，十三年八月由歷城縣升任，歷任登州知府。

吴　梯
字秋航，廣東順德人。嘉慶辛酉舉人，十四年二月由膠州升任，十五年九月再任。

董承恩
字凝齋，安徽合肥人。廕生，十五年閏六月由泰安通判署任。

李岳立
原名應桃，字灼

順天大興人。監生，十八年正月任。

莫維翰
字楚青，順天宛平人，原籍浙江。監生，十八年閏四月任。

園，河南永城人。嘉慶庚午舉人，十五年八月由候補知縣代理。

覺羅克興額

字伯詩，滿洲鑲白旗人。嘉慶癸酉繙譯進士，十七年三月由莒州署理。

徐宗幹

字伯楨，號樹人，江蘇通州人。嘉慶庚辰進士，十八年七月由高唐州升任兖州府知府，升四川保寧府、福建汀漳龍道。

茅濟之

二十一年十二月由兖州府通

判署任。

汪承鏞

號曉堂，江蘇如皋附貢生，二十二年四月由候補同知署任。

清安泰

字秋浦，原名張廷機，漢軍。癸酉拔貢，二十二年八月由陝西長安縣升任。

知縣

金鄉縣知縣

順治　何良祚　浙江山陰人。貢生，元年任。

陳宏業　盛京遼陽人。生員，二年任，升保安知縣。

祖建衡　寧遠人。舉人，國學生，三年任，升徽州知府。

李鵬程　直隸威縣人。拔貢，五年任。

縣佐

縣丞

朱汝梁　浙江會稽人。吏員。

周大綱　江南蘇州人。恩貢，有傳。

李先白　陝西略陽人。恩貢，升北城兵馬司。

鄧　嘉　福建漳平人。生員。

教職

教諭

許　諾　高唐人。歲貢，五年任。

陳以恪　昌邑人。舉人，九年任。

朱時煦　德平人。歲貢，十三年任。

徐龍光　范縣人。歲貢，十六年任，升江南青浦知縣。

訓導

王國華　陵縣人。歲貢，二年任。

劉士欽　兗州府日照人。恩貢，三年任。

張端錫　東昌府臨清人。歲貢，六年任。

魯學鏡　膠州人。歲貢，九年任。

趙良臣

雜職

典史

馬□　失其名，遼左人。元年任，有傳。

梁禹正　浙江會稽人。吏員，二年任。

丁　寅　浙江義烏人。吏員，六年任。

魯生明　湖廣黃岡人。吏員，十二年任。

劉　鼎

邢祥 陝西涇陽人，舉人，十年任。

毋鶴慶 直隸天津人，歲貢，十五年任。

康熙

王士俊 山西絳州人，拔貢，元年任。

王邦吉 福建漳浦人，舉人，三年任。

傅廷俊 直隸滄州人，進士，行取科道，六年任。

牟嘉元

楊文煜 直隸晋州人，拔貢。

董聿乂 新城人，貢生。

李通 甘肅合水人，拔貢。

范台鉉 四川威遠人。

王克生 掖縣人，舉人，四年任，升陝西保安知縣。

石尊生 長山舉人，十年任。

韓之甲 淄川人，舉人，十四年任。

濟南府濱州人，歲貢，十五年任。

馬戴國 冠縣人，歲貢，十七年任。

徐鶴 登州府穴嵩衛人，歲貢，十六年任。

李大節 莘縣人，歲貢，二十二年任。

賀秉良 濟南府蒲臺人，歲貢，二十八年任。

陝西商南人，吏員，十年任。

竇士郁 陝西富平人，吏員，元年任。

夏範 浙江山陽人，吏員，七年任。

潘宏迪 浙江山陰人，吏員，十四年任。

賈陳策

漢軍鑲白旗人。官生，十四年任。

張泰來　江西新建人。進士，十七年任，行取吏部。

梁浩之　陝西三原人。舉人，二十五年任，行取。

胡岳齡　江南涇縣人。拔貢，三十六年任，有傳。

沈　淵　浙江山陰人。貢生，四十四年任，升南陽府知府，有傳。

歲貢。

戴純心　直隸青縣人。恩貢。

趙含章　浙江錢塘人。軍功。

吴道一　浙江錢塘人，順天籍。以後缺裁。

馬如錦　東昌平山衛舉人，十八年任。

張　炅　高苑人。舉人，二十七年任。

張繼騫　德州人。舉人，三十八年任。

宋洪宸　武定府人。舉人，四十一年任，考選中書，升靈山衛教諭、國子監助教。

王建中

隋　鎮　壽光人。歲貢，三十九年任。

高經世　歷城人。歲貢，四十九年任。

黄　曾　歷城人。歲貢，五十五年任。

陝西華州人。吏員，二十七年任。

李生奇　直隸南皮人。吏員，三十四年任。

馬廷植　浙江山陰人。吏員，五十三年任。

陳廷詔　浙江紹興人。吏員。

王之錡 字孔嘉，號玉池，湖廣湘陰人。丙子舉人，五十一年任，有傳。

郭允彝 漢軍鑲白旗人。監生，六十一年任，歷升濟南府。

雍正

錢紹祖 順天大興人。舉人，五年任。

劉奇齡 浙江會稽人。解元，六年任。

高 恕 漢軍鑲黄旗人。監生，八

臨淄人。舉人，五十九年任。

張虞言 青州府人。舉人，元年任，升靈山衛教授。

張藻德 惠民人。舉人，十二年任。

任 珩 平原人。歲貢，四年任。

王可大 東昌府濮州人。歲貢，七年任。

王佩珩 蘭山人。歲

孫宗禮 順天順義人。吏員，三年任。

申三樂 河南武安人。吏員，五年任。

史 魯 河南河内人。監生，十二年

年任，調昌邑。

乾隆

田志隆　順天大興人。進士，九年任，調臨朐，有傳。

陳　錕　浙江石門人，舉人，十年任，調商河，有傳。

饒夢燕　湖南武步人。拔貢，十四年任，調魚臺。

麥子淳　廣東香山人。舉人，十九年任，升東昌府同知。

遲逢元　萊陽人。進士，三年任，升翰林院典簿，有傳。

吳紹禮　海豐人。舉人，十年任。

孫源徵　寧海人。舉人，十五年任。

梁　璣　長山人。優生，二十二年任。

張學朱

貢，十二年任。

于　瑗　昌邑人。歲貢，元年任。

劉折桂　東昌府武城人。歲貢，十年任。

劉源澄　東昌臨清人。歲貢，十六年任。

張嗣隆　齊河人。歲貢，二十一年任。

趙長銘　昌邑人。歲

任。

胡兆漣　順天大興人。吏員，七年任。

李泉如　山陰人。二十三年任。

李　棟　順天宛平人。監生，三十一年任。

顧人鳳　浙江嘉善人。附監，三十三年由縣丞任。

姜　棟　湖南麻陽人。監生，由四十

王天秀 字旭升，山西定襄人。貢生，三十一年任。

周士拔 字尤廷，直隸豐潤人。進士，四十四年任。

馬于荃 直隸開州人。舉人，四十七年任。以上并見《金鄉縣志》及《前志》。

劉翰周 直隸豐潤人。舉人，五十一年任，五十七年再任，五十八年由嘉祥

高唐人。舉人，二十三年任。

孟允彬 朝城人。舉人，三十一年任。

李椒禮 文登人。舉人，三十三年任。

路悅禮 汶上人。乾隆癸酉拔貢，四十五年任。

李　菼 淄川人。舉人，四十九年任。以上并見《金鄉縣志》及《前志》。

貢，二十七年任。

董　檀 壽光人。廩生，四十三年任。

韓賡宸 濰縣人。舉人，四十七年任。以上并見《金鄉志》及《前志》。

四年任。

濮毓鉉 順天宛平人。監生，四十七年任。以上并見《金鄉縣志》及《前志》。

戴廷枚 順天東安人。吏員，乾隆五十一年任。

茹紹基 清苑縣人。吏員，五十一年任。

葉承基 宛平縣廩生，五十六年任。

兼署三任。

章　典
浙江仁和人。舉人，五十一年任。

科晋通武
正白旗人。議叙，五十五年任。

卞謨正
江蘇武進人。舉人，五十六年任。

姜　旭
浙江錢塘人。監生，五十六年任。

王錫培
直隸深澤人。

黄維壂
利津人。乾隆乙酉舉人，五十六年任。

賈　岐
商邱人。監生，五十六年任。

魯　鏞
會稽人。吏員，五十六年任。

拔貢，五十七年任。

禄　明　正黃旗人。筆帖式，五十七年任。

孫映輝　廣東南海縣人。舉人，五十九年任。

嘉慶

張　煦　直隸安肅人。舉人，嘉慶元年任。

汪廷楷　江蘇丹徒人。丁酉舉人，二年任。

蔡　雲

高維岳　高密人。舉人，八年任。

黃裔香　歷城人。廩貢，九年任。

蘇如桐　濱州人。捐貢，十年任。

劉東注　山西洪洞人。歲貢。元年任。

楊　价　蘭山人。舉人，二年任。

許德一　陵縣人。廩

陳玉楷　元年由荷澤巡檢兼署。

吴元灼

趙　霈　十七年三月任。

梁玉振

廣東順德人。舉人，六年任。

雷鵬 順天宛平人。舉人，七年任。

潭文謨 江西南豐人。舉人，七年任。

蔣培 江蘇常熟人。監生，十二年任，有傳。

葉機 浙江定海人。廩貢，十二年九月任。

喻文鑾 湖北黃梅人。舉人，十三年

李承祖 章邱人。恩貢，十一年任。

郝夢齡 壽光人。舉人，十一年任。

鹿顯基 福山人。舉人，十七年任。

王元培 章邱人。舉人，十八年任。

馬遇時 臨邑人。廩生，二十一年任。

生，八年任。

王元策 淄川人。廩生，十五年任。

梁煇生 海豐人。舉人，十五年任。

張錦 濟陽人。拔貢，四十四年任。

楊培甲 寧海州人。舉人，二十四年任。

馬遇時 臨邑人。廩

十八年三月署任。

秦廷慶 江蘇金匱人。監生，二十三年任。

紀樹蔭 直隸獻縣人。監生，二十三年任。

張步雲 順天大興人，原籍江蘇。二十三年任。

任。

李孟皋 湖北孝感人。舉人，十三年任。

吴端明 順天寶坻人。舉人，十三年任。

劉　彬 湖南善化人。舉人，十五年任。

黄　玠 四川三台人。舉人，十五年任。

周雲鳳 江蘇沭陽人。

王之翰 滋陽人。舉人，二十二年任。

張　錦 濟陽人。拔貢，二十三年任。

生，二十五年任。

監生，十八年署任。

袁潔　江蘇桃源人。拔貢，十八年任。

張京　字南岡，順天大興人。舉人，十九年任。

周瓛　字補堂，浙江山陰人。議叙，二十年任。

任漢亭　字倬樓，山西陽曲人。舉人，二十一年任。

邵自麟

順天密雲人。進士，二十一年任。

道光

傅士奎　字瘦石，浙江會稽人。舉人，道光元年任。

梁永康　字壽庵，山西靈石人。舉人，元年任。

王宗燾　廣西臨桂人。進士，三年任。

周文炳　湖北天門人。舉人，七年任。

朱　煒　順天大興人。

王慶頤　即墨人。廩生，道光二年任。

高紹南　沂水人。舉人，二年任。

馬大士　清平舉人，八年任。

于謙謨　福山人。舉人，八年任。

劉　漪　茌平人。拔貢，十四年任。

李林素　栖霞人。廩貢，元年任。

張柏恒　安邱人。舉人，二年任。

王以均　章邱人。舉人，七年任。

王　炳　濟陽人。舉人，八年任。

陳萬猷　章邱人。舉人，二十一年任。

曹　昌　宛平縣人。光禄寺則例館供事，元年任。

施鳴皆　會稽人。監生，七年任。

崔　州　江西南城人。監生，十二年任。

張嘉謨　甘肅中衛人。十三年任。

文景賢　大興人。監生，

監生，七年任。

劉慶凱 字顓夫，直隸鹽山人。道光丙戌進士，七年十二月任，升濮州知州、兖州府同知。

劉承本 字茗園，江蘇無錫人。道光癸未進士，八年四月任。

侯紹堂 字竹泉，河南杞縣人。監生，十一年二月署任。

孔廣義 字菱舫，安徽

任。

王　晅 高密人。進士，十五年任。

吴式訓 海豐人。舉人，十九年任。

韓殿甲 蒲台人。舉人，十九年任。

十四年任。

徐嘉樹 浙江會稽人。監生，十四年任。

孫春榜 大興人。十四年任。

李　均 大興人。監生，十八年任。

傅兆基 仁和人。監生，十八年任。

傅　鎮 宛平人。監生，十九年任。

舒城人。道光己丑進士，十一年六月任。

蕭　椝

字從甫，江蘇南城人。嘉慶庚申舉人，十二年十月署任。

崔　駿

字夢雲，江蘇甘泉人。監生，十三年三月署任。

姜宮綬

字玉溪，浙江歸安人。道光壬午舉人，十四年五月任，調泰安縣。

李　鑠

漢軍鑲紅旗人。道光丙申進士，十八年七月署任。

邵習之　字仲李，浙江餘姚人。嘉慶甲子舉人，十九年九月任。

嘉祥縣知縣

張國賢　順治　字良佐，順天宛平人。舉人，元年任，升臨洮同知。

張于廷　北直東强人。恩貢，二年任。

錢裔禧

教諭　復設

韓養中　字完初，濟南府蒲台人。四年任。

侯允武　兖州府單縣人。五年任。

霍希賢　字脱穎，濟南

訓導

宗自亨　靈山衛人。四年任，升蒙陰教諭。

吕祚蕃　字純還，威海衛人。八年任。

典史

徐士騰　浙江烏程人。元年任。

鈕一成　紹興人。六年任。

陳　進　紹興人。十年任。

字嗣希，南直常熟人。進士，四年任。

張太昇　字霽旭，遼東人。貢士，五年任，有傳。

倪思齊　貢生，十一年任。

李元雅　京山人。貢生，十三年任。

吳　暹　號鸞田，四川保寧人。進士，十三年任，行取。

張　柟

府蒲臺人。八年任。

陳國瑞　紹興人。十五年任。

號讓木。山西蒲州舉人,十五年任,升廣安知州。

方學舜 江南人。貢生,十七年任。

康熙

陳懋芳 號瞻石,福建惠安人。進士,二年任。

徐之駿 字亦神,號筠皋,浙江永康人。舉人,十年任。

吳雲卿 字虞雯,河南固始人。進士,十四年任內

馬振宗 三年任。

吳瓚 濟南府霑化人。歲貢,四十年任。

韓夢魁 昌邑人。貢生,五十八年任。

佐球 三十三年任。

郭一玘 濰縣人。四十六年任。

李模濱 濟南府霑化人。四十八年任。

王董

馮奇 字淑遇,陝西華州人。元年任。

方一鶚

戴家佐 順天宛平人。五十五年任。

升禮部主事。

方樺雲 字蓮峰，廣東東莞人。舉人，二十二年任。

羅興泰 江西新建人。舉人，二十二年任。

齊宗德 字慎公，遼東籍，直隸高陽人。監生，二十六年任。

曹景濂 字溪瞻，遼東瀋陽人。監生，三十一年任，有傳。

高密人。歲貢，五十年任。

王熹　字亮臣，遼東籍，三韓人。監生，四十四年任。

宋躬壁　字玉齋，四川南郡人。舉人，四十九年任。

雍正

李繼唐　漢軍鑲紅旗人。監生，三年任。

劉翰書　山西垣曲人。進士，四年任，有傳。

蔣嘉年　漢軍鑲藍旗人。監生，五

林之幹　濟南府利津人。貢生，三年任。

張虞言　益都人。舉人，六年任。

何崇謙　館陶人。恩貢，七年任。

任賓　掖縣人。廪生，三年任。

曲逢吉　德州人。廪生，六年任。

韓思聖　東昌府邱縣人。廪生，十一年任。

范從智　順天順義縣人。三年任。

錢成倫　宛平人。四年任。

朱天秩　順天永清人。七年任。

年任。

許　鎮　浙江山陰人。監生，六年任。

李見龍　貴州開泰人。舉人，七年任。

乾隆

李　松　陝西興安人。拔貢，元年任。

王麟度　河南許州人。副貢，四年任，有傳。

郝大倫　直隸任邱人。監生，十二年任，有傳。

高鶴程　膠州人。拔貢，元年任。

胡龍卜　德州人。拔貢，十年任。

宋廷獻　平陰人。拔貢，十七年任。

鄭允茂　諸城人。十一年任。

杜　浩　歷城人。廪生，十三年任。

潘　葆　齊東人。廪生，七年任。

成夔年　新城人。廪生，十年任。

于方穎　平度人。貢生，十七年任。

張擅績　陝西平羅人。十二年任。

潘清源　江寧人。七年任。

方　斌　江南新陽人。七年任。

張國元　浙江嘉興人。十四年任。

唐　榮

吴兆基　浙江錢塘人。舉人，十三年任，有傳。

德音　滿洲鑲藍旗人。進士，十五年任，有傳。

佴振山　雲南建水舉人，十八年任。

王建邦　雲南新興人。舉人，二十四年任。

林觀海　廣東海豊人。舉人，二十四年任。

鄒竣　福山人。舉人，十八年任。

張芬　鄆城人。副貢，十九年任。

劉鳴謙　陵縣人。拔貢，二十四年任。

張克勵　霑化人。三十五年任。

張永福　東阿人。拔貢，三十九年任。

郭天威　齊東人。歲貢，十八年任。

安沂　日照人。歲貢，二十一年任。

張栻　蓬萊人。歲貢，二十八年任。

李基圻　陵縣人。舉人，三十一年任。

臧承曾　諸城人。三十八年任。

山陰人。十七年任。

顧瀚　大興人。二十三年任。

周馨苑　溧陽人。二十六年任。

王德淑　宛平人。三十八年任。

戚祖茂　湖北江夏人。監生，四十五年。

吴福星　江西高安人。四十八年任。以上并見《嘉

黃道銘　江西新城人。舉人，二十七年任。

瞿朝宗　江蘇上海人。舉人，二十九年任，有傳。

李　楫　江西金溪人。進士，三十三年任，有傳。

謝文在　廣東海陽人。舉人，三十七年任。

洪紹泗　江蘇丹徒人。舉人，三十八年任。

王　椽　肥城人。拔貢，四十三年任。

劉肇堠　泗水人。四十七年任。

張丕顯　滕縣人。舉人，四十九年任。以上并見《嘉祥縣志》及《前志》。

張意徽　鄒平人。舉人，五十二年任。

張　煦　德州人。三十九年任。

王　健　招遠人。貢生，四十二年任。以上并見《嘉祥縣志》及《前志》。

張丕顯

馬　炅

張　邃

楊鼐望　寧海州人。拔貢，五十六年任。

祥縣志》及《前志》。

金兆鼎　江蘇荆溪人。監生，五十四年任。

陳文麟　浙江山陰人。五十九年任。

黃遇亨　廣東嘉應州人。六十年任。

勞敦樟　安徽懷寧人。進士，四十年任。

孫　理　湖南長沙人。舉人，四十一年任。

倭什布　滿洲正紅旗人。官學生，四十一年任。

魏　耀　直隸柏鄉人。監生，四十四年任。

馬衍宗　宣化西寧人。舉人，四十六年任。

祁恕士　山西壽陽人。舉人，四十六年任。按：以上并見《嘉祥縣志》及《前志》。

劉翰周　直隸豐潤人。己亥舉人，五十二年任。

葉　福　署任。

張　晋　漢軍鑲白旗人。甲午舉人，五十五年任。

王錫培　直隸深澤人。庚子舉人，五

十五年任。

羅有尚　湖北利監縣人。己酉舉人，六十年任。

于峨文　直隸天津人。庚辰舉人，六十年任。

嘉慶　臺士佳　安徽霍邱人。己亥舉人，嘉慶四年任。

王德修　江蘇上元人。丙辰進士，十二年任。

鄭橋源　順天大興人。

楊續壎　海豐人。嘉慶九年任。

宋繩先　膠州人。甲寅舉人，十年任。

周遠瑞　寧陽人。拔

高士鑑　清平人。癸卯舉人，嘉慶元年任。

尹廷蘭　歷城人。甲午舉人，四年任。

公震

王兆棻　江蘇銅山人。嘉慶六年任。

高本莊　江蘇長洲人。十一年任。

尹文燦　湖南石門人。十一年署任。

監生，十二年署任。
譚之遂　江西南豐人。甲寅舉人，十二年任。
李觀瀾　江西宜春人。壬子舉人，十三年任。
周以勳　浙江嘉善人。丙午舉人，十四年任。
陸　謙　順天宛平人。議敘，十四年署任。
戴　屺

貢，十一年任。
耿行遠　博興人。廪生，十四年署任。
徐德升　泰安人。十九年署任，二十二年再任。
李鍾德　二十二年任。
石　濬　長清人。庚申舉人，二十三年任。
王汝翰　諸城人。戊午

蒙陰人。優貢，八年任。
耿肇權　新城人。八年任。
張　坊　東平人。乙卯舉人，十五年任。
王朝紱　臨淄人。壬子舉人，十六年任。
徐德升　十七年任。
王森長　福山人。辛酉舉人，二十三年任。庚辰進

孫世縉　直隸清苑人。十一年任。
王治洽　江西南城人。十三年任。
蕭夢賢　廣東程鄉人。十三年任。
王宗源　順天大興人。十四年任。
王文煥　直隸固安人。十五年署任。
徐家鼒　江蘇昆山人。十五年任。

字己山，江南丹徒人。戊辰進士，十五年三月任。

王中澍　順天大興人。監生，十五年任。

周雲鳳　十七年署任。并詳「金鄉」。

李經清　浙江錢塘人。監生，二十年任。

朱世濂　山西保德人。附生，二十三年任。

徐　昭

舉人，二十三年任。

劉　漪　二十五年任。

吳觀來　霑化人。二十五年任。

周祚元　寧陽人。二十五年任。

士，陝西知縣。

李鍾德　汶上人。辛酉舉人，二十四年任。

侯敏行　即墨人。己卯副貢，二十五年任。

張柏恒　安邱人。戊辰舉人，二十五年任。

劉世瑞　湖南慈利人。十六年任。

張迪曾　直隸玉田人。十九年署任。

鈕大純　浙江山陰人。二十一年任。

周　淇　浙江會稽人。二十一年任。

蔣廷慧　順天宛平人。二十一年任。

湖北漢陽人。癸卯舉人，二十四年任。

夏　儀　湖北天門人。拔貢，二十五年代理。

朱　錦　二十五年代理。并詳「州同」。

姚德驥　浙江錢塘人。監生，二十五年任。

道光　楊士雲　貴州貴筑人。己巳進士，元年任，四年再任。

趙　鈁　字玉振，泰安人。己酉拔貢，道光元年四月任。

李鍾德

林爕元　七年代理。

傅　鎮

馬淑度　山西代州人。庚申舉人，三年署任。

李心蓮　順天房山人。丁丑舉人，五年任，八年再任。

凌朝薦　廣東平遠人。庚午舉人，七年任。

何濟丹　甘肅禮縣人。戊午舉人。五年任，有傳。

李培荃　字芝崖，浙江青田人。嘉慶

翟翰雲　淄川人。十六年署任。

莊允觀　字海南，蘭山人。丙子舉人，十六年六月任。

周遠昌　字星岩，寧陽人。庚子舉人，二十二年九月署任。

七年署任。

袁善寶　漢陽人。七年任。

馮朝梓　桐鄉人。十三年代理。

韓大經　十二年署任。

茹　堂　山陰人。十三年任。

李　均　十九年代理。

癸酉拔貢，十九年署任。

何鎔　字竹如，順天宛平人。道光壬辰進士，十九年任。

李天隲　山西平陽人。癸酉舉人，二十二年任。

魚臺縣知縣

順治

石朝桂　直隸人。舉人，元年任，有傳。

何正芳　北直雄縣人。貢生，三年任，

主簿

管河，詳「河道」。

教諭

蔣啓東　范縣人。歲貢，元年任。

王以誨　長清人。歲貢，六年任。

訓導

復設

典史

閘官，詳「河道」，驛丞附。

方可盛　浙江山陰人。元年任。

楊文進

河橋驛驛丞

張光先

王維甯

阮士屏

有傳。

白所見　北直磁州人。進士，五年任，有傳。

王榮國　滿洲籍，直隸永平人。拔貢，七年任，有傳。

李　榆　直隸清豐人。貢生，十年任，有傳。

曹淑貞　北直元氏人。貢生，十二年任，有傳。

張宣猷　江西武進人。

鄭逢時　德州人。歲貢，八年任。

顏伯瓚　曲阜人。歲貢，十四年任。

公家觀　蒙陰人。歲貢，十八年任。

山西洪洞人。四年任。

孟文俊　浙江會稽人。九年任。

蔡光宸　廣東人。十三年任。

唐之裔　陝西耀州人。十五年任。

唐耀章

貢生，十五年任，有傳。

呂正音 山西榮河人。貢生，十七年任，有傳。

康熙

徐之鶴 浙江鄞縣人。舉人，元年任，有傳。

李尚珍 江西瑞昌人。貢生，四年任，有傳。

徐　鎮 江西南昌人。進士，七年任，有傳。

譚紹泰

王席前 歷城人。歲貢，四年任。

曹思桂 濟南府武定人。舉人，十三年任。

張魁光 章邱人。十九年任。

王謙志 益都人。康熙壬子舉人，二

黃守安 浙江西安人。三年任。

王廣元 陝西膚施人。四年任。

高文熻 山西趙城人。七年任。

古師惠 陝西華州人。十四年任。

驛丞

陳　韶

田王樂

解達銓

王嘉英

戴從新 以後無考，至乾隆六年缺裁。

廣東番禺人。舉人，九年任。

楊宗翰　江西星子人。舉人，十三年任，有傳。

羅大美　四川閬中人。舉人，十五年任。

沈鉉吉　浙江平湖人。監生，二十年任，有傳。

馬得禎　山西介休人。二十七年任，有傳。

陳士凱

十六年任，有傳。

趙日躋　長山人。甲子舉人，三十七年任。

王克孝　海豐人。舉人，四十八年任。

徐啓源　浙江上虞人。二十八年任。

余宏達　直隸通州人。三十二年任，有傳。

王仲德　安徽涇縣人。三十四年任。

夏鵬譽

陳廷錦

王維翰

諸良棟

闕　遜

錢若鳳 字密庵，廣西全州人。四十一年任，有傳。

文士瑠 四川洪雅人。四十五年任。

蔡仕岈 福建晉江人。舉人，四十六年任，有傳。

金虞廷 浙江會稽人。進士，五十二年任，有傳。

劉元勳 陝西人。六十年任，有傳。

葉霖

雍正

葉　亮　三年署任。

黄之瑞　江蘇淮安人。監生，三年任，有傳。

王　彬　順天人。舉人，五年任，有傳。

姜學夔　浙江寧海人。六年由德州州判署任。

李坊林　河南永城人。副貢，七年任。

趙世臣　河南河内人。

張虞熙　益都人。癸巳進士，三年任，有傳。

叢希棫　文登人。歲貢，六年任，有傳。

張　雯　諸城人。歲貢，十年任，有傳。

十一年任。

李清機　福建安溪人。舉人，十二年任。

乾隆

張丕亨　直隸獲鹿人。元年任，有傳。

高　恕　盛京奉天人。三年署任。

彭　科　貴州鎮遠人。拔貢，六年任，有傳。

朱履臺　浙江長興人。貢生，九年任。

鄭　鋭　樂陵人。舉人，四年任。

高廷樞　濟陽人。舉人，十年任。

葉正夏　德州人。舉人，十五年任。

周廷祉　膠州人。舉人，十七年任。

曹廣善　安邱人。六年任。

叢　湛　文登人。七年任。

曹振聲　十年任。

梁　溥　益都人。十三年任。

胡謙亨

朱廷芳

屠兆相

施澤浦

傅元燮

楊廷選　直隸定州人。十九年任。

趙　鑄　四川人。三十二年任。以上并見《魚

成原大　江蘇寶應人。丁巳進士，十年任。

吴光盼　江西湖口人。庚子舉人，十四年任。

陳贊熙　廣東人。十七年署任。

馮元邁　江蘇吴縣人。乙卯舉人，十八年任，有傳。

饒夢燕　湖廣城步人。拔貢，十九年任。

張　元　淄川人。舉人，二十一年任，有傳。

張遵頤　惠民人。舉人，二十年任，有傳。

康無逸　三十年任。

牟　岱　棲霞人。舉人，三十二年任。

孔興檀　曲阜人。舉人，四十三年任。

張舜臣　膠州人。廩生，二十三年任。

霍中矩　三十五年任。

謝　裴　單縣人。四十一年任。

王澤滋　四十二年任。

高士珩　惠民人。歲貢，四十五年任。以上并見《縣志》及《前志》。

臺縣志》及《前志》。

駱大俊　南直宣城人。丙辰進士，二十二年署任，有傳。

劉朝宗　順天大興人。癸巳舉人，二十二年任，有傳。

馮振鴻　山西代州人。監生，二十二年任，有傳。

福　明　滿洲鑲藍旗人。舉人，三十四年任。

白雲從　漢軍正藍旗

濟陽人。舉人，四十七年任。以上并見《縣志》及《前志》。

人。監生，三十五年任。

陳錫齡 江蘇吴江人。監生，三十七年任。

莫元龍 河南盧氏人。進士，四十三年任。

王繼葛 直隸淶水人。監生，四十七年任。

楊輝燦 順天固安人。辛卯舉人，五十年任。以上并見《魚臺縣志》及《前志》。

沈文則 浙江仁和人。監生，五十一年任。

黄 騂

周 錦 直隸清苑人。五十七年任。

羅有尚 湖北監利人。乙酉舉人，五十九年署任。

嘉慶

王錫培 直隸深澤人。庚子舉人，元年署任。

王 毅 直隸深澤人。拔貢。

朱景彦 德平人。廪貢，四年任。

李 莒 歷城人。廪貢，四年任。

辛志敏 汶上人。丙午舉人，二年任。

高士鑑 清平人。癸卯舉人，二

武文基 順天宛平人。吏員，二年署任。

馮步瀛 順天宛平人。監生，三年

周履端　江蘇陽湖人。監生，由經歷署任。

于莪文　直隸天津人。庚辰舉人，四年任。

汪廷楷　四年由金鄉縣兼署任。

金　焘　江蘇嘉定人。庚子舉人，四年署任。

俞士元　浙江山陰人。監生，五年署任。

王步曾　蘭山人。戊申舉人，五年署任。

安萃梧　曹縣人。廩貢，十二年任。

李士森　章邱人。丙午舉人，十二年任。

馬鳳佐　齊河人。拔貢，二十五年代理。

年任。

劉　洊　諸城人。廩貢，四年署任。

翟寅清　掖縣人。廩貢，七年署任。

劉重爲　濱州人。廩貢，七年任。

王寅祖　肥城人。廩貢，十三年任。

李士森　十四年兼署。

任。

朱輝文　江西奉新人。吏員，八年任。

蔣純毅　江蘇陽湖人。監生，八年署任。

王治洽　十年署任。

周善祥　直隸清苑人。監生，十年代理。

邱自超　大興人。吏員，十年任。

謝　煥　江蘇武進人。丁酉舉人。五年署任。

張家梓　字北山，湖南湘潭人。乾隆庚子舉人，十年署任。

錢日炤　浙江仁和人。監生，十三年署任。

宋　鑑　字朗齋，漢軍鑲紅旗人。監生，十四年署任。

潘尚楫　字麗槎，浙江

安萃梧　曹縣人。廩貢，十四年署任。

韓佩珩　禹城人。廩生，十七年署任。

康乃麟　齊東人。己酉舉人，十七年任。

趙秉彝　博山人。廩貢，十八年任。

蘇　輔　武城人。戊午舉人，十八年任。

王治安　十六年由主簿代理。

陳邦達　浙江海寧人。監生，十七年任。

俞　洲　浙江山陰人。十七年任。

宋　錦　大興人。監生，二十二年任。

會稽人。嘉慶庚申舉人，十八年十二月任，歷升曹州知府。

徐鈖　二十三年代理。

朱慶揚　安徽休寧人。庚申舉人，二十四年代理。

張巖　順天宛平人。監生，二十四年署任。

蔣光琢　廣西全州人。庚申舉人，二十五年署任。

尹作霖　萊陽人。廩貢，二十四年任。

道光

高廷樞 江西湖口人。監生，元年署任。

李肇敏 山西順和人。己酉拔貢，四年九月署任。

李若琳 字淇篔，貴州開州人。乾隆甲寅舉人，五年十月任，升任同知。

黃代元 河南光州人。監生，六年署任。

楊紀堂 字雨山，浙江

楊敦震 元年兼署。

劉藜焜 福山人。己酉舉人，元年署任。

劉　術 濰縣人。舉人。

郎謙服 濰縣人。戊辰舉人，元年任。

亓九同 平陰人。癸酉拔貢，二年任。

張　珣

楊敦震 臨清州邱縣人。歲貢，元年任。

李　浩 歷城人。歲貢，元年署任。

劉元登 蓬萊人。廪生。

楊玉相 濰縣人。乙酉拔貢，八年任。

祝文驤 諸城人。舉人，八年署任。

勝德元 宛平人。元年任。

王淑鏞 大興人。監生，二年署任。

陳效曾 江蘇溧水人。監生，三年任。

葛輔廷 大興人。吏員，三年任。

史積潤 字耘泉，浙江餘姚人。監生，六年九月任。

海寧人。監生，六年任。

蕭　榘　七年署任。

薩靈阿　漢軍正白旗人。監生，十一年任。

李岳立　十二年正月署任。兼詳州。

章寶綸　四川叙永人。庚午舉人，十五年十二月署任。

沈　澄　浙江歸安人。

掖縣人。戊辰舉人，二年任。

劉元登　十四年由訓導兼署。

王履五　商河人。癸酉拔貢，十六年任。

周翕鈺　即墨人。辛酉舉人，十六年任。

孫雲會　二十一年由訓導兼署。

蔣壇岐　字樸庵，博山

李鴻恩　歷城人。廩貢，十五年署任。

孫雲會　字弼唐，蒲臺人。廩生，十五年任。

按：教職、籍貫、某府某州縣，國初與今制异者，循舊書之。今制同者，止書某州縣人。

文景賢　大興人。監生，十一年任。

馬　良　大興人。十一年署任。

鈕大純　山陰人。十一年代理。

林希元　大興人。十一年署任。

沈　鷹　宛平人。捐職，十一年任。

葉慶長

監生，十六年署任。

孫鵬翥　安徽桐城人。丁卯舉人，十七年任。

袁傳裘　江西崇仁人。監生，十八年由縣丞署任。

孫士清　順天大興人。監生，十八年任。

王以潔　字濂泉，直隸衡水人。道光乙未進士，十九年署任。

人。廪貢，二十一年任。

大興人。監生，十四年二月任。

高禮瀛　江蘇武進人。監生，十四年六月任。

蕭栩　大興人。監生，十八年十二月任。

宋英　大興人。十九年四月任。

李均　二十年九月署任。

孫邦傑　大興人。監

柴文富　字晝舫，直隸天津人。嘉慶戊寅舉人，二十一年三月由濟陽調任。

生，二十年十一月署任。

姚定滙　江西南昌人。二十一年七月任。

濟寧直隸州志　卷六　二百四十

濟寧直隸州志卷六之五

職官志 五

國朝武職官表

河標中營副將

順治

楊國勳 字君錫，遼東人。元年任，調雷州副將。

梁　武 字振桓，遼東人。四年任，升天津總兵。

姜文惠 字錦章，江南人。九年任。《舊志》作四川人，誤。

楚進功

左營參將 乾隆四十一年，游擊改參將。

舊設游擊

范　埛 遼東人。

劉道揚 遼東人。

楚進功 遼東人。八年任，升副將。

劉邦俊 遼東人。

右營游擊

張思孟 遼東人。有傳，祀忠義祠。

張思盛 思孟弟，八年任，後升寧波副將。

中營都司 乾隆十八年，中營守備改都司。

中守

守 陳永清 遼東人。七年任。

徐萬遴 遼東人。

中左右城守四營守備 運河營附

中 蓋應兆 七年任。

劉正朝 八年任。

左 白玉珍 八年任。

右 楊文成 八年任。

守 田永祿 七年任。

字鳳山，遼東人。十二年任，調詔州副將。

白　璧　字昆吾，遼東人。十八年任。

史尚仁　升沙溝營守備。

嘉祥　滿家硐汛

姬永爵　二年任。

田淮瑆　鉅野人。三年任。十四年新設守備一員。

李超凡　十四年任。

卓　聖　十六年任。

梁士淑　山西人。武舉，十八年任。

康熙

譚捷元　字楚聰，湖廣人。元年任，調雷州副將。

柳燦臣　字君輔，湖廣人。九年任。

陳　傑　字爾瞻，江南人。十二年任。

惠占春

吴良棟　遼東人。

王把什　遼東人。

楊輔鼎　江南人。

費　俊　字慧先，浙江歸安人。武進士，有傳。補輯。

田永禄　遼東人。

黄　瑞　十五年任。

張　順　陝西人。

郭盛春　福建人。

守

馮如柏　京衛人。

尉之琪　京衛人。

姚　典　京衛人。

涂啓明　四川人。

彭　乾

按：三縣營伍屬兖曹，各鎮不隷河標，故三縣武職皆從略。唯舊制滿家硐設有守備，而其地爲濟、曹交界，巡緝最要之區，國初曾經大兵剿辦，是以并書。

中

李化鳳　京衛人。十五年任。

王　烺　十五年任。

胡　璽

劉文强

張得功

左

鄧國珍

字銘錫，陝西人。十八年任，升膠州總兵。

林宗 字翰周，福建人。十八年任，後升總兵。

陳壽 字九如，陝西人。二十四年任。

王應統 字緒先，山東人。康熙戊辰武狀元，三十六年任，三十九年再任，調延綏神木副將，升河南河北總兵。

王允昌 字愚庵，浙江人。

河南人。十五年任。

陝西靖遠人。十二年任。

馬騰 十五年任。

右

陳仕奇 太原人。十二年任。

丁熾 十五年任。

守

李時奉 陝西人。十二年任。

竇五桂 掌印，十五年任。

滿家硐守備

三十六年任，調曹標副將。

劉信　字君實，陝西人。四十一年任。

曹廷諫　字輔臣，江南人。四十五年任，升廣東高州總兵。

陳昴　字星華，福建人。五十二年任，升廣東碣石總兵。

李智　字一宏，福建人。五十五年任。

萬際瑞　字孔文，福建人。六十年任，調辰

邱山　洪都人。武舉，七年任。

沈芳　十一年任。

蘇陞　四川閬中人。武舉，十三年任。

周琦　閬中人。武進士，二十四年任。

崔旦　濩澤人。武舉，三十五年任。

曹廷弼　孟津人。武舉，四十一年任。

州副將。

雍正

李楠　漢軍鑲藍旗人。元年任。

石雲倬　字天章，山東人。三年任，升江西南贛總兵。

王天益　字以庶，江南人。三年任。

胡杰　字果玉，四川人。

程綸　直隸人。四十七年任。

馬驥　榆林人。六十一年任。

滿家硐千總

阮錡　登州人。二年任。

于檀　壽張人。八年任。

李成德　界河人。十一年任。

五年任，調山永副將。

馮廷雄 字逾十，甘肅寧夏人。康熙辛丑進士，六年任，升湖廣永州總兵。

楊鐸 字禹聞，甘肅寧夏人。九年由即墨營署任。

乾隆

姜世雄 字鎮遠，漢軍鑲黄旗人。三年任。

韋國英 字健亭，江南人。侍衛，十四年任。

韓國枝 直隸人。行伍，元年任。

李之秀 山東人。二年升任。

鄭炯

劉世臣 山東人。二年任，由都司升。

蘇學讓 山東人。十三年任。

王廷佐

中

馬體乾 陝西人。行伍，二十年升任。

李之盛 河南人。二十二年任，升游擊。

朱彭年

中

李之秀 山東人。行伍，元年任，升游擊。

蘇學讓 山東人。行伍，三年任，升都司。

邵元惠

勒圖 字允弼，滿洲鑲黃旗人。十六年任。

伊常阿 字天斐，滿洲鑲黃旗人。二十年任。

朱一智 字樂然，江南人。二十年任，調徐州副將。

許仕榮 字上達，甘肅寧夏人。二十二年任。

鄭天濬 字文泉，福建人。世襲騎都尉、藍翎侍衛，三十一

漢軍鑲黃旗人。三年任。

馬大有 山東人。五年升任。

邵元惠 二十年升任。

趙飛熊 山西人。進士，二十三年升任。

李之盛 河南人。二十九年任，後任江南河標副將。

改設參將

謝斌 三十八年任游擊，四十一年坐升。

浙江人。二十三年任，升副將。

馬興 河南人。三十一年任。

王普 直隸人。三十四年任，升副將。

馬鈞 河南人。三十八年任。

王洙 銅山人。四十八年任。以上《前志》。

周龍章 五十三年任，升參將。

三十年升任，後任直隸易州營游擊，署參將。

謝斌 直隸人。進士，三十八年任，升游擊。

焦養禄 河南人。三十九年升任。

程君洪 河南陽武人。四十八年并任守營。

周龍章 四十六年任，升游擊。以上《前志》。

葛啓瓏

山東人。六年任，升都司。

冠承俊 山東人。十四年任，三十年任左營。

左

劉世臣 山東人。元年任，升都司。

馬體乾 陝西人。五年任，坐升都司。

馬興 河南人。二十年任，升都司。

李琦 河南人。二十三年任。

年任，升廣東左翼總兵。

王廷佐 字洪章，浙江人。進士，侍衛，三十六年任。

王　普 字德輝，直隸人。四十年任，升河南河北總兵。

李奉琳 字昆圃，漢軍正藍旗人。五十年任，調江寧副將。以上并見《前志》及題名碑，以後據碑記增補。

田永桐 字子盛，山西陽曲人。進士，侍

余元昌 直隸人。四十八年任。以上《前志》。

王　洙 五十三年升任。

五十二年由守備升任。

郝達權 六十年由守備升任。

守

劉世臣 元年任。

馬大有 四年升任。

蘇學讓 八年升任。

邵元惠 十五年升。

韓　温 二十年升任。

焦養禄 河南人。三十年任，升都司。

程君洪 河南人。三十八年任，升都司。

劉　慶 河南人。以上《前志》。

陳　書 河南蘭陽人。行伍，五十二年任，升都司。

徐　繼 直隸静海人。行伍，五十七年任。

馬福壽 河南儀封人。行

衛，五十四年任，升雲臨元鎮總兵。

塔清阿　字德庵，蒙古鑲白旗人。參領，五十九年任。

趙飛雄　二十一年任。

馬興　二十二年升任。

王普　三十一年升任。

馬鈞　三十五年升任。

余元昌　三十七年任。

王洙　四十六年任。

伍，六年任，升都司。

李允素　山東人。行伍，二年任。

丁文明　山東人，十年任。

李之盛　河南人。二十一年任，升都司。

杜梁棟　河南人。二十二年任。

石景周　河南人。三十五年任。

陸永清 河南人。三十五年任。

周龍章 字雲臺，河南太康人。武舉，四十一年任，升都司。

葛啓瓏 江南銅山人。武舉，四十七年任。以上《前志》。四十九年再任。

郝達權 江南蕭縣人。武舉，五十二年任，升都司，五十三年并任守營。

程宗賢 州人。行伍，六十年任。

守

劉國雲　山東人。行伍，元年任。

韓　温　直隸人。十年任，升都司。

嚴　宏　河南人。二十年任。

馬　鈞　河南人。二十七年任，二十九年再任。

朱彭年　河南人。二十八年任，升都司。

余元昌　直隸人。三十五

年任，升都司。

王 洙
江南銅山人。武舉，三十七年任。

邵鳴九
河南洛陽人。行伍，四十七年任。以上《前志》。

鄭廷揚
河南夏邑人。行伍，六十年任，升都司。

陳 策
江南銅山人。四十六年任。

孫吉仁
本州人。五十年任。

分防外委

劉　沅　單縣人。五十四年任。

魚臺縣管河千總，孟聯舉，鳳翔人，六年任。牛福元，蘭陽人，七年任。夏連，州人，三年任。袁應正，祥符縣人，十四年任。王順，州人，十五年任。張永祥，州人，十七年任。劉琦，州人，十八年任。張文祥，州人，二十二年任。王普，固安人，二十三年任。盧支，邳州人，二十六年任。楊玉堂，太原人，二十八年任。按：《縣志》補。

滿家硐千總

張定邦，福建人，

嘉慶

周龍章　十年升任。

常清元　十四年升任。

周龍章　五年升任。

常清元　十年升任。

齊國珍

常清元　字冠英，奉天承德人。進士，侍衛，五年任，升參將。

李永清　十年升任。

中

李永清　五年升任。

馬福壽　十一年任守備，升任，十三年任守營。

三年任。馬文明，武城人，八年任。哈倧，河間人，武舉，十二年任。姜天祿，臨清人，十三年任。白廷柱，河間人，武舉，十九年任。嚴玉珂，滋陽人，三十一年任。許□慎，蕭縣人，武舉，三十三年任。以上《縣志》。趙坤玉，五十一年任。孫永年，五十一年任。并滋陽人。

左

徐繼　十年再任。

程國甯　州人。行伍，十五年任。

清德　字潤齋，滿洲鑲黃旗人。侍衛，二十一年任，升湖南鎮筸總兵。

海陵阿　二十五年升任，後升兗州總兵。

直隸清苑人。行伍，十五年任。

海凌阿　字麟閣，滿洲鑲黃旗人。藍翎長、參領，十八年任，二十五年升副將。

穆奠邦　二十五年任，後升副將。

穆奠邦　二十年升任。

黃文耀　二十五年升任。

馬體仁　州人。行伍，十四年任。

萬榮　湖南長沙人。行伍，二十四年任。

守

鄭廷揚　四年升任。

唐更林　甘肅固原州人。行伍，十五年任。

穆奠邦　十六年任，升游擊。

周學先　長清人。武舉，二十年任。

徐萬榮　江南清河人。行伍，二十三年任，升都司。

右

馬成龍　州人。武舉，四年任。

孫魁一　州人。武舉，十年任，升都司。

守

李永清　單縣人。武舉，四年任，升都司。

李永太　州人。行伍，五年任，後任福建興化營都司。

穆奠邦

黃文耀 河南淮寧人。武舉，二十二年任，升游擊。

字治安，河南淮寧人。乾隆甲寅武舉，十三年任。

周學先 十七年任，升都司。

孫榮甲 州人，行伍，二十年任。

河

馬體仁 州人。十二年任。

王清泰 州人。武舉，十四年任。

防河千總馬隆，章州人，二十年任。左哨把總泰德懷，州人，十三年任。

道光

惠泉　字和亭，滿洲鑲黃旗人。雲麾使，元年任。

穆奠邦　十一年升任，後

李景淮　字法弼，號昆山，直隸武邑人。嘉慶戊辰科會元，傳臚花翎侍衛，五年任，十三年升任。

徐貫一　十四年升任，入忠義祠，有傳。

韋秉　二十年升任。

中

孫魁一　州人。武舉，元年任。

韋秉　字敦彝，江南山陽人。武生，四

右哨把總金容，州人，十六年任。運河營分防外委李安瀾，州人，元年任。丁文標，滕縣人，四年任。史德盈，州人，十五年任。羅璋瑛，福建人，十八年任。馬國祥，漢軍，二十五年任。滿家硐千總仙桂，滋陽人，六年任。李廷杰，滿洲人，十一年任。陳焜，宛平人，十七年任。甘雨，滋陽人，二十一年任。

左

李元泰　河南太康人。武舉，二年任，升都司。

徐貫一　字恕堂，州人。

升廣東南韶連鎮總兵。

李景淮 十七年升任。

薛三綱 字桂巖，直隸定州人。乙丑會元，十八年升廣東副將。

年任，升游擊，七年任守營。

李元泰 七年由守備升任。

韓正任 十四年升任。

守

徐萬榮 元年由守備升任。

崔雙貴 二十年由守備升任。

行伍，七年任，升游擊。

楊廷標 州人。行伍，十二年任。

石泉濎 州人。武舉，十五年任，十七年任右營，升都司。

邵興旺 州人。行伍，十七年任，二十一年任運河營。

右

李鳳來 山東人。行伍，元年任。

楊廷標 州人。行伍，十五年任。

守

張志善　直隸河間人。行伍，元年任。

呂殿揚　鄒平人。武舉，三年任。

吴景元　單縣人。武舉，七年任。

韓正任　河南商邱人。武舉，十一年任，升都司。

崔雙貴　直隸宛平人。武進士，十四年任，升都司。

張　端

江南鹿邑人。武舉，十九年任。

王埶　河南太康人。武舉，十二年任防河千總，二十年十二月升任。

河龔安瀾　州人。十五年任。

朱協衡　江南清河人。十八年任。

防河千總孫延略，朝城人，武舉，二十年任。左哨把總賈廷棟，六年任。申天秩，九年任。曹清泰，十八年任。趙以成，二十一年任。

并州人。右哨把總楊殿魁，州人，十一年任。聶振龍，河南商邱人，十六年任。運河分防外委文瑛，州人，并二年任。史慶兆，州人，三年任。吴學義，汶上人，五年任。劉耀宗，州人，十五年任。鮑福元，河南人，十九年任。周永濟，東阿人，二十年任。二十年新設新店閘、蜀山湖兩汛，各一員。劉瑜，汶上人，二十年任。徐守元，貫一子。史慶錦，州人。曹德芝，滕縣人。并二十一年任。

衛職自順治至道光二十一年。

王天佑　河南人。有傳。

林柱　見嘉祥碑。

李凝和　四川閬中人，武進士。

吴鈖　南昌人，武舉。

白興貴

于文廣

徐京　武舉。

周溥　監生。

蔡永清　武舉。

張紹申　天津人。武舉。

郭如松　江西人。監生。

附臨清衛

李承恩　順天人。有傳。

楊譽隆　見嘉祥碑。

王德和　鳳陽人。行伍。

徐淮　天津人。武進士。

陳莊　廣東人。武進士。

張炳信　天津人。武生。

廖體中　雲南太和人。武舉。

王恩錫　鳳陽人。監生。

董崇訓　福建人。武舉。

余紹洙　字魯川，湖北興國州武生。

張夢熊　鳳陽人。武進士。

積　昌　漢軍鑲黄旗人。

張芳元　江西人。監生。

余克均　字湘亭，湖北興國州武舉。

李翰元　順天通州人。監生。

党曉峰　河南人。武舉。

附明武職 衛職并附。

陳思明 京衛人。

巢丕昌 錦衣衛人。

劉承允 河南人。以上并副總兵。

吴道泰 京衛人。殉節，祀忠義祠，有傳。

張文昌 字令海，南昌人。功加右都督。

劉良弼 字麟臺，遼東人。管右營事，陣亡，贈都督同知，祀忠義祠。

盧鳳鳴 字激揚。衛指揮，兼副總兵營右營事。

蔡時春 淮安人。游擊。

趙　庸 明初鎮濟寧。

高聖保 千兵。○高子裔，詳《高子世家》。○增補。

濟寧衛指揮

趙　卿 有傳。

趙　輔 有傳。

趙崇璧 有傳。

陳　順 以軍功官龍虎衛指揮，世襲濟寧衛指揮同知。見王貽上《蠶尾集·陳孺人行實》。○順子忠，山東都指揮。○順之後陳貞，濟寧衛同知、鳳陽府留守都司。

楊方亨 濟寧衛指揮，任遼東都司，出使日本。

楊震宗 濟寧衛指揮，任安慶等處總兵。方亨子見《忠節傳》。

周邦基 濟寧衛指揮，任湖廣勛襄都司。

張世臣 濟寧衛指揮僉事，任本州城守副將。

張履吉 濟寧衛指揮使，任茨溝營參將。

盧鳳鳴 濟寧衛指揮僉事，河標右營副總兵。

文星耀 濟寧衛指揮使，任鳳陽府守備。

以上并見《前志》。

濟寧直隸州志卷六之六

職官志 六

○宦迹

《前志·宦迹》别爲一編，今并入「職官志」，以便尋覽。河督駐節州城，故并列職官。至勛業昭垂，兼豫、東二省，備載史傳，非一州志乘所能盡書。道廳各官，有《運河備覽》《泉河史》等書可稽，亦非專轄州境。《前志》河職别爲題名，宦迹復以次編列，今仍從之。惟歷代先守牧已見史書者，撮其典要，其序亦如表云。武職保障民生、教佐贊襄吏治，并録以示勸。

漢

袁安　字邵公，汝南汝陽人。初爲縣功曹，後舉孝廉，除陰平長、任城令，所在吏人畏而愛之。拜楚郡太守，出楚王英謀逆所連及繫者四百餘家。歲餘徵爲河南尹，尋爲司空，遷司徒。和帝即位，竇太后臨朝，后兄憲等盡樹其黨賦斂，吏人更相賂遺，州郡望風從之，安與司空任隗舉奏諸二千石，又他所連及貶職免官者四十餘人。四年春薨，朝廷痛惜焉。

周磐　字堅伯，汝南安城人。和帝初拜謁者，除任城長，遷陽夏重合令。頻歷三城，皆有惠政。後思母弃官歸鄉里。

劉儒　字叔林，東郡平陽人。察孝廉，舉高第，三遷侍中。桓帝時數有灾异，下策博求直言，儒上封事十條，極言得失，辭甚忠切，帝不能納，出爲任城相。頃之，徵拜議郎，會竇武事下獄，自殺。

劉祐 字伯祖，中山安國人。初察孝廉，補尚書侍郎，除任城令，兖州舉爲尤异，遷揚州刺史。靈帝初，陳蕃輔政，以祐爲河南尹。及蕃敗，祐黜歸，卒于家。

楊秉 字叔節，宏農人。漢太尉震之中子，明《京氏易》。應司空辟，拜侍御史。頻出爲豫、荆、徐、兖四州刺史，遷任城相。爲刺史二千石，計日受俸，餘禄不入私門，故吏賫錢百萬遺之，閉門不受，以廉潔稱。

荀彧 字文若，潁州潁陰人。中平中舉孝廉，拜守宫令。董卓之亂，求出補吏，除亢父令，遂弃官歸。以上六人并《前志》。

王式 字翁思，東平新桃人。爲昌邑王賀師，以《詩》授王。後宣帝時，群弟子争傳式學，譽于上，復詔爲博士，謝病不起。

王吉 字子陽，琅邪皋虞人。以郡吏舉孝廉爲郎，遷雲陽令。舉賢良，爲昌邑中尉。王好游獵，吉上疏諫争，甚得輔弼之義。宣帝時，復爲博士、諫大夫。上疏極言得失，帝以爲迂闊，遂謝病歸。

龔遂 字少卿，山陽南平陽人。以明經爲昌邑王郎中令。王賀動作不正，遂爲人忠厚剛毅，有大節，内諫諍于王，外責傅相，引經義陳禍福，面刺王過，王廢，遂與王吉以數諫諍減死。宣帝以遂爲渤海太守，時饑歲多盗，遂至飭屬縣捕盗吏，曰：「持鋤鈎田器者皆良民，吏無得問，持兵者乃爲盗賊。」即時解散。徵爲水衡都尉。

張敞 字子高，河東平陽人。爲太僕丞，會昌邑王徵即位，動作不由法度，敞上書切諫。宣帝即位，廢王賀在昌邑，帝心憚之，徙敞爲山陽太守。後渤海、膠東盗起，敞上書自請治之。至膠東，明設購賞，開群盗令，相捕斬除罪，盗賊解散，吏民翕然。徵爲京兆尹。

王梁 字漁陽，安陽人。從光武至桃城，破龐萌等，即拜梁爲山陽太守。梁鎮撫新附，期月而山陽大治，遂徵爲河南尹。去郡之日，民遮道留之。

周榮 字平孫，廬江舒人。章帝時爲山陽太守，爲政寬平，郡縣皆見稱紀。

秦彭 字伯平，扶風茂陵人。章帝建初元年，爲山陽太守，以禮訓人，不任刑罰。崇儒雅，敦明庠序。每春秋饗射，輒修升降揖讓之儀。乃爲人設「四誡」，以定六親、長幼之禮，有遵奉教化者，擢爲鄉三老，常以八月致酒肉以勸勉之。吏有過咎，罷遣而已，不加耻辱。百姓懷愛，莫有欺犯。又興起稻田數千頃，差爲三品，民知灌溉之利。在職六年，轉潁(潁)川太守。

翟超 桓帝時，爲山陽太守。嘗没入中常侍侯覽財産，詔逮問，有司承旨，奏超當坐髡鉗，輸作佐校。陳蕃上疏，言超奉公不撓，疾惡如仇，而覽之縱横，没財已幸。疏上，不納，後以黨錮死獄中。○以上八人并載《前志》。

祝睦 字元德，濟陰己氏人。除北海長史、潁川鄢令，化行如風，民應如草。辟司空府北軍中候，擢尚書僕射，遷常山相、山陽太守。恢崇三樂，追惟九思。導闡泮宫温化以禮。摘隱取伏，爲漢棟梁。延熹七年卒。

侯成 字伯盛，山陽防東人。郡請署主簿、督郵、五官掾功曹，守金鄉長。即家假印綬，介心如石，不易其志。刺史嘉其高名，辟部東平泰山治中從事，以禮盤桓，名德可尊。建寧二年卒。

司馬季德 山陽人。耽古好學，由府卒史守防東尉。明允篤誠，小心畏慎，如臨于谷。在公明明，委蛇其德，卒爲立碑。以上三人據碑文補輯。

魏

鄭渾 字文公，河南開封人。黄初末，從沛郡遷山陽太守，以郡界地勢窪下，宜灌溉，終得魚稻經久之利，此豐民之本也。遂躬率吏民，規畫經理，一冬月皆成，比年大收，歲增租八倍常，蓋其治沛亦如此。民用饒足，治稱尤异。渾清素在公，連典二郡，妻子不免饑寒，而渾淡泊自若。及卒，以子崇爲郎中。

胡烈 文帝時，爲山陽太守。周泰既破吴軍，吴朱异敗歸，烈以奇兵五千襲吴，輜重盡焚之。以上二人并《前志》。

晋

張輔 字世偉，南陽西鄂人，河間相衡之後也。少有幹局，初補藍田令，不爲豪强所屈，轉山陽令。太尉陳準家僮暴横不法，輔擊殺之。累遷尚書郎，封宜昌亭侯，轉御史中丞。

棗據 字道彦，潁川長社人。本姓棘，其先避仇改焉。爲山陽令，有政績，遷尚書郎，累官至黄門侍郎、冀州刺史。以上二人載舊《通志》及《兖州府志》。

按：舊《通志》及《兖志》蓋誤以爲漢之山陽也，不知晋分山陽爲高平國，統縣七，昌邑居首，并無山陽之稱。

南北朝 宋

申恬 字公休，魏郡魏人。初爲驃騎參軍，轉員外散騎侍郎，出爲山陽太守。善於治民，所莅有績。守己清約，頻處州郡，妻子不免饑寒，世以此稱之。世祖踐阼，遷青州刺史。孝建三年卒，死之日家無遺財。見《兖州府志》。

按：《宋書·州郡志》山陽太守、山陽令，在射陽縣境，地名山陽，與郡俱立，非漢之山陽也。《兖志》所載，故録而辨之。

北魏

羊規之 太山鉅平人。晉太僕卿琇之五世孫，宋任城令。魏世祖南討至鄒山，規之與魯郡太守崔邦利及其屬縣徐通、愛猛之等俱降，賜爵鉅平子，拜雁門太守。

李湛 永安初爲任城太守。二年，北海王元顥入洛，湛舉義兵。時徐遵明客於任城，同其事。夜至民間，爲亂兵所害。以上二人并《前志》。

席法文 安定人。恬静自處，不競勢利。世宗末，以冠軍將軍除濟州刺史，在州以廉和著稱，徙封乘氏。熙平二年卒，謚「襄侯」。

王翊 字士游，琅邪臨沂人。風神秀立，好學有文才。歷司空主簿、中書侍郎，超拜左將軍、濟州刺史，尋加東平將軍。清静愛民，有政治之稱，入爲散騎常侍。永安元年卒，贈侍中。以上二人據舊《通志》補。

按：《魏書·地形志》濟州治濟北碻磝城，領濟北、平原、東平、南清、河東。濟北五郡，非宋元以後之濟州也。兹因舊《通志》所載，故辨而存之。

北齊

高季式 字子通，渤海蓨人。天平中，出爲濟州刺史。山東舊賊劉盤陀、史明曜等攻劫道路，剽掠村邑，兖、齊、青、徐四州患之，歷政不能討。季式至，皆破滅之。尋有濮陽民杜靈椿等攻城剽野，聚衆數萬人，季式遣騎三百，一戰擒之。自兹以後，遠近清晏。武定中，除侍中，加冀州大中正。天保初，封乘氏縣子。四年卒，謚曰「恭穆」。

高德範 渤海人。齊州刺史祐之孫，早有令聞。文帝時，爲任城太守，有惠政。以上二人據《北齊書》及舊《通志》增輯補。

隋

蘇威　字無畏，京兆武功人。魏度支尚書綽之子，襲爵美陽公。隋受禪，徵拜太子少保，兼納言、民部尚書，兼大理卿。屬山東諸州民饑，上令威賑恤之，遷吏部尚書，拜尚書僕射。煬帝嗣位，拜魯郡太守。治身清儉，以廉慎稱。俄召還，參預朝政，拜太常卿，進位光禄大夫，賜爵房陵侯，進封房公。

陳孝意　河東人。少有志尚，弱冠以貞介知名。大業初，爲魯郡司法書佐，郡内號爲廉平。以上二人并《通志》及《兖志》。

唐

賀某　佚其名。開元時爲任城令，有治行。詳李白作《任城縣廳壁記》。

按，《府志》：賀知章會稽人，爲任城令。蜀人李白客任城，與之相契，晚號四明狂客。元延祐三年，任城二賢祠堂碑云：「初，賀季真爲任城宰，李白《廳壁記》述其善政。」至正二年，濟州《新遷二賢祠記》亦云：「新遷以祀李白、賀知章。」是賀公之爲知章，傳之已久。考《舊唐書·文苑傳》：賀知章，會稽人。少以文詞知名，舉進士，授國子四門博士，遷太常博士。開元十年，張説奏請同撰《六典》及《文纂》等，累年書不就，轉大常少卿，遷禮部侍郎，加集賢院學士，充皇太子侍讀。玄宗封東岳，召定儀注，改授工部侍郎，兼秘書監，遷太子賓客、銀青光禄大夫，兼正授秘書監。《新唐書·隱逸傳》略同，然則知章終身未嘗外任。且曰倜儻風流，晚年尤縱誕，無復規檢，與《廳壁記》大不類，則賀公别有一人，非知章明甚。第相沿已久，姑附辨於此。

庾賁　字文明，其先潁川人。由任城尉遷龔丘令，崇禮讓、省刑罰、紓力役、闢土田。潤作時雨，和爲春風，於是齊魯丕變，井閭咸復。三載考績，一方歸最。大曆中，邑老彭滔等三十五人，請於元戎刻石褒美，李陽冰爲之《頌》。以上二人并《前志》。

裴耀卿 字焕之，絳州稷山人。開元初，授國子主簿、長安令，爲濟州刺史。濟當走集，地廣而户寡。十三年，天子東巡，耀卿置三梁十驛，科斂均省，爲東州知頓最，濟人爲立碑頌德。歷冀州，入拜户部侍郎。卒，贈太子太傅，謚「文獻」。見《舊志》及《兖州志》。

《前志》云：「後魏濟州部治碻磝，唐之濟州即濟陽郡治盧縣故城，并在今茌平。至五代之濟州治鉅野，而任城始屬焉。」《舊志》載裴公德政，與今濟州無涉，附辨之。

周

任漢權 蜀國人。顯德元年，爲濟州刺史。濟州新造之郡，控地既大，包荒用遐。山幽水深，亡命攸萃。漢權生知治本以戰則勝，以化則孚。介馬先馳，陰門夜出，盡誅其類，民患皆除。分命鄉民，設其警候，意切令嚴，術行譽顯。百姓詣闕上陳，詔左拾遺。李昉作《屏盗碑》以紀其事。據碑文增補。

宋

畢士安 字仁叟，代州雲中人，後爲鄭人。舉進士。開寶四年，歷濟州團練推官，專掌管榷歲課增羨，改兖州觀察推官。景德中，歷平章事，真宗嘗稱爲善人，又曰：「士安由朕東宫以至輔相，飭躬慎行，有古人風。」卒贈太傅、中書令，謚「文簡」。

王能 廣濟軍定陶人。初事州將袁彦，太宗在晋邸，召置左右，即位補内殿直，六遷至殿前左班指揮使。咸平初，自捧日右廂都指揮使，出爲濟州團練使。知静戎軍，建議决鮑河，斷長城口，北注雄州塘水，爲戎馬限，方舟通漕，以實塞下。又開方田，盡静戎順安之境，北邊來寇，能擊走之。後官至彰信軍節度，卒贈太尉。

李端懿 字元伯，潞州上黨人。七歲授如京副使，侍真宗東宫。七遷濟州防禦使，爲群牧副使，知冀州。爲政循法度，民愛其不擾，降單州團練使。後知鄆州，兼京東西路安撫使。是歲，京東水，民多饑，大發倉廩以賑之。置弓手局，教以戰鬥，遂如精兵。治汶陽堤百餘里以却水患，民便之。赴澶州，卒。贈感德軍節度使，謚「良定」。

陳堯咨 字嘉謨，閬州閬中人。堯佐弟。舉進士第一，授將作監丞，通判濟州。召爲著作郎，擢右正言、知制誥，貶單州團練副使。起至翰林學士，以安國軍節度觀察留後。知鄆州，建請浚新河，自魚山至下杷以導積水。拜武信節度使。卒，贈太尉，謚「康肅」。堯咨以氣節自任，工隸書，善射，嘗以錢爲的，一發貫其中。兄弟同時貴顯，爲盛族。

周起 字萬卿，淄川鄒平人。舉進士，授將作監丞，通判濟州。擢著作佐郎，直史館，累遷户部度支判官。後擢樞密直學士，權知開封府。起聽斷明審，舉無留事，累遷右諫議大夫，知并州。拜給事中，同知樞密院事。進禮部侍郎，爲樞密院副使。卒，贈禮部尚書，謚「安惠」。

蔡齊 字子思。其先洛陽人，徙萊州。真宗朝舉進士第一，通判濟州。時日飲醇酎，往往至醉。時母年已高，頗憂之。一日，賈同過濟，齊館之數日。同慮其以酒廢事生疾，乃爲詩示之。齊起謝。自是非親客不對酒，終身未嘗至醉。事仁宗，官至河南參政、户部侍郎。卒，贈兵部尚書，謚「文忠」。

劉隨 字仲豫，開封考城人。以進士及第，爲永康軍判官。軍無城堞，每伐巨木爲柵，壞輒以他木易之，頗用民力。隨因令環植楊柳數十萬株，使相連屬，以爲限界，民遂不得擾。後改大理寺丞，晁迥薦通判益州，吕夷簡安撫川陝，又言其材，以太常博士改右正言，數月降監濟州税。稍徙通判晉州，還朝遷右司諫，爲三司户部判官。隨在諫職，數言事。又諫太后不宜數幸外家，太后不悦，會隨請外出，知濟州。後歷官至户部副使，改天章閣待制，不旬日卒。隨與孔道輔、曹修古同時爲言事官，皆以清直聞。隨臨事明鋭敢行，在蜀人號爲「水晶燈籠」。既卒，帝憐其家貧，賜錢六十萬。

王曾 字孝先，青州益都人。咸平中山鄉貢，禮部廷對皆第一，以將作監丞通判濟州。代還授秘書省著作郎，直史館，三司户部判官，出知應天府。天禧中，民間訛言有妖，起若飛帽，夜搏人，自京師以南，人皆恐。曾令夜開里門，敢昌言者即捕之，卒無妖。徙天雄軍，復參知政事，遷吏部侍郎，兼太子賓客。仁宗立，遷禮部尚書，正色獨立，朝廷倚以爲重。官至拜右僕射，兼門下侍郎平章事、集賢殿大學士，封沂國公。進退士人莫有知者，卒年六十一，贈侍中，謚「文正」。

李師中 字誠之，楚丘人。舉進士。鹿延龐籍辟知洛川縣。龐籍爲樞密副使，薦其才，召對，轉太子中允，知敷政縣，權主管經略司文字。夏人以歲賜緩，移邊曰：「願勿逾歲。」暮詔吏報許師中，更牒曰：「如故事。」樞密院劾爲擅改制書，師中曰：「所改者郡牒耳，非制也。」朝廷是之，薄其過。提點廣西刑獄，還知濟、兖二州。濟水堙塞久，師中訪故道，自兖城西南啓鑿之，功未半而去，遷直史館。師中在官不貴威罰，務以信服人，至明而恕。去之日，民擁道遮泣，馬不得行。

李迨 東平人，居開封。以蔭補官。初調渤海縣尉，團練民兵，部伍如法，刺史薦之，累遷通判濟州。高宗以大元帥過濟，郡守自以才不及，遜迨行州事，應辦軍需，無闕。會大元帥府勸進，乘輿儀物皆未備，迨諳熟典故，裁定其制，不日而辦。帝深嘆賞，即除隨軍輦運。紹興間，累遷至龍圖閣待制，知洪州，尋丐祠，卒。

姚鉉 字寶之，廬州合肥人。太平興國八年，進士甲第，解褐大理評事，知潭州湘鄉縣，三遷殿中丞，通判簡、宣、升三州。咸平二年，知濟州。三年，河決鄆州王陵，埽東南，注鉅野，入淮西，城中積水壞廬舍。以鉉知州事，徙州於汶陽鄉之高原，委以營度，許便宜從事。工畢，加起居舍人、京東轉運使，徙兩浙路。鉉采唐文百卷，目曰《文粹》。天禧四年卒。

謝文瓘 字聖藻，陳州人。進士甲科，教授大名。元豐中，上疏言臣下推行新法，多失本意。而榜笞禁錮，民受其虐。掊克聚斂，不勝多門。其不急之徵，非理之取，宜罷減之。大臣以爲訕朝廷，議置之罪。神宗曰：「彼謂奉法者，非其人爾，匪訕也。」崇寧元年，出知濮州。尋治黨事，坐元豐上疏，及嘗詒呂公著書，再謫邵武軍，移處州。帝披黨籍，曰：「朕究知文璀本末。」命出籍，乃以爲集英殿修撰。知濟州，卒。

劉顏 字子望，彭城人。舉進士第，以試秘書省校書郎知龍興縣，坐法免。久之，授徐州文學。居鄉里，教授數十百人。采漢唐奏議，爲《輔弼名對》，馮元、劉筠、錢易、滕涉、蔡齊上其書，除任城主簿。歲饑，發大姓所積粟，活數千人。著《儒術通要》《經濟樞言》，復數十篇。石介見其書，嘆曰：「恨不在弟子之列。」以上十三人并見《前志》。

按，《前志》云：「姚鉉於咸平二年知濟州，見《兖州新志》，而《宋史》本傳無文，應闕疑。」考《宋史》，周起判齊州、蔡齊判兖州，皆無濟州之説也。

曹漢 大名人。少爲郡小吏，宋初從征澤潞，還改濟州刺史。乾德二年，太祖親征西蜀，移刺均州。漢令鑿石通道，師旋以濟。開寶二年，河决澶州，令董其役，沈白馬以祭，復决陽武，再護役，皆有成績。太平興國五年，從幸大名，拜威塞軍節度。雍熙四年卒，咸平元年賜謚「武毅」。

王子韶 字聖美，太原人。中進士第。元祐中，改衛尉卿，出知滄州。入爲秘書少監，又出知濟州。建言乞追復先烈，以貽後法。復以太常少卿召進秘書監，拜集賢殿修撰。知明州，卒。

翟汝文 字公巽，潤州丹陽人。登進士第，以親老不調者十年。擢議禮局編修官，召對，徽宗嘉之，除秘書郎。三館士建議東封，汝文曰：「治道貴清净，今不啓上述三代禮樂，而師秦漢之侈心，非所願也。」出知襄州，移知濟州。風度翹楚，好古博雅，精於篆籀，有文集行世。以上三人據《宋史》補輯。

石延年 字曼卿，其先幽州人，徙宋城。累舉進士不第，真宗推恩，録二舉進士，以爲三班奉職，不就。張知白奇之，謂曰：「母老，乃擇禄耶？」改太常寺大祝，知金鄉縣，曰：「此亦可以爲政矣。」綽有治聲，賜銀魚緋衣，爲大理評事，終太子中允、秘閣校理。嘗言天下不識戰三十餘年，請爲二邊之備。及元昊反，始思其言。其在金邑，有

《題張氏園亭詩》，爲士林所傳誦。

徐處仁 字擇之，應天穀熟人。中進士甲科。徽宗時知濟州金鄉縣，以薦召見。帝問京東歲事，以旱蝗對。又問：「邑有盜賊乎？」對曰：「有之。」上謂其不欺。除宗正丞、太常博士，後知青州，又知東平府，皆有能譽。高宗即起爲大名尹、北道都總管。卒於郡。以上二人并《前志》。

梁　灝 字太素，鄆州須城人。雍熙二年，舉進士，賜甲科。四年擢右拾遺，直史館，賜緋，判登聞院，會坐馬周事，貶虢州司户。起知魚臺縣事，就加大理評事，召還遷殿中丞。真宗初，作《聽政箴》以獻，遷翰林學士。景德元年，知開封。卒年九十二，上甚軫惻，賜贈加等。據《魚臺縣志》補輯。

金

徐　文 字彦武，萊州掖縣人，徙膠水。勇力過人，揮巨刃五十斤，所向無前，人呼爲「徐大刀」。爲南京步軍都虞侯、權馬步軍都統指揮使，歷武義將軍，知濟州。在職七年，終定海軍節度使。大定二年致仕，卒於家。

僕散渾坦 蒲與路挾懣人。皇統九年，除慈州刺史，再遷利涉軍節度使，授世襲濟州和术海鸞猛安涉里斡設謀克。貞元初以憂去官，後爲利涉軍節度使，復以金紫光禄大夫致仕，卒年七十二。渾坦性沉厚有識，雖未嘗學問，明於聽斷，所至有治聲。

紇石烈胡剌 晦發川唵敦河人，徙西北路。識契丹字，爲帥府吏，睿宗嘉其能，天德初以監察御史分司行臺。歷同知濟州防禦使事，入爲監察御史，三遷蒲與路節度使，移寧昌軍，卒。

李　瞻　薊州玉由人。遼天慶二年進士，爲平州望雲令，累遷德州防禦使。爲政寬平，民懷其惠，相率詣京師請留者數百千人。貞元三年，遷濟州路轉運使，改忠順軍節度使。正隆末，盜賊蜂起，瞻增築城壘爲備，人賴以安。大定初，卒于官。

劉　焕　字德文，中山人。大德元年進士，調任城尉。縣令貪汚，焕每規正之。秩滿，令持杯酒謝曰：「尉廉慎，使我獲考。」調中書使令，以廉升京兆推官，再遷北京警巡使，召爲監察御史。父老數百人，或卧車下，或挽其靴鐙，曰：「我欲復留使君期年，不可得也？」仕至遼東都轉運使，卒。以上五人并《前志》。

按：《金史·循吏傳》，劉焕調任丘尉，《前志》作任城尉，豈别有所據耶？姑存以俟考。

活　女　完顔部人婁室長子。年十七，從攻寧江州，力戰出陣，太祖曰：「此兒他日必爲名將。」其攻濟州，敗敵八千。從圍太原，破敵於平陸渡。皇統四年，襲濟州萬户。天眷二年，爲元帥右都監，改安化軍節度，封代國公。卒，謚「貞濟」。

謀　衍　完顔部人婁室次子。勇力過人，善用長矛突戰。皇統時，權濟州路萬户。八年，爲元帥右都監。世宗即位，拜右副元帥。二年正月，謀衍率諸軍討窩斡，會兵於濟州，合甲士萬三千人。兵至長濼，遂分軍往迎之，而都統志寧等已敗敵，衆乃引還。七年，出爲北京留守，改東京，封榮國公。大定十一年薨。

石古乃　完顔部人婁室三子。皇統初，充護衛，授世襲謀克。天德元年，攝濟州萬户，部内稱治。除濱州刺史。仕至西北路招討使，改北京留守，卒。

劉　璣　字仲璋，益都人。天德元年進士。大定初爲太常博士，改左拾遺，兼許王府文學。除同知漕運司事，嘗奏言漕户雇直太高，虚費官物，宜約量裁損，若减三之一，歲可省官錢一十五萬貫。世宗是其言，授户部員外郎，擢濰州刺史，徙知濟州。未幾，遷同知北京留守事，左降管州刺史。明昌二年，入爲國子司業，轉祭酒，擢太常卿。

承安二年卒。以上四人據《金史》補輯。

聶天祐

大定九年任金鄉尹，勸課農桑，修理學校，一切縣務，悉心殫舉，雅有循良之風。去任之日，民立生祠祀之。《金鄉縣志》。

胡肇

字子初，管州人。任嘉祥令，初莅事，加意學校，開諭教條。民絕侵没，獄無留訟。蝗不入境，吏不欺公。累遷顯武將軍、騎都尉、安定縣開國男，食邑三百户。邑鄉貢進士翟師軻爲作《祈雨三應記》。《嘉祥縣志》。

烏延鋭

隆州人。弱冠成進士，授刑部員外郎，遷單州守，署魚臺尹。矜民水患，請免租税。適南宋北伐，金人禦之，邑當辦糧車數百兩、丁草六十餘萬束。鋭又請於行臺，咸得減免。行軍騾馬七百餘匹，勒民牧養，鋭爲調停，擇羸瘦者秣食之，民無獲譴者。又爲請寬漕運，至明春挽夫千餘名，得減半，民是以感之，有大安元年《去思碑》。《魚臺縣志》。

元

石珪

泰安新臺人。宋徂徠先生守道裔孫也，世以讀書力田爲業。金貞祐南渡，兵戎四起，珪率少壯，負險自保，與滕陽陳敬宗聚兵山東，破張都統、李霸王兵於龜蒙山。已而引其麾下歸元。木華黎承制，授珪濟、兗、單三州兵馬都總管。後金弃東平，珪與嚴實分據，收輯濟、兗、沂、滕、單諸州。癸未，詔授金紫光禄大夫、東平兵馬都總管、山東諸路都元帥。其年，珪領兵至曹州，與金將鄭從宜連戰數晝夜，糧絶，援兵不至，軍無叛意。珪臨陣，馬仆被擒，囚至汴。金主壯其爲人，誘以名爵，珪憤然曰：「吾身事大朝，官至光禄，復能受封他國耶？假我一朝，當縛爾以獻。」金主大怒，蒸殺於市。珪怡然就死，色不變。其麾下立祠兗州祀焉。

石天禄 珪子，襲爵。孛魯承制授龍虎衛上將軍、東路元帥，佩金虎符，屢立戰功。丙戌，孛魯以功奏，遷金紫光禄大夫、都元帥，鎮戍邊隅，數與金人戰，未嘗敗北。甲午，入覲，改授征行千户，濟、兖、單三州管民總管。乙未，從扎剌温火兒赤渡淮攻隨州，至襄陽夾河寨，戰退宋兵。扎剌温火兒赤賞以戰馬。又從攻蘄黄，功居首。時詔天禄括户東平，軍民賦税并依天禄已括籍册，嚴實不得科收。天禄以病不任職，以子興祖襲。明年，天禄卒，年四十四。祀名宦。

胡祗遹 字紹聞，磁州武安人。中統初，張文謙宣撫大名，辟員外郎。阿合馬當國，進用群下，官冗事煩，祗遹建言省官莫如省吏，省吏莫如省事，以是忤權奸，出爲太原路治中，兼提舉本路鐵冶，將以歲賦不辦責之。及莅職，乃以最聞，改河東山西道提刑按察副使。宋平爲荆胡北道宣慰副使，有佃民訴其田主謀爲不軌者，祗遹察其冤，坐告者。十九年，爲濟寧路總管，上十八事於樞府，以其言著爲定法。濟寧移治鉅野縣，自元初經兵戈，其廢已久，民居未集，風俗樸野。祗遹選郡子弟，擇師教之，治效以最稱，升山東東西道提刑按察使。所至抑豪右，扶寡弱，以敦教化，以厲士風。民有父子兄弟相訟者，必懇切諭以天倫之重，不獲已則繩以法。召拜翰林學士，不赴，改江南浙西道提刑按察使。未幾，以疾歸。二十九年，朝廷徵耆德者十人，祗遹爲之首，以疾辭。三十年卒，年六十七歲。延祐五年，贈禮部尚書，謚「文靖」。子持，太常博士，祀名宦。

答里麻 高昌人。至治元年，除濟寧路總管。興學觀農，百廢俱修，府無停事。濟陽縣有牧童連擊野雀，誤殺同牧者，繫獄數歲，答里麻曰：「小兒誤殺同牧者，實無殺人之意，難以定罪。」罰銅遣之。元統三年，遷山東廉訪使。時山東盗起，白晝殺掠，答里麻以爲官吏貪污所致，先劾去之，再上擒賊方略。朝廷嘉納之，即遣兵擒獲，齊魯以安。官終陝西行臺中丞，祀名宦。

按：此云濟寧路總管而載濟陽縣事，疑濟寧本係濟南，乃《元史》傳鈔之誤。

董搏霄　字孟起，磁州人。由國子生歷官浙東宣慰副使，所至理冤獄、革弊政，才譽甚著。後爲濟寧路總管，從征安豐濠州有功。毛貴陷益都、般陽等路，濟南告急，搏霄援之。賊衆自南山來，搏霄按兵城中，并伏兵澗次。先以少挑戰，賊衆悉至，遂合擊，大破之。般陽賊聞之，復悉衆夜襲濟南，攻南門。搏霄列兵城上，弗爲動。黎明乃開東門，繞出賊後，大開南門合擊之，賊衆悉潰殲焉，自是濟南始寧。後官河南行省右丞，爲毛貴兵所害，追封魏國公，謚「忠定」，祀名宦。

赤琖顯忠　字遂良，其先世居遼之樸速府，以功賜姓赤琖氏。顯忠初爲濟寧判官，撫民以誠，得首所隱官舍二千七百餘間，創養濟院以舍無告民歸之，增户口一千有奇。官至兩浙都轉運使，歷任皆有宦績。延祐二年，以恩晋忠順大夫、濟寧郡伯，復流寓魚臺大聶村，子孫家焉。

孫撝　字自謙，曹州人。至正二年進士，授濟寧路録事。張士誠據高郵叛，或謂其有降意，朝廷擇烏馬兒爲使，招諭士誠，而用撝爲輔。行抵高郵，士誠不迎詔使，撝等既入城，反覆開諭，士誠等皆竦然以聽。已而拘之他室，或一日饋食，或間日一饋食，欲以降撝，撝惟詬斥而已。乃令其黨捶撝，肆其陵辱，撝不恤也。及士誠徙平江，撝與士誠部將張茂先謀，將撝所授站馬劄子，遣壯士浦四、許誠赴鎮南王府，約日進兵，復高郵。謀泄，執撝訊問，撝罵聲不絶，竟爲所害。後賊中見失節者，輒自相嗤曰：「此豈孫待制耶？」事聞，贈翰林侍讀學士、中奉大夫、護軍，追封曹南郡公，謚「忠烈」，賜田三頃恤其家。

冀德方　字正甫，濮之朝城人。初爲曲阜、沛上達魯花赤，所至有聲。至元二十一年，來監濟寧。時新漕始通，舟車交集，使傳旁午。德方内理公務，外兼酬應，俱優爲之。公暇肩輿循保社，詢户力强弱，列等差於籍，徭則按籍均之，民無擾焉。訟者諄切，誨以義理，公庭無鞭撲聲。久之，獄訟衰息，境内無事。乃構大成殿，以妥先聖。作春輝堂，以燕賓客。開力學館，延名儒主師席，選民間俊秀子弟教育之。多所造就，築趙村以南堤三十里，行者無揭厲之苦。地名黄土灣者素污下，夏秋之交，霖潦横至，民居有漂溺者。德方訪故渠，導水達隍中，居者以安。二十八年，召爲監察御史，百姓遮道挽留，馬不能前。三十年，民思之不置，爲立《去思碑》，祀名宦。

李宗武 字克誠，洛陽人。祖禹翼中，金興定二年進士，開封府判。父裕元，洛陽教授。宗武大德初由户部員外郎出知濟州，門絶私謁。甫下車，即陰捕向怙勢攘奪者置於法，豪强斂迹，聽訟日簡。遂振興學校，創尊經閣。朔望謁廟，必躬率僚吏、諸生揖教官升堂，延之坐，執經講論，疑難答問，期明理而後已。又禮聘師儒，於别館聚徒受業，俗爲之一變。州治舊有譙門，金季毁於兵，重建以還舊觀。凡社稷神祠，無不舉而新之，憲司以爲才。他郡有獄久不决，以付宗武，立辨。明年六月，淮南、山東蝗大起，尋入境，忽大風掃蕩無餘，歲大稔，士民歌之，以爲德政所感云。州之爲治也，水陸交衝，使傳絡繹，宗武時使薄斂以足公用，先衆後寡，以均力役，故奸弊絶而民不擾。四年受代去，民咸思之，有《去思碑》。

李絅 字文惠，濟南人。泰定中，以汝寧府判來守濟州，有善政。下令境内，曰：「民毋犯法，吏毋舞法。百爾執事，毋曠厥職。」業乃條孝弟、忠信、禮義、廉耻之事，爲《勸民直言》，令民誦之，俾知所向背。嚴於捕盗，曰：「欲民安，先去民之不安者。」盗有爲他縣獲者，訊之，云：「濟守捕急，因竄此。」廣學舍四十楹，暇則躬課諸生，旌勤懲惰，久無倦色。歲蝗，以牲酒禱之，蝗不爲灾。歲旱，禱於天，引咎自責，立雨，遂大稔。河决，都水監發山東民塞焉，死者枕籍道路，濟民裹糧將行。絅控廉訪司留之，民歡呼載道。他如奏免飼馬、治刁陽湖闢爲祭田供祭費，公私便之。當時麥有一莖四三穗者，僉謂絅治行所致，郡人白守信作《瑞麥圖》頌焉。監察御史李嗣宗等舉之於朝，曰：「愛民如子，馭吏若神。」尋升福建閩海道廉訪副使，後卒於任城館舍。濟人於其去也，老幼奔走遮留。及卒，遠近悲慟，共登太白樓以衣招之。翰林院編修觀音奴爲撰《遺愛碑》。

畢輔國 奉符人。爲濟州判官。憲宗七年，於汶水之左作斗門，遏汶水入洸，通泗以餉宿蘄戍邊之衆，且以溉濟、兖間，田民甚賴之，祀報功祠。

張　楷　字道寧，東平人。年十五以詞賦中選，辟爲范縣、壽張教諭。至元初，轉户部令史，以親老出主濟南簿。時興兵伐宋，供億繁浩，一無所失，遷濟州判官。濟居南北要衝，屬江左甫定，奏捷貢覲者踵接，課民飛挽，絡繹道路。楷上章中書，請東引汶、泗匯任城，以通江淮之漕，北輸京師，此萬世利也。否則，民疲極而潰，將廢厥事，詔從之。卒鑿渠，爲四閘，置漕運司于濟州，以楷爲經歷。贊畫有方，舳艫相銜，聚糧山峙。由運司歷行都水監丞，轉同知曹州事。告老東歸，授朝列大夫、司農丞。致仕，祀報功祠。

楊　桓　字子武，兖州人。中統四年，補濟州教授，後由濟寧路教授召爲太史院校書郎。至元三十一年，拜監察御史。成宗即位，桓疏上時務二十一事，帝嘉納之。未幾，升秘書少監，預修《大元一統志》。秩滿，歸兖州，以資業悉讓弟楷，鄉里稱焉。大德年以國子司業召，未赴，卒，年六十六。桓爲人寬厚，事親篤孝。博覽群籍，尤精篆籀之學。

夾谷之奇　字士常。其先出女真加古部，後訛爲夾谷，由馬紀領撒曷水徙家于滕州。之奇少孤，舅杜氏携之至東平，因受業于康煜。授濟寧教授，辟中書省掾，歷遷吏部尚書，卒。之奇慮識精審，明于大體而不忽細微，爲政卓卓可稱，雖老于吏學者自以爲不及。爲文尤簡嚴有法，多傳於世云。以上十四人俱《前志》。

方脱脱木兒　朔方胦族，世爲皇姊魯國大長公主魯王藩府官寮。皇慶元年，由濟寧路總管府監司授濟州達魯花赤，國語謂監司也。視政審先後緩急，宣德化，敦勸庠序，賓禮文儒，起石梁以濟病涉。謁宣聖廟，與知州郜汝舟等暨州屬吏咸出俸金，創左丘明至韓愈像二十有四及六十二子搸旒衮韍金彩，翰林學士陳儼爲之記。

蔡思中　始陰社稷令。至正二年，領濟州知州，公平廉敏，事無壅滯，民受其惠。餙聖廟賢像，修二賢祠，在任四載，交章鶚薦，濟人美之。

偰朝吾　字世則，枝江人。至治辛酉科進士。元統三年，爲濟州同知，修尊經閣，人謂治知所本云。以上三人據碑刻增補。

蓋　苗　字耘夫，大名元城人。仁宗時，爲濟寧路軍州判官。歲饑，郡守遣苗詣户部請賑，户部難之。苗伏中書堂下，出糠餅以示，曰：「濟寧民率食此，況不得此者尤多。」因泣下。時宰悟，奏請計口支糧。升御史臺掾，歷山東廉訪司經歷。據《通志》補輯，《前志》入「雜綴」。

郭景仁 雲南人。至元三十一年，知濟州事。時學宮兩廡闕然，乃謀於監州冀公泰，乃德方子也。首捐俸金爲倡，爲東西廡、爲神門、講授之室，翰林學士李謙記。祀州學報功祠。

張仲仁 祁陽人。至順四年，知濟州事。下車謁拜聖廟，見其傾圮，慨然以重新爲己任。即會僚佐，各捐俸市材傭工，截然一新，濮陽辛明遠爲之記。祀報功祠。

王德修 至正十三年三月，任濟寧路總管。重修學宫，用至正新幣二百錠，准錢緡千，衍聖公孔克堅爲之記。祀報功祠。

昇嘉訥 至正二十四年，任濟寧路達魯花赤。時山東既平，各州諸將，防禦各郡，以知樞密院事。陳秉直來守濟州，昇與郎中雀訏實左右焉。重修廟廷，祀報功祠。

按：元代祀州學報功祠者五人，《前志》祇載李宗武一人，兹增輯。

李奥魯赤 至元時，兵部尚書。二十年，自任城開穿河渠，道洸、汶、泗水至東阿，以通江淮之漕，由東阿陸轉二百里至臨清。建任城以東石閘，入於任城東西河閘，最爲有功。祀河上報功祠。

馬之貞 至元十七年，以都水少監爲泗汶都轉使。時控引江淮嶺海供億京師，自東阿至臨清二百里，舍舟而陸車輸至御河，牛僨輻脱，艱阻萬狀。二十六年，以壽張尹韓仲暉等言，議開會通河，使之貞按視。還，上可開狀，即命之貞與張孔孫等同主其役。功竣，後人思其德，立石記之，祀河上報功祠。

張孔孫 字夢符。至元二十六年，壽張縣尹韓仲暉、太史院令邊源相繼建言開河置閘，引汶水達舟於御河，以便公私漕販。省遣副漕馬之貞與源等按視地勢，商度工用。

詔出楮幣一百五十萬緡、米四百石、鹽五萬斤，以爲傭直，備器用，徵旁郡丁夫三萬。驛遣孔孫與斷事官忙速兒、兵部尚書李處巽等董其役。首事於是年正月己亥，起於須城安山之西南，由壽張西北至東昌，又西北至於臨清之御河。其長二百五十餘里，中建閘三十有一。度高低，分遠邇，以節蓄泄。六月辛亥成，凡役工二百五十一萬七百四十有八，賜名曰會通河。孔孫歷官大名路總管，兼府尹，召拜集賢大學士、翰林學士承旨。大德十一年卒，祀報功祠。

韓仲暉　壽張縣尹。至元中，建議開會通河，祀報功祠。

按：《元史·本紀》，至元二十五年十月，桑哥請明年海道漕運江南米須及百萬石。又言：「安山至臨清，爲渠二百六十五里，若開浚之爲工三百萬，當用鈔三萬錠、米四萬石、鹽五萬斤，其陸運夫萬三千户復罷爲民，其賦入及芻粟之估，爲鈔二萬八千錠，費略相當。然渠成亦萬世之利，請以今冬備糧費，來春浚之。」制可。是會通河之開浚，韓仲暉創議而桑哥贊成之者也。

邊　源　太史院令，建言開會通河，祀報功祠。

李處巽　兵部郎中。至元二十六年，奉命同張孔孫開會通河，祀報功祠。

按：《元史·本紀》，至元二十六年七月，開安山渠成，河渠官、禮部尚書張孔孫、兵部郎中李處巽、員外郎馬之貞言：「開魏博之渠，通江淮之運，古所未有。」詔賜名會通河，置提舉司職河渠事。此作處巽，從《河渠志》。

忙速兒　中書斷事官。至元二十六年，奉命同張孔孫開會通河，祀報功祠。

張仲仁　河南人。由翰林詹事，分治東阿，監丞。時穿河通漕，導汶、泗以會其源，置閘以分其流。自安民達臨清，爲閘十六；南至沽頭，爲閘十；北至奉府，爲閘一；北至兖州，爲閘一。而會源之閘，制於其中，即在城閘也。歲久土崩石泐，數壞舟楫，乃度功伐石。至治元年三月，改建會源閘，自臨清至彭城延袤七百里，疏其淤塞，築其堤防，爲杠九十有八，爲梁五十有八。越六月訖工，而挽舟之道無不通矣。建分司及會源、石佛、師莊三閘之署，揭傒斯有《重修會源閘記》。祀報功祠。

宋伯顔不花　字國英，阜城人。都水監丞，由中書省譯掾奉命分治會通河道。後至元五年冬十月，睹河水淺小蓋因上源壅塞之病，遂差壕寨梁仲祥度地，計工時。方冰冱越，明年春二月，選差壕寨岳聚、董本監，并汶上、奉符等縣人夫，五旬而工畢。汶、泗、洸、濟之水凑乎會通，舟無淺澀之患。又濟州會源、石閘二座，中央天井，廣袤里餘，近漸淤墊，復加挑浚。夏四月，又率領令使奏差巡視會源閘北，原有濟河舊迹，河身填平，水已斷流。再委岳聚領夫千名，挑去泥沙，衍三百餘步，廣二丈五尺，東連米市，西接草橋，水勢分流，舟航往來無礙，百姓大悦。趙元進有《重浚會通河記》，祀報功祠。

伯顔察兒　同知東平路事。至正二年，重浚洸河，自石刺至高吴橋南王道口淺澀者，延袤五十六里，百八十步。呈准中書，符下東平、濟寧，兼贊厥役。李維明有《重浚洸河記》，祀報功祠。

賈　魯　字友恒，河東高平人。延祐至治間，兩以明經領鄉貢。至正四年，河决白茅堤，又决金堤，濱河郡邑濟寧、單州等處皆罹水患，船入會通河，特命魯行都水監。魯訪求河道，考察地形，往復數千里，備得要害，爲圖，上進二策。其一議修築北堤以制横潰，則用工省；其一議疏塞，并舉挽河東行，使復故道，其功數倍。會遷右司郎中，未及行，調都漕運使。河水北侵，安山淪入運河，延及濟南河間。九年，右丞相脱脱集廷臣群議，言人人殊。魯昌言河必當治，復以前二策進，丞相取其後策，且以屬魯。十一年，以魯爲工部尚書，總治河防事，領河南北諸路軍民，發汴梁、大名十有三路民一十五萬，廬州等戍十有八翼軍二萬供役。四月興工，七月河成，八月決水故河，九月舟楫通行，十一月諸埽諸堤悉成。召還京師，以《河平圖》獻，臺臣請褒脱脱治河之績，超拜魯榮禄大夫、集賢大學士，尋拜中書左丞。從脱脱平徐州，留追餘黨。十三年卒於軍，祀報功祠。

也先不花 哈剌乞台氏。都水監丞，分治東平。至正元年，建黄楝林新閘，即今之仲淺新閘也。又於東岸創河神祠，西岸創公署，署南爲臺曰「遐觀」，其上構亭曰「瞻嶧」。落成之日，舟無留行。楚惟善有記，祀報功祠。

《運河備覽》載元代治績一十四人，俱祀河上報功祠。

《前志》祇載畢輔國、張楷二人，兹據史傳增補。按，《運河備覽》云：「古者汶與濟通，而不與泗通。」自元畢輔國引汶入洸，由洸入泗，而淮泗之舟可達任城。李奥魯赤分汶水北流，仍合汶、濟入海，而任城之舟可徑東阿。後用韓仲暉言，安山開河，北至臨清，而東阿之舟又可北入漳衛運河。開浚之功，三君其首稱矣。

成野賢 晋臺人。爲金鄉縣令，每暇匹馬、一僕，循行郊陌，勸課農桑，刑清事簡，民安其業。去任之後，民爲立碑。

楊循禮 河南彰德人。初爲城武主簿，有政聲。復爲金鄉主簿，莅任之日，赴倉部，糧里正當賠納逋租三百餘石，力爲申請除免。春蝗生北境，齋沐罪己，禱於神祠，忽有鳥從北蔽天而來，食蝗殆盡，麥乃有秋。黄河泛溢，西至長垣，經曹州鉅野，浸没四百餘里。當道建議，欲挑故道土，自夾黄河下至魚臺，計用工四十萬。循禮建言，嘉祥境内英山之側、漚山之陽有壩堰不閉，其水流注，未嘗爲害，已七十年矣。今若依前不閉，此堰殺其下流，塞其上決，漸可消患，衆從其議。役得不興，水亦不爲害。每政暇，即詣講文亭習書史。其創建譙樓、修廨宇，功尤足多。去任，民爲立碑。以上二人見《前志》。

王皓 爲金鄉尹，民安訟簡。按察司趙壽卿過境，作詩紀其德政云。

牛天麟　延祐二年，爲金鄉尹，政治有聲，吏民畏服。

皇甫亨　東原人。爲金鄉尹，以禮樂廉耻訓民，有《去思碑》在《縣志》内。

劉思義　濟南人。爲金鄉尹，政平訟理。暇時講求義理，建講文亭於儒學東臺上，遺碑猶存。

劉十顏鐵木兒　金鄉縣達魯花赤，兼管本縣諸軍奥魯事。政教兼舉，修退思亭，有記。

楊延秀　爲金鄉主簿，修舉廢墜，有《重修臺亭碑》。

黑的兒　爲金鄉監，以摘奸知名。每暇，至學宫，講求治道，有《修學碑》。以上七人據《金鄉縣志》補輯。

封從植　保定谷城人。至元間，爲嘉祥縣尹，振紀綱、勤吏事、興學校、勸農桑，惠政在民，有去後之思，祀名宦。

伯岳觧　鄆城人。元貞間，爲嘉祥縣達魯花赤，廉明剛正，門無請托，禁絶侵漁。興學校，勵生徒。在官九年，無一弊政。

李恩　字德卿，嘉祥人。至元間，爲嘉祥主簿，尋升爲令。居官公廉，治化大行，夜户不閉。卒，葬嘉祥村，王可用志其墓，祀名宦。

王禮　淮州陳臺人。至元間，爲嘉祥主簿，兼縣尉。廉正愛民，勸農桑，禁游惰，僚采和睦，軍民畏愛。臨事决獄，略無疑滯。及去，民爲立碑，祀名宦。以上四人見《前志》。

朶落　肅慎人，世居嘉祥縣。佐元收金有功，授嘉祥縣達魯花赤。在任九載，勸農興學，民多頌德。卒，葬成家莊，趙衡正表其墓。其子利尼赤嗣其父任焉。

夏清 至元八年，爲嘉祥主簿。時當春，三月不雨，二麥焦枯。乃引躬自咎，率耆老禱於神，是夕乃雨，禾稼遂蘇，歲則大熟。

蘇若思 濟寧人。至正元年，以教官升嘉祥主簿。事上不諛，愛民如子。文章政事，卓然可稱。凡修建紀述，多出其手。

孔克任 曲阜人。至正年，任濟寧路嘉祥縣尹，兼管本縣諸軍奧魯勸農事。癸巳年旱，躬率吏民禱於青山，曰：「深慮明不足以遍燭，惠不足以遍施。怒或有所妄加，私或有所妄作。令之不德，宜致典刑，民將何堪？」靈雨隨降。以上四人據《嘉祥縣志》補輯。

朵羅歹 泰定時，爲魚臺縣達魯花赤，兼管諸軍奧魯勸農事。加意學校，自置學田，以贍諸生膏火。魚臺有學田自此始，鄰近州邑亦多踵而行之。見《舊志》。

吉思 字明卿。天歷二年，爲魚臺縣達魯花赤。政治平簡，因儒學掾鞏裕之言，偕裕之各輸錢五百緡，創建學宫，士林感之，有《碑記》。

張維炳 東平人。延祐四年，爲魚臺縣尹。才幹嚴明，豪猾斂迹。時值水患，懇請蠲租，發粟賑貸，民賴以安。

孫榮祖 至治二年，爲魚臺縣尹。政寬才敏，始繕學宫，教養士類。規築新城，以崇保障。復值水患，百計撫循，民稍完聚。

楊祚 泗水人。爲魚臺縣尹，莅政廉能，愛民禮士，嘗置學田，以贍師生。

楊世寧 至正八年，爲魚臺縣尹。爲政平恕，民皆樂業。尊崇學校，是年始作正殿，退座以奉孔子，增祀曾子、子思，以正四配之位。加十哲章服，繪七十賢像，爲四十軸，祀之兩廡。以上五人據《魚臺縣志》補輯。

明

方克勤 字去矜，號介軒，浙江寧海人。元末，台州盜起，吴江同知金剛奴奉行省命，募水兵禦之。克勤獻策，弗納，逃之山中。洪武二年，辟縣訓導，與學者講析不倦，四方士多負笈來聽，因母老辭歸。四年，徵至京師，吏部試第二，特授濟寧知府。時始詔民墾荒田，閱三歲，乃稅吏徵率不俟期，民謂詔旨不信，輒弃去，田復荒。克勤與民約，稅如期，區田爲九等，以差等徵發，吏不得爲奸，野以日闢。又立社學數百區，葺孔子廟堂，教化興起。盛夏，守將督民夫築城，克勤曰：「民方耕耘不暇，奈何重困之？」畚鍤請之，中書省得罷役。先是，久旱，遂大澍，濟寧人歌之，曰：「孰罷我役，使君之力。孰活我黍，使君之雨。使君勿去，我民父母。」視事三年，户口增數倍，一郡饒足。克勤爲治，以德化爲本，不喜近名，嘗曰：「近名必立威，立威必殃民，吾不忍也。」懸書通衢，諭以朝廷養民之意，孝弟忠信之道，引耆耋坐問得失。歲暮轉戎衣於燕，有令：役民舟者，誅。他郡以牛車挽，天雨雪，牛僵死相枕，郡民請以舟。克勤白於行省，請自劾，行省從之，郡民感泣。郡倉糧絶，省檄民自青州轉粟，道遠不便，適淮安漕輸濟南道，經府境，克勤欲以輸府倉，而俾青州轉濟南粟，上聞，報可。五年，鄰邑蝗，克勤移書社神，變食省愆，夜焚香籲天，蝗過境不入，是秋郡中大熟。受漕舊以斛，卒持概，恒高下其手，乃令民得自行概，預以告民，民争來輸。民或有故，即以信符置郵，而召不遣卒隸。所居室壞，吏請葺，曰：「毋以我勞民。」出俸買葦席障之，令蔽風雨而已。自奉簡素，一布袍十年不易，日不再肉食。太祖用法嚴，士大夫多被謫，過濟寧者，克勤輒周恤之。永嘉侯朱亮祖嘗率舟師赴北平，水涸，役五千浚河，克勤不能止，泣禱於天，忽大雨，水深數尺，舟遂達，民以爲神。八年，入朝，太祖嘉其績，賜宴遣還郡，尋爲屬吏程貢所誣，謫役江浦。行李蕭然，鬻所乘馬以行，觀者嘆息，卒以空印事連逮死，祀名宦。子孝孺殉節，後州人立正學書院祀之。參《舊志》增輯。

劉大昕 濟寧府同知。明初，浚河渠以通漕度，後以黄河變易，濟寧之南陽西暨周村泥淤窒壅，數壞舟楫。乃西遵師莊、石佛諸閘，北溯汶、濟，以達燕、冀；西循曹、鄆，以抵梁、晋。濟寧城西二十里耐牢坡口，實西北分路之會，坡有堤綿亘數十里，以防河决，於是遂開通焉。倘失啓閉，水勢散泄，漕度愆期，深爲職守憂。洪武二年，申請山東行省注官分任其事。冬十一月，省檄大昕相宜置閘，以爲歲久計。乃伐石轉木，度功改作永通閘，三月二十日告成。共事者知府涂芳、通判胡處謙、任城主簿周允也。大昕自爲記，今祀河上報功祠。據《運河備覽》補輯。

賈某 佚其名。洪武八年，任濟寧别駕。時郡庠經兵燹之餘，屋宇傾圮過半。方克勤來領郡事，欲興舉。賈侯任其勞，以爲己責。鳩工改作，師生有次，講肄有所，盧陵夏侯霽作《西齋記》以美之。據碑刻補輯。

傅霖 江西貴溪人。洪武中，以吏員歷縣丞，升授濟寧知州。輕徭平賦，誅鋤强暴，吏畏民懷。以忤大閹謫戍，會赦，再知濟寧，官至知府，祀名宦。

史誠祖 山西解州人。洪武末，詣闕陳鹽法利弊，太祖納之，授汶上知縣，爲治廉平寬簡。永樂七年，成祖北巡，遣御史考核郡縣長吏賢否，還言誠祖治第一，賜璽書勞之，擢濟寧知州，仍視汶上事，賜内醖一尊、織金紗衣一襲、鈔千貫。益勤於治，土田增闢，户口繁滋，益編户十四里。成祖過汶上，欲徙其民於膠州，乃奏免之。屢當遷職，輒爲民奏留。二十九年，卒於任，士民哀號，留葬城南，歲時祭祀。

祝祥 以進士授監察御史。永樂中，出知濟寧州。臨事不苟，不立畔岸，人無不得其情。有惠政，民感慕之，祀名宦。

蔣資 字遂良，廣東電白人。洪武二十七年甲戌科進士，累官户部郎中，轉濟寧知州。莅政廉明，寬猛適中。興學校，課農桑，治爲諸郡第一。以丁内艱去職，州民詣闕乞留，遂奪情復任。莆田黄謙撰《修學記》以美之，祀名宦。《舊志》蔣資洪武年任，且列之「知府」，非也，有正德六年碑可證。

張寰　字允清，南直昆山人。正德十六年進士，知濟寧州。至則減損户徭，拊循流亡。州水、陸二驛并之，須冰冱乃給陸，以省其費。修學舍，揀生徒才俊者督課之，創方正學祠。時父安甫就養，不樂寰居孔道，晨夜飭儲偫，候望寰，遂乞改調濮州。東郡有大賊，詔書名捕不得，陰誘其豪，具得囊橐，遂捕斬之。後官至通政司右參議。居父喪，廬墓有乳燕之祥。

范栻　浙江鄞縣人。嘉靖間，知濟寧州事。有遺愛，沿河植柳，人謂范公柳，升府同知。

黃堂　河南内鄉人。舉人。嘉靖三十二年，知濟寧州。歲凶且疫，堂設法賑恤，炒豆以食饑者，施藥愈病，多所全活，升長史。

劉芳譽　河南陳留人。萬曆十一年進士，任運河同知。河頻年淤阻，乃往來河上，勞神殫精，不辭艱苦，河患以平。適知州入覲，各憲司知其廉明仁愛，推署濟寧知州篆。州凋敝紛雜，號爲難理，芳譽優禮師儒，問民疾苦，曲加保恤。布新政，除積弊，民皆戴之，祀名宦。

葛尚烈　江西新建人。萬曆二十年舉人。自建昌教諭升高州府推官，歷濟寧知州，再補昌平州，轉邵武同知。尚烈學於布衣章潢，以儒術爲治。

張嘉謨　陝西城固人。萬曆三十六年，知濟寧州事。州衝疲難理，嘉謨軫念民瘼，曲加保愛。諸廢振舉，政教維新。廉明仁惠，百姓恃爲慈母。《州志》殘缺，與河道王國楨纂修一方文獻，賴有徵焉。

李充元　陝西肅州人。管理馬政，處己清約，臨事不擾。駐節泇河，振肅捕務，地方以寧。疏浚河工，不辭胼胝。萬曆三十八年，攝濟寧州篆，體恤民隱，興除利病。時值荒旱，緩征省刑，多方賑救，全活甚衆。尤加意學校，禮賢下士，有古循吏風。

唐世柱　湖廣巴陵人。舉人。萬曆三十八年，知濟寧州事。諸務殷繁，又連年亢旱，蝗蝻爲災，民多凋敝。世桂勵精圖理，甫下車，優禮師生，訪問百姓疾苦。厘宿弊，布新政，郡中改觀。嘗郊行睹田野灾傷，惻然流涕，亟申文請救。竭誠祈禱，數日蝗盡死，甘霖普遍，民大悦。巷謡曰：「甘澍隨車沛，蝗蝻應禱無。格天賢太守，黎庶一時蘇。」祀名宦。

胡　休　字太若，河南商城人。萬曆丁酉科舉人。四十五年，知濟寧州事。惇大嚴明，爲政崇大體。擢寧國府同知，去，人思之不忘。

董則喻　字徵我，號心如，河南光州人。舉人。由宿遷知縣，萬曆四十八年，遷濟寧知州。天啓三年，轉河間府同知。士民請於撫按，疏聞加銜，留任六年，遷户部雲南司員外。則喻治濟六載，入覲舉卓异，始升部曹。爲政寬平，務順民心。撫循保愛，仰若慈父。中經蓮妖之變，修備固圉，詰奸防城。事事周辦，鎮静無擾。更精於吏術，郡固南北交衝，日無暇晷，則喻從容裁决，張弛得宜。若恤驛緩征、保甲巡守諸議，後人遵其規畫，屢收成績。至其清潔不染，謙退不矜；訓養儒生，偉人飈起，迄今頌之。仕至長蘆鹽運使。歸里，八十餘卒。北郊外有生祠。

甄偉璧　字連城，河南許州人。舉人。天啓七年，知濟寧州事。剛正有清操，繼董守寬平之餘政，尚精嚴，振起頽弛，一時稱其能。值桂、惠二王之國，路經濟上，時崔魏方横，内璫頤指大吏，凡所需索，無不竭民膏髓以應之。偉璧預爲措置，儲蓄廩餼，自餘横索，一切拒之。其承奉大璫者，怒縶偉璧。百姓歡聚數千人，桂王聞之，遣人縛璫，釋偉璧，牌示檄州，止用人夫、馬匹、口糧，餘供一概罷免。又招偉璧登舟，獎慰宴賜，諭令傳示，勿使民間驚擾。至今談其事，有感泣者，然終以剛正罷歸。

王孫蕃　字生洲，北直雄縣人。萬曆丁巳科舉人，歷昌平學正。天啓五年，擢知濟寧州事。沉厚仁慈，政務寬和，寧爲法受過，不忍以急迫苦民。初以逋賦鐫級，蓋明季餉匱，郡邑水旱報灾，不暇捐賑，逋者日多。令長鐫級，管事至徵解完日開復，乃得升遷。時州南鄉連遭大水，京邊額餉積年，逋賦至萬餘，孫蕃以此坐累。在任九年，以艱歸里，至不能行。起，補入都，適值考選之期，濟諸逋賦先經赦除，鐫秩盡復，遂舉卓异，授浙江道御史。以罪璫劉元斌從寇冒功狀上聞，帝御門獎譽，加二級，執元斌誅之，孫蕃直聲振天下。甲申冬，以謫去，寄居杭州。後過閩中，樂其山水，家焉。康熙六年，孫祐之以下第南還過濟，濟人士見之有泣下者，争醵金爲治歸裝。時孫蕃蓋八十餘矣。

潘叔正　浙江仙居人。監生。永樂八年，爲濟寧州同知。存心公恕，長於撫綏。奏請開漕渠，自濟寧抵臨清，以通東南漕挽，賜寶鏹、錦幣，祀名宦。《通志》及《名宦鄉賢碑》皆作「時正」，《舊志》及《明史·宋禮傳》作「叔正」。

葛興　字應正，南直績溪人。成化時，判濟寧州。莅官三載，惠民潔己。魯王大書「德政」二字，遣官旌之。祀名宦。

毋揚祖　字趨庭。貢生。於天啓元年，晉河州判。凡職掌所關，皆以實心行實政。有翟桂者，爲人謀殺，無尸，屢推不知主名。上官以屬揚祖，乃訪知桂與土娼李氏往來，遂下李氏於獄，納其幼子於衙舍，日以果餅誘之。閲數月，遂吐實云：「有吕撓者，與桂争奸，殺之埋於墻。」往驗果得，一郡以爲神明。後轉四川綏陽縣，再遷寧國府同知，致仕歸。

和承芳　山西平定人。弘治間，爲濟寧州訓導。勤於訓迪，諸生饋遺悉却之，以清節著。薦授唐山知縣，亦有惠政，祀名宦。

張焕如　字實夫，堂邑人。萬曆時貢生，任濟寧州訓導。善古文辭，升臨城知縣，有循聲，邑人爲立生祠。以上二十一人并《前志》。

陳亮　字友直，浙江金華人。正統六年，由蘇州同知調任，遷濟寧知州。達大體而富文學，修復廟學，自禮殿、門廡以至講堂、學舍，悉舉其舊而增新之，翰林修撰寧陽許彬爲之記。薦升濱州，濟民懇請留任焉。

孫蕃　字維翰，維揚人。順天甲戌進士。成化十三年，知濟寧州事。用經術以圖治，凡有益於民者，次第舉行。而尤留心學校，士子咸知感奮。莅任三年，政治孚洽，歲豐人和。作觀瀾亭於城南，論者謂濟上風氣蓋萃於此云。

宋祉　河南許昌人。萬曆十三年，任濟寧知州。百廢具興，以能稱。設府館以供郡長，創公廨以約胥吏；葺學宫以興文教，修教場以備奮武。其它獄訟、錢穀，庶政稱治焉。雖處衝衢，綽如也。以考最行，濟人士立石以美之。

戴記　北直昌黎人。景泰癸酉舉人，初爲滎澤尹，以外艱去。繼知鄒縣九載，鄒人德之。後任濟寧州同知，以公直莅事，綽有能聲。冰蘗之操，終始不渝，吏畏民懷。疑滯之獄，剖析如流。州治譙樓頽圮，爲之葺理，浹旬而成。歲在壬寅，自春徂夏不雨，民不聊生，徒步遍禱群祀。越三日，雨膏沾足，易凶歲爲豐年，士大夫歌咏以美之。及理倉糧，會計允當，輸者賴其均平，食者蒙其實惠。興學校，恤孤寒，善政不一，以休致而去。百姓攀轅卧轍，出涕送之。訓導盧瀚爲撰《去思碑記》。

王涉成　湖廣江夏人。正統時，任濟寧州判，綽有猷爲。與上虞任澤、萃川、蕭琛謀，建文昌祠，衍聖公孔彦縉撰文刻石。

羅一夔　陝西略陽人。由選貢，萬曆二十四年任濟寧管河判官。時工部都水分司胡伯玉疏浚泉源，一夔與有勞勩。總督河道楊一魁奏言：「山東新舊泉源，悉皆浚通，經理諸臣如主事陸化淳、胡瓚宜量升俸級，湖泉判官李國祥宜量加兖州府通判，運同唐楨及同知劉廷柱等均宜加獎，判官羅一夔等亦宜并叙量獎，以勵後效。」事下所司，覆奏報可。

李　賓　字敬之，四川人。早以經術見重銓曹。弘治四年，任濟寧州管河判官，職司水部，疏浚有方，堤防、橋梁、津渡、邸舍、亭郵，咸以繕理，而民不告勞。濟城之南，洸、泗合流之滸，宋元以來有龍神廟，號曰「靈源宏濟王」，久圮。乃以漕河權貴之家漁民利者抑之，使出資自贖，不期年鼎新其祠，塑神像者五。及其歸也，濟之上民礱石頌德，訓導和陽盧輔爲之記。

王　俊　福建莆田人。嘉靖十四年，任濟寧學正。時廟學雖修，而啓聖無祠，或假尊經閣，或假明倫堂以祀。僉憲于公按濟，檄州毀淫祠以建之，貳守蕭侯適攝州治，俊爲學典教同，次第整興之。再閱月而成，勒石爲記。

邊　溉　字雨田，北直任丘人。舉人。隆慶時，由金鄉縣升濟寧知州。清慎勤敏，興利剔弊。金鄉貢生黄國光爲作《創修公廨記》云「莅政以來，新聖宇，建號房，修城池，築壇社，營官祠，重農事，恤困窮，平賦役，招流移」云。以上九人據碑刻及《泉河史》補輯。

狄　崇　字世昌，南直鳳陽人。少多膂力，驍鷙過人。元至正末，從明太祖隸大將軍徐達麾下，克江陰、宜興，擢右部先鋒。從克姑蘇，擒士誠，凱旋授明威將軍、驍騎衛指揮僉事，賜賚甚厚。從徐達北定中原，大會諸將於濟寧，崇爲先鋒，不旬日，山東悉平。洪武三年，予世襲，進昭武將軍、濟寧左衛指揮使。是年，崇建濟寧磚城，城方九里。城中之塗，九經九緯，飛樓十五，五年而畢。崇請老，許之。尋以廣東大羅等洞蠻作亂，起崇廣東都指揮使，討平之。上喜，謂侍臣曰：「朕意左手曹老將可使，果然。」蓋崇父贇同里曹氏，又曾以左手却敵，軍中呼爲「左手曹」，故云。十五年，移鎮金齒，蠻人懾服。未幾卒。上悼惜，命還濟寧，予祭葬。今城南郗江原是其兆。子濟，字子淵，亦雄將也。仕至遼東都指揮使，屢立奇功。太祖北遷，親幸其第。孫鏞、鑒，皆有聲名。祀名宦。

趙　輔　字良佐，南直鳳陽人。襲職爲濟寧衛指揮使。景帝嗣位，尚書王直等以將才薦擢署都指揮僉事，充左參將，守懷來。天順初，徵入右府莅事。成化元年，以中府都督同知拜征夷將軍，與韓雍討兩廣蠻，克大藤峽，還封武靖伯。三年，總兵征遼東，與都御史李秉從撫順深入，連戰有功，進侯。八年，廷議大舉搜河套，拜輔將軍，陝西、延綏、寧夏三鎮兵皆聽節制。二十年，解營務，家居十年卒。贈容國公，謚「恭肅」。輔少俊，辯有才，善詞翰，多交文士，屢遭論劾，卒無患。子承慶嗣伯，協守南京。正德初，坐傳寫諫官劉蒞疏，爲瑾所惡，削半禄，閑住。四傳至元孫光遠，萬曆中鎮湖廣，明亡乃絶。

鮑東萊　任城衛指揮，善騎射，膂力過人。嘉靖甲寅，征倭賊於松江。每出，建一白旗，所向無敵，賊望見即奔潰。後建紅旗，遇賊於上海，深入水曲，賊還擊之。東萊與參將尚允紹躍馬大呼：「期以死報國，敢有後者，刃之！」復殺數千人，矢盡遇害。事聞，贈都指揮，立廟戰所，祀名宦。

吴道泰　順天大興人。崇禎末，爲總河標中軍副將、都督僉事。土賊張文宇、盧三等作亂，據兩城山。道泰率衆征之，奮勇追殺，陷伏，馬蹶而死，其子亦以赴救被殺。同時殉難者有：濟寧道中軍守備許某，及聽用守備陳若蕃。事聞，道泰贈都督同知，餘贈恤有差。祀忠義祠。以上武職四人，《前志》。

龍　駿　江西萬載人。舉人。天順間，知金鄉縣。廉明仁恕，吏不敢欺，蝗不爲灾，百姓歌曰：「蝗蟲不入金鄉境，盡向他州縣裏飛。」後行取去，邑民立石頌德。

盛　德　河南汝州人。進士，成化十六年知金鄉縣。廉明精敏，吏民畏服。壇舍鋪亭，縣治學官，創治功多。後行取，卒於途，民哀思之。祀名宦。

宋　鼎　陝西鄜州人。監生，弘治十八年知金鄉縣。强毅不撓，恩威并濟，事治民安，祀名宦。

高　魁　河南新鄭人。舉人，正德初知金鄉縣。清苦愛民，布袍糲食，一如寒士。每匹馬巡行郊外，坐樹下，召村中父老課農桑，如家人父子。然吏不敢欺，士民悦服。

歷官工部郎中，民塑像祀之，祀名宦。

石　漢　河南汝寧人。舉人，嘉靖四十四年知金鄉縣。廉正有才，當縣治殘疲之後，修舉廢墜，開墾荒田，發奸擿伏如神，吏畏民懷。後升工部主事，祀名宦。

楊　楫　字知江，河南商丘人。進士，萬曆時知金鄉縣。邑疲且衝，連歲水患，至則撙節愛養。見里甲輸管支者多至破産，楫洞悉其事，止用陰陽生買辦。雖按部使者往來雜沓供應，而民不覺。修學校，新縣治，築堤防，以至城郭、祠宇無不崇安堅固，可垂永久。日以錢易米薪，自處以約，接人甚謙，邑人至今猶傳頌之。

郭增光　北直大名人。進士，萬曆時知金鄉縣。時黄河大溢，蓬藋竟野，撫招流移，設法開墾。吏胥之狡獪者，一繩以法，悉咋舌退。居平語貌謙抑，若不出口。至剖斷論鞫，雖宿老法家不逮。調任萊陽，去，民追思之。

劉廣譽　河南商丘人。舉人，萬曆時知金鄉縣。值歲大歉，捐俸，給牛、種，發廩賑饑，施棺捨藥，收恤窮獨。以勞卒，祀名宦。

唐　鵬　北直獻縣人。監生，弘治末任金鄉主簿。嚴毅方正，修建城隍，月餘而竣。正德六年，流賊萬餘，經其城下不敢犯。士民追頌其功，祀名宦。

楊守道　字希中，號敬齋，廣東潮陽人。監生，嘉靖時任金鄉教諭。温和謹飭，教養士子。置學田三頃，以助廩膳。卒於官，士民思之，祀名宦。以上十人并載《兖州府志》。

桂有根　河南汝陽人。萬曆己丑進士，知金鄉縣。斷獄若神，人不敢欺。平賦役，黠吏微以奇羸嘗之，立置之法。勤課士，中甲第者甚衆。辛卯年，邑人爲之謡曰：「前卯寥寥，後卯翹翹。」邢侗《生祠碑記》略云：「公平居不見喜愠，不刺候人陰慝，終滿任，莫能名居間私人。見一廢有其舉之矣，見一蠹有其剔之矣，乃若供億一任之當官，毛髮不及於單下。節孝被其弘獎，煢獨沐其噢咻。行荒形於瘦懼，擘畫竭乎心思，此雖仁公之常業，而友邦之所卒難也。公繇令爲名諫官，又晋而爲名九列，光大顯揚，不可思議，而更十政不及金鄉億姓之口，以召伯之《甘棠》，雍容刻誦，亡窮極爾。」

彭鯤化 河南汝陽人。進士。萬曆時，知金鄉縣。時黄、泇兩河并舉，僉派動以百計，設法召募，民不勞而功較倍。歲饑，招集流亡，蠲其舊賦，仍給牛、種，煮粥施藥，以贍貧病。胥吏或夤緣爲奸者立懲之，聽訴片語即折。築魁樓，置會田，振興文教，具載碑記。

魏照乘 河南滑縣人。進士。萬曆四十四年，知金鄉縣。摘奸如神明，自正賦外不廢半菽，一錢兩造，當庭剖晰開諭，若家人父子。在任六年，百廢俱修。

楊于國 山西陽曲人。舉人。天啓初由館陶調知金鄉縣。值妖黨煽亂，驅車赴任。登城周覽，區畫守禦，率紳士、氓隸徧告於神，誓以死守。時遼撫周永春家居，麾下廢將、健丁咸依之。每事訪問，簡丁壯得千二百人，加以犒勞，晝則團操，夜則分守。賊知有備，兩過城下皆不敢近。詳《守城記》，見《兵革志》。

段可舉 遼東人。崇禎末，任金鄉縣丞，有武力。時流賊翻天鷂至，托言闖官安民，已知其奸，而西門外重已啓。賊鳴觱篥，可舉在南門聞聲，疾馳至。賊已入瓮城，乃向大炮叩頭，祝畢，親舉炮西向發之，更擲火、焚吊橋，復手挽强射，賊應弦而倒。賊驚潰，城賴以全，邑人立祠祀之。

楊春 江西崇仁人。成化間，以鄉貢任金鄉主簿。居官清慎，有節概。值歲大祲，即申報請賑，不俟檄下，先發賑之。逮檄至，應賑倉穀少，當事果繩之以法，遂拂衣去任，士民留之，遂家焉。

王濟美 山西和順人。監生，任金鄉縣丞。廉幹有爲，振廢剔弊。修官廨道路，列樹表之。修甃城池，民不知勞。升德州判官，以勞卒，入名宦。

宋鶴年 高陽人。由吏員任金鄉縣丞。清苦自持，明於吏治。卒於官，不能歸，士民爲之具棺殮。

諸祖 浙江山陰人。由舉人，嘉靖間爲金鄉教諭。博學能文，課士親爲改授，人文蔚起。升岳陽知縣，卒於官。以上九人并《前志》。

鄭文炳 北直内黄人。永樂時，知嘉祥縣。勸課農桑，作興學校。明習法律，獄無冤民。日集群胥吏以讀律課之，皆成材器。秩滿，百姓請奏留之。在任十八年，始終一節。

張慶 字景祥，河南鈞州人。天順七年，知嘉祥縣。律己公廉，處事勤慎。政平訟理，地闢民富。豪猾斂迹，鞭撲不施。化行俗美，逋逃復業者三百餘家。治行爲山東第一，以才能改調章丘。去之日，遮道泣留者數千人，有《去思碑》。

程文 字天章，山西陽曲人。舉人。成化間，知嘉祥縣。居官外和内剛，鯁直清介。興利除害，愛民如子。賞善罰惡，勸農興學。賑貧給乏，招撫流移，訟平盜息。在任五載，庶政畢舉。

董錦 字君衣，北直東明人。嘉靖時，知嘉祥縣。存心仁恕，治尚簡易。厲士氣，順民情。先是，邑地不清，賦税罕平。錦至則首爲均之，民皆稱便，以故流民復業者四百餘家，四野無曠土焉。在任僅八月而卒，百姓至今思之。有祠在郎山之麓，居人遞修葺之，以時祭祀。

化之行 字孟川，湖廣蘄州人。嘉靖時，知嘉祥縣。清介端方，寬仁明恕。在任八年，始終如一。論者謂：「前有董公，比之召父；後有化公，比之杜母。」云。

賈應墀 字龍樓，河南安陽人。嘉靖時，知嘉祥縣。撫民愛士，庭無案牘之煩，胥絶奸詭之弊。在任一年，升河間府同知。士民慕之，比行，遮道泣留，立去思碑，建祠東郭外，并列前令劉思顔、龔仲敏、劉之亮，題曰「三賢祠」。

路中 字宗堯，冀北平谷人。正德丙子舉人，嘉靖年知嘉祥縣。丙戌春旱，步禱於青山祠，雨立應。下車之始，剛明果斷，民情苦不堪。行之既久，民乃悦服。風清弊絶，庭無囂訟。廉静寡欲，一毫不取於民，當道交章推薦。訓導西蜀，羅時裕爲作《禱雨記》。

齊　雲　河南新野舉人，正德時知嘉祥縣。政通人和，賦役以平。邑主事曹琛《記禱雨碑》云：「嘉祥之民，始而悍悍然，若初羈之馬决裂而驟；中而馴馴然，若在籠之鳥擾狎而服；終而由由然，若江河之鷗優游於柳之陰、藻之陽，自生自飼，而莫知其然也。」初治汶上，惠洽士林。任嘉祥，撫招徠，恤嫠寡，表節孝，闢學門、學路，建曾子祠，鄉人士劉愚若爲《三喜册》以歌咏，紀其太孺人壽、子嵩讀書及喜雨也。補輯。

張禹弼　字汝鄰，山西平定人。乙酉舉人。嘉靖年知嘉祥縣。汶上進士劉夢熊作《禱雨有感記》云「爲人愷悌，多惠政，有冰蘖聲。癸巳春夏不雨，自畿輔至山東方數千里。禹弼禱於青山惠濟公廟，大雨如注，人以爲政德之感」云。

劉之亮　字執之，北直唐山人。萬曆時，知嘉祥縣。不剛不柔，賦平訟息，囹圄一空。秩滿，升平凉府同知，百姓感德思慕不衰。以上七人《前志》。

劉思顔　字孔賢，河南鞏縣人。歲貢。萬曆二十二年，知嘉祥縣。温良慈恕，不寛不猛。歲比不登，建議修城，令民壯者趨事就食，老稚者爲糜粥給之，以故存活甚衆。遷秩行，百姓遮道號泣，立石頌德。

龔仲敏　字惟學，湖廣公安舉人。萬曆二十三年，知嘉祥縣。恩威并用，弊絶風清。未幾，以内艱去，邑人皆號泣，立碑以志不忘。

李昌年　字青巖，陝西富平人。舉人。崇禎十一年，知嘉祥縣。絶請謁，懲奸胥，禁游惰，治豪强，上下肅然。修文廟以崇師儒，砌石城以壯屏翰，决疑獄以雪積冤，當時稱「神明父母」。升保定府同知。以上六人據《嘉祥縣志》補輯。

宮　志　河南安陽人。永樂四年，知魚臺縣。廉慎有爲，善於撫字，其治民如家人父子。秩滿當遷，邑民千餘人赴闕借留。詔從之。復任，卒於官。祀名宦。

戴　炎　河南澠池人。舉人。成化間，知魚臺縣。勤敏清直，不畏强禦，興利除害。及去，民思之不忘。

劉席民　山西安邑人。進士。天啓三年，知魚臺縣。以教化爲先，重學校，端士習。至催科，祗與百姓期會，不用傳呼，民亦不忍背之。仁聲四達，望重一時。嘗兼攝金鄉、城武等篆，所至皆有甘棠之愛。去後，邑人爲立祠祀之。累官兵部郎中。

鄭　滂　字甘澍，河南湯陰人。崇禎戊辰進士，二年知魚臺縣。興學勸農，有慈母之稱。邑東獨山湖水溢，傷漕艘，乃築塘閉閘，民免賠漕之累。左遷浙鹺，升延平推官，歷任户部督餉關外、分守金衢道。壬午卒於杭，黄石齋聞而哭之，慟曰：「中朝廉吏，惟公一人。」賻之而撫其孤。

李士才　河南郟縣人。舉人。崇禎十一年，知魚臺縣。時連年旱、蝗，民生莫保。土寇猖獗，遍地烽烟。士才安内攘外，裁决周詳。邑被兵者凡三，皆親冒矢石，竭力捍禦，卒以饑疲不支。十五年十二月初八日寅時，城陷，執節不屈，死於南門外，士民哀之。

董　儒　東昌府清平人。貢生。崇禎十五年，任魚臺教諭。城陷，同縣令李士才俱不屈，先後遇害。以上六人并《前志》。

謝榮祖　洪武二年，知魚臺縣。時當草創，竭力經營，重建大成殿。撫循安集，士民愛戴。

葉憲祖　洪武七年，知魚臺縣。修築城隍，恪守前規，勤於撫字，時有「召杜」之稱。

原　端　北直唐山人。貢生。景泰中，知魚臺縣。自奉清約如寒素，而莅治明敏果斷，吏莫能欺。且雅意作人，士多懷之。

張　會　順天霸州人。貢生。成化間，知魚臺縣。勤於政治，修築城隍。處己廉恪，莅民仁恕。

崔　演　山西澤州人。貢生。成化間，知魚臺縣。有能名，修學養士，學校賴之。

孫　斐　南直六合人。弘治中，知魚臺縣。持身廉潔，饋遺不通。莅治嚴明，豪强斂迹，竟以剛方投劾去。

李文敏　河南汲縣人。舉人。弘治中，知魚臺縣。有爲有守，營建學宫，歷遷解州太守。

魏彦昭　北直容城人。進士。正德間，以監察御史彈劾權幸，左遷知魚臺縣事。廉明執法，境内肅然，期年升武岡守。

任惠惠　順天涿州人。監生。正德中，知魚臺縣。雅意人文，捐修學校，治績可稱。

鄒　暘　江西新淦人。監生。嘉靖中，知魚臺縣。持直廉潔，值水灾，多方拯濟，民賴以生。初因縣治議遷，堂宇折毁，乃度舊址重建焉。

張　仁　南直六安人。舉人。嘉靖十六年，知魚臺縣。勤於政治，修繕城隍，以循吏稱。

史元中　號六泉，浙江鄞縣人。嘉靖辛卯舉人，知魚臺縣。值歲大祲，盗賊起。有簡瑞者爲盗魁，善運矟馳馬，出没官道。元中以計縛之，簡卧庭下，瞠目曰：「吾左手持矟，右短兵，横行千里間。今爲書生掩取，天也。」元中笑曰：「汝輕書生耶？」即起，著短衣，持其所用矟運之，左右迴旋如舞匹練，忽矟斷爲三，擲示簡曰：「汝矟豈足用耶！」簡叩頭稱死罪，乃繫之獄。至冬月將論决，簡求見，曰：「身亦山東男子，不敢負公。乞假十日，一生别老母。」史即縱之去，衆皆懼。及期，先一日就獄。離魚臺六十里爲獨山，大盗劉儀久嘯聚其中，有衆數千。開府曾銑議進剿，以元中爲先鋒，即擇日陳兵，禡祭畢，知獨山有謀者在軍，乃命植一竿百步外，元中手挾矢，誓曰：「吾一書生任將兵，若一舉滅賊，當三矢中此竿。」時萬目齊注，監司諸將俱色變。元中從容三發三中，呼噪震地。是日，元中察得諜者三人，釋其縛，賜以美酒食，笑謂曰：「汝來觀吾射耶？」諜者股栗，盡吐賊虛實及所入獨山徑道。元中立提兵，襲其寨，擒劉儀還。曾大喜，方論保薦，會曾遷制三邊，尋爲相嵩所害，赴市。元中嘆曰：「事尚可爲耶？」即日挂冠歸里，時年四十二。家居復四十年，守令思一造見不可得。老益貧，惟賣文以自給，有《青蓮詩集》行世。

崔尚禮　北直安肅人。舉人。嘉靖中，知魚臺縣。清慎廉潔，一介不取。爲政簡易，民甚便之。輒進諸生，講論文藝。

李堯年　山西渾源人。貢生。嘉靖中，知魚臺縣。練達庶務，吏民畏服。以才名徵督河防，經畫有迹。

魏朝相　字見溪，順天薊州人。貢生。萬曆二十九年，知魚臺縣。教士有方，改大成殿而隆起之。甲戌以後，相繼登甲第者不絶。

潘元瀚　廣東番禺人。舉人。嘉靖中，知魚臺縣。愛民養士，修葺學宫，擴大成殿爲五楹，焕然改觀。

郭　恬　號壼山，陜西人。丁酉科鄉進士。嘉靖四十二年，以兖州府推官署魚臺篆。增修文廟，甃鑿泮池，建欞星門。莅治未久，稱遺愛焉。

張　澍　字沛吾，南直婺源人。舉人。萬曆四年，知魚臺縣。修學宫，悃愊無華，廉静仁愛。謝政之日，邑人立碑以繫思焉。

宋聚奎　字焕宇，山西定襄人。歲貢。萬曆七年，由城武令調知魚臺。明敏果斷，人不能欺。訟獄盈庭，單詞立剖。修舉廢墜，凡壇壝、祠宇、學田、義倉、奎星閣、衙舍，咸修建焉。爲治綜核名實，催科不擾，升邠州太守。

白希綉　號夢山，陜西膚施人。進士。萬曆中，知魚臺縣。淡泊自甘，刑清訟簡，事無不理，以考最升禮科給事中。吏民懷之，爲建思白亭於穀亭鎮。

孫佶　河南睢州人。萬曆二十一年，由別駕署魚臺縣。秋毫無所取，息民爭訟，時號廉平。

劉志仁　山西解梁人。舉人。萬曆十四年，知魚臺縣。胸懷磊落，治務大端。發倉賑災，民賴以全活者甚衆。捐俸買拆櫺星門外民宅，令其虛敞，直達龍臺。尋調海豐令。

阮國信　河南睢州人。舉人。萬曆中，知魚臺縣。慈祥愷悌，甚著仁聲。修學宫，創邑志，未成書以疾告歸，後人資以考訂。

楊之翰　陝西漳縣人。萬曆二十三年，由濟寧州判署魚臺縣篆。補建敬一亭，修兩齋、兩廡設施，不同俗吏。

尹就湯　山西興縣人。選貢。萬曆二十三年，知魚臺縣。飭躬以禮，撫下以仁，後祀名宦。子同皋成進士，官至四川巡撫。

吕大濩　河南輝縣人。舉人。萬曆三十二年，知魚臺縣。值河决，田廬漂没，爲民赴告上憲，繼以號泣。撫院爲之動容，詣縣查勘，特疏蠲免三年賦税，共一萬三千兩。又裁冗費冗員，共節省四千兩。又發公帑三千兩，募役修築城堤，城賴以全，邑民建祠祀之。

牛文明　字見龍，山西汾陽人。貢生。萬曆三十七年，知魚臺縣。清風亮節，一塵不染。莅政公平，人皆悦服。均地畝，勒石垂式，至今因之。時學宫因壬寅河决，幾爲荒圃，重加修葺。移祀文昌於龍臺奎星閣，正值聖廟之南。己酉樊敏敦、壬子王受祉、乙卯甄夢弼相繼中式。

陳蒙吉　浙江寧海人。舉人。萬曆四十三年，知魚臺縣。愛民禮士，有父母之譽。

陳景源　南直宜興人。舉人。天啓元年，知魚臺縣。器度淵凝，事無煩擾。智謀足備，白蓮賊起，隣境荼毒，設法防禦，據險擊之，賊不敢逼。後升汝寧府同知。

吕黄鐘　山西澤州人。進士。天啓六年，知魚臺縣。庶務綜核，持躬廉潔，讞獄勤慎。善教士，解經課藝，永日不倦。士民愛之。後調歷城，累官兖西道。

劉文明　北直鹽山人。貢生。天啓八年，知魚臺縣。待人渾厚，治事精明。

王世藎　順天平谷人。舉人。崇禎五年，知魚臺縣。莅事嚴明，吏莫敢欺。然仁心惠質，未嘗虐民瀆士。修葺學校，建聖域、賢關二門，邑人士咸敬愛之。

張文顯　陝西膚施人。選貢。崇禎八年，知魚臺縣。時四郊多壘，誅求日煩，有綜理應變之才，上官嘉之。修葺學校，泮池坊「魚龍變化」四字，其遺筆也。

登承黻　廣西全州人。舉人。崇禎十六年，知魚臺縣。殘破之邑，荒亂之餘，吊死扶傷，修創守備，民恃以安。

楊瑠　順天順義人。正統間，任魚臺縣丞。廉幹著稱。親愛士類，捐俸修大成殿。

徐頊　成化十七年，任魚臺縣丞。初，憲宗萬貴妃有寵，而閣臣萬安自稱子侄行，與妃弟通往來，以固其位。及悼恭太子薨，紀貴妃皇子已六歲，十一年五月立爲太子，六月而紀妃疾薨。中外籍籍，蓋指萬貴妃也。孝宗即位，頊首上疏請究皇妣薨逝之繇，以復不共戴天之仇。孝宗仁厚，雖置不問，而以言官交列其罪，萬安竟罷，亦足徵其風烈矣。

王鎮　河南登封人。正德中，任魚臺主簿。强幹有膽略，時霸州盗連陷山東州縣，預修守備，繕治城隍。六年九月，寇至城下，攻七晝夜。多方捍禦，焚其雲梯，禱於神，率衆大戰。會大風揚沙，拔賊壘旗幟，遂破走之。斬首二百餘級，奪其輜重，邑賴以全。

王鑾　山西長子人。舉人。永樂十年，任魚臺教諭。訓士端詳，後學宗之。後擢監察御史。

張澤　福建莆田人。舉人。成化間，任魚臺教諭。博學能文，以身範士，得《詩》學正傳。後遷永安令。

高　瓚　河南襄城人。正德間，由鄉薦任魚臺教諭。善於啓迪，士風丕變。

宋希文　湖廣黄岡人。舉人。嘉靖間，任魚臺教諭。率士多方，善於誘掖。捐俸修大成殿，升雲南縣令。

彭守己　青城人。舉人。萬曆二十三年，任魚臺教諭。講課不倦，多士奉爲楷模。

阮時懋　福建閩縣人。舉人。正德間，魚臺訓導。勤於講課，諸生匱乏，時周恤之。遷宜山令。　以上四十三人據《魚臺縣志》補輯。

宋　禮　字大本，河南永寧人。洪武中，以國子生擢山西按察司僉事。永樂二年，歷工部尚書。嘗請給山東屯田牛、種，又請犯罪無力准工者，徙北京爲民，并報可。九年，命開會通河。禮以會通之源必資汶水，乃用汶上老人白英策，築堽城及戴村壩，横亘五里，遏汶流使無南入洸而北歸海。匯諸泉之水盡出汶上，至南旺中分之爲二道，南流接徐沛者十之四，北流達臨清者十之六。南旺地勢高，决其水，南北皆注，所謂水脊也。因相地置閘十有七，達於衛南。至沽頭，地降百十有六尺，置閘二十有一，達於淮。凡發山東及徐州、應天、鎮江民三十萬，蠲租一百一十萬石有奇，二十旬而工成。又請自魏家灣開支河二，泄水入土河。復自德州西北開支河一，泄水八。舊黄河使至海豐大沽河入海，言：「海運經歷險阻，每歲船輒損敗有漂没者。省司修補，迫於期限，多科斂，爲民病，船亦不堅。計海船一艘用百人而運千石，其費可辦。河船容二百石者二十，每船用十人，可運四千石。以此而論，利病較然。請撥鎮江、鳳陽、淮安、揚州及兖州糧合百萬石，從河運給北京，其海道則三歲兩運。」二十年七月，卒於官。禮性剛，馭下嚴急，故易集事，亦不爲人所親。卒之日，家無餘財。洪熙改元，予葬，祭如制。弘治中，立祠祀南旺湖上，以金純、周長配。隆慶中，贈太子太保。

金　純　字德修，南直泗州人。洪武中國子監生，薦授吏部文選司郎中，歷刑部右侍郎。永樂九年，與宋禮同治會通河，又同徐亨、蔣廷瓚浚魚王口黄河故道。初，太祖用兵梁、晉間，使大將軍徐達開塌場口，通河於泗。又開濟寧西耐牢坡，引曹、鄆河水以通中原之運。其後故道浸塞，至是純疏治之。自開封北引水達鄆城入塌場，出穀亭北十里爲永通、廣運二閘。十四年，進禮部尚書，改刑部，兼太子賓客。宣德三年，予致仕去。純在刑部務寬大，每誡屬吏不得妄推擊人。故當純時，獄無瘐死者。正統五年卒，

贈山陽

伯。

周長　南直天長人。善騎射，居燕山中護衛，從靖難，屢戰有功，歷官都督府。永樂九年，奉命同宋禮治漕，駐濟寧，修復會通河。卒贈萊陽伯，謚「忠毅」。

藺芳　山西夏縣人。洪武中舉孝廉，累遷刑部郎中。永樂中，出爲吉安知府。寬厚廉潔，民甚德之。已坐事，謫辦事官，從宋禮治會通河，復爲都水主事。十年，河決陽武，灌中牟、祥符，尉氏，遣芳按視，芳言：「中鹽堤當暴流之衝，請加築塞。」又言：「自中灤分導河流，使由故道北入海，誠萬世利。」又：「新築岸埽止用草索，不能堅久，宜編木成大囷，貫椿其中，實以瓦石，復以横木貫椿表牽築堤上，則殺水固堤之長策也。」詔悉從之，後俱遵用其法。以宋禮薦擢工部右侍郎，尋卒於官。芳自奉約，布衣蔬食，事母至孝。母甚賢，芳所治事，暮必告母，有

不當輒加教誡。芳受命唯謹，由是爲良吏云。

陳瑄　字彦純，南直合肥人。世襲指揮使。永樂元年，命瑄充都督海運，輸粟四十九萬餘石，餉北京及遼東。宋禮既治會通河成，朝廷議罷海運，仍以瑄董漕運。議造淺船兩千餘艘，初運二百萬石，浸至五百萬石，國用以饒。時江南漕船抵淮安率陸運，過壩逾淮達清河，勞費甚巨。十三年，瑄用故老言，自淮安城西管家湖鑿渠二十里，爲清江浦導湖水入淮，築四閘以時宣泄。又緣湖十里，築堤引舟，由是漕舟直達於河，省費不貲。其後復浚徐州至濟寧河，又以吕梁洪險惡，於西别鑿一渠，置二閘蓄水通漕。又築沛縣刁陽湖、濟寧南旺湖長堤，開泰州白塔河通大江。又築高郵湖堤，於堤内鑿渠四十里，避風濤之險。又自淮至臨清，相水勢置閘四十有七。作常盈倉四十區於淮上，

及徐州、臨清、通州皆置倉，便轉輸。慮漕舟膠淺，自淮至通州置舍五百六十八舍，置卒導舟避淺。復緣河堤鑿井、樹木，以便行人。凡所規畫，精密宏遠。身理漕河者三十年，舉無遺策。世襲平江伯，卒於官，年六十有九。追封平江侯，贈太保，謚「恭襄」。初，瑄以浚河有德於民，民立祠清河縣，正統中命有司春秋致祭。

陳銳　瑄之曾孫，嗣平江伯。成化初，總制兩廣，移鎮淮揚，總督漕運。建淮河口石閘，及濟寧分水南北二閘。築堤疏泉，修舉廢墜。總漕十四年，章數十上。日本貢使買民男女數人以歸，道淮安，銳留不遣，贖還其家。淮揚饑疲，煮糜施藥，多所存濟。弘治六年，河决張秋，奉敕塞治。還，增禄二百石，累加太傅，兼太子太傅。十三年卒。

樊敬　字守一，鄆城人。進士。永樂十八年，以行軍司馬鎮濟寧，總兵以下悉受節制。宣德元年，以刑部右侍郎清理江北軍務。二年，再大征安南，深入蠻方，樵蘇不驚。鎮濟寧時，過其故里，駐節城南草堂，學士多歌咏之。

徐有貞　字元武，初名珵，字元玉，南直吴人。明景泰間，河决張秋，擢僉都御史治河。上疏曰：「臣聞平水土在知天時、地利、人事而已，蓋河自雍而豫，出險之夷，水勢既肆，又由豫而兖，土益疏、水益肆。沙灣之東所謂大洪口者，適當其衝，於是决而奪濟、汶入海之路以去，諸水從之，而泄堤潰渠，淤澇則溢，旱則涸，此漕途所由阻。然欲驟堙，則潰者益潰，淤者益淤。今請先疏其水，水勢平乃治决，决止乃浚淤。多爲之方，以時節宣，俾無溢涸，必如是而後有成。」制曰：「可。」有貞往來展布經營，作治水閘、疏水渠。渠起張秋金堤，西南行九里，至濮陽濼，又九里至博陵坡，又六里至壽張沙河，又八里至東西影塘，又十有五里至白嶺灣，又三里至李埠，由李埠而上又二十里至蓮花池，又三十里至大潴潭，乃逾范暨濮，又上而西凡數百里，經澶淵以接河沁。有貞曰：「河沁之水，過則害，微則利。」乃節其過而導其微，平其水勢。既成，渠名「廣濟」，閘名「通源」。渠有分合，而閘有上下，凡河流之旁出不順者則堰之。堰有九，長袤皆至萬丈。九堰既設，其水遂不東衝，沙灣乃更北出濟漕渠。阿西鄄東，曹南鄆北，出沮洳而資灌溉者，爲田百數十萬頃。有貞又參綜古法，就長擇善，爰作大堰。其上楗以水門，下捍以長堤。堰崇二十有六尺，厚什之，長百之。門廣三十有六丈，厚倍之。堤之厚如門，崇如堰，長倍之。架濤截流，柵木絡竹，實之石而鍵以鐵，蓋合土、木、火、金以平水性。又導汶、泗之源出諸山，匯澶溪之流納諸澤。又浚漕渠，由沙灣北至臨清凡二百四十里，南至濟寧凡二百一十里。復作放水閘於東昌、龍灣、魏灣，凡八。爲之度其盈過丈則泄，皆通古河以入於海。上制其源，下放其流，既節且宣，用平水道。初，議者欲弃渠弗治，而由河沁及海以漕，又欲出京軍疏河，有貞奏蠲瀕河民馬牧庸役，專力河防，以省軍費，紓民力。工部請如其言，以是得成功。七年，升副都御史，還朝。有貞負文武材，臨事敢爲，有經略。後與石亨等以奪門功升兵部尚書、華蓋殿大學士，封武功伯。

劉大夏 字時雍，華容人。年二十舉鄉試第一，登天順八年進士，改庶吉士。成化初，館試當留，自請試吏，乃除職。方主事，再遷郎中。明習兵事，曹中宿弊盡革，所奏覆多當上意，尚書倚之若左右手。累遷廣東右布政司，改左移浙江。弘治六年，河决張秋，詔加右副都御史以行。乃自黄陵岡浚賈魯河，復浚孫家渡、四府營上流以分水勢；而築長堤起胙城，歷東明、長垣抵徐州，亘三百六十里。水大治，更名張秋曰「安平鎮」。孝宗嘉之，賜璽書褒美，任用甚异，累擢兵部尚書，加太子太保。正德中，爲劉瑾所構，戍肅州。瑾誅，復官致仕，卒年八十一。贈太保，謚「忠宣」。《舊志》：「大夏治河時，祀河神所焚帛灰結若人形，物議洶洶，大夏不爲動。又别開河張秋之南，至濟寧以通運艘，五旬而就。」

盛應期 字思徵，南直吴江人。弘治六年進士，授都水主事，出轄濟寧諸閘。太監李廣家人市私鹽至濟，畏應期，投鹽水中去。會南京進貢，内官誣應期，阻薦新船，廣從中構，逮應期及主事范璋下獄。獄具，謫雲南驛丞。明嘉靖初，復次遷工部侍郎，引疾歸。六年，黄河水溢入漕渠，沛北廟道口淤數十里，糧艘爲阻，以御史吴仲言拜應期右都御史以往。應期乃議，於昭陽湖東北進江家口南出留城口開浚百四十餘里，較疏舊河力省而利永。夫六萬五千，銀二十萬兩，剋期六月工未成，會旱災修省，言者多謂開非計，帝遽令罷役。應期請展一月竟其工，不聽。初，應期請令郎中柯維熊分浚支河，維熊力贊新河之議，至是亦言不便。應期上章自理，帝怒，詔與維熊俱奪職。尚書胡世寧言：「新河之議，倡自應期，剋期六月，今四月工已八九。緣程工促急，怨讟煩興；維熊反覆變詐，傾大臣、誤國事，自古國家僨大事，必責首議。臣亦請別開漕渠，應與同罷。」帝不許，後更赦，復官致仕，卒。應期罷後三十年，朱衡循新河遺迹成之，運道蒙利焉。

潘季馴 字時良，浙江烏程人。嘉靖二十九年進士，與朱衡共開新河，以憂去。隆慶四年，決邳州睢寧，再理河道，爲給事中駱遵劾罷。萬曆六年，代傅希摯治崔鎮決河。言者劾其黨庇，張居正落職。十三年，御史李棟上疏訟之，十六年復起故官。季馴凡四任總河，前後二十七年。修築五湖舊堤，開浚南旺湖中渠道，加築南、西、北三面舊堤一萬二千六百丈，添築東面子堤七千一百八十八丈；又於五里鋪建石壩五丈，創築馬踏湖堤，自洪仁橋至禹王廟三千三百一十三丈；建何家口石壩三十餘丈，滚水至芳家口入運；修蜀山湖舊堤，自馮家壩起至蘇魯橋，一千五百一十丈；建馮家壩十餘丈，以障蜀山湖水之泄入馬場湖者；修馬場舊堤一千六百二丈，修安山湖土堤四千三百二十丈；又於似蛇溝八里灣建閘二，又築坎河滚水壩六十丈。凡守壩、挑河、浚泉，濟運事宜，無不講求精核，可以垂後。而獨謂泇河之不必開者，則就治黄而言也。

張國維 字玉笥，浙江東陽人。天啓二年進士，初任番禺知縣。崇禎十三年，歷工部右侍郎，總督河道。歲大旱，漕流涸，國維浚諸水以通漕。山東饑賑，活窮民無算。十四年夏，山東盜起，改兵部右侍郎，兼督淮、徐、臨、通四鎮，兵護漕運。大盜李青山衆數萬據梁山濼，復據韓莊等八閘運道爲梗。周延儒赴臺北上青山謁之，言：「率衆護漕非亂也。」延儒許言於朝授以職，而青山竟截漕舟大焚掠。國維合所部兵擊之，獻俘於朝，磔諸市。兵部尚書陳新甲下獄，召國維代之。十六年四月，我大清兵入畿輔，國維檄趙光抃拒螺山，八總兵之師皆潰，乃解職下獄。念其治河功，得復故官。福王時，加太子太保，廕錦衣僉事。吏部尚書徐石麟去位，衆議歸國維，馬士英不用，用張捷，國維乃乞省親歸。魯王時，國維進少傅、兵部尚書、武英殿大學士，知國勢不可支，作《絶命詞》三章，赴水死，年五十有二，祀名宦。《舊志》：「國維爲總河時，陳河政幾萬言，莊烈帝喜其詳明。至濟時，連歲大旱，汶、泗斷流，七十二泉皆涸。國維虔禱岱岳，霖雨疊降。辛巳，復大祲，饑民載道，人相食，盜賊四起。乃借發河帑三萬兩，買麥米平糶。又於城内外設爨，自冬抵春全活二十餘萬人。保護運道，東省始定，復南閲河工，相視地勢，遂定董溝之役。先是，黄水入駱馬湖風濤之險，糧艘阻滯，廷議未決。國維後二十餘年始定議，收安瀾之效。四十年來，二東之人思之不置，爲之立祠，在報功祠之東。」又《全河備考》云：「十四年，國維上言：『濟寧運道，自棗林至林家莊、仲家淺二閘，歲苦淤墊，引泗河由魯橋入運以濟之。河水挾沙下注，水退沙積，利害參半。』因陳導泗出仲家淺之策未及施行。」

胡瓚 字伯玉，南直桐城人。萬曆二十三年進士，授都水主事，分司南旺，兼督泉閘，駐濟寧。泗水所注，瓚修金口壩遏之。造舟汶上，爲橋於寧陽，民不病涉。河決黄堌，瓚憂之，會劉東星來總河漕，瓚與往復論難，謂：「黄堌不杜，勢且易黄而漕，漕南北七百里，以涓涓之泉安能運萬千有奇之艘，使及期飛渡？」瓚浚賈魯河故道，益治汶泗間泉數百，尋源竟委，著《泉河史》上之。瓚治泉，一夫浚一泉，各有分地，省其勤惰而賞罰之。冬則養其餘力，不征於官。以疏浚運道有功，增秩一等，累官江西左參政，予告歸，卒。

王國楨 字翼廷，山西安邑人。萬曆十七年進士。初授壽光縣，歷仕有循聲。三十七年，以保定知府升濟寧管河兵巡道副使。甫下車，優禮學校，軫念民生。嚴地方，修城池，察官吏，操軍士。凡有水患，躬行河上。督工整理，百務俱興，諸弊悉厘。暇日，復飭知州張嘉謨纂修州志。爲人嚴肅而仁慈，濟人佩德懷思，至今不絶。

葉重華　字德元，號香城，南直昆山人。文莊公盛裔孫，天姿英瑋，克紹家學。崇禎元年進士，起家部曹。十三年六月，任分巡濟寧兵河道按察司副使。甫至濟，值歲大祲，道饉枕藉，群盜蜂起。率先捐俸，安輯流離，詰戎兵，飭樓櫓，爲捍圉計，甚備。又請於總河張國維，貸河道銀三萬兩，遣人赴邳、宿糴麥，至濟平價糶之，市價頓減。所獲羡麥，開粥廠五十餘處。督理必委士流，胥役不得乾没，饑民賴以全活者十萬餘人。十四年春上，寇張文宇、盧三等據兩城山，劉顯倡亂潭溝集，巧布流言，謂城中多奸細，希圖内潰。重華鎮之以静，但與紳衿清保甲、嚴門禁，密請兵會剿。大帥馬岱、吴道泰等統甲士至，重華出兵犄角，一戰殲之。五月，東賊姚三等盤據梟嶧間，侵掠州境，復冒矢石，督諸將敗之，泗上賊遁去。是冬，劇盜李青山又據梁山泊爲亂，三省兵馬會討。重華遍約典兵者止搗賊巢，巢外不戮一人、不掠一物，因而首惡就縛，九營十八寨安堵如故。濟爲漕運咽喉，此地一清，江南四百萬糧始抵京儲。叙功升廣東參政，官至南京太常寺卿。重華爲政剛斷寬仁，軍興，拊循兵民，得其死力。至於持躬廉慎，纖塵不染，離任之日，單車襆被而已。祀名宦。以上十五人并《前志》。

石璞　字仲玉，河南臨漳人。永樂辛卯科舉人，入國學，選授御史。正統初，歷任江西按察使，善斷疑獄，遷山西布政使。十三年，召爲工部尚書，加太子太保。景泰二年，河决沙灣，命治之。築石堤以禦决河，開月河二，引水益運河，以殺水勢，决乃塞。璞還言：「山東、河南被灾窮民，多事剽掠，不及今拊循，恐方來之憂甚於邊患。」帝深納其言。沙灣復决，璞再往治之。六年，改兵部尚書。天順四年，召爲南京左都御史，被劾罷歸，卒。

王恕　字宗貫，陝西三原人。正統戊辰進士，由庶吉士授大理評事，遷揚州知府。天順四年，超遷江西右布政使。成化元年，擢右副都御史，進左副都御史。七年，以刑部右侍郎總理河道，因灾變請講求弭灾策，帝爲賜山東租一年，改南京户部左侍郎。正德三年卒，謚「端毅」。

龔　宏　字元之，南直嘉定人。成化戊戌進士，由嚴州推官遷南京刑部郎，治獄甚平，出守兖州府。有借兑糧萬石、寄養馬十匹，非兖賦也，宏爲奏免。入覲，以卓异賜宴、賜服，擢參政，以親老乞休。特召起爲福建右布政使，遷湖廣左布政使。時鎮守臣璫爲暴，逮治其黨六十人，璫爲斂戢。正德十三年，河决山東，廷議以大臣有才識者往，宏由府尹拜副都御史，總理河道。河工告成，武宗南征，寵臣江彬數欲危之，然上謂爲老成不能動也。尋進工部侍郎，五疏乞休。升工部尚書，致仕卒，賜葬祭。著有《蒲川稿》於火，惟《嘉定志》《玉書樓稿》存。《水經補》《黄河或問》《續中吴紀》，皆毁

劉天和　字養冲，湖廣麻城人。正德戊辰進士，授主事。嘉靖十四年，以工部右侍郎出督河道，駐濟寧。凡四方文學之士，招納延訪，酬對無虚日，故一切修防利弊，真知灼見。疏山東七十二泉，自鳧、尼諸山達南旺河，浚其下流，役夫二萬，不三月訖工。所著有《問水集》，累升兵部尚書，加太子太保，乞休歸。卒，贈少保，謚「莊襄」。

李如圭　字國寶，號涔涯，湖廣澧州人。弘治己未進士，嘉靖十五年以右副都御史總督河道，駐節濟寧。首展禮於先聖廟廷，見殿宇經閣、齋舍祭器弗治，怪而問之，典教莆田王俊以濟政繁劇對，慨然曰：「吾履重任，總河政，成就人材吾與有責焉，曷咎之有司？」乃嚴廟貌，飭祭器，治齊舍，次第厘之，三月落成。工役之費，一需之河道贏餘，於官民無所損。於是向之怠者、勉沮者、勸玩者，愓而肅，士風爲之一變。郡人劉澤撰文以美之，并祀州學報功祠。

于　湛　字瑩中，南直金壇人。正德辛未進士。嘉靖十六年，以都察院右副都御史總理河道。時有以河運之勞欲行海運者，曰：「海運之法，作俑於秦，效尤於元，三代以前未聞也。邱文莊以海運爲便者，計漂溺之米，而不計漂溺之人，不知米漂而載米之舟，駕舟之卒，管卒之官能獨免乎？或以黄河經行河南之祥符，去衛河僅七十里，鑿而通之，萬夫一月之力耳，曰此尤不可之大者。先朝河决張秋，運道梗塞，罄數省之力，捐不貲之費，再歷寒暑，乃克成功。衆方幸其南，子欲引之北，吾不知其何説也。如其言

且將爲運道憂矣。」時方修署，因刻之石，尋以養親歸。二十四年復任，升户部右侍郎。

周　用　字行之，號白川，南直吴江人。弘治壬戌進士，歷陟顯要。嘉靖二十二年，工部尚書，任河道總督。澄而不激，寬而有制。崇渾厚，惇信義，一介不苟取予，論者得謂大臣之體。濟寧文廟歲久傾圮，顧瞻惻然，捐俸修之。建龍章閣，崇聖製也。鄆城樊繼祖作説以美之。仕至吏部尚書。

詹　瀚　字汝約，江西玉山人。正德丁丑進士。嘉靖二十五年，以都察院右副都御史任河道總督。時廟學維新，而諸生無肄業之所，憮然曰：「异哉！百工居肆，以成其事；成德達材，胥此出焉。豈細故哉？」視尊經閣前有隙地，乃出河銀夫役，畀濟寧知州張崇德鋭意爲之，值東郡盜起，未果。及盜平，張入升河間守，將北上，恐不終其事，乃檄新任知州李克善、同知陶震、千户王允、義官蘇勳鳩工庀材，於閣左右各建肄舍四楹，東西相嚮各建肄舍十三楹，又於敬一亭前建儲隽坊二所。功成，親臨省視，以地勢卑下，覆以漕河淤土，諸生欣然立石以記之。

王士翹　字民瞻，號吾厓，江西安福人。嘉靖戊戌進士，與大司成鄒東郭講明實學，正己率人。四十一年，以右僉都御史總督河道。政治民安，因時詘不可舉羸，乃省諸浮費，禁止奢侈。獨加惠學宫，以明倫堂、尊經閣湫溢弗稱，發漕渠餘貨，鳩工購材，建堂五間，閣一座，黝堊極麗，丹青輝焕。又於大成殿之東闢長道，與西稱。閣後窪下，培爲隆阜，乃廡、乃齋、乃池、乃門咸與維新，由是濟之廟學巍乎焕然，翰林編修浮梁金達爲之記。又於學後建崇樓於城之巔，以應三台，濟之材登進爲盛。以進司空、二卿而去，濟士肖像而祀諸學宫，爲立遺愛堂云。

陳　堯　字敬甫，號梧岡，南直通州人。嘉靖乙未進士。四十三年，由南京户部右侍郎，改工部右侍郎，兼右僉都御史，任河道總督。其駐濟也，彰善禁慝，風清弊絶。

尤加意教化，率作士類，勞翼獎勸，勉以蹈道履德，期於大成。且恤其急難、周其匱乏，俾肆力進業。復置學田若干頃，以備埽除、賑恤之需，遠近頌德。及遷少司寇去，濟士感慕無已，僉謀肖像而祀之，因建遺愛堂，與吾厓王公并祀焉。

朱衡 字士平，江西萬安人。嘉靖壬戌進士。四十四年，以工部尚書總理河道。時漕舟行樹杪，力無所施，得鄒縣知縣章時鸞《新渠規度》，謂：「黄水未消，工難就理。惟昔年盛應期所開河渠，地高土堅，黄水不侵，河路徑捷，疏請開挑以備運道。」時言者猶慮新河不足恃，衡謂：「黄水自西來，而舊河在昭陽湖之西，横截舊河以達湖，水去沙停，所以數年必一淤。若新河則在昭陽湖之東，相距漸遠，故黄水淤塞舊河而不及新河者有之矣，未有至新河而不淤舊河者也。」廷議從之，加太子太保。

翁大立 字孺參，號見海，浙江餘姚人。嘉靖戊戌進士，累官山東左布政使。三十八年，以右副都御史巡撫應天。隆慶二年，黄河淤决，漕艱孔棘，命總督河道，沿河上下，不辭勞瘁。請浚回回墓以達鴻溝，引昭陽之水以溉腴田，帝從之。三年七月，河决沛縣，乃繪十二圖以獻。時值水荒，承制恤賑，民忘其災。興作開築，經營逾年，洪波安流，漕渠永賴。展謁學宮，論析五經，惓惓以率作培養士氣爲首務。闢治拓黌，以遠喧溷。浚洸泗故道，以復帶流之舊。飭肅紀綱，頒布愷澤，郡人大名守鄭真撰文以美之。升工部右侍郎，遷南京工部尚書，致仕歸，卒。

萬恭 字肅卿，江西南昌人。嘉靖壬辰進士，授主事，歷郎中，遷光禄少卿，改大理卿。四十二年，以僉都御史巡撫山西。隆慶六年，河决邳州，運道大阻，命總理河道。與朱衡築長堤三百七十里，六十日而成，河遂無患。恭强毅敏達，一時稱才臣。治水三年，被劾歸，卒。

王以旂 字士昭，南直江寧人。正德六年進士。嘉靖中，以兵部尚書總督河道。時徐吕洪弱，漕舟滯不行，以旂上言：「漕河仰給諸泉，貴以時浚。今主事一員，勢難遍歷，乞分隸各地方官兼理。漕河四櫃，被豪强占種，蓄水不足。官因循而不問，民隱忍而不言。昭陽一湖淤成高地，俱乞委官清查，河溢則懸河以入湖，河澀則懸湖以入河，庶蓄泄有地，緩急足恃。」從之。加少保，卒，謚「襄敏」。

舒應龍 字時見，廣西全州人。嘉靖壬戌進士。萬曆二十年四月，以工部尚書總理河道。二十一年，河决汶上，灌徐、沛，潰漕堤幾二百里。應龍求通泄之途，於微湖東得韓家莊，其地在性義嶺南，不經葛墟嶺而可引湖水由彭河注之泇，乃疏請開支渠四十餘里，凡閱五月工成，此爲開泇之始事。加太子太保。

李頤 字惟貞，江西餘干人。隆慶戊辰進士，授中書。萬曆初，擢御史。二十九年，以工部右侍郎總理河道。議上築决口，下疏故道，爲經久計。甫兩月，以勞卒，贈兵部尚書。

曹時聘 字嗣山，北直獲鹿人。隆慶辛未進士，萬曆十七年任濟寧道。潔己繩屬，裁冗剔蠹，大有遺愛於濟人，皆呼爲「曹青天」。黄河自萬曆辛丑以後兩易，總河大臣不得治，及塞蒙墻而太行堤復决。三十三年，以工部左侍郎莅總河任，濟之父老子弟咸以手加額，皆設曹青天位以迓之，歡聲若雷。乃操舴艋，審地卑阜，洞悉朱旺口所以再闢再决之故，計工八十萬緡，條疏上允其請。更假以便宜鳩工，不半載而工成。黄流既東，復爲腴壤。又捐俸百金，倡修文廟，郡人立碑頌之。

劉榮嗣 字簡齋，北直曲州人。萬曆丙辰進士。崇禎六年，以吏部侍郎總督河道，建長堤三百七十丈。先是，河工歲修銀每估計五十餘萬，榮嗣僅支二十八萬兩有奇而功已成，洵有裨國計也。

章時鸞 字孟泉，南直青陽人。舉人。隆慶三年，管河同知。先是，嘉靖末年黄河决沛縣，入昭陽湖。總理河道、尚書朱衡令沿河官集議，時鸞知鄒縣獨言開南陽新河之便，作《新渠規度説》上之。衡用其議，卒開新河。著有成績，升兖州府管河同知，歷升副使。○以上十九人據《明史》《通志》《濟南志》《運河備覽》及碑刻補輯。

孫仁　南直貴池人。景泰辛未進士。天順元年，以工部都水司主事分司濟寧。南旺湖周迴百餘里，前都水使者築堤其中，綿亘南北七十里，水中分之，南通濟寧，北抵安山，其上建龍王廟以鎮壓之。仁既盡心所事，復睹廟貌傾圮，慨然曰：「自吾奉命以來，堤防堅固，水不爲患者，雖人之力，實神之惠也。」乃鳩材庀事，撤舊營新。學士寧陽許彬爲之記。

莫驄　字伯良，南直無錫人。成化辛丑進士。弘治元年，以工部都水主事任濟寧分司。莅任後，留心掌故。時《濟寧州志》僅存抄本，又散失，不無遺憾。適有壽州守劉大節因上計過濟，相與討論體要，芟補詳略，未竟而去。又明年，州守祥符傅皓請終其事，乃延學徒六七輩，就官舍旁搜群籍，紬繹舊緒，比事屬辭，加以檃括，書成而瓜期及矣。

蔡鍊　字懋成，浙江餘姚人。弘治庚戌進士，六年以工部主事任濟寧分司。所著有《太白樓集》，編集樓間諸詩文以傳，錢塘李文爲之序。

王寵　字仲錫，南直歙縣人。正德戊辰進士，四年以都水分司駐濟寧。值春夏亢旱，河流如帶，漕舟鱗次待濟者動千萬計。寵號令嚴重，疏浚有法，啓閉有程。又以南人灌田之法，轉輪激水，舟遂克濟，往來者皆稱其便。因製水車於南旺，而爲之記。又考前任姓氏題刻名碑，以示永久，大學士王鏊記之。所著有《東泉志》《濟寧閘河志》四卷。

侯一元　字應乾，陝西秦安人。正德甲戌進士，八年以工部主事任濟寧分司。鎮重，識大體，不妄興作，以規利事。親孝，躬獻甘旨，晨起衣冠詣床簀問安否，然後出視事，暮後親展衾褥。凡人有孝行，召之庭，温言獎慰，或貽之粟。聞有不顧親養者，必痛責之。民皆感化，冰蘖律己。門絶私謁，嘗曰：「成敗榮醜也，士君子立身處世，當秉直道，而突梯滑稽、巧於宦者，果何益耶？」郡人方伯李思明、進士劉概，俱有《去思碑》，一刻在城閘，一刻署中。督學蹇公達稱之曰：「清節著於生前，芳聲永於身後。」

李邦直 字汝思，號東洲，廣東茂名人。嘉靖癸未進士，由績溪知縣升工部主事。七年，分司濟寧。審時以定制，秉信以出令，擇能以集事。修天井閘，沿堤植柳。郡有正學書院，爲之延師課士，亹亹忘倦。改吏部，柄文衡，所得皆海内人望。翰林張袞、郡人孝廉張襄，并爲作文，立石記之。

葉以蕃 字承叔，浙江遂昌人。嘉靖壬戌進士，四十三年以工部員外郎分司濟寧。弛苛細之禁，蠲市肆之擾，汰非所授之訟。恤役寬商，薄税省刑。自疏浚啓閉之外，事來順應，不剛不柔，立乎無競之途。遷繕部員外郎，郡人方伯靳學顔爲之記。

邵伯悌 字本敬，江西貴溪人。萬曆庚辰進士，十一年以工部主事分司濟寧。律己以廉，御衆以寬。疏浚泉源，不辭勞瘁。築坎河口堤，功倍且堅。濟上下十八閘，惟規是據，即貴官長吏不得任情啓閉。居三年，次第其理《泉閘狀》報命去。逾年，濟之長老頌德不衰，郡人進士于若瀛爲文記之。

張盛 字克謙，南直宜興人。天順庚辰進士。成化八年，以工部員外郎任南旺分司。嘗修金口堰及堽城堰，凡有益漕運者，悉殫力爲之。

楊撫 字安世，浙江餘姚人。正德辛巳進士，以水部郎分司濟寧。爽塏光明，剛斷果毅，董漕舫事，績有統紀。未匝歲而績樹政成，人以神异目之。居閑即招納郡庠士之楚楚者，時驅車開帳，坐而授《易》。由是英才猬興，科不乏人。其表正流俗，造就後人之功也。既去，而濟人思之，郡人孝廉呼相爲立碑以紀其事。○以上都水分司十人據《泉河史》增輯。

濟寧直隸州志　卷六　一百八十

〔道光〕濟寧直隸州志

第三册

（清）徐宗幹 修　（清）許瀚 等纂
中共濟寧市委黨史研究院　濟寧市地方史志研究院　整理

天津出版傳媒集團
天津古籍出版社

濟寧直隸州志卷六之七

職官志　七

宦迹　二

國朝

楊方興　字浡然，遼東廣寧人。性沈毅勤敏，有异識。超人意表，好讀書，中天命六年舉人。時録遼士，以方興爲首，授理事官，出使朝鮮，宣示王師，定鼎燕都。時山左草竊蜂起，以方興爲兵部侍郎，建節南行，旌旗所指，出民湯火中。尋會兵取趙應元於青州，殲擊天王於嘉祥，滿家硐山嶠萑澤之寇，如榆園、梁山、滕嶧諸處，次第削平。飭勵守令招撫流亡，勸課農桑，殘黎爲之更生，嗣是而河防之議興焉。初，明制河督止總運河南，至瓜儀北抵通津爲專司，第兼轄黄河，其修决防汛，各省沿河州縣任也，一應補救小則本省道府相度，大則撫按具題遣部院大臣會同經理，河督會疏畫題而已，至方興始統於一。時河屢决屢塞，順治七年，荆隆之役合三省夫十餘萬，凡四五年，費公私金錢數百億計。方興先請入奏，面陳方略，繪圖以獻。世祖章皇帝俞其言，發帑金二十餘萬，内外接濟者百餘萬。復命掄選佐理，題授不關部覆。事竣而异議興，逮河南按察使方大猷論辟，方興因致政歸。在事凡十四年，晋尚書，加太子少保，卒贈太保。當甲乙之間，南征師旋，水陸動經數十萬儲芻之資，方興皆預期收買，以蘇民困。送往迎來，不匱不擾，他方效之。其爲治，嚴而不猛，探測物情，人不得而欺，法無不行。淡泊自飭，干請斷，軍餉工料，錙銖不爽。兵機神化，妙用無窮。至今濟之士庶稱爲老楊公，祀名宦。

朱之錫　字益九，一作孟九，號梅麓，浙江義烏人。順治三年進士，改庶吉士，授弘文院編修，洊遷學士。十四年，出爲河道總督，承楊方興之後。凡修守運河堤岸、夫役工程、錢糧職守，一一條奏，報可。十七年，乞假歸。十八年，再任。先後在任十年，未嘗有大工巨役。其開董口新河、復太行老堤、挑高郵運道、治石香爐决口，功著揚豫爲多。康熙四年，以勞卒，贈太子太保，祭葬儘如例。其在濟上，興利除弊，民間以疾苦訴者，即爲剖斷，又善作養士類。喪舟南行，濟人白衣送者萬人。著有《寒香館河防疏略》。徐兖淮揚間盛傳，之錫死爲河神。康熙十一年，總河王光裕俯徇民情，疏請建祠濟寧，部議未允。而豫河兩岸往往私自肖像祠之，稱爲朱大王云，并祀大王廟。乾隆年間，敕封祠祀。詳「廟祠」。

靳輔 字紫垣，其先濟南人，後徙遼陽。順治六年進士，入翰林，年十九，歷官武英殿學士，兼禮部侍郎。康熙十年，出爲安徽巡撫。十六年，河决淮揚，以原官總督河道。時運道盡塞，輔上下千里，泥行相度，遂上《經理河工事宜八疏》，大旨以因勢利道爲主。群議以軍興餉絀難之，輔反覆辨論，卒用成功。江南、黄河、清水潭諸工悉底定，又以北運河口舊在徐州留城，東徙皂河且三百里，黄水一漲，時苦淤澱，輔於皂河東挑河二十里，即取水中之土築堤，以束運河之水。又謂：「水下行一里，當低一寸。使新河高於黄二尺，則黄水不能倒灌。而南口則移其閘於淮內，使全受淮水，黄濁淮清，沙不能停。即黄强淮弱，灌必不久。灌水一發，即刮除無遺。」又謂：「水性本弱，乘風則剛，板石諸工不能禦。」乃於洪澤湖爲坦坡殺水之怒，以衛堤沿河植柳以備埽，而堤益堅，埽不遠購。防河之法，至是大備。黄、淮兩河，悉歸故道。於是疏請開中河三百里，專導山東之水。初，山東沂、泗、汶、泇諸水，一當暴漲，漂溺宿、桃、清、山、安、沭、海七州縣民田無算。且匯入黄，黄水益怒，益以淮水三瀆爭流，以趨清口。上流黄潰，則下流益緩，緩則益淤，而上流益潰。又漕道出黄河二百里，涉風濤不測之險，夫挽費且不貲，於是復開中河三百里。中河既成，殺黄河之勢，灑七邑之灾，漕艘揚帆，若過枕席。説者謂，功不在宋禮開會通河、陳瑄鑿清江浦之下。在濟寧大修學校，振起士風。捐俸築濟寧至南陽百里堤，高丈餘，以便挽舟，今名靳公堤。二十六年，以丈出民間餘田作爲屯田，及阻抑挑浚下河罷職。二十八年，仍復原官。三十一年，督南漕二十萬石備賑。事竣病卒，謚「文襄」。著有《治河方略》十二卷、《奏疏》八卷。建有專祠在南門外。幕友陳潢，字天一，錢塘人，佐理有功，給僉事職銜，配享。又祀州學報功祠。

完顔偉 字清逸，滿洲鑲黄旗人。乾隆八年，以兵部侍郎總督河東河道。居心仁厚，爲政和平。究心河洛之學，凡閲工檢料，悉以數暗識之，無或遺，復長于《詩》。十三年，調副都御史，未之任，防豫工伏汛，以冒暑勤瘁，卒於工所，吏民惜之。

沈廷芳 字椒園，號晚芝，浙江仁和人。乾隆元年應博學鴻詞科，入翰林，考選御史，以直聞。兩次巡視漕河，清介一無所受。於南池建杜文貞祠。十三年，聖駕東巡，奏請特賜「藎臣詩史」四字，勒石祠前。輯自明以來題咏爲《南池集》，後以山東按察使致仕。三十五年，知州胡德琳聘修州志，考核詳明，遠勝於舊，未及付梓。廷芳爲人和易，好汲引後進。或以非義干請，輒變色而起。著有《隱拙齋集》若干卷、《續經義考》若干卷。

張師載 字又渠，伯行子。康熙丁酉舉人，蔭生。二十二年，由總漕調任河東河道總督，加兵部尚書。性誠慤愷悌，爲政一以廉静，善繼父志，官吏畏懷之。卒於官，贈太子太保，謚「恪謹」。著有《改過齋文集》、《讀書自鈔》。

楊茂勳 字燕石，漢軍厢紅旗人。順治七年，選通滿漢文藝者，以蔭生應選，授太僕寺副理事。十三年，調兵部督捕右理事官，明年遷吏部右侍郎。十六年十二月，署河道總督。十七年，授湖廣總督。十八年，擢貴州總督。康熙二年，加兵部尚書銜。五年，授河南河道總督。七年三月，疏言：「昨歲河决烟墩，大溜河徙，河身淤成平陸，計二十里。臣相度形勢，先挑引河，分刷水勢，然後下埽，堵塞决口。今已全河仍歸故道，舟楫遄行。」加太子少保。五月疏言：「黄河南徙，由東安入海。元明以來，藉爲運道，沙水沸騰，常淤決。每年伏秋，於危險處集夫搶救，名曰『歲修』。此外，近河則築縷堤，稍進則築月堤，稍遠又築遥堤，附郭則築護城堤，猶恐水勢暴横，又築格堤及減水石壩以泄水勢。前人良法，具載紀志。今沿河堤壩年久圮壞，十不存一，請於農隙責成沿河州縣，量雇民夫，按堤修築，庶免臨事張皇。」疏下部議行。八月河决桃源、黄家嘴，諭令確勘估築，八年二月工成，以病乞休，仍命供職。六月，副都御史馬紹曾疏言：「勞民傷財，皆茂勛不職所致。」巡鹽御史亦言：「國家歲發帑金數十萬，而一夫一柳仍派民間。德州以北，河水淺涸，乞罷。」斥命茂勛明白回奏，尋奏言：「歲修工程，估計發價俱遵定例，從未私派累民。」下部免議，九月以原品致仕。十五年，擢鄖陽巡撫。十八年，擢四川總督，仍駐鄖陽。十九年，改四川提督。三十二年，卒。

王新命　漢軍廂藍旗人。順治十七年，由筆帖式遷内閣中書，授兵部主事，遷員外郎。康熙十五年，遷刑部郎中。十七年，擢江西布政使。十八年，署江西巡撫。十九年，擢湖廣巡撫。二十三年，調江寧巡撫。五月，擢兩江總督。二十六年，調浙閩總督。二十七年九月，調江南河道總督。二十八年，聖駕巡視河工，閱中河支河口，諭曰：「此中河開浚後商民稱便者，蓋由免行黄河一百八十里之險耳。目前小利，安知長久有利否也？」新命奏言：「支河口止修一閘，而鎮口、微山湖等處水甚大，倘遇霪潦必壞，若作減水壩爲捍禦，令漲水歸黄，酌存足用之水，再修築禹王臺以禦入駱馬湖之水，令歸沭河，則中河無虞矣。」三十一年，山東巡撫佛倫以運河同知陳良謨首告疏參解任。三十八年，管理永定河工。三十九年，被劾，四十七年卒。

于成龍　漢軍廂黄旗人，參領于得水之子。康熙七年，由廕生授直隸樂亭知縣，擢通州知州。二十一年，直隸巡撫于成龍薦其可大用，擢江寧知府。二十二年，聖駕南巡，擢安徽按察使。二十三年，擢直隸巡撫。二十六年，加太子太保。二十七年，因議海口事降級留任。三十一年，授河道總督。三十二年五月，疏言：「靳輔令河員領帑購買柳束，工部駁減銀一萬八千兩，今覆核并無虛冒。又向來募夫遠方悉給安家路費，工完扣抵。今堤工中止，無從追繳，并與豁免。」三十三年正月，疏言：「運河自通州天津至山東嶧縣，卑薄各堤宜加築高厚。」三十四年八月，以督理河務勤勞復原職，丁父憂回京。三十七年二月，以總督銜管直隸巡撫事。十一月，仍授河道總督。三十八年三月，諭令籌辦高家堰增築疏浚事宜。疏請添設河兵、月糧，又請許急工人員捐修，議叙謹條例各款，并下九卿議，行。三十九年卒，謚「襄勤」。

張鵬翮　字運青，四川遂寧人。康熙庚戌進士，由翰林出守蘇州，旋調兖州。三十九年，以兵部尚書任河道總督。節浮冒，汰冗員，恤工役，經理河務者十年，官民皆沐其惠。後以吏部尚書晋武英殿大學士，尋加太子少保。卒贈少保，謚「文端」。

陳鵬年　字滄洲，湖廣長沙人。歷官守牧，以清慎著名。康熙六十年，任河道總督。時武陟口屢决屢塞，親駐河干，已經半載，晝夜立風雪中，心勞形瘁，乃禱於河神，誓必以身殉河。忽因凍而决口自合，乃兼工築岸。工竣回署，嘔血數升，輒不起。雍正元年卒，謚「恪勤」。著有《政略》一卷、《河工條約》一卷、《詩文集》六十二卷。

齊蘇勒　滿洲正白旗人，姓納喇氏。由官學生選天文生，爲欽天監博士。遷靈臺郎，尋以内務府主事出任永定河分司。康熙六十一年十二月，授山東按察使，兼理運河事。雍正元年，署理河道總督，尋實授。奉詔豫籌山東諸湖蓄泄事宜，以《利漕運疏》言：「汶上縣之南旺、馬踏、蜀山等湖，東平州之安山湖，濟寧州之馬場湖，魚臺縣之昭陽、獨山等湖，滕、嶧二縣之微山、郗山等湖，皆運道所資以蓄泄，昔人名曰『水櫃』。因土人乘涸占種，漸至狹小，宜乘湖水稍落時，除墾熟田畝外，丈量立界，嚴禁侵占，設法蓄水。如遇運河水漲，引注湖中，稍平即築堰截堵。遇運河水淺，則引之從高下注其諸湖。或應築堤栽樹，或應建閘啓閉，令各州縣循例辦理，則湖水深廣，運道疏通，漕艘無阻滯之虞矣。」二年，建六里石閘。三年，加兵部尚書。五年，督塞朱家口决河。十一年，奏言：「治河物料，葦柳爲先。臣往來看工，見山東、江南蓄水沮洳之地皆可種葦，請酌定議叙之例，以種柳八千、種葦二頃各紀録一次。如此，三五年柳株處處成林，湖葦發生，不費購買，而工料充裕矣。」并從之，加太子太傅。七年二月卒，謚「勤恪」，祀賢良祠。

嵇曾筠　字松友，號禮齋，江南長洲人。晋侍中紹之後，世居虞山。父永仁，號留山，始居無錫，以吴郡生員隨福建總督范承謨幕。康熙十三年，耿精忠叛，與承謨同遇害，贈國子監助教，祀昭忠祠。曾筠康熙丙戌進士，改庶吉士，授編修，提督山西學政，遷左中允，尋遷侍講。雍正元年，擢都察院左僉都御史，署河南巡撫，遷兵部左侍郎。六月，河决中牟，詔往督築。雍正二年正月，疏言：「兩岸堤工，在在危險，應修十二萬三千七百餘丈。」部議從之。四月，授河南副總河。五年正月，兼管黄河堤工，條奏河工六事，俱下部議行。五月，遷吏部右侍郎，仍留副總河任。十二月，轉吏部左侍郎。六年二月，擢兵部尚書。四月，調吏部，仍管副總河事。七年，授河南山東河道總督，疏言：「運河五廳額設淺溜、橋閘等，長夫冬春小挑大挑，不敷力作，增設酌募夫役。各夫工食，舊額多寡不同，請酌定歲給工食，并量給器具。各銀確數畫一支給，按工計夫給價，毋浮冒。」下部議行。八年五月，署江南河道總督，加太子太保。十一年，授文華殿大學士，兼吏部尚書，仍總督江南河道，丁内艱回籍。十三年三月，總理浙江海塘工程。乾隆元年，改浙江總督，兼管鹽政。十月，至京，加太子太傅。三年九月，入閣辦事。十一月，以病回籍。十二月卒，加贈少保，謚「文敏」。祀浙江賢良祠。

白鍾山　字毓秀，號玉峰，漢軍正藍旗人。由官學生補户部筆帖式。雍正元年，遷江南山清裏河同知，升淮揚道，擢蘇州布政使。十二年，授南河副總河。十三年，擢河東河道總督。更定夫役工價，設立司泉佐雜。乾隆元年，奏陳豫東河防事宜。四年，漕督補熙請造十丈大船，運河以水深四尺爲則，鍾山謂：「閘河無源之水，需雨而後泉旺，泉旺而後河盈。上閘閉而下閘啓，則下閘倍深，上閘倍淺。各閘相距遠近不均，水近者深，則遠者必淺。以人役水，以水送舟，必不能均深四尺。」侍郎趙殿最又請於館陶、臨清各立衛河水則，鍾山謂：「尺寸不足，將衛輝民田渠閘盡閉，致防灌溉，事既難行。尺寸苟足，將官渠、官閘盡閉，來源頓息，下流已逝，運河之水亦立見消涸，二者均屬非計。」議并寢。八年，調江南河道總督。十一年，被劾解任。十五年，授直隸永定河道，加按察使銜，協辦南河事務。十九年，仍授河東河道總督，勘辦荊山橋工，消涸微山湖積水。二十年，署山東巡撫。二十二年，調江南河道總督，修復淮、揚、徐、海、鳳、潁、泗各州縣支幹河道。歷任兩河四十餘年，於河道情形、工程利弊熟悉周知，奏疏數十條上，著有《豫東宣防》《河宣防》等録。二十六年卒，贈太子太保，謚「莊恪」。

李宏

字濟夫，一字用兹，號湛亭，漢軍正藍旗人。監生，捐州同，河工效力，補上陽外河縣丞。乾隆元年，遷揚河通判。四年，升山安同知。十二年，丁憂服闋，補宿虹同知。十六年，擢河庫道。十八年，被劾留工。二十二年，發往直隸。四月，兩江總督尹繼善奏留南河。七月，補河庫道。二十七年，調淮徐道。二十九年六月，擢河東河道總督。九月，奏言：「山東運河源出汶水，每遇不足，全資湖水接濟。各水櫃貯蓄於秋冬，灌注於春夏，所關甚巨。今秋雨較少，湖水不宜多泄，現飭早閉臨運各閘。」十月又言：「微山湖爲山東、江南二省濟運之要，需蓄水最宜充盈。韓莊湖口閘水現深一丈，與滚水壩脊相平，回空船足敷浮送，即飭下板堵閉。」又：「泗河源出泗水縣陪尾山，諸泉彙合。秋冬之際，與其收入獨山湖僅濟南陽以南之運，不若收入馬場湖俾濟寧上下河道并資其益。臣現將兖州府城東金口壩築土堰攔截，俾泗水由黑風洞入府河，合洸水以達馬場湖，廣爲儲蓄，南運更屬有備。至專濟北運之蜀山、馬踏二湖，水勢較上年差弱，雖冬間煞壩挑河，尚有汾水可入。但春間必須趕築大壩，多爲收蓄，方于北運有裨。」諭著派淮徐河道李清時前往山東，會同總河李宏、巡撫崔應階妥協商辦。十一月，奏言：「今歲伏秋泛内，南旺湖之北、沙、趙、漳、衛等河，其南汶、泗、韓、馬等河多淤。衛河係下河廳屬之，南旺、濟寧、臨清三處塘河及各汛長河有額募二項人夫挑浚，捕河廳屬額夫足用，其募夫工價銀全省。惟泇河廳屬因彭口山河之挾泥沙而來，每多停積，且入閘内，水落灘現，額夫不敷辦理。應將捕河省項移此，增募趲辦，以期寬深濟運。」從之。又奏：「黄河北岸之耿家寨埽工爲豫東第一險要，自乾隆九年下埽修防，歲費帑料盈萬，伏秋屢經搶護。去冬於對河灘挑引渠，冀分溜勢，仰賴聖主鴻庥，今秋全河大溜暢分入渠，衝刷寬深，險工淤閉。以二十載廂修之工，一但化險爲平。」得旨嘉獎，交部議敘，加一級。三十年正月，聖駕南巡，過山東，宏迎，御製詩賜之。三月，調江南河道總督。七月，疏言：「河南輝縣百泉爲衛河源，蘇門山下泉泉涌出，匯爲巨浸，南流里許。建斗門三座，中爲官渠，專資濟運。東、西民渠，分灌田疇。向例，重運抵臨清，閉民渠俾泉流盡由官渠入衛。五月後，民間插秧需水，一日濟運，一日灌田，按期啓閉。六七月間，聽民自便。立法甚善，永當遵守章程。惟民渠迤東，石壩稍坍，恐將來閉民渠時旁泄，不盡歸官渠，現飭修砌堅實。」上嘉之。十月疏言：「今歲運河水小，微山湖滚壩磯心應增設石漕閘板，多收水尺餘。韓莊以下八閘，酌量啓閉，仍挑河底，令深江南、河清、河定、河成等閘，與八閘毗連，亦可下板。其迦口、猫兒窩淤淺處，逐一疏浚，使運河來路增多。明歲重運，無虞淺阻。」諭曰：

「所議甚善，依議行。」三十六年八月卒。

嵇璜 字尚佐，一字黻廷，號拙修，大學士曾筠之子也。六歲授《書》，不苟言笑。九歲讀《禹貢》，曰：「禹之治水，皆自下而上，蓋下既得其蓄泄之方，然後可以安受上流而無患也。」雍正庚戌成進士，改庶吉士，授編修。十八年，江南高堰圮於風浪四千二百餘丈，奉命前往督修。工竣議敘，轉吏部右侍郎。二十二年，授南河副總河，擢工部尚書。調禮部，請假歸省丁内艱。服闋，實授禮部尚書，爲河東河道總督。奏言：「黄河形勢與江南不同，惟在儲料以備用，相機以施功。」曹縣三堡河溜漸逼，夜夢張桓侯持劍指溜處曰：「吾與趙順平助汝。」遂督飭幫堤於劍指之所，因於月堤建桓侯廟，爲持劍指溜像，并建順平廟於對岸。裁運河壩夫以滌泒夫厲民之弊，酌減埽工，爲南旺土堤培土之費。蜀山、馬踏、微山等湖先期疏浚，以備來歲灌輸之用。授工部尚書，降補左副都御史。三十六年，擢工部右侍郎。三十八年，擢工部尚書，調兵部。三十九年，調工部。四十四年，調吏部尚書、協辦大學士。四十五年，授文淵閣大學士。四十七年，加太子太保。四十九年，命往徐州閲河，估勘石工。五十年，與千叟宴。五十五年，會試後重與恩榮宴。五十七年，以老病乞休，不允。五十九年卒，謚「文恭」。

吴嗣爵 字樹屏，浙江錢塘人。雍正八年進士，授吏部主事。乾隆三十三年九月，署理河東河道總督。三十四年正月，奏言：「泇河廳屬下廟閘雁翅裂縫六里等，閘石剥落，應修補。新石運河廳屬南旺壩分水口對岸口坍卸，應修補。捕河廳荆門上閘底漏水，應補换新石底板。戴村壩南、北、中三道長二十六丈，北壩衝坍二十六丈，中壩下碎石，坦坡及兩邊石脱落，應修補之。運河兩岸上工臨清以北係民埝，南旺以南係官堤。由臨清至南旺，官堤、民埝錯雜，借以保衛田廬，爲糧船縴路，現將民埝單薄殘缺之處督民修築，官堤多内沙外坡，兜灣近溜，請酌量緩急，輪流幫修。」上嘉之。六月，署河南巡撫。三十五年四月，奏言：「南旺湖北高南下，在運河西岸，適當分水口之衝。伏秋汶水漲發，由闞家、常鳴等斗門灌入，祇能汶水入湖，不能出水濟運。乾隆二十五年，河臣張師載奏於寺前閘下建涵洞二，復于迤上土地廟前，遇漕艘至日，開堤泄湖水，濟南旺以南運河。查所挖堤工，當南旺湖下游，出水甚暢，應於其處添建石閘一，啓閉由人，實屬便捷。」從之。三十六年八月，調江南河道總督。四十一年，授吏部侍郎。四十二年，以老病休致。四十四年，卒。

姚立德 字次工，號小坡，浙江仁和人。系出臨安傅氏，七世祖始從姑爲姚氏。曾祖三辰，吏部左侍郎。父曰升，刑部主事。立德生而穎异，器宇不凡。乾隆三十六年，署理河東河道總督。三十九年二月，實授，兼兵部尚書銜。八月，奉命往江南勘潘家屯舊河，開挑引渠，挹注黄水入湖，以資運行。值陽穀逆匪王倫作亂，調兵往剿，命守東昌，遂引運河水灌入城濠，民心以安。詢知党家莊有逆倫祖墳，檄陽穀令毁之，遂磔其尸，而賊即大敗，困留臨清。大學士舒赫德督勁旅合剿殲滅，無一竄走者。四十四年，以儀封漫工合而復溢，革職留工效力。四十五年，發往南河，以同知用補淮安府裏河同知。四十八年因病解任，歸卒。

袁守侗 字執冲，號愚谷，濟南長山人。乾隆甲子舉人，四十四年四月補授河東河道總督。十二月，調直隸總督。力絶奔競，察吏恤民，以母憂歸，再任直督。卒贈太子太保，謚「清恪」。著有《雙桐軒稿》。

蘭第錫 字素亭，山西吉州人。乾隆庚午舉人，四十八年由永定河道升任河東河道總督，以命世濟時爲己任。先是，運河王同知署濟寧事，承買搶修秸料十六萬六千六百六十斛；又代州判承應河督衙門燒烟六萬斤，派及州民在有地五畝以上者，每地一畝派料一斤，共派三十二萬餘斤，并派及嘉祥等處。既而采、派兼行，肆工市價皆在派中，兼之胥役奉行不善，紳士邢文羽等叩轅懇恩批准查禁，知州王道亨據實稟揭，并請飭知存案，永遠遵行。百姓聞之，歡呼頌德。詳孫擴圖《紀録見文》勒石城隍廟中。後調江南河督。

康基田 字仲耕，號茂園，山西興縣人。拔貢，乾隆十八年舉人，二十一年進士。嘉慶二年，由江蘇巡撫授河東河道總督。正身率下，帑不虛糜，調江南河道總督，以邵工大壩失毀革職。著有《河渠紀聞》《晋乘搜略》各數十卷。祀河南名宦。

李亨特 字曉園，漢軍正藍旗人。歷官永定河道、江蘇按察使。嘉慶十五年十二月，任河東河道總督。十六年，奏言：「運河堤工攸關縴道兼資保障，實爲漕運民生至計。查濟寧汛，運河東岸自仲淺閘起至新店閘一帶，上年雨水過多，坡内積潦，成爲巨浸，寬廣數十里。今春大風時作，波浪騰激，濟字十七號起至四十一號堤工間段撞掣，殘缺不全。現在坡内之水，由新店閘上下涵洞泄放，漸次消落。惟堤頂坍塌之後，甚爲窄狹，必須赶緊加高培厚，庶可以通縴挽而資鞏固。共計土二萬一千四百八十六方，分每方工價銀一錢，共銀四千七百五十兩六錢三分六厘。應請於運河道庫節省八束項下先行飭發赶辦，分投修築，俾利運行。」奉硃批：照所請辦理，工部知道，欽此。在任前後五年。

陳鳳翔 字竹香，江西崇仁人。監生議叙縣丞，洊升永定河道。嘉慶十四年八月，擢河東河道總督，駐節廟工，歷勘南北兩岸堤埽工程，督飭道廳巡防周備，旋報安瀾。九月，回抵濟寧時，回空糧船未出境者尚有數十幇，緣夏秋天旱，各湖蓄水短絀，不能濟運。而微山湖原定一丈二尺水志，現止六尺餘寸，存蓄湖心，不能外達。遍加諮訪，惟有開放江南銅沛廳屬蘇家山閘，引黄下注，由藺家山遞達微湖，方可濟來年重運。即援前任姚河督開挖江境潘家屯之例，專摺具奏，奉諭：「導引黄流，究非善策。著吴璥、徐端會同前往履勘，悉心講求，務令東境蓄水充盈，於來年重運不虞淺阻，而湖底仍不致稍有淤墊，方爲妥善。欽此。」嗣經會勘，覆奏：「以蘇家山閘黄水由毛村河紆折歸湖，浮沙逐漸澄清。不過湖邊稍淤，一俟湖水收足，可符定志。即將蘇家山、藺家山兩壩照舊堵築，爲時甚暫，不致挾沙帶泥，淤墊湖底。」奉諭：「當此漕運緊要之時，亦祇可暫作權宜之計，著即馳赴蘇家山，東藩庫撥銀八萬兩解赴工次，赶緊興辦，欽此。」十五年正月十五日，開閘之後收水一丈有餘。十五年，南糧抵境，開放湖口閘，源源接濟，各幇銜尾而行，毫無貽誤。是年十二月，調補江南河道總督。明年，李家樓漫口壩工將次合龍，制軍請築二道引河出水，去路仍由壩前，冲撞龍門口，陡然大蟄，危在呼吸，各官躲避，鳳翔親至險處哭告河神，誓以身殉。東兩壩人夫赶緊堵築，三晝夜保護無虞。制軍又以洪澤湖下游被殃揭參，氣懣成疾而卒。

吴邦慶 字霽峰，直隸壩州人。嘉慶丙辰進士。道光十二年，由江西巡撫調任河東河道總督。見學宫殿桷摧頹，門廡傾圮，謀於州牧，捐廉倡修。并改建魁星閣，逾年落成。值應試禮闈進士改庶常者三人，因撰文立石以記之，祀州學報功祠。

栗毓美 字含輝，號箕山，又號樸園，山西渾源州人。嘉慶辛酉拔貢，由知縣洊升河道總督。下車之始，首裁浮費，嚴飭道廳，崇尚節儉，屏黜浮華。親率文武員弁，辛勤共事，慎重修防。素知黄河北岸串溝久爲隱患，屢飭廳營認真防守。陽武十七堡、原武七堡，新刷溝漕分溜甚大，即往查勘。進水溝已寬至三百餘丈，即委員收買民磚，試抛擋護，高出水面漸成壩形。竭四十晝夜之力，築磚工壩六十餘道，溜勢外移，而以工代賑，貧民亦借資糊口。八月，奏報搶護支河平穩情形，得旨嘉獎。十六年，奉旨與河南巡撫會勘支河。五月，因運河廳所屬魚臺汛河道八十餘里，西岸係運漕縴道，官堤大修，已閱三十餘年，日形殘缺。間有民埝，小民生計蕭條難。令修復應改歸運河廳，與官堤一并赶修，以利漕行。估需銀二十五萬八千有奇，分年帶銷，再加保固三年，均蒙俞允。六月奏明於秸料碎石之外，加添磚塊備防，更爲周密。請乘農隙，設窑燒造大磚，得旨允行。河標四管向止操演弓馬、槍礮，并未練習陣勢，督飭將弁加演三才陣，并捐製硬弓頒發各營。復以濟寧介兖漕之間，武備尤宜講求，即捐資製辦抬礮、鳥槍、噴筒、片刀，揀選兵丁六百三十六名，奏請添演速戰陣。奉硃批：所辦甚好，欽此。五月奏請添窑造磚，均蒙允准。十八年夏秋，雨水短絀，須先事綢繆，乃上六議，奉旨籌議，尚屬周妥。十九年二月，奏請重運過竣，核計湖水在一丈三尺以内，并將泉河廳所屬戴村壩酌量加高一二尺。蜀山湖堤身單薄，捐錢九千貫，委員修辦。河南衛河向例三日濟運、一日灌田，有奏請先儘濟運者，或以衛河源弱，不能先事預防，奏稱：「臣所疏浚者，山東閘河以内之泉，并非衛河之泉。所瀦蓄者，東境各湖之水，衛河之水亦無處可蓄也。」兼聲明衛河歷年辦事章程，以見封閉民開渠閘於漕無益之意。七月，黄河盛漲，情形危險，飭令赶拋磚壩，旋臻穩固。二十年正月，恭逢京察大典，奉旨：河東河道總督栗毓美慎厥修防，安瀾奏績，着交部議叙，欽此。二月，周歷河干，行至上南廳鄭州汛胡家屯工次，痰壅氣喘。十八日子時，端坐而逝。遺疏入奏，上諭：「河東河道總督栗毓美持躬端謹，辦事實心。自擢任河督以來，慎厥修防，安瀾奏績。本年京察，特予交部議叙。河工劇要，倚畀方深，遽聞溘逝，殊堪悼惜。著加恩賞，給太子太保銜，照總督例賜恤。任内一切處分，悉予開復。應得恤典，該衙門察例具奏。伊次子栗耀加恩賞，給進士，俟服闋後一體殿試。欽此。」公才性通敏，遇事輒洞悉原委，措置得宜。自秉節河防，創拋磚壩，獨矢孤誠，力排群議，躬立泥淖之中，指授方略。又善察溜勢，預謀抵禦，人服其料事之神。喜讀經濟之書，於先儒中尤服吕新吾先生，以爲有體有用之學。校刊《實政録》一書，以廣其傳。凡聖賢祠廟，及城郭、橋梁、道路傾廢，無不倡修，如祥符二程子祠、淳正書院及孟子祠、游梁書院、山東嘉祥文廟、東平冉子祠、鄒縣孟子廟、濟寧城垣、文廟、五龍宫、十二連橋，咸捐廉整新。并籌捐濟寧漁山書院，經費四千金。捐設武營兵丁子弟義學八處。愛士恤民之心，未嘗一日忘。及殁，祠河南名宦祠，謚「恭勤」。

以上河督。

李清時 字授侯，號惠圃，福建安溪人。乾隆七年進士，由翰林編修出爲嘉興知府。丁憂服闋，補兖州知府。二十一年，升運河兵備道。時孫家集漫决，夏鎮、南陽一帶連爲巨浸。清時首作東堤，界出河面。又於湖口閘北掘地，深四五尺、長十七丈，以宣泄之。旋就其處作滚水壩，高一丈，長三十丈，著令湖水减至一丈則閉閘以蓄之。濟寧城東有楊家壩者，上承泗河，貫兖府，西流經此入運。明正德、崇禎間，曾障水以爲州城外護，僅有壩基。
國朝順治間，總河楊方興復加堵築，每遇伏秋水漲，不能泄瀉歸河，兩岸民田大受淹没之害。葉方恒《全河備考》：謂「不若改壩爲閘，隨時啓閉。」康熙三十四年，總督董安國曾建减水閘，後張伯行又謂：「府河之水當令全入馬場湖收蓄，此壩必不可開。」遂歷年堵閉，淹漫民田。清時遵葉方恒策，重建閘座，盛則啓板分泄，微則閉板入湖，著爲永例。又爲汶河之水南流既多，而蜀山一湖既建利運閘於柳林之南，又作金綫閘於寺前之南，南水有餘，北水益形不足。若移建金綫於柳林之北，閉柳林，啓金綫，則湖水可濟北運。因請於總河張師載，以爲一轉移間，其利有四。又請落低何家壩三空、五空等橋，加寬四女寺，創築八里廟、臨清口門等壩。三十年，升河東河道總督。著有《汛閘約言》一卷，《治河事宜》若干卷，又《蠶書》一卷，《周易經義》十二卷，《朱子或問語類》二十二卷。

李旹 字元叔，山西洪洞人。由舉人歷濟寧兵河道僉事，强力勤幹，奉公持正。時四郊烽警，旹晝夜嚴備，往來護漕。順治五年，旹督漕至臨清回至安山，各營將士趨陸南行。皆卧病舟中，方至開河，土賊周魁顯等數千人突至。皆奮起率麾下力戰，馬蹶遇害，祀忠義祠。

方兆及 字蛟峰，江南桐城人。順治甲午順天舉人，由中書歷刑部郎，剖疑達滯，有不畏强禦之名。十七年八月，遷濟寧兵河道僉事。仁明精敏，才略幹濟。撫輯兵民，潔己清操。厘剔夙弊，革行户，禁贖鍰，平疑獄，清逋賦。大兵南征，夫役儲芻，預積不匱。於查核逃旗人，極其精審。杜絶株連，屬邑賴之。而博雅好文，誘掖多士，彬彬蔚起，識拔稱揚，具成名俊。在事六年，值各道裁并，又兼兖西曹單防河，飭兵東西馳驅，尋以積勞病卒於任。囊無餘資，總河楊方興及僚屬歸其喪。祀名宦。

葉方恒 字學亭，號嵋初，南直昆山人。順治戊戌進士。父重華，任濟寧兵河道。時方恒多所效謀，由兖州同知升運河道。居心仁恕，勤於政治。推求漕河利弊，著《山東全河備考》一書。在濟四年，口不言功，而百姓實陰受其惠。

張伯行 字孝先，號敬菴，儀封人。康熙乙丑進士，官中書，丁憂家居，總河張鵬翮薦赴河工。四十二年，任濟寧河道。值歲荒，賑恤之。檄未下，先發倉廩數萬石，或以將干吏議，伯行曰：「爲民鐫官，吾何愧焉。」於河工疏導宣泄之宜、古今同异之辨，思之至忘寢食，著《居濟一得》十萬餘言。南旺之北運常苦淺，南旺以南又苦水多，當以汶水濟北運，泗水濟南運，又宜留戴村、坎河口以備汶水之暴漲，浚沙河、棗林河以泄范、濮、壽張、鉅野等州縣之淫潦，其大旨也。司河務者，資考鏡焉。四十四年，升福建巡撫，尋調江蘇，官至禮部尚書。雍正初卒於位，謚「清恪」。

余甸 字田生，福建南平人。康熙丙戌進士，知江津縣，行取入都。性剛正，不畏强禦。湘潭陳恪勤鵬年與最契，力薦之。康熙末，出爲濟兖道，行裝惟三馱耳。屬吏望風肅然，抉奸如神，案不留牘，至今有藏其牘紙讞語以爲寶。至任之明年四月，遷本省督糧道。六月，張秋子堤决，議者歸罪於甸，被逮。時德、濟二州之民，舉國狂走，欲爲訟冤，甸涕泣止之。世宗憲皇帝察其情，擢爲山東按察使，未幾歸。其令江津時，曾入闈校士。監臨年羹堯，使小吏以觀風，所拔士三人爲屬。甸揮之。年怒，思以事中之，會甸以咨取入都，乃免。祀名宦。

徐湛恩 字沛潰，漢軍正藍旗人，中山王徐達之後。由貢生改應武科，康熙乙未武進士，授侍衛，執戟殿下。賦詩稱旨，特改兵部郎中。雍正元年，出爲兖寧道僉事。嶧縣有湖壖荒地，許貧民開墾，勢家占爲己業，私納其税。又各屬灘湖草地，歲征草束，悉禁除之。遇使者行河，有所求不應，怒曰：「汝所司何庫？」曰：「南旺、南陽、蜀山、馬場四大庫也。」擢山東按察使，調廣西，内升僉都御史，復出爲河南山東副總河。時魯橋以南至黄林莊歲苦淹决，營建石堤，捍禦湖波，運道獲安。乾隆初，升内閣學士，兼禮部侍郎，改直隸副總河，被議去職。十五年，復原官致仕。二十年卒。

何煟 字謙之，浙江山陰人。以州同效力河工，擢河庫道、兩淮運使，兼管河務，復爲淮揚道。河溢中牟，隨大學士劉統勳、兆惠赴豫堵築，授開歸道，調山東運河道、河南河北道，升按察使，尋升布政使。乾隆三十六年，擢山東巡撫，兼管河道。老成練達，誠篤恪勤，體國愛民，實心經理。三十九年，加授總督、兵部尚書。九月，山東逆匪王倫亂，命督兵會剿。事平，回至内黄，卒，贈太子太保，謚「恭惠」。

陸燿 字朗夫，江南吴江人。乾隆壬申順天舉人，補中書，遷户部郎中，除登州知府。三十六年，調濟南府。三十七年，擢運河道。疏浚泉源，增修月河，莅事勤敏。又以治河書如昆山葉學亭《全河備考》，成於康熙十九年，已九十餘歲。所賴以資考證者，靳文襄、張文端之《治河書》、傅樸庵之《行水金鑒》，而文案册籍，遺亡過半。張清恪《居濟一得》、白莊恪《宣防録》散在各書，尤難統一，乃搜羅散佚，積三歲之力，成《運河備覽》十二卷。首《運河圖》，次《沿革表》《職官表》，次《五廳河道》《泉河諸泉》《沂河壩工》

《挑河事宜》《錢糧款項》，次《治迹》《名論》二卷。論者謂，其視昆山之書，有過之無不及也。升山東按察使，遷布政使，擢湖南巡撫，卒。又著有《切問齋文集》行世。

王念孫　字懷祖，號石臞，江蘇高郵人。高祖開運，治《尚書》有聲，爲州學生員。曾祖式耜，博通「五經」，康熙戊午副貢。祖曾禄，雍正元年拔貢。父安國，康熙丁酉舉人，雍正甲辰會元、榜眼，吏部尚書，謚「文肅」。念孫聰敏過人，有夙慧，都下目爲神童，八歲能屬文。從戴東原先生授經，稽古之學遂基於此。應童子試，院府皆第一，爲劉文清公所賞。乾隆二十二年，高宗純皇帝巡幸江南，以大臣子獻頌册，恩賜舉人，一體會試。肆力古學，究漢儒閫奥，翁潭溪閣學贈句云：「識過兩徐而上，學居三鄭之間。」蓋道實也。乙未會試進士，改庶吉士，散館授工部都水司主事。講明治水之道，著《道河議》上下篇，乃道河北流，建倉通運也。南河有攔黄壩，原估浮多，隨工部尚書往勘删减如例，補虞衡司主事，擢員外郎，升郎中。從德少司空勘浙江海塘工，尋掌京畿道御史，擢吏科給事中，巡視東城、南城、中城各一年。嘉慶四年正月，疏劾大學士和坤黷貨攬權，仁宗睿皇帝覽奏稱善，即日奉旨，明罰敕法，政府肅清，天下翕然稱之。三月，巡視淮安漕務。九月，巡視濟寧漕務，裁汰陋規，人皆服其廉潔。道路所經，吏治優劣、民間疾苦，無不悉心陳奏。十二月，授直隸永定河道，明年抵任，備料稽工，核實經理，而浮冒之弊以除。又明年，淫雨不休，南北兩堤同時漫溢，革職留工效力，賞六品銜，仍署道篆。又明年，賞給主事，遂上顔制軍《畿輔水利章程》。九月，河南衡家樓河水漫溢，運道阻滯，隨尚書費淳赴山東臨清一帶查勘河道情形，并馳赴臺莊一帶，協同巡撫辦理。查得迤南運河除應挑之汶上等汛，及滕汛之十字河照例與挑外，其鉅、嘉汛河道停淤處所，及挺出淤嘴必須大加挑挖。即督率河員，一律挑浚，以利新漕。十二月，署理山東運河道。九年三月，實授。運河冬挑，最爲弊藪，前任收工以銀尺量之，改造梅花樁，以木篾横列，淺深立辦。又嚴禁虚浮，非實有損壞不得報修，而另案之工始息。計在任六年，節省帑項至數十萬。又以微山湖蓄水無多，請挑浚牛頭河，以廣來源。居民占種湖灘，亦請禁止，奉諭如所議行。巡漕趙佩湘奏參前任貪縱，奉旨傳問。先是，巡漕恐其取材，官吏多應其求，飭所屬拒之，後饋送者皆獲咎，而運河官屬獨免，共服其有先見。十四年六月，調補直隸永定河道。瀕行時，濟寧商民出郊遠餞，焚香酹酒，數十里不絕。明年，永定河水漫溢。以六品休致，居京以著述自娱，所輯《淮南子》與《戰國策》《史記》《管子》《晏子春秋》《荀子》《逸周書》，及舊校《漢書》《墨子》，附以《漢隸拾遺》，凡十種八十二卷，名曰《讀書雜志》，陸續付梓。就養於子引之山東學署。道光五年，給四品職銜，重赴鹿鳴宴。十二年正月卒，年八十九。所著有《六書正俗》《廣雅疏證》《經義述聞》《經傳釋詞》，并梓行。儀徵阮雲臺相國深重其學，以爲出惠定宇、戴東原上云。祀名宦。以上河道。

楊三炯 字千木，浙江諸暨人。舉人。雍正三年十二月，任兗州府運河同知。始到官寓署之西偏，曰：「此先賢曾子故居也。」聽事處即正廟前，吏者以署隘，遷主於西城樓而宅之。又於隙地治燕私之齋，三炯乃就其舊址，構屋數楹，迎其主而定祀焉。且延師召諸生講誦於此，俾衆著於先賢之遺迹而不敢廢。桐城方苞撰文以記之。後升兗寧道。

黄易 字小松，浙江錢塘人。監生。初習刑名，有聲幕府。其在清苑，文移鞅掌，不廢風雅。援川運例，銓山東穀城主簿。乾隆五十四年，署兗州府運河同知，尋實授防河衛漕，著有勞績。公事之暇，輒究心詩文，工篆隸，又善畫山水，好古今石刻，重修嘉祥武氏石室，與諸家考訂，以期羽翼經史。濟寧爲水陸交衝，驛使星軺，如少司寇王述庵、宫詹錢幸楣、制軍畢秋帆、觀察孫淵如及翁覃谿學士、阮芸臺相國，視學山左，皆旌節頻臨，檢閱儲藏，講論互勘。嘗自繪《得碑十二圖》，又取所藏漢魏諸碑、唐宋舊榻，雙鈎附跋，刊爲一集，名《小蓬萊閣金石文字》，又録所積碑爲《小蓬萊閣碑目》，藏于家。論者謂「其學嗜古而識通今，洵不愧」云。以上河廳。

李正華 字茂先，直隸獻縣人。拔貢生。順治初，由福山知縣升運河同知。居官清正，一介不苟。頻斷疑獄，平恕得清。河餉工料，司其出入，錙銖明晰，吏不敢欺。又識郡士李生於聽訟之間，延爲子弟師。後擢松江知府，亦以治濟者治之，殲泖湖巨盜數人。以錢糧完欠不清被黜，士人惜之。

任　璣　字認菴，陝西涇陽人。進士，康熙十七年任運河同知。建議修石佛至沙洲土堤，民田免於水患。時學宫頽圮，總河靳輔援沂州城捐修例，特疏以請，并檄諸察屬倡義重建，命璣督修。璣强幹明敏，一木一石不以累民，謂：「教官賃居學外，非制。」創建學正公署，又捐金修鄉賢祠，升知府去，士庶遮道留之。官至長蘆鹽運使。以上總河，以下并《前志》。

遲日震　字蕃吾，遼東廣寧人。貢生。順治四年，授濟寧知州。初至，吏胥見其年少，頗易之。未幾，呼諸吏胥於庭而諭之曰：「某吏某事當言而不言，某胥某事不當言而言，皆撓我當我者也。」應罪即笞之，衆皆肅然。值决上蔡，賊之亂州，有駐防滿兵圈住城西南隅民房，奉旨撥補，抵價務在均平。日震酌地定直，民安無争。時軍需芻粟動以萬計，預爲均派，人樂其公，咄嗟即辦。至江楚征行，王師南下，居民不擾。次年，土寇平，駐防兵撤去。日震以勞遷，萬民擁道，如失怙恃，爲樹石河干，以表异云。

陳翼鶚　字斗山，遼陽人。生員，初令長垣。順治十四年，以政最擢知濟寧州事。嚴肅之中，濟以温厚。不勞聲色，諸務盡舉。濟地煩衝而民疲苦，急之逋愈甚，緩之事自集，雖上官嚴檄，以一身肩之不顧也。時閩海用兵，措辦芻茭，申請派令鄰近諸縣協濟，軍興凡有期會，兼應弗匱，遠近秉爲章程。詞訟近情，察理一以寬和，時有「樂只君子」之
頌。

李順昌　字燮五，直隸新安人。順治三年舉人，爲肅寧教諭，嘗攝河間同知事，與參軍謀，升陝西中部知縣，歷商南、和順，皆以治行顯。十八年，知濟寧州事。鋤强扶弱，盗賊屏息。州糧地五十圖，里書舞文，賦税不均，順昌於歲會之時，閉里書公署，給飲食，使按實造册，而飛灑詭寄之弊遂絶。舊夫役煩多，悉派里下，一有征發，四境騷然。乃按里調夫，使次第更代，故役不誤而民不擾。以餘閑與士子講學，學校爲之振興。初，容城孫奇逢作《表忠録》以紀甲申殉難之人，順昌爲刊訂進呈請贈恤，被逮。對簿西

曹，議論侃侃，人不能屈，轉益重之。奇逢聞其被逮，急自投刑部以解其難，而順昌已復官矣。在任五年後，以疾卒於官。歸葬，新安奇逢爲志其墓，士民公舉名宦，特爲建祠刻石像祀之。子温皋，見僑寓。孫奇逢撰墓志，略云：「公生而奇嶷穎异，讀書目數行下。時祖父國光九十餘，病，父燦侍病，躬浣廁牏。公八歲即能代父滌除便液，無倦容。應童子試，輒三冠軍，旋食廪餼，因有聲庠序，即首膺里選，以經明行修充太學生。丙戌再行鄉試，登京兆榜，以母老就鐸肅寧。適河間郡丞缺，廉察知公才，命視篆參軍務。時姜襄倡亂伏莽，竊發公撫良戢暴，皆得其宜。庚寅，遷陝西中部令。中部處萬山之巔，尚餘流氛遺孽，前令皆裹足不至，公毅然單車就道。諜知渠魁劉鐵棍最狡悍，有衆近萬，以計誘其甥丁仲甫與之携貳，仲甫隨以三千衆就撫，督撫稱快，謂：『有令若中部，山後不足憂矣。』未浹旬，而劉果爲仲甫所擒，民用是安。辛卯，自春至五月不雨，力禱弗應，乃厲聲曰：『水旱疾疫，爲神所司。今民罔敢愛牲牷，神其弗歆，將奈何？』與神約：三日雨則已，不則吾當立死，神當立碎。三日内果甘雨如注，邑人勒石志之。邑西北瀕邊陲，民事騎射，視賓興爲具文，爲之講學課藝，復資其貧乏。是年劉生爾怡登賢書，邑稱彬彬矣。未幾，以母憂踉蹌歸里。服闋，補商南。商南經兵燹後，丘墟星散，公多方招徠，民稍稍復業。課農商，視勤惰，爲賞罰，復以牛、種給其貧者。邑苦鹽額，户口減而引如故，力請悉蠲，荒區隨爲樂土。暇則訪四皓遺迹，表角里故里。適以詿誤拂衣歸，掌科劉公連章白其誤，復官。戊戌補山西和順，地界黄榆、松子四嶺間，山高風冷，令此者綦難之，且地不宜五穀，惟産麻，民不解紡績，即鶉衣不備。公擇老媪之工者分教之，日課綫二兩，月責布一匹，滿城軋軋鳴，皆機上聲也。邑賦舊以四季征，民貧不能應，乃申請春二秋八，迄今晋有秋完名色，實自和順始。和順地隣樂平，額有協濟驛站銀兩，舊例僉富民充役，往往破産不恤，力請撫軍題免，邑人德之。辛丑冬，以上考擢守濟寧。濟當水陸交衝，煩劇百倍。人以三任僻邑，忽當衝郡，咸爲棘手焉。公至，首嚴里甲猾胥積弊，鉤校簿書，嚴核隱漏，發奸摘伏，人皆慴服。有以兩造至者，片言輸服而去。於大惡巨憝，必置之法。有可矜者，則不憚反覆詳讞，以求生命。若捕逃一事，人皆取盈，以博升遷，遂不暇計真詭。公嚴株連、懲脅嚇，一時皆屏迹不敢逞。濟河挑浚椿柳，暨上下縴挽，雖鄰邑協助，而濟之民力不資，爲民請命，得邀寬豁，困少蘇，而漕運亦不病。督漕使者交章薦其有經濟才，王公狀有曰：『宏才肆應，張弛咸宜。處僻邑不多一事，處衝郡不遺一事。但聞其賦税不督而完，獄訟不煩而判。冠盖絡繹，一以暇豫處之。兵馬往來，遇有繁難，無不咄嗟力辦。』此非知公之深者耶！子三：淑皋、温皋、湜皋，孫二：標、模。温皋予子孫度雅，子婿也。」

廖有恒　字柴坡，四川射洪人。順治甲午舉人，康熙八年知濟寧州事。時值河决，連年大水，屢請蠲恤，全活甚衆。又奉部飭取州志，因同儒學趙耐庵聘集夙儒，擇生員李佩斗等，接古續今，存舊者十之五，增新者亦十之五，共成十卷，較明《萬曆志》爲詳核云。

徐士訥　字詢之，浙江淳安人。康熙丙辰進士，授嵩縣知縣，有治行，湯斌稱之曰：「冰清玉潔，實心愛民，海内第一廉吏。」二十五年，擢知濟寧州。歲饑賑恤，全活者十萬餘人。嵩與濟民并祀之。

姚永煦　字載照，直隸宣化人。康熙五年舉人，廉潔温厚，爲治與民休息。告歸之日，空城送之，至擁輿馬不得前。

吴　樫　字清圻，號潛竹，浙江錢塘人。弱冠即留心吏治，隨從祖浙閩制府破臺灣有功，議叙州同知。初佐泰安州，年甫二十四，上官异其才，屢試劇縣。康熙三十二年，升濟寧知州，發奸摘伏如神。初甚嚴厲，吏民屏息，久之莫不馴擾服習，樂從其教。凡有興除，初若不便，及事成，而民不擾。泗水潰决十年，不得播種，爲築西堤，束水歸故道，自此無水患。又添設楊家壩閘，以節宣水勢。凡官署、學校、城樓、倉庾，無不創建修整。著有《牧濟嘗試録》，催科保甲，賑濟水利之法皆極精密。又以上諭十六條，編爲彈詞，教矇瞽十餘人，分散城市、集鎮，朝夕諷誦，愚民爲之感動，至今濟人寶其書如珍璧焉。在任十四年，卒於官。劉洪序略云：「濟寧當南北水驛衝，五方雜厝，食貨殷贍。自商賈販負，以至織紝補縫、工匠醫巫、卜祝駔儈之屬，闉城溢郭，輻湊鱗萃，毋慮數百十萬。浮食者衆，户籍不可核，奸宄隱屏，無可奈何。而達官貴人連檣水次，銅烏五兩，相望睥睨，間無虚日。以故吏此州者疲於郊迎，致館苟以趨辦爲能，不復長慮却顧，爲小民纖悉計利害，而城隍、署寺、傳館、橋梁、管庫，亦一切廢壞不理。然其風俗柔順儉樸，無輕俠大猾，弗敢持長吏長短，奉公輸租唯恐後，亦易以治。顧其習呰窳而樂因循，與之議改作則又巽軟畏避，不可以終日。自吴公繼守此州也，于今三年，捍大患、興大利，經營繕完，不逾年，百廢修舉。今年增築泗堤、浚姜家橋填淤，水還其舊，費直萬金，錢公不動聲色而命日集事。泗水自滋陽西經濟寧東南，蜿蜒四十餘里，由魯橋入會通渠。秋水暴漲，决出姜家橋西，壞田廬。十年來，田者自刈麥後，悉驅牛驢爲人負載輦重糊口，不敢布種。公單馬出，按行隱度，乃庀工具糇，儲畚新、楗石，親暴風日中，指麾勸勞，訖事而民不驚擾，比成乃大悦，服公之興除。初若不便，而卒如公畫，民安之者皆此類也。」《前志·藝文》節録。

趙之鶴 字松年，號梅坡，漢軍正白旗人。以功臣子弟考取筆帖式，旋隨征噶爾丹。方執大纛，忽飛炮中其僕，之鶴神色不動，俄而賊敗北。及凱旋，出知四川納溪縣。康熙四十六年，知濟寧州事。在任十有九年，務以德化。後降，調堂邑。出署，自朝至暮，百姓扶老携幼，擁輿不得前。乃夜行，達曉至汶上，送者尚數千人，曰「河潤九里，使君在濟州十九年，邑人受賜者多矣。」旋感微疾，未及任而卒。初有爲生祠者，寫像其中，之鶴禁之，改爲濟陽會館，自毁其像。衆潛立木主，後刻像於石，至今尸祝不衰。

○梅慤《序》略云：「古來評吏治者，惟循吏爲最，遷固稱其奉法循理，所居民富，所去民見思。仁厚豈弟，發于至誠。家視郡邑，而子視民。度其所便利，力爲之興；舉其所患者，亟爲之芟薙。孜孜務民，若躬處窮檐而目徹蔀屋者。無問龔黄、卓魯，皆足以奠安元元，爲國家興淳和之理，故古稱循吏也。濟邑爲漕渠通要，每值歲交，沿堤疏浚，民間債雇徭役，叢奸積弊，歷有年所。侯至，則易以官募，使里無滋擾，而工得速竣。催科之善，無逾滚單，侯更能力除耗羡之弊。舊冬今夏，濟屬亢旱，侯乃秉誠齋戒，徒步禱神，不三日而甘霖隨降，四郊沾足，官箴首清。廉侯受事以來，冰蘗自矢，事無巨細，一秉于公。夫無欲則剛，剛則請托不行，而人不敢怨。公則生明，明則聽斷如神，而人不能欺。他如遵聖諭以勸鄉講，閭閻向化；奉憲行以嚴保甲，奸宄潛踪。家無賭博之風，民務力田之本。待紳衿以禮，撫黎庶以寬，御胥吏以肅，宜乎濟之士民視之若父母，奉之若師帥，肅然起敬，如漢世之諸君子也。」《前志·藝文》節録。○福建將樂縣知縣嘉興王元啓撰傳略云：「州有税課局，税額不及千兩，吏數倍征之，利私自入。侯痛加裁抑，凡革去雜税六十餘條，至今行旅感其惠。四十八年秋大雨水，城中拏舟往來，西城尤洿下，瀦爲巨浸，壞民居無算。侯開水道得故溝，增甃之，爲横溝一，縱溝南北各一，凡三溝，通長三百三十五丈，達諸西門之外。溝成立約，每歲先夏啓治，以防壅塞，至今濟寧無壅水之患，蓋自侯興修溝道始也。有阮世英者，其家世爲武弁，世英獨爲賊，既被獲，其母親詣州庭，求撲死以絶禍。侯以阮氏衣冠之族，又察世英色貌甚恐，誨之曰：『人雖至惡，臨死未有不自悔者。吾今哀汝雖欲改悔而無由，特欲丐汝，餘生使强爲良善，汝能聽我否？如不聽，再至立死矣。』世英痛哭叩頭，負其母以歸，卒改行爲良。回民文朗者，號虎頭魚，恃其强力，奪攘奸淫，靡惡不作。侯素以德化民，獨于是不少恕，卒令荷校以死，州人快之。究郡産山繭所有甚遠，濟寧當南北之衝，民多賴此以爲業。有權貴出巨資，欲獨卧其利，民皇然無以爲生。後使人百方求免，事獲已，州人無以報，爲塑像建生祠南門外漕河之南。侯在州凡有十九年，雖婦孺無不知愛仰者。雍正二年，升濟寧爲直隸州，時上官不悦於侯，以爲不勝直隸州之任。明年，降知堂邑縣。去之日，百姓提筐挈榼，跪拜獻觴者以萬數。既出城，萬人號泣，侯爲墮泪，爲鬱結不能食，遂感疾，行至阿城竟卒于旅次。侯至汶上，遣去州人，將發，汶上人送者復數千。侯怪之，汶上人叩頭言：『吾邑有聞明府者虐使吾民，聞吾侯諸善政，甚愧，稍始效而爲之，後卒爲循吏，吾邑人蓋無一不戴侯之餘澤也。』」贊曰：西城水溝世莫知其自始，余考季謙爲冀德方《去思頌》，知此溝元代所甃，然去德方迹訪故渠則始浚者又在前此矣。末世紀事之文，專事夸諛而不核其實，故雖有利民事，古稱爲法而可傳者，率皆湮没而無考。昔仇覽不罪陳元，卒成孝子。觀趙侯化阮世英及感汶上聞令爲循吏，雖漢代所稱長者何加焉？余以是備著之列傳云。」

王爾鑑 字在兹，河南盧氏人。雍正八年進士，歷知郟縣、益都二縣事，并有循聲。乾隆九年，知濟寧州事。清操獨厲，案無留牘。撥煩應機，才敏莫比。公餘，灑翰數千言立就，筆不加點。罣吏議罷職，巡撫愛其才留之，委以荒政，黎民頗沾其惠。後補官四川，歷升知府。

史錦 字存素，號織菴。雍正四年順天舉人。乾隆二十七年，自歷城遷知濟寧州事。明敏强幹，吏胥不敢爲奸。州南鄉素苦水潦，積逋賦幾千金，既爲代輸，又請豁免以除民累。修城擇貧者赴工，豐其食以代賑。舊凡河渠用民夫，黠者避役，多挂名河院書吏，貧民偏受其累，錦則一體均徭。州爲水陸之衝，每舟車入境，胥吏以應差爲名，稽留或至旬月，錦至而其弊絶。回民與居民錯處，因買薪構隙，蜂屯蟻聚，幾構大獄。時以公事在濟南，聞報馳還，曉諭解散，戮首事數人，回民從此斂迹。二十八年，以堪任知府，保薦入都州同知。陶淳權州事，因泗水堤工之役被劾，及會讞，無贓據。錦回任會鞫，如前河院劾以徇庇，逮刑部對簿。事雪，部議以工役受飯食錢二千未讞出實情罷職。後巡撫覆奏，得復原職。去任之日，百姓泣送者不絶於道。〇陳符《碑記》云：「士君子出身臨民，必先有實心而後有善政，有氣節而後有事功。實心不存，氣節不立，則利誘於前而害怵於後。惟皭然自守、毅然自任者，舉而措之，即治天下無難矣。濟故任國也，地磽而窪，當南北之衝，差使絡繹，賦役繁興，兼以水患頻仍，境以内屢告疲敝。公來守是邦，都人士手額曰：『此吾東士稱神君者也，吾濟從兹更生矣。』至則先聲奪人，却暮夜之金，絶陽鱎之士，而風俗爲之一變。先是，州役多横，兩造任需索，有抑勒未遂，竟至羈候累月者。公洞悉其弊，嚴爲懲治，由是案無停牘，平反悉當，期月之内民慶安堵。捐俸金，闢任城書院於漁山之巔，駸駸乎文教進於古矣。陶司馬之獄，舉州倉皇，物議沸騰，羅織者八大户，牽連者百餘人。公以一人力持其際，不避當路之忌，不顧同官之謗，不惜一己之勞，卒能使疑案昭雪，保無辜之性命、全衆姓之身家，公之陰德過人，有造於吾濟也，豈其微哉？雖被逮而處之泊如，非不爲利誘、不爲害怵，能如是乎？去之日，國人思借寇而無由也。爰撮其莅任之善政，與居官之氣節，以志攀轅卧轍之忱云。抑聞之語云『久虐易爲仁』，又云『極盛難爲繼』。夫以公之才與公之德，即當極盛之後，而勢處積薪，後來者亦居其上，又何俟久虐之後，相形而始見優乎？特繼公之後者，恐不能不視公爲極盛耳。紀此以表芳徽，并以冀後之官斯土者，不讓美於前賢，此則闔濟之望也夫。」《前志·藝文》節録。

潘得榮　字仁則，遼東瀋陽人。官監生，順治時爲濟寧州同知。英偉多能，器度通敏。政尚慈惠，愛民體物，曲盡其情，堅正有守，不徇上官，事關利病，必力争得請而後已。署府丞，精於河政，運務賴之。歷權嘉祥、鄆城、濟寧、滋陽事，皆著顯績。治盜賊，杜絶株連，士民仰之若慈母。升揚州府通判。

宋世峻　原名世藩，字東峰，膠州舉人。雍正中，試扶溝令，不能於上，官改濟寧州學正。究心理學，精研奥義，著《四書精華》行世。○以上十二人并載《前志》。

徐　績　漢軍正藍旗人。乾隆丁卯舉人，揀發東河。二十二年，補泉河通判。二十三年，升濟寧知州。先是，其祖徐湛恩爲分守兖寧道，駐節濟寧。而外祖趙之鶴，寔爲州守，諸所興爲，具有條法。績幼侍其旁，聆訓勉。在任三年，州人咸相與便安之。二十七年，重修州署。明年，聖駕南巡，召見以知府擢用，升曹州知府，調濟南，擢濟東道、山東按察司。丁父憂，服闋擢工部右侍郎。三十六年，擢山東巡撫，調河南，授禮部左侍郎。嘉慶十二年，重與鹿鳴宴。十六年卒。

藍應桂　字芷林，號薌墀，浙江定海人。乾隆戊午舉人，三十八年知濟寧州事。問俗觀風，凡所頹廢，靡不修舉。郡學自靳文襄公重修後，百年以來，日漸傾圮，捐俸倡修。遷啓聖祠於敬一亭，立名宦、鄉賢、忠義、孝弟四祠。復於啓聖祠之故址，改爲杏壇，東爲養雲亭，西爲觀瀾臺。有甘泉出泮池西，枯槐重生且茂。是秋榜發，得雋四人，解首與焉。郡人史本撰記以美之，并詳「學校」。州改直隸州，益以汶上、嘉祥、魚臺三縣掌故，重編志乘。

胡德琳　字書巢，號碧腴，廣西臨桂人。乾隆壬申進士，由濟陽知縣調歷城。三十四年，擢濟寧知州。所莅之處，并以修志爲己任。郡人鄭確庵有《濟寧遺事記》，名《州志》存真，訪求其書，聘諸名宿，徵書藉，慎采訪，開館於庚寅之夏，至冬季稿成，詳明簡核。升東昌太守。

王道亨　字應亨，江蘇吴縣人。乾隆庚午副貢，四十三年閏六月由莒州升任濟寧知州。時《州志》經前任重修，未付梓。後以汶上還兖州，而割金鄉來屬，因改修之。時洪河泛濫，州境詳請截漕蠲賑，修築堤防，於是哀鴻之民免於溝壑。人民安集，乃手訂志稿，付之剞劂，今《前志》三十四卷是也，蓋歷三任而後告成云。

金　湘　浙江錢塘人。吏員。嘉慶五年正月，由陽穀知縣升濟寧知州。本境行户供給差務，向有河例之説。莅任之日，出示禁止，商賈得以安居樂業，乃立碑頌德焉。

王旭昇　字麗峰，順天寶坻人。乾隆六十年，由附貢生充四庫館謄録，議叙布政司經歷，分發山東補昌邑縣丞，升章丘知縣，調歷城縣。嘉慶十四年三月，署濟寧州事，尋實授。十八年九月，金鄉教匪滋事，曹縣、定陶失守。倡率紳士，雇募鄉勇，會同營汛晝夜防堵。其兵勇飯食、馬匹、草料皆挪款給發，彌月累成巨萬。仍在城外各隘口安設卡房，督率鄉勇，無分晝夜，梭織偵巡，拿獲逆匪李良等梟首示衆，於是賊不敢犯，城賴以安。後因軍需造報，准銷十分之一，虧項無抵，疏參解任，士民惜之。

趙毓駒　字盥溪，貴州桐梓人。乾隆壬子舉人，由大挑補陵縣知縣。長於決獄，調滕縣。道光元年，升任臨清知州，署濟寧州事，以廉能稱，卒於官。

王朝幹　字翰屏，號東圃，奉天承德人。嘉慶戊午舉人。道光元年，補鉅野縣。三年三月，署濟寧州事，尋實授。嚴緝盗賊，裁汰方捕。爲政主於嚴，嘗曰：「嚴以治盗賊，寬以撫平民，惟嚴可以濟寬耳。」升曹州知府，調濟南，才守兼優，卒於官。

劉清祥　陝西咸陽人。嘉慶庚申舉人，十四年九月任濟寧州同知。時值亢旱，步禱嶧山，回雨隨降，立泥水中俟沾足乃已。折獄明決，升任湖北知州，送者塞途。

丁宗洛 字瑶泉，廣東海康人。嘉慶戊辰順天舉人，二十四年選授濟寧州同，九月莅任。清介不苟，安貧嗜學。百里祈雨，烈日捕蝗。簿書之外，討論古今。歷年代理縣缺，有政聲。二十一年十一月，以疾卒於官。所著有《大戴禮管箋》十三卷，《逸周書管箋》十二卷，《海康陳清端公年譜》二卷，《詩集》十卷，《夢陸居課藝》五卷，《陽山王李氏一桂軒詩鈔》二卷，俱梓行。《澹臺子家譜》《徐鶴洲年譜》《不負齋諭文針度》《不負齋文集》《顧甑集》《夢陸居詩稿》《詩話》藏於家。

張象津 字漢渡，號莪石，濟南府新城人。乾隆庚子舉人。道光元年，任濟寧州學政。切於誨人，闡發諸經，日玩《周易》一編，曰：「安身立命，不外此也。」未三載，告歸。年八十三，卒所撰《考工釋車》《離騷義疏》諸書行於世。

孔衍栻 字石村，曲阜人。貢生。雍正三年，任濟寧訓導。性淵静，以畫名。告歸，卒年八十九。有《題畫詩》一卷，并詳「雜稽」。○以上十二人據《濟南府志》及碑刻、采訪增輯。

張思孟 遼東人，河標右營游擊。順治時，汶上蔡賊踞梁山濼，思孟單騎深入，陷賊中，以短兵突圍，被傷而卒，家丁高麗亦死焉。事聞，以其弟思盛襲職，至寧波副將。祀忠義祠。

陳永清 字我績，號安宇。其先即墨人，以軍功襲遼東指揮。順治初，任濟寧城守營都司。時山左盜匪蜂聚，河督楊公率屬討賊，永清戮力，出奇制勝，擊擎天王於嘉祥，殲趙應元於青州，滕、曹、鄒、嶧、汶、寧等處次第蕩平。嗣修學宫，葺武廳，築城造樓，增堤建閘，士民賴之。遷延綏游擊，繼轉秦營，尋任新平路參將。督修邊墻三百六十丈餘，擢江西南贛副總兵，莅任即除守城門需索行人積弊。時鹽徒充斥，嚴行踩緝，境内肅清。升直隸總兵官，未抵任，以勤事而卒。贈都督僉事、鎮國將軍，賜祭，錫恩蔭，馳驛歸葬；葬於濟城西濟安臺之南，後裔遂爲州人。祀忠義祠。

王天祐 字元一，其先河南人，曾祖以軍功世襲指揮，遷居遼東。本姓晉，父有恒死王事，遺腹生天祐。母王氏早卒，嫂吴氏乳哺之，事兄嫂如父母。年十六，遼東亂，骨肉流亡至遵化州，依其族叔。習騎射擊刺，屢以良家子從征，多所斬獲。功未上，會選用勛裔，乃以祖蔭讓叔，而身承外家之胄，遂姓王氏。年三十八，從官軍出，與流賊戰，奮勇深入，以部伍相失，猶健鬥，面中二刀，膝中二矢，墜馬死。夜聞雷復蘇，手扶頭，洒血以歸。國朝定鼎，以虓勇被召，授濟寧守備、兗西道裨校。李化鯨反，突陣斬之。後征滿家硐、祝家、海子，從大將軍下浙江，取金華、衢州，積功擢山海關游擊，歷常州副總兵。時海賊犯江寧，而常當其厄，天祐練兵分汛，更易旗幟，賊覘候不測其多少，逸去。太湖盜魁陳大生爲東南隱患，天祐提水師與戰，擒滅凶殘，功第一。年五十九以疾卒於官，葬濟寧城東大寨外，後裔遂爲州人。祀忠義祠。

李承恩 前明丙辰進士，順天人。順治初，任臨清衛守備。衛地在濟寧者十之八，自明季爲豪强侵占，失業者流徙，課額恒缺，官軍屢以是被累。承恩清理招徠，自是正供如額。凡事不假手吏胥，訟須對質者，於票畫一。隸人令告者，自拘之。征收聽以布帛准折，視民所便。贏餘羡耗，一無所取。又嘗勸立義學，令公舉學行兼優之士以爲師。順治十二年，以課最升都司，終陝西延綏總鎮。

惠占春 字子元，號銘西。由河標副將升沂州總兵，解任。後於康熙癸亥過濟，遂家焉。精於韜略，劇談至竟日夜。潘兆遴爲作墓志，皆實録也。據《知非瑣言》《前志·雜綴》。

費俊 字慧先，號鶻峰，浙江歸安人。武進士，由温州鎮標左營游擊調河標左營游擊。初餉米敗惡不堪食，兵以爲苦，歷任遵例，不敢同异。俊請改給自買，利貽至今，兵貧有不能修衣甲者，出錢資助之，士氣一振。聖祖閱視河工，顧見所部嚴整，垂問姓名，從此蒙知遇，累遷至福建福寧鎮總兵官。著有《玉堂甌魯詩存》，又奉制府命編緝兵書，分《閱操》《督戰》《陣法》《兵械》，爲四卷，立可設施，人謂戚繼光、俞大猷不能過也。

韓國枝 字君愛，宣化人。雍正初，授河標中營守備，旋升左營游擊。擒凶盜，軍功議叙一等。訓練營伍，整肅河防，懋著勞績。移襄陽鎮，原品告歸，就養長子温城守營都司。任絶不預外事，人高其品。○以上七人并載《前志》。

劉文燦 河南永城人。由外委效力，拔把總，屢遷至中營都司。清肅營規，嚴約軍伍，不徇情，不避嫌，凡營中之弊悉除之，升右營游擊。雍正七年十一月，有土賊宋五、宋六結交孟壑嘴等作亂，約於冬至朝賀日選精壯五百人埋伏普照寺內外，自率餘衆往州衙行事。夜交四鼓，衆官齊集普照寺，行禮未畢，賊突入，文燦隻身禦賊，手無寸鐵，奮勇力戰，騰足踢倒數十人，奪賊人兵器，左衝右突，立擒宋賊十餘人。平明賊潰，隨後追殺，身被重傷，血塗朝服，脱卸不下。令軍士閉城門，急率部兵衝至通衢。宋五率逆黨欲劫州庫及獄，吏役奔逃，文燦至乃大呼，奮力掩殺，宋門逆黨盡爲拿獲，餘賊逃散，宋亂始平。文燦傷發，不能動移。濟之父老見其隻身獨戰，人不及甲，馬不及鞍，除亂安民，相約百餘人詣署謝勞。文燦令至卧榻前，曰：「討賊破敵，皆吾分也，何敢言功？」升總兵，因受傷未抵任。乾隆元年，恭遇覃恩，封懷遠將軍。三年三月卒，年五十二歲，士民惜之。道光二十年，公舉請祀忠義祠，知州徐宗幹撰傳云：「公氏劉，諱文燦。東河右營游擊，駐濟州。雍正七年冬，州人宋五者横行里黨，間陰約其徒數百人，裹利刃伏城北隅普照寺，舊祀厘所也。長至日鷄初鳴，衆僚咸集禮未畢，群賊突出，官吏倉皇繞殿走。公躍而起，求寸鐵不得，去冠褰朝衣，張空拳咤叱亂兵中，身被創，錦袍血斑斑然。奪短兵揮之，賊不敢前，退劫州庫，將出獄囚。公上馬追捕，率衆殲旃，禽其魁使誅，逾三刻平。旋歿於官，卒亦無録其功者。百餘年來，父老猶能言之。嗚呼！死於患難已成之後，天下後世皆知其人。而死於變亂初萌之時，功且倍蓰，乃泯没無聞，非所以勸忠良而勵臣節也。亟應申之臺司，請祠祀如制。論曰：以一身代三軍，夷大難於頃刻。師不勞，餉不費，官民安堵如無事，功不在褒鄂下。馨香勿替，宜哉！」

石雲倬　字天章，濟南府德州人。康熙丙戌科武進士，授侍衛。力挽三百石弓，常侍從，出爲平凉游擊，升鎮番參將。五十四年，調赴巴里坤，協辦軍務。明年，遷慶陽副將。雍正二年，調河標。三年，改洮岷副將，尋擢南贛總兵。四年，擢浙江提督，調福建提督。歷任三十餘年，清空糧，增炮位，節經費，修器械，一切振靡起衰，無不立辦。九年，授西路副將軍，挂振威將軍印。十年，賊犯哈密，因遲發一日，賊遁去，被劾。卒於杭州。

穆奠邦　字治安，河南淮寧人。乾隆甲寅科武舉，在豫省效力，上官器重，由千把遞升。嘉慶十六年，任濟寧城守營都司，惕勵自持，趨公無怠。十八年，曹定教匪滋事，百計防禦，拿獲奸細多名，賊人畏懼，不敢窺伺，闔城安堵。二十年，升署右營游擊。二十四年，奉調馬工，土性鬆疏，非拋石挂淤，秸料難立。奉委購辦碎石，極力營謀，數日辦齊，各工皆歸鞏固。又往上中兩引河，彈壓周密，奉旨賞戴藍翎，調議工，鑿冰開通河路，大工合龍，换花翎。因出師湖北及金鄉，兩次軍裝缺略，請河帥飭道籌款添製天門鳥槍、炮位、藤牌、腰刀，修蓋武庫。道光八年，奉部文以隴省歲需紅白賞銀逾多，通行各省，議減十分之三。時兼署協篆，引例懇詳，咨部仍照舊額。道光十一年，升任河標中營副將，躬親教練，力加整頓。逢大閲之期，添造速戰陣法軍裝，親督工匠，九十日夜，一律修整，并改爲官製，兵丁永無後累。校閲列優等，論者謂其簡閲之勤、恩信之孚，雖古之名將無以加也。升廣東南韶連鎮總兵，卒於官。

李凝和　字晴野，號素岑，四川閬中人。武進士。乾隆二十三年，任濟寧衛守備。先是，軍地津租，預帮漕船，輪轉不便。爲詳請照鳳常等帮之例，各丁自行收取，停其由衛催征，數十年之積弊，一旦悉除。又營值之設，屯民充役已久，每多朦報，預充需索，累通飭諸所悉從公議，屯民沉痼之弊，脱然無患。

吴　鈖　江西南昌人。乾隆甲子科武舉，署濟寧衛守備。請屯軍編查保甲，應令該衛所於春秋二季查明户口，造其牌册簽，用衛印，散給懸挂，以免混淆前、後、左、右、任城五幫。刻石頌德。升湖北蘄州衛守備。以上五人據《濟南府志》及碑刻增輯。

馬雲從　江蘇沛縣人，任河標千總。嘉慶十一年七月，黄水异漲，漕汛六堡塌埽段四十餘，魏家埠道適當其衝，實曹、兖、濟之保障也。雲從與諸營弁方聚食，時聞水益涌，即投箸起，親率兵夫奮力搶護。大溜汹涌，人不敢進，乃竦身立樁埽上疾呼，填土不已。須臾埽陷，身隨埽入水順流而下，求其尸不獲。水退堤定，越八日得之下游四十里外虞城縣界桑家堤口，衣冠不動，面色如生。先是，河道夢金甲神，告語云：「堤將陷，馬入水，保無患。」至是果應。奏蒙賜恤，并廕一子。因建祠於漢順平侯趙將軍廟側，塑像立碑。像一手持竿直指，蓋肖其疾呼填土之狀也。子慶成，廕把總，改文職，現任臨清磚板閘官。

徐貫一　州人，字恕堂。道光七年，任河標左營守備。十九年，任游擊。至性孝友，撫士卒以恩信。并見《人物志》。知州徐宗幹撰傳云：「東河右營游戎徐貫一，濟州人。由行伍出身，洊歷至游擊，殁於官。都人士請祀孝弟祠，子守元以余同官有年，乞録其事實。申之上官，并爲文藏之家。夫舉孝義於數傳以後，所聞异辭，余則見而知之。且鄉黨宗族交稱於蓋棺之日，信而有徵，非徒爲諛詞、私所好者可同語也。宗族之言曰：『當其年少時，父某從征湖北，求偕往不果，涕泣送行。聞父殁，欲以身殉。孀母止之曰：吾將何依？乃爲父位哭之，喪祭如禮，菽水承母歡。及入營，有事出必告，反則拂衣盥漱而後面母，勞之必曰：無所苦。弟某出繼，貧苦不能自立，分餘餉以助之。弟亡爲營葬，撫孤如子。母病後，告於天，刲臂肉入湯藥，病遂瘳。逾年母殁，號泣不食者數日。父母誕忌及本身生辰，或遇令節，必潔誠趨墓前，叩頭流血，額顱間隆隆然，至老不衰。』鄉黨之言曰：『嘉慶十有八年，金鄉反，從海凌阿參戎出征，直趨入賊營，生擒其黨，獲甲仗無算，事平不言功。御史某性豪侈，巡視東漕，奉委爲其巡捕，官人不能干以私，及某敗，脱然無所連。訓士卒如子弟，日晨起必自習矢石，然後教之。大帥有犒賞，人日給百錢，而貯其餘，一月後并授之，曰：以此事父母、畜妻子。有游蕩者，輒重褫其名，人皆畏而愛之。催攢漕艘，不受錙銖。饋遺弁兵，咸感服。伏秋濟汛水溢，親持畚鍤立風雨中，爲兵民先。年六十以催漕積勞成疾，兩湖制軍周天爵、前漕總督知其才大可用，破格奏調湖廣。已奉俞旨，而不及待，人爭惜之。』所見如此，所聞如此，此非余一人之私言也。語云：『事父母能竭其方，事君能致其身。』雖曰未學，吾必謂之學矣。』徐君其庶乎！論曰：忠孝之性，不學而能，所謂『誠者，天之道也』。如徐君者，庶幾率以天而不汩於人乎？將帥之臣，勇冠三軍，往往士不用命，所以感之者無其本也。有血性爲大夫，敦天倫爲儒將，求忠臣於孝子之門，豈不諒哉！」二人增輯。

胡岳齡　江南涇縣人。拔貢。康熙三十六年，知金鄉縣。慈心愛民，有賢父母之頌。

沈　淵　字静軒，浙江山陰人。貢生。康熙四十四年，知金鄉縣。安静不擾，而百廢具修。邑城自明末以來，七十餘年，就傾圮。值歲旱，民艱食，于是計工授粟，先浚隍池，以其土爲培城之用。次年大有，遂陶甓庀材，以農隙役之，三年而工始竣。邑東跨涑河有蘇家橋，屢建輒壞，蓋以水驟不得瀉也，乃增七孔爲十二孔，又爲之疏導支流，毁去舊防，而水患息。重修邑志。在任九年，擢南陽府知府。

王之琦　字孔嘉，湖北湘陰人。舉人。康熙五十一年，知金鄉縣。捐俸首倡大修學校。莅政十年，與民休息，加意作人，所奬拔皆登巍科，成名士。官至江蘇布政使。

田士隆　字晋三，直隸保定人。進士。乾隆元年，知金鄉縣。凡無名之税，概罷之。聽訟先計其道里之遠近，以定程限，罔敢後者。案無積牘，野無穿窬。一載以調任去。

陳　錕　字厚巖，浙江石門人。舉人。乾隆十年，由臨朐調知金鄉縣。初至，夏潦，以清里甲爲名，躬歷墟落，按户而稽丁之多寡、貧之極次，歷記於簿，民不識爲賑册，胥吏不得增減，而惠實下。逮三載，罔有豐歲，民無怨咨者。調商河，遷廣西横州知州。

周大綱　江南蘇州人。恩貢，順治初任金鄉縣丞。徵兑漕糧，時户口逃亡幾半，爲稱貸賠補，民得無累。河决金龍口，邑當水衝，力請蠲恤。在職六年，不能歸，遂家焉。

馬　某　佚其名，遼左人。順治初任金鄉典史，年二十餘，强力有謀。時城外皆賊壘，勤於訓練，討賊屢捷。六月十日，曹家樓賊詭計誘官軍深入，遽陷重圍，乃突圍三入三出，賊且衆至，遂拔刀自刎。邑人立祠祀之。

遲逢元　登州府萊陽人。進士。乾隆三年，任金鄉教諭。品端學優，多所造就，後升翰林典簿。

吴紹禮　武定府海豐人。舉人。乾隆十年，任金鄉教諭，勤於課士，卒於官。○以上九人并《前志》。

饒夢燕　湖南武步人。拔貢。乾隆十四年，任金鄉令。興舉廢墜，士民感頌。調魚臺，建書院，邑人至今謂饒公書院云。

麥子渟　廣東香山人。舉人。乾隆十九年，任金鄉令。邑大水，捍患禦灾，盡心竭力。城垣廟學，悉倡捐修復。升東昌同知。

王天秀　字旭升，山西定襄人。貢生。乾隆三十一年，任金鄉令。政通人和，有禾麥雙岐各瑞，建「四瑞堂」。修學宫，築城垣，政迹稱最。

蔣因培　字伯生，江蘇常熟人。監生。嘉慶十二年，以陽穀縣丞署任，有能聲。後任泰安、齊河，并多惠政，各邑百姓稱頌不衰。

吴　階　字次升，江蘇陽湖人。監生，嘉慶十八年署任。時值教匪滋事，曹縣、定陶皆陷，躬率士民守城，晝夜傳令，以至喑啞失聲，賊不敢犯。未事之先，訪獲逆犯首從多名，謅出起事日期，飛報請奏，不至日久蔓延。厥功良巨，奉上諭褒嘉，歷升至曹州知府。去官之日，百姓垂涕，遮留塞途，至今尸祝。事詳「兵革志」。

傅士奎　字瘦石，浙江人。嘉慶庚申舉人。道光元年，任金鄉令。耿直無私，莠民懾伏，以幹練稱。後任歷城，升德州，以病去。

梁永康　字壽菴，山西靈石人。舉人。道光元年，任金鄉令。悃愊無華，才不外露。嘗因水患頻仍，勘查水利河道，周歷往返，日夜坐小舟，躬親量測，詳請疏浚。巡撫程含章以新泰令夏建謨并列薦章，謂其「言貌雖若無能，而盡心民事」云。〇以上七人增輯。

齊宗德　字慎公，直隸高陽人。監生。康熙二十六年，知嘉祥縣。仁慈惻怛，念不忘民，除河柳、蒜紙諸弊政。恤水旱，禁科派，均徭役，杜詭挂。訟者令自投到，不差拘，闔邑稱之曰「齊青天」。去任後，邑人立碑，以志不忘。

曹景濂　字谿瞻，遼東人。監生。康熙三十一年，知嘉祥縣。廉明有幹略，政不擾民，有《去思碑》。

劉翰書　山西垣曲人。進士。雍正四年，知嘉祥縣。律身醇謹，勤於吏事，慈惠之風，民皆化之。

王麟度　河南許州人。副貢。乾隆四年，知嘉祥縣。寬重仁慈，軫民困苦，勤於撫字。講法律，教孝弟，斷獄委曲周詳，無厲色。在任八年，去後民思慕之。

郝大倫　直隸任丘人。監生。乾隆十二年，知嘉祥縣。清廉仁明，無留獄。歲大歉，開倉賑濟，施衣放飯，群黎頌德。

吴兆基　浙江錢塘人。舉人。乾隆十三年，知嘉祥縣。周歷村落，勸課農桑，講法讀律。暇與士人講學論文，情同師弟。去任後，咸思慕焉。

德　音　滿州鑲藍旗人。乾隆十五年，知嘉祥縣，明恕有決，斷刑罰平允，民無苛累，吏無私議。捕蝗蝻，絶干謁。修東西城門樓，不勞民。

李　檝　江西金溪人。進士。乾隆三十三年，知嘉祥縣。謹慎仁慈，下車之日勸農課種，民皆歸業。月吉講鄉約，訓以禮讓，民無爭訟，囹圄一空。○以上八人據《嘉祥縣志》增輯。

戴　屺　字巳山，江蘇丹徒人。嘉慶戊辰進士，十五年任嘉祥縣。年壯才明，案無留牘。歷任歷城、濱州、膠州，所至有循聲。

何濟舟　甘肅禮縣人。嘉慶戊午舉人，初任臨清州同，歷任高苑縣、新臺縣知縣。道光十四年，任嘉祥縣。在任七年餘，儉約自持，與民休息。以病去，卒於途。○以上二人增輯。

王國榮　字泰徵，滿州籍，直隸永平人。拔貢。順治七年，知魚臺縣。莅事嚴明，修舉廢墜，修邑志。邑大水，請蠲無主荒田，百姓感之。按：「國榮」，《縣志》作「榮國」，職官同。

徐之鴻　浙江鄞縣人。舉人。康熙元年，知魚臺縣。治煩理劇，處之裕如。每課諸生，面加月旦。修學宫。

李尚珍　江西南昌人。進士。康熙七年，知魚臺縣。治行一本經術，不爲苟且。奉文均丈地畝，經理有方，畝足原額而民無偏累。按月課士，始終不懈，魚邑士風丕變。

羅大美　四川閬中人。舉人。康熙十五年，知魚臺縣。秉性清介，慈惠愛民，負者薄懲。上臺責贖鍰，恒捐俸售穀以應之。因歲荒代民輸賦以免，追呼久而免其償。十七年，奉文協濟彭口，派夫百名，力請得免，永以爲例。善藻鑒，戊午分闈，拔趙執信等四人，皆東省名士。累官至青州知府。

馬得禎　字沖霄，山西介休人。康熙二十七年，知魚臺縣，有經濟才，詢知上游州縣泊水，歲爲魚患，請挑新河，民德之曰「馬公渠」。築堰堤以順西北之水，數十年民享其福。南陽鎮爲漕運要津，行人素苦之，捐俸修石橋數里，曰「馬公橋」。在任十年，寬征逋賦，興舉廢墜，政理刑清。葺黌宫，建義學，修邑志，升桂揚知州。祀名宦，邑人劉芳聲爲作《馬公書院記》。

陳士凱 字密菴，廣西全州人。康熙辛酉舉人，三十八年知魚臺縣。宅心正直，敷政和平。屏絶陋規，勤理庶事。賑荒戢盗，育才興學，皆公爾忘私。皇帝南巡，問民疾苦，凱以情告，賜詩扇一柄。方欲擢用，以疾卒於官，士民惜之。祀名宦。〇以上七人并《前志》。

石朝桂 直隸人。舉人。順治元年，知魚臺縣。開創之初，能加意撫恤。土寇未寧，日事招討，四境帖然。嘉惠學校，丙戌聯捷者二。升保定府同知。

何正芳 直隸雄縣人。貢生。順治三年，知魚臺縣。治本忠厚，誠樸動人，守法奉公，時稱良吏。子爾訥補縣諸生，後寄籍焉。

白所見 直隸磁州人。進士。順治五年，知魚臺縣。崇學校，慎刑罰，薄税斂，有古循良風。

李　揄 直隸清豐人。貢生。順治十年，知魚臺縣。訪知魚邑比歲不登，民多逋賦，即赴部力陳疾苦，到任復具情申請，豁免荒田租賦一千八百餘頃。有詩集行世。

曹淑貞 直隸元氏人。副貢生。順治十二年，知魚臺縣。催科不擾，囹圄空虚。秉性耿介，有奸必懲，而優奬士類。後以憂解任，邑人爲立「去思碑」。

張宣猷 江南武進人。貢生。順治十五年，知魚臺縣。不爲委蛇之行，爲政清簡，或諷以善事上官，則曰「吾善視吾民耳。」

吕正音 山西榮河人。貢生。順治十七年，知魚臺縣。少年莅政而老成練達，愛民養士，尋以憂去。

楊宗翰 江西星子人。舉人。康熙十三年，知魚臺縣。政仿循良，不爲俗吏，刑清政簡。暇日集諸生校藝，亦自閒作，每一稿就，士争傳誦。

沈鉉吉　浙江平湖人。貢生。康熙二十年，知魚臺縣。清保甲，均田賦。延名師，興義學，以課士子。二十四年水灾，詳請蠲賦，仍捐俸賑粥，民賴以濟。邑有頑梗，立置於法，豪强屏迹。漕堤長亘八十餘里，修築嘗致煩擾，乃按下僉夫，計日更替，一月竣工，民不言勞。以挂誤去，邑人惜之。

蔡仕舢　字蕤宇，福建晋江人。舉人。康熙四十六年，知魚臺縣。清廉仁恕，八年中如一日。暇則與諸生論文賦詩，行取給事中，典試湖南，補浙江糧儲道，晋觀風整俗使，署巡撫篆。魚人有至浙投謁者，悉厚待之，謂群吏曰：「此我家裏人也。」其始終惓惓如此。

金虞廷　字颺言，浙江會稽人。康熙丁丑進士，五十二年知魚臺縣。多善政，有《海槎行笥偶存詩集》行世。

劉元勳　合州人。康熙六十年，知魚臺縣，公明强毅，境内肅然。雍正元年大旱，查賑饑民，無不及者。先是，行過南陽鎮，見附堤居民困苦特甚，凄然泪下，曰：「俟賑到，河干赤子盡矣。」即捐俸錢五百千先給之，鄒、滕、金、單等縣民籲於府曰：「願得劉清天一查灾，死無憾矣。」後以憂去，哭送者滿路。

黄之瑞　江南淮安人。監生。雍正三年，知魚臺縣。多惠政，百姓有甘棠之思。

王　彬　順天大興人。舉人。雍正五年，知魚臺縣。賦性仁愛，爲政不煩，士民安之。

李清機　字奮俟，號芳園，福建安溪人。舉人。雍正十二年，知魚臺縣。政治嚴明，剔弊厘奸，吏不能欺。後調城武縣，士民懷之。

張丕亨　字位南，直隸獲鹿人。癸卯舉人。乾隆元年，由城武調知魚臺。吏治嚴明，剔奸摘弊，豪强斂迹。慈愛黎庶，悉出至誠。南旺捐夫一事，尤爲百姓所感戴者。六年升合州同知。

彭　科　貴州鎮遠人。拔貢。乾隆六年，知魚臺縣。沉静寡欲，廉幹有爲。七年九月黄決，水没城之半，先備船百餘隻，同在城紳士分守三門，日夜保護，得以無虞。

馮元邁　字若渠，號培實，江蘇吴縣人。舉人。乾隆十八年，由泗水調知魚臺縣。政治嚴肅，莅任不數月，盗賊潜踪，囹圄幾空。以憂去。

駱大俊　江南宣城人。進士。乾隆二十二年，署魚臺縣。精明仁恕，實心愛民，魚人至今思之。

劉朝宗　字向若，順天大興人。癸巳舉人。乾隆二十二年，由章丘調知魚臺。悉心任事，愛民如子，賑饑無漏冒者。積勞成疾去官。

余宏達　直隸通州人。康熙三十二年，任魚臺典史，爲人質直，諳於吏事。莅任一年餘，病卒。繼室張氏於是日縊以殉，前令馬恤其家，卜林地，置家業，爲遺女婚嫁。子世澤，隸魚籍。

王謙志　字六合，青州府益都人。康熙壬子舉人，二十二年任魚臺教諭，一時學者翕然宗之。前藩司衛禮延省館，訓課多士。凡所甲乙，無不悦服。三十年，前令馬纂輯縣志，考訂之功爲多。

張虞熙　字聖績，號弢菴，青州府博山人。康熙癸巳進士，初選授陝西宜君知縣，居心仁恕。雍正三年，改魚臺教諭，教人以敦本立行、守己奉公爲先務。在任十三年，士民愛而敬之。爲文自開生面，門下士相繼捷秋闈者七人。後以疾卒於官。

張　元　字殿傳，號榆村，濟南府淄川人。以文行著，雍正丙午舉人。盧運使見曾守永平，延主敬勝書院，文風丕變。乾隆二十一年，任魚臺教諭，時年八十餘矣。與邑令謀創書院，嚴課程，一如永平故事。未幾，卒於官。著有《緑筠軒詩文集》，王巳山檢討評稱之。

張遵頤　字景程，號伊洛，武定府惠民人。舉人。乾隆二十二年，任魚臺教諭。嚴氣正性，教士有方，以疾卒於官，士林悲之。

叢希棫　登州府文登人。歲貢生。雍正六年，任魚臺訓導。課士以德行爲先，人多從者。子洞，官至御史。

張　雯　字樵嵐，青州府諸城人。歲貢。雍正十年，任魚臺訓導。忠信誠篤，與物無欺。善行草，精小楷。年八十餘，邑人愛而敬之。○以上二十七人據《魚臺縣志》補輯。

馮振鴻　山西代州人。監生。乾隆二十二年，任魚臺縣。縣屢被水患，民困地荒，整飭撫綏，百廢具舉，群黎獲安。修邑志。

徐　鈖　字石生，江蘇清河人。監生。嘉慶二十三年，以縣丞署任。鞫獄勤明，才優學博，後任惠民縣，卒於官。

李若琳　字淇篔，貴州開州人。乾隆甲寅舉人。道光五年，任魚臺縣。悃愊無華，治民務簡，靜以德化。升同知。○以上三人增輯。

濟寧直隸州志卷七之一

選舉志一

《舊志》斷自明始，《前志》溯自漢魏以來并書之。今合歷代辟薦科目爲表一，國朝進士舉人及貢生爲表二，武科、雜進并附之，三縣亦以次補編於後。

歷代選舉表

漢

鄭均

何休《儒林》。

魏應明經，《儒林》。以上并辟薦，有傳。

丁恭以下金鄉。

魏

吕虔

孫該并辟薦，有傳。

王粲高平人。以下金鄉。

凉茂昌邑人。并辟薦。

晋南北朝唐

魏舒

魏詠之并辟薦，有傳。

王宏高平人。以下金鄉。

郗鑒辟薦，并有傳。

宋

滎譚真宗時進士，有傳。

楊早明經，尚書比部郎中。

楊景明經，尚書駕部郎中。

楊緯

金

李演太和六年進士第一，《忠節傳》。

黄晦之鄉貢、進士，見明昌六年李氏墓碑。

王忠弼進士。以下金鄉。

元

趙道泰泰定四年任嘉定縣尹，奉政大夫。

姚居敬濟寧路人。至治三年，嘉議大夫，廣東肅政廉訪使。

柳澤大中大夫，浙

仲長統 山陽人。辟薦，并有傳。
劉表 高平人。大將軍椽。
張匡 山陽人。以有道徵，不就，有傳。
王襲 高平人。孝廉。
王暢
張儉
范式 三人并高平

滿寵 昌邑人。刺史。
滿長武 昌邑人。大將軍椽。
王弼 高平人。尚書郎，有傳。

郗超 大將軍椽。
虞溥 孝廉。有傳。以上晉。
檀銘 辟西曹椽。
檀韶
檀超 有傳。
郗爍
郗紹 東海太守。以上并辟薦。

皇祐五年明經中第。
楊節之 進士，有傳。
楊涓
楊滌
楊渙 并進士。緯子。
楊若 進士。節之子。
李邴 崇寧五年進士，有傳。

曹會
翟三俊
孫秉彝
翟師軻
孫師京
鹿如弼
薛廷芝
晁子温
徐渥
孫廷珪 十人并進士。
于樞

東海右道肅政廉訪使。
鄭讓 奉訓大夫，霍州知州。
李誠 或是「誠」。奉議大夫，磁州知州，兼管本州諸軍奧魯兼勸農事。
張林 或是「彬」，徵仕郎，管勾河南、河北等處省承發司架閣庫。
田章 將仕佐郎，常熟縣主簿。并吴江州州判，人。茂才。

魯峻　昌邑人。孝廉。以上并有傳。

李剛　高平人。荊州刺史，見《水經注·濟水》篇。

單颺　辟薦，尚書，魚臺。

以上南北朝。

郗純　中書舍人，制科。

郗士美　辟薦。尚書左僕射。以上唐。

翟令國　縣令。以下金鄉。

翟守序　長史。

王延祚

秦輔德

劉世英

王樸　以上并辟薦。

滿中行　進士，有傳。

進士。嘉祥。

張天錫　以下魚臺。

張元成

李國璽　三人并制科。

有傳。

張方　缺名。將仕郎，吉州福安縣丞。按：碑「丞」作「承」。

邵世榮　承務郎，松江府營田提學。

蔡正　敕授魚臺廣西道司照磨，兼管勾承發司架閣庫。

楊和　忠武校尉，管軍。

劉伯裕　昭武校尉。

石元方　敕授肥城縣尉。

黄　中　義寧縣丞。

謝　愈　邳州吏目。○以上十三人并見元貞二年《修學後記碑》陰。

梁　楝　杭州路蒙古字教授。

劉文德　中憲大夫，真定路冀州尹。

鄭　衍　中順大夫，

曹州尹。

曹元逢　滕州儒學正。

白篤學　蔚州儒學正。

康安道　應昌路儒學教授。

高守中　宿州翼管軍千户。○以上七人見延祐七年《文宣王記碑》陰。

和亚中　河南路總管。

王朝烈 曹州尹。〇二人見元統三年碑。〇《前志》云：「按，《舊志》元以前選舉缺，今據碑後題名采録，其出身皆未詳。」

馬紹 辟薦，有傳。

翟真

賀守訥

許彬

侯信

許思忠

徐敦
徐磐　以上并進士。
明安　進士。嘉祥。
孟祺　辟薦，平章。以下魚臺。
賈維徵　辟薦。
李泰　縣尹。
尹從政
宋興

御史。

劉道譽

韓秉彝

馬麟

甄俊民

王時

石確

以上并進士。

明選舉表

辟薦

陳忠信　洪武庚戌應賢良方正，松江知府，即陳伯友祖。

張克恭　知府。

侯德茂　給事中。二人金鄉。

蓋仲良　御史。

宋伯祥　主事。二人嘉祥。

宋　亮

王　麟　參政。

韓　温　參政。一作「愠」。

王　貰　知縣。

趙　壽　副使。

馬　貫　六人魚臺。

進士

洪武丁丑　張靚　夏榜左春坊，左司諫，有傳。

戊辰　王翼　侍郎。

李矩

甲戌　宋點　御史。二人魚臺。

舉人

戊午　宋覲　泰州同知。

甲子　張靚

王忱　教授。

劉渙　御史。

昝紹　知縣。二人金鄉。

丁卯　孫敏　御史。金鄉。

庚午　劉芳　沔陽州同知。

孫涓

單慶　金鄉三人。

侯維　魚臺。

癸酉　王敬　金鄉。

貢生

歐陽規　河南按察司僉事。

李壽　湖廣荊門知縣。

高誼　州同知，升潼川知州。

蓋頤　見《兖志》。

魏慶　和州判官。

孟顯　兵馬指揮。

黄斌　廣州府同知。

宋義　鞏昌同知。

徐祥　三河縣丞。

張珏　宛平知縣。

李恕　興化府經歷。

王顔　判官。

謝才　御史。二人魚臺。

劉勉　太平教授。

曹賢　天長知縣。

韓錦　知縣。

趙燝　以下金鄉。

蘇烤

魏莊

翟翊

翟端

韓時

郭欽

王恭

陳鼎

建庚文辰 閻濟 御史。

己卯 閻濟

王渙

韓智

趙獻

王麟 以下魚臺。

胡貢 《縣志》作「賁」。

秦源 《縣志》作「李源」。

王敏

李蕃 《縣志》作「翻」。

解文

郭用

劉義 嘉祥缺。

永樂丙戌 趙惟恭 貴州副使。

壬辰 劉翀 翰林修撰，有傳。

乙未 呂棠 有傳。

馮儼 刑部主事。金鄉。

戊戌 楊誼 御史，湖廣左布政。

張九疇 通判。

壬午 劉智 訓導。

張傑 國子監學正。

鄭守中 御史。

《前志》云：「三人據《岳通志》，在永樂元年癸未補行鄉試科。」

乙酉 趙惟恭

高英 山西副使。

熊岩 廣信同知。《兗志》作「鹿岩」。

萬正 學正。

李洵 金鄉。

戊子 劉翀 解元。

李通 兵部司務。

李睿 見「舉人」。

邵茂 紹興府通判。

邵政 見《兗志》。

邵禮 徽州府推官。

許忠 主簿。

高皓　裕州判官。

石珏　隴西知縣。

王華　二人金鄉。

蔣庸

胡寧　知縣。二人魚臺。

辛卯

秦達　撫州同知。

段讓　教諭。

李懋　御史，江西僉事，河南巡撫。

孫永　户部主事。

張信　教諭。

華楨　給事中。

馮儼　金鄉。《前志》作「辛丑」。

魏瓛　主簿。

王弼　知事。

李宗政　工部主事。

鄭智　知縣。《兖州府志》作「鄭習」。

李祥　寧海衛經歷。

高瓚

張福　兵馬指揮。

陳續　鴻臚寺序班。

趙敬　豐淵縣丞。

王行　靈壽縣，升寧州知州。《兖州府志》作「王衡」。

楊翊　太原府通判。

祝儀　提舉。

韓彥　教諭。二人魚臺。

甲午

楊誼

呂棠

李睿　有傳。

盧簡　武安知縣。

盧璽　知州。

王連　高郵州知州。

安全　州判。

張寵

劉楨　有傳。

賈甯　同知嘉祥。

葛鑑　知縣。

閻銘　以下金鄉。

程遜

張顯

張勉

王志孝

張博

高升

李傑

石磐

楊甯

張翼

楊茂

徐驥 理問。
王天民 三人魚臺。
丁酉 趙彝 舒城知縣。
傅善 汧陽知縣。
馮泰 御史。
王慶 序班。
宗彝 御史，光禄署丞。
劉駰 蒲州訓導。
張維 布政司參議。
邱純 知州。嘉祥。
張質 許州知州。金鄉。
馬瑢

李瓚
荆祥
高遷
孫皓
鄭璘
胡蒿
李應 以下嘉祥。
于澤
李敏
羅榮
王勉
路宣

侯昌 知府。二人魚臺。

庚子 李春 解元，潁川教諭。

高敏

魏忱 御史。

李珽 教諭。

張瑄 武進知縣。

李迪 參議，有傳。

徐彬 同知。二人嘉祥。

劉清

侯安

周端 曲陽知縣。三人金鄉。

王敬 知縣。魚臺。

毛俊

馮著

王郁 以下魚臺。

趙度

李維

項春

朱明

李倫

張迪

張玉

曹嶽

張政

洪熙

宣德丁未 齊整 户部郎中。

癸卯 齊整 解元。
孫昇 户部主事，有傳。
時鐸 昌黎知縣。
趙資 昌黎教諭，有傳。
邵環 府經歷。
程宗 淮安知府。金鄉。
王彪 縣丞。嘉祥。《前志》作「癸酉」。
高諒 參政。
李鯤 知縣。二人魚臺。

丙午 祝禧 解元，平陽府教授。
孟輔 教諭。

李華 大理寺評事，升陝西僉事。
秦鼎 夏津縣丞。
王澤 縣丞。

孫震　太原教授。
陶贊　固安主簿。
壬子　趙隆　解元，見《兖志》。
萬甸
姜晟　金鄉。
乙卯　邵連　訓導。
王繩　教諭。
劉貢　同知。三人魚臺。
庚午　王哲　天長知縣。
張質　淮安通判。
趙偲　三人金鄉。

鄭禮　揚州衛經歷。
胡端　鴻臚寺序班。
郭銘　袁州府同知。
耿昭
張謙　以下金鄉。
尋貴
張忠
張善
邢端
史成
馮彧　以下嘉祥。
劉綱

正統丙辰　萬旬　有傳。
乙丑　王鎮　有傳。
鄭瑄　《忠節傳》，《兖志》作「瑜」。

辛酉　陳灝
王鎮
伍宣　國子監學録。

陳誠
滿益
杜宏
褚節　以下魚臺。
吴掄
辛預
曹春
鞏固
王貞
吕清　扶溝縣知縣，《孝義傳》。
周綬
王謚

戊辰 孫昱 山西左參政。
高崇 有傳。金鄉。

鄭瑄
甲子 楊浩 有傳。
陸瓚 太僕寺丞，一作「逯瓚」。
陳善 知縣。魚臺。
丁卯 孫昱
宗武 訓導。
張平 臨晉知縣。
劉傑 温縣知縣。

李儀 府判。
張郁 懷慶府通判，《兖志》作「張昱」。
霍謙 《兖志》作「霍完」。
李昱 序班。
崔忠 光禄寺監事。
針廣 光禄寺典簿。
宋塘 陳州學正，《文苑傳》。
李珩 見《兖志》。
劉蓁 見《兖志》。
趙郁 以下金鄉。
胡斌
周貴

韓慶
王現
沈淵
衛愷
楊琦
陳樸
馬聰
劉耀
高厚
李柰
劉瓚
許廣以下嘉祥。

張敩
陳達
陳均
潘傑
商英
毛麟
李同以下魚臺。
王賓
李珍
韓釗
李紘
陳節

景泰辛未　陳灝　太濮寺丞。

甲戌　王春　有傳。

庚午　王春

朱清　典膳。

魏珍　經魁，江陰教諭。一作「丙子」。

劉容　訓導。《前志》云：「《兖志》有偃師，下注教諭。當『偃師教諭』之訛。」

趙弼　睢州訓導，《文苑傳》。

李斌

周麟　太原府訓導，《文苑傳》。

劉寧　長葛知縣。

田正　昌黎知縣。

段頤　平陽府教授。

許盛　典膳。

李訪　龍游縣丞。

劉京　奉新縣知縣，《兖志》作「劉經」。

白瑛　癸酉舉人。

袁莊　荆門縣主簿。

侯爵　洧川縣丞。

陳璽　以下金鄉。

蘇純

趙博

谷清　以下嘉祥。

竇崇

秦瓚

宋德嘉祥。

癸酉

劉溥解元，《文苑傳》。

徐信經魁，學正。

白瑛

王彝遷安知縣。

宋澄同知。嘉祥。

丙子

劉灌

張鳳

曾壽《儒林傳》。

白瑱

馮從誼訓導，《兖志》一作「從誼」。

徐昌學正。嘉祥。

吴綱

周儀

楊芳

劉翰以下《縣志》，《魚臺》作「漢」。

馬信

周盛

天順丁丑　龐勝　參政。魚臺。

庚辰　朱清

趙鋼　行人司行人。

李俊　霍邱知縣。

趙德　二人金鄉。

壬子　王紀

乙卯　高崇　二人金鄉。

己卯　張睿　通判。

趙鋼

李鎧　順天經歷。

楊彧　開州吏目，《兖志》「彧」作「昱」。

王儀

李麒　河間知縣，《兖志》「麒」作「琦」。

霍完　光禄寺監事，《兖志》「完」作「謙」。按：與正統時互异。

王鎬　府經歷。

郭鎡　耀州知州。

臧世清　寧州知州。

王苑　以下金鄉。

王佑　有傳。

李紘　○按：重出。

任勵　有傳。

楊虔

趙鑑

劉敬

張禮

丁政　以下嘉祥。

馬驥

康甯

滿富

陳玘

周盛　以下魚臺。

成化丙戌 張鳳 南京户部主事。

己丑 劉灌 有傳。

壬辰 趙潤 户部郎中。

乙未 楊棨 南京禮部員外。

李思明 左布政。

戊戌 韓昂 見《通志》。

甲辰 劉槩 有傳。

丁未 祝福 翰林檢討。

李鑑 山西巡鹽御史。

乙酉 趙潤

鄭連 魯山知縣。

蘇雯 萬全知縣。金鄉。

戊子 張[虍白] 懷遠知縣，有傳。

姚錫 經魁，長子知縣。

周璣 合肥知縣，贈御史。金鄉。

辛卯 楊棨

倪源

魏霆

常濟

胡淵

孫楫

宋鑑 太原府教授。

于晟 漢中府推官。

尹鸞

周瑛 ○《兗志》作「國瑛」。

張鎮 高陽知縣。

劉琳 萬全都司斷事。

王寵

郭昇 永清縣主簿。

馮种

楊懷德 開封府經歷。

張鎰　襄垣知縣。
李甯　文安知縣。
祝福
高士通　金鄉。
甲午　李思明
吉旺　教諭。
常清　通判。
段澤　灤州學正。
丁酉　張鎡　漢州知州。
李承祖
劉槩
閻鎧　醴泉知縣。

劉寰　商河訓導。
劉讓
鄭清　洋縣訓導。
李鎡　訓導。
高傑　訓導。
白濱　直隸新城訓導，升欒河教諭。
崔璽
萬慶　山西平進縣訓導。
劉熜　教諭，《究志》「熜」作「璁」。
宋魯
朱甯　以下金鄉。
孟福

周隆　荊州府通判。

韓岱　通判。

劉珂　二人魚臺。

庚子　魏瑛

王達　教諭。嘉祥。

癸卯　徐崇德　解元，慶陽府同知。

李瑄

趙楫　延安知府。潤之子。

陳連　承州訓導。

高士達　泗州知州。金鄉。

曹玉

宋榘　癸酉。按：《前志》二人作嘉祥。

趙欽

陳倫

胡澄

張進

王政

高崗

傅勝

高泰

陳治道　以下嘉祥。

吕貞

傅霖

董泉

丙午

張堯隆東安知縣。

張雲鳳昌黎知縣。

李鑑

曹琛嘉祥。按：《前志》作丙子。

曹鐸

杜璋

宋清

石温潤

王洲

夾深

郭俊

高珉以下魚臺。

夏敬

侯清

李馭《縣志》作「玉」。

袁舒

弘治庚戌 常　濟 婺源知縣。

李承祖 吏部主事。

曹　玉 御史，仕至僉事，有傳。嘉祥。

癸丑 張　顯 翰林檢討。

丙辰 曹　深 户部主事，嘉祥舉人。作「琛」。

壬子 韓希愈 雲南知府。

張　顯

劉　鼐 知縣。

劉　章

李　鈁 教諭。魚臺。

李　欽

王　瑄

劉　通

韓　鈺

武　鋭

盛　木

高　興

孟志道 訓導。

張　珽

劉　灝 見《兖志》。

周　河 真定府訓導。

宋　鈇

己未　劉澤　有傳。

壬戌　孫沔　魚臺。

劉思明　知縣。嘉祥。

乙卯　陳憲　周府長吏。

汪東洋

王擢　知縣。三人魚臺。

戊午　劉澤

鄭文炳

聶瓚　字悔齋，韓府長史。

李鉞　甘泉知縣。金鄉。

辛酉　王烈　太平府通判。

蘇鎧　蘭陽縣知縣，《河南志》作「愷」。

韓襄　同知。辛卯。《前志》作魚臺。

甲子　郭鉞　贈御史。

顏价

段儒

張鶚　南陽衛經歷。

陳諫　靈台縣主簿。

傅林

聶敔　訓導。

徐克恭

王瀛　知縣。

曾魯　陝州訓導。

白溥

張瓚

王紳　正德丁卯舉人，順義縣知縣。

王希佑 臨城知縣。

趙欽 以下金鄉。
楊表正 以下金鄉。
戴隆
陳璠
石鑑
韓銓
陳旺
魏鳳
石玉
趙景龍
唐欽
張清

朱宗洪
劉塘以下嘉祥。
黃鼐
李幹
王謚
蓋鼒
曹恭
李政
谷實
李綸
趙雯
宋璽

蔣麟以下魚臺。

陳鉞

高準

高登

魏溫

李俊

高哲

朱鉉

盛璡

盛瑶

王良弼教諭。

雷應時教諭。

丁卯王坤順義知縣，一作「紳」。

姚繼先河津知縣。

正德己未高斗光兵部侍郎，有傳。嘉祥。

戊辰鄭文炳有傳。

高崇　有傳。金鄉。

甲戌　黄嘉賓　太僕寺卿，有傳。嘉祥。

辛巳　孟易　苑馬寺卿。

丁丑　王天民　魚臺。

張玹　商南知縣。

周允中　陝西參議。金鄉。

劉愚　教諭。嘉祥。

張富　知縣。

朱禄　知縣。二人魚臺。

庚午　李應陽　知縣。

朱鳳儀　南京户部員外。

李淮　工部員外。

李河　鞏縣知縣，二人金鄉。

劉思義　知縣。

王樞　二人魚臺。

癸酉　李若愚　知縣。

黄統　《兖志》作「王統」。

郭雲　教諭。

王藩　滄州訓導。

張連　訓導。

侯輔　訓導，《兖志》作「甫」。

袁墨　訓導。

劉澍　知縣。

周品　《文苑傳》。

鄭文焕　武清主簿，兖州府學。文炳弟。

李倫　府同知。

張琉　訓導。

楊栗　訓導。賢之父。贈左布政使。

曹曙
孫接武 見《通志》。
黃嘉賓 嘉祥。
丙子
孟易
賈琦 安慶府通判。
張襄
呼相儒 《兖志》作「呼相」，《山左明詩鈔》作「相如」，字肖齋。
趙炫 己卯，楫之子。
李檠 太僕少卿，有傳。金鄉。
高棟 知縣。魚臺。
己卯
尋志道 户部主事。金鄉。

凌鳳 以下金鄉。
王道
鄭清
王世辰
李厚
朱紋 有傳。
尋珮
石宗嶽
陳繼 以下嘉祥。
馮慶
馬瑞
劉馨

李師鳳
李師鵬
徐衍
李潮
高鸞
柴鎮以下魚臺。
鞏志
張仲仁
侯淵
郭岩
武臣
□缺文

嘉靖癸未 曹　曙 兵部員外。

壬辰 楊　賢 有傳。

乙未 靳學顏 有傳。

戊戌 聶　櫟 字南石，瓚子。户部員外，著有《隱園集》。

辛丑 楊挺高 有傳。金鄉。

甲辰 靳學曾 有傳。

于　錦 有傳。

李　燧 有傳。金鄉。

壬午 張義雨

王　扇 主事。嘉祥。

乙酉 郭　津 武清知縣。

劉　業

劉宏化 見《兖志》。

周　寅 邳州知州。

張文智 二人金鄉。

隨　鯤 魚臺。《縣志》作「鵾」。

戊子 楊　洞 揚州同知，有傳。

朱　鈇

嚴　雷

魏　寬

李思温 縣丞。

臧　俊 恩貢。

李尚文 以上三人《兖志》在弘治年。

孫承宗 訓導。

范　篪 主簿。

劉惟翰 教諭。

臧紹宗

張　易 《兖志》作「張巨川」。

劉繩武

丁未　鄭真　有傳。
張希賢　户部主事。
郭東藩　有傳。金鄉。
癸丑　張志孝　有傳。
丙辰　胡汝桂　有傳。金鄉。
韓志　魚臺。
己未　甄津　江西參議。
甄沛　刑部侍郎，有傳。二人魚臺。
乙丑　王湘　有傳。
隨府　山西副使。魚臺。

楊賢
王得良　涿州知州。
張龍　西華知縣，有傳。
辛卯　崔雲鶴　嘉興通判，有傳。
甲午　靳學顔　解元。《前志》作「甲子」。
劉允升
張允中　太康知縣。
聶櫟
張梓　懷慶通判，有傳。
雷震　知縣。
辛哲　金鄉。
王秀民　魚臺。

馮守中　《究志》「中」作「忠」。
孟松　大同府通判。
李玉　訓導。
李彬　訓導。
王春
郭潛
李庇
許章　《究志》「章」作「同」。
袁希憲　訓導。
陳時　見《究志》。
陳學詩　清豐縣訓導，《文苑傳》。
陳學易　山西夏縣教諭。

丁酉 呂懷珍

靳學曾

鄭真

辛吉 户部主事。金鄉。

庚子 江東 陝西僉事。

王諫 本州學訓導，當即王納諫。但彼是學正，又萬曆時人，存疑。

楊挺高 金鄉。

癸卯 張希賢

夏易 河南僉事。

董潤 六合知縣，有傳。

于錦

段宗道 通許訓導，署縣事。《兖志》「段」作「邵」。

彭應奎 岢嵐州訓導。

趙延齡

李永齡 太寧知縣。

賈進

白拱 見《兖志》。

胡向 寧晋縣訓導。

張東

段體敬 訓導。

時和 許州同知。《兖志》「和」作「种」。

史廷桂

譚詔

李燧

周濟用　鄖陽知府。二人金鄉。

韓尚　魚臺。

丙午　張志孝

賈金

郭東藩　金鄉。

武時杰

張澍　二人魚臺。

己酉　陳元吉

甄沛

隨㢆　二人魚臺。

壬子　萬子可　黎城知縣，有傳。

林黄鐘

馬臣　羅雄州吏目。

劉檝　訓導。

王得賢　訓導。

訾夢龍　教諭。

賈价　訓導。《兖志》在前王春下。

李天經　學正。

賈可顔　潁州同知。

牛之革　高邑知縣。

梅士實　應天府訓導。

李席珍　樂亭、武安知縣，有傳。

張時叙　教授。

趙至 延安府同知。炫之子。
賈可思
乙卯 王湘
王鈞 威縣知縣，有傳。
仙豸 聞喜知縣，有傳。
賈貞嗣
胡汝桂 金鄉。
甄津
程世英 二人魚臺。
丙子 江鰲化
吕懷器
吕宗韶 泌陽知縣。

白賁 徽州教授。
楊士基 魏縣教諭。
白駒 教授。
馬龍 以下金鄉。
楊魁
郭俊
張濟
戴鉞
蘇瓚
蔡文衢
史蓁
趙希憲

王國賓

甲子　郭汝

李大順　武昌通判，有傳。

徐讜

扈魁　郟縣知縣。

隨府　魚臺。

丁卯　李以謙　魚臺。

辛克鼎

蘇民悅

戴鱗

高克己

朱訥

高克溫

蘇民瞻

陳鉽

張恒

高邦直

孟夏

高禮

王德春
楊挺堅
孫陽正
劉　顒
劉　擢
周濟川
石　諭
石天麟
高克勤
李　㦤
黃國光
孟　昇以下嘉祥。

黄嘉瑞
張　針
楊　美
黄辨之
逯　巒
夾　璋
滿邦彦
翟尚文
龐　經
宋紹美
許　滌
徐繼志

李默
張守仁
王金
劉雍
張忻
李瑱
陳科
姜默
傅書
李一才
宋樫
李一山

李東吴

郭會

劉禄以下魚臺。

王賢

武翰

隨鸞

武時舉

王翰

謝賓

高科

李士龍

胡潛詩

張彦實
劉祺
侯廷佐
張一麟
李宗義
張一鳳
范昂
杜經
張漸
屈琛
闞堯臣
馬文卿

隆慶辛未
郭汝 有傳。

庚午
李大化 大順弟，平凉同知，有傳。
劉鶴年 靈壽知縣。
針惠 如皋知縣。
逯學禮 嘉祥。

李廷實 《縣志》作「延賞」。
李士遷
任大經
張拱辰
王賓
侯守義
朱延齡
劉激 見《兗志》。
申拱極
臧石 恩貢，朔州知州，有傳。
楊潮 河南布政司知事，洵之兄。
陳情表 濟陽縣訓導。

王汝玉 見《兖志》。
周一夔 山海衛訓導。
郭　恭 以下金鄉。
王　鼎
李大賓
董　安 以下嘉祥。
宋可行
曹崧立
高汝櫃
朱　冠 以下魚臺。
王宗堯
劉　訒

萬曆甲戌 李堯民 鄆城籍，有傳。
李以謙 給事中。魚臺。
丁丑 張子忠 陝西副使。
庚辰 黄子美
癸未 于若瀛
丙戌 劉三英
壬辰 楊洵 四人并有傳。
乙未 俞當泰 員外。魚臺。
辛丑 陳伯友
周永春 金鄉。
丁未 張耀采

癸酉 張子忠
李堯民
姜桂芳 淮安運同。
寇來賀 太原通判。
丙子 潘箕 亚魁。并三人有傳。
魏人偉 字九衢，《孝義傳》，考城知縣。○《前志》「傳」，誤。
楊溥 亚魁，改名洵。
己卯 楊春茂 解元，《文苑傳》。
朱問仁 石泉知縣。
劉三俊

紀尚賢
靳學程 有傳。
張時安
臧惟允 有傳。
陳週 德州訓導。
潘蟾 字汝登，山海衛教授，崇祀鄉賢。
戴敏學 有傳。
韓之臣 拔貢，河津丞，賑饑捍水患，升鹽山知縣，有惠政。
孟繼孔 眉州學正。
白克拙 德州訓導，駒之子。
嚴海 濟南府教授。

癸丑 潘士良

潘士美

己未 楊鳳翥 六人并有傳。

李士元 有傳。金鄉。

王梓 《文苑傳》。

壬午 于若瀛 經魁。

戴堯天 昆陽州知州，敏學子。

李燦 鶴慶知府，有傳。

乙酉 劉三英 三俊弟。

王用霖 湘子。

戊子 宋德隆 嘉祥。

辛卯 周永春 金鄉。

甲午 潘士良

呂正音 雒川知縣，有傳。

牛象坤 刑部主事。

丁酉 郭重達 更名映坤，知州。金鄉。

孟惟慶 新城訓導。

賈可美 衡府教授。

傅熿 順天訓導。

李成文 安慶教授。

王洧 拔貢，考授通判。

楊湛 潮之弟。

陳魯 兖州府學，入《文苑總傳》。

劉珍 高苑訓導。

周一龍 東光知縣，有傳。

梁錦 海州同知。

陳伯友 拔貢，見進士。

萬子憲 池州府教授，鄉飲賓。

劉之久　嘉祥。

庚子　陳伯友

楊鳳振　文縣知縣。

劉兆奎　蒲城知縣，有傳。

曹當立　臨朐教諭，有傳。

癸卯　張耀采

黃明泰　嘉祥。

丙午　潘士美　士良弟。

李含章

己酉　張文乙　蒲州知州，有傳。

胡來順　固原州知州，有傳。

高斗光　嘉祥。

馬師道　登州府教授。

劉　釴　長安縣訓導。

梁　秀　歸德府教授。

潘士謙　兖州府學，靈臺縣知縣，升荆州府通判，士良弟。

徐則卓　選貢，四川忠州判官。

任德輝　齊河教諭。

張應軫　兖州府學，保定府教授。

魏人望　恩貢，青田縣教諭。《張秋志》云：「萬曆六年選貢，淄川縣教諭。」

劉　培　昌平州學正。

王潤身　兖州府學。

樊毓敦
田登年　《前志》無年份。二人魚臺。
壬子　靳于統
朱　紘　有傳。
侯應魁　贛州府推官。
李士元
王之龍
周永楫　三人金鄉。
王受祉　魚臺。
乙卯　楊鳳翥
黃道濟　附父子粹《傳》。
鄭　容　有傳。

鄧亮采　揚州府訓導。
朱　卿
韓遇時　《孝義傳》。
李養中　諸城縣教諭。
黃子粹　曲阜縣學選貢，武邑縣知縣，升吉安府通判。子美弟。
王天寵　有傳。
黃子淳　兗州府學，全椒縣訓導。子美弟。
陳堯謨　德平縣教諭。
邵鳴秋　虹縣訓導。
朱夢得　淮安府訓導。
李博學

秦士奇　金鄉。

高應聘　嘉祥。

甄夢弼　魚臺。

戊午

湯維新

徐　標

錢　旭

徐則悟

趙　宇　山西壽陽縣教諭。至之子。

趙　寬　樂安縣教諭。

焦可大

張光祚　兗州府學。

李養心　兗州府學。

黄　階　潼關衛教授。

姜三聘　青州府教授。

張　爵　以下金鄉。

江左彦

張子歌

王守正

王聘
高萬金
張西銘
江右
李治
李灼
高如京
李燮
張慎德
李祚
周恩
王順興

孟依孔
石朝柱
李汝城
胡　耀
周濟生 有傳。
高　朗
孫　庚
郭如勵
王室藩
徐汝孝 以下嘉祥。
龐　俗
黃夢陽

翟　湘
黄夢賓
李鍾慶
陳黄裳
黄咸亨
常啓泰
王　襄
黄　瑶
董恩慰
張應賓
石魯瞻
楊守業

李持身
逯庭槐
曹爾輔
張來鳳
劉　甲
杜觀光
徐國柱
翟　鯨
李同倫
李持平
竇三樂
時雨化以下魚臺。

范蒙亨
李蒞
石春
朱光燦
王鶚
范謙亨《忠節傳》。
王慈
張綉
韓化
王韞
王撰
郝應詢

昌泰

天啓壬戌　孫景耀　有傳。

靳于統　行人司。學顔之孫。

王四聰　知州。魚臺。

辛酉　孫景耀　亞元。

李用質

張文燦　金鄉。

高嵐

武新周

屈崇業

李先春

張斗垣

馬捷

劉淑向

戴升陽　金鄉。

張泰亨　嘉祥。

李庭彥　恩貢，河南舞陽知縣。

王用樞　懷柔知縣。

王家霖　寧夏衛教授。

乙丑　徐　標《忠節傳》。

秦士奇 昆山、獲鹿、固安知縣。金鄉。

甲子　趙洙清 亞元，《文苑傳》。

任民育 忠節。

楊士聰

孫應薦 嘉祥。

丁卯　王道明 經魁，有傳。

張　贇 經魁，梓之孫，有傳。

趙三畏

劉貞慶

劉爲霖

陳宸銘

楊　佩 忠節。

趙涵清

陳奇策 淮安府教授。

周文登

郭一機 浙江都司經歷。

劉三重 蒙陰縣教諭。

萬朝京 有傳。

郭遠猷 以下金鄉。

李奪錦 有傳。

李邦藩

李道光

楊其謨 以下嘉祥。

賈希曾

董錫爵

崇禎戊辰　湯維新　平陸知縣。

張文燦　大名知府，祀鄉賢。金鄉。

辛未　楊士聰　有傳。

杜嘉慶　户部員外。嘉祥。

甲戌　劉貞慶

丁丑　陳宸誦

修廷獻　三人并有傳。

孫　斗　金鄉。

庚午　陳宸誦

李　燭　忠節。

鄒星昂

陳宸則　宸誦弟。

任孔昭

杜嘉慶　嘉祥。

癸酉　楊　澤　萬載縣知縣，有傳。

董民豪

常可度　以下魚臺。

屈大伸

陳　桂

隨　鎧

鍾應銓　《文苑》。

湯三俊　忠節。

周文焕　開平衢教授。

李以謙　館陶縣訓導。

伍可教　有傳。

張光被

郭應魁　陝西膚施縣訓導。

庚辰 李用質
任孔當
癸未 陳宸銘
邵士標 四人并有傳。
張丕吉 宏文苑侍讀，有傳。嘉祥。

孟瑄 宿松知縣。
吴烈祖
修廷獻
任孔當
李朱楨
梁棟梯
張丕吉 三人嘉祥。
丙子 鄭與僑 有傳。
魏爾康
己卯 袁州佐
王天眷
劉洪 孝義。

尹牧民 有傳。
汪應科 城武縣訓導，忠節。
賈我文 兖州府學，滄州學正。
楊生榮 朝城縣訓導，有傳。
陳宸箴 拔貢，順天府通判。宸銘兄。
黄道寧 子美侄，有傳。
高凌雲 廣州府訓導。
宋可賢 任城衛籍，孝義。
王國卿
姜遇武 《儒林》。
韓洪愈
楊士英

高承謨魚臺。
壬午王　宏
李以易鳳陽知府，有傳。
邵士標

張啓泰兖州府學。
李節民長清縣教諭。
李汝塤以下金鄉。
李守經
胡　熻
劉維藩
江有楫
王開印
周道盛光禄寺丞。
江荆金有傳。
王永印
楊所望

王與簪
周如春
李　沔與國州同。
李守緒
吴宏泰以下嘉祥。
石之璧
馮康世
吴道達
馮治世
張丕吉
吴道真
李春錫

商典
李春蔭
劉懷珍
高嶺以下魚臺。
甄華
紀孟符
朱夢麟
陸斗
程瑄
劉恒修孝義。
仇應蔞忠節。

附記《前志》載學正登進士科三人。

余　瓚　福建莆田人，正德辛未。

留敬臣　福建晋江人，萬曆丙戌。

王納諫　濟南府肥城人，萬曆丙辰。

補遺《前志》據各《省志》，并采訪出身無考者十人。

武　宣　洪武時山西按察司。

吴　珏　永樂時石阡同知。

郭　傑　户部主事，見正統辛酉碑。

張　貫　太僕寺丞，見正統碑。

張　浩　天順時順德府知府。

陳汝清　天順進士，監察御史。

徐成治　進士，萬曆時汜水縣知縣。

陳思孝　舉人，萬曆時考城縣知縣。

楊春明　萬曆時太醫院。

宋健陽　天啓時中城兵馬司副指揮。長女册陽信王妃。

濟寧直隸州志　卷七　三十六

武科

《舊志》武科萬曆以前缺進士，武舉未詳。

隆慶

周翠　金鄉武舉。

萬曆

杜濟時

周文耀　濟寧衛指揮，歷任狼山總兵。

靳雷　庚辰進士，馬蘭路參將。

張楷　丙戌進士，燕河營參將。

許東

劉永昌　山海關威武營參將。

李翊　金鄉武舉。

天啓

張孔言　辛酉天津軍門中軍游擊。楷之子。

高占闈　辛酉嘉祥武舉。

張孔夢　壬戌進士，臨清副總兵。楷之子。

周維照　金鄉武舉。

張自抑　臨清衛千户，歷任紅門堡都司。

劉洪基

葉長春

李盛

劉宇

楊文淵　金鄉武舉。

陳致中　金鄉武舉。

宋獻　辛酉。

夾聲振　辛酉嘉祥武舉。

姜興文　甲子。

崇禎 阮應兆 甲戌進士，《忠節傳》。
聞人聲 丙子。
蕭正聲
文彬
高鯤化
馬士名
楊芳蔭 壬午。
高奮鵠
周鏜 金鄉舉人。
崔文武
隨鎬 三人魚臺。舉人，未詳何年。

附記 未詳出身者。

劉一鳳 進士，寧夏都司僉事。
于五美
李植 己卯。
黄甲
王秉昌
石定乾 己卯，嘉祥武舉。
夏芬芳
左大任
張際亨 壬午嘉祥舉人。
朱喬

王宗謐　天順時人。鎮守廣東，協贊軍務，副指揮。

王　義　永樂初真定衛指揮。

聶文炲　臨清衛人，金吾衛指揮僉事。

劉　鏞　弘治時雲南都指揮僉事，見《雲南省志》。

王　瑛　成化間任福州左衛指揮，萬曆間任襲降指揮同知。

郭以棟　寧夏都司。

濟寧直隸州志卷七之二

選舉志 二

國朝選舉表

辟薦

王世禄 平陸縣縣丞。　李充國 鄞縣縣丞。

唐佐國 清河縣知縣。　黄敬球 《文苑傳》，雍正元年。

尹士俍 有傳，雍正二年。　陳楷 《文苑傳》，雍正三年。

陳埴 有傳，雍正五年。

《前志》列「選舉」之前，而未標篇目。考《列傳》，黄敬球以貢選臨朐訓導，後舉孝廉方正。陳楷以諸生舉孝廉方正；陳埴舉才行兼優，授萬年縣知縣；尹士俍則附貢出身，由通判舉卓异，官至臺海道，見後貢生。未識何以并書？按：黄敬球以下四人，均繫以雍正某年，或與王世禄以下三人，兼由薦舉。而本傳有未詳也，故仍《舊志》，書曰「辟薦」，以後舉貢而兼膺徵辟者并附焉。

王宗敬　嘉慶元年。

李　四　道光元年。

楊聲振　道光元年。

進士

邵士標　順治丙戌

魏爾康

王道新

王天眷

王　宏

楊宗震

陳益修　以上七人并有傳。

黃敬璣　丁亥　有傳。

舉人

楊宗震　乙酉　經魁。

陳益修

陳尚謙　安塞縣知縣。

王道新

黃敬璣　曲阜籍。

魏爾曆　爾康兄。

徐州牧

熊士偉　戊子

邵士梅　辛卯

貢生

仲應敏

李以莊　大冶縣知縣，孝義。

崔觀光　潞城知縣。

劉廣生　鞏昌府通判。

李　鈺　濰縣教諭。

蕭凌雲

史國標　博平訓導。

朱　明　兗州府學，《文苑》。

邱漢昂　拔貢，常州通判。

乙未 袁州佐 有傳。
徐州牧 慶雲縣知縣。
黄維祺
邱時中
楊通久
扈　泓 以上四人并有傳。
戊戌 張　廷 通山縣知縣。
吕顯祖 《文苑》。
李　壯 有傳。
楊來鳳 有傳。
邱　泰 臨川縣知縣。

任孔昭
黄維祺 曲阜籍。
楊通久
張　珽
王　璽
王顯然 貴州龍泉縣知縣。
邱時中
王敦臨
甲午 孫永正
扈　泓
高　試
丁酉 吕顯祖 亚魁。

李　瑢 拔貢，湖廣桃源知縣。
謝延嗣 兖州府學，戊子副榜，德清知縣。
孟　瓚 曲阜籍，拔貢，南安縣丞。
李化鵬 淄川訓導，鄉飲正賓。
魏名世 兖州府學，長山訓導。
潘起元 庚寅濟南訓導，士謙子。
趙民樂 兖州府學。
錢　昭 鄉飲正賓。
臧法舜 栖霞縣訓導。
馬太初 兖州學，武昌知縣。
仲應甲
潘　濬 丙戌，《文苑傳》。

湯侗存 光化縣知縣。
己亥 熊士偉 孝義。
邵士梅 有傳。
辛丑 任孔昭
李芳
陳心澡 三人并有傳。
康熙丙辰 潘好讓 有傳。

李壯
楊來鳳
邱泰
李芳
湯侗存
庚子 陳心澡
癸卯 劉支裔 經魁，淄川教諭。

王天寵 拔貢，《文苑》。
楊蘇霖 鳳振子。
馬泰徵 館陶訓導。
吕淑允 介休知縣。
孫慎一 有傳。
李華先 兖州府學。
王之卿
韓繼愈 拔貢。
楊秉銓 佩之子。
鍾忱 應銓子。
劉爲矩 兖州府學。
鄒景昂

陸　賓　戶部主事。
己未　潘應賓　有傳。
郭允升　進賢知縣。
壬戌　李　楨　有傳。
辛未　張爲經
庚辰　張心浴　曲周知縣。
張如緒　禮部祠祭司郎中。
己丑　張延慶
趙　蕃
辛丑　喬世臣　四人并有傳。

丙午　郭允升　經魁。
孟淑尼　《文苑》。
劉　楷　洪之侄。
李　弦　壯之侄。
己酉　潘淑葛　解元，《文苑》。
孫　堪　浙江知縣。
楊　壎
壬子　潘好讓　亞魁。
賈　岱
臧　禧　武定學正。
乙卯　陸　賓　經魁。
郭　璐　濱州學正。

潘啓昌
李美斯
伊天民
胡　忻　滋陽籍。
仲承烈
仲纘緒
扈　栻
李先榮
李若沂　兗州府學，鈺之子。
李　經　壬子副貢。
戴孫緯　壬子拔貢。
高震奇

羅俊 鹽城知縣。
戴琳 京闈，兗州府教授。
丁巳 孫承祖 孝義。
戊午 李澄
李楨 澄之子。
潘應賓
馮慎先 京闈。
辛酉 潘經
吉道升 高唐學正。
趙于京 歷城籍僑寓。
甲子 張爲經 經魁。
丁卯 孫芳 經魁，《儒林》。

黄承茂 乙卯副貢，鎮江知府。
李佩斗 己未。
李士凱 丙寅拔貢，《文苑》。
徐黄熙 丙寅。
朱衮 戊辰。
靳王廷 己巳平原訓導。
潘永祺 庚午陽信訓導。
車式 壬申。
夏器 甲戌。
王德新 乙亥孝義。
張宗齡 丁亥拔貢。
邵士楨

鄒衍洙 孝義。

何汶 復姓劉，《儒林》。

楊九霞 京闈。

庚午 李遜 聊城教諭。

潘兆遴 京闈，有傳。

癸酉 羅紘 京闈。

丙子 趙藩 經魁。

張如緒

張心浴

己卯 宋士正 孝義。

郭蔚 河陰知縣。

萬善嘉 臨清學正。

任之瑗 丁丑。

黃景昌 戊寅。

呂卓 辛巳。

李戬 癸未。

王烱

李紀 己丑。

宋燦 庚寅。

張紹 癸巳。

張繼昌 乙未。

鄭元鈞 丁酉副貢，招遠教諭。

李時若 丁酉副貢。

潘汴琅 戊戌，《文苑》。

李濂 有傳。
壬午 黃景昌
戊子 張延慶 爲經子。
辛卯 戴文謨 有傳。
孫湝 德化知縣，改聊城教諭。
陳伸 商城知縣。
癸巳 狄德純
孫駿發
高嶽
陳新命
秦寅 京闈。
丁酉 楊寬 亚魁，《文苑》。

戴景憑 己亥。
潘侖 壬寅。
楊通俊 兖州府學，《文苑》。
朱衣 兖州府學。
靳淑利
張耀樞
鍾恪
臧嘉 泰安州訓導。
潘禮 癸亥昌樂訓導。
潘好信 訓導。
陳典
陳心淑

郭豹文

楊克岐

曹居仁開原知縣。

楊芳資

庚子喬世臣解元。

吕芳振

聶本立壺關知縣，改長山教諭。

潘世芳

陳孟養《文苑》。

聶維琦夏津教諭。

李强

楊洪憲

趙珽

王紘

李濬

仲秉恭

趙紹美

邵元瑩

靳秉瑗《文苑》。

雍正庚戌　戴仁行
癸丑　楊名宷
邱仰文　三人并有傳。

甲辰　戴仁行　亚魁。
楊名宷
李廷樞　永興知縣。
丙午　潘質厚
己酉　郭繼昌　亚元，蓬萊教諭。
張象鼎　亚魁。
曹尚志
壬子　陳　湛

針　毅
羅九貢　副貢。
張爲綸
靳　湄
宋　惺　癸卯拔貢，莘縣教諭。
楊廷雍　甲辰。
侯公印　乙巳清平教諭。
高　鑑　丁未。《文苑》。
宋士綽　戊申。
陳際雲　己酉拔貢，《文苑》。
曾潔組　庚戌。
徐兆麟　壬子副貢，泰安教授。

乾隆丙辰

黃孫懋　一甲二名，有傳。

仲永檀　有傳。

宋　愉　香山鹽大使，孝義。

邱仰文　滋陽籍，京闈。

乙卯

伊聖瑞　淄川教諭。

仲永檀

黃孫懋　曲阜籍，京闈，維祺子。

楊廷蘭　鄒平教諭。

陳世貴

丙辰

張　洲　經魁。

高居甯

駱　章　癸丑。

程大鵬　甲寅。

郭履端　乙卯副貢。

仲簡在

潘　如　拔貢。

黃孫懋　拔貢。

趙司論　拔貢。

劉元音　優貢。

高文翰　副貢。

靳秉瓚

曹　銘　丙辰。

仲尚絅　丙辰。

己未 林興濟 翰林檢討。
乙丑 高居甯 會稽知縣，有傳。
周裔和 富陽知縣。
戊辰 張淑渠 潞安知府。
庚辰 趙維翰 饒陽知縣。
己丑 吴徵士 刑部主事，嚴州知府。
王仲愚 官至翰林侍講。
張有年 河南陝汝道，贈光禄卿。
壬辰 李元坦
乙未 孫玉庭 翰林，官至大學士、兩江總督。
庚子 李 瀚 内閣中書。
王綏祖

孫擴圖 芳之孫。
孟 鏡
王 鑑 會稽縣鹽大使。
潘 如 京闈。
戊午 周裔良 裔和弟。
張淑渠 京闈，延慶子。
何 魯 國子監學正。
林興濟 京闈。
胡 玠 京闈，雄縣知縣。
辛酉 王德普 亚魁。
靳宗著 桐城知縣，有傳。
趙 夔 蕃之弟。

萬善修 丙辰。
阮周屏 丁巳。
熊朝弼 己未。
張覲祖 庚申。
趙司講 辛酉拔貢。
周裔和 辛酉副貢。
馬德舒 壬戌歲貢，齊東訓導。
孫文載 癸亥，《文苑》。
楊冠文 甲子副貢。
孟所知 乙丑歲貢，濟陽訓導。
葉 育 丙寅。
伊聖訓 戊辰。

李光時　嵊縣知縣。
辛丑　許鴻磐　禹州知州。
乙卯　駱燦
附明通榜　五人。
丁巳　陳湛　德平縣教諭。
潘如　棲霞教諭，《文苑》。
潘質厚　有傳。
乙丑　孫擴圖　掖縣教諭，錢塘知縣。
甲戌　喬大凱　有傳。

楊如龍
趙司講　京闈，《文苑》。
甲子　謝欽寶　知縣。
趙司論　京闈，膠州訓導。
周裔和　京闈。
丁卯　張淑齡　經魁，延慶子，臨清學正。
潘呈意　臨清學正。
黃業炘　曲阜籍，《文苑》。
庚午　王殿選　夏津教諭，《文苑》。
孫龍甲　齊河教諭。
壬申　張錕　亚魁，高密教諭。
秦燦

張永周　己巳。
汪樞　辛未。
吕瑜　辛未。
孫賜𡿺　壬申。
周世炎　壬申。
鍾世澤　壬申、乙酉副貢。
宋振德　癸酉拔貢，江蘇按察司經歷。
黃業之　拔貢，曲阜籍。
胡濬　甲戌。
上官魁　乙亥。
邵元譙　丁丑。
秦登第　戊寅。

趙維翰 蕃之孫。
李景楫
癸酉 馬政均 亚魁。
周裔豊 東阿教諭，裔和弟。
喬大凱 滋陽籍，世臣子。
邢羽文 翰林典籍。
己卯 范甲
李紹沆 泰安教諭。
庚辰 楊治 蓬萊教諭。
張淑軒 延慶子。
壬午 王纘祖
王如凝

王繩祖 癸酉、己卯副貢，有傳。
時祖濂 副貢，西隆州知州，有傳。
李仁 庚辰。
張延英 辛丑。
汪鍈 辛丑。
趙仲頫 癸未。
吴謐 甲申。
王純祖 乙酉拔貢。
楊永年 丙戌。
馮天愚 丁亥。
李元善 戊子副貢。
种治冀 己丑。

吴徵士

乙酉　王純祖

王綏祖

潘呈方

戊子　王仲愚

鍾世澤

蔣傳馨

李承連

張有年

庚寅　陳貽謀　經魁，符之子。

熊本源

李　齊　元善子。

楊　忻　庚寅。

葛樹松　辛卯副貢。

陳　符　庚寅。

仇永成　壬辰。

劉　恪

秦心浴

李　忻

高業棟　兖州府學。

潘質幾　丁酉。

錢舜舉　丁酉拔貢，臨清訓導。

熊敏功　拔貢。

潘質幾　丁酉。

李瀚

李元坦

辛卯 馬政甯 經魁，政均弟。

宋以謙

劉書思

甲午 張克相

李大紹

孫玉庭 擴圖子。

丁酉 李光時 解元。

程典

靳兆泰

王駿猷 江南監巡道，駿姿。《前志》。

潘呈雅 庚子。

鄭凝 辛丑。

扈塏 辛丑。

朱蔚文 壬寅歲貢，德平訓導。

劉廣勳 甲辰。

李柏 丙午。

寇發枝 丁未歲貢。

楊乃依 丁未歲貢。

夏永清 戊申歲貢。

陳貽準 乙酉拔貢。

林瑗 己酉副貢。

高如岱 庚戌。

己亥　孫廷標
鄭如岱
許鴻磐
任中瑞
王大來
吕士修
庚子　孫世瑞
楊友枋
癸卯　林　瑀
丙午　蔣　洪
李　圖
劉元桐

孟承森　庚戌歲貢。
郝聖基　癸丑歲貢。
王敏政　甲寅歲貢。
劉元一　甲寅副貢。
王宗敬　乙卯優貢，庚申舉人。

戊申 毛復曾

鄭維從 萊蕪教諭。

王承休

史敬忠

李南薰 榮城教諭。

周瑞書

己酉 劉炣 雲南浪穹縣。

吴敬森 貴州知縣。

壬子 李書明 安徽知縣。

孫鳳時

馬植 丹陽知縣。

甲寅 夏曾

嘉慶辛酉 王大來

戊辰 時功旃 鄠縣知縣。

己巳 李德立 翰林，大順廣道。

李蘊瑛 户部郎中。

辛未 李　瑩 江南道監察御史。

丁丑 楊作梅 現任山西河東監掣同知。

楊乃依 恩賜。

戊午 蔣　巖

李恩年

李大峒

庚申 王宗敬 直隸晋州。

李　瑩

徐試虞

辛酉 李兆謙 黄縣訓導。

陳貽標

駱問禮

恩賜 孟興炎

甲子 陳貽發 兖州教授。

王如愚

范　榜 丙辰。

吴　洲 己未。

郭　訓 庚申。

時功楫 庚申副貢，范縣訓導。

鄭　勉 辛酉拔貢。

駱德川 壬戌歲貢。

孫　蔚 癸亥。

陳　養 乙丑。

陳　厚 丙寅。

張永禄 戊辰。

鄭勉 有傳。

郭忱 教諭，有傳。

李聯壇 中書。

陳鈞 知縣。

時功旃

趙業輔

丁卯 李藴瑛

孫善寶 江蘇巡撫。

李德立

恩賜 文蔚

戊辰 袁鴻

宋麟瑞 聊城教諭。

徐謙光 戊辰副貢，招遠教諭。

許會龍

陳貽楷 己巳。

楊友楟 壬申。

史襄齡 改名密，癸酉拔貢，官福建知縣。

朱家學 甲戌觀城訓導。

李慕白 乙亥。

馬睿 丁丑。

張文軒 戊寅。

張大炤 己卯副貢。

郭貞復 己卯副貢。

李大崚 己卯。

庚午 楊作梅

戴得昂 高唐學正。

孫瑞珍 官户部尚書。

王思志

癸酉 孫式翰 教諭。

王繼蘭 山西平定州。

楊　仁 黄縣訓導。

張遜志 黄縣訓導。

李業立 京闈。

李　珣 京闈，四川知縣。

丙子 石毓瑞 歷城教諭。

劉　椿 教諭。

仲覲光 高苑教諭。

道光壬午 王世荃 浙江樂清知縣。

邵　勷 四川嘉定府知府。

癸未 孫瑞珍 户部尚書。

李允旃 德平訓導。

馮繼總 三品誥職。

戊寅 陳文治 武城教諭。

仲緒塄 陽穀教諭。

李聯榜 清平訓導。

李鴻來 安徽知縣。

李聯厚 郯城教諭。

己卯 李　均

王世荃

辛巳 邵　勷

馮德馨

李　珙

仲貽光 辛巳。

徐從賢 辛巳。

孫　焌 辛巳副貢，江蘇知縣。

馮德馨　湖南巡撫。
李珙　四川郫縣知縣。
丙戌　陳熙曾　翰林京畿道，雲南主考，四川夔州、重慶知府。
己丑　張繼魯　甘肅隆德知縣。
癸巳　車克慎　禮部左侍郎。
戊戌　張繼鄒　廣東知縣。
庚子　魏睦庭　工部郎中。
辛丑　郭汝誠　廣東知縣。

朱啓後　鄒縣訓導。
陳慶隆　日照訓導。
李訓方　湖南知縣。
孫浩　國子監學録。
張繼魯
常近瀛
壬午　李泰源　湖北知縣。
陳熙曾
馬丕慶　范縣訓導。
孫毓漢　中書。
乙酉　潘遵文
孫成崗　莘縣訓導。

李海濤　癸未金鄉撥州。
王蒼溪　甲申。
張繼鄒　乙酉拔貢。
郝亮祖　丙戌。
董焜　丁亥。
車克慎　戊子優貢。
洪光善　己丑。
陳文浩　庚寅。
鄔德泰　壬辰。
楊榮安　癸巳。
梁宗瀚　甲午優貢。
任學石　乙未。

鄭　琦 武城教諭。
仲貽燮
戊子 張榮泰
仙汝彬 昌樂訓導。
張繼鄒 廣東知縣。
馮德城 海豐訓導。
辛卯 郭貞復 費縣教諭。
李　田
王庸立
車克慎
孫毓溎
劉福善

劉大文 乙未。
馮惟哲 丙申。
李葆樹 丁酉副貢。
魏睦庭 丁酉拔貢。
李　勷 戊戌。
孫式曾 己亥。
于如川 己亥副貢元。
賜 閆敏公 己亥副貢。

甲午 王乾錫（蓬萊教諭。）
蘇岱雲
劉承浩
馮繼英（濮州學正。）
乙未 孫春皋
孫寶忠
王禮耕（中書。）
李福泰
己亥 李葆樹
朱慶蕚（江西知縣。）
魏睦庭
庚子 于如川（解元。）

杜學詩 經魁，壽光教諭。

郭貞乾

子汝誠 同榜。

鄔敬典

王汝銓

王慶瑚

補遺

王世芸 嘉慶丙子京闈。

補遺《前志》未詳科分出身者七人，蔭生并附，今分列之。

曲聖盈　順治初確山縣知縣，《前志》進士。

邱麟閣　揚州府通判。

郭學義　登州靖海教授，《前志》歲貢。

于文顯　泰安州訓導。

李則榮　陽武縣丞。

王　勷　貢生，孝義。

王文煜　理問。

戴錫齡　陜西布政司理問。

蔭生

白汝霖　道隆子，官順天府治中。

王　叡　天眷子，官湖廣德安府通判。

孫善寶　大學士玉庭子，見「舉人」。

孫　楫　大學士玉庭曾孫，户部尚書瑞珍孫，見「進士」。

李承鄴　燦之孫，官江西布政司。

劉　煒　柏之子，官大理寺評事。

張善保　以上《前志》蔭生。

例職　《前志》曰：「貢監又分未任爲一編，兹合例職而續之。」

任之瀛　鳳翔縣丞。

陳心浣　潁州州同。

張士奇　浙江藩經歷。

任之璿　廣東藩經歷。

唐永耀　湖廣理問。

黄承芳　户部主事。

潘兆元　上虞知縣，士良子。

劉戴甯　湖廣參政。

車毓祺　禮部侍郎克慎子。

續編

王貽桂　浙江鹽法道。

李　澍　員外郎。

王貽象　江南淮揚道。

李聯發　員外郎。

戴華齡　江蘇常鎮道。

王緒昆　廩貢，貴州大定知府。

時廷鉞　詹事主簿。

李　泳　郎中。

孫廷相　黄沁同知。

靳秉瑞　翰林待詔，孝義。

蕭大泰　同州。

楊拔茂　恭城知縣。

任之琦　孝義。

黃承連　禄勸州知州。

郭維屏　桃源知縣。

宗　讓　貴州開州知州。

郭維藩　宿遷縣丞。

邱淑文　旌德知縣。

戴嵩齡　河南内黃縣縣丞。

黃承瑚　巴陵知縣。

王宏任　刑部員外郎。

李　琬　主事。

王貽長　貤封同知。

李聯澧　二品誥職。

李聯鴻　監提舉。

李聯桂　主事。

劉承龍　廣東同知。

李聯第　河南候補道。

王貽芳

李承澤　候選道。

李大俊　通判。

王慶蕚　南河候補同知。

趙鳳舉　安徽候補同知。

戴彭年　東河卓异知縣。

楊　洪　諸暨知縣。

李　勛　户部郎中。

楊　渤　濟源教諭。

郭維垣　棲霞教諭。

潘　英　平山知縣。

李　蘅　寧海訓導。

靳高昆　蒲臺教諭。

張之燦　恩縣教諭。

宗　謙　夏津教諭。

韓宗禹　堂邑訓導。

潘　鉞　平陽同知。

李承恩　安徽通判。

趙春園　江蘇候補同知。

李　臨　廣東州通判。

劉從善　四川開縣。

王錫善　通判。

戴　鍈　廣東陸豐知縣。

王錫齡　浙江寧波通判。

李訓書　直隸任邱知縣。

王宗鼇　安徽通判。

李　闊　知州。

王廣恕　河南蘭儀知縣。

王敬修　廩貢生，昌樂教諭。歸，教子有法，銘其室曰「崇禮」。

史大倫　工部郎中，有傳。
秦　鑑　樂陵訓導。
程道行　教諭。
种尚賓　江西餘干縣丞，有傳。
王　松　泰安訓導，有傳。
張居仁　長清教諭。
尹士份　温州知府。
尹士俍　臺灣道，有傳。
戴山年　江蘇太湖同知。
葉　勳　涇縣知縣。
葉　楷　濟南訓導。
徐　儀　大理寺正。

王中亮　甘肅隴西知縣。
劉萬慶　安徽縣丞。
王啓疆　廪貢，訓導。
李　琪　浙江主簿。
秦　蓉　廪貢，訓導。
劉萬清　江蘇從九品。
孫廷榛　雲南楚雄司獄，猛緬巡檢。懷猓夷以恩信，歷官二十餘年。
戴長齡　江南阜寧縣巡檢。
劉萬春　河南主簿。
李仲貽　浙江府經歷。
馬國箴　安東主簿。
李佑孚　甘肅，未入流。

黄承瑾 固始知縣。
孫鏡 桃源知縣，有傳。
駱大鵬 湖州知府。
孫鈞 江南糧道，有傳。
黄孫适 通判。
劉鐘麓 觀城教諭，華亭縣丞。
劉琦 通判。
潘閏秋 鄰水知縣。
閆紹祖 浙江知縣。
王焕 有傳。
楊權 訓導。
潘重庚 海鹽知縣。

王宗訢 河南從九品。
李琮 江蘇常熟縣。
戴彬 四川，從九品。
時祖澎 湖北經歷。
顓孫堃 直隸州判。
劉際昌 安徽從九品。
劉長庚 陝西藩經歷。
張兆恩 河南縣丞。
王世荀 廣東鹽知事。
吴承勳 福建從九品。
王綱祖 清河縣丞。
唐正居 山西縣丞。

胡　連　德州知州。

李　勣　中書。

王元樞　廣東海南道，有傳。

王　耀　沔陽州判。

仲尚錡　新陽知縣。

劉　珮　桃源縣丞。

孟之瑞　儀徵縣丞。

王尚湄　廣東高濂道。

王德洪　盱眙縣丞。

种治荆　州同，管聊城縣河務。

潘鼎孫　江南鹽大使。

李鍾淳　天津知府。

王協卜　浙江縣丞。

邵士傑　河南藩經歷。

焦廷傑　兵馬司吏目。

王中曜　福建場大使。

李佑民　浙江縣丞。

鮑　烱　河南，未入流。

王宗學　河工主簿。

時　烺　江蘇從九品。

戴椿齡　甘肅靈臺縣知縣。

李文謨　河東場大使。

李　莊　兵馬司指揮。

丁文奇　兵馬司吏目。

許弼乾平原訓導，有傳。
陳士良平陽同知。
喬大賚開封同知。
何熠主簿。
陳良鴻孟縣主簿。
劉大麓滎縣縣丞。
時廷藹山西雁平道。
李鍾泌户部員外郎。
鄭德淳户部員外郎。
林之蒨武邑知縣，有傳。
林興泗重慶知府。
時廷銓東昌通判。

戴鰲江西臨川縣典史。
王宗岱北河，未入流。
朱繼闓江西府經歷。
謝賜翰北河通判。
戴鉽兵馬司指揮。

道光二十一年城工議叙并附

李聯堉鹽知事，加五品衔。
孫應遴鹽知事。
朱佑曾通判。
扈宗冉八品衔。
李鼎書八品衔。
孔昭舉候補知府。

孫淅　開封同知。

時祖灝　直隸理問。

孫濟　南城指揮，有傳。

李鍾柏　泉州通判，有傳。

王詔賓　豐縣知縣。

陳維善　中牟知縣。

劉公裕　睢寧知縣。

陳儀　下南河同知。

鮑學灝　壽州知州。

李劭　新昌知縣。

李容　刑部郎中。

孫淳　南河通判。

孫毓秀　八品銜。

孫世俊　八品銜。

王大猷　八品銜。

夏洸　理問。

朱墉　州同。

王式轂　八品銜。

劉敬　州同。

冷訦　九品銜。

朱馥蘭　九品銜。

李承洪　九品銜。

李大桂　理問。

王如岡　藩經歷。

李祖植 蘄州知州。
呂淑印 休縣知縣。
黄之蔚 無錫知縣。
楊　廷 臨清訓導。
潘質礦 保縣知縣。
李　闊 候補郎中。
王永清 孝義，有傳。

許琳馥 州同。
王廣年 州同。
季洪文 州同。
史文炤 同知。
劉敬修 理問。

鄉飲賓

劉紳

馮尚賢

李斌

尹忠良

李文甫

魏遷

倪宗武

李經世

史大倫

孫文載

王天珍

例貢

杜一鳳附生。

張文光附生。

王萬匯

蘇懷福

靳肇倓

楊名宷

劉文蘇

李隸秀

王繼昌

王　惠

王衍曾

以上十七人《前志》入「學校」，無事實，今附此。餘并詳「人物」。

金鄉

辟薦

楊以元　乾隆元年，有傳。

張元善　乾隆年。

張來陽　嘉慶元年。

周秉鈞　道光元年附生，軍功，七品銜。

進士

順治丙戌　郭肇基　狄道知州。

舉人

乙酉　郭肇基

李華衮

甲午　王　炳

貢生

王民貴

王國新

周玉仁

李士騄

李振璽

康熙丁未 楊淮

庚戌 張霖

辛未 李振璣

癸未 薛裔昌 四人并有傳。

己丑 盧周鼎

戊戌 杜天培

癸卯 楊淮

己酉 張霖

李鐸 彭澤知縣。

壬子 徐克岐 新城教授。

李振璣

戊午 江霞

李化澄

辛酉 郭掇桂

甲子 李徵育 平原教授。

胡芳

高潔 有傳。

江同海 有傳。

李之炤 有傳。

李茂梧

胡敦仁

魏三德

劉若古

李之焞

李楚

張霈

劉祖紹

李中愬　中書。
癸酉　楊　枚　石埭知縣。
丙子　周士璽　有傳。
己卯　杜天培
盧周鼎
壬午　薛裔昌
周　渾
高肇基
乙酉　胡長濟
辛卯　李虛已
癸巳　楊　柟

李養素
周曰篕
宋説楚
王運熙
翟文祥
康永慶
李　伸
高昌仁
周廷獻
魏　都
李　壽
周　禮

李玉煥
李作舟
杜天培
周　訪
周　泗
江　沂
劉允泗
孫中翹
王　足
李公亮
孫中异
周　岐

王作勵
王贊
孫中實
李超
郭珣
韓覲
王以□
李縉
王如庠
李中維
周格
李燔

雍正庚戌　李遜　北直試用知縣。

癸丑　尋紹舞　萊州教授。

郭懷方　滎河知縣。

癸卯　孫靜　高唐學正。

郭廷珍　有傳。

李以禮

甲辰　尋紹舞

丙午　李徵洙　單縣教諭。

張凝祚

孫墉

劉桂圃

靳良左

戴高

劉士毅

李天眷

按：雍正年貢生，《前志》缺，或并入康熙，俟考。

乾隆己未　江均　泰安教授。

王如庠　萊州教授。

辛未　劉苞麗　寧津知縣。

己丑　張誠基　江西巡撫。

壬辰　李翮　監察御史。

郭懷方

芮圻

己酉　楊致和

李遜

壬子　王如庠

劉桂圃　涉縣知縣。

乙卯　蕭梅　有傳。

丙辰　江均

郭知足

戊午　李利吉

甲子　李天眷　麻城縣丞。

庚午　劉苞麗

李薰

蔡維朴

張宗載

劉兆捷

馬亮

壬申 劉同楨 館陶教諭。

癸酉 褚昕 解元。

李鏻

丙子 孫錫運 懷遠知縣。

己卯 孫巽

庚辰 孫錫祺

壬午 李汶 解元。

張誠基

乙酉 王邦俊

庚寅 張振綱 新陽知縣。

李翮

辛卯 袁預慶 江蘇知縣。

高汝栻

鄭璠

孫中智

周興圭

劉苞麗

高一鶴

周蘋

周島

劉斌

楊景時

李聞知

孫桓

甲午 張鳴彝
丁酉 張寧基
楊以濬
張永欽
己亥 張廷儀
周文芳
庚子 胡士鍔
尋方瀚
李儒偉
癸卯 周垣
周麟元
周延森

李來鵬
周奕珣
周縝
周毓奇
孫永康
周師琦
李于治
李文士
周玉誠
李湑
袁燕喜
楊燮

李于沛
王夢兆
吴榮昌
蘇中超
周守仁
劉炳文
薛　梅
李汝麟
楊安邦
胡　杞
李體義
李作幹

嘉慶庚辰　周兆錦　甘肅定番知縣。

乙卯　張來陽　江蘇興化知縣。

丁卯　尋騰鳳　雲南潞涼知州。

癸酉　周用暄

戊寅　張錫珍　觀城教諭。

周堅

劉培運

胡文炘

朱炤

楊敏學

李德聚

宋偉川

李光燦

李庭業　丁卯優貢，陝西雒南知縣。

周慎言

周舒錦　癸酉副貢。

李明燦　戊寅，孝友端謹。

道光己丑 李壘 湖北通城知縣。
乙未 周潞 貴州清鎮知縣。

周如岱 生無右肱，有神童之目。
辛巳 周嵐峰
乙酉 五建功
甲午 李清運
己亥 周葆申 經魁。
庚子 周洛

蘇承訓 己卯。
孫匯渠 辛巳。
楊志瀚 辛巳。
周衡雲 壬午。
李朝琛 乙酉。
李啓茂 辛卯。
李清運 辛卯副貢。
周葆禾 甲午副貢。
周寰宇 甲午副貢。
周均 丁酉拔貢。
周沼 己亥副貢。

附采訪未詳科分者。

尚興渭

尹六有

李鋭昇

張玉襄

王　鑣　見義烈女神神碑。

濟寧直隸州志 卷七 六十四

嘉祥

進士

吴衷一 順治己丑 知縣，有傳。

蕭綦隆 壬辰

舉人

吴衷一 戊子

蕭綦隆

梁心恒 丁酉

貢生

張維賢 有傳。

黄繼祖 有傳。

高　明

石毓恒

高牛光

權爾心

宋延祉

李毓藻

李超鱗

董方伸

康熙庚戌 梁心恒 知縣。

乙卯 梁心童

辛酉 石確

辛卯 黃公襄

郝承益

郝士昌

杜嘉佑

閻風龐

董方大

劉淳

晁綱飭

李根深

王之經

李桂

高鼎

張獻琪

黃與謀
吴宏震
田應聘
夾步斗
高　陞
張丕祉訓導。
張　嶔
張士升
權于宜
王公簡
陳廷臨
谷　昇

王永禨
劉合仁
楊芮
權于正
李根植
劉泌
梁肅
張崗
楊克敬
黄天爵
張球 癸巳副貢。
梁工求 利津縣訓導。

雍正

乾隆

壬申　曾恒德　鄖陽知府，居閩。

壬子　曾衍東

癸卯　劉梅　膠州學正。

田士行

李定遠

梁模

梁渭

宋夢鰲　臨邑縣教諭。

李淑沆

梁勉

李正義

梁方　茌平教諭。

楊源　恩縣訓導。

張山菊　拔貢，四川西昌知縣。

張山輝

郭連騎
申永興
馮繩祖
李桃源
李如章黃縣訓導。
石浄意長清訓導。
侯　露副貢。
梁祖成
楊士信
馬世德
郝文朗
孫顯宗

馮賜琪
吴德亮
劉祖堯
吴　潢
李永清
張天眷
張　涵 拔貢。
程述程
楊本涵
牟昭德
晁夢遠
吴惟勤

嘉慶

戊辰 劉以仁 青城訓導。
己卯 張恩溥

王可仰
劉源泗
吳惟遜
王伯隸 乙酉。
梁光輿 拔貢。
梁光燾
蔡坦
趙汾
王瑞增
王警露
宋運隆
軒轅英

王溥光　辛酉拔貢，黃縣教諭。
薛祥雲
吳天瑞
杜恒清
張天柱　莒州訓導。
梁聖運
吳山霖
張來獻
丁玉朗
李鳴崗
張恩簿　拔貢。
張連會　植行重于鄉里。

道光

庚子

張石 經魁。

蔡樹本
張錦
宋尚考
王陳年
郭中孚
黄振清
商殿珍
商雲峰
商山芝
宋尚藹
孫耀先 乙酉拔貢。
姚啓元

李含英
王心齋
劉大河
劉潤芳
吴憲尹
張　石　丁酉拔貢。
董維宣
張中敏

例職

張　泠　平涼府經歷。

張山筠　太平府萬承州州同。

張敦寶　甘肅試用。

劉佩錦　增貢，漳州府經歷。

張恒寶　理問，陝西寧羌知州。

濟寧直隸州志　卷七　七十一

魚臺

辟薦

楊聲振　道光元年。

進士

劉芳聲　順治丙戌　貴州畢節道，有傳。

朱之玉

劉廣譽　乙未　有傳。

謝　遴　辛丑　有傳。

康熙

舉人

劉芳聲　乙酉

朱之玉

段化龍　丙戌　有傳。

劉廣譽　甲午

謝　遴　庚子

馬體雅　戊午

劉連燧　辛酉

貢生

甄　捷　萊州教授。

李攀桂

閻應震　訓導。

邵廷玫　沂水訓導。

趙之璧

樊　運　黃縣。

許若衡　拔貢，訓導。

劉新命　拔貢。

雍正

甲午 馬淑均

乙卯 甄之麒

夏騰高有傳。

胡琪

桑延善

薛名振

郭振都訓導。

王得政拔貢。

金相訓導。

劉漢儒

李雲隆

陳甲

房茂

王廷標

韓范
韓藎
謝怡 郯城教諭。
韓昆
甄尚文 長清教諭。
王㯉 副貢。
甄景聖 副貢。
謝九錫 宜興知縣。
段翼明 德平訓導。
曹致中
朱允秀
劉漢奇

郭永祐 東平訓導。
蔣日乾
曹士煌
古之升
李穎實
張丕承 高唐訓導。
續文兹
蔣　源
張大有
續繼兹
趙士質 臨淄訓導。
袁　梁 德州訓導。

劉逢翊清平訓導。
甄　槃諸城訓導。
胡士譽
甄景賢
閻鶴鳴
李士俊
李作楫
馬悦開
梁　臨
馬　讜
齊惲基乙酉拔貢。
賈浩川乙酉拔貢。

乾隆

甲子 李若玢

王橋

丁卯 朱國鑣

丙子 韓培和

壬午 謝韞田

丁酉 齊惲基

韓蘇

劉協中

李覲光

馬呈麟

馬莊已

馬邦玉 己酉拔貢。

按：乾隆年貢生，《前志》未分，并入雍正年，俟考。

嘉慶乙丑　馬邦舉

賈浩川
甲寅　繆增福
乙卯　馬增華
庚午　袁立棟
馬邦舉
癸酉　馬星房
馬星翼　星房弟，樂陵教諭。

閔錕　戊寅。
齊孝源　庚辰。
馬星壁　乙酉拔貢。
孫鴻舉　戊子。
李法仲　庚寅。
屈文炳　壬辰。
張丕基　乙未副貢。
齊孝澄
宋峰蔚　丙申。

道光

張敦仁 丁酉拔貢。

鄭西翰 庚子。

武科選舉表 三縣并附。

進士

順治丙戌 劉潤

左大任 寬河守備。

曹斌 有傳。

夾敬修 魚臺提標右營游擊。○按：嘉祥夾修敬，丙辰科進士，保定左衛守備，聲振子。

己丑 張士顯

吴紹吴 貴州平越守備。魚臺。

壬辰 車大任

文威 廣東水師都司。

武舉

乙酉 焦馨 解元。

白世甯 濟寧衛管河千總。

劉潤

夾修敬 「進士」作「敬修」，當係一人。按：《舊志》爲崇禎壬午舉人，《通志》作乙酉。

夏芬芳

徐馗

文威

李植

曹斌

武職附

按：《前志》自順治至乾隆止，已見官職者不再書。

孟應元 武舉科分未詳，濟寧衛籍，湖廣常德左營都司。

陳士言 河標中營，中軍守備。

丁焕文 濟寧衛籍，湖廣長沙都司。

張偉 濟寧衛籍，廣東順德總兵、都督僉事。

米養 濟寧衛籍，任獨石守備。

高捷 鄖陽撫治旗鼓守備。

宋允聖 福建提標中軍參將。

李復持 泰安營城守守備。

濟寧直隸州志　卷七　七十六

乙未 徐旛 湖廣衛州左營游擊。

戊戌 文超 常德營守備。

房興 忠節。

辛丑 姜鴻飛 直隸采育營守備。

劉秉忠

文宏

王廷輔

霍維鼐 字玉調，一甲第一名，順天籍。

吴紹吴 二人魚臺。

戊子 房星

張士顯

范錦 福建侯官籍，庚子賜武進士，蘇州衛守備。

辛卯 楊雲雁

癸巳 陳棟 魚臺。

甲午 王廷輔 濟寧衛人。

文光普 濟寧衛人。

楊鳳翔

楊承泰

鞏時茂

孫應正 宿遷守備。

徐駿偉 標之子，由軍功任河南嵩縣營都司。

陳鑄 沙溝營守備。

白道隆 浙江漢軍都統，有傳。

王瑄 嘉興協副將。

時廷錦 黄州衛守備。

李之秀 德州營參將。

周奇 海州營守備。

傅春秀 福建海壇總兵。

魏文焜 臨清衛籍，任城守營守備。

吕九如 由行伍任雲南普洱鎮總兵。

冶世芳 前營都司。

丁酉 王曰都 二人魚臺。
文超 濟寧衛人。
展興邦
崔定遠 濟寧衛人。
李炎
劉秉忠 濟寧衛人。
張振 濟寧衛人。
楊邦輔
庚子 姜鴻飛
王啓昌
文宏
朱璣

李世俠 浙江太平營守備。
邱若龍 由行伍任河南河北鎮總兵。
蘇廷柱 桃源河營守備。
蘇學讓 由行伍任福建汀邵鎮總兵。
馬大有 河標左營游擊。
房煥 由世襲雲騎尉任漕標右營守備。
閆士玉 助馬路參將。
戴朝選 廣東右營游擊，贈昭勇將軍。
袁如桂 福建總兵。
李順宇 曹州左營參將。
王國英 温州總兵，贈驍騎將軍。
陳永清 江西南贛協鎮副總兵。

康熙甲辰 王明遇
丁未 劉錞
庚辰 馬良
癸丑 白璞
李愼德
阮性浩 同山參將，應吉子，性淳同有傳。
舒蘊 惠州府守備。
甲戌 楊九叙
馬再興
庚辰 葛文烔

文毓卿
李振羽 金鄉。
癸卯 阮應吉
阮性淳 應吉子，官守備，出征江南，陣亡，有傳。
王明遇
謝三錫
劉正陛
姜龍飛
文佩
王法武 魚臺。
丙午 房拱極

陳起德 川陝督標後營游擊。
胡學富 雲南順寧府守備。
李生桂 温州副將。
吴如傑 游擊。以上二人見《温州府志》，皆康熙時。
潘呈瑜 雍正中元定府城守都司。
程光祀 武生，康熙五十年效力鑾儀衛，任江西安庸所千總。乾隆十二年，以守備銜致仕。以上《前志》。
靳浩運 江南屯田守備，有傳。
徐萬甯 陝西游擊，祀昭忠祠。
房星 白鴿營守備，祀忠義祠。

癸未 呂浩 侍衛。
王連 有傳。
李燦 有傳。
薛鉽
張星朗
周一德 有傳。金鄉。
己丑 唐宏道
王大綬 侍衛，雲南開化鎮總兵。
癸巳 張超
乙未 黃敏業 湖北游擊。
戊戌 楊鶴
戊辰 樊生珠 魚臺。

張允芳 一作「毓芳」。
白璘
馬天衡
文芳興
劉錞
劉元忠
馬良
乙酉 卞佳 彰德營都督僉書。
劉宏烈
唐文英
李慎德
白璞

惠世溥 參將。
惠占春 沂州總兵，見「宦迹」。

續附

魏以璐 由河標千總升廣東佛山鎮都司，與軍士同甘苦，大吏任爲一方保障。
惠昌耀 廕生，廣東澳門總兵。

李疆

曹彬

文達

舒蘊

壬子
夏連璧

阮性浩

唐文傑

馬顯英

陳宏勳

臧華先

文灝

戴鳴鶴

宫廷弼
黄孫盛 曲阜籍。
趙千乘 乙卯
韓宗唐
廖明遠 遼東金州衛籍。
劉中碩 遼東金州衛籍。
胡士標
劉𣞴
劉文瑜
郭銓
夾榮宗
宗斌 三人嘉祥。

戊午　崔礎

湯松存

李淑崴

王永勛

潘昆　湖州衛千總。

張起德

李斌

閻大猷

辛酉　楊九章

甲子　王琦　解元。

許燦

倪紀載

王治

馮再興 兗州府學。

程鵬翮

楚生珠 魚臺。

庚午

李敕 解元。

張星朗

湯栢存

楊九敘 兗州府學。

癸酉

沙培璵

劉朝正

楊九奏

丙子

葛文廣

白士藹
楊允秀
劉源濬 魚臺。
己卯 葛文炯 解元。
王大綬
楊夢兆 金鄉。
鄭大超 蕪湖守備。
楊佩 二人魚臺。
壬午 王連
呂浩
李燦
唐官

石彬

李炎

姜連捷

薛鉽

唐宏道

周忻

周一德 二人金鄉。

乙酉 王公弼

阮紹元 河標左營千總，性浩子。

戊子 尹光祖

劉鎬

辛卯 李德璘 揚州衛千總。

劉朝勳 魚臺。
癸巳 張超
張元成
倪玢
甲午 黄敏業
劉廷拔
劉世臣
丁酉 楊鶴
李綉
李湛 金鄉。
庚子 孟紹先
廉從誨

雍正甲辰 李綉

孟紹先

劉桐 魚臺。

癸卯 沙賢

馬璵

馬龍圖

秦運治

劉魯思 兗州府學。

甲辰 李洙

丙午 陳士修

馬鶴年

己酉 張濬

李荷川

壬子 倪燦

乾隆己丑 張國楹 藍翎侍衛，湖南靖州副將，署鎮筸總兵。

劉　桐 江南河營守備。魚臺。

張永清

乙卯 黃龍光

戊午 郭夢熊

李清萬 金鄉。

辛酉 楊　欽

周魯思 金鄉。

甲子 馬協寅

傅平治

楊　琛

文星現

張泰軒

蘇龍章 二人金鄉。

庚午　文星著
張冠文
高士雄
周　提金鄉。
壬申　白彩乾
王萬壽
林興泰
孫應試
癸酉　陳麟圖
張國棟
李卓異
李長江二人金鄉。

己卯 張國梁 江南常州營游擊。
庚辰 張砥柱
壬午 陳麟符
戊子 劉龍彪
郭效汾
張國楹
陳麟甲
辛卯 馬鴻恩 兖州府學。
甲午 馬成龍
馬國甯
劉大士 兖州府學。
丁酉 王國幹 解元，汶上籍。

閻澄清
劉大魁
己亥 史廷楝
癸卯 單士傑
丙午 李長清
李大鍾 江南蕪萊營守備。
王朝幹
戊申 李金城
馬　謙
陸英琦
馬　桂
己酉 孫魁一

馬毓秀　魚臺。
壬子　馬泰甯
張國杰
甲寅　王清泰
乙卯　史麟圖
丙辰　李　岐　游擊。金鄉。
戊午　曹爾盛
辛酉　劉汝翼
甲子　趙福成
陳毓麟
馬成功　魚臺。
丁卯　魏千城

道光壬辰 張際霖 侍衛，山西盂壽營游擊。爲人正

戊辰 聶雲龍

劉廷柱

石泉潾

庚午 曹爾泰

丙子 陳文中

史成元

戊寅 艾清元

己卯 程燦

張際泰 三品誥封。際元、際平、際森兄弟，魁元相繼，官職并顯，皆即際泰教訓之方也。

辛巳 李攀龍

直，辦理營務，俱見起色，惜其年不永。

戊戌　王鑲

壬午　王錦標

王賢

乙酉　于華鳳　魚臺。

辛卯　張際元　解元，安徽廬州府衛守備。

壬辰　張際霖

張際平　直隸古北口游擊。

乙未　丁耀麟

隨煥章　魚臺。

丁酉　王鑲

張象斌　魚臺。

己亥　孫萬寶

庚子　徐鳳山

周金甲　金鄉。

濟寧直隸州志 卷七 八十六

濟寧直隸州志卷八之一

人物志一

先賢世家

濟距曲阜無百里，去聖人之居若是其近也。聖門之鍾毓兹土者不知凡幾，而遷傳不盡得其里居，又或與他書舛异，書缺有間矣。國朝崇儒重道，訪求賢裔，榮以世襲。樊氏、鄭氏、任氏奉譜應詔，實出是邦諸所，云齊、魯、楚者，傳聞异辭耳。仲子、閔子、司馬子、陳子、曹子之裔，先後流寓於斯。迨夫以一州視諸賢，猶天下之視孔子也，矧應盛典，博士奉祀，世襲罔替，皆可謂世家也。《前志》不敢域諸賢於「列傳」，而錯出於「壇廟」「社田」之間，亦非所宜。今特叙爲「世家」，冠於「人物」之前。端木氏受職於濟，後遷河南，《萬曆志》有《原子傳》，而後裔無考，謹散記於後。凡諸賢子孫，確爲郡人者，則詳其行事，否則惟書名字、爵，謚不泛及焉。

兼轄嘉祥，曾氏、澹臺氏復并隸域中焉。昔《遷史》登孔子於「世家」，論者韙之。

曾子　弟子附後　曾衍樞附

閔子　閔萬錦附

仲子　仲九卿　仲于陛　仲承述　仲藴錦　附　仲承乾　仲永檀　仲振庶　仲貽光　仲貽燮　仲緒塄傳附後

澹臺子

高子　高自成　高如岱傳附

樊子

司馬子 司馬泰傳附

曹子

任子 任孔當 任孔昭 任之錡 任廷鈞 任民育傳附

鄭子 鄭均 鄭文炳 鄭真 鄭耕 鄭與僑 鄭序傳附 鄭容 鄭其誼傳附後

陳子

端木子

原子

曾子世家

宗聖曾子名參，字子輿，「輿」，《漢白水碑》作「與」，宋本《家語》同。王尚書引之《春秋名字解詁》曰：「『參』讀爲『驂』，《秦風·小戎》箋云：『驂，兩騑也。』桓三年《左傳》正義云：『初駕馬者，以二馬夾轅而已，又駕一馬與兩服爲驂，故謂之驂。』《說文》云：『驂，駕三馬也。』駟，一乘也。總舉一乘則謂之駟，指其騑馬則謂之驂。《詩》稱『兩驂如舞』，二馬皆稱驂。《禮記》稱『脱驂』，一馬亦稱驂。『名驂，字子輿』者，駕馬所以引軍也。」南武城人。

其先出於夏禹帝，少康封其次子曲烈於鄫，子爵。歷商周，世守其業。五十傳至時泰。《武城族譜·姓源》云：「曲烈生炫忠，炫忠生坤仁，坤仁生録，録生浩源，浩源生富材，富材生焜，焜生伯基，伯基生鋭，鋭生汪，汪生志梁，志梁生煌，煌生相奎，相奎生世鑒，世鑒生政治，政治生模，模生端焕，端焕生垠，垠生錦容，錦容生洪，洪生桂茂，桂茂生熙，熙生培元，培元生銈，銈生允漆，允漆生杞，杞生煒熹，煒熹生塤和，塤和生成鋭，成鋭生一清，一清生椿，椿生炯，炯生垣，垣生銷，銷生福波，福波生時棨，時棨生炳，炳生均柞，均柞生鈴，鈴生浤仁，浤仁生一松，一松生照，照生墅，墅生鎮玉，鎮玉生浥，浥生祥溥，祥溥生炷，炷生方堤，方堤生宇鑾，宇鑾生沛恩，沛恩生樸，樸生世美，世美生時泰。」魯襄公六年，莒滅鄫，世子巫奔魯，以曾爲氏，案：古人字簡，曾之从「邑」作鄫，不先於曾，故去「邑」爲曾之説不可據依。三桓家臣曾夭、曾阜其後也。《族譜·姓源》以巫、夭、阜、蒧爲四世相系，又有晋崔琳奏云：「巫一子夭，夭一子阜，阜子蒧，蒧狂者也，有堯舜氣象。」按：夭、阜并見《左傳》。《通志·世族略》云：「巫生阜，阜生晳。」又與崔异，是皆不可據，况有堯舜氣象，乃程子語，豈崔已言之乎？今從《宗聖志·世家篇》。巫數傳生先賢蒧，《春秋名字解詁》曰：《説文》《玉篇》《廣韵》俱無蒧字，惟《集韵》有此字，音多忝切。案：《説文》：「黬，雖晳而黑也。」古人名黬字子晳，黬與蒧同音，則當作蒧。《論語》作點，《説文》：「點，小黑也。」黬與點古同聲通用。字子晳，少孔子六歲，爲孔子高弟，與琴張、牧皮同稱狂者。嘗與季路、冉有、公西華侍孔子言志，孔子與之，慨禮教不行，欲修之，孔子善之。《家語》。唐贈宿伯，宋封萊蕪侯，明加封公，配享啓聖王殿，尋改稱先賢曾氏，以魯定公五年生宗聖，珠衡犀角，朱彝尊《經義考》引《論語摘輔象》。少孔子四十六歲。年十六，孔子在楚。父命之楚受學。《宗聖志》。孔子以爲能通孝道，故授之業，作《孝經》。《史記》。其言行詳《論語》《孟子》、大小戴《禮記》，而諸子雜説亦往往傳其軼事。孔門之徒三千，曾子獨得其宗。曾子傳子思，子思傳孟子。孔子而下登聖域者四，自顏子外，皆出曾氏之門。與諸弟論述立身孝行之要、天地萬物之理，作《曾子》十八篇，王應麟《漢書藝文志考證》。載《漢書·藝文志》。至隋唐有二卷，宋晁公武松校唐本僅十篇，皆見於《大戴記》，《郡齋讀書志》。蓋後人取《戴記》充之，非本書也。本朱子。唐贈太子少保、太子太保，又贈郕伯；宋封瑕邱侯，改武城侯，加封郕國公；元封郕國宗聖公，明改稱宗聖曾子。按：宋朝翰林學士裔孫肇以《史記》曾子傳略，采摭經傳爲《補傳》六百餘言。又蘇轍《古史》《兖州府志》、嘉靖《縣志》皆有傳，然經文世所共讀，諸子不可遍紀，故概置弗録。子三：元、申、華。早喪母，曾子謂之曰：「吾不及吉甫，汝不及伯奇。」終身不更娶。《顔氏家訓》：「後娶」。人問其故，則曰：「以華、元善人也。」《前漢書·王吉傳》注引《韓詩外傳》。〇孫志祖《家語疏證》曰：「《家語》載曾子以蒸梨不熟出妻事，他書無考，唯《白虎通·諫諍篇》有傳，曰『曾子去妻，梨蒸不熟』故耳。考《韓詩外傳》云『喪妻』，則非出妻矣。」曾子寢疾病，元、申坐於足，曾子易簀而歿。《檀弓》。一曰元抑首，按：周柄中《典故辨證》引之作「持首」，「抑」「持」二字相似爲訛。華抱足，曾子教以華實之辨、去就之宜、《大戴禮》五十七。始終之義。《說苑·敬慎》。申從子夏受《詩》，傳魏人李克，李克傳魯人孟仲子，孟仲子傳根牟子，根牟子傳趙人孫卿子，孫卿子傳魯人大毛公亨，亨爲《故訓傳》以授趙人小毛公萇，是爲《毛詩》之學。《初學記》《經典·敘録》。從左邱明授《春秋傳》，傳吴起，起傳其子期，期傳鐸椒，鐸椒傳虞卿，虞卿傳荀卿況，況傳張蒼，蒼傳賈誼，誼傳至其孫嘉，嘉傳貫公，貫公傳其少子長卿，長卿傳張敞、張禹，禹傳尹更始，更始傳其子咸及翟方進、胡常，常傳賈護，咸及方進傳劉歆，是爲《左氏春秋》之學。《經典·序録》。元子西羞與管仲比賢，趙岐《孟子注》：「曾西，曾子之孫。」王應麟《困學紀聞》曰：「《經典·序録》，曾申字子西，曾參之子，楚鬥宜申、公子申皆字子西，則曾西之爲曾申無疑。」江永《群經補義》曰：「曾西即曾申，曾子之子，非曾子之孫。稱先子者，謂父非謂祖也。」閻若璩《四書釋地》亦同。合申、西爲一人，始於陸氏《釋文》也。謹案：名申字西，固有其例。然曹叔孫申字子我，見《元和姓纂》；鄭公孫夏字子西，見《左傳》注。則申不必定子西，西不必定名申。《曲禮正義》亦同，趙説似不可易。至孔廣森注《大戴禮》，謂：「『華』當作『申』，形近而誤。」無論申、華形不相近，華名又見《韓詩外傳》《説苑》《漢書·王駿傳》、顔氏之《家訓》，豈得皆誤？周炳中《四書典故辨證》謂：「華即申之子，申既字華，不當又字子西。」無論「華、元善人」言出曾子，無父稱子字之理。即《戴記》《説苑》元、華連舉，豈得一稱名、一稱字乎？世代敻遠，傳述异辭，祇當缺疑，未可强説也。西子欽，欽子㝵，㝵子羡，羡子遐，遐子二：偉、盈。偉漢尚書令，《族譜》「偉」作「煒」，載衍咏案云：「公諱《譜》多作『偉』，惟翰博毓墫《世襲譜》從『煒』。」謹案：《廣韻》十「蒸」，王應麟《姓氏急就篇》皆有漢尚書偉，則作『偉』者是。《世襲譜》直是誤字，未可爲據。其三十八代名偉者，蓋誤重耳。子樂，樂山陰都鄉侯，子浼，浼子二：旃、光。光徙長沙，旃子嘉，嘉子二：寶、項。項家扶風，子二：玉、昌。玉家冀州，昌家青州，寶，漢武威太守、車騎侍郎，子炎，（原从玉旁，敬避寫。）炎子據，據避王莽亂，挈族南遷，散居江西撫吉諸郡，子二：闡、瑒。瑒徙楚州，闡子植，植子耀，耀諫議大夫。子培，培子德，德子珣，珣子渙，渙景陽侯。子粹，粹子緦，緦鎮南軍司馬。子端，端子二：鉉道、始道。始道，梁車騎大將軍，開國侯，遷交州，鉉子海，海子二：横、琦。琦子興，興子隆，隆子鈞，鈞子謀，謀子丞，丞子三：珪、舊、略。舊徙雲蓋，略徙撫州樂安，是爲南豐曾氏。珪子寬，寬子莊，莊唐侍御史、江州都押衙。子慶，慶御史大夫，子二：偉、駢。偉御史大夫、吉州都押衙。子輝，輝真州刺史。子崇範，崇範家居竄薪不屬，讀書自若，家藏「九經」。子史，南唐郡侯賈匡皓薦爲太子洗馬、東宫使。子延膺，蔭授剖驛使，兼資庫使，太宗升左班殿、直隸州兵馬都監，子五：碩、頻、項、禺、原从頁旁，今避。顔。碩淳化三年登第，官至大理丞。子承昌，承昌子萬敵，萬敵子公整，公整子九思，九思子文杰，文杰子好古，好古子尚忠，尚忠子敬父，敬父子元德，元德子价翁，价翁子汝霖，汝霖子崇文，崇文子利濱，利濱子輔志，輔志子德冑，德冑子奮用，奮用子質粹，籍江西吉安府永豐縣。明嘉靖十二年四月，以吏部侍郎顧鼎臣奏請，准照顔、孟事例訪求曾氏嫡嗣，授翰林院五經博士，世世承襲。江西撫按以質粹名聞，命回嘉祥以衣巾奉祀。十八年二月，詔授翰林院五經博士，與世襲。三十九年卒。子昊，未襲，卒。昊子繼祖，字繩之，少病目，以祖父連喪，未即請襲。江西族人衮謀奪其職，給事中李盛春、劉不息、御史劉光國等疊章勘奏，於是罷衮官，繼祖仍主祀事。子二：承業、承祐。承業字洪福，萬曆二年劉不息等奏繼祖病目，送承業四氏學習學。五年八月乃襲，曠襲日久，祭田、户役多失其舊，承業疏請於朝清查復額。又輯《曾子全書》三卷。《四庫書目》。天啓四年，太學陪祀。子宏毅，子泰東，崇禎元年襲。三年，太學陪祀。子三：聞達、《前志·學校》誤「文達」。聞迪、聞道。聞達字象輿，崇禎十四年襲，太學陪祀。我朝定鼎，授内翰林國史院，世襲五經博士。順治九年，幸太學，行取陪祀。子八：貞豫、貞泰、貞震、貞巽、貞臨、貞隨、貞節、貞賁。貞豫和庵，康熙七年襲。八年，幸太學，陪祀。二十三年，幸闕里，陪祀。子五：尚溶、尚溥、尚涝、尚泗、尚瀅。尚溶字匯伯，康熙二十九年襲。雍正二年，幸太學，陪祀。三年，御書「省身念祖」額賜之。子三：衍槦、衍枚、衍樸。衍槦字雍若，又字喬麓，工詩，有《近聖居集》。雍正八年襲，乾隆三年，幸太學，陪祀。子興烈，字光緒，乾隆四年襲。十三年，幸闕里，陪祀。凡陪祀，渥承恩賚，賜座、賜茶、賜宴、賜書、賜衣，旁及族人有差，甚盛典也。子毓墫，字注瀛，乾隆二十六年襲。子七：傳鎮、傳錫、傳銓、傳鍈、傳録、傳語、傳鉞。傳鎮字巨山，嘉慶元年襲，其年十一月卒。子繼連襲，繼連字仲魯，名原從玉，奉旨更今名。後被議去職，族人推傳錫子紀瑚襲，衍聖公會禮部題准。紀瑚字六華，嘉慶十八年拔貢，生子三：廣芳、廣莆、廣芝。廣芳一名惟鞠，字汝陟，道光九年卒，妻史殉節，以廣莆子昭嗣爲嗣。

附録

明費縣王雅量《曾子居武城辨》曰：「遷《史》作《仲尼弟子列傳》，於曾參下著曰『南武城人』，於澹臺滅明下著曰『武城人』，而缺一『南』字，遂啓後人以南武城與武城爲二邑。而吉安永豐曾氏之後，因索嘉祥縣有南武山者而立家廟焉，不知費縣西南關陽之武城即南武城也。於曾參下著一『南』字者，以左馮翊有西武城，清河郡有東武城，而費之武城在泰山之南，故别之曰『南武城』。杜預曰：『泰山郡南武城縣即費關陽地也。』丁宗洛云：『按，杜注只言泰山南武城縣，無郡字。』按，《史記正義》引《輿地志》云：『南武城縣，魯邑武城，在泰山郡。』王蓋本此，漢晋相仍，原不少『南』字，然遷《史》於澹臺滅明不著『南』字者，因此二《傳》相連，省文耳，非謂曾參與滅明兩處人也。蓋表滅明之里，亦可以稱南武城人，稱曾子而省文，亦直曰『曾子居武城』而已。語出《孟子》，確然明白，童子皆知之。聖賢故地，人所艷談，率相假借，不特曾參之武城。遷《史》著有『南』字者，可以南武山奪之；即滅明之不著『南』字者，亦得以紛紛武城之名竊之矣。請先將費縣關陽之武城確係滅明所居之武城、子游所宰之武城，而後辨其即曾子所居之武城，可乎？按，《左傳·哀公八年》：『吴伐我，子泄率師。』子泄者，公山不狃，魯人也。『故道險，從武城。初，武城人或有因於吴竟田焉，拘鄫人之漚菅者曰：何故使吾水滋？吴師至，拘者道之，以伐武城，克之。王犯嘗爲武城宰，澹臺子羽之父好焉，國人懼，懿子謂景伯：若之何？對曰：吴師來，斯與之戰，何患焉？且召之而至，又何求焉？吴師克東陽而進，舍於五梧，明日舍於蠶室，明日舍於庚宗，遂次於泗上。』夫吴伐魯，而子泄故導之由險地，欲其崎嶇難進，而魯人知所備也。今關陽以南，層巒疊嶂，險莫甚焉，此其證一；所稱鄫人者，沂州境鄫城也，與關陽接壤，故熟知險道，此其證二；《傳》稱吴師克東陽而進舍於五梧、蠶室、庚宗，遂次於泗上，今五梧等處不可考矣。東陽村在關陽北二十里，又八十里則泗水縣，正泗上也，此其證三；《傳》稱王犯嘗爲武城宰，澹臺子羽之父好焉，以此知澹臺滅明其父即居武城，世爲關陽之武城人無疑。而子游所宰者，確係關陽之武城，亦無疑矣，此其證四。曰：『然則，何以證曾子所居之武城，即關陽之武城也？』按，曾子，鄫之後也。莒人滅鄫，後人遂去其鄫字之旁以氏焉。今鄫城既在沂州境，去關陽不過八十里，曾子自鄫城而徙居亦甚便也，此其證一；後漢王符論侈葬曰：『畢郚之陵周公，非不忠；南城之墓曾子，非不孝。』而唐章懷太子賢注之曰：『南城在今沂州費縣西南，曾點墓不可考矣。』然唐章懷太子去春秋未遠，當時古迹必有存者，其所著書大率門客所考，必有親見其迹，而非漫稱者，此其證二；又按，《史記》秦武王三年欲以甘茂代宜陽，甘茂對曰：『昔曾參處費，費有殺人者與曾參同名，有人三告其母曾參殺人，其母投杼而去。』如曰曾子居武城，爲賓師之地耳，非其家也，胡以其母皆在而且織也？此其證三；或曰：『曾子至孝，爲賓師而必將其母。』乃《曾子·雜篇》載：魯人攻費，人責其罪，曾子謂費君曰：『請出避，姑無使狗豕入吾宅也。』費君曰：『寡君之爲先生厚矣，今寡人見攻，而先生去之，安能爲先生守宅也？』曾子不答而出。及魯攻費，責費之罪者十，而曾子所陳者九。費人後修曾子之舍而復迎之，夫所居不曰『館』而曰『宅』，則武城果寄迹之地耶。既稱『武城』，又曰『居費』，則史遷所謂武城人者，其爲費之武城無疑矣。夫武城可以混竊，而古今以費名者無二地，費不可混也，此其證四；或曰：『曾氏之廟立於嘉祥，豈無據耶？』曰：『嘉祥古爲大澤，《禹貢》曰大野既瀦，即此地也。漢武帝時河决，泄其瀦水，歷漢魏以來皆未成邑。考之《春秋》，止聞魯人西狩於大野獲麟焉，未聞至於南武城也，尤可據者。武城，魯下邑，今嘉祥雖屬之魯郡，然兖州以西在春秋爲任地，非魯下邑也。』或曰：『魯方百里者五，嘉祥非初封之魯，或戰國之魯，是以爲魯下邑矣。』曰：『不然，孟子居鄒，季任爲任處守，即戰國之時任自任也，豈得稱魯下邑也？』大抵聖賢世遠，難於考據，後之好事者偶得於地里之訛傳、姓氏之彷彿，輒欲援古哲之芳躅，侈梓里之光輝。而當事者意主以地方之先覺，作高山之仰止，義舉可從，不必深考。但史書何以傳信，而聖賢在天之靈倘亦未妥。如據余考，曾點之墓明在南武城，今闕陽父老猶指云曾子山焉，然而杳不可問矣。澹臺雙姓，姓所同也，而處處有之，悉爲子羽，以真爲僞，以僞爲真，真僞混淆，豈止古人之里譜哉？量聞見蠡駁，未能上下載籍，訂訛正贋，勒一家言。惟是世居費邑，則附曾子之里閈，得於故老之傳聞、諸書之考訂久矣。作爲《曾子居武城辨》，以俟修列傳、議秩祀者。』《山東通志·闕里七》：費

縣關陽三賢
祠内有碑。

謹按，《左氏·昭四年》傳：「初，穆子去叔孫氏，及庚宗。」杜注：「成十六年，避僑如之難奔齊，庚宗魯地，齊在魯東北。叔孫奔齊，先及庚宗，則庚宗在魯東明矣。」王氏謂五梧等處不可考，蓋偶失檢點，今附申其説於此。

又按，《春秋大事表·地名考》：今兖州泗水縣有庚宗亭，東陽在今沂州費縣西南七十里，五梧在費縣西。蠶室，今兖州府滕縣東二十里蠶母山。《吕氏春秋》「夏孔甲游於東陽」，在費縣西南，即關陽鎮。

國朝吴江潘耒説。見《方輿志·故址》。

黟縣俞氏正燮《書武城家乘後》曰：詳考群書，足證武城爲嘉祥者，止有一篇，《嘉祥志·藝文》有濟寧路教授趙思祖作《春秋胡廟記》，云：「廟在嘉祥縣南五十里。」蓋嘗考《列國志》，秋胡子，魯南武城人。至元元年主簿，夏清禱雨此廟，趙爲清子興作記刻石。《志》不載年月，按之《職官表》，夏主簿元先至元八年任，豈得元年至廟禱雨？作僞者以爲托於元時，則嘉祥爲南武城，非成化後人妄説。而所引《列國志》則是衍義鄙書。按，《樂府詩集》引《西京雜記》，云「魯人秋胡」，又云「妻赴沂水而死」，是秋胡正是今費縣東鄉人，沂水不得至今嘉祥也。《癸巳類稿》節録。

仁和趙氏佑《四書温故録》云：《史記》曾子南武城人，澹臺子武城人，同言武城而上獨别之以「南」，明是兩地。曾子居武城，自即今費縣之武城，爲子游、子羽邑，而非即南武城爲曾子本邑者。若其本邑也，則家室在焉，邱墓在焉。即云爲師，亦徒黨里塾之常所謂鄉先生矣。一旦寇難之來，方效死，徙無出鄉，相守望扶持之義，而徒以舍去，鳴高豈繫人情？嘉祥今與曲阜爲西南，與鉅野縣皆古大野地，曾子祠墓存焉。質諸記，或離或合，要魯有兩武城。武城地險多事，故見經屢，南武城没不見經，而曾子自爲南武城人，非武城人。

按，《漢書》泰山郡無南武城，而有南城縣，至晉始爲南武城。《水經注》引京相璠曰：「今泰山南武城有澹臺子羽冢。」而《後漢志》云：「南城有東陽城，即《左傳·哀公八年》吴師克東陽而進之名。」合之王《潛夫論》及章懷太子注，皆南城爲南武城。近江南王鎏著《四書地里考》曰：「今按，嘉祥在東武城之南，則宜爲南武城。」此亦可爲嘉祥爲南武城之證。

張文端公鵬翮《兖州府志》載《費志·武城考》其説與王雅量略同，不更録。而斷之曰：「按，此考辨論武城雖詳，然今費縣止有曾晳墓，并無曾子墓。今嘉祥縣既有曾子墓可據，古人儘有父子异地而葬者，何必紛紛耶？《傳》云：『有其舉之，莫可廢也。』從之而已。」

謹按，武城之爲費縣、爲嘉祥，前人辨之詳矣。而《兖志》數語最爲通論，兹録其尤要者，殿以《兖志》，庶來者有所折衷焉。○祠墓互詳《秩祀志》，下同。

閔子世家

閔子名損，字子騫，《春秋名字解詁》曰：「《小雅·天保篇》『不騫不崩』，《毛傳》云：『騫，虧也。』《漢書·晁錯傳》『外無騫虧之名』，顔師古注曰：『騫，損也。』」魯人也。其先爲魯公族，僖公元年，季友請立閔公，後以謚爲氏，曰閔。子魯，《譜》云：「以其子子魯奉祀。」案，閔公九歲卒，不應有子。子魯生澤，澤生伯衍。伯衍魯大夫，生子建，子建生子馬父，爲魯大夫，監周史，娶於姜，以魯昭公五年春正月生閔子，少孔子十五歲。《家語》作「少孔子五十歲」。案，孔子厄陳、蔡間，在哀公六年，孔子年六十三。若少孔子五十歲，是年甫十四歲即從游陳、蔡，似太早。然此猶以《孔子世家》計之，若以朱子説在哀公二年、依江氏永説在哀公四年，則閔子甫十歲、十二歲耳，蓋不然矣。《史記索隱》引《家語》亦作十五年，或今本寫誤。七歲，母姜氏卒。繼母樂氏遇之甚酷，事之彌謹，《太平御覽》四百十三引師覺授《孝子傳》。母悔改，遂成慈母。《論語或問》吴氏引《韓氏外傳》。從學孔子，孔子稱其孝。不仕大夫，不食污君之禄。《史記》。按《家語·執轡篇》載，「爲費宰，問政事」，其言襲《大戴禮·盛德》，而假爲閔子問答之辭，其事與《論語》不合，顯係僞作。善言德行，於聖人具體而微。與顏淵、冉伯牛、仲弓同科。魯悼公十九年冬十月卒，年八十有九，案，《韓詩外傳》載孟嘗君從學事，即以魯悼公十九年計，亦不相及，蓋傅會也。葬齊州。明陳經邦《閔子宗譜序》曰：「閔氏，魯公族。閔子墓在歷城東五里，今宿州北七十里有閔子鄉，鄉有騫山，則漢金城騫是也，蕭姓。東南八十里有閔子墓，則漢閔仲書是也。范縣南十四里有閔子墓，則五代閔子塞是也。」唐贈費侯，宋封琅琊公，改封費公，明改稱先賢閔子。子法，《亢倉子·訓導篇》載，閔子問教子之義於孔子，退而事之於家。法子三：履、尚、高。田和王齊，尚以諸生事齊。四世劭。五世稚。六世敬、南。魯頃公十九年，楚取徐州，敬遷琅琊，南遷范。七世維。八世郇、鄃，九世平、坦，從陳涉游。按《譜》云：「鄃居孔里，郇子業沂南，鄃子濬與盧生等坑秦子坦，從陳涉王游。」似濬爲九世，坦爲十世。舊本歧互，不敢强説。十世論。十一世儀。十二世遵，漢昭帝博士。十三世襄、泰。十四世于、虞。十五世超。十六世成、文、憲，太山太守陳俊舉憲於東平王蒼。十七世道立、道宏，避書。道宏爲明帝《孝經》師。十八世崇。十九世然、治，曹操爲兖州太守，徵治不至，從廣陵。二十世表、古。二十一世蘊。二十二世凫鴻，與薛兼、紀瞻、顧榮、賀循號「五隽」，張華目爲「南金」，《晉書·薛兼傳》。仕至尚書，上《氏族譜》於朝。二十三世叔夏、叔夜、叔廣、叔本。二十四世瞻、希、仲。二十五世研、選。二十六世淇、潢。《譜》云：「與魏著作今史閔湛連脉。」二十七世勛、亮，勛如魏都。二十八世衢，亮子也，如齊。二十九世恂、忱，忱以孝旌。三十世望之、建之。三十一世莘，大業初如隋都。三十二世銑，三十三世德監、德餘。自三十三世以上，載唐四庫本《譜》，即由晉尚書鴻所上而增訂者。三十四世相、玉，相在魯，玉爲歙州刺史。開元二年，山東饑，族人多遷歙。三十五世思、訓、延。三十六世洵、覺、劭、勖、儒，勖爲潭州留後，流寓武陵。三十七世連、蒙。三十八世如京。三十九世宗周、宗孔、宗羲。四十世振、于、植。四十一世，宋大中祥符二年奉祀，隨尚書左丞陳堯叟祭於沂，詔送孔子學習儀，補太廟齋郎。四十二世希惠、希聲，希聲《譜》云：「歙宗。」皇佑末邑令，以循良稱。四十三世師望、師厚、師豫，師厚《譜》云：「歙宗。」宣和進士，師豫太學生。四十四世載言、宣言、昌言，太學生。四十五世采輝，四十六世襄、毅、端禮，康王發濟州，襄與端禮隨駕渡江。紹興十四年，端禮補太學生。四十七世憲洪、憲年、瑄、璜。四十八世景行、景元。四十九世文焜、文熺。五十世謙。五十一世含、美。五十二世定、賓。五十三世于京，元學博，隱居教授。五十四世伯友、伯倫、伯卿，五十五世子援、子居，子援洪武教授。五十六世公尚，五十七世彦從、遵德，五十八世顯通、顯明、顯能、顯亨。景泰二年，詔聖賢子孫免役復業，顯通復業蕭縣，奉祀既，返歙。六十世三茅，復業曲阜，寄籍濟寧州。三茅子壽保，嘉靖元年充濟南府，奉祀。濟寧州知州閔廷珪請以博士奉祀，未果。壽保子時茂，妻魏以節著。子邦魯、萬錦，三歲失怙，奉母魏氏至孝。母病篤，萬錦憂懼，以醫言嘗糞。又還遺金，以成母志。高尚不仕，自號東野逸民，舉德行。《舊志·孝義》。六十四世煒，濟學生，爲其弟煌請補奉祀生。煒、煌是否俱萬錦子，俟考。煒子衍籀，字淑顔，早年失怙，事繼母以孝聞，尤篤於同氣。弱冠入庠，有文壇飛將軍之目，而屢試棘闈不遇。康熙三十九年，聖駕南巡，奉祀。煌與衍籀寓奏章於家乘以進，乃授衍籀翰林院五經博士，與世襲。静海知州趙蕃撰墓志。子二：興汶、興泗。興汶，康熙四十年襲博士，子克峻，乾隆三十八年襲。按《衍籀墓志》，興汶子名明德，此蓋以字行。克峻卒，子傳基襲。傳基字光業，卒，子繼埑襲。繼埑字敬亭，卒，子廣源襲。廣源字獻泉，卒，子昭榆襲。昭榆字昌齡，即今博士，是爲閔子七十一世孫。

謹按，《閔氏家譜》三十三世以前爲唐四庫本，三十四世以下爲魯大宗續記，四十八世以下爲魯大宗南渡，五十八世以下爲魯大宗復業譜。世次分明而世系莫辨，如四十二、三世并紀歙宗，又似不與他家譜專書大宗者同例，故變體紀世不敢定某爲某子，以存蓋闕之義。

仲子世家

仲子名由，字子路，一字季路，亦曰季子，見《左氏·哀公十五年》傳；亦曰季由，見漢《衡方碑》《三國·吴志·薛綜傳》；亦曰仲路，見《江淹集·雜體詩》。卞人也。其先姬姓，高辛氏才子八人，其次曰仲堪。子孫以王父字爲氏，周中葉有浴《舊志·學校門》訛作「溶」。爲卞邑大夫，遂家於卞。浴生奂，奂生式，式生度，度生肇，肇生拱北，拱北生臯，娶宋氏，以魯襄公三十一年九月七日生仲子。《仲里志》云：「宋氏三十無子，祓於天，娠。居側室，夢异物入懷，匪兕匪虎，黄質黑文，寤以告臯，臯曰：『熊與羆與，汝産必子。』遂誕子路。」《太平御覽》十三引《論衡》、八百六十五引《風俗通》云：「子路感雷精而生。」少孔子九歲，身長九尺，目如明星，《太平御覽》三百六十六引《論語隱義》。有兼人之資，尚剛好勇。孔子設禮誘之，乃委質，因門人請爲弟子。孔子曰：「自吾得由，惡言不聞於耳。」孔子之道雖大，得仲子而愈尊。年六十三死於衛難。《仲志·年表》云：「周敬王四十年，魯哀公十五年三月三日，仲子卒。」馮大令雲鵷曰：「《春秋續經》，哀公十有六年春正正月己卯，衛世子蒯聵自戚入於衛，衛侯輒來奔。杜氏以爲從告，而《左傳》載於十五年閏月，古者歸餘於終。仲子之卒，以《經》考之，則十六年正月；以《傳》考之，則十五年閏月。均非三月，不知《年表》何據？」○按，《史記》於仲子卒後書，「是時，子貢爲魯使齊，在哀公十五年冬。」則太史公亦主《左氏傳》，《年表》「三月」，疑「閏月」之爛字耳。孔子曰：「噫！天祝予。」天生大賢以爲聖人輔佐也，故孔子慟仲子之死，與顔子同揆焉。唐贈魏侯，宋封河内公，又封衛公，明改稱先賢仲子。子二：崔、啓。仲子之死衛難也，狐黯實殺之。《左氏·哀八十五年》傳作「盂黶」，《史記·仲尼弟子列傳》作「壺黶」，《太平御覽》引《孝子傳》作「狐黯」。子崔年十五，欲報父仇，問於孔子，孔子曰：「行矣。」遂與狐黯戰而死。啓年十三，奉母奔喪，號泣哀痛，莊公憫焉，賜骸給資，葬於澶淵之北。今大明府開州北，《水經注·河水五》：「河水東徑鐵邱南。《春秋左氏傳》「哀公二年，衛太子登鐵上」，即此處也。」京相璠曰：「鐵邱，名也。」杜預曰：「在戚南河之北岸，有古城戚邑也，東城有子路冢。」啓子序，序子稱乾，稱乾子二：發志、發意，魯卞大夫。子承祖，承祖子繼立，繼立子羹墻，羹墻子隆，秦肆坑焚，隆隱嶧山下，逾年還卞。子三：勃、動、綱，勃、動無嗣，綱子光，字公亮，漢右扶風。西羌入寇，光擊之。子洪禮，洪禮子經，漢卿士。經子伸醴，伸醴子二：元、避書。聞。元子謀，漢大夫。謀子二：世德、世昌。漢更始元年，赤眉亂山東，世昌與子皆及難。世德逃於延就亭，遂家焉，更名横坊村。任城南四十里，即今仲家淺。子馳，馳子須，須子二：靈臺、靈沼，靈臺子二：時譽、時鳴。时譽無嗣，時鳴子强，强子二：淇、臬，淇無嗣，臬晋尚書。子慨，慨子慶，北魏中尉。慶子二：鎧、釗，鎧子浚，浚子晋昭，齊太守。晋昭子浩，梁刺史。浩子誨，誨子遠，隋進士。遠子二：愚、恩，愚無嗣，恩子二：孝游、孝俊。孝游唐國學生，無嗣。孝俊隋大業間汝南主簿，博物洽聞，才敏如風。子在，在子倬、陵、倚，陵字峨眉，精《禮》學，舉賢良，官常侍，典黔中選，乘傳過家，人以爲榮。及卒，四：蘭、萍、蒿、莽，蘭、萍無嗣，蒿號旭谷，萬曆十九年泗水令。譚好善重建賢廟於泗，歸復儒籍，遂遣椿後銓往代祀，今泗水仲氏皆銓後也。二十五年修《泗源志》。子四：九衢、九卿、九州、九成，九衢無嗣，字一相，修廟宇，建門坊，整復祭典。天啓二年，蓮妖作亂，親率堵禦，力戰退賊，有司奏其功。平生好施與，貧乏者歲有周濟，以子襲世職，贈翰林院五經博士。子二：于陛、于庭，于陛字玉鉉，崇禎年衍聖公孔允植、上字避書。吏部尚書李遇知奏請，由世廪奉祀授翰林院五經博士，與世襲。《明史·儒林傳》：「仲于陛，先賢仲子六十二代孫也。萬曆十五年，詔以仲子五十九代孫呂爲奉祀，呂子銓，銓子則顯，則顯子于陛。崇禎十六年，以衍聖公孔允植言，詔授于陛翰林院五經博士，子孫世襲。賜泗水縣濟寧州田六十餘頃，廟户三十一，以奉其祭祀焉。」〇按，于陛以上名與《仲里志》异，不知何故，疑史誤。〇王士禎《報功祠記》云：往余司理維揚，由任城南下，泊舟仲家淺。見居人樂業，室廬環集，大有熙皞氣象，不勝嘆异。謂兵燹荒疫後，州邑村坊多無完居，而此孤墅安堵，非生聚涵濡數百年者不能若是。詢諸父老，知皆仲氏族。而翰博玉鉉先生漸摩賑養，禦難有方力也。遂慕其爲人，投刺往謁，如坐春風，蓋博學篤行君子也。思先賢衛公之後，有主鬯者德能如是，使閤族沐膏，安享太平之樂。將來翼贊郅隆，宣播聖化，皆玉鉉先生之德矣。嗣後訂交通問，識其德而銘諸心。越數年，新興刺史伸君承烈謁余於燕都，具道中族感佩玉鉉先生之德，於没後而更莫能忘，建祠以伸報，屬余爲文以記之。嗚呼！玉鉉先生蓋自衛公以後，二千餘年之靈淑萃聚於一身而光大前烈者也。在一家則感動一家，使其操樞紐而輔邦國，其感動於邦國者，又當何如？篤生之偉人，德與功而并茂，而被澤，而生感家與國有同心。余掌秋曹，每思表彰懿鑠以教祇德，先生其倫物之望乎！行將編之詩歌，以丕著休光。而報功之祠，爲言以勒諸石也固宜。我朝順治三年，《舊志》作「二年」。改授内翰林國史院，世襲五經博士。九年，幸太學，行取陪祀。康熙八年，幸太學，陪祀。十一年，引年請告。子二：秉貞、秉敬，秉貞字含可，康熙十一年襲職。二十三年，幸闕里，陪祀，賜書及蟒服。四十五年，引年請告。子四：承纘、承述、宏猷、宏源，字顯武，以能詩顯齊魯間，稱陪尾山人。康熙四十二年，洊饑，出所存泗水修廟穀以賑族黨，户丁多逋欠，悉蠲除之，鄉人爲勒石頌德。四十六年襲職，五十六年恭祝萬壽。雍正二年，幸太學，陪祀，皆蒙恩賚。三年，賜「勇行貽範」額，《舊志·孝義》。旋引年請告。造宸翰樓以奉賜书，闢泗湄園，弦誦自樂，著有《陪尾詩集》。子四：蘊錦、蘊鏡、蘊釪、蘊鑛，字絅文，號暗江，雍正三年《舊志》作「四年」。襲職，多識，以詩酒自娱。江南劉荻江、濮州陳周璜、曲阜顔肅之常與過從唱和，著有《霍齋詩集》，《舊志·文苑》作「宸翰樓詩集」。預修《孟氏三遷志》。子三：耀清、耀涵、耀淳。耀清字范澄，未襲。子振棕，字蔭堂，乾隆二十三年襲職，旋卒，妻駱以節著。子貽熙幼，二十四年衍聖公請以耀清弟耀涵代襲。《舊志》云：「二十六年承襲。」耀涵字養愚，恩貢生。乾隆三年、五十年，臨雍陪祀二次。十三年、三十六年，闕里觀禮二次。皆蒙恩賚。耀涵卒，振棕子貽熙襲。貽熙字伯咸，乾隆五十五年幸闕里，陪祀，賜蟒衣。嘉慶三年，臨雍陪祀，賜宴及雲緞、貂皮、寶墨，是爲今博士，仲子六十七代孫也。貽熙子緒堃。

附**仲承乾** 字允建，州學生，以先賢裔恩賜州同。母嗜鷄，腊乃多蓄以供膳，自誓終身不食鷄。康熙四十二年及四十八年，歲大饑，盡散儲給族黨。壽至八十二。《前志·孝義》。

仲永檀 字樂園，號襄溪，先賢仲子裔。性英邁，善讀書，經籍寓目，即窺其根柢。乾隆元年進士，改庶吉士，授編修。三年，典試湖北。五年，改監察御史，疏言酌減上元燈火、聲樂，上嘉其直。工部鑿匠俞君弼，富而無子，其義女婿許秉義欺其嗣孫長庚幼，謀争産出名。主喪，因囑其同宗内閣學士某遍邀九卿往吊，且首君弼有埋藏銀。步軍統鄂善入奏，詔嚴鞫秉義，論罪如律，并革許某職。永檀奏劾鄂善受賄款迹，并言吊喪不止九卿；又言向來密奏留中事件，外間旋知，朝廷將不復有耳目矣。疏入，上論徹底清查，以正人心風俗。旋審實贓款，鄂善抵法。疏中所列往吊之禮部侍郎某、詹事某，均革職。上諭仲永檀身爲言官，能發奸摘伏，直陳無隱，應加超擢，以風臺諫，擢僉都御史，中外凜然。七年，充會試副考官，稱得人。尋往貴州會勘王士俊案，平反得情。復查江南賑務，甫出都，以先言事被連，尋卒。貧不能具棺，門人醵金殮之，葬横坊村東。《前志·人物》，今據《名臣傳》重輯。本傳曰「仲子裔」，故附列之。

仲振庶 字警黎，號吉堂，先賢仲子六十六代孫。秉性高潔，不求聞達。工書畫，爲世所重。卒年八十四。〇以下補輯。

仲貽光 字象奎，號謙齋。州貢生，性孝友，訓及門以敦本勵行爲先，治家嚴肅，尤可矜式。

仲貽燮 貽光弟，字淑和，號理齋。由貢生中道光五年舉人，以兄爲師，嗜學敦行，性介而和。教授生徒，勤勤不倦。

仲緒塄　字曉青，號樾堂。嘉慶二十三年舉人，署高密縣訓導，以母疾去官。服闋後補陽穀縣教諭，修整俎豆、樂器，助邑宰勸捐義倉，卒於官。

澹臺子世家

澹臺子，名滅明，字子羽，武城人。澹臺子受姓原始及名字之義皆未聞。《澹臺譜》云：「縣西北有高原曰澹臺，居人以地爲氏，遂姓澹臺。子羽生於十月之晦，故名滅明。」或其族裔相傳如此，亦難深考。丁宗洛云：「臺，官名，子羽之先或有任斯職者，故以官爲氏。而所居恰在澹水之涯，故又曰澹臺氏。」又云：「滅明之名，以武王帶銘火滅，修容戒慎必恭之義，求之正是聖賢不欺暗室之義。」謹案，丁説臺姓爲金天氏裔臺駘之後，見《後漢書·獻帝紀》注引《風俗通》。而云以官爲氏，蓋失之矣。父禮，《譜》。邑宰王犯好焉。《左傳·哀公八年》。娶於田，《譜》。生澹臺子，少孔子三十九歲，《家語》作「少孔子四十九歲」，《譜》云：「生於魯哀公十一年。」丁宗洛云：「孔子卒於哀公十六年，子羽果以十一年生，則六歲時孔子已卒，何由爲弟子？」按，丁駁是也。然《譜》係誤寫，非其本文。蓋依《史記》則生於昭公二十九年，依《家語》則生於定公七年。《譜》依《家語》而定，僞爲「哀七」，訛爲「十一」，皆以字形差誤。不然，豈有作《澹臺譜》而不知孔子卒年者乎？又按，《譜》云三十歲爲孔子弟子，若如《家語》歲數，則孔子卒時，子羽甫二十五歲耳。《家语》係王肅僞造，本不足據，固當以《史記》爲斷。貌惡而歧掌。《史記》云：「狀貌甚惡。」《太平御覽》三百七十引《論語摘輔象》曰：「澹臺滅明歧掌，是爲真正。」既受業孔子，退而修行，行公且方。《論語》包注。南游至江，從弟子三百人，設取予去就，名施乎諸侯。《史記》。貴之不喜，賤之不怒，苟於民利矣，廉於其事上也，以佐其下，子貢嘗稱之。《大戴禮·衛將軍文子篇》。《家語》亦有之，而文有改竄。孔子既没，弟子散游諸侯，遂居於楚。《漢書·儒林傳序》。唐贈江伯，宋封金鄉侯，明改稱先賢澹臺子。《韓非子·顯學篇》云：「澹臺子羽，君子之容也，仲尼幾而取之，與處久而行不稱其貌。宰予之辭，雅而文也，仲尼幾而取之，與處久而智不充其辯。故孔子曰：『以容取人乎？失之子羽；以言取人乎？失之宰予。』」王肅撰《家語》，襲其文入《子路初見》篇，又采入《弟子解》。唐司馬貞注《史記》，乃云「狀貌甚惡」，則以子羽形陋也，與《家語》相反。宋蘇轍《古史》曰：「《家語》與史异，考之《論語》，以《史記》爲信。」孔廣森注《大戴禮·五帝德篇》曰：「《史記》，孔子聞之曰：『吾以言取人失之宰予，以貌取人失之子羽。』言以言貌取人或失之賢，或失之否，詞同而旨异。」丁宗洛曰：「聖門從不字其弟子，『失之子羽』二語，蓋時人因子羽貌惡而行美，故艷羡之。夫子喜聞人言，順口述之，與『孝哉閔子騫』一語相類。」○按，韓雜説本不足據，王肅襲之以誣先賢，幸《史記》足證其誤。又《博物志》《括地志》載斬蛟毁璧事，亦近附會，概無取焉。

子四：啓、發、瑢、珏，今澹臺氏有兩支，一居鄒縣守墓，一居嘉祥守祠，皆有奉祀生。鄒縣，啓後也。嘉祥，瑢後也。啓之後至五十七代之次支遷曲阜，瑢之後居嘉祥，亦居鉅野，四縣皆有譜牒。鄒縣《譜》有啓、發而無鎔、珏，嘉祥、鉅野《譜》有鎔、珏而無啓、發，蓋各記其宗，久之兩有脱佚。惟曲阜《譜》四名俱備，而「瑢、珏」作「鎔、鈺」，從金不從玉，與鉅野、嘉祥《譜》小异，則傳寫之誤，不足疑。鉅野、嘉祥本一地，自嘉祥别分爲縣，澹臺祠隸嘉祥。今專叙嘉祥一支爲世家，故瑢、珏二名從嘉祥《譜》作玉旁，而補列啓、發二名以存其實。或云兄弟聯名，起於應瑒、應璩，然伯達、伯适，周初已有，偶然相合，不必執一。且鎔瑢、鈺珏，口説相傳，追憶書之初無定字，亦仿佛於音形之間而已。瑢子鏡，鏡子桂，桂子浴，浴子二：炤、炘。炤子坤，坤子興，興子謨，謨子敦，敦子豐，豐子隆，隆子二：克輝、克拔。克輝子慶，慶子若愚，若愚子英，英子瑾，瑾子雯，雯子德立，德立子志，志子九思，九思子如柏，如柏子忠，忠子方，方子宣，宣子興，興子瑞，瑞子二：禎、祥。禎子良弼，良弼子偉，偉子義，義子公襄，公襄子二：希聖、希賢。希聖子仙，仙子文亭，文亭子哲，哲子聰，聰子璘，璘子二：彦、美。彦子端宏，端宏子青，青子樸，樸子超，超子魁，魁子仰文，仰文子三：梁、棟、梓。梁子賓，賓子智，智子甫，甫子盈，盈子厚夫，厚夫子二：天禄、榮禄。天禄子敏，敏子培元，培元子廉，廉子遜，遜子廣，廣子恒，恒子維新，維新子惠，惠子二：恭、嵩。恭子琪，琪子從周，從周子訓，訓子夢玉，是爲澹臺子六十五代孫。遭明季土寇蹂躪，避難商邱。至我朝康熙十八年，以《家譜》屢經兵燹，舊序剥落，乃求序於商邱歲貢生周紹，紹稱其「不務遠引以致泛博無涯涘，深得古人世系法」。周《序》。夢玉蕩離之餘，獨拳拳於宗譜，惟恐失墜，故至今考嘉祥、鉅野澹臺氏世系，必歸功於夢玉。夢玉子學，學子士奇，士奇子居仁，居仁子誠，誠爲六十九代，自夢玉至誠，皆居商邱。七十代君輔者，龍墀子也，於乾隆二十一年自商邱歸故里。丁宗洛云：「嘉、鉅二縣《譜》單皆作龍池，今以嘉祥稿按作『龍墀』爲定。」○嘉祥舊譜系刻本，至六十八代居仁止，下云「生子誠」。○按，嘉慶五年，嘉祥縣《詳學政文》內載中和、中成供詞云：「自七世祖夢玉流寓商邱縣，遂僑居焉。祖君輔於乾隆二十一年重返故園。」又，嘉慶六年衍聖公《札付嘉祥文》內載中成原呈云：「身係先賢七十二代嫡孫，曾祖龍墀，祖君輔，父繼盛。」據此知，龍墀是夢玉玄孫，與舊譜所載居仁子誠同爲六十九代，舊譜居仁并無兄弟，則龍墀當即居仁子，但不知誠與龍墀即一人而先後异名歟？抑爲誠之弟而《譜》未及載歟？丁宗洛《新修澹臺氏譜》，於居仁下著子一誠，於六十九代列龍墀於誠後，更端别起，深合闕疑之意。今仿其意。君輔子繼盛，丁宗洛云：「此名以中成呈衍聖公文爲定，舊譜後一粘條云『吉公生子中和、中成』，又有兩單，一云『吉宮』，一云『吉恭』，皆以音訛，未知孰是。」繼盛子二：中和、中成。丁宗洛云：「『中成』亦作『中誠』，或作『忠誠』，只是一人。」按，嘉祥《詳學政文》作「成」，其呈衍聖公及衍聖公咨部及部覆皆作「中誠」，則奉祀部照必作「中誠」矣。茲以誠與六十九代名覆，姑從《詳學政文》作「成」。至嘉慶五年，霍邱臺士佳令嘉祥，士佳本姓澹臺，先賢裔也。其先居濟寧之東林閘，後遷安徽，去澹姓臺。修建祠宇、祭田，求先賢嫡裔，得中和、中成兄弟於章山里大野坡。乃詳請學政衍聖公設奉祠生。至嘉慶七年，禮部准以中成充補。鄒縣一支，雍正間七十代起龍，曾充奉祀生，未經領照，見鄒縣令曹鈺《雍正十年碑》，及嘉慶六年禮部《咨覆衍聖公山東巡撫文》。起龍於乾隆四十年卒，子欽、敬皆未襲。及嘉慶請以中成充奉祀生，奉部清查，孟博士繼烺并爲欽長子繼注請襲，於是澹臺氏有兩祀生，一奉祠祀，一奉墓祀。道光十三年，繼注卒，孟博士廣均又爲繼注子廣存請襲。〇七十代起龍，丁宗洛考爲七十二代。初，夢玉流寓商邱，故里祠宇頹廢。順治五年，邑郡學生杜貞恒修之。康熙四年，邑令陳懋芳嘉其尚義，詳請學政給貞恒子天申衣頂，代奉祀事。乾隆十九年，邑令倪震山又詳請學政，以天申孫從湯代奉祀事，然以異姓奉祀，非制也，且皆一時權宜，未嘗達部。至中成奉部符充補，而澹臺氏祠始有奉祀矣。中和子長發，中成子二：長興、長平，長興子銀，自中成卒迄今無承襲者。

高子世家

高子名柴，字子羔。《史記》。《左傳·哀十五年》作「子羔」，《哀十七年》傳作「季羔」，《檀弓》《韓非子》及《檀弓》疏引《史記》作「子皋」，《論語釋文》引《家語》及《隸續》魯峻冢壁題字作「子高」，《檀弓》又作「季子皋」。按，「羔」「皋」「高」三字古通用，《家語》又作「子睪」。《春秋名字解詁》曰：「柴讀呰，同聲假借也。《説文》：『呰，羊名。』《召南·羔羊》傳曰：『小曰羔，大曰羊。』」按睪即古皋字，見漢《秦君碑》及唐《棲霞碑》，《荀子·大略篇》「皋如」，莊略俱作睪。如《荀子·王霸篇》「睪牢」即「皋牢」，陵山之皋牢也。武虛谷《金石跋秦君碑後》亦辨之甚詳，睪宜作皋。齊正卿高氏之族也。《家語》云：「齊人，高氏之別族。」《史記集解》引鄭玄曰：「衛人，《檀弓》疏兩引《史記》皆作鄭人，而今本《史記》無之。」按，齊人近是，兹從《譜·世系》。生於周景王二十年庚辰七月七日，《譜》。少孔子三十歲，《家語》作「四十歲」，今孔氏編正本亦作「三十」。長不盈六尺，《史記》作「五尺」，《索隱》云：「《家語》『長不盈六尺』，狀貌甚惡。此作『五尺』，誤也。」爲人篤孝而有法，《家語》「篤孝」謂執喪泣血事，見《檀弓》；「有法」謂爲成宰、爲衛士師事，見《檀弓》《韓非·外儲説左下》《説苑·至公篇》《家語·至思篇》。

謚恭仲。《路史》注。唐贈共城伯，宋封共城侯，明改稱先賢高子。子煦魯，邱氏宰。煦子疇，楚大夫。疇子澳，澳子稼，稼子旰，旰子漸離，燕義士。漸離子棣，棣子邑，《漢書》「高邑」。從漢高爲將軍，以平陳豨定趙，功封祝阿侯卒。子成嗣，坐事免侯。成子陘，長陵公。乘陘子宏，避書。長陵上造，元康四年以祝阿侯裔復其家。宏子容，漢有高容，爲光禄大夫，其子翊傳《魯詩》，與此非一人。容子翊，翊子圖，圖子固，固子慎，字孝甫，東萊太守。慎子式，以孝廉爲郎，子三：賜、昌、鴻，賜涼州刺史，昌并州刺史，皆無子。鴻舉孝廉，子靖，蜀郡都尉。靖子柔，字文惠，魏太尉，安國侯，謚「元柔」。子光，字宣茂，晉尚書令，延陵郡公，贈司空，侍中。光子二：韜、偉，韜字子遠，右衛將軍，謀討東海王越，不克死。偉子樞，前燕散騎常侍。樞子履，後燕黄門郎。履子讜，元魏車騎將軍、蓚縣侯，（修縣，隋始作「蓚」，師古讀「條」。）贈安南將軍、冀州刺史，滄水公，謚曰「康」。讜子祐，光禄大夫，東光侯，謚曰「煬」。祐子和璧，字僧壽，有學問，爲中書博士，早卒。和璧子顥，字聞賢，征西將軍，中散大夫，謚曰「惠」。顥子二：奇、彰，奇嗣爵，早卒無子，國除。彰北齊丞相長史。彰子萬周，大司馬椽。萬子欽，隋柱國，開府儀同三司，濟州刺史。欽子允恭，允恭子士徵，唐秘書少監。（《譜》云：「時族弟士廉與高祖起義，兵取河東，定關中，封許公別爲宗支。」）士徵子緒，平原太守。緒子芬，蒲州别駕。芬子杰，杰子鄲，户部員外郎，充昭義節度使判官。鄲子椽，越州觀察記室，再遷侍御史。椽子審言，字度公。審言子蘊，平盧節度掌書記。蘊子錦，荆南守，當陽令。錦子四：軫、輻、轍、轄，皆有文學。軫子以衛，宋翰林學士，出知登州。以衛子汝衡，汝衡子匯，新野尉，遭靖康之變，遷潁上，後復渡江，家宣城。匯子寬，寬子二：識、倫，識爲虞雍公允文軍諮祭酒，晚歸宣城，築室敬亭山，不復出。無子，以弟倫之子深爲嗣。深子三：可則、可大、可久，可則子樫，爲上舍，殉宋難。樫子振，以父殉難不仕。振子裳，元初試浙江行省，中式，任潁州同知，滿考留居不去。裳子二：儀、仁，仁子聖元，居潁。儀子聖保，字彦少，倜儻有志節，多智略，强武。元末淮西兵起，與潁人結寨自保，屢敗强寇，衆以得全。明太祖圍廬州，别將略地至潁，聖保率諸寨降，授江淮翼元帥府百户，南雄侯。趙庸愛之，以功升千户大將軍。徐達北定中原，庸留鎮濟寧，令聖保督所部攻鉅野南山賊，詐降。聖保疑之，欲還城爲備，副將李洛恃勇不聽，夜爲賊所潰。李死之，聖保收餘衆歸。從輕議，革職，以士伍立功。聖保在軍厭武事，以庸撫之厚不忍弃去。雖時參謀議，不復以牽復官爵爲念。庸既召還，繼之者遇之與卒伍等。貧不能歸潁，遂家於濟，隸左衛。子三：行中、敬先、奉先，敬先子琄，景泰中調臨清衛。奉先庠生，鄉飲大賓。子二：瑽、珽，瑽太學生，子讓，兖州府庠生。讓子三：璽、琇、璨，璽子梧，字岐陽，上舍，福葉文忠向高爲作《譜序》。略曰：余往來濟上，晤高生岐陽，伉爽英邁，奇士也。出譜牒請余言，其先實出自先賢子羔子，在孔門有忠信篤實之稱。今世士大夫志趨太高，每欲居最上一乘，而矯激之過，不免流於天竺流沙之中，固已弊矣。而甚者立壇坫、執牛耳，分門户、攻异同。涇渭既判，玄黄未已，將有小人起而蕩之，其非無忠信篤實之學所致乎？余待罪帷幄，代言視草，深慚具文，安得忠信篤實之士與之拮据斯擔乎？遂書之簡端，以志余望。梧卒無子，琇亦無嗣，璨子二：榛、柏。榛子二：遴、起，遴字華峰，子冠，字余岌，一字象復，俟考。濟庠生，器識沉卓，鏃礪文行。方拱乾《譜序》。臨川陳際泰爲作《譜序》略曰：高氏係籍於濟，自明洪武始。其初不過一人，今聚族而居者不能屈五指而數。既富方穀，諸生至數十人，爲濟上冠。三百年間，蕃衍若此，此固子羔子德厚流光之效也。嘉靖間，謀重訂未果，今象復與其族人之諸文學毅然成焉，殆有天數乎！

冠子四：乃聽、乃語、乃位、乃大，乃聽濟庠生，自高子至乃聽六十三世。康熙四年，濟學公請提學道，以六十三世孫詔爲奉祀生，給世襲。詔與乃聽同世，《譜》未詳系所出，姑從闕疑。詔子四：可法、節、晋、泰，可法庠生，恂恂儒雅，潛心篤學。衍聖公孔毓圻《譜序》。子二：哲、朗，哲襲奉祀，哲卒，子九鶴襲。九鶴子四：修敬、修誠、福麟、修琢，修敬濟庠生，子渠襲奉祀。渠子二：聯珠、聯瑞，聯珠早亡，聯瑞有痴疾，族人立聯芳爲奉祀。聯芳未詳其系。先賢祠舊在州東二十里泗河涯，俗呼其村曰「高廟」，明洪武間建。《兗州府舊志》。我朝康熙初奉祀，高詔等移建城東高蘇村。《舊志·高氏譜》。乾隆四十六年，黄水衝圮，復移城内東門大街。乾隆六十年，六十五代祀生高渠請修。嘉慶十四年，工始竣，六十七代孫如岱撰記，時監工者六十七代孫進、言、信，六十八代孫成美、星明并勒石。祭田三頃七十七畝，康熙五十年分撥。

附

高自成 字廣業。重然諾，好施予，以信義見推於鄉里。與盛某賈出納以千萬計，盛不過問，曰：「豈有欺人高廣業哉？」賈十數年，盛息百倍，而自成不盈尺寸，人服盛之知人。濟人之急，雖貧必力。鄉黨有爭，自成至，立解。不可解，則出己財解之。善遇小人，有無行某與其僕忤，以手破面作膚訴狀，聞爲自成僕，大慚，亟自滌其面而詣門謝罪。好翰墨，學書自夜達旦不倦，課子如岱嚴，必使從明師束脩之供與素封等，謂岱曰：「吾無以爲孝，惟修德謹行，不敢辱先人耳，汝勉之。」年六十九而卒。岱，廩膳生。《前志·人物》。

高如岱 字子積，號慊齋。其先世居濟寧南鄉魯橋鎮，曾祖遷居附郭，父自成見前《傳》。如岱生而温厚聰穎，志量宏深。年十三，閱《通鑑》至李固、杜喬之死，不勝憤惋。十六作《瑞雪賦》，正直惻怛之懷溢於言表。十八入州庠，越年補廩生，奮志求道，作《勵志詩》以自警。博稽載籍，不執己見，不泥成説，旁參互證，以折衷於至是。涵養本原，隨時徙義。中年患病，病中每有心得，或問如岱：「子行將安仿？」曰：「其叔度乎？和而則。」「學將安仿？」曰：「其仲淹乎？正而通。」時以爲允蹈斯言。事親婉容愉色，孺慕藹然，執喪三年如一日，《癸巳泣血記》《庚戌思悲詩》皆悱惻動人。寡兄弟妹及妹婿繼卒，殯葬如禮。生平篤友誼，以道義相切劘，虛懷集益，久而彌殷。與同邑戴二雅交契篤至，二雅歿而貧，如岱助其喪葬，復輯其著述以付其子。其接人和平樂易，人皆樂親，習與相處，莫不愛且敬之。臨事和緩，中有斷制。訓後進不爲峻語，隨材力所可及亹亹導之，故聽者易從。中年後體驗久而見理徹，謂：「《西銘》是義理規模，《大學》乃工夫次第，學者從此入手，必不差忒。」晚歲闡明卦爻，證以史事，使玩辭玩占者見實用焉。又謂「《彖》《象傳》，孔子之解經至矣，復於《繫辭》《説卦》《文言》發明其體要旨趣，學《易》者當以是爲主」云。學有體用，於往古史册務究其得失善敗之實，而思所以補救變通之謂。論封建井田者，以爲通儒。卜居北岡，從游日衆。講貫餘暇遨游滋山洸水間，蕭然自得。乾隆庚戌恩貢生，嘉慶元年州人公舉孝廉方正，及奉檄，堅以病辭。子二：禮耕、義樹，俱孝謹，循循力學，於嘉慶庚申相繼卒。遺幼孫繼武，復於庚午殤。時如岱白髮衰顔，後顧孑然，而讀書談道不改常度，其答友人書曰：「縱浪大化，何喜何懼？曠觀自古仁人志士，遭遇之慘更有甚於此者，則此亦不足云。」又嘗以爲，天運雖乖，人事難廢，勉力自持以畢餘生，聞者服其定力。詩根柢陶、韋，以崔後渠「匪則匪情」之説爲宗。文稱情衷理，中正和平，恪守先正矩範。於嘉慶二十年卒，年七十二，以族子正和爲後。著有《學習録》等書，詳《藝文志》。據同里張永録撰墓碣。○按：世系未詳，祠碑注六十七代孫附編於此。

樊子世家

樊子名須，字子遲，漢《白水碑》謂「須字子達，遲字子緩」，分爲二人，非。《春秋名字解詁》曰：「須、頞，古字通用。《爾雅》『頞，待也』。《歸妹》九四『遲歸有時』，陸績注曰：『遲，待也。』」魯人，《家語》。或曰齊人。鄭氏《論語弟子目録》。其先出於姬虞仲支孫子甲，爲周卿士，食采於樊，因氏焉。《後漢書·樊宏傳》云：「周仲山甫封於樊，因而氏焉。」與《譜》异。按，《譜》：「子甲生伯虎，伯虎生東陽父，東陽父生公勤，公勤生皮，以魯昭公二十六年乙酉春生樊子。」《春秋·莊公二十九年》有樊皮，字仲皮，杜預注：「樊皮，周大夫，樊其采地，皮名。」○按，莊二十九年爲周惠王十二年，丙辰下距敬王四年乙酉，凡一百五十年。《譜》云：「皮卒年七十六，葬於任城西北二十里，世傳樊父冢，俗云樊家坫堆。」則知莊公時樊、皮各一人，且仲皮之樊在今濟源縣西南十五里古楊樊也，與任無涉。其象山額，《太平御覽》三百六十四引《論語摘輔象》曰：「樊遲山額，有若月衡。反宇陷額，是謂和喜。」少孔子三十六歲。《家語》作「四十六」，乃王肅僞本，不足據。何孟春本亦作「三十六」。年十八學於孔子，二十爲孔子御，申問無違之義。據胡仔《孔子編年》在此年。嘗請學稼、學圃，孔子示以端本之道，三問仁智，又從游舞雩，問崇德、修慝、辨惑，孔子善之。《家語》載問鮑牽刖足事，乃後儒因《春秋·成公十七年》《左氏傳》引孔子語傅會之。魯哀公十一年仕於季氏，齊伐魯，及清，冉有帥左師禦之，樊子爲車右，季孫曰：「須也弱。」有子曰：「就用命焉。」戰於郊，齊師自稷曲，師不逾溝，樊子曰：「非不能也，不信子也，請三刻而逾之。」如之，衆從之遂入齊軍。哀公十五年孔子卒，心喪三年。傳道濟上，從游者數百人。貞定王十五年丁亥秋九月卒，年六十二。在今鄒縣西北三十里陶城。漢司馬遷作《仲尼弟子列傳》，「受業身通者七十七人」，樊子列第二十四。唐玄宗開元二十七年從祀孔廟，贈樊伯。宋真宗咸平三年封益都侯，按，益都齊地，此從鄭説。明嘉靖九年改稱先賢樊子。子旭，旭子淇，田和時講學於齊。淇子預，預子炯，魯頃公十九年楚伐魯，取徐州，遷臨淄。炯子基，基子嵩，嵩子二：邦、治，遭秦亂，隱於沛。邦子通，通子俊，俊子二：樸、丕，漢文帝時樸爲博士。樸子廉，廉子大强，大强子二：彦、秀，彦子二：恭、敬，恭子宏爲世祖舅氏，光武即位，拜光禄大夫，封長羅侯，又封壽張侯。建武二十七年卒，謚曰「恭」，於是樊氏侯者凡五國。宏子儵，永平元年拜長水校尉，十年卒，謚「哀侯」。儵子準，按，《後漢書》宏父名重，見《宏傳》。準，宏族曾孫，父名瑞。儵子汜，次郴，次梵，汜子時，時子建，建無子，國絶。永寧元年，鄧太后復封建弟盼，盼子尚，并見《僉傳》，與《譜》异。準子衍吉，衍吉子二：廷碩、廷諫，廷碩子二：縉、紳，縉子發，發子二：峻、和，峻晋西陽太守，成帝時副毛寶守邾城，遭石虎之亂死之。《晋書·成帝紀》作「俊」，《毛寶傳》作「峻」。峻子二：衡、端，端子覆，覆子舒，舒子二：淑孔、淑孟，淑孔子珏，珏子二：居仁、居禮，居禮遷南陽，居仁子襄，襄子宗師，唐憲宗時以金部郎出刺綿州，徵拜左司郎中，又出刺絳州，朝廷以爲諫議大夫，未拜命卒。《唐書》，宗師父名澤，祖名詠，與《譜》异。宗師子勳，勳子二：喜、唯，喜子謞，謞子二：六藝、六德，六藝子興，興子二：選、南，選子聲，聲子知古，《宋史》知古父名潜，與《譜》异。宋大祖開寶三年舉進士。知古子坦，坦子岐，岐子二：望隆、景隆，望隆子發程，發程子二：德顯、心顯，德顯子宏錫，宏錫子存，存子二：緒、純，康王發濟州，緒隨駕南渡，爲廬州教授。緒子貫一，貫一子符，符子唐聘，唐聘子考占，考占子超，超子二：震、霆，霆子静，静子聿修，明洪武中知泰州。聿修子之延，之延子二：培真、培正，培真子仰義，仰義子崇業，成化乙未進士，授河内尹，携家復業濟寧州，實樊子之五十九世孫。崇業子二：秉忠、秉信，秉忠子聖裔，聖裔子鑒，萬曆十四年禮部尚書，莆田陳經邦爲作家乘《序》。略曰：丙戌歲北上，迷失道路，詢諸父老，指云：「此去離任城東十里許，地名赧稼邨，循邨而西，循城而北則進都周道矣。」余聞之喜，謂父老曰：「赧稼村，先賢樊子遲故里也，得毋是乎？」父老曰：「然。」訪其後裔有六十二代孫，名鑒字鏡人者，云：「邨舊有先賢樊子廬，即吾先賢故居也。」因出家乘丐余爲序，定於是彙譜牒，考世系，述宗派，以爲奉祀者綿綿勿替云。鑒子紫松，紫松子士元，士元子永泰，濟庠生。永泰子賓，我朝修樊子祠，補充四氏學，奉祀。賓卒，子成蔭襲。成蔭卒，子尚榮襲。自樊子至尚榮凡六十八世，尚榮子登魁早卒未襲，登魁子萬春與叔祖尚順業負販以奉孀母，室徒四壁立。道光二十年，知州徐宗幹訪得之，求其譜牒，出壁中，先賢像圖、祭田册籍具在焉。自云赧稼邨祠久圮，祭田三百六十畝在州城西北，連歲被水，與無田等，貧不能襲，大懼宗祀將絶。往者鄒縣有樊氏頗殷，實欲以錢三百緡購其譜。及承襲，部照尚順與萬春弗與先賢後，雖極式微，猶遠异於恒人如是。於是，由州申請河督文冲爲立專祠於州城北門裏迤西關帝廟街，而以萬春襲奉祀。又申衍聖公達禮部，并爲置田置室，是爲樊子之七十代孫。

司馬子世家

司馬子名耕，字子牛，一名犁。《春秋名字解詁》曰：「古者耕以人耦，不用牛力，作耕非本義也。耕當讀爲牼，《説文》：『牼，牛膝下骨也。』引《春秋》傳曰：『宋司馬牼，字牛，即司馬耕也。』一名犁者，《論語·雍也篇》：『犁牛之子騂且角』，何注云：『犁，雜文。』《淮南·説山篇》：『髡邨犁牛，既科以㮯。』高注云：『犁牛，不純色。』其先出於殷，周武王伐殷，封微子於宋，宋桓公之子曰向父肸，肸生司城訾守，守生小司寇鱣。及合左師，左師以王父字爲氏曰尚戌，戌生寧，寧生羅，皆向氏。向戌之曾孫五：曰向巢，曰向魋，曰子頎，曰子車，其一即先賢司馬子。向出於桓，故亦曰桓氏。世爲宋司馬，故又爲司馬氏。《檀弓正義》引是本：「向戌生東鄰叔子超，超生左師眇，眇即向巢也。」鄭康成注《檀弓》亦云：「桓司馬向戌之孫名魋。」皆與《左傳》不合。兄魋將爲亂，常憂懼，自宋之魯，學於孔子。魋既得罪於宋，奔衛，乃致其邑與珪而適齊。魋奔齊，又適吴，吴人惡之而反。晋趙簡子、齊陳成皆召之，卒於魯郭門之外，坑氏葬諸邱輿。《春秋大事表》：「今費縣西地名，考在費縣西南。」唐贈向伯，宋封楚邱侯，改封睢陽侯，明改稱先賢司馬子。子捷，捷子輔，輔子顧，顧子補，補子勸，勸子璜，璜子穎，穎子備，備子管，管子涵，涵子敫，斆子藩，藩子彰，彰子奏，奏子守，守子覲，覲子嘉，嘉子宏，宏子賦，賦子湛，湛子琦，琦子康，康子鵬，鵬子廩，廩子拱，拱子檢，檢子課，課子援，援子顯，顯子選，選子貫，貫子薰，薰子璧，璧子獻，獻子逢，逢子德，德子聞，聞子勉，勉子載，載子顔，顔子珍，珍子斌，斌子濟，濟子普，普子璽，璽子熙，熙子政，政子優，優子試，試子範，範子景，景子表，表子雍，雍子和，和子威，威子讓，讓子容，容子戌，戌子賢，賢子瑗，瑗子機，機子完，完子治，治子詒，詒子敏，敏子科，科子聯，聯子朔，朔子哲，哲子禮，禮子泰。泰，先賢七十二代孫也，居濟寧州賀家橋邨，樂善好施，故人王景如親老貧無以供，贈多金爲貿易資，景如得盡其孝養。有張秉公者，貸錢數百緡，值歲歉，即焚其券。乾隆十三年大饑，出穀賑鄉里，全活甚衆。置義地一區於李家河灣，親族往往待以舉火。乾隆三十三年，年一百有三，無疾卒。《舊志·孝義》。泰子二：恒、維，恒建先賢祠於城西南司家莊，《舊志·壇廟》。肖像其中，礱石刊碑。舉人王希聖爲之文而繫以辭，辭曰：「司馬始祖，構祠茲土。有功聖道，俎豆永著。凡今之人，是效是則。爲之後是，毋玷先德。」○碑今不存，其文載《司馬氏譜》。乾隆十九年作是建祠，司馬泰猶在也。恒嘗躬詣邱輿故地訪先賢墓，不得。又請奉祀，未遂。而卒後遭黄水漂没，祠宇傾圮，子孫移先賢像與栗主於家，除室妥奉，歷世罔懈。恒子鏡，鏡子二：賢、重六十代名。良。賢子二：安、元，道光二十二年，元持《譜》請入《志》。《譜》有序，不詳誰氏作。略曰：「先賢後數十世遭晉季之亂，挾家遠徙，卜居於茲，世業耕耘，久淹野草，代無顯迹。兼以水火危難，兵寇蹂躪，竄逃寄萬，屢易故居。派分傳訛，里墓失記，幸有藏《譜》，僅延先嗣司馬氏之不絶者特一綫耳。予生也晚，遭家不造，恐其失傳，謹譜嫡世藏之壁中，以備不虞。後代雲礽，其共珍焉。」其世系至七十二代泰止，意恒所爲也，其用心亦勤矣哉。

曹子世家

曹子名卹，字子循，「卹」或作「恤」，《春秋名字解詁》曰：「『卹』，讀爲『率』。古字『卹』與『率』通，『卹』即『恤』之別體。《書》『多士罔不明德恤祀』，《史記·魯周公世家》『恤』作『率』，《爾雅》『率，循也。』故名率，字子循。」蔡人也。《家語》。少孔子五十歲，《史記·仲尼弟子列傳》稱「受業身通者七十七人」，曹子次居三十三。《家語》載「升堂入室者七十六人」，曹子次居三十七，其餘行事不見於他書。唐贈曹伯，宋封上蔡侯，明改稱先賢曹子。《曹氏譜》云：「曹出姬姓，文王子叔振鐸之後。武王克商，封於曹，因以曹爲姓。歷八代，西戎之亂，子孫流於上蔡，遂家焉。」周敬王十八年，曹子生，學於孔子，早聞聖道。孔子卒時，曹子年甫二十有四。子瑗字子玉，事蔡侯，齊爲士師。楚滅蔡，遂隱於天中山。瑗子固，字元堅，喜《易》。固子崇，傳父業，以《易》名世。崇子伯軫，字文載。

伯軫生揚及厲，揚早卒，厲性友愛，痛兄幾絶。厲子雅，游魏爲魏相孔謙家臣，數年去魏，居沛，雅子伉，字合升，伉子祈，祈子參，字敬伯，相漢高祖定天下，封平陽侯。《史記》五十四、《漢書》三十九。參卒，謚「懿侯」。子窋代立，二十九年卒，謚「静侯」。子奇代立，七年卒，謚「簡侯」。子時代，尚平陽公主，立二十三年卒，謚「夷侯」。子襄代，尚衛長公主，立十六年卒，謚「共侯」。子宗代，正和二年國除。宗子輝，字延炬。輝子睢，遷薛，以世亂不出。睢子蕃，元始間舉孝廉。蕃子充，習慶氏《禮》，建武中爲博士，作《章句》，時有「慶氏學」。充子褒，傳父業，肅宗徵拜博士，侍中，教授諸生千餘人，「慶氏學」行於世。《後漢書》六十五。褒子淵，字有源。淵子長懋，字宜勖，有文名，不仕，隱五花澗著書，述歷代興亡。長懋子簡魏，黄初三年守新蔡，爲汝陽侯曹彪所害。簡子二：陵、陟，痛父不得其死，廬墓三年，形幾毀，時人爲之賦《蓼莪》。陵子攄，晋司馬冏記室。攄子牧，字牧叔，顯宗時從庾亮征蘇峻，不克死之。牧子舒，字世展。舒子秉正，字端人，元魏國子太學生。秉正子平，字坦夫，無子，以弟之子振嗣。振字勵之，子剛，字抑伯。剛子景宗，字子震，梁武帝起兵，累功封湘西侯，除郢州刺史，加都督。《梁書》九、《南史》五十五。景宗子度，舉茂才。度子濟，濟子憲初，仕隋，爲秘書學士。唐貞觀中，李襲譽薦宏文館學士，召不至，即家拜朝散大夫。《舊唐書》百八十九、《新唐書》百九十八。憲子謨，字顯之，舉孝廉。與子慎游申州，南五十里有曹城，景宗屯兵鑿硯口所築也，謨愛之，遂卜居焉。慎子華，憲宗時拜兖海軍觀察使。《舊唐書》百六十三、《新唐書》百七十一。華子鄴。大中間進士。有詩名、鄴子含，字子容。含子致，字淑中，光啓二年補上蔡令，自是復故里。致子永基，字綿祚，蔡地數患水，率族人鑿溝以殺其勢，人稱「曹家溝」。永基子芳，字茂春。芳子僉，字子珉。僉子疇，蜀静南軍使。子光實，字顯忠，少武勇，嗣父職，選永平節度使管内捕盗游弈使，屢破賊有功，遷都巡檢使。《宋史》二百七十二。光實子桓，淳化進士。桓子汝弼，贈殿中丞。汝弼子矩，景祐進士，以純孝聞，官至屯田郎中。矩子傳，元符三年與弟藻子遷同登進士，名其堂曰「三桂堂」。遷子逸，字名世，慕祖居，復歸上蔡。逸子儒，鄉舉，其弟仙遷魚臺馬陵里。金大定十七年，任宿州滏縣主簿，升永寧縣尹。儒子執中，字帝訓。執中子諧，諧子龍，字雲甫，工詩文，屢試不第，著有《曹氏詩稿》《雲甫文集》。龍子篤，字天培。篤子光祖，字輝宗。光祖子亶，字子亮，汝寧府學貢生。亶子敬，正統十二年上蔡縣貢生，任邵武照磨。敬子大猷，字良輔。大猷子承先，字臨泗，正統間寧王肆逆，遷於濟寧州東南五十里魯橋鎮，卒葬於魯橋東南魯邨聖容山，是爲曹子之六十二代孫。承先子瓚，字廷器，州庠生。瓚子岐，字鳳岡。岐子三省，字魯軒。省祭官湯顯祖過任，三省率二子州庠生元俊、元傑以文爲贄，修相見禮，顯祖爲作《宗譜序》。元俊春風和氣，汪洋千頃，湯《序》。子三：士望、庶望、卿望。元傑倜儻非常，湯《序》。子四：人望、賓望、遠邁、自遠。以上六人皆州庠生。邁字知四，貌都雅，舉止之間斌斌如也。康熙中補先賢奉祀生，詣汝寧訪先賢祠墓，邑令見其譜系，知爲先賢後裔，甚敬禮之。與族人依依不忍別，久之乃反。馬體雅《序》。邁子四：鈞、鎔、鏡、銧，皆未襲，以賓望次子鉽襲奉祀生。鉽子象九，子二：中濤、中潤，亦未襲，以士望子璵之長子應召襲奉祀生。應召字君求，修先賢祠於州城外運河東岸。金一鳳《續兖志》。子尚志，醇謹好學，楊三炯《序》。中雍正七年乙酉科舉人，其後他徙，未歸。邁之第四子銧，字潤庵，子三：五教、五典、五瑞。五教子在寬，子二：成楨、成幹。成楨字維周，子文炳，文炳子運仁，運仁子承科，自尚志他徙，成楨世典祀事。采訪。曹子祠故址舊在馮段村南，康熙時裔孫生員文明報州查勘，奉祀生應召移修運河東，又圮。道光二十一年，知州徐宗幹重建祠於州治東城隍廟街，以承科奉祀，由衍聖公達部。

任子世家

仕子名不齊，字子選，《史記》無「子」字，《家語》有之。《春秋名字解詁》曰：「『不』，語詞。『不齊』，齊也。《齊風·猗嗟》篇『舞則選兮』，《毛傳》曰：『選，齊也。』《史記·平準書》『吏道益雜不選』，謂雜出不齊也。字亦作『撰』。《賈子·等齊篇》曰：『撰然齊等。』』楚人也。鄭氏《論語孔子弟子目録》、蘇轍《古史》。司馬遷傳仲尼弟子，七十七人受業身通，皆异能之士。自冉季以下四十二人無年，不見書傳。其第十人爲任子，《家語》載「升堂入室者七十六人」，任子次居第五十七均不詳其貫，今本《家語》有作楚人者，乃衍聖公允植、毓圻編正本耳。鄭玄《論語孔子弟子目録》始著之。是漢末猶有可考，非不見書傳也。唐贈任城伯，宋封當陽侯，明改稱先賢任子。《任氏譜》云：「薛定侯封仲子於國之西鄙桃鄉，曰任仲子。」盛氏百二《學海樓記》中有辨。再傳至悝，娶魯陽宮氏，以周靈王二十七年三月生先賢任子。長游曲阜，師事孔子，精言《詩》《禮》，尤邃於《樂》。孔子卒，三年歸桃鄉，楚聘不應，作《詩傳》《禮緯》，注《樂經》，述孔之言作《逸語》三篇。周元王八年九月卒，葬桃鄉。墓在今濟寧州城北房葛鋪。楚考烈王伐魯，兵出桃鄉，不下攻之，子姓逃散，書遂亡。子衍，衍子儀，齊客卿。儀子景，楚令尹。景子鄗，秦漢中守。鄗子偉，孟嘗君上客。偉子鏄，楚上大夫，殉難。鏄子敖，沛人。漢高帝初起，敖以客從封廣阿侯，官御史大夫。文帝二年，卒謚曰「懿」。子竟嗣，卒謚曰「夷」。子但嗣，卒謚曰「景」。子二：越人、褒定，越人嗣侯，元鼎二年爲太常，坐酬酒免侯，國除。宣帝元康元年復。高帝功臣百三十六人，家子孫令奉祭祀，世世勿絶。其毋嗣者復其次，《宣帝紀》。褒定以敖次曾孫得復。褒定子邵，平帝元始二年賜故曲周侯，玄孫酈明友等百一十三人爵關内侯。《平帝紀》。邵以廣阿侯裔，與燕，食邑三百户。王莽篡漢，免爲庶人，邵東歸薛，徙於宛。子光，字伯卿，南陽宛人。以信都太守奉光武屠邯鄲，拜左大將軍，封武成侯。建武二年，更封阿陵侯。《後漢書》注：「阿陵縣名屬涿郡。」《譜》作「廣阿」，蓋緣敖封廣阿而誤。五年，徵詣京師，奉朝請。卒，子隗嗣，隗字仲和，官至司空，永元四年卒。子屯嗣，擢步兵校尉，徙封西陽侯。卒，子勝嗣，《後漢書》注引《東觀漢記》曰：「『勝』字作『騰』。」勝卒，子世嗣，徙封北鄉侯。《後漢書》。卒，子哲嗣。哲卒，子竣嗣。竣卒，子觀嗣。觀早卒無子，國除。竣次子覽，魏五官中郎將，諮議參軍，封關内侯。覽子罕，按《晋書》，任愷子名罕，博昌人，姓名偶同，非一人。罕子憬，晋征西將軍，長史。憬子惠，琅琊王伷文學椽，遷博昌。惠子康，懷愍之亂隨琅琊王叡南徙，居汝、穎間。康子桂，官參軍。桂子嘉，汝南太守。嘉子榮，隱廬山。榮子常，常子蘭，金城太守。夏王勃勃亂關中，東遷汝。宋革晋命，稱病不出，尋卒。子從，從子熙，熙子遥，齊中散大夫。遥子昉，字彦升，性至孝，善屬文，齊司徒右長史，梁黄門侍郎、吏部郎中、義興太守、《南史》作「宜興」。御史中丞、秘書監、寧朔將軍、新安太守。卒贈太常卿，謚曰「敬」。子四：東里、西華、南容、北叟。《梁書》以東里爲昉第四子，官尚書外兵部。昉居官清潔，不治生産，卒後諸子流離，生平舊交莫有贍卹。西華冬月著葛帔練裙，平原劉峻爲著《廣絶交論》。《梁書》十四、《南史》五十九。西華子顯，元帝時始安王諮議參軍，魏于謹等圍江陵，顯出徵王僧辨、任約等入援。按，《梁書·王僧辯傳》云：「世祖遣主書李膺徵僧辯於建業。」不言顯。約與徐世譜兵次馬頭，江陵陷，元帝遇害。顯方在建康，避亂合肥山中。及敬帝立，遷黄門侍郎，出爲安東將軍、吴興太守，卒謚曰「恭」。顯子法，陳晋陵太守。法子培，著作郎，陳末弃家隱海上。培子楱，字七寶，《唐書》云：「名他寶，陳將忠之弟。」定遠太守。楱子瓌，《譜》作「環」，按，《唐書》云：「字瑋。」與「瓌」相應，《譜》誤。陳衡州司馬。陳亡，弃官去。隋仁壽中，調韓城尉，未幾罷。《譜》作「隋衡州司馬」，誤，今依《唐書》正。謁唐高祖於汾，晋承制，署河東縣户曹，尋擢招慰使、《譜》作「招討使」，誤。穀州刺使，封管國公，歷河南安撫使、徐州總管、刊州、陜州都督，左授通州都督卒。《唐書》云：「瓌弟璨，隱太子典膳監。太子廢，璨得罪，瓌亦左遷。」子守基，御史中丞。守基子國貞，新安國。貞子瑩，雄勇多力，臨淄王誅韋氏，瑩隸陳元禮部下，有功擢金吾將軍，後遷至朔方節度副使，封汝南開國侯，尋還朝致仕。瑩子超，河東兵馬使。超子常清，振武軍都虞侯。常清子迪簡，天德軍防禦使，屢遷至義武軍節度使，加左僕射，封汝南開國公。卒贈侍中，謚「武襄」。按，新、舊《唐書》：「迪簡，京兆萬年人。初爲天德軍使判官，除豐州刺史、天德軍使。自殿中授兼御史大夫，再加常侍，入拜太常少卿、汝州刺史、左庶子，出爲行軍司馬，加檢校工部尚書，充節度使，除工部侍郎，改太子賓客。卒贈刑部尚書，謚曰『襄』。」與《譜》微异。迪簡子二：佐、侗。佐，憲宗初爲殿前射生虞侯、副神策兵馬，使擢梓州觀察使。侗，貞元中明州刺史。佐子二：炆、煒，炆早卒，煒爲魏博節度使田宏正記室，表授兵部員外郎。長慶中，宏正移鎮成德，煒留京師，聞宏正被難，慟憤而卒。煒子磐，磐子連，（原從「玉」，今避書。）咸通末，携妻子入武功絶境避亂，乾符末卒。連子從恪，黄巢陷長安，僖宗幸蜀，乃葬父武功東谷，奉母往綿竹依故人李康，以世亂不出。從恪子處，直前蜀殿中侍御史。處直子義成，後蜀著作郎。義成子圉，諫議大夫，蜀亡同李昊等遷汴都，授直秘閣校勘，修《太平御覽》等書成，以病請居濟陰。其弟義建，（按，圉父名義成，而圉弟名義建，恐誤。）居壽光，至孫顒舉進士，累官龍圖學士，以太子賓客致仕。（顒見《宋史》三百三十。）圉子載，宋右拾遺。載子中正、中師，（按，中正弟中行，官尚書兵部員外郎，判三司鹽鐵勾院，亦見《中正傳》，不止中師也。）中正舉進士，參知政事、禮部尚書，卒贈尚書右僕射，謚「康懿」。中師亦舉進士，太子少傅致仕，進少師，卒贈太子太傅，謚「安惠」。《宋史》二百八十八。《譜》云：「中師官太子太傅。」蓋沿淩迪知《萬姓統譜》而誤。中正子頊，以父任官太常丞。頊子絳，秘書正字，出知滑州，因貝州妖人王則之變弃官，同從叔顥遷聊城。據《譜》，顥爲圍侄孫，絳爲圍玄孫，絳不當呼顥爲從叔，或顥是圍侄曾孫耳。絳子希，慶曆中進士，《譜》云：「與其族籍河南名布者同榜。」按，布《宋史》有傳，後唐宰相圜四世孫也。《任中師傳》云：「康定中任布守河陽，數上書論事，帝欲用之。吕夷簡薦中師才不在任布下，遂并召爲樞密副使。」是布與康定中已與中師同官，豈得慶曆中與希同榜？惟《萬姓統譜》云「慶曆中進士」，此蓋沿其誤。官翰林學士，知徐州。希子謨，隱徂徠。謨子蒨，靖康之難從家海上，不南渡，亦不仕金。蒨子唐，金進士，供奉翰林文字，知濰州。唐子橋，知博州，元人圍燕，弃官入長白山。橋子德，元至元初遷觀城。德子彭，奎章閣學士。彭子瑊，益都令。瑊子梁，至正末避地山中不出。梁子烈，明洪武初兖州學生，駙馬都尉。梅殷提督山東學政，薦授濟寧府學教授，《舊志·職官》未載。遂家焉。烈子大業，兖州府學生員。大業子廷修，鴻臚寺署丞。廷修子二：山、海，海素有大志，克修先業，丕振家聲。海子二：鋭、礦，鋭有隱德，能退讓，善計然之術，家累千金。子和，太學生。和子三：沛、沂、汶。沛，濟學生員，早卒。汶，鄉飲大賓，子二：良遇、良知。遇，濟學廪膳生，好儒術，以古文詞治舉子業，弗售。倡明道學於塾，負笈者履滿户外。子二：孔當、孔昭。孔當，字貞野，一字任之。崇禎十三年進士，除陽曲知縣。時亢旱，躬禱小五臺山，大雨立降。先生初到陽曲，值大旱，士民有請乩仙者，仙云：「非任公親禱小五臺山不可。」先生乃步入山，一雨三日，風烈烈不休。先生露頂叩頭，即風恬雨息。晉人神其事，刻於石。《前志·雜綴》。晉王書「真民父母」四字旌之。尋丁外艱，起復陽曲。民群詣晉府，求再借任公，朝廷如其請。及旨下，而晉陽已陷於賊。甲申家居，值寇變，孔當倡義殺賊。鋒既交，有賊突持之，幾殆，賴翼者獲免。及寇殲，而鄉勇頭目楊九驕橫難制且不測，孔當亦以順巽待之，楊九感悟，頓首服。衆推孔當監軍，傳檄兖屬二十七城，望風響應，聲動江淮。孔當負母南行，督師史可法招署兵部郎，贊幕府。不就，寄迹吴越間。丁母憂扶柩歸里，築室於城南道院，自號「魯狷者」。總河楊方興、御史趙宏文欲薦之，曰：「堯舜之世，尚有巢、由。」旋卒。孔當嘗寓嶧山施方藥，來者悉勸以忠孝，土人感之，肖像古廟中。《舊志·人物》，據《府志》及《史外傳逸》。〇互詳「兵革志」。

孔昭字潛夫，號南石。穎异淵博，偉貌修髯。里中有徵發徭役不便者，輒正色力請於主者，得當而後已。值水旱饑饉，倡率賑濟，全活甚衆。讀書目十行下，兄弟自相師友，有天倫之樂，而復有文字之娱。及孔當令陽曲，父母憚其險遠，未就養，孔昭侍庭幃。未幾父殁，屬纊之夕，以未獲表章先賢遺緒爲憾，孔昭泣受命書諸紳。寇氛肆虐，士大夫赭衣南冠繫於道，乃大恚忿，與孔當設計殲賊。浮家江淮，丁母憂扶櫬歸，營馬鬣封，築室於場，其地即先賢祠故址也。遲暮之年，文益精進，登順治十八年進士第。越七年，授四川太平縣知縣，請假歸，監修先賢祠成。先是，康熙五年孔昭具呈禮部請修先賢祠，下其議，於撫軍僉報可，故數百年廢墜一旦鼎新焉。復裒集《任氏家乘》付梓，曰：「崇先録，成父志也。」太平在夔門萬山中，兵燹之餘，蠶叢萬里，親識多危之，孔昭曰：「不避遠，不辭難，臣子之職也。錦江玉壘，其與我有緣乎？」瀕行，以病卒，年六十有三。卒之前夕，子之琦攝先賢祀事，仿佛見孔昭几筵間，從人皆見。明年，同學以孔昭志篤忠貞，功存紹述，請入鄉賢祠，并配享賢廟。

孔昭子三：之琦、之瑗、之璿。王天眷撰墓志，《舊志》三子名有誤，今正。之琦字子韓，年十五補弟子員。甲申五月，佐父殺賊，復城有功，馳露布至江寧，福王授以總兵官，加左軍都督札付，會國朝定鼎，遂歸里。康熙二年貢成均考，授州同知，奉親不出。孔昭請修先賢祠，鳩工庀材，之琦實成之。恢復侵占祭田十八頃零。父卒，水漿不入口者三日，泣血，幾目失明，以孝友推重鄉里。之琦美鬚髯，唇若渥丹，聲吐如洪鐘。遇事片語劈分，洞中肌理。延納四方賢豪，水陸往來無虛日，游迹幾遍天下，大人長者靡不倒屣傾心。遘疾京華，輿而歸，家人環泣，則曰：「勿悖也！俟風雨大作時，始與爾等永訣耳。」後果然。年七十二。潘兆遴撰墓志，《舊志·孝義》。嘉慶十年，同學請入忠義祠。子二：廷銓、廷鑣。廷銓原名銓，字公朗，康熙七年以附監生題咨奉祀。任子祠之有奉祀，自廷銓始。二十二年奉旨行查先聖賢墳墓，呈請查復祭田七十頃。五十年卒。之璿子廷鈞，字公權，年十七補府學生，旋以資入國子監肄業。事母孝，一飯一飲必恭敬，五十年如一日。父之璿任廣東布政司經歷，署新會縣，卒於官，廷鈞扶喪歸。嘗倡捐修鄉賢祠，舉孝廉方正，不就。年七十卒。《前志·人物》。廷銓子三：鴻基、者勇、者壽。鴻基字紹聞，太學生。先父卒，未襲嗣。子世本，字培元，乾隆三十年襲奉祀。三十年、三十六年、四十一年、四十五年四次南巡，遣官致祭任子祠，邀恩陪祀。世本嗣子文運，字硯光，號蓮峰，附貢生。乾隆五十八年襲奉祀。先是，乾隆十九年之璿子廷鈞請帑修葺賢廟，越十五年文運復請帑重修。四十九年、五十五年二次南巡，遣官致祭，邀恩陪祀。文運續修譜牒，自七十五世孔昭請建賢廟以來遺祭者五，帑修者再，以及廟制、墓田、世系、碑碣、文卷之屬，敘述綦詳，燦然大備。孔當之曾孫曰宏道，康熙末乘鴻基乏嗣，請以其子天申補奉祀。乾隆三十年，世本入繼鴻基，復承襲，於是任氏有二奉祀。天申傳子實，實傳子懷琴，後曠襲。文運子五：學石、學輔、學海、學季、學運。學石字又山，號慕南。歲貢生，嘉慶十六年襲，是爲任子之八十一代孫也。先賢祠舊在汶泗坊，今在東關外劉家莊。乾隆五十四年，文運請修以後，久未修葺。道光二十一年，知州徐宗幹因前官爲請帑未果，復申請之，令學石監工。

附録

盛百二《任城書院學海樓釋奠先賢任子記》云：尚書姚公莅任之三年，始移任城書院於西郊草橋之北，而兵備使陸公實左右之，知州藍使君實經營之，規矩式廓，迥异舊觀。其中有學海樓上奉先賢任子栗主，釋奠在焉。任子爲七十子之一，載於《家語》及

《史記》，而生平無所見，惟《任氏譜》云有《詩傳》及《禮緯考》及《逸語》三篇。生魯襄公三十八年，少孔子六歲。其弟子有東門子高、蒯伯儀，皆他書所無，當表出之者。夫任城近聖人之居，先賢遺迹往往而有，如曾子、仲子、高子、樊子、鄭子是也，何獨任人？然諸賢或以流寓，或子孫徙家，因而立祠。若任子，故任國之族，以國爲氏者。任城以任國而名，諸賢之與任城，豈可以與任子比乎？按鄭夾漈《姓氏略》：「任有三宗，其一黄帝之後爲任氏，蓋即《國語》所謂『黄帝二十五子，得姓十四人』之一也。其奚仲封於薛。」又曰：「黄帝之孫顓帝少子封於任。」又任爲風姓之國，太昊之後，主濟祀，今濟州即其地，子孫亦皆以爲氏焉。而今任氏譜系獨推本於奚仲。康熙初，知州陳灴作《任子祠記》，兼用其説，語涉兩岐。鄭孝廉與僑作《譜序》，特表風姓之説，而亦未有决也。余則斷以任子爲風姓之後無疑者，蓋春秋二百四十年之間，惟女子稱姓，男子無稱姓者，昔人論之詳矣。任子果爲薛國之族，任爲薛姓，必不稱任矣。且惟其爲任國之任，是以唐追封曰「任城伯」，而宋之祀田、廟户亦并在任城，又《譜》云任子居桃鄉，卒於此，母南宫氏亦葬於此。兩《漢書·志》桃鄉亦曰「桃聚」，前漢爲侯國，屬泰山郡；後漢屬任城，《龐萌傳》「桃鄉在任城北六十里」，此其鑿鑿可據者。宋時因鄭康成謂「任子爲楚人」，改封當陽侯，後人隨附會任子曾徙當陽，而不知非也。蓋春秋之末，越與魯鄰，及楚滅越，皆爲楚地，故莊子居濮，陶朱居定陶，皆以爲楚人。《譜》云：「陶鄉之西有大阜界於楚，亦名楚邱。」又云：「楚以上卿禮聘，不就。迹其生平，未嘗舍桑梓而他適也。」或曰：「然則顓項少子封於任，獨不得有後乎？」曰：「《唐書·世系表》於薛氏云『出自任姓，黄帝孫顓少子封任』。於任氏云『自黄帝少子禺陽封任，因以爲姓』。其説不同。而下至奚仲皆云十二世，則兩宗雖二而實一，自爲矛盾。既知古無男子稱姓之例，亦可無論矣。且任城固爲任，而漢廣平任邑但言封任而不著其地，安知非廣平之任乎？任、宿、須句、顓臾，風姓也，實司太皡與有濟之祀，見於《左氏春秋》。夫譜系之繁久矣，自當以《左氏》爲斷。而就任城以言任，又自當以風姓爲是也。」曰：「《譜》又云『薛定侯封仲子於桃鄉』，其説非歟？」曰：「薛故城在滕縣南四十里，去任城東南二百里矣。桃鄉又在任城之北六十里，則去薛益遠，安能以封仲子？夫近代之事猶傳聞异詞，况秦漢以前乎？苟非經史，何足爲據？」書院之初成也，余來掌教事。諸生苟當事諸公表彰先賢及作人之雅化，共立石以志不忘，而以文石之詞來請。按，任子本有祠在汶泗坊，舊記有不慊於心，故爲稽其本末以質後之君子云。學海樓下爲藏書之室故名，而余更有説焉。《法言》云：「百川學海而至於海，邱陵學山而不至於山，是故恶夫畫也。」然則賢希聖則至於聖，士希賢亦至於賢，夫豈可以自畫哉？乾隆甲午六月某日秀水盛百二撰。舊注石刻有誤字數處，當依此。《前志·書院》。

按，《任譜》謂「任子系出於薛」，盛氏據古男子無稱姓之説，定爲風姓乃任後非薛後，於義當矣。然盛氏所以爲此言者，以任子任人也。而任子之爲任人，於古無徵，獨以任爲據，恐未爲定論。鄭康成謂「爲楚人」必有據，盛氏則云「春秋之末越與魯隣，及楚滅越，皆爲楚地」。夫任子之時，任未入楚，乃以春秋之人係戰國之地，鄭氏豈鹵莽若是？如任子非任人，亦不必定爲風姓矣。雖然任有三宗之説，亦不必深據《通志》云：「黄帝之後爲任氏，蓋即《國語》所謂『黄帝二十五子得姓十四人之一』，其後奚仲封於薛。」按，《左傳·隱十一年》正義曰：「《世本》，任姓：謝、章、薛、舒、吕、祝、終、泉、畢、過，言此十國皆任姓也。」是任姓不止於薛。而以姓爲氏，春秋爲無，盛氏固辨之矣。《通志》又云：「黄帝之孫顓帝少子封於任。」唐氏《世系表》則云：「黄帝少子禺陽封任。」按，《國語》言得任爲姓，非封於任也。言其封任者，恐其因《國語》之言一誤再誤，故《通志》《唐書》傳聞异辭。然則所云三宗者，一不得爲氏，一得爲氏而不必信，惟太皞風姓之任爲任氏所自出，確乎不刊。任子即非任人，上溯得氏之初，亦當原於風姓。

附 **任民育** 字厚生，居泗水上，家世業農民。育始讀書爲儒，年二十六補諸生，中天啓四年鄉試。民育雖諸生，居常俶儻好奇計。崇禎戊寅，墻子路之警，總河侍郎周鼎北援臨清，以運判馮元颺署濟寧道事，城守雅知民育，引參軍事。會閹人高起潛軍至，所部丁志祥縱兵大掠，元颺捕斬數人，起潛大恚，責取濟寧不用援兵狀。元颺以問民育，決計與之，濟寧以安。壬午，天兵再下山東，及濟寧，民育城守益力，遂去而攻兖。當路知民育有將帥才，於是淮撫史可法以通州請，保撫徐標以監軍請，吏部惎之，授穎州知州。穎數被兵，民多保聚，人自爲守。民育至，更團結部署，身任師帥。兵事之隙，問民疾苦，三月穎大治。甲申，流寇犯闕，鳳督馬士英南奔，民育輿櫬於庭，集衆誓死守金陵建國。史可法以閣部督師揚州，乃舉民育知府事。未幾，高杰、黄得功争揚州，戰於城外。軍中失得功，可法將以黄蜚、乙邦才兵攻杰，民育力言不可，乃止。翌日得功，間道歸營。其能斷大事，皆此類也。杰爲許定國所殺，其麾下自河南竄歸，願隸督府，可法不納。民育言，得此勁旅，外可以拒敵，内可以制四鎮，納之便勿聽。亡何，天兵大至，民育乘城守禦，日夜綦嚴。而可法守舊城，衛允文守新城，事權不一。會天雨，城圮，遂入之。民育緋衣坐，堂皇飲刃死，揚州人聞之皆泣下。先一日，星殞於署，櫪馬皆驚，民育自分必死，散遣諸妾，惟寡女適劉氏者與一女留署中。至是，俱縊死。從死者募客陳美并妻、僕，鄭邦志、許登進、文道等五人皆濟人。妾姚氏揚州人，投水死。三子鍾華、鍾蘭、鍾崧，走匿民間得免。王士正《漁陽文略》、鄭與僑《逸世記》。《前志》王士正曰：「予以順治庚子理揚州，士大夫向予述民育事甚烈。民育畢命在太守廳事西偏，血凝碧，陰雨猶仿佛可見。時距其死十六年矣。」○謹按，《任子族譜》無考，故附記之。

鄭子世家

鄭子名國，字子徒，《孔子家語》作「薛邦，字子從」。何孟春《家語注》曰：「『從』一作『徒』。」張守節《史記正義》曰：「《家語》云『薛邦字徒』」，《史記》作『國』者，避高祖諱。『薛』字與『鄭』字誤耳。」《春秋名字解詁》曰：「『徒』讀爲『都』，『徒』『都』古字通。《史記·高祖功臣侯年表》留侯『以韓申徒下韓國』，

《漢書·高惠高后文功臣表》作『以韓申都下韓』。《潛夫論·志氏姓》篇『信都者，司徒也。俗音不正，曰信都，或曰司徒。』」魯人也。《史記》《家語》皆無文，孔子六十五代孫衍聖公允植編正《家語》始云魯人，六十七代衍聖公毓圻編正本亦同。○按，《鄭氏譜》云：「闕里人。」《史記·仲尼弟子列傳》稱受業身通者七十七人，自冉季子産以下四十二人，無年，又不見書傳，紀姓字而已。鄭子於四十二人次居二十八，故罕聞其行事。唐贈滎陽伯，宋封朐山侯，鄭與僑《游淮偶記》云：「鄭子，海州人。朐山，海州境内之山也。」明改稱先賢鄭子。《鄭氏譜》云：「鄭子少孔子三十五歲。其先出自鄭文公少子蕥。魯僖公二十六年，蕥奔魯，魯人號曰『鄭叔』。」子二：伯疆、仲疆，魯昭公二十五年伯疆游薛，薛君妻之，授上大夫。逾年，鄭子生。又逾年，伯疆卒，任氏以其喪歸葬於魯。鄭子十歲，任氏使學於孔子。鄭子少有大志，入孔門意欲一蹴而成，不知有次序也。孔子使將命，逾年循循退讓，孔子喜曰：「薛人之子可教矣。」是時陽虎作亂，孔子退修《詩》《書》《禮》《樂》。鄭子於孔子動静語默，察而記之，書而藏之。十五歲，母任卒，鄭子哀毁骨立，廬墓三年。復從孔子游者二十餘年，及孔子卒，隱居讀書，習《禮》於孔里，遷任，設教泗濱。周定王十七年，仕任爲大夫，已而爲相，省刑薄斂，以禮樂化民，二年任大治。鄒國聞之，無敢侵凌者。定王二十年卒於任，年六十七，葬城東泗水濱。子默，默子常，常子瞻，瞻子開，開子寧，寧子芬，避秦亂，隱居泰山側。芬子穆，穆子匡，匡子修，修子連，原從玉旁，避書。連子二：昌、宏。昌子次卿，明經，通法律政事，爲涿郡太守。漢宣帝時爲諫議大夫。《漢書》六十六。宏後徙高密，崇元其裔也。昌子慎，慎子倫，倫子高，復居任城。高子素，素子平，平子二：圻、均。均子仲虞，少好「黄老」書，兄爲縣吏，頗受禮遺，均數諫止，不聽。則脱身爲傭，歲餘得錢帛歸以與兄，曰：「物盡可復得，爲吏坐贓，終身捐弃。」兄感其言，遂爲廉潔。均好義篤實，養寡嫂孤兒，恩禮敦至。常稱疾家庭，不應州郡辟召。郡將必欲致之，使縣令譎言將詣門。既至，終不能屈，均於是客濮陽。建初三年，司徒鮑昱辟之，後舉直言，并不詣。六年公車特徵，再遷尚書，數納忠言，肅宗敬重之。後以病乞骸骨，拜議郎告歸，因稱病篤，帝賜以衣冠。元和元年，詔告東平相，曰：「議郎鄭均，束修安貧，恭儉節整。前在機密，以病致仕。守善貞固，黄髮不怠。《書》不云乎『彰厥有常，吉哉』。」其賜均穀千斛，常以八月長吏存問，賜羊酒，顯兹异行。明年帝東巡過任城，幸均舍，敕賜尚書，禄以終其身，時人號爲「白衣尚書」。永元中卒於家。《後漢書》五十七、《舊志·人物》。均子逸，按，《均傳》李賢注引《東觀記》曰：「均遣子英奉章詣闕，詔召見英，問均所苦，賜以冠幘、錢布。」而《譜》云名「逸」，或均非一子。逸子朗，朗子先甫，先甫子璘，璘子然，然子甘，甘子昭，昭子寬，寬子彝，彝子璞，璞子純，遷居開封。純子潔，潔子鮮之，字道子，宋尚書、右僕射。按，鮮之父遵，尚書郎。曾祖襲大司農，高祖渾魏將作大匠。渾高祖衆，衆父興。見《宋書六十四·鮮之傳》及《三國志》十六《渾傳》。興、衆《後漢書》皆有傳。衆子亮世，爲河南開封人，與《譜》异。鮮之子愔，始興太守。《譜》誤作「始安」，據《宋書》改。愔子仁友，仁友子應先，應先子紹叔，字仲明，梁安豐令，有能名，累遷司州刺史。繕兵積穀，流民多歸焉。終左衛將軍。《梁書》十一、《南史》五十六。紹叔子隆，隆子成，成子威，威子珹，按，《新唐書·善果傳》作「誠」。移居滎澤。珹子善果，魯郡太守。《舊唐書》六十二、《新唐書》一百。母崔，在《隋書·列女傳》。善果子忠，忠子蘂，蘂子審，審子珣瑜，相德宗。珣瑜子覃，尚書右僕射。覃子裔綽，諫議大夫。《舊唐書》百七十三、《新唐書》百六十五。裔綽子綉，綉子綮，字蘊武，相昭宗。《舊唐書》百七十九、《新唐書》百八十三。綮子儉，儉子二：珍、班。珍以班爲朱梁相不懌，乃率妻子至任城，守先賢祠墓，終身不仕。按，相朱梁者名珏，綮之諸孫。而河南尹張全義，判官徽之子也，見《五代史》五十四《雜傳》。未聞有名班相梁者，或「珏」「班」字形相亂。然珏父名徽，班父名儉，又非一人。珏於昆弟行十九，蓋非止伯仲兩人也。珍子陵，陵子敦，敦子吉，聞宋太祖興，乃出仕，爲德安守，遂家德安。吉子良，精地理。良子獬，字毅夫，進士第一。獬，安州安陸人，見《宋史》三百二十一。《譜》云：「中仁宗元和十一年狀元。」〇按仁宗九元，無元和年號，亦無十一年也。獬子福榮，福榮子海，海子亮，移居黄州黄岡。亮子應富，應富子廣，廣子仁卿，仁卿子漢英，漢英子長老，長老子光，光子元甫，元甫子三：再一、壽二、太三。再一早卒，壽二明永樂四年來濟寧衛籍，太三一名壽三，亦歸濟寧，隸民籍。壽二子友才，友才子興，字義宗。興子通，字伯亨，以子文炳貴，贈承德郎、户部主事。文炳字炯之，少孤，有奇氣。九歲能文，登正德三年進士第，授南京户部主事，監後湖圖籍，中貴頗憚之。尋清兩浙逋賦，勢豪聞風輸納，旋司榷揚州，無錙銖染。改兵部龍江貢艦，配造必均，遷郎中。言預修儲蓄，買補戰馬，精選將領，勤練士卒，嚴信賞罰，時薄優恤，以蘇困兵，凡六事皆見施行。又救忤劉瑾之御史程有年，詆烏斯藏活佛之謬，兵部尚書喬白巖亟稱之，使理御馬監。靖難後，牧馬僅空名，沿江牧場、牧地爲居民所占，計畝入租久矣。大璫建議清查，欲以徼利。文炳力阻之，事遂寢。擢寧國知府，僅兩月以憂歸，卒。貧幾不能斂，僉事錢江樓爲襄厥事，始克葬焉。身殁未幾，子孫貧困，劉松石督河至濟爲買西郭田六十畝以贍之。有《雲山集》行世。《舊志·人物》。文炳子真，字維誠。嘉靖二十六年進士，初授山西太原府推官，政稱平允。城當汾水之衝，嚙址日久將盡，真修堤環衛，人稱「鄭公堤」。擢兵部職方司主事，議修邊防，動中機宜，尋升郎中，典軍政。特嚴會舉之法，以儲將材。嚴嵩秉政，有所請托，真不應。以與楊繼盛善，又俱爲徐階門人，及繼盛劾嵩，并疑真。出知南康府，未任，以憂去。起補大名，兩入覲，舉卓异。璽書褒美，賜金帛。大名多貴璫賓客，子弟怙勢，官吏莫敢問。及真至，舉事皆赴期會，不敢撓。升兵備副使，不拜，以疾歸。真博學精敏，詩文雅潔，所著有《望雲堂文集》《成齋詩集》若干卷行世。年七十八卒。《前志·人物》。子八，長道立，字稚雲，庠生。道立子履名，字懷堂。貢生，候選教授。子二，長耕，字枕于，生而穎异，家多典籍，悉自手録。胡瓚督泉濟上，課士得耕，卷有僻句，質之，曰：「語出《莊子注》。」

胡肅然起敬。學使合試二十七城，拔耕第一。萬曆三十一年秋試，擬元，以疵被斥。尋病卒。人競傳其《荆軻入秦論》。《前志·文苑》。以子與僑貴，贈文林郎。與僑字惠人，號確菴。耕卒時方五歲，母張明大義，負郭田一頃，悉以讓仲。獨取遺書一篋授與僑，曰：「兒讀此可飽。」携依外族，居泰昌。時與僑補弟子員，崇禎九年舉於鄉，受知大理寺卿凌義渠。明年試禮部，華亭楊汝成得其卷奇之，或以觸諱勿録。與僑歸益究心兵農禮樂政刑以及山川厄塞險要、古今成敗興廢，無不博覽。山左饑民群聚爲盗，衆至數十萬，所至破城郭、殺官吏，與僑倡義與城守張士臣、舉人孟瑄并力殺賊，城賴以完。總河張國維上其事，朝廷方嚮用之，而李自成已陷京師矣。流賊郭升將至濟，群議迎之，與僑不可乃止。亡何，賊至，與僑率鄉人殲之，親冒矢石，瀕危者再。立翦大憝，義聲四振。詳「兵革志」。徙家淮揚，值江左新造，悍帥分部四鎮，朝廷不能制。閣臣史可法開府淮上，聞與僑名，奏爲儀徵知縣。吏部以守禦濟寧功，改除扬州推官。時爲興平伯高傑列藩地，將弁驕横，與僑裁之以法，不隨不激。在事凡七閲月，平反滯獄七百有三人。巡按御史何綸薦以推官，監江海軍，駐通州。去揚甫兩月，而大江失守，與僑奉母之杭州。總管張存仁、經略洪承疇奇其才，欲官之，不就。悦甓社、盂城之勝，將携家終老。以時方徵南遷者，遂歸。教授生徒，絶口不言仕進，而性癖於游。當道如白如梅、盧崇峻、王光裕皆慕其高風，折簡招之，與僑亦樂與之游，借以遍覽秦晋、川蜀、荆楚、吴越諸勝，晚年奉母不出。與僑性至孝，方毅有遠識，遇事能斷。詩文簡質，取達意而止。著有《確菴稿》《丹照集》諸書。詳「藝文志」。卒年八十四，自爲壙志：以生於萬曆己亥正月六日，時未立春。建除家推六物，仍在戊戌，故自號戊己老人。《舊志·隱逸》。○引徐釚《南州草堂集》云：「余識孝廉鄭惠人在濟寧郡丞王君署，時公老矣，猶覺短小精悍，雙目炯然，顧俗吏無足以知公者。時余與公同坐一室，每見其盱衡前代事，眉宇勃勃有英氣。且爲余言四鎮强弱及高傑與黄得功爭揚州事甚悉。」《前志·雜綴》

與僑子序，字鷺墀，號鹿痴。博聞强記，以諸生老。康熙十二年，與修《州志》。年八十餘卒。《前志·文苑》。子三：原溱、原瀋、原濟。原溱，字子淼。候選州。無子，以原瀋子其學爲嗣。先賢祠在鄭莊，始立於唐開元間。雍正三年，奉部查得七十七代孫其學給奉祀生。其學字程若，子本豐。本豐字蕡實，子支蕃。其學卒，子蕃以長孫襲奉祀。支蕃字條遠，子維漢。維漢字楚屏，子二：周貞、周亨。周貞又名乾一，子二：季成、季文。由鄭子至季成，凡八十有二代。鄭莊先賢祀已圮，奉祀曠襲日久。道光二十一年，知州徐宗幹爲重建祠於州治東城隍廟街，以季成襲奉祀。

附 **鄭容** 字相涵，真之曾孫。性廉静博雅，有高才。事親至孝，父疾，藥宜受霜氣，時嚴寒，容衣冠跪，捧器終夜，父果愈。中萬曆四十三年鄉試，數上春官不售，遂不復出。知州以公車幣至，却之。流寇至，被掠索金，容無以給賊，賊將殺容，大言曰：「吾死必爲厲鬼殺賊耳。」賊見其神色特异，舍之。歲丁亥乃卒，人謂「不愧孝廉二字者，唯鄭容一人而已」。

鄭其誼 字董帷，號思圃。與僑曾孫，父名佚考。敦品勵行，博聞强識，老益精核，嘗續修譜系。先世富藏書，兵火後散失大半，其誼搜求手澤，不惜質衣購之。老屋十餘間，卷軸之外無長物也。少從劉淇游，工詩，善書法。往歲大歉，當事散千金分諸生膏火資，其誼父子獨不至，或問之，曰：「吾父子今年幸有館穀，君不知耶？」乾隆某年卒，年八十一。子本茂，字居實，號秋巖。廪膳生，善書工文，早卒。《前志·人物》。

陳子世家

陳子名亢，字子禽，《説文》：「伉，人名。《論語》有陳伉。」段大令玉裁注云：「按，《論語》作『陳亢』，字子禽。與《爾雅》『亢鳥嚨』故訓相合，作『伉』似非也。」《家語》：「陳亢，字子亢，一字子禽。」《春秋名字解詁》云：「按，《論語》鄭注『陳亢，字子禽』，不云字子亢，此因《檀弓》陳子亢而增之也，不知陳子亢别是一人。按，《古今人表》陳亢列第五，陳子亢列第六。」梁氏玉繩云：「陳子亢是子車弟子亢子也，與陳人名亢字子禽者判然不同。自鄭注《檀弓》誤云『子亢，孔子弟子』，遂以爲一人。」陳人也。孔子弟子，鄭氏《論語注》或云「子貢弟子」，甚妄。司馬遷列孔門七十七人，爲傳不及陳子，而《端木子傳》兩述其問辭。王肅所傳《家語·七十二弟子解》，陳子位三十八，少孔子四十歲，《譜》云：「少孔子四十三歲。」蓋漢世猶有可考見。《陳氏譜》云：「陳爲虞舜裔，周武王時胡公封陳，傳十二代至松公。又八代至子禽，更姓陳。生於周敬王十二年癸巳，學於聖門，有賢德，年七十八卒。」唐贈潁伯，宋封南頓侯，「頓」，《譜》誤「潁」，據《宋史》改。明改稱先賢陳子。春秋之世，士鮮真修。王綱解紐，人私其言，家私其學。子禽氏有疑思問，而端木、伯魚次第答之。然後大聖人温、良、恭、儉、讓感通之妙，綏來、動、和、作、用之神，家庭《詩》《禮》授受之公，得大明於天下後世。論者以是謂陳子明道之功不在諸賢下也。歸德府推官永年宋師程《陳子祠堂碑記》。子德卜地於宛邱葬陳子，即太康北陳子岡也。《年表》。德子淳，淳子南宫，南宫子孟點，孟點子挑，挑子鼐，鼐子念祖，念祖子璧，璧子王前，王前子邁，邁子錫爵，錫爵子硝，硝子祚，祚子宗先，宗先子時尚，時尚子喆，喆子連芳，連芳子穆，穆子寮，寮子元，元子瑞侯，瑞侯子東周，肇輯先世譜牒。東周子翼，翼子栻，栻子於斯，於斯子懷寶，懷寶子大智，大智子居仁，居仁子熙，熙子文鎔，文鎔子京生，京生子福，福子天運，天運子兆龍，兆龍子三陽，三陽子二：士炳、士燦，遷澤州。士炳子帶穎，葺祖廟，修明祀事，重修世系、譜牒，其自序略曰：帶穎，先賢子禽三十八代嫡孫也。遭兵亂，逃匿栖身河陽墻里，若不詳系家譜，則久而不知所自來，祖宗亦何賴有子孫乎？胡公以前，史册缺略不可詳矣。自胡至桓，十有二公，明載《春秋》，無容復述。自桓至子禽，相傳八世，而名諱不聞，欲紀莫由。惟我子禽學聖而有賢德，卓然一中興祖也。爰第中興祖以來，序爲譜，以貽後人。蓋《陳氏譜》創自二十三代東周，至是而再修矣。子軾，軾子重質，重質子潛修，潛修子木遷，木遷子定遠，定遠子涓，涓子琬，琬子戒，戒子峒，遷開州城南司馬集。峒子達，達子安慮，安慮子剛，遷青州。剛子源泉，源泉子二：綽、約。綽，陳子五十二代孫，實始遷濟寧東古柳樹更立廟焉。恐世代湮没，增修家乘，彙集群書，溯發祥之源，紀相傳之系，以及歷代祀典、名公頌言、祭文、詩歌俱搜輯之不漏不溢，名《宛邱志》。明永樂二十年，至聖孫曲阜世尹孔克中爲之序。綽子城，城子奉禄，奉禄子作仁，作仁子衍緒，衍緒子璋，璋子永慶，永慶子六謙，六謙子興業，興業子發，發子應舉，應舉子佳鳳，佳鳳子思孝，思孝子芳橋，芳橋爲奉祀生，芳橋卒，子烺襲。烺卒，子培清襲。培清卒，子脩釗未襲。古柳樹陳子祠，乾隆二十七年禮部准奉祀，陳烺建，《前志》據文卷。今圮。道光二十一年，知州徐宗幹爲重建祠於州治東金山庵街。

端木子世家

端木子名賜，字子貢，亦作「贛」。《春秋名字解詁》曰：「《爾雅》『貢，賜也』，《説文》『贛，賜也』。」衛人。生於周景王二十四年，少孔子三十一歲。《史記》。生而手握五，《太平御覽》三百七十引《論語摘輔象》曰：「子貢手握五，是謂壽相。」天資穎悟，孔子器之，其博聞淵識具《論語》。李光縉《補傳》。善爲説辭，通達而辯，聞其言者，皆知其賢。蘇轍《古史》。嘗相衛、魯，終於齊。《史記》。唐贈黎侯，宋封黎陽公，又封黎公，明改稱先賢端木子。後裔流寓濟寧，七十世孫謙，字吉六。國朝康熙三十九年，詔授翰林院五經博士，與世襲，衍聖公孔毓圻爲作《濟寧端木氏榮膺世爵序》，略曰：昔吾聖祖先師，紹堯舜以來相傳之道，舉而傳之顔子、曾子，其餘濟濟多賢，咸通「六藝」。然得與門性道之訓、一貫之旨者，端木子一人而已。曁於曳杖逍遥，獨聞餘論。三年之後，築室依依，古楷一株，與庭檜分陰。百世迄今，睹廬墓遺迹，猶慨然想見其爲人。今者顏、曾、孟、仲之後，膺世爵，食天禄，烝嘗弗替，獨端木子猶未食報於千載之下，豈天眷之難憑與？抑我聖祖之靈爽未及覆蔭與？非也，蓋有待於象賢之胄者爲已久也。康熙甲子，幸祖林，端木子七十世孫謙於廬次供事，得覲天顏，敷陳家世，奏對詳明。己卯復覲，駕於河干，奏對如前。蒙天語顧問，遂以庚辰秋特恩授爵與顏、曾等。予乃爲之喜而不寐，蓋以先賢之德，後有顯者，不足异。喜其當吾世，而吉六君以大昌其統緒也。我朝致治有文，優聖賢遺裔，真千古帝王所未有。君生當兹世，固已幸矣。然使非追遠情深，歲時伏臘，依依祖宗舊廬，撫楷隕涕，獨抱千古之感而不懈，則天壤間之爲端木氏者，亦殊不乏人，何能獨邀兹异數乎？遥計自周迄今二千餘年，端木氏本宗一綫不絶如縷，至君乃克振，自白屋列官清華，固吾聖祖及先賢有靈實啓牖之，而亦君之賢有以致之也。憶予舊識君，見其丰標英偉，言語灑落，真瑚璉之遺。然使以他途致身通顯，不過一世而止耳。今官翰苑，傳無窮，自先賢遞及之，則爲克肖之家孫。由後人逆溯之，則爲不祧之始祖。德孰逾焉！榮孰甚焉！惟予於君誼屬通門，情實一家。感君先世築場、樹楷之誼，尤眷眷於君之宗族。君其益自珍重，惇本睦宗，漸幾繁衍昌熾，若吾先世中興祖者。上報國恩，下光梓里，則豈惟端木氏一家賴之？予實有望焉。

謹按，今端木博士在河南浚縣，不知從第幾世遷去。而其初得世爵，實居濟寧七十三世英，卒於乾隆四年。妻郭以節著，詳「列女」。是乾隆間猶未徙也。《兖州府志》載衍聖公文，叙得爵原委頗詳，謹録存其略，俾來者有考焉。

附 **孫景耀** 字毓華，先賢顓孫氏之裔。天啓二年進士，初知廣宗縣，調魏縣，尋謫上林丞，升南京工部營繕司主事，遷郎中，監寶源局，以疾免。其先自蕭縣遷鄒後，又自鄒徙州之荆家村，以耕讀傳家繼起，爲今望族，發祥自景耀始。

孫鏡

字寶三，景耀從孫。父堪，以舉人爲浙州令，有聲，考選御史。鏡於雍正六年以薦舉歷知湖廣桃源、瀘溪縣。瀘溪有地，爲苗所侵，百姓累無地之賦者百餘年矣。鏡申請清理，上官恐生事，不許。鏡具文達部，設法辦理。單騎入苗寨，以理諭之，苗感其誠，竟得地而還。偶道出桃源，有韓元泣訴幼聘某氏女，被豪民强委禽。訟之官，豪引媒氏爲證，官竟不直。元公，仁明舊父母也，故以告鏡，以不在其位爲辭，元痛哭不已。爲言於後令，令深護前失。鏡聞之上官，請會勘，以女歸韓氏，用所乘輿送之。時監司亦按部至，鏡失於郊迎，監司甚愠。及至館，知其故，大喜，爲賦《催妝詩》，人傳以爲佳話云。終以不合於時，謝病歸。據行狀。

孫鈞

字陶仲，鏡弟。幼岐嶷，弱冠補諸生，貢入成均，以教習發江南，以知縣試用。歷揚州府通判、宿虹同知，升淮揚道。凡賑饑禁暴，於漕鹽諸務，靡不盡心剔厘。三護河督印務，監試棘闈，調江安糧道，剔奸除弊，并以能稱。年八十五卒於家。季子濟，字達夫。嗜學好古，從金壇蔣衡問書法，遂精其業，又善畫及詩。循例爲南城正指揮，以廉能不畏强禦以終養告歸，築室漁山，因號「漁巔」。日摹帖千餘字，以爲常。卒年六十二。濟子廷標，字龍溪，號介圃。中乾隆己亥鄉榜，歷任廣西靈川、懷集、雒容、武緣知縣，充嘉慶戊午辛酉鄉試同考官。潔己愛民，所至豪猾斂迹。工詩，格近香山。廷榛，字思美。始以從九仕豫，嗣任雲南楚雄司獄、猛緬巡檢。能以恩信懷猓夷，分俸以贍養昆弟。宦游三十餘年，稱廉能焉。○《前志·人物》。

謹按，顓孫《族譜》無考，附記之。

原子名憲，字子思，

《檀弓》作「仲憲」。《春秋名字解詁》曰：「《説文》：『憲，敏也。』《僖三十三年》《左傳》杜預曰：『敏，審當於事也。』憲，有審當於事之義。』故字『思』，或曰『憲』，與『獻』通；『思』與『偲』通，皆謂多才能也。《周書·謚法篇》曰：『博聞多能曰獻。』《史記正義》『獻』作『憲』。《齊風·盧令篇》

『其人美且偲』，《傳》曰：『偲，才也。』鄭《箋》曰：『偲，多才也。』」魯人也。《史記集解》引鄭氏説。生於魯昭公二十六年，少孔子三十六歲。《家語》。清約守節，貧而樂道。《文選·運命論》注引《家語》今本「約」誤「净」。環堵之室，茨以蒿萊，蓬户瓮牖，桷桑而無樞，上漏下濕，匡坐而弦歌。子貢乘肥馬、衣輕裘，中紺而表素，軒不容巷，而往見之。原憲楮冠藜杖而應門，正冠則纓絶，振襟則肘見，納履則踵決，子貢曰：「嘻！先生何病也？」原憲仰而應之曰：「憲聞之，無財謂之貧，學而不能行謂之病。憲貧也，非病也。若夫希世而行，比周而友，學以爲人，教以爲己，仁義之慝，車馬之飾，憲不忍爲之也。」子貢逡巡，面有慚色，不辭而去。原憲乃徐步曳杖，歌《商頌》而反，聲滿天地，如出金石。天子不得而臣也，諸侯不得而友也。故養身者忘家，養志者忘身。身且不愛，孰能忝之？《韓詩外傳》一。

唐贈原伯，宋封任城侯，明改稱先賢原子。

謹按，原子之在濟寧，一見於總河靳輔《重修濟寧學碑記》，一見於安塞令陳尚謙《曹子家譜序》，蓋康熙間濟有原氏也。《史記·原子傳》不詳何國人，鄭康成云「魯人」，《家語》云「宋人」，而《莊子·讓王篇》《新序·節士篇》《韓詩外傳》并云「居魯」，則鄭説信矣。任爲魯附庸，故任國亦得稱魯人。宋封任城侯，或其時猶有可考見乎？《萬曆志》有《原子傳》，非直因宋封録之也。夫濟寧賢裔十餘家，多由後代來徙。惟任、鄭、樊三子稱土著，子孫奉祀於兹，奕世罔替。原子之爲土著，於古有徵，而後裔獨無考，豈他遷歟？抑甚式微歟？後之君子尚加意於斯。

曾子弟子

陽膚，南武城人。魯士師，事具《論語》。

樂正子春，南武城人。事具大、小戴《禮記》。

公明儀，南武城人。事具《孟子》、大、小戴《禮記》。又嘗爲子

張弟子。《檀弓正義》。

沈猶行，南武城人。事具《孟子》，或云太行人。

公明高，南武城人。事具《孟子》，《史記索隱》以爲孟子門

人，非也。

單居離，南武城人。事具《大戴禮記》。

公明宣，南武城人。學於曾子，三年不讀書。曾子曰：「宣而居參之門三年，不學何也？」公明宣曰：「安敢不學？宣見夫子居宮庭，親在，叱咤（原作「叱叱」，依《群書拾補》改。）之聲，未嘗至於犬馬，宣說之，學而未能。宣見夫子之應賓客，恭儉而不懈惰，宣說之，學而未能。宣見夫子之居朝廷，嚴臨下而不毁傷，宣說之，學而未能。宣說此三者，學而未能，宣安敢不學而居夫子之門乎？」魯參避席謝之曰：「參不及宣，其學而已。」（《說苑·反質》。）

公孟子高，南武城人。見顓孫子莫，曰：「敢問君子之禮何如？」顓孫子莫曰：「去爾外厲與爾內折，色勝而心自取之。去三者而可矣。」公孟不知，以告曾子，曾子愀然逡巡曰：「大哉言乎！無外厲者必内折，色勝而心自取之者必爲人役。是故君子德行成而容不知，聞識博而辭不争，知慮微達而能不愚。」《說苑·修文》。

孟儀，南武城人。曾子有疾，往問之，曾子曰：「鳥之將死，必有悲聲。君子集大辟，必有順辭。禮有三儀，知之乎？」對曰：「不識也。」曾子曰：「坐，吾語汝。君子修禮以立志，則貪欲之心不來。君子思禮以修身，則怠惰慢易之節不至。君子修禮以仁義，則忿争暴亂之辭遠。若夫置樽俎、列籩豆，此有司之事也。君子雖勿能，可也。」《說苑·修文》。

子襄，南武城人。事具《孟子》。

謹按，是十子者，《宗聖志》皆以爲南武城人，未詳所據。公孟子高疑即公明高，孟儀疑即公明儀。古音「明」「孟」皆讀如「盟」、如「芒」，故孟渚、明都，孟門、盟門，孟津、盟津，孟卯、芒卯，互相通假。公明、公孟，亦其例也。長言之爲公明，短言之則爲公孟。猶「邾婁」之爲「鄒」、「句讀」之爲「穀」耳。然目宗聖立廟，崇祀兩廡，《兖州府》《嘉祥縣志》皆列十人，有其舉之，莫敢廢也。即單縣亶、琴牢、琴張、申黨、申棖、申堂、顏涿聚、顏濁鄒、顏讎學者，以意離合，紛如聚訟，究未見其一是也。

濟寧直隸州志卷八之二

人物志二

《前志》云：「志猶史也，而微有别。史以昭法戒主，懲惡以勸善。志則善善從長，然不能概爲立傳。傳亦詞尚體要，惟其實，不惟其文，所以别於家乘，而備國史之采録也。」《前志》增列「儒休」，次「文苑」，次「忠節」，次「孝義」，變初志之例，以時代爲序，屬邑亦以類附，體例固爲周備矣。但「列傳」之後分門編纂，皆沿襲史例。究其分别紀載，亦非不可移易。夫忠孝爲百行之原，垂惇史而載閭書，宜特筆於前。文章根於德行，文苑亦非徒以文傳，今仍依時代，統曰「人物」。并參用史例兼纂「總傳」，以書賢能，仍繫以《前志》之目。《前志》先達列傳，除見史書者，大半原本家乘、墓志輯之。次序紊者正之，志其原傳過于簡略，并以「藝文」所録志銘附其陵墓。或父兄子弟分見者并纂采訪，續編者或分傳或合傳，雖善善從長而不敢濫也。古人有歷代史册可徵，叙次宜簡近人，備後日輶軒之采。事實宜詳，爰據《舊志》而節其煩冗，博涉諸書而補其遺佚，斟酌損益，庶幾無泛無隱云。

列傳

一〇《前志》首列周季任及任人，注云見《孟子》，此不必書。繼以漢周仁次鄭均，均入「世家」，仁僅以醫名入「方技」。「列傳」斷自忠始。

漢

曹竟　字子期，山陽人。王莽篡漢，去官不仕。更始徵竟，以爲丞相，不受。會赤眉入長安，竟手劍相格，不克死之。《漢書》。《前志·忠節》。

按，《前志》「列傳」歷代分編，先州，次三邑，至「忠節」「孝義」等篇各爲一門，仍先州後縣，以次合編。未免古今人互相錯雜，今概按時代爲序。而各朝内先州次縣，統入「列傳」,「列傳」未載者,作「總傳」附之。

張無故 字子儒。與平陵李尋、鄭寬中、信都秦恭、陳留假倉受小夏侯《尚書》於平陵張山拊,由是小夏侯有鄭、張、秦、假、李氏之學。恭增師法至萬餘言,無故善修章句,爲廣陵太傅。守小夏侯説,文以授沛唐尊。○張長安,字幼君。受《魯詩》於東平新桃王式,後東平唐長賓、褚少孫亦事式。由是《魯詩》有張、唐、褚氏之學。長安爲博士,論石渠,至淮陽中尉。○兄子游卿,爲諫大夫,以《詩》授元帝。其門人琅琊王扶,爲泗水中尉;陳留許晏爲博士,由是張家有許氏學。○張舊受《詩》於泰山栗豐,豐出河内食子公,子公出同郡蔡誼,誼出同郡趙子。子親事燕人韓嬰,張爲嬰五傳弟子。漢末張匡字文通,亦習《韓詩》,作《章句》,後舉有道,博士徵不就,卒於家。自無故至匡,皆山陽人。《漢書·儒林傳》。

按,漢史山陽張氏傳經者五人,《前志》僅録張匡。而前漢四人闕如,今合爲一傳補之。

何休 字劭公,任城樊人。父豹,少府。休爲人樸訥,雅有心思。精研「六經」,世儒無及。以列卿子詔拜郎中,非其好也,辭病不去,不仕州郡。進退必以禮,太傅陳蕃辟之,與參政事。蕃敗,休坐廢錮,乃作《春秋公羊解詁》,覃思不窺門十有七年。又注《孝經》《論語》《風角七分》,皆經緯典謨,不與守文同説。又以《春秋》駁漢事六百餘條,妙得《公羊》本義。休善歷算,與其師博士羊弼追述李育意以難二傳,作《公羊墨守》《左氏膏肓》《穀粱廢疾》。黨禁解,群公表休道術深明,宜侍帷幄。幸臣不悦,乃拜議郎。陳忠言,再遷諫議大夫。年五十四,光和五年卒。《後漢·儒林傳》。

王龔 字宗伯,山陽高平人。初舉孝廉,嗣遷青州刺史,劾奏貪濁二千石數人,安帝嘉之,徵拜尚書。建光元年,擢司隸校尉,尋遷汝南太守。政崇温和,引進郡人黃憲、陳蕃等後進，知名之士莫不歸心焉。永和元年，拜太尉。在位恭慎，自非公事，不通州郡書記。其所辟命，皆海内長者。在位五年，以老病乞歸，卒於家。《後漢書》本傳。下同。

王暢 字叔茂，太尉龔子。舉孝廉，四遷尚書令，出爲齊相，徵拜司隸校尉，轉漁陽太守。所在以嚴明稱，坐事免官。太尉陳蕃薦暢清公方正，由是復爲尚書，尋拜南陽太守。奮厲威猛，豪右震懾。功曹張敞奏記，以爲「懇懇用刑，不如用恩；孳孳求奸，未若禮賢」。暢深納之，更崇寬政，教化大行。後徵爲長樂衛尉，建安元年遷司空，數月以《水灾策》免，明年卒於家。子謙爲大將軍何進長史。謙子燦，以文才知名。

范式 字巨卿，山陽金鄉人。少游太學，與汝南張劭爲友，并告歸。式謂劭曰：「後二年當過拜尊親，乃共剋期日。」至期，劭白母：「請設饌以候之。」母曰：「數年之别，千里結言，爾何相信之審？」對曰：「巨卿信士，必不乖違。」式果如期至。後式仕郡功曹，而劭寢疾，臨盡嘆曰：「恨不見吾死友。」尋卒。式夢劭來訣别，即告太守馳往赴之，未到喪已發，引既至壙，柩不肯進。其母撫之曰：「元伯豈有望耶？」移時乃見有素車白馬號哭而來，母望之曰：「必巨卿也。」既至，執紼引柩，柩乃前。遂留至冢次，爲修墳、樹，然後去。長沙陳平子亦在太學，與式未相見而被病，將亡，謂其妻曰：「吾聞山陽范巨卿烈士也，可以許死。」乃製素爲書以遺式，令其妻往見之。式省書愴然悲泣，遂營護其喪歸。長沙未至，前五里許乃委素書於柩上，哭别而去。長沙計吏上書表式行狀，三府并辟，不應。舉州茂才，四遷荆州刺史。友人南陽孔嵩以家貧親老，變名姓傭爲新野街卒，充導騎迎式，式見而識之，把臂語平生甚歡。敕縣代嵩，嵩以爲先傭未竟不肯去。式遷廬江太守，有威名，後卒於官。

張儉 字元節，山陽高平人，趙王張耳之後也。父成，江夏太守。儉初舉茂才，以刺史非其人，謝病不起。延熹八年，太守翟超，請爲東部督郵。時中常侍侯覽家在防東，殘暴百姓，所爲不軌。儉舉劾覽及其母罪惡，請誅之。覽遏絶章表，并不得通，由是結仇。覽等鄉人朱并素性佞邪，爲儉所弃，并懷怨恚，遂上書告儉，與同郡二十四人爲黨，於是刊章討捕。儉亡命，困迫遁走，望門投止，莫不重其名行，破家相容。復流轉東萊，止李篤家。外黄令毛欽操兵到門，篤引欽謂曰：「張儉知名天下，而亡非其罪也。縱儉可得，能忍執之乎？」欽因起撫篤曰：「蘧伯玉耻獨爲君子，足下如何自專仁義？」篤曰：「篤雖好義，明廷今日載其半矣。」欽嘆息而去，篤因緣送儉出塞，以故得免。其所經歷伏重誅者以十數，宗親并殄，滿郡縣爲之殘破。中平元年，黨事解，乃還鄉里，大將軍、三公并辟。又舉敦樸，公車特徵起家，拜少府，皆不就。獻帝初，百姓饑荒，而儉資計差温，乃傾竭財産，與邑中共之，賴其存者以百數。建安初，徵爲衛尉，不得已而起。見曹氏世德已萌，乃闔門懸車，不預政事。歲餘卒於許下，年八十四。

仲長統　字公理，山陽高平人。博涉書記，贍於文辭，游學青、徐、并、冀間。每州郡命召，輒稱疾不就。常以爲名不常存，人生易滅；優游偃仰，可以自娱。欲卜居清曠以樂其志，因作《樂志論》。荀彧聞而奇之，舉爲尚書郎。每論説古今及時俗行事，恒發憤嘆息，遂著論，名《昌言》，凡三十四篇。

魯峻　字仲巖，昌邑人。祖某，監營謁者。父某，修武令。峻治《魯詩》，兼《顔氏春秋》。舉孝廉，除郎中謁者。初爲河内太守丞，丁父憂，起司徒府、侍御史。初爲頓邱令，視事四年，有政聲。遷九江太守，以公事去官。以司空王暢舉，徵拜議郎、太尉長史、御史中丞。延熹七年，拜司隸校尉，以母喪自乞。拜議郎，服竟還，拜長騎校尉，以病辭官。年六十一，熹平元年四月卒，門生私謚「忠惠」。《碑記》。○按，《縣志·選舉》誤以峻爲前漢人。

劉表　字景升，山陽高平人。魯恭王後。與同郡張儉等號爲「八顧」。初平中，爲荆州刺史，襲破宗賊，江南悉平。因遣使奉貢，以表爲鎮南將軍，領荆州牧，封成武侯。威懷兼洽，萬里肅清，愛民養士，從容自保。又博求儒術，關西、兖、豫學士歸者以千數。及曹操與袁紹相持于官渡，紹遣人求助，表許之，不至亦不援。後曹操自將征表，未至而表卒。

度尚　字博平，山陽湖陸人。少喪父，事母至孝。通《京氏易》《古文尚書》。有文武才略，除上虞長，遷文安令。時疾疫，穀貴人饑，尚開倉賑給，冀州刺史朱穆行部見而奇之。延熹五年，桂陽、蒼梧諸部寇亂，穆舉尚，擢爲荆州刺史。尚躬率士卒進擊，大破賊，降者數萬人。賊帥卜陽、潘鴻等徙入山谷，尚躬追數百里，鼓勵士卒，遂大破平之。以功封右鄉侯，遷桂陽太守，明年徵還京師。時荆州兵朱蓋等復作亂，以尚爲中郎將討擊，大破之，詔賜錢百萬，出爲遼東太守。數月，鮮卑率兵攻尚，與戰破之。後卒于官。黨禁名在「八厨」。《後漢書》。參《魚臺志》。

魏應　字君伯，任城人也。少好學，建武初詣博士受業，習《魯詩》，閉門誦習，不交僚黨，京師稱之。後歸爲郡吏，舉明經，除濟陰王文學，以疾免官。教授山澤中，徒衆常數百人。永平初爲博士，歷侍中，十三年遷大鴻臚，十八年拜光禄大夫。建初四年，拜五官中郎將，詔入授千乘王伉。應經明行修，弟子遠方至，著録數千人。肅宗甚重之，數進見論難於前，特授賞賜。時會京師諸儒于白虎觀，講論「五經」同异，使應專掌問難。侍中淳于恭奏之，帝親臨稱制，如石渠故事。明年出爲上黨太守，徵拜騎都尉，卒于官。《後漢書·儒林傳》。

丁恭　字子然，山陽東緡人。習《公羊嚴氏春秋》。建武初爲諫議大夫、博士，封關内侯，遷少府。恭學義精明，當時稱爲大儒。太常樓望、侍中承宫、長水校尉樊儵等皆受業于恭，拜侍中、祭酒。光武每事諮訪焉。《後漢書·儒林傳》。

三國

吕虔　字子恪，任城人。魏太祖在兖州，聞虔有膽策，以爲從事，將家兵守湖陸。襄陵校尉杜松部民炅母等作亂，與豨昌通，太祖以虔代松。虔到，招誘炅母渠率及同惡數十人，賜酒食，簡壯士伏其側。虔察炅母等皆醉，使伏兵盡格殺之，撫其餘，群賊乃平。太祖以虔領泰山太守，郡接山海，世亂人民多藏竄。袁紹所置中郎將郭祖、公孫犢等數十輩保山爲寇，百姓苦之。虔將家兵到郡，開恩信，祖等皆降。諸山中亡匿者盡出，安土業，簡其彊者補戰士，泰山由是遂有精兵。濟南黄巾徐和等，所在劫長吏、攻城邑，虔引兵與夏侯淵會擊之，前後數十戰，斬首、獲生數千人。太祖使督青州諸郡兵，以討東萊李條等，有功，太祖令曰：「夫有其志，必成其事，蓋烈士之所徇也。卿在郡以來，擒奸討暴，百姓獲安。躬蹈矢石，所征輒克。昔寇恂立名於汝潁，耿弇建策于青兗，古今一也。」舉茂才，加騎都尉，典郡如故。虔在泰山十數年，甚有威惠。文帝即王位，加裨將軍，封益壽亭侯，遷徐州刺史，加威虜將軍。請琅琊王祥爲别駕，民事一以委之，世多其能任賢。討利城叛賊，斬獲有功。明帝即位，徙封萬年亭侯，增邑二百，并前六百户。虔薨，子翻嗣；翻薨，子桂嗣。《三國志》。

棧潛

字彦皇，任城人。魏太祖世歷縣令，嘗督守鄴城。時文帝爲太子，耽樂田獵，晨出夜還，潛諫曰：「王公設險以固其國，都城禁衛，用戒不虞。大雅云『宗子維城，無俾城壞』，又曰『猶之未遠，是用大諫』，若逸於游田，晨出昏歸，以一日從禽之娱而忘無垠之釁，愚竊惑之。」太子不悦，然自後游出差簡。黄初中，文帝將立郭貴嬪爲皇后，潛爲郎中，上疏諫帝，不從。明帝時，衆役并興，戚屬疏斥，潛上疏切諫云：「陛下聖德，纂承洪緒，宜崇晏安，與民休息。而方隅匪寧，征夫遠戍，有事海外，懸旌萬里。六軍騷動，水陸轉運，百姓舍業，日費千金。大興殿舍，功作萬計。臣恐民力雕盡，下不堪命也。蓋聖主之御世也，克明峻德，庸勛親親，俊乂在官，則功業可隆。親親顯用，則安危同憂，深根固本，并爲幹翼。雖歷盛衰，内外有輔。昔成王幼冲，未能莅政，周、吕、召、畢并在左右。今既無衛侯、康叔之監分陜，所任又非旦、奭，東宫未建，天下無副，願陛下留心關塞，永保無極，則海内幸甚。」後爲燕中尉，辭疾不就，卒。《三國志·高堂隆傳》。

伊籍　字機伯，山陽人。少依劉表，先主在荆州，籍常往來自託。表卒，依先主渡江，從入益州。益州既定，以籍爲左將軍、從事中郎。嘗使吴，孫權聞其才辨，欲折以辭。籍語機捷，竟不能折。權甚异之，後遷昭文將軍。《蜀志》。

涼茂　字伯方，山陽昌邑人。少好學，論議常據經典以處是非。曹操辟爲司空掾，補侍御史。時泰山多盜，以茂爲太守。旬月之間，襁負而至者千餘家，轉爲樂浪太守。公孫度在遼東，擅留茂，不遣之官，茂終不爲屈。後徵還爲魏郡太守、甘陵相，所在有績。魏國初建，遷尚書僕射，後爲中尉、奉常。《魏志》。

郗慮　字鴻豫，山陽高平人。少受業於鄭玄。建安初爲侍中，從光禄勛遷爲御史大夫。慮常與孔融同見帝，帝問融：「鴻豫何所優長？」融曰：「可與適道，未可與權。」慮舉笏曰：「融昔宰北海，政散民流，其權安在？」《魏志》注。

滿寵　字伯寧，山陽昌邑人。年十八爲郡督郵，曹操辟爲從事，遷汝南太守，卒謚「景侯」。《魏志》。

單固　字恭夏，山陽人。爲人有器識。正始中，兖州刺史令狐愚與固父伯龍善，辟固爲吏，曰：「固不欲耳。」不獲已，往。後愚與王凌謀司馬，太傅楊康露其事，固與愚皆遇害。固母夏侯氏曰：「汝爲人吏，自當爾也。」《魏志》。

晋

魏舒　字陽元，任城樊人也。少孤，爲外家甯氏所養。甯氏起宅，相宅者云：「當出貴甥。」舒身長八尺二寸，姿望秀偉。飲酒石餘，而遲鈍質樸，不爲鄉親所重。不修常人之節，不爲皎厲之事。性好騎射，著韋衣入山澤，以漁獵爲事。太原王乂謂舒曰：「卿終當爲台輔，然今未能令妻子免饑寒，吾當助卿瞥之。」常振其匱乏，舒受而不辭。年四十餘，郡上計椽察孝廉，宗黨以舒無學業，勸令不就，舒曰：「若試而不中，其負在我，安可虛竊不就之高以爲己榮乎？」於是自課，百日習一經，因而對策，升第除澠池長，遷浚儀令，入爲尚書郎。時欲沙汰郎官，非其才者罷之，舒曰：「吾即其人也。」襆被而出，同寮素無清論者咸有愧色，談者稱之。累遷後將軍鍾毓長史，毓每與參佐射，舒嘗爲畫籌而已。後遇朋耦不足，以舒滿數。毓初不知其善射，舒容範閑雅，發無不中，舉坐愕然，莫有敵者。毓謝而嘆曰：「吾之不足以盡卿才，有如此射矣。」轉相國參軍，封劇陽子。府朝碎務，未嘗見是非。至於廢興大事，衆人莫能斷者，舒徐爲籌之，多出衆議之表。文帝深器重之，每朝會坐罷，目送之，曰：「魏舒，堂堂人之領袖也。」遷宜陽、榮陽二郡太守，甚有聲稱，徵拜散騎常侍，出爲冀州刺史。在州三年，以簡惠稱。入爲侍中，武帝以舒清素，特賜絹百匹，遷尚書。以公事當免官，詔以贖論。舒三娶妻皆亡，是歲自表乞假，還本郡葬妻，詔賜葬地一頃、錢五十萬。太康初，拜右僕射，復爲左僕射，領吏部，加右光禄大夫、儀同三司。及山濤薨，以舒領司徒。有頃，即真禄賜，散之九族，家無餘財。以年老每稱疾遜位，中復暫起，署兖州中正，尋又稱疾，以灾异遜位，帝不聽。正旦朝罷還第，表送章綬，帝手詔敦勉，而舒執意彌固，乃下詔曰：「司徒、劇陽子舒，體道宏粹，思量經遠。忠肅居正，在公盡規。入管銓衡，官人允叙。出贊衮職，敷宏五教。惠訓播流，德聲茂著，可謂朝之俊乂者也。而屢執冲讓，辭旨懇誠。申覽反覆，省用憮然。蓋成人之美，先典所與。難違至情，今聽其所執。以劇陽子就第，位同三司，禄賜如前。几杖不朝，賜錢百萬，床帳簟褥百副。以舍人四人爲劇陽子舍人，置官騎十人。使光禄勛奉策主者詳案典禮，令皆如舊制。」賜安車駟馬，門施行馬。舒爲事必先行而後言，遜位之際莫有知者。時論以爲，晋興以來，三公能辭榮禄終者未之有也。太熙元年薨，時年八十二。帝甚傷悼，賵賻優厚，謚曰「康」。子混，字延廣。清惠有才行，爲太子舍人。年二十七先舒卒，詔曰：「舒惟一子，薄命短折。舒告老之年，處煢獨之苦，每念怛然，爲之嗟悼。思所以散愁養氣，可更增滋味品物，仍給賜陽燧四望繐窗户皂輪車牛一乘，庶出入觀望，或足散憂也。」以庶孫融嗣，又早卒，從孫晃嗣。

《晉書》。下同。

魏詠之 字長道，任城人。家世貧素，躬耕爲事，好學不倦。初爲州主簿，嘗見桓玄，既出，玄鄙其精神不儁，謂坐客曰：「庸神而宅偉幹，不成令器。」竟不調而遣之。詠之早與劉裕游款，及玄篡位，協贊義謀。玄敗，授建威將軍、豫州刺史。桓歆寇歷陽，詠之率衆擊走之。義熙初，進征虜將軍、吴國内史，尋轉荆州刺史，持節都督六州，領南蠻校尉。詠之初在布衣，不以貧賤爲耻。及居顯位，亦不以富貴驕人。尋卒於官，詔曰：「魏詠之器宇宏邵，識局貞隱。同獎之誠，實銘王府。敷績之效，垂惠在人。奄致隕喪，惻愴於心。可贈太常，加散騎常侍。」其後録其贊義之功，追封江陵縣公，食邑二千五百户，謚曰「桓」。弟順之，至琅琊内史。

虞溥 字允源，高平昌邑人。父秘爲偏將軍，鎮隴西。溥從父之官，專心墳籍。郡察孝廉，除郎中，補尚書都令史。尚書令衛瓘、尚書褚䂮并器重之，稍遷公車司馬令，除鄱陽内史。大修庠序，廣招學徒，移告屬縣具爲條制，于是至者七百餘人。溥乃作誥以奬訓之曰：「夫聖人之道淡而寡味，故始學者不好也。及至朞月，所觀彌博，所習彌多，日聞所不聞，日見所不見，然後心開意朗，敬業樂群，忽然不覺大化之陶己、至道之入神也。故學染人甚于丹青，丹青吾見其久而渝矣，未見久學而渝者也。夫工人之染，先修其質，後事其色，質修色積而染工畢矣。學亦有質，孝弟忠信是也。夫學者不患才不及，而患志不立，故曰『希驥之馬亦驥之乘，希顔之徒亦顔之倫也』。」又曰：「鍥而舍，朽木不知；鍥而不舍，金石可虧。斯非效乎？」時祭酒求更起屋行禮，溥曰：「君子行禮無常處也，故孔子射於矍相之圃，而行禮於大樹之下，況今學庭庠序高堂顯敞乎？」溥爲政嚴而不猛，風化大行，有白烏集於郡庭。注《春秋經傳》，撰《江表傳》及文章詩賦數十篇。卒於洛，時年六十二。子勃，一作敦。過江，上溥《表傳》，干元帝，詔藏於秘書。

王宏 字正宗，高平人。魏侍中王粲之從孫。魏時辟公府，累遷尚書郎，歷給事中。泰始初爲汲郡太守，撫百姓如家人，耕桑樹藝、室宇阡陌，莫不躬自教示，在郡有殊績。司隸校尉石鑒上其政術，武帝下詔稱之，賜穀千斛，布告天下。太康中，爲司隸校尉，坐事免官，後起爲尚書，卒贈太常。

郗隆 字宏始，高平金鄉人。由尚書郎轉左丞，以直亮爲百僚所憚。後爲揚州刺史，僚屬有犯輒以臺閣峻制繩之，尋加寧東將軍。

郗鑒 字道徽，高平金鄉人。博覽經籍，躬耕隴畝，以儒雅著名。趙王倫辟爲椽，知倫有不臣之迹，稱疾去職。惠帝反正，參司空軍事，累遷中書侍郎。及京師不守，鑒歸鄉里，率千餘家避難於魯之嶧山。元帝初，鎮江左承制假鑒龍驤將軍。明帝即位，懼王敦之逼，倚鑒爲外援，拜安西將軍。與帝謀，討敦。帝崩，與王導等并受遺詔輔少主，進拜車騎大將軍，開府儀同三司。及祖約、蘇峻反，鑒流涕誓師，三軍爭爲用命。賊平，拜司空，加侍中，更封南昌縣公，進位太尉。卒謚「文成」。二子：愔、曇。

郗愔 字方回，鑒長子。性至孝，襲爵南昌公，徵拜中書侍郎，尋以疾去職。後徵爲光禄大夫，固讓不拜，求補遠郡，出爲輔國將軍。久之乞歸，徵拜司空，不起。卒謚「文穆」。子超爲桓温參軍。

郗曇 字重熙，鑒次子。少賜爵東安縣，開國伯。司徒王導辟秘書郎，年三十拜通直散騎侍郎，遷中書侍郎。簡文帝爲撫軍，引爲司馬，尋除尚書吏部郎，拜御史中丞。時北中郎將荀羡有疾，朝廷以曇爲羡軍司，加散騎常侍。頃之，羡徵還，除北中郎將，都督徐、兖、青、幽、揚州之晋陵諸軍事，領徐兖二州刺史，假節鎮下邳。後與賊帥傅末汲等戰失利，降號建威將軍。尋卒，年四十二，追贈北中郎將，謚曰「簡」。子恢嗣。

郗恢 字道尹，曇子。少襲父爵，累遷給事黄門侍郎，領太子右衛率。孝武帝深器之，以爲有藩伯之品望，擢建威將軍、雍州刺史，假節鎮襄陽。甚得關隴之心，降服者動以千計。後以功進征寇將軍，兼領秦州刺史，尋爲尚書，卒贈鎮軍將軍。

檀憑之 字慶子，高平人。少有志力，爲世所稱。從兄子韶兄弟五人，皆稚弱而孤，憑之撫養若己所生。初爲會稽王驃騎行參軍，轉東莞太守，加寧遠將軍。與劉裕有州閭之舊，又數同東討，情好甚密。義旗之建，憑之以私艱墨經而赴，裕以爲建武將軍。後爲皇甫敷軍所害，追封曲阿縣公。

檀斌 高平金鄉人。晋明帝時爲兖州刺史。時石勒遣其將石良寇兖州，斌乏救，力戰死之。《前志·忠節》

南朝宋

檀祗 字恭叔，高平金鄉人。少爲輔國參軍，征孫恩屢有戰功，復從高祖討桓玄，每戰克捷，封西昌縣侯，督江北淮南軍事。亡命司馬國璠兄弟聚衆數百過淮，乘夜緣廣陵城入，祗曰：「賊暗入，欲掩我不備，但打五鼓，懼曉必走矣。」賊聞鼓鳴，謂天曉，于是奔散，追討殺賊百餘人。宋國初建，詔爲領軍將軍。卒謚「威侯」。《宋書》。

檀道濟 高平金鄉人。從宋武帝參建武軍事，以建義勛封吴縣五等侯。前後多戰功，歷加冠軍將軍。義熙十二年，武帝北伐，以道濟爲前鋒出淮肥，所至降服，拔城破壘，俘四千餘人，皆釋遣，人心感悦。長安既平，爲琅琊内史。元嘉中，封武陵郡公，進位司空，還鎮潯陽道。濟立功前朝，威名甚重，左右腹心并經百戰，諸子又有才氣，朝廷疑懼，召赴廷尉，與其子植俱見殺。《宋書》。

北周

魏玄 字僧志，任城人。少慷慨有膽略。普泰中，除奉朝請，頻從軍，與梁人交戰。永安初，以功授征虜將軍、中散大夫。及魏孝武西遷，東魏北徙，玄遂率募鄉曲立義於關南，即從韋法保與東魏司徒高敖曹戰於關口，自是每率鄉兵抗拒東魏，前後十餘戰，皆有功。邙山之役，大軍不利，宜陽、洛州皆爲東魏守。崤東立義者，咸懷异望。而玄母及弟皆在宜陽，玄以爲忠孝不兩立，乃率義徒還關南鎮撫，太祖手書勞之，除洛陽令，封廣宗縣子，邑四百户。十三年，與開府李義孫攻拔伏流。十四年授帥都督東平郡守，轉河南郡守，加大都督。十六年，洛安民雍方隽據郡外叛，玄討平之。魏恭帝二年，拜車騎大將軍，儀同三司。孝閔帝踐阼，進位爲伯，增邑，通前九百户。保定元年，移鎮鑾谷。四年進位驃騎大將軍，開府儀同三司。天和元年，陝西總管尉遲綱遣玄率儀同、宇文能、趙乾等邀擊東魏洛州刺史獨孤永業。二年，進爵爲侯，除白超防主。三年，遷熊州刺史，政存簡惠，百姓悦之。四年，轉和州刺史、伏流防主，進爵爲公。五年，齊將斛律明月率衆向宜陽，兵威甚盛。玄率兵禦之，每戰輒克，後以疾卒于位。《周書》。

李崇　字永隆，高平人。英果有謀，起家州主簿，辭不就。求爲將兵都督，隨宇文護伐齊，屢以功勛封廣宗縣公，尋爲懷州刺史，進爵郡公。

田宏　高平人。勇敢有謀略，歸周太祖，深加引納，進爵爲公。徙復宏農、沙苑，解洛陽圍，破河橋陣，宏功居多，賜姓紇干氏，尋授原州刺史，官至柱國大將軍。《北史》。

唐

郗純　字高卿，金鄉人。舉進士，拔萃制策，皆高第。自拾遺七遷至中書舍人，爲宰相元載所忌。時魚朝恩以牙將李琮署兩街功德使，琮恃勢桀横，衆辱京兆尹崔昭於禁中，純曰：「此國耻也。」即詣載，請速其罪，載不納，遂辭疾還東都，號「伊川田父」，十年不出。德宗立，召爲太子左庶子、集賢殿學士，不拜，以老乞身，改詹事聽致仕。帝召見，褒嘆良久，賜金紫，公卿以下咸祖都門，世高其節。《唐書》。下同。

郗士美　字和夫，純之子。年十二，通「五經」、《史記》《漢書》，皆能成誦。未冠，爲陽翟丞佐李抱真潞州幕府，進房州刺史、黔中經略觀察使。溪州賊向子琪以衆八千剽劫，士美討平之，加檢校右散騎常侍，封高平郡公，遷京兆尹。天子多所咨逮，出爲鄂岳觀察使，改河南尹、檢校工部尚書，充昭儀節度使。其討王承宗也，遣大將王獻督萬人爲前鋒，獻恣横逗撓，士美即斬以徇下，令曰：「敢後者斬！」親鼓之，大破賊下三營，還柏鄉。時諸鎮兵合十餘萬多，玩寇犯法，獨士美兵鋭整，最先有功，以疾召拜工部尚書，後檢校刑部尚書，爲忠武節度使。卒年六十四，贈尚書左僕射，謚曰「景」。

按，《前志》據《新唐書》列伊慎兖州人，注云「非任城人」，今未録。

宋

翟守素　濟州任城人。父溥，晋左司禦率府率。守素以父任爲殿直，歷漢、周遷供奉官，領承天使。乾德中，爲引進副使，從王全斌伐蜀，以往來馳告軍事爲職。蜀平，擢判四方館，以兩川餘寇未殄，慮致騷動，再令守素入蜀經略諸郡，分兵以防遏之。開寶中，會麟府内屬戎人争地不决，因致擾亂，命守素馳往撫諭。守素辨其曲直，戎人悦服。從征太原，命海州刺史孫方進圍汾州，守素監其軍，轉引進使。開寶三年，命爲劍南十州都巡檢使、東上閤門使，郭崇信副之。賜守素錢五百萬，入謝日復遣爲岐帥符彦卿官告使，守素辭以賜賚優厚，不敢更當奉使之詔，上不許。太宗即位，遷客省使，領憲州刺史。太平興國三年夏，河决滎陽，詔守素發鄭之丁夫千五百人與卒千人領護塞之。是秋，梅山洞蠻恃險叛，命詔遣守素率諸州屯兵往擊之。值霖雨彌旬，弓弩解弛不堪用。明日將接戰，守素一夕命削木爲弩，及旦賊奄至，交射之，賊遂敗，乘勝逐北，盡平其巢穴。先是，數郡大吏、富人多與賊帥包漢陽交通，既而得其書訓數百封，守素并焚之，反側以定。錢俶獻浙右之地，詔守素爲兩浙諸州兵馬都監，安撫諸郡，人心悦服，即以知杭州。歲滿爲西京巡檢使，權知河南府兼留守司事。屬洛陽歲旱，艱食多盜，上憂之。守素既至，漸以寧息。未幾，遷商州團練使。雍熙二年，改知延州。四年，充天雄軍兵馬鈐轄，知大名府，改知潞州。會建方田，命爲代北方田都部署、并州兵馬鈐轄，從屯夏州，改知鳳翔府。淳化中，率兵復屯夏州。未幾，復徙石州，以老病上疏求歸本郡，從之。三年卒，年七十一。守素逮事四朝，綿歷内職五十餘年。性謹慎，寬仁容衆，所至有治績。凡斷大獄，雖罪狀明白，仍遍詢寮寀，僉同而後決。屬吏有過不面折，必因公宴援往事之相類者言其獲咎，以微警之。新進後生多至節帥，而守素久次不遷，殊無隕穫意，時論以此多之。《宋史》。

榮諲 字仲思，濟州任城人。父宗範，知信州鉛山縣詔罷縣募民采銅，民散爲盜，宗範請復如故，真宗嘉异，擢提點江浙諸路銀銅坑冶，歷官九年。諲舉進士，至鹽鐵判官。晉州産礬，京城大豪歲輸錢五百萬緡顓其利，諲請榷於官，自是數入四倍。爲廣東轉運使，廣有板步古河，路絶險，林箐瘴毒，諲開貞陽峽至洸口古徑，作機道七十間，抵清遠，趨廣州，遂爲夷塗。復入爲開封府判官。太康民事浮屠，相聚祈禳，號「白衣會」，縣捕數十人送府尹賈黯，疑有妖，請殺其爲首者，而流其餘。諲持不從，各具議上之中書，是諲議，但流其首，而杖餘人。加直史館，知澶州，改京東轉運使。萊陽産銀砂，民有私采者。事露，安撫使欲論以劫盜，諲曰：「山澤之利，人得有之，所盜者豈民財耶？」貸免甚衆。又使成都府路，召爲户部副使，以集賢殿修撰知洪州，以疾故徙舒州，未至而卒，年六十五。《宋史》。

楊緯 字文叔，先世家城武。曾祖超，五代末藏匿不仕。祖善基，以經術教授鄉里，徙任城。善基三子：曰昇，緯父也；曰早，尚書比部郎中；曰景，尚書駕部郎中。皆明經擢第，有能聲。緯少愿敏，事親孝。儀狀端重，長七尺。忠信豈弟，好學愛人。皇祐五年，明經中第，嘗爲太原府司理參軍，活縣所上盜在死罪者三人，其黨應死者猶感泣，語家人曰：「楊參軍遇我盡善，當爲楊參軍求佛道福，我死不冤矣。」徙鳳州梁泉令，教民以孝弟力田爲先。守史千之不知其能，嘗薦其録事參軍張革等數人，革呼同列詣千之，言：「梁泉循吏，而公不薦，革等以爲愧。」千之踧踖曰：「吾過矣。」因并薦之，遷沂州防禦判官。歲大饑，盜蜂起，守霍交屬緯督捕四縣盜，吏争以殺盜求賞，多至數百人。緯獨哀之，開喻首減，所全者衆。狂人李逢聚亡命淘金境上，有异謀。逢敗誅，緯亦坐廢。二十年優游守道，化行其家。河決曹村，灌七郡，鉅野大溢。會秋穀大登，場事未畢，民有舟者多救穀，老幼多死。緯盡弃其田中穀不載，而以其二舟身救人於津口，所活日數百人，後民相見者皆曰：「楊府君生我。」元祐二年，爲廣州觀察推官，卒於官，年六十有二。子三：涓、滌、渙，皆進士。其殁後數年，嘗有群盜白晝行剽，輒呼相戒，毋犯楊府君家。過其門，猶俯而趨焉。晁補之《鷄肋集·楊緯墓志》。

楊節之

名某。父早以明經起家，歷畿令、州守，有古循吏風。母向氏，封福昌縣太君。節之以外祖龍圖閣直學士傅式恩，任郊社齋郎生。警悟，年十六舉進士，以高等薦，即知名，初調密州諸城主簿。再舉進士，又首薦不第。遂盡屏其少所學，益治經考古。諸城劇邑，令以病不勝事去，節之承令乏，吏少之。節之晦圭角，調腼不遽，吏稍縱，因微得其宿奸狀盡置諸理，一邑大駭。時趙抃方安撫青州，亟言其才於朝，又以吏事稱，再調開封府襄邑縣尉。初教保甲，不擾而辦，歲終以其伍見庭下，旂旗弓矢甚整，坐作甚習，神宗喜。又嘗有獲盜功，應并賞，即擢大理評事，論執政與畿内大邑以觀其能。他事忤當塗，知真州六合縣。又左遷荆南府，酒税轉運使趙鼎、提點刑獄事周尹争薦辟，移監鄂州都作院，改承事郎，守朱壽昌數移疾，輒以郡政屬之。丁母憂，免喪，知廬州慎縣。江南俗喜訟，而慎多豪右，率以財凌其里人，少忤則使其黨毆藉，或摘其陰事於官。節之發其尤無良者一人，以徇訖其去無復以此至庭者。有吏犯賕，覺法輕，節之繩之急。吏反賄民，往誣節之以事於户部。節之爲不知者，而民辭窮，自歸節之，諭以誠釋之。巡檢王軫嬖其親卒而御其下慘，衆汹汹欲爲亂，軫懼，求解其官去，節之曰：「我在，君無恐。」即召軫所嬖懲之，而喻安其衆，衆不敢動，軫用以全。父老謂自皇祐逮元豐四十年纔兩令，前李處厚，後楊君也。再知鄆州陽穀縣，政如慎而滋有聲。民以小忿，夜與奴殺田客。獄未竟，會節之暫出，其人賂吏求去。奴絶口，因以奴病聞，節之已知之，衛奴甚謹，計不得逞，卒伏辜。有殺其鄰之子者，尉視之類刀傷，而得斧户傍，不可詰。節之獨陰使人探其篋，得刀而藏之，因語囚：「悉上汝家刀。」囚數其狀悉，而諱篋中者，乃出刀示之，曰：「此誰物也而不數？」即叩頭請死。轉運使范鍔每行部至境，即反其旆曰：「此故慎縣，才令必游刃有餘也。」京東多盜，而陽穀接河朔，節之勸民以衣食之本，盜爲衰，囹圄屢空，吏無所措其手，相與謠曰：「吾邑有難遇事十，今令自爲令一也。」蓋歷數其能，皆聞見所無者。吏雖初不便，即束法，人人幸無過，久反自慶，以爲令保我至此。元祐八年，擢通判河中府，未行。一日會其昆弟族人，飲甚歡，將休，忽坐帷後，瞑不語，家人就呼之，逝矣，年五十一。二子：若，鄉貢，進士；革，少卒。同上。

李邴　字漢老，濟州任城人。中崇寧五年進士第，累官爲起居舍人，試中書舍人。北方用兵，酬功第賞，日數十百，邴辭命，無留難。除給事中，同修國史，兼直學士院，遷翰林學士。嘗與禁中曲宴，徽宗命賦詩。高麗使入貢，邴爲館伴，徽宗遣中使持示，使者請傳録以歸。未幾，坐言者罷，提舉南京鴻慶宫。欽宗即位，除徽猷閣待制，知越州。久之再落職，提舉西京嵩山崇福宫。高宗即位，復徽猷閣待制。逾歲，召爲兵部侍郎，兼直學士院。苗傳、劉正彦迫上遜位，上顧邴草詔，邴請得御札而後敢作。朱勝非降，詔赦，邴就都堂草之，除翰林。初，邴見苗傳，面諭以逆順禍福之理，且密勸殿帥王元俾以禁旅擊賊，唯唯不能用。即詣政事堂白朱勝非，適正彦及其黨王世修在焉，又以大義責之，人爲之危，邴不顧也。時御史丞鄭瑴又抗疏言：「睿聖皇帝不當改號。」於是邴、瑴爲端明殿學士，同僉書樞密院事。邴與張守分草百官奏章，三奏三答，及太后手詔與復辟赦文，一日而具。四月，拜尚書左丞、參知政事。上巡江寧，太后六宫往豫章，命邴爲資政殿學士，權知行臺三省樞密院事。以與吕頤浩論不合，乞罷，遂以本職提舉洞霄宫。未閲月，起知平江府。會兄鄴失守越州，坐累落職。明年，即引赦復之，又升資政殿學士。紹興五年，詔問宰執方略，邴條上戰陣、守備、措畫、綏懷各五事；戰陣之利五，曰：出輕兵，務遠略，儲將帥，責成功，重賞格。大略謂：「關陝爲進取之地，淮南爲保固之地。關陝雖利於進取，然不用師於京東以牽制其勢，則彼得一力以拒我。今大將統兵者數人，皆所恃以爲根本，萬一失利，將不可復用。偏裨中如牛皋、王進、楊珪、史康明皆京東土人，知地險易，可各配以部曲三五千人，或出淮揚，或出徐泗，彼將奔命之不暇，此不動而分陝西重兵之一端也。關陝今雖有二宣撫，其體尚輕，非遣大臣不可。吕頤浩氣節高亮，李綱識量宏遠，威名素著，願擇其一而用之，必有以報陛下。」又言：「陛下即位之初，韓世忠、劉光世、張俊威名隱然爲大將。今又有吴玠、岳飛者出矣。願詔大將於所部，舉智謀忠勇可以馭衆統師各兩三人，朝廷藉記遇有事，宜使當一隊毋隸大將，則諸人争奮才智，皆飛、玠之儔矣。大將爵位已崇，難相統一，自今用兵，第可授以成算，使自爲戰而已，慎勿遣重臣臨之，以輕其權而分其功。今却敵退師之後，必論功行賞，願因此詔有司預定賞格，謂如得城邑及近上首領之類，自一命至節度使，皆差次使足相當。」所謂守備之宜有五，曰：固根本，習舟師，防他道，講遺策，列長戍，大略謂：「浙江爲今日根本，欲保守則失進取之利，欲進取則慮根本之傷。古之名將，内必屯田以自足，外必因糧於敵。誠能得以功名自任如祖逖者，舉淮南而付之，使自爲進取而不至虚内以事外。臣聞朝廷下福建造海船七百隻，必如期而辦，乞從古制，建伏波、下瀨、樓船之官，以教習水戰，俾近上將佐領之，自成一軍而專隸於朝廷。無事則散之緣江州郡，緩急則聚而用之。臣度敵人他年入寇，懲創今日之敗，必先以一軍來自淮甸，爲築室反耕之計，以綴我師。然後由登、萊泛海窺吴、越，以出吾左；由武昌渡江窺江、池，以出吾右。一處不支，則大事去矣，願預講左支右吾之策。夫兵之形無窮，願詔臨江守臣，凡可設奇以誤敵者，如吴人疑城之類，皆預爲措畫。今長江之險，綿亘數千里，守備非一，苟制得其要，則用力少而見功多。願差次其最緊處屯軍若干人，一將領之，聽其郡守節制，次緊稍緩處差降焉。有事以大將兼統之，既久諳熟風土，緩急可用，與旋發之師不侔矣。」所謂措畫之方有五，曰：親大閲，補禁衛，講軍制，訂使事，降敕榜，大略謂：「因秋冬之交，闢廣場，會諸將，取士卒才藝絶特者爵賞之。建炎以來，禁衛單寡，乃藉五軍以爲重，臣常寒心。願擇忠實嚴重之將以爲殿帥，稍補禁衛之闕，使隱然自成一軍，則其馭諸將也若臂之使指矣。今諸郡廂禁冗占私役者，大郡二三千人，小郡數百人。臣願講求除郡守兵將官自禁軍給事外，餘傔從衣糧使自僦人以役。大抵省廂軍三分之二，而以其衣糧之數盡募禁軍。金人自用兵以來，未嘗不以和好爲言，此决不可恃。然二聖在彼，不可遂已，姑以餘力行之耳。臣謂宜專命一官，如古謂行人者，或止左右司領之，當遣使人舉成法而授之，庶免臨時斟酌之勞，而朝廷得以專意治兵矣。劉豫攢叛，理必滅之，宜降敕榜，明豫僭逆之罪，曉諭江北士民，此亦兵家所謂伐謀伐交者。」所謂綏懷之略有五，曰：宣德意，先賑恤，通關津，遣材能，務寬貸，大略謂：「山東大姓結爲山砦以自保，今雖累年，勢必有未下者。願募有心力之人，密往詔諭，應准北遺民來歸者，令淮南州郡給以行由，差船津濟，量差地分人護送，毋得邀阻。有官人先次注授差遣，無官而貧乏者，命沿河州郡以官舍居之，仍量給錢米，至三兩月其能自營生乃止。內有才智可用之人，隨宜任使，勿但縻以爵秩而已。凡諸將行師入境，敢抗拒者固在剿戮，其有善良老弱者皆從寬貸，使之有更生之望。」不報。邴閑居十有七年，薨於泉州，年六十二，謚「文敏」。有《草堂集》一百卷。《宋史》。

按，《詞綜》云：「邴有《雲龕草堂集》。」王仲言云：「漢老少日作《漢宫春詞》，膾炙人口，所謂『問玉堂何似，茅舍疏籬』是也。政和間，自二省丁憂歸山東，服終造朝，舉國無與談者。方悵悵無計，時王黼爲首相，忽遣人招至東閣，開宴出其家姬十數人，酒半唱是詞，侑觴大醉而歸，數日遂有館閣之命。」朱彝尊《曝書亭記》云：「《洞霄宫題名記》：資政殿學士，任城李邴漢老，次第在十一，建炎三年。」○知歸子彭紹升居士傳云：「紹興初，邴官資政殿學士，歸老泉州。大慧禪師方住泉南長樂巷，漢老數往叩擊。一日，大慧舉目頌趙州庭前柏樹子話拈云：『庭前柏樹子，今日重新舉。打破趙州關，特地尋言語。敢問大衆，既是打破趙州關，因甚特地尋言語？』良久云：『當初將爲茅長短，燒了原來路不平。』漢老忽然有省，别後以書告曰：『邴平生學解盡落情見，一取一舍，如衣壞絮行草棘中，適自纏繞。今一笑頓失，欣幸何量。頃有可白驗三：一事無逆順，隨緣即應，不留胸中；二宿習濃厚，不加排遣，自爾輕微；三古人公案，舊所茫然，時復瞥地，但恐得少爲足，當擴而充之。』圖大慧像奉之終身。」○《前志·雜綴》。

張　肅　字穆之，金鄉人。宋太宗時御史，有直聲，歷官尚書郎，知蔡州。詩文清麗，有唐中葉之風。王黄州禹偁於流輩少許可，獨畏肅以爲不及。有《觸鱗集》若干，皆御史時所上疏義也。晁氏《讀書志》。

滿中行　字思復，金鄉人。登進士第，元豐中爲太學官。虞蕃獄起，中行獨不絓，吏議詔褒之。有《昌邑集》二十卷。《讀書志》。

李　温　字德潤，嘉祥人。宋宣和時，山東盜起。温依軍伍立約束，保障一鄉，遂就才武選，獲上第。累官濟、鄆二州都巡使，摘發奸隱，撫集善良，民多得之。《兖州志》。

金

李　演　字巨川。泰和六年進士第一，除應奉翰林文字。再丁父憂，居鄉里。貞祐初，任城被兵，演墨衰爲濟州刺史，畫守禦策，召集州人爲兵，搏戰三日。衆皆市人，不能戰，逃散。演被執，大將見其冠服非常，且知其名，問之曰：「汝非李應奉乎？」演答曰：「我是也。」使之跪，不肯。以好語撫之，亦不聽。許之官禄，曰：「我書生也，本朝何負於我而利人之官禄哉？」大將怒，擊折其脛，遂曳出殺之。時年三十餘，贈濟州刺史，詔有司爲立碑云。《金史》。○《前志》載「忠節」。

元

張　蒙　完得，濟寧人。明宗天歷中令祁門，歲饑，躬詣各都，發廪分賑。勸富民平糶，招諭商旅，米船踵至，民賴以濟。《江南通志》。○《前志》「蒙」下疑脱「字」字。

蘇若思　濟州人。嘉祥教職，至正元年任本縣主簿。事上不諛，愛民如子。文章政事，俱有可稱。凡修建紀述，多出其手。《嘉祥志》。

羅　曾　魯橋鎮人。少以《石鼓賦》中至正癸卯鄉舉，以《古劍賦》登甲辰進士，授儲司院山長，教授孔、顔、孟三世子孫。元末避兵宿遷，遂家焉。入明，累辟不起，時稱爲東魯先生。後子溥中宣德丙午鄉試，孫鵾登成化丙戌進士。鄭與僑《淮游偶記》。

魏鐸 字子木。少孤，事母至孝。穎敏博學，師楊演。爲文簡質，詩詞雅煉，善畫，精研律吕。著《在野集》數十卷。其陰陽律吕等論，皆發前人所未發。高隱不仕，守道安貧，自號「在野逸民」。元世祖末，山東省、中書省薦鐸賢行，堅辭不赴。及母卒，哀毁得疾。行省復辟，而鐸已死矣。○《前志·文苑》。

馬紹 字子卿，濟州金鄉人。世祖時，歷僉山東東西道按察司事。益都寧海饑，紹發粟賑之。歷官參知政事、提舉。杜蕃言：「至元鈔公私不便。」平章桑哥欲重罪之，紹曰：「國家導人使言，今重罪之，不與詔書違戾乎？」蕃得免。及桑哥敗，疏其所嘗行賂者索籍閲之，獨無紹名。帝以爲忠潔，遷中書右丞，行江浙省事。《金鄉志》。下同。

孫青 金鄉樂城村人。金季河北亂離，青年方弱冠，應壯士募充舉萬户職，屯於彭城，以戰功加宣武將軍。年既長，識金必亡，弃職歸里。迄元兵南下，邑無主，率領本鄉軍民壯士千餘及老幼數千口歸附，分治東平路總管。石相授青兖州同知、節度使，兼金鄉尹。續攻徐州，功加定遠大將軍，永任金鄉尹。招流亡，墾荒萊，撫治得術，軍民畏愛之，户口添增數千餘。鷄犬桑麻，儼成富庶。攝篆二十餘載，謝任閑居。又改充本縣諸軍奥魯千户職，仍食尹俸。

劉持中 字遵道，金鄉人。元内臺御史，出鎮湖省廣。寇至，持中躍馬出禦，爲賊所執，欲降之，怒罵不屈，遂遇害。《兖州志》。○《前志·忠節》。

段廷珍 父證，喬寓嘉祥。廷珍於至順二年爲吴江州州判，决事如流，愛民如子，入名宦。弟廷瑞，徵州萬户府知事。季弟廷珪。《嘉祥志》《吴江志》。

段廷珪 字君璋。皇慶二年爲鎮江總管，首戢强猾，禁誣訐，奏免新增税糧，祀名宦。《江南通志》。

按，《前志》：「廷珪，《江南通志》以爲濟州人，蓋舉路而言。又珪父証，曾贈濟寧路總管，或廷珪曾寓於濟州，亦未可知。」

滿讓 字謙甫，嘉祥人。初任員外郎，升太平路同知，歷開元路總管、永平兵馬都指揮使。尋進大司農司丞，後以正議大夫、禮部尚書致仕。課耕勸讀，老而不倦。洪武初，屢召不起。至元元年卒，年八十六，葬富山。《魚臺志》。下同。

賈讓 魚臺人。元初孝子也，事親至孝，有司聞於朝，詔立孝子坊以表之。

史彥斌 魚臺人。至正十四年河決，彥斌母柩爲水所漂，乃縛草爲人，仰天呼曰：「母棺被水，不知其處，願天矜憐哀子之心，假此芻靈指示母棺。」言訖泣涕橫流，乃乘舟隨草所之。經十餘日，行三百餘里，草人止於桑林中。視之，母柩在焉，載歸復葬。○以上三人補輯。

明

趙德盛 世居濟寧。元末濠州兵起，德勝以材武爲明太祖帳前先鋒，後克和州，升總管。屢立奇功，自領軍歷左副元帥，升統兵，破漢，收江西諸郡，鏖安慶，降南昌。祝康叛，從復南昌，授僉江南，行樞密院事。協守南昌，統精兵，爲戰將，癸卯漢圍城，德盛出戰，射殺漢別將。漢益兵，晝夜急攻，城且壞。德勝先諸將死戰，且戰且築城，壞復完。巡城至東門，敵發蹶，張弩中腰膂，箭深入六寸，即拔出撫髀嘆曰：「命也，奈何！大丈夫死即死，恨不能從主上埽清中原，垂名竹帛耳。」卒，子獻領其衆。漢平，贈梁國公，謚「武莊」，特祀南昌，爲諸臣冠。德勝沉鷙簡靜，剛明質直，馭下嚴肅，號令一行，族幟改色。平生未嘗讀書，隨機應變，智略如神。臨難不懼，奮不顧身。孫輔事太宗有功，封武靖伯，世襲。崇禎甲申，李自成破京師，嗣武靖伯祖芳死之。今濟上趙氏裔尚數十人，多有爲諸生者。《前志·忠節》。

張輗 字可行。其先單父人。父文昭，於元末來徙。輗，洪武三十年進士，授左春坊左司諫，侍懿文太子。日進讜論，同列惡之，謫南河知縣。先是，鄰境多蝗。輗至悉罷不急之務，籲天懇禱，閉閤省咎，蝗不入境。靖難兵至，靦以先侍東宮，不出迎，謫戍興州。仁宗登極求賢，以薦授河陰知縣，未幾引歸。築亭洸水上，與故人觴咏以終老焉。《舊志》。下同者省注。

宋敏中　濟寧人。洪武時爲安惠知縣，時當殘破之餘，撫綏得法，民以寧靖。卒于官。《福建通志》。

武斌　濟寧人。舉進士第，永樂中知鎮平縣，勤撫字，洞悉民隱。講學課藝，人文聿興。嘗董役臨清，賑恤貧病，民感恩信，終歲無一逋者。《河南通志》。〇《前志》按：「岳通《志》有建文二年進士武斌，濟陽人，見《歷城志》。恐《河南志》有誤，存考。」

劉翀　字雲高。永樂六年舉鄉試第一，十年登進士第，授禮科給事中。宣宗爲太子時，改翰林院檢討，勸學東宮。宣宗南京監國，翀以内艱去。及登極，起翀爲翰林院修撰，侍經筵甚優，寵賜玉冠。又手繪《十八學士瀛洲圖》，題詩賜之。

李睿　永樂十二年舉人，授推官。宣德初，入爲光禄寺署丞，以才能授知時署正。宗秉被誣下獄，睿力救獲全。擢貴州參議，勞來有功，南蠻貼服，授階朝議大夫，去官蠻叛。楊士奇等薦睿鎮撫，起爲副使。興建學校，經畫屯田，察廉去奸，有風烈，以母喪歸。帝以蠻叛服不常，再起睿往。明年，蠻寇苗金臺攻圍興隆，睿出戰，斬獲甚衆，賊平。賜金帛，敕命協贊軍務。賊韋同烈僭號，攻圍平越，睿救之。圍解，還清平，賊乘虛來攻，城中兵少，睿以死守，賊不能克。

劉楨　字文慶。永樂十二年舉人，任監察御史。大帥有驕恣擅殺者，楨上章劾之，朝廷呼爲「大御史」。仕至光禄寺卿，卒於官。

陳連　字汝器。少有風節，以歲貢授閿鄉知縣。勸農積穀，歲凶民無菜色。〇《前志》按：「連不知何時人，依《舊志》次劉楨後。又『選舉』有成化癸卯舉人陳連，仕涿州訓導，或是一人。」
○原名玉旁，避書。

吕棠 字希召。姿秉魁梧，善詩文。永樂十三年進士，改翰林院庶吉士，補户部主事，升員外郎，出爲乾州知州，升長蘆鹽運同知，以疾歸。放情詩酒，以終其身。

趙資 其先由河南徙濟。永樂十二年舉人，爲昌黎教諭。有農家子張文質幼而好學，父强之農，不可，與杖乃逃匿學宫。資問而知其故，召其父謂之：「我爲若教誨而飲食之，不以食指累若，何如？」其父曰：「朝牧牛，暮拾薪以供爨，兒自有職也。彼固自食其力，何累焉？若能賃傭以代其職，則惟命。」資竟如其言。後資卒，文質官尚書，欲爲持服，朝廷以無例不許。參家傳。

孫昇 字允吉。母喪，廬墓三年。永樂二十一年舉人，宣德中授南京工部主事，督江浙鼓鑄。歲偶歉，匠作告饑，昇割俸食之。遷郎中，督龍江關。生平清苦自勵，學士錢習禮校士南畿，過之，昇方食飯，一盂蔬、兩豆而已。○《前志》按：「《舊志·科貢》作户部主事。」

萬旬 字希齡。正統元年進士，按南京兵部主事，監督京儲，以廉能稱。未幾，改北京兵部，尋升南京户部郎中。歲餘，出爲慶陽知府，歷浙江布政司參政。

李挺 正統中教授。延平有文行，寇至，生徒竄匿，挺獨弦誦不輟。

楊浩 正統九年舉人。英宗北狩，京師洶洶，浩上疏言：「敵可伐，不可求和。」景帝手敕慰答，授河東鹽運司判官。會龍福寺，成帝欲臨幸，浩上疏曰：「臣聞治天下以常道，未聞重佛而可以治天下。今舍正道而尚异端，不惟貽笑天下，抑且貽笑後世。臣雖愚昧，竊謂不可，但宜遣官致祀，不必親臨。」帝出疏示群臣曰：「所言是否？」僉曰：「是也。」帝曰：「若然，爾等何不早言？」遂罷幸。河東有貴家規鹽利，勢横甚，浩至置諸法，一時豪猾相戒曰：「是乃止天子行幸者，勿犯也。」英宗復辟，以薦知順德府。陛辭，親賜戒諭，及寶鏹、酒饌。後累官副都御史，卒賜祭葬。

王鎮　字景安。正統十年進士，官刑科給事中。性孝友，志淡泊。景泰間，劾内侍單增，著直聲。英宗復辟，曹吉祥、石亨恃功驕横，鎮密以聞，亨尋坐事伏法，吉祥憤甚。會楊暄疏奏吉祥惡迹，鎮復糾之，激帝怒，謫江西照磨。未幾，曹果以孫鏜出師日焚東華門，變起倉猝，鏜回師討平之，識者多鎮先見云。

王春　字載陽。善大小篆及隸楷。景泰五年進士，授監察御史。成化時，擢浙江僉事，歷江西、雲南，所在有聲。歸以耕讀課子孫，與劉長葛、李司樂、宋郡博輩修《耆英故事》，終老。○《前志》按：「《舊志》成化己卯擢僉事，而成化二十三年中無己卯，故闕之。」

朱清　字熙之。天順四年進士，爲南京兵科給事中。時軍政不肅，壯者投權門，老弱備行伍。清奉詔核閲，清出精兵。彈劾不避權勢，或勸清隱默自全，清曰：「某受天子耳目寄，早夜懼負平主，顧惟身家自利乎？默默不出一語，以冒寵榮，寧不内愧？」後卒與權貴忤，謫四川布政照磨。巡撫黄某薦其才，轉天台知縣，卒。

張彪　字虎臣，臨清衛人。成化四年舉人，授懷遠知縣。數有河患，彪通溝洫，築堤岸，水不爲災。尤加意厘剔弊政，士民德之。按，衛人籍隸州境者。

劉灌　字惠民。成化五年進士，授户部主事，提點湯山草場，禁除代納。京師饑，詔出官粟平糶，灌檄宛平大興官檢給，不令豪猾私買要利，穀價頓平。督通州、天津諸倉，歷員外郎，卒。

劉槩　字大節。成化二十年進士，除壽州知州。毁境内淫祠，幾盡三年，教化大行。弘治初，上言：「刑賞予奪，人主大柄。後世乃有爲女子、小人、强臣、外戚所攘竊者，由此輩心險術巧，人主稍加親信，輒墮計中。愛者，乘君之喜而游言以揚之；惡者，乘君之怒而微言以中之。使賢人君子卒受曖昧而去卿相，缺人則遷延餌引，待有交通親屬、軟美易制之人，然後薦用。其剛正不阿者，輒媒孽而放弃之，俟其氣衰慮易，不致大立异同，乃更收録。巧計既行，刑賞予奪，雖明人主獨操，實一出於其所簸弄。迨黨立勢成，復恐一旦敗露，則又極意以排諫諍之士，務使其君孤立於上。耳無聞，口無見，以圖便其私，不至身與國俱敗不止。故夫刑賞予奪必由大臣奏請，臺諫集議而後可行。或有矯誣，窮治不輕貸，則讒佞莫能間，而權不下移矣。」考績赴部，以湯鼐言事連逮。鼐先由行人擢御史，孝宗嗣位，首劾大學士萬安罔上誤國，已而安斥。鼐亦出畿輔印馬，馳疏言内閣尹直、尚書李裕、都御史劉敷、侍郎黄景之奸，及司禮中官李榮、蕭敬貪緣不法。又劾少傅劉吉，吉不能堪啖，御史魏璋曰：「能去鼐，即行僉院事。」璋遂日夜伺鼐短。未幾，而吉人之獄起。吉人者，長安人，成化末進士，爲中書舍人。四川饑，帝遣郎中江漢往賑，吉人言漢不勝任，宜遣四使分道賑，且擇才能御史爲巡按，庶荒政有裨。因薦給事中宋琮、陳璚、韓鼎，御史曹璘，郎中王沂、洪鐘，員外郎東思誠，評事王寅，知縣韓福，及壽州知州劉槩可使，而巡按則鼐足任之。璋遂草疏，僞署御史陳景隆等名，言吉人抵抗成命，私立朋黨。帝怒，下吉人詔獄，令引其黨，吉人以鼐、璘、思、誠、槩、福對。璋又嗾御史陳璧等言，璘福、思誠非其黨，其黨則鼐、槩及主事李文祥、庶吉士鄒智、知州董傑是也。槩嘗饋鼐白金，貽之書，謂夜夢一人騎牛幾墮，鼐手挽之得不仆。又見鼐手執五色石引牛就道，因解之曰：「人騎牛謂朱，乃國姓，意者國將傾，賴鼐扶之而引君當道也。」鼐、槩等自相標榜，詆毀時政，請并文祥、智、傑逮。治疏上，吉從中主之，悉下詔獄，欲盡置之死。刑部尚書何喬新、侍郎彭韶等持之，外議亦洶洶不平，乃坐槩妖言，律斬；鼐受賄，戍肅州；吉人欺罔，削籍；智、文祥、傑皆謫官。吏部尚書王恕奏曰：「律重妖言，謂造作符讖類耳。槩書詞雖妄，良以鼐數言事不避利害因推詡之。今當以妖言，設如有造亡秦讖者，更何以罪之？」帝得疏意動，命姑繫獄。及熱審喬新等言，槩本不應妖言律，且槩五歲而孤，無兄弟，母孫氏守節三十年，曾被旌。老病且貧，槩死，母必不全。祈聖恩矜恤，乃減死，戍海州，卒。《明史·湯鼐傳》。〇按，《舊志》云「赦還卒」。

劉　澤　字濟民。弘治十二年進士，授吴江知縣，政爲南畿最，擢刑科給事中。時劉瑾用事，澤不爲屈，除名。瑾誅，復職。流賊犯濟，率衆禦之。賊退，升河南僉事，尋兵備代州。俺答寇岢嵐，巡撫以澤諳兵，俾參軍事，獲級甚多，賚金帛，加俸，尋升副使，歷山西參政右布政。會白蓮教陰欲爲變，澤密白巡撫，先擒首惡，焚其黨名籍，人情以安。轉陝西右布政使，擢右都御史，巡撫順天。永平建城堡三十餘區，京東無警。尋辭歸，數年卒。

趙　卿　號白樓，濟寧衛人。以指揮起家，累至宣府總兵，子崇璧襲其官。卿御士嚴有紀律，崇璧沉雄寬博，得士心。卿老於家，崇璧卒塞上，一軍皆流涕。再世貴顯，家益貧落，里人惜之，
詔賜葬祭如例。

楊　洞　字子晦，號河村。其先自鳳陽來徙。洞，嘉靖七年舉人，知扶風縣，遷揚州同知。以仁廉稱，歸惟薄田數畝、屋數椽而已。撫按會題：「洞夙稱廉能，自甘恬淡。晚栖幽谷，雅有儀型。鄉邦耆賢，助流教化。」奉璽書進階中憲大夫，時年八十。子春茂，萬曆七年鄉試第一。

張　龍　字静拙。性孝，人稱爲曾閔。嘉靖七年舉人，任西華知縣。值歲凶，捐俸賑粥，招徠流民，人傳遺愛。

崔雲鶴　嘉靖十年舉人，知交河縣六載，妻子不至官舍。毁淫祠，除妖僧，疏古河，修文廟，問疾助喪，修邊禦寇，百姓親之如父母。二十九年，升浙江嘉興府通判。未幾卒，囊中惟俸銀七錢而已，祀交河名宦。著《禮記補注》《性理解》《交河漕渠志》《松岡詩文集》。嘉靖三十五年入鄉賢。《帖文碑》。

楊　賢　字子庸。嘉靖十一年進士，授西安推官，遷岷州副使。西邊無警，乘閑修九十六空橋於洮水之上，人免衝溺。歷河南參政按察使、湖廣四川左右布政使，以卓异升南京光禄寺卿，以太僕寺卿致仕。生平持身廉謹，處物謙和，而臨事剛果，所至有聲。或勸之趨附權要，賢曰：「事皆有命，况天地鬼神森然在上，吾將誰欺？」著有詩

文集若干卷。

張梓　字西野。嘉靖十三年舉人，仕懷慶鹽法通判，多惠政。擢知汝州事，苟利民不憚更革，存心仁恕，尋告歸。親族有不能婚喪者助之。值歲歉，獨其田大稔，民群取之，梓不介意，有長者之稱。

靳鏜　字宗鳴。世有隱德，鏜性好施予，扶危濟困。成化乙未，漕河決，嚙其祖塋，鏜泣血椎心，營謀百計，得遷葬焉，時稱其孝。歿後，其季子顒常語其孫學顏等曰：「若等有名位于清時，汝大父力也。」輒述陰德事，蓋鏜初不欲人知也。以孫學顏貴，贈大中大夫、太僕寺卿。顒字孔彰，生而警捷，材武絶倫。有豪公子辱其父，顒時十五，手格豪于市，人莫敢近，豪大屈服，乃釋之。應詔入資，拜散官。諸散官見有司輒被奴使，顒至乃改容禮之。即盛怒，徐出一言，無不解者。州有大役，官吏皆辟匿，顒挺身出方略者數四，人以是服其能。晚居相里之鳳凰灣，自號「鳳灣子」。以子學顏貴，封中憲大夫、吉安府知府。據《兩城集·墓志》及家傳。

靳學顏　字子愚。嘉靖十三年鄉試第一，明年成進士，授南陽推官，以廉平稱。歷吉安府知府，治行高，累遷左布政使。隆慶初，入爲太僕卿，改光禄，旋拜右副都御史，巡撫山西。應詔陳理財，凡萬餘言，言選兵鑄錢，積穀最切，其略曰：「宋初禁軍十萬，總天下諸路亦不過十萬。其後慶曆、治平間增至百餘萬，然其時財用不詘。我朝邊兵四十萬，其後雖兵增益戍，而主兵多缺，不若宋人，十倍其初也。然自嘉靖中即以詘乏告，何哉？宋雖增兵，而天下無養兵費。我朝以民養兵，而新軍又一切仰太倉舊餉，不減新餉，日增費一也；周豐鎬、漢西都率有名而無實，我朝留都之設，建官置衛，坐食公帑費二也；唐宋宗親或通名仕版，或散處民間，我朝分封列爵，不農不仕，吸民膏髓費三也。有此三者，儲蓄安得不匱？而其間尤耗天下之財者，兵而已。夫陷鋒摧堅，旗鼓相當，兵之實也。今邊兵有戰時，若腹兵終世不一當敵。每盜賊竊發，非陰陽、醫學、雜職，則丞貳、判、簿爲之，將非鄉民、里保則義勇、壯快爲之。兵在北，則借鹽丁、礦徒；在南，則借狼土，此皆腹兵不足用之驗也。當限以輪番戍守之法，或遠不可徵，或弱不可任，則聽其耕商而移其食以餉邊。如免班軍而增價，省充發而輪贖，亦變通一策也。欲京兵强，亦宜責以輪番戍守。夫京師去宣府、薊鎮纔數百里，京營九萬卒，歲以一萬戍二鎮，九年而一周，未爲苦也，而怯者與邊兵同其勁矣。又以畿輔之卒填京戍之缺，其部伍號令、月糧犒賞亦與京卒同，而畿輔之卒皆親兵矣。夫京卒戍薊鎮，則延、固之費可省；戍宣府，則宣府、太同之氣自張。寇畏宣、大之力制其後，京卒之勁當其前，則仰攻深入之事鮮矣。臣又睹天下之民皇皇以匱乏爲慮者，非布帛、五穀不足也，銀不足耳。夫銀，寒不可衣，饑不可食，不過貿遷以通衣食之用，獨奈何用銀而廢錢？錢益廢，銀益獨行，獨行則藏益深，而銀益貴，貨益賤，而折色之辦益難。豪右乘其賤收之，時其貴出之，銀積於豪右者愈厚，行於天下者愈少。更逾數十年，臣不知所底止矣。錢者，泉也，不可一日無。計者謂錢法之難有二：利不仇本，民不願行，此皆非也。夫朝廷以山海之産爲財，以億兆之力爲工，以賢士大夫爲役，何本之費？誠令民以銅炭贖罪，而匠役則取之營軍，一指麾間，錢遍天下矣。至不願行錢者，獨奸豪耳。請自今事例、罰贖、徵税、賜賚、宗禄、官俸、軍餉之屬，悉銀錢兼支，上以是徵，下以是輸，何患其不行哉？臣又聞中原者邊鄙之根本也，百姓者中原之根本也。民有終身無銀，而不可終歲無衣、終日無食。今有司夙夜不遑者，乃在銀而不在穀。臣竊慮之，國家建都幽燕，北無郡國之衛，所恃爲腹心、股肱者，河南、山東、江北及畿内八府之人心耳。其人率鷙悍而輕生，易動而難戢，游食而寡積者也。一不如意則輕出，其鄉往往一夫作難，千人響應，前事已屢驗矣。弭之之計不過曰：足農以繫其家，足食以繫其身，聚骨肉以繫其心。今試核官廪之所藏，則每府得數十萬，則司計者安枕可矣。得三萬焉猶足塞轉徙者之望，設不滿萬，豈得無寒心？臣竊意不滿萬者多也。臣近者疏請積穀，業蒙允行，第恐有司從事不力，無以塞明詔，敢即臣説申言之，其一曰官倉發官銀以糴也；一曰社倉收民穀以充也。官倉非其豐歲不能舉，社倉雖中歲皆可行。唐義倉之開，每歲自王公以下皆有入。宋則准民間正税之數取二十分之一以爲社倉，誠仿而推，就土俗、合人情、占歲候以通其變，計每歲二倉之入以驗其功，著爲令，而歲歲修之，時其豐歉而斂散之。在官倉者，民有大饑則以賑。在民倉者，雖官有大役，亦不貸借，此藏富於民，即藏富於國也。今言財用者，不憂穀之不足而憂銀之不足。夫銀實生亂，穀實弭憂。銀之不足而泉貨代之，五穀不足則孰可代者哉？故曰「明君不寶金玉而寶五穀」。伏惟聖明垂意。疏入，下所司議，卒不能盡行也。尋召爲工部右侍郎，改吏部，進左侍郎。學顔内行修潔，見高拱以首輔掌銓專恣，遂謝病歸。《明史》。〇《前志》按：「《舊志》『學顔卒後賜祭葬，著有《兩城集》二十卷，《蘇州府志》云有《鄧尉山志》一卷。』」〇先生幼，道遇長者曰：「學生能作三字對乎？」先生云：「何不五字？」長者曰：「强成五字對。」即應聲曰：「願上萬年書。」長者拊其背曰：「天上石麒麟也。」《前志·雜綴》。〇李壯撰傳云：「公字子愚，號太古。七歲能文，及長詣師授句讀，日記數千言，率能口誦。尤嗜《左》《國》、子、史諸書，非時人好也。年十一見遺金一囊，因坐守至暮，金主號泣而至，公舉以授之。其人欲分金以酬公，公疾走不顧，識者以是覘其志。年十三父疾篤，公夜禱於岳祠，歸遇一癯叟，授一生瓜，進父食之，立愈。時方隆冬，人咸以爲异。濟之南山曰『兩城』，公習讀其中。自擬董園，絶迹不入城市，因自號『兩城』，人稱『兩城先生』，公志也。一日公齋中有芝産焉，一本兩歧，紫光煜煜，中丞松石劉公謂曰：『魁東省者，其子乎？』已而，果第一人。乙未再捷，授南陽府推官，進守松江郡。松吴，財貨之藪，多見可欲，而俗尤侈靡。公清儉自持，豪富化之。减音樂，却珍味，曰：『靳公得無聞之乎？』秉憲蜀省，值歲大饑，公不俟奏報，輒先發以賑，全活甚衆，有汲長孺之風焉。領山右藩司數載，惟以理財愛民爲心，入爲光禄卿。禁中遺火，延及大亨門，公中夜聞之，披衣趨赴，大呼守者各警其事。上識其聲，問之曰：『非光禄某乎？』公愈激出，入烟燼者數四，卒不得灾。轉右少宰，未幾改左。公以任人爲急務，進賢爲己任，海内士大夫方倚以爲重，無何移疾予告，一歲而終於里。朝野莫不惜之，上聞予祭葬如禮，年僅五十有九。夫公早歲通籍，浮沉仕路，四十餘年，可謂拙宦矣。天子嚮用方殷人，謂公且大行其志，而天遽奪之年，謂之何哉？余爲先生傳，不敢溢一詞，謹就其實事而志其大略云爾。」

靳學曾 字子魯，學顔弟。嘉靖丁酉舉人，甲辰進士，授潁州知州，遷山西平陽府同知，擢知鳳陽。以禦倭功擢山西按察司副使，歷嵜嵐兵備道，以寬簡從事，曰：「民樂吾寬，吾樂吾簡，足矣。」歲凶，塞卒煮榆皮、柳葉，啖白土，終無敢嘩。後忤當事歸里，以娱親爲樂，築閑閑堂終焉。有詩文若干卷行世。○《前志》稍略，今據家傳增補輯。

董潤 字濟時。嘉靖二十六年舉人，除六合知縣，有清操。會凶，札賑饑，療疾全活者甚衆。巡撫海瑞薦之，以與應天尹不合當調，遽謝病歸。或勸詣闕例補，潤笑曰：「吾已山林矣，安能再辱？」家居以任恤稱鄉里，陶然自得，凡二十餘年卒。

于錦 字實甫。嘉靖二十三年進士，授户部主事，監兑蘇松。崇清約，却饋遺。有指揮犯贜，錦置之法，衆謀傾之。同錦行，忽登舟檢行囊，惟圖書耳，乃相顧駭走，錦不問。及視儲通州，值俺答犯京師，仇鸞自大同入衛，上書告急。詔令錦隨軍督餉，縋城出犒師，論功擢河南僉事，調湖廣。有判官以剛方獲罪，督撫欲戍之，錦以爲不可，乃得免。歷江西參議、副使，會浙兵變，擒其魁置之法，撫安其衆。轉陝西參政、山西按察使，升貴州左布政使。俗多骫法，錦至肅然。尋歸，以遺産悉付弟侄，里人稱之。

萬子可 字汝簡。生而穎异，好經史，遠近師之。嘉靖三十一年舉人，授藁城知縣。地逼京師，多貴璫，子可與匡措置，悉順人心。歲連旱，煮糜賑粟，全活者甚衆。尤廉介自矢，竟以不徇中貴改調黎城，未幾罷。生平冲遜朴誠，不爲崖异。居鄉孝友，其弟子憲亦能文，以選貢歷贛榆訓導、池州府教授。

張志孝 字永錫。嘉靖三十二年進士，授職方司主事。以築外城功，進員外郎，改武選，閲視薊遼、雲朔，掄選將吏，多中機宜，升協贊、職方郎中。南倭未靖，察視軍情，多所贊畫。掌職方，升光禄少卿，轉太常寺，升僉都御史，巡撫大同。時邊備久弛，將驕卒悍，志孝整嚴師律，宣布恩威，屹爲朔方保障。以疾歸，將士耆老攀轅遍道，至不得行。歸里數年而卒。自號「逸適居士」。

仙　豸　字直卿。父璋，字朝用。城東馬家溝木橋當河之衝，捐三百金易以石，成于嘉靖三十四年。是年，豸舉於鄉，授聞喜知縣。清正不避豪杰，凡有益於民者，知無不爲。在職二年謝病歸，周其族黨，人高其義。

王　鈞　字化生。童時日誦千言，嘉靖三十四年舉人，署淄川教諭，爲諸生説經，捐金周貧乏，升威縣知縣。時旱、蝗，鈞步禱，得大雨。旁邑饑，輸粟往賑，全活無算。有兄弟争田，數年不解，鈞勉以孝友，皆感泣而去。邑學傾圮，捐俸修之。以疾去，邑爲建祠，年八十餘卒。有《鳳池集》。

李大順　字時和。父燧，三河典史，有一錢不取之名。大順生而凝重，篤志好學。嘉靖四十三年，舉於鄉，授博野知縣。地近邊而疲，民頑而好逞，大順孚之以誠，化之以禮，邑大治。擢武昌通判，董糧務，有饋蟹而以金進者，大順置諸法。挂冠里居，絶迹公門，惟地方大利害必力争之。時初定條鞭法，大順與有力焉。

王　湘　字太清，號竹陽。其先自平度徙濟寧衛。湘登嘉靖四十四年進士，改庶吉士，改監察御史，出按順天，入掌甲戌、己亥、内外典察，不避權貴，忤張居正，出爲陝西副使、浙江參政，歷湖廣布政使。詔遣錦衣，籍居正家，湘輔以寬大，無所株連。遷南京太僕寺卿，轉大理寺卿。湘爲人老成練達，恬於進取。卒賜祭葬東阿。

李席珍　字前溪，號後湖。學問淹博，嘉靖間以歲貢生授昌平學正。昌平爲諸陵孔道，諸璫往來，苛索於有司。席珍攝州事，數裁省之。諸璫思逞，席珍廉平，不得間。尋升樂平知縣，歷武安，皆有惠政。值鄉人爲巡撫者有驕色，席珍庭規之，遂弃官歸。

李大化　字時熙。早失怙恃，家貧，攻苦不倦，能文詞，精楷隸。隆慶四年舉於鄉，知柏鄉縣。縣當孔道，大化苦節自勵，賦役不擾。升平凉通判，軍實殷富，宿蠹一清。未幾投劾歸。

針惠　隆慶四年舉人，性孝友仁厚。任如皋知縣，慈惠廉能。忽海寇至，率衆禦之，賊退。歲大饑，賑恤，所全甚衆。

臧石　字在璞。隆慶初拔貢，任通城知縣，歷涇州、朔州。居官仁恕勤敏，有异政，三舉卓异，賜金帛，宴於吏部，以資格不盡其用歸。凡舊治民過濟，無不詣臧令君云。

郭汝　字子稱，號西圃。父鉞，字牛山。弘治時舉人，善《易》，州人以治《易》顯者，多出其門。側室李生汝，六歲而孤，家貧，年十三始就傅，中隆慶五年進士，出張居正之門。門下士爭趨之，汝獨不附。初知任邱縣，縣邑當衝，疲於里甲。又居滹沱下流，屢被水患。汝力爲調劑，民不擾而供億集，築堤捍水，邑賴以安。有盜殺人而逸，汝虔禱於神，盜自首，人皆异之。入爲御史，居正氣方焰，汝乃侃侃不阿。督學畿輔，居正令主銓者以年例外遷江西僉事。時江右屯田多爲豪右隱占，汝至，即履畝丈之，悉以田歸軍，罔敢匿者。擢陝西行太僕寺少卿，駐靈州，孤懸絶塞，人情反側。又凶荒累年，汝發粟賑恤，一意撫綏。邊人黄台吉頻年邀賞無饜，汝宣諭威德，皆慴服，歲省幣五倍。巡撫以聞，加河東兵備銜，割寧夏之半轄之。河東之有兵使，自此始。既遷洮岷副使，洮岷在萬山中，屢爲丙兔所蹂躪。自汝履任，兩入邊不得逞而去。秦川囉賊猖獗，討平之。尋以靈州叙功賜金，加布政司右參政銜，仍管洮岷邊備。有劉總兵者馭卒嚴，軍夜嘩，汝出諭之曰：「爾等受朝廷厚恩，不思報效，乃欲干不赦之誅乎？爾帥嚴分應爾，爾妄動，异日悔，晚矣！」衆帖然。軍之嘩也，以内地餉不時給爲名。汝預令徵給，較其技，信賞必罰，自此雖撻之無敢嘩者矣。以母病歸，盡色養。四年而母卒，終喪，酒肉不入口，督學使及監司以「母節子孝」表其廬。服闋，不復出。口不談時事，闢灌息園以老焉，年七十四。汝歷官二十年，家無厚資，室無姬媵。人有過，不面斥。及論事可否，斬然不可奪。于若瀛志其墓，比之陳仲弓、王彦方。鄭與僑亦謂「濟先達，文莫如靳少宰，行莫如郭大參」云。《弗告堂集》，參《濟寧遺事記》。

臧惟允　萬曆時以貢生授獲鹿訓導，勸學課藝，士風丕變。歸里後，布衣蔬食，怡然自得。《史外傳逸》。

靳學程　萬曆初恩貢生，爲長清訓導。深於《易》，邑中言《易》者并宗之。

寇來賀　字鳳梧。萬曆元年舉人，官至太原府通判。爲人質樸剛方，宦歸，身無長物，教授鄉里，布衣蔬食，泊如也。入祀鄉賢。《遺事記》。

姜桂芳　字秋宇。萬曆元年舉人，歷沙河、魏縣，勤敏有吏才。荆襄南北孔道，送往迎來，煩冗特甚。桂芳洞悉民隱，籌度得宜，久弊積蠹悉爲剗除，時謂「霹靂手」。升淮南山清同知，駐甘羅城。修高家堰，工堅而費省，總河潘季馴特爲叙功，加運同，以示褒。總漕舒應龍念其勞，方題明議叙，而桂芳以疾歸。凡堤工、城工、會計永久，後來者罕及其精晝也。

李堯民　字耕堯，按，《蘇州府志·名宦》云：「字汝化。」號雍野，籍鄆城。少即精敏，登萬曆二年進士，歷長洲永年知縣，入爲御史，出視河東鹽政。條便宜四事，曰：導灘水、掣鹽料、别私服、修墻堰，核花馬池匿税，再按蘇松。屬四郡大旱，緩刑弛責，通商勸賑，改折漕糧，民以少蘇。入掌内察，人服其平。督學北畿，以疾歸。起爲大理丞，擢少卿，升應天府尹，欣然曰：「幸藉此南歸，不必六月息矣。」抵家卒，賜祭葬。著《快獨集》。子瓚，以蔭仕工部主事，有《秋葉詩》，爲時所賞。〇《前志》按：《蘇州府志·名宦》云：「知長洲縣，初尚威嚴，後稍加和恕。徵糧有法，裁决如流，以外艱去。後以御史按吴，搜奸剔蠹，加禮耆碩。」

潘箕　字明宇。八世祖均四，於宣德初自浙江雲和從軍，至濟寧家焉。箕中萬曆四年舉人，明年中會試副榜，任順德教諭，士風丕變。擢知山西夏縣，勸農桑，復流民，力行社倉法，凶荒有備，咸頌「潘仁君生我也」。箕糲食布素，妻亡不再娶。有負債莫償者，焚其券。先世遺産，悉推於弟。里居二十餘年，壽逾九十，兩爲鄉飲大賓。

楊春茂 原名次柏，字開泰。萬曆七年鄉試第一。春茂性剛正，篤於忠孝。赴禮部試，時張居正方秉政，春茂對策，有「大臣不可無，權臣不可有」之語，主司大駭，弃去。又欲具疏劾論居正所親，扼之不果，歸，旋卒。

黃子美 字尚含，號萬溪。其先江西人，宋庭堅之後也。明初籍曲阜而家濟上，兄弟六人，皆以儒雅稱。子美登萬曆八年進士，授南京刑部主事，决獄平恕，遷德安知府，再補延安。哱劉逆亂，延安當其東南，子美厲器修備，隱若長城。事平，爲固圉久遠計，大加興築而民不擾。尋轉西寧兵備副使，以功加參政。一塵不染而疏於結納，以憂去。即有議其後者，部院諸臣公疏列子美操行，讒者不得行。以大閱叙升按察使，起爲遼海東寧監軍。時巨璫高起潛治税，大帥李成梁治兵，子美與議不合求去，未及報命而卒。嘗自名讀書處曰「今是」，題一聯云：三任歸來三徑適，覺今是而昨非；一貧博得一身閑，信此贏而彼詘。

李彦 字大美，號信庵。萬曆初爲磁州驛丞，以才能著，再任延安衛吏目。市無博徒，夜無吠犬，掩骼賑貧，興學修廟，屢權府佐州縣事。遇互市賞邊諸大事，上官一以委之，皆帖服，無敢生事者。靖邊衛學，素無廩糧，彦曰：「某倉有糧，除正支尚有若干餘，請以廩諸生。」遂永以爲例。上官先後奬厲者十三次，且題其署云「訟平獨有陽春筆，節凛兼無暮夜金」，又云「賢能陝右無雙幕，廉幹榆東第一官」紀録吏部，議叙賞賚，以疾歸。院道助以三百金，令驛路護其裝，民傾城送之五十里。居家以讀書稽古爲事，鄉里有片言解紛，無不聽服。曾孫上凱。有傳，黃子粹碑志云。

李燦 字星垣，萬曆十年舉人，由知縣升鶴慶府知府。先是，苗民聚衆萬餘，刼掠四出，官兵不能剿。燦單車詣賊壘，諭以朝廷威德，衆感泣，悉降。爲約束，供賨布以佐軍，滇人感德，立祠。黔國公世鎮雲南，其府校恣縱，燦繩以法，黔國心折焉。巡撫薦爲金滄副使，命下而卒。

于若瀛　字文若，號念東，錦子。萬曆十一年進士，授職方主事，轉河内巡道，入爲尚寶卿、通政司右參議，遷太僕少卿，督東路馬政。尋升右僉都御史，巡撫陝西。時版升不刺諸部反，若瀛綢繆邊防，條舉多端，盡見施行。陝夙受税璫梁永之害，先誣咸陽知縣滿朝薦逮獄，朝薦素得民心，甫下車皆爲之言，若瀛疏云：「國家二百年培養士風，如朝薦不阿權璫者有幾人？使獨抱覆盆之冤，縱不爲士氣惜，寧不爲社稷惜乎？」疏留中。陝税故萬兩，其地山多田少，無商賈額徵，皆朘民膏髓，若瀛請停。得旨以徵在官者解其二，留一以賑饑。蘭州織造尤苦不支，請罷之，不報，若瀛嘆曰：「人貴行其志耳。志不得行，安用官爲？」憤惋發病，喟然曰：「時之變也，豈惟進難，即迟亦不易。吾不得首邱以遂吾志，庶幾亡身報國以明吾心。」言已而卒。初，若瀛在樞曹，潔己持正。如校武闈則代售絶，散軍糧則漁侵消，罷柴薪之羡，争禁旅之出，皆關大計。而培人才，撫孤弱，尤所加意。值承平日久，士大夫雍容劍履，矜名師節，若瀛謂人曰：「今人專尚和同，和同未已，叢脞將生，黄老清言『均是害道』。」朝局仕路之變，有先見焉。具《人倫鑒》所録秦士如王圖、解經邦、王之采，皆顯名當世。至書文詩畫，博洽精妙，特其餘事。贈副都御史，予祭。著《弗告堂集》《超閣草》二十卷行世。子麟喻，亦能文，驥逸有傳。○《前志》按：「《舊志》云：『予祭葬，崇禎十五年賜謚襄敏。』非也。蓋予祭而未嘗予葬、謚，潘恬庵《正訛雜記》曾辨之。」

劉三英　字邦彦。六世祖良臣，元末自燕來徙。三英性孝友，登萬曆十四年進士，授成安縣知縣。值歲凶，捐租發粟，全活者以萬計，流民歸者千户。復大旱，願減己算，爲民請命，兩立至。調元城縣，扶善良，鋤巨猾，聽斷如流，入爲户部郎。聞父病，乞歸。會朝鮮告急，例以一郎轉餉，難其人，三英毅然請往。事竣得告，見父甚瘽，大駭，憂慮以疾卒。

周一龍　字大允，號定庵。父汝岐，有名國學。一龍生而穎异，又敦厚，不逐群兒戲。年十二即能文，旋補弟子員，旋廩於庠。性孝，定省無間，親滌牏厠。與兄一夔友愛特至，嘗讀書兩城山中，艱苦力學，久之忽然胸次洞達，每試必先夢題，無不驗，而屢困場屋。萬曆某年以歲貢授遼陽縣訓導，得士子心。捐俸倡新學宮，上官有「古柏蒼松，光風霽月」之譽。擢知東光縣，謝絶私謁，訟庭寂然，境内大治。他邑獲盜，而逸者聞付東光治獄，盜自投伏罪。久之，以疾歸。茅屋數椽，遂以終老，年八十六。楊洵《墓志》。○《前志》按：「《墓志》云其先浙之仁和人，唐開元時有官濟寧總管者，因家焉。唐時未有仁和縣及濟寧總管，恐誤。」

任彦蘖 萬曆十七年進士，爲南京給事中。以御史何選争國，本獲譴，上章救之。語侵閣臣，帝怒，謫彦蘖於外。旋以言官論救，斥爲民。《明史·何選傳》。○《前志》按：「彦蘖滋陽籍，蓋任城衛人，後歸并濟寧衛也。」

周文燿 字醇甫，號郁堂。其先鳳陽人，始祖成從明太祖起義，以功授指揮，世襲。祖福從成祖征虜，以功升山東都指揮，世襲，因家於濟寧。歷七代而生文燿，方頤玉色，額有七珠點，丰神炯炯。甫六歲能屬文，徹《易經》奥旨。十五補郡諸生，十八廪於官。督學蹇公閲其文大奇，賞之曰：「此當代鼎、鼒資也。」梓其文以式。屢試俱高等，始入棘闈，下第歸，語同志曰：「爲學須向根荄處透徹，方爲真儒。」因塞户一室，凝神端坐，悟性學根本。間有述造，一時名流争寶藏之。五試不售，志愈堅，當時以爲性學之宗。壬辰丁外艱，除服，虚蔭不襲，母趣之，文燿曰：「學文不成，去而學武，如諸葛武侯經營天下，亦丈夫事也。」時應襲者四百餘人，大司馬獨异文燿，首擢之，俾贊畫山東督撫事。自是三捷禮闈，直指連萬等閲文燿策奇之，置第一。以所對多忤時事，稍抑之。尋握衛篆，署濟寧游擊事。偕李少保督河塞蒙墻諸口。壬寅，太行堤决，自飛雲橋穿夏鎮匯吕蒙湖，泛濫所至，豐沛幾爲魚鱉。濟水灌南陽，及于郛。文燿拮据河上而經營之，未幾水歸於道，漕河安瀾。升真定守備，戢獲大盜無算。升定州游擊，厘訓練，遍拊循，峻北邊城百里，堅可垂久。升龍固關參將，深山峭壁中，輸挽既艱，歲復屢凶，民間人相食。文燿懇辭請賑，且捐俸佐之，流離復業者以萬計。且士飽馬騰，虜莫敢内窺。礦盜千百成群，拒捕莫治，率内丁親御甲馬，悉擒之，但不殺，曰：「山民無産，采石爲生，何足殺也？」于時赴帳下，泣跪改行者不知其幾千百人。事聞，下詔褒諭，優賚白金、彩幣。辛亥，升總兵官、都督僉事，鎮守江以北。長江萬里，巨寇出没，兼以倭患憑陵，時厪宵旰，文燿殫力調停，諸政畢舉。每夜綢繆不寢者彌歲月，士畏民懷。閲二年，經畫既周，心力亦竭，一日端坐而卒。訃聞，晉秩榮禄大夫、柱國、都督同知，朝野共嘆惜之。爲人孝友端直，寬惠得宜。性恬澹，不喜聲色，惟嗜詩書，加意斯文，著集詳「藝文」。墓在城西三里營。《萬曆志》。

○《前志》無，今補輯。

楊洵　字暉吉，號昆源，原名溥。始祖林，元季自北地遷濟。林生惠，惠生景高，景高生鸞，鸞生思仁，思仁生洵。十二歲而孤，兄弟九人，洵最少。同母兄困，里傜役并費洵産，吏追呼急，母恒倚閭望，啜泣終夕。洵側户外，亦終夕問視。日勤暇則攻苦力學，弱冠舉於鄉。萬曆二十年進士，授南京刑部主事。誠意伯劉世延驕横，詔部訊之，洵動如律，世延挾資營脱駁。再訊，洵執法如故，獄遂定，擢知揚州府。稅璫魯保者南出瓜州，勢甚暴，商民倉猝聚譟，擊斃其牙爪。洵夜趨瓜州，諭散其衆，取首事者薄懲而已，璫竟不敢求直而去。升泰州兵備道，核屯戍、立操規、建崇雅書院，疏鹽城舊河以泄興化之潴，興利除弊，一切力行之。改調江蘇，地濱海，饒商舶，不逞往往嘯掠其間，王錫爵之族某亦與焉。洵擒其黨薛三置諸法，王氏乃斂戢。以母老歸，家居十餘載，起淮徐參政。甫三月，謝病歸。後官例以罰鍰貽前任，洵不受。平生潛心理學，謂「構大厦必固其基，篤踐履尤當慎細微」。所著有《述言》等書，詳「藝文」。祀揚州名宦。參家傳。

吕正音　字鳴寰。自幼舉止剛方，孝友敦睦，以卓行、文學推重庠序。晚中萬曆二十二年舉人，由高苑教諭遷雒川知縣。邑近西陲斥鹵，士罕學而民多逋賦。正音訓學勸農，鋤强撫弱，一時风尚丕變，科第鵲起。與上官不合，免歸。貧産自給，年八十餘卒。

曹當立 字景權。家魯橋，以孝著，里人目爲曾參。萬曆二十八年舉人，爲臨朐教諭，士奉爲矜式。升任縣知縣，未任，丁內艱。起補交城，再調祁縣。惟尚德化，不事刑威，民甚安之。卒於官。

劉兆奎 字聚方，一字梅春。父鶴年，隆慶舉人，爲靈壽知縣。兆奎中萬曆二十八年鄉試，平居耻入公門，惟義所當言，抗論不避人。有質田一頃於兆奎者，憐其貧而與之，不責直。天啓初，白蓮妖之亂，捐粟守城，日夜登陴，以鼓士氣。尋知蒲城縣，清介自矢，剔弊除奸，於催科寓撫字。有中丞家子强奸節婦致死，兆奎按如律。未幾以疾卒，蒲人爲建祠立碑。

陳伯友 字中怡。萬曆二十九年進士，授行人，擢刑科給事中。甫拜命，即劾罷河南巡撫李思孝，俄論鄒之麟科場弊宜劾；奄竪辱駙馬冉興讓，宜置之法；楚宗英樵、蘊鈁，良吏滿朝薦、王邦才等，宜釋。又言：「陛下以清明之心，不幸中年爲利所惑，皇皇若不足，致財匱民艱，家成徹骨之貧，人抱傷心之痛。今天下所以杌隉傾危不可救藥者，此也。」又言：「李廷機去國，操縱不出上裁。至外而撫按，內而庶僚，去留無所决斷，士大夫意見分歧，議論各异。陛下漫無批答，曷若盡付外廷公議，于以平曲直、定國是乎？」帝皆不省。熊廷弼爲荆養喬所訐，伯友與李成名等力主行勘，既又陳時政四事，言：「擬旨必由內閣，昨科臣曾六德之處分、閣臣葉向高之典試，悉由內降。而福王之國之旨，亦於他疏批行。非獨褻天言，抑且貽陰禍。法者天下所共，黔國公沐昌祚請令其孫啓元代鎮，已非法矣。乃撫按據法請勘，而以內批免之，疑中有隱情。御史吕圖南改提學，此争爲賢，彼争爲不肖，曷息兩家戈矛，共圖軍國大計？福王久應之國，今春催請不下數百疏，何以忽易期？」疏亦留中不報。尋以艱去。服除，廷議多排東林，遂不出。至四十六年，以年例即家除河南副使。天啓四年，屢遷太常寺。楊漣劾魏忠賢，伯友亦偕胡世賞抗疏極論。明年十二月，御史張樞劾其倚附東林，遂削奪。莊烈帝即位，詔復官，未用而卒。《明史》。○《前志》按，《舊志》云：「初，大獄起，親知恐其不免。伯友怡然題其齋曰『海鷗居』，日與諸弟子講心性之學，凡名士多出其門。所著有《盡心篇》等書，詳『藝文』。懷宗初卒，優恤祭葬如例。子宸箴，順天府通判；宸銘，自有傳。」又按：家傳：「伯友號旭窗。弟仲翕，字中恪，號霽窗。幼有神童之目，人稱『二陳』。」

張耀采　字六符。萬曆三十五年進士，由岳州府推官歷兵部郎、太原知府，著廉直聲。擢鴈門兵備道，時魏黨劉朝巡邊，耀采守正不阿，朝銜之。再補霸州道副使，前官周某有存庫贖鍰千餘金，例應接管支用，吏胥請發之，耀采曰：「前人不苟取，後官乃不肖耶？」悉以賑饑。霸州稱難治，又貴璫寵戚田産交錯，豪奴悍僕頤指干請，耀采潔己執法，大璫王之心惡之，因誣耀采賄縱劫盜，帝怒，逮質無驗。會臺省，疏爲辨晰，而耀采以憤懣發病卒。

張文乙　字五星。事繼母以孝聞。萬曆三十七年舉人，鄒平教諭。課士有成規，鄰邑負笈者麇至，依學宫以居。升知蒲州，有惠政。以外艱歸，百姓泣送，如失慈母。卒於家。

胡來順　萬曆三十七年舉人，任歷城縣教諭。興歷山社，修尊經閣，爲河南分考。升固原州知州。《歷城名宦志》。

朱　紘　字維佩。丰神警秀，長髯修眉。中萬曆十四年舉人，授萊陽教諭，轉欒城知縣，調大興。執法清正，巨璫豪戚不敢撓。升工部虞衡員外郎，凡盔甲、軍器、工匠、料價，領給、出納，與璫監相關，以紘强直，侵漁不遂，忠傾之。弓引滿者駁、甲射入者駁，帝詔紘詰之，對曰：「祖制，甲三等，輕重長短稱焉，弓亦然，爲人容體與力不同科也。」帝不問。璫又以扣尅誣紘，敕部會勘，尚書蔡國用疏救不省。繼紘者事皆仰成於璫，弓增百石以上，甲厚至分許，給發各鎮，以不任用弃去。紘歸旋卒，詩文散逸。子元鼎、元鼒，輯若干篇，爲《淇園集》。

潘士美　字德卿。萬曆四十一年與兄士良同舉進士，授行人司行人，尋卒。士美博學能文，端方正直，講學洸泗之間，造就多士。家貧，不問米鹽，所居僅蔽風雨，怡然卒歲。弟士謙，字六吉，由拔貢授靈璧知縣。縣多晉府宗人，驕縱虐民，士謙繩之以法。尋升荆州府通判，政簡刑清，民和吏輯。署江陵事，值蜀、黔交訌，不時征發，士謙清釐鋤强，清操自厲，再署公安亦如之。試士務拔真才，干謁屏絶。歸里數年而卒。

黄子粹 字尚白。子美弟。萬曆時以曲阜學拔貢授武邑知縣，深州盗起，延及旁邑，子粹立「條教令」，自首者免爲良民，捕治頑梗者百餘人，無枉無縱。升吉安府通判，兩署縣事，治行修整，尤勵清操。藏中贖鍰，盡以賑饑。後謝病歸。子粹教子嚴，以時人忽「小學」，謂爲「童子」，本始不止，貽誤終身，著有《養蒙圖説》《養蒙翼女訓》行世。子道濟、道濬。濬，諸生，學業精苦，早卒。道濟字爾智，萬曆四十三年舉人，授遷安知縣。邑邇邊，兵民雜居，烽堠時警。道濟調劑撫綏，周慎勤敏，一時稱能吏。以艱歸里，遂不復出。

楊鳳翥 字六象。萬曆四十七年進士，授獲鹿知縣。執法强項，爲宦者所中，謫國子助教，轉刑部主事，恤刑山西。俗好鬥，罹法者衆，鳳翥平反大辟一百餘人。有璫案，衆莫能决，刑部尚書喬允升以屬鳳翥，讞如律。升知西安府，當省會繁劇，又逢灾祲盗賊竊發，鳳翥撫循有方，殲渠散脅，境内以寧。卒於官，民建祠祀焉。

戴敏學 生而穎异。萬曆時選貢，授青城訓導，却諸生贄，贍寒窶。奉檄查盤郡邑，倉吏懷金來饋，麾之。轉無極教諭，資婚助賻，待諸生如父子。攝縣事三月，節用愛民。去任，士子爲立去思碑。後教授東昌，有諸生爲仇所誣，守密訪之，敏學力白其冤。以疾歸，奉母盡孝。有著作，詳「藝文」。

靳于統 字緒鄉，號一吾。學顔孫。幼穎敏絶人，稍長好古文詞，不屑屑於時藝學。使者再試，皆冠軍。性善飲，數斗不醉。又喜爲詩，清新雋逸，得王、孟風格。中萬曆壬子舉人，天啓壬戌成進士，授行人。奉命送輔臣吴興朱國楨回籍，朱饋以金，却不受，朱曰：「清介若此，不忝名賢家世矣。」因王恭厰灾得病，及再奉使江右，焚舟致恐，病增劇，甫旋里而卒。郡人私謚「清介」，入祀鄉賢祠。楊來鳳撰傳。補輯。

楊士聰 字朝徹，號鳧岫。洵子。兒時神識超朗，讀書目數行下。性嚴重，敦名節。諸生中有匿父憂思恩選者，排而去之，曰：「求忠於孝，顧宜如是耶？」有丏《魏忠賢祠記》者，斥而抵之，曰：「斯言何爲至於我乎？」登崇禎四年進士，改庶吉士，授檢討。持節册封趙王，王以病請無拜，士聰正色裁之，王矍然拜如儀。十年，充會試同考。次年四月，皇太子出閣講學，士聰爲校書官。時張至發以外臣爰立，不諳詞林掌故。而中書黄應恩歷事久，關通中外，爲至發所昵，益肆驁，欲以内閣從史踞翰林上。士聰奏糾應恩，又移書政府極言之。尋爲經筵講官，召對，帝問：「保舉、考選，二者孰爲得失？」對曰：「欲求用人之法，必去用人之弊。保舉之初，雖未盡當，亦不至大謬。其後徑竇多而真才少，暫一舉行可也。若考選，功實俱在。地方今不據撫按之薦剡，而到部之後，别爲次第，故姸媸混而賄賂滋。」帝然之。士聰又曰：「以臣所聞，有治績著而弃之部屢者，有治聲無聞而角詞林者，有實求臺省而僞求詞林者，有意欲居前而佯爲處後者，有惡人勝己而造謗相傾者。」語未畢，帝色動，諭令指實。又問鹽法，復陳割没之弊，士聰退而補牘，發吏部尚書田唯嘉、太僕卿史莖諸奸利狀。又摘其私人條其贓釁章十餘，上唯嘉、莖亦十餘疏，楮梧相欺，陰行金錢于官府，内外爲其耳目。至發楊嗣昌等，皆袒諸奸，數擬旨，譎逮士聰，帝輒手削之。故事，詞林疏先呈副閣中，至發録，示唯嘉。唯嘉辯疏與士聰疏同日上，帝大疑之。逐唯嘉，下其僕吏獄，即逮問。至發疏辯，帝令回籍調理。方是時，同官自黄道周、楊廷麟、吴偉業一二人外，無敢過士聰門者。士聰因以病，請還里。已而，唯嘉僕吏以贓拷斃，莖以侵匿瘦死，籍其家。十五年，召見擢左春坊中允、副考北闈，一時推淵鑒。十六年，升左諭德，補日講官、知誥，敕修《大明會典》，删纂《宋六子書》。初，周延儒再入相，於士聰爲禮闈座主。士聰見其樹權攬賄，作詩以諷，延儒不悦。及延儒賜死，門人多避匿，士聰獨醵金歸其喪。士聰感時事日非，上疏求去，曰：「臣性本迂拙，識昧圓通。雲外山栖，益疏益鈍。班行驟列，面目全非。

既不能風塵走謁，捷足争先；又不能瓦合隨方，聽人頤指。踽涼之態，動而見尤，齟齬於時久，益自厭。」既而入對便殿，又請防河練兵，罷新舊加派，帝納之。時流寇已入山西矣。十七年，得旨宣慰襄藩，賫手敕諭左鎮入援。會道州相魏藻德出治軍，請以士聰牧山東義勇。未及行，寇陷京師，士聰投愛女井中，趣妻孔氏、妾楊氏、祝氏縊己，仰藥爲防守者水灌之，大吐復活。孔縣絶而蘇二妾，與女死焉。弃家南過江，避兵嘉善，飄泊吴越七郡間。後得疾不治，且革，大呼召對者三，卒於常州戚墅堰，遺命葬其地，曰：「青山埋骨，何必故土？」其子通睿奉柩歸，葬城西北里許，吴偉業志其墓。士聰詩文雅練，章奏尤警核，著《静遠堂》等集若干卷，詳「藝文」，皆散失。《家狀》并楊洵《墓志》。○《前志》按，士聰在江南復娶名女，善文墨，生子爲南支，有中科目者。見《方渭仁集》。

楊生榮 字振凡。崇禎時貢生，朝城訓導。歲凶，生榮多方勸賑。值寇至，率民兵登陴，單騎造賊壘，諭以禍福，賊散去。○《前志》「篤誼」。

修廷獻 崇禎十年進士，歷順德永平推官、兵部主事、大名知府，頗有政聲。《史外傳逸》。

陳宸誦 字咏先，伯友猶子也。幼孤，養於伯父。崇禎三年與弟宸則同舉於鄉，十年登進士第，知三原縣。政尚寬和，均役賑荒，因事補救。有彭寨恃秦府護衛，爲逋逃藪。宸誦飭諭不悛，叛形具。宸誦集衆，出不意破其巢。又招降高傑等，尋以卓异入爲户部員外郎，管中府草場供用庫，督練餉。内府匱乏，宸誦劑量盈虚，會計精當。濟寧灾，諭德楊士聰疏請蠲恤，部議免舊逋，宸誦曰：「是虚名，非實惠也。」尚書倪元璐從之，得旨如所請。闖賊陷京師，宸誦變姓名羈旅江淮者十年。歸里，衣短後衣，跨蹇驢，東鄙人不知其士大夫也。宸則博學能文，早卒，宸誦撫其孤焉。宸誦之寓江淮也，居邵泊湖，僕田秀弃妻子從之。偶入揚州貸食，城陷被槍死。參家傳。

伍可教 字養虚。崇禎時貢生，性剛方，爲高唐州訓導，調新城教諭，升深澤知縣。邑當兵燹之後，積尸盈野，可教給資掩瘞至數千。尋調寧陵，多德政，化盜安民，教養兼著。以疾自免歸。

魏應台　字業宸。由貢生授三原縣丞，清節自勵。署淳化縣事，建橋梁，通溝洫，贖女息訟，遷興州衛前屯經歷。不久歸。崇祀鄉賢。廪生魏志厚，讀書自愛，其後人也。

曾壽　字延齡。景泰七年舉人，曲沃訓導，誘掖諸生，多所成就。嘗奏記當道，撤淫祠以崇學宫，秩滿歸。盡出所有，以遺族姓。遷清源教諭，卒。諸生行服，朝夕哭奠。及歸，負棺徒步數十里，送至來陽津，痛哭失聲而去。

黄中理　字純卿。諸生，其先廣州番禺之土岡村人，以從軍來徙，六世而生中理。幼端方，好性命之學，謂「章句新説，失聖賢意」，取伊川、考亭《語録》及《大全》諸書，晝夜研究，有疑議未徹至自掌其面。晚年教授生徒，一以朱子爲準，有友贈以句云：「窮年兀兀，心源尚友。程朱丰采，棱棱卓見。」不淫佛老，人稱「東愚先生」。著有《倔强編》等書，詳「藝文」。疾革，呼孫維祺，授以《大學·誠意》章，曰：「爲聖賢，當從此下手。」遂卒。《舊志·儒林》。

姜遇武　字襟見，桂芳子。歲貢生，授内閣制敕房中書舍人，與典籍王鍾龐纂修《一統志》。性孝友，捐田贍族。异母弟九歲而孤，撫恤周至。遭家難，外侮狎至，委曲調護。之及弟長，授以《孝經》義旨，又手輯各家注疏以成書，總河周鼎爲刊行焉。又精邵子之學，甲申正月，忽解組歸，益有先見云。○以上三人《前志·儒林》。按，《舊志》曾篤誼、黄、姜，「文苑」。

張鑑　濟寧衛千户。宣德三年，征交趾，陷泥坑陣，與千户吴興百户張勇力戰死之。

鄭瑄　正統中進士，爲刑部主事。己巳，英宗親征也先，駐蹕土木堡，瑄在扈從列。王師敗績，帝北狩，瑄死於難。

張　鳳　濟寧指揮。正統己巳從征也，先與指揮盧鑑、胡俊、百户蕭漢俱力戰死之。

王　清　字一寧。濟寧衛人，官指揮，多勇略，能詩。初，率所部出塞，覘敵至鴛鴦海，詩有「肯負平生一寸丹」之句。正統中，升廣東都指揮，平大藤蠻。同總兵駐軍高州，賊衆十餘萬圍廣州，清帥舟師赴援，至沙角尾，水淺舟膠，被執，賊不敢害，投水不死，因寄衣還家，詩有句云「爲我招魂宇宙間」。數日，賊擁清至城下，使諭降，清罵賊不絶口，遂遇害。

有《建橐集》行世。

汪應科　貢生，武城訓導。崇禎十一年守城死難。《武城縣志》。

徐　標　字準明，號鶴洲。幼擅聖童之譽，讀書慕節烈，慨然有當世志。天啓五年成進士，知信陽州，躬行境内勸農桑，旱禱震雷山，設奇策捕蝗，以最遷都水郎，督南河。塞，建義决口，修高寶石堤，擢河南僉議，備兵徐州。河溢常山口，標胼胝畚鍤間數閲月，河復安瀾。豫寇突犯江淮，合二十四營圍徐州，意取道掠齊魯，以摇畿輔。標親冒矢石，遣精鋭，間出破擒渠帥，斬馘甚衆。蓋流氛躪秦豫而不能東入者，以此捷也。莊烈帝審標可倚用，將議升州爲府，以標撫之，統大名、歸德、兖、徐，聯絡四省，便宜援剿。會標内艱歸，内外交章，論列無虚日。起補鳳泗監軍，尋升副都御史，撫畿南。陛見，慷慨陳時事得失，内外機宜，帝爲欷歔。復奏屯田、車戰諸策，反復數千言，帝改容納之，諭曰：「雪耻復仇，治軍殲賊，一以付卿，朕不中制。所需軍餉、屯本，該部速與給發。卿能爲朕一年作十年之計則善矣。」標出，夜漏下二十刻矣，賜内膳，金帛。抵任，劾屬吏不法者條上，興屯選練及地方利病二十餘疏，皆允行。李賊犯山西，晋兵部右侍郎，督畿南、山東、河北。俄而，宣、大相繼陷，晋標尚書，改督援兵，調督師。閣臣李建泰入衛，旨出二日，而變聞。上震悼議恤，而國事不可爲矣。初，賊渡河，盤踞汾、絳，中分各隊。李自成攻總兵周遇吉，繞塞東下。僞將劉宗敏掠懷衛、邢洛，趨真定。標令諸將防龍固，援居庸，自統大軍當南面。

又移總兵馬岱於保定，曹有義於河間，爲犄角。是時，道路梗阻，徵解不前，屯聚既久，糧不繼。標方整兵飭備以捍蔽京師，忽偵騎持僞檄至，標怒碎牌，立斬之。集衆鞠旅，以死自誓。叛弁李茂春等執標城上，標裂眦奮罵不屈，賊抽刀砍中標頸，死之。是夕，白氣亘空如虹，半天盡赤，老稚咸爲流涕。國朝順治初，督學御史曹溶、巡按御史趙進美，先後題請恤典，寧夏巡撫黃圖吊以詩。標有文武才略，歷官慈惠，循聲特著。居鄉恭慎樂善，知無不爲。且博學能文，賦詩草檄，咄嗟立成。真定、汝寧、徐州、高郵俱祀名宦。所著《忠孝廉節集》諸書行世，詳「藝文」。

先生幼在塾，一日師他出，先生向城外浴。師歸，見衆弟子戲水濱，衣皆挂一古桑上，師出一對云：「千年老樹當衣架，對者免責。」先生曰：「萬里長江作浴盆。」師大异之。癸未之歲，先生自保定總督陛見，云：「臣自南來，一路荒殘，十室九空，滿目蓬蒿，陛下誰與爲守？流寇方張，如獨坐窮山，誰與爲禦？」言及此，先生泪下，懷宗亦泪下。既而云：「君憂臣辱，君辱臣死，分也。臣回保定，修城厲兵，仗皇上威福，臣獨當一面，不敢使賊長驅逼都城耳。」如是陛見者再，君咨臣儆，勤勤懇懇，天子方賴以真卿、杲卿之功，先生自矢以張巡、許遠之志。奈已去之天命不可留，已離之人心不可挽矣。○《前志·雜綴》。

楊佩 字荆璧。天啓七年舉人，以兖郡守王國濱保舉，授保縣知縣，有政聲。崇禎十五年冬，已遷河南鄧州知州，未離任，城破殉難。事聞，贈山東布政司參議。弟仕、僎，流賊入濟，縶仕加榜掠，大罵不屈，賊敬而釋之，後壽至九十。僎，博學强識，手抄文天祥、謝枋得以下諸人傳，附以己評，爲《忠義録》一卷。《遺事記》。下同。

李燭 字明遠。崇禎三年舉人，初任濱州教諭，升深州知州。十五年，城破殉難，贈山東布政司參議，祀四忠祠。

湯三俊 崇禎初，以例貢爲南平縣丞，歷寶慶府經歷、武昌府通判。流寇破城，三俊死之，闔門殉節。

楊振宗 以衛指揮歷安慶都司、左都督。乙酉四月，左良玉東犯，振宗出禦，川營標將内叛，闔門殉節。僕宜城負振宗幼子出奔，備歷艱苦，竟得全。

阮應兆 新挑河人。饒膂力，挽强善射，中武進士第七人。初授山東都司，再升游擊，隸劉澤清標下，治兵江淮。後澤清奔淮入海，應兆時鎮守安東，聞變痛哭而死。

陳善 一作美。業儒有行，揚州知府任民育延以訓子民。育死節，陳善曰：「義不獨生。」遂與妻對縊。

孟珽者 宿松知縣，瑄之弟。州武生，隨瑄南遷。史可法欲大用之，城陷死。○按，「者」字疑衍文。

楊定國 字寧宇，浩之後也。補諸生第一，好古文辭。甲申四月，李自成僞將軍郭升至濟，拷掠之慘，人不能堪。定國作《帶血吟》百首，遍書諸身，戟手大罵，自問必死，賊以其貧置之。國朝定鼎，以户部侍郎淄川王永鰲招撫山東，檄至，衆議投誠，定國乃携家南都，依御史、故濟寧知州王孫蕃。及孫蕃出按江西，寄家杭州，定國復從之。尋大兵至，潞王迎降。時魯王監國，畫江而守，定國上謁，王嘉其義，授官行人。未幾，江上師潰。報至，是夕痛飲閉户，佩一崇禎錢於胸自縊。同里任孔當斂之，面如生，殯王莊。初，揚州破，定國寄鄭與僑書有云「書生報國，緩則托之語言，急則授以性命」之語。至明年五月，果踐其言。《漁洋文略》。

王來徵 字薦吾。諸生，性孝友，能文章。闖賊之亂，來徵先率鄉兵由南門入，擒獲僞同知劉主敬、僞知州任崇志等，事詳《倡義記》，見「兵革志」。恢復濟城。後破産練習鄉勇，與鄭與僑夙夜圖維，號召天下。無如人心未離，天命已去。時年僅三十，終以肥遁老焉。○據張爲經撰墓。

朱錦 明末人。當流寇攻城甚危，聲言「欲殺者知州一人耳，能送出者可免屠城」。朱貌似知州，自請以身代，易衣縋城而出，賊磔之而去，蓋逢丑父之流也。自後州祭厲壇必爲朱首設一席，稱爲將軍。徹其祭者朱之子孫也，至今猶然，其子孫多務農。道光二十年，知州徐宗幹爲設祠于城隍廟之東院。○《前志》附記「忠節」後，今補輯。

以上十六人，《前志》分列「忠節」，居「文苑」之次。按，金李演明、徐標、任民育等爲一代人物之卓著者，今仍依時代分類，同「孝義」移于三邑「列傳」之前。民育當亦先賢任子後，移入「任子世家」。

段瑀　父彦時，卒，夜露宿墓旁不忍去。大雨水暴至，瑀伏案下，明日雨止，過客見而憐之，爲結廬墓側，且遺之粟。三年始歸。《明志》。下同。

李守信　父母殁，家貧鬻女以葬，露宿墓側，前後六年。詔旌其門。

蔣楨　父鋭從征陣亡，母蔡氏守節，奉姑以孝聞。後蔡終，楨負土爲墳，築室墓側。

鎮京　字孟常，濟庠生，爲人迂朴謹默。父殁，終身衰麻，不入内室。事死如生，飲食必薦。子旭，萬曆戊午舉人。

劉溥　字潤民，楨子也。弱冠淹貫群籍，中景泰四年鄉試第一。資性和粹，動止不苟。其《驅妖僧》一書，真正心修身之學。所著有《學庸貫通》及《詩稿》。

潘好儉　字允慎，箕之曾孫。祖從賢，父時昇，皆有名庠序。好儉弱冠爲諸生，明末寇至，奉祖母及母避村中。寇夜攻所居樓，好儉自牖躍出，集鄉勇挺戈赴之，賊疑援兵至，解去。母疾篤，割股以愈。兄洙有僕懼罪，伺其夜卧，扃户焚之，好儉夢火烙其膚，驚寤。起見兄室火，奮入援之出，指髪皆焦。有劉氏婦寡，族人利其産逼嫁之。好儉計産值給其族人，劉氏節得完。鄰人張氏子貸人金不能償，將鬻其妻，好儉代爲償之。築草堂於東郭，著《大易卦變》諸書。詳「藝文」。卒年五十七，以子應賓貴當。病革時，誡子曰：「貴不可久居，名不可多取。喜事者厲之階，負氣者悔之萌。貪功不如去過，巧出不如多藏。」學者稱「端白先生」云。李澄中《艮齋文集》本傳。

邱岳　字敬山。幼孤，值歲祲，母子不能存活，吴客施某憐之，攜歸洞庭，因冒其姓。及長，習木工自食，時時孺慕，枕席時見涕泪痕。授室後，即約衣節食，爲尋母計。

明季間行求訪，以流寇梗道而還。國初再訪不得。康熙丙午，復禱于神，誓不見母不歸。至則窮詢博訪，一日遇小兒憩道，偶與語，言某莊有老嫗，因念子時時泣下。岳心動，亟往。母子初不相識，因自陳憶孩時母方烙餅，兒倉皇取食，湯火成瘢，伸掌宛然，相持慟哭。時母年八十，岳亦六十矣。載歸洞庭，孝養終身。吴莊邱《孝子傳》《蘇州府志》。

潘起鱗 字浦澍。州諸生。崇禎十五年，李青山之亂，號召數十萬分據韓莊等八閘，運道爲梗，所至焚掠。起鱗親率鄉勇，與道標王定、河標張永昌、撫標李茂、鎮標劉源清直擣其巢於梁山濼。事平，巡按陳昌言叙功，題授都司僉書，未履任，而明亡。據札付。

張士藻 字抒采。爲明勛裔，世居濟西馬房屯。年十九與兄士蘊同補弟子員。明季寇至，士藻奮力躍馬，率諸少年倉皇禦之。寇引去，始終不敢入其鄉。先是，有以危言阻之者，曰：「父母罹難，子忍獨生乎？」歲辛巳，父疾，衣不解帶、目不交睫者三閲月。父病且死，抱持痛哭竟日，而父得復生，人皆謂純孝所感云。父好施，曾焚券三千金。父没，有于某、陳某以所負來償，却之曰：「券已焚矣，先人志也。」年五十八卒。子爲經、爲綸俱幼，妻左氏苦節訓子成立。爲經貴，贈父如其官，左封宜人。

蘇成宗 一名成功，州東關人。以負擔爲生，遇土寇攻城西北隅不利，轉攻東南。東南城下有壕，壕外爲靳學顔墓，墓外復有重河繞之，河東又有民居爲障，因不得驟臨城下。有數人乘屋窺河，鄉人多驚惶欲潰。成宗偏袒大駡，抛磚石擊之，賊彎弓齊射，射則隱避之，射止抛磚石如故，有一老叟、一幼童運磚石佐之。時鄭與僑守東南樓，遥見之，曰：「此一人傷，大事去矣。」呼之來，問其姓名，污喘不能出聲，旁人曰：「蘇成宗也。」犒以金錢，摇首不受，喉間隱隱曰：「原不爲賞，但欲護城。」旁人代領受，復摩掌而去。時近郊之民多避難牛馬墻邊，先誘之守河，無應者。見成宗得賞，群趨至，取户扉爲寨。移時，百堵俱興，城賴以完。共上其功於總河黄希憲，改名成功，特疏優叙，給守備銜。未及拜命，明亡。

許樹德 字心吾。少孤，事母孝。苦貧弃儒而賈，家道遂隆隆起。許氏族居在城十四里者，明末賦役不均，不勝其擾，乃經營慘淡，均之於南九中五里，族甚賴之，而不言其功。立家會，以聯宗支。歲時祭埽之餘，以供徭役。置義學城西，延師訓鄉黨子弟，擇其佳者厚恤以成就之。曾受揚州太守任民育千金之托，民育殉節後，遺孤不知也，甚落魄，故人皆不知禮。樹德出千金爲經理生業，分宅與居。故節士鄭與僑稱其「爲一世人杰」云。康熙壬子冬無疾卒，年七十四。○以上十一人《前志·孝義》。

王道明 字逸公，鎮裔也。父國賓，字正雅。居臨運河，水漲，首捐築堤，民受其利。道明博學多才，天啓七年舉人，試禮部，以策犯魏璫罷歸。道明論説以朱子爲宗，爲文簡古，結社城南，談藝不倦。以時事日非，因寄懷詩酒，嘗曰：「屈宋、李杜，吾師乎！」憂國之辭時見筆墨。弟道新，子宏，傳見後。

鍾應銓 字宸俞。有雋才，崇禎元年拔貢，廷對以縣佐用，應銓不樂仕，教授於家。周恤里黨，未嘗有德色。子侄稱名士者十餘人。○以上二人《前志·文苑》。

湯鐵 始祖禄，從明太祖起兵，以功世指揮僉事，隸濟寧衛。禄子清，成化中襲職，奉命督棗林閘，招調四十八衛以飛挽著績，調宣州衛指揮同知。四世而至鐵，弱冠補弟子員。篤於孝友，嘗捐産爲兄館償所負庫金。家貧，值歲祲，日不能再食。道逢遺金，待其人還之，人以半謝，鐵却之。讀書至老愈篤，郡人高其行，聞於學使，旌异之。諸所與交多達官，鐵杜門不交一刺。

劉爲霖 字澤生，溥裔也。天啓七年舉人，行高志潔，歲歉屢空，不問米鹽，而藏書最富。崇禎十六年，燼於火。爲霖見時事日非，絶意仕宦，築遠攬閣於洸泗之間，吟卧其上，有《遠攬集》藏於家。

焦可育 號英我。鶴姿鵠表，古之狷士也。先世有遺産，爲兄所據，不與校。僦屋以教授生徒，門人但失學，即憂形於色，至竟日不食，曰：「受人之托，誤人子弟，寧不愧於心乎？」必欲其人省悟而後已，故人多所成就。與鄉人處，即兒童亦不忍欺，遇豪橫則斂迹避之。妻聶氏亦淑善，相敬如賓。艱於嗣，聶爲蓄妾，堅不肯，曰：「無子命也，何用此爲？」居恒脱粟菜根，居之不厭。時至村疃，聽父老説桑麻，素不識公廨。有司以優行薦之學使，例下郡奬賞。門役促請再三，置若不聞，有司益重之，嘆其名可得聞，身不可得見也。卒年六十餘，終無嗣。門人會葬，伏臘祭埽不缺。

郭一標 號次立。業儒有行，教授生徒。夏一葛，冬一褐，所食不過粗糲，所居僅蔽風雨。數十年如一日，泊如也。庭花窗草，檐鳥盆魚，悠然有得。精於《易》，晨夕把玩，手自編摩，每謂弟子鄭與僑言：「《大易》三百八十四爻，總不外一『潛』字，會得《乾》之初體，六十四卦一以貫之可也。」爲文爾雅温醇，自成一體。然每試多不利，或勸其刓方投俗，則曰：「文，心聲也。違心徇人，可乎？」以此不遇，終不悔。年老病時，常作笑容，而卒有《大易日鈔》傳於世。《遺事記》。

宋印晟 字燦明，號鏡渠。可賢從子。崇禎十年武進士，歷處州副將。福王南渡，以温處總兵，拜援剿將軍。因諸鎮乖异，憂憤成疾，歸隱荒村，絶賓客，足不至城市。卒年七十四。

孫瀛洲 字六水。明末諸生。時寇、荒并亟，初猶罄資以供練餉，既而割畝至盡。父鰲化病困，謂之曰：「我恐遂不起，念先世世爲儒，我亦糜國餼數十年，時勢如斯，且復奈何？」瀛洲泣對曰：「兒薄植，故無尺寸柄計，惟有不改此頭面以不辱吾親。」父頷之，遂卒。母靳亦逝閲歲甲申，瀛洲纔弱冠耳，由是奔波南北，無寧宇。順治三年，會女兄之夫部曹陳益修成進士，初授官，稍資依之。初，陳與商出處，瀛洲曰：「君有大耻，非成名不足洗我。無故欲富貴，真求耻也。」至是復微諷之，瀛洲慷慨言：「吾先人種德久，君當聞後世或有興者。顧吾脱死亡亂離中，重際太平，不絶先人讀書種，幸矣。且前已有言銘肺肝，豈欺死父哉？」陳乃不終勸。既還鄉築室，故産不可問用，自力治生，妻朱佐之。僅及中人即止，不營。至康熙丁卯，少子芳魁、其經、伯仲三人，食指日繁，遂不預家計，視諸孫弦誦以爲樂。又二十年卒，年八十三。瀛洲身長八尺，美鬚髯，大音聲，稱心言論，不爲曲謹，鄉人敬信若神。有疑難若爭競，至前立解。或遥聞評説，即各罷去。資故非饒，義舉善事，必爲倡首，一時長者之稱如一口。周清源撰行狀。○以上六人《前志·隱逸》。

高崇　字維志。翥之孫。博學好古，性孝友，尤重節義。登正統十三年進士，授户科給事中。彈劾時事，不避權貴，出爲浙江參議。丁内艱，遂不復仕。《金鄉志》。○以下金鄉人。

任勵　性嚴潔剛正，宰長葛按部者至，私囑曰：「邑産水牛，幸爲少購皮革。」勵陽諾。少頃，牽水牛數隻詣堂下，曰：「此赤子耕具，粒食之原也。」部使慚怒，因以他事誣之下獄，竟憤抑死。邑人流涕，如喪慈母。居數日，邑人見勵鼓吹、旗幟復入城門，皆怪且喜曰：「吾君復來矣。」追而視之，入城隍廟，忽不見。部使者尋死。邑人爲立祠。《兖志》。

王佑　歲貢生。性强毅，安貧不苟取。時邑宰盛德有賢，稱佑曰：「此吾他日師也。」後令壺關，務用德教，民被其惠。歸家時，行李蕭然。邑宰宋某葺社學，敦請爲弟子師。嘉靖末，推官郭某，壺關人也，曰「王公去壺關六十餘年，父老猶思公德政」云。《金鄉志》。下同。

朱紋　廩生。事母至孝，兄純卒，嫂無出，令與母同寢食，二十年始終不渝。夜有賊入室，家人起，紋曰：「不過同邑人爲饑寒迫耳。」賊因遁去。爲岐州訓導，卒於官。士子送者數百人。

李 檠 字承光。正德十一年舉于鄉，仕工部司務，廉幹有才。升郎中，理大工，不撓權貴，擢臨洮知府。清苦愛民，晋行太僕少卿。離任之日，父老攀轅泣下。祀鄉賢。

楊挺高 字叔謙。金鄉主簿，春之曾孫。嘉靖二十年進士，歷海寧、平湖二邑令、鳳陽知府，累遷至河南布政使。在官多惠政，性廉潔，與海瑞同與清官宴者三次。令平湖，不依附陸錦衣。在鳳陽，上計日以二布遺。嚴分宜，在河南與御史忤，拂衣歸。祀忠義祠。

李 燧 字晦夫。嘉靖二十三年進士，初授行人，轉户部主事，督餉通州。會俺答薄城，與同事協力戰守，四晝夜無寧息。又擢員外郎，出爲河南僉事。時流賊帥尚詔犯歸德，燧摧鋒縛其魁，事平論賞有差。歷湖廣參議、浙江副使。杭、嘉有倭患，燧嚴守備，遠斥堠，累歲不敢犯，超擢湖廣巡撫。燧性嚴毅，任事勇決，所至豪猾屏迹。爲忌者所中，改調留都，未幾歸。祀鄉賢。

周濟用 字仲實。嘉靖二十年舉人，官至鄖陽知府，廉厲秉公，無敢干以私。歲饑，先發粟，後以聞，上官嘉之。時中貴恣横，力與之抗，民得不擾。初，知祁州，鞫趙邦彦奇獄，人頌神明。又同知順德府，及視北新關，清軍田，弭土寇，開河渠，寬税餉，革積蠹，民商樂業，有古循吏風。工古文，善書法，著述甚富。

郭東藩 字鎮夫。父囊，庠生，有文名。嘗被盗，以身脱父于難。母病疽，吮之而愈。東藩，嘉靖二十六年進士，授聞喜令，累遷陝西按察使，尋告歸。肆力經史，建義學。歲饑，輸粟千餘石，全活甚衆。撫按上其事，建坊旌表，祀鄉賢。《兗志》。下同。

胡汝桂 字芳甫。父洞，事繼母能孝，祀鄉賢祠。汝桂，嘉靖三十五年進士，仕刑部主事，歷吏部文選郎中，擢太常少卿。爲人好學慕古，潛心養性，與江右諸公講陽明之學，月旦爲會，海内慕其名行，翕然稱之。祀鄉賢。

周永春 字孟泰。父大備，字文郁，諸生。性孝友，讓宅於弟，置産贍族，祀鄉賢祠。永春，萬曆中成進士，初選得武河，吏部偉其器，易以洪洞，有政聲。調陽曲，行取禮科給事中，以敢言著，歷太常卿，巡撫遼東。丁祖母憂里居，會妖賊倡亂，永春與邑宰拒守，用遼撫麾下材官、健兒，率鄉勇奮先擊賊，賊潰去。無何，河決堤幾壞，永春親督畚鍤坐危堤，晝夜不去。天啓初，忌者誣以在遼失機，坐戍。崇禎改元，復原官。未及大用，卒於家。

李奪錦 字繼盛。性孝友樸誠，貢生，由吴縣訓導升南部知縣。興學勸農，治績彰著。時獻賊入川，南部當其衝，錦以誠義勵士民，卒全孤城。當事者交章薦舉，例當特用，以母艱歸里。崇禎辛未河決，捐金築堤。歲歉，輸粟濟衆。卒之日，遠邇流涕。

李士元 字得一。萬曆四十七年進士，初任武清令。地近京師，多内監子姓，倚勢橫行。士元立法禁止，犯者輒痛懲之。調繁固安，以剛直忤郡守，暗揭臺使，降南京錦衣衛知事。崇禎改元，起山西推官，刑獄一清。有原情開釋者，其人感恩，以茶進，實金花也。士元啓之，立召鄉老與其人反之，其人慚謝去。行取刑部主事，轉户部，差大同理餉。日夜焦勞，至嘔血，復命，曰：「運糧車户數百人。」及鄉老泣送十餘里不忍去。升本部員外郎，轉郎中，出知汝寧府。潔己愛民，以艱歸里，囊無贏金，貧不能辦。乃以哀毁，血疾重發卒。年五十有一，祀鄉賢。

張文燦 字闇堂，號光斗。天啓辛酉舉人，崇禎戊辰進士，初任棗强縣知縣，勞來綏輯，爲諸邑最。歷浙江運判，行取户部主事，出督蕪湖鈔關。潔己奉公，一塵不染，由户部員外郎郎中擢任大名府知府。連年饑饉，流寇猖獗，遂勞鬱成疾，以病乞歸。後以才望屢徵不起，當事者敦迫就道，終不仕。詩宗少陵，書有神韵。祀鄉賢。

周永昌 字印長。庠生。性孝友，兄卒於京，值明季戎馬充斥之日，年始束髮，走千里賊壘中，扶喪而歸，鄉黨多稱之。

李之炤　字霈水。貢生，任武城縣教諭。爲諸生時，凡關繫地方利弊，輒挺身建言。明崇禎甲申，妖賊翻天鷂攻城危急，縣令力不能支，欲委去。炤與同立西門城樓上，執手諫曰：「公一縣之主，千萬人之性命繫焉，義合與城爲存亡，在則衆守協心，去則瓦解矣。且城破，公將安往耶？」令悟。督禦益嚴，賊旋潰，城賴以全。二人據《縣志》補輯。

高翥　弟騰爲賊所執，索財不得，將殺之，翥曰：「家財在我，非弟所私。」賊遂釋騰執翥，無財以應而死，韓大司馬爲作《義士傳》。

劉富　正德五年流賊入邑，富父爲賊所執，索其少女，富曰：「吾妹避山中，釋父執我，吾妹可得。」賊信之。富伺其父去稍遠，乃大呼曰：「吾以死當之，勿使妹爲賊所辱。」賊怒，遂殺之。

李某　失其名，性醇厚多陰德。明末有土寇號宫二麻者，聚黨横行，一日擄近邑婦女二百餘人，寄某園中，俾供食。某佯諾之，俟宫去，悉縱之使歸。焚其園，宫來以失火聞。其裔孫壘成進士。采訪增輯。

周永康　字安侯。有勇力，曉兵法。明末爲本邑守備，土賊蜂起，永康率鄉兵禦之，所向無前。一日乘勝逐賊，馬蹶遇害，部下力戰死者四人，衆爲之立廟。○《前志·忠節》。

李迪　字守道，嘉祥人。明經博學，才行卓越。永樂十八年舉人，歷官福建兵巡參議，有威名，盜賊斂迹。景泰四年，海寇爲亂，迪躬詣賊艘，諭以大義，賊遂降。朝廷叙功，賚予甚厚。後致仕家居，貧不能自給。天順間屢召不起，有司月給米五石以終其身。卒年九十有二。○以下嘉祥人。

曹玉　字廷美。弘治三年進士，授侍御，正色立朝，不避權貴。巡按盧揚等處秉公執法，爲當朝所不容，遷陝西僉憲。會雲南有司田之變，命玉往撫慰之。玉至，司田即降，諭功當遷，忌者抑之，終不果，已而致仕。正德改元，特以平雲南功加俸一級召用，而玉尋卒。

黄嘉賓　字國賢。初爲河南府推官，斷獄明决，庭無留訟。遷兵部員外郎，持正不阿，人不敢干以私。武宗西狩，未幾復南巡，嘉賓上疏切諫，逢帝怒，兩受廷杖得不死，言事愈勵，終太仆卿。

高斗光　字拱宸。以進士兩爲縣令，絶苞苴，屏請托，折獄斷刑，不畏强禦。後歷居大位，愈恂謹，論者謂「有萬石君之風」。歲祲，出粟賑貸，全活者甚衆。卒祀鄉賢。

徐彬　字文中。宣德間以舉人任隆慶衛經歷，上疏言衛内當舉行者四事，上稱其能，升順德府同知。捕蝗賑饑，筑坊修學，大著能聲，刑部尚書薛希連薦可大用，詔加正四品俸。未幾，以艱去任，尋卒。大學士劉翊表其墓。

宋澄　字源潔。景泰癸酉舉人，任嘉興府推官。存心仁恕，讞獄無冤，吏民德之。

龐經　字正夫。由貢生除吉州知州，清廉慈愛，座右常懸「天理」二字。在任五年，遘疾，士民爲祈於神，願以身代。尋乞休，當道不能留，移檄故里，爲建賢良坊以表之。

傅以道　字守常。父卒，廬墓側，不避風雨，朝夕負土封墳。未期年，卒於墓所。

杜克義　字彦方。父母相繼卒，廬墓六年。廬無垣，盗欲竊其衣，見二狼護之，盗怖而散。嘉靖間御史毛鵬旌其門。

閻彔　庠生。其父卒，抱尸悲號，飲食俱絶，六日而亡。

馮大騰　庠生。母卒，廬墓側，朝夕泣毁，卒於墓所。

張來鳳　字應虞。德府教授。親殁，廬墓，負土築墳，鄉人稱其孝。

高　鼎　字凝圃。庠生。父斗光歷官，每單騎就道，鼎必從。甲申逆闖入都，縉紳被掠，鼎奮不顧身，代父受拷，顏色不變，鄉邑重之。

馮　謙　庠生。父偉，性放曠，欲盡游名山川。謙幼，挽之未得。稍長，踪父所在，遇於九江，涕泣邀歸，不許。既又尋之蕪湖，父怒，仍獨歸。跋涉病足，不任地者九年，足稍愈，遂率子抵舊所，弗值。西歷涇原、華、渭，得見於高陵，父始許歸。謙大喜，待發，父疾作，數月而殞。謙悲號幾絶，哀動行路。旅費既盡，還家值歲歉，罄其産乃得輿櫬歸。繼母失明，謙奉事尤盡孝。

張恕素　字心如。性至孝，父昀嗜飲，醉必負以歸，嘔吐即手承之，終夜侍床側。母病，目喪明，號泣動人，出入不離。及卒，慟絶復蘇者三。奉兩繼母，咸得歡心。戚黨有以孝子稱之者，恕素泣辭曰：「吾不能感動神明使父母無缺陷，乃天地間一罪人耳，敢稱孝耶？」聞者泪下。

晁紹姬　事親至孝，父殁，一果樹爲父所愛，移植墓側，每灌溉必悲咽流涕。

張福喜　豐年蓄粟萬石，遇歉賑給窮乏，不令償，人名其里曰「萬糧鄉」。正德間，知縣鄭瑛表其事，建坊墓道。

郝　鳳　字廷瑞。正德間以椽吏入京，偶拾遺金百兩，乃官銀也。坐待之，已見户部押一人，詢之云：「某姓王氏，係上蔡解户，解銀遺失，故以侵盗論罪。」鳳得其實，悉還之，其人願酬以半，鳳不顧去。後任黄竹嶺巡檢，所得俸金置義田以贍窮民。

杜嘉慶　字隆徵。初登第，任縣令，剛介有能聲，升户部主事。以憂里居，捐資修城，爲闔邑倡。歲饑，賴以舉火者百餘家。連十等二十人犯罪，力不能贖，幾瀕死，爲輸百金贖之。鄉人死，不克殯者助以棺。卒祀鄉賢祠。邑令虞都張楠撰傳曰：公諱嘉慶，字隆徵。少負英資，學不事飣餖，而匡王寧民之略，從鷄牖蠹編中志而不移矣。庚午登賢書，辛未成進士。初知虞城，而虞治；再宰完邑，而完亦治；及主起曹，而起曹復治。公之績偉哉！若公之出處，兩無所負，而細行可概也。竊有旦評，達有輿論，余惟取其大者表揚焉。比歲不登，遂成大祲，公出粟數百斛，自冬徂夏，以啖饑民，所全活者可千萬計。有以贖鍰逋賦繫圜扉者幾數十人，沿年疫癘，勢幾不生。公捐金百餘代爲輸納，獲脱狴犴。至于繕修城垣，甃以磚石，公爲倡首，獨力成其差半，計所費四千五百餘金，略無吝惜容。而今雉堞雄飛，所恃爲金湯者，賴公遺也。兩仕令尹，美不勝書，嗣晋司農，鞭筭會計，地涌金錢，尋勞軍燕乎。先是，膺斯任者率以私犄致嘩，公惟均平。公明無遺予，亦無濫予，行間感投醪之惠，無不人人意得，頌者雷聲動地。繼主榷吴門，嚴戢逋税，懲其夙蠹，自是關無漏税，税無苛征。糧艘南旋，匿挾私販，聯艇闖關，大呼飛渡，主者弗敢究詰，循以成風。乃簡聚健壯，持佩鋒利，戒備環侍，公莊臨之。令雁行進，諸艘丁股栗懾服，輸税而行，嗣是過滸墅者肅然無悍習矣。夫濟危義舉，人皆惜豆羹而不肯爲剔弊厘奸，人皆苦庸疏而不能爲。公弗吝於資，復優于才，以故在鄉而鄉邦賴之，在朝而朝廷倚之。若天假以引年，竟厥所施，其福利里邑、澤被邦國者，寧有涯歟？公雖尸祝于宦，俎豆于鄉，而休行茂烈，何可令湮没哉？特爲闡幽表微，俾後之人景行止而思步武，有所感發云爾。○以上十五人據《縣志》補輯。

王麟　字應龍，魚臺人。洪武中以太學生拜刑部郎中，擢湖廣左參政，被誣，左遷行人。永樂初，晋廣西右參政，督軍討交趾，所向克敵。進嘉議大夫，卒于官，祀鄉賢。○以下魚臺人。

甄沛　字汝澤。嘉靖十四年進士，任開封推官，擢工科給事中。獨立敢言，皆切軍國重務。

魏遵　魏宣養子。寇至，遵避他所，賊得其弟逵，將殺之。遵出曰：「逵尚無子，殺逵則父絶嗣，願以身代。」賊殺遵，逵免。

孫衍慶　庠生，以孝聞。時榆賊破城，衍慶扶母走，爲賊所執，紿之曰：「第釋母，有厚資在家。」賊信而釋之，與俱歸。時父柩在室，跪泣曰：「兒不得葬父矣。」稽顙流血。賊索財，無以應，殺之。

朱明善　廩生。流寇焚劫，父母柩俱燬，明善攀號不能救，投井死。

劉恒修　例貢。弟早亡，撫其孤允遠，逾于己子。家貧，授徒贍食，端方嚴謹，一時名彦多出其門。土賊陷城，抗賊而死。

孫　沔　弘治壬戌進士，以文名當時。歷官工部郎中，出守臨洮，以不畏强禦著聲朝野。

王　鉉　字汝器。少有氣節，游太學。正德中，流賊起，鉉聚鄉勇保護村鄰。寇至，奮戈先登，賊敗走，境獲全。子天民，正德丁丑成進士，任大理評事，理獄中州，多所平反。後守彰德，以善政聞。

馬　選　字連莊。天啓壬戌，兗州教匪滋事。選募衆禦賊，遂戰歿，子弟、家僮同時畢命者五十餘人。子承光、起光，侄焕光、聚光、守誠、守業、治光，皆從死。義聲遠聞，未請恤贈。

馬觀光　字百始，號利賓。由廩生舉崇禎乙亥超貢第三，出兗州司理李伯㟙之門。李備兵於曹，有指揮某得罪，李授意懇觀光爲解。觀光峻却之，人曰：「此憲意也。」光曰：「出有罪，於師失法，於我喪守，烏乎可？」甲申，流賊南來。州舉人鄭與僑倡議堵禦，手書托觀光以老母妻子。觀光與鄭夙以氣誼相知，初未嘗謀面也，即復書并及孟舉人瑄曰：「君父不可忘也，吾輩幸勿爲所污。」迎鄭、孟二家眷屬，割宅居之如一家。遇東省饑荒，山寇蜂起，常煮粥賑窮。命子弟輩率衆剿賊，邑東界賴以安堵。晚年隱居不仕，杜門教授。卒年七十一，門生會葬者百人，共題其墓曰「有明處士」。著作詳「藝文」。

馬體震 遜孫，字子長。少受學於從叔父觀光。既冠，入邑庠。時流賊方熾，體震長於騎射，慨然有當世志。崇禎癸未，知縣鄧承瀫初至任，延見諸生，問當日殉節之馬君子孫。時體震在列，衆指以對，鄧器之曰：「必薦生當道，期立功以光前烈。」事未行而闖賊已陷京師。於時，山寇蜂起，鄒、滕界嶧山、陽山、寨山處處屯聚，費、嶧間賊尤劇惡，遠近塗炭，邑人凶懼。體震謀於觀光，合昆弟輩糾集義勇，以殺賊爲己任，一如其祖。鄰村有急，輒率衆往援。一戰於奋頭，聚殲賊百人。一戰於郁郎村，殲賊四百餘人。一戰於蔡莊，聚射殺賊三百餘人。復與賊戰於滕縣之益莊聚，深入馬蹶，爲賊所得，罵不屈，遇害。而是日所殺賊亦數十人，賊遂相戒，不敢犯魚臺界。時崇禎甲申八月五日也。鄧縣令嘉其義烈，克繩祖武，爲刊石表其閭。○《縣志》，體震有傳，未詳。今據碑文事實增輯，并爲選補傳於前。

郭焕 庠生。賊破城，見父與弟被執，抱救不捨，遂遇害。

隨沆 庠生。流賊陷城，大罵不屈，賊殺之。

武翰 游太學，具卓識。嘉靖乙丑大水，議遷城，翰條議利害多寡、民情苦樂，上官韙之，事獲已。

王廷楠 庠生。崇禎辛巳歲荒，人相食。楠大出倉穀貸鄉里，不責其券。土寇圍城，數日不解，守者饑疲，不能戰。楠遍餉疲者，登陴者皆歡騰，遂敗賊。

劉炯然 父被賊執，哀泣代死，賊憐而釋之。

劉漢儒 字公家。貢生。少時父被盜執，儒急赴求代，得免。有延安秀才常鼎運者，妻高氏被闖賊擄逃至邑，李都司將納之。儒聞于邑令何正芳，置尼庵，走使報其家迎去，人稱其義。○以上十一人據《縣志》、碑刻補輯。

郝　忱　字子翼。隆慶間由選貢任萬泉縣知縣，誠心愛民。遇水旱，禱無不應。以勤於撫字、拙於催科罷歸。采訪補輯。

濟寧直隸州志卷八之三

人物志　三

列傳　二

○近時采訪有《前志·列傳》之先人補輯於前，或於本傳增補，後人未立專傳者并附之。

國朝　一

陳宸銘 字我愚，號揚先，伯友仲子也。崇禎十六年進士，授山西汾州府推官，未任，賊已破汾州矣。入國初，除陝西宜川知縣，縣當秦凉孔道，萑苻族聚，宸銘招徠渠首王永强等，推誠懷之。順治三年，寧夏鎮標將王元、馬德乘兵嘩作亂，聞總督集兵會剿，懼而逃，謀自宜川西走隴坂，合賀珍于成紀。宸銘檄王永强，邀之山口，出不意殲其衆，擒元等送軍前。乃招徠勸農，人樂更生。葺學舍，建書院，士風丕振。兩分校棘闈，所取皆名宿。奏最，擢吏科左給事中，尋遷右。知無不言，如正國事、汰浮屠、飭法紀、禁賄賂諸條，皆甚凱切。而劾察户部侍郎孫塔恃貴戚横索、騷擾驛夫，直聲震天下。十年，轉禮科，仍掌吏科給事中。銓者意有所私，委衆會議，宸銘正色直言，重拂銓者之意。因嫉而排斥之，注曰「樸誠，宜堪外用」，謫河南布政司經歷，攝汲縣事。平獄訟，却餽遺，再攝汝州，盡革舊弊，政簡刑清。遷大理寺寺正，旋引年歸。卒年八十有二。詩文雅練，著有《崇樸齋稿》。據行狀。

大理陳我白先生，太常旭窗公次子。爲諸生時，學宫喬木爲門斗所伐，學師與知之，先生欲聞於學道，師大懼，乃痛懲門斗而後已。至今古木尚蔚然者，先生護持之力也。又州陰陽生本爲士大夫傳刺往來，效奔走而已。一日忽投晚生帖於諸紳請禮，先生大怒曰：「小加大、賤凌貴之漸也。」盡收其所致之帖送州，州爲重責斥革，押赴諸紳叩頭謝罪。向非先生，則陰陽班役安肆非禮，將成舊例矣。《逸史外傳》《前志·維綴》。

潘士良 字舜佐，號虞廷。幼穎异，登明萬曆四十一年進士。初知蠡縣，有聲，擢御史。天啓時，巡按蘇松，三吴知名士多蒙獎拔。織造、太監李實疏請有司行屬禮聽參劾，士良同巡撫周起元上章糾之，實又違例，擅勾機匠，士良再糾之，還朝遷太僕卿。具疏極論忠賢，語剴切，左遷南京光禄寺，杜門不出。崇禎初，召拜大理卿，晋刑部侍郎，未幾告歸。流寇陷京師，遣僞權將軍郭升徇山東，所至官吏望風奔竄。濟寧既下，留僞防禦使張問行、僞知州任崇志掌旅，傅龍守之，勒索士民，助餉甚急。士良與孟瑄等集衆舉義兵盡殲賊徒，衆推士良行總督事，練鄉勇爲九營，保障河濟間。會我朝定鼎，撫治鄖陽，剿寇綏民，殘黎賴之。歲餘罷歸。年九十一卒，時順治十六年也。士良爲人恬淡儉素，藹然可親。八旬餘始舉子，壽考令終，人咸以爲厚德之報云。子兆元、兆遴。

李以易 號希九。明崇禎十五年舉人，順治初授常州府推官，有節操，以憂家居。立興文書院，捐膏火課士，經指授者多成名。服闋，升鳳陽知府，不久挂冠歸。淡薄不异寒士，以讀書立品訓後進。子澄及孫楨，康熙十七年同榜舉人。楨登進士，自有傳。

尹牧民 字司牧。館陶訓導，遷歷城教諭，尋補華亭縣丞，以老免歸。牧民學問淵博，志行疏爽。理學經術，研究實用，不務虚浮。其立教各隨性成，不爲嚴督苛責，其友誚之曰：「師道貴嚴，子何輕脱乃爾？」笑曰：「《易》云『擊蒙，不利爲寇』，『蒙以養正』，顧養之何如耳？」居官亦如之。在華亭，年逾大耋，猶勤敏，無廢事。即免，前濟寧知州、松江府知府李正華爲具舟歸。再爲鄉飲大賓，年九十餘卒。

周於德 字元錫，元公五十六代孫也。其先於元末遷聞喜，八世祖通府以指揮隨靖難軍，家濟寧之王貴屯。明末盜起，有稱齊天王者據嘉祥之滿家硐，復結潭口、興福諸村寨爲黨援，日肆劫掠。於德勸父捐家財，募强壯者三百人，浚濠築堡，賊不敢犯。知州奇之，表爲鄉帥，率官兵搗賊巢，不旬日殲之。回軍將屠潭口諸寨，於德曰：「此良民，爲賊逼耳。」遂單騎往，諭以禍福，衆皆感泣歸命。國初，以優貢生爲江南贛榆知縣。時海寇方熾，城邑簫條，前令往往挂冠去。於德外禦强寇，内撫疲民，七閱月安堵如故。以才能薦，不就，歸。作半世堂課子，世傳文學。

元孫裔和，乾隆十年進士。裔良、裔豐，并舉人。

李用質　父棨春，字泰宇。弱冠，補諸生，有聲明。農教子聞逋負者，將鬻女以償，立爲焚券。年逾八十卒。用質字文含，孝友有至性，英敏能文。崇禎十三年進士，授山西襄陵知縣，潔己愛民，興學育才。户口、食鹽、濫派地畝者，力請蠲豁。釐正驛馬，爲牧養省煩費、懲郵蠹。歲大饑，賑救多方，全活甚衆。設法懇荒，民得復業。嘗攝篆臨汾，責成修、練、儲、備四事。捐俸足額，尤人所難。聽訟惟務化導，不事深文鉤摘。有士訟前妻子不孝者，曲諭之，其人感泣謝去。臨汾、洪洞以争水利，案久未結，立爲剖斷。三年奏最，擢刑部江西司主事。國朝收定齊魯，除淮安清河縣。地瀕黄河，無城郭，兵荒之餘，殘黎未集，加意招徠，與民休息。禁旅南征取道，供億立辦，不傷民力。間進諸生講學，未幾入爲兵科給事中，疏濟寧錢糧私派包賠之弊，詳「田賦」。會用質卒於京邸，事寢。乙酉丙戌分校南北闈，稱得人云。

楊澤　字海若。崇禎六年舉人，賦性孝友冲和，博聞强記。國初，補任江西萬載縣，兵火之餘，人民荒殘。澤多方招徠，寬徭省訟，民有「一輪明月」之謠。卒於任所。

張贇　字茂中。蚤孤，母性嚴，贇晨昏必肅衣冠問視，如禮臧獲。小失母意，贇輒匍匐請罪，或涕泣不食，伺母喜，跪奉觴匕而後退。五十餘年如一日。順治初，補授五臺縣。鼎革之後，瘠田污萊，僧衆半於編户。贇到官，僅携一二僮僕，自甘糲食。巡撫某檄下縣，索天花百本。天花産五臺山中，寺僧劚取，歲不過十餘本。贇不能應，被劾。後撫祝世昌廉其冤。值姜壤叛大同，游騎至五臺，世昌檄贇與新令吴宗協力守備。贇設方略，督衆禦擊，城賴以全。事聞賜鏹，加紀録，復原職。未補，遭内艱歸。栖遲林下數年，以壽終。

黃道寧 字爾静。子美猶子也。父子淳，鎮江教授，有隱德。道寧學識通敏，爲諸生冠。國初授鄜州州判，時兵燹之餘，城郭不完，伏莽飄忽。道寧招徠遺黎，備嘗艱苦，流亡始集。自免歸。生平好學博聞，至耋不倦，兼精星曆、術數。尋卒。以子敬璣貴，贈雲南道監察御史。

邵士標 字仲褒。崇禎癸未會試中式，順治三年授河間推官，理冤疏滯，時稱平允。熱審清獄，士標洞門縱囚，約深秋歸來。十八邑囹圄一空，至期咸集，無一逸者。上官有疑獄輒委之，無弗立具，擢山西道監察御史。八旗圈地，争訟紛起，士標請據清册正經界。又言計典期近，嚴禁弊端。又諫興工東便門，費以巨萬。又請罷禁旅捕犯人，復緝捕舊例，以免株連。皆如所請。後以病歸里，居鄉恂恂，有萬石家風。睦族恤貧，行之無倦。

王天眷 字龍錫，號魯源。父廷臣，字翠華，孝友，著聲閭里，多隱德。教子孫繩趨矩步，卒後河督朱之錫表其墓。天眷中順治三年進士，授行人司行人，旋奉使廣東阻兵，四載始歸。九年，使闕里還，擢山西道御史，出歷江西饒九兵備道、山西雁平、河東二道，皆有聲。内轉左右通政、宗人府丞。康熙十二年，以工部左侍郎致仕。天眷性孝友，撫猶子如己子。遇歲凶，施粥散財，全活甚衆。築墅園於北郭，自號信天翁，有《夢吟集》二卷。卒年七十有六，崇祀鄉賢祠。

《前志》按，《王氏家狀》言其兩使安南，封王、阻兵，十二年始歸。《山左詩鈔》及州牘、鄉賢册略同。度之情事，未足深信。及得其《夢吟詩稿》，自丙戌通籍，至癸丑致仕，二十八年中閱歷崖略可得。其奉使粤東，蓋丁亥、戊子間。己丑阻兵，居歸善。辛卯自粤歸，并有詩。壬辰使闕里以前，六年皆官行人。癸巳、甲午兩年官御史。其《信天翁詩》云「六載皇華使，兩年御史驄」是也。乙未至己亥五年，出歷江西、山西兩省，三爲監司，信天翁詩云「三遷叨外藩，一麾走西東」是也。庚子春自河東内升，有李黃甲序可證。壬寅六月，假歸，丁内艱，有詩。乙巳起復，庚戌、辛亥、壬子皆在朝。明年致仕，有癸丑夏《罷官旋里》七律二首皆歷歷可數。其乙巳後，丙午、丁未、戊申、己酉，凡五年未詳，然絶無使安南之説。高念東、王阮亭序其詩，亦但云「使粵東」而已。又其門人章雲鷺序云：「余自丙戌游先生門，未幾先生奉使粵東，以兵戈阻絶，羈窮患難，凡四年來歸，詩益工。嗣是先生使魯，還擢臺班，兵備江右，轉而至於雁平、蒲坂。所至盜伏奸革，德惠敷施。己亥春，先生自河東寄詩集示余。」云云。此又鑿鑿可據。初無阻兵十二年之説，恐傳訛既久，即其子孫亦且數典而忘，故特辨之。又《夢吟稿·戊午初度詩》云「六旬又七矣」，則是生於前明神宗壬子。而康熙壬子《元旦詩》云「三度龍墀拜賀春，今朝便是六旬人」，令之丁卯年所作也。《園雅會圖記》記附詩稿前。自稱「七十五老人」，則是生於癸丑爲是。其卒在作記之次年戊辰秋，見《夢吟續集》其子睿《後序》中。

王道新　字介公。順治三年進士，授汝寧推官。辛卯充同考官，孟騆煌、湯斌并出其門。行取福建道御史。九年決荆隆口，州之南鄉幾爲澤國，道新上疏云：「臣鄉山東爲盛京左臂，濟、兖、東三府爲漕運咽喉。大盜盤據多年，黄水瀰漫累歲，廬毁田荒，民逃物盡，蓁莽千里，誠有圖繪所不能罄者。今天威遠震，賊壘一空，河臣拮据多方，黄流以塞，一二孑遺，始有更生之望。乃淫霖灾雹踵至，洊臻大河泛濫，較之從前尤甚。臣讀河臣楊方興、撫臣夏玉奏報諸疏，終宵不能寐。傷哉！赤子田禾蕩没，家室漂流，夫何使之至此極乎？此時國用多端，司農告匱，請蠲請賑，臣子委不忍言。但民既失生，何能成賦？即命盡於扑敲，人甘於離散，究之積欠積逋，終待蠲豁。與其需之歲月，爲异日之恩膏；何如沛之一朝，作及時之雨露。臣讀户部題覆河南撫臣吴景道《舊潦水患未除》一疏，議將八年錢糧重灾者免額賦十分之五，輕灾者量免十分之二，業奉有俞旨。豫撫所疏者八年之灾，故所免者八年之糧，免舊祇飽乎胥吏，免新始惠及閭閻。聖天子明見萬里，所以豫撫朝上疏而夕報可也。臣鄉連歲水灾，不減兩河，而寇擾兵臨，工煩役重，視兩河且過之。祈聖慈敕下，該部速行。本省撫按專委廉能監司，將被灾地方勘實，輕重分數，比照河南祥符等縣，將九年額賦分别蠲免，庶灾黎之殘命少延，而漕運之咽喉得永奠矣。」奉旨允行。未幾，出爲建南道，與上官不協告歸。道新性友愛，色養不怠，人以爲「忠孝兩盡」云。兄道明，明舉人。傳見前。據墓志。

王宏 字青海，道明子。順治三年與叔道新同榜進士，授遷安知縣。邑當山海孔道，軍需旁午，儲糗峙茭，宏應期集辦。又值圈田之役，委曲調劑，撥補均平，民以不擾。報最，調湖廣攸縣。邑民赴都請留者數千人，不允。宏曰：「不避險，不辭難，臣子職也，我知叱馭前耳。」會其叔道新在汝寧，便道省之，行至商城病卒。

楊宗震 字巖四。順治三年進士，以例授陝西興安知州。州屬寇孽甫靖，城郭不完，伏莽尚存，居民寥落。宗震招徠安輯，修堞浚隍，守禦漸備，士庶始有固志。又躬樹綱紀，宣達朝廷威德，疆域寧謐，兵民戢睦。再知乾州，尤多惠政。升工部員外郎，督蘆課，罷餘羨。監寶源局，杜侵逋。轉江南驛鹽僉事，時裁并道缺，管轄通省，繁劇倍昔。又江洋適有寇氛，宗震督造戰艦，晝夜不怠，於民不擾，而軍需早備。以勞疾卒於官。

魏爾康 字蕃錫。偉貌豐幹，行誼敦篤，有文名而晚達。順治三年成進士，授固安知縣。邑有逆璫杜勳，即爲闖賊射書京城者也。犯法待理，持賄營脫，爾康欲按法誅之。璫黨求津要，借提訊釋去，爾康以究赦前事罰俸。適畿甸圈田，爾康留心調劑，申求撥補，曲加撫字，邑民愛之。尋調零陵縣，時初入版圖，道路梗塞，栖遲江淮數年而歸。兄爾廕亦有時譽，舉孝廉，時人號爲「當塗二難」。

陳益修 字偉如。順治三年進士，授貴池知縣。時江廣餘孽未靖，邑當其衝，征調供億甚煩。拮据晝夜，軍需不闕，民亦無擾。以最入爲户部主事，司糧儲，會計精當，宿弊盡除。尋督荆州権關，蜀賊盤踞日久，夔峽間商賈絶迹，歷年額歲積逋。益修設法招徠撫恤，遠近麕至，遂盈於昔。生平質實廉敏，平易近人，樂善好施，士林目爲誠樸君子。任滿還里，病卒。

黄敬璣　字在之，號屺雲。道寧子，少事繼母，以孝聞。世居濟寧，以曲阜籍登順治四年進士，授安慶府推官，廣置學田以贍士。山賊竊發，單騎撫降之，賊爲感泣。行取雲南道御史，州有應解臨清、德州二倉米，往往派之里丁，民以爲苦。敬璣疏請留州支放，見「田賦」。至今便之。典試江南，名士袁孟義、薛坦、賈曾、陸壽名、顧鼎新等皆出其門。旋以終養歸。與黄維祺立社，集譽髦，分題校藝。其時科名蟬聯，皆造就之力也。《通志》，参《史外傳逸》。

邱時中　字心尼，號拙叟。居濟寧，以滋陽籍登順治十二年進士，授儀徵知縣。時瘡痍未復，至則減徭役、革火耗，與民休息。復煮粥施藥，以救饑疫，全活者甚衆。暇與諸生講藝興學，翕然稱化理焉。《儀徵志》稱其「端毅明悟，作士愛民。精於吏治，邑無冤民」。丁内艱，服闋補遂溪縣。縣三面環海，土瘠人貧。適有遷民之令，力請俟民收夏熟。其時遍設墩堡，畚鍤繁興，曲盡調停，民賴以安遷。民逋賦盈千，於催科中寓撫字，節次報竣，以鹽課不足罷職。時中篤於天倫，生有异質，能視日，移時不瞬。讀經書惟繹本文，曰：「聖賢義理，原在人心，自我求之可耳。」每説書，弟子潘兆遴、曹一鳴手録爲《四書講義》二十六卷。

楊通久　字聖宜。士聰子。素尚氣節，英敏博學。初與其兩兄薄游江淮，流連山水，放逸詩酒間。及歸復理舊業，順治十二年成進士，以母老不出。十六年冬，始授直隸獻縣。地當南北孔道，驛路衝疲，往來貴游，使命相望，多意外需索。通久至，前令竄亂册籍正額，侵没數千金。先期遣蠹役交結勢要，迫通久代爲開銷。通久不從，前令挾上官頤指授代，數恣睢謾侮。到官四十日，憤懣死。工科給事中劉大謨劾前令，求權要私書迫脅狀，逮刑部褫職。

扈浤　字子湛。順治十二年進士，授濟南教授。申嚴程課，分膳以濟貧士。升平山知縣，地隘民貧，多大姓寄户。浤清正自矢，革夙弊，弭盜省役。會旱，禱於龍井山，得雨沾足。井舊有神物，名「大青」「小青」，令廉誠斯見。浤至忽出，縣人頌焉。尋以戇直去官。

袁州佐　字左公，一字秋水。順治十二年進士，初授乾州知州，當兵燹之餘，民不聊生。州佐撫循勞來，遂成樂土。丁酉分校秋闈，所拔皆知名士。十七年，升工部屯田員外郎，遷虞衡司郎中。明習吏事，胥吏不能售其奸。經理貴妃焚帛一事，力清乾没，出爲甘山道僉事。地近西海，諸部入牧大草灘，滿漢合剿，河西舟車不通，人以轉輸爲苦。州佐悉心運籌，士飽馬騰，夷畏威不敢入，民賴以安。康熙九年，舉天下藩臬之賢者以備内升，僅得十人，州佐與焉，轉口北道參議。宣鎮土瘠田荒，民貧役重，倉糈有名無實，歲課多逋。州佐日夜籌畫勞瘁，卒於官。
著《孝經注解》等書行世。見「藝文」。

黄維祺　字五先，號洸洲。順治十二年進士，康熙初授故城知縣。廉正自矢，寬徭役，恤刑徒，勸農桑，興學校。有寡婦饒於資，夫從弟欲奪之，行賄千金，維祺佯納之，庭鞫遽訊曰：「爾嫂有淫行乎？」其人愕然無以答，因厲聲曰：「既無淫行，是節婦也。爾嫂爲爾兄守節，忍行賄逐之乎？」出其金謂寡婦曰：「以旌汝。」杖其人逐之，合邑稱快。時大旱，禱雨立應。又大水出堤上，居民驚竄。維祺衣冠虔禱，水旋退。將以才能薦，因老病力辭去，民泣送者數千人。家居訓後進，執經者屨滿。年八十有三，卒之日猶端坐講《家人卦》以勖子孫。精於《易》《詩》，有《隨記語録》。
故城崇祀名宦。妻姜氏有孝行，見「列女」。據行狀。

楊來鳳　字羽伯。順治十四年進士，授成縣知縣。邑在鹿玉山之陽，即仇池故地也。當秦屬門户，鳥道蛇盤，叢箐邃峒。兵燹之遺，殘民寥落。來鳳和煦慈惠，政簡刑清，不弛不擾，民以安輯。邑舊屬陝撫，後隸甘肅。甘州途遠，解送計簿少遲，又不諳新例，每被駁斥。邑瘠不能應費，遂罷去，成士民如失父母。來鳳博雅多才，安貧樂道，歸以詩文自娱，督訓子侄親知，咸成名士。并精於醫，全活者甚衆。

李　壯　號蠖庵。用質子。少英敏，爲學使施閏章所賞。中順治十五年進士，授蘇州府推官。丁憂服闋，改京山知縣，以清慎稱。《史外傳逸》。

邵士梅 字嶧暉。順治十六年進士，由登州教授升吳江知縣。以清廉稱，移疾歸。有詩行世。同上。

李芳 字佳木，號順軒。順治十八年進士，得第後構小樓於城東南隅瓶月庵左，潛心《易》學，著《講義》。康熙十八年知當陽縣，兵燹之後，凋弊尤甚。又山僻藏奸，芳至抑豪强，剔奸蠹，完城郭，嚴保甲，集團練，甫兩月而案牘漸稀，賊斂迹。又山縣苦漕挽，芳爲請改折，民便之。以卓异權知襄陽府，忽作銘授二子曰：「凝天地精，奉天地願。遵前聖謨，立當代撰。孝友克敦，樂善不倦。六十年來，俯仰無憾。惟願後人，率由舊憲。」其夜無病而逝。及去，民白衣祖奠者百餘里。著作詳「藝文」，據家傳及譚太史篆撰序。

陳心澡 字秋沆。宸誦子。順治十八年進士，授浙江太平知縣。縣三面皆海，自禁海以來，商舶斷絶，貿易不通。地復磽薄，民多逋賦，催科甚艱。且外備飄忽之寇，內養防屯之師，修戰船，築臺寨，力役繁興，流亡者衆。心澡加意撫循，設法招徠。又委曲誠約，先完逋欠，申豁額外三千餘兩，民困少蘇。尋以積勞卒於任。

劉載寧 字允濟，號石村。六世有隱德。載寧生而沉静，事親以孝聞。康熙初由貢生授順天通判，歷官刑部郎，矜恤平允，出爲平越知府。山溪叢箐，苗民時出剽劫，載寧縛其渠魁，化以禮讓，民賴以安。升福建鹽運使，以廉潔著，調岳常澧道，未任卒。子四：德馨、德韞、德馥、德騂。

劉巖 字岱公。康熙初由武科爲温州衛守備，未幾弃歸。初，巖叔雄於財，無子，欲嗣巖，巖曰：「禮不絶大宗。」堅不肯，叔益重之，倚托其家。叔没，乃以次子爲之後。巖爲人內勁俠而外温雅，鄉人敬愛之。

潘好讓 字允恭，號仔庵。箕曾孫。康熙十五年進士，知龍川縣，當兵火之後，邑凋弊，俗獷悍善鬥。好讓在官五年，捐煩苛，興學校，民風丕變。民舊便食潮州鹽，時更鹽法，當食惠州鹽，商定價數倍於初，民相率大嘩。無賴子弟乘之欲爲亂，好讓單騎出，諭衆曰：「若欲反耶？當先斷吾頭去。」民素德令，又不虞其自出也，皆叩頭謝不敢，乃徐慰遣之。力争於上官，平其價，民遂帖服。後以病歸。少孤，依伯兄，以友愛聞。授徒三十年，從游者衆，人皆樂其善誘云。

王大綸 字子言。少讀書，已弃去，好交游。逾弱冠始勤學，受業孫奇逢之門，講求大義并古今治亂經世之學。及壯，以從軍録功，授廣西按察使照磨，上官以其能屢攝州縣事，所在有聲。在横州時，值吴逆之變，兼委司軍事，趨機應變，老將不如也。遷衛輝府經歷，歸家居，以孝友聞。

蘇貞太 字雲輔。世以耕鑿爲業。貞太應募河標左營，康熙十七年以百總調發征臺灣，將軍楊某壯其貌，授以把總。十九年二月，隨師進剿烏嶼、海倉等處，復攻克陳州、馬州灣、腰樹、獅子口、觀音山、石馬等一十九寨，取厦門、金門諸島。貞太以功加左都督，撫恤軍民，正己率屬，閩人争頌之。後選廣東廣海寨游擊，以病歸，卒於里。孫某，江南十河營守備；曾孫學讓，汀漳鎮總兵。

費成啓 以行伍隸總河軍門，康熙十五年調發福建，隨昭武將軍討鄭芝龍，連破賊寨，乘勝克厦門，捷聞以功加左都督。二十二年，授閩安鎮游擊。四十二年，以湖廣臨武藍山營參將致仕。

白道隆 與貞太、成啓同調赴福建昭武麾下，屢立奇勛，授守備，功加左都督。歷官廣西右翼、浙江杭州漢軍左翼副都統。至康熙五十七年，扈蹕熱河，以老病乞休。子汝臨，廕生，官至順天府治中。

潘應賓 字鑾客，號雪石。好儉子。中康熙十八年進士，授翰林檢討。二十二年，初試翰詹，應賓在高第。明年充會試同考官，與修《一統志》《明史》。三十三年，從幸豐澤園，試《豐澤園賦》及《理學真僞論》，稱旨旋入直南書房。四十四年，以侍講學士乞假歸。應賓事親孝，倡建義倉、宗祠，急師友難，人服其義。子英鉞，有傳。

李楨 字瑞公，號彤墀。以易孫。康熙十八年與父澄同舉於鄉，二十一年成進士，授玉田令。邑本畿輔要地，田畝半隸旗籍。楨至裁以法，豪横斂迹。興學校，鼓舞士類。邑有還鄉河，歲爲民患，力請於上官，修築挑浚。時軍興，供億旁午，楨指揮經營，挽輸無缺。以卓异授刑部主事，遷員外郎。庚辰充會試提調官，尋以主客司郎中被吏議，歸教授鄉里，安貧樂道，優游林泉。

潘兆遴 字恬公，號恬庵。士良子，九歲能文。康熙二十九年，舉順天鄉試，授天長知縣，書座右云「最近人情偏執法，但循天理不治名」。歷盱眙、泗州，皆有善政。痛遺腹生，不見父，睹手澤即泣，顔其居曰「寶澤」，凡尺牘、隻字皆謹藏之。又著《知非瑣言》，於先世之語言、嗜好、祠墓、遺編、親懿、師友，一物一器皆追記之。兄弟友愛，始終不析産。少從學邱時中，口授《四書講義》，刻於天長。好古博學，作《分省金石記》。又以張弨《濟州學碑釋文》，與顧藹共訂付梓。他所著如《正訛雜記》之類尚多。嘗夢手握一草，覺後大悟，以「夢草」名其堂，曰：「今以『夢草』名吾之堂，吾堂、吾身轉瞬亦草耳。」年六十一自爲墓志并銘，又六年而卒。

張爲經 字涵六。祖震，輕財好施，焚逋券三千金。父士藻，爲經生而穎异，孝友仁厚。康熙三十年成進士，授桂東知縣。禁溺女，除火耗，却饋遺，誅豪强，廣教化，邑民暨猺獠戴之如慈父母。行取吏部主事，累官至稽勛司郎中。五十九年充廣東鄉試正主考，尋提督福建學政，漳浦蔡世遠稱其「廉慎居心，清公自矢。所取文必依經據史，本領充厚而義藴深者，『公明』二字實兼有之」。平生著述甚富，有《學政全書》等書行世，崇祀桂東名宦，閩人亦立祠祀之。爲經殁，貸帑金不能償，閩諸生爲輸金代完。弟爲綸，字公綍，貢生。幼有夙慧，年三十餘以諸生終，人惜之。

李昌祖 字振先。州庠生。數歲失怙恃，少長克自樹立。值歲饑，任恤鄉里，修橋梁，施棺木，州人稱善士焉。孫鍾柏、鍾沂，有傳。

楊拔茂 號毓延，賢曾孫。少英敏，補弟子員，循例應異材、超等之選。康熙三十七年，授恭城知縣。母病篤，率兩弟毓盛、毓章同赴城隍神，願以身代，母病旋愈。丁卯、壬申洊饑，捐資以賑，全活甚衆。○《知非瑣言》云：「拔茂致仕家居，信因果，標一帖於床，自詰自警。施財濟貧之事甚多。少時族人售産於胡某，胡嘗私饋百金。後數十年，病中還其子以謝過。康熙己丑五月事。」《前志·雜綴》。

李濂 字源洙。由運學拔貢生，舉康熙三十八年順天鄉試，授雲南廣通令。時值天旱，祈禱立應。旋丁内艱，改補上猶縣。革除一切陋規，里民歡頌。邑有劉萬達，族居盧王峒，竊盜於萬山中，每殺人縛巨石投潭底，或有覺者，即統衆撲殺之，并焚室以滅其迹。濂訪得實，往捕之，無敢證者。而被害之尸又不可得，乃製文祭潭，尸自水出，案始定。居民因建祠潭上，以志其異。尋以卓薦，由主事出知平定州，甫莅任，即革牙行、朋充、帖銀等弊，并鹽課錢三千貫。邑有娘子關，地高苦旱，而上游之水爲神武衛所據。濂請於上官，捐資自山上作引水具，鑿池蓄水，田成膏沃。又於州境之三十里鋪作池以灌田，至今均受其利。擢潮州知府，署會潮道事。歸，卒於家。平定人立祠祀之，春秋報賽特盛。

張世思 字少懷。以孝友聞，讀書識大義。甲申兵燹，田廬盡荒，乃負米江淮。時父母皆九十餘，白髮萊衣，有天倫之樂，與兄共爨七十餘年。康熙四十六年，聖祖仁皇帝南巡，世思年九十有三，乃扶鳩迎駕，温語注問，賜五穀一撮。五十二年恭遇萬壽覃恩，以子如緒貴，贈朝議大夫，賜御書「人瑞堂」額建百歲坊。年一百一歲卒，祀鄉賢。如緒字紹先，康熙三十九年進士，授内閣中書，纂修三朝國史。四十七年，典湖廣鄉試，旋授户部福建司主事，後升禮部主客司郎中。以父世思百歲告終養，召見并賜家居。得具奏摺，陳世思起居，時人以爲榮。旋丁艱服闋，補禮部祠祭司郎中，年七十五致仕，又十五年而卒。如緒以孝弟任恤稱於鄉里，而居官清慎。父子皆享大年，人以爲福德咸備。

王連　字宗彝。康熙四十二年武進士，以二甲第一選侍衛，出爲杭州撫標游擊，升樂清副將。地邊海，鹽販爲奸，往來叵測。連整營伍，剔積弊，軍民肅然。署温州鎮總兵，以疾乞休，優游林下二十餘年。

李燦　字馥都，號能白。燦生有异兆，讀書聰穎，倜儻好騎射。康熙四十二年成進士，入宿衛，尋以父艱給假。逾年授浙江象山營都司，遷提標左營游擊。會鄭盡心、陳尚義餘氛未靖，從提督王世臣會兵海上討之，賊平議叙，歷提標中軍參將，升瑞安副將。整飭有方，禁漁船陋規，沿海頌之。調杭州城守副將。雍正初，以薦入覲，試騎射，稱旨賜金回任。雍正三年，署黄巖鎮總兵。躬入海島，相度形勢。設立文武員弁，列汛屯兵，海疆安堵。六年，授温州鎮總兵，仍移鎮黄巖。捐穀置義倉，每歲出陳易新，以時賞恤，軍中感之。八年，調江南崇明鎮，入覲賜花翎、貂帽、克食等物。尋攝浙江總督事，兼理鹽政。以劾貪鋤暴爲先政，而性亮直，經其簡斥者恒無怨心。築老鹽倉海塘，至今賴之。後巡撫程元章以其曾攝鹽政，屬爲代理。燦正本清源，恤竈優商，私販自絶。十三年，授浙江提督。仿戚繼光遺意，爲鴛鴦陣法，旌旗壁壘，見者咸以爲臨淮家法。監試武闈，甄拔金華朱秋魁等，號爲得士，後秋魁果以第一人及第云。家居時以友愛聞，遺産歸兄，晚年迎至署，與同卧起，曰：「此東坡彭城風雨之夕也。」卒年六十一，蒙恩賜祭。子遵湯，候補州同。孫承鄴，蔭生，官至河南布政使。

王玜　字公玉。貢生，康熙四十四年任泰安州訓導。端方敦厚，教士以立品爲先。修鄉賢祠，振作士氣，州人勒石頌之。《泰安志》。

王大綬　字子佩。家貧業漁，以佐甘旨。弱冠習騎射，精韜略，中康熙四十八年進士，選侍衛。初授廣昌守備，歷泗城副將。時土司不法，制府欲議剿，大綬往諭以大義，遂感服。旋被吏議，復起官至開化總兵，雖顯貴不异寒素，於官署臨池築亭垂釣，名其詩曰《竿頭集》。

趙　蕃　字蓉水，號松存。昌黎教諭，資之後。康熙四十八年進士，授潁上知縣。有叔殺其侄者，叔與爲從者皆死，當事欲坐叔之二子，蕃力持不可，乃已。居官慈惠，於盜賊獨不少寬縱。間則與諸生講經義不倦。潁地瘠而農鹵莽，蕃親至田間，察勤惰，爲賞罰，民自是多蓋藏。攝霍邱及潁州事，健訟者不敢欺。丁父憂，民將訴於大吏，留任守制。蕃追止之，送者數千人。雍正初，特簡命監定州、武強等賑，補静海知縣。前令以賑被斥，有虚户米五千餘石，蕃築堤代賑，别以鈐記户口小帖，給老弱者，盡其米而止。升天津直隸州，請借米，活饑民無算。以性直被議，官累未能去，居北門，從學者衆，多所成就。數歲乃歸，年八十餘卒。子司諫，歲貢生。司講、司論，皆舉人。孫維翰，進士，饒陽知縣。

戴文謨　字佑純。先世山陽人，姓龍。明初有爲後於登州戴氏者，世襲千户，永樂初遷遼東蓋州衛。文謨祖淮徐道聖聰，始居濟寧。文謨中康熙五十五年舉人，初授湖南永興知縣。有馬彩玉者，與兄共私一婦，彩玉妒殺其兄於奸婦門外，婦亦不知也，彩玉反告求伸。文謨解彩玉衣驗之，血迹殷然，彩玉不能辯，案遂定。又徐氏被盜，十餘載未獲。文謨至，盜首戚十七率夥投案，云素服公清正，不忍貽累也。改調永明，撫綏苗民，風俗丕變。乾隆元年，行取刑部主事，旋以疾歸。所著有《尊聞録》，藏於家。

王　焕　字堯文。貢生，以教習授彭縣知縣，多惠政，凡十年調成都。去任之日，百姓攀轅哭送五十里，爲立《去思碑》。

張延慶　字燕翼，爲經子。康熙五十一年進士，授湖北潛江知縣。驛中芻粟向取諸里甲而薄其值，民不勝病，延慶下車立除之。邑素苦潦，爲宣示修築法，盡力督之，遂無水患。歲歉，捐私財糴米三千餘石助賑，由是士民争先出粟，存活甚衆。先後兼攝沔陽、荆門二州，天門、江陵二縣事，所至有聲，擢荆州府同知。去之日，民送者數萬人。曾兩攝府事，有奸民詭冒山鄉地以勞脅監司者，縛其魁而事定。攝德安府，舊案充棟，率牧令鞫之，逾月一清。歸田後杜門謝客，惠周鄉黨，雖貧而施予不倦。子淑齡，舉人。淑軒，舉人。淑渠，進士，知潞安府。

劉世臣　字殿弼。父貴，河標中營守備。世臣自幼膽略過人，康熙五十三年中武闈，歷官本州城守營都司，舊無部印，世臣始申請頒發，又請添設馬兵。上元放燈，有乘間爲變者。世臣率士巡徼，遂不敢發，奉旨奬勵。後升河標右營游擊，歷廣東提標參將，卒於官，同僚文武及士庶歸其喪。

喬　發　字長生，號菊農。祖籍滋陽，後自泗水遷濟。發七歲能文，年十四補弟子員。懷才不售，有隱德，構亭於郗江園，詩酒自娱。性直亮，好施予，見義必爲。所居園中巨柳數百本，一日盡伐，客以問，發不言，久之乃知施棺材矣。平生爲善，不求人知，類如此。性嗜菊，秋亭花發，偕同志嘯咏，冲淡閑逸，有陶、韋風。年八十猶肆力於詩，著《蓑笠吟》等集。金壇王澍表其墓。子世臣，有傳。

喬世臣　字丹葵，號蓼圃。中康熙六十年進士，改庶吉士。雍正初授編修，充《明史》纂修官，旋改吏部郎中，出賑饑武清。值輸粟不繼，饑者嚻然，以便宜借穀給之，上以爲能，晋階二級。出知嘉興府，調杭州，累遷浙江、江蘇按察使，所至有惠政。而聰辨强毅，發奸擿伏，民以爲神。九年，晋右通政，升江蘇巡撫。江蘇備儲倉糧校各省少，乃奏請大小中縣皆令積貯米穀，出陳易新，以足民食。京口駐防兵向領餉於蘇州藩庫，相距稍遠，請撥八旗倉米折價銀二萬兩存鎮江府庫，以備不時。又以各省提鎮駐劄地方多有與會城隔遠者，請計兵多少存銀寄，相近府縣庫支發，并得旨，報可，晋都察院右僉都御史。築松江海塘，自華家角至寶山皆易土以石，至今賴之。十二年，升刑部侍郎，兼工部卒於官。生平不沽名，不市恩，門無私謁，家無餘資。子大元、大凱。有傳。

陳　堭

字殿賓，心渠曾孫。雍正五年例舉才行兼優之士，巡撫岳濬以堭薦。明年召試太和殿，條奏滚單及科場事宜，悉蒙俞允，下直省通行，授萬年知縣。邑有桃源十八洞，爲賊淵藪，堭嚴保甲，巡緝勿懈，民慶安堵。收漕豁除浮糧六百餘石、水脚六百餘兩。有吴姓兄弟互争墳山，至十餘載。曉以大義，吴爲泣服，互推讓，以所争地充公。又叛逆傅秀山案牽織多人，悉爲開釋。會勘樂平、餘干等縣獄，有神君之目。捐俸廉倡修文廟，每月朔望，集士訓課，文風丕振，甲科聯起。庶常聶位中，今泇河同知胡增，前本州州同鍾華，悉其所造士也。尋以循卓薦，病卒，士民勒石志其德。

潘質厚

字德載。雍正四年舉人，乾隆四年會試以明通榜授高密縣教諭。振興學校，及門承指示受業，登甲科者六人，以俸滿保舉，特簡福建壽寧縣知縣。抑强扶弱，奸宄斂迹，夜不閉户，囹圄空虚，邑大治。移疾歸，結茅寧陽龜、鶴二山之間，教授生徒。及門甚衆，張淑渠、靳宗著皆其弟子也。

許弼乾

字紫垣。以歲貢爲平原訓導，教士有法，人敬服之。舊俗，刈麥時男女相率拾遺秉以爲常，後則公然攘奪，言於邑令，爲之開導勸諭，其風遂息。助修《邑志》。及歲科試童子，有豪右具重幣屬以請托，弼乾斥之，其人慚退。後以疾歸，性孝友，自處以約，亦號「檢齋」。子弟無敢以浮靡相尚者，爲經義有先輩風。乾隆二十五年卒，年八十有七。

种尚賓

字嘉士。先世自洪洞遷濟。幼饒才略，遇事卓然有定識，張學使爲經深器之，以爲濟世才，以女妻之。例授江西餘干丞，邑人素健訟，間有待决於丞者，冰兢自持，人不敢干以私。以母老請養，家居三十年。敦宗睦族，濟難解紛，爲衆所推重。

史大倫　字純舒。其先溧陽人，世有隱德。大倫補弟子員，以例授户部廣西司員外郎，監督錢法事。清介不苟，鼓鑄得宜，旋補工部製造庫郎中，與李衛、喬世臣同以才名著，怡邸及張伯行交章薦之。晚年優游林泉，效香山遺事，結「南池十友」，年七十五卒。

呂九如　字天保，侍衛浩子。生而英毅，豐頤廣額。弱冠補弟子員，善書畫，不屑經生家業，戮力戎行。由浙入閩，時臺灣不靖，身先士卒，斬首十數級，拔補守備。入覲，上見而奇之，謂閣臣曰：「逼真彌勒佛也。」補福建左營游擊，歷雲南楚姚鎮總兵。乾隆六年，陛見復有「福將」之目，賜御馬、孔雀翎。調普洱，署狼山，遷開化，四膺大鎮。所到之處，兵輯民安。年四十五卒於官，囊無餘資，同官歸其喪，賜祭葬如例。

尹士俍　字子元，號東泉。附貢生，歷興化、福州、邵武府通判。八年，舉卓异，升臺灣海防捕盜同知，駐防鹿耳門、海口。十年，北路彰化縣有士官林武力鈎通生番擾動，南路鳳山縣奸民吴福生、中路臺灣縣奇侖番，乘時竊發。時大兵進剿，士俍從總兵呂某獨當中、南二路，大小一十六戰。事平，調淡水同知，參水陸軍務。十一年，以奏績軍功一等，俸滿例升内地，上官以海疆初平，非士俍莫任，遂補臺灣府知府，旋升臺灣道。四年内調，民爲建祠。任襄鄖道，以臺灣承修戰船未竣，復赴閩催辦。病卒，年五十二。百姓聞之，航海來哭者不可數計。

王元樞　字斗南，號書門。先世以資雄鄉里。元樞豁達任俠，急人難，好經世之略，尤工詩。游吴越，載書一舟，酒一舟，眺覽江山，結納豪杰。雍正七年，循例爲乳源知縣。時山猺擾曲江、英德間，制府委元樞協二縣捕之。有柳坑水源宫最爲險峻，元樞募驍勇分道進剿，手一矛，徒步率健兒數十直抵其巢。猺望風潰，投崖死者無算。乃遣猺練傳示曰：「自首者，許以自新。」果各縛其魁以獻。事平，擢知羅定州，調嘉應，歷肇慶府。嘗夜乘小輿，從一傔巡街市，暗識諸無賴不法者，詰朝重治之，於是各斂迹無敢犯。升海南副使道，以辦銅虛帑落職，留滯十年，卒於粵。元樞雖失意，寓蕭寺縱觀古書，丹黃不輟，論古今學術、治績及邊塞、洋船利害，風發泉涌。晚益工書，求者填户。時聳肩苦吟，所存有《書門山人詩》《戊辰春夏草》。子伯嵎，幼聰慧，性篤孝。

戴景憑 字五席。以歲貢教授里中，爲文沉著深博，他人襲之，皆獲雋，而景憑自不售，五十餘始連舉，子皆諸生。仁行，庚戌登進士，猶及見之。里黨有大事筆墨之役，咸曰：「非戴先生不能。」仁行，字揆卜，知荆溪、儀徵二縣，多惠政，移福泉邑號難治，惟以忠信慈惠臨之，民胥悦服。在職八年，三入鄉闈，得士如莊學和、楊大琛、虞鳴球，皆名下士。乾隆六年行取主事，緣目疾歸里教授，生徒出門墻者多達士。

楊士寀 字熙載，號檢齋。八歲而孤，初就塾，日誦千言。授徒以供母，甘旨必豐。雍正十一年進士，授永淳知縣。乾隆四年以母喪歸，念母氏旌坊未建，至是用數千金成之。服闋發往貴州，歷開泰、永從、龍里三縣，攝開州事，所至有聲。永淳猺民，男女踏歌，乃曉以廉耻。在龍里擇苗民俊秀入書院，後因事去官，卒於家。據墓志。

邱仰文 字襄周。以滋陽籍中雍正十一年進士，爲四川定遠縣知縣，調南充，以父喪歸。起補陝西保安縣，乾隆十九年移疾旋里。任定遠時，力行保甲法，以清盗源。蜀中所謂嘓嚕匪類，素爲民害，仰文令村落自爲保伍，遇有成群横行者，衆共擊之。置朱棓，分授里閈，大書其上曰：「專打嘓嚕子。」又條陳《治嘓嚕狀》，上於制府，下其法於他州縣，至今不廢。有羅九飛者，人誣以爲盗，積年不决。仰文至白其冤，立出之，人稱神明。調南充，時以父老乞終養，《陳情書》三上，不得請，人比之李令伯。著《省齋自存草》等書。詳「藝文」。四十二年卒，年八十二。據行狀。

黄孫懋 字訓昭，號忝齋。維祺孫，原籍曲阜。乾隆元年舉進士第二人及第，累官至内閣學士、禮部侍郎。性静穆深沉，不苟言笑。衣冠整肅，雖盛暑不懈。少從同郡劉汶、潘汴游，不爲章句，學工書法。曾爲皇子傅，繩以《世子法》，皇子曰：「如黄師傅，爲人安得不令人起敬？」四年充會試同考官，所得士若莊有恭、宫獻瑶、趙德昌，皆當時名士。侍直内廷凡六年，或有以清要缺出，令之圖謀者，孫懋曰：「官可圖耶？」笑謝之。九年，奔祖母喪，得疾卒於家。據墓志、行述。

林之蒨 字素園，號梅村人。湖北孝感籍，官武邑知縣，有政聲。少奇貧，游幕四方，久客黄州，有《存草堂集》。子典濟，登乾隆四年進士，改庶吉士，尋卒。

高居寧 字静庵。家貧嗜學，仿《分年讀書法》，日不暇，夜必補之。乾隆十年成進士，授會稽知縣。政尚平恕，以寬徭省刑爲要。杜絶干謁，以病卒。歸之日，行李蕭然。

李鍾柏 字丕承，號文峰。乾隆八年，循例爲泉州府通判，旋攝同知事，分防厦門。地濱海，盗賊出没，又奸吏舞文，糧則淆混，飛灑隱匿，頗爲民蠹。鍾柏按黄册親爲較核，厘奸剔弊，决斷無留獄，一年大治。以餘間游憩山水，存問父老疾苦。以養親告歸，次蘇州，病卒。子都柱，貢生。孫五人，容，户部郎中；闓，刑部員外郎。

劉廷掄 字殿籲。乾隆初以例貢爲邱縣教諭，訓士有法，參贊邑令，多行善政。丁外艱，從此奉母不出。留意《氾勝之法》及《齊民要術》書，以勤儉治家。里中有義舉，無不應。年八十卒，以子詔貴，晋秩四品。

靳宗著 字叶兩。翰林侍詔秉瑞孫。乾隆六年舉人，授浮山知縣，被議改補宣城。民范大振以奸殺汪秀書支解投水中，久不决。宗著潛訪得其實，大振伏辜，人以爲神。再任休寧，邑多富商，宗著至，苞苴不行。復得蠹役萬廷美、豪右李國儒諸不法重懲之，士民稱快。調桐城，送者以萬計。丈量蘆洲，革一切陋弊，聽斷無留牘，世家閥閲無敢干以私。上官倚重，有疑獄每委决焉。庚辰戊子分校得士，仲嘉德爲江左名解元。三十五年，以卓异入都，道過里門卒。

王繩祖 字嵂亭。年十三通「五經」，乾隆中兩中副榜，爲樂安教諭。倡修學校，升授黄梅縣。縣數患水，繩祖勘灾，申請賑恤，并勸富民輸穀。鄰邑有强力聚衆者，以反狀聞，繩祖馳往，曉以大義，縛其魁，衆乃散。縣濱江，長堤如綫，相度形勢，繪圖請興築，不果，調漢陽。而黄梅又以水告制府定長，以詢繩祖，乃檢前所上圖説入告，允行，凡與黄梅接壤州縣皆蒙其惠。攝漢陽府同知，以風烈著，上官、胥吏、衙蠹皆斂迹。有舟人劉雲宗疑妻與鄰舟曾興國奸，致妻投江死，曾坐逮獄。繩祖訪獲淘摸兒詢得其情，曾乃得釋。又有魏國明者，追逐吴文斗傷其脊，適吴啓泰踵至，又擊仆之，而不當致命處。翼日，文斗死。知府泥「後下手條例」，判吴罪。繩祖以致命傷坐國明爲「固争不得」，按司親鞫之，從其議。時大軍進剿緬匪，芻茭之需，每取給漢陽。繩祖多方籌畫，事集而民不擾。以勞卒於官，年三十七。弟純祖，字秉謙，中乾隆三十年舉人。著作見「藝文」。

喬大凱　字恬齋，世臣子。博學淹貫，下筆千言立就。早歲著詩集，及壯悔其無當於身心性命之學，遂肆力於《易》，苦心探索幾二十載，著有《周易觀瀾》，理本程朱，象參來知德諸儒。有舊説未安者，必瀝精瘁神，務求其是。乾隆十八年舉於鄉，明年中明通榜。三十一年，以知縣試用發直隸，總督方觀承知其經學，甚重之。八月，署平鄉縣。縣民路珍濟毒殺兄而控其嫂，嫂誣服。大凱一訊即知其枉，窮竟事情，珍濟遂服辜，郡守耿壽平嘆曰：「老吏不如也。」題授東明縣。時征緬甸，軍需旁午。東明奉檄出車馬協鄰邑，糧芻所需有不准銷者，一一予值，俸入不足，繼以稱貸，絲毫不累里民。受代去，旋奉旨以兵丁經過不能不藉民力，發帑金數十萬賞賚，獨東明民不受，曰：「秋毫皆出喬公俸錢，民何力之有？」後令言其狀，上官益重之。題授武强縣，疾作猶力起視事，或勸少休，則曰：「吾一日不致仕，則一日不可尸位。」逾數月卒，士民悲慟，送者塡於衢。大凱生世胄，而儉素倍寒士。讀書外不與他事，持身端謹，一言一動，悉有規矩。教授生徒，勗以窮經勵行，故游其門者多所成就。進士張有年、舉人蔣傳馨、李紹沆、謝蘊田、熊本源、貢生李元善、生員高如岱，皆及門也。主上黨書院講席，受業生掇科第者指不勝屈。乾隆三十九年，大吏以凱所著《周易觀瀾》應詔送四庫館。子三：長懷祖，拔貢生，禹城縣教諭。次述祖，廩膳生。三繩祖，舉人。

時祖濂　字滌九。乾隆二十四年中副榜，初任昌邑縣教諭，以例爲中書科中書，出知廣西河池州，多惠政。調西隆，以吏議落職。起四川蓬州，時征兩金川，勠力軍營，身入險阻，不避勞瘁，以火灾卒於軍。

孫芳　字企源，號松雪，瀛洲子。芳幼好學，父母憐其攻苦，以漏二鼓爲度。芳每竊膏別貯，以備不繼。中康熙二十六年舉人，長洲何焯不輕許人，獨心折於芳，因其友劉汶、潘兆遴與訂交焉。試禮闈，黄内翰夢麟賞其文不釋手。崑山徐乾學、常熟翁叔元，以聲氣振拔天下，士皆折節願交，而芳終不一至其門，自以不諧於俗。年將四十，即絶意不赴禮部試，專心「易象」，好來知德《易》。又得安溪李光地《易解》，手録之，學益進，著《易論》。善開引後進，宋士正、楊寬輩皆及門，從游甚衆。茌平令王世臣延主茌山講壇，因令其子受業焉。年四十五卒。芳取舍進退不苟，文冲淡如其人。書法兩晋，因號「松雪」，人以趙吴興目之，其實非也。平生罕交游，惟與焯、汶、兆遴三人始終無間。子三，皆諸生。《前志·儒林》子文丹、孫擴圖并附，今各爲列傳。

劉淇　字龍田，一字武仲。生有异秉，學問博洽。詩歌記傳，皆卓然名家。書法會萃衆體，自成一格，畫亦稱逸品。與弟汶皆受知於世宗憲皇帝，有「二難」之目。著《衛園集》等書。詳「藝文」。按，《前志》云。

劉汶　字魯田，號叔子。其先確山人，父毓秀，以亂徙遼左，從何姓。順治十一年副榜，官至山東按察使，奉命撫川陝，有功歸，至濟寧卒，留葬遂家焉。汶性至孝，才敏悟，讀書一過不忘。又苦思力學，經史、九流、百家無不綜覽。康熙二十六年，以復州衛籍中山東鄉試，年十八，因御史言汶宜隸漢軍，遂入旗籍。年逾二十，慨然有志聖道，盡弃其學，返求經旨，著《原命》《原性》及《誠者聖人之本論》。年二十二受知聖祖仁皇帝，因得復姓，遷居濟寧守墳墓。世宗憲皇帝潛藩時，特見優禮，每多咨詢，讀書之室恩賜額曰「士林芝蕙」。著《陳言》，見「藝文志」。端坐而逝，年三十八。門人孫文載等輯其書爲《陳言》一卷、《召對》一卷，及諸著作各若干卷。并詳「藝文」。子三：柏、榕、桐。據家傳。○《前志·儒林》。

按，《前志》云：「劉衛園淇、魯田汶兄弟，流寓濟上。少年冑俊，嘔心文墨八法之學，追踪古昔。其爲文亦直溯唐宋諸大家，及前朝歸震川輩别裁僞體，力屏腥穢，由是州人士翕然宗之，風氣丕變，文起八代之衰。劉氏昆季，真州之韓昌黎也。」《雜綴》。

劉柏　字蒼巖。以順天籍中雍正二年舉人，明年試中書第一，授岢嵐知州。奏對時，上出《陳言》一册，曰：「此汝父所撰，其勉述遺意，以副朕望。」柏感激涕零。居官清勤，歷山東登萊道，未幾遷安徽按察使，復命總理北路營餉軍務，加布政使銜，以勞卒於京師。柏質敏勤學，老不釋卷，尤工吟咏，居憂有《哀慕詩》，出塞爲《塞外吟》，忠孝之性，溢於辭表。凡遇大事，應機立斷，雖揚歷中外，致位二品，而時人以爲未竟厥施云。

房星　字景璧。順治十五年進士，選侍衛，尋授廣東白鴿營守備。康熙元年，奉委防汛，海寇突至，率衆鏖戰，賊大挫。兵退，單騎爲殿，會夜賊衆環攻，星短兵接鬥，所向披靡，擊傷賊百十人，馬蹶被殺。事聞部議恤録戰没諸將，官其子日免拖沙喇哈番，即雲騎尉。世襲，帶濟寧衛左所千户俸，五年授職。乾隆三十三年，覃恩世襲恩騎尉。十七年，曾孫焕承襲，官漕標右營守備。焕子英長，三十三年承襲，官兖鎮千總。

惠世溥　班村人。曾祖應詔，家本永平。順治初，賀珍圍西安，應詔出奇計殺之。提兵入蜀，取潼川、綿竹，殺賊姚黄等，以功賜二等阿達哈哈番，即輕車都尉。准襲五世。仕至成都總兵。祖占春，於十八年奉敕注籍潼關衛，官沂州鎮總兵，復賜濟寧衛籍。父延祖，大名副將。世溥於乾隆十三年承襲，歷澧州營參將，至廣西左江鎮總兵，以事罷職。給參將銜，效用川北鎮，從温大將軍征金川，攻木蘭壩、美諾諸險，皆先登。四十二戰章固、空卡，俱有功。乾隆三十八年六月十日至木果木，陷敵陣亡，賜祭葬。年，以其長子之芬承襲世職，蔭其次子之蘖，年十五候補守備。據文案。二人《前志·忠節》。

熊士偉　字卓然。侍親疾衣不解帶，捐修學宫。歲饑，出粟以賑貧乏。順治十六年登進士，旋卒。

程　僎　字獻素。先世河南人，南渡後居徽州。祖某，官廣平，自廣平遷來。僎輕財好施，明末歲祲，流亡載道，出藥餌救疾，收暴骨，恤饑寒，賴以存活者甚衆。順治中以貢生授樂陵教諭，因疾未就。日以經史自娱，年七十餘。一日晨起，肅衣冠，拜家祠，端坐而逝。鄉人思其德，刻像祀之。

盧　行　父廷輔，以康熙十三年爲异母弟廷獻毆死。行尚幼稚，及年十五，其母劉氏病不起，語以父死之故，令長大爲父報仇，行涕泣受教。時廷獻避居金鄉，行以孤孱未敢輕發。乃僞與廷獻子阿黑和好若忘前事者，廷獻信之。康熙二十九年七月初八日，廷獻醉卧，行抽刃刺殺之，自縛詣吏。吏稽前案，其族盧得捷、盧廣居等詞證皆有左驗，巡撫讞上，下法司核，擬杖，熱審減等，擬笞。一時士大夫無不奇其行者。《居易録》。

靳亨運　字際熙。監生。割股以愈母疾。康熙三十六年卒，年六十七。劉淇志墓。《衛園集》。

王德新　字躋聖。順治初州學生，修橋梁，治道路，施湯粥，捨棺木，置義冢。尤精堪輿，工書法。詩宗元白，著有《且逸堂集》。

閆大成　字集公。滋陽貢生，居於濟之東關楊家壩。壩東南栗家園，其地污下，居民恒苦水，大成輸資增立減水閘，隨時啓閉，水患以息。知州吴檉嘉其績，旌曰「功資列澮」，里老至今傳頌弗衰。《牧濟録》。

張漢栩　字枚荃，耀采孫。事母以孝聞，好善樂施。弟俞僉卒，遺孤在抱，飲食教誨，視猶己出。孤攖險症，即憂鬱成疾，幾至不起。後以貢生歷武城、濟陽訓導。

孫承祖　字奕修。康熙十六年舉人，性至孝，砥行礪節。郡丞任璣有知人鑒，嘗曰：「吾官濟久，得兩端人焉：一鄭司李，一孫孝廉也。」居恒集一聯自警，云：「常存畏敬方爲福，肯賜箴規即是師。」又云：「莫厚結他人，親戚視若陌路；勿義交异姓，兄弟忍爲鬩墻。」人以爲格言。

朱士連　字貴生。年三十五無子。康熙二十三年，於汶上旅舍得遺金五百兩，待之越宿，失金者至，詢其實還之，逾歲生子釗。士連年九十六無疾卒。原名從玉。

宋士正　字砥柱。康熙三十八年舉人，品行端方，學問淵博，濟上文士多出其門。雍正舉孝廉方正，不就。有提學陳某之子赴京就職，寄房價千金，陳去十餘年始來取，士正立與之，封識宛然。補密雲知縣，以年老未赴，賜内閣中書。閉户潛修，課訓子弟。

邵元燕　字念翼，士標子。年五歲喪父，哭欲絶者三，事母以孝聞。補弟子員，貢入國子監。嘗分己田二十頃贍族，修復祖康節祠。年七十餘卒。

范塘　字洪渠。運學生，工書法，性至孝。方適遠館，聞父病即歸，則已垂危矣。因虔禱於神，願減己算十年以益親壽，父病旋愈，果十年而卒。

戴預　字杜公。諸生，景韓子。十歲而孤，事母如成人而質魯。因母紡績，含泪夜讀。薪水拮据，諸父憐其困，意令改圖，預毅然以先業不可弃，攻苦益力。二十二入州學，母没，三年不見齒。乾隆十六年無疾卒，年七十。一子有臨，亦諸生，居兩親喪，嘗席爲廬，苫塊其中。

鄭璠　字超萬。少貢成均，例得授職，不就。言吶然如不出諸口，而慕義篤行，齒高德劭，鄉評至今推重之。

靳秉瑞　字輯五。翰林院待詔，學顔五世從孫。敦親睦族，救困扶危，鄉黨義之。《前志·雜綴》引《知非瑣言》云：「生平信因果，揮霍行善事。修少宰墓，費二千金。」

子高崐、高峋。峋，字嶙仲，少以孝聞，事兄惟謹。以庠生援例授中書，會父官京師，兄任蒲邑挍官，高峋侍母不就職。自奉儉約，而樂於趨義。遇歲饑，民或生子不舉，高峋爲餓乳於稅務局，收活嬰兒甚衆。先是，其父曾於廣德庵收嬰，人謂其克繼父志。創立兩城專祠，并刊布遺集。濟常有火患，高峋按古法爲救火器，激水上注可及樓，火無不立熸者，居民賴之。性凝重，不苟言笑，居喪盡哀禮。輕施捨，尤篤於同姓，臨没猶諄諄命其子續修《宗譜》云。雍正十年卒，年四十二。

孫丕秀 字芝三。州學生。幼以孝友聞，規言矩行，精《易》理，爲閭里所推重。敦宗睦鄰，一鄉稱爲祭酒。卒年八十五。

王銓 字君選。候選同知生。三歲而孤，母劉氏苦節撫養，銓先意承志。銓忽病危，囑家人曰：「吾幼喪父，今母在，不克盡養，死當以衰麻斂。」是夜，夢一道人，自云陶元善，治之，次日漸愈。嘗秋夜見月華，默禱母壽，果九十六乃終。次年銓卒，年七十七。内閣學士黄孫懋贈一聯云：「百歲慈顔傷没世，八旬孝子慕終身。」

李茂桂 字聞遠。家貧而孝，親没，廬墓三年。每食先焚香，祭奠雖疾風甚雨無間。雍正十三年，里人解廷楫等爲之勒石墓側，曰「李孝子廬墓處」，在城北十里鋪北。

王鑒 字朗亭。爲浙東鹽課大使，卒於官。鑒天性友愛，與弟鈞均衣共食，未嘗刻離。至赴浙，命弟攜眷往，延名師爲侄授經。

王鈞 字允平，號一齋。甫生而父游粤不歸。鈞幼有孝童之目，見母色愠，每跪謝請故，侍疾目不交睫。少長授徒，束修奉甘旨。當五六歲時，每念父，至忘食寢，獨坐或凝目注視，恒不樂，見母則改容以嬉。雍正二年，年二十六，揮涕别母與兄鑒，孑身冒瘴癘詣父所，父已衰病，左右需人。見鈞至，喜且泣曰：「爾乃能如是。」無何，母訃至，慮父知，恒之野仰天號哭。居五年，父没，欲歸資不足，人難之，鈞曰：「不行資且盡，寧盡於半途，去家已近矣。」扶櫬就道，竟萬里持喪還。營葬乏力，戚里憐其孝，爭贈木椁令擇之，爭割以地令卜其吉者。一切所需，不期麇至。其自粤歸也，至漢陽幾困，忽得便舟比他特駛，數日達邗上。易舟，舟僅容櫬，鈞别舟適後，正憂慮間，舟忽疾若矢，瞬息尾前舟，若有神助。諸名公巨卿多歌咏其事，贈以詩文。孝童耄而好學，暗誦《文選》六臣注，一字不遺。年八十卒，戊戌六月某日也。子如通、如凝。如凝，壬午舉人。據鞠遜行撰傳。

王印曾　字貫一。庠生。祖畿昌，父惠，皆諸生，世有隱德。印曾孝友，性生輕財好義，於族黨、故舊謀其生計，完其室家，兼成就名節。性方正，忤物而人感服之。晚年行益篤，卒年六十五。據墓志。

王永清　字用予。廩貢生，印曾子，世以文學、耆德見重於鄉里。永清讀書博覽，爲人慷慨好施，與年五十五卒。子四，長伯愚，字守南，號桐亭。候選同知。年十九遭父喪，以諸弟幼，獨任家政，弃舉業，延師課弟，友愛敦篤。平生自奉儉約，有義舉，輒傾囊不惜，族戚咸賴其贍給。乾隆五十八年卒，年五十九。次子仲愚，官詞翰，有傳。叔愚，湖北候補理問。季愚，太學生。孫貽桂、貽象，并有傳。

高　濂　字洛賓。歲貢生。天姿孝友，品行端方，爲里黨所欽。性恬退，潛心經籍，以終其身。

巫　炳　字旭南。州學生。教授生徒，以供甘旨。父每赴集市，炳必迎於數里之外，爲父負重而歸，雖風雨弗怠。父卒，泣血，常苫塊粗食。母疾病，炳衣不解帶，亦病，昏瞶中猶切切以母爲念。母没，忽大言曰：「母召我矣。」遂卒，年六十三。

許天載　從軍隸河督麾下。性篤孝，父病危，思肉餅，天載禱於城隍神，潛割股肉爲餅以進，父旋愈，又七年而卒。諸文士皆賦詩贈之，乾隆三十二年卒。

李　麟　監生，明文學多才之後。性孝友，三世不析箸。客於吴門，有二人共負其千數百金，或勸之訟，曰：「以財興訟，我不爲也。」鄰人侵其墓田數畝，即推與之。又復其先世抱瓮園故址，公之族人。治家有法，子元坦，乾隆三十七年進士。

趙燦 字叔鑒。監生，先世徐州人。始祖彝明，永樂時以功封忻城伯，世襲罔替。高祖之麟，崇禎時爲前軍左都督，李賊陷京師，死之。曾祖鍾偉，仕國朝爲靈邱縣，以清節著。祖紹裘，自徐徙於濟。燦以次爲叔父聰，後聰早卒，嗣母喬守節撫孤。燦至孝，家雖貧，必竭力以供甘旨。母病篤，禱於天願以身代，割股以進，母遂愈。或稱其孝，赧然曰：「肌膚毀傷，不孝之大者，顧不規我而愈我乎？」母不懌，則長跪謝罪，母命之起，曰：「兒有罪，何敢起？俟母笑然後起耳。」母爲之笑，起則奉盤匜，潔修瀡，諸益加謹，母大悅。一生無誑語，非義一介不取，鄉里重之。年六十餘卒。子二：景堂、國柱，皆諸生。

趙爕 字伯調。燦從兄也。父病，割股肉以進。母病，嘗糞甜苦。年六十餘卒。子華堂，滋陽縣學生員。

常德修 貧而尚義，撫友人孤李某如己子。李已成立，而德修貧不能自存，乃販鴨爲業。及卒，李與所知某合錢棺殮而葬之，鄉里扁其廬曰「友義可風」。

靳高山 字魯鄰。輕財尚義，敦睦宗黨。歲暮，每懷資以周親族之貧者，數十年不倦。卒年七十。

李廷銓 字蕙如。附貢生。乾隆十二年，捐資二千金修大成殿，又重建儒學、文昌祠。樂善好施，多義舉。以子某貴，封奉政大夫，卒年八十四。

馮士彦 字夢詹，號潛竹。好善樂施，倡修北郭通衢石路。雍正八年大水，露處者百餘家，悉周恤之。建育嬰、普濟堂，妻柴氏亦脱簪珥助之。刊諸勸善書行世，鄉人以「惠濟徵淳」顏其室，兗州知府王守震旌其門曰「樂善不倦」。

王勷 幼失怙，色養孀母。其父曾貸倪氏金五百，未償卒。勷幼，雖不知其數，而微聞有貸金事。久之家稍振，乃因戚友求原券，驗議償。先是，倪故未嘗索，至是不出其券。最後逸靳孝廉等力求之，如索負。然倪不得已檢付，靳見數稍多，無語去。以告勤，勤曰：「諸君請勿訐，倪固長者，不期如其數，顧少復一金，即亡父負一金也。」竭其資，二日內卒償之。靳乃丏牛運震記其事，今載《空山集》。孫適齋記。母卒，廬墓三年。祇恭兩兄，終身一日也。闔學公舉入祠。據《前志·雜綴》增輯。○以上三十三人《前志·孝義》。

王天寵 字戴林。端方孝友，綜貫群籍。順治初，以恩貢生授通判。子炯，字子仙。精於宋儒諸書，河帥張清恪延以訓其子，後以貢入成均。

朱　明 字用陽。順治中歲貢生，後爲臨淄訓導。博學能文，工山水，卒於官。士大夫重其手迹，咸奉爲墨寶云。

呂顯祖 字翼仍，一字裕雲，正音孫。有聲庠序，總河楊方興延主講席，已貢入監。順治五年登進士第，改宏文院庶吉士，以母病假歸，以念母得疾。又聞世祖章皇帝賓天，大慟，顯祖遂不起。子侄某，咸有文名。《史外傳逸》。

潘　濬 字星源。順治三年貢生，堂邑訓導。課士不倦，文譽有「河陽」之目。著有《南游草》《海上吟》。

楊通睿 字聖喻。父士聰。通睿不談榮利，與弟通俊、通久、通俶、通佺，號「五楊」。有《鴿原集》。通俊，字聖企，號樗庵。靜穆溫醇，爲文典雅秀麗，見推於王士禎。康熙十四年以貢生官蓬萊教諭，課士有方。謝任歸，閉户著書，四方名士至濟者，無不過焉。年七十九猶好學不倦，著有《烟霞紀游》等集。○《前志》按，陳檢討《楊聖期竹西詞序》云：「雲横魯甸，瞻望兄兮誰來。」然則，「聖期」即「聖企」也。「期」「企」音近，未知孰是。通久字聖宜，俶字聖美，佺字聖朝。

臧子彦 字兆雍。一作咏。州學生，篤實孝友，嘗集同里及流寓名人制義爲一集，附書其生平行誼，爲《史外傳逸》四卷。鄭序叙之曰：「先生是書，根諸性靈，原於道德。」洵不誣也。

按，《知非瑣言》云：「壬子至丁巳，皆受業於臧先生。同學表兄曹一鳴，字雲書。先生長子長發，字其祥。次子世鸞，字鳳倫。俱庠生。先生弟名子訓。同時郭京字子垣，原籍山西，濟廩生，東鄰江雨蒼業師也。工書。李天尺，行六，亦善交也。○《前志·雜綴》。

孟淑尼　字自淑。康熙五年以策論中試，初選長山教諭，後補平度。勤訓士卒，於官，士人思之。

潘淑葛　字竹溪。有文名，康熙八年鄉試第一。○《前志》。濟州發解者自前明永樂戊子劉翀至淑葛凡八人。

李士凱　字良賡。爲人持重，有器識。能文章，淹貫諸家，尤究心於《易》。康熙五十八年，由選貢爲陵縣教諭。黜浮華，崇實學，人文蔚興。居鄉多倡義舉，人咸賴之。治家嚴正，爲里鄉黨所矜式。年九十卒。著作詳「藝文」。

黄敬球　字戛之。淡於仕進，致力經書性理之學。人不敢干以私，以貢選臨朐訓導，抵任即歸。雍正元年，州舉孝廉方正，力辭。布政使親造廬趣之，乃起，未及入都而卒。

靳秉瑗　字復蘧。潛心理學，下筆千言立就，輒冠軍。與陳孟養、潘汴琅相甲乙，濟上知名士半出其門。爲人温厚和平，而涇渭不稍假借。歲貢成均，卒年八十四。

潘汴琅　字浴青。貢生，嘗肄業白雪書院，名重歷下。晚爲樂陵訓導，適歲饑，上官屬以散賑票，汴琅於册籍外多散三百餘户，上官責之，乃抗言曰：「貧民嗷嗷待食者衆，按户給票，豈按册給票乎？」後以疾歸。天性孝友，兄弟産落，復推己産三分之。詞翰雅麗，有《檜樹賦》爲黄叔琳所稱。精内養法，年八十視聽步履不衰，後無疾卒。《樂陵志》。入名宦。據家傳。

陳孟養　字浩然，號義齋。十歲能文，康熙四十二年副貢。性耿介，總河張鵬翮立濟陽書院，聘爲師，人以爲震川復出。年五十九卒，無子。知州吴樫表其墓曰「文介先生」。

高　衡　字洞十。恬淡不思仕進，遇窮乏者每有施濟。康熙五十二年以貢選陵縣教諭，弗就。

楊　寛　字雪閣。康熙五十六年舉人，造次不離禮法。少從孫芳游，師殁數十年，過其家必祭而後食。後生游其門者，皆俯首就範，至今以爲矜式云。

楊　淇　字青巖。爲濟舊族曰「班村」，楊與弟洽游於孫芳之門。

劉　沛　字仲簡。嗜金石，工書翰，與文學孫文載、楊淇相友善。性耽幽潔，於西湖置别墅，植花木，中藏萬卷，顔曰「還讀草盧」。又祖塋旁與兄深創立宗祠，内有亭、有臺、有軒、有山、有池，往來者咸服其高致云。深字潛夫，以畫傳。

吕芳振　字子威。顯祖孫。康熙五十九年舉於鄉，專意窮經，教授里中，凡承指授者，文章皆有法度可觀。年七十三卒。

孫文載　字德輿。少從劉汶游，尤邃於《易》。文章有奇氣，兼工書。生平礪廉，隅志淡泊，治家嚴肅。垂老爲臨邑教諭，旋告歸。卒年八十餘。子統，增生，有學行，克繼其業。

陳　樁　字胥寛。諸生。孝友廉静，和易端方。博覽群書，究心掌故。海寧陳相國世倌撫東時，親造其廬，諮利弊，贈以匾云「學充養裕」。雍正初舉孝廉方正，居城北環渠村舍，自號「一齋老人」。尤工書畫。卒年八十四，按察使劉柏爲之傳。

趙司講　字覲顔。蕃次子。名諸生，根柢精深，辛酉拔貢，旋魁北榜，弟侄亦連取科甲。晚得四川樂至知縣，未任。又改濱州學正，司講，「五經」皆通。年七十猶探索於注疏，教後生必使「五經」漸熟而後指授作文之法，及門多獲售。孫玉庭尤所賞器。

侯位　字宜在。諸生。積學能文章，尤深於《易》及程、朱《語録》。凡習《易》者，多就正之。雍正五年，有司舉孝友端方，不就。教授生徒，知名之士半出其門。年五十餘卒，著有《讀易隨記》一卷。

陳際雲　字步青。宸則曾孫。拔貢生。少負奇氣，不肯爲經生家言。縱覽經史，諸家無不淹貫，從游者甚衆。及殁，以猶子應泰爲後。

潘如　字乃平，號小魯。學士應賓從子。少聰敏，能詩文，工書。雍正七年拔貢，見知學使王世琛。乾隆元年中順天鄉試，選棲霞教諭，未任卒。《山左詩鈔》。子呈雅，字雅三，號秣陵山人。工詩、古文，善書，尤工漢隸、篆刻。所與交游唱和如鄭板橋、高南阜、傅金樵、顔清谷輩，皆一時名流。著有《秣陵詩草》《秣陵小詞》。補輯

王殿選　字籽登。爲人恬静冲淡，孝友性生。以授徒供菽水，工詩文。中乾隆十五年鄉試，授夏津縣教諭。潔修自矢，勤於訓士，以父艱歸，旋卒。

李懋縉　字大紳。有异才，桐城方苞閲卷，拔置第一。著有《四書講義》，兼工詩、畫。

黄業炘　字明徵。以曲阜籍中乾隆十二年舉人，家貧力學，操行端方。爲諸生三十年，教授生徒，循循有序，率多端士。乾隆三十六年，恭逢皇太后八旬萬壽恩科，賜翰林院檢討。卒年八十六。○以上二十七人《前志·文苑》。

潘應旟　字君畀。州廩生。事親婉曲盡孝。兄殁後，寡嫂目盲，事之惟謹。撫兄子如己出，早世又撫其孤。於親故窮獨者皆贍養之，十餘年不倦。卒年七十。○二人增輯。

宗望先　字顯揚。金鄉人。明季土寇摽掠，與弟光先、族弟鑲率衆結柵以禦之，賊不敢近。邑令廉其能，請於憲司，給總練職。順治初，西賊猖獗，縣尉引兵剿之，爲所圍。望先聞難馳焉，奮梢直奔賊陣。鑲與光先督衆從之，呼聲動地，以一當百，賊驚大潰，生擒渠魁以歸。後屯兵柳林河陰，賊畏其威，無敢渡河者。○以下金鄉人。

趙永吉 字長山。少倜儻，勇力絶倫。康熙初，耿逆煽惑温、台間，永吉隨大軍入閩，以饒勇善戰授守備。嗣攻取漸山，奮勇入賊壘，所向披靡，乘勝追逐，連破十九寨，縛其渠魁，論功授左督都，補南昌鎮游擊。時江西妖賊袁大相等聚山谷謀逆，永吉諜知，率家丁數人突入其窟，生擒爲首者七人，餘衆悉平。事聞，升饒州副將，尋調陝西花馬池副將，署總兵事，多惠政。後卒於官。

楊淮 字維揚。康熙六年進士，授内閣中書舍人。甲寅征吴逆，王師南下，淮佐戎事。數畫策，戰屢有功，尋以父母年老告歸終養。數年卒。

張霖 字仲澍。康熙九年進士，授石門令。時剿除逆藩，石門當其衝，霖辦運芻，粟餉不乏，而民不擾。賊平，招撫流亡，革徐積弊。後内擢銓曹，歷任文選司員外郎，致仕歸，以壽終。

李振璣 字正恒。康熙三十年進士，初任新河，再任贛縣，又移宰五河，所至皆有循聲。五河地苦卑瘠，加以淮水偶漲，秋禾輒被水。璣請賑請蠲不遺餘力，民甚感之。後歸里卒。

薛裔昌 字鴻緒。康熙四十二年進士，謁選得景寧。革火葬、溺女之俗，慎選鄉飲大賓，以風厲之，又創建義塾。署慶元，慶之糧額混淆書吏之手廿餘年，裔昌釐剔一清。復署雲和，旋調慶元，行取吏部稽勛司主事，歷文選司歸，卒年七十二。

周一德 字克協。康熙四十二年進士，授二等侍衛，歷衡州副將。雍正五年，守彝陵鎮。時容美土司淫虐，土人訴于制府，一德言容美性悍，據險未可驟取。先招桑植、保順、永靖諸土司就撫，决其藩籬，彼自膽落。遂檄一德鎮九溪，一德領健卒據白岩洞召桑植諸管旗、土把，賚以酒肉，令爲前導，土司拒命。一德諜知有伏波祠前銅柱高丈餘，入土僅尺有半，無敢撫摩者，因紿之曰：「《伏波遺記》云，今年某月日銅柱倒土歸流。」因舉撼，應手仆，土人驚駭，皆遵約束。遂由長陽趨容美，其酋自縊，因其地置永順府、保靖等縣。明年晋鎮筸鎮兵，與辰沅道王某征六里諸苗。王欲由上龍潭進，一德以地險攻之未可，猝下引兵進鴉溪。溪有三楊廟，苗奉之謹，門數十年不敢開，有事惟門外設祭。一德使人潛入，志其神狀貌，見坐三纛尚完好。乃宣言神見夢，作何狀貌，稱「天子聖德汪洋，願領苗歸化。昇我三纛，抗不服者剿之」。遂斬牛設供，啓而入，取三纛歸營，尚光彩曜日，苗民驚駭，遂降。抵上龍潭，擒其黨置之法。築城于吉多坪，舊有井曰「三潮」，響如雷，傍井建三神廟，歸三纛廟中。自後井潮日僅一至，響亦衰矣。八年充領勇健營左翼鎮，九年赴莊浪爲總統提督，出巴里坤，所向有功。

乾隆初調川北鎮，旋以原品致仕。著《火龍陣總論》，得兵法奥旨。

張元善　字魁立。貢生，舉賢良方正。初任浙江開化丞，歷署昌化、長興、海鹽縣令。有積年大獄株連者，數日即爲開釋。例擢府丞，署重慶府事，以失察被議歸。卒年七十。子掄甲，徐州同知。孫隆基，舉人。○《前志》按：「《縣志·選舉》作『誠基』。」

郭廷珍　字映賓。舉雍正元年鄉試，性剛正，言動不苟。居家授徒，教人先執禮，使有准繩。函丈間衣冠整肅，小跛倚必懲。説經隨事剖析義利。卒年七十七。著作見「藝文」。○《前志·儒林》。

王運升　字一復。順治初以鄉勇從典史馬（失名）。剿賊，遇之于會民集，陷入重圍，斫數賊，驚潰。因逐其魁，馬躍被害，賊攢戟碎其尸。

周如春　字麗陽。順治初由歲貢出宰星子，金聲桓反，如春固守，城陷死之。妻張氏、妾吴氏、家人二十口殉焉。士民爲建忠烈祠。○二人《前志·忠節》。

高潔　字賓宸。順治初貢生。幼即能文，十五爲諸生。初，明末流寇充斥，從邑當事守城，散金給粟，執械登陴，城卒以全。父遘厲疾，籲天代父，尋愈。仲弟夭，撫其子女如己出。族中貧不能娶者助之，不能葬者殯之。凶歲散粟，全活甚衆。子陽，字乾晞。諸生，性篤孝友。父好客，時與親燕集。及暮，陽必執燈持轡立門外，寒暑雨雪無間。叔早逝，撫諸弟不啻同父。又蓄藥濟世。壽八十二。

周昌圖 字啓美。諸生。童時聞父病京邸，單騎往迎之。事母孝，自奉儉，而濟人之事揮金不倦。

李化湛 庠生。母殁，居喪盡禮。自是其父卧起，晝夜不離側。父卒，竭力營葬，廬墓三年，終身不復御酒肉，臬使以「孝思純篤」匾其門。

鄭之彦 字京儒。庠生。幼失怙，事後母馬氏孝。與後母弟友愛，撫之成立。田産屋宅，惟弟所欲。學行醇篤，非公不至，邑令重之，爲旌其門。

周世璽 康熙四十八年鄉魁。幼孤，事嫡母、生母兩得歡心。母病，焚香哀禱，願減己算益母壽。居喪遵古禮，三年未嘗見齒。著作詳「藝文」。卒入祠祀。

楊以元 增生。少孤，事母以孝稱。喪葬盡禮，廬墓三年。乾隆元年舉孝廉方正，五年建坊旌表。

蕭梅 字耿夫。雍正十三年舉人。事母晨昏定省，歷久如一日。嘗與楊致和懇當事免歲修河科費巨萬，邑永賴之。教授生徒，受業者半於邑中。著有《樂志堂詩集》。以壽終，門人爲之營墓。

荆宗嶧 字振魯。七歲失恃，每扶柩長號，不欲生，賴兄嫂撫恤成立。繼母郭多病，性甚躁，父怒，嶧委曲排解。析産二頃，分己膏腴三十畝、宅一區贍兄子女。兄嫂老病，侍湯藥如事二親。歲大饑，有魚臺少女隨兄嫂乞食村中，因收育之。數月後，有疥癩匍匐踵門者幾瀕死矣，年亦幼，叩之則前女夫也。復收療之，即爲成婚。次子國楨，乾隆十七年舉人。《前志》按：「《兖志》『荆』誤『劉』，今從《縣志》。」

陳豆　字孔麃。庠生。少失怙，哀毀盡禮。父殁，事繼母無异所生。祖年老，飲食寢興必左右于其側，十年中不歸私室，鄉間欽之，奉爲楷模。○以上九人《前志·孝義》。

程允迪　字惠吉。母殁時允迪年七十餘矣，結廬墓側，悲號若孺子。未三載而病，親故勸之歸，迪弗從。迄病革，遺言子若孫設木主於廬，以竟其志。據《縣志》增輯。

張丕吉　字伯嶼，嘉祥人。性敏好學，詞賦尤工。崇禎癸未進士，國朝授翰林院編修，分校禮闈，所拔多知名士。時纂修《明史》，同輩推伯嶼，尋以父憂旋里。服未闋卒。所著有《皇華偶記》。○以下嘉祥人。

吴衷一　順治六年進士，知漢陽縣。設義渡，除行税，爲楚北循良第一。以病歸，卒祀鄉賢。

張維賢　恩貢生，任杭州府通判。多惠政，民建祠祀之。擢江寧府同知，卒祀鄉賢。

黄繼祖　貢生。制行端方，知湖廣常寧縣。邑猺民雜處，素號難治。繼祖察民隱，决疑獄，置學田，修文廟，惠政卓卓，有「神君慈母」之頌。尋以疾告歸，優游林下，士論高之。

高瑞光　字慶吾，嘉祥人。性倜儻，有武略。嘗出家財修城，爲戰守備。崇禎十四年，硐寇掠縣四境，瑞光鬥死。

劉士俊　以材勇爲河院旗牌官，數殲巨盗。一日乘勝逐賊，賊散走。士俊單騎回至范山谷口，解甲坐息。一賊伏石竇中，突出刺其脅，士俊抽刀斷槍殺賊，竟以重創死。○二人《前志·忠節》。

王子玉　四世同居，有司表其門。○《前志》未注時代。

梁心始 庠生。事親孝，居喪過禮，服五年除。至墓必百拜，人或非之，心始曰：「吾自盡吾心，非爲人也。先王之禮，吾雖過之，不猶愈於不及者乎？」五世一堂，年登百有一歲。康熙六十一年，建坊旌表。〇二人《前志·孝義》。

劉芳聲 字茂遠。順治三年進士，由主事累官鞏昌知府。招流移，勸開墾，繕城賑饑，政績卓著，尋升桂林道。赴任便道省親，適其父母病篤，將屬纊而芳聲至。其父復蘇，執手留連，越日乃逝，人以爲純孝之感。服闋，補貴州畢節道，改平大黔威守道，以裁缺歸。居鄉三十餘年，設義學，施藥餌，鄉族多蒙其惠。卒祀鄉賢。〇以下魚臺人。

段化龍 字霖生。順治三年舉人，考授推官，改選知縣。生平敦厚孝友，秋闈考官劉某夢朱衣者呼曰：「予山陽人。」如是者再，因驚寤。細檢閱得數佳卷，及榜發，無山陽人。後知魚臺昔屬山陽郡，詢知化龍孝友性成，大賞异之。

曹斌 字二允。初岐嶷多勇略，中順治六年進士，授嶺南守備。剿除叛逆，招撫流亡，以功累升定海鎮游擊。督修戰船，刻期竣功，督鎮咸嘉其能。後因勞瘁成疾，致仕歸。卒年七十有六。

夏騰高 順治壬辰拔貢生，任孝豐知縣。大兵下閩浙，供應紛煩，騰高區處有方，閭閻帖然。鄉試分校，門下多名士。土寇猝入境，隨地控禦，境内以寧。豐邑賦役往例多滋累，爲更定，民情大安，歲亟請賑。又遷學建署，累著治績。

劉廣譽 字令聞。明末流寇充斥，廣譽奉父避江陵，傭於書肆。寇平北還，鋭志讀書，順治十二年進士，任六合令，後卒於官。旅櫬不能歸，士民感其惠，斂錢送之。

謝遴 字秉衡。順治十八年進士，授上蔡令。居官清慎，士民愛之。己酉分闈校士，以得人稱。後内擢京職，蔡人攀轅泣留者百里不絕。

劉澄　字元襄。芳聲長子。由恩貢官湖州府同知，懲奸除暴，境内帖然，升寧波知府。時巡撫疏浚嘉興河道，澄指畫了了，遂以委之。數月河治，而民不擾。嘗歷署象山、歸安、烏程，皆有聲。卒祀鄉賢。

宋亮　字均禮。魁梧英發，涉獵經史。洪武八年辟本縣儒學訓導，以古道率士，數年之間風俗丕變。未幾應經明行修，詔拜福建右參政，撫綏有聲，民懷其德。值大災，引咎罷歸。優游耕釣，鄉人化之。《兗州志》。○《前志·儒林》。

范謙亨　貢生。爲睢寧縣丞，以剛方不能俯仰致政歸。優游文翰，爲學者宗。子魯南，亦善屬文，有聲庠序。甲申城破，正衣冠危坐堂上，子侍側，同死之。

仇應婁　貢生。性剛正，遇事敢言，邑有大徭役咸依賴之。賊掠穀亭，被縛脅以刃不屈，大罵不絶口而死。○以上二人《前志·忠節》。

朱之玉　字席珍。少失怙，事母最謹。流寇之變被執，以孝名得免。迨之玉成進士，觀政刑部，即具疏自陳母節，奉旨建坊旌表。知藍山，能本孝友以治民。母卒，終身不仕。

劉芳奇　字遠馨。例貢生。貌魁梧，善騎射。時天下初定，探丸者白晝盈于路，芳奇率衆巡徼，鄉閭恃以無恐。一日群寇圍商旅於百里村，奇聞之，縱騎馳至，發矢殲其渠魁，餘賊懾而逃。歲饑，解千金濟貧。康熙初，河決牛市口，城夜潰。芳奇造木筏以賑溺者，所活無算。卒年八十有五。

劉肅然　字靖宇。父宗文，有勇略，爲土賊金二黑所殺。肅然方十歲，日夜飲泣。年十七，覓利刃藏懷中，一日遇金於道，突刺殺之，刃出於背。遂自首，有司廉知其情，得末減。曲阜陳果齋爲作《劉孝子傳》。

劉維本 字華吾。明末榆賊破城，母被執，維本哀請代死，賊感而釋之。弟維亨，事兄甚謹，嘗於逆旅中拾遺金二百七十兩，爲候二日還其主。年九十八無疾終。

房辰 恩貢生。學問淵博，「五經」、諸史皆精研，得其要領。家居以孝友稱，義所當舉，無不竭力爲之。殁祀鄉賢。

梁重寧 字汝均。廩膳生。親殁，竭力營葬，廬墓獨居三年。邑令旌其里，爲文紀之。

趙諫臣 字從侯。監生。性孝友，太守吴頤以「因心致孝」顔其門。兄早殁，撫兩侄無异己子。析居時，以田産之膏腴者悉畀之。康熙癸未大饑，諫臣出粟賑貧，按户給糧，所活無算。大河以南爲滕、魚孔道，冬初水落，車馬經其地輒陷淖不得出。諫臣修路數里，并建石梁，土人立碑志德焉。

楊斌 字豹文，南陽鎮人。性篤孝，勇於爲義。雍正己酉大火，被灾者數百家。斌按户出粟，無親疏悉贍之。乾隆初，河决石林口，魚邑爲墟。斌復出所積，拯救困乏。又多募舟楫，通人往來。水退即捐修道路，闔邑咸頌其德。

劉廷璋 字贊公。庠生。少失怙，依母成立。母病，侍奉湯藥，衣不解帶者數年。廷璋少有羸疾，體不勝衣，母愈而璋遂不起，以不能終養爲憾。既卒，目不瞑，聞者悲之。

王汝勉 字懋庵。監生。叔父母糊口於外，絶音問者二十年，汝勉訪諸永城得之，迎歸，從弟妹悉爲婚嫁。一日行豐邑道上，有婦人號哭而來者，詢之則賣女以葬其夫也。汝勉贈以金，不通姓名而去。

馬美紹 以忠厚著於鄉里，自曾祖以下七世同居。

謝富德 字賓如。性仁厚，樂施與。宗黨中有貧乏者，賙恤之，無倦色。有李氏者聘某女，未婚，其母鬻於外，將鳴官矣，富德解資贖之。他如修葺橋路、施衣施棺之舉，歲無虚日，邑宰以「利濟存心」顔其門。卒年八十三。

金　魁　字殿鄉。家貧而勇於爲義。一日貿易徐州，止逆旅中，聞有夜哭者，聲甚哀。詢之則欲賣妻葬親者，魁憐之，罄囊以贈，全其夫婦。○以上十三人《前志·孝義》。

補遺

朱德純　字子彝，號惺庵。性孝友。從父某，以從征鄭芝龍歿於王事，遺孤不能自存，德純推産與之。戚族中有孤貧老弱者，招同居處，周恤備至。生平不妄交游，文有奇氣，嗜山水，足迹半天下。以明經考授州佐，淡於仕進，家居以終。

濟寧直隸州志卷八之四

人物志 四○續編

列傳 三○各郡邑志例，大凡以膺顯仕者爲「列傳」，經明行修者入「儒林」等類，義民、孝子或以一節而列名于後。今仿《華陽國志》之例，無論仕隱窮達，以時之先後爲序。亦如前編先州次三縣，不更區分品類，以次書之。無多事實可紀，而采訪輿論僉同者爲「總傳」，以歸簡要。其補纂有在《前志》諸人以先者，除前朝人，仍入續編。

國朝 二

張有年 字瑞書，號沁園。父宏基，生子三，有年其季也。生而穎异，讀書敦行。乾隆戊子舉鄉榜，己丑成進士，除户部陝西司主事。悉心勾稽，事無叢脞，遷郎中，京察一等記名，旋任河南河陜汝道。方抵任，值陜西運麥石協濟豫省，督理裕如，官民稱便。捐俸修召南書院，人文振興。稽察開、歸等處賑務，核實給放，饑民無失所。時河溢祥符，承調赴工，相機剔弊，不希容，不避怨，事賴以濟。辛丑秋，萬錦灘漲漫，復奉檄調。瀕行，灑泣別親。抵工後，并力興築，勞苦倍前，而神采彌厲。冬十一月，青龍崗口門合龍。越日，復漏水，急率衆舁土鑲壓。夜過半，堤面漸裂，埽兀兀動。有年指揮知故，從者掖之使避，叱曰：「朝廷億萬帑，百姓億萬命，争此一刻，吾身值幾何？」呼土益亟。埽潰，身隨以殉。遲明，善泅者覓尸不可得。閱數日，嗣子善保具衣冠殮焉。事聞，上爲惻然，賜祭葬，恤廕如制。伊洛間民皆輟業致哀，建祠以祀之。善保由七品廕生補太常寺典簿，升任貴州貴陽府同知，調都匀府同知，署平越府知府。時貴州與義狆苗滋事，調赴糧臺，身親戰陣，不避艱險，屢與賊對壘，瀕危者再，卒能全身濟事。後降廣西全州州同，廉慎勤能，所在有政聲。孫四，繼魯、繼鄒，相繼成進士。據墓志。

阮性淳 字敦朴。康熙癸卯科武舉人。癸丑，傜匪朱明在江西崖石寨滋事，與弟性浩同赴挑選，俱賞隨營守備，隨宣義將軍尚志忠前往勦捕。性淳在軍身先士卒，不避矢石，屢建奇功，大將軍甚嘉賴之。嗣以賊勢猖獗，日久未平，性淳深以爲恥，密與弟謀曰：「吾兄弟在此已十有二年，屢蒙優獎而功勛未建，天恩詎可幸邀耶？吾聞擊蛇擊首，不獲朱明，告捷無期。吾志已定，弟其勉之。」次日復戰，望見朱明之旗，性淳奮勇前進，直趨朱明，將生擒以獻。性浩隨後從之，追獲未及而性淳已遇害，性浩亦被重傷。奏入，奉旨：以阮性淳陣亡，照例議恤；阮性浩賞給一品頂帶，即行補用；性淳入祀忠義祠。性浩字敦宏，康熙癸丑武進士，授磁州營守備，歷任福建金門鎮標右營游擊、銅山營參將。所至勤於訓練，督率有方，因屢次打仗受傷，致仕歸里。年九十餘卒，入祀鄉賢祠。據家傳補輯。

孫文丹 字書常，號拙翁。父芳有傳。文丹幼承庭訓，學有本源，潛心經訓，經明行修，人比之明復先生。以早失怙恃，不及禄養，遂絶意仕進。平生淡泊方介，待人務坦白見胸臆。婦翁潘兆遴，爲天長令，延以訓其子，歲祇受修金二鎰。告歸時指架上書以贈行，文丹遜謝不取。訓子擴圖尤嚴義利之辨，方擴圖就館京師，文丹以書諭之曰：「京洛多風塵，素衣化爲緇，不知人心亦可化緇也。我一生時自洗濯，自信潔白。恐汝年少，尚未甚此。時時有汝老父在心目間，當免斯患。」至甘旨之奉，必詰所從。擴圖司鐸掖縣，兼爲北海山長，餼牽滋厚，文丹時就養學署，曰：「此從説書論文中來，可食也。」逮至烏程縣署，日以供奉簡約爲訓。存心仁恕，聞鞭撻聲，往往搖首不懌。烏程爲脂膏地，擴圖恪秉父教，絲粒不苟。改官縉雲，欲請終養，文丹毅然不許，曰：「昔昌黎爲陽山，有惠政，汝何得遽無遠到心？且此地險遠，人所不爭，守官可以行志。我幸尚健，見汝有期也。」擴圖一生交游，仕宦立定脚根，得力於義方之訓爲多。擴圖嘗以湖織爲文丹被，文丹揮去，曰：「公孫丞相不佳處，止在曲學阿世。至於布被，自是牧豕海上所常御。逮入仕，年已七十，性行久定，布被自適。吾願隨曾晳羊棗之嗜，且無使公孫齒冷。」聞者敬服。性曠遠，寡嗜好。就養掖學時，東南六十里有大澤山，歲必一登，撰《游記》，古逸奇峭，爲世所傳誦。邃於歷算、方輿，凡七政遲速、山川阨要如指諸掌。文宗韓歐，詩出陶、韋間，著《存樂堂詩文》。卒年七十二，浙閩總督、前山東巡撫宏農楊應琚表其墓曰：「品純學粹。」鄉人私謚爲「貞文先生」。據《前志·芳傳》及墓志、行述。

孫擴圖 字充之，號適齋，文丹子。少承家學，天姿穎异，讀書過目不忘。乾隆元年入邑庠，是秋舉鄉榜，年甫弱冠。丁巳、乙丑兩中明通進士，時重闈待養，家日益貧，就掖縣教諭。當路重其學行，略屬禮。巡撫楊應琚特疏保薦，授浙江烏程知縣。發奸摘伏，人莫能欺。性素方梗，復以不善處脂膏地爲忌者所中，調簡縉雲。邑豪毆殺人，死者妻孥利豪財，莫之訴。擴圖訪治之，必使抵罪。豪破産賄法司主吏，求易承審官，事諧酬銀巨萬，書券爲質。主吏密懷玉王具贍，皆巨猾。擴圖密聞之，夜潛往執兩人，搜得奸贓左券，持以白法司，色然駭，案乃不動。擴圖直道坦行，不惑不懼，復調繁嘉興，以憂去，服闋授錢塘知縣。時蕭山鹽梟獄實，貧民私販逐微利耳，法司委擴圖訊，具得其情。而運司祖商業以不根之言聞巡撫，乃置酒密室款擴圖，欲其附會以實前言。擴圖面斥之，毅然謁各上官，力陳案情，且言如不實，甘參處。會有曲承意旨者，遂改委，鍛成其獄。擴圖以下吏權輕、小民命賤，慨然有歸志。未幾，以微眚落職，洒然去。三十六年入都祝嘏，蒙恩復職銜。擴圖方直清介，十年巨邑，不名一錢。在烏程，白貢生某私鑄之誣；在縉雲，革丹峰驛長夫；在錢塘，增湖絲價。凡便民之事，及釋冤獄，皆以至誠惻怛感動上官，事乃得濟。歸田後，手一編，哦斗室中。遇文士至，縱談不倦。好接引後進，嘗主萊州北海書院、温州東山書院講席，所成就多一時名士。爲古文詞，下筆泉涌，而法律一歸謹嚴。詩於漢魏唐宋諸家，皆得神解。博學而不近名。黄叔琳所刊叢書，多擴圖手校。著作詳「藝文」「書目」。年七十一卒。子河鳳、眉良、玉庭。據墓志、行狀。

張淑渠 字師厚，號潛齋。自其八世祖名理始居濟寧，世以孝義聞。祖爲經有傳，父延慶曆官有循聲。淑渠少而清穎，稍長勵志績學。乾隆三年中順天鄉試，十三年成進士，逾年補山西壽陽令。壽爲通衢劇邑，時值用兵金川，辦理軍需、馬匹，出值采買，不以絲毫累民。十五年辦五臺大差，修北臺尖營及各處道路，計夫授價，民不苦而工竣。治邑多善政，折獄稱神明。晋有板泉山，跨壽陽、陽曲兩縣界，磴田綉錯，附居者萬餘家。太原城守尉欲攘其利，指爲舊牧場，請晋撫檄縣追地歸營。淑渠承檄，據實詳覆，且面陳萬餘家安業，無故逐之，恐滋他變狀。撫意忤，欲具劾，淑渠不爲動，曰：「功名自有定數，吾豈肯殃民以自爲耶？」會撫以他事去，新撫胡寶瑔至，令民起租養馬而事息。旋調永濟，永爲全晋門户，繁倍壽陽。淑渠悉力振頓，政務畢舉。二十一年，剿辦準夷，永當孔道，軍差絡繹，規畫周妥，事集而民不擾。巡撫保薦，遷朔州知州。甫入境，饑民載道。急查賑册，登籍者僅十之二三，即捐資立粥廠數十處，復立留養局以撫鄰邑饑民。又以灾重詣省，哀求巡撫具題廣賑。撫爲感動，奏復查得普賑，全活甚衆。復陳救荒四事，悉采納施行。二十六年，授山西潞安府知府，却供頓，减雜税，正己率屬，闔郡風清。三十四年，以卓异首薦，而母魏氏卒於官署。扶櫬歸里，積勞體弱，遂絶意仕進。鄉居十餘年，卒於家，年六十有三。淑渠天性孝友，篤於同氣。自潞安歸，置義田十頃爲張氏義莊，詳立規條，足垂久遠。教子弟尤嚴。祀鄉賢祠。據行述、墓志。

趙維翰 字甘城，號退齋。其始遷，祖資、祖蕃，俱見前傳。維翰生而穎异，仁孝出於天性。壬申中鄉榜，庚辰成進士，分發陝西，以知縣用，改發直隸。辛巳補饒陽縣，首以教民爲務，作「教條」四則曰：重孝悌、崇節儉、畏王法、睦鄉里，刊布訓示，俾民熟習，民皆翕然歸化。於地方事實心辦理，一切建置順其自然，使民得沾實惠而無更張之迹。其聽訟，虚心研訊，婉言化導，因而息争者衆。邑有李氏女適趙姓者，其舅姑不悦而出之，後更娶楊氏，李氏終守節不嫁。其父鳴之官，維翰諭以賢媛、貞女之道，楊氏懇其姑迎李氏歸，作閨中伯仲。維翰爲《雙奇傳》以傳其事，見「文録」。請於當路，題額旌之。在饒五年，屢赴他邑勘灾審案，所至有聲。又辦理巡幸差務，前後六次，恩賜稠叠。

乙酉請終養，是年秋奉親歸里，百姓遮道攀留，餞送者載道。越數年，遭父母喪，哀毁盡禮。壬寅服闋，補陝西郃陽縣知縣，首先教養，一循治饒之舊。邑有常平倉，每當易陳出新時，發穀於民碾米繳官而後糶之，一出一入間，胥吏多所侵漁，維翰立革其弊。值甘省民變，軍需絡繹，一以身任，民不知擾。每因公赴鄉，與民歡洽如家人。治郃五年，政寬刑簡，務以誠信感人，不輕加笞杖。戊申致仕歸，杜門不出。家庭之間，雍睦無閑言。卒於乾隆五十七年，年七十四。據墓志。

喬懷祖 字令思，號寧甫。父大凱，有傳見前。少事親盡孝，以乾隆乙酉拔貢生，選禹城訓導，俸滿選廣西靈川知縣，歷署昭平、岑溪縣事，所至有循聲。補天河，調崇善，復調任廣東開平縣事，升四川蓬州知州，卒於官。天河地遼俗獷，案牘充積，勤聽斷，直冤抑，數月後獄訟衰息。崇善邑屬江州土司，所司苦於誅求，人情汹汹。豪民黄清等約衆抗糧訐控，歷數任糾結不解。懷祖至，爲釐别其應徵之數，榜諸市。復取豪者繩以法，境内帖然。又歲辦兵穀數千石，往時率轉發閭里，蠹吏因緣爲奸。乃於南寧等處市米易之，歲給而民不知。又有圖差、總首、老人及現年夫錢，皆無名累民者，白上官勒石除之。在任五年，恩信大孚。開平地瀕南海，商舶蟻聚，珠玉、象犀之所輻輳。官其地者易動於欲，而懷祖獨以廉聞。任蓬州僅數月，仁聲翕然。卒之日，耆艾涕泣。柩發，號送者盈於塗。生平仁恕廉静，初至若循循，無异於人。既久而人化，既去而人思。凡所事皆可爲吏治法，處牧令如處教職。嗜《宋五子書》，躬行體驗，終身罔倦。乾隆六十年卒，年六十一。據墓志。

宋嘉德 字會廷。其先遼東人，有名謙者從壽張遷濟寧。祖士正，内閣中書，邑人私謚爲「文端先生」。父愓，生子二，嘉德其長也。幼從父學，勤讀達旦。年二十五入州庠，文名藉甚。而研窮義理，無功利心。殫思諸經，反復深入，久而豁然貫通。其論説不株守前人，亦不自矜新義，要於當理而止。其行已端莊質實，自幼無欺。人詆之，輒信。遇事内斷於心，義所不可，衆不能奪。年未三十，怙恃并失，居喪哀毁骨立。迎養寡姊，任撫甥成立。二十餘年，弟早卒，撫其弟婦及女。十餘年，又皆殁，以獨子不得爲弟立，後語及輒流涕。不治生産，束脯有餘，皆分與族人之無養者。乾隆五十一年，歲荐饑，竭所入以贍族，自食或日一粥。居恒自奉儉約，祁寒不衣皮服，曰：「先人未嘗衣裘。」家人購草薦，怒止之曰：「先人未得用此。」門弟子嘗問以爲治之道，曰：「通經足以致用。」即以《詩》論之，「諏謀度詢」，興利除弊已盡於此矣。「田畯至喜」，「曾孫不怒」，視民事如家事也。「成人有德，小子有造」，教國人如家人也。事必親履，方能振作，是以「瞻彼洛矣」，必君子至止而後作六帥也。」又曰：「弊有當暗去者，明去之則有變；有當明去者，暗去之則不威。因時斟酌，又不可執一。」論者謂其指陳較然，惜未能宣於用也。乾隆六十年，年五十五卒。疾革猶講《沔水》《鳴鶴》二詩，門人請其訓，曰：「不知命無以爲君子。夙興夜寐，無忝所生，汝等念之。」命子念祖曰：「守正而死，死亦無悔。」其惓惓道義，自始至終，無一息之懈云。所著見「藝文」。晚潛心於《易》，以疾未脱稿。據同里高如岱撰行略。

戴二雅　字芸心，號誠齋。父有，臨州庠生。以孝聞，居喪一遵古制，以茅席廬於門側，僅容坐卧。置一苫一被，寢處其中。性孤介曠達，食貧處困，以義自守。二雅生而端重，年二十一爲州庠生。每就試，睹棘闈局促之狀，又苦爲帖括程式所縛，意不自得，慨然欲弃去。既玩邵氏《先天圖》，欣然有得，後更潛心《程氏遺書》，所知益邃，謂「誠知誠養乃學之要」，因以誠名齋。其學潛修默成，不以語人，人亦莫能識也。執親喪，哀毁盡禮。親舊有行，托必盡心。方家貧教讀，澹然自足。性好林壑，每獨游，移時忘返。遇佳山水，快如饑者之得食。晚歲遇益蹇，而以義自守，終無怨尤。於乾隆二十四年卒，年五十五。所著有《志學録》諸書，高如岱、宋嘉德序而傳之。詳「藝文」。同上。

李元坦　字雪汀，號念堂。弱冠勤學。母患疾，聞百里外有名醫，往請歸途夜雨迷道，忽見一燈導之歸，人以爲孝所感云。中乾隆三十五年舉人，壬辰成進士，五十年選授山西陽城縣知縣。嚴束胥吏，有犯必懲，讞獄必得實情。五十三年，攝永濟。邑稱繁劇，到任不逾月，積案一空。五十七年，陽城大饑，具牒上司，開倉賑恤。復捐廉俸爲倡，赴河南清化鎮糴米，以資接濟。於是富家各出粟，村自爲賑，以故灾重而民不失所。是年秋，調繁徐溝。嘉慶元年，遷汾州府張蘭鎮同知。張蘭爲山右巨鎮，民俗强悍，匪徒出没。下車之始，嚴加懲創，强暴斂迹。三年秋，攝平定州事，於一切挽輸、徵造，不遺民累。丙午、己酉，兩充山西鄉試同考官，所拔多寒畯名士。五年四月，兼攝介休縣事。輕徭寬賦，僅逾月而盗息民安。五月，還遼州事，到任未逾旬而卒。據行狀。

劉廣勳　字偉烈。貢生，德平訓導。力學好善，以經術授徒，多所成就，鄉人私謚曰「恭惠」。子書思，字覲光，號靖庵。少有志操，乾隆三十六年舉人，廣西候補知縣，癸卯鄉試同考官。奉檄查倉核實，却饋贈，補陽朔縣知縣，有惠政。以終養告歸，居家敦孝友，嚴訓迪，年七十卒。書紳亦績學，以諸生終，士論惜之。書思子元一，字伯陽，號鄰蒼。乾隆五十九年甲寅副貢生。事祖父母暨父母以孝聞。從弟孤弱，元一爲經營周備。事繼母益孝謹。任長清縣教諭，捐俸修葺學宫。諸生中乏絶者時賙之，人謂其貧而好義，有祖父敦厚風。據家傳。

孫玉庭　字嘉樹，號寄圃。擴圖子。乾隆三十九年甲午舉鄉榜，乙未成進士，改庶常，散館授檢討。癸卯充廣西副考官，旋授山西河東兵備道，再任廣西鹽法道。嘉慶元年升任廣西按察使，歷湖南、安徽、湖北布政使。兩撫粵東、西及黔、滇、浙、江，凡七任。尋總督兩湖，調兩江，加太子少保銜。道光元年協辦大學士，仍留兩江任。四年晋體仁閣大學士，是年冬以高堰决口，次年落職歸。歷仕三朝，宣力於外者四十年。清而不刻，介而能斷，能當大事。曲盡人情，所至以除害安民爲務。任廣西按察使時，貴州苗作亂，與廣西西隆州接壤，州屬苗首農應聯等蜂起應之。廣督提兵往剿，適左右兩江鎮爲賊所乘，同時兵潰。督臣欲退守西林，玉庭時在後路辦軍需，往切止之，謂：「兩鎮雖失利，提督全軍尚在，賊必不敢越舊州而至此。即至，我軍與提督兵腹背夾擊之，必大捷。今若遽作退守計，則人心惶惑，各臺站且聞而星散，弃地長寇，悔將何及？」督臣大悟，仍以兵進。未幾，破西隆苗砦，殲其魁。會黔苗守紅水江，我軍不得渡，江外有木應猺，人善製藥弩，素爲苗畏。玉庭訪得有崖鈞者能與猺人言，密遣往啖以利，俾爲內應。度其時進軍，苗方抵拒，忽砦內火起，苗大亂，則木應猺之劫其後也。乘勢濟師，大破之，餘黨悉平。督臣以玉庭籌畫功入奏，賞戴花翎。後撫雲南，有緬僧張輔國據南興地侵占三土司，爲邊患者十餘年，督臣亦以玉庭定計得殲賊。調撫廣東，時海寇未靖，上命議定章程，期於可久。玉庭奏：「水師終年出洋無效，緣賊船忽分忽合，兵船分則力單，合則不能兼顧，故從來祇論海防，不論海戰。惟嚴守米糧，不與賊通，更撥兵船數十號扼要地往來策應，爲第一要務。」議未果行。及再撫廣東，時督臣以捕緝洋盜無效，遂倡招撫之議。玉庭力辨非計，意見不合，乃自行陳奏其略，曰：「洋盜袁阿明、林亞發等先後投首十一起，惟曾亞發等四起據稱殺死賊目，然所殺之賊是否盜犯？抑或殺死被擄難民，捏爲賊目？無從查考。且其投首多係各屬購綫招致，在盜匪雖係窮蹙，而自官招之，究屬非體。況又概加賞賚，遂致外間有盜匪非真悔罪，特爲貪利而來。官吏意在邀功，不惜重金爲市之議，衆口難鉗，此猶其小。惟狼子野心，受撫後少不如意故智復萌，於海疆邊地太有關係。且該犯等橫行殺掠，罪不容誅。一旦受撫，既概置不問，又榮以頂戴，居然高出齊民之上，致民間有爲民不如爲盜之謡。又捕盜兵丁，備嘗辛苦，求拔一外委不可驟得，盜匪則千把頂戴唾手得之，亦不能禁兵丁之怨望。上傷國體，下失人心，弊不僅廢法已也。」乃復申海防之意，上是之，命停止招撫，并諭督臣回京。任湖廣總督，時到京召見，值暎咭唎貢使不能跪拜，遣回本國。上問玉庭：「汝曾任廣東巡撫，應知該國情形。」奏：「該夷貢品，向係海船帶進。至乾隆五十八年，該夷專遣貢使，航海至天津，貢方物。彼時夷使到京，即聞其不能效中國跪拜之儀。嘉慶九年，臣放廣東，巡撫任內適逢有答賞該國之物，會同督臣傳該國大班名呵噹咚者入見。該夷至大堂前，站立摘帽，弓身俯伏。通事傳諭大皇帝有答賞各件，令其敬謹賚回，該夷弓身如前。方入見時，見其兩腿褲襪綳緊，直立而不能曲，其俯伏者即夷禮之免冠頓首也。」上問：「該夷在中國之外何方？去中國幾萬里？」覆奏：「在中國西北，其地東界哦囉斯，南界大西洋。前明西洋喇嗎噠精於算法，其書稱至中國九萬里，該夷又在大西洋之北，其遠可知。彼國之船，秋間乘西北風行駛，由西洋諸國而至暹羅、越南洋面。俟西南風東駛，則廣東洋面。至福建洋面，乘東南風北駛，歷浙江、江南、山東、直隸而至天津，是以有周迴九萬里之説。」上又問：「聞彼國甚爲富强。」覆奏：「彼國大於西洋諸國，故强。但强由於富，而富則由於中國。該夷貿易至廣東，以其貨物易换茶葉，回國時轉賣於附近西洋各小國，故富。西洋諸國之需茶葉，猶北邊外夷之需大黄。我若禁茶出洋，則彼窮且病。夷人惟利是圖，其入貢，欲沿海多開口岸，可多得利。乾隆五十八年，貢使曾希冀在寧波另開口岸，未准。今歲之入貢，猶故智也。」道光元年，有以州縣辦公拮据不能不取之分外，謂之陋規。或至侵漁過甚，不如酌定去留，明示以應取之數爲定額，上乃下其議於各督撫議之。玉庭覆奏，略云：「我朝列聖，相承取民，皆有常制。至於陋規，則干例禁語，曰『作法於凉，其敝猶貪』。禁之取，猶不能不取；若許之取，必至益無顧忌，竭民脂膏而後止。議者固因公起見，臣以爲不可行者，誠以自古無此制禄之經，不可使堯舜之世，於百官常禄外别開取利之門，滋後人疑議。」疏入，硃批「國家利弊，據實直陳，可謂大臣矣」。粤東内河土賊爲商民害，巨匪楊亞鹽等結盟械鬥殺人，積案累累，抵任即行捕獲。湖陽械鬥案，仇殺至一百六十餘人，犯無一獲。嚴飭該道剋以時日，捕得四百餘人，分首從置之法。河南新蔡匪徒朱鳳閣推安徽阜陽人邢名章爲首，號「治劫祖師」，據阜之岳家莊，僞立元帥，抗拒官兵。玉庭遣將弁冒雨突進，擒斃無遺。蒙、亳間積匪張建禮，護梟窩盜，肆行淫惡，爲地方大害，先後并其黨悉獮薙之。

及歸田後，優游林下者十年。道光十四年，甲午鄉科重周奉上諭：前任體仁閣大學士孫玉庭，因公鐫職在籍，現在年逾八十，再遇鄉科，洵屬藝林盛事。著加恩賞給四品頂戴，准其重赴鹿鳴筵宴，以示朕嘉惠耆儒至意。欽此。是年十月卒，年八十有三。子善寶，丁卯舉人，以廕補員外郎，官江蘇巡撫。貴而能勤，富而能儉。次仁榮，候補通判。三瑞珍，癸未進士，官至户部尚書。孫毓湘，廪生。毓泗，庠生。毓漢，壬午舉人。毓珠，庠生。毓溎，辛卯舉人，甲辰狀元，官浙江按察使。毓汶，丙辰榜眼。

李光時 字存謙，號静亭。生而穎异，讀書過目如夙誦。爲文經術湛深，繼軌先正。年十五入州庠，丁酉中鄉榜第一，庚子成進士，改官知縣，補授浙江嵊縣知縣。邑有蠹胥，狡惡遁法，下車即摘伏痛創，士民稱快。癸卯、丙午分校鄉闈，得士茅豫、吴于宣等，皆越中知名士。調任慈溪，案無留牘。臺灣有警，光時以賢能選，檄辦軍需，鈎稽出入，吏無侵浮。承修海塘，夙夜盡瘁，工固民悦。恭逢南巡盛典，牒令除道扈蹕，凡所承辦，絲毫不以累民。在慈溪任，以卓异當遷，士民攀轅頌德。戊申擢杭州府捕盗同知，未及受篆而卒，年三十。著有《思補齋稿》。子二，業立，癸酉舉人，挑教職，早卒。德立，己巳進士，翰林檢討，充癸酉福建、丙子湖南主考，江南道御史，巡視西城。歷任江蘇常州府、直隸廣平、保定府知府、直隸通永大名道，歷署按察司、鹽運司。孫建書，庠生。據傳志。

許鴻磐 字漸逵，號雲嶠。事親以孝聞。乾隆己亥中鄉榜，辛丑成進士，補授江蘇安東縣知縣，擢西城兵馬司正指揮，遷安徽穎州府同知，改泗州直隸州知州，所至有循聲，緣事落職。嘉慶二十一年，捐復知州，補河南禹州知州。平生博極群書，不事生産。初好爲駢體文，既寢饋於《史》《漢》、唐宋諸家，盡讀三通。廿四史往復十數過，强半成誦。因史書地志難辨，又以顧祖禹《方輿記要》雖能剔《明統志》之誤，而尚多沿其陋，遂精究各史，旁參百家，歷考古今圖籍，於省、府、州縣各志搜采無遺，博取精擇，足補顧惠之漏而訂其訛。南北奔走，未嘗暫舍，數十年精力畢注於是。其書以形勝爲主，爲總部以發其凡，其目首歷代建置，次歷代分合形勢，次山，次大川，次邊防，次都邑，盛京、畿輔及各布政司，分帙詳載。天山南北附甘肅，前後藏附四川，縣統於府，首沿革，次形勢、山川、關厄、古迹。外域則朝貢諸國亦備著，而極遠如泰西等國則略焉。於厄要據險之區，援據證明，曲折詳盡，使歷古來戰克守固之所以然瞭如指掌，并及水利、農田及有關實用者。書成，名曰《考證》，考古證今也。罷官後貧無立錐，教讀爲事。嘗教及門以「多讀書見古今大規模，然後專用力於一家」之言。泗州去官時，以母珍膳偶闕，遂自甘茹淡，止酒十餘年，其内行敦篤類如此。文學昌黎，詩皆正聲，兼通醫，工調曲。年逾八十卒。以弟之子爲子，早逝。孫一。女適石氏，爲烈婦。所著書二十種，詳「藝文」。

李元善 字衢徹，號柳南。乾隆戊子歲貢。幼事親無違，伯兄蕩産，節衣食以分之。妹既嫁，無以自活，携歸養之數十年。生平嗜學不倦，爲文力追先正。教及門，皆有成就。晚歲嗜《易》，旁通於數，兼地理、醫術。乾隆五十四年卒，年六十一。子穎，字兼川，始名齋，字相如。中乾隆庚寅鄉榜，署博平縣教諭，借補樂陵縣訓導。父憂服闋，補濰縣教諭，選授直隸武邑縣知縣，以例爲同知。未及遷任，卒於官。少博考古今方輿諸籍，壯益窮采經史，旁及名物、象數，於歷代禮樂、食貨、兵刑、海防、河務諸大政，源委洞然。及官濰縣學信，從者益衆。磨礲數年，士風丕變，科第甲一郡。晚得武邑宰，俗悍多械鬥獄，穎至繩以法，獷徒震讋。向時丁税吏胥高下其手，民患苦之，穎剔弊竇，斥櫃規，揭示定價，并裁減差徭，民氣大蘇。簡耆老講法於鄉，集士月課於署。嘉慶十八年，教匪起於滑，蔓延直境。軍興，車馬皆奉嚴檄，民力不支，捐俸以充其役。時搜捕餘黨，邑有挾仇誣告者，立抵於法，無辜免株累。卒於嘉慶二十年，年六十三。民皆巷哭。穎子恩年，字山如，號進。思弱冠中嘉慶戊午舉人，候選知縣，未及任而卒。當父官武邑時，祖母以道遠未就養，恩年居家奉侍維謹。後父卒於官，扶柩歸，祖母尚在，益委曲致孝。從父不事生産，歲奉衣食無缺。殁後殯葬如禮，撫其後至成立。同里許鴻磐於恩年爲父執，致仕家居。恩年敬事之，事必咨而後行，處師友無問存殁。教子有法。卒年五十九。據墓志、家傳。

李澍 字慰蒼，號半村。幼穎异，弱冠應童子試，補州武庠生。舊例武生得與文試，乃益攻苦，再薦不售，遂弃舉業。築茆城南，讀書其中。家素貧，事母竭力營甘旨，有餘則振親舊之不贍者，蓄藥餌。乾隆四十八年卒，年八十七。著有《盛澤遺稿》。孫書明，字啓東，號拙齋。幼穎悟，長自鄉還城，叠遭祖父喪，竭蹷坎壈，益勵學敦行。姊早寡，養之終身，嫁二甥女。姊殁，殯殮如禮，爲請旌入祠中。乾隆壬子舉人，歷署太和、旌德、盱眙、太平、東流、歙縣、五河、青陽縣事。充道光壬午江南鄉試同考官，補祁門縣。初任太和，有巨商毆斃人，欲以厚賄免，力拒之，置商於法，邑民悦服。太和俗素悍，再攝任，幾於無訟。嘉慶十八年，滑縣教匪滋事，安撫提兵禦于亳州境，檄運軍儲，即令留營。時人思邀功，濫逮良族誣爲寇，以博遷秩。書明獨釋，活無算。巢縣饑，奉檄查賑，親入窮鄉，遍詢疾苦，核實剔弊，民以不饑。蕪湖江漲，民避水高阜，書明乘一葉舟載粥巡行，出入洪濤駭浪中，望見者拍手呼更生。任太平，按章毛代抵殺人事，一訊而服。檄治霍邱積案，月餘厘一百二十款，人頌平允。嘉慶十六年，檄查蒙城接款，時有蔡金鈴强奸蔣秀才妻致忿而自縊，狡無證。蒙令求代詢，有藍生者書明，曩代試蒙邑所拔士也，與蔡同村，因其來謁，詢得實，蔡不能隱，遂伏法。任歙半載，鋤强扶弱，去任已出境，有村農跪輿前，首戴徽棗滿筐，涕泣而送。凡攝任，痛懲大猾及蠹役、悍吏，而立爰書必減。曰：「吾三世單弱，後其繁乎？」壬午分校，所得多宿士。以不能脂韋逢迎，浮沉二十餘年，始補祁門，年七十矣。夏病漸劇，猶力疾赴鄉勘幼婢溺死事，未幾卒于任。所著作詳「藝文」。據墓志。

吴敬森 字蔚村。乾隆己酉舉人，授貴州普安縣知縣。嘉慶六年署天柱縣，邑文廟舊在城外，久圮，倡議建城内。又捐修鳳城書院，置田三百畝爲課士經費。十四年攝桐梓縣事，桐俗貧民每有自戕，眷屬嫁禍富室以詐財者，俗謂之「打騙」。抵任即痛懲，立抵于法，并委曲曉諭，民風丕變。時安平縣盜起，上官以敬森廉能調署，桐梓百姓攀輿泣送。抵安平，遍歷山谷搜賊巢，盡獲之，境賴以安。歷任十一州縣，護理都匀、思州府，所至有循吏聲。

王仲愚 字拙安，號蔭臺。永清子。生而穎异，秉性英鋭，抑塞之中能自振拔。年十八遭父喪，瘠毀骨立，以兄任家政，己遂奮志下帷。爲文以行氣爲主，於經籍捻諸家説而酌其中，尤邃于《易》。以州廪生中乾隆戊子舉人，己丑進士，改庶吉士，辛卯散館，授檢討，充方略館纂修官，協辦院事。值詔修《四庫全書》，充提調官。甲午京察一等，保舉御史，奉旨記名。丁酉京察一等，以府道記名，奉旨恭送皇太后梓宫。是歲分校順天鄉試，得吴鵬孫等十五人，皆知名士。四十三年，方略館纂書、四庫館

《永樂大典》告成，升右春坊右贊善。庚子充廣東正考官，得張錦芳等七十一人，遷左春坊左贊善，復授右春坊右中允，充日講、起居注官。辛丑遷侍講，越歲以積勞成疾卒於官，年四十七。子五，貽棻，謄録館，議叙揀發兵馬司副指揮，服闋授四川西充縣知縣。貽忠，太學生，孝友性成。父卒於京，聞訃星夜奔馳。居母喪，被髮跣足，盡哀盡禮。兄貽棻以病軀赴任，遂輔翼以行，到任病益劇，不數月解組。公私逋累，已獨任之。先措資令兄歸，後留滯川省者數年，事詳家傳。貽孫，附貢生。貽京、貽粤俱太學生。據墓志、家傳。

王貽桂 字丹圃，號瀛溪。伯愚子。由四庫館檢校議叙揀發直隸知縣，初任廣宗縣，訟簡刑清，調邯鄲、清苑，兩任繁劇，處之裕如。苞苴請托嚴拒，黠吏蠹役不敢欺。值歲饑，挑挖九龍河，以工代賑，全活甚衆。又搜獲鄰邑賊巢，不以疆界爲限。其均兩邑車馬差徭一事，民至今稱便。明楊忠愍公，清苑縣人。貽桂甫任事，即訪公後裔，得其《教子遺文》一卷，刻石立學宫，以爲風勵。歷署易州，補授南路同知，調補遵化州。寬嚴并用，旗民安戢。旋授浙江台州府知府，整躬率屬，案牘一清。地方有結黨把持爲害良民者，偵獲殆盡。己酉擢浙江鹽運司使，署浙江布政使，緣事落職歸里。卒於嘉慶十八年，年五十九。堂弟貽象，號耕雪，援例由縣丞借補南河、睢寧主簿，歷任宿南通判、外南同知，護淮徐、淮海、淮揚三兵備道。任睢寧，殫心河務，兼設法偵緝匪徒，遠近帖然。運河值黄水溢侵，通河停淤，悉心經理，漕行無悮。宿南屬六工朱工，一綫單堤，後俯深塘，洋河地低隘，下有巨鎮，頻年議修而格於費巨不果。貽象周視酌度，請于當路，未三月工竣，民賴以安。其再任外南，適黄水倒漾，軍艘阻滞。乃建議請仿運河啓閉法倒塘灌放，當事者據以入奏施行，公私稱便。卒於道光十七年，年七十一。

李鍾沂 字岱源，號心雪。生而失怙，孝友性成，事母色養。幼讀書，繼以兄殁，母許氏不欲以婦人理家事，遂盡付鍾沂，以故不獲卒業。喪母後，以母苦節未旌，苫塊者十有餘年。後有司上其節孝，得旨以「貞操順德」旌焉。平居痛斥奢華，儉人所不能儉，而濟急拯困則毫無吝惜。於貧不能喪葬婚嫁，及骨肉離散者，皆百計成全之。乾隆戊辰，歲大饑，道殣相望，出所藏粟并市他境米減價平糶，復請於州牧倡捐設粥廠，用是民不知饑。宗支繁衍，凡無資就學者，與從弟作霖立義學，厚其供給。卒年六十有六。子五，瀚、琬、泳、瑩、澍。瀚字雲溪，乾隆庚子進士，内閣中書、刑部貴州司員外郎，記名御史。琬字研溪，援例爲工部主事，爲人渾厚。子聯榜，嘉慶戊寅舉人，清平縣教諭。泳字潤田，州庠生，援例爲郎中。性儉素，居鄉小心謹慎，於學校中士相待尤恭，遇有急難，不惜重資以濟之。課子極嚴，刻刻以讀書上進爲念，卒年六十七。子三，長聯厚，戊寅舉人，郯城縣教諭，候補員外郎。謙約有父風。瑩字錦泉，號朗亭。性端重，少從同里夏永清學，永清極稱之。嘉慶三年遵例爲員外郎，庚申年舉於鄉，辛未年成進士，補户部江西司員外郎，勤慎盡職。後補江南道監察御史，兩月中疏凡四上，其言以興教育才爲首務。至防工作之虛糜、嚴吏治之操守，皆能切實指陳。公務之暇，手不釋卷，四書五經無一日不諷誦披閱。雖任諫垣，自奉仍如寒素書生。二十五年卒於官，年五十六。所著《詩集説》《縉雲山人詩集》，詳「藝文」。子五，長聯壇，甲子舉人，内閣中書。聰明博學，於子史百家大半成誦。積書數千卷，尤嗜理學，宋之程朱、元之何王、明之薛胡，其淵源宗派皆能貫徹靡遺，兼精象緯之學。卒年六十六。澍字東泉，援例爲郎中。儉樸勤謹，治家有法。延名師教子，不令出户閾。自奉雖約，而地方有義舉必慨然倡首，利益之事解推無吝色。撙節退讓，不愧長者之稱。卒年七十四。

潘英 字萬千，號撝庵。歲貢生，福建建安縣知縣，政清刑簡。又任直隸平山縣知縣，邑多山，盗倚爲窟，數擾民。英嚴緝曉諭，盗盡改行，民德之。弟鉞，字清聞，貢生。任山西平陸縣知縣，平陸地高亢，民苦雨澤不時。鉞浚渠資灌溉，民號爲「潘公渠」。鉞負奇氣，凡利弊所關，動與長官爭，以是被劾去職。後補授平陽府清軍同知，候選浙江副使道。卒年三十六。據家傳、行狀。

仙韶焕　字堯章。太學生。世居玉帶河東偏，舊有跨河木橋，歲久傾圮，每水漲行者病之。韶焕捐輸材木，倡率里人鳩工重修，越數月橋成，往來稱便。南北岸勢陡峻，昏夜度橋輒有失足墜水者。韶焕乃懸燈橋上，光澈兩岸。值伏雨秋霖及祁寒大雪，恒躬率僮僕於附近之道路、橋梁平險補壞，行旅坦坦，初不知誰爲之也。乾隆四十六年卒，年八十八。子禄孫、庭蘭，亦有善行。曾孫汝彬，道光戊子舉人，選授昌樂縣訓導。據家傳。

朱彭年　字鶴舉。以行伍起家，仕至直隸易州營游擊、紫荊關參將。歷辦大差，以勤能著績，屢邀恩賚。乾隆三十九年，剿辦山東逆匪王倫，彭年奉檄赴臨清州探截賊匪，隨同瑪爾清阿帶領督標五營官兵三次打仗，奮勇殺賊，生擒賊匪七名，以軍功委署昌平營參將。逾年署紫荊關參將，差務絡繹，幹辦裕如。乾隆五十年卒，年六十。據履歷。○按，「職官」作「河南人」。

鄭勉　字勖旃，號墨泉。父河圖，號弱廬。太學生。少孤，家貧弃儒賣藥，以孝聞。生平不妄交游，往來惟一二耆儒，時推爲敦品君子。嘉慶十四年卒，年七十八。勉幼穎异，有至性。初授書，知辨四聲。事親無少拂，叔父殁，無子，事叔母如母。一妹適仙庭蘭，教甥汝彬讀書成立。少與同邑夏曾友善，曾將死托其子大觀於勉，撫而督之，大觀得自立，一時推篤行焉。以拔貢生中甲子鄉榜，屢試不第。詩軌於正，書准於法。其爲人和而介，晚主上海講席，從游多知名士。卒年五十有九。據許鴻磐撰傳。

夏永清　號東溪。歲貢生。自幼端謹，及長家中落，晝營生養親，讀書以夜。既入邑庠，授徒以養，苦不足乃磨麵爲生計。晨起課弟子畢往糴麥，復詣館竟一日功。抵暮送麵市肆，每日與家人輩食粗糲，而堂上甘旨改豐潔。母殁，竭力營葬。適黄河水溢，墓地爲水圍，永清沿途假道，艱苦備嘗。葬前二日，忽大雪地凍，及葬克期而達。時他家厝棺猶豫不葬者，逾年水至，多漂没，里黨服其先見。學以踐履爲本，教人務敦行誼，《訓子書》略曰：「學人静坐，讀書之功，一日不可缺。静坐則放心收，讀書則物理明。

積日累功，其味無窮。如在我無實功，徒群居肆談，恐虛耗光陰，漸長倨傲。」又曰：「貧者士之常，正可以驗所守。勿以考試得失爲憂喜，惟專力群經，久之氣質自化，省心省事，省財省言，尤須切記。」著《閑中録益》等書，詳「藝文」。卒年六十六。子曾，字魯齋，號沂泉。幼承父學，以朱子小學課徒，中乾隆甲寅鄉榜。至性過人，數歲時，母朱氏病，夜侍湯藥，恐履聲驚寤，去履登降，既長承顔無違。父病三年，不離左右。父或不食，曾亦不食。母患盲，曾假寐床前，奉事惟謹，幾二年母愈。曾卒年三十八。孫大觀，庠生。守分安貧，兼工隸書。

呂振芳 康熙庚子舉人，有文行，鄉謚「文懿先生」。子桐，字韵清，號嶧嵐。少孤，事母以孝聞。年二十入州庠，赴某科省試，比歸而母卒，號哭經年，遂失音。事异母兄，敬愛交至。晚歲學養彌粹，許鴻磐其門人也。卒年六十。據許鴻磐撰記。

鄭延順 字去逆。太學生。少孤，事繼母孝謹。性敦厚，睦宗族，解紛難，有求助者推予不吝。年八十三卒。子維從，字裕存，號野園。乾隆戊申舉人，補萊蕪教諭。

李鯤 字化鵬，號浩齋。精於醫，工行草、隸、篆，性嗜金石，收藏鐘鼎、圖書、碑版甚富。子東琪，號鐵橋。克承父學，隸書《尊經閣》屏風、《聖經》一章，其所書也。遠近搜尋古碑，遇有端倪，即與黄同知易肩輿往，向榛莽中剜苔剔蘚，且摸且讀。《膠東令王君碑》《范巨卿碑》久佚，東琪搜得之，置學宫。先是，鯤於雍正六年得《鄭固碑》缺石，郃陽褚峻載入《金石經眼録》。及東琪得《王君碑》，嵫陽牛運震《金石圖》稱其「得片石爲承歡助」，士林中傳爲美談。著有《碑目》二卷。

鄭應麟 字天石。幼以孝聞，好學篤行，不樂仕進。卒年七十五。子德淳，字芳載。有至性，以例授户部主事，晋員外郎。卒年五十四。孫如岱，字震堂，號松泉。祖應麟有傳。如岱少善書工畫，年十七中乾隆己亥鄉榜，援例補授刑部雲南司主事。道光十四年卒，年七十二。據行述。

李大紹 字聞衣。乾隆甲午舉人。操履謹飭，其學邃於《易》，占事知來，得之主静。五十後絶意仕進，閉門獨處，人罕覿其面。晚歲養真履素，道味粹然，年近九十卒。著有《衛生集》。

王　籍 字涵相。博學能文，年四十一卒。子大來，字審齋，號漁村。讀父書，乾隆己亥舉鄉榜，嘉慶辛酉成進士，授青州府教授。考古著録，窮年不倦。道光三年卒，年八十二。著有《四書口授編》。據墓表。

林興淇 字竹溪，號東崖。候選州同知。性孝友，好施予。有劉某者托言母病貸金，且願以物爲質，興淇曰：「吾憐子孝而貸之金，豈受質哉？」某得金逸去。越半載復至濟，或告曰：「逋金者至矣。」興淇置勿問。乾隆四十七年卒，年六十二歲。子一鳳，字品仲，附貢。事親孝，兄弟疾，輒廢寢食，爲營醫藥。治家教子，嚴整有法。

吕士炘 字景炎。州廪生。事親以孝聞，與兄友愛無间。兄殁，撫侄如子。後侄亦殁，所遺寡婦、稚子，士炘養之，數十年如一日。生平文行爲鄉里所推重，嘉慶五年卒，七十三。子成圻，親病割股，孝友如其父。卒年七十九。據家傳。

袁茂柏 字新甫。事親以孝聞，父性嚴急，茂柏承順意旨無少拂。母病且盲，凡起居飲食皆身親扶掖，委曲調護。嘉慶元年，河決，避水患，奉母居州城。母卒，扶柩還鄉居，登舟時以兩手承柩，跪而祝曰：「兒在，母勿恐。」喪葬事一以《朱子家禮》爲宗。其居家循司馬温公《雜儀》，内外嚴謹，接人以誠，面折人過，而背無私議，人服其直諒。嘉慶十九年卒，年四十九。

李慕白 字步仙。歲貢生，少受業於同里宋嘉德，潛心經訓，尤邃於《易》。平生輕財好義，遇戚友有急，救之不遺餘力。其師嘉德殁，家貧甚，慕白糾合同門出資以供殯殮，餘爲生息，拳拳師门，終身如一日。嘉慶二十一年卒。據家傳。

李永泰 以行伍起家，拔補右營額外外委，屢著勞績，補授左營右哨千總。嘉慶三年戊午，在白雲山打仗，追賊奮勇，奉旨賞給守備銜。是年五月，在八道河、陳家塘、化石崗等處三次打仗，身先士卒。化石崗山勢崎嶇，戰失足墜騎受傷，經經略奏補濟寧城守營中軍守備。十一年丙寅，軍政案内卓异，加級。十三年戊辰，推補福建興化城守右營都司，以巡防海口感風濕傷發，告休歸里。奉旨給半俸以養餘年，二十一年卒於家。據事略。

徐萬寧 陝西建安堡都司，署黄甫營游擊，出師漢興征教匪。嘉慶五年十月初十日，在茶鎮地方陣亡，中營馬兵沙允清嘉慶二年剿楚陣亡，并祀昭忠祠。

靳浩運 字際章。父王廷，歲貢。以孝友聞，任平原學，潛心性理。浩運少才智過人，重氣節，遇人急難，揮金濟之，無德色。時創建屯田，靳文襄河督特器重之，以江南山盱廳領屯田百頃，屯務報績，優叙守備，著聲江淮、吴越間。卒年六十五。子秉瓚，字執玉。歲貢生，敦行績學，士林重之。據家傳及札付。

王思志 字希正，原名思賢，因節母苦志，改今名。嘉慶十五年舉人，幼博覽經史，務實學，嘗書謝氏語「克己須從性偏難克處克將去」爲座右銘。生七月而孤，事母至孝。鄉舉後，以母年高絶意進取。母殁，思志年五十五矣。居恒閉户讀書，足不入城市。母喪服闋，或勸其赴選，思志泫然曰：「昔毛義捧檄而喜，爲親在也。吾何爲哉？」終身不仕卒。

張永禄 字錫祉，號積弁。貢生。性醇厚，父殁後，母雙瞽，曲盡調護。家貧，饔飧不繼，而甘旨無缺。同里有聶大慶者早亡，妻崔氏孝貞事姑至終，更依倚女家完其節。永禄倡約同學請於學使，得「貞孝可風」額，建坊於其舊宅前以表之。有陳氏三世節孝相續，永禄亦爲上請，旌其門曰「一門三節」。平日遇節義事則慷慨，任不少讓。

學務大體，斥輪迴之説。又謂：「年間人家祭天地爲僭且褻，改爲祀宅神主，庶於義稍安。」與同邑高如岱論古士喪禮，以正今誤。又勸鄉人行區田法，詳「物産」。晚歲益肆力於古，積學日邃，而省愆克己之意老而彌篤。講《易》至《謙》以制禮，《巽》以行權，謂：「驗之五穀，其發育長盛時，中必柔順。吾輩遜志時敏，亦正如是。」疾革，猶與其徒劉象山説《易》至《无妄》卦爻。嘉慶二十一年卒，年七十三。子樹屏，字德門。庠生，少嗜學，潛心理趣，嘗曰：「載記人之繩矩，小學人之楷模。」道光九年卒，年五十三。據同里蔣巖張學謙撰傳。

陳品重 字岩石，號南村。貢生。世以儒業著。品重少從父學，長授讀，供甘旨，朝夕必親奉饌。昏夜篝燈，率童稚讀書父榻前，父顧而悦之。生平研究經義，一以程朱爲宗。父歿不復赴試，曰：「吾向冀獲一第以娱親也，今即能售而父不及見，衹增痛耳。」治家嚴整有法，嘉慶二年卒，年六十二。子貽準，字汝衡，號砥齋。性孝友，教弟貽標。貽標舉鄉榜後得痰疾，飲食衣服悉爲籌畫。深於經學，十三歲入州庠，後肆力於古，趙鹿泉學使許爲作家，拔冠其儕。乾隆五十四年，以拔貢生候銓，從學者日益衆，門下士得其緒餘成進士者四人，登鄉榜者十四人。道光八年，選授高苑教諭，以疾未赴。適長子熙曾中丙戌進士，以庶吉士散館，授兵部主事，就養京邸，時諄諭曰：「昌黎云：『食焉而怠其事，必有天殃。』況居官而素餐乎？」十二年卒於京，年七十。熙曾現官四川重慶府同，里許鴻磐銘其墓。據墓志。

張文軒 字印南，號成夫。州歲貢生。性醇謹，自幼以孝聞。叔父某分居後衣食有缺，恒分館穀以養之，并置田數畝以資其老。省試屢薦而蹶，年六十猶攻苦不倦，曰：「老親在，不敢稍露衰頹耳。」及祖父與父相繼殁，遂不赴試，教授四十餘年，及門成名者甚衆。生平篤於師誼，其師褚渭川臨殁以子托之，囑其心照，文軒遂爲《心照記》，督課其子，爲援例入太學。及渭川子殁，家中落，文軒當疾革時，尚以《心照記》諄諭其子。濟有七空橋，東臨漕河，爲南北孔道，歲久塌壞。文軒捐館資以倡，不數月而竣。道光九年卒，年七十四。文軒學問淹貫，尤精「三禮」，所著作詳「藝文」。子遜志，嘉慶癸酉舉人。據墓志。

邵大松 字凌閣，號柳溪。世有隱德。大松生而失怙，母劉氏矢節撫孤。比長，家益貧，爲童子師，數十年不以困窮累心。事母至孝，恒自饜糠秕而不缺甘旨之奉。母歿，痛母節操五十年無力請表，時時號泣，後其子勷通籍請旌。嘗就子官署，每微服私出，詢行道者曰：「汝官好否？」曰好則喜，歸必加餐。迨其子遷漢陽府同知，檄赴湖南軍營，大松勖以勉力報效，立促之行。賊平，以軍功晋封秩。性仁恕，每聞榜笞聲輒惻然，退衙必戒曰：「均此肌膚，慎毋以刑威得情。」博能吏名。在漢陽署，時漢水泛溢，漂没人畜，重遘大疫，死者枕籍。大松購棺槥三千具，置義冢三區收瘞之。復令人囊錢竊置途間，俾老弱癯病者拾之，全活無算。在黄州府署，時歲饑施賑，大松恐子歸省，以書諭曰：「汝多侍我一朝，不如多活人一命。」以是民得早沾實惠，晚得禄養。每戒庖丁無輕殺，粗衣布履，依然寒素。家人進鮮衣，恒置之笥中。道光十四年卒，年八十。勷壬午進士，初官江夏知縣，今由同知以軍功擢任四川嘉定府知府。據墓志。

車萬照 字輝宇，號野亭。性醇厚寡言笑，家貧授徒以給。少失恃，哀毁如成人。父膺痹疾，數載不能起，萬照取厠牏自浣滌。叔父鶴友早卒，萬照爲之後。所後母鄧氏，守節四十年，萬照竭力奉養，得嗣母歡。其兄卒後，遺孤方幼，有女二，萬照撫視備至，爲次第完婚嫁。妹適人，後與夫相繼死，取孤甥鞠之，俾有室，延其嗣。嘗訓諸孫曰：「人言讀書無三世困，吾家困二世矣。雖甚困，不悔也，汝曹勉之。」道光十五年卒，年七十二。子方坤，庠生。孫克慎，道光癸巳進士，萬照猶及見焉。官至禮部左侍郎。

周郁燦 父病疫，其兄方調藥餌，郁燦謂兄曰：「父病革矣，親故滿堂，兄姑出應之。」兄既出，一妹年未笄在旁，郁燦復遣去，而自闔户，戒母竊視。妹窺之，則見其焚香再拜，默禱畢，出剪刀於袖，割股肉二寸許，血涔涔下，裹以帛，旋納肉藥鼎中。出户見妹，戒勿揚。父服，病良已。後郁燦母病，婦程氏封臂愈之，事詳「列女傳」。據潘遵鼎撰《周孝子程孝婦合傳》。

楊梅和 生而醇謹，爲童子師，資束脯以供甘旨。孺慕之誠，根於至性，戚黨中呼爲「楊孝子」。母任病，梅和遍覓良醫，罔效病危，醫者束手。梅和日造其門，涕泣求治，哀跪不起，醫者曰：「無已，惟有古人割股奉親之説，或可冀格天於萬一耳。」蓋憐其孝，故權詞以謝其請。梅和遂躍然去，抵家潛身入卧室，引刀刲臂肉烹以進。任嘗之甘，疾稍間而卒不起。梅和日夜號呼，越年餘以哀毁卒，年二十五。據同里仙汝彬撰傳。

李允旂 字賁園，號西漁。嘉慶二十一年舉人，爲諸生時，父爲債家所迫避去，不知所往。允旂亦隻身徒步出，至淮上，乞食於逆旅。主人异其狀，詢之，具以情告，爲設館授經。時允旂念父切思，得少餘爲尋親計，而修脯薄甚。又值歲歉，恒衣食不充。然操履潔峻，不爲非義動。客淮數年，得父回籍信，晝夜行百餘里至家。父子相持慟哭，復理舊業，益自奮勉。既領鄉薦，屢試禮闈不第，友人重其品，以重幣聘司出入，却弗就，仍以授經自給。胞叔某爲禮部吏，卒於京，貧不能歸櫬。道光六年北上得耗，自顧資斧垂罄，計無所出，乃日食粗糲一餐，躬負骸骨，歸葬如禮。是歲，授德平縣訓導。倡修學宫，訓諸生，敦品勵學。有貧不能赴省試者，輒助之，由是科第振興。二十年以疾卒於官，諸生爲之殯葬，皆哭失聲。

郭馥林 前明鄉賢郭汝九代孫。少習儒業，以孝聞。道光七年丁亥父病，醫藥罔效，馥林禱於天，願以身代。夜赴密室中，割臂肉和藥以進，父病稍差。更數月卒不起，馥林號慟不欲生，里黨稱「郭孝子」云。卒年三十九。據家傳。

朱允煌 字輝璧。敦行好善，族黨貧弱者招與同居。訓子弟以禮法。子坤，好施予，讀書明大義。同里人某爲執友，没後妻子不能自存，坤贍其衣食，延師教其子。病篤時，命家人舁一篋至，啓視皆債券也，曰：「吾豈以是區區者殃人子孫耶？」悉焚之。卒。子五，慶萼，舉人。據家傳。

郭　忱　字心泉，號印源。嘉慶九年甲子舉鄉榜，任壽光訓導。質性厚重，動循禮法。家有田二頃，鄉宅一所，悉舉以讓兄。授經於里，衣敝履穿，講誦娓娓不倦。補教職後，以敦品勵行勸諸生。值歲饑，佐邑宰紓民困。在任十一年，士悦民頌，論者謂：「忱不以閑曹冷宦漠然於利濟，尤爲司鐸者所難。」卒年七十六。子貞乾，孫汝誠，於道光庚子同舉於鄉，汝誠聯捷成進士。

鄔德泰　字潤田，號晴園。歲貢生，以孝友聞。兄殁後，嫂撫孤，敬愛彌至。有族人與衆無行者游，病瀕死，衆舁至門，德泰惻然收養。旋死，爲之殯葬，無難色。從高如岱游，以先儒往訓及如岱所著《學習録》手集一册，每夜必以一日所行事證其合否。生平待人以誠，謙光藹然。有里人將興訟，里媪曰：「此得鄔先生一言可解也。」已而果然。諸書體皆工，治家有法。臨没，子侄輩請遺訓，曰：「誠信爲主，可以寡尤。」卒年六十有五。子銘鼎、誠謹，有父風。

蔣　巖　字介堂，號約齋。篤學敦行，事親尤孝謹。嘉慶戊午舉鄉榜，任曲阜范縣訓導。

李南薰　字亮工。性敏嗜學，爲人恬澹，屏聲氣，接人以誠。中乾隆戊申鄉榜，教授諸生敦崇實行。道光六年，選知縣，改就榮城教諭。秉鐸四年，勤於訓誨，士風丕振。告歸後，出俸資贍族黨。卒年八十九。據家傳。

蘇公常　字敬典。孝友敦樸，鄰里喪葬貧不舉者，出資助之。道光元年年八十一，恩賜八品頂戴，舉鄉飲。賓二十一年，壽逾百歲卒。知州徐表其廬曰「期頤考終」。

魏興周　乾隆丙午歲饑，負欠者百餘家，舉券焚之。有願鬻産以償者，從容謝曰：「吾計簿無稽矣。」衆皆感泣。子蘊璞，庠生。孫睦庭，成道光辛丑進士，現官工部郎中。

戴鑒 字賦軒，號石坪。其先三韓人，自其祖以旗籍入濟。鑒性和雅，翰墨外無他嗜好。晚歲居北郭姜家樓，足迹不入城市，惟以詩畫自娱。詩境精深雅健，足名一家。畫山水簡逸有法。道光十八年卒，所著有《潑墨軒詞詩稿》。據家傳。

張克榜 字友蓮，號桂峰。曾祖爲經有傳。克榜少勤學，性廉介，待人坦白。道光十三年卒，年六十三。子大煐、大炤、大熺，皆循循有學行。大炤幼穎异，年十五入州庠，己卯、辛巳兩中副榜，攻苦力學，教授里中，從學者皆知名士。和易近人，不爲崖岸之行。於朋友過失必面争，人謂其和而不流云。道光十九年卒。據孫浩撰墓碣。

徐貫一 字恕堂。官河標右營游擊。母疾，貫一拔所佩刀封股肉大如掌，和藥以進，母飲之尋愈。又一年而卒，貫一號哭數晝夜，哀毁瀕死。後有東河候補知縣余積勛僦其旁屋以居，值貫一生日，往晤之。良久，貫一自外歸，塵土積面，目間額墳起如巨卵，血泪盈衣袂，驚詢之，曰：「無他，爲誕日拜母墳耳。」時去母亡已二十年矣。祀孝子祠，并詳「宦迹」。

孫廷相 字霖蒼。由州同升任中河通判、黄沁同知，練達河務。道光二十二年卒，年八十二。

馮繼聰 字作謀，號易泉。嘉慶丙子舉人，持家勤儉，績學能文，夙擅經師之望，門下士鄉薦者九人。子德城，道光戊子舉人，官海豐縣教諭。弟繼文，諸生，友愛彌篤。侄德馨，道光癸未進士，官湖南巡撫。

尋紹舞 字虞夔，號濂亭。雍正癸丑進士，歷任直隸廣平縣、山西倚氏縣知縣，政教風行，循聲遠播。其殁也，廣平民立廟祀之。著有《濂亭稿》。以下金鄉人。

張誠基 字貽哲，號晴舫。乾隆壬午舉人，己丑進士，授户部主事，晉員外郎中。乾隆四十三年，補貴州貴西兵備道，調貴州糧道，升按察使，調四川按察使。川省向多積案，誠基嚴定章程，案牘一清。資州百嶺灣爲盜藪，多年設法嚴緝，空其巢穴。五十五年，調署甘肅按察使，升直隸布政使，調江蘇布政使。值松、太二屬偏灾，民情窘迫，不及俟奏明賑恤，立請於撫臣發庫銀二十四萬兩，按名散放，民心遂定。嘉慶元年，升廣東巡撫，密查海盜窩綫，嚴禁海口接濟，洋面肅清。調補安徽巡撫，復調江西巡撫。時寧州匪徒滋事，發兵堵禦，悉心籌畫，立教約十四條以訓官弁，見「兵革志」。語皆洞中機要。五年，寧都州被水。七年，通省患旱，皆分別受灾輕重奏請賑恤，躬親查勘，民沾實惠。是年，緣事落職，百姓焚香號哭送者塞途。二十一年卒。

周廷森 字蔚瞻，號霽坪。乾隆癸卯舉人，丁未進士，刑部陝西司主事，福建司員外郎，安徽司郎中，浙江道監察御史，兵科掌印給事。廷森居官廉介，義命自安，不俯仰隨俗。在刑部承辦秋審，人稱其平。任監督，嚴却陋規，剔奸厘弊，吏不能欺。章奏務持大體，凡有關於國計民生者，争之必力。稽查倉務，巡視東城西城，執法秉公，人不敢干以私。官京師三十餘年，家無長物，清風介節，無愧古人。卒於道光元年，著有《手批史記集評》。

周垣 字紫圍，號雪泉。乾隆癸卯解元，癸丑成進士，歷任溧水、山陽、上元縣知縣、川沙同知，所至有政聲。任川沙，捐置義冢十八區，并捐棺木，共埋浮厝柩一萬二千七百餘具。子舒锦，副榜。兆錦，道光庚辰進士，官知縣。孫洛，舉人。洺，副榜。潞，字仲文，號春舫。道光乙未舉人，丙申進士。署貴州清鎮縣事，有惠政。調任定番，地處萬山中，風俗刁健。有巨匪號王半山者，横行劫掠，遠近患之。潞躬率夫役擒其魁，立斃杖下，覆其巢穴，民感頌焉。升補清江理苗通判，解鉛北上，抵巴縣之報部灘，山水陡發，衝碎運船。潞急易小舟，親督夫役撈取。時水大風猛，從者請少待，潞曰：「王事也，敢趨避乎？且何以率人夫也？」俄頃，浪涌舟覆，潞溺焉。年二十九。

孫溱 字兆旗，號柏舉。尚氣節，幼以孝聞。嘉慶十八年，逆匪潛謀不軌，里人高廣桂得其反狀告溱，急約鄉中父老議報官，衆惶恐不敢發言，溱議曰：「一城民命，所關至重。」促廣桂密白邑宰，又命書吏趙月春爲之導，次日於城隍廟搜獲刺客，糾合紳民嚴守備。道光十四年無疾卒。年七十一。

楊維翮 字漸奎，號雲亭。父覲光，學者稱「文康先生」，維翮少從父學。乾隆丙午舉人，丁未進士，由户部主事晋江南司員外郎、雲南司郎中，補授江西建昌府知府。下車革除折漕及州縣餽送，與吏民相安。加意學校，在郡十年，士民愛戴。歸里後，與二三老友及後進講學論文。道光十八年卒，年八十九。據墓志。

張體公 字大同，號惺堂。以例爲户部廣東司主事，廉敏有聲。補授福建龍巖州知州，以興利革弊、造就人才爲己任。倡修新羅書院，士民感之。遷直隸大名府知府，潔己率屬。晋河東兵備道，緣事鐫級，補授正定府知府。以病告歸，卒年七十三。

周祐廷 字葆軒。雲南南寧縣典史。嘉慶甲戌，騰越州逆匪滋事，以調赴軍營，以軍功賞戴藍翎，軍功效力，升知縣。歷署廣通、禄豐，卒於官。其在臨安，軍營飛炮入帳，衆皆驚愕，祐廷守禦自若。任廣通，整修學校，勤於課士。其卒也，妾徐氏以烈殉。

荆同楨 字延選，號秀峰，後改名鶴亭。宗嶧子，克承父志。讓産於諸兄弟，以教授爲生。乾隆壬申舉鄉榜，補館陶縣教諭，訓士有法。甲午逆匪王倫倡亂，逼近館陶，時大兵四集，人心洶洶。同楨捐俸助餉，鼓勵士氣，督率文武諸生，糾合鄉勇，内外守禦。事平，委署堂邑縣事。甫入境，見尸骸塞道，督衆掩埋。卒年七十八。

周繻 字文彩。例貢生，孝友醇謹，内行可稱。歲饑，爲粥以救餓者，多所全活。卒年八十五。子守仁，字敬表。乾隆乙酉拔貢生，江蘇武進縣縣丞，清慎有聲。

周守義 字均和，號睦田。性孝友仁讓。乾隆辛丑，黄水圍城，守義廣雇民船，渡危振溺。五十一年歲饑，盡出己資以助賑，全活無算。子敦庸，字彝憲。事父母、祖母以孝聞，邑有義舉必首赴。嘉慶十八年，教匪滋事，與弟敦化捐資輸粟，率其子秉鈞嬰城固守，歷三月不懈。敦化，字裕川。例貢生，嗜學敦行，守父兄矩矱。

尋紹益 字謙齋，號静怡。性至孝，事母承順，無少拂。值父母忌日，恒悲慘，以古誼自敦勉，嗜王湘陰《言行彙纂》。晚年節録爲一册，名曰《彙纂輯要》。臨殁，付其子曰：「後世有知吾者，於此書求之。」

李九標 增廣生。嘉慶十八年，教匪崔士俊等以邪術招集匪類，九標聞逆謀，首報學官，并報邑令，學官報聞學使，乃移咨巡撫，委武弁左壽寧赴邑潛訪得實。適邑令病故，巡撫以吴令階接署，仍遣左弁至九標家協同拿賊，獲首逆崔士俊等二十餘匪。訊出逆謀，解省正法。匪有遺黨李卓立，至是年九月十五日滋事。初，九標知賊必相仇，挈家口避住他處。賊入其家，見室有停柩，剖棺裂尸，焚其廬。十九日，匪敗挾衆而逃，九標乃歸里。見村舍已燼，無家可歸，日夜荷戈而泣。入城，謁學官及邑令，皆爲泪下，留九標助守。九標偵得李卓立等在曹縣之孫家老屋，乞縣令批文，約同兄弟及莊客十數人潛至其處。向晚投店，假稱過路，委員密令店主及鄉約，集鄉勇五十人圍繞賊穴。自領從人，於夜半時乘賊不備突入其室。賊衆既覺，持械奪路，從人受傷，且前且却。九標伏劍前呼，衆皆奮勇，齊聲稱大兵至矣，賊衆膽落。李卓立用鳥槍烘擊，九標等奪槍仆之。其弟李允以槍擊九標左腿，九標揮劍斷其手，遂與卓立等一并就縛。是夜共生獲大小逆犯四十七名，并置於法。學使黄鉞入奏，奉旨李九標著加恩賞給舉人，一體會試。同時有李家菜園民李允魁合衆呈請捕賊，其後賊匪焚劫村莊十七處，而李家菜園被禍最酷，允魁全家被害。據汪喜荀紀，并詳「兵革志」。

李湘 字際用。少孤，事母至孝。嘉慶十八年之變，衆恟懼無計，湘獨與教諭王元培、訓導梁輝生定謀，密請學使轉達巡撫。及難作，湘分守西城，勞瘁數月，事平不言功。生平篤學不倦，以諸生終。

李逢英 字化瞻。生有至性，父殁舉遺産盡以與弟，而自以授經爲業。遇弟急，仍周恤備至。嘗冬夜念弟寒，已祇一布被，推以與之。教匪滋事，登城固守，不避危險，墜城下死而復蘇。族有竊賣其田者，知而不問，且戒其子弟無漏言。卒年五十。

李　汶　字宗來，號東溪。性孝友，於書無所不讀。中乾隆壬午解元，補歷城縣學官。邑有攻皂大案，株連衿士，得汶主持正論，案乃反正。致仕後主講濼源、山陽、鳴琴諸書院，一時名士出其門。以年授國子監學正，再授翰林院檢討。年八十有五卒。著有《東溪遺稿》。

尋方瀚　字若林，號穎川。乾隆庚子舉人。少孤，與伯父錡同居，錡撫如己出，方瀚亦承意無違。既長，博覽經史，工詩、古文，從游者甚衆。族中有貧不能讀者，方瀚輒給食而教之。教匪滋事，與弟方深司守城公局，事平以軍功議叙六品銜。方深字匯滄，錡子方瀚，從弟以守城功議叙八品銜。生平志切敦睦，捐資以贍合族，里黨稱之。

劉佩錦　字韓圃。增貢生，任福建漳州府經歷，攝漳屬七縣，吏事修舉，獷悍畏服。時長泰縣有聚衆劫犯傷官事報郡，郡守擬請兵剿捕，佩錦請曰：「閩人雖愚，豈有一人犯事，村衆俱反之理？」守即令佩錦往查，以三日爲限。佩錦去村三里，安置夫役，步入村寺訪之。寺僧知村中有鄉老某，爲村人所敬服，命僧約來，曉以利害，且諭曰：「急送犯出，吾保爾一村安堵。」鄉老覺悟，應命執犯解郡，往返不逾三日。守據實聞，督撫專摺保奏，以知縣用，旋署龍溪縣事。縣附郭民悍多訟，又值臺灣不靖，佩錦承辦軍需，不解衣者五月。督巡捕有所索，佩錦不應，譖于督，欲以事困之。適有南靖縣械鬥事，檄佩錦代審，合犯千餘口，凡十五日而畢，事全活五百餘人。居月餘，檄解軍餉十萬赴臺，同官皆爲危懼，佩錦坦然就道。舟近大洋，賊船往來，窺探天色昏暮，孤舟無依，舟人皆哭，佩錦謂舟人曰：「吾以國事捐軀，分也。爾等何不幸亦喪此？若舟中四十人同心死守，尚獲全。」僉曰：「惟命。」器械不足，截篙爲棍以益之，令人手執一器，分列艙外，舵工執鑼立船頂，傍燃長香作火器以疑之。賊至鳴鑼爲號，是夜鑼鳴數次。適風浪大作，賊船輕小不敢逼，相持至曉而散。事竣，仍令往省，未逾月而督死，攝篆者慨然曰：「劉某一縣令耳，經如此鍛煉而始終不餒，真杰士也。」欲以繁要處之，佩錦力辭，于乾隆五十九年歸養。萩水奉親，閉門課子，布衣芒鞋，蕭然閭巷者四十餘年。卒年九十四。○以下嘉祥人。

張　泠　字半塘。乾隆五十一年歲大餓，典質田宅，易粟煮粥以食餓者。官甘肅平涼府經歷、靜寧州吏目、嘉峪關巡檢。嘉峪地當孔道，往來發遣囚徒，過境甚衆。每歲秋冬輒買棉衣百餘，領妻孔氏親爲補紉，視囚徒中尤貧無衣者衣之。衙齋清苦，處之晏如。致仕歸，卒年七十。子恒寶，字奉久。任陝西寧羌州，多惠政，人多感頌。秉承庭訓有素也。

張山筠　字紫峰，號猗軒。乾隆四十六年任廣西馬平縣穿山司巡檢，歷署萬承州州同、養利州知州，有廉能聲。養利土苗凶悍，聚衆滋擾，山筠執其渠數人嚴懲之，并諭散其衆，遠近帖然。山筠性淡泊而義甚篤，捐地八畝爲義冢。卒年六十六。

閻佐清　字卓庭。以濟寧籍寄居嘉祥，事母至孝，年七十餘母猶老健，作孺子狀以悦之。事兄如父，母年一百二歲，佐清白髮斑衣，婉容孺慕，邑人化之。卒年八十三。

馬呈麟　字振公，號松溪。貢生，事親孝。讀書一覽成誦，人樂就學，生平於學外無玩好。晚歲就養費縣學舍，優游山水。於乾隆六十年卒，年七十。著有《松溪詩集》。子三，邦錦，增廣生。邦玉，舉人。邦舉，乙丑進士，官曹州府教授。邦玉，字荆石，號石園。七歲能屬文，乾隆己酉拔貢生，授費縣訓導，署濟陽訓導。辛酉中鄉榜，授單縣教諭，升任登州府教授，未及赴任，卒於單。其任費也，學使僻尚新説，菲薄程朱，邦玉輒面争之。在濟陽任，值縣吏藉河工科派，鄉民群聚而嘩，令倉皇無措，邦玉從容出一言鎮定之。邑舊有鳴琴書院，爲勢僧所據，邦玉倡言逐之，書院乃復，并於四境設義學三十餘處。癸酉秋，曹定教匪突起，密邇於單，兵不滿百，危甚。邦玉約同事晝夜巡城，一切發粟、募民皆首倡而身任之。密探城北有匪黨，用計翦除，事定以軍功加一級。平生嗜古力學，謂：「時文起而古文亡，有志者須於漢唐以前求之。」愛金石文字，博搜精考，晚歲於峊山陽得漢永元石刻，於故昌邑得漢建寧殘碑，因題其室爲「寶漢齋」。道光五年卒，年六十四，著作詳「藝文」。弟邦舉自入學以迄成進士，皆邦玉指授。子星房、星翼，嘉慶癸酉同榜舉人。邦玉卒後，妾李氏以烈殉。星房字伯府，號騶山。以甲戌謄録需次都中，曲阜孔琴南延，主玉虹樓講席。樓中收藏圖史甲於東省，星房晝夜披覽，學大進。嘗仿唐人《初學記》、宋人《通志》類集名物，一洗時學簡陋之習。性高潔，憚與俗通酬酢，而修脯有餘，輒以賑貧乏。於嘉慶二十二年卒，年三十一。著作見「藝文」。妻孔氏以烈殉，事載「列女傳」。據家傳。○以下魚臺人。

馬毓豐 字雲圃。候選州同。少事母以孝聞，撫弟毓秀，友愛尤篤。初家貧，後毓豐以勤苦殖産，而終不肯與弟异炊。弟年過五十，每出至晚不歸，輒爲廢寢食。嘉慶二年河决，邑大饑，捐米七百斛、錢三百萬，又購兩城山下地二十畝以瘞流亡。大學士董誥表其閭曰「應山高誼」，里人爲作《胡陵先生頌》。卒年八十。

歷朝總傳 一

羅氏《新安志》凡孝子亦曰「義民」，《舊志》分「孝子」「義士」「篤誼」「耆德」諸門，《前志》統曰「孝義」。其他事實不能成傳者，於宋有李光襲，州屬金鄉人，十世同居。太平興國二年，詔旌其門。於元有孫孝子，旌表石坊在金鄉治東。元至大二年，御史康里夔所立，而佚其名。於明則廬墓得若干人，曰：王果、程選、劉汝新、弟汝化、湯之任、秦治世、劉元忠、李文遠。割股者二人，曰：徐守繕、楊芳升。旌獎而事實不詳者四人，曰：張濟民、李鳴雷、子耀昇、一天啓時旌，一國朝康熙時旌。姜羽翔。見學碑。孝友而齒德并尊有司給冠服者，曰：魏遷、馬尚賢、李斌、此又一人同名。尹仲良、李文甫、徐仕。守繕父。傅守節：江瀾、王道、朱永安、李材、倪宗武、二人崇禎時旌。劉應時、褚登禄。諸人皆見《明志》。《前志》以明人援《新唐書》之例，類叙於篇首，今并續而書之。

傅光祚父殁刻像以事，色養孀母備至。張鳴鶴親喪絶粒七日，泣血三年，未嘗露齒。二人皆以旌獎。常省家貧業農，刲股愈母病。劉泰徵諸生。以禮出嗣爲人後，事養如一，撫從弟如同胞。曾繼祖事繼母孝，兄弟無間言。母卒，廬墓三年，已旌。鄒衍洙庠生。鏕子。年十三歲母病危，告天斷指自矢，母尋愈。鄭學弦父爲役夫且老，學弦有三兄皆别居，弦獨侍父。父負他人金，弦傭工貿販，數歲抵所負。父初未知，弦稍積資，三兄皆貧不自存，乃推資産與之。李維心母魏氏以節著。祖父母久病，維心與母侍疾無怠，容病皆愈，有司請旌。潘夢麟母二十四歲寡居，年老患病，夢麟刲股愈之。後夢麟老卧病，子貿易在外，子婦徐氏亦刲股以愈之，人嘆爲孝德之報。諸人皆以孝友稱者，順德無違。噫嘻！難哉！家庭豫順，其爲人之本與。閭里淑修，是集義所生者，時則有若。

段　約 字文博。少慕義好學，聞鉅野潘克莊有高行，從之游。後克莊卒，徐州無子，約奔其喪，還葬州城東泗水之左，廬墓三年。舉孝廉，凡應是舉者例得重職，約獨辭謝，願試一小邑，授樂清幕職四年。年僅三十二謝事歸，壽至八十餘歲。

牛　鸒 尚魯府定陶縣主，封亞中大夫、宗人府儀賓。正德間大饑，河決，民貧役重，鸒輸粟一千二百石，事聞賜褒。其後緑林之擾，募勇士以固金湯，與有力焉。

李　斌 字伯中。諸生，聘謝氏女爲室，未幾女病瘻，父母將爲改聘，斌不可，終妻謝氏。

王　鎰 庠生。嘉靖時議撤文廟聖像，易木主，鎰以死拒。卒不撤，人咸欽服之。

皆《萬曆志》所載以「義士」稱者也。

李　燮 字台垣。兖州府學生，與侄道升年齒相若。自稚至耄，食卧必同。初，嚴事長兄而愛道升。年八十餘終，燮大慟，亦卒。邑中稱其行誼，詳西鄆黄氏《古今人鑒》。

吕鴻禧 字若萬。諸生，有志節，尚然諾。訓諸子甚嚴。晚年家愈貧而行愈高，嘗謂其妻楊氏曰：「吾不能詭時以求售，子孫當有昌者。汝見，吾不及見矣。」尋卒。子顒祖兄弟尚幼，楊氏賢明，皆教之成名。

孫允泰 字美垣。諸生。甲申五月，李賊僞將軍郭升入濟，允泰被執，賊令跪，厲駡不屈。賊忿，棰楚交集，裸之赤日中，駡愈厲。或投以瓜果，允泰瞑目曰：「吾止求死，何用延生？」反擲賊面。妻趙氏哀求代死，久之不解，趙呼曰：「殺則俱殺，不向汝賊乞活也。」賊感其義，并釋之。戊子夏以疾卒。

劉有源 字昆麓。澤曾孫。少喜擊劍，勇力過人，以俠義聞。既而折節讀書，爲郡諸生，明經不仕。天啓中，妖賊陷鄒、滕，西掠濟，有源糾衆禦之，匹馬前突。崇禎十四年盜起，有源家城東荆冢村，總練鄉勇，賊憚之不敢近。濟界闖寇之變，有源遇賊，裂眦怒駡，爲所囚。將殺之，會士民起義，殲賊破械出之。甲申五月十一日，事詳鄭與僑《倡義記》。

朱文繡 字泰寰。

太學生文某以六百金假文繡貨殖，其家不知。某死，文繡持橐籍子母還之。甲申五月，倡義殲賊之役，文繡斬關啓門，事定而避其名。年七十餘卒。《前志雜綴》引《知非瑣言》云：「朱翁，濟長者，淳誠謙厚，善居積持籌。子二人，長五章，名衣仲；九章，名衮二。朱之號幾埒二程，郡之時髦多出其門。故，翁夫婦之柩久停未葬，二君引罪，不改素服，遇令節必痛哭盡哀。後五章膺歲薦，九章以諸生老。五章舉長子，與其祖同日生。同時有許翁心吾名樹德，行齒讓朱翁，而德行亦比肩，後人甚昌盛。」

李以莊 字肅我。選貢。殲流賊僞官，頗資其策。潘士良等與籌軍事，懷集兵民，多所設施。國初知大冶縣，至彭蠡遇盜被害。

李國柱 字贊臣。以東撫幕僚副以莊贊畫，後欲用爲督弁，不就，人高之。

楊再震 字又生。廩生。幼失怙，事嫡母以孝聞。負氣節，遇公事伉直不撓。

劉紳 好善樂施，修橋鑿井，捐義地賑饑民。年九十有五，有司給冠服，爲鄉飲賓。

諸人則《舊志》入「篤誼」之門者也。

李烔 一鄉善士，授魯藩引禮官。

李燧 初爲三河典史，一錢不取。居鄉善俗，人推重之。

胡若琦 設粥賑饑，倡修東姜家橋，并建義學於青華洞之側。

江中漢 崇禎十四年出粟賑貸，全活甚衆。

李經世 庠生。推分讓産，睦族恤隣。尤邃《易》學，年九十舉大賓。

劉宗允 施棺建橋，貸財還券，爲善不求人知。

尹先知 尚義樂善，誘掖子弟，卓然古風。

諸人則《舊志》入「耆德」之門者也。

呂信 天順間值旱荒，又邊陲告警，信輸軍粟萬斛，詔旌其門。子清由歲貢仕至代州知州，有政聲。清之後有宗韶字魯峰者，嘉靖四十年舉人，爲泌陽縣令。

江湖 字洞之。年十三而父龍歿，逾年又喪母，育于祖母韓氏。及長，事韓益孝，事叔父若父。叔卒，撫遺孤成人。性耿介，非其力不食，足不入城市。子東，嘉靖十九年官陝西僉事。

楊瓚 字文玉，號逸庵。年十六而孤，以遺資讓兩兄，自力作。兄中落，以官銀被逮，瓚弃産代償之，養兄嫂終身，諸子皆爲諸生。有盗執瓚以去，子士基、士彦、士毅争赴求代父死，盗感而釋之。**士基**字百泉。嘉靖間貢生，爲魏縣教諭，刻《紫陽教授廳記》于壁，與諸生共相砥礪。尤深于楊何之《易》，上官欲舉卓异，力辭，父喪歸里。及卒，魏士來哭于墓者甚衆，請祀魏之名宦祠。著《楊何易粹》。子惟焕，孫深，皆能世其家學。

楊思仁字尚德，號愛軒。有田在班村，歲饑舉村賑之。隆慶元年卒，年七十。**思義**思仁弟，字尚義，號正軒。幼事繼母以孝，父震病不食，思義亦不食。壯年喪妻，不娶。與思友相友愛，子侄十四人，自相師友。不窺户外，遠近稱家法者推之。

周汝岐字西山。嘉靖時人，前學士鄭文炳、趙炫等稱其少遘閔凶，長能振拔。親喪，廬墓三年，爲作《風木飲悲詩》以遺之。子一夔、一龍，并有孝行。

种鳳詔字瑞我。當陳益修爲人所害，不避嫌怨，爲之經理，事載《奇報録》。崇禎丙子、己卯兩中副榜，著有《大易集解》。

韓遇時萬曆中以貢入都廷試，路拾遺金，坐待還之。

劉洪字止水，號浚石。崇禎十二年舉人。性至孝，居近西湖，父某愛蓮玩月，每夜半歸，洪必整衣待之。母失明，左右服勞，不假婢妾。會試北上，遇兄患瘡，每夜焚香拜禱，同舟咸嘆服。或勸以就仕，曰：「吾課業以當民社，講學以當讀法，何必仕？」晚年怡情山水。道路、橋梁，時捐資修整。卒年七十二。子樟，字豫章，有文名。《前志·雜綴》云：「先生殁之前一歲，夢人語曰：『爾已爲壽州城隍，編入《麻仙集》中矣。』次年二月朔，居近有義渡陳其方者，夢壽州城隍乘輿過河，風動簾開，則先生也。」

高明復號樂平。好古博學，行踽踽不合時。家貧，有憐而饋之者，拒不受，其人曰：「聊以延生。」明復曰：「非義之生，何用延爲？」崇禎元年得餼，卷爲有力者所易，窮餓而死。

宋可賢字翼直。以任城衛籍兩中副榜，崇禎末授茌平訓導，以時多故不就。歲荒，陰爲施濟。甲申，流賊至，可賢捐家財助餉。事平，不居其功。卒年七十四。

李鎬歲饑，輸穀百石，又捐義學教子弟。有司上其事給冠帶，不受。後寄居武成。

楊仲字彦和，佩之弟也。年十四從父經商於外，後事繼母能得其歡心。家故貧，伯兄不克自給，仲曰：「兄事舉業，豈可以家事累心？」凡喪婚悉身任之。年四十四卒，兄僎爲之狀。諸人皆州産也。金鄉則有李　春 母死，廬墓三年，風雨不避。秦　旻 禮部儒士。母故，廬墓城南三十五里，有司旌其門。周濟生 字魯愚。沛縣教諭。少孤，事嫡母、生母孝。母病危，嘗糞，醫感而治之，瘳。李守經 貢生。父病，露禱請代。逆匪之變，捐重資募勇士以備捍衛。守緒 貢生。孝友任俠，一如其兄。出囷粟活饑民無算。江荊金 貢生，授訓導。幼失怙，事母四十餘年，未嘗退食私室。弟淮金，逝遺一子，撫之。患痘，焚香夜禱，請以己子代，人謂「文行并優」云。李貞吉 字慶寰。壽官。甲申之變，流寇薄城，獨捐買硝磺三千餘斤助守禦，城賴以全。周　鉉 字鼎和。拔貢。父永春撫遼東，祖母以年高不能往，鉉克體父志，撫諸幼弟，恩義兼盡。里中吉凶諸事，分財助之。捐金修城垣，歲饑出粟煮粥，全活甚衆。子溥，字悉涵。拔貢，以父年高絶意進取。季父早世，季母殉節，無嗣，爲之立後，分己産與之。兄早歿，撫其子如己子。卒年八十有一。

嘉祥則有侯　慶 母歿，廬墓三年，負土築墳，種瓜、豆皆有异花，鄉人以爲孝德之所感云。馮大勝 與慶并以廬墓傳。石　福 忠謹，爲社老。晨行宅後，見青蛇入土中，不盡者數寸，變而爲錢。福白於官，掘之得數百萬，官以數萬給之，辭不受，爲表其事，記旌善亭。楊　蘭 字世馨。倜儻有膽氣，正德中提學趙鶴性偏執，所黜士甚衆，蘭上書天子，命巡按張羽覆校之，申復逾半，後多以功名顯。時議斬松亭、古北、居庸三關材木，蘭抗言，事得寢，時論壯之。

魚臺則有楊　敏 正德間，流賊執敏父，敏挺身求代，賊感，俱釋之。王法湯 崇禎十四年，土寇撓穀亭，父嘉言肘間縛十數金携法湯出，遇賊搜得，以爲富人也，縛而撻之。法湯跪泣求免，賊不聽，撻嘉言至死。法湯泣駡不已，賊怒，支解之。時年方十餘歲。諸人或據家傳，或憑采訪，或引郡邑志乘及《史外傳逸》《遺事記》等書，皆《前志》所續編也。一字足以千古，固無取乎冗煩爾。

歷朝總傳 二

《前志·儒林》六人未入「列傳」，并纂於此篇。

濟州介於古高平、山陽之間，當魏晋時，文學之士輩出，其流傳者不乏。而《文章叙録》於任城得孫公達一人，史謂「所著文賦，頗傳於世」，惜不可睹矣。永嘉南渡，齊魯人才并遷吴會。右軍蘭亭之會，於任城得二人焉，曰吕系，曰吕本，惜又僅留姓名，是則湮没不彰者可勝道哉！《前志》言：「『文苑』自魏鐸以下若干人，多篤行窮經之士。」得毋以文采掩其至行與？今移入「列傳」若干人，其餘臚列爲「合傳」。曰吴盛（任城人。傳《嚴氏春秋》。）曰景君（名闞，任城人。祖河南尹，父步兵校尉，治《歐陽尚書》，門徒上録三千餘。闞久司聘請，流化下邳，未及考績，以繼母憂去。喪畢，故府復請，司空、太常博士并舉高經公爲其元，終郯令。元初四年卒。○二人見《隸釋》。）《前志》附記景氏之族曰「謁者景君」，曰：「益州太守、北海相景君，皆佚其名矣。」武梁（字綏宗。）

治《韓詩》，兼通河洛諸子傳記。州郡請召，辭疾不就。元嘉元年卒。子仲章、季章、季立，孫橋。

武　榮　梁猶子，字含和。父開明，永和二年舉孝廉，除郎謁者。漢安二年，適大長秋丞、長樂太僕丞。永嘉元年，喪母去官，復拜郎中，終吴郡丞。榮治《魯詩韋君章句》，傳《孝經》《論語》《漢書》《史記》《左氏》《國語》。游太學，爲周書佐、曹史、主簿、督郵、五官掾、功曹守從事，汝南蔡府君舉榮孝廉，爲郎中，終執金吾丞，靈帝初卒。兄斑字宣張，敦煌長史也。

見《武氏碑》及《金石録》《隸釋》各書，而《前志》入「儒林」者也。

孫　該　字公達。强識好學，年二十上計掾，召爲郎中。著《魏書》，遷博士、司徒、右長史、陳郡太守。景元二年卒于官。

王　粲　字仲宣，山陽高平人。曾祖父龔、祖父暢，皆爲漢三公。父謙，爲大將軍何進長史，以疾免，卒于家。獻帝西遷，粲徙長安，年十七。司徒辟，詔除黄門侍郎，以西京擾亂皆不就，乃之荆州依劉表。曹操辟爲丞相掾，賜爵關内侯，後遷軍謀祭酒。魏國既建，拜侍中。博物多識，時舊儀廢弛，興造制度，粲恒典之。著《詩賦論議》，垂六十篇。建安二十一年從征吴，明年春道病卒，年四十一。

王　弼　字嗣輔，山陽高平人。尚書郎業之子，好論儒道。正始中補臺郎，注《周易》及《老子》，以公事免。卒年二十四。

徐遵明　字子判，本華陰人。年十七隨鄉人毛靈和等詣山東求學，至上黨乃師屯留王聰，受《毛詩》《尚書》《禮記》，一年便辭聰詣燕趙，師事張吾貴，又與平原田猛略就范陽孫買德受業。遵明嘗曰：「吾今知真師所在。」猛略曰：「何在？」乃指心曰：「正在于此。」又詣平原，唐遷納之，居于蠶舍，讀《孝經》《論語》《毛詩》《尚書》、「三禮」，不出門院六年。又知陽平館陶，趙世業家有《服氏春秋》，是晋氏永嘉本，乃往讀之數載，因手撰《春秋章義》三十卷。孝昌末南渡河，客于任城，以兖州有舊，因徙居焉。永安初，東道大使元羅表薦之，竟無禮辟。二年，元顥入洛，任城太守李湛將舉義兵，遵明同其事，夜至民間爲亂兵所害，時年五十五。

此爲僑寓而《前志》以類列「儒林」，因而

存之可也。吕忱字伯雍，任城人。晉義興王典祠令，博識文字，工書篆，表上《字林》五篇，萬一千八百餘字。忱弟安，復仿故左校李登《聲類》之法，作《韻集》五卷，使宫、商、録、徵、羽各爲一篇。《字林》，《隋志》七卷，《江式傳》作六卷。王沈字彦伯，高平人。少有俊才，仕郡文學掾，嘗作《釋時論》以明其志。檀超字悦祖，高平金鄉人。祖嶷之，字宏宗，宋南琅琊太守。父道彪，字萬壽，位正員郎。超少好文學，齊高帝賞愛之，後爲司徒右長史。建元二年初置史官，以超與驃騎記室江淹掌史職。上表立條例，開元記號，不取宋年。封爵各詳本傳，無假年表。又制著十志，多爲左僕射王儉所不同。既與物多忤，超史功未就，徙交州，于路見殺。江淹撰成之，猶不備也。超叔父道鸞，字萬汝，國子博士、永嘉太守，亦有文學，撰《晉陽秋》二十卷。皆有史傳可徵也。近代則有王通字廷學，自號蘭谷。喜詩酒，每與酣，落筆千言。著《蘭谷集》。周麟字德照。景泰元年舉人，仕山西太原訓導，造士有方，修太原諸屬志。志載神童王瓊七歲通「五經」，善大書，其高弟也。英宗閲志，取試之，稱旨，升麟知本縣，未任卒。趙弼字雪航。少好學，補郡學弟子。景泰元年舉人，二年教授睢州，以親老歸，年五十餘卒。有《竹雪齋集》、《通鑒論斷》行世。宋塘字守唐。好學，善屬文。正統間歲貢，任陳州學正，遷澤州，以足疾歸。有《觀洞靈泉詩》，爲人傳頌。晚年益貧，而著作益富，有《濩澤》、《宛邱歸田詩稿》。賈綸字綜理。性行純篤，深明《易》理，年六十三卒。李焕字文照。多才善詩，嘗月夜登太白樓，援筆題詩壁上，龍蛇飛動，人以爲仙。所居宅西有秀環書舍，日與兄弟賓友燕坐其中，商榷古今。卒年僅三十五。周品字嶧山。正德中貢生，學識淵敏，著述甚富，皆散失，惟《濟寧衛志》存。陳學詩字以正。幼聰敏，讀書目下數行。年十五與弟學《易》，同日補弟子員，有「雙璧」之目。嘉靖中學《詩》，以歲貢授清豐訓導，不數年拂衣歸。著有《衡門吟》二卷、《清豐紀行詩》二卷。孫魯一字，省庵家。貧質復鈍，借書手録，勤苦力學，心悟忽開，尤深於《易》，遠近多就正之。萬曆己丑以歲貢爲興化訓導，未幾卒。子伯友、仲翕。

王　梓　字琴可。萬曆七年舉人，性不好阿依，嘗讀書浣筆泉上。父邦俊以齒德重于鄉梓。登賢書，以母不及見，慘然不樂，人嘉其孝。與楊春茂、黄子美、楊暉友善，以名節相砥礪，濟人高其誼。○子仲男，副貢，居鄉端方，年九十一卒，合學公舉耆德表其門。

趙洙清　字素水。天啓四年舉人，授諸城縣教諭，選贊皇令。曠達疏放，謫湖州照磨，升瑞州推官，以簡恕爲政，多所平反。耽吟好飲，湖州山水游歷殆遍。書法瘦勁。在贊皇時，搜古石刻，得檀山周穆王「吉日癸巳」籀文，又得定州東坡雪浪齋石盆銘。甲申後游匡廬，展轉吴越十年，始歸隱荒村。箬笠草衣，修髯高履，皆目爲异人。故宅近學宫，蒿萊滿徑，而問字者不絶，吕顯祖、李壯、扈浤皆其高弟也。《前志·雜綴》：「先生殁數年，諸生扶乩，忽大書『我趙素水也，吾兒廷相何在？』諸生下拜，問：『先生一向何爲？』先生云：『吾并未見閻羅，惟日日逍遥於山水，只是一點靈性至今不昧。』」

萬朝宗　字太元。天啓時貢生。生有高才，而篤行聞于鄉里。以謁選卒于旅舍，無子，門人楊士聰歸其喪。教授幾六十年，州中科第半出其門。

劉正慶　字開先。數歲能文，崇禎七年進士，出文震孟之門，善書。授東光縣，未任卒，人咸惜之。

戴　流　字紫瀾。明末諸生，博學能文，嗜奇好古，文類天池生，詩宗李杜。久困諸生，時縱談游俠，參究釋老，與楊士聰、李用質善。及卒，士聰志其墓，又刻其《小牕餘言》《僅齋率筆》，皆燼于寇。用質又刻之姑蘇，撫其孤以成立。三人交道，始終不渝。士聰挽以句云「羞持許下通人刺，笑謝長門買賦金」，蓋實録云。

于驥逸　字天房。幼敏悟，於書無所不讀，文名噪齊魯。研精律吕，爲《樂府傳奇》。又精書畫，山水、花卉、人物入妙品，楷法、章、草、隸、篆皆追古文，旁及《奇門》《六壬》《太乙》《天官》等書。卒後遁迹吴越山水間，草衣箨冠，與漁樵爲伍。生平所著詩文散失，子瑄裒集若干卷藏于家。

嗚呼！士生亂離之時，德業才猷，每自韜晦，以山林終老焉。其以文學傳者，亦什伯之一二耳。甚矣名山不朽之難也。

國朝總傳

志何爲而作也？表前哲以勵後人也。采訪諸君子，各舉所知，并徵之家乘、墓志，仍合輿論而核定之，著爲「列傳」。有名列制科，曾登仕版，無事實可稽而里黨矜式僉同者，括其生平，分繫於選舉名氏之下，或附《前志》先人本傳之末。若夫閭里潛修，或經術足爲人師，或懿行堪爲衆望，續訪來者，合《前志·補遺》諸人，用《新唐書》《元史·孝友傳》之例臚列并書，不序貴賤，尚德也。不載年次，采訪有先後也。注事實，傳信也。存者不與，論定而後書也。其以懿行稱者：楊完聖字孔章，南城人。性儉好善，出千七百金贍族之貧者。宗賢宗聖弟，字憲章。捐膏腴二十餘畝爲義冢地。劉小懷劉汶曰：「爲人能如小懷，雖聖賢不過如是。」孟德仁倡修橋路，歲饑煮萊菔以賑窮人。有爭訟者，每云不可令孟善人知。精于挾彈，未嘗彈生物。卒年七十九。蕭　梅施義冢地。章文倫字秀生，東關人。事母色養兼至，好施與，助戚黨婚葬。精岐黃、堪輿之術，以濟人爲心。許毓秀字韞芳。兄弟四人，兄毓奇，弟毓琳、毓時，皆早卒。父没，出銀二千二百兩爲兩孤侄權子母。及成立，并息金數千兩，俾立室家。學使錢旌以「克敦孝友」。之七人者不詳年次，《前志》已逸而復補之。《前志·文苑》：侯尊祖字社文。善書畫，工詩，與鄭序齊名。○序入「世家」，補書于此。高鑒字水心。廪生，修《鄒縣志》。皆康熙年間耆儒也，後此則有种若瀛字林洲。性純篤，事親能色養，待人謹厚。嘉慶二十一年卒，年一百有一。王季賢字仲友。父岱章，夙好義，戚貸金無券記。及没，季賢遍辭曰：「父以緩急相濟，公等不言，吾幼何知？勿復償以傷厥考心。」爲兩弟娶婦，出所蓄錢均之。賙貧振急，設義漿，施藥餌。兩弟家日落，復爲贍助婚嫁，皆身任之。潘之彩弟之美傷某死，論抵之，彩以己生子而弟未婚，請以身代。後減流，自兗州居濟。孫濟開，補諸生，人以爲友愛之報。張瀚字北溟。庠生，孝友力學。歲饑，里有鬻妻者，出館穀周濟完聚。陳廣年字永居。廪生，嘉慶二年河决曹、單，買舟救生，割産易粟恤隣。工于《詩》學。王心鑒字中清。捐義地。乾隆四十六年河溢，倡築堤十餘里。歲旱荒，經理粥廠，灾民沾實惠。靳肇倓字遇隆。事繼母以孝聞，與弟肇佶友愛無間。嘉慶癸酉教匪滋事，糾合同志，曰：「保城必先保關。」結團守禦，城賴以安。楊作檢字式萬。少孤，督弟課習成進士。嘉慶癸酉倡捐守城，獲賊目送官誅之。孫永治字建勳。兄病，親調藥餌。殁後，代爲償負，撫侄如己出，贍親族。子浩，舉人。孫爲淦、爲埻，皆舉人。李錞字和清。家貧，事親甘旨必備，輕財樂施。王敬修字敏書。廪貢生，昌樂教諭。敦宗族，教子弟，以禮名所居，曰「崇禮堂」。子禮耕，乙未舉人。臧崶字俊峰。庠生，敦行力學。弟仁，廪生，并稱篤誼。族人業昭、業榮皆好善樂施。**鄭惟芹**字樂軒。庠生。少孤，事母孝，勤學勵行。**劉　森**字翰雲。廷拔曾孫，敦厚謙謹，助族人婚喪。**杜淑禹**字紹霞。監生。歲饑，倡捐粥賑，督修河堤，力疾禦患，編筏救溺，積勞成廢。逆匪之變，募集鄉勇，州人恃以無恐。**傅延叙**監生。遇變，以鄉勇守北關有功，知州以「智勇兼優」旌之。**高世賢**字允修。性端方，才能任事。嘉慶十九年河水淹决橋堤，督修核實，鄉里咸感頌之。**蘇　鏞**字時齋。少失怙，母氏陸苦節，侍湯藥，每夜露禱不倦。子岱雲，舉人。**劉心廣**字均庵。事繼母以孝聞。里中疫作，施木百餘段。以「率真」顔其居，卒年七十一。子蕙田，例知州。福善，舉人。從善，官四川巫山縣。**王　寅**字甲木，南鄉人。好急人之難，排争解紛，州牧某云：「得數甲木布四境，可使無訟。」同時有魏亭、樊賀，皆與寅稱者德云。**李松年**荷糧行市，得錢給粗糲，有餘則貯他所，滿萬錢即傾囊以施窮乏，不求人知。**尋衍杶**字午唐。庠生，性樸訥，孝友篤行。**李安都**字静遠。未冠補庠生，以親老不事進取。成就後進，著有《治家格言》。**周文超**字斐堂。事繼母孝，五世同居，義舉必倡。**周繼會**字季紹。敦行力學。**尚興渭**字璜溪。貢生，教後學多成名。逆匪事平，以軍功得六品銜。兩舉鄉飲大賓。子榮袞，舉人。**尹六有**字篤行。副貢，力學工書，性寬厚好善。**李鋭昇**字鵬漢。副貢，性敦厚，尚志節。爲文近柳州，教及門先行後文。**張玉襄**字利占。貢生，植品端方，以篤學稱。**李明燦**字廷暉。歲貢，孝友好義。**朱　照**字光藜。副貢，幼孤好學，以孝友聞。**周如岱**字魯瞻。嘉慶戊寅舉人，生無右肱，有神童之目。安貧力學。**三縣則有若張園亭**字東嶺。庠生。父之鈞，好施不倦，能承其志。歲饑，出粟賑合族，倡助軍需。**李傳玉**字藍珍。庠生。少失怙，侍母病泣禱嘔血。性廉介，不受戚友餽遺。遇隣族有喪，匍匐救之。子應宿、應箕，廉讓有父風。**蘇**

國翰字墨林。母教嚴，時人比之韓伯俞。教匪之變，以捐輸并軍功議叙直隸州知州，因遘勞卒。高天瑾號蒼藜。庠生，監修書院、城隍廟、烈女廟。建家祠，捐地贍族。年八十守禦逆匪，九十舉大賓。李似蘭字敬夫。婦翁豐于財，分産資婿，乃却之。坦懷遇物，及耄教後進不倦。李克仁字裕萬。庠生。性孝友，歲饑捐衣食，稱李善人。他邑人丁某風雪墜跌折骨，舁至家治愈，贈路費遣歸，人皆義之。張天續字簡紹。庠生。務實學，精醫事。子知非，以孝聞，督課諸弟成立。周宜蘭字馨鄭。樵采供甘旨以事親，性廉介，安貧力學。周容字公量。家貧，事母能得歡心，人敬愛之。尚懷欽字思敬。以孝聞。以上并金鄉人。張橋字毓南。父老，患足疾，背負椅至園林佳處以娱之。父年九十二歿，兄歿于水，哭之失明。卒年八十一。趙汾字晉源。通經敦行，及門多知名士。子方城，廩生。事親孝，與諸弟不异財，不析居。趙永耀字人華。少孤，事母以孝聞。吕珩廩生。事親孝，破産以急友難。劉松字貞木。孝養父母，贍恤族黨。子允治，敦厚有父風。李大林力農好義，修四關窪路、黑風口山徑、于家橋、澹臺河，捐建石梁。邑令表其廬曰「一鄉善士」。梁盛運字紹平。貢生，績學敦行。張連會字聚奎。貢生，爲人誠樸，品學并優。劉大河字仙源。貢生，秉性質直，以孝友稱。梁光輿字光一。貢生，窮經勵行，與修縣志。吴憲尹字覺民。貢生，敦品力學，著有《澹溪雜志》行世。○以上嘉祥人。

諸人以外有搜采未遍者，以俟續補。於戲！百年不朽，何嘗人往風微？一節堪存，亦足維世厲俗云爾。

隱逸總傳

《前志》云：「延祐十年碑陰有高士二人，曰鄭時中、常讓，惜其生平不傳。」紀隱士自明湯鐵以下凡若干人，漢王成列于後，蓋以其爲山陽人也。今移書于前，而以湯鐵及劉爲霖等六人入「列傳」，鄭與僑入「先賢世家」，餘以次書，并增補之。漢王成與周黨、嚴光、王良徵至京師，不屈，賜帛四百匹。以後書缺有間，泉石肥遁，不欲姓名留人間也。其可考而知者，元

王雲巖 魚臺人。元季僞僭者俱徵辟之，不就，隱居寨山之陽，顔其室曰「雲岩松屋」，人稱之曰「雲巖先生」。○以下州人。

明王彦章 以字行。隱居教授，凡名士過濟，每從之問經典奥旨，時號爲「五經隱者」。

田亨 字子貞。隱居獨善，不與人校是非。有醉者入宅，登床大呼，又持梃碎物，即就床熟睡。既覺，踉蹌去，明旦踵門來謝，亨若不知，其德量如此。年八十餘卒。

朱嘉楨 字鳳儀。弘正間隱君子也。李司理壯藏其《字義博考》一書，以正韻、四聲分類，考稽精詳。序云：「鳳儀歷十稔，四易稿乃成此書。」○《前志》自「文苑」移入。

劉麟 字仲正。性剛介，不同時好。隱居教授，善詩、酒，家無儋石之儲，僦屋以居。雖東西無定，略不爲憂，自號「任城逸老」。有《虛庵詩集》。

王灌 字汝霖。襟懷飄逸，遇溪山佳處即吟風弄月，怡然忘歸。善楷及草書，好琴，若《猗蘭》《漁歌》等操皆

造其妙。識古文奇字，日沉飲。所居茅齋，植竹一林，忽一夕盡枯，灌嘆曰：「其爲我乎？」未幾卒。

葛繪 自號「濟上閑人」。隱居衡茅，以詩酒自娱，有《題柳莊書屋詩》，見「藝文」。

文鎮 濟著族也。以工書授工部文思院副使，不樂仕，歸隱城東。愛吟詩，有《窳陶集》。卒年九十四。康熙初，其裔孫光普所居水西草堂，猶其故址也。

徐吉 字孔修。琴書自悦，以道義問業者，履滿户外。行事必宗先正，至老弦歌，聲出金石，年八十談笑而終。以子標貴，贈如其官。

戴堯欽 字仲衢。弱齡補諸生，時兄康衢有雋聲，堯欽曰：「君學仕禄可至二千石耳。」兄問之，含笑而不答。中年即弃舉業，退居北墅，老梅蒼松，逍遥杖履。晚自號「眉徵居士」，有顯者相訪，亦不面，或侮之亦不校。○二人《前志》自「篤誼」移入。

吴士標 字景範。諸生。孝友忠信，士人奉爲師範。立志恬淡，明末嘆曰：「棟折鼎顛，禍不遠矣。」遂隱去，題其齋曰「澹寧」。子烈祖，崇禎六年舉人。

文星高 字景垣。鎮族孫。書法得晋人意，詩清麗可愛，山水寫生兼古人之長。豪俠放佚，交游贈遺累千金，輒散去。蓬門圭竇，香爐茗碗，泊如也。○《前志·雜綴》：「濟州，字學明。萬曆間推于念東，中丞爲第一。嗣後惟文景垣，此外寥寥，無講法帖者。」

張辰 字仲龍。善山水人物，與星高相伯仲。

孫善 字善繼，號少庵。明諸生，崇禎末結廬于城西十里之别墅，讀書自娱，終身不入城市。教人以敦行爲先，性嗜研，購藏甚富，自爲銘刻，終日摩挲不倦，人問之，曰：「吾取其堅也。」年九十餘無疾卒。著《研説》三卷。子完一、慎一，慎一爲國朝順治時貢生，隱居不仕。國初禦寇，亦與有力焉。

夫隱者，治亂不聞，亦出而禦寇，蓋其時天下之士皆願立於朝矣，况一州一邑哉？

僑寓總傳

濟州南北之交，人物之盛甲於齊魯，往往名公巨卿、文人墨士安其風土而寄迹焉，故僑寓特多。然皆確有依據，流風餘韻猶有存者。翩然而來，信宿而去，則不與焉。《前志》列漢唐以來諸人，詳載始末，夫曰「僑寓」，附記也。有他書可考，今列其名而節叙之。

漢灌嬰，其先睢陽人。少販繒，往來齊魯，因居任城，今城東三十里許有墓。相傳葬濟上，今灌冢是也，此未見正史者也。

唐李白 其先隋末以罪徙西域，神龍初遁還，客巴西。既長，隱岷山。後客任城，晚年度牛渚，至姑孰終焉。

杜甫 襄陽人。父閑，爲兗州司馬。甫少客吴越、齊魯間，後嚴武狀爲工部員外郎，參謀軍事，旋弃去，扁舟下荆楚間。以病卒，年五十九歲。至今南池酒樓婦孺皆能道之。

宋晁補之 元符中南歸時曾卜居金鄉梭嶺北，見《張氏園亭記》。

金段楫 天興時居嘉祥。子證入元仕濟寧總管。證子廷瑞、廷珪，別有傳，見「人物」。

黄久約 字彌大，東平須城人。父勝，通判濟州，因寄寓任城。第進士，調鄆城主簿，遷曹州通判，後官至横海節度使。正直敢言，明昌二年卒。

元党懷英 字世杰，本馮翊人。父純睦，官泰安軍録事，卒于官，妻子不能歸，寄寓不恒，故濟州多遺迹焉。仕至翰林學士承旨，卒年七十八，謚「文獻」。

孟祺 字德卿，宿州符離人。父仁，壬辰北渡，寓濟州魚臺，祺侍父徙居。時嚴實修學校招生徒，立考試法。祺就試，登上選，辟掌書記，官至應奉翰林文字，兼太常博士。卒謚「文襄」。

潘克莊 字道禮，鉅野人。

至正間，田豐據濟寧，籠致士類，克莊變姓名，漁大澤中。陳秉直復濟寧，濟中人率子弟延克莊，教授鄉里。卒無子，門人段約葬之濟城東泗水上。

明方孝孺字希直，浙江寧海人。隨父克勤于濟寧任，父被誣謫戍江浦，上書乞以身代，不報。嘗爲漢中府教授，蜀獻王聘爲世子師，顏其讀書處曰「正學」。孝孺居濟州不久，人重其品，立正學書院祀之，又石刻其傳于學宫。

王畎字舜耕，號南畝先生，單父人。客濟，以詩酒自娛，善繪山水，工詩。舉賢良方正，當道問以太極動靜之説，論對頗悉，授山陰知州，未幾致仕歸。

蔡平字持正，江西人。三氏學教授。客濟，談論多理趣，聽者忘倦。年九十終。

荆某荆先生不知何許人，客濟以詩鳴。嘗有人持白紈扇，偶撲蠅漬血，因繪爲紅葉，題云「醉霜楓葉色鮮紅，記得題詩出後宫。繞遍御溝尋不見，被風吹向月輪中」，時號「荆紅葉」。

宋洭字霖蒼，遼東瀋陽人。崇禎十六年武進士，授安徽撫標中軍守備，不就。甲申避地山陽，尋隱居濟寧，終身不求仕。先是，崇禎末洭之友寄白金二萬，洭埋之深土中，歷二十年屢空，不假取。游京師，遇故掖令劉某，問其先人，則寄金友也。約至家，發藏還之，封識如故。劉初不知，感愴稽首，願留其半，洭不受。年六十餘無子，絶口不道節義事。臨終手製幅巾，着之，剪紙爲主，自署曰「明武進士宋洭之位」，移榻當門，南首卧，指左側書架，趣徙之毋妨吊客，顧妻黄氏笑曰：「吾今而後不復支此架矣。」拱手而逝。見劉汶記。

國朝李曰道不知何許人，順治初自兗州來城西灰堆裏，依外家李氏，遂冒其姓，隱居著述，人罕識其面。忽一日，布衣破帽，策蹇入城，叩劉汶門云：「魯田在否？」與之上下古今辨難，竟日而去。康熙時，山東學政宫夢仁聞其人，欲見不可得，得其所著書，題其上曰「鐵肩擔道義，辣手著文章」。臨終盡焚其稿，竟不傳。聞汶嘗師事之，汶弟子孫文載傳其人，人始知有李曰道云。或曰姓魯。○按，「鐵肩」二句爲楊忠愍公墨刻。

方大猷字歐餘，烏程人。崇禎十年進士，出楊士聰之門，官至山東巡撫。晚年寓濟上，故人有爲山海關總兵者，大猷曾監其軍。及其人在黔，以書招之，不屈。久歷河上，明于河渠，潘檢討耒有贈詩，極爲推重。生平善山水，工書，年八十餘卒，歸葬烏程。留一子在濟，潘侍郎子兆元其婿也。

陳陛　字以崇，福建長樂人。父焌，名諸生，慷慨有奇節。陛生三歲，父弃衣巾，遨游不返。陛長，聞里人有自北歸者云在濟寧，遂零丁擔簦就道訪之，至濟不得，或給之曰：「天井閘廟中有南人柩，不知是否。」及至無有，痛哭失聲，群聚而觀，叩其故。有與焌相識者，遂得之。父無歸意，遂家焉。康熙壬辰，年六十八卒，與父并葬于城東仙昇營。子二：廷璠、廷璵。

戴聖聰　字無聰。先世爲山陽龍氏，明初有爲後于外家登州戴氏者，遂冒其姓，世襲千户。永樂時，遷遼之蓋州衛。父復魁，以三科武舉官塔山都司僉書。聖聰年十五補弟子員，明季播越南遷，國初以貢生選太平府通判，歷官至淮徐道江南按察司副使，所在有政績。晚年往來歷城、濟寧間，康熙三十七年卒，年八十。子璠，康熙丙辰進士，兵科給事中。琳以濟寧籍中山東乙卯舉人。琪，廩生。珅，歲貢生。見《衛園集》。

李言　字孔彰。父含露，官于濟，家焉。以蔭授武城知縣，禮士愛民，授東昌通判，歷淮安同知。聖祖皇帝南巡時見言，稱「好官」者。再擢刑部員外郎，出爲河南河道致仕。鄉里稱善人，著有《思補集》。

羅紹倫　字亦一，遼金川衛人。明徙永平，再徙濟寧。順治三年進士，授温州推官。時獄訟煩興，紹倫究心律例，一以平恕爲本。歲饑，發倉平糶，民懷其惠。年五十餘致仕。子衍嗣，康熙十五年進士，歷官至福建鹽運使。

楊陛　字靖公，號克齋，涿州人。順治戊子舉人，其先世句容人，明初遷涿。初任中書，乙未官兵部郎中，會試分房，名士多出其門。歷官廣東參政，丙申年丁父喪，由浙扶櫬至濟，遂家焉，爲一時風雅宗。三子：宗之、體鏃、履孚。詳潘恬庵《知非瑣言》。

魏麐徵　號蒼石，江南溧陽籍高淳人。避寇徙濟寧，康熙六年進士，博學工詩善書，與王士禎、田雯、顏光敏友善。由中書督軍儲有功，官至兗州、杭州知府，所至有聲。暇則進諸生而訓之，然不可干以私，或曰：「某將有求。」正色曰：「説一求字，士風下矣。」出文于袖，曰：「求正耳。」欣然受之。後任邵武府推，升監司，不就，謝病歸，年七十卒。著有《西湖和蘇詩》，毛奇齡謂：「爲坡公後身，有濂洛風雅。」選儀封張伯行授梓。又有《杜詩評注》，駁正錢箋；《石屋詩鈔》，著述尚多，皆散佚。《杜詩評注》墨迹存十之六七，濟人士其寶之。子二，長彪，棗强知縣，攜其喪南歸。次冠，候選州同知，家于濟州。

李楨 字玉庵。本姓謝，武進人。年十一而孤，從母育于外氏，遂姓李。康熙初，以能書授雲南教授，弃而歸，卜居濟寧，題其居曰「停鴻新館」，自號「東山逸人」。急人之危惟恐弗及，爲文章立就，書法出入顔、米間。居州三十年，爲書不啻千萬。既卒，或以數十緡購一紙不得。卒葬城北之苗家營，婿劉淇爲題墓碣。子京元、京恩。見《衛園集》。

吴紘 字映山，江南青陽人。父官陽穀主簿，生紘于濟，因家焉。入籍爲州學生，有《遺詩》一卷，自號「九華逋客」。見《江左詩鈔》。

梅慤 字芬遠，長洲木瀆人。父鼒，客濟三十年。慤入東阿籍，爲縣學生。與劉淇、黄以永結南池社，有《歲寒倡和詞》《消夏祠》，著有《見堯堂集》，尤侗、蔣景祈、王苹等爲之序。弟恕，字和淑，亦能詩。慤子啓東早卒，以孝稱。淇弟汶銘其墓。

李温皋 字和公，號惕庵，故知州順昌子。康熙二十年副貢，任寧陽縣，有政聲，致仕家于濟。子標、模，標字霞城，四十五年拔貢，以孝稱。模子文絅，字明遠，號孤峰。康熙五十三年中順天籍舉人，授楚雄知州。雍正五年以討烏斯藏阿爾巴，從軍有功，擢知西隆州。革陋規，興文教，士民頌之。升泗城同知，卒于官。著有《西藏行程記》一卷。

趙于京 字豐源，號香坡。以歷城籍中康熙二十年舉人，選城武教諭，以卓异擢臨潼縣。抵任五日，理滯獄，囹圄爲空。地當孔道，民間舊有貼馬錢，盡革之。巨猾任佑中者捕之，置于法。渭水没田萬餘畝，民逋賦累千金，代輸之，而去其籍，遷綏德州，送者塞途泣下。綏有飭報墾田起租之檄，于京曰：「傍山多石田，堪增税以困吾民耶？」州縣多報以邀功，于京獨默然若無事，卒不報。明年聖祖西巡，召對稱旨，命講《易》賦詩，賜御書，授河南知府。丁母憂，無以治喪，巡撫徐潮賻之乃歸。尋以潮薦奪情復任，乞營葬畢始行。洛陽南村有雕木爲活佛者，焚其像而杖之。盧氏山有礦洞，無賴擅開，選能吏協武弁焚其巢，决水灌之。宜陽民喬宗仁飾博具誘人財，無償則致之死，于京立斃之。議請于臨河建倉，預籌三事，上官皆采之。四十五年，商雒賊萬餘據山寨，連盧氏閿鄉，乃偵訪通賊要路守三十餘所，賊不敢犯。會大雪，曰：「賊降矣，山中無宿糧，不能履冰而劫遠村也。」果如所料。遷蘇州府，未任卒，年五十六。性忠義，喜文學，在城武修文亭山曾子祠、漢忠臣佗侯祠；于臨潼表渾太師、段太尉墓，新其廟；立舞陽樊侯祠；修横渠書院；于綏德建韓蘄王祠；于河南建狄梁公祠，新天中書院；所在修學宫。著有《甸柳莊集》。子鶴儀，封知縣。《前志》按：「《歷城志》于京先本大興人，父士通遷歷下，不知何時遷濟寧，其居即在州學東。」

鄭元慶 號芷畦，歸安人。游幕于濟，嘗爲河道傅澤洪撰《行水金鑒》，著有《七省漕程記》《小谷口薈蕞》《顏魯公石柱記》《湖州府志》，爲秀水朱彝尊、德清胡渭所稱。

徐吉 號可亭，淳安人。四歲而孤，性孝友，母教嚴，跪而聽命。弟體弱，同食以精美讓弟。姊寡，迎于家，撫二甥。歲饑，吉以女歸胡氏，曰：「女有可歸，甥無可歸也。」吉本名諸生，爲怨家所陷，徙于州。母喪，吉旋以疾卒。據汪芳藻孝友《徐先生行略》所云。

王天慶 字憲卿，號鶴峰，晋江人。年弱冠即見知李相國光地，康熙五十年應試，京兆徐葆光得其卷，大奇之，薦而未售，弃舉業，循例爲府同知，被議。復官補東鹿，歷容城、新樂、慶雲等縣。東鹿滹沱河决，不待請先發粟以賑，親畚鍤築堤，至今賴之。所至盜賊屏息，獄無冤民。獄有久繫，府不决者，上印綬曰：「寧受劾，不敢從。」府感悟，釋之。歷任三十年，家無長物，僑居于濟。卒年七十七，有《帶山堂文集》《春江詩集》十卷、《白蝴蝶詩》一卷、《登岱紀恩詩》一卷。子蒲璧，字君璽，號玉川。乾隆四年以州同效力浙江海塘，後改江南河工。河决，陰募夫瘞暴骨。後任銅山丞，查辦灾賑得實。歷官豐縣主簿、桃源縣丞、邳州佐，皆有勞績，以疾歸。急友難，焚千金之券轉助之。卒年六十三。子繩祖等凡八人入州籍，舉于鄉者四，其二諸生，爲任城望族云。

楚裳 字弈綉，號百泉。其先鐵嶺人，因官濟上，遂家焉。裳幼通經史，長於古文、詩詞。長而出游，徧歷名勝。博達群藝，凡陰陽、占候、醫方、書算、繪畫、音樂之事，皆精曉。性和易，與人交無忤容。急人之急，嘗割宅供父執喪事。暮年家貧，以筆墨自給，畫山水入神品，萃宋元以來諸大家之長。無子，養子平林嗣。於乾隆五十一年卒，年七十五。平林旋亦卒。歷城尹、中丞濟源幼時其父携如濟寧，裳期以遠大留就學，撫之如子。裳卒後五十年，濟源致仕歸，爲封土勒石焉。據尹濟源撰碑。

皆卓然在人耳目者，

從來人杰地靈，某山某水，釣游之地，争爲美談，此僑寓之所以書也夫。

方術總傳

百家衆技，皆推本於上古之神聖，雖近附會，然源遠流長，數千年間不絶于世，雖小道必有可觀者。倉公、扁鵲、司馬季主之流，作史者亦不得廢之，舊謂之方技。按，班史唯醫在方技，若陰陽、卜筮之類謂之術數，因統名曰「方術」。篆刻、丹青有專長可傳者，亦附焉。

周　仁　其先任城人，以醫見漢景帝。帝太子時爲舍人，積功遷至大中大夫。景帝初立，拜仁爲郎中令。仁爲人陰重不泄，常衣敝補衣溺褌，故不爲潔清，以是得幸，入卧内。於後宫秘戲，仁常在側，終無所言。上時問人，仁曰：「上自察之。」然亦無所毁，如此。景帝再幸其家，家徙陽陵，上所賜甚多，終讓不敢受，諸侯群臣賂遺亦無所受。武帝立爲先帝臣，重之。仁乃病，免以二千石禄歸老。子孫咸至大官。見本傳。

單　颺　字武宣，山陽湖陸人。以孤特清苦自立，善天官算術。舉孝廉，稍遷太史令、侍中，出爲漢中太守，以公事免。後拜尚書，卒于官。初，熹平末黄龍見譙，光禄大夫喬元問颺此何祥也？曰：「此其國當有王者興，不及五十年龍當復見，此其應也。」魏郡人殷登密記之。建安二十五年春，龍復見譙，其冬魏受禪。見本傳。○《前志》以湖陸人附末，今移前。

許雲封 樂工之笛者。唐貞元初，韋應物自蘭臺郎出爲和州牧，頗不得意，輕舟東下，夜泊靈壁驛。忽聞笛聲，嗟嘆久之。應物洞曉音律，謂其似天寶中梨園李謨所吹者，召而問之，雲封乃謨外孫也，曰：「某任城人，多年不歸。天寶改元，初生一月，時東封回駕，次任城，外祖抱詣李白學士，乞撰名。賀蘭氏年且九十餘，方邀李飲樓上。外祖高笛送酒，李醉書某胸前曰：『樹下彼何人，不語真我好。語若及日中，烟霏謝陳寶。』『樹下人』，木字李也；『不語』，莫言，謨也；『好』，女子，外孫也；『語日中』，言午許也；『烟霏』句，雲出封中也。後遂名之。某才十年，身便孤立，因乘義馬入長安，外祖教以横笛。值梨園置小部，皆十五以下。天寶十四載某月六日，侍驪山駐蹕，貴妃誕辰，上命小部奏新曲名《荔枝香》。安禄山反後，離亂漂流南海近四十載，今訪諸親抵襄邱。」應物曰：「吾有乳母之子名千金，嘗于天寶中受笛，李供奉藝成身死，舊吹之笛即李君所賜。」遂囊出之。雲封跪對悲切，撫而觀之曰：「信佳笛，但非外祖所吹者。竹生雲夢之南，柯亭之下，以今年七月望前生，明年七月望前伐。不伐則其音實，未期而伐則其音浮。浮者外澤中乾，乾者受氣不全，則其竹夭。凡發揚一聲，出入九息。古之至音者，一叠十二節，一節十二敲，今之名樂也。其已夭之竹，遇至音必破，所以知非外祖所吹者。」應物曰：「欲信汝鑒笛，破無傷。」雲封乃吹《六州遍》，一叠未盡，劃然中裂。應物驚嘆，久之遂延雲封于曲部。見唐袁郊《甘澤謡》。

王泰 州人。嘗遇一老嫗，授以陰陽家言，由是談禍福奇中。都御史馬昂嘗微服訪之，泰愕然曰：「某日升尚書。」果然。漕運都御史。王竑就問之，泰曰：「此去赴京有大禍。」竑以笏擊死亂政毛長，隨謫戍。泰又曰：「至某處當有詔，仍理漕運。」果如所言。指揮盧彬金帶自束復闕者三，泰曰：「今夕有鋒刃之禍。」是夕，彬入舍人王鸞家，爲所殺。其神妙類如此。

釋湛池 字還無。戒律精嚴，功行最高，雲棲法嗣也。雲棲談經二十年，遠近宗之。萬曆中，示寂鐵塔寺時，弟子湛海游峨嵋參悟不返，雲棲龕塔悉湛池勤護。又結茆盧塔所，數年諸闍黎敬异之。精醫不執古方，手別有刀圭，于針灸、疽瘍尤神效，人謝遺，一無所受。

周允元 字靈衢。其先自吳徙濟，善楷隸、山水，摹沈周足亂其真。有養生術，年九十餘能蠅頭細楷，至百歲終。子某亦工畫，同時有魏如松山人，其山水與允元皆名重一時。○《舊志·隱逸》《通志·方技》。

范進 字柳溪，州人。工行、草、楷、隸，而畫葡萄更擅名。

張德潤 字良玉，州人。妙解律吕，遨游四方，以琴名世。嘉靖中，與臨清謝榛并客趙藩，名重當時。著有《琴譜》、《九還操》一曲備七調。又有《依山樵唱詞》行世。

朱皓 州人，自稱「一塵山人」。博學嗜古，落拓不羈。工繪事，嘗折花燈下摹其影，以髮繫羽蟲觀翾飛之勢。又嘗卧東籬下，累日圖名菊百種，見者無不稱絶。

江左彦 字有月，其先歙人。善三倉，學多巧思，於刻印爲最。能鐫玉與水，楊士聰作《鐫玉歌》以贈之。

焦秉貞 州人。工丹青，人物其位置自近及遠，自小而大，不爽毫髮，蓋泰西法也。康熙中欽天監五官正，祗候内廷。《耕織圖》六十幅，秉貞奉詔所作也。村落風景、田家作苦，曲盡其妙。見張庚《畫徵録》。

楊朋 字與久。善山水人物，人多珍之。

劉永彩 順治初人。家貧，爲婦家所侮，怒而歸。途遇怪風眯目，忽拾得素書一卷，而不識字，屬他人誦之，時即了了，蓋接骨法也。治無不效，家以饒。子孫世傳之，號「劉接骨」。

吉人 字藹君，道升子。鄉貢。精書法，漢唐以來追摹殆遍。精篆、隸，又長于摹印，爲孫勷、徐用錫所賞。

仲念祖 字松村。善畫，有《晚鴉圖》爲人所寶。

白全德 字純修，號志隱。性狷介誠篤，究心醫理，求者無貧富，立起應之，無藥資者并施之。乾隆五十八年無疾卒。著《端硯譜》《古鏡譜》各一卷。

陳宜中 字仲莪。例貢生，性廉介，志篤于濟人。事繼母能孝。究心醫家言，一以仲景爲宗。視病無論久近，求則必往，皆應手效，生平活人無算，不受杯水謝。嗜菊善飲，卒年五十九。

尚珏 字合璧，金鄉人。太學生。少孤勤學，長精于醫，無貧富貴賤必盡心診治，施藥救貧。

張山岫 字兩峰，嘉祥人。候選典史，精于岐黄。歿之前一日，自視脉知死期，果如期卒。從孫春亭，字錦堂。庠生，從學盡得其術。嘗暑月赴其友李某家，坐語良久，熟視李曰：「君將有急疾，恐不治。」李笑其妄，春亭正色曰：「勿爲戲。」按脉久之，爲合藥末付其家人，曰：「如倉卒不及藥，以此吹鼻孔。」是年冬，李忽仆地不語，如法治之而蘇，急延春亭治之而愈。之四人者得之采訪而續書者。德成而上，藝成而下，一技可傳，亦足千古，豈悠悠與草木同腐哉？《前志》「方技」與「仙釋」分傳，而以釋湛池附見此篇。今「仙釋」不別爲傳，入「雜稽志」。

濟寧直隸州志 卷八 一百三十三

（清）徐宗幹 修 （清）許瀚 等纂
中共濟寧市委黨史研究院 濟寧市地方史志研究院 整理

〔道光〕濟寧直隸州志

第四册

天津出版傳媒集團
天津古籍出版社

濟寧直隸州志卷八之五

人物志 五

列女總傳 上

○近年兩次彙舉凡六百餘人，三縣總七八百人。今録列女類，以時代爲序。至於名在總坊，則特就一坊中別爲倫次以彰异數，并旁采諸書補之。

元

尹禎妻神氏 年二十夫亡，守節，泰定二年旌。○「禎」，王《志》作「楨」，《通志》作「徵」，此從《兗志》。 李鳳妻劉氏 夫亡守節，泰定時旌。 王德妻秦氏 夫亡守節，天曆初旌。 觀音奴妻羅氏 夫死王事，羅投水死，旌。 郭灰兒妻趙氏 夫亡殉節，旌。○《舊志》作「守節」。按，《元史》李君進妻王氏傳附傳，自雷州朱克彬妻周氏以下共二十七人，趙氏與焉，云「并以早寡，不忍獨生，以死從夫者。事聞悉命褒表」，則趙氏殉節明見正史，今正。

右元代五人。見《山東通志》《兗州府志》《前志》。

明

張衡妻仝氏 夫亡守節，洪武十六年旌。 都督胡榮妾喬氏 榮病革，喬命匠治棺，斷木爲架，縫練以俟。及榮卒，從架上自縊死，年二十餘。錢官保妻孫氏夫歿於軍，骸骨至，孫自縊，年十九，正統十一年旌，坊在川廊街口。李哲妻呂氏年十九夫亡守節，天順八年旌。靳學曾妻吳氏年二十二夫亡守節，撫三歲子成立，有司旌。學曾，嘉靖二十三年進士。賈可行妻王氏適賈甫八月，夫墜水死，守節，撫遺腹子貞嗣，中嘉靖三十四年舉人，年七十六卒，兩院題旌。〇「貞嗣」，《舊充志》作「貞長」。王國賓妻李氏夫亡無子，貧苦守節。國賓，嘉靖四十年舉人。〇「國賓」，《舊志》誤作「賓國」。扈魁妻徐氏夫亡不食，死於柩側，年二十五。魁，嘉靖四十三年舉人。王用霖妻楊氏用霖中萬曆十三年舉人，以放榜時卒，氏哭成疾，逾月死，年二十餘，旌。翰林李維楨爲志其墓。劉成女年十六許嫁張瑛，未行，瑛遇賊刺死，女聞輒自縊於機上。瑛越三日復蘇，而女已死。生員寇成訓妻王氏夫亡，縊於柩側，旌。生員張安止妻吳氏夫亡自縊，旌。劉夢麟妻趙氏夫亡自縊，年十九，旌。解亨妻李氏年十七夫亡守節，事姑訓子，年九十二卒，旌。宋慧妻趙氏夫暴亡，守節撫孤，旌。汪傑妻程氏夫亡守節，奉衰姑，撫幼子，旌。坊在任城閘運河南岸。王梓妻臧氏夫亡守節，撫遺腹子，孝事孀姑。生員張維鄰妻李氏年二十四夫亡守節，撫嗣子入泮，有司旌。楊點妻張氏年十七夫亡，撫孤守節，按院旌。孫職妻羅氏夫亡守節。郁如錦妻楊氏年二十五守節撫嗣，有司旌。馮時美妻鄭氏年二十夫亡，撫孤守節。江鯤化妻趙氏夫亡守節，撫遺腹子入泮。李滷妻陳氏年二十二夫亡守節，撫周歲兒成立，有司旌。唐尚義妻馬氏年二十夫亡，撫孤守節，旌。

李信妻朱氏年二十六夫亡守節。○《舊志》「年二十」。聶熿妻文氏夫亡，撫孤守節。生員楊沆妻秦氏年二十七夫亡，撫孤，艱苦守節。張太華妻錢氏夫亡，撫遺腹子，守節。晁思明妻邵氏年幼夫亡，守節。生員梅友松妻張氏年二十六夫亡守節，貧苦，針黹度日，撫嗣子成立。馬謹妻許氏年十九夫亡守節。指揮董正階妻張氏年二十五夫亡守節，撫二子成立，苦節异常。張陟妻李氏年十九夫亡守節，撫遺腹子，中武舉人。文運開妻侯氏年二十八夫亡守節，撫孤成立。劉野妻楊氏夫亡守節四十餘年，撫孤成名，兩院旌。張梓妻陳氏夫亡艱苦守節，有司旌。宋國士妻許氏夫亡守節，奉事病姑，撫子成立。張璞妻丁氏年十八夫亡守節，撫遺腹子成立，年九十六卒。王思恭妻侯氏年二十九夫亡守節，撫孤，年八十四卒，有司旌。生員何梅妻王氏年二十一夫亡，剔目矢志守節。姜隆妻李氏年二十九夫亡守節，年八十七卒。戴德博妻李氏年二十夫亡守節，養老撫孤，年八十七卒。○「德博」，廖《志》《兖志》作「得傳」，藍《志》、王《志》作「德傳」，此從《萬曆志》。張時春妻洪氏夫亡守節，撫孤，有司旌。王揚庭妻張氏年二十八夫亡，守節四十餘年。孝養舅姑，撫孤成立，崇禎二年旌，建坊鐵塔寺東。○廖《志》云「順治時追旌」，誤。《萬曆志》、廖《志》《兖志》「庭」作「廷」，亦誤，今據坊正。蔣鋭妻蔡氏鋭陣亡，蔡守節，奉姑以孝聞。○舊失載，據《萬曆志·孝子傳》增。○以上四十六人見《萬曆志》。徐崇德女適滕縣杜永祐，年十九夫亡，子未周歲。守節撫孤，年八十餘卒。崇德，成化十九年解元。張山妻蔡氏、王洪妻劉氏、沈旻妻段氏、張忠妻蘇氏、張鎮妻賈氏、李裕妻周氏、趙澄女、李恕女、永安女，正德六年寇至，九人同時死節。○「李裕」，《兖志》作「遇」，誤。魏珍女張秋、東鹿令馬希昌妻，正德六年流賊楊虎等大掠張秋，魏走匿，賊索得。魏厲聲罵賊，賊怒以刀擊其肩，乃奪刀自刎，賊驚嘆而去。詔表其閭。珍，景泰七年舉人。○「昌」，《舊兖志》作「昂」。賈朝輔妻鄭氏幼聰慧端嚴。父寧國太守文炳，家居課子，氏從旁默識，久之能成博士家言，然不令人知。笄而歸賈，賈素富，廣結納。嘉靖十六年，援例入都，所結兄弟九人要諸路，劫殺之。賈顯靈於家，令鄭申冤。鄭鳴之當道，九人者不盡死，且百計營脫。乃叩閽陳冤，疏皆手撰，當宁動心，九人盡誅，賈仇得報。鄭祭告兩姓之墓，閉户稱未亡人者五十八年，萬曆二十二年卒，年九十一。○鄭與僑《義姑記》。賢裔閔時茂妻魏氏年二十七夫亡，謹藏譜系，孝事翁姑，撫子萬錦成立，有功先賢宗祀，年七十三卒。屢經旌獎。生員李尚志妻趙氏守節，天啓初知州董則喻旌。○「志」，《舊志》作「智」，誤。李服民妻王氏年二十一夫亡，撫遺腹子能自入庠，逢艱多异，年至七十。天啓初知州董則喻、陳一元申旌。生員李上苑妻針氏孝婦。李同芳妻魏氏年二十五守節，撫子舉孝廉，教孫成名。兩院以「節孝齊芳」表其門，又題旌。朱應旂妻王氏守節撫孤，旌。白方煜妻李氏年二十守節，無子。王孟魯妻李氏守節撫孤。李元甫妻吉氏守節。○「甫」或作「輔」。指揮黎世忠妻劉氏年二十五守節，年八十四卒，旌。生員李時茂妻趙氏年二十六守節，撫二子以易、美斯并成名。巡按陳昌言題旌。○節婦祠木主作「臧氏」。李應陽妻韓氏守節。徐志高妻高氏夫病危，自縊，志高是日亦死。生員楊嘉謨妻鄧氏夫亡守節有年。寇至，罵賊死。土武生黃威振妻高氏夫陣亡，自縊。戴孫繩妻楊氏守節年餘，聞有議聘者，即自縊。胡烈女南陽人。許字某，某卒，許氏自往吊，自縊柩旁。蘇小妻孫氏夫亡，絶粒七日，其姑曲諭之，復進飲食。未幾，姑欲許嫁富室，乃自縊。馬騰彩女許字某某亡，自縊。○《一統志》《通志》并云「許字王某」。濟寧衛百户張勇妻丁氏年十七夫亡守節，年六十九卒。張氏二節一名元著，濟寧衛百户葉全妻；一名妙安，千户朱景妻。俱夫亡守節。○「景」，《續兖志》作「璟」。熊禧妻歐氏夫亡守節。黃鸞妻郝氏夫亡守節。陳勝妻程氏夫亡守節。○「勝」，《兖志》作「滕」，誤。生員尹覺民妻黃氏年二十一守節，無子。崇禎間知州王孫蕃旌。徐忠妻房氏年二十二夫亡守節。閻鳳妻劉氏年二十三夫亡守節。劉諒妻范氏年二十二夫亡守節。范春妻蕭氏年二十二夫亡守節，奉姑撫幼。李斌妻謝氏夫亡自縊。武達妻王氏夫亡自縊。臧琦妻范氏年二十二夫亡守節。王漳妻李氏年二十五夫亡自縊。劉玘妻李氏年二十夫亡守節，事舅姑以孝聞。于成蛟妻程氏夫亡自縊。黃孫錡妻孔氏曲阜人。年三十夫歿，舅及伯氏使他適，不從。從父母居年餘歸，伯又并其廬而使宿於外，孔不可，伯怒曳出之，孔曰：「未亡人乃爲伯手所曳耶？」遂自縊，年四十一。侍郎潘士良女適金鄉周鎰，鎰病垂危，先自縊，以祈夫命，鎰亦旋卒。詳《金鄉志》。副將阮應兆妹適嘉祥陳某，崇禎十四年

史　罵賊死。詳《嘉祥》。**白氏二烈**　魯橋自希錦女，一年十六，一年十四。崇禎十四年，賊姚三作亂，二女投泗水死。本朝康熙間，知州陳炡申旌建祠本村。

某妻廖氏　娶未一月，姚三攻掠州境，驅衆難婦南行，廖坐地不動，賊斫之。廖奪刀，斫傷賊趾，賊其殺之，血染泗岸。雨後血迹殷然，剗之不去。本朝康熙間，知州陳炡申旌建祠本村。○廖《續兖志》作「蓼」，《新兖志》作「賡」，誤。

張鳴鶴女　許字李巽，未嫁巽卒，女聞自縊。崇禎時，濟寧監軍道僉事王維新旌鳴鶴。見《孝義傳》。

賢裔生員鄭耕妻張氏　年二十六守節，孝事翁姑，生養死葬，撫孤與僑，中崇禎九年舉人，年九十一卒。崇禎十七年，兩院題旌。

諭德楊士聰二妾　一楊氏，宛平人，年十八；一祝氏，江都人，年十七。崇禎甲申，闖寇陷京師，二氏沐浴更衣，從容自縊。事詳《士聰傳》。

焦繼泉妻張氏　夫亡守節十餘年。崇禎甲申聞，闖賊陷京師，大慟曰：「君亡國破，何用生爲？」遂自縊。

馬義烈女　臨清衛馬房屯馬思敬女。崇禎甲申三月，高杰麾下有號「翻天鷂」者，挾逃兵數千，掠女去，女大罵不辱。次日至金鄉城下，佯稱闖官安民，城中啓門將納之，女突出曰：「此輩皆賊。」急閉門。賊手刃女於濠中，攻城不能拔而去。金鄉人初不知其爲何人，稱曰「義烈女」，寫像立祠，周格爲作記。

楊署七烈　一揚州府知府任民育女，一揚州生員劉中行妻，早寡守節七年；一民育室女；一中行女陳某妻，俱從民育在府署，城陷姊妹母女三人同縊死；一民育妾姚氏，揚州人，投河死；一民育子婦郭氏媵著兒，年十六；一民育幕友賈順子媳張氏，俱投井死；一民育幕友陳善妻某氏，縊死。○「善」或作「美」。

總兵楊振宗妻王氏　濟寧衛指揮王邦端女，以夫貴，封夫人。乙酉四月，左良玉東犯，川營標將内叛，夫人憤然曰：「吾命婦，義不受辱。」遂投水死。

生員徐建華妻馮氏　年二十守節撫孤，旌。子州牧，國朝順治年十二年進士。○以上六十九人見《山東通志》《兖州府舊志》、廖《志》、藍《志》、王《志》者六十七人，增補二人。

右明代共一百一十五人。《舊志》李哲妻吕氏重出，今有蔣鋭妻蔡氏、劉中行女、陳善妻缺載，今補。蔡氏爲孝子蔣禎母，事見禎傳。任氏呼女同縊，見《通志》、廖《志》。鄭確庵有《哭劉烈女詩序》云：「任太守甥也。隨母至揚，一時雙縊。」《舊志·任氏傳》誤作與父同縊。案，民育坐堂皇飲刃死，非縊死也。陳善妻事見善傳。○李上苑妻針氏、徐建華妻馮氏，《通志》并作明人，是也，今從之。其次第則以見《萬曆志》者居前，見《通志》《兖志》、廖《志》、藍《志》、王《志》者居後。間有年代可考，亦略爲編次其事，實則通校諸志，擇其詳核者録焉。

國朝

傅邦信妻邵氏 年二十七守節，事孀姑撫孤。順治初知州遲日震旌。

李枝華妻韓氏 年二十七守節撫孤。順治時濟寧道何啓圖旌。

甯懋御妻吴氏 年十九守節，養老撫孤，爲姑吮疽。翁瞽，曲爲奉事，得其歡心。年逾八十卒，順治間知州陳翼鵾旌。

王門二節 王萬朝妻張氏，年二十八夫亡，子佩玉生甫百日，與妾趙氏同志守節，年俱七十餘。順治時知州李順昌申旌。

王道普妻高氏 一生一女，年二十三守節。順治時巡撫蔣國柱、巡按朱裴旌。○《舊志》「王」亦作「黄」。

邵存仁妻黄氏 年二十五守節，八十一卒。順治時旌。

生員邵純妻高氏 順治初，土寇擾州境，純爲盗所執，火炮之，索財。高避樓上，聞呼聲甚急，曰：「夫死，我生何益？」遂下樓紿曰：「釋夫，財可得。」盗遂舍純，既怒其誑，殺之而去。

楊士聰妾經氏 順治五年，士聰卒，經年二十二守節。子通佺方二歲，撫之成立。士聰三妾，二死節，一撫孤。

張筠妻阮氏 順治七年家被盗，罵賊死，年二十。

生員王邃遠妻楊氏 年二十二守節，康熙三十五年，六十一卒，旌。康熙五十五年，建坊東門大街。○《舊志》作「王遂」，今據坊補「遠」字。

生員潘士晋妻郭氏 守節撫孤。啓昌，康熙初歲貢生。○以上十二人皆順治時。

生員高其德妻任氏 年二十守節，養老撫孤。康熙間知州陳灯申旌。○「德」，《續兖志》作「得」。

生員楊通茂妻鄔氏 年十九，子方周歲，誓死守節，孝親撫孤。康熙年旌。

甯良儒妻胡氏 守節奉孀姑，撫幼子，勤織紡，艱苦備嘗。康熙間有司旌。

王可仁妻程氏 年二十三守節，家貧子幼，艱苦備嘗。康熙年旌。

江源妻黄氏 年十九守節，康熙年旌。

杜其成妻王氏 守節撫孤，年八十卒，康熙年旌。

生員徐嘉謨妻胡氏 年二十守節撫孤。康熙初知州陳灯旌，或云雍正六年旌。

王道遠妻張氏 年二十三守節，事親撫女。康熙時知州陳灯申旌。

生員臧鵬舉妻陳氏 年二十一守節撫孤，康熙年旌。

臧天申妻王氏 年二十七守節，撫孤孫成立。康熙年旌。

生員楊侃妻李氏 守節，養老撫孤。康熙年旌。

左允中妻邵氏 年二十四守節，養老撫孤。康熙年旌。

鄆陽都司周邦基妻甘氏 守節，康熙年旌。

駱化豸妻劉氏 守節撫孤，康熙年旌。

生員楊任妻馬氏 年二十七守節撫孤，子卒又撫孫成立，年七十八卒。康熙年旌。

馮世健妻田氏 年二十五守節撫孤，康熙間南旺工部達鍾、知州廖有恒旌。

生員侯來享妻楊氏 年二十一守節，知府王全忠旌。

李門二節 生員李奮飛妻張氏與妾薄氏，同守節撫孤。奮飛，字六翮。鄭與僑《薄氏苦節記》云：「余與李六翮文學爲筆硯好，遂倩其子。六翮室畜二少，一陳氏，甚昵之；一薄氏者，偶侍枕席而已，未髻也。六翮於丁五年病歿，其父太學生際明公哭而語之曰：『二鬟難以久留，喪出當各遺歸。』陳無言，薄大號曰：『主人有子女，主母多病，吾去誰當撫之？且身已屬人，去將安適？』太學公曰：『若果爲吾兒守志，吾當拜若。』對衆拜之，拜畢加以緇布冠。蔽衣疏食，上奉院君，下育子女，兼理家政，井井有條。今女嫁子，成守節者三十九年矣。吾女事之如姑，子孫輩俱奉之惟謹。薄亦心力兩竭，鷄骨棱棱浣練間，同鄉紳衿盛重之。甲寅歲，白其事於州大夫，州大夫命載之郡志，且轉聞焉。野史氏曰：『馮長樂以歷朝元宰弃舊君如敝屣，千載罪人，固無足齒。即豫讓諄諄較量於常人、國士之間，以明報，亦市井之情。』非通論也，雖九死何稱焉？若薄氏者，恩輕報重，誠足風哉。」

郝士化妻郗氏 年二十守節，撫孤成立。巡按旌。

郭士鎔妻孔氏 聖裔，年二十一守節撫孤。年八十卒，旌。

徐聯芳妻劉氏 年二十七守節，乳姑訓子。有司旌。

王化隆妻楊氏 年十九守節，善事舅姑，撫孤成立。本衛旌。

臧允業妻楊氏 夫亡，火及棺，楊與女共舉棺，棺若自行，初不煩力，人謂誠孝所感。守節至七十餘卒，有司旌。○「允」字避寫，《通志》《續兖志》、廖《志》「業」作「叢」。

臧應嵩妻孫氏 家貧守節，撫孤成立。有司旌。○《通志》「應」作「印」。

林文第妻高氏 青年守節，勵志辛苦。有司旌。

李門二節 守備李禹民妻王氏，年二十八夫亡，子之僑未滿百日，與妾王氏同志守節撫孤。年八十餘卒，有司旌。

馬天基妻張氏 年二十六夫亡自刎，旌。

周之祥妻駱氏 年二十六守節撫孤，乾隆年建坊。○今其坊在倉門口街，乃乾隆丙午年建，不知《舊志》何以云康熙年也。

生員張漢翀妻陳氏 年二十七守節，旌。康熙五十五年建坊院門口大街。○《舊志》「翀」作「冲」，今據坊正。

秦運沛妻薛氏 守節，康熙年旌。

州學生李澐妻祝氏 汶上人。年二十二夫亡守節，養老撫孤，割股以愈姑疾。康熙五十五年知州趙之鶴、汶上縣知縣閔元炅并表其門，年八十餘卒。

靳珍妻劉氏 康熙間以

節孝題獎。子湄，庠生。○以上三十四人康熙時旌。郭門三節 生員郭振基妻張氏，年二十六夫亡守節，中年二子倬、偉又喪。倬妻鍾氏、偉妻蘇氏，姑媳同心守節。雍正年旌。楊文榮妻何氏 年二十五守節，養老撫孤。生員黃健妻秦氏 早年守節，養老撫孤，旌。劉德普妻張氏 苦節。李培益妻吉氏 夫亡，事病姑，籲天割股愈之，年八十卒。王文隆妻王氏 守節。師好德妻夏氏 守節。○《通志》《兖志》、廖《志》「師」誤「詩」。陳若蕃妻馬氏 年二十夫亡守節，安貧養老撫孤。生員楊宗綰妻宋氏 守節撫孤。○《通志》「宋」誤作「朱」。賢裔生員曹河清妻聶氏 年二十二守節。鄧文藻妻曹氏 年二十三守節，孝姑撫孤。吉道隆妻郭氏 守節撫孤。鮑文炬妻吴氏 年二十五守節，養老撫孤。生員孫景華妻袁氏 年二十五守節，養老撫孤。靳在鎬妻楊氏 年十七守節，養老撫孤。邵松妻曹氏 年二十七守節撫孤。王應運妻陳氏 年二十一守節。生員潘戴敏行妻姜氏 年二十守節，無子，年八十四卒。生員石璋妻蘧氏 年二十五守節撫孤。生員時升妻楊氏 守節，孝養孀姑，撫孤成立。洪山妻金氏 年二一守節。生員李肇恒妻戴氏 年二十一守節。生員楊時离妻吉氏 年二十七守節撫孤。李元珍妻張氏 年十九守節，養老撫孤女。邵逢召妻王氏 年十九夫亡，遺孤甫生，守節。靳朝鍄妻張氏 年十七于歸，方周歲育子，三日夫亡，誓死守節撫孤。○「靳」

守備張天和妻吳氏年二十七夫剿嶧賊戰死，守節撫孤。○「和」，廖《志》《續兖志》作「知」。生員高擢妻趙氏年二十六守節撫孤。生員張耀宸妻周氏育子八月，夫亡，守節撫孤。生員高大經妻徐氏年二十七守節撫孤。仙雲昇妻吉氏年十九撫孤守節。生員晁時亮妻彭氏年十七守節，孝事舅姑，撫孤成立。生員李士岳妻黃氏年十九守節。生員陳嘉修妻張氏守節撫孤。生員戴流妻張氏年二十守節撫孤。○廖《志》《續兖志》《通志》「流」作「流」。高昇雲妻歐陽氏年二十守節撫孤。生員湯懋新妻孟氏年二十五守節撫孤。廖《志》《續兖志》「新」作「心」。劉嘉謨妻孟氏年二十三守節。生員王用渠妻楊氏年二十五守節撫孤。子世祿，仕山西平陸縣縣丞。彭萬里妻秦氏年幼守節，無子，孝事舅姑。王允禎妻趙氏堅貞苦節。○《通志》作「王印貞」，皆避寫。秦晉妻王氏年二十七守節撫孤。姜方妻張氏年二十一守節撫孤，子卒又撫孫成立，辛苦終身。生員孟應賓妻汪氏守節撫孤。○《通志》「孟」作「汪」，誤。吳士冕妻鮑氏年二十五守節撫孤。楊仲妻賈氏年二十四守節撫孤。○「仲」一作「伸」。湯子蘭妻解氏撫三子成立，年八十一卒。生員孫景燦妻秦氏奉姑撫三子成立。仙應召妻郭氏年二十二守節。生員賈議妻趙氏年二十守節撫孤。孫朝用妻陳氏年二十一守節。

徐茂遠妻吉氏 夫亡守節。 王門二節 王治乾妻吕氏，年二十二夫亡，撫孤政敏娶妻，又亡，媳宋氏年十九同志守節。 生員戴清妻周氏 年二十守節，歷四十四年卒。 李大本妻歐陽氏 年二十一守節。 楊仲妻吴氏 年二十九守節，剪髮自誓。 孔維周妻鄭氏 年二十七守節。 郭鳴鶴妻劉氏 年二十四守節撫孤。 周門二節 周命新妻李氏，與妾傅氏同志守節。 王懷德妻張氏 年二十六夫亡，自縊。 生員李燮繼妻唐氏 守節撫孤士瑾成立。 生員李復振妻張氏 苦節。 張子誠妻李氏 守節撫孤。 詹步雲妻曾氏 守節。○以上七十人見廖《志》，皆康熙十二年以前人。 陳門二節 生員陳棠妻李氏，康熙五年，年二十七夫亡守節，養老撫孤。子際聖，入泮。康熙三十年際聖又卒，妻楊氏年二十七守節，事孀姑，撫嗣子成立。雍正五年旌。 生員姜應岐妻楊氏 康熙七年夫亡守節，雍正五年旌。 黄門二節 黄承遷妻吉氏，康熙七年年二十一夫亡守節七十六年。子孫楠妻邱氏，年十六于歸，甫二年夫亡，無子，守節事姑，以孝聞。姑卒，邱不食不語而殉焉。 監生王廷英繼妻劉氏 康熙八年年二十夫亡守節撫孤，侍姑病數年，不少怠。六十年巡撫陳世倌表其門曰「志潔行完」，例得旌，劉力辭乃已，年九十六卒。子銓見「孝義」。 潘禄臻妻陳氏 康熙十三年年二十二夫亡守節，孝事孀姑，訓子成名，旌。○《通志》「臻」作「徵」，誤。 徐門二節 童生徐守業妻郭氏，康熙十三年年二十夫亡，撫子倫，娶郝氏，生一子名自新。而倫又卒，姑媳同志苦節。乾隆四年旌。 庠生宋煒妻陳氏 康熙十九年年二十八夫亡，撫孤守節四十九年。五尺童不令擅入中堂，親族罕見其面。周濟宗黨，時值歲凶，鄰里佃戶升斗稱貸，無不應，亦不責償。蒙惠甚衆，年七十有七卒。孫愉，雍正十年舉人。

張鋐妻魏氏 康熙二十一年夫亡守節，養老撫孤六十一年，旌。

孟世顯妻祝氏 康熙二十三年年二十三夫亡，守節撫孤。乾隆六年旌。

貢生包偉傑妻周氏 康熙二十五年夫亡守節，養老訓子成名。雍正五年旌。

呂琇妻張氏 康熙二十六年年十九夫亡守節，養老撫孤成立。雍正三年旌。

李馥妻辛氏 康熙二十六年夫亡守節，養老撫孤。乾隆三年旌。

喬世榮妻路氏 康熙二十七年年二十夫亡，無子，苦節奉舅姑，生養死葬盡力。歲饑，族人周之以粟，不受，人高之。乾隆十一年旌。

倪紀載妻王氏 康熙二十八年年二十一夫亡守節，養老撫孤。乾隆三年旌。

王懷遠妻孫氏 康熙三十年夫亡守節，奉姑撫三子成立。雍正十三年旌。

魏門雙節 魏德秀妻劉氏，康熙三十年年二十六夫亡守節，養老撫孤。魏德俊妻陳氏，康熙三十四年年二十六夫病革，刺臂自矢，與姒劉同志守節。乾隆五年旌。

尹可法妻閆氏 康熙三十年年二十二夫亡守節，乾隆十三年旌。

劉汝龍妻潘氏 康熙三十一年年二十八夫亡守節，養老撫嗣子元易成立。乾隆五年旌。

監生潘承采妻甯氏 康熙三十二年年十九夫亡守節，祖姑、舅、姑皆在堂，養老撫孤子述襄成立。乾隆三年旌。

李永錫妻周氏 康熙三十三年年十九夫亡守節，養老撫孤子文煒成立。乾隆元年旌。

生員楊世清妻高氏 滋陽高奮鶴女，年二十適楊。康熙三十四年夫故，高年二十九守節。雍正十二年旌，建坊城隍廟街。滋陽牛運震爲之傳，略曰：「世清卒，子名宷，纔八歲。高投繯以殉，姑走救之，曰：『吾與汝舅老矣，汝若此，是我再喪子也。』指名宷曰：『獨不戀此耶？』高感泣，不果殉。家中落，倚十指以甘旨舅姑。姑老病，高把箸而食之者十年。舅患瘇，高爲製軟榻，令可施坐卧，置名宷其上，伴老人歡，卒以延舅姑壽。名宷稍長當就學，苦僻鄉無名師，乃遷名寀於滋依外家，從李明經廷桂正句讀。已乃復其故田宅，鍵名寀一室，堆父書而課之，名寀年三十問以家事而不知也。登雍正癸丑進士，乾隆二年授廣西永淳令，而高常忽忽不樂，曰：『吾恨吾舅姑、吾夫不得見也。』逾年卒，年七十二。」

李言謙妻劉氏 康熙三十六年年二十九夫亡守節，安貧養老，撫子成立，旌。

姜宏謨妻秦氏 歲貢生秦鑒女。康熙三十七年年十八夫亡殉節。

宗維濂妻張氏 康熙三十七年年十七夫亡，養老撫孤，孤又夭，苦節四十年。乾隆三年旌。

劉永智妻張氏 康熙三十八年年二十一夫亡，養老盡孝，撫嗣成立，守節五十一年。乾隆十一年旌。

周森紹妻方氏 康熙三十九年年二十一夫亡守節。祖姑年八十，奉養盡孝，訓子煊成名。侄塤母早亡，方撫之如己出。乾隆十年旌。

王惠我妻李氏 康熙四十年夫亡，守節撫孤。乾隆三十三年旌。

府學生楊洽妻王氏 德安府通判王叡女，康熙三十八年適洽，三年而洽亡。王年二十二，將以身殉，念上有兩世在堂，子本和生方一月，强忍不死，仰事俯育，守節四十餘年。持家有道，周恤族黨，人無間言。乾隆六年旌。

李調梅妻楊氏 洽之妹也，適調梅一月而夫亡。嫂王氏迎養於家，守節四十餘年。

楊淑農妻王氏 夫亡無子，養於洽妻王氏家。年八十六卒，洽家爲之殯葬。二人未旌，見楊、王氏事實中。

蓬萊教諭楊通俊繼妻羅氏 康熙四十一年夫亡守節，撫孤子汝增，州學生。

曹某妻黃氏 黃文甲女，康熙四十一年年十七適曹，未半載夫遠出不返，大歸於黃。洒掃一室，極潔靜，雖弟侄惟於中堂相見耳，茹素終身，年七十一卒。

孫門二節 舉人孫芳繼妻劉氏，康熙四十三年年二十六夫亡，所生子女相繼夭，撫前子如己出。舅姑已大耋，思子成疾，百端分解。姑病經年，晝夜奉侍不少怠。教子孫嚴，雖小過不恕，紡績刺綉以爲延師費。晚就養長孫擴圖官舍，擴圖進新衣，斥曰：「但存秀才家風足矣，何必是？」當劉之新寡也，所親或以旌例慰之，劉痛曰：「守節乃婦人之常，亦安有孝廉妻、秀才母而再適者耶？何輕量我爲？」以是十餘年無敢言及請旌者。乾隆十九年卒於烏程官舍，二十六年覃恩貤封孺人。第三子文友妻黃氏，雍正元年夫亡守節凡二十載，先姑亡。

劉汶妻戴氏 江西德興縣知縣戴聖慧女。事老姑曲盡孝道，姑喪，汶遠在京師，附身含殮如禮。汶廣交游，門弟子甚衆，中饋之事咄嗟而辦，不足則脱釧佐之。家中有升斗餘，宗戚貧乏求者必應。始康熙四十六年汶殁，子柏年十三，榕十一，又遺腹生桐，以母兼父教子，自灑掃應對。柏中雍正二年順天鄉試舉人，官州郡，母謂之曰：「爲民上以慈祥爲本，有一分仁心，民受一分之福。爾當以我之視爾者視民，庶有合於誠求保赤之意。」及柏司臬安徽，又謂之曰：「臬司之任，民之生死，循理則爲天堂，昧理即爲地獄，尤宜慎之。」汶之先本確山人，轉入旗籍，因姓何。蒙世宗憲皇帝特達之知，得復姓。及卒，特恩賜千金，葬濟寧。十三年，世宗升遐，戴聞之悲哀不輟，從此得疾。桐中乾隆元年順天鄉試舉人，明年會試，報罷，母曰：「昔人謂少年登科一不幸，爾其力學，以期大成，勿躁進。」柏迎養官舍，有賓客至，母必至後堂聽其言語，則知其邪正，多不爽云。年六十五卒，以子柏封淑人。汶見《儒林傳》。

温汝璸妻李氏 康熙四十六年年二十夫亡，守節撫孤，年九十餘猶存。

冠公佩妻吕氏 赧稼村人。康熙四十七年年二十七夫亡，養老撫孤守節，三十三年卒。

州同馮敬儀妻張氏 康熙四十七年年二十五夫亡，無子女，哭幾絶者數次，强起治家事，慰舅姑，自養生以至送死皆合禮。撫夫弟，育諸侄，盡慈愛，黽勉勤苦，守節三十年卒，鄉人表曰「貞孝」。

陳際元妻仲氏 賢裔，生員承蒲女，進士心澡之孫婦也。康熙四十八年年二十一夫亡，守節養老，撫嗣子大本成立。乾隆六年旌。

孫士法妻吕氏 舉人吕芳振女。康熙四十八年年二十四夫亡，善事舅姑，撫侄文治爲後，守節四十年，乾隆十三年卒。

監生鍾洪緒妻張氏 康熙五十年年二十一夫亡守節，事姑以孝，撫孤成立，年八十八卒。

胡則先妻張氏 康熙五十一年年二十一夫亡，養老撫孤，守節四十四年卒。生員陳際辰妻吴氏康熙五十二年夫亡守節，無子，以針紡度日，年八十存。趙懋聰妻喬氏贈通奉大夫喬發女，懋聰故知州趙鍾華從孫，贅爲婿。康熙五十三年懋聰省親懷遠卒，喬年二十六守節，後舅姑相繼亡，喬撫嗣燦成立，歸葬舅姑及夫懋聰。又課諸孫成名。乾隆二十五年旌。孔大振妻楊氏康熙五十四年夫亡，剪髮斷指，養老撫孤，守節四十二年。乾隆三十年旌。子綸，州學生。黄裔馨妻汪氏康熙五十五年年二十三夫亡，撫孤，孝事翁姑，年八十五猶存。李坦之妻裴氏康熙五十五年年二十二夫亡，僅一女，撫夫兄子廷禄爲嗣，苦節六十餘年。韓大鶴妻孟氏康熙五十六年年二十二夫亡守節，乾隆三十年學使張若淮旌。李汝琳妻王氏康熙五十七年夫亡，剪髮自矢，養老撫孤。乾隆二十三年旌。許門二節許嘉賓妻車氏，康熙五十八年年二十一夫亡，無子，自經，家人救之。舅姑曉以大義，乃斷指自誓，躬任績紡以供菽水。撫嗣子植成立，植亡，妻張氏苦志守節。乾隆二十七年旌。商應强妻孔氏康熙五十八年夫亡，孝事舅姑，撫訓孤子，守節五十餘年。潘呈悦妻陳氏康熙五十九年夫亡，養老撫孤，守節四十年。乾隆二十六年旌。閻芳名妻張氏康熙五十九年夫亡，養老撫孤，守節四十一年。乾隆二十八年旌。种文輝妻張氏監生張光祖女。康熙五十九年年二十三夫亡，奉舅姑，生養死葬悉如禮。訓子琳成名。張學閔妻孫氏康熙五十九年年二十六夫亡，家貧，紡績以奉翁姑，苦節五十餘年。楊昂妻張氏諸生張又齡女。康熙六十年年二十七夫亡守節，舅姑欲爲立後，張不欲承嗣者非舅出也。爲舅納側室，生敬先，撫養之。敬先生子克昌，始爲嗣。克昌有子，張猶存，含飴弄孫，人以爲節孝之報。河標千總王嘉賓妻黄氏康熙六十年年二十二夫亡，苦節，年七十九存。貢生李

時莑妻許氏 康熙六十一年年二十八夫亡守節，養老撫孤。乾隆二十二年旌，二十六年建坊州門前。**李圻妻張氏** 康熙六十一年年二十二夫亡，家奇貧，守貞撫孤。子又歿，四孫幼小，撫養成立，守節五十五年卒。以上六十四人康熙時，有年分者按年分編次。陳門二節、姜應岐妻楊氏、潘禄臻妻陳氏、包瑋杰妻周氏、呂琇妻張氏，《通志》并作康熙年旌，藍《志》據文案正之。**黃維祺妻孝婦姜氏** 生員姜周佐女。家貧，篝燈紡績，佐維祺讀。事舅姑能先意承志，舅歿，姜哀毀，相夫舉大事。既而姑疾，扶持床笫間，朝夕不離。溺器親滌，日三四次，十餘年不怠。崇禎十四年大荒，黽勉菽水不缺。甲申流寇至，姜與維祺負母奔鄉，鄉人復嘩寇至，又反於城。如是數次，卒免於難。維祺，順治十二年進士，康熙初授故城知縣。甫二年而姜卒，同里邵士梅有《姜孺人孝行記》。**生員宋士進妻范氏** 康熙初夫亡守節，撫子成立，年六十五卒。**陸佩妻王氏** 康熙時年二十四夫亡，紡績奉姑，撫孤成立。曹、單同知呂肅高式其廬，年八十卒。**傅端妻顧氏** 康熙時年二十五夫亡，撫子成立，苦節六十餘年。**傅盈妻孫氏** 康熙時年二十四夫亡，撫嗣子，守節，年九十餘。**張氏二節** 前霸州道張耀采孫女也。一庠生徐九如妻，年二十于歸，夫亡立志守節，教子成名。康熙某年，以子克正宮大理丞，贈宜人。一庠生宋循妻，年十九夫亡，遺腹生一女。孝事翁姑，撫嗣成立，守節五十餘年卒。**福建學使張爲經妾陳氏** 康熙某年生子延順，未一載爲經歿，陳佐女君馬氏教延順成立入學。**潘好遜妻黃氏** 夫亡守節，旌，康熙四十年建坊城隍廟街。○《舊志》云「雍正年旌」，今據坊正。**王永勛妻張氏** 夫亡守節，撫二子成立。永勛，康熙十七年武舉。**生員侯克祖妻蒯氏** 撫孤公印，守節。公印，雍正三年歲貢生，清平縣訓導。○《續兗志》作「副榜」。**王天申妻鍾氏** 夫亡，苦節三十餘年卒。**生員王永祺妻譚**

氏夫亡守節，撫孤成立。監生任政妻陳氏夫亡守節，撫孤成立。生員高乃譚妻朱氏夫亡守節。駱大訓妻張氏年十四適駱，康熙末年十七夫亡守節，年六十二卒。監生仙允端妻宋氏康熙末夫亡守節，撫前室子惟勤成立，年六十餘卒。陳際雍妻車氏太平縣知縣陳心澡孫婦也。康熙末守節，辛苦備嘗，撫孤成立，年九十八卒。張淑賢妻常氏康熙末年三十夫亡，撫夫兄子克純爲嗣，苦節五十年卒。候選千總張淑伋妻史氏康熙末年二十八夫亡，無子，以堂侄克宏爲嗣。事翁姑養生喪死盡禮，守節五十餘年卒。生員孫文祐妻壽婦李氏夫家素貧，李解奮紡績以仰事俯育，文祐得以潛心著述。李以康熙九年丙戌生，至乾隆三十五年百有一歲，巡撫題旌，詔賜緞一束、坊銀十兩。三十六年三月八日恭逢皇太后安輿，賞緞二束。聖駕過濟，復加賜二束。子孫垂白，尚勤教戒，年百有四歲卒。范祚璽妻李氏撫孤守節八十餘年，以康熙十四年乙卯生，年百有三歲。飲食起居，猶然少壯。有一子四孫，曾孫七，玄孫三，一堂五世，州人以爲人瑞云。孫門二節孫駿傑妻邵氏，荊家集人。年二十四夫亡，家貧苦節，孝事舅姑，撫幼子大謨成立。娶党氏，大謨又亡。党年十八，有子應鳴方九月。邵悲不自勝，党引古苦節事力爲解釋，姑媳相依，俱享大年，邵年八十八卒。党年七十卒。應鳴倜儻不羈，有才能。應鳴子炳，州學生。劉子亮妻孫氏子亮少孤，育於祖母鄭，娶孫氏，三載而子亮卒。孫年二十，鄭以其少欲嫁之，孫泣曰：「婦孕已三月，幸生男則劉祀不絕，若女亦願與祖母同生死。」後果生男。克勤紡績佐飧，典衣課子，苦節五十載。乾隆間知州史錦表其門。喬瑞公妻路氏年二十夫亡，無子，守節，孝於舅姑。年五十九卒，金壇王澍爲哀辭。楊門母女雙節楊宗禮繼妻程氏，年二十五適宗禮，宗禮旋病，凡六年而卒，無子。楊前妻遺一女，程痛欲死，女跪而泣曰：「母一旦不諱，兒將誰依？」程固甚愛女，亦泣曰：「痴兒，我獨不念爾耶？」二人相依爲命。雍正七年，女歸曲阜孔傳緒。閱二年，女年十九亦寡，女曰：「我無子可死，然誰爲奉我母？母撫我，我獨不能送母泉下耶？」乾隆三十年程卒，廪生黄文女爲營葬。○以上二十八人康熙時無年分者。《舊志》郭振基妻張氏重出，今删。

黄文治妻葉氏 年二十五守節，雍正六年旌。**袁大緯妻黄氏** 年二十七守節，雍正六年旌。**秦麗妻劉氏** 夫亡守節，雍正年旌。**秦茂實妻邱氏** 夫亡守節，雍正年旌。**史考文妻薛氏** 夫亡守節，雍正年旌。**胡纘祖妻孔氏** 夫亡守節，雍正年旌。○以上六人，雍正年旌。黄文治妻葉氏、袁大緯妻黄氏，《通志》作「康熙時旌」，藍《志》據文案正。

高俞妻張氏 雍正元年夫亡，守節四十七年。**張廣豫妻江氏** 雍正元年夫亡，守節四十八年。知州史錦表其門。**監生宮燦若繼妻王氏** 雍正元年夫亡，子夭，撫孫成立，年八十二存。**監生黄承業妻楊氏** 雍正元年年一十七夫亡，撫孤守節四十餘年。

鄭進業妻李氏 鳳凰臺李文考女。年十七適鄭，事舅姑早夜操作以給菽水。生二子曰自純、自昇。雍正二年，自昇未周歲而進業亡，李年二十四，絶食待盡。舅姑喻以大義，氏拜受命。家貧衣食不給，每夜紡績達曙，而他人不知也。閱十年，舅姑繼殁，殯葬如禮。訓子以義方，令自純力田，自昇習舉業，爲州學諸生。乾隆三十二年學使張若湝旌其門。

生員潘昇珍妻許氏 平原訓導許弼乾女。雍正二年年二十二夫亡，孝事孀姑，教子成名，守節四十餘年。

劉柱興妻端木氏 雍正二年年二十四夫亡守節，善事翁姑，撫孤永振成立，年六十二卒。**李覃齡妾張氏** 監生張璽女。雍正二年年二十六夫亡，無子，依弟張之芃家守節。**吴士增妻張氏** 雍天三年年二十二夫亡守節，撫孤宏博、宏通，并成立。乾隆三十年學使張若湝旌。

于大經妻任氏 雍正三年年二十一夫亡，無子女，守節，事孀姑二十年。姑歿，盡質其所有以供大事。嗣子廷瑞。

李天貴妻駱氏 雍正四年年十八夫亡守節，事舅姑，撫嗣子成立，年六十卒。

張克學妻續氏 雍正四年夫亡，續年二十六守節，善事翁姑，撫孤萬舉成立，年七十三卒。

路宗顏妻楊氏 雍正四年年二十餘夫亡，苦節五十餘年，年七十六存。

監生宋相博妻邱氏 贈文林郎邱隨女。雍正五年年二十五夫亡，遺腹子又殤，邱三度投繯，得救不死。奉舅姑竭力，喪葬後倚母兄紡績度日，目爲之翳，年六十餘卒。乾隆二十三年旌。

生員秦平格妻郭氏 雍正五年夫亡，投繯得救不死，守節，撫嗣孤成立。乾隆三十三年旌。

張秉廉妻李氏 雍正五年年二十四夫亡守節。孤宏德甫一歲，上有兩世在堂，奉事盡孝。後連舉四喪，無不盡禮，族黨稱之。乾隆三十年學使張若潀旌。

陳際寅妻戚氏 雍正五年年二十五夫亡，殯葬舅姑盡禮，撫訓子翼亭爲名諸生，守節四十餘年。

秦汝琨妻李氏 雍正六年年十七夫亡，善事舅姑，撫遺腹子成立，守節四十餘年。

張承節妻湯氏 雍正六年夫亡，年二十守節。翁洪猷又亡，湯勤女工奉姑，撫夫弟及孤子成立。年逾六十，或爲之請旌，辭曰：「此女子分内事，何用旌爲？」

潘呈韶妻陳氏 雍正六年年十九夫亡，守節四十餘年。

劉煒妻胡氏 雍正六年年二十五夫亡守節，孝事舅姑，撫嗣成立。知州席芬表其閭，年五十六卒。

潘門雙節 潘呈德妻熊氏，熊賜侯女。雍正七年年十八歸呈德，一月而寡，數年呈德弟呈文妻楊氏又寡，共以苦節自勵。孝事舅姑，熊又竭奮具爲舅納妾，卒有子以延宗祀。

武舉張濬妻高氏 雍正八年年二十七夫亡，無子，撫嗣子國棟無异己出。孝事翁姑，守節四十八年。國棟中乾隆十八年癸酉武舉人。

監生劉朝棟妻張氏 雍正八年夫亡守節，訓子成立，年七十八存。

楊澄

妻魏氏雍正八年年二十五夫亡，家貧，舅姑老，子女幼。魏以女工給菽水，婚男嫁女，苦節四十餘年。宮咸寧妻王氏貢生印曾女。雍正九年年十九夫亡，孝事舅姑，守節四十餘年。萬里平妻潘氏雍正九年夫亡，年二十三，子甫一歲。守節撫孤，爲子娶媳生孫。未幾子、孫、祖繼亡，媳他適，與一孫女相依。郭繼閭妻吴氏雍正九年夫亡，家貧守節，撫子成立。候選州同劉熜妻張氏雍正九年年二十五夫亡，事舅姑盡禮，撫嗣子成立。監生李炳妻張氏雍正九年年二十四夫亡守節，善事舅姑，撫子應龍成名。孫發南妻段氏雍正九年年二十夫亡，撫一歲子成立，奉養孀姑，年六十七存。傅有琮妻侯氏雍正九年年二十六夫亡，絶粒數日不死，念高堂垂白，幼子無依，又復强進飲食。奉事翁姑以壽終，三子相繼成立，竟食其禄，年七十三存。監生王寅賓妻劉氏雍正九年年十六夫亡，守節三十年，乾隆二十五年卒。候選州判何煊妻黄氏生員孫進女。雍正九年年二十七夫亡守節，訓子教孫，俱成名。年六十六存。梅自容妻孝婦王氏東昇莊農家子，織草笠以奉翁姑。雍正九年翁得疾甚篤，思肉，王割左股和麵以進，旋瘳。知州張綸給米五斛，旌之。乾隆三十九年，比隣不戒於火，左右皆燼，惟孝婦茅屋三間巋然獨存，人咸异之。候選縣丞王錦妻孫氏雍正十年夫亡守節，養老撫孤，乾隆三十年卒。劉維勤妻姜氏雍正十年年十九于歸，逾月夫亡。撫夫弟廣勛子書思，教訓成立。書思中乾隆三十六年辛卯舉人，時姜氏年五十有八。李丕基妻陳氏雍正十一年年二十夫亡，苦節守志。戴忠行妻馬氏雍正十一年年二十七夫亡守節，四十八年年七十五存。候選州同戴烈妻高氏貢生高班女。雍正十一年年三十一夫亡，守節撫孤，年六十七卒。王遐齡妻高氏雍正十二年守節，年六十三存。高尚志妻陳氏雍正十二年年十九夫亡，養老訓嗣，守節三十七年。寇永紹妻田氏雍正十二年年二十九夫亡，家貧，撫子女三人，年六十五存。李長馥妻劉氏雍正十二年年二十九夫亡無子，後舅姑相繼逝，撫夫弟友蕙成立。張淑時妻杜氏雍正十二年年十九于歸，逾歲夫亡，無子，以夫兄子克成爲後。未幾兄嫂相繼歿，并撫其子女。上事孀姑，生養死葬，無不盡禮，年六十二存。郭文秀妻李氏雍正十三年守節，年六十五存。韓振麟妻朱氏雍正十三年年二十三夫亡，守節撫孤。○以上四十八人雍正時有年分者，按年編次。姜象乾妻王氏雍正初年二十二夫亡，撫孤，勤紡績以供姑膳，守節五十餘年。李柏妻吴氏雍正初夫亡，守節五十二年。伍聖佩妻王氏雍正初夫亡，守節撫孤，年七十四存。朱文澄妻袁氏雍正初夫亡守節，年七十一存。周學宏妻劉氏雍正中撫孤，守節四十餘年。李桐妻戴氏監生戴瓚女。雍正中夫亡，年二十五守節。舅老家貧，子幼仰事俯育，備歷艱辛者四十年。李天桂妻駱氏雍正某年夫亡，年十七，守節五十六年。徐國柱妻吴氏國柱病，有族無賴子乘間誘之，吴不從，乃出毒藥以脅之，曰：「若固教我買藥以毒夫也，奈何中變？」吴素稔其惡，乃笑紿之曰：「藥果驗乎？直旦暮間事爾，姑徐徐未晚也。」乃告其夫而吞藥自盡。雍正年旌。李萊妻孟氏年十七夫亡守節，孝事翁姑，教嗣子成立。年七十八卒，旌。候選州同時瑄妻王氏年十七偕夫赴翁貴陽任，中途夫亡，王夜投江，流十餘里被救得免。守節六十餘年卒。廪生任廷鑣妻袁氏進士孔昭孫婦，口北道參議州佐孫女也。年十九夫亡守節，教子鴻裕成名，年七十卒。姜宏道妻張氏候選州同知承瑜女。年十九守節，歷五十年卒。林尚升妻歐陽氏年十七于歸，事繼姑恭順。夫亡無子，守貞五十餘年。家貧絶炊，依夫之舅族以糊口，親黨無不重之。監生郝綸妻卓氏年二十一夫亡，撫侄國柱爲嗣，艱辛守節，年八十三存。楊君仁妻陳氏甫嫁夫亡，無子，守節五十餘年，一時名人競爲詩美之，劉淇爲之序。于士英妻吕氏吕顯祖孫女。夫亡，苦節五十餘年，年七十三卒。

陳門二節生員陳士杰妻張氏，年二十六夫亡，守節四十四年。子仲妻魏氏，年二十夫亡守節四十餘年。義姐失其姓，李秉衡母媵婢也。年二十秉衡父病久，母欲嫁之，義姐曰：「主病，我何忍去？」及主卒，復欲嫁之，義姐又曰：「母寡，我何忍去？」主母又卒，義姐撫秉衡成立，爲之婚娶，宗族高其義，以「義姐」稱之。年七十，士人并以詩爲之壽。及卒，皆爲致吊云。時乾隆某年也。

潘門三世苦節潘某妻朱氏，夫亡守節。子姻娶妻李氏，姻孤貧，習爲商，仰事俯育皆李佐佑之，待諸姊弱弟能得堂上心。後姻與弟相繼卒，李恐姑悲哀成疾，轉飲泣寬慰之。姻遺子二，甫授室。未幾次子、婦俱亡，逾二載長子又亡，妻某氏亦守節。一家四人，三世孤孀。朱年八十三，李年五十六俱存。

劉振烈妻宗氏年十九于歸，二十五夫亡，孝事翁姑，苦節五十餘年，年七十八存。張美如妻穆氏年二十七夫亡，遺一男一女。貧寒無依，紡績自給，苦節五十七年，年七十二卒。○按，壽七十二而守節，五十年則張歿，時穆年二十二也。《舊志》作「二十七」，今姑仍之。○以上二十四人雍正時無年分者。

監生楊均妻張氏適楊未二載夫亡，無子，誓以身殉，翁姑防護者匝月乃止。奉事高堂，恪守婦道，鄉人稱爲「貞孝」。趙廷舉妻邵氏年十九夫亡，守節撫嗣。董可顯妻文氏年二十夫亡，無子，守節。貢生高希思妻王氏適高未期年夫亡，王年十九，矢志守節。黄文魁妻許氏守節四十年。監生嚴宗妻

徐氏 適嚴甫二載夫亡，徐哀毁盡禮。養親撫孤，人稱「閨範」，年六十九存。子慎，著庠生。**周溶妻楊氏** 夫亡守節，年七十一存。**監生劉玢妻張氏** 候選訓導延祚女。年二十一夫病篤，以死自誓，玢曰：「我母老矣，曷毋死以養我母乎？」張泣諾。及玢卒，甘貧力作，凡養生送死無不盡禮。撫族子芳爲嗣，年六十五存。**候選知縣張秉琳妻邱氏** 年二十六夫亡，遺孤三月痘殤，以從侄永祺爲嗣。守節撫孤，年六十一卒。**劉門二節** 劉景銑妻蔡氏，年二十三夫亡，守節撫孤，凡四十一年卒。子珻妻張氏，娶甫一年而珻亡，無子，張年二十，哀毁骨立。與孀姑相依爲命，善體姑志，以孝稱。族人憐其節，以堂侄繼奎爲嗣。**程汶妻許氏** 生員承乾女。性嚴重，笑言不苟。夫亡守節，事七十孀姑，相依爲命。無兄弟子女，族人有謀其産者，許乃遍告戚黨，定繼立後。乾隆四十一年卒。**李綰妻孫氏** 年二十一夫亡，孝事舅姑，撫侄孫時順爲後。守節四十餘年。**季汝棠妻唐氏** 夫亡，年二十一，守節撫孤。年六十七卒。**監生劉國珍妻許氏** 吴人許天成女，自吴江來遷。兩次割股以愈姑疾，秘弗言。乾隆二十九年許病革，始以示子孫，創痕宛然。子鳳翥，州學生。**張門二節** 張子諒妻王氏，年二十六夫亡。紡績度日，而子又亡，婦某氏同志苦守，撫孫成立，歷節四十年。**王克恭妻盛氏** 年二十五而寡，無子。或諷之嫁，盛曰：「吾故當死，以母在不敢耳。」與母晝夜操作，不少怠。後八年母亡，明年氏亦死，竟如其言。**周溥妻劉氏** 夫亡苦節，訓子入州庠，年六十卒。○以上十九人無年分，《舊志》列康熙末及雍正間，今爲録於乾隆前。**陳修廷妻范氏** 范家莊監生范伯繩女。年十九適陳，乾隆元年夫亡，范年二十五。善事舅姑，教子成立，守節五十三年。道光十年旌。○《舊志》作「雍正九年夫故」，今據文案正。**劉學曾妻仲氏** 乾隆元年夫亡，自縊，旌。**監生高百順繼妻**

孔氏 乾隆元年年十九夫亡，撫前子恩逾所生，守節三十五年。 文印昌妻孟氏 乾隆元年夫亡，年二十守節。遺孤二歲，親操井臼，上奉高堂，綜理家政，訓子美以賢稱。乾隆四十年卒。 孫永亮妻傅氏 畢村人。乾隆元年年二十夫亡，家貧無子，誓以身殉，以翁姑年邁忍死吞聲。孝養備至，撫嗣子學濂成立。年六十二存。 童生陳際熙妻程氏 乾隆元年年二十五夫亡自縊，里人表其閭曰「節烈可風」。 儒童周洌妻宋氏 乾隆元年夫亡，未幾姑亦卒。鄰宅火發，時翁姑及夫三柩在堂，宋撫柩長號，誓與俱焚。忽反風滅火，衆咸异焉。門單户弱，數年後族子顯自遠歸，定以爲嗣，而三柩始得葬。 李天津妻李氏 乾隆二年年二十一夫亡守節，乾隆三十年學使張若溎給匾旌。 侯起運妻高氏 乾隆二年年二十夫亡守節，年六十存。 監生毛喬年妻馮氏 乾隆二年年十九夫亡，苦志守節，孝養舅姑，撫嗣慰曾成立。 于震妻朱氏 庠生朱秉哲女。乾隆二年夫亡，無子，刲髮毁面，勤紡績以糊口，守節四十年。 生員門炳妻周氏 乾隆二年年二十五夫亡守節，養老，撫孤天智入州學。 候選中書劉炳妻史氏 乾隆二年年十六適劉，逾年夫亡，守節，孝事舅姑。 童生魏藩熙妻楊氏 生員楊汝瑄女。乾隆三年年二十二夫亡守節，敬事孀姑。 涂逢春妻華氏 乾隆三年年二十六夫亡，守節四十餘年存。 監生劉堯清妻史氏 乾隆四年夫亡守節，年六十存。 候選縣丞劉淳妻王氏 乾隆四年夫亡，守節奉姑。 李友蕙妻寇氏 乾隆四年年二十一夫亡，有一子，與長姒劉氏同心撫育。 張子敬妻姜氏 乾隆四年夫亡，無子，守節，撫嗣孫三十一年。 監生聶應照妻馮氏 乾隆四年年二十二夫亡守節，撫嗣成立。

生員許孫彩妻羅氏　貢生羅昺女。乾隆四年年二十八夫亡，守節撫孤，年六十餘存。子廷良，增廣生。　先賢七十三世孫端木英妻郭氏　乾隆四年年二十四夫亡，遺一弱女。家貧，孝事翁姑，生養死葬無不盡禮，鄉里稱其賢孝。守節三十八年存。　陳國用妻張氏　乾隆四年年二十二夫亡，無嗣，守節四十年存。　楊門雙節　楊餘慶妻劉氏，乾隆五年年二十九夫亡，孝事舅姑，生養死葬無缺禮。爲夫弟某納粟入監，娶秦氏。秦氏十八又寡，姒娣相依，人稱雙節。劉性耽書，秦從受業，通曉經典，女工之暇，即與詩書相對。劉年五十九，秦年四十八俱存。

賈良信妻戴氏　乾隆五年年二十九夫亡，守節四十年存。　候選縣丞王克方繼妻聶氏　聶森女。年十八適王，乾隆五年年二十一夫亡，時翁年七十，雙瞽癱廢。家貧，旨甘藥餌舞缺，送死盡禮，人稱其難。撫一子成立，守節五十八年存。道光年旌。　李門二節　州同李增妻汪氏，乾隆五年年二十九夫亡，孝事舅姑，撫嗣子大印成立，娶劉氏。大印又亡，姑媳苦節數十年，人稱爲「雙節李家」。汪年六十六，劉年五十并存。　宗繼堯妻朱氏　朱鏴女。貞靜明大義，治家有法。乾隆六年夫亡，無子女。於棺釘自縊，年二十一，本州申旌。　吴懷仁妻柏氏　乾隆六年年二十一夫亡，守節三十八年存。

王門二節　把總王永寧妻程氏，乾隆六年永寧卒於宜昌任。程年二十有三，守節撫孤成功，爲河標額外外委。三十九年討王倫之亂，歿於東昌，妻劉氏孝事孀姑，同甘苦節。　王朝用繼妻潘氏　庠生潘文羽女。乾隆六年年二十二夫亡守節，善事舅姑，撫前室女如己出，苦節五十餘年。嘉慶十年學政萬承風給彤管，貽徽額。　監生李榛妻高氏　乾隆六年夫亡，守節年五十六存。　時廷錦妻柴氏　乾隆六年夫亡，無子，以翁姑在堂，篤老多病，奉事惟謹。入則婉容，出則含泪，養生送死，人無間言。撫嗣子成立，年五十八存。　張景珍妻周氏乾隆六年夫亡，守節，年五十六存。李學詩妻吳氏乾隆六年年二十夫亡，甘貧撫孤，守節三十五年存。李錫魁妻呂氏乾隆六年年二十夫亡，守節三十七年卒。劉坦妻孔氏乾隆七年年二十八夫亡，撫遺腹子鏡成立，守節三十六年存。于大經妻馮氏乾隆七年年十七適于，甫三月夫亡，孝養翁姑，撫嗣成立，守節三十六年。候選州同知張淇妻徐氏乾隆七年夫亡，孝事翁姑，撫子德普成立，守節三十五年。呂兆乾妾王氏揚州人。年十九歸兆乾，兆乾運船爲業，墮水客死。王年二十二，嫡故悍，恒不使飽，至是欲遣之。王素爲鄰人組履自給，麻有餘必還之，其鄰後不復還，佯曰：「爲索綯曝衣用耳。」忽自縊，視之繩細如箸，即績餘麻爲之者。乾隆八年七月事也。于士仲妻樊氏乾隆八年夫亡，年二十二苦節撫孤，親操井臼，奉養舅姑，年五十七存。青浦縣知縣王詔賓妻董氏乾隆八年夫故，年三十，守節二十八年卒。天文生程君宣妻李氏乾隆八年夫亡守節，年六十一存。儒童王璣妻李氏乾隆八年夫以哭母哀毀卒，李奉老撫幼，總理家政，得翁歡心。其子又夭，撫族子爲嗣，年六十五存。孫氏二節宗聖六十五代孫曾衍經妻。乾隆九年夫亡，年二十七，歸母家，撫遺腹與榮成立，年六十一存。其妹適吳榮興，年二十九夫亡，子大元甫三歲，與姊同歸母家，苦節三十餘年，年五十九存。臧需妻陳氏乾隆九年年二十二歲夫亡守節，撫侄仲篪爲嗣，年五十六存。馬龍光妻李氏乾隆九年夫亡守節，年五十九存。吳桓妻傅氏乾隆九年年二十一夫亡守節，年五十四存。泉州通判李鍾柏妻劉氏夫遠宦閩海，劉侍姑，不同去。晨昏奉侍，恪盡婦道。乾隆十年，鍾柏以養親告歸，至蘇州卒。劉年二十九，養老撫孤，力持家政，歷三十餘年，年六十三存。候選州同知李鍾慶妻陳氏乾隆十年年二十一夫亡守節，年五十三存。左德順妻毛氏乾隆十年守節，年五十三存。童生朱廷柏妻王氏乾隆十年夫亡，旋自縊，以救免。撫二子成立，年五十四存。嚴志聖妻崔氏乾隆十年夫亡守節，奉姑。崔年五十一，姑王氏年九十一猶存。儒士靳曾槢妻時氏年十六適靳，未一載夫病，卧床二載，時侍疾，始終無懈。乾隆十年夫亡，無子，痛不欲生，姑苦勸之，以夫兄子肇焞爲嗣，鞠育教誨。守節三十餘年卒。周裔大妻李氏乾隆十年夫亡，年二十一。遺腹生一子，老姑在堂，仰事俯育，竭盡心力，守節三十三年。監生戴榮妻劉氏安徽按察使劉柏女。年二十一適戴，乾隆十一年夫亡，劉年三十，養老撫幼。逾年姑歿，舅側室生子二歲，而舅亦逝，劉兼撫之，延師訓迪，教以禮法，後皆成立。歷節四十八年，道光八年旌。生員夏克信妻張氏紡績助夫，事奉舅姑。乾隆十一年夫亡，無子。甘貧守節，宗人義之，共爲立後。監生杜作椿妻潘氏乾隆十一年年十八夫亡，無子，事翁以孝稱。守節三十二年存。生員呂士偉妻陳氏乾隆十一年夫亡，苦節三十餘年卒。傅紹九妻蔣氏乾隆十一年夫亡守節，年五十一存。貢生陳梓妻楊氏監生楊興嗣女，吏科給事中陳宸銘孫婦。乾隆十二年夫亡，守節撫孤三十餘年，年六十存。馮彤華妻李氏乾隆十二年年二十四夫亡，守節三十五年存。李志瑩妻朱氏乾隆十二年夫亡，守節年五十一存。張大昌妻邱氏乾隆十二年夫亡，守節二十八年卒。監生趙謙妻吕氏候選州同知吕芳垂女。年十七適趙，乾隆十三年夫亡，守節撫孤。三子又相繼亡，幼媳俱孀，艱難困苦，年六十存。監生程有訓妾吴氏年二十夫亡，無子女。欲以身殉，家人密防之，不得。後聞三年後欲遣嫁，乃用針綫縫衣衽，投東門城河死，時乾隆十六年也。

李東白妻張氏 誥封朝議大夫、户部郎中張宏基女。乾隆十七年夫亡，年二十八，奉事翁姑，撫子大忠成立，守節五十五年卒。

童生駱德珣妻張氏 磁州人，潼商道張坦女。德珣爲處州守大鵬子，乾隆十八年居喪，哀毀死，張自縊。乾隆二十二年旌，滋陽牛運震《空山集》有傳略曰：「張年二十歸德珣，死節時年三十三。乾隆十三年駱公任處郡，其明年德珣與妻奉其王父及母鄭恭人之處，未至留杭。十六年，駱公卒於官，未一月鄭恭人亦殁。德珣扶其父母柩歸濟，旋遭王父喪，不勝哀毀，病卧猶泣血如注，遂以十八年五月十八日死。張拊尸號慟呼天，聲如裂，然絶口不言從死事。日夕斂畢，張語諸姒曰：『比日苦甚，盍少休？』驅媪婢各就寢，并問婢東樓鑰所在，戒勿失，而獨留柩側。明日家人趨視，柩前不見婦，遂迹之東樓，門堅鍵不可開，壞窗入，已懸梁死，然後知氏之陰訣爲死計，而其死距夫目瞑之候未周一晝夜，猶得夫婦同日死。審其所用絲繩，則四月内所染製以有事於梁上者，而家人不知也。」

張尚榮繼妻劉氏 監生劉國珍女。乾隆十八年年二十二夫亡，二子又相繼殤。撫前室孔氏子淑清成立，娶婦乃自縊，三十八年冬十二月既望也。

汪邦森女 許字張某，某家貧，議退婚，女知之自縊，三日面如生。乾隆二十三年十一月二十三日也。鄉里及紳士皆往吊送喪，其墓在東郭外二里。生員楊覲光題其碑曰「烈女汪氏之墓」，同立石者五十餘人。

慶雲縣知縣王天慶妾尤氏 所生二子相繼殤，乾隆二十五年年二十九天慶卒，遺命嫁之，尤甘心守節，早夜操作，歷十八年卒。

生員蘇詔繼室姜氏 生員叶昆女。乾隆二十八年夫卒於父學讓義寧鎮總兵官署，姜殉節，年二十六。

童生聶紘妻高氏 高琛之長女。乾隆三十一年夫亡自縊。子玉麟。

任瑺妻胡氏 乾隆三十二年夫亡，仰藥自盡。

鄭秉敬妻吕氏 善事舅姑。夫亡，妯娌逼之嫁，吕爲遺腹子含泣飲恨。乾隆三十三年子殤，遂服藥死。

葛烈女 名志姐。許字鮑維經，未嫁而鮑死，其嫂戲之曰：「謂汝姓鮑，乃不姓鮑耶。」女曰：「終姓鮑耳。」未幾母出，吊於鮑氏，女自縊，年十九。時乾隆三十四年事，奉憲旌。

童生劉渭繼妻薛氏 乾隆四十一年適劉，未一載而夫亡。既斂，夜起整衣縊於柩旁。○以上八十一人乾隆時有年分者，按年編次。

謝大任妻司馬氏 先賢司馬子後。夫病焚香籲天，祈以身代。乾隆初年十九夫亡，欲投繯，翁泣止之。設夫主於寢室，每食先奠。紡績以事舅姑，撫嗣子如己出。年逾六十，猶操作不怠，兩日爲翳。

童生狄德敏妻陳氏 乾隆初夫亡，苦節，撫孤成立。

監生李效晉妻劉氏 乾隆初年二十六守節，家貧子幼，舅姑相繼歿。遷居荒村，撫孤成立，艱苦備嘗。

黄國柱妻朱氏 年二十一，生一女而夫病革，朱呼天請代，夫謂之曰：「視子意我死子無獨生理，然有遺腹，若生男惟子之賴，勿以輕生乖大義，吾目瞑矣。」言訖而逝。方視含斂，而姑李以痛子暴亡，朱水漿不入口，絶而復蘇，自誓以死，忽夢其夫曰：「若忘我臨歿之言耶？且母亡父心益痛，子能體翁之志，我雖死猶生。」朱瞿然覺，遂不復死。産子尋殤，翁以其次子國棟子爲之嗣以慰之。翁繼娶於劉，生生二子，朱視之與己女無异。身先操作，布衣藿食不厭，臧獲婢嫗莫不心悦，家道日以充裕。翁將歿而嗣子又卒，國棟復以次子萬錦爲之後，母子相依，慈孝之稱遠近無間。年六十餘，存。

李馨如妻夏氏 年二十夫亡，遺腹生女殤，守節不移。後族子有年近七十日利其産，强欲承嗣，訟於官。知州張公以氏所愛族孫叔武爲後，守節三十四年，年六十一卒。○按，二十守節至六十一而卒，當時守節四十二年，《舊志》作「三十四年」，誤。

文永祚妻聶氏 年十八夫亡，舅姑與母憐其年幼無子，勸之適他，聶以死自誓。及舅姑歿，以産盡歸伯氏。伯氏歿，撫其子滋，與共甘苦。滋死，又撫其次子湛，以絡絲度日。夫之從子困乏者常典衣周之，年六十七卒，文氏諸子喪之如所生。

楊廷訓妻吴氏 十七歲守節，撫孤成立，年六十卒。

劉夢斗妻朱氏 朱君選女。年十八夫亡，數年之間孀姑及夫弟相繼歿，家酷貧，朱守志不變，紡績自食，年六十三，存。

監生宋宏鎮繼妻林氏 年二十一夫亡，奉翁，撫前室子女，及小姑畢婚嫁，守節三十餘年。

生員崔嶷妻劉氏 生員劉皇選女。年二十夫亡守節，撫孤子梅亭成立，年五十餘，存。

商淑文妻張氏 年二十夫亡，撫孤，苦節三十餘年。

商淑武妻李氏 年二十一夫亡守節，事祖母以孝聞。

盛朝欄妻陳氏 年二十生一子，夫亡撫孤，守節三十餘年。

苗克讓妻邵氏 年二十三守節，孝事翁姑，撫嗣成立。

吳業祖妻顧氏 夫年二十卒，顧矢志守節三十餘年。夫弟某生子，撫以爲嗣。

聶秉鐸妻郭氏 年二十夫亡，撫嗣子，作苦度日，守節三十三年。

劉士安妻譚氏 年十九夫亡，撫遺腹子釗成立，守節三十餘年卒。

劉銓妻閆氏 年二十四夫亡，孝事翁姑，撫孤成立，苦節三十餘年，年五十五存。

秦國柱妻何氏 夫亡，年二十二，守節三十年。

楊廷梅妻吳氏 于歸方一歲而夫亡，立志守節，年七十四卒。

汪本點妻李氏 監生李化光女。夫亡守節，孝事翁姑，撫孤成立。道光十一年旌。

劉金貴妻孝婦趙氏 姑病，割股以愈，隣里欲請旌，趙曰：「我豈爲名乎？必不可。」人益高之。金貴，農人，隸臨清衛地。

生員孟道清妻劉氏 華亭縣丞鍾麓女，舉人孟鏡子婦也。年十九適孟，夫疾篤，矢以身代。甫卒，即於榻前自縊，年二十四。

雷浩妻劉氏 年十九夫以瘋疾卒，誓守節。夫弟與姒相繼逝，撫兩侄，奉養老姑終身。

范湄妻劉氏 年二十四夫亡守節，撫嗣子成立，奉舅姑以終身。

李文琳妻姚氏 下九曲農家子也，年十七適李，生三子俱幼夫歿，舅姑篤老，姚啖糠秕而供親必飽。田主以婦節孝，仍使佃其田，得撫子長成，一鄉之人皆稱焉。年五十餘，存。

監生張德

遠妻時氏候選通判時廷鑒女。夫亡兩月遺腹子生，乃自縊，年三十三。陳芳檀妻黃氏夫亡守節。房魯澤妻李氏夫亡守節。高永金妻劉氏夫亡，遺弱子二，貧寒無依。劉辛苦紡績，獲成立焉。陳焯妻郝氏夫亡守節。趙宣妻常氏家貧族單，夫亡，翁姑年皆六十，遺弱子二女一。晝則肩挑，夜則針黹，喪葬婚嫁悉以一身任之，鄉里嘆苦節云。張鈿妻趙氏夫亡無子，守節，孝事舅姑。潘呈瓛妻宋氏夫亡守節。黃國持妻宋氏夫亡守節。陳志普妻李氏夫亡守節。靳秉舒妻周氏夫亡守節，年六十二卒。袁信成妻施氏年二十夫亡，無子，甘貧守節。馮鳴珂妻曹氏夫亡守節。程門二節程炎妻邢氏，年十九守節。子友訪又早卒，媳謝氏同志苦節。遺孫又夭，謝氏紡績奉姑，憂勞不形於色，人以爲難。常際昌妻趙氏年二十夫亡，撫弱女，守節。程景賜妻謝氏年二十二夫亡，撫二女。越數年，夫弟有子，立以爲後。年五十卒。王克表妻李氏年二十八夫亡，惟遺一女，李為翁納妾生子。及翁卒，而子又殤，慟絶而蘇。撫從子烜爲嗣，奉姑字子，始終不懈。王道遠女許字李山玉子。李亡，女乘母往吊，閉門自縊。王廷御妻賈氏年二十三夫亡守節。李琯妻孫氏年二十守節，六十六卒。季謙賓妻趙氏年二十五夫亡，欲以身殉，以遺孤尚幼不果。逾月子殤，乃縊。監生朱文湛妻張氏夫亡守節，乾隆四十年卒。子廷琚，州學生。○以上四十九人見《前志》，皆乾隆四十三年以前人。

右共四百三十五人。前志以見《兖志》《通志》者録於前，下分三目，曰「新增」、曰「未旌」、曰「補遺」。今不復區別，略依年代編次。

其有當時未旌，後已請旌者，案依文卷補其旌表年分。惟房雲彤妻張氏、吴秉鐸妻張氏、范治妻葉氏、鄭瑞妻孫氏、房坦妻陳氏、喬學洙妻高氏六人係道光十九年彙請旌表，則悉移入總坊焉。

孟寬妻趙氏、馮鎰妻毛氏、王廣祥妻程氏、馮道派妻蔡氏、馮鑒妻王氏，舊祠有主失考者五人。徐氏、李氏、韓氏、孟氏、侯氏、楊氏、王氏、張氏、甘氏、馮氏、高氏、楊氏、金氏、王氏、韓氏、程氏、袁氏、戴氏。舊祠節婦夫名失考者十八人。

以上由元明至國朝乾隆間，都五百七十八人。并見《舊志》。○《舊志》失載而補入者三人，《舊志》已録而退入總坊者六人。

孫世爵妻陳氏　年十七適孫，康熙五十五年夫故，陳年二十四，奉親教子，守節六十六年卒，未旌。

劉士榮妻楊氏　四忠祠楊公佩五世孫宏女也。乾隆四年年十六適劉，甫一載夫亡。上無翁姑，下無子女，又絶無遺産，其族姑母潘憐而收恤之。楊紡績縫紉自給，不以累人，苦節五十五年卒。潘姓葬之九曲村南，立石爲記。事在乾隆五十八年。

陳門三世四節　陳學孔妻姬氏，年十九適陳，越八載學孔殁。長子朝柱六歲，次子朝祥三歲，姬孝事老姑，曲意承歡。紡績資二子讀，皆成立。朝柱娶趙氏，朝祥娶朱氏。乾隆十二年朝柱殁，妻趙年二十四無子。十七年朝祥亦殁，妻朱年二十一，一子聚方在襁褓。兩世三孀，守一未周歲赤子，堅貞交勵，共撫遺孤。聚長娶徐氏，有三子：柏蒼、柏盈、柏茂，家計亦漸裕。朱乃以聚奉朝柱祀，而以次孫柏盈爲己嗣，重大宗也。未幾聚又歿，趙氏、朱氏復率其婦徐氏以教三孫，徐亦能承姑志。趙以乾隆五十八年卒，年七十二。朱以嘉慶十六年卒，年八十。乾隆末學使阮元表其門曰「一門三節」，道光間學使龔守正編入《幽光録》，聚子婿張樹屏爲之傳。

史叔燕妻劉氏 光禄寺署正劉沛女。年十九適史，乾隆十三年夫故，劉年二十九，守節七十一年。嘉慶二十四年旌。

郭繼閭妻吴氏 太學生吴祖銓女。年十九適郭，乾隆十三年夫故，吴年二十四，守節五十年。同里許鴻磐爲之傳，略曰：「繼閭卒，無子，姑窺婦有必死意，乃取長子繼宗之次子恒爲之子，生甫六月，泣而授婦曰：『若夫有嗣與否，在此子。稔若賢，必克任此事，故付若。』婦泣對曰：『死夫義也，撫孤亦義也。矧重以堂上命，必遂己志，是違姑命，而使長逝者絶血食也，將獲大戾。』乃哭拜而受之。自是銜恤茹痛，罔敢以啼痕對姑。家中落而食指日衆，乃析居，鬻妝奩，勤針黹，以儉禦窮，用手活口。爲子擇師友，俾自樹立，嘗曰：『溺舐犢之愛，失教誨，流爲不才，與無子同。』以故督之嚴，其子亦至孝，能得母歡心。孫二：貞謙、貞復。」道光七年旌。○案，《舊志》有郭繼閭妻吴氏，以雍正九年守節，與此年分不同，姑兩存之。

監生楊友椿妻于氏 監生于兆元女。乾隆十七年夫亡，于年二十七，守節四十八年。道光十六年旌。

李學孔繼妻亢氏 適李時，前室高氏遺二子甫數歲，恩勤撫育如己出。乾隆十八年夫亡，亢年二十六，族人某諷之嫁，亢以死自矢。族大怒，朝夕詈罵，亢恐有變，謂其子曰：「渠所以爲此者，利吾産耳。」乃盡弃之，移住破屋中，以十指自活。歷十餘年，卒復其業。年六十三卒，守節三十七年，未旌。

夏門三節 夏克詔妻廖氏，廖世隆女。年二十四適克詔，乾隆二十二年克詔殤，廖年二十八，痛不欲生。既念翁姑父母俱在，恐重貽堂上戚，乃飲泣不敢出聲。依依翁姑側，一如夫在時。以夫兄長子理爲嗣，娶袁繼開女。乾隆四十年袁年二十五，理歿，廖哭兒并痛其媳，乃命移居一室，相對涕泣，時相勸勉曰：「我與汝兩世孀居，何命之同也？願與汝其安之。現無宜嗣者，且待之。或繼子、繼孫不没我兩世志，我死可以見我夫，汝死可以見汝夫矣。」廖賦性温厚慎默，雖處極艱苦，拂逆，時含忍巽順，無遽色恚辭。一日媳竊謂曰：「他人皆以吾姑爲痴也。」正色曰：「吾何嘗痴？顧不痴，何以處今日？汝當學吾痴耳。」乾隆四十九年廖卒，袁嗣子大田娶陳貽準女。嘉慶二十五年大田又卒，陳亦年二十五守節，事姑盡孝，如袁之事廖也。袁卒於道光十六年，年八十六，二十年旌。陳年四十七存。

邵祖文妻劉氏 監生劉翰女。乾隆二十二年夫故，劉年二十三，守節五十五年。道光十四年旌。

冷宗盛妻韓氏 河東二鋪韓衍淮女。年十九適冷，乾隆二十二年夫故，韓年二十八，守節三十年。嘉慶二十一年旌。

仲振棕妻駱氏 駱德瑛女。年十七適仲，乾隆二十三年夫故，駱年二十一，守節四十二年。嘉慶四年旌。

張我唯繼妻鄭氏 東南隅鄭修來女。乾隆二十七年年二十三適張，甫逾月夫故，守節四十一年。嘉慶七年旌。

監生朱文濱妻張氏 嘉祥縣廪生張山臺女。年二十適朱，乾隆二十七年夫故，張年三十，守節五十一年。嘉慶二十年旌。

高永源妻陳氏 監生陳佩琳女。年二十適高，乾隆二十七年夫故，陳年二十八，守節五十一年。道光十三年旌。

李其讓妻劉氏 劉全義女。年十九適李，乾隆二十七年夫故，劉年二十七，守節五十五年卒。

監生歐陽辛妻劉氏 贈文林郎劉文歐女。年十八適辛，乾隆二十八年夫故，劉年二十，守節五十一年卒。道光十二年旌。

邢志妻時氏 西北隅時允之女。年十七適邢，乾隆三十二年夫故，時年二十八，守節五十八年。道光五年旌。

蘇克正妻顧氏 顧德茂女。乾隆三十一年適蘇，三十三年夫故，苦志守節。嘉慶八年旌，二十年卒。

監生楊璐妾徐氏 乾隆三十三年璐卒，徐年二十六，守節四十九年存。

李洙妻鄭氏 乾隆三十三年年十九適李，次年夫亡。將殉，伯姒毛氏寡，有遺孤名大桂，甫七齡，毛泣語鄭曰：「此兒乃李氏一綫之緒，吾與若并力撫育，猶恐不給。若欲爲夫死，獨不計舅姑宗祀耶？」鄭許諾。越二歲，毛病且革，謂鄭曰：「若年尚少，吾子未知成立，奈何？」鄭曰：「吾娣姒誼如姑婦，向者忍死受命，而异日相背負乎？」毛卒，鄭專力撫孤，教養周至，三十年如一日，大桂事之如母。嘉慶九年旌，十二年卒，同里陳貽準爲之傳。

杜元炳妻熊氏　南鄉熊念祖女。年十九適杜，乾隆三十四年夫故，熊年二十二，守節五十年。嘉慶二十三年旌。

常滿妻孟氏　孟家井孟曰晋女。年十九適常，乾隆三十四年夫故，孟年二十七，守節五十二年卒。

盧奉初妻薛氏　嘉祥縣薛士元女。年十七適盧，乾隆三十四年夫故，薛年二十三，奉親教子，守節六十二年卒。

王烜妻李氏乾隆三十五年夫亡，李年二十三，撫孤成立，五十八年旌。

孟永錫妻夏氏　東北隅夏建寅女。年十九適孟，乾隆三十五年夫故，夏年二十九，守節四十九年。嘉慶二十四年旌。

張廷鑒妻陶氏　南城九鋪陶思禹女。年十七適張，乾隆三十六年夫亡，陶年二十九，守節三十六年。嘉慶十一年旌。

監生許瑞龍妻聶氏　監生聶際昌女。年十七適許，乾隆四十三年夫亡，聶年二十一歲，守節五十三年。道光十年旌。

王貽哲妻劉氏　監生劉㮚女。乾隆四十三年適王，次年夫亡守節，事親盡孝，撫遺腹子緒昆，慈孝兼至，歷十三年卒，年二十八。緒昆，官知府，孫慶瑚，舉人。知州徐宗幹爲作行略，弁言略曰：「太恭人歸朝議公，年甫十五，未一載遽喪所天。舅姑以太恭人方妊，謂嗣續事，大戒勿死。閲五月而太守生，命名緒昆，祖志也。無何，舅以慟子亡，太恭人以一身肩内外事，喪葬如禮。雖家徒四壁立，奉姑罔缺甘旨，復拮据爲夫弟娶婦。性毅重，教子尤嚴，童年督課，無稍懈。門以内無幾微勃谿聲，娣姒間怡怡如也。」道光九年旌。

王錦妻井氏　井維釗女。乾隆四十四年夫故，井年二十六，守節五十一年。道光十年旌。

鄭文尚妻張氏　張大順女。年十八適鄭，乾隆四十四年夫故，張年二十六，守節六十一年，年八十八存。

段懷璐妻陳氏　監生陳濂女。年十七適段，乾隆四十六年夫故，陳年二十八，守節四十三年。

前河陜汝道張有年側室李氏 直隸宛平縣李彬女。乾隆四十六年有年督青龍岡掃工，隨掃沖歿，李年二十二，守節四十六年。道光十年旌。

臧業密妻苗氏 滋陽歲貢生苗荆琢女。年十七適臧，乾隆四十八年夫故，苗年二十一，守節四十七年卒。

蘇公全妻胡氏 胡善倫女。乾隆四十九年夫故，胡年二十八，守節四十七年旌。

冷克峻妻寇氏 南賈村寇祥清女。年十八適冷，乾隆四十九年夫亡，寇年二十九，守節三十二年旌。

荀延卜妻李氏 滋陽縣李懷敬女。年十九適延卜，乾隆五十一年夫故，李年二十四，守節三十九年。李賦性貞順，勤儉善持家，撫嗣子如己出，撫侄輩如子。其家四世同堂，食指殷蕃，李爲總理家務，内外皆服其公。道光四年旌。

劉祥質妻丁氏 年十七適劉，乾隆五十一年夫故，丁年二十七，守節四十三年卒。

蘇延齡妻陸氏 陸明魁女。年十九適蘇，乾隆五十二年夫亡，陸年二十一。事翁姑盡孝，遺孤鏞甫二歲，撫之成立。嘉慶二十四年陸病革，鏞嘗糞而泣，母節子孝，里黨稱之，旌。

王持中妻李氏 李志善女。年十七適王，乾隆五十二年夫故，李年二十五，守節三十七年卒。

朱廷璽妻王氏 賀家橋王正薦女。年十九適朱，乾隆五十二年夫故，王年二十，撫嗣子成立，守節五十四年存。

王冬立女 許聘李延仁爲妻，乾隆五十二年延仁未娶卒，王年十六，在母家守節五十三年存。

江克慎妻陳氏 陳子中女。年十八適江，乾隆五十四年夫故，陳年二十八。孝養雙親，撫數月子成立，苦節五十二年存。

監生朱叶三妻張氏 貢生張永順女。生而端凝，性嗜書，過目不忘，嘗録《列女傳》中志行純粹者編爲《女诫》，用曹大家書名而异其體裁也。侍母病，夜祝天祈以身代，或勸用釋道禱禳，峻拒之，母亦旋瘳。乾隆四十九年年十九適叶三，越六年年二十四叶三遘危疾卒，張嘔血幾殆，姑哭諭之，乃不死，越月生子啓。後事姑曲盡孝道，暇輒舉史書所載古人事迹爲姑釋悶。教子嚴而有法，編輯古聖賢忠孝節廉事，以俗語朝夕諭導之。每侍姑寢後篝燈課讀，漏三下乃止。姑病，繞床侍立數月，不稍倦。姑歿，卜新阡營葬，拮据勞瘁，遂成怔忡疾以終，年六十有三。子啓後於殘篋中得片紙，乃其手書，曰：「人生稟天地正氣，當盡者惟忠與孝耳。夫死宜殉，然書香嗣續不絶如縷，姑老在堂，相依爲命，敢不敬勤以終夫子之志？」啓後每出以示人，輒悲哽不能卒讀云。道光十六年旌。據事實及魚臺舉人馬星翼撰傳。

程門二節 程忠言二子，長書昌娶夏興楝女，次書横娶黄紹鐸女。乾隆五十五年書棋卒，黄年十九，子六合未周歲。六十年書昌又卒，夏年二十六，一子旋殤。二氏同心守節，孝事雙親，共撫六合成立，生子鏞夏以爲嗣。道光九年，夏守節三十四年，黄守節三十九年，學憲表其門。

常所志妻莫氏 石橋集莫大起女。年十五適常，乾隆五十五年夫故，莫年十七，守節五十一年存。

李爲尚妻王氏 王茂林女。年十八適李，乾隆五十六年夫故，王年二十九。勤女工，撫遺孤，苦節三十九年卒。

李承基妻韓氏 乾隆五十六年年十九適李，次年夫故，守節五十年存。

蔡自新妻高氏 監生高燦女。乾隆五十七年夫故，高年十八，守節四十一年，旌。

吴鯪甲妻鄭氏 鄭維從女。年十九適吴，乾隆五十九年夫故，鄭年二十五，守節三十一年卒。

張興泗妻李氏 李宗會女。年十八適張，乾隆六十年夫故，李年二十四，子德許甫四歲，撫養成立，守節四十五年卒。

增生史心勇妻崔氏 乾隆六十年夫故，崔年二十八，守節四十六年存。

王貽成妻靳氏 廩生靳肇煌女。年十五適王，乾隆六十年夫故，靳年二十八，守節三十一年。道光六年旌。

白燿妻宫氏 接駕莊人。乾隆時歸燿，甫逾歲燿卒，宫矢以身殉，勺漿不入口。其姑哭而諭之曰：「汝不憐我老耶？方痛兒，又痛婦，我何以生？且汝何不爲亡兒計？汝嫂生男當嗣汝，汝撫而育之，我兒爲不死矣。」宫哭受命，顧家計素窶，伯煐勢不能兼顧，寄食外家，針黹自給，以素嫻女工得值頗厚。凡遇祭埽節及翁忌日誕辰，必携冥資、酒果反。又每以甘脆衣履奉其姑，月三數次。及煐果生男，宫聞而喜。即至，携所作綳褓茵褥等甚備。而兒旋以臍風殤，焕妻咎宫命孤，致子不育，宫痛哭歸，數月不復至。一日忽盛妝來，囊袱新且巨，進其姑衾枕衣襪，較素皆十倍。姑怪問之，則云：「自哭兒後目驟昏，恐後不能繼也。」日夕依依姑側，不忍去，夜隨自縊於其室，衆乃知自昔哭歸時死志已决矣。副貢生徐謙光爲之傳。

文緒光妻岳氏 鄒縣庠生岳懷忠女。夫亡守節，嘉慶九年旌。

唐門雙節 衛千總唐志良妻王氏，王有榮女。年十九適唐，嘉慶元年夫故，王年二十六，守節四十一年卒。其側室王氏，王裕名女，亦年十九適唐。夫故，王年二十三，守節四十六年猶存。二王氏子女各二人，同心守節，教子成立。

徐門三節 從徐海妻許氏，監生許調鼎女。嘉慶元年夫故，許年二十五，守節四十年。子章虞妻劉氏，滋陽縣貢生劉文可女。嘉慶十三年夫故，劉年二十四，守節二十八年。文虞妻錢氏，署蘇州府海防同知錢鋭女。嘉慶十五年夫故，錢年二十七，守節二十六年。均於道光十五年旌。

井兆墫妻李氏 監生李廣志女。嘉慶元年年二十一適，并次年夫故。李絶粒數日，姑哭諭之，乃食。撫嗣子春洲入武庠，家中落，惟以織紝組紃易值奉姑。雖及艱困，若不介意，恐貽姑憂也。守節三十四年卒，道光十年旌。

監生井兆陛妻李氏 員外郎記名御史李瀚女。年十五適井。嘉慶三年夫故，李年二十。無子，姑命以伯子賜詔爲子，稍長教之曰：「人即生温飽，宜自樹立，矧大戾降我家，隣於凍餓。祖宗之澤不可冀，親戚之恤不可常，所以自拔於艱難中者，惟敦品勵學耳。」子泣受命。道光八年旌。

方元泰妻田氏 田方來女。年十九適方，嘉慶三年夫故，田年二十八，守節四十三年存。

韓宗卜妻李氏 李純義女。年十九適韓，嘉慶四年夫故，李年二十三，撫孤守節四十三年存。

張恒基妻劉氏 劉兆一女。年二十一適張，嘉慶五年夫故，時劉氏年二十九，守節四十一年存。

王善學妻紀氏 俞官屯紀鳳羽女。年十九適王，嘉慶五年夫故，紀年二十五，守節三十七年。

張永鐸妻吕氏 武生吕士

燦女。嘉慶七年夫故，呂年二十七，守節二十四年。道光十五年旌。

劉丕維妻時氏 捐職翰林院孔曰時廷獻女。嘉慶八年夫故，時年二十九，守節三十三年。道光十六年旌。

王繼宗妻許氏 東南隅附監生許焜女。年十七適王，嘉慶八年夫故，許年二十四，守節三十三年。道光十六年旌。

韓培莪妻楊氏 楊溪女。年十六適韓，嘉慶八年年二十八夫故，養老撫幼，苦節三十八年存。

邵永觀妻于氏 登豐里于克聖女。年十七適邵，嘉慶八年夫故，于年十九，守節三十八年存。

蘇大元妻張氏 張永先女。年十九適蘇，嘉慶八年夫故，張年三十，守節三十七年存。未旌。

王善養妻董氏 金鄉縣董宗女。年十九適王，嘉慶九年夫故，董年二十五。上奉重闈，下撫嗣子，守節三十七年存。

韓蕋安妻聶氏 聶輝吉女。年二十一適韓，嘉慶九年夫故，聶年二十五。奉孀姑，撫幼子，苦節三十二年卒。

宋蘭芳妻席氏 席秉禮女。年十七適宋，嘉慶九年夫故，席年二十八，苦節三十七年存。

李承元妻劉氏 東南隅候選同知劉丕經女。年十七適李，嘉慶九年夫故，劉年二十四，守節三十三年。道光十六年旌。

李聯良妻陳氏 東南隅陳麟兆女。年十八適李，嘉慶十年夫故，陳年二十一，守節三十四年。旌。

楊門三烈 楊鴻德二子一女，長友梁，妻高氏；次友桐，妻崔氏；女名大松。鴻德夫婦卒數年，高生一子，崔生一女，而友梁、友桐相繼亡。兩婦痛不欲生，大松方在室，泣勸曰：「嫂死則得矣，如呱呱者何？」於是傾奩營葬，姑嫂相依爲命。逾年子女俱殤，二婦誓必死，以大松在心憂之。大松覺其意，請同死，即相對投繯。時嘉慶十年，高年二十六，崔年二十四，大松年十七。鄰里哀之，爲營殯葬焉。舉人李福泰爲之傳。

周廷棟妻羅氏 羅九賓女。年十九適周，生子鳳池、鳳照、鳳祥。嘉慶十年夫故，羅年二十八，守節三十七年存。

朱貽忠妻黄氏 河東黄蔭長女。年十六歲適朱，嘉慶十年夫故，黄年二十七，守節三十六年存。

程統

嗣妻潘氏接駕莊潘質允女。年十九適程，嘉慶十一年夫故，潘年二十六，撫六月子成立，守節三十五年存。

趙德滋妻盛氏新挑河盛孝恭女。年十七適趙，嘉慶十一年夫故，盛年二十一，孝事翁姑，守節三十五年存。

王養琳妻陳氏陳家樓陳逢泰女。年十七適王，嘉慶十一年夫故，陳年十九，守節三十五年存。

張廷梁妻朱氏朱芳女。年十九適張，嘉慶十一年夫故，朱年二十九。事孀姑，撫幼子，苦節三十三年卒。

高金標妻朱氏嘉慶十一年夫故，朱年二十六，守節三十一年卒。未旌。

魏廣麟妻梅氏梅殿麟女。年十八適魏，嘉慶十一年夫故，梅年二十四，守節三十六年存。未旌。

陳春溪妻張氏鄒縣張洪渠女。年十九適陳，嘉慶十二年夫故，張年二十二，守節三十四年存。

馬善德妻孫氏孫純女。年十八適馬，嘉慶十三年孫年二十八，守節三十三年存。

蘇廣禄妻文氏文洁女。年十七適蘇，嘉慶十三年夫故，文年二十七，守節三十三年存。未旌。

文阿粹妻范氏監生范廣議女。年十九適文，生子殿元、殿桐、殿梧。嘉慶十三年夫故，范年二十九，守節三十二年存。

李習福妻孫氏孫統萬女。年十九適李，嘉慶十三年夫故，孫年二十八，苦節三十三年存。

王啓文繼妻劉氏劉興武女。嘉慶十三年夫故，劉年二十七，守節二十八年。道光十五年旌。

張玉泉妻姜氏姜祥生女。嘉慶十三年年十七適張，次年夫故，姜年十八。績紡以奉翁姑，繼胞侄爲嗣，苦節三十五年存。

蘇有爲妻王氏王法喜女。年十五適蘇，嘉慶十四年夫故，王年二十九，守節三十六年存。未旌。

劉兆峰妻周氏布政司理問周懋長女。年十九適劉，嘉慶十六年夫故，周年二十七，守節三十一年。

張佩紳妻杜氏監生杜機齋女。年十七適張，嘉慶十六年夫故，杜年二十八，守節三十一年存。

張心陶妻王氏嘉慶十六年夫故，王

年二十六。食貧茹苦，辛勤持家。夫有孤侄甫五六歲，撫育周至，守節二十八年卒。

謝廷杰妻王氏 王家集王應運女。年十七適謝，嘉慶十六年夫故，王年二十二。奉養翁姑，撫育幼子，守節三十二年。未旌。

韓宗書妻張氏 張爲條女。年十七適韓，嘉慶十九年夫故，張年二十五。上有孀姑，下有稚子，以婦代子，以慈兼父，苦節二十七年存。

韓宗師妻陳氏 陳克木女。年十七適韓，嘉慶二十年夫故，陳年二十七。奉孀姑，撫幼子，守節二十六年存。

石楷妻許氏 許鴻磐女。年二十一適石，嘉慶二十年夫故，殉節，時年二十八。同里李聯榜爲之傳，略曰：「楷卒時，烈婦水漿不入口者累日，不得死。其姑晝夜防之，婦慨然曰：『吾志不可拐，而環守者比比，不知者得無謂予勞人以播聲稱乎？且以未亡人而使姑眠不安、食不樂，是重其喪子之戚也，何以爲婦？』於是銜悲茹痛，飲食言語略如常。久之，環侍者曰：『婦不死矣。』乃乘閑從容扃户，投繯以卒，距夫亡七十日。方其未死也，人慰之曰：『父遠宦，姑在堂，義不可死。』婦曰：『揆之矣，婦人嫁從夫，父不予責也。使姑僅一子，賴吾代定省，則不可死；使姑缺饔飧，依吾奉養則不可死；使吾有呱呱者，須吾撫育以延其祀，亦不可死。數者無一焉，吾不死何爲？』聞者不能答。婦幼嗜書，讀范史《列女傳》至蔡文姬曰：『嘻！是烏得濫厠哉？戔戔之才，彌滋厥累。』自是不復學爲詩賦，其祖甚异之，而卒以烈著。死生之際，侃侃引決，斯真能行其志者哉！」

姜玉美妻胡氏 胡玉林女。年十九適姜，嘉慶二十一年夫故，胡年二十八，守節二十六年存。未旌。 庠生

王永太妻霍氏 南賈村霍塎女。年十九適王，嘉慶二十四年夫亡，馬年二十，守節三十七年。已旌。

孫毓泗妻馬氏 嘉慶二十四年夫亡，馬年二十，守節三十七年。已旌。

王浩妻于氏 浩與鄭應魁同賭，逼索賭欠，浩自縊。于痛夫死於非命，亦自縊。道光元年旌。 史

作善妻邊氏 南賈村邊順女。年十九適史，道光四年夫故，邊年二十一，守節。

苟傳誼妻陳氏 滋陽縣教諭陳貽發女。年十九

適傳誼，道光四年夫故，無子。陳哭勸翁姑，善養尊體，勿過悲戚。并勸夫弟妹等，盡心事親，至再至三。次日，夫殮後即自縊，時年二十四。既殮檢遺篋，得手札以「三不孝」自責，聞者哀之。本年旌。

蘇振檀妻霍氏 南賈村監生霍鶴年女。年十九適蘇，道光五年夫故，霍年二十四，守節。

李堔繼妻趙氏 甲子經魁趙業輔女。年十九適李，道光七年夫故，潛截髮一握納棺中，累日不食，兩投繯皆以救免。時姑櫬未葬，乃爲夫立嗣營葬事。八年春夫葬有期，遂闔户自縊，作絶命詞以貽夫弟某。某號簡齋，嗣子匯源本生父也。詞曰：「簡叔孤立自愛身，兄死子幼復家貧。承先啓後責匪易，兩支全賴汝一人。祭掃墳墓主門户，奮志持家莫因循。樂酒無厭古所戒，不肖者遠賢者親。但盡人事莫問天，果能順天天亦憐。上顧祖宗下教子，我歸黄泉亦安然。我死夫前恐夫難，我死夫後苦難言。夏日冬夜經歷遍，時時刀箭刺心肝。泪如秋後連夜雨，茹苦默默誰與語？中道拋我撒手去，矢志誓與爾同死。生既相偕爲伉儷，死仍相携作儔侶。如何漠然不我招，不相追逐終不已。匯源吾兒其實乖，一心侍母撲我懷。我願受苦將兒戀，送夫之葬豈忍回。不如同赴荒郊外，百年難免黄土埋。債皆償清目可閉，葬已有期身與偕。未曾磨墨暗悲傷，世人皆比我命强。一筆難盡千般苦，提起心頭痛斷腸。鎮日焚香拜告天，私心默禱致誠虔。竟難感得神靈動，苦苦殺我是何緣？爲人一世總成空，夫死何顔獨忍生？舅姑去世我自恨，不能養子罪何窮！命薄心高不可言，日夜焦愁十餘年。縱然一命歸陰去，不忠不孝罪名傳。十數載來豈等閑，朝夕不離病榻前。捧侍湯藥終無效，多在人間過幾年。夫死未葬已神愴，況有姑櫬尚在堂。日夜盼望葬期近，一路同行赴北邙。此生結髮是前緣，截髮當日曾納棺。不爲先人延後嗣，雙雙歸去也枉然。可知由命不由人，枉自區區抱寸心。絶命今朝聊自嘆，何曾執筆會長吟。此詞莫向外人觀，文墨未工語不堪。自訴衷曲從此逝，休教流傳作笑談。」本年旌，○按，詞多失韵，哀其志，存其真，不復潤色。

武舉史成元女 自十四歲許聘嘉祥縣宗聖裔博士曾廣芳爲妻，道光八年年二十擇日完婚。廣芳忽患病，改於九年，未及期而卒。女聞之，三日内自盡。旌。

李延滋妻楊氏 太學生楊伊女。道

光十四年夫故，殉節，同里許鴻磐爲之傳，略曰：「烈婦幼讀書，明大義。年十六適李，甫四載夫病沉，夜露禱祈以身代，卒不起，披髮踴而號曰：『婦以夫爲天，喪所天何生爲？』痛絶者數矣。其姑窺婦有必死意，令媪婢環守之，思投繯無間，乃潛吞金鐶不得死。其嫂解之曰：『何自苦？我子即若子，撫之以綿逝者血食，可乎？』婦曰：『身後繼子，血食未嘗斬也。』出尖刃自截其喉者再，暈仆於地，急拯而治之，復蘇，又不得死。其姑往哭而諭之曰：『節與孝并重，若自謀則得矣，如老姑何？』婦亦泣曰：『使舅姑止一子，烏敢死用重不孝罪？今伯孝姒賢，可以得堂上心。我幸有所托賴，以成吾義，豈不生與死者俱得哉？』姑哽咽，不能更出語。婦於是絶食數日，而精神不衰，與人言笑如平生，歷舉古忠臣義士、烈女節婦，咨嗟欣賞之。伺守少解，則自奮投床下，以頭搶地，血殷於額。防者奔而掖起之，又不死。自婦之絶食也，守者日强灌以米瀋一勺，氣存如絲，延數日，始含笑而逝。」本年旌。

劉承湘繼妻張氏 道光十四年夫故，張年十九，自縊殉節。十六年旌。

蔡五妻楊氏 辛店楊本善女。年十六適蔡，夫外出，楊歸依母家。道光十七年二月十一日被鄰人岳連穢言，遂自縊，時年十八。

孫氏孫振汰母 有無賴邵成貴欲犯以非禮，遂自縊，其子振汰毆傷邵成貴左臁肕死。道光十九年旌。

李裕清妻許氏 許永聚女。道光二十年裕清貿易於滋陽，墜馬殞命。凶聞至，舉室倉皇，翁姑垂暮，痛不欲生。許上堂慰親，下堂理事，若不甚戚者。及裕清殯且葬，許入室自縊死，門户不閉，衆乃悟前此忍痛茹悲，所以安老親，抑早有以自處也。同里孔昭慈爲之傳。

監生劉希敬妻馮氏 夫故守節，旌。

史瑩川妻林氏 候選州同知林竹溪女。夫故守節，旌。

張門雙節 張書紳繼妻仲氏，仲耀先女。仲適書紳時先有妾孫氏，書紳歿，同志守節，旌。

周郁燦妻程氏 姑素患齒痛，盛暑忽發，百藥無靈，廢眠食者數日夜，程謂小姑曰：「姑嗜肉炊餅，今試進之，或少食乎？」乃入厨迫奴婢作數枚，諄勸姑食。姑强起食一枚，覺少异，輒復下數枚，痛漸瘥，遂安寢。次日高春始覺，曰：「吾今不知痛奚逝矣，何餅之神也？」小姑异之，私以詢程，詭爲不知。既而察其左臂束帛甚嚴，若恐人見者。迫而驗之，刀痕宛然，乃持而泣曰：「嫂真吾兄之婦也。」蓋郁燦嘗割股愈父云。郁燦事詳《孝義傳》，程今存，年且八十矣。

王振清妻劉氏 守節，旌。

王含清妻謝氏 守節，旌。

李侍恩妻張氏 蕭縣人，東河同知張崇鼎女。未嫁時夫已抱病，嫁三年，夫病篤，私割股肉投藥鐺中，卒無效。張素工染翰，夫死後遂絕筆，獨居一室，勤女紅，自一婢外，家人罕見其面。

李文海妻劉氏 監生劉楷女。歸李後，事祖姑、翁姑孝。有子方周歲，夫亡矢必死，以頭觸墻者三，血被面，家人救護得不死。水漿不入口十餘日，幾殆。祖姑年八十餘矣，抱曾孫哭喻之，乃强起。體素羸弱，至是遂成疾，秘不使重闈知。姑病，奉侍無懈。翁遠出而姑亡，含殮皆如禮。祖姑病，廢眠食百餘日。及歿，哀毀益病，幸醫愈。家計艱難，百方措拄，不以戚其翁。疾深不言，家人驚其容瘁，始爲調治焉。

右一百三十一人。 已旌者據文案，未旌者據采訪。

田世超妻周氏 周玉華女。年十七適田，二十三夫亡，守節六十二年。子二：錞、鏡。乾隆五十九年，學政阮元給「畫荻茹荼」額。

宋懷瑾妻李氏 年二十六夫亡，守節六十三年。乾隆五十九年，學政阮元給「誓井汛舟」額。

楊迪中妻張氏 貢生張延英女。年二十適楊，二十九夫亡，守節四十五年。嘉慶十一年，學政錢樾給「貞淑堪型」額。

陳九鳳妻劉氏 劉朝亮女。年十八適陳，二十八夫亡，守節四十五年。嘉慶十三年，學政帥承瀛給「貞節垂光」額。

方玉光妻楊氏 貢生楊弈雋女。年二十一適方，二十七夫亡，越二日自縊。嘉慶十八年，學政張鵬展給「重於泰山」額。

張景韶妻傅氏 傅天相女。年二十一適張，二十九夫亡，守節四十餘年。道光五年，學政何凌漢給「松筠比節」額。

王廷彦妻

劉氏劉聖一女。年二十適王，二十五夫亡，守節五十四年。道光五年，學政何凌漢給「彤史貽芬」額。閆克聰妻高氏監生高維楨女。年十八適閆，二十夫亡，守節四十年。道光五年，學政何凌漢給「松竹同貞」額。陳奎五妻靳氏靳宗軾女。年十八適陳，二十二夫亡，守節四十九年。道光七年，學政龔守正給「古稀節壽」額。高寶昆妻徐氏徐牧齋女。年十七適高，二十四夫亡，即日殉節。道光七年，學政龔守正給「志同烈士」額。

右十人。據《幽光録》。

陳塤妻狄氏監生狄肇元女。年十七適陳，乾隆十八年夫故，狄年二十七，守節五十一年卒。嘉慶十一年，督學使者錢樾表其門曰「貞操淑範」。監生靳宗華妻井氏西南隅候選州同知井懷文女。年十七適靳，乾隆二十五年夫故，井年二十七，守節四十七年卒。候選縣丞孔繼烈妻季氏歲貢生季履直女。年二十適孔，乾隆三十四年夫故，季年二十四，守節五十八年卒。靳宗正繼室謝氏東北隅謝重甲女。年二十五適靳，乾隆三十六年夫故，謝年二十六，守節二十六年卒。任福林妻陳氏西關陳浩然女。年十九適任，乾隆三十七年夫故，陳年二十九，守節五十三年卒。李大和妻劉氏監生劉繼虞女。年十八適李，乾隆三十九年夫故，劉年二十六，守節五十九年卒。李汝琅妻崔氏粉坊街崔振三女。年二十一適李，乾隆四十五年夫故，崔年三十，守節四十二年卒。職員杜作桂繼妻張氏西南隅捐職理問張西文女。年十八適杜，乾隆四十八年夫故，張年二十六，守節四十八年卒。宮天賜妻陳氏東鄉十里營陳殿選女。年十七適宮，乾隆五十年夫故，陳年二十五，守節三十七年卒。陳永泰妻孟氏東南隅恩生孟繼周女。年二十適陳，乾隆五十三年夫故，孟年二十八，守節四十八年存。

徐蔭綸妻宋氏　宋清源女。年二十一適徐，乾隆五十四年夫故，宋年二十八，守節四十七年存。○「綸」一作「錀」。

孫焯妻王氏　鄒縣王霞女。年十九適孫，乾隆五十五年夫故，王年二十一，守節四十年卒。

趙輝宇妻王氏　王裕和女。年十六適趙，乾隆五十七年夫故，王年二十六，守節三十五年卒。

從九夏鏡妻段氏　監生段鑒女。年十七適夏，乾隆五十七年夫故，段年二十九，守節四十四年卒。

李聿敬妻陳氏　監生陳光煜女。年十七適李，乾隆五十九年夫故，陳年十九，守節四十二年卒。

生員郭春寶妻趙氏　同知趙承先女。年十九適郭，乾隆五十九年夫故，趙年二十七，守節四十一年存。

李沅妻劉氏　監生劉照園女。年十九適李，乾隆五十九年夫故，劉年二十四，守節四十二年存。

楊大益妻曹氏　武生曹峻女。嘉慶元年年二十一適楊，是年夫故，守節四十餘年。

夏大印妻袁氏　西北隅監生袁成章女。年十九適夏，嘉慶元年夫故，袁年二十四，守節四十年存。

孔廣奎妻宋氏　東南隅鄉耆宋永年女。年十九適孔，嘉慶元年夫故，宋年二十，守節四十年存。

李金藻妻孫氏　監生孫士登女。年十九適李，嘉慶三年夫故，孫年二十一，守節三十八年存。

奉祀生陳鶴鳴妻于氏　西北隅于慎修女。年二十適陳，嘉慶四年夫故，于年二十九，守節三十六年存。

戴鍠妻林氏　副榜林瑗女。年十九適戴，嘉慶五年夫故，林年二十二，守節三十六年存。

李洛妻孔氏　鄒縣孔昭顯女。年十七適李，嘉慶五年夫故，孔年十九，守節三十七存。

孟毓焜妻徐氏　徐從廉女。年十九適孟，嘉慶五年夫故，徐年二十八，守節三十五年存。

崇尚愚妻趙氏　趙杰萬女。年十七適崇，嘉慶六年夫故，趙氏十七，守節三十五年存。

監生李慕甫妻牛氏　庠生牛文湘女。年十七適李，嘉慶六年夫故，牛年十八，守節三十五年存。宋廷桂妻李氏李瑞芳女。年十五適李，嘉慶八年夫故，李年二十八，守節三十二年存。徐勳虞妻李氏李大庚女。年十五適徐，嘉慶九年夫故，李年二十九，守節三十一年存。張履勳妻吳氏吳華舟女。年十九適張，嘉慶十年夫故，服闋殉節，時年三十。

錢大緯妻郗氏郗長聚女。年十七適錢，嘉慶十年夫故，郗年二十一，守節三十一年存。李業剛妻蔡氏監生蔡芳麟女。年十六適李，嘉慶十年夫故，蔡年二十六，守節三十一年存。劉壂妻馬氏馬樂遇女。年十八適劉，嘉慶十年夫故，馬年二十八，守節三十年存。劉壥妻吳氏吳照女。年十九適劉，嘉慶十年夫故，吳年二十二，守節三十年存。張統一妻陳氏西南隅陳清萬女。年二十適張，嘉慶十年夫故，陳年二十六，守節三十年存。朱肇珅妻郭氏壽光縣教諭郭忱女。年十九適朱，嘉慶十一年夫故，郭年二十三，守節三十年存。陳庭楷妻吳氏東南隅吳杲亭女。年十九適陳，嘉慶十一年夫故，吳年二十一，守節三十年存。張鳳山妻張氏西鄉北疃張新舉女。年十五適張，嘉慶十一年夫故，張年二十一，守節三十年存。高際唐妻林氏林來儀女。年十七適高，嘉慶十二年夫故，林年二十九，守節二十九年卒。監生張文源繼妻呂氏捐職衛千總呂滋女。年二十一適張，嘉慶十二年夫故，呂年二十九，守節二十九年存。徐永聚妻常氏小郝村常存義女。年十六適徐，嘉慶十五年夫故，常年二十，守節十七年卒。

右四十一人。道光十六年彙請旌表，總建一坊。

房雲彤妻張氏十里營張永泰女。年二十一適房，康熙三十二年夫故，張年二十九。奉養舅姑，撫遺腹子，守節六十四年，年九十二卒。吳秉

鐸妻張氏 南關張承珍女。年十八適吴，康熙四十一年夫故，張年十九，守節四十七年，年七十五卒。 **呂瀚妻李氏** 南城九鋪李仙源女。年十八適呂，雍正三年夫故，李年二十七，守節五十五年，年八十一卒。 **葉氏二節** 西南隅監生葉恒女。年十九適范治，雍正九年夫故，葉年二十一。撫嗣子成立，守節五十五年，年七十七卒。一年十七，適鮑麟洲，乾隆十一年夫故，葉年二十八，守節五十八年，年八十五卒。 **張朝彩妻白氏** 東關二鋪白增輝女。年十七適張，雍正九年夫故，白年二十七，守節六十八年，年九十四卒。白初適張，時舅姑俱在，朝彩落拓，蹇生理。白躬執勤，佐養十年。舅姑繼殁，朝彩亦旋逝，有子維新纔五歲。白拮据營葬，而以十指食其子。嘗至爨絶，手餘錢爲買糗糒，自食萊菔數枚而已。維新既壯，幹練，爲娶婦，生孫萬齡。十有三年，時家稍裕矣，而維新暴殁，旋復窘迫。白撫萬齡而泣，語婦董曰：「窮苦吾所習慣，不足憂。惟鞠子之哀，更與汝共之，汝當效我，爲張氏延此一綫耳。」婦垂涕受命。白雖老，日率婦操作不輟。比萬齡長，令治生業，日以勤儉謹慎爲訓。萬齡以早孤克自植，祖母力也。高如岱爲之傳。 **文可久妻馬氏** 南城五鋪馬興之女。年十九適文，雍正十三年夫故，馬年二十九，守節六十四年，年九十二卒。 **鄭瑞妻孫氏** 東店閣孫延澄女。年二十五適鄭，乾隆三年夫故，孫年二十七，守節六十三年，年八十九卒。 **房坦妻陳氏** 雲彤之孫婦也，古柳樹陳方桂女。年十八適房，乾隆三年夫故，陳年二十五，守節五十四年，年七十八歲卒。 **廪生葉桐妻劉氏** 東南隅劉符女。年二十一適葉，乾隆八年夫故，劉年二十六，守節五十一年，年七十六卒。 **司韶妻劉氏** 潭口集莊劉遜如女。年十五適司，乾隆十二年夫故，劉年十六，守節六十七年，年八十二卒。 **崔潭妻張氏** 高廟莊張晏賓女。年十七適崔，乾隆十二年夫故，張年十八，守節六十一年，年七十八卒。 **李士俊妻張氏** 西南隅張士女。年十九適李，乾隆十四年夫故，張年二十九，守節五十四年，年八十二卒。 **劉庸奮妻李氏**

西南隅李盛文女。年十七適劉，乾隆十四年夫故，李年十七，守節六十年，年七十六卒。

喬門雙節 喬學洙妻高氏，喬世臣曾孫婦也，白家屯高存禮女。年十七適喬，乾隆十六年夫故，高年十九，撫嗣子鑄成立，守節六十四年，年八十二卒。子鑄妻鮑氏，中心閘鮑文英女。年十九適喬，乾隆四十六年夫故，鮑年二十八，守節四十一年，年六十八卒。

鄭延濮妻趙氏 趙家莊趙福元女。年十九適鄭，乾隆十七年夫故，趙年二十四，守節六十二年，年八十五卒。

呂九貢妻靳氏 南城二鋪靳高山女。年十八適呂，乾隆二十年夫故，靳年二十五，守節三十六年，年六十卒。

朱德志妻汪氏 八里鋪莊汪連璧女。年十七適朱，乾隆二十一年夫故，汪年二十，守節四十九年，年六十八卒。

潘呈然妻王氏 王宏任女。年二十一適潘，乾隆二十二年夫故，王年二十二，守節四十九年，年七十卒。

張秉楨妻王氏 王作古女。年十九適劉，乾隆二十三年夫故，王年二十三，守節五十一年，年七十三卒。

張德容妻史氏 王家莊史本女。年十七適張，乾隆二十五年夫故，史年二十一，守節五十九年，年七十九卒。

王鈞妻楊氏 蕭家園楊越千女。年二十一適王，乾隆二十六年夫故，楊年三十，守節五十一年，年八十卒。

李傳璧妻劉氏 姜家莊劉繼明女。年十七適李，乾隆二十六年夫故，劉氏年二十六，守節五十四年，七十九卒。

李登雲妻靳氏 靳于九女。年十九適李，乾隆二十七年夫故，靳年二十七，守節五十二年，年七十九卒。

從九孫士讓妻雷氏 西北隅雷警宏女。年十八適孫，乾隆二十七年夫故，雷年二十九，守節五十二年，年八十卒。

王茂遠妻鄧氏 西南隅鄧守謙女。年二十一適王，乾隆二十八年夫故，鄧年二十八，守節四十六年，年七十三卒。

鄭門二節 鄭岐妻王氏，東北隅王耀女。年二十四適鄭，乾隆二十九年夫故，王年二十八，守節四十八年，嘉慶十六年卒。子思榮妻王氏，草橋二鋪王彩占女。年十八適鄭，乾隆五十八年夫故，王年二十六。孝事孀姑，同心守節，歷三十四年，道光六年卒。

史振玉妻張氏 扁担街張允平女。年二十一適史，乾隆二十九年夫故，張年二十七，守節四十二年，六十八卒。

孟家屏妻張氏 南關張德興女。年十九適孟，乾隆三十年夫故，張年二十一，守節六十八年，年八十八卒。

薛子渭妻李氏 史家莊李之奇女。年十九適薛，乾隆三十年夫故，李年二十九，守節四十七年，年七十五卒。

馮衍科妻劉氏 滋陽縣劉凱女。年十九適馮，乾隆三十年夫故，劉年二十三，守節五十年，年七十二卒。

李元均妻王氏 草橋口王銘女。年十七適李，乾隆三十一年夫亡，王年二十七，守節五十六年，年八十二卒。

蔣傳成妻仲氏 新店莊仲振祥女。年十八適蔣，乾隆三十一年夫故，仲年二十七，守節四十五年，年七十一而卒。

李傳本妻仲氏 魯橋鎮仲坦安女。年十七適李，乾隆三十一年夫故，仲年二十四，守節六十一年，年八十四卒。

徐修業妻李氏 扈家街庠生李廷雄女。年十七適徐，乾隆三十二年夫故，李年二十二。家中落，至無立錐。翁姑相繼逝，鬻奩營葬，無以自存，携二女歸依其弟書明以居。長女適董，一歲而亡。次失適華，遘篤疾不能起。嗣子不才，無妻室。萬艱萃於一身，人不能堪，而引命自安，終身無怨言，守節四十一年。同里許鴻磐爲之傳。

程邁賢妻李氏 李乾一女。年十九適程，乾隆三十二年夫故，李年二十二，守節三十八年，年五十九卒。

劉繼謨妻蘇氏 九曲潘家莊蘇呈豪女。年十七適劉，乾隆三十二年夫亡，蘇年二十九，守節五十六年，年八十四卒。

廣天錫妻劉氏 紙店街修職郎劉永興女。年十七適廣，乾隆三十二年夫故，劉年二十九，守節三十八年，年六十七卒。

文思益妻王氏 南城九鋪王美公女。年十九適文，乾隆三十四年夫故，王年二十九，守節四十八年，年七十六卒。

劉秉瑞妻鄭氏 鄭邦平女。年十九適劉，乾隆三十四年夫故，鄭年二十六，守節三十五年，年六十卒。

文思魁妻馬氏

南城五鋪馬廣德女。年十七適文，乾隆三十五年夫故，馬年二十九，守節四十五年，年七十三卒。

張匯妻李氏　李資淵女。年十七適張，乾隆三十五年夫故，李年二十七，守節二十一年，年四十七卒。

程致耀妻趙氏　王貴屯趙允昇。女年二十三適程，乾隆三十六年夫故，趙年二十四，守節六十三年，年八十六卒。

段維明妻朱氏　朱來亭女。年十八適段，乾隆三十六年夫故，朱年二十三，守節五十一年，七十三卒。

洪瑞妻何氏　南城七鋪何泰三女。年二十一適洪，乾隆三十六年夫故，何年三十，守節四十二年，年七十一卒。

張秉鈞妻田氏　竹杆巷田餘三女。年十九適張，乾隆三十七年夫故，田年二十九，守節四十一年，年六十九卒。

趙業相妻李氏　南關李承綸女。年十九適趙，乾隆三十七年夫故，李年二十四，守節三十六年，年五十九卒。

王敏智妻馬氏　高里村馬堪女。年十九適王，乾隆三十七年夫故，馬年二十四，守節六十三年存。

舉人周裔豐妻劉氏　聊城縣劉汝和女。年十九適周，乾隆三十八年夫故，劉年十九，守節五十三年，年七十一卒。

梅興源妻靳氏　南關靳魯林女。年十六適梅，乾隆三十八年夫故，靳年二十八，守節四十六年，年七十三卒。

蘇克恭妻蔡氏　東南鄉蔡彬女。年十九適蘇，乾隆三十八年夫故，蔡年二十七，守節三十八年，年六十四卒。

高本經妻王氏　南城七鋪王維珠女。年二十適高，乾隆三十九年夫故，王年二十九，守節二十六年，年五十四卒。

鄭氏三節　康莊驛人，鄭穩女。一於乾隆三十九年年十七適薛兆瑞，即以是年夫故，守節十八年卒。一於乾隆五十一年年十七適王君誥，五十三年夫故，守節四十九年卒。一於乾隆五十五年年十七適張愈旺，次年夫故，守節四十五年卒。姊妹三人，厄運略同，貞操各樹，里黨重之。

聶光祖妻馬氏　康莊驛馬士麟女。年十九適聶，乾隆三十九年夫故，馬年二十二，守節六十三年，年八十四卒。

曹涌妻王氏　王文彬女。年十七適曹，乾

隆三十九年夫故，王年二十八，守節四十三年，年七十卒。

李興泰妻邢氏 東北隅邢羽振女。年十七適李，乾隆三十九年夫故，邢年二十五，守節四十年，年六十四卒。

李樹榮妻劉氏 劉廷楧女。年十七適李，乾隆四十年夫故，劉年二十，守節四十七年，年六十六卒。

趙業抃妻宋氏 邵家街宋賓女。年十七適趙，乾隆四十年夫故，宋年二十，守節三十八年，年五十七卒。

秦如岱妻党氏 党家莊党大有女。年十七適秦，乾隆四十年夫故，党年二十二，守節三十六年，年五十八卒。

劉繼峨妻文氏 姬家堂文明彩女。年十六適劉，乾隆四十一年夫故，文年二十四，守節三十年，年六十二卒。

張柱妻蔣氏 南關蔣黼亭女。年二十適張，乾隆四十一年夫故，蔣年二十二，守節五十一年，年七十二卒。

楊恩榮妻李氏 大屯莊李占武女。年二十三適楊，乾隆四十一年夫故，李年二十九，守節三十三年，年六十一卒。

潘呈彪妻張氏 魯橋鎮張朝慶女。年十七適潘，乾隆四十一年夫故，張年二十八，守節五十七年，年八十四而卒。

鄭永慧妻郭氏 東北隅郭履祥女。年十七適鄭，乾隆四十一年夫故，郭年二十八，守節二十一年，四十八卒。

鄭永慶妻王氏 西北隅王永柱女。年十七適鄭，乾隆四十一年夫故，王年二十一，守節六十四年，年八十四存。

馬泰臨妻沈氏 東關沈文進女。年十七適馬，乾隆四十一年夫故，沈年十九，守節六十四年，年八十二存。

張遵可妻李氏 王貴屯李秉笎女。年十六適張，乾隆四十二年夫故，李年十八，守節十七年，年三十四卒。

胡兆錦妻李氏 南關李尚信女。年十六適胡，乾隆四十二年夫故，李年二十一，守節六十二年，年八十二卒。

王廷妻白氏 城南白家屯白興仁女。年十七適王，乾隆四十二年夫故，白年二十七，守節六十三年，年八十九存。

潘錫齡妻張氏 河東二鋪張魁齋女。年十九適潘，乾隆四十三年夫故，張年二十七，守節二十二年，年四十八卒。賈興和妻王氏滿家莊王性山女。年十七適賈，乾隆四十三年夫故，王年二十六，守節五十三年，年七十九卒。馬瑢妻李氏南城五鋪李統清女。年十九適馬，乾隆四十三年夫故，李年二十四，守節六十二年，年八十五存。劉良璽妻李氏羅家莊庠生李鏜女。年十八適劉，乾隆四十三年夫故，李年二十，守節六十二年，年八十一存。魏嘉楨妻柴氏柴之盛女。年十九適魏，乾隆四十三年夫故，柴年二十五，守節六十二年，年八十六卒。張煥妻王氏本城王仲愚女。年十六適張，乾隆四十四年夫故，王年十九，守節四十年，年五十八卒。監生李廣志妻葉氏東北隅監生葉恭女。年二十二適李，乾隆四十四年夫故，葉年二十九，守節四十四年，年七十二卒。張克壯妻李氏東南隅李萃峰女。年二十適張，乾隆四十四年夫故，李年二十三，守節三十五年，年五十七卒。李立齋妻高氏南城二鋪高克荷女。年十七適李，乾隆四十五年夫故，高年二十六，守節三十六年，年六十一卒。林秀文妻趙氏趙家莊趙晏清女。年十七適林，乾隆四十五年夫故，趙年二十四，守節五十年，年七十三卒。范懷清妻文氏黑土店文如岱女。年十七適范，乾隆四十五年夫故，文年二十三，守節四十年，年六十三卒。朱秀東妻黃氏東馬道監生黃際豐女。年十七適朱，乾隆四十五年夫故，黃年二十三，守節二十二年，年四十五卒。米正元妻朱氏土饔閘莊朱玉璋女。年十七適米，乾隆四十五年夫故，朱年二十四，守節六十年，年八十三卒。薛兆賜妻呂氏呂家廟莊呂美宜女。年十八適薛，乾隆四十六年夫故，呂年二十四，守節二十八年，年五十一卒。仲振燦妻范氏范家莊范甲女。年十九適仲，乾隆四十六年夫故，范年二十五，守節六十四年，年七十八卒。米梁妻文氏本城文鳳來女。年十六適米，乾隆四十六年夫故，文年二十，守節五十一年，年七十卒。監生張克

復妻仲氏　東南鄉仲振清女。年十七適張，乾隆四十六年夫故，仲年二十九，守節五十七年，年八十五卒。

劉氏一門五節烈　一貢生劉恪繼妻杜氏，一恪長子復寬妻上官氏，一恪三子印南妻周氏，一印南子爾康妻孔氏，一印南仲兄印庚子爾常妻杭氏，一上官氏嗣子爾蔭妻張氏。杜氏鄒縣杜崇仁女。乾隆三十七年年十九適恪，時恪前妻謝氏子復寬妻上官氏先寡，杜生三子：印庚、印南、印震。四十七年恪卒，杜年二十九，偕孀媳上官氏治喪葬盡禮。延師教子，紡績供束脯，三子皆成立，爲諸生。上官氏，鄒縣上官修齋女。年十七適復寬，生一子。乾隆三十年復寬卒，子亦殤，上官年二十二，勵志守節。及杜寡，姑媳相依爲命，人謂印庚兄弟之成，杜氏能以母道兼父道，亦上官氏能盡婦道以輔姑也。周氏，鄒縣監生周子真女。年十六適印南，生子爾康。嘉慶九年印南卒，周年二十八。孔氏，鄒縣孔昭彤女。嘉慶十二年年十六適爾康，十四年生子增榮，而爾康卒。杭氏，鄒縣杭嘉強女。嘉慶十二年年十六適爾常，次年爾常卒，姑媳娣姒同心守節。張氏，監生張士紀女。道光四年年十七適爾蔭，次年爾蔭卒，七日内殉節。杜氏卒於道光十三年，年八十。上官卒於嘉慶八年，年六十。周守節三十九年，孔守節三十年，杭守節三十二年，俱存。

徐爾昆妻張氏　東唐楊莊張伯富女。年十八適徐，乾隆四十七年夫故，張年二十九，守節二十七年，年五十五卒。

朱坤妻董氏　杜家莊董玉章女。年十九適朱，乾隆四十七年夫故，董年二十七，守節二十四年，年五十一卒。

張瑞蓂妻高氏　南貫集監生高鳳舉女。年十三適張，乾隆四十七年夫故，高年二十，守節十八年，年三十七卒。

文思茂妻李氏　南鄉李學孔女。年十六適文，乾隆四十八年夫故，李年二十五，守節三十六年，年六十卒。

劉文鎮妻曹氏　興隆屯莊曹洙女。年十九適劉，乾隆四十八年夫故，曹年二十，守節十七年，年三十六卒。

張隆嵒妻曹氏　東林莊曹廣女。年十七適張，乾隆四十八年夫故，曹年二十四，守節五十三年，年七十七卒。

王興堯妻韓氏　韓宗黎女。年二十三適王，乾隆四十八年夫故，韓年二十七，守節三十一年，年五十七卒。**朱永峻妻孫氏**河東七鋪孫隆安女。年十七適朱，乾隆四十八年夫故，孫年二十五，守節四十一年，年六十六卒。**張氏二節**馮段村張秉鈞女，一於乾隆四十五年年十六適馬自立，四十八年夫故，張年十九，守節五十一年卒。一於乾隆五十四年年十九適高興泰，五十八年夫故，張年二十三，守節三十三年卒。**顏士祥妻王氏**王淑慎女。年十七適顏，乾隆四十八年夫故，王年二十一，守節五十七年，年七十七存。**任文泰妻何氏**北關何均有女。年二十適任，乾隆四十八年夫故，何年二十八，守節五十七年，年八十五存。**李詔妻趙氏**趙司試女。年十八適李，乾隆四十九年夫故，趙年二十七，守節二十五年，年五十一卒。**陳鐸妻王氏**草橋口王季愚女。年十九適陳，乾隆四十九年夫故，王年二十一，守節十六年，年五十六卒。**潘原璐妻蕭氏**蕭大年女。年十七適潘，乾隆四十九年夫故，蕭年二十九，守節四十九年，年七十六卒。**王森妻李氏**西五里營李裕書女。年二十一適王，乾隆四十九年夫故，李年二十九，守節五十二年，年八十卒。**孫世泰妻黄氏**馬驛橋黄墨君女。年十七適孫，乾隆四十九年夫故，黄年二十六，守節三十三年，年五十八卒。**張士楷妻李氏**北鄉李玉女。年十六適張，乾隆四十九年夫故，李年二十八，守節五十六年，年八十三存。**謝樹德妻李氏**高村李龍光女。年十七適謝，乾隆五十年夫故，李年二十一，守節四十六年，年六十八卒。**李重妻巫氏**伊家莊巫秀明女。年十九適李，乾隆五十年夫故，巫氏年二十七，守節五十一年，年七十七卒。**盛可爲妻姜氏**北王莊姜有魯女。年十六適盛，乾隆五十年夫故，姜年二十六，守節三十六年，年六十一卒。**范友桂妻王氏**魯橋鎮王君佩女。年十九適范，乾隆五十年夫故，王年二十，守節三十三年，年五十二卒。**張大寬妻傅氏**北關傅大成女。年十七適張，乾隆五十年夫故，傳年二十三，守節五十三年，年七十五卒。朱炎光妻鮑氏河東二鋪鮑連華女。年十七適朱，乾隆五十年夫故，鮑年二十四，守節三十七年，年六十一卒。秦廣源妻魏氏錢家海莊魏如桂女。年十九適秦，乾隆五十年夫故，魏年二十五，守節五十五年，年八十猶存。范文鐸妻岳氏昇仙營岳永遂女。年十六適范，乾隆五十年夫故，岳年二十二，守節五十五年，年七十六存。謝寶林妻劉氏五里營莊劉節女。年十九適謝，乾隆五十一年夫故，劉年二十三，守節五十二年，年七十四卒。鄭熼妻宋氏東南隅朱奇佑女。年十七適鄭，乾隆五十一年夫故，宋年十九，守節四十八年，年六十六卒。彭廷舉妻陳氏五里營陳玉然女。年十八適彭，乾隆五十一年夫故，陳年二十四，守節四十九年，年七十二卒。王淑孟妻康氏東關一鋪康伸女。年十九適王，乾隆五十一年夫故，康年二十九，守節五十年，年七十八卒。李萬松妻陳氏西南十里營陳朝桂女。年十九適李，事親以孝聞。乾隆五十一年夫故，陳年二十四。遺孤甫三歲，家道中落，鬻奩奉親，又不足，則携子寄居外家，以女紅所入供堂上衣履飲食，需無少缺。舅姑卒，殯葬如禮。子昆已稍長，謂之曰：「吾事已畢，可以見汝父於地下矣。」道光四年嘔血卒，年六十二。監生井兆均妻時氏西南隅監生時覲聖女。年十七適井，乾隆五十一年夫故，時年二十三，守節三十四年，年五十六卒。郭榛妻高氏狀元街高尚仁女。年十七適郭，乾隆五十一年夫故，高年二十二，守節五十三年，年七十五卒。劉鑒妻蘇氏上九曲莊蘇信彰女。年十七適劉，乾隆五十一年夫故，蘇年二十二，守節三十一年，年五十三卒。陸載信妻張氏東南隅張廣裕女。年十七適陸，乾隆五十一年夫故，張年二十八，守節三十八年，年六十五卒。夏守謙妻楊氏北關楊雲從女。年十七適夏，乾隆五十一年夫故，楊年二十一，守節五十四年，年七十四存。張法善妻韓氏東南隅韓大本女。年二十一適張，乾隆五十一年夫故，韓年三十，守節五十四年，年八十三存。**高言志妻李氏**南貫集李學孟女。年二十適高，乾隆五十一年夫故，李年二十一，守節五十四年，年七十四存。**徐永寧妻張氏**北門裡張有年女。年二十一適徐，乾隆五十一年夫故，張年二十六，守節五十四年，年七十九存。**劉榕妻時氏**東北隅時静波女。年十六適劉，乾隆五十一年夫故，時年二十，守節五十四年，年七十三存。**吴綉章妻王氏**南關王持平女。年十九適吴，乾隆五十一年夫故，王年二十九，守節五十四年，年八十二存。**張賀年妻楊氏**王府集楊天賜女。年十七適張，乾隆五十一年夫故，楊年二十九，守節五十四年，年八十二存。**潘質敏妻劉氏**滋陽縣劉植女。年十七適潘，乾隆五十二年夫故，劉年十九，守節四十九年，年六十七卒。**房繩武妻岳氏**西莊岳有倫女。年十八適房，乾隆五十二年夫故，岳年二十七，守節二十一年，年四十七卒。**蔣端居妻汪氏**東南隅汪賦九女。年十九適蔣，乾隆五十二年夫故，汪年二十八，守節三十二年，年五十九卒。**劉恒碩妻潘氏**南關潘原長女。年十八適劉，乾隆五十二年夫故，潘年二十四，守節五十三年，年七十六存。**鄭宗洪妻高氏**高振女。年十六適鄭，乾隆五十二年夫故，高年二十五，守節五十三年，年七十七存。**李心恒妻董氏**董家莊董宗女。年十九適李，乾隆五十二年夫故，董年二十八，守節五十三年，年八十存。**仲貽淳妻鄭氏**皇阜莊鄭觀美女。年二十適仲，乾隆五十三年夫故，鄭年二十五，守節四十九年，年七十三卒。**劉良槐妻蘇氏**上九曲莊蘇呈豪女。年十七適劉，乾隆五十三年夫故，蘇年十八，守節三十四年，年五十一卒。**黄振宇妻駱氏**關帝廟街駱令聞女。年十八適黄，乾隆五十三年夫故，駱年二十八，守節五十二年，年七十九存。**蔡源妻魏氏**嘉祥縣魏鳳占女。年二十適蔡，乾隆五十三年夫故，魏年二十六，守節五十二年，年七十七存。

孫士元妻聶氏　東北隅聶大緇女。年十九適孫，乾隆五十三年夫故，聶年二十九，守節五十二年，年八十存。

杜柱妻梁氏　東關一鋪梁振川女。年十八適杜，乾隆五十四年夫故，梁年二十九，守節四十一年，年六十九卒。

毛玉棋妻李氏　李本敬女。年十七適毛，乾隆五十四年夫故，李年十九，守節三十二年，年五十卒。

庠生陳梅妻盧氏　本城盧希祥女。年二十三適陳，乾隆五十四年夫故，盧年二十九，守節二十六年，年五十四卒。

張克樞妻趙氏　牛家屯莊趙煌女。年二十二適張，乾隆五十四年夫故，趙年二十七，守節四十五年，年七十二卒。

張燦文妻葛氏　十里堡葛天成女。年十七適張，乾隆五十四年夫故，葛年二十九，守節五十一年，年七十九存。

盛可柱妻馮氏　南王莊馮允湘女。年十七適盛，乾隆五十四年夫故，馮年二十七，守節五十一年，年七十七存。

陳及第妻汪氏　東南隅汪本立女。年十五適陳，乾隆五十五年夫故，汪年十九，守節四十四年，年六十二卒。

邵廷柱妻徐氏　西關徐瑞林女。年十七適邵，乾隆五十五年夫故，徐年二十一，守節四十五年，年六十五卒。

張宜奎妻臧氏　南貫集臧庭玉女。年十九適張，乾隆五十五年夫故，張年二十七，守節四十五年，年七十一卒。

王際平妻楊氏　北關楊元乾女。年十九適王，乾隆五十五年夫故，楊年二十一，守節三十四年，年五十四卒。

趙廷柱妻鮑氏　北關一鋪鮑承德女。年十九適趙，乾隆五十五年夫故，鮑年二十九，守節五十年，年七十八存。

傅見賢妻高氏　晉陽山高鴻道女。年十九適傅，乾隆五十六年夫故，高年二十一，守節四十八年，年六十八卒。

馮鍾巘妻孔氏　滋陽縣孔代軒女。年十八適馮，乾隆五十六年夫故，孔年二十四，守節四十六年卒。

王大年妻劉氏　南關劉炎女。年二十一適王，乾隆五十六年夫故，劉年二十八，守節四十九年，年七十六存。

薛兆

用妻鮑氏北關一鋪鮑延吉女。年二十一適薛，乾隆五十六年夫故，鮑年二十八，守節四十九年，年七十六存。史積琇妻張氏第八屯莊張鋘女。年十七適史，乾隆五十六年夫故，張年二十八，守節四十九年，年七十五存。陳炳漢妻于氏東北隅于殿璧女。年十八適陳，乾隆五十六年夫故，于年十九，守節四十九年，年六十七存。潘呈祉妻楊氏南城二鋪楊光岱女。年十九適潘，乾隆五十七年夫故，楊年二十九，守節三十五年，年六十三卒。潘原琇妻靳氏本城靳肇欽女。年十九適潘，乾隆五十七年夫故，靳年二十九，守節四十一年，年六十九卒。廉治寧妻王氏南邵莊王儉之女。年十七適廉，乾隆五十七年夫故，王年二十四，守節四十三年，年六十六卒。申兆麒妻楊氏草橋口楊著青女。年十五適申，乾隆五十七年夫故，楊年十九，守節三十三年，年五十一卒。劉守基妻趙氏南關皇經閣趙信庵女。年十九適劉，乾隆五十七年夫故，趙年二十九，守節四十四年，年七十二卒。張克允妻杜氏嘉祥縣杜鳴岐女。年十九適張，乾隆五十七年夫故，杜年二十一，守節四十八年，年六十八存。蔣正居妻楊氏南城七鋪楊輝先女。年十九適蔣，乾隆五十七年夫故，楊年二十九歲，守節四十八年，年七十六存。熊兆吉妻張氏東北隅張淑周女。年十七適熊，乾隆五十七年夫故，張年二十二，守節四十八年，年六十九存。朱心淑妻呂氏朱家集呂位慶女。年十九適朱，乾隆五十七年夫故，呂年二十四，守節四十八年，年七十一存。姜廷橋妻張氏東鄉張永禄女。年十七適姜，乾隆五十七年夫故，張年二十六，守節四十八年，年七十三存。汪世奇妻劉氏東南隅劉光寰女。年十九適汪，乾隆五十七年夫故，劉年二十九，守節四十八年，年七十六存。汪統言妻高氏南城七鋪高洪文女。年十九適汪，乾隆五十七年夫故，高年二十九，守節四十八年，年七十六存。錢柏妻史氏東北隅史瑩川女。年十八適錢，乾隆五十八年夫故，史年十八，守節三十六年，年五十三卒。李兆晋妻邢氏城西孟家莊邢企泰女。年十八適李，乾隆五十八年夫故，邢年二十九，守節三十六年，年六十四卒。衛肇潤妻趙氏草橋二鋪趙輝麟女。年十九適衛，乾隆五十八年夫故，趙年二十九，守節三十四年，年六十二卒。聶存樸妻汪氏河東二鋪汪東溪女。年二十一適聶，乾隆五十八年夫故，汪年二十九，守節四十二年，年七十卒。陳秉哲妻程氏程家堂程振東女。年十八適陳，乾隆五十八年夫故，程年二十二，守節四十五年，年六十六卒。張曰茂妻張氏南貫集張之賢女。年二十一適張，乾隆五十八年夫故，張年二十二，守節四十七年，年六十八存。張秉盛妻謝氏高村謝允容女。年二十適張，乾隆五十八年夫故，謝年二十二，守節四十七年，年六十八存。袁昌齡妻周氏南鄉周廷符女。年十八適袁，乾隆五十八年夫故，周年二十八，守節四十七年，年七十四存。楊學優妻高氏東南關高士英女。年二十適楊，乾隆五十八年夫故，高年二十五，守節四十七年，年七十一存。姜鳳儀妻常氏常家營常承元女。年十七適姜，乾隆五十八年夫故，常年二十九，守節四十七年，年七十五存。馮雲橋妻扈氏本城扈之田女。年二十適馮，乾隆五十八年夫故，扈年二十二，守節四十七年，年六十九存。劉朝閣妻楊氏班村楊芙渠女。年十八適劉，乾隆五十八年夫故，楊年二十七，守節四十七年，年七十三存。徐兆龍妻陳氏東北隅陳聖遠女。年十八適徐，乾隆五十八年夫故，陳年二十三，守節四十七年，年六十九存。史仁周妻魏氏安居鎮魏景漢女。年十九適史，乾隆五十八年夫故，魏年二十七，守節四十一年，年六十七卒。史仁□妻邵氏安居鎮邵毓和女。年十五適史，乾隆五十九年夫故，邵年二十七，守節四十六年，年七十二存。曹棨慎妻陳氏西鄉陳孟也女。年十八適曹，乾隆五十九年夫故，陳年二十，守節四十一年，年六十卒。梅廣文妻蔡氏南關蔡桂芳女。年二十一適梅，乾隆五十九年夫故，蔡年二十六，守節四十六年，年七十一卒。李應奎妻韓氏南關韓廷志女。年十九適李，乾隆五十九年夫故，韓年二十八，守節四十三年，年七十卒。趙業普妻楊氏北關楊玉華女。年二十四適趙，乾隆五十九年夫故，楊年三十，守節三十五年，年六十四卒。廣元吉妻朱氏南關生員朱廷欄女。年十七適廣，乾隆五十九年夫故，朱年二十八，守節四十六年，年七十三存。鄭維坤妻劉氏孩于莊劉植女。年二十適鄭，乾隆五十九年夫故，劉年二十四，守節四十六年，年六十九存。潘呈曾妻許氏西南隅監生許作舟女。年十八適潘，乾隆五十九年夫故，許年二十一，守節四十六年，年六十六存。楊蔚然妻荊氏西南隅荊德琳女。年二十適楊，乾隆五十九年夫故，荊年二十九，守節四十六年，年七十四存。王廷梁妻劉氏劉萬成之女。年十九適王，乾隆六十年夫故，劉年二十六，守節四十五年，年七十卒。張永興妻鍾氏五里營鍾奇女。年十九適張，乾隆六十年夫故，鍾年二十二，守節四十五年，年六十六存。邵朋萬妻姚氏姚家莊姚宗武女。年十六適邵，乾隆六十年夫故，姚年二十六，守節四十五年，年七十存。顧士清妻侯氏東鄉侯秉坤女。年十七適顧，乾隆六十年夫故，侯年二十二，守節四十五年，年六十六存。程永耀妻高氏西北隅從九高英文女。年十九適程，乾隆六十年夫故，高年二十五，守節四十五年，年六十八存。蘇伯讓妻劉氏郝家莊劉士才。女年十八適蘇，乾隆六十年夫故，劉年二十二，守節四十五年，年六十六存。潘原桐妻楊氏班村楊端臨女。年二十二適潘，乾隆六十年夫故，楊年二十七，守節四十五年，年七十一存。張玉清妻趙氏城南周杜莊趙國仁女。年十六適張，乾隆六十年夫故，趙年二十八，守節四十五年，年七十二存。

徐贊虞妻章氏 東北隅章國華女。年二十一適徐，乾隆六十年夫故，章年二十三，守節四十五年，年七十三存。

李宗皋妻劉氏 東三里營劉天相女。年二十一適李，乾隆六十年夫故，劉年三十，守節四十五年，年七十四存。

王恩隆妻黃氏 西南關黃肅之女。年二十二適王，嘉慶元年夫故，黃年二十九，守節三十二年，年六十卒。

鮑叶曾妻曹氏 興隆屯曹法堯女。年十八適鮑，嘉慶元年夫故，曹年廿八，守節四十年，年六十七而卒。

謝質妻李氏 李洪女。年十七適謝，嘉慶元年夫故，李年二十六，守節二十九年，年五十四卒。

宮春圃妻尹氏 東南隅尹瀚波女。年十九適宮，嘉慶元年夫故，尹年二十六，守節四十三年，年六十八卒。

監生徐亮虞妻高氏 夏家營歲貢高如岱女。年二十適徐，嘉慶元年夫故，高年二十九，守節四十四年，年七十二卒。

李茂林妻周氏 王貴屯周延武女。年二十一適李，嘉慶元年夫故，周年三十，守節四十四年，年七十三存。

郭同春妻陳氏 西屯頭莊陳克岱女。年十九適郭，嘉慶元年夫故，陳年十九，守節四十四年，現年六十二存。

高泌妻吳氏 上吳家灣吳天全女。年十九適高，嘉慶元年夫故，吳年二十一，守節四十四年，年六十四存。

王兆魁妻劉氏 兩城劉輝祚女。年二十適王，嘉慶元年夫故，劉年三十，守節四十四年，年七十三存。

張乃誼妻程氏 程家莊程坦女。年十八適張，嘉慶元年夫故，程年二十六，守節四十四年，年六十九存。

金殿臣妻陳氏 南城五鋪陳均彩女。年二十適金，嘉慶元年夫故，陳年二十七，守節四十四年，年七十存。

李守真妻王氏 興隆屯王蘊書女。年十七適李，嘉慶二年夫故，王年二十三，守節十六年，年三十八卒。

孫鳳喈妻劉氏 荆家集莊劉懋申女。年十七適孫，嘉慶二年夫故，劉年二十九，守節三十四年，年六十二卒。

王景隆

妻萬氏 西北隅萬道隆女。年十九適王，嘉慶二年夫故，萬年二十七，守節四十二年，年六十八卒。 劉湘妻史氏 本城史秀川女。年二十適劉，嘉慶二年夫故，史年二十一，苦守節四十三年，年六十三存。 詹鏡妻呂氏 本城呂長泰女。年十七適詹，嘉慶二年夫故，呂年二十六，守節四十三年，年六十八存。 王順奇妻王氏 東關一鋪王蘊華女。年十七適王，嘉慶二年夫故，王年二十八，守節四十三年，年七十存。 靳宗奎妻聶氏 三里營聶魯亭女。年二十二適靳，嘉慶二年夫故，聶年二十四，守節四十三年，年六十六存。 段應書妻崔氏 王武村崔溥女。年二十五適段，嘉慶二年夫故，崔年二十七，守節四十三年，年六十九存。 王興鑄妻李氏 王貴屯李爲樽女。年十七適王，嘉慶二年夫故，李年二十，守節四十三年，年六十二存。 杜堪妻朱氏 城南朱家莊朱敬書女。年二十一適杜，嘉慶二年夫故，朱年二十六，守節四十三年，年六十八存。 陳大玉妻白氏 東南隅白秀文女。年二十適陳，嘉慶三年夫故，白年二十九，守節三十九年，年六十七卒。 劉家彬妻岳氏 鄒縣廪生岳寶善女。年十六適劉，嘉慶三年夫故，岳年二十五，守節三十八年，年六十二卒。 秦大園妻孫氏 河東二鋪孫遐占女。年十九適秦，嘉慶三年夫故，孫年二十六，守節四十年，年六十六卒。 孫呈祥妻李氏 西南關李兆遠女。年十七適孫，嘉慶三年夫故，李年二十九，守節三十九年，年六十七卒。 張兆福妻袁氏 袁家莊袁淑尼女。年十八適張，嘉慶三年夫故，袁年二十八，守節三十三年，年五十九卒。 周檔妻呂氏 新興莊呂長三女。年二十一適周，嘉慶三年夫故，呂年三十，守節四十二年，年七十一存。 崔綏祖妻張氏 北王莊張夢卜女。年十七適崔，嘉慶三年夫故，張年十九，守節四十二年，年六十猶存。 侯雲略妻田氏 本城田萬壽女。年二十適侯，嘉慶三年夫故，田年二十八，守節四十二年，年六十九存。宋福增妻林氏林家灣林寶泰女。二十一適宋，嘉慶三年夫故，林年二十八，守節四十二年，年六十九存。陳秉秀妻蘇氏蘇家莊蘇繼漢女。年十八適陳，嘉慶三年夫故，蘇年二十四，守節四十二年，年六十五存。楊興治妻吳氏鄒縣吳衍忠女。年十八適楊，嘉慶三年夫故，吳年二十四，守節四十二年，年六十五存。徐雲軒妻張氏四鋪莊張慶誾女。年二十一適徐，嘉慶三年夫故，張年二十七，守節四十二年，年六十八存。劉銳妻賈氏鄒縣賈容保女。年十七適劉，嘉慶三年夫故，賈年二十五，守節四十二年，年六十六存。張龍甲妻邱氏孫氏店邱仰治女。年十五適張，嘉慶三年夫故，邱年二十七，守節四十二年，年六十八存。陳興妻鄭氏康莊驛鄭煒女。年十八適陳，嘉慶三年夫故，鄭年二十八，守節四十二年，年六十九存。杜機齋妻馮氏五里屯馮古良女。年二十四適杜，嘉慶三年夫故，馮年二十八，守節四十二年，年六十九存。張肇柱妻秦氏南城五鋪秦書明女。年二十一適張，嘉慶三年夫故，秦年二十八，守節四十二年，年六十九存。焦永福妻林氏河東七鋪林道宏女。年二十一適焦，嘉慶四年夫故，林年二十八，守節三十二年，年五十九卒。高長庚妻劉氏北王莊劉光環女。年十九適高，嘉慶四年夫故，劉年二十一，守節四十一年，年六十一存。苗亭妻侯氏北鄉侯茂順女。年十七適苗，嘉慶四年夫故，侯年二十五，守節四十一年，年六十五存。解德全妻房氏西昇莊房士宣女。年二十二適解，嘉慶四年夫故，房年二十九，守節四十一年，年六十九存。馮允貴妻張氏大流莊張可奇女。年十九適馮，嘉慶四年夫故，張年二十，守節四十一年，年六十存。楊臨沅妻袁氏學門前袁成章女。年十七適楊，嘉慶四年夫故，袁年二十三，守節四十一年，年六十二存。董良言妻劉氏劉家莊劉隆業女。年十七適董，嘉慶四年夫故，劉年二十九，守節四十一年，年六十九存。

鄭家逢妻郝氏 北鄉郝家營莊郝文高女。年十九適鄭，嘉慶四年夫故，郝年二十八，守節四十一年，年六十八存。

陳世超妻陳氏 南城一鋪陳志發女。年十七適陳，嘉慶四年夫故，陳年二十六，守節四十一年，年六十六存。

劉鳳賓妻仲氏 仲家淺莊仲孔實女。年二十適劉，嘉慶四年夫故，仲年二十九，守節四十一年，年六十九存。

楊涵妻秦氏 東北隅秦世元女。年十九適楊，嘉慶五年夫故，秦年二十六，守節三十三年，年五十八卒。

秦承策妻盛氏 盛效廉女。年十七適秦，嘉慶五年夫故，盛年二十一，守節三十四年，年五十四卒。

趙萬英妻賈氏 孫家街賈大鵬女。年十九適趙，嘉慶五年夫故，賈年三十，守節三十七年，年六十六卒。

劉良問妻馬氏 鄒縣馬坡莊歲貢馬洙水女。年十七適劉，嘉慶五年夫故，馬年二十六，守節四十年，年六十五存。

蕭良廷妻曾氏 太白樓曾興如女。年十七適蕭，嘉慶五年夫故，曾年二十，守節四十年，年五十九存。

張雙全妻王氏 張王屯莊王如陵女。年二十一適張，嘉慶五年夫故，王年二十八，守節四十年，年六十七存。

林懷瑞妻黃氏 王武村黃秉志女。年二十二適林，嘉慶五年夫故，黃年二十九，守節四十年，年六十八猶存。

井賜書妻史氏 楊家橋史秀川女。年十七適井，嘉慶五年夫故，史年二十，守節四十年，年五十九存。

張瑞吉妻郭氏 接駕莊郭輝普女。年十六適張，嘉慶五年夫故，郭年二十，守節四十年，年六十存。

李榜妻汪氏 東南隅汪本然女。年十九適李，嘉慶五年夫故，汪年二十二，守節四十年，年六十一存。

嚴永清妻戴氏 本城戴得寶女。年二十三適嚴，嘉慶五年夫故，戴年二十九，守節四十年，年六十八存。

劉靜遠妻陳氏 本城陳德明女。年十八適劉，嘉慶五年夫故，陳年二十七，守節四十年，年六十六存。

馬椿妻朱氏 南城五鋪

朱浩然女。年十八適馬，嘉慶五年夫故，朱年二十七，守節四十年，年六十六存。

仲貽淞妻于氏　鄒縣北薄亮于五教女。年十九適仲，嘉慶五年夫故，于年二十二，守節四十年，年六十一存。

趙元炘妻顏氏　城北北宵莊顏崇倫女。年十九適趙，嘉慶五年夫故，顏年二十九，守節四十年，年六十八存。

文國楹妻朱氏　南城五鋪朱體仁女。年十七適文，嘉慶五年夫故，朱年二十九，守節四十年，年六十八存。

曹爾電妻李氏　西北隅李倉溥女。年二十一適曹，嘉慶六年夫故，李年二十五，守節三十八年，年六十二卒。

劉正修妻李氏　南關李隆萬女。年十九適劉，嘉慶六年夫故，李年二十六，守節二十一年，年四十六卒。

郭貞履妻謝氏　西八里營監生謝鳳卜女。年二十適郭，嘉慶六年夫故，謝年二十五，守節十一年，年三十五卒。

李大群妻孫氏　棗店街孫世友女。年十九適李，嘉慶六年夫故，孫年十九，守節三十七年，年五十五卒。

郭貞隨妻李氏　文大街李燦裕女。年十九適郭，嘉慶六年夫故，李年二十一，守節三十九年，年五十九存。

杜振豐妻孟氏　梁家橋孟桐女。年十五適杜，嘉慶六年夫故，孟年十六，守節三十九年，年五十四存。

聶德立妻黃氏　班村監生黃思法女。年二十二適聶，嘉慶六年夫故，黃年二十八，守節三十九年，年六十六存。

王澤妻孫氏　西北隅孫炳一女。年十八適王，嘉慶六年夫故，孫年二十三，守節三十九年，年六十有一存。

趙自標妻張氏　南城七鋪張學孟女。年二十一適趙，嘉慶六年夫故，張年二十五，守節三十九年，年六十三存。

傅克敬妻張氏　小張家莊張信之女。年十六適傅，嘉慶六年夫故，張年十八，守節三十九年，年五十六存。

劉鍾秀妻張氏　南關張岱雲女。年十七適劉，嘉慶六年夫故，張年二十，守節三十九年，年五十八存。

李鎮東妻張氏　西鄉張家樓張克霖女。年十九適李，嘉慶六年夫故，張年十九，守節三十九年，年五十七存。

張大桐妻蘇氏　康莊驛蘇敬齋女。年十九適張，嘉慶六年夫故，蘇年二十七，守節三十九年，年六十五存。　張誥妻郭氏　東南隅郭萬清女。年十七適張，嘉慶六年夫故，郭年十八，守節三十九年，年五十六存。　姜培年妻李氏　妻莊集李汝醻女。年十六適姜，嘉慶六年夫故，李年二十八，守節三十九年，年六十六存。　程兆侖妻潘氏　潘原連女。夫亡家貧，針黹養姑，以婦代子，諸孤皆親教之，後皆成立克家。道光十九年旌。　王麟妻王氏　興隆屯王福長女。年十八適王，嘉慶六年夫故，王年二十七，守節三十九年，年六十五存。　陳修鑒妻劉氏　齊家營劉良鳳女。年十八適陳，嘉慶七年夫故，劉年二十六，守節三十六年，年六十一卒。　王大元妻陳氏　南城九鋪武生陳兆勛女。年十六適王，嘉慶七年夫故，陳年二十九，守節三十七年，年六十五卒。　趙芳林妻張氏　東十里營張永禄女。年十八適趙，嘉慶七年夫故，張年十九，守節三十八年，年五十六存。　楊寶謨妻鄭氏　東鄉石橋莊鄭可謂女。年十九適楊，嘉慶七年夫故，鄭年二十七，守節三十八年，年六十四存。　劉允岐妻邵氏　傅家衙邵成玉女。年二十三適劉，嘉慶七年夫故，邵年二十五，守節三十八年，年六十二存。　錢興鐸妻崔氏　北王莊崔子起女。年二十一適錢，嘉慶七年夫故，崔年二十八，守節三十八年，年六十五存。　趙業洪妻楊氏　北關楊臨洙女。年二十二適趙，嘉慶七年夫故，楊年二十八，守節三十八年，年六十五卒。　陳世則妻許氏　南關許光岩女。年二十適陳，嘉慶七年夫故，許年二十五，守節三十八年，年六十二存。　高克守妻錢氏　城西錢成美女。年十七適高，嘉慶七年夫故，錢年二十，守節三十八年，年五十七存。　高鐸妻李氏　南王莊李允持女。年十七適高，嘉慶七年夫故，李年十七，守節三十八年，年五十四存。　陸克印妻鍾氏　曹家莊鍾復俊女。年十九適陸，嘉慶七年夫故，鍾年二十二，守節三十八年，年五十九存。

崔登桂妻鄭氏 北鄉鄭振清女。年十七適崔，嘉慶七年夫故，鄭年十八，守節三十八年，年五十有五存。

謝芾妻劉氏 東北隅劉宜堂女。年十九適謝，嘉慶七年夫故，劉年二十五，守節三十八年，年六十二存。

駱燦妻鮑氏 東關鮑鳳翔女。年十九適駱，嘉慶七年夫故，鮑年二十九，守節三十八年，年六十六存。

靳基砥妻程氏 東關程衍明女。年十九適靳，嘉慶七年夫故，程年二十八，守節三十八年，年六十五存。

楊文燦妻趙氏 南城七鋪趙九苞女。年十八適楊，嘉慶七年夫故，趙年二十八，守節三十八年，年六十五存。

李法周妻田氏 南田莊田餘年女。年十七適李，嘉慶八年夫故，田年二十七，守節三十三年，年五十九卒。

李承科妻謝氏 北關直隸宣化府同知謝賜翰女。年十九適李，嘉慶八年夫故，謝年二十，守節三十六年，年五十五卒。

李爲渠妻許氏 白家莊許均女。年十八適李，嘉慶八年夫故，許年二十五，守節三十七年，年六十一卒。

蘇伯剛妻王氏 東南鄉王君友女。年十七適蘇，嘉慶八年夫故，王年二十九，守節二十七年，年五十五卒。

靳基埗妻聶氏 南城一鋪聶寶鋕女。年十五適靳，嘉慶八年夫故，聶年十七，守節三十七年，年五十三存。

劉郁文妻崔氏 鄒縣崔燦光女。年十九適劉，嘉慶八年夫故，崔年二十三，守節三十七年，年五十九存。

吳守疆妻田氏 上九曲莊田希成女。年十七適吳，嘉慶八年夫故，田年二十五，守節三十七年，年六十一存。

馬敏瑚妻石氏 南關石永銓女。年十九適馬，嘉慶八年夫故，石年二十三，守節三十七年，年五十九存。

李耀庵妻蔡氏 石樓村蔡效虞女。年十八適李，嘉慶八年夫故，蔡年二十五，守節三十七年，年六十一存。

吳應舉妻張氏 黑土店張華先女。年十七適吳，嘉慶八年夫故，張年十九，守節三十七年，年五十五存。

張氏二節 張家莊張

輝亮女，一年十七適程瑞麟，嘉慶八年夫故，張年二十，守節三十七年。一年十八適蘇天士，嘉慶十一年夫故，張年二十，守節三十四年。俱存。

李應漢妻孫氏 石樓村莊孫泰雲女。年十九適李，嘉慶八年夫故，孫年二十七，守節三十七年，年六十三存。

倪中法妻張氏 南關張文成女。年二十二適倪，嘉慶八年夫故，張年二十七，守節三十七年，年六十三存。

范廷立妻鄭氏 夾坊村鄭宗溪女。年十九適范，嘉慶八年夫故，鄭年二十六，守節三十七年，年六十二存。

仲緒墀妻程氏 程家堂程光祖女。年二十二適仲，嘉慶八年夫故，程年二十六，守節三十七年，年六十二存。

甯以謙妻許氏 草橋口許相龍女。年十九適寧，嘉慶八年夫故，許年二十四，守節三十七年，年六十存。

張培琴妻高氏 朱家莊高詩女。年十八適張，嘉慶八年夫故，高年二十四，守節三十七年，年六十存。

徐錯妻王氏 東村王維新女。年十九適徐，嘉慶八年夫故，王年二十九，守節三十七年，年六十五存。

劉志善妻李氏 江南豐縣李候溪女。年十七適劉，嘉慶八年夫故，李年二十九，守節三十七年，年六十五存。

段應時妻李氏 耿務村李馨亭女。年十九適段，嘉慶八年夫故，李年二十五，守節三十七年，年六十一存。

李于坤妻段氏 西南隅監生段容亭女。年十八適李，嘉慶九年夫故，段年二十四，守節三十四年，年五十七卒。

周榮妻王氏 南城一鋪王宗仁女。年二十一適周，嘉慶九年夫故，王年二十九，守節三十六年，年六十四存。

郭大友妻謝氏 西北隅謝寶樹女。年二十一適郭，嘉慶九年夫故，謝年二十六，守節三十六年，年六十一存。

崔允聚妻鮑氏 北關鮑協亭之女。年十八適崔，嘉慶九年夫故，鮑年十八，守節三十六年，年五十二存。

王大舉妻楊氏 三里營楊萬功女。年十七適王，嘉慶九年夫故，楊年二十九，守節三十六年，年六十四存。

王奎一妻馮氏 河東二鋪馮辰女。

年十九適王，嘉慶九年夫故，馮年二十一，守節三十六年，年五十六存。

時汝祥妻趙氏 城北莊頭趙心淵女。年十七適時，嘉慶九年夫故，趙年二十九，守節三十六年，年六十四存。

張輝禮妻席氏 崔家院莊席秉忠女。年十七適張，嘉慶九年夫故，席年十九，守節三十六年，年五十四存。

馮清魁妻張氏 滋陽縣張琴女。年十八適馮，嘉慶九年夫故，張年二十七，守節三十六年，年六十二存。

杜起麟妻韓氏 南城八鋪韓永平女。年二十一適杜，嘉慶九年夫故，韓年二十七，守節三十六年，年六十二存。

白廣瑞妻馬氏 南城一鋪馬學科女。年二十適白，嘉慶九年夫故，馬年二十一，守節三十六年，年五十六存。

王允和妻劉氏 南北諸莊劉之珠女。年十九適王，嘉慶九年夫故，劉年二十八，守節三十六年，年六十三存。

曹經妻胡氏 河東五鋪胡萬清女。年二十一適曹，嘉慶九年夫故，胡年二十六，守節三十六年，年六十一存。

聶兆吉妻鄭氏 孫家莊鄭從裕女。年十七適聶，嘉慶十年夫故，鄭年二十七，守節三十二年，年五十八卒。

劉景渭妻王氏 王家堂莊王欽賜女。年十七適劉，嘉慶十年夫故，王氏年二十一，守節三十四年，年五十四卒。

朱相和妻劉氏 東北隅劉育楠女。年十八適朱，嘉慶十年夫故，劉年二十一，守節三十一年，年五十有一卒。

徐警軒妻聶氏 西北隅聶瑞徵女。年二十一適徐，嘉慶十年夫故，聶年二十八，守節三十三年，年六十卒。

姚士哲妻孫氏 孫家莊孫居廣女。年十七適姚，嘉慶十年夫故，孫年十九，守節三十五年，年五十三卒。

趙永長妻苗氏 苗家營莊苗心貴女。年十七適趙，嘉慶十年夫故，苗年十九，守節二十三年，年四十一卒。

程兆峰妻鮑氏 北關一鋪鮑魯和女。年十七適程，嘉慶十年夫故，鮑年二十二，守節二十八年，年四十九卒。

唐伯仁妻翟氏 南城七鋪翟清源女。年十九適唐，嘉慶十年夫故，翟年三十，守節三十五年，年六十四存。

劉淑庭妻顏氏　南關顏崇書女。年二十三適劉，嘉慶十年夫故，顏年二十七，守節三十五年，年六十一存。

仲緒璋妻于氏　石佛閘于大文女。年十六適仲，嘉慶十年夫故，于年十九，守節三十五年，年五十三存。

王兆麟妻畢氏　韓家莊畢從萬女。年十七適王，嘉慶十年夫故，畢年二十，守節三十五年，年五十四存。

王國安妻史氏　西北隅史麟川女。年十七適王，嘉慶十年夫故，史年二十六，守節三十五年，年六十存。

宋欽妻狄氏　姜家莊狄克振女。年二十適宋，嘉慶十年夫故，狄年三十，守節三十五年，年六十四存。

陳家泰妻楊氏　興隆屯楊豐源女。年十七適陳，嘉慶十年夫故，楊年十九，守節三十五年，年五十三存。

席松圃妻湯氏　劉家營湯鳳鳴女。年十九適席，嘉慶十年夫故，湯年二十五，守節三十五年，年六十存。

蔣圖妻李氏　南王莊李輝庭女。年十七適蔣，嘉慶十年夫故，李年二十六，守節三十五年，年六十存。

党芝妻李氏　王貴屯李文知女。年十八適党，嘉慶十年夫故，李年二十七，守節三十五年，年六十二存。

高殿和妻秦氏　秦家莊秦聿灼女。年十七適高，嘉慶十年夫故，秦年十九，守節三十五年，年五十三存。

仲緒猷妻盛氏　鄒縣盛樞清女。年十七適仲，嘉慶十年夫故，盛年十八，守節三十五年，年五十二存。

張貴妻呂氏　城北梅家莊呂士年女。年十六適張，嘉慶十年夫故，呂年二十一，守節三十五年，年六十五存。

鄭繼祿妻鮑氏　河東三鋪鮑善女。年十六適鄭，嘉慶十年夫故，鮑年十七，守節三十五年，年五十一存。

李應書妻張氏　葛家莊張峰九女。年十九適李，嘉慶十年夫故，張年二十七，守節三十五年，年六十一存。

孟家厚妻梁氏　南城八鋪梁清海女。年十六適孟，嘉慶十年夫故，梁年十八，守節三十五年，年五十二存。

李佑妻伊氏　長溝莊伊士學女。年十九適李，嘉慶十年夫故，伊年二十一，守節三十五年，年五十五存。

秦仰密妻林氏 金山庵街林廷貴女。年十八適秦，嘉慶十年夫故，林年二十五，守節三十五年，年五十九存。

李瑾妻孟氏 南城一鋪孟傳倫女。年二十一適李，嘉慶十年夫故，孟年二十九，守節三十五年，年六十三存。

李敏源妻張氏 夏家岡張德輿女。年十七適李，嘉慶十年夫故，張年二十三，守節三十五年，年五十九存。

趙維華妻張氏 北鄉張志榮女。年十八適趙，嘉慶十年夫故，張年二十五，守節三十五年，年五十九存。

范懷孝妻張氏 鄒縣南亢阜莊張瑞麟女。年十六適范，嘉慶十年夫故，張年二十三，守節三十五年，年五十七存。

王益亭妻張氏 河東五鋪張擎宇女。二十二適王，嘉慶十年夫故，張年二十八，守節三十五年，年六十有二猶存。

彭永齡妻閆氏 南城一鋪閆裕三女。年十七適彭，嘉慶十年夫故，閆年二十六，守節三十五年，年六十存。

程路妻步氏 鄒縣步宗岱女。年十六適程，嘉慶十年夫故，步年十九，守節三十五年，年五十三存。

陳元良妻李氏 邊家莊李秉梅女。年十七適陳，嘉慶十一年夫故，李年二十九，守節二十七年，年五十五卒。

王大魁妻苑氏 南鄉苑達本女。年十九適王，嘉慶十一年夫故，苑年二十八，守節二十三年，年五十卒。

邢五典妻徐氏 河東七鋪徐殿南女。年二十五適邢，嘉慶十一年夫故，徐年二十九，守節三十二年，年六十卒。

詹泰嵩妻楊氏 南城一鋪楊懋勛女。年十九適詹，嘉慶十一年夫故，楊年二十五，守節三十四年，年五十八存。

高存仁妻王氏 北關一鋪王文樸女。年十七適高，嘉慶十一年夫故，王年二十八，守節三十四年，年六十一存。

孫咸一妻張氏 南城七鋪張榮女。年十九適孫，嘉慶十一年夫故，張年二十三，守節三十四年，年五十六存。

王榮妻喬氏 魯橋鎮喬學宗女。年十七適王，嘉慶十一年夫故，喬年二十九，守節三十四年，年六十二存。

張仲妻臧氏 張家

莊臧太勳女。年十八適張，嘉慶十一年夫故，臧年十九，守節三十四年，年五十有二存。

侯永昆妻張氏 城南張士昭女。年十九適侯，嘉慶十一年夫故，張年二十一，守節三十四年，年五十四存。

李興茂妻林氏 東關林鳳陽女。年廿一適李，嘉慶十一年夫故，林年二十五，守節三十四年，年五十八存。

李興儒妻王氏 王家莊王永剛女。年十九適李，嘉慶十一年夫故，王年二十八，守節三十四年，年六十一存。

李兆升妻黃氏 南關黃膺組女。年二十二適李，嘉慶十一年夫故，黃年二十五，守節三十四年，年五十八存。

邵會文妻張氏 張家莊張秉恭女。年十七適邵，嘉慶十一年夫故，張年十九，守節三十四年，年五十二存。

侯文明妻季氏 鄒縣陶城莊季允信女。年十九適侯，嘉慶十一年夫故，季年二十六，守節三十四年，年五十九存。

徐鎧妻靳氏 房葛鋪靳宗奎女。年十九適徐，嘉慶十一年夫故，靳年二十八，守節三十四年，年六十一存。

郭心泰妻黃氏 南城九鋪黃永燦女。年十六適郭，嘉慶十一年夫故，黃年二十九，守節三十四年，年六十二存。

焦士棟妻李氏 東北隅李大以女。年二十一適焦，嘉慶十一年夫故，李年二十八，守節三十四年，年六十一存。

蘇懷瓛妻李氏 南王莊李輝亭女。年十五適蘇，嘉慶十一年夫故，李年二十五，守節三十四年，年五十八存。

种允美妻程氏 東關二鋪程永年女。年二十一適种，嘉慶十一年夫故，程年二十二，守節三十四年，年五十五存。

張大枋妻宋氏 大徐莊宋大純女。年十九適張。嘉慶十一年夫故。宋年二十七。守節三十四年。年六十存。

李天雨妻張氏 九曲店莊張廷獻女、年二十適李。嘉慶十一年夫故。張年二十九。守節三十四年，年六十二存。

徐松妻尹氏 南關七鋪尹秀亭女。年二十二適徐，嘉慶十一年夫故，尹年三十，守節三十四年，年六十三存。

聶怡堂妻靳氏 南貫集莊靳宗彭女。年十

八適聶，嘉慶十二年夫故，靳年二十七，守節三十一年，年五十七卒。

扈宗禹妻周氏 南城九鋪周福興女。年二十四適扈，嘉慶十二年夫故，周年二十六，守節二十一年，年四十六卒。

邢五魁妻王氏 草橋一鋪王蔭寰女。年二十適邢，嘉慶十二年夫故，王年二十八，守節三十一年，年五十八卒。

張恪妻徐氏 東北隅徐從雲女。年十七適張，嘉慶十二年夫故，徐年二十九，守節三十三年存。

王樞妻許氏 州署大街許惠吉女。年十八適王，嘉慶十二年夫故，許年二十八，守節三十三年，年六十存。

郭繼川妻段氏 景村段鳳詔女。年十九適郭，嘉慶十二年夫故，段年二十九，守節三十三年，年六十一存。

寇廣基妻陳氏 城東南賈村陳士珍女。年十九適寇，嘉慶十二年夫故，陳年二十八，守節三十三年，年六十存。

錢成珠妻李氏 城西莊李顯宗女。年十七適錢，嘉慶十二年夫故，李年二十七，守節三十三年，年五十九存。

劉培恒妻李氏 城西莊李中道女。年十八適劉，嘉慶十二年夫故，李年二十，守節歷三十三年，年五十二存。

劉元秀妻李氏 南關李言訓女。年十九適劉，嘉慶十二年夫故，李年二十五，守節三十三年，年五十七存。

王培文妻李氏 王貴屯李南薰女。年十七適王，嘉慶十二年夫故，李年二十六，守節三十三年，年五十八存。

秦培福妻劉氏 本城劉丹樹女。年十七適秦，嘉慶十二年夫故，劉年十八，守節三十三年，年五十存。

賀年妻王氏 西昇莊王法舉女。年十九適張，嘉慶十二年夫故，王年二十九，守節三十三年，年六十一存。

張士魁妻李氏 安興集李培恭女。年十七適張，嘉慶十二年夫故，李年二十三，守節三十三年，年五十五存。

趙元杰妻彭氏 北鄉彭家村彭賈蘭女。年十九適趙，嘉慶十二年夫故，彭年二十一，守節三十三年，年五十三存。

姚士賢妻孫氏 楊郭莊孫士言女。年十八適姚，嘉慶十二年夫故，孫年二十二，守節三十三年，年五十四存。

單士魁妻林氏 河東四鋪林大志女。年十九適單，嘉慶十二年夫故，林年二十六，守節三十三年，年五十八存。

何大章妻王氏 南關冰窖王永清女。年十七適何，嘉慶十二年夫故，王年二十一，守節三十三年，年五十三存。

李俊妻席氏 崔家莊席松年女。年十七適李，嘉慶十二年夫故，席年十九，守節三十三年，年五十一存。

張大燦妻孟氏 西南隅孟毓奇女。年十九適張，嘉慶十二年夫故，孟年二十九，守節三十三年，年六十一存。

王士毅妻王氏 王家莊王興錡女。年十七適王，嘉慶十二年夫故，王年二十，守節三十三年，年五十二存。

張占魁妻張氏 大流店莊張繼宏女。年十八適張，嘉慶十二年夫故，張年二十一，守節三十三年，年五十三存。

汪世俊妻張氏 南城七鋪張開泰女。年十九適汪，嘉慶十二年夫故，張年二十五，守節三十三年，年五十七存。

寇廣信妻江氏 城東班村江清晏女。年十九適寇，嘉慶十二年夫故，江年二十，守節三十三年，年五十二存。

李紹楨妻袁氏 東北隅袁永寶女。年二十適李，嘉慶十二年夫故，袁年二十三，守節歷三十三年，年五十有四存。

姜文超妻潘氏 宗家營潘原泮女。年十七適姜，嘉慶十二年夫故，潘年二十八，守節三十三年，年六十存。

趙元勛妻張氏 北鄉翟村張帝邦女。年十七適趙，嘉慶十二年夫故，張年二十，守節三十三年，年五十三存。

魏呈祥妻王氏 東關王蔚堂女。年二十一適魏，嘉慶十二年夫故，王年二十八，守節三十三年，年六十存。

李伯成妻王氏 廉官屯王保光女。年十七適李，嘉慶十二年夫故，王年二十七，守節三十三年，年五十九存。

康道謙妻劉氏 東關劉朝柱女。年十七適康，嘉慶十二年夫故，劉年二十五，守節三十三年，年五十七存。

陳慶元妻李氏 本州李文偉女。年十七適陳，嘉慶十二年夫故，李年二十，守節三十三年，年五十二存。

陸克

成妻孫氏 石橋莊孫永興女。年十七適陸，嘉慶十二年夫故，孫年十九，守節三十三年，年五十一存。

李泰祚妻余氏 余序東女。年二十二適李，嘉慶十二年夫故，余年二十七，守節三十三年，年五十九。

邱枋惺妻劉氏 荊家集劉元一女。年十八適邱，嘉慶十二年夫故，劉年二十，守節三十三年，年五十二存。

高宗瑞妻李氏 五里營李志仁女。年二十適高，嘉慶十二年夫故，李年二十四，守節三十三年，年五十六存。

韓殿麟妻萬氏 東關二鋪萬年茂女。年十九適韓，嘉慶十二年夫故，萬年二十四，守節三十三年，年五十六存。

蔣圖妻李氏 南王莊李傳家女。年十七適蔣，嘉慶十二年夫故，李年二十八，守節三十三年，年六十存。案，前有蔣圖嘉慶十年故妻李氏，係南王莊李輝庭女，既同中有异，姑兩存之。

臧珣妻李氏 南貫集李克勤女。年十九適臧，嘉慶十二年夫故，李年二十五，守節三十三年，年五十七存。

臧珅妻李氏 姚安莊李振九女。年十八適臧，嘉慶十二年夫故，李年二十五，守節三十三年，年五十七存。

臧琜妻孫氏 荊家集莊孫華堂女。年十七適臧，嘉慶十三年夫故，孫年二十四，守節三十二年，年五十五存。

孫乾妻許氏 草橋口庠生許兆龍女。年十七適孫，嘉慶十三年夫故，許年二十八，守節十八年，年四十有五卒。

劉大桐妻張氏 青華洞張春園女。年十七適劉，嘉慶十三年夫故，張年二十四，守節二十五年，年四十五卒。

馬克勤妻王氏 東關王永長女。年十八適馬，嘉慶十三年夫故，王年廿八，守節三十二年，年五十九卒。

靳基鴻妻孫氏 北門裡監生孫孟華女。年十八適靳，嘉慶十三年夫故，孫年二十四，守節二十五年，年四十八卒。

監生鍾葆光妻宋氏 里仁巷宋奎英女。年十九適鍾，嘉慶十三年夫故，宋年二十，守節三十二年，年五十一存。

朱鳴玉妻程氏 下九曲莊程質良女。年十九適朱，嘉慶十三年夫故，程年二十九，守節三十三年，年六十存。

劉開

智妻陳氏陳家莊陳尚智女。年十七適劉，嘉慶十三年夫故，陳年二十四，守節三十二年存。李成祥妻郝氏東北隅郝允良女。年十七適李，嘉慶十三年夫故，郝年二十二，守節三十二年，年五十二存。謝寶箴妻李氏里仁巷李穎軒女。年十九適謝，嘉慶十三年夫故，李年二十一，守節三十二年，年五十二存。王德純妻李氏草橋一鋪李朝彥女。年十九適王，嘉慶十三年夫故，李年二十九，守節三十二年，年六十存。程在宏妻朱氏河東四鋪朱萬壽女。年二十二適程，嘉慶十三年夫故，朱年二十八，守節三十二年，年五十九存。黃廣嗣妻邢氏西北隅邢克光女。年十九適黃，嘉慶十三年夫故，邢年二十六，守節三十二年，年五十七存。陳象乾妻鄭氏颜村店鄭恩錫女。年十九適陳，嘉慶十三年夫故，鄭年二十四，守節三十二年，年五十五存。常文光妻張氏石橋集張輝文女。年十七適常，嘉慶十三年夫故，張年二十三，守節三十三年，年五十四存。李玉清妻劉氏西昇莊劉興女。年十七適李，嘉慶十三年夫故，劉年十九，守節三十二年，年五十存。寇存齋妻陳氏東鄉南賈村陳士珍女。年十五適寇，嘉慶十三年夫故，陳年二十四，守節三十二年，年五十五存。劉基輔妻楊氏南關楊懋卿女。年十七適劉，嘉慶十三年夫故，楊年二十，守節三十二年，年五十一存。秦承位妻劉氏大劉村劉宗雪女。年十七適秦，嘉慶十三年夫故，劉年二十，守節三十二年，年五十一存。程振珩妻馮氏南王莊馮允濂女。年十七適程，嘉慶十三年夫故，馮年二十三，守節三十二年，年五十四存。謝賜相妻張氏北關張大寬女。年十九適謝，嘉慶十三年夫故，張年二十三，守節三十二年，年五十四存。劉嶷妻陳氏古柳樹陳振烈女。年十九適劉，嘉慶十三年夫故，陳年二十八，守節歷三十二年，年五十有九存。黃本立妻杜氏杜擎陛女。年十九適黃，嘉慶十三年夫故，杜年二十四，守節三十二年，年五十五存。孫興和妻于氏城東南賈村于來順女。年十七適孫，嘉慶十三年夫故，于年十九，守節三十二年，年五十存。沈清元妻杜氏班村杜秀章女。年十八適沈，嘉慶十三年夫故，杜年二十一，守節三十二年，年五十二存。許鏞妻李氏西南隅李克修女。年十七適許，嘉慶十三年夫故，李年二十六，守節三十二年，年五十七存。姜馨亭妻魏氏西北隅魏貞一女。年十七適姜，嘉慶十三年夫故，魏年二十三，守節三十二年，年五十四存。葉宗訓妻劉氏西南關劉信齋女。年十九適葉，嘉慶十三年夫故，劉年二十，守節三十二年，年五十一存。張效麟妻黃氏黃家莊黃廷良女。年十八適張，嘉慶十三年夫故，黃年二十一，守節三十二年，年五十二存。張宗清妻宋氏宋家莊宋美庵女。年二十一適張，嘉慶十三年夫故，宋年二十二，守節三十二年，年五十三存。王松魁妻李氏東北隅李東文女。年十九適王，嘉慶十三年夫故，李年二十五，守節三十二年，年五十六存。靳錫旂妻韓氏秦家莊韓良佐女。年十七適靳，嘉慶十三年夫故，韓年二十五，守節三十二年，年五十一存。王澍妻朱氏朱袁莊朱文源女。年十六適王，嘉慶十三年夫故，朱年二十一，守節三十二年，年五十二存。王淳妻陶氏南關陶可慶女。年十八適王，嘉慶十三年夫故，陶年二十二，守節三十二年，年五十有三存。任大鸞妻顧氏安山村顧永鋭女。年十七適任，嘉慶十三年夫故，顧年二十，守節三十二年，年五十一存。陳慶吉妻蔣氏工字巷蔣蘭溪女。年二十三適陳，嘉慶十三年夫故，蔣年二十四，守節三十二年，年五十五存。張任平妻薛氏薛應選女。年十七適張，嘉慶十三年夫故，薛年二十六，守節三十二年，年五十七存。何其瀅妻李氏李家莊李思問女。年二十三適何，嘉慶十三年夫故，李年二十六，守節三十二年，年五十七存。楊際清妻魏氏紅廟莊魏天茂女。年十七適楊，嘉慶十三年夫故，魏年十九，守節三十二年，年五十存。

仲緒銜妻陳氏 古柳樹陳培義女。年十七適仲，嘉慶十三年夫故，陳年二十三，守節三十二年，年五十四存。

孟毓貞妻李氏 李家莊李園女。年十七適孟，嘉慶十三年夫故，陳年二十三，守節三十二年，年五十二存。

王銘妻宋氏 北鄉宋以銓女。年十七適王，嘉慶十三年夫故，宋年十九，守節三十二年，年五十猶存。

王興聚妻韓氏 西北隅韓宣女。年十九適王，嘉慶十三年夫故，韓年二十六，守節三十二年，年五十七存。

王翰一妻張氏 河東一鋪張盛集女。年十七適王，嘉慶十三年夫故，張年二十四，守節三十二年，年五十五存。

高仲坤妻袁氏 州學前袁煥文女。年十九適高，嘉慶十三年夫故，袁年二十二，守節三十二年，年五十三存。

靳肇穩妻李氏 西南隅李上珠女。年十九適靳，嘉慶十三年夫故，李年二十二，守節三十二年，年五十三存。

王志元妻劉氏 三里營劉魁女。年十七適王，嘉慶十三年夫故，劉年二十，守節三十二年，年五十一存。

趙士清妻孫氏 馮段村孫天祥女。年十九適趙，嘉慶十三年夫故，孫年二十二，守節三十二年，年五十三存。

聶怡昆妻王氏 蕭家園王象雷女。年十九適聶，嘉慶十三年夫故，王氏年二十一，守節三十二年，年五十二存。

從九劉鐵妻曹氏 東關曹大敏女。年十八適劉，嘉慶十三年夫故，曹年二十二，守節歷三十二年，年五十有三存。

史慶雲妻許氏 州前許守先女。年十八適史，嘉慶十三年夫故，許年二十二，守節三十二年，年五十三存。

葛玉祥妻夏氏 紅廟莊夏光輝女。年十九適葛，嘉慶十三年夫故，夏年二十八，守節三十二年，年五十九存。

吴思豫妻李氏 東南關李士錡女。年十七適吴，嘉慶十四年夫故，李年二十八，守節三十四年，年六十一卒。

潘遵盈妻張氏 馬連堆莊張清安女。年十九適潘，嘉慶十四年夫故，張年二十七，守節二十八年，年五十四卒。高景淳妻井氏西南隅井虞華女。年十七適高，嘉慶十四年夫故，井年三十，守節十一年，年四十卒。楊鍾魁妻阮氏新挑河莊阮培義女。年二十適楊，嘉慶十四年夫故，阮年二十八，守節二十四年，年五十一卒。師榮業妻程氏東南隅程鰲女。年十九適師，嘉慶十四年夫故，程年二十三，守節三十年，年五十三卒。蘇天來妻林氏南關林中麟女。年十六適蘇，嘉慶十四年夫故，林年二十二，守節三十一年，年五十二存。謝賜華妻邵氏草橋二鋪邵大昆女。年十七適謝，嘉慶十四年夫故，邵年二十八，守節三十一年，年五十八存。程質榮妻邱氏邱家樓邱書女。年十六適程，嘉慶十四年夫故，邱年二十四，守節三十一年，年五十四存。李延裕妻陳氏東南關陳棟女。年十九適李，嘉慶十四年夫故，陳年二十二，守節三十一年，年五十二存。徐殿元妻鮑氏東北隅鮑際元女。年十八適徐，嘉慶十四年夫故，鮑年二十，守節三十一年，年五十存。劉衍芳妻程氏東南關程國紀女。年十九適劉，嘉慶十四年夫故，程年二十一，守節三十一年，年五十一存。孫成瑞妻仙氏兖州府仙鏡女。年十七適孫，嘉慶十四年夫故，仙年二十一，守節三十一年，年五十一存。○「瑞」一作「端」。王克寬妻李氏西南隅李大賓女。年十八適王，嘉慶十四年夫故，李年三十，守節三十一年，年六十存。李玉琴妻段氏南城一鋪段遐齡女。年二十一適李，嘉慶十四年夫故，段年二十七，守節三十一年，年五十存。姚士瞻妻譚氏薛家屯譚汝杞女。年十九適姚，嘉慶十四年夫故，譚年二十三，守節三十一年，年五十有三猶存。張寶善妻馮氏東南隅歲貢馮惟哲女。年十七適張，嘉慶十四年夫故，馮年二十一，守節三十一年，年五十一存。咸樹棟妻于氏西北隅于成基女。年二十二適咸，嘉慶十四年夫故，于年二十五，守節三十一年，年五十五存。李科順妻于氏北薄亮村于仰公女。年十七適李，嘉慶十四年夫故，于年二十二，守節三十一年，年五十二存。王際平妻盛氏棗店街盛殿容女。年二十適王，嘉慶十四年夫故，盛年二十九，守節三十一年，年五十九存。牛岱岩妻楊氏楊作檢女。年十七適牛，嘉慶十四年夫故，楊年二十，守節三十一年，年五十猶存。楊君周妻謝氏謝家莊謝克傳女。嘉慶十四年謝年二十二適楊，是年夫故，守節三十一年，年五十三存。王興泰妻王氏趙村王杰女。年十九適王，嘉慶十四年夫故，王年二十二，守節三十一年，年五十二存。朱淑鑒妻李氏本城李德訓女。年十八適朱，嘉慶十四年夫故，李年二十二，守節三十一年，年五十二存。侯大成妻劉氏東關劉鈞女。年二十一適侯，嘉慶十四年夫故，劉年二十九，守節三十一年，年五十九存。張有明妻許氏北鄉岡上許善守女。年十九適張，嘉慶十四年夫故，許年二十九，守節三十一年，年五十九。高培淳妻許氏南關許佩玉之女。年十八適高，嘉慶十四年夫故，許年二十八，守節三十一年，年五十八存。李安瀾妻劉氏河東五鋪劉心正女。年十七適李，嘉慶十四年夫故，劉年二十四，守節三十一年，年五十四存。潘俊妻許氏東南隅監生許熾女。年十八適潘，嘉慶十四年夫故，許年二十七，守節三十一年，年五十七存。監生閔廣澄妻李氏東北隅李三女。年十九適閔，嘉慶十五年夫故，李年二十七，守節二十五年，年五十一存。馬勉妻白氏南關白長榮女。年十九適馬，嘉慶十五年夫故，白年二十四，守節三十二年，年五十卒。秦立德妻薛氏王家莊庠生薛玉泉女。年十九適秦，嘉慶十五年夫故，薛年二十一，守節三十年，年五十存。任學詩妻鄭氏于家寺莊鄭天相女。年十五適任，嘉慶十五年夫故，鄭年二十三，守節三十年，年五十二存。李兆嘉妻陳氏東南隅陳貽楫女。年二十適李，嘉慶十五年夫故，陳年二十一，守節三十年，年五十存。周鵬來妻陸氏南城七鋪陸允平女。年十八適周，嘉慶十五年夫故，陸年二十一，守節三十年，年五十存。王肇書妻穆氏河東二鋪穆寶田女。年二十一適王，嘉慶十五年夫故，穆年二十八，守節三十年，年五十七存。許景運妻張氏太平莊張爲標女。年十七適許，嘉慶十五年夫故，張年二十七，守節三十年，年五十六存。○「運」一作「連」。馮汝勤妻崔氏安阜街崔秀義女。年十九適馮，嘉慶十五年夫故，崔年二十二，守節三十年，年五十一存。孟繼孝妻王氏南城七鋪王大成女。年十七適孟，嘉慶十五年夫故，王年二十二，守節三十年，年五十一存。時功棨妻鄭氏曲阜鄭光綸女。年二十適時，嘉慶十五年夫故，鄭年二十一，守節三十年，年五十存。陳煜妻朱氏東鄉朱成立女。年二十適陳，嘉慶十五年夫故，朱年二十九，守節三十年，年五十八存。孫廷鳳妻李氏西北隅李廣仁女。年二十適孫，嘉慶十五年夫故，李年二十五，守節三十年，年五十有四猶存。李秀妻劉氏李二莊劉象乾女。年十九適李，嘉慶十五年夫故，劉年二十三，守節三十年，年五十二存。劉聞善妻胡氏河東五鋪胡占魁女。年十九適劉，嘉慶十五年夫故，胡年二十一，守節三十年，年五十存。庠生王啓運妻張氏東南隅副貢張文光女。年十七適王，嘉慶十六年夫故，張年二十九，守節二十五年，年五十四卒。李明德妻唐氏邢家村唐虞鳳女。年二十一適李，嘉慶十六年夫故，唐年二十四，守節二十四年，年四十七卒。劉坪妻王氏草橋一鋪王萬年女。年十九適劉，嘉慶十六年夫故，王年二十四，守節二十九年，年五十二存。郭貞升妻王氏南關扁担街王辰女。年二十一適郭，嘉慶十六年夫故，王年二十五，守節二十九年，年五十三存。張良玉妻秦氏東關秦久遠女。年二十二適張，嘉慶十六年夫故，秦年二十八，守節二十九年，年五十六存。廉振家妻房氏喻屯房廉女。年二十三適廉，嘉慶十六年夫故，房年三十，守節二十九年，年五十八存。

解士興妻趙氏昇仙營趙起祥女。年二十一適解，嘉慶十六年夫故，趙年二十五，守節二十九年，年五十三存。

高允奇妻何氏西北隅何兆禧女。年十九適高，嘉慶十六年夫故，何年二十三，守節二十九年，年五十一存。

陳象震妻李氏羅家廠莊李徵女。年十八適陳，嘉慶十七年夫故，李年二十三，守節十年，年三十三卒。

王嘉木妻曹氏南關曹建元女。年二十三適王，嘉慶十七年夫故，曹年二十六，守節二十八年，年五十三存。

朱銘常妻楊氏草橋口王樂然女。年十九適朱，嘉慶十七年夫故，楊年二十四，守節二十八年，年五十一存。

寇汝啓妻扈氏扈家橋扈思聰女。年二十適寇，嘉慶十七年夫故，扈年二十九，守節二十八年，年五十六存。

彭汝桂妻茹氏茹家莊茹宗師女。年二十五適彭，嘉慶十七年夫故，茹年二十九，守節二十八年，年五十六存。

潘遵學妻朱氏西三里營朱大順女。年二十適潘，嘉慶十七年夫故，朱年二十九，守節二十八年，年五十六存。

楊象五妻張氏東關張坦女。年二十適楊，嘉慶十七年夫故，張年二十五，守節二十八年，年五十二存。

馮麟妻閆氏中疃閆克玉女。年十七適馮，嘉慶十七年夫故，閆年二十七，守節二十八年，年五十四存。

李哲妻蔣氏東南隅蔣淇女。年二十適李，嘉慶十八年夫故，蔣年二十三，守節二十四年，年四十六卒。

郭繼泰妻孟氏孟家莊孟傳聖女。年十六適郭，嘉慶十八年夫故，孟年二十五，守節二十年，年四十四卒。

劉埒妻湯氏東北隅湯勉中女。年十七適劉，嘉慶十八年夫故，湯年二十，守節二十三年，年四十有二而卒。

程紹欽妻周氏周宗思女。年十七適程，嘉慶十八年夫故，周年二十七，守節二十五年，年五十三卒。

魏殿魁妻靳氏東關大街靳宗業女。年十九適魏，嘉慶十八年夫故，靳年二十五，守節二十七年，年五十一存。戴鎔妻黃氏浙江元和縣黃景商女。年十九適戴，嘉慶十八年夫故，黃年二十五，守節二十七年，年五十一存。鮑承麟妻張氏西北隅張梅峰女。年十九適鮑，嘉慶十八年夫故，張年二十九，守節二十七年，年五十五存。張大元妻鄧氏北鄉鄧有倫女。年十七適張，嘉慶十八年夫故，鄧年二十七，守節二十七年，年五十三存。孫淑智妻季氏東關季奎光女。年二十一適孫，嘉慶十八年夫故，季年二十五，守節二十七年，年五十一存。蘇懷璣妻姜氏北王莊姜有條女。年十九適蘇，嘉慶十九年夫故，姜年二十五，守節二十五年，年四十九卒。監生徐瑞虞妻鍾氏齊家營監生鍾詩女。年十七適徐，嘉慶十九年夫故，鍾年二十四，守節二十一年，年四十四卒。蔣瑛妻岳氏郭家莊岳文光女。年十八適蔣，嘉慶十九年夫故，岳年二十七，守節二十三年，年四十九卒。張永泮妻紀氏紀家屯紀政民女。年十七適張，嘉慶十九年夫故，紀年二十六，守節二十六年，年五十一。張文楷妻秦氏南城一鋪秦隆業女。年二十適張，嘉慶十九年夫故，秦年二十九，守節二十六年，年五十四存。邵自宣妻李氏南北隅李崇爵女。年二十適邵，嘉慶十九年夫故，李年二十七，守節二十六年，年五十二存。李兆豐妻潘氏本城潘質偉女。年十七適李，嘉慶十九年夫故，潘年三十，守節二十六年，年五十五存。苟延睿妻李氏九曲莊李瑞臨女。年十九適苟，嘉慶十九年夫故，李年二十七，守節二十六年，年五十二存。潘遵武妻許氏東北隅許青雲女。年二十一適潘，嘉慶二十年夫故，許年二十七，守節十三年，年三十九卒。聶怡恭妻郭氏院門口郭大忠女。年二十三適聶，嘉慶二十年夫故，郭年二十八，守節二十五年，年五十二存。李成彪妻朱氏東門大街朱允煌女。年十八適李，嘉慶二十年夫故，朱年二十八，守節二十五年，年五十二存。

馬春芳妻文氏 南城五鋪文鎡女。年二十適馬，嘉慶二十年夫故，文年二十九，守節二十五年，年五十三存。

王汝爲妻楊氏 本城楊和軒女。年十七適王，嘉慶二十年夫故，楊年二十七，守節二十五年，年五十一存。

從九郭存義妻王氏 西南隅從九王錫穀女。年十九適郭，嘉慶二十一年夫故，王年二十九，守節二十四年，年五十二存。

王成璧妻韓氏 長溝莊韓文秋女。年十七適王，嘉慶二十一年夫故，韓年二十九，守節二十四年，年五十二存。

王茹田妻劉氏 船廠舒城縣知縣劉際昌女。年十八適王，嘉慶二十三年夫故，劉年二十一，守節二十一年，年四十一卒。

王鴻妻陳氏 西南隅陳汝猷女。年十九適王，嘉慶二十五年夫故，陳年二十一，守節十八年，年三十八卒。

孫元儁妻汪氏 南關太學生汪世智女。年二十適孫，道光二年夫故，汪年二十六。絶粒五日，矢必死，其母哭諭之，乃強起食。未幾姑病，轉側需人，汪侍疾床前，衣不解帶者三年。姑卒，舅病目遂盲，家益窘，以十指佐甘旨。及舅卒，痛絶復蘇，執其子應辰手曰：「汝父歿吾不敢即死者，徒以汝祖父母在。今汝祖父母辭世，汝亦漸長，所未完心事特汝未娶耳。雖然，死有日矣。」道光十九年應辰承重服闋完婚，方匝月而汪卒，年四十四。

吳思恒妻魏氏 紅廟莊魏良璧女。年十九適吳，道光三年夫故，魏年二十八，守節十七年，年四十四卒。

高守愚妻張氏 東關二鋪張廷書女。年二十一適高，道光六年夫故，殉節，時年二十三。

朱寶章妻陳氏 東北隅陳文昭女。年二十三適朱，道光十四年夫故，殉節，時年二十九。

孫立程妻王氏 武生王雲龍女。性和順，粗識字，明大義，善女紅。年二十四適孫，家徒四壁立，以十指佐朝夕。道光十七年夫病，王盡貨其妝奩以爲藥餌費。夫病亟，泣與訣，王慰之曰：「勿悲，聚日正長也。」夫卒，翁姑知其必殉，嚴防之。王飲食言動如常，於是防稍懈。既殮之三日，猶親視翁姑晚飯。次日户扃不啓，乃大驚，急破扉入，已自縊於柩前矣。翁姑哭之曰：「賢哉婦乎！痛哉婦乎！數日之內連遭死喪，獨不爲二老念耶？」及殮檢其筐篋得遺書，上言：「不能終養父母，爲不孝之大，父母可勿痛念。」下言：「夫有弟、妹，已無出，所以可死。」翁姑益慟之。時年二十六，族人孫寶忠爲之傳。

庠生戴春潤妻孫氏 荊家集孫苞女。道光九年年十九適戴，十九年夫故，殉節時年二十九。知州徐宗幹爲之傳，略曰：「春潤父得昂，官高唐訓導，春潤就外傳。得昂病，孫侍疾數月。每日鷄初鳴進饘粥，時方懷妊，三更入厨爲炊，輒終夜不寢。生女纔四日即出侍疾，翁未食，不敢乳兒也。春潤病，二女相繼殤，含泣侍藥，晝夜不少懈。及春潤卒，立兄春貴子升恒爲嗣，遂絶粒。家人勸弗聽，水漿不入口者十一日，縊於柩側。」

右五百七十九人， 道光十九年彙請旌表，二十年十月總建一坊。原報五百八十一人，今詳細核對，米梁妻文氏、程致耀妻趙氏重出，實五百七十九人。又蔣圖妻李氏亦兩見，一爲李輝庭女，嘉慶十年守節；一爲李傳家女，嘉慶十二年守節，恐非一人，姑兩存之。

先賢仲子十七代孫世德妻李氏 赤眉之亂，賊犯之，李怒罵不輟口，遂遇害。○漢

二十五代仲賞妻葉氏 賞早卒，姑年老，子方五月，或勸之嫁，泣曰：「忍弃此孤子耶？」歲餘子殤，又勸之嫁，復泣曰：「忍弃此老母耶？」數年姑死，又勸之嫁，則曰：「可矣。」沐浴更衣，詣賞墓泣拜，自縊死。○北魏

三十二代仲感妻陳氏 娶數月，感客死，陳誓死守節。○隋

三十九代仲讜妻王氏 讜家貧親老，王紡績奉養姑病，匍匐供藥餌不少倦。冬日兩手皸瘃不能持，對天泣曰：「事奉老親，賴此手也。今者此，如老親何？」明日瘡愈謝痂，人以爲孝節之感。○唐

四十四代仲永宗妻劉氏 永宗早卒，子簡方六歲，劉守節教子，親授句讀，晝夜不輟。後簡舉進士，官兵部郎中，皆劉教訓之力也。○宋

五十三代仲禄女 少讀書識字，長適張。張卒，遺嬰方七月，家貧甚。女截指誓不他適，朝夕勤女紅自

給，撫子成立，卒致殷富。○明六十二代仲文第妻楊氏守節五十余年，撫按旌奬，賜粟、帛，子免徭役。六十四代仲蘊慰妻劉氏年十九而寡，守節，壽至八十三歲卒。六十五代興魁妻焦氏年十八而寡，家極貧，子女俱無，母家亦無親屬。焦居茅屋一間，紡績糊口，操松柏節，愈苦愈堅，年九十餘卒。翰博仲耀清妻陳氏年二十三守節，七十餘歲卒，旌。仲耀和妻蔣氏年二十三而寡，守節撫孤。仲耀里妻趙氏夫歿，子甫周歲，守節撫孤，教之成立。仲耀林妻譚氏節婦。仲耀欽妻潘氏欽歿，潘年二十八，無子，以伯子振燦爲嗣。延師教讀，爲娶妻，范氏而振。燦復早亡，與寡媳幼孫相依度日，苦節終身。仲耀澄妻高氏澄歿，高年二十二，子女俱無，家且貧，守節五十餘年。仲興家女適鄒縣楊氏四載夫故，遺孤三歲，翁姑老且病。未幾子殤，翁姑相繼亡，鬻産以葬，守節終身。仲興殊女許字鄒縣儒童劉學曾，劉病故，女聞之，絶食二日自縊。乾隆元年二月奉旨旌，建坊仲家淺。六十六代仲振遺妻趙氏年二十五夫亡，守節四十餘年。仲振秉妻陳氏守節奉姑，有司旌其門。仲振茫妻劉氏節婦。仲振謙妻程氏見夫病垂危，先自縊死。仲振文妻程氏守節撫孤。六十七代仲貽德妻劉氏娶年餘夫客死，劉上事翁姑，下教嗣子，壽至八十餘尚健。仲貽孔妻韓氏年二十二而寡，事姑以孝，教嗣子以禮，苦節六十年。仲貽任妻周氏任亡兩月，母欲嫁之，遂自縊。六十八代仲緒堂妻侯氏年二十夫亡，三月生遺腹子。家貧親老，侯以針黹奉養翁姑，教育幼子。晝夜勤勞，子成立，家亦充裕。仲緒泰妻潘氏苦節五十年，學政帥給「持志堅貞」額以旌之。仲緒楚妻梁氏年二十二夫殁，冰操霜節，與娣潘氏共相砥礪，人稱爲「一門雙節」。仲緒槐妻潘氏年二十一夫亡守節。○以上二十二人皆本朝。

右二十九人見《仲里志》。

《志》共載節烈三十五人，十七代以前三人，尚未遷濟，故不録。明仲某女罵賊死，見《明史》者，乃湖州人，亦不録。仲振棕妻駱氏，已據文案録入。仲振燦妻范氏、仲緒墀妻程氏，并在道光二十年彙旌總坊，不更録。此二十九人者，《萬曆志》、廖《志》、藍《志》、王《志》不一及。《新志》開局三年，送節略者以數百計，亦不一及。脱非得《仲里志》，則亦終不知有此二十九人矣。博士仲耀清妻陳氏及仲興殊女皆奉旨旌表，宜有文案。而查文案者未見，是文案難恃也。前此彙請總坊，采訪極博，乃仲耀欽妻潘氏，即仲振燦妻范氏之姑，而録范遺潘，是采訪難周也。一族如是，他族可知。然則，此編雖較《舊志》增至七八百人之多，其遺漏仍不知凡幾，矧三縣之寥寥者乎！書此以告後之修志者，務多方搜采，以彰潛德而發幽光，勿依《前志》爲已備，名教幸甚。

補遺

采訪續至者以次增補。

貢生張克梓妻李氏年十九適張，二十六夫卒，無子。氏投繯救蘇，及夫卜葬有期，先一日閉門自縊。乾隆三十八年旌。劉珅妻李氏知州樊浚生申請旌。孫湑妻馮氏荆冢集人。乾隆五年守節，已逾三十七年。何廷選妻張氏乾隆五年守節。馮琨妻李氏夫亡，守節終身。孫世豫妻潘氏乾隆五十六年夫故，潘年二十二，撫三歲孤，紡績自給，守節五十二年存。

楊毅和妻范氏 滋陽恩貢生范毓晉女。嘉慶二十年夫故，范年二十六，守節二十八年存。

孫寶勳妻何氏 何世臣女。年十九適孫，祖姑及姑在堂，兄嫂同居，家素不豐，仰事俯畜皆寶勳一人經理，何佐之，以賢能稱。未幾，連遭祖姑之喪，殯葬後家日匱，寶勳將嫁妹，不能成禮，何即盡鬻其妝奩以助，族人敬重之。道光二年寶勳病，何憂泣禱天，祈以身代。凡六閱月而寶勳卒，何焦勞日久，面無人色。家人知其有死志也，或寬解之，何曰：「此非吾可死之日也，吾何敢死？」乃親視含殮，附身附棺，無幾微憾。既葬，閱三日，肩輿徧辭於孫氏，何氏所常往來。歸除凶服，華妝待死，蓋其出也已服砒霜矣。所親急往視，言動周旋如常，無瞑眩狀。既登簀，猶自理其衣而卒，貌如生時，年二十四。夫堂弟孫寶忠爲之傳。

李瑩側室許氏 二十四守節，子聯堉年甫九歲，慈教兼至，成名績學。已旋。

李聯均妻鄭氏 滋陽縣鄭恩祥女。年二十一適李，嘉慶十六年夫故，鄭年二十三。養老慈幼，撫嗣子如己出，守節三十一年。道光二十一年旌。

孔廣止妻李氏 節婦。

孔昭慤妻許氏 節婦。

夏理妻袁氏 節婦。

高際唐妻林氏 二十九歲夫亡，守節年五十七歲卒。已旋。

廩生吳培基繼妻楊氏 魚邑庠生楊大炯女。年二十適吳，楊年二十八夫故，守節十九年，年四十六卒。

駱士增繼妻王氏 孝婦。

右十六人 據采訪續録。

生員李肇晉妻郭氏 年二十守節。

李肇升妻黃氏 年二十五守節。

右二人原在前四百三十五人內，李肇恒妻戴氏下，今補。

濟寧直隸州志卷八之六

列女總傳 下〇紀三縣

金鄉

後周

趙氏女 父盜鹽當論死，女年十五，詣官訴曰：「迫饑而盜，情有可原。願没身爲官婢，否則請俱死。」有司義之，許貸其父，女曰：「身今爲官所賜，願毁服依浮屠法以報因截耳。」自誓獨居終身。

元

知管侯注妻馬氏 守節撫孤，年八十九卒。至大四年旌。 **霍氏** 有元時旌表「孝婦」，石坊在石門集。 **武氏** 有元時旌表「節孝」，石坊在石門集。

明

劉璘妻李氏 年二十而寡，守節撫孤，壽九十餘。成化十六年旌。《舊志》「璘」誤「璞」。 **魏琦妻楊氏** 適琦三年，生子九日琦殁。楊孝養舅姑，矢志靡他。成化十六年旌。 **楊清妻高氏** 年十六適清，生子五月清殁。撫子養姑，壽至八十二歲。嘉靖十三年旌。 **庠生辛**

召妻史氏府同知史蓁女。年十八適召甫，九月召卒，縊於門楣。撫按旌。胡門二節胡陵妻程氏，年二十二而寡，守苦節六十餘年。其孫允靖妻楊氏，年十六夫亡，自縊於屋梁。皆旌。《縣志》《舊兗志》「陵」作「凌」。王尚仁妻高氏尚仁歿三日即自縊，年十九。里人爲立石于墓，户部主事辛吉爲之記。張孟夏妻谷氏正德六年遇賊死節。蘇範妻劉氏嘉靖二十六年夫歿，縊于庭後樹，下年十九。知縣旌。庠生陳蘊妻李氏夫死，以麻繩置袖中，爲舅姑置冬衣，訖得間自縊，年二十三。里人爲之立石。庠生王思賓妻唐氏思賓歿，唐自縊。知縣旌，少卿胡汝桂撰碑。庠生胡拱樞妻陳氏拱樞病將革，嗣一子屬陳曰：「善撫之。」拱樞卒，陳如命撫孤。未兩月子病死，乃自縊於柩旁。知縣楊旌。鄭烈女許聘李檢，檢疾劇，女堅欲往視，父母不能奪。入門對檢泣，期以死從，歸之夜遂自縊，明日檢亦亡。知縣楊申旌。庠生張時中妻尚氏時中故，子大桂方二歲。尚甘貧訓子，守節二十八年。終學道副使吴旌。周門《通志》《縣志》「鄭」作「郭」。雙節周希緒妻邱氏、側室牛氏。希緒卒，邱無子，牛生子濟生，二氏同心撫孤，然薪課讀，濟生以明經爲沛教諭。邱守節二十五年終，牛守節三十三年終。知縣楊旌曰「雙節」。庠生王家弼妻高氏弼故，高年二十，矢志守節四十餘年。三子俱入庠。學道旌。庠生季汝重妻韓氏重故，撫孤守節，歷四十九年。學道旌。《縣志》「季」作「李」。庠生周芳春妻王氏鳳陽府判王順汝女。春歿，王年二十三。撫孤守節，歷五十餘年。值大疫，施藥掩骸。巡憲禹給粟三石，督學副使唐旌。庠生周鐔妻辛氏庠生辛茂桂女。年二十一寡，守節六十餘年。周鎰妻潘氏濟寧人侍郎潘士良女。幼從父受《内則》《女訓》諸書，兼通星命之學。適鎰，禮事舅姑，克持婦道，相夫佐讀，丙夜不倦。夫有痹疾，潘脱簪珥延醫愈之。後以攻苦過勞，吐血不止。潘究閲星書，謂己命應剋夫，遂自縊。斂時衣袖中得遺書，曰：「妾運當午，夫主屬金。逢子太歲，見刃而刑。毒夫之命，不可貪生。捐軀以代，夫存子存。」翼日縊亦卒。

庠生高光妻胡氏 光歿，縊於柩旁。學道給匾，國朝雍正年旌。

王民俊妻戴氏 民俊歿，戴水漿不入口者累日，舉室防甚嚴，母又泣勸之，乃強進飲食。至除夕，乘母暫歸，縊夫柩前。事在崇禎四年，知縣上其事，會多故未建坊。

楊問孝妻李氏 庠生李時女。年十七適楊，二載夫故，無子，矢志守節。孝事舅姑四十餘年，年八十餘卒。知縣桂申旌。

庠生李應旂妻周氏 應旂卒，周水漿不入口。殮畢，自治棺具，繫帛柩前，從容自縊。值明末未旌。

右後周一人、元二人、明二十五人。據《舊志》《通志》《兖州府舊志》。孫巽《縣志》校訂録入周鎰妻潘氏，舊詳濟寧，兹以其夫家爲主，詳此略彼。

國朝

郝門雙節 郝文才妻劉氏，年三十寡。子名守分，妻亦劉氏，年二十四寡，有子應魁。姑媳相依，撫孤成立。巡按馮表其門曰「峻節雙標」。

周象巽妻胡氏 庠生胡玠女。夫亡自縊，遺書云：「先夫二十，我十九，少年同死，伊可哀也，亦可慰也。」學道勞旌，有《留貞集》詳其事。

庠生楊所建妾郭氏 所建與妻周氏相繼亡，郭年二十，餘所生子重輪方六歲，守節撫孤成名，壽至九十有二。《縣志》「建」作「立」。

庠生周東允繼室李氏 李聞詩女。年十七適周，甫兩月夫歿，守節六十餘年。知縣旌。《舊志》「允」作「印」，乃避寫。

張門三節 庠生張霞妻郭氏，夫亡撫嗣子

顯親，娶媳周氏，生子二。顯親又殁，周年二十八，姑媳同撫遺孤。長寶蓮，娶王氏，年二十復寡，一門三世相繼守節。知縣梁旌門。

周濩妻劉氏 夫亡守節，撫二子成名，足不逾中門者三十年卒。知縣胡旌門。

庠生周治皞繼妻蘇氏 治皞素患羸弱，不治生計，氏代爲經畫。翁老，事之惟謹，撫前室二子如己出。治皞病卧床，日夜侍湯藥，衣不解帶者二年。每禱天願以身代，卒不起，乃自縊。上憲旌。

劉玫妻吴氏 單縣人。玫故，吴年二十五，無子，自縊。旌。

孟輔臣妻李氏 年二十二夫亡，孝養孀姑，撫孤成立，苦節四十餘年。旌。

郭鼎梅妻李氏 夫亡，事姑甚孝。姑亡，鬻所居之室以營葬，曰：「大事畢，雖露處何傷？」買主義之，令終其身，不他徙。

庠生李中怡妻孫氏 年十八夫亡，遺孤徵育甫兩月，立志守貞。事孀姑楊以孝稱，教子成立，登康熙甲子賢書。苦節三十一年，旌。

周榘妻李氏 庠生李茂楹女。年十九適榘，越一歲夫殁。李求立嗣，縊死柩前，衣裳整齊，顔貌如生。《縣志》「榘」作「槼」。

孫璣妻胡氏 夫殁，撫二子皆入庠。守節三十五年，康熙年旌。

周曰爵妻吴氏 年二十夫亡，無子，矢志守節，備極艱辛，壽至八十卒。

胡學妻周氏 庠生周之邦女。年十九適學，期年學卒，守節。性嗜讀書，紡績外古册滿案，年七十餘。上憲旌。《續兖志》作「胡學之」。

周門雙節 庠生周珽妻高氏、側室趙氏。珽殁，年俱二十餘。高無出，趙一子世璽，幼多病，二氏辛苦鞠養，世璽中康熙丙子鄉魁。高年九十，趙年八十七，進士楊淮爲作《雙節傳》。

王玉連妻劉氏 年二十五而寡，養翁姑，撫二子，苦節四十餘年。知縣胡旌門。

高選妻胡氏 年二十四而寡，孝事舅姑，苦節終身。按察司俞旌門。

李純妻張氏 年二十八而寡，孝事翁姑，教子入庠，苦節四十餘年。按察司俞旌。《通志》《續兖志》「純」作「統」，《縣志》作「銃」，疑《舊志》誤。

蘇門雙節 蘇雲龍妻李氏，年十九夫殁，以侄嶷爲子，撫之如己出。

既娶婦而嶷又死，嶷妻李氏同心守節，冰蘗共勵，宗黨稱之。

周治泰妻孫氏 年二十五夫歿，撫二子一女，守志事舅姑，以孝稱。女亦早孀，堅貞有母風。

周門雙節 庠生周和春妻高氏，高拱極女。夫卒無子，生姑董孤煢無依，高與董同室居四十年，以節孝稱。和春嫡母弟敬高貞孝，以子知爲兄後。知娶高氏高如嵐女，知又早卒，姑憐媳幼寡，爲立嗣。姑媳性命相依，以「雙節」稱。

庠生周兆春妻蕭氏 夫歿，撫遺腹子成立，苦節三十年，勞瘁成疾卒。雍正十二年建坊。

宗瑞妻高氏 夫亡守節，雍正九年建坊。《通志》「宗」作「宋」。

李振垖妻劉氏 夫亡，劉年少，潛吞粉毒不死，逾五載自縊卒。

郭門雙節 郭廷瑞妻李氏，年二十二夫亡，撫猶子逢泰，守節。未幾，逢泰卒，偕媳撫孫知剛成立，年八十一卒。

楊大亨妻周氏 沁水縣周鋕女。年十九夫亡，撫嗣守志，苦節二十一年卒，旌。

李振埼妻周氏 沁水縣周鋕女。夫亡，奉姑撫孤，守節三十五年。旌。

郝宗哲妻王氏 宗哲歿，王年二十六，奉姑撫孤，苦節十五年。旌。

李鋑妻周氏 周治皞女。年二十夫卒，視殮畢，潛盥櫛，著吉服端坐自縊。旌。

李世壽妻劉氏 夫故，事舅姑，撫弱息，守志三十二年。旌。《縣志》「壽」作「熹」。

周門三節婦 周澍妻蘇氏，澍卒，撫孤子棻，娶李氏。未幾，棻又逝，李撫弱媳，事孀姑以孝聞。棻子燦復早卒，妻胡氏撫孤事姑。姑歿，事祖姑以終，人稱「三世孝婦」。

李門三世五節 李振型妻孫氏，夫卒，孫年二十，撫周歲子舒以守，歷節三十五年。旌。舒娶媳，生三孫，而舒亡，又與媳共撫弱息成立。其後三孫相繼歿，三孫婦共誓守節，「三世五孀」。《縣志》「舒」作「紓」。

孫門雙節 孫織妻王氏，適孫三載夫亡，守志撫孤。娶媳，子又亡，與媳蘇氏撫孫成立。艱辛二世，苦節終身。旌。

賈成都妻秦氏 夫歿，與伯嫂相依，養姑撫孤，守節四十二年。旌。

張廷楨妻范氏 夫故，撫嗣爲後，勤紡績以養舅姑，守節四十四年。旌。

王克標妻李氏 貢生李鑣女。夫亡自縊，乾隆五年旌。《縣志》「克」作「元」。

盧珍妻張氏 夫故守節，乾隆六年旌。

王霞昌妻胡氏 夫故守節，乾隆六年旌。《舊志》脱「昌」字。

楊敦行妻李氏 年二十二夫故，無子，撫嗣守節，二十五年卒。旌。

楊錫瑀妻李氏 年二十二夫故，撫遺腹子，守節五十一年。旌。《縣志》「楊」作「趙」。

楊若烱妻杜氏 大亡守節，乾隆九年旌。

貢生蘇奇妻李氏 年二十二夫亡，矢志撫孤，長如組入北雍，次如軾任萬全縣。乾隆九年旌。

王文炳妻李氏 年二十八夫故，撫嗣子守節。乾隆九年旌。

監生李士聰妻楊氏 夫故，楊年二十六。時祖耄、姑孀，子幼，三世孤苦，依托一身，守節五十七年。旌。

李瑗妻江氏 年二十一夫故，撫孤苦守。子稍長有過，即痛哭不食，子畏服乃止。歷節四十七年。旌。

劉欽妻趙氏 年二十八而寡，養老撫孤，守節四十四年。旌。

周巆妻鄧氏 年十七而寡，撫侄守節。舅姑歿，喪葬盡禮，人稱「孝婦」。旌。

蘇中保妻江氏 夫歿，投井以殉，家人急救之。爲立嗣，江撫育周至，守節四十一年。旌。

馬溥繼妻周氏 夫故無子，倚床柱自縊，時年二十有五。旌。

殷門雙節 殷曰琨妻袁氏，年二十六而寡，撫孤成立，教子入庠。未幾子卒，遺孫方周歲，與媳周氏共撫之，苦節五十五年。旌。

庠生王毓琨繼妻周氏 年二十一夫故，撫嗣守節。旌。

王汝培妻周氏 年二十二夫故，養老撫孤，歷節五十二年。旌。

王士奇女 有于拴者窺其户無人，攬女臂調之，女堅拒得免。父母歸，哭訴其事，遂自縊。事聞旌其烈，拴伏誅。

李冰妻楊氏 夫傭工外村，比屋張林夜穿氏室及床，楊驚覺。時月光照室，楊識之，指名喊罵，林懼，挈眷潛逃。楊入其空室自縊，事聞得旌，林亦死。

王振海妻李氏 振海他出，有張二喜

者窺氏獨宿，夜深叩其牖，氏罵拒之，張遁出。夫歸哭訴其事，遂自縊。得旌，二喜伏法。

荊同梓妻隨氏 年二十一夫故，守節六十餘年卒。學院旌。

趙鎧妻楊氏 楊夢祺女。年二十五夫亡，撫孤三子成立，守節四十餘年。學使旌。

楊居紳繼妻尋氏 夫卒，立侄爲嗣，氏慨然曰：「夫有嗣，婦人之事終矣。」遂自縊。

李門雙節 李徵亮妻周氏，年十九夫亡，嗣侄大綽，撫之，娶媳。越數載大綽歿，又嗣孫，與媳共撫之，孤苦相依四十餘年，人稱「兩世貞節」云。

徐克健妻孫氏 夫故，撫嗣守節。一日火突起，將及其室，氏抱夫柩號泣不動。火及檐，忽反風，比屋悉毀，惟氏獨存。

庠生尚徽祥妻孫氏 年二十一夫亡，殮畢自縊。

監生張秉倫繼室李氏 夫亡養姑，姑壽百歲，撫侄爲嗣，守節五十年卒。

李子仁妻徐氏 年二十二而寡，守節撫孤，歷四十餘年。

孫璽妻周氏 年二十六夫亡，撫孤守節，事翁姑以孝稱，歷節四十八年。

周弈玗妻尚氏 年十七夫亡，矢志守節。事嫡庶兩姑能得歡心，撫嗣子成立，歷五十五年。

周惟清妻高氏 年二十四夫亡，矢志守貞，撫孤成立。

蘇廷杰妻黄氏 年二十五而寡，奉翁姑，撫弱息，守節四十四年。《縣志》作「莫氏」。

進士李遜妻李氏 夫故，撫二孤，不幸俱夭。流離顛苦，貞操彌篤。

李門雙節 李允熙繼室李氏，年二十夫故，撫嗣子兆麟成立娶媳。兆麟又亡，李與媳周氏共撫嗣孫，人稱「兩世苦節」。

王門雙節 王大禮妻周氏，歲貢周縝女。夫歿，撫孤瑗成立受室。而瑗又卒，與媳劉氏共撫嗣孫，苦節終身。

孫逵妻李氏 年十九夫亡，嗣侄於襁褓中，愛如己出，守節四十餘年。嗣錫運領鄉舉，官縣令。乾隆四十四年旌。

彭程萬妻周氏 周天賜女。年二十夫故，無子。時兄嫂早逝，遺孤二，周嗣其次，撫其長，迄成人有室。後子侄夫婦相繼亡，又撫其遺孤，俾克成立，苦節四十餘年。

張

桂楫妻胡氏 年十九夫亡，遺孤甫三月，撫之，守節四十餘年。**李熾女** 性至孝，守貞不字，卒年五十餘。**王大壽繼室孫氏** 年二十餘無子，夫卒之夕即自縊。《縣志》「壽」作「聘」。**張烜妻李氏** 夫故，李年二十六，守一女。傭於族之富而孀者，得食以養其翁，氏嘗不飽，鄉里共稱「孝婦」。**李長元妻張氏** 年二十三夫故，矢志守貞，撫嗣子如己出，歷節三十餘年。**監生王文鎧側室趙氏** 年二十七鎧卒，矢志守節，撫二子，董戒甚嚴，同日入泮。**李學詩妻高氏** 夫故無子，與姑相依。姑卒，竭力營葬。依母家以居，苦節終身。《縣志》作「崇詩」。按，崇詩又見道光二十一年彙旌，恐與學詩非一人，姑兩存之。**王門雙節** 庠生王璟繼室周氏，年二十九夫亡，撫前室子元善如己出。娶媳楊氏，生一女，而元善歿。氏與媳共矢志，立孫以全夫嗣，苦節三十餘年。**武友如妻張氏** 年二十一夫亡，撫幼子以守。奉養孀姑，紡績以給，人稱「賢婦」。**周以禮妻何氏** 年十七而寡，矢志守貞，善事舅姑，苦節三十三年。**監生趙良楫妻李氏** 年二十四夫故，撫嗣守貞五十五年。**張思訥妻王氏** 年二十一夫故，守節至三十餘年，嗣侄以爲夫後。**劉桂妻陳氏** 年二十五夫卒，撫嗣守志，孝事孀姑，歷節三十八年。**李允中妻李氏** 年二十八夫故，養姑撫孤，歷節三十一年。**趙耀祖妻焦氏** 耀祖歿，與寇氏養親撫孤，備極艱辛，年九十有七卒。寇氏不知係焦何人，《舊志》如此，仍之。《縣志》云：「值明季賊屠趙氏村，耀祖被戮，將及其親，焦跪哀之，賊决裂焦耳，攫金鐶而去。焦年二十七，撫二孤，拾草子度日，養舅姑四十餘年。舅壽享百有四歲。」《舊志》全易其文，不解何故，因并録之。**蘇大方妻李氏** 大方素患羸疾，李晝夜奉事，閱七月無倦色。病劇遂自縊，大方亦卒。**李永坦妻李氏** 年十七夫亡，撫遺腹子以守。翁以良，年逾百歲，奉養周至，歷節三十年。**李淑嚴繼妻王氏**年廿四夫故，撫前室子如己出，守節四十六年。**介維德妻張氏**年二十二夫故，撫孤守志，孝事翁姑，歷節四十四年。**劉維藩妻李氏**年二十四夫亡，子淳甫三歲，遺腹生子沂。李撫孤養親，以孝慈稱，歷節四十五年。**劉淳妻徐氏**年二十三夫故，撫孤成立，守節三十八年。**李應捷妻杜氏**年二十四夫故，撫嗣子愛如己出，歷節四十九年。**宗文秀妻張氏**夫故，氏年二十六，撫孤守節，歷六十三年。乾隆十年旌。**張德新繼室楊氏**年二十三夫故，遺腹生子，兼撫養前室子，愛均所出，歷節三十三年。**監生董德裕妻郭氏**年二十五夫故，無子，撫嗣守節，歷四十八年。**董密妻張氏**年二十六夫故，嗣侄撫養，孝事孀姑，歷節三十餘年。**楊知義妻李氏**年十九而寡，奉親撫子，守節四十三年。**楊敦禮妻趙氏**年二十三夫故，無子，苦志自守，歷節三十六年。**母女雙節**魏惠妻周氏，年二十夫故，撫一女一子，苦節三十餘年。女適高新榮，榮早卒，亦守節不渝。**張垚妻高氏**年二十夫故，守節終身。《縣志》作「張垚基」。**范宗周妻李氏**年二十一夫亡，撫嗣子如己出，奉養翁姑，歷節四十六年。**趙銓妻岳氏**年二十二夫故，撫孤守志，事舅姑以孝稱，清操五十餘年。**庠生孫秉妻楊氏**舉人楊枚女。年三十而寡，撫嗣子成立，歷節五十四年。《舊志》「楊」誤「孫」。**任偏妻郭氏**年二十一夫歿，守一女，舅姑令改適，不從。以杖擊其首，簪刺入頂中，血流被面，志不少移，遂被逐。與女紡織爲生，歷節三十餘年。**李鑰妻張氏**張鳴女。年二十五而寡，與孀姑相依，撫孤守節五十餘年。**周門雙節**庠生周容德妻李氏，舉人李以禮女。年二十六夫亡，撫嗣子炌受室。炌又卒，與媳李氏共撫孤孫，歷節三十年。**邵岱妻張氏**

姑牛氏，病思肉羹，家貧乏資，氏割股奉之，病瘳。知縣王旌其門。程蘭馨妻渠氏夫故，家貧，撫孤養親，歷節六十四年卒。柳敬文妻劉氏敬文故，劉撫二孤。姑病數月，昏迷，割股愈之。知縣饒給以布一匹、米一斛。高元士妻周氏年二十七夫亡，無子，矢志自守。葬其家未殯者四世，苦節三十年。劉興涣妻李氏興涣亡，事姑稱孝，守節五十一年。靳諤妻戴氏撫孤守節四十五年。孫馮曾妻徐氏少寡，叔屢謀嫁之，誓死不去。周之典繼室張氏 庠生周爕，府學廪生。

愬妻李氏 周世隆妻李氏 庠生郭之郊妻周氏 周大成妻

孟氏 庠生李之烜妻周氏 周東曙妻高氏 庠生周元美妻

李氏《舊志》「美」作「姜」。 貢生周濂繼妻李氏 李銑妻張氏 庠生李焐

妻高氏以上十一人并守節，已旌。 李鐔妻周氏殉節，旌。 李鎮妻周氏夫亡，絶粒死。 周光彩

妻鄧氏入節孝祠。《舊志》「鄧」誤「張」。 周光元妻高氏《縣志》作「李光原」。 庠生李化瀛妻周

氏《舊志》「瀛」誤「嬴」。 周永懋妻張氏 趙秉直妻馬氏 孫中翠妻周氏

李振甲妻楊氏 孫中任妻周氏 李化浚妻高氏 周鈺妻李

氏 李以賁妻楊氏 周密妻劉氏 李景顯妻李氏 監生周

珣妻高氏《縣志》作「洵」。　廩生周瑞繼妻王氏　周銛妻程氏　周遐修妻李氏《舊志》「周」誤「李」。　周世順妻夏氏　李淑濂妻周氏　高昌籙妻周氏　庠生蘇來宣妻周氏　張鼎彝妻周氏　李徵度妻周氏　周聯元妻王氏　李燧妻史氏《縣志》「燧」作「熢」。　李文龍妻李氏案，道光二十一年彙旌有李文瓏妻李氏，恐非一人，姑兩存之。　周濯妻楊氏　監生周之砥繼妻吴氏　庠生周廷秀妻李氏　周世福妻李氏　魏瑁妻周氏　李瑀妻周氏　周坤妻胡氏《縣志》「坤」作「珅」。　尚瑞妻周氏　高紱妻周氏　周溱妻楊氏　周冲妻蘇氏　周泌妻王氏　王巢妻李氏　李枋妻李氏　李鐸妻周氏《舊志》云：「《縣志》『鐸』作『鎮』。」案，李鎮妻周氏係殉節，見前，此誤注。　李化洵妻胡氏　周詳妻蕭氏　庠生孫坤妻周氏　周永碩妻李氏　蘇元潔妻李氏《縣志》「潔」作「結」。　鄭克孝妻周氏　庠生莫鏡妻周氏　楊光彦妻周氏　楊昌年妻周氏　周進修妻李氏　李良耜妻周氏　胡度標妻

周氏　周維常妻李氏　孫培成妻周氏　李永福妻周氏　李

貞基妻張氏　楊灯妻周氏　庠生李先知妻周氏　孫錫圖妻

周氏　李明善妻李氏　孫安邦妻李氏《舊志》「邦」誤「拜」。　孫中立妻王氏

李凝道妻王氏　李惠人繼室楊氏　周昇嘉妻李氏　李化龍

妻薛氏　李應龍妻夏氏以上共七十人并守節。　胡貢南妻周氏　庠生孫縉妻

高氏　李振璧妻孫氏　李徵吉妻孫氏　周鍾秀妻孫氏　孫

來嗣妻李氏　孫勸妻張氏　孫莢妻齊氏　孫永錫妻楊氏以上九人并守節，《州志》有，《縣志》無。

右二百二十七人。據《舊志》《通志》《兗州府舊志》《續志》《縣志》校訂録入。舊有王文昭妻周氏、李銓妻周氏、田睿妻楊氏、張華齡妻郭氏、李文瑛妻馬氏、張盛美妻楊氏、周報德妻楊氏、李成龍妻張氏、周映璧妻任氏九人，係道光二十一年彙旌，今并移入總坊焉。又李學詩妻高氏、李文爋妻李氏，亦見彙旌，名字小异，姑兩存之。

張長齡妻李氏長齡故，李年二十四，守一女，養姑以孝稱，歷節四十五年。　李曰人妻孫氏夫歿守節。　李徽

漯妻劉氏夫歿守節。**庠生劉鉉妻祝氏**鉉故，祝年二十六，守志奉養舅姑，以孝聞。教孤子興洙以義方，早入庠，爲名諸生。歷節五十二年，乾隆三十七年旌。**李大讓妻黃氏**大讓故，黃年十七，無子，守節五十一年。乾隆四十年旌。**李以制妻張氏**以制故，張年二十四，養親撫孤，兩盡其道。歷節五十三年，乾隆四十年旌。**監生張會甲妻楊氏**會甲故，楊年二十四，奉事舅姑，必誠必謹。課督嗣子誠基誦讀，不啻嚴師，誠基年二十餘成進士。歷節二十餘年，乾隆四十四年旌。**張門雙節**張鍇妻章氏，鍇歿，章年二十五，撫鍇子澄受室。後復故，妻胡氏年二十四，姑婦并勵貞節，各歷五十餘年。乾隆四十四年旌，建雙節坊。**程貞和妻王氏**貞和歿，氏孤苦無依，紡績守貞，歷五十餘年。**增生周春芳繼室朱氏**夫歿當日即投繯以殉，乾隆四十四年旌。**庠生李淇妻張氏**夫故，志在殉節，家人百方慰之，終莫能解，乘隙不備，卒成其志。**王鶴鳴女**武生李永丕之子涗納聘未娶，涗病歿，女聞訃即懸梁自經，時年十五。**李以嘉妻馬氏**以嘉歿，馬年十九，無出，矢志守節。撫嗣子永瑞入庠，辛勤織紡，十指因拘攣不能伸，見者無不感嘆。年七十餘卒。**芮爾桂妻周氏**增生周方儒女。爾桂歿，周年二十三，越七年始得侄浚爲嗣。教訓有方，名列膠庠，苦節歷五十餘年。**鄭二庚妻孫氏**二庚死亡在外，孫年二十二，無出。鄰女勸之他適，不應。貧苦自甘，歷節三十餘年，族人謀繼嗣以慰其志。**李門雙節**李純夫者素與人傭工爲生，歿時妻冀氏年二十，子方三周。夫弟以其幼且貧，逼嫁之，誓不從。依傍族人，自食其力，稍有餘銖。銖積之，至子英成人漸有田宅，立門户，英受室未久又亡。妻某氏年二十五，與姑同志，茹苦守節，已四十餘年。

右十八人。據《縣志》補。

監生周傅經妾何氏　河南虞城縣何大成女。年二十傅經故，守節三十五年。道光七年學政龔給「松操蔗境」額。　王欽妻劉氏　劉倫女。年十九適王，二十二夫故，撫一子，守節六十三年。道光七年學政龔給「筠貞萱壽」額。

右二人。據《幽光録》。

宋烈女　宋家屯人。年十六父殁，依孀母以居。有遠族宋餓者匪徒也，欺其家寡弱，窺母出，白晝入其室將强犯之。女疾聲大呼駡，鄰里畢集，餓逃去。女面頰、兩脅已帶重傷，急牽母衣入城訴于官，歸途泣謂母曰：「仇之報尚不可必，雖未爲强暴所污，而横逆之辱西江水不能濯也。」欲投井死，爲母所救。及夜母寢，竟自縊。餓旋捕，獲抵罪。

李烈女　北鄙卜居方人。父母早世，家貧，依叔母以居。年及笄有容色，鄰有惡少屢示以無禮，女覺焉，難于告人，惟密縫裹衣，周身牢固，竟夜不敢解帶。一日其叔母他出，惡少夜入其室將犯之。女手擢惡少髮，連聲大喊，惡少急刃之，喊益高，遂連刃之至死，而髮不可解，惡少斷髮而逃，及官驗面，猶作急怒狀，眦欲裂，髮挽于手，數人强劈之始釋。萬人争睹，真奇烈也。

李烈女　巫山知縣李徵洙孫女，從九品玉龍女。年二十一許字未嫁，依母張、兄一寧、弟一勤同居菜園村。未幾惡少伏誅。請旌入祠。嘉慶十八年教匪焚掠，張氏攜女逃避。賊已至，揮刃中張，烈女挺身格救，盛氣詬詈，賊怒，舍張刃女，遂遇害，母得脱。一寧、一勤先因外出，未罹于難。事平請旌表如例，伐石以表其墓。

右三人。新采。

張梅魁妻唐氏 唐家樓唐治女。年十七適張，康熙四年夫故，唐年十九，守節五十二年卒。**高天秩妻李氏** 羊山集生員李鈇女。年十八適高，康熙十四年夫故，李年二十，守節五十七年卒。**王文昭妻周氏** 周治泰女。年十八適王，康熙二十九年夫故，周年十九，遺腹生子，守節七十三年卒。**李銓妻周氏** 周淳女。年十七適李，康熙三十九年夫故，周年十九，守節五十四年卒。**閆朗柱妻史氏** 史家莊史記女。年二十適閆，康熙四十二年夫故，史年二十二，守節三十一年卒。**田睿妻楊氏** 楊家莊楊永安女。年十七適田，康熙四十八年夫故，楊年十九，撫孤養姑，守節七十八年。**張華齡妻郭氏** 郭家莊郭應兆女。年十九適張，康熙五十四年夫故，郭年二十九，撫嗣成立，守節三十六年卒。

張蘭瑞妻王氏 徐家樓王文德女。年十九適張，康熙五十四年夫故，王年二十五，守節四十年卒。**李文瑛妻馬氏** 馬家橋生員馬維一女。年十九適李，康熙五十九年夫故，馬年二十二，守節五十八年卒。**張盛美妻楊氏** 楊家樓楊仁女。年二十適張，康熙六十年夫故無子，楊年二十四，守節六十四年卒。**趙方炯妻李氏** 李家海李貞女。年十九適趙，雍正二年夫故，李年二十二，守節五十七年卒。**周報德妻楊氏** 監生楊鳳彩女。年十九適周，雍正二年夫故，楊年二十一，守節四十八年卒。**李煟妻朱氏** 魚臺縣朱貴仁女。年二十適李，雍正十三年夫故，朱年二十七，守節六十年卒。**李崇詩妻高氏** 高聯榮女。年十九適李，乾隆元年夫故，高年二十三，奉姑撫嗣，守節五十一年卒。有《自叙詩》行世。**李成龍妻張氏** 邱觀屯監生張賡堯女。乾隆元年張年二十適李，是年夫故，守節三十年卒。**李文爖妻季氏** 李家堌堆季治五女。年十八適李，乾隆元年夫故，季年二十二，守節五十三年卒。**李荊友妻胡氏** 胡家莊監生胡有倫女。年十九適李，乾隆五年夫故，胡年二十三，守節六十一年卒。

陳璧妻李氏　李家莊李文南女。年二十適陳，乾隆五年夫故，李年二十四，守節五十九年卒。

胡慕孫妻戴氏　戴家莊戴廷欽女。年十六適胡，乾隆六年夫故，戴年十九，守節七十一年卒。

孫克培妻李氏　李家莊李清溪女。年十六適孫，乾隆六年夫故，李年十七，守節五十九年卒。

李鑒妻孔氏　孔家集孔興喜女。年二十適李，乾隆七年夫故，孔年二十七，守節六十五年卒。

牛忠信庠生周映璧妻任氏　魚臺縣任鉽女。年十九適周，乾隆八年夫故無子，任年二十四，孝養翁姑，守節五十二年卒。

牛忠信妻吴氏　洛城集吴方玉女。年二十一適牛，乾隆八年夫故，吴年二十五，守節六十五年卒。

侯容若妻李氏　李家莊李鳴玉女。年十七適侯，乾隆九年夫故，李年三十，守節二十四年卒。

李梃妻王氏　王家集王文翰女。年十九適李，乾隆十年夫故，王年二十九，守節五十二年卒。

周映瑾妻潘氏　濟寧州庠生潘呈樂女。年十九適周，乾隆十年夫故，潘年二十二，守節四十五年卒。

胡嘉會妻楊氏　李家集楊雲嶺女。年十八適胡，乾隆十一年夫故，楊年二十六，守節三十二年卒。

尋隆妻趙氏　李家樓趙格女。年十七適尋，乾隆十一年夫故，趙年十九，守節六十七年卒。

王明善妻張氏　菜園莊張公臺女。年十九適王，乾隆十一年夫故，張年二十二，守節五十五年卒。

李輔祥妻季氏　季家樓季敬書女。年二十二適李，乾隆十三年夫故，季年二十七，守節五十二年卒。

張輔庵妻孫氏　馬家樓生員孫埻女。年十九適張，乾隆十三年夫故，孫年二十七，守節六十七年卒。

孫文斐妻高氏　化雨集高克興女。年十八適孫，乾隆十三年夫故，高年二十二，守節六十二年卒。

馬樞妻胡氏　胡家樓應贈文林郎胡全五女。年十七適馬，乾隆十四年夫故，胡年十八，守節四十六年卒。

高繼祖妻郜氏

郜家樓郜椐女。年十六適高，乾隆十五年夫故，郜年二十一，守節六十年卒。

李一元妻趙氏　趙家樓趙武福女。年十九適李，乾隆十六年夫故，趙年二十二，守節三十一年卒。

邵謨妻周氏　周家樓周盛元女。年二十適邵，乾隆十六年夫故，周年二十二，守節五十年卒。

任廷彥妻胡氏　胡家口胡德選女。年十八適任，乾隆十七年夫故，胡年二十五，守節三十四年卒。

李淑瀴妻季氏　洛城集武生季端士女。年十八適李，乾隆十八年夫故，季年二十三，守節五十五年卒。

荆元會妻劉氏　劉家莊劉重九女。年十八適荆，乾隆十八年夫故，劉年二十八，守節五十六年卒。

李鳳山妻胡氏　胡家大樓胡永堪女。乾隆二十年年十九適李，是年夫故，守節四十四年卒。

李傳虞妻楊氏　庠生楊仁和女。年十八適李，乾隆二十年夫故，楊年二十五，守節六十年卒。

李敦禮妻周氏　周家莊武生周伊青女。年十九適李，乾隆二十一年夫故，周年二十九，守節四十三年卒。

李大濩妻周氏　三皇廟莊周自强女。年二十適李，乾隆二十一年夫故，周年二十三，守節四十八年卒。

李足興妻王氏　王克任女。年十八適李，乾隆二十二年夫故，王年十九，守節六十五年卒。

周紹尉妻李氏　李家樓李全修女。年十九適周，乾隆二十二年夫故，李年二十九，守節三十五年卒。

侯福全妻高氏　高家莊高鈞女。年十六適侯，乾隆二十四年夫故，高年二十六，守節四十五年卒。

王瑎妻陳氏　崔家口莊陳鋕女。年十八適王，乾隆二十五年夫故，陳年二十二，守節五十二年卒。

尋紹衢妻吴氏　吴家莊吴九祥女。年十七適尋，乾隆二十六年夫故，吴年二十二，守節四十六年卒。

周梅亭妻高氏　高永厚女。年十八適周，乾隆二十六年夫故，高年二十八，守節四十六年卒。

王東明妻許氏　馬家寺莊許德榮女。年十九適王，乾隆二十七年夫故，許年二十，守節六十年卒。

李宏

勛妻王氏羊山莊王玉喜女。年十七適李，乾隆二十七年夫故，王年二十八，守節四十八年卒。

李祥鳳妻周氏周肇勇女。年二十適李，乾隆二十九年夫故，周年二十七，守節三十八年卒。

祝臨萬妻閆氏寨里集閆天眷女。年十七適祝，乾隆三十年夫故，閆年二十一，守節五十三年卒。

楊暖妻李氏丁家廟莊李四知女。年十七適楊，乾隆三十年夫故，李年二十五，守節六十三年卒。

孟興儒妻王氏化雨集王之鳳女。年十九適孟，乾隆三十年夫故，王年二十七，守節四十八年卒。

李德祥妻韓氏韓家莊韓欽女。年二十三適李，乾隆三十一年夫故，韓年二十六，守節五十七年卒。

李濟衆妻王氏王家海王文振女。年十九適李，乾隆三十二年夫故，王年二十，守節五十九年卒。

李常顯妻王氏化雨集王洗女。年十五適李，乾隆三十二年夫故，王年十七，守節三十三年卒。

周銀山妻李氏李如棟女。年十七適周，乾隆三十二年夫故，李年二十八，守節五十七年卒。

杜繼善妻董氏董家莊董大成女。年二十適杜，乾隆三十三年夫故，董年二十一，守節五十三年卒。

李成勛妻李氏李家堂李有勇女。年十六適李，乾隆二十三年夫故，李年二十八，守節四十六年卒。

周廣育妻李氏羊山莊李錫光女。年十九適周，乾隆三十三年夫故，李年二十二，守節七十年存。

王永福妻郭氏郭家莊郭朝端女。年十八適王，乾隆三十四年夫故，郭年二十一，守節三十年卒。

卞乘龍妻張氏張獻臣女。年十九適卞，乾隆三十四年夫故，張年二十七，守節四十八年卒。

張以浚妻楊氏楊家莊楊奮興女。年十七適張，乾隆三十五年夫故，楊年二十七，守節三十六年。

楊錫進妻吴氏胡家小樓吴撝謙女。年二十一適楊，乾隆三十五年夫故，吴年二十四，守節六十四年卒。

劉坤妻魏氏魏家莊魏邦彦女。年十七適劉，乾隆二十五年夫故，魏年二十五，守節五十年卒。**孫序妻魏氏** 寨里集魏欽緒女。年十九適孫，乾隆三十五年夫故，魏年三十三，守節四十二年卒。**田肅妻李氏** 李家樓李懷信女。年十九適田，乾隆三十五年夫故，李年二十三，守節六十一年卒。**李文元妻季氏** 季家莊季永女。年十九適李，乾隆三十六年夫故，季年二十六，守節五十四年。**李瑞麟妻楊氏** 楊家窪楊恕行女。年二十一適李，乾隆三十六年夫故，楊年二十七，守節四十九年卒。**李岐妻劉氏** 劉家莊劉獻巨女。年十七適李，乾隆三十六年夫故，劉年二十七，守節三十八年卒。**張希顏妻李氏** 鹽場莊李永福女。年十九適張，乾隆三十七年夫故，李年二十五，守節四十三年卒。**胡天興妻周氏** 周家花園武生周宜緒女。年二十適胡，乾隆三十七年夫故，周年二十一，守節四十三年卒。**庠生王大峰妻周氏** 周家樓監生周瀾女。年十九適王，乾隆三十八年夫故，周年二十九，守節五十六年卒。**尋振江妻田氏** 田家廟田梅女。年十九適尋，乾隆三十八年夫故，田年二十三，守節五十八年卒。**李符麟妻楊氏** 楊家堂舉人楊以睿女。年二十適李，乾隆三十九年夫故，楊年二十二，守節四十六年卒。**馬芹妻宋氏** 宋家廟宋永照女。年十七適馬，乾隆三十九年夫故，宋年二十一，守節三十九年卒。**楊霔妻李氏** 李家大樓李天申女。年十七適楊，乾隆三十九年夫故，李年二十三，守節二十一年卒。**李貢南妻周氏** 周家樓監生周遐齡女。年二十適李，乾隆四十年夫故，周年二十五，守節四十年卒。**張端力妻程氏** 程家樓程敬立女。年十九適張，乾隆四十年夫故，程年二十九，守節六十年卒。**李宏善妻周氏** 周家莊周文令女。乾隆四十一年周年二十一適李，是年夫故，守節五十八年卒。**楊澤盛妻賈氏** 賈家莊賈夢宏女。年二十適楊，乾隆四十一年夫故，賈年二十一，守節六十三年卒。**張坤禹妻沈氏** 沈裔孔女。年二十適張，乾隆四十一年夫故，沈年二十二，守節五十九年卒。馬輔緒妻李氏李家莊李爲距女。年十八適馬，年二十三守節。彭德潤妻宗氏李家莊宗碩女。年二十二適彭，年二十九守節。以上二人并乾隆四十一年夫故，守節六十五年存。李徵廉妻胡氏袁家集胡良玉女。年十九適李，乾隆四十二年夫故，胡年二十三，守節三十九年卒。殷服清妻張氏城武張見如女。年十九適殷，乾隆四十二年夫故，張年二十四，守節四十三年卒。張震祥妻孫氏孫家莊孫桂芳女。年十八適張，乾隆四十二年夫故，孫年二十三，守節五十三年卒。張淇妻周氏監生周翼新女。年二十適張，乾隆四十三年夫故，周年二十三，守節六十年卒。李同居妻楊氏楊家樓楊興禮女。年十九適李，乾隆四十三年夫故，楊年二十四，守節四十一年卒。李玉璽妻王氏鉅野縣貢生王大恒女。年二十適李，乾隆四十三年夫故，王年二十八，守節四十九年卒。李大莊妻馬氏吳家岡馬克家女。年二十適李，乾隆四十三年夫故，馬年二十九，守節四十三年卒。張福泰妻李氏李家莊李見知女。年十八適張，乾隆四十三年夫故，李年十九，守節六十三年。李永祚妻尋氏察院街進士尋紹舞女。年二十適李，乾隆四十三年夫故，尋年二十七，守節五十一年卒。趙培仁妻胡氏李家集胡延仲女。年十七適趙，乾隆四十三年夫故，胡年二十五，守節五十三年卒。張同標妻劉氏劉家莊劉峒女。年二十適張，乾隆四十三年夫故，劉年二十七，守節五十二年卒。張綏妻李氏紅家廟李士元女。年十七適張，乾隆四十三年夫故，李年十九，守節三十五年卒。陳應祥妻楊氏楊家莊楊汝源女。年十七適陳，乾隆四十三年夫故，楊年二十三，守節五十二年卒。李林臺妻荆氏荆家莊廩生荆烇女。年十九適李，乾隆四十四年夫故，荆年二十三，守節四十一年卒。孫人龍妻李氏李應麟女。年十九適孫，乾隆四十四年夫故，李年二十五，守節五十四年卒。周際瑛妻李氏周家樓李重五女。乾隆四十四年年二十七適周，是年夫故，守節五十六年卒。孫沂妻李氏李光燦女。年十七適孫，乾隆四十四年夫故，李年十九，守節四十年卒。李時中妻張氏張家莊張均女。年十八適李，乾隆四十五年夫故，張年二十七，守節五十五年卒。李錫鐸妻胡氏胡家樓胡鳳林女。年十八適李，乾隆四十六年夫故，胡年十九，守節五十五年卒。孫其準妻高氏高家莊高成德女。年十九適孫，乾隆四十六年夫故，高年二十九，守節三十五年卒。李常齡妻里氏里家莊里端立女。年十六適李，乾隆四十六年夫故，里年二十二，守節二十八年卒。蔡復疆妻李氏李凝曛女。年十九適蔡，乾隆四十六年夫故，李年二十一，守節五十一年卒。曹永勤妻趙氏三皇廟莊趙德先女。年十八適曹，乾隆四十六年夫故，趙年二十一，守節五十四年卒。曹名安妻姜氏姜家莊姜士録女。年十九適曹，乾隆四十六年夫故，姜年二十五，守節四十五年卒。周占妻陳氏陳家樓陳大智女。年十九適周，乾隆四十六年夫故，陳年二十九，守節四十年卒。李偉叙妻程氏鉅野縣監生程西華女。年十九適李，乾隆四十七年夫故，程年二十九，守節四十四年卒。李元福妻周氏周家花園周梅庵女。年十九適李，乾隆四十七年夫故，周年二十一，守節四十六年卒。張盛謨妻徐氏徐家莊徐大文女。年十九適張，乾隆四十七年夫故，徐年二十三，守節五十六年卒。胡天知妻江氏江家莊江文奇女。年十九適胡，乾隆四十七年夫故，江年二十四，守節五十六年卒。戴懷藏妻張氏張家莊張大魁女。年十七適戴，乾隆四十七年夫故，張年十八，守節五十九年存。李瑞苞妻周氏時家集周士寶女。年二十適李，乾隆四十八年夫故，周年二十八，守節五十二年卒。

胡士狀妻李氏　宋家廟李大章女。年十七適胡，乾隆四十八年夫故，李年二十三，守節四十八年卒。

周廣緒妻胡氏　胡家莊胡廷選女。年十九適周，乾隆四十八年夫故，胡年二十七，守節五十三年卒。

謝培恒妻張氏　江蘇豐縣張萬益女。年十九適謝，乾隆四十八年夫故，張年二十一，守節四十三年卒。

周慕春妻王氏　王家莊王景尚女。年十九適周，乾隆四十八年夫故，王年二十九，守節四十年卒。

馬國棟妻李氏　薛家廟李天津女。年十六適馬，乾隆四十八年夫故，李年二十八，守節三十八年卒。

李毓俊妻季氏　陽山集季若天女。二十一適李，年二十三守節。

周秉文妻侯氏　侯家莊侯開猷女。年十九適周，年二十四守節。以上二人并乾隆四十八年夫故，守節五十八年存。

李德勉妻禮氏　禮家樓禮貢拔女。年二十一適李，乾隆四十九年夫故，禮年二十七，守節五十四年卒。

李大棃妻胡氏　胡家樓武生胡鳳池女。年十九適李，乾隆四十九年夫故，胡年二十五，守節五十三年卒。

李永成妻張氏　張家灣莊張榮先女。年十九適李，乾隆四十九年夫故，張年二十二，守節五十四年卒。

馬仰直妻張氏　迎河村張玉聲女。年十七適馬，乾隆四十九年夫故，張年二十三，守節五十一年卒。

周凝緒妻楊氏　楊家莊楊國泰女。年十九適周，乾隆四十九年夫故，楊年二十三，守節四十六年卒。

蘇垠妻滿氏　滿家莊滿自修女。年十七適蘇，年十九守節。

孫炳光妻劉氏　高家莊武生劉大武女。年十九適孫，年二十一守節。以上二人并乾隆四十九年夫故，守節五十七年存。

胡清儀女　許字孫成士爲妻，乾隆五十年女年十七，未嫁，成士卒。女聞即適夫家，守貞三十二年卒。

張柏妻周氏　周家莊周海門女。年十九適張，乾隆五十年夫故，周年二十七，守節三十四年卒。

張利泰妻陳氏　陳家莊陳永慶女。年十八適張，乾隆五十年夫故，陳年二十五，守節三十四年卒。

孫錫寶妻李氏　監生李天駿女。年十六適孫，乾隆五十年夫故，李年十七，守節五十四年卒。

劉世堂妻張氏　張家樓張大志女。年二十適劉，乾隆五十年夫故，張年二十九，守節五十六年存。

周映封妻田氏　田家樓田宗仁女。年二十一適周，乾隆五十一年夫故，田年二十八，守節二十八年卒。

周中怡妻李氏　李家堌堆李能也女。年十九適周，乾隆五十一年夫故，李年二十三，守節三十年卒。

王明家妻劉氏　劉家莊劉文燦女。年十九適王，年二十二守節。

張克慎妻張氏　沙窩鋪張存仁女。年十九適張，年二十五守節。

任念玉妻蔡氏　蔡家莊蔡福均女。年二十適任，年二十二守節。

李永長妻尚氏　尚家樓莊尚廷女。年二十一適李，年二十六守節。

周玉琮妻李氏　李家樓李潤珠女。年二十三適周，年二十四守節。以上五人并乾隆五十一年夫故，守節五十五年存。

李映熷妻里氏　里家樓里啓女。年二十適李，乾隆五十二年夫故，里年二十九，守節四十二年卒。

李敦士妻孟氏　孟永和女。年十九適李，乾隆五十二年夫故，孟年二十七，守節四十一年卒。

朱祥貞妻胡氏　索家莊胡克正女。年十八適朱，年二十守節。

王琳華妻李氏　李家海李廣陵女。年二十一適王，李年二十七守節。

畢九如妻趙氏　葛村集趙天福女。年十八適畢，年二十九守節。

李充言妻趙氏　單縣趙鳳喈女。年十九適李，年二十五守節。以上四人并乾隆五十二年夫故，守節五十四年存。

李符剛妻季氏　季家樓庠生季以頌女。年十八適李，乾隆五十三年夫故，季年三十，守節四十一年卒。

楊純熙妻馮氏　馮家莊馮永慶女。年十七適楊，乾隆五十三年夫故，馮年二十三，守節三十七年卒。

高翊廷妻李氏　堌子莊李有瞻女。年二十一適高，乾隆五十三年夫故，李年二十七，守節四十二年卒。葛覃茂妻楊氏楊家莊楊永源女。年二十適葛，乾隆五十三年夫故，楊年二十二，守節二十五年卒。劉安魁妻周氏周起女。年十八適劉，年二十四守節。楊作漢妻朱氏王家堂朱申女。年十六適楊，年二十八守節。周麟甫妻楊氏楊家莊楊利源女。年十九適周，是年夫故，守節。胡士仰妻傅氏姜家莊傅毓貞女。年二十一適胡，年二十四守節。以上四人并乾隆五十三年夫故，守節五十三年存。高登階妻介氏介家莊介廷璧女。年十九適高，乾隆五十四年夫故，介年二十四，守節四十七年卒。李培元妻王氏王家海王祥佩女。年十八適李，乾隆五十四年夫故，王年二十五，守節三十九年卒。李致孝妻郝氏郝家莊郝興邦女。年十九適李，乾隆五十四年夫故，郝年二十七，守節四十四年卒。程德興妻曹氏朱家廟曹君士女。年二十適程，乾隆五十四年夫故，曹年二十五，守節五十一年卒。吳振剛妻劉氏劉家莊劉清魁女。年十九適吳，乾隆五十四年夫故，劉年二十一，守節五十年卒。王存智妻劉氏鞏家莊劉德純女。年十八適王，年二十守節。李爲珩妻馬氏馬家莊馬開文女。年十八適李，年二十八守節。張其法妻陳氏周家莊陳富元女。年十七適張，年二十守節。以上三人并乾隆五十四年夫故，守節五十二年存。李衍緒妻張氏單縣張堯年女。年十六適李，乾隆五十五年夫故，張年十八，守節二十六年卒。張策妻劉氏李家莊劉福東女。年十九適張，乾隆五十五年夫故，劉年二十六，守節三十一年卒。李從詩妻周氏孫家莊周方仁女。年二十三適李，年二十六守節。展德曾妻吳氏時家集吳俊女。年十九適展，年二十五守節。李崇緒妻張氏張家莊張儒善女。年十九適李，年二十九守節。李方玉妻周氏周家莊周克昌女。年十九適李，年二十一守節。

趙永妻王氏 王松女。年十九適趙，年二十九守節。

高于孝妻周氏 周家莊周思桓女。年二十適高，年二十八守節。以上六人并乾隆五十五年夫故，守節五十一年存。

李亦保妻周氏 周廣緒女。年二十一適李，乾隆五十六年夫故，周年二十三，守節四十五年卒。

李恒德妻周氏 周家樓廩生周堯祥女。年十八適李，乾隆五十六年夫故，周年二十三，守節四十八年卒。

胡攻璞妻蕭氏 蕭家樓蕭成德女。年十九適胡，乾隆五十六年夫故，蕭年二十二，守節三十年卒。

王華棁妻李氏 陽山莊李永祚女。年十七適王，乾隆五十七年夫故，李年二十一，守節三十年卒。

鄧常吉妻吴氏 霍家莊吴居公女。年十九適鄧，乾隆五十七年夫故，吴年二十二，守節四十六年卒。

李太清妻曾氏 嘉祥縣曾衍福女。年二十一適李，年二十五守節。

閆善述妻劉氏 劉家莊監生劉蘊錦女。年十八適閆，年二十五守節。

范輔清妻戴氏 戴家莊戴悦禮女。年十八適范，年二十八守節。

張永孚妻扈氏 扈家寺扈慎言女。年十九適張，年二十七守節。

李銀妻馮氏 馮家莊馮永溪女。年十七適李，年十八守節。

周紹文妻王氏 單縣王仲女。年十八適周，年二十五守節。

胡友偉妻趙氏 流水店趙霖女。年二十一適胡，年二十五守節。以上七人并乾隆五十七年夫故，守節四十九年存。

姬得衆妻蘇氏 蘇家樓蘇穆女。年十七適姬，乾隆五十八年夫故，蘇年二十，守節三十一年卒。

張象山妻蔣氏 江蘇豐縣蔣龍章女。年二十二適張，乾隆五十八年夫故，蔣年二十五，守節二十八年卒。

尋裔良妻張氏 張家樓張守誠女。年十八適尋，年二十四守節。

周秉哲妻李氏 李家莊李惠元女。年十七適周，年十九守節。

孫文燦妻朱氏 朱亮工女。年

十八適孫，年二十九守節。張鳴鶴妻賈氏賈家莊賈嗣元女。年二十一適張，年二十九守節。李魁山妻蘇氏蘇家莊蘇銑女。年十八適李，年二十九守節。吳克配妻戴氏白家岡戴爽女。年十八適吳，年二十七守節。趙思格妻袁氏袁君義女。年十七適趙，年十八守節。以上七人并乾隆五十八年夫故，守節四十八年存。周汝遜妻李氏丁家廟莊李慕德女。乾隆五十九年李年二十三適周，是年夫故，守節十七年卒。葛俊升妻邵氏邵家莊武生邵志訓女。年十九適葛，乾隆五十九年夫故，邵年二十，守節三十三年卒。張自振妻胡氏胡家大樓監生胡敬修女。年十八適張，乾隆五十九年夫故，胡年二十八，守節四十六年卒。蘇堅妻周氏周家莊周介福女。年二十適蘇，年二十一守節。李印溙妻季氏店子莊季克樹女。年十九適李，年二十六守節。張錫瑗妻楊氏石門集庠生楊澤隆女。年二十適張，年二十二守節。李養珠妻王氏王家莊王邦俊女。年十八適李，年十九守節。以上四人并乾隆五十九年夫故，守節四十七年存。李浴德妻胡氏胡家莊胡廷槐女。年二十適李，乾隆六十年夫故，胡年二十二，守節三十八年卒。王家珍妻李氏李家大樓李純仁女。年十七適王，年二十一守節。呂東都妻李氏陽山集監生李元琴女。年十九適呂，年二十六守節。楊學申妻張氏張家樓張玉林女。年十九適楊，年二十四守節。王純福妻周氏周家莊周以先女。年十六適王，年二十一守節。孫文妻李氏李家莊李懷萬女。年二十四適孫，年二十七守節。以上五人并乾隆六十年夫故，守節四十六年存。張裕後妻許氏許家莊許廉義女。年十七適張，嘉慶元年夫故，許年二十六，守節三十年卒。范輔常妻李氏高河屯李克彬女。年十七適范，年二十六守節。

楊東憲妻李氏杜家莊李坤三女。年十七適楊，年二十八守節。尋方廉妻趙氏葛村趙西靄女。年二十適尋，年二十五守節。李逢時妻薛氏薛家岡薛慶全女。年二十適李，年二十六守節。張友帛妻王氏王家樓王興衛女。年十八適張，年二十六守節。王士豪妻周氏周家莊周景夏女。年十七適王，年二十二守節。以上六人并嘉慶元年夫故，守節四十五年存。周怡塤妻孫氏孫華壇女。年十七適周，嘉慶二年夫故，孫年十九，守節四十五年卒。張磐妻徐氏徐家樓徐魁武女。年二十一適張，嘉慶二年夫故，徐年二十七，守節四十三年卒。張道豐妻劉氏魚臺縣劉時灼女。年二十適張，嘉慶二年夫故，劉年二十九，守節三十年卒。孫文淇妻李氏李家莊監生李一清女。年二十適孫，年二十八守節。楊體貞妻張氏張家莊張正乾女。年十九適楊，年二十九守節。蕭文翰妻李氏單縣李鐵峰女。年十八適蕭，年十九守節。張延儒妻周氏李家莊周池女。年二十適，張年二十八守節。李映妻季氏賈家莊季作堂女。年十七適季，年二十八守節。以上五人并嘉慶二年夫故，守節四十四年存。孫名揚妻李氏韓家莊李傳芝女。年十八適孫，年二十八守節。孫文浙妻李氏恩貢李光燦女。年十九適孫，年二十守節。李掄士妻徐氏徐家莊徐端儒女。年二十適李，年二十九守節。滿濡林妻張氏邱官屯張桂柱女。年十六適滿，年二十三守節。胡正庵妻李氏郭家莊李昆山女。年十九適胡，年二十六守節。張瑽妻殷氏孟家鋪殷大輅女。年十六適張，年十九守節。以上六人并嘉慶三年夫故，年十守節四十三年存。霍士煥妻楊氏高家莊楊冥鷔女。年十六適霍，嘉慶四年夫故，楊年二十九，守節四十年卒。曹明德妻陳氏監生陳奉堂女。年十七適曹，嘉慶四年隨營四川剿賊陣亡，陳年二十九，守節二十二年卒。白俊魁妻韓氏韓家莊韓正遠女。年十九適白，年二十九守節。尋衍檠妻劉氏劉家莊劉均章女。年十八適尋，年二十七守節。王名高妻楊氏楊家樓楊錫瑞女。年十七適王，年十九守節。趙從善妻張氏周家莊張杰女。年十八適趙，是年夫故，守節。介敬承妻李氏李家廟莊李徵祥女。年二十一適介，年二十九守節。以上五人并嘉慶四年夫故，守節四十二年。周壇妻李氏章家莊監生李秀亭女。年十七適周，嘉慶五年夫故，李年二十九，守節二十八年卒。張寵基妻楊氏薛家莊楊致和女。年十七適張，嘉慶五年夫故，楊年二十七，守節三十年卒。孫樹棠妻胡氏王家莊胡維誠女。年十九適孫，年二十三守節。蘇金鰲妻張氏張家莊張太基女。年十九適蘇，是年守節。庠生李雲祥妾劉氏劉家樓劉德行女。年二十一適李，年二十九守節。張克仁妻李氏李家莊李建白女。年十七適張，年十九守節。郭廣緒妻胡氏胡家樓武生胡選魁女。年十六適郭，年二十三守節。凌克成妻江氏李教官莊江玉川女。年十八適凌，年二十四守節。以上六人并嘉慶五年夫故，守節四十一年存。李宸錫妻季氏季家莊季永澄女。年十九適李，嘉慶六年夫故，季年二十六，守節三十一年卒。庠生李光熙妻張氏張家樓捐職巡檢張維忠女。年十九適李，嘉慶六年夫故，張年三十，守節三十五年卒。魏志樸妻李氏李家樓李永譽女。年十八適魏，嘉慶六年夫故，李年二十一，守節二十五年卒。周騰甲妻李氏李家莊武生李作賓女。年十九適周，年二十二守節。劉明倫妻蘇氏蘇家莊蘇作幹女。年十九適劉，年二十五守節。凌克均妻李氏李家莊李潤峨女。年十九適凌，年二十一守節。

王芸圃妻魏氏 魏家樓魏咸宜女。年十九適王，年二十四守節。

高淑孔妻耿氏 淳于集耿天保女。年十八適高，年二十九守節。

李靖國妻盧氏 單縣盧俊雅女。年十九適李，年二十九守節。

靳傳兹妻宋氏 紙房集庠生宋嘉會女。年二十適靳，年二十七守節。以上七人并嘉慶六年夫故，守節四十年存。

監生胡炳文妻馬氏 馬家樓馬創先女。年十五適胡，嘉慶七年夫故，馬年二十二，守節三十年卒。

監生魏庭煊妻周氏 周家花園周奇士女。年二十適魏，嘉慶七年夫故，周年二十六，守節三十七年卒。

尋覲墀妻李氏 李家樓李復振女。年十八適尋，年二十五守節。

李思善妻周氏 周家莊周利用女。年十九適李，年二十四守節。

州同張福基妻李氏 監生李天駿女。年十八適張，年二十守節。

劉文煥妻留氏 留家莊留桂楹女。年十九適劉，年二十守節。

朱士端妻董氏 董家莊董宗女。年二十適朱，年二十九守節。

張維燮妻周氏 徐家莊周承殷女。年十九適張，年二十七守節。

畢松元妻劉氏 劉家莊劉泰來女。年十九適畢，年二十守節。

周培履妻董氏 趙村寺莊董運泰女。年二十一適周，年二十五守節。

楊秉朝妻程氏 程家莊程懷標女。年十八適楊，年二十二守節。以上九人并嘉慶七年夫故，守節三十九年存。

李席珍妻季氏 季家樓季辰女。年十七適李，嘉慶八年夫故，季年二十四，守節三十五年卒。

張孟修妻孫氏 孫家莊孫敬思女。年十八適張，年二十守節。

胡昭魁妻江氏 江家莊江毓川女。年二十一適胡，年二十八守節。

尋裔榛妻孫氏 孫家莊孫錫穀女。年十八適尋，年二十八守節。

張知勉妻蕭氏 蕭家樓庠生蕭蘭女。年十九適張，年二十九守節。張治形妻鄭氏濟寧州鄭魁占女。年十八適張，年二十九守節。張錫珹妻王氏安子王莊王世清女。年二十一適張，年二十二守節。張金峰妻李氏李家莊李安順女。年二十適張，年二十一守節。李文俊妻石氏石家莊石欣女。年十七適李，年二十七守節。周興泰妻張氏張家莊張思泰女。年十九適周，年二十八守節。吴登文妻楊氏楊家莊楊明遠女。年十七適吴，年二十五守節。李安科妻郭氏郭家店郭承峨女。年十七適李，年二十三守節。尚朝升妻白氏白家岡白士德女。年二十適尚，年二十二守節。以上十二人并嘉慶八年夫故，守節三十八年存。孫廣潤妻李氏店子莊監生李純仁女。年十八適孫，嘉慶九年夫故，李年二十三，守節三十一年卒。周思誠妻李氏李家樓李鵬翮女。年十七適周，嘉慶九年夫故，李年二十三，守節三十二年卒。楊儒宗妻李氏李家莊李繼閔女。年十七適楊，嘉慶九年夫故，李年二十，守節三十三年卒。高萊清妻葛氏楊家樓葛偉士女。年十九適高，年二十一守節。李國盈妻胡氏化雨集胡延德女。年十八適李，年二十一守節。周衍詢妻李氏于家樓李天梅女。年十九適周，年二十四守節。李德潤妻周氏周家莊周修禮女。年十七適李，年二十九守節。馬紹曾妻劉氏劉家莊劉盛修女。年十七適馬，年二十七守節。周君拔妻李氏李家莊李梅軒女。年十七適周，年二十七守節。張自勉妻姜氏姜家樓監生姜勛女。年二十適張，年二十五守節。周冰雲妻尋氏舉人尋方瀚女。年十七適周，年二十九守節。胡秀錦妻李氏李家樓李宗虞女。年十七適胡，年十八守節。楊鵬翮妻趙氏于垞社趙瑞女。年二十適楊，年二十一守節。

李長興妻朱氏朱家莊朱湛女。年十九適李，年二十七守節。郭夢齡妻李氏李家堂監生李昌緒女。年十九適郭，年二十一守節。副貢孫克承妾張氏單縣張來友女。年十九適孫，年二十八守節。以上十三人并嘉慶九年夫故，守節三十七年存。李尚禮妻張氏邱官屯張以智女。年十九適李，嘉慶十年夫故，張年二十九，守節二十九年卒。張文簡妻蕭氏蕭家莊武生蕭新元女。年十八適張，年二十守節。謝國正妻朱氏朱家廟莊監生朱希女。年十九適謝，年二十六守節。蘇學曾妻李氏徐家廟莊李朋來女。年十七適蘇，年十八守節。李文瑞妻趙氏趙家樓趙景宸女。年十八適李，年十九守節。周興禮妻丁氏鷄黍集丁書女。年十九適周，年二十五守節。李欽緒妻霍氏霍家莊霍士法女。年十九適李，年二十五守節。畢聖輔妻薛氏店子莊薛重華女。年十八適畢，年二十六守節。李受印妻王氏王家莊王庭森女。年十七適李，年十九守節。李擴址妻季氏李家堂季占鰲女。年二十一適李，年二十五守節。劉汝霖妾張氏曹州府張忠女。年十五適劉，年二十九守節。李士鯤妻王氏王家莊王邦棟女。年十七適李，年二十八守節。監生劉殿揚妻鞏氏劉家莊鞏維倉女。年十七適劉，年二十七守節。尋覲標妻張氏張家莊張鐸女。年十九適尋，年二十五守節。程煥文妾李氏單縣李之銘女。年十八適程，年二十九守節。李永任妻高氏高家莊監生高鳳五女。年十七適李，年十九守節。王龍驊妻蕭氏蕭家莊蕭佩芳女。年十九適王，年二十二守節。畢明臺妻張氏王家莊王登雲女。年十九適畢，年二十守節。張檠家妻王氏王家莊王恒九女。年十六適張，年二十六守節。以上十九人并嘉慶十年夫故，守節三十六年存。

候補縣丞張琯妻尋氏　舉人尋方瀚女。年十九適張，嘉慶十一年夫故，尋年三十，痛不欲生悶絶者數四，以救不得死。絶粒七日，心益了，聲益朗，仍不死。屏水漿不入口，昏而蘇者七八，奄奄至二十九日而死。宣化縣知縣、山西壬子解元任質淳爲之傳。

貢生張玉襄妻周氏　周家樓周映生女。年十九適張，嘉慶十一年夫故，周年二十七，守節二十五年卒。

張建基繼妻章氏　單縣章作睿女。年二十三適張，嘉慶十一年夫故，章年二十八，守節三十年卒。

尋傳瑜妻劉氏　劉家莊劉景運女。年十九適尋，年十九守節。

張怡簬妻馬氏　馬家莊馬思勇女。年十七適張，年十八守節。

李士諤繼妻禮氏　禮家小樓禮安輔女。年十七適李，年十八守節。

張宗雍妻高氏　高家莊高于孝女。年二十適張，年二十五守節。

張興仁妻温氏　劉家堂温紹曾女。年十九適張，年二十九守節。

李盛和妻王氏　王家莊例貢王晋玉女。年二十二適李，年二十九守節。

周思備妻張氏　張家莊張大本女。年十九適周，年二十二守節。

何中正妻高氏　高家莊高際盛女。年十七適何，年二十八守節。

張永康妻蘇氏　蘇家莊蘇呈祥女。年十九適張，年二十一守節。

張掄甲妻郝氏　李家樓郝貴成女。年十七適張，年二十一守節。

王鳳喈妻張氏　張家莊張文溪女。年十九適王，年二十三守節。

李玉清妻王氏　王家莊王東懷女。年十九適李，年二十二守節。

張玢妻朱氏　朱照女。年十八適張，年二十六守節。以上十三人并嘉慶十一年夫故，守節三十五年存。

李君舒妻張氏　張家莊監生張卓立女。年十八適李，嘉慶十二年夫故，張年二十，守節二十六年卒。

周文聚妻李氏　車家莊李普照女。年十

九適周，嘉慶十二年夫故，李年二十三，守節三十一年卒。程于侖妻王氏王家海王大岐女。年十八適程，嘉慶十二年夫故，王年二十七，守節三十一年卒。何思岐妻陳氏陳家莊陳公珍女。年十八適何，年二十四守節。孟傳緒妻張氏李家集張秉哲女。年十八適孟，年二十守節。周之翰妻張氏張振宸女。年十七適周，年二十四守節。監生徐文珠妻李氏李家莊從九李錫祺女。年十九適徐，年二十二守節。李方儒妻田氏鉅野縣田華袞女。年二十適李，年二十三守節。李朝琦妻周氏生員周昭女。年十七適李，年十八守節。監生蘇繼興妻尋氏尋家莊尋炯鰲女。年十七適蘇，年二十七守節。孫湞妻張氏孟家莊張在文女。年十七適孫，年二十八守節。張鳳祥妻韓氏韓家莊韓露湑女。年二十適張，年二十二守節。張預祝妻李氏李修翰女。年十九適張，年二十六守節。李光佳妻尚氏李家堂尚廣居女。年十九適李，年二十九守節。張孟瑗妻周氏周國華女。年二十適張，年二十二守節。孫思眷妻董氏董家莊董思和女。年十七適孫，年十八守節。趙映輝妻周氏周家莊監生周遜志女。年十九適趙，年二十八守節。李惟忠妻許氏卜家莊許坦女。年十七適李，是年夫故守節。孟嶼隆妻畢氏周家莊畢九如女。年十八適孟，年二十七守節。張廷杰妻孫氏孫家莊監生孫莅女。年十七適張，年二十五守節。李珠斗妻趙氏趙家莊趙清世女。年十八適李，年十九守節。石超義妻李氏李家莊李作德女。年十八適石，年二十二守節。王允箴妻郭氏郭家樓監生郭帥畿女。年十八適王，年二十一守節。郭甸畿妻張氏大棠樹莊附貢張園亭女。年十七適郭，年二十三守節。張孟琪妻李氏王家樓李曜女。年十八適張，年二十九守節。以上二十一人并嘉慶十二年夫故，守節三十四年存。張翠峰妻李氏李春苞女。年十九適張，年二十二守節。李毓豐妻王氏鉅野縣王悅峰女。年十九適李，是年守節。生員孫士樸妻楊氏楊家莊楊用錕女。年十九適孫，年二十七守節。李琳妻田氏單縣田光宣女。年十八適李，年二十一守節。黃淑理妻閆氏里集莊閆悦泮女。年十九適黃，年二十六守節。李文蔚妻王氏王家堂王連善女。年十九適李，年二十六守節。廩生李徽勳妻季氏季永盛女。年十八適李，年二十五守節。李宗啓妻孔氏孔家莊孔傳智女。年十七適李，年十八守節。楊儒純妻李氏李家樓李安福女。年十八適楊，年二十一守節。周思鳳妻李氏李家莊李元珍女。年十九適周，年二十四守節。李繩武妻周氏早立章莊周夢洙女。年二十適李，年二十五守節。殷廣曾妻田氏鉅野縣田華彬女。年十八適殷，年二十二守節。張汝漢妻馬氏馬家橋馬西岳女。年二十一適張，年二十九守節。張孟珣妻田氏鉅野縣田光遜女。年十九適張，年二十五守節。朱文妻劉氏劉家樓劉繼虞女。年十九適朱，年二十四守節。孫淮泗妻朱氏朱家莊朱士端女。年十八適孫，年十九守節。孫嶧齡妻章氏化雨莊章希騫女。年十七適孫，年二十四守節。尋清儒妻馬氏馬家莊馬思和女。年十八適尋，年二十五守節。張如峰妻趙氏趙家樓趙月丹女。年十七適張，年十九守節。徐文軒妻李氏李家莊李本澍女。年二十一適徐，年二十五守節。周培墅妻滿氏滿魁詩女。年十九適周，年二十守節。李清彦妻郭氏郭家莊郭逢辰女。年十九適李，年二十一守節。袁春池妻田氏田家集田華裔女。年十八適袁，年二十一守節。以上二十三人并嘉慶十三年夫故，守節三十三年存。李守訓妻季氏葛村季光國女。年二十一適李，嘉慶十四年夫故，季年二十七，守節二十六年卒。

周敦虞妻李氏李莘野女。年十七適周，嘉慶十四年夫故，李年二十三，守節二十四年卒。監生趙象震妻靳氏靳家樓靳有守女。年二十四適趙，年二十八守節。周樂善妻張氏張家莊張知過女。年二十適周，年二十七守節。孫桐梅妻李氏牛王廟莊監生李照女。年十六適孫，年十九守節。董宜桂妻張氏大棠樹莊博平縣教諭張盛容女。年十七適董，年二十守節。

周藍田妻陳氏陳家莊陳際盛女。年十九適周，年二十八守節。張琢妻楊氏高河店楊化麟女。年十八適張，年二十六守節。

李福麟妻楊氏閆家橋楊龍章女。年二十適李，年二十五守節。李乾緒妻楊氏楊家莊楊永孚女。年十八適李，年二十守節。李玉臺妻趙氏趙家莊趙起元女。年十九適李，年二十八守節。楊文瓚妻張氏張家灣張賡堯女。年十七適楊，年二十八守節。王守圍妻張氏臨清張九京女。年十七適王，年十九守節。武生李欽典妻尚氏尚家樓莊監生尚保田女。年二十適李，年二十五守節。張佩紳妻朱氏朱炘女。年十九適張，年二十三守節。周思遠妻李氏李家莊李永成女。年十九適周，年二十一守節。李朝任妻里氏里家莊里敷文女。年十九適李，年二十守節。王金聲妻李氏李家莊李承基女。年十七適王，年二十七守節。李懋昭妻張氏張家莊張運增女。年十六適李，年二十守節。鮑方閣妻郭氏郭家店郭承峨女。年十七適鮑，年二十一守節。田有禾妻趙氏火神廟莊趙蔭祀女。年十七適田，年二十守節。魏坤峰妻李氏大孟店李朝聘女。年二十適魏，年二十三守節。周昌林妻任氏任家樓任煥章女。年十九適周，年二十一守節。李墊妻王氏王家莊王純忠女。年十八適李，年十九守節。馬麟徵妻李氏李家樓李盤女。年二十適馬，年二十九守節。王節書妻宋氏宋家廟莊宋如櫛女。年十六適王，年二十五守節。胡全峰妻李氏宋家廟莊從九李呈麟女。年二十一適胡，年二十六守節。閆維憲妻王氏王家門樓莊監生王馨猷女。年十七適閆，年二十二守節。閆瑞麒妻焦氏焦家莊焦學顏女。年十六適閆，年二十四守節。蘇薈妻楊氏單縣楊宗智女。年十八適蘇，年二十五守節。蘇國翰妻孫氏濟寧州孫盛光女。年十七適蘇，年二十八守節。李應箕妻蘇氏蘇景思女。年十七適李，年二十九守節。周顯耀妻姬氏王丕家莊姬豐化女。年十八適周，年二十守節。王元善妻周氏周桂女。年十九適王，年二十二守節。周怡彬妻趙氏二榕家樓趙鳴佩女。年十七適周，年二十守節。孫梅芳妻周氏三皇廟莊周應祥女。年二十適孫，是年夫故守節。王志善妻李氏曹家樓李振元女。年二十適王，是年守節。渠文耀妻王氏王家莊王邦彥女。年十八適渠，年二十守節。袁春圖妻李氏李家堂李開緒女。年十八適袁，年二十守節。以上三十七人并嘉慶十四年夫故，守節三十二年存。李協蒔妻史氏鷄黍集史厚沃女。年二十三適李，嘉慶十五年夫故，史年二十五，守節二十一年卒。邵彥清妻楊氏楊家莊監生楊維齡女。年十七適邵，年二十七守節。千總周殿鰲妻王氏王家莊王元明女。年十九適周，年二十二守節。孫桂楹妻李氏李家土樓李昱女。年十六適孫，年二十一守節。周之培妻張氏張振提女。年十九適周，年二十六守節。王芸芳妻趙氏韓家樓趙琳女。年十七適王，年二十二守節。張魏峰妻周氏周家樓周居女。年十八適張，年二十一守節。蘇維漢妻芮氏芮潛修女。年二十適蘇，年二十一守節。張玉潔妻周氏李家莊周象林女。年十八適張，年二十一守節。張齡錫妻耿氏耿家莊耿維垣女。年十七適張，年二十八守節。周鳴瑞妻孫氏華村莊孫錫祚女。年十九適周，年二十三守節。趙慕占妻張氏張家莊張華亭女。年十七適趙，年二十二守節。李大本妻周氏貤封朝議大夫周文超女。年十九適李，年二十三守節。李長柏妻張氏趙家樓張鳳儀女。年十九適李，年二十四守節。張鶴相妻李氏增生李凌雲女。年二十一適張，年二十五守節。趙成修妻胡氏化雨集胡言炘女。年十九適趙，年二十七守節。胡德涵妻馬氏馬家莊馬檠女。年十九適胡，年二十三守節。胡傳宗妻李氏李家莊李文閣女。年十九適胡，年二十一守節。張朝恕妻楊氏楊家莊楊玉璋女。年十九適張，年二十一守節。趙鵬顯妻高氏刁家莊高廣禮女。年十七適趙，是年守節。王思敏妻楊氏楊靄行女。年十八適王，年二十一守節。于同韓妻趙氏趙家樓趙嗣傳女。年十九適于，年二十一守節。王守矩妻趙氏冠縣趙名俊女。年十五適王，年二十一守節。張俊峰妻李氏李庭萊女。年十七適張，年二十四守節。張青雲妻尚氏尚家樓監生尚鴻舉女。年十七適張，年二十二守節。

楊繼賢妻李氏李家廟李天篤女。年十九適楊，年二十守節。李云甫妻劉氏朱家廟劉義女。年十八適李，年二十四守節。
李興周妻周氏周家莊周成魯女。年十七適李，年二十三守節。周福叢妻胡氏胡家莊胡玉珮女。年十九適周，年二十五
守節。周聖武妻趙氏趙家樓趙方標女。年十九適周，年二十三守節。王泮芹妻高氏高家莊高于孝女。年二十
適王，年二十二守節。蘇宏科妻王氏馬家店王淑善女。年十七適蘇，年二十五守節。趙占科妻劉氏劉志道女。年
十九適趙，年二十五守節。孟傳福妻朱氏朱家莊朱履榮女。年十七適孟，年二十二守節。李允和妻季氏江家樓季
淑泗女。年十九適李，年二十一守節。張森峰妻楊氏楊家堂楊志漢女。年十八適張，年二十守節。姬華標妻楊氏
謝家園楊明棠女。年十九適姬，年二十守節。張蓮峰妻郭氏郭家莊郭襄畿女。年十七適張，年二十一守節。蘇景沂妻魏
氏魏家莊魏廷魁女。年二十適蘇，年二十八守節。孫際華妻孟氏化雨集莊孟傳本女。年十八適孫，年二十守節。監生張
士清妻牛氏牛家莊牛紹福女。年十七適張，年二十九守節。張撫育妻郭氏郭家樓郭知謙女。年十七適張，年二十五守節。
王桂芬妻魏氏魏家樓魏咸有女。年十七適王，年二十守節。王蘇書妻魏氏魏家樓魏咸宜女。年十八適王，年二十六守
節。胡海濤妻張氏張家窪監生張坤方女。年十八適胡，年二十守節。丁芳亭妻張氏化雨集張志仁女。年十六適丁，
年二十一守節。張士爲妾姜氏河南鹿邑縣姜文德女。年二十三適張，年二十五守節。李潤禾妻趙氏趙鳴塤女。年

十八適李，年二十二守節。以上四十八人并嘉慶十五年夫故，守節三十一年存。李永昌妻胡氏胡家樓胡玉璋女。年十八適李，嘉慶十六年夫故，胡年二十九，守節二十二年卒。李崇德妻楊氏楊體貞女。年二十七適李，是年夫故守節。楊培欽妻江氏江家樓江永康女。年二十適楊年，二十二守節。戴允烜妻李氏李家堂李碩士女。年二十適戴，年二十四守節。李茂棠妻季氏店子莊季純武女。年二十一適李，年二十九守節。楊履方妻李氏李學奇女。年十九適楊，年二十三守節。孫朝樞妻周氏庠生周景霖女。年十七適孫，年二十九守節。王書林妻褚氏褚家莊褚志尹女。年二十一適王，年二十三守節。魏東臺妻胡氏胡家莊胡鳴庭女。年二十適魏，年二十一守節。張汝沂妻蘇氏周家莊蘇繼興女。年十九適張，年二十六守節。郭瑞鐖妻尋氏尋家樓生員尋清鑒女。年十八適郭，年二十一守節。張象璃妻李氏李家莊李慶爵女。年二十適張，年二十二守節。朱裕垂妻李氏李盤女。年二十適朱，年二十八守節。孟容和妻劉氏劉家莊劉應魁女。年十九適孟，年二十九守節。張興塾妻魏氏魏家莊魏楷女。年二十適張，年二十八守節。以上十五人并嘉慶十六年夫故，守節三十年存。張玉琢妻周氏鄭家樓周文占女。年十七適張，嘉慶十七年夫故，周年二十八，守節二十三年卒。周劍妻胡氏胡家樓胡士鉶女。年十八適周，嘉慶十七年夫故，胡年二十五，守節二十五年卒。孫文潮妻張氏貢生張其恕女。年二十適孫，嘉慶十七年夫故，張年二十六，守節二十五年卒。監生張振翮妻周氏周家莊周繼昌女。年十九適張，年二十四守節。李爲璪妻季氏鉅野縣季鳳林女。年十八適李，年二十九守節。

傅學文妻郭氏淳于集郭世勳女。年十六適傅，年二十六守節。李鳳竹妻任氏任有識女。年二十適李，年二十二守節。李鉅亭妻高氏高家莊高桂和女。年十八適李，年二十八守節。以上五人并嘉慶十七年夫故，守節二十九年存。李盈居妻周氏白粒園周應清女。年二十適李，嘉慶十八年夫故，周年二十三，守節十六年卒。杜維寅妻張氏桑園張際唐女。年十七適杜，嘉慶十八年夫故，張年十九守節，二十六年卒。苗希賢妻崔氏周家莊崔奉廷女。年十七適苗，年二十五，守節二十八年存。周洪緒妻劉氏排伍街劉進春女。年二十適周，年二十八守節。李清瓏妻里氏店子莊里肅女。年十七適李，年二十八守節。李盼曾妻季氏洛城集季錫綸女。年十九適李，年二十九守節。張其恕妻聶氏濟寧州聶連發女。年二十二適張，年二十五守節。楊敬業妻王氏王家莊王希冉女。年十九適楊，年二十八守節。王鎮家妻李氏李家莊李有義女。年十八適王，年二十八守節。以上六人并嘉慶十九年夫故，守節二十七年存。張自强妻胡氏胡家莊例貢胡若鳳女。年十七適張，嘉慶二十年夫故，胡年二十五，守節二十三年卒。魏庸展妻周氏周家莊周景福女。年二十適魏，年二十八守節。李奉一妻周氏張家莊周五亮女。年二十六適李，嘉慶二十一年夫故，周年二十七，守節二十三年卒。李頡雲妻王氏王家莊王傳宗女。年十八適李，嘉慶二十一年夫故，王年二十八，守節二十一年卒。李作楓妻魏氏魏家樓魏永輝女。年十九適李，年二十六守節。周瑞竹妻楊氏楊家莊貢生楊文顯女。年二十適周，年二十七守節。以上二人并嘉慶二十一年夫故，守節二十五年存。張廣嗣妻楊氏楊家莊監生楊維齡女。年十七適張，年二十九守節。年李其芬妻宗氏宗家營州同宗如楠女。年十九適李，年二十九守節。介書田妻胡氏胡家莊監生胡玉珮女。年十六適介，年二十八守節。以上三人并嘉慶二十二年夫故，守節二十四年存。李延慶妻楊氏楊家莊楊樞堂女。年十九適李，年二十八，守節二十三年存。

張憲祥妻周氏周家莊周汝楫女。年十八適張，嘉慶二十一年夫故，周年二十一，守節二十二年卒。李貴麟妻時氏劉家莊時光先女。年十八適李，嘉慶二十四年夫故，時年二十二，守節二十年卒。李世功妻楊氏高河店楊化麟女。年十九適李，年二十九守節。

李錫遲妻張氏張家樓張德凝女。年十七適李，年二十九守節。以上二人并嘉慶二十四年夫故，守節二十二年存。楊清標妻王氏王家莊王家賓女。年十八適楊，嘉慶二十五年夫故，王年十八，守節十七年卒。王崇蔚妻李氏李家莊武生李輔清女。年二十適王，道光二年夫故，李殉節時年二十四。監生趙國選妻閆氏寨里莊閆善述女。年十八適趙，道光二年夫故，閆殉節時年二十七。王象鼎妻張氏生員張正甫女。年十七適王，道光四年夫故，張年二十，守節十五年卒。周爰謀繼妻范氏范家莊監生范繼業女。年二十一適周，道光八年夫故，范殉節時年二十二。

右五百一十四人。道光二十一年彙請旌表，二十二年三月總建一坊。

以上新舊都七百九十三人。

嘉祥

元

黃宅妻武氏 夫死於邊，武養舅姑，撫幼子，守節終身，年七十卒。延祐元年詔旌其門，今遂山石坊猶存。

明

舉人王達妻徐氏 有才名，工於詩。達署河津訓導，弘治間應湖廣聘典試，徐送以詩曰：「烏紗巾上即天宮，耻見懷金夜半中。誰敢欺心沾雨露，同流楊震起清風。千里求君秉試衡，低昂屢變稱斯平。勿徒苟取虧天理，心似長江徹底清。」比次中途，果有以賄屬者，達怒而却之。後入簾得石首劉豫生、常德胡鸞等，皆名士。事竣回，夢神人樹一扇於船頭曰：「公清廉，當以此報。」尋得子，因名曰「扇」。徐亦訓以詩，有「道非身外無難事，趁此青年好自修」之句，嘉靖壬午扇舉山東鄉試。婦德、母儀兩擅其美云。

陳秀妻成氏 年二十適陳，七年夫死，紡績自給，守志終身。洪武十六年旌。

陳奉先妻謝氏 年二十五夫死，守節教子。正統十四年旌。子誠，副兵馬指揮。

庠生李璇繼室白氏 適李三載夫卒，一子方數月。撫孤守節，年八十三卒。嘉靖十三年旌。

廩生高汝梧側室王氏 年二十一梧卒，梧繼妻李氏亦旋逝，遺一子方數月，氏養如己子。苦志守節，年八十三卒。崇禎九年孫斗光奏請旌表，斗光見「選舉」「人物」。

廩生曹琳繼室孔氏 孔子五十九代孫彥紳女。生子夢庚未晬而琳卒，孔年二十二，奉事翁姑，教子成立，仕至靈石縣丞。嘉靖間知縣張禹弼表其門。

義民宋紹先妻馮氏 夫故，馮安貧守節。按院屢旌其門。

曹續元妻宋氏 通判宋清女。年十九夫故，上事翁姑，下撫弱息，婦德、母儀兩擅其美云。

庠生董椿妻張氏 年二十椿亡無子，矢志守節，謹事翁姑。翁姑卒，往依母；

母卒，依祖母；祖母卒，轉依弟妹。形影相吊，毫無怨悔。夫生前製一髻，至死未嘗易云。

庠生趙汝登妻王氏 年十九夫故，矢志守節，歷六十年。萬曆九年兩院旌。

庠生閻昶妻宋氏 昶居父喪，哀毁死。宋年二十四，矢志守節，更歷艱苦，冰霜益堅。夫爲孝子，妻爲節婦，里人稱之。

馮大騰妻李氏 夫亡無子，矢志守貞，年五十二歿。

舉人宋德隆妻趙氏 年二十四夫故無嗣，撫育孤女柏舟自矢，奉詔旌表。

庠生郭貞固妻李氏 年二十夫亡，家貧守節，邑令旌之。

宋之翔妻李氏 年十九夫亡無子，矢志守節，歷五十六年卒。《舊志》作「年二十一」。

張汝登妻曹氏 年二十一夫故，繼母逼令再醮，曹墜屋明志，撫子成立，八十一歲卒。

董門雙節 董錫禄妻李氏，年二十夫亡，苦節歷六十年。錫禄弟起潛，庠生，妻李氏。起潛卒，李年二十五，撫一子，零丁孤苦，績紡不輟。有司旌其門曰「雙節」。

郭連城妻翟氏 年二十三夫亡，守節歷五十餘年。《舊志》「城」作「成」。

田養民妻段氏 年十九夫故無嗣，勵志柏節，至七十三歲卒。

晁東泰妻張氏 年二十一夫故，子甫四歲，家極貧，撫孤守節，終身如一。

王安民繼妻宋氏 年十九夫故，撫養前子，恩義兼至，年七十二卒。

孫懋修妻武氏 年二十一夫故，絶粒七日不死，乃自縊。萬曆間旌。

庠生翟士彦妻劉氏 東鄉知縣劉之久女。彦故，劉哀毁不食，越七日自縊柩側。天啓間奉詔旌表，建坊曰「劉氏貞烈之門」。

秦玧妻梁氏 年二十夫亡自縊，知縣齊雲吊其墓并旌表。

尹思愛妻于氏 年十六適尹，夫貧甚，且瞽。于紡績奉姑，略無怨色。已而姑亡，夫亦旋逝，撫棺摧痛，誓以死殉，衆泣勸之，于曰：「使吾幸而有子，可不死。即無子而姑存，無所托亦不可死。今已矣，安用生爲？且人孰無死，今日與异日等死耳。」衆知志不可回，防之甚密。一日偶得間，遂自縊柩側。

吴咏妻郭氏 年十八適吴，甫十月而夫卒。郭欲以身殉，母姑防之甚密不得間。哀號不食，旬日嘔血死。 劉浩妻董氏 年十九夫病革，董焚香以禱，願以身代，數日不食。翁姑哭慰之，董曰：「焉有夫子不食而婦能下咽乎？」未幾夫逝，擗踴哀毁，剪髮納夫棺中。既殯三日，遂自縊，時崇禎十四年九月也。國朝康熙年旌。《縣志》「浩」作「洁」。 王鳳幃妻陳氏 年十七夫亡，守貞甘貧，孝事翁姑，始終無間，至八十餘歲卒。國朝康熙年旌。「幃」，《舊兖志》作「帷」。 王之猷妻石氏 痛夫墜井死，欲以身殉。家人防之不得間，托歸省親，遂自經，時年十九。 廪生吴一科妻李氏 夫殁，矢志守節，歷五十餘年。有司屢表其門。 庠生宋德盛妻翟氏 年二十五夫亡，上事哀姑，下撫弱息，苦節終身。 董宏謨妻徐氏 年二十夫亡，事姑惟謹，寒暑不易，里人稱其「節孝俱全」。子焕然，邑廪生。 李魁薦妻趙氏 年十九夫故，矢志守節，歷五十餘年。 陳某妻阮氏 濟寧副將阮應兆之妹也。崇禎十四年歸省父母，過新挑河，土賊突至，執其父索財。阮哀求代死，賊脅阮上馬，大罵投地被害，年十九。

右元一人、明三十五人。王達妻徐氏，《舊志》無，據《縣志》補。其餘异同，悉依《通志》《縣志》參校。

國朝

蘇州元女 順治五年八月十八夕，賊潜入城，至州元家。州元遁去，賊獲女欲污之，女厲聲曰：「狗賊何不速殺我，我名家女，肯從汝耶？」罵不絶口，遂遇害，時年十四。康熙年旌。 庠生張筠妻阮氏 順治七年春湖寇蹂躪新河，阮被掠不屈，詈罵求死，賊以刀斫其面。比死，罵聲猶厲。康熙年旌。

庠生張永康妻楊氏 夫亡，殮畢自縊。事在順治十一年。 庠生徐聖躋妻楊氏 夫亡自縊，事在順治十五年。 石毓嶠妻高氏 年十七適石，甫兩載生子，彌月夫亡，苦節五十餘年。子確，中康熙辛酉舉人。康熙年旌。 監生張箕妻高氏 年二十二夫亡，守節四十餘年。《通志》云「康熙年旌」，《縣志》云「雍正六年旌」。 劉鄧勳妻楊氏 年二十六夫亡，守節。翁姑病，祈以身代。《通志》云「康熙年旌」，《縣志》「勳」作「勲」，云「雍正間建坊旌」。 金榮貴妻陳氏 夫亡守節，有豪惡率衆調之，陳大罵，豪嗾衆毆之，立斃。雍正年旌。 鹿令姑 鹿世耀女。幼許字高崇，未婚而崇卒，女聞訃自縊。邑令李松爲之傳，且立石焉。雍正年旌。 安邦柱妻李氏 邦柱隨征土寇陣亡，李抱女投井死。 庠生李時昱妻袁氏 昱病篤，日夜禱祝，求以身代。及昱殁，殮畢遂自縊。《縣志》「昱」作「煜」。 舉人李朱楨妻蘇氏 年二十三夫故，翁姑亦旋逝，氏柏舟自矢，撫幼叔成立，以壽終。有司旌其門曰「貞孝」。《舊志》「朱楨」作「永貞」，誤。《縣志》「楨」作「禎」，亦誤。此據「選舉志」。 宋景昭妻馮氏 年二十八夫故，事親撫孤，守志不渝，年八十五終。知縣旌其門。 庠生馮溥側室李氏 年二十六夫亡，矢志撫孤，歷節五十八年。 馮枚妻孫氏 年十八夫卒，撫遺腹子成立，翁姑卒，殯葬如禮。《舊志》「馮」作「馬」，此據《縣志》。 庠生李之秀妻澹臺氏 年二十四夫亡無子，急定嗣，既斂即自縊。事在康熙四十三年。《舊志》誤脱「臺」字，《縣志》作「年二十八」。 谷景禹妻田氏 年十九夫亡，自縊以殉。事在雍正六年，知縣蔣嘉年旌其墓曰「巾幗完人」。《舊志》誤脱「禹」字。 應選訓導張珩妻黄氏 夫亡守節，雍正六年旌，乾隆五年建坊。 梁德秀妻張氏 年十七夫亡守節，事祖姑，育嗣子，

年六十餘卒。乾隆三年旌。監生李鵬飛側室趙氏夫亡守節，乾隆八年旌。張珽璘妻高氏夫亡守節，乾
隆八年旌。《縣志》云：「乾隆五年建坊。」庠生吳紹妻梁氏年二十夫亡守節。《縣志》作「年二十三」。廩生梁心一
妻李氏年十九夫亡守志，知縣旌其門曰「安貞克孝」。姚祓妻梁氏年二十一夫亡守志，知縣旌其門曰「節擬松筠」。張曦妻
李氏年二十五夫亡守節。孫熹妻侯氏年二十七夫亡，姑亦旋逝，送終盡禮，撫幼子成立，守志終身。田承泗妻李
氏年二十一夫故守節，事孀姑克盡婦道。王三貞妻張氏年十九夫亡守節，事親撫孤。梁門雙節梁道立妻馮氏，
年一十四夫故，號泣不食者數日。翁姑以道立弟道崇子嗣之，撫如己出。及道崇病瀕絶，馮垂泣曰：「子仍爲汝子，吾更待孫可也。」後如其言，年八十終。道崇妻高
氏，年二十六夫亡，與孀嫂馮氏同室居，紡績教子，歲凶采堇荼供母，一門雙節，宗鄙稱之。石士愷繼妻姚氏年十七夫亡無子，與老姑同卧起。
姑病，爲之廢食。撫嗣子成立，以壽終。《舊志》作「年二十一」。王建中妻黄氏年二十夫亡，撫遺腹子，守節歷四十餘年。劉元吉
妻翟氏年二十二夫亡守節，撫嗣入庠。王嵩妻徐氏年二十三夫亡，丐食以供親。一子方成立又亡，苦節四十餘年。江永寧
妻李氏年二十餘夫亡，事親撫孤，甘貧守志。韓淑孔妻梁氏年二十三夫亡，哭之失明。撫孤既受室，而子又亡。餘一孫，撫育成立，
備極艱辛。姜作肅妻梁氏年二十六夫亡，翁失明，服養曲至。撫孤娶媳，而子、媳又俱歿。撫孫成立，艱辛二世，苦節終身。蕭妙東
妻楚氏年二十四夫亡，撫孤守節。劉禮妻張氏年二十一夫故無子，撫嗣成立，守節四十年。高從游妻司氏

年二十一夫故，事親撫孤。後貧甚，破屋不蔽風雨，姑柩在室，輒號泣，以身覆庇之。年七十六卒。

王楊妻張氏 年二十二夫故，撫遺腹子守節，孝事哀姑，闔族重之。

李珃妻梁氏 年二十一夫亡，事親撫孤，歷五十餘年。

庠生高士杰妻李氏 年二十夫亡，撫孤守節，歷三十餘年。

武生高士俊妻李氏 年二十二夫亡，守節三十餘年。士俊本生父晚年窮窘，李竭力奉養，《舊志》有士杰，無士俊。《縣志》有士俊，無士杰。因兩存之。

吳朝鳳妻姚氏 年二十五而寡，守志撫孤，歷六十餘年。

賈士林妻丁氏 年十九而寡，事衰姑，撫幼子，苦節終身。《縣志》云與母李氏共守節，則亦一門雙節也。

晁惕妻張氏 年二十二夫故，惟一女，矢志守節。撫嗣子，教養兼備，年六十而紡績不輟。

晁孟春妻張氏 年二十五夫故守節，事親訓子成名。《舊志》作「年二十七」。

隨順妻李氏 年二十四夫卒，矢志守貞，撫孤成立，歷三十餘年。

黃聖武妻劉氏 年二十四夫故，奉舅姑，撫孤子，苦志守貞六十餘年。

黃開後妻馮氏 年二十六夫卒守節，事孀姑，撫弱息。《舊志》「後」作「后」，「馮」作「馬」，此據《縣志》。

劉嵋妻張氏 年二十四夫故，撫孤成立，守節終身。

蔡如桐妻湯氏 年二十六，生子八月而夫歿，祖姑年九十，衰翁年七十，湯慨然以爲己任。事親無缺，訓子成名，人稱「完節」。《舊志》作「年二十」。

楊本裕妻申氏 夫故，事親訓子，甘貧守節。

庠生楊和妻趙氏 年二十二夫故，守節撫嗣承祧。

王門雙節 王蘊經妻丁氏、王蘊綬妻歐氏。蘊經、蘊綬兄弟早亡，丁氏有子甫數歲，歐無所出。二氏相依守志，孝事舅姑。乾隆十年請旌，建「雙節坊」。按，《舊志》人名舛誤，今據石坊更正。

右五十七人。 見《舊志》。張永康妻楊氏、徐聖躋妻楊氏，《通志》有，《縣志》無。

谷永祚妻杜氏　年十七夫故，孝親育子。康熙三十五年知縣曹景濂表其門曰「節孝雙峻」。

李鶴妻楊氏　年二十一夫亡，守志孝親，教子成名。康熙五十年知縣宋躬璧表其門曰「節孝可風」。

呂相野妻李氏　年二十三夫故，矢志撫孤。康熙五十四年知縣宋躬璧賜匾旌之。

李文灼妻申氏　年二十一夫亡，苦節自守。康熙五十五年知縣齊給匾表其門。按，齊宗德以康熙二十六年任，此有誤。

竇作榮妻張氏　年二十四夫亡，家貧紡績養親，耕讀教子。康熙五十八年知縣宋躬璧表其門曰「節孝兼全」。

梁德妻郭氏　德久亡不返。雍正八年歲大祲，姑林氏病，旬餘不飲食。一日思食肉水角，郭心竊喜，奈窘不可得。急就隣乞得麵，割左膊肉方寸，作數枚以進，林旋愈。知之，相持大慟，隣里聞而請于官，知縣李見龍以米五斗周之，請於上官，旌其門曰「孝行可風」。

張僉妻吳氏　年十七夫亡，家貧，子甫八月，苦志守節，教子成名。雍正十三年旌表，入節孝祠。

呂希聖妻温氏　年二十五夫亡，苦守霜操。雍正十三年知縣李見龍旌以「節孝可風」。

馮賜貴妻高氏　年二十二夫亡，毁面自誓，事翁姑，育嗣子，歷三十餘年。雍正間建坊。

李茂芳妻郝氏　年二十三夫亡，家貧子幼，事親教子，艱苦備嘗。乾隆元年縣令表其門曰「操比松筠」。

歐永盛妻張氏　康熙四年夫亡，氏年二十三，有二子，苦節至八十一歲壽終。

王敬女　年十七未嫁，婿亡，女聞之數日不語。會有媒來議婚，遂自經。乾隆十年事。

劉誠思妻歐氏　年二十八夫亡，子三歲，家貧，紡績自活。半年子又殤，泣曰：「吾無再生之理矣。」遂自經。乾隆三十三年事。

李雙妻趙氏　年十八夫亡殉節，乾隆三十六年事。

焦含章妻劉氏　年二十五生子，未一月夫亡。家貧無依，因有老姑，誓不改節。紡績養親三十餘年，無不稱爲「節孝」。

劉士俊妻張氏　年十九夫亡，子甫三月。孝事老姑，撫孤成名，守節四十餘年。

馮法堯妻

張氏年二十一守節，思撫嗣子，孝事翁姑。姑病，願以身代，閭里稱之。　田士起妻孫氏年十九夫亡，子方襁褓，斷髮自誓。家貧，紡績養親，艱苦備歷，守節五十餘年。　李思文妻張氏年二十一夫亡，一子未周歲。家貧，恃紡績爲活。後姑梁氏病篤，哭禱願以己壽二十年益姑，姑果復活二十二年。　田善武妻陳氏年二十三夫亡，遺二子，長三歲，次僅五月。事親極孝，翁姑病疫，侍奉不離。洎愈，一家沾染，婦獨無恙。　李思臣妻歐氏年二十夫亡，欲殉，姑多方慰諭之，曰：「孝亦汝職也。」後事翁姑四十餘年，曲盡婦職。　田朝補妻高氏年饑，夫流離卒於外。婦年二十，子甫五月。甘貧守節，奉事衰翁，撫子成立。　高兆嘉妻牟氏年二十夫亡，守節孝親，年八十三猶存。　馮德正妻高氏年十九夫亡，食貧茹苦，守節養親三十餘年。　生員陸之坦妻翟氏年二十二夫亡無子，家貧，恃紡績養親，苦節歷五十年。　武生高中興妻梁氏年二十五守節，歷三十餘年。　李敬之妻王氏年二十二夫亡，子甫周歲。雖糊口無資，卒無异志，年六十存。　孫際成妻蔡氏年二十二夫故，子甫周歲。事姑育子，年六十一存。　李玣妻劉氏年二十四夫故，事姑教子，藜藿不充，恬如也。年六十八存。　侯御世繼室杜氏年二十一夫故，育前氏子，事老姑，守節歷五十年。　夏克福妻尹氏年十九守節，苦受饑寒，不渝初志，年五十七存。　姚珍妻高氏年二十夫亡，姑失明，出入必親扶持。紡績以養，守節歷五十年。　姚世含妻吴氏年二十夫亡，貧困不堪，紡績養親，年七十卒。　姚濟世妻李氏年二十三守節，歷四十年如一日。　高書安妻姚氏年十九夫亡，孝親育子，年九十一卒。　杜光典妻陳氏年二十二夫亡，養親育子。雍正三年知縣宋給匾旌奬。　呂景懷妻張氏年二十五夫故，欲殉，念姑垂白且乏繼嗣，因勿死。勤績務求兩全，年五十八存。

劉源妻蔡氏年二十一夫亡，與母王氏同守節。嗣一子，撫之不辭貧苦，年七十三卒。案，此亦一門雙節。

劉淑顔妻王氏年二十六夫亡，上事衰翁，下育孤子，延良師課子，早歲成名。歲捐十餘金資助義學，年五十九存，人非惟重其節行，且服其有卓識。

劉淑澮妻陳氏年二十四夫亡，事姑育子，歷受貧窘，年五十六存。

李文昂妻賈氏年二十三夫亡，孝翁姑，和妯娌，無异言。年五十一存。

李祖萊妻邵氏年十九夫亡，遺腹生子，與姑相依爲命，年六十餘存。

佟立山妻滕氏年二十五夫亡，子方二周，姑雙瞽。家貧，奉養皆出紡績。凶年自甘饑餒，菽水不缺於姑，人稱「苦節」。

佟立成妻田氏年二十一夫亡，家貧，恃紡績以生。後年饑，携子依母，年五十九卒。

韓中書妻沈氏年二十七夫亡，事親育子，勤勞備至，守節五十餘年。

曹岳妻姚氏年二十六夫亡，苦節五十五年存。

李紹思妻韓氏年二十四夫亡，撫孤三十餘年存。

張志妻賈氏年十九夫故，毀容自誓。翁爲傍求一子嗣之，事翁姑，育嗣子，人稱「淑德」。年七十餘卒。

陳欽妻宋氏年二十四夫亡，子一歲，翁姑俱老。家貧，紡績奉養。年七十餘存。

梁門二節 梁道凝妻李氏，年二十二夫亡，遺一女。道凝弟道明，妻張氏，年二十夫亡無子，有祖姑及姑俱孀居。家貧，娣姒同心紡績爲生，或誘之嫁，誓不從。祖姑及姑憐焉，爲求一子嗣之，并以節孝著。

李莊妻趙氏年二十一夫亡，欲殉，念家無次丁，守節奉養翁姑。年八十存。

王維宗妻朱氏年二十四夫亡，生遺腹子。逾年翁亡，零丁孤苦，備歷艱辛者四十餘年。

石代宗妻杜氏年二十五夫亡，養親三十餘年。嗣堂侄爲子，未幾又亡，餘一孫，苦節五十載。

喬世卜妻吴氏年二十夫亡，念家貧無子，翁姑在堂，不忍以身殉。繼侄爲子，晝夜紡織弗輟。凡生養死葬，憔瘁經營。義方之訓，垂裕後昆。年六十四存。

李士秀妻齊氏 年十九夫亡無子，矢志守義，克盡婦道。翁姑歿，夫庶弟二人俱幼，氏善爲撫養，備極勤劬，年六十三存。

梁之貴妻王氏 年二十夫故，子二歲，絕無期功强近之親。王守志撫孤，備歷艱辛。

曾門雙節 庠生曾尚源妻曹氏。年二十四夫故無子，守節五十餘年卒。嗣子衍桂又早卒，妻曹氏年二十三，事姑克孝，年五十四存。

曾門雙節 奉祀曾衍檀妻黄氏，濟寧州黄孫錦女。年二十八夫亡，子興炘甫四歲，後成立。繼妻張年二十六，興炘卒，張事姑克孝，晝夜紡績，奉養三十年，以勞瘁卒，而黄尚存。

庠生曾尚潤妻謝氏 年二十三夫亡，事姑盡孝，葬克盡禮，年六十五存。

王士任妻趙氏 年二十四夫亡，子甫二歲，苦節四十餘年。

庠生曾尚渙妻高氏 年二十九夫亡，二子又相繼歿，貧苦無依，七十八存。

武生曾尚冲妻陳氏 年二十七夫死無子，守節四十餘年。

陳殿偉妻田氏 年十九夫亡，家貧無子，紡織奉姑，自甘藜藿者三十餘年。

賀章妻王氏 年二十四夫亡，無兄弟。王上養老翁，下鞠孤子，藜藿不充，勤苦五十餘年卒。

賀宏讓妻張氏 年二十三夫亡無子，翁姑皆老，室無斗筲。五年嗣一子，僅三歲，鞠育成立。氏年六十一存。

賈率性妻王氏 年二十夫亡，子數月，翁姑衰老，王矢志守節。義方訓子，葬翁姑有禮，年六十存。

黄應社妻賈氏 年二十二夫亡，遺二子。家甚貧，紡績以養翁姑。逮歿，殯葬如禮。年六十二存。

趙登魁妻李氏 年二十三夫故，嗣一子。家甚貧，勤績紡事翁姑。逮歿，殯葬如禮。艱辛守節，歷四十餘年。

劉遵堯妻李氏 年二十三夫亡，一子方數月。家素寒苦，矢志靡他，事親教子，年五十四存。

李行舉妻高氏 年二十夫故，子二周，矢志自守。翁姑俱歿，孝養祖父母。逮歿，殯葬如禮，年五十五存。

王

秉衡妻王氏　年二十夫亡，子二歲，不敢殉。後姑逼之嫁，不從。姑析之別居，境甚難堪，堅貞愈厲，歷三十餘年。

劉士賢妻陳氏　年二十五夫亡，足不出户，孝事雙親，撫嗣子恩義兼至，歷三十七年存。

李茂妻田氏　年二十三夫亡，家貧無子。孤苦自守，歷三十餘年。

女李門雙節　李振家妻陳氏，年十九夫亡，子方周。逾年翁姑歿，家貧無依，惟閉户紡織教子。子娶某氏，甫有孫而子又亡。媳年幼守節，陳年八十卒。

何恒基妻李氏　歸三年而何卒，撫二子守節，事公姑以孝聞。逮歿，盡哀盡禮，歷今已三十三年。

歐珝玉妻董氏　年二十夫故，守節。子甫二歲，三年而殤，誓不欲生，賴夫兩嫂勸之乃止。事翁曲遂其意，歷今已三十年。

生員歐銘妻張氏　年二十夫亡無子，善事翁姑，殯葬如禮，守節已逾三十二年。

李思學妻杜氏　年二十夫亡守節，敬事翁姑，嚴訓嗣子及侄，俱早歲成名。年八十卒。

類紹妻張氏　年十八夫亡，子甫三月，守節至七十五卒。

李冉妻江氏　年十八夫亡守節，九十五終。

李朝柱妻李氏　年十九夫亡無子，守節至六十六歲終。

田善趨妻李氏　年二十一夫亡，立嗣守節。後姑病不起於床者十年餘，李寒暑同寢，歷今已三十六年。

李瑶妻高氏　年二十四夫亡無子，有叔尚幼，翁姑衰而嚴，高小心承奉，能悦其意。歿則殯葬盡禮，年六十七卒。

吴玉節妻李氏　年二十二夫故，養老撫孤，至八十六卒。兩儒學表其門曰「節比松筠」。

陳希舜妻田氏　年二十夫亡，哀痛幾絶，因有遺腹，祖姑及翁姑交慰諭之，三月果生一子。越二年翁姑亡，遺一八旬祖姑久困床簀。田紡織奉養，五年不懈。知縣孫給匾旌之。

竇璇妻吴氏　年十九夫亡無子，祖姑及翁憐其少，勸之嫁，吴不從。立嗣子，安貧守志。翁年八十，老憊甚，奉養無缺，年五十二存。

周門雙節　周誼妻賈氏，年二十一夫亡，守志嗣子。甫有孫，與媳俱歿。孫娶數年又亡，與孫媳李氏共守節，年八十三終。周麟趾妻王氏 年二十六夫亡守節，無子，苦乏繼嗣。年九十六猶存。申牛光妻周氏 年十九夫亡，一子未周。家貧，織紡供奉翁姑，養孤子，自甘不飽，從無怨言。年五十三存。李丕業妻王氏 年二十四夫亡，遺二子，敝屋一間。貧不能具棺，假貸以殯。紡績二年，乃償棺錢。事翁姑婉容承順，逮歿，殯葬如禮。教孫成名，年八十六存。賈豐林妻高氏 年二十夫亡，止一女方數月。因母老，矢志養親，恩撫嗣子，年五十一存。賈遵性妻趙氏 年二十二夫亡，無子女，姑年老且瞽。家貧，矢志紡績供親，艱苦無怨，年五十三存。劉作哲妻李氏 年二十夫亡，止一子。家貧，紡績孝親，耕讀訓子，年五十餘存。李琳妻呂氏 年二十一夫亡，有一子一女。翁姑年老，孝養克稱其意。家近山，難行動，必護持之，隣里稱「爲翁姑之女，而非媳也」。年五十三存，子已成名。田含江妻王氏 年十九夫亡，一子甫三月。晝夜紡績，以事翁姑。雖衣食不繼，而心不移，年五十二存。田朝燮妻叢氏 年二十一夫亡，遺一子。堅守以事翁姑，年七十三存。李如基妻王氏 年二十四夫亡，有一子。事姑克孝，壽九十二歲。李範妻田氏 年二十一夫亡，有二子。家貧，矢志紡績養親，耕讀訓子，艱苦備嘗。監生王巨龍妻梁氏 年二十五夫亡，貞心自守，事姑克孝，教子成名。梁祖堂妻吳氏 年十九夫亡，祖耄姑孀，貧苦异常。祖訓導茌平，卒於任，力不能歸，吳曲盡經營，乃得歸葬。高永獻妻馮氏 年二十二夫亡，孝敬翁姑，紡績自活，艱苦之操，里黨同稱。高于恒妻滿氏 年二十一夫亡，矢志養親，年八十二存。趙從科妻李氏 年二十一夫亡守節，姑衰老多病，孝敬不倦，育子成立，年七十八終。高棹之妻杜氏 年十九夫亡守節，孝敬不衰，喪葬盡禮。高于嶂妻杜氏年二十五夫亡守節，歷今四十餘年。

張其樂妻李氏 年二十六夫亡守節，備嘗艱苦。知縣吳表其門曰「孝慈節壽」，年八十卒。

劉行堯妻郭氏 年二十四夫亡，孝慈兼盡，年六十三存。

張靖妻李氏 年二十一夫亡，欲殉，念翁姑在，夫無子，一死何足塞責？乃紡績孝養二十年。姑繼一子，方周歲，抱而言曰：「祖祀不絕，賴此而已。」虎尾春冰，恩養成立。後姑病將死，曰：「死不忘孝婦于地下也。」年七十一終。

張嵋妻姜氏 年二十三生子，僅二月夫亡，矢志守節，孝事舅姑，後五世一堂。

張克現妻楚氏 年二十五夫亡，零丁一身，守志不渝，教養嗣子。尤好施與貧乏者，無不戴德。年六十四存。

周永修妻楊氏 年二十一夫亡守節，葬姑盡禮，孝養八旬翁無缺，育嗣子有恩，年五十存。

鹿四海妻張氏 年二十二夫故，子生三月，姑年老。家甚貧，紡績奉事，歷二十餘年。子又亡，艱苦倍至，年五十三存。

鹿世臣妻狄氏 年二十六夫故，子四歲，至十三歲而殤，姑又多病，仰天悲號，痛自引責，隣里悲焉。年六十三存。

張熹妻陳氏 年二十六夫故守節，紡績養親，恩育嗣子，年五十五終。

張天秩妻周氏 年二十九夫亡，子女俱幼，家無尺土，紡績嘗通宵焉。衣僅蔽身，日不再食，苦節無過此者。

鹿某妻張氏 年二十夫亡，生子五月。事翁姑不離側，和妯娌，終身不肯析居。惟守中饋，供飲食，歷今三十年。

巡鹽千總晁進科妻李氏 年十九夫亡，以有姑、有孤不忍自盡。養生送死，雖貧必盡志。年逾八十，孫已成立。

王進忠妻陳氏 年二十五夫亡，姑老子幼，艱苦備嘗，冰操益勁，年八十餘存。

庠生孫嵣妻高氏 年二十四夫亡，念家貧親老子幼，未敢引決。洎奉聾姑養葬皆無缺，訓子弱冠成名，年八十餘存。

楊祖讓妻崔氏 年十九夫亡，惟一女，誓不二天。養老姑克孝，撫幼成名，年六旬存。

趙珍妻劉氏 年二十二夫亡，子方周，

矢志守節。繼姑李老病不能行，負之出入以爲常。尤好施濟，隣族賴以存活者十許家。

馮範維妻張氏年二十夫亡，子方一歲。堅守苦節，孝行純篤。知縣李旌其門曰「節孝可風」。

楊守杕妻劉氏年二十夫亡，姑衰，子甫八月，矢志靡他，孝慈兼盡。

逯勤妻楊氏年二十六夫亡無子，誓不欲生，翁姑曰：「若吾二老何？」于是紡績奉親。房中設夫主，朝夕悲傷，名嗣子曰「貞」，以見志。

王泮妻許氏年二十七夫故，祖姑年八十，姑年六十，子幼，厲節如霜，孝感鬼神。

于春暉妻石氏年二十五夫亡無子，念翁老、諸叔幼，未敢自盡，柏舟自矢。孝翁撫叔，人稱「賢孝」焉。

楊門雙節祖氏楊深母也，年二十而孀，深甫六月。煢煢一身，撫子自守，稱苦節焉。深妻吴氏，年二十三深亡，子三歲，矢志靡他。克孝克慈，冰操與姑争烈。

孫宏景妻沈氏年二十五夫故無子，姑老家貧，苦節自守，孝道無虧。

韓某妻范氏年二十夫亡，子忠甫四歲，翁姑皆老，奉親撫子，孝慈兼盡。

陳學孔妻馮氏年二十六夫亡，子僅四歲，孝事翁姑，教子成名，年八十一卒。

楊本隆側室邵氏夫故，時值歲饑，家惟茅屋三間，翁年七十餘，嫡賈氏無出，病瘋。邵念有遺腹不敢死，既舉一子，懷以乞食。或勸之嫁，不從。及翁歿，賣屋一間以葬。族弟貢生本函感其賢，予棗行二畝。後賈氏困床簣八年，督其子爲傭以供衣食，辛苦萬狀，卒無怨言。

曾興炘繼室張氏嫁甫三月而炘病，又二年炘亡。家貧無子，織紡事姑，終身無間。

庠生楊夢韓妻曹氏年十六歸楊，淑慎宜家，中年夫故。孝養七十老母二十餘年，竭情盡慎，人無間言。

田朝儉妻李氏翁病篤，籲天願減己壽十年益翁，翁果復活十餘年。夫病困於床簣，自減衣食，单衣禦冬者六年，以祈夫痊，累獲愈。

廩生高賓妻閆氏知縣宋旌其門曰「德壽可風」。

徐步武妻賈氏德壽并著，年九十八終。

薛文璧妻石氏年二

十六夫亡，欲殉，舉家防之，石曰：「吾自爲計，有死無二。」七日不食死，遺一子方數月。伯應聘育之成名，人亦稱之。**周韓二烈** 周天木女，年十四；韓中秀女，年十五。同室紡績，夜分而寢，火起毀室，二女倉皇裸體出，聞救者四集，相顧曰：「此何可見人？」急共旋投烈焰中死。

右一百四十六人。據《縣志》增。

鄭門雙節 鄭汝淵妻周氏，年十七適鄭，年十九夫故，守節六十三年。嗣子光林妻李氏，年二十夫故，守節四十二年。道光四年學政何給「貞操繼美」額。

黄德升妻寇氏 年十九適黄，年二十一夫故，守節四十餘年。道光五年學政何給「節茂松筠」額。

右三人。據《幽光録》。

劉淑顔妻王氏 王景夏女。夫故，王年二十一，守節五十八年。家道貧苦，翁姑年老，晝夜紡織，務求甘旨以奉翁姑。撫育孤子，延師課讀，得中鄉榜。嘉慶四年請旌建坊。**李夢卜妻夾氏** 夾玉女。年十九適李，次年夫故，守節四十六年。家貧親老，勤於紡織，奉事翁姑，愉色婉容，得親歡心。繼堂弟子，以全夫嗣。嘉慶二十五年學政李給「幽貞待表」額，即於是年請旌建坊。**張振恪妻吴氏** 監生吴宗禮女。年十七夫故，守節五十二年。親老家貧，晝夜織紡，竭奉甘旨。嗣夫胞弟子，教養成人。道光十年請旌建坊。**史成元女** 「五經博士」曾紀瑚長子廣芳所聘室，年二十一將嫁，廣芳卒，女聞即投繯死。時道光九年二月十八日也。曾氏迎柩合葬，以慰貞魂，并請旌建坊。**孫振民妻梁氏** 農家女也。于歸後相夫、子，勤於學。事繼姑，恪盡婦職，順聲達里黨。夫遘癘疾，梁日夜環侍。夫昏而後蘇，曰：「吾不能生矣，爾何如？」梁泣曰：「從君於地下耳。」夫嗚咽氣絶，梁向夫叩頭者數四，以繩自纏其頸，家人驚救不及，遂斃。

張鳳林妻孫氏 夫亡，遺一子亦亡。四壁蕭然，翁姑垂老，孫晝夜紡績以供甘旨。翁嗜飲，每飯必爲具酒肉。偶無肉，蔬菜亦必精潔，如是三十餘年。翁姑相繼歿，營葬畢，語族人曰：「吾事畢矣。」自經死。

候選布政司經歷張滙妻周氏 年二十于歸，三十夫亡。家貧無子，茹苦自甘，歷四十餘年。

張淵妻田氏 夫亡，遺二子俱幼，上事衰翁，下撫弱孤，敝廬紡績，艱苦備嘗三十餘年。

甘肅平涼府經歷張泠側室王氏 生一子名敦寶，泠亡。氏撫養弱孤，矢志守節。嫡出子四：長恒寶，次仁寶，次修寶，次庚寶。敦寶最幼，家産無多，恒寶析爲三，盡與三弟，謂王氏曰：「庶母年少，弟幼，當從我。」會恒寶需次陝西，王與俱往。恒寶四十五歲始舉一子，王喜謂之曰：「汝父弃世時以汝無子爲念，今幸有子，九原瞑目矣。我爲汝撫之。」取名兆璋，後改名烒，撫養備至，愛如己孫。及烒長，出就外傅，王每蓄甘餌以俟其歸，時勗以勵志讀書勿懈。後恒寶爲敦寶報捐吏目，分發甘肅。敦寶欲迎母奉養，王不行，曰：「吾撫幼孫，未睹其娶妻，不願往也。」及烒年十五畢婚，王即於是年十二月卒。

右九人。新采。

黄鐸妻曹氏 酒壯莊曹繼先女。年十七適黄，乾隆二十一年夫故，曹年二十四守節，孝親撫孤，儉己濟人，年七十七卒。

程纘程妻郭氏 鉅野縣監生郭珩女。年十九適程，乾隆二十一年夫故，郭年二十一守節，孝親育子，年五十六卒。

王瑞浚妻高氏 高家海高輔清女。年十七適王，乾隆二十七年夫故，高年二十四守節，事親撫孤，年八十四卒。

吴孟連妻常氏 生員常執中女。年二十適吴，乾隆三十年夫故，常年二十六守節，奉姑食貧，年四十八卒。

宋之普妻劉氏 劉家莊劉三仁女。年十七適宋，乾隆三十五年夫故，劉年二十四守節，奉親教子，年七十三卒。

馮

尚淵妻杜氏 雲山莊杜芹齊女。年十七適馮，乾隆三十五年夫故，杜年二十守節，孝事孀姑，教子成名，年七十一卒。

劉科妻王氏 王家莊王效先女。年十六適劉，乾隆三十七年夫故，王年二十三守節，日以古先格言訓誨嗣子，年八十九卒。

金元泰妻李氏 長直集李岩女。年十九適金，乾隆三十九年夫故，李年二十二守節，養老撫孤，年七十五卒。

杜克恭妻王氏 貢生王瑞增女。年二十二適杜，乾隆四十二年夫故，王年二十五守節，訓子甘貧，年八十一卒。

宋臨軒妻梁氏 界牌口梁天容女。年十七適宋，乾隆四十二年夫故，梁年十九守節。無子，依夫弟同居。甘貧任勞，妯娌雍睦。年八十二存。

朱振清妻潘氏 土山集潘子水女。年二十適朱，乾隆四十三年夫故，潘年二十一守節。孝翁姑，訓嗣子，年六十六卒。

李鶴年妻徐氏 上坡莊徐順行女。年十九適李，乾隆四十四年夫故，徐年二十五守節，孝親撫嗣，年七十六卒。

宋文化妻歐楊氏 陶官屯監生歐陽璧女。年十八適宋，乾隆四十四年夫故，歐陽年二十，誓以身殉，翁姑泣諭乃止。年八十一存。

宋尚訥妻李氏 熏火山李淑程女。年十九適宋，乾隆四十五年夫故，李年二十五守節，事親撫嗣，年六十五卒。

韓進美妻韓氏 檀佛山莊韓中信女。年二十一適韓，乾隆四十五年夫故，韓年二十七守節。姑有殘疾，每負之出入。年八十七存。

馬興龍妻王氏 馬氏村王帝臣女。年十八適馬，乾隆四十八年夫故，王年二十五守節。賢孝之稱，遍於族黨，年八十二存。

張門雙節 張秀水妻張氏，濟寧張九思女。年二十一適張，乾隆四十九年夫故，張年二十四守節。子朝用娶王氏，土山集王大凱女。嘉慶十年朝用又卒，王年二十七，與姑同心守節。張年八十，王年六十二俱存。

張淑美妻温氏 夾家營温起堯女。年二十適張，乾隆四十九年夫故，温年二十九守節，訓子成立，年八十五存。

賈作賓妻湯氏 湯家山湯希桂女。年十八適賈，乾隆五十年夫故，湯年二十五守節，撫孤成立，年五十九卒。**杜萬鎰妻李氏**汶上縣李環女。年十七適杜，乾隆五十一年夫故，李年二十二守節，代夫盡孝，年七十二卒。**趙登廷妻鄭氏**鄭家莊鄭允女。年二十適趙，乾隆五十一年夫故，鄭年三十守節，教子成立，年七十一卒。**田綱江妻翟氏**黃家岡翟心傳女。年十七適田，乾隆五十二年夫故，翟年二十一守節，養姑撫幼，年七十四存。**牛同升妻田氏**田家莊田心惻女。年十九適牛，乾隆五十二年夫故，田年二十守節，奉親撫嗣，年七十三存。**韓進孝妻李氏**長直集李守清女。年十九適韓，乾隆五十三年夫故，李年二十八守節，奉親撫嗣，年八十存。**汪克昌妻牛氏**顧家莊監生牛憲典女。年二十適汪，乾隆五十三年夫故，牛年二十八守節。善事翁姑，撫遺腹子成立，年八十存。**郝廷貴妻竇氏**吳家莊竇鵬翼女。乾隆五十四年竇年十八適郝，是年夫故守節，撫嗣子成立，年六十九存。**陳啓元妻常氏**汶上縣常信女。年十七適陳，乾隆五十四年夫故，常年十八守節。一女無子，翁姑年老，不能步履，出入扶持，歷久無怠。嗣子亡，又撫嗣孫，年七十存。**趙昌隆妻姚氏**姚官屯姚如檀女。年二十一適趙，乾隆五十五年夫故，姚年二十七守節，孝事翁姑，年六十七卒。**張爲棟妻孫氏**孫家莊孫文理女。年十八適張，乾隆五十五年夫故，孫年二十二守節。奉繼姑以孝，訓幼子以勤，年七十二存。**李翠鳳妻王氏**長直集廪生王心安女。年十八適李，乾隆五十五年夫故，王年二十二守節，養老撫嗣，年七十二存。**岳淇泉妻李氏**李家樓李心渠女。年十七適岳，乾隆五十六年夫故，李年二十六守節。事親盡禮，訓子以立品爲先，年七十五卒。**周崇彬妻趙氏**濟寧州趙允讓女。乾隆五十六年，趙年十七適周，即於是年夫故。立意殉節，翁姑哭諭乃止，年四十九卒。**蘇君明妻王氏**兑糧店王月增女。年十九適王，乾隆五十六年夫故，王年二十五守節，奉親教子，年七十四存。**韓義**

妻孫氏 濟寧州孫鎰女。年十八適韓，乾隆五十六年夫故，孫年二十五守節，奉親撫孤，年七十四存。

張鳳軒妻吳氏 生員吳仲連女。年十九適張，乾隆五十七年夫故，吳年二十四守節。事親撫幼，茹菜食糠，年七十二存。

鄭廷禮妻李氏 李家樓李可仰女。年十七適鄭，乾隆五十七年夫故，李年二十七守節。與夫弟共爨，始終無間言，年七十六存。

李九河妻杜氏 魯寨杜彥女。年十八適李，乾隆五十八年夫故，杜年二十二守節，撫孤成立，年六十九存。

李兆卜妻趙氏 郭家莊趙望輝女。年十七適李，乾隆五十八年夫故，趙年二十七守節，養老撫孤，年七十四存。

陳開鳳妻李氏 大廟李莊李士林女。年二十適陳，乾隆五十八年夫故，李年二十一守節，養親教子，年七十八存。

周魁妻洪氏 洪家山洪學正女。年十七適周，乾隆五十八年夫故，洪年十九守節，撫遺腹子成立，年六十六存。

湯文敷妻王氏 濟寧州王有德女。年十九適湯，乾隆五十九年夫故，王年二十一，守節安貧，年六十七存。

薛道長妻陳氏 汶上縣陳九思女。年十七適薛，乾隆五十九年夫故，陳年二十守節。仰事俯育，艱苦不渝，年六十六存。

王鵬妻丁氏 馬氏莊丁言女。年十九適王，乾隆六十年夫故，丁年二十八守節，善事舅姑，年七十三存。

曾傅鎮妻田氏 鉅野縣田華彪女。年二十適曾，嘉慶元年夫故，田年二十九守節，勤儉教子，年五十卒。

高世選妻閆氏 閆家村閆敬女。年十六適高，嘉慶元年夫故，閆年二十二守節，孝親慈嗣，年六十六存。

湯宗孟妻袁氏 南武山袁君周女。年十八適湯，嘉慶元年夫故，袁年二十三守節，事親盡孝，年六十七存。

蔣玵妻孫氏 孫家莊孫賓顯女。年十七適蔣，嘉慶元年夫故，孫年三十守節，事祖姑及翁姑盡孝，年七十四存。

李梁柱妻吳氏 馬家集吳子民女。年十七適李，嘉慶元年夫故，吳年二十一守節撫孤，年六十一存。

孫夢尚妻馮氏 馮家

莊馮永太女。年十七適孫，嘉慶二年夫故，馮年十八。絶而復蘇，訓嗣子成立，年六十一存。**黃安齡妻夾氏** 夾家營夾燦女。年十八適黃，嘉慶三年夫故，夾年二十六守節，奉親撫孤，年六十八存。**王俊妻蔡氏** 宋家樓蔡允文女。年十八適王，嘉慶三年夫故，蔡年二十二守節，孝事翁姑，年六十三存。**鄭懷寶妻張氏** 朱家莊張世壐女。年十七適鄭，嘉慶四年夫故，張年二十一守節，孝親撫孤，年六十二存。**許桂陽妻張氏** 鉅野縣張有資女，精女工，通文字。年十七適許，嘉慶四年夫故，張年二十一守節，敬老撫嗣，年六十二存。**胡興貴妻張氏** 大張莊張以仲女。年十七適胡，嘉慶四年夫故，張年二十守節，撫幼子成立，年六十一存。**李廣益妻李氏** 濟寧州李大力女。年十七適李，嘉慶四年夫故，李年十九守節。奉親撫幼，勤儉持家，年六十存。**馮伯唐妻王氏** 汶上縣王法真女。年十七適馮，嘉慶四年夫故，王年二十守節，奉親撫幼，年六十一存。**許青雲妻陳氏** 檀佛山陳世禄女。年十八適許，嘉慶四年夫故，陳年二十一守節撫嗣，年六十二存。**楊紫倉妻尹氏** 尹家村尹鳳祥女。年十九適楊，嘉慶四年夫故，尹年二十三守節撫嗣，年六十四存。**張伯運妻劉氏** 紙房集劉志清女。年十九適張，嘉慶四年夫故，劉年二十二守節撫孤，年六十二存。**李文公妻高氏** 年十八適李，嘉慶五年夫故，高年二十六守節，孝親撫幼，年六十六存。**焦毓瑗妻張氏** 小張莊張克泮女。年十七適焦，嘉慶五年夫故，張年二十一守節，養老撫孤，年六十二存。**程永信妻高氏** 狼山屯高際恩女。年十七適程，嘉慶五年夫故，高年三十二守節，撫孤成立，年六十二存。**杜雲炯繼妻蔡氏** 上花林莊蔡也恕女。年十七適杜，嘉慶五年夫故，蔡年十九守節。孝養翁姑，撫前室女如己女，年五十九存。**高武魁妻曹氏** 曹家莊曹瑞女。年十九適高，嘉慶五年夫故，曹年二十二，安貧守節，年六十二存。段興智妻王氏 生員王成英女。年二十適段，嘉慶六年夫故，王年二十四守節，敬老慈幼，年六十三存。高殿月妻李氏 向水口李倫女。年十八適高，嘉慶六年夫故，李年二十六守節，紡績養親，年六十七存。張欣堯妻黃氏 鴨李莊黃倫女。年十六適張，嘉慶六年夫故，黃年二十守節。孝事翁姑，始終盡禮，年五十九存。黃允成妻牟氏 牟家海牟學聚女。年十八適黃，嘉慶六年夫故，牟年二十三，守節撫嗣，年六十二存。李紹湯妻閆氏 濟寧州閆克治女。年十八適李，嘉慶六年夫故，閆年三十守節，事親撫幼，年八十一存。張廣進妻黃氏 大黃莊黃東齡女。年十七適張，嘉慶七年夫故，黃年二十四守節。撫遺腹子，娶妻生一孫。子又亡，撫孫成立，年六十二存。孫尚節妻劉氏 劉山口劉玉銘女。年十七適孫，嘉慶七年夫故，劉年二十三守節，養老慈幼，年六十一存。湯韶華妻田氏 劉家村田元福女。嘉慶七年田年十七適湯，是年夫故守節，上盡孝道，下撫嗣子，年五十五存。馮學忠妻劉氏 劉家莊劉思誠女。年十八適馮，嘉慶七年夫故，劉年二十二守節。非有大故，不出戶庭，年六十存。李汝宏妻張氏 濟寧州張若漢女。年十八適李，嘉慶七年夫故，張年二十五守節，養老撫幼，年六十二存。吳中黃妻張氏 楊家莊張清文女。年十七適吳，嘉慶八年夫故，張年二十九守節，甘貧撫孤，年六十六存。許鵬揚妻段氏 鉅野縣段景方女。年十八適許，嘉慶八年夫故，段年二十三守節，奉親撫幼，年六十存。李逢齡妻商氏 濟寧州商中立女。年十九適李，嘉慶八年夫故，商年二十四守節，養親教子，年六十三存。徐心傳妻吳氏 南武山吳心廣女。年十七適徐，嘉慶九年夫故，吳年十九守節，善事翁姑，年四十八卒。宋明行妻徐氏 徐家莊徐朝選女。年二十適宋，嘉慶九年夫故，徐年二十五守節，養老撫孤，年六十一存。田順妻吳氏 李家道溝吴得溪女。年十七適田，嘉慶九年夫故，吴年二十，死而復蘇者三，矢志守節，年五十六存。

歐陽思忠妻張氏 楊官屯張建元女。年二十適歐陽，嘉慶九年夫故，張年二十四守節，孝親撫孤，年六十存。

王馨妻胡氏 吴家店胡義倫女。年二十適王，嘉慶九年夫故，胡年二十五守節。奉侍孀姑，教子讀書，年六十七存。

蓋恒怡妻張氏 濟寧州張淑年女。年十九適蓋，嘉慶九年夫故，張年二十七守節撫孤，年六十三存。

張淑董妻李氏 阿城鋪李有緒女。年十七適張，嘉慶九年夫故，李年二十一守節。孝事孀姑，教訓幼子，年五十七存。

馮伯朋妻杜氏 石臘屯杜克讓女。年十七適馮，嘉慶九年夫故，杜年二十四守節，孝親慈幼，年六十存。

賈心裕妻王氏 狼山屯監生王鳳章女。年十九適賈，嘉慶十年夫故，王年二十一守節，養親撫幼，年三十五卒。

高文科妻王氏 王冠英女。年十六適高，嘉慶十年夫故，王年十九。絶粒三日，親族力勸乃强起，年五十四存。

王來詳妻朱氏 吕村朱燦光女。年十七適王，嘉慶十年夫故，朱年二十五守節，事親撫孤，年六十存。

楊丕宗妻田氏 田家莊田心遠女。年十九適楊，嘉慶十年夫故，田年二十七，守節撫孤，年六十二存。

張悦之妻龐氏 龐家店龐鳳臺女。年十九適張，嘉慶十一年夫故，龐年二十二守節，養老撫孤，年五十六存。

孫廣文妻蔡氏 任家山蔡龍光女。年十九適孫，嘉慶十一年夫故，蔡年二十九守節撫孤，年六十三存。

王天篤妻侯氏 嘉祥村侯維新女。年十九適王，嘉慶十一年夫故，侯年二十三守節，孝親慈幼，年五十七存。

高景淵妻張氏 萬糧張莊張元守女。年十八適高，嘉慶十一年夫故，張年二十一，守節撫嗣，年五十五存。

王興運妻張氏 張永之女也。年十七適王，嘉慶十二年夫故，張年二十九守節，勤儉教子，年五十二卒。

戴月光妻汪氏 汪家樓汪泉涌女。年二十適戴，嘉慶十二年夫故，汪年二十三守節，奉親撫嗣，年五十六存。

高棐妻歐陽氏陶官屯歐陽心太女，精女工，通文字，年二十適高。嘉慶十二年夫故，歐陽年三十，欲殉，翁姑力勸乃止，年六十四存。

張錦妻李氏熏火山李初芳女。年二十適張，嘉慶十二年夫故，李年二十五守節。敬事祖姑，鬻奩教子，年五十八卒。

姚榮先妻劉氏雙鳳村劉象九女。年十九適姚，嘉慶十二年夫故，劉年二十一守節，孝親撫幼，年五十四存。

李蓁妻邵氏焦城邵田女。年十七適李，嘉慶十二年夫故，邵年十九。無子女，又無兄弟，奉姑守節，年五十三存。

王鳳康妻楊氏紙房集楊丕承女。年十七適王，是年夫故，甘貧守節，敬事翁姑，年五十存。

周崇樹妻焦氏焦家坊焦連芳女。年十七適周，嘉慶十三年夫故，焦年二十守節，孝親慈幼，年四十六卒。

黃氏二節黃家河溝武生黃瑞龍女，一適吳憲原，嘉慶十三年夫故，黃年二十七守節，備嘗艱苦，年五十九存。一適朱汾，嘉慶十二年夫故，黃年二十守節，事親曲盡孝道，年五十三存。

楊景藹妻王氏韓家莊王子文女。年十九適楊，嘉慶十三年夫故，王年二十四，甘貧守節，年五十六存。

焦克寬妻張氏張家莊張建宏女。年十七適焦，嘉慶十三年夫故，張年二十一守節，孝慈兼盡，年五十三存。

監生黃允明妻賈氏賈家海賈維倫女。年十七適黃，嘉慶十四年夫故，賈年二十七守節，代夫盡孝，年五十八存。

丁來興妻王氏紙房集王漢清女。年二十適丁，嘉慶十四年夫故，王年二十一守節。葬親盡禮，撫嗣成立，年五十二存。

李彭齡妻范氏范家店范愼九女。年十六適李，嘉慶十四年夫故，范年二十。堅心守節，養親撫嗣，年五十一存。

戴河妻張氏老軍屯張可紹女。年十九適戴，嘉慶十四年夫故，張年二十二，守節撫孤，年五十三存。

陶東魁妻李氏鉅野縣李凌圖女。年十九適陶，嘉慶十四年夫故，李年二十六守節。奉雙親，撫幼女，年五十七存。

逯鵬舉妻張氏張玉周女。年十

九適逯，嘉慶十五年夫故，張年二十五守節，奉姑撫子，年五十五存。

王道遠妻梁氏 李家莊貢生梁盛運女。年二十一適王，嘉慶十五年夫故，梁年二十九。絶粒欲殉，翁姑力勸乃止，年五十九存。

孫成桂妻李氏 李家樓李心慈女。年二十一適孫，嘉慶十五年夫故，李年二十六守節。恪慎奉親，勤儉教子，年五十六存。

董朝英妻劉氏 楊劉莊劉玉姑女。年十九適董，嘉慶十五年夫故，劉年二十三守節。孝事祖姑，事姑得其歡心。撫夫弟遺女成人，年五十三存。

鄭思義妻李氏 燕家屯李克已女。年十七適鄭，嘉慶十五年夫故，李年二十守節，敬老慈幼，年五十存。

薛化龍妻宋氏 汶上縣宋銑女。年十七適薛，嘉慶十五年夫故，宋年二十三守節，事親撫孤，年五十三存。

牛復全妻戴氏 十里鋪戴清化女。年十七適牛，嘉慶十六年夫故，戴年二十四守節。上事衰姑，下撫弱子，年五十一卒。

陳開祥妻谷氏 谷家莊谷克諧女。年十八適陳，嘉慶十六年夫故，谷年二十九守節，撫遺腹子成立，年五十八存。

徐中南妻李氏 杏花村李輔清女。年十八適徐，嘉慶十七年夫故，李年二十三守節，敬老慈幼，年五十一存。

徐鈺妻陳氏 滿家硐陳克讓女。年十七適徐，嘉慶十七年夫故，陳年二十二守節，善持家政，年五十存。

徐體乾妻宋氏 滿家硐宋永清女。年二十適徐，嘉慶十七年夫故，宋年二十八守節。孝事翁姑，事伯母如母，撫弟孤如子，年五十六存。

王學書妻歐陽氏 陶官屯歐陽昇女。年十七適王，嘉慶十八年夫故，歐陽年十九守節，養親撫幼，年四十六存。

陳繼長妻狄氏 狄家樓狄臨淇女。年十九適陳，嘉慶十八年夫故，狄年二十五守節，奉親撫孤，年五十三存。

馮學顔妻郝氏 檀佛山郝世昌女。年十八適馮，嘉慶十八年夫故，郝年十九。守節盡孝，撫遺腹子成立，年四十六存。

李汝秋妻李氏 濟寧李永新女。年十七適李，嘉慶十九年夫故，李年二十五守節。葬親盡禮，教子力學，年五十一存。

孫夢熊妻徐氏　店子莊徐烈文女。年十七適孫，嘉慶二十年夫故，徐年二十八守節，養老撫幼，年五十三存。

李仲蘭妻歐陽氏　曹家山歐陽中興女。年十九適李，嘉慶二十年夫故，歐陽氏年二十九，守節撫孤，年五十四存。

張宗尹妻楊氏　馬官屯楊丕猷女。年十六適張，嘉慶二十年夫故，楊年二十六守節，撫嗣子成立，年五十一存。

王嘉賓妻吴氏　歲貢生吴憲尹女。年十八適王，嘉慶二十一年夫故，吴年二十六守節，奉親撫孤，年四十三卒。

劉俊嶺妻徐氏　李登家樓徐世鐸女。年十七適劉，嘉慶二十一年夫故，徐年二十七守節。夫病篤時，哭禱願以己壽三十年益夫，聞者莫不嘆息。年五十一存。

馮學甲妻曹氏　曹步瀛女。年十八適馮，嘉慶二十一年夫故，曹年二十四守節。孝事翁姑，姑病祈以身代，教子辛勤，年四十八存。

杜昭朗妻商氏　歐山屯商瑞凝女。年十八適杜，嘉慶二十二年夫故，商年二十五守節，奉親甘貧，年四十八存。

馮永儉妻商氏　濟寧杜景隆女。年十七適馮，道光四年夫故，杜年二十八，守節撫孤，年四十四存。

右一百三十四人。道光二十年請旌表，二十一年十月總建一坊。

以上新、舊都三百八十五人。

魚臺

元

趙大妻張氏　夫早卒，張以死自誓。督幼子壽受書，每至夜分。後壽官憲副，張封安人。《縣志·選舉》以趙壽爲元人，《通志》入明徵辟，故《舊志》并以其母張氏爲明人。按，明徵辟在洪武、永樂間，壽母仍當爲元人。

明

吴憲妻李氏 正德六年憲爲流賊所執，欲殺之。李引頸願以身代，遂殺之，憲免。

李天性妻劉氏 正德六年流賊至，天性懼投井，劉抱幼子隨之死。

甄門二烈 庠生甄慥妻韓氏、妾李氏。慥卒，韓無出，李生子方周而殤，韓謂李曰：「生爲孤也，孤死何望？」二氏同縊於柩前，俱旌。

母女雙烈 廩生樊氏瞻妻聶氏，夫殁，守節訓子，克振家聲。崇禎壬午城破，與嫁女房崇高妻同縊死，三日後顔色如生。署縣常以「視死如歸」旌之。

高誼妻韓氏 誼故，韓年二十，守貞奉親，撫子驥成立，年八十一卒。

宋祥妻周氏 祥拒賊遇害，周矢志守節，歷六十餘年。

劉珂繼妻康氏 珂卒，康守節撫前孤，尤以慈著。

侯繼妻魏氏 繼卒，魏養姑育孤，鄉里稱焉。

孫沔妾魏氏 沔卒，魏敬事嫡室。嫡室卒，營葬如禮。守節四十餘年，有司以「貞淑」匾其門。

劉節妻武氏 夫亡，家無儋石蓄，清節益勵，堅貞不磨。

戰楝妻王氏 楝殁，王年二十二，遺孤甫周歲，族人唆繼姑逼嫁之，王持刃以死自誓。課子養謙入泮，巡按吴旌其門曰「苦節冰霜」。

王突妻宗氏 突卒，撫三歲孤守節，旌。

胡尚才妻王氏 夫殁，殉節。

黄甲妻奚氏 適甲周歲而甲卒，遺孤方彌月，奚悉心撫之，卒以成立。事聞，表其門曰「天壽完節」，年八十卒。

監生韓僨妻王氏 僨殁無子，王撫女守節，貧困不堪，處之坦如，歷四十餘年。

滕玷妻黄氏 玷卒，黄年二十，撫孤守節，歷六十三年。縣令申旌。

李恒性妻紀氏 夫殁，紀年二十，事姑撫孤，艱苦備嘗三十三年。

王受祉

妻馮氏夫歿守節，訓子萬春入庠。**韓門四節**韓蘇妻朱氏，夫歿，氏年二十二，無子，矢志守節。越三載，翁、姑、伯、嫂俱亡，遺侄四歲，名效上，朱視爲己子，撫養成立游泮。會城陷，效上遇害。遺孫五人，俱爲婚娶。後長孫、次孫相繼卒，孫婦武氏、吴氏與效上妻趙氏皆相依守節，朱享年八十餘。三孫皆入庠邑，人莫不賢而奇之。**劉沉毅妻聶氏**毅卒，上事孀姑，下撫遺孤，堅志苦節，詔旌其門。**增生武宏地妻甄氏**適武姓未三載而夫亡，甄堅志守節，享年八十，建坊旌表。**庠生任師愷妻劉氏**愷卒，遺孤二俱在襁褓，劉苦志堅守，教訓備至，二子俱游泮。

曹門雙節曹謙妻王氏，謙卒，王年二十五，子志皐甫四歲。王教訓成立，爲邑庠廩生，醇謹篤孝。縣令旌其門曰「節孝堪揚」。後志皐又早卒，其妻郭氏亦守貞撫孤，嗣前徽焉。**常延禧妻王氏**延禧垂髫擅才名，而困於有司，感憤成疾。王年二十，隆冬著單衣，日夜焚香，涕泣祈以身代。夫歿，撫周歲孤，備歷艱苦，守節三十餘年卒。**胡惟津妻陳氏**津歿，守節終身。《通志》《縣志》「惟」作「維」。**庠生段龍明妻吴氏**年二十一夫亡，撫子如尹入泮，歷三十餘年卒。**楊尚連繼妻袁氏**歸連二年而連故，前妻子方五齡，袁撫育成立。顛沛萬狀，享年九十餘，人共賢之。**楊思妻張氏**年二十八夫亡，撫孤入庠，縣令旌。**任宏禮妻李氏**年二十五夫亡，撫孤守節，享年八十餘，縣令旌。《縣志》「禮」作「理」。**趙門雙節**趙正妻王氏，無子，側室朱氏生子名鏡明，甫周歲而夫卒。王與朱同心苦節，撫孤成名，邑令旌之曰「冰霜同操」。

庠生韓可立妻孔氏夫亡，孔年廿二，堅心守節，撫育二子珍、珵，俱入庠。**常可成妻楊氏**年二十八夫故無子，守節。侄庠生好政，奉養如母。**謝應登妻陳氏**年二十七夫故，無子守節。侄貢生九錫，奉養如母。**蕭濟妻武氏**夫故守節，子二歲，撫訓成立。蕭文景妻辛氏夫故，撫孤守節，縣令旌。侯尚進妻魏氏夫故，守節。《通志》《縣志》「尚」作「上」。趙一邦妻顧氏夫卒守節，撫遺腹子孔才成立。吴文焕妻朱氏年二十夫殁，子未周歲，朱堅節苦守，教子啓允入庠。旌。房文英妻樊氏夫亡，堅志守節，課訓三子，次第入庠。親友欲表揚之，氏聞誡子曰：「從一而終，婦人之義，豈以爲名？若必止之。」里人愈嘆其賢，年六十七卒。房維新妻劉氏夫殁，撫孤守節，四孫皆入庠。房位中妻董氏夫故守節，撫二子苞、茂成立。侯淵妾高氏夫卒，從容自縊。趙文景妻楊氏夫卒，楊年十八，有子數月。既而子殤，遂自縊死。吴一惠妻蘇氏惠故，蘇三日不飲食，自縊死。庠生朱浣妻宋氏適浣甫二載，浣亡，宋即欲以死殉，家人守視，勸慰乃就飲食。及三年歸辭父母，復返夫家，不食十二日乃絶。事聞建坊旌表。《通志》《縣志》「浣」作「沅」。王烈女許聘戴椿，未嫁而椿故。女往吊，入侍孀姑，哀毁异常。迨夫將葬，自經於柩旁，遂合葬焉。樊烈女許聘生員胡維翰，未嫁。萬曆二十二年維翰故，女聞訃即號泣奔喪，自縊者再，皆以救免。遂絶飲食，凡十一日死於柩側。旌。庠生郭焕女崇禎壬午流賊破城，不辱而死。郭肇都妻李氏年十九遭亂，被賊掠，罵賊死。崇禎十四年正月二十日事。劉新祚妻李氏適新祚未一月城陷，義不受辱而死。王瑞極妻傅氏年十七適瑞極，甫二載土寇破城，被執不辱，投河而死。孫鳳儀妻薄氏夫故，呼天搶地，血泪迸流。將殮時，家人愴惶，遂乘間自縊，同日而死。縣令劉嘉其節烈，爲建祠，作詩勒石以旌之。朱從禹妻解氏適朱九載而夫殁，遺孤之玉方周歲，撫之以守，艱苦備嘗。迨國朝順治三年之玉成進士，而解已殁。之玉備陳母節，奉詔旌表。

右元一人、明六十人。據《舊志》《通志》《兖州府舊志》《續志》、馮振鴻《縣志》校訂録入。趙大妻張氏舊作明人，今從《通志》《縣志》仍列爲元人。朱從禹妻解氏舊入本朝，解卒於明，今移置明末焉。

國朝

庠生李廷震妻王氏 順治八年榆賊寇穀亭，欲掠王去，哭罵不從，賊怒殺之。夜半蘇，李調治之，傷一目，折一肱。後産二子：浚、潤，相繼入庠。

生員房應奎妻高氏 年二十六夫亡，撫三子成立。縣令沈旌。

田化雍妻閆氏 夫亡，遺孤雲程未離襁褓，閆撫之，早年入泮。縣令譚旌。

盧士麒妻王氏 年二十三夫亡，撫子永祚，口授詩書，髫年入泮。縣令譚旌。

生員段金妻樊氏 年二十三夫亡，撫遺腹子存誠守節，艱苦備嘗。子孫皆入庠，年八十餘卒。縣令沈旌。

王弼妻夏氏 適弼三載夫亡，翁姑憐其少，勸改適。夏斷髮自誓，遺腹生子，撫育成立。○《舊志》「弼」誤「鼎」，據《縣志》《兖志》《通志》改正。

夏九圍妻王氏 順治十八年遇强暴，不污自殺。縣令徐之鶴爲請旌建坊。

生員隨銓妻趙氏 夫亡，撫子滄入泮，以孝聞，壽九十有三。縣令楊旌。

劉門三節 庠生劉灝妻胡氏，年二十五夫亡，守節。灝弟庠生，湊妻常氏，年二十八夫故，與寡嫂同室而居，撫子廷璋成立。繼妻秦氏，年二十四而廷璋又卒，秦撫孤守貞，與姑相依，人稱「一門三節」。《舊志》「湊」誤「堧」。

甄五美妻蕭氏 年十九夫亡，奉親撫孤，子孫皆入庠。曾孫尚文，康熙五十六年副榜。

生員常彭生妻王氏 常、王皆儒家，家教嚴肅。王適彭生，生子十歲而彭生卒，王守貞撫孤，親讀書史。子性孝謹，有聲士林。

趙鵬翔妻張氏 年十九夫亡，僅遺一女，奉

孀姑守節，歷四十餘年。縣令馬旌。**王俊妻李氏** 年二十四夫亡，矢志殉節。父母舅姑百方防護，越三日守視稍懈，潛縊柩前。巡按繆題旌，順治十五年事。《通志》《舊志》誤作「守節」，據《縣志》《續兗志》正。**韓一龍妻陳氏** 夫亡，苦節五十餘載，享年八十餘。子孫入庠食餼，選拔相屬。康熙七年旌。**貢生馬奇英妻劉氏** 奇英卒，劉年少守節，奉親撫孤。《通志》「貢生」作「生員」。按，《縣志·選舉》奇英考職州同。**庠生甄柱礎妻傅氏** 礎守城殉節，傅矢志以守，泣血數年未嘗見齒，年七十七而卒。縣令趙旌。《舊志》「柱」誤「桂」。**庠生王錫福妻陳氏** 榆賊之亂，夫遇害，陳年二十三，忍死撫孤，苦節。邑令旌之。《舊志》「王」誤「陳」。**舉人段化龍側室元氏** 夫卒，撫孤守節。旌。《通志》「元」作「袁」，誤。**宋門雙節** 生員宋允妻李氏，年二十八夫亡，撫孤守節，葬三世喪如禮。允弟杲，妻劉氏，年二十夫亡無子，撫嗣孫成立，與嫂李氏同旌。**段存貞妻苗氏** 年十八夫亡無子，矢志守貞，歷五十年如一日。旌。**增生宋壇妻楊氏** 年二十六夫亡，剪髮薰目，右目遂眇，歷節四十二年。雍正四年旌。《通志》「壇」作「壜」，《舊志》作「檀」，皆誤。**韓門三節** 廩監生韓彪繼室王氏，彪卒，遺二孤，俱幼。王與側室盧氏、曹氏同心撫孤，苦節四十年。旌。**武門雙節** 廩生武待徵繼妻徐氏，與子汝誠妻常氏，姑媳同志守貞。旌。《舊志》無汝誠名，據《通志》《縣志》補。**程正善妻孫氏** 正善常懋遷於單，有單棍聞其妻美，瞰其來單時詐正善札以病亟趨之，孫曰：「夫之生死命也，婦人無早夜獨行之禮。」不肯行。棍乘其獨，以言挑之不應，强之不從，棍去而氏泣告其隣，遂自縊。雍正年旌。《縣志》失載。**廩生謝廷桂繼妻劉氏** 年二十八夫故守節，養姑，撫前室子成立，年七十九卒。知濟寧州王爾鑒有詩咏其事。**馬峻生妻謝氏** 年二十夫歿，撫孤守節，倍極勤瘁，年八十二卒。附監生屈克昌妻韓氏年二十五而寡，奉姑撫孤，歷節五十餘年。旌。王天申妻甄氏年二十夫故，奉祖姑，撫弱息，歷節五十餘年。旌。朱門雙節朱雲妻劉氏，年二十八而寡，撫孤光著守節。光著年十九又逝，遺一子媳高氏，同心育孤，苦節四十餘年。旌。史門二節監生史通裕妻王氏，年二十五夫亡，撫遺腹子守節。侄庠生衍祚妻孟氏，年二十三夫亡守貞，與王同卧起如母女然。王歷節五十三年，孟歷節四十二年。俱旌。王大美妻劉氏年二十四夫故，撫嗣子與兩孤侄，恩逾己出，歷節四十餘年。旌。李中蘊繼室劉氏夫亡，撫嗣子守節，歷三十餘年。請旌。常門雙節庠生常延禧繼室趙氏，夫亡，撫孤守志。子佩教又早逝，與媳渠氏冰霜共矢，撫養兩孫成立，壽至九十一終。馬玉芝妻劉氏年二十四夫亡無子，守節，孝事翁姑。楊型妻王氏年二十四夫卒，事親教子，苦節五十八年。劉門雙節劉節妻蔣氏，年二十二夫卒，蔣剪髮毀面，守貞訓子，際平入庠，納婦董氏，年十九又寡，遺腹生子。姑媳相依，共鞠弱息。乾隆二十七年旌。馬門雙節馬育禎繼室屈氏，年二十四夫故，撫孤福洪成立，娶吴氏。而子又卒，遺一孫，姑媳相依，撫弱息入庠，鄉人敬禮之，以「松竹并茂」顔其門。劉鐸妻王氏年二十三夫故守節，撫孤養親。李昌運妻張氏年十九夫故，撫遺腹子守節，事親盡禮，教子成名。學使者徐旌其門。胡時擢妻張氏年二十五而寡，守節撫孤，年六十五卒。趙發蕙妻王氏年二十六夫故，守節教子，歷三十七年存。朱朗妻劉氏年二十四夫故，守貞教子，歷五十七年存。劉鎮妻屈氏年二十七夫故，養親撫孤，苦節二十五年。胡大成妻李氏年二十九夫故，撫嗣守節，年六十七卒。胡世茂妻馬氏年二十四夫亡守節，撫遺腹子成立。胡世範妻郭氏年二十七夫故守節，撫遺腹子成立。劉元茂妻趙氏年十八夫故，苦節守貞，歷三十餘年。馬晉公妻宋氏年十八適馬，越五月夫亡，痛不欲生。以母老且病，恐傷其志，乃勉進飲食。越三年母卒，殮畢，慨然曰：「吾今日始得從夫於地下矣。」遂投繯而死。縣令馮振鴻旌。韓培元妻胡氏年二十八夫故，苦節四十年。趙諫新妻田氏年二十二夫亡，撫孤守節。旌。《舊志》脱「新」字。王子藏妻陳氏年二十四夫亡，家奇窮，撫孤守節三十六年。庠生譚大武妻劉氏年二十二而寡，撫孤守節三十七年。監生齊增妻張氏年二十二夫故，守節事親，年八十五卒。王大紳妻李氏年二十八夫故，上事翁姑，下撫弱子，苦節五十餘年。縣令劉旌。甄際升妻常氏際升爲豪右所害，常飲血吞聲，撫周歲子，爲復仇計。豪偵知，持刃突入，欲盡除之。常携兒從後門逸出，奔母家不敢歸。越十餘年，仇死，滿門俱絶。常呼天搶地，欲生食其肉而不能得。既殁，二目炯炯，猶不瞑。閆輔臣妻李氏年十九夫殁，事親撫孤，苦節五十餘年。督學使者徐旌。附監劉洪文繼室李氏年二十夫故，守節撫孤成立。庠生趙海晏繼妻李氏年十九夫亡，苦節三十餘年。王嘉善妻陳氏年十九夫故，守節三十四年存。劉鑛妻李氏年二十三夫故，撫周歲子以守。子中殤，撫養孤孫，艱苦萬狀，歷節五十餘年。劉嗣瑞妻王氏年二十二夫亡，撫遺腹子以守。子亡，撫四孫成立，年七十三存。趙克振妻馬氏年二十三夫亡，奉衰姑，撫幼子，年八十三卒。古燦妻董氏年十八夫故，絶粒十日而死。邑令旌之。《縣志》又有古燦妻董氏，年十九夫故，投繯死。恐即一事，傳聞不同耳，附記於此。古之鎔妻何氏年十八夫亡，守節歷五十五年存。**鄭文耀妻高氏** 年十九夫亡，守節歷五十三年存。**屈御世妻董氏** 年二十五夫亡，撫孤守貞，歷四十八年存。

段仁妻劉氏 年二十一夫故守節養親撫孤歷四十一年存。**周宗顯妻袁氏** 年二十夫亡守節，事親教子，歷四十三年存。

李發榮妻胡氏 年二十夫故，守節歷四十五年存。**劉茂妻王氏** 年二十一夫故，守節歷四十二年存。**楊永立妻李氏** 年二十夫故，母欲奪其志，李截髮毀容，誓不他適，三十餘年從不一至母家。**吳士杰妻龔氏** 年二十二夫故，撫孤守節，歷四十四年。

庠生邵儼斯妻張氏 年二十八夫故，撫周歲子守節。族人有垂涎其產者，張以死爭之，家乃安。年八十八卒。**庠生任銓妻夏氏** 年二十五夫故，撫孤守貞，艱苦萬狀，歷四十餘年。旌。**庠生吳純妻孫氏** 年二十二夫故，遺子玉衡、玉璣俱幼。孫守節撫孤，壽至九十終。縣令陳旌。

庠生吳玉衡妻劉氏 年二十八夫故，子亦旋亡，氏引刀自刎，姑孫氏力救得免。爲之立嗣，苦節撫孤，俾克成立，壽至八十卒。**孫宗顏妻宋氏** 年二十一夫殁，撫嗣守節，歷三十七年存。**高希伊妻王氏** 年二十二夫故，承舅姑命撫孤守節。閱兩月子殤，遂投繯死。

庠生常克顯妻張氏 年二十八夫故，撫孤守節，事祖姑翁姑孝。乾隆二十二年歲饑，命子施粥，全活甚衆，鄉里稱之。**庠生段會古妻宋氏** 會古病疫，卧床匝月，氏奉侍藥餌，衣不解帶。一日，會古氣息屏絶如已逝狀，家人環泣，遂乘間自縊。移時會古蘇，比尋宋則已死矣。邑令成旌其門。**監生王國興妻侯氏** 年二十七夫故守節，養親訓子，年六十二存。

田子佩妻王氏 幼通經書，年二十三夫故守節，養親撫孤。**周亮公妻劉氏** 夫亡，事姑撫孤，歷節五十餘年。**劉**

仲協妻趙氏 年二十而寡，撫侄爲子，守節四十餘年。縣令劉旌。

梁桂妻李氏 年二十二夫故，守貞歷三十餘年。

韓培亮妻劉氏 年二十四夫歿，守節歷四十餘年。

庠生常瑭妻劉氏 年二十三夫故無子，苦節三十餘年。

庠生閆瑾妻屈氏 年二十四夫故，養親撫嗣，苦節四十餘年。

朱門雙節 朱楠妻馬氏，年二十二夫故，撫子守貞，爲之授室。子歿，與媳王氏撫養遺孤，俾克成立，族黨賢之。

韓玉甫女 許字張君賜長子，未婚，歲大饑，君賜與玉甫謀改嫁之。女聞，夜自縊死。時乾隆十三年正月十八日也。

屈克奇妻葛氏 年二十六夫故守節，事姑撫子，年七十七終。

宋門雙節 庠生宋朝佐妻張氏，年二十三夫卒，撫子釗成立，娶馬氏。未十年釗卒，姑媳相依，苦節撫孤，人稱「兩世貞節」。

杜庚妻李氏 年二十二夫赴府試暴亡，李聞欲殉，翁姑年且九十，苦勸乃已。孝事雙親，撫嗣子入庠。

陳興魯妻杜氏 年二十七夫亡，守節撫嗣，歷三十三年。

鄧鎔妻蕭氏 年二十一夫亡，撫孤守節，備歷艱辛。

王君重妻皮氏 年二十九夫故，撫孤守節，年六十四卒。

甄岳岱妻孫氏 年二十九夫故守節，養姑撫子，苦志三十餘年。

孫廷漢妻趙氏 年二十一夫故守節，家奇貧，與孀姑相依，撫遺腹子成立，竟立薄産。縣令旌。

王士秀妻張氏 年二十九夫故守節，撫嗣承祧，苦志三十八年存。

石秉彝妻趙氏 年二十一夫故守節，養親撫孤，歷三十餘年存。

常鎧妻牛氏 年二十七夫故，撫孤守節，年六十二存。

方彬妻劉氏 彬他出，工人某窺劉獨居，欲污之。氏堅拒得免，乃閉户自縊。乾隆六年旌，工人絞死。

趙門雙節 趙士貞妻李氏，年二十九夫故，遺腹生子名興嗣，撫之以守。既長娶婦，而子又亡。婦楊氏痛欲殉節，李泣勸之乃止。姑媳相依，撫孤成立，人稱「一門雙節」。

廩生曹采妻常氏年二十九夫亡，守節，事親撫孤，年六十九卒。　王春榮妻戴氏年十九夫卒，遺一子，守節五十餘年。

屈躍龍妻曾氏年二十二夫卒，撫孤守節，備歷艱辛，壽八十八終。　趙光庭妻王氏年二十六夫故，苦節五十餘年。

田讓妻李氏年二十夫卒，守節六十餘載，教子成立，克振家聲，宗黨賢之。　劉士琪妻甄氏年二十六夫卒守節，養親撫孤，歷三十年。　韓侖妻田氏年二十五夫故，撫孤守節，歷四十年。　常有廉妻許氏年廿一夫卒守節，事親盡禮，教嗣子以義方，年六十一存。　王君梅妻趙氏夫亡守節，撫孤成立，年七十五存。　田萬興妻常氏年十八夫卒守節，撫嗣子承祧，常紡績以給，年八十三存。　武緯先妻李氏年二十四夫亡無子，撫嗣子，又亡，零丁孤苦，節操彌堅，歷三十餘年。《舊志》事實全同下陳薛氏，誤。據《縣志》正。　陳增魯妻薛氏年二十七夫亡守節，養親撫孤，苦志三十二年。　胡尚珍妻李氏年二十六夫故，撫養嗣子，恩如己出，年八十二卒。　劉閣瑞妻劉氏年十七適閣瑞，未一歲閣瑞卒，遂自縊死。邑令旌其門，額曰「幽貞成烈」。　王朝禎妻古氏年二十九夫故，事親教子，皆盡其道，歷節三十餘年。　王藩妻鄭氏年二十一夫故，撫孤守節，椎髻操作，苦志六十年卒。

韓學義妻高氏年二十四夫卒，守遺腹子，苦節四十餘年。　監生王思敬妻韓氏年二十六夫故，撫孤守節，年六十一存。　庠生于可仕妻韓氏年二十一夫卒守節，年七十二存。　張乾妻陳氏年二十而寡，奉舅，撫遺腹子，苦節歷五十餘年。　劉玠妻王氏年二十一夫故，苦志撫孤，歷節五十餘年。　王大位妻屈氏年二十七夫故守節，養姑教子，苦志三十年。**冀琈妻樊氏**系出賢裔，年二十五夫亡無子，事舅姑以孝聞，苦節五十年卒。**馬源妻孟氏**年二十八夫亡，時翁老而瞽，飲食不能自進，氏奉侍左右，每飯爲操匕箸，凡二十餘載無倦色。撫二子恩威兼施，俾克成立，歷節五十餘年。《縣志》失載。**監生王士節妻劉氏**年二十九夫故，守節二十四年。**王連妻韓氏**年二十四夫卒無子，守節，年六十一存。「連」本从「玉」，今避寫。**胡景穎妻田氏**年二十四夫卒，撫孤守節，年六十二存。**閆士梁妻李氏**年二十七夫故，事親撫孤，克盡孝慈，守節三十餘年。**庠生韓慧之妻金氏**年二十三夫卒，苦志守節，教子成立，壽七十餘歲卒。縣令旌。**韓經一妻張氏**即韓金氏曾孫婦也。經一早卒，張苦志自守。**趙有采妻胡氏**姑病，藥餌不效，割股以進，姑食之，病旋愈。**陳廷璧妻張氏**年二十八夫卒，其姑雙瞽，張守節養姑，撫子成立，年六十七存。**劉鉻妻崔氏**年二十三夫故，苦志守節，歷年七十有四卒。**閆培中妻張氏**年二十二夫卒，守節四十二年。**張炳繼妻劉氏**夫亡，苦志撫孤三十餘年。旌。**馬德邵妻楊氏**年十九夫亡，守節三十三年。**田溥妻于氏**年二十五夫故，撫孤守節。閲數月子殤，遂自縊。**甘延妻冀氏**年十九適甘，甫一歲夫歿，殯葬畢，入室自縊，面如生。縣令馬爲請旌。**庠生高林妻葛氏**年十九適高，二十六夫亡，苦志守節，奉親撫孤，壽至八十四卒。

右一百五十六人。據《舊志》《通志》《兖州府續志》《縣志》校訂録入。

《州志》有，《縣志》無者二人：程正善妻孫氏、馬源妻孟氏。《縣志》有，《州志》無者二人：甘延妻冀氏、高林妻葛氏。曹志臯妻郭氏，舊重出，今删。王俊妻李氏、武緯先妻李氏，事實誤，今正。趙諫新脱「新」字，韓慧之脱「之」字，武汝誠、史衍祚、常佩教、劉際平、馬福洪、趙興嗣并逸其名，今補其事迹。年分有可考見者，亦稍增益焉。

梁澤沛妻趙氏 年二十一夫故，苦志守節三十年。 陳世純妻馮氏 年十九夫故，苦志守節三十二年。 王大猷妻呂氏 年二十一夫亡于外，傭身以養孤子。又死，撫育孤侄爲子，恩如己出，苦志三十七年。 謝廷柏妻劉氏 苦志守節四十年。

右四人。據《縣志》續增。原有史衍祚妻孟氏重出，今刪。

武生李遇露妻張氏 貢生張宜清女。年二十五夫故，守節四十餘年。子連城、干城，文、武庠生。嘉慶二十三年學政辛給「志遂操完」額。

吴臻妻屈氏 屈大瑞女。年十九適吴，二十四夫故，撫孤守節六十二年。道光三年學政何給「寒松晚翠」額。 孫文茂妻韓氏 韓策勳女。年十七適孫，二十一夫故，守節三十四年。道光六年學政吴給「清冰白壁」額。

右三人。據《幽光録》。

楊華妻田氏 浲波邨監生田淑尼女。年十九適楊，乾隆二十五年夫故，田年二十三。以翁遠宦未歸，姑老子幼，不敢死。奉親撫孤，孝慈兼盡。乾隆五十七年旌，嘉慶二十年卒。乾嘉間士大夫爲作序、詩者幾百人，彙一編刊行。 許貞女 西單邨林耀魁所聘妻也，滕縣石家口許德明女。以乾隆五十七年生，年十六未嫁，耀魁卒，誓在母家守貞。嘉慶二十一年聞姑殁，即奔喪至。林見姑尸方暴露，大慟，解衣付質庫，買棺以殮，泣送歸塋。守節三十餘年，年五十存。 馬門二烈

舉人馬星房妻孔氏，曲阜五品執事官孔繼述女。年十六適星房，好詩書，明大義。嘉慶十八年星房赴省試，舅邦玉官單縣教諭，孔隨任。教匪起，定陶人心惶懼，邦玉與守禦。孔侍姑

左右，不暫離聞。星房獲舉，喜爲泣下。二十一年星房殁，三日孔自縊以殉，時年二十七，同日斂，面如生。無子，以夫弟星箕子延潢爲嗣。鄰有孀婦安守節五年矣，聞孔殉，一夕亦自縊。二十三年旌，星房坐主黄尚書鉞爲之傳。道光五年邦玉卒，卜葬有日，側室李氏亦殉。李能讀《孝經》《論語》，其絶命處即孔烈婦故室也。

宋有祝繼妻劉氏 嘉慶五年旌。 廪生王雲官妻劉氏 嘉慶七年旌。 謝昇泰妻楊氏 嘉慶十二年旌。 監生張繼翰妻夏氏 嘉慶二十年旌。

右八人。新采。

劉克順妻沈氏，沈家莊沈珍卿女。年十七適劉，乾隆十四年夫故，沈年二十，奉親撫孤，守節六十二年卒。 沈承順妻李氏 李懷安女。年十九適沈，乾隆二十一年夫故，李年二十五，事親教子，守節四十八年卒。 宗克任妻陳氏 常家店陳瑚女。年十八適宗，乾隆三十八年夫故，陳年十九，奉親教子，守節六十八年存。 王橋年妻甄氏 林家莊甄勵方女。年二十一適王，乾隆四十六年夫故，甄年二十六，辛勤教子，守節五十九年。 張大志妻辛氏 馬家莊辛裕女。年十八適張，乾隆五十四年夫故，辛年二十八，教子成立，守節三十三年卒。 曹宗孟妻王氏 王家莊王臣女。年十九適曹，乾隆五十四年夫故，王年二十一，撫遺腹子成立，守節五十年卒。 仇永和妻徐氏 孟字莊徐好興女。年二十二適仇，乾隆五十六年夫故，徐年二十五，孝親訓子，守節五十年存。 王本初妻言氏 言家莊言丕先女。年十七適王，乾隆五十七年夫故，言年二十七，教子讀書，守節歷二十八年卒。 薛萬春妻熊氏 吴家莊熊玉書之女。年十九適薛，乾隆五十八年夫故，熊年二十七。奉親教子，勤苦備至，守節四十八年存。**李恒烜妻袁氏** 袁家莊袁虞範女。年十八適李，乾隆五十九年夫故，袁年二十五，養親訓子，守節二十八年卒。

杜化臨妻王氏 棗林村王子起女。年十七適杜，乾隆五十九年夫亡，王年十八，孝事翁姑，守節四十七年存。

隨礪妻趙氏 趙家莊趙復遠女。年十八適隨，乾隆六十年夫故，趙年二十一，奉親教子，守節四十六年存。

隨氏二節 羅家屯隨克政女。一年十七適王靜涵，乾隆六十年夫故，隨年二十二，孝慈勤儉，守節四十六年存。一年十八適李榮宗，嘉慶十六年夫故，隨年二十一，奉親教子，守節三十年存。

韓守禮妻蔣氏 蔣家莊蔣培泰女。年十八適韓，乾隆六十年夫故，蔣年二十九，孝慈兼盡，守節四十六年存。

杜朝翼妻田氏 南陽鎮田玉華女。年十八適杜，乾隆六十年夫故，田年二十，善事翁姑，守節四十六年存。

陳化鵬妻張氏 文香集張永安女。年二十適陳，嘉慶二年夫故，張年二十四，教子讀書，守節四十四年存。

楊皖妻袁氏 袁家莊袁德恒女。年十七適楊，嘉慶二年夫故，袁年十九，詩書教子，守節四十四年存。

孫常安妻仲氏 馬莊仲文顯女。年十九適孫，嘉慶二年夫故，仲年二十七，事親教子，守節四十四年存。

賈甫田妻閆氏 閆家莊閆翰女。年十九適賈，嘉慶三年夫故，閆年二十二。孝親撫嗣，艱苦致疾，守節二十四年卒。

劉均妻王氏 王家莊王思桓女。年十七適劉，嘉慶三年夫故，王年二十，養親教子，守節四十三年存。

隨永懷妻王氏 王家莊王富女。年十七適隨，嘉慶三年夫故，王年十八，孝親訓子，守節四十三年存。

孫國賢妻邵氏 郁郎村邵福坦女。年十八適孫，嘉慶三年夫故，邵年二十九，孝親訓子，守節四十三年存。

安士宏妻劉氏 崔家屯劉士宗女。年十九適安，嘉慶五年夫故，劉年二十六，奉親課子，守節四十一年存。

馬銓妻任氏 任家莊任克明女。年十八適馬，嘉慶五年夫故，任年二十七。孝事孀姑，辛勤教子，守節歷四十一猶存。任鳳圖妻蔣氏蔣家莊蔣永泰女。年十七適任，嘉慶七年夫故，蔣年二十四，勤儉敦睦，守節三十九年存。任鴻軒妻李氏李家莊李訓女。年十九適任，嘉慶八年夫故，李年二十五，孝親訓子，守節三十八年存。林樂賢妻李氏橋口莊李澄源女。年十九適林，嘉慶八年夫故，李年二十七，孝親訓子，守節三十八年存。李作聖妻張氏張家莊張茂林女。年十八適李，嘉慶八年夫故，張年二十九，貧苦教子，守節三十八年存。王士成妻劉氏矯家窪莊劉化南女。年二十適王，嘉慶十年夫故，劉年二十五，教子成名，守節三十二年卒。李深妻鑒氏鑒家窪鑒崇德女。年十九適李，嘉慶十年夫故，鑒年二十五，事親教子，守節三十六年存。段九如妻劉氏蕭家莊劉言女。年十九適段，嘉慶十年夫故，劉年二十九，奉親盡孝，守節三十六年存。張湛妻閆氏土樓莊閆建中女。年十八適張，嘉慶十二年夫故，閆年二十二，孝親慈幼，守節三十四年存。尹際泰妻劉氏郭家莊劉中矩女。年十九適尹，嘉慶十二年夫故，劉年二十六，養老慈幼，守節三十四年存。李作幹妻孫氏孫家莊孫錫順女。年十九適李，嘉慶十二年夫故，孫年二十二，事親教子，守節三十四年存。張懋全妻段氏灣里莊段錦女。年十七適張，嘉慶十二年夫故，段年十九，孝親撫嗣，守節三十四年存。鑒勷妻馮氏馮家樓馮丕儉女。年十六適鑒，嘉慶十二年夫故，馮年二十七，撫嗣子成立，守節三十四年存。李榮翰妻鑒氏鑒窪鑒耐寒女。年十六適李，嘉慶十二年夫故，鑒年二十七，奉親教子，守節三十四年存。史雯妻喬氏鄒縣薄亮村喬協化女。年十六適史，嘉慶十二年夫故，喬年十七。姑老家貧，孝能竭力，守節三十四年存。范有彩妻薛氏魏家堂莊薛明高女。年十九適范，嘉慶十三年夫故，薛年二十七，教子成立，守節三十年卒。隨皋妻任氏任家寺莊任鵬嗣女。年十九適隨，嘉慶十三年夫故，任年二十二，教子成立，守節三十三年存。

馬維謙妻史氏　兩城莊史茂檀女。年十七適馬，嘉慶十三年夫故，史年二十九。養老撫孤，勤苦備至，守節三十三年。

任占溥妻朱氏　朱家莊朱端女。年十七適任，嘉慶十四年夫故，朱年二十七，奉親教子，守節三十二年存。

武泰峰妻張氏　大棠樹莊張龍錫女。年二十二適武，嘉慶十四年夫故，張年二十三。撫嗣子，恩逾所生，守節三十二年存。

楊坦妻蔣氏　蔣家莊蔣時女。年二十適楊嘉，慶十四年夫故，蔣年二十七，孝親訓子，守節三十二年存。

張丕言妻李氏　杜家屯李廷幹女。年十六適張，嘉慶十四年夫故，李年二十四，養親訓子，守節三十二年存。

宋世杰妻閆氏　閆家莊閆安邦女。年十七適宋，嘉慶十四年夫故，閆年二十六，養親教子，守節三十二年。

張貴爵妻任氏　任家寺莊任鵬仞女。年十六適張，嘉慶十五年夫故，任年二十五。事姑盡孝，訓子成名，守節三十一年存。

隨霞妻李氏　胡家樓李啓三女。年十八適隨，嘉慶十五年夫故，李年二十二，養親教子，守節三十一年存。

朱燧妻馬氏　南陽鎮馬光第女。年十七適朱，嘉慶十五年夫故，馬年二十，養親教子，守節三十一年存。

徐覲光妻戴氏　白家莊戴若桓女。年十七適徐，嘉慶十六年夫故，戴年二十七，事親教子，守節三十年存。

朱世獻妻任氏　任家莊任安都女。年十八適朱，嘉慶十六年夫故，任年二十四，勤儉養親，守節三十餘年存。

任守環妻李氏　胡家樓莊李有升女。年十八適任，嘉慶十六年夫故，李年二十四，奉親教子，守節三十年存。

任秉渠妻姜氏　妻家莊姜占邦女。年二十適任，嘉慶十六年夫故，姜年二十四，奉親教子，守節三十年存。

宋廣田妻繆氏　谷亭鎮繆增仁女。年十七適宋，嘉慶十六年夫故，繆年二十七，事姑撫嗣，守節三十年存。

朱世朗妻楊氏　楊思義女。年十七適朱，嘉慶十六年夫故，楊年二十二，奉親教子，守節三十年存。**張懋妻宋氏** 王家花園宋金蘭女。年十七適張，嘉慶十六年夫故，宋年二十二，奉親教子，守節三十年存。**韓效**

周妻馬氏 焦村馬明也女。年十九適韓，嘉慶十六年夫故，馬年二十四，奉親教子，守節三十年存。**張華堂妻王氏** 王家莊王化章女。年十七適張，嘉慶十六年夫故，王年二十七，事姑訓子，守節三十餘年存。**楊殿元妻張氏** 張家莊張永法女。年十七適楊，嘉慶十六年夫故，張年二十一，事親訓子，守節三十年存。**劉化方妻宋氏** 魯莊集宋中興女。年十九適劉，嘉慶十八年夫故，宋年二十九。家赤貧，姑盲子幼，又值歲饑，百苦保全，守節二十五年卒。**繆諤妻齊氏** 齊家莊齊綿基女。年二十一適繆，道光元年夫故，齊年二十九，奉親教子，守節十三年卒。

右六十二人。道光二十一年稟請旌表，總建一坊。

以上新、舊都二百九十四人。

三縣都一千四百七十二人。

按，「列女傳」一字之差，繆以千里，讎校尤宜詳慎。而鄉曲傳聞，間有未確，稍有疑似者，兩存之，恐苦節之湮没也。兹據采訪草册與原傳未符者并録之，俟諮考。王淑恒妻袁氏、王席悦妻苗氏、李承基妻時氏、蘇公有妻王氏、方信公妻田氏、韓培義妻楊氏、劉門五節一烈外，又有史氏，以上皆州人。又金鄉尋琯妻方氏、魚臺朱張氏，馬星翼撰傳。其未旌者，續請總坊，是所望於主持風教者。

濟寧直隸州志卷九之一

藝文志一

志有「藝文」，實仿班《史》。或采輯詩文當之，非通例。濟屬自漢以來述作如林矣，今不紀，久且益湮緬先儒之載籍。考古所以論今，搜耆宿之遺編，徵文即以存獻。經史子集所見，無庸再事鈔胥；風雲月露之詞，未免無關典要。删煩就簡，并續舊而增新；崇實黜浮，仍披文以相質。各《志》每相雜成文，兹分爲四門：曰「書目」「碑目」，曰「文」，曰「詩」。而「詩」「文」又各爲上、下卷，上卷則鄉先生之著述，表彰前哲，裨益後學者居多。下卷則大半官斯土者及各郡邑諸名人之作，以時相次，要皆有關於地方興廢利弊者也，志例也。

書目

各書記載不同，及序、跋、凡例可徵者，并加疏證。

漢

何休 任城樊。 春秋公羊解詁

《隋書·經籍志》「十一卷」，《新唐書·藝文志》「十三卷」，《舊唐書·經籍志》題「《經》《傳》十三卷」，陸德明《經典釋文·序録》《宋史·藝文志》、晁公武《郡齋讀書志》、陳振孫《直齋書録解題》，晁志載田况《石經》，并「十二卷」。今所傳宋余仁仲刻本題「《經》《傳》十二卷」，《崇文總目》題「《經》《傳》二十二卷」。案，《漢書·藝文志》「《公羊經》十一卷，《傳》十一卷」，唐《開成石經》初刻作「十二卷」，後并閔公於莊公卷，磨改作「十一卷」。古《經》《傳》別行，何注原本當是《經》十一卷、《傳》十一卷，後人散《傳》附《經》，通爲十一卷；或分莊、閔爲二，又爲十二卷；或并《經》爲二卷，與《傳》十一卷合，又爲十三卷；或

《經》十一卷，與《傳》十一卷合，又爲二十二卷。總之，皆非其舊。嚴氏可均《唐石經校文》謂「散《傳》附《經》即出何休手」，非也。徐彦疏「三十卷」，見《宋志》，今本止二十八卷，《四庫全書提要》疑其本有《經》二卷，後人散入《傳》中，故少二卷，當如是矣。

春秋左氏膏肓十卷、穀梁廢疾三卷、公羊墨守十四卷 《隋志》并題「何休撰」，志別有《穀梁廢疾》三卷，題「何休撰，鄭玄釋、張靖箋」。然則前三書者何原書也，《唐志》所載乃鄭本。而《墨守》一種，《舊唐志》「二本」、《新唐志》「一卷」，與《隋志》「十四卷」不符，蓋亡佚已多。夫志有「《膏肓》十卷」，《崇文目》、晁《録》作「九卷」，闕第七卷也。陳《録》雖有十卷，而闕宣、定、哀，又少於晁本矣。舊有無名氏哀輯鄭氏三書，又經近人補綴《箴膏肓》三十一條，內存《膏肓》三十六條；《起廢疾》四十一條，內存《廢疾》三十三條；《發墨守》五條，內存《墨守》一條。劉氏申受爲《申何義》。

春秋漢議十三卷 本傳云「以《春秋》駁漢事六百餘條」，即此是也。志又有《鄭玄駁何氏漢議》二卷、《駁何氏漢議序》一卷、服虔《漢議駁》二卷、糜信《理何氏漢議》二卷。《舊唐志》：《何氏春秋漢議》「十一卷，何休撰，服、鄭駁，糜信注」。《新唐志》：《春秋漢議》「十卷，糜信注，鄭玄駁」。又服虔《駁何氏春秋漢議》「十一卷」。案，《隋志》是原書，《唐志》則服、鄭、糜諸家本，《崇文目》不載，蓋已佚矣。

春秋議十卷 《隋志》題「何休撰」，而厠徐邈《春秋穀梁義》《合春秋穀梁義》二書之間〔二〕，恐有誤。

春秋公羊謚例一卷 《隋志》《唐志》不著，蓋已佚。而徐彦疏時引文《謚例》以發明「五始」「三科」「九旨」「七等」「六輔」「二類」之義，當即其書，是作疏時猶存也。嚴氏可均、丁氏溶、姚氏文田疑徐彦爲北齊人，良有見。

春秋公羊傳條例一卷 《隋志》云「梁有，亡」，《唐志》有「《公羊條傳》一卷」，《隋志》無之，當即一書。

長義 徐彦疏云：「何氏本者作《墨守》以距敵、《長義》以強義，爲《廢疾》以難穀梁，造《膏肓》以短左氏。」浦氏鏜云：「何氏本下『者』字，疑著之誤，當在『敵』字下。」案，何氏《長義》不見著録，然鄭象、賈逵俱作《左氏長義》，則何氏作《公羊長義》以敵之，極合情事，疏當不誣。

論語注孝經注　案，二書不見著録，本傳有之，《山東通志》皆云「一卷」，不知何據。　風角、七分　并見本傳。

〔一〕「合」，《隋志》作「答」。

魏

孫該　任城。　魏書　《三國志注》，《隋志》不録。　集二卷、録一卷　《隋志》云「梁有，亡」，《唐志》無録。

晋

吕忱　任城。　字林。　《魏書·江式傳》「六卷」，《隋志》《新唐志》《封演聞見記》《册府元龜》、陳《録》、鄭樵《通志》、王應麟《玉海》并「七卷」；蜀林罕《小説序》《宋志》、李燾《説文五音韵譜序》、馬端臨《通考》并「五卷」；張參《五經文字序》、張懷瓘《書斷》、洪邁《容齋隨筆》并「五篇」；《舊唐志》「十卷」，又《三朝國史志》「一卷」，董氏《藏書志》「三卷」，并見陳《録》。封演云：「《字林》亦五百四十部，凡一萬二千八百二十四字。諸部皆依《説文》，《説文》所無者皆忱所益。」張懷瓘云：「《字林》則《説文》之流，小篆之工亦叔重之亞也。」李壽云：「《字林》于叔重部叙初無移徙，顧爲他説揉亂，且傳寫訛脱，學者鮮通，今往往附見《説文》，蓋莫知自誰氏始。」據此則《字林》體例全同《説文》，故《隋書》潘徽《韵纂序》云：「《三蒼》《急就》之流，微存章句；《説文》《字林》之屬，唯别形體。」然《江式傳》云：「尋其況趣，附托許慎《説文》，而章偶句，隱别古籀奇惑之字，文得正隸，不差篆意也。」是《字林》固有《章句》，且是隸書。其云「附托《説文》」者，特字義耳。江去吕近，當由目驗，而封氏所記部數、字數歷歷分明，亦非訛傳，其故何也？蓋《字林》原以補《説文》之闕，而體例自殊。江云「六卷」，其原書也。後人兼習《説文》《字林》，苦其兩讀，輒取《字林》散附《説文》，變隸爲篆，遂與《説文》一體。觀李燾語，可見其七卷者并《説文》十四篇，每兩篇爲一卷也。傳習日久，失其本來。隋唐以來所著録，皆是物也，脱非江式一表，幾莫由考見矣。《舊唐志》「十卷」乃「七卷」之誤，至於「五卷」「五篇」「三卷」「一卷」，紛紜同异，則陳振孫所云「揉雜錯亂，非完書也」。宋、元際其書遂亡，乾隆間任氏大椿輯群書，所引爲「《字林考逸》八卷」，得一百八十五部、一千五百零五字，搜羅極富，體例一依封、李所説。《序録》中雖列《江式傳》語，猶未悟原書之迥异唐本也。

呂静 忱弟。 **韵集** 《江式傳》「五卷」，《唐志》《隋志》「六卷」，晁、陳以下不著録，蓋其亡先於《字林》。書之體例見《江式傳》，任氏大椿輯《小學鈎沈》，得《韵集》六十五條。

北魏

徐遵明 華陰人，僑寓任城。 **春秋章義三十卷** 本傳。

唐

李白 廣漢人，僑寓任城。 **草堂集十卷** 李陽冰纂，見宋樂史序。《新唐志》云「二十卷，李陽冰録」，誤。 **李翰林集二卷** 魏顥序。 **文集二十卷** 《舊唐書》本傳。 **李翰林集二十卷、别集十卷** 樂史别收《歌詩》十卷，與《草堂集》合爲二十卷。又纂雜著爲《别集》十卷。 **李白集三十卷** 宋敏求廣，曾鞏編次，《宋志》所録當即此本。陳振孫家藏一本，前二十卷爲詩、後十卷爲雜著者，樂本也。又蜀刻二本，首卷碑序，餘二十三卷歌詩，而雜著止六卷者，宋、曾本也。康熙中，繆曰芑重刻宋蘇守晏公本，編次與蜀刻同。宋楊齊賢、元蕭士贇注本，拔古賦八篇爲第一卷，次以歌詩，共二十五卷。明郭雲鵬又附以雜文五卷，爲三十卷。乾隆中，王琦注本又錯綜蕭、郭、繆三本爲二十九卷，益以拾遺一卷，仍爲三十卷，又附録六卷。案：《舊唐書》杜甫詩，元稹、杜甫墓志皆以白爲山東人，魏顥序稱其娶婦生子於魯，蓋居任頗久，故詳載其集。若暫游兹土者，不悉録焉。

宋

李昭玘 樂静集三十卷 陳《録》、焦竑《國史》《經籍志》《四庫·别集》，凡《詩》四卷，《徐州十事》一卷，《記》一卷，《傳》《序》一卷，《雜文》二卷，《書》二卷，《表》三卷，《啓狀》七卷，疏一卷，《青詞疏文》一卷，《僧疏》一卷，《進卷》二卷，《試館職策》一卷，《碑志》《行狀》三卷，共三十卷，與陳、焦所録本合。《宋志》作「《李昭玘集》三十卷」，無樂静之名。陳云：「昭玘所居有樂静堂，故以名集，其侄邴漢老爲書其後。」《提要》云「前後無序、跋，不知何人所編」，則失去漢老一跋矣。昭玘《宋史》有傳，云「濟南人」，陳《録》則以爲「鉅野人」。其侄邴，《宋史》云「濟州任城人」，陳《録》亦以爲「鉅野人」，蓋宋時濟州治鉅野，而任城爲屬邑，故任城人或云濟州，或云鉅野。《宋史》「濟南」乃「濟州」之誤耳。《提要》亦云「昭玘爲鉅野人，疑《宋史》『濟南』爲『濟陰』之誤」，而不言任城人，未參考《李邴傳》也。志舊無《昭玘傳》，或謂叔侄不妨异縣，然直齋亦鉅野人，則非异縣矣。兹録其集於「藝文志」，以俟有識者之考訂焉。

李邴昭玘侄。 **玉堂制草十卷**《通志》。 **草堂集一百卷**《宋史》本傳。 **草堂後**

集二十六卷《宋志》。陳《録》作「《雲龕草堂後集》二十六卷」，云：「周益公作《神道碑》，言前、後集一百卷，今惟後集，蓋皆南渡後所作也。朱文公爲之序。」據此則《宋史》百卷合前、後集言之也。

元

羅曾魯橋鎮人。 石鼓賦、古劍賦「人物」。

魏鐸 在野集「文苑」。

曹元用汶上人，僑寓任城。 通制奉旨纂集甲令爲之。《嘉祥縣志》誤作「通志」。 譯貞觀政要譯唐吴兢書爲國語。

代祀記代帝祀曲阜孔子廟作。 超然集四十卷《元史》本傳。

明

王通 蘭谷集「文苑」。

宋塘 濩澤稿 宛丘稿 歸田稿「文苑」，宋弼明《山左詩鈔》。

王清濟寧衛人，《明詩綜》云「合肥人」。 建橐集「忠節」，宋鈔。

周麟 太原志 詩詞遺稿「文苑」。

趙弼　通鑑總論三卷《通志》。《文苑傳》作「通鑑論斷」，無卷數，當即一書。　雪航膚見十卷《四庫·史評存目》。《明志·史鈔類》誤作「睿見」。按，《萬曆志》「弼，字良臣，號竹雪」，廖《志》云「字雪航」，《明山左詩鈔》同，《四庫提要》云「字輔之，號雪航」，而以爲南平人。考《明·地理志》，南平在福建延平府，疑有誤。《提要》謂：「其書成於正統、景泰間，雜論史事，上自羲農，下及有宋，論多迂闊，亦頗偏駁，陶輔《桑榆漫志》嘗駁之。」然則，此書亦《通鑑論斷》之類也。　事物紀原删定三十卷《明志·雜家類》。　效顰集三卷《四庫·小説家存目》，《提要》云：「皆紀報應之事，意寓勸懲。」　竹雪集「文苑」，宋鈔。

劉溥　學庸通貫　驅妖僧書　詩稿「文苑」。《明志》有劉溥《草窗集》，乃長洲人，「景泰十才子」之一。

鄭文炳　雲山集「世家」。

周品　濟寧衛志「文苑」。

朱嘉楨　字義博考「隱逸」。

呼相如詩宋鈔。

崔雲鶴　禮記補注　交河漕渠志　性理解　松岡詩文集「人物」。

楊賢詩文集「人物」。

陳學詩 衡門吟二卷 清豐紀行詩二卷「文苑」。

靳學顏 閑存集 兩城集 園志《兩城集》有《園志》前、後序。 荒稿并見于若瀛《兩城先生全集序》。《通志》云：「《兩城》《閑存集》一百卷。」蓋未定本。 兩城集二十卷《四庫·别集存目》。詩十三卷，文七卷，據于序學顏著述甚富，《閑存》《兩城》《荒稿》《園志》先已梓行，僅十之二三，後其子需、雷、雯手鈔成帙，得二十卷，即此本也，兩經付梓而版毁於火。又有吴以誠評注本，未梓。《舊志·人物傳》有《鄧尉山志》一卷，云「見《蘇州府志》」。按，《兩城集》有《鄧尉山志序》，其志乃吴沈潤卿撰、學顏序而刻之耳。 三樓詩《兩城集》有序，學顏作，諸子和。

靳學曾學顏弟。 詩文集「人物」。

周文耀 郁堂心得語 理學正宗 嘉餘堂文集《萬曆志》，「人物」。

鄭真文炳子。 誠齋詩集 望雲堂文集「世家」。按，《明藝文志·小學類》有《鄭真學範》六卷，《别集類》有《鄭真榮陽外史集》一百卷，云「洪武、建文時人」，遠在誠齋前。考《明史·文苑·趙撝謙傳》有「鄭真，鄞人，明《春秋》，撝謙師也」。志所録二書，恐是此人作，謹附記俟考。

張德潤 琴譜靳學顏《兩城集》有《琴譜序》。 九還操 依山樵唱詞「方術」。

王鈞 鳳池集「人物」。

楊士基楊何易粹 詩文集「孝義」。

李曉民 鄆城籍。 快獨集十八卷 《四庫·别集存目》。詩六卷，文十二卷。「快獨」者，所居樓名也。

李瓚 曉民子。 秋葉詩 「人物」附《堯民傳》。

鄭耕 荆軻入秦論 「世家」。

于若瀛 弗告堂集二十六卷 詩十九卷，序、題辭三卷，記、碑一卷，墓志銘、行狀、墓碑一卷，策、表、議、啓、疏、跋、銘、贊一卷，祭文一卷。據本書。 超閣草二十卷 「人物」。 文鎮巘陶集 「隱逸」。

楊洵 述言 適堂稿 適園草 《人物傳》云「十餘卷」。

陳伯友 通鑒删正 治亂幾鑒 將相偉略 盡心編一卷、證語二卷、海鷗居日識二卷 《四庫·雜家存目》，《提要》云：「取孟子『盡心』之意，前列總圖、分圖，後各爲之論證語，引宋儒之言以成其説，《日識》上卷多論世事；下卷或爲駢句，或如偈語，或如詩話。」 覽快覽恨 海鷗居集 「人物」。

朱紘 淇園集 子元鼎所輯。「人物」。

黄子粹 曲阜拔貢。 養蒙圖説二卷 「雜綴」引《知非瑣言》以爲黄子淳作，其孫屺雲，侍御，於康熙庚戌年題序。屺雲名敬璣，道寧子也，而《人物傳》以爲子粹作，原委極明，或兄弟同作耶。 養蒙翼 女訓 「人物」。

王梓集《萬曆志》云：「識者謂其詩賦有青蓮之遺。」別有集。

戴敏學 聞見紀録 家政序 訓蒙要規「人物」。

黄中理 倔强編 偶覺録 陋室放言 杜律集注 譙翛餘韵「儒林」。

徐標 金石韵府 忠孝廉節集四十卷《明志·傳記類》。 河患備考二卷、河防律令二卷《明志·地理類》。按，「人物」「忠節傳」有《河防備考》，無卷數，當即此二書。 兵機纂要四卷《明志·兵書類》。 小築邇言 小築近集「忠節」。

劉爲霖 遠攬集「隱逸」。

姜遇武 孝經注「儒林」。

楊士聰 洵子。 玉堂薈記四卷《明志·雜史類》。《四庫·小説家存目》止一卷，乃其首卷也。《提要》云：「士聰前明崇禎辛未進士，官翰林院檢討，入國朝官至諭德。」謹案，士聰實以崇禎癸未補左諭德，甲申之變，仰藥不死，弃家南奔。越五年，戊子卒於常州，詳吴偉業所爲墓志。館臣載筆偶誤，於士聰大節攸關，不可不辨。 濟上遺聞二卷 甲午核真略隨筆一卷 删纂

宋六子書　海記一卷　静遠堂集二十卷　戊寅雜咏四卷「人物」。

戴流　小憩餘言　僅齋率筆「文苑」。僅齋集二十卷　僅齋遺稿二卷　徐增《元氣集選四十七首序》略曰：「濟上戴紫瀾先生，山左特立之士也。其所生之地，與李于鱗先生近，爲詩絶無一字落白雪樓之派，惟以性情爲主，任所欲發，天真爛然，讀者感動，真末流一柱也。先生蓋生于定陵之時，高才博學，著述等身。爲人崛强，慎交與，平生與李逸群給諫、楊朝徹太史二公稱莫逆。先生雖無位，天性忠孝。寅卯之際，閹焰灼天，流毒士類，天下人無不禁口縮舌。而先生撫時有憂之作，直言無隱，痛憤勃然，君子式之。親殁，執喪哀毁，往往呼翁，褰帷蓋無一念而離乎其親者，詩安得不千古哉？給諫任襄陵時，囑倖屬楊太史刻其集二十卷於都門，值改革，致散失。先生諸子苦心搜索，百不得十，輯《遺稿》二卷，司理李公蠖菴屬余選入《元氣集》。司理即給諫之仲子也。」「宋鈔「流」誤作「銃」」。

于驥逸　若瀛子。詩文集　子瑄哀輯。

种鳳詔　大易集解「孝義」。

潘好儉　大易卦變　讀史録　性學闢异　質言編　音律考

韵律正訛　甲乙詩集「孝義」。

劉麟　虛庵詩集「隱逸」。《明志》有《劉麟文集》十二卷，未審即此人否。

郭一標　太易日抄「隱逸」。

楊定國　帶血吟百首「忠節」。

楊僎　忠義録二卷《忠節·楊佩傳》。

狄從夏臨清衛人。　詩宋鈔。

王用樂　詩宋鈔。

孫善　硯説三卷

鄭與僑　遺事記　丹照集　確菴稿　客途偶記　僉戚説　名園記　日月争光集　秦邊紀要　蒙難偶記　白全德端硯譜

古鏡譜

國朝

潘浚　南游草　海上吟

王道新詩　盧見曾《國朝山左詩鈔》。

陳宸銘　伯友子。　崇樸齋稿二卷　「人物」。

楊通睿、通俊、通久、通俶、通佺　皆士聰子。　鴒原集　「文苑」盧鈔云：「《五楊全集》未見。」然則五楊各有集也。

楊通睿　鴒社近業　盧鈔。

楊通俊　烟霞紀游　靳老庵漫草　「文苑」，盧鈔。

竹西詞　陳其年序。

楊通久詩　盧鈔。

楊通俶詩　盧鈔。

楊通佺詩　盧鈔。

鄭序　與僑子。　暇懶堂偶存四卷　五古二十二首、七古十七首、五律三十二首、七律二十三首，又《田居漫興》七律三十首，每體爲一卷，似尚未全本也。據本書。

許樹勛武生。瞬眼夢記「仙釋」。

無瑕禪師 戒定慧説「仙釋」。

孫慎一善子。周易解

王天眷 夢吟集一卷 續集一卷《四庫·別集存目》，「天眷」誤作「天春」。《提要》云：「天眷致仕後惟以吟咏自娱，故此集皆暢所欲言，頗多率句。」《人物傳》云「《夢吟集》二卷」，蓋合《續集》言之。

邱時中滋陽籍。四書講義三十六卷「人物」。

王德新 且逸堂集「孝義」。

袁州佐 孝經注解 奉天志餘 植香齋集 詞集「人物」。

黄敬璣詩張鵬展《國朝山左詩續鈔》。

黄維祺 易詩隨記語録「人物」。批點性命圭旨「雜綴」。

邵士梅詩一卷「人物」，盧鈔。

臧子彦 史外傳逸四卷「文苑」。

李芳易講義　玉山初紀　玉山草　碌碌吟「人物」。

劉淇　周易通説　禹貢説　助字辨略五卷　堂邑縣志二十卷

衛園集四卷「文苑」。

劉汶淇弟。太極圖説二卷　陳言一卷　女訓一卷　同愛堂詩

二卷　雜文一卷「儒林」。

陳心淇　燼中存「雜綴」。

潘兆遴　知非瑣言　分省金石記　正訛雜記「人物」。

孫芳易論「儒林」。

李澄詩張鈔。

張爲經　全閩學政爲經視學福建所作，壽春梁文科序，稱其「實心實政，絶非文告條約虛語」。　漚水學吟　粵

行草一卷康熙辛卯爲經典試粵東所作，副考任邱金璞爲之序。　粵東題詠　公餘偶興　校

士草「人物」。

孫式丹 芳子。 游記 詞譜 韵書 樂存堂詩文稿

王大綬 竿頭集「人物」。

仲承述 陪尾山人詩集 盧鈔。《仲里志》作「陪尾詩集」。

高鑒 鄒縣志

聶本立 桐亭詩草 張鈔。

戴文謨 尊聞録「人物」。

胡餘禄詩 張鈔。

李士凱 易經疏義 四書格言 詩文稿

李廷樞詩 張鈔。

侯位 讀易隨記一卷「文苑」。

戴仁行詩 張鈔。

潘如詩 盧鈔。

程啓選　四書講意　三友夢目序。　醉墨窗三友夢記一卷　三友者，木友、石友、杖友也。托之於夢，演爲詩詞，蓋皆寓言。邱應琢跋，稱「啓選少善屬文，既長尤長於詩。年將耄，益自刻苦，故詩最多」。據本書。

李懋縉　四書講義「文苑」。

陳符　松岩草　張鈔。

仲永檀　樂園詩草偶存　張鈔。

林之蒨　偶存草堂集　盧鈔。《人物傳》作「存草堂集」。

王繩祖　鳧繹集　瑰琅集「人物」。

王純祖　繩祖弟。　學古編古今詩十四卷《人物·繩祖傳》。

潘呈詢　篆學輯要三卷《篆書偏旁字源》一卷，許氏《説文》五百四十部也。《篆訣歌》一卷，《篆文例辨》一卷，有「反服辨」「顛倒辨」「對代辨」「交通辨」「同文辨」「异文辨」「增文辨」「省文辨」「訛誤辨」「俗惑辨」「仿佛辨」「原真辨」，凡十二類。手稿有改訂處，當係自作。據本書。

潘呈雅　如子。　秣陵道人詩草　張鈔，「文苑」。　秣陵小詞「文苑」。

張淑渠　上黨詩草一卷　張鈔。

喬大凱 周易觀瀾《四庫·易類存目》，無卷數，《提要》云：「每象爻之下皆先列本義、程傳，次列諸儒舊説，而以己意折衷之。」 頤庵心言一卷《四庫·雜家存目》。 霽心齋詩草張鈔。 松山集二卷詩 梅月集二卷詩餘，「人物」。

高濂詩一卷「孝義」。

孫擴圖 世説韵語一卷 古文一卷「人物」。 東萊游草 東山吟草 于京集 釣雪集一卷 秋柳集一卷 田園雜詩人物，張鈔。

一松齋隨筆一卷 陳廣年玉鑰齋集二卷

李禎詩張鈔。

潘汴琅 檜樹賦「文苑」。 慕天廬詩集張鈔。

魏麐徵高淳人。 杜詩詳注 濂洛風雅選 西湖和蘇詩 石屋詩鈔「僑寓」。

吴謚 周易述朱六卷 家訓四卷

李言　思補集「僑寓」。

吴紘州學生，其先青陽人。　遺詩一卷「僑寓」，盧鈔。

梅慤長洲人。　見堯唐集　歲寒偶和集　銷夏集「僑寓」。

鄭元慶歸安人。　禮記集説　湖州府志　行水金鑒　七省漕程記

小谷口薈蕞　顔魯公石柱記注「僑寓」。

趙于京歷城籍，舉人。　甸柳莊集「僑寓」。

趙于蕃原籍歷城。　槐窗集張鈔

趙鷹清原籍歷城。　詩張鈔

劉柏　哀慕詩　塞外吟「人物」。

仲蘊錦　宸翰樓詩集《舊志·文苑》。　藿齋詩集《仲里志》。　三遷志十二卷與孟子六十五代孫衍泰、滕縣王特選同撰。《四庫·傳記存目》。

王元樞　書門山人詩二卷「人物」，盧鈔。　戊辰春夏草一卷「人物」。

李文絅順天舉人。西藏行程記一卷「僑寓」。

王天慶晉江人。帶山堂文集　春江詩集十卷　白蝴蝶詩一卷

登岱紀　恩詩一卷「僑寓」。

邱仰文滋陽籍。碩松堂讀易記　讀易舉義別記未成。　春秋集義未成。

楚辭韵解　省齋自存草「人物」。　碩松堂拾零詩稿張鈔。

趙嵩英詩張鈔。

秦燦詩張鈔。

釋澄瀚詩盧鈔，《池北偶談》。

戴二雅　易象内外篇　圖書篇　明數篇　太音圖　志學録

陶集解高如岱書後云：「戴子志氣超邁，於詩文初無所規摹，獨於先生之詩有深契焉。爰爲之評釋，以發其藴。余樂而玩之，弗能自已，謹書數語，以志同好。」

詩文雜記「儒林」，張鈔。　誠齋文集二卷高如岱序，稱其「論學諸書，詳陳切究，具見苦心。至間文雜記，往往陟巘探幽，不由蹊徑，蓋性之所樂，有不容强焉耳。讀而味之，真猶古鐘磬不諧里耳，而翛然塵外者也」。　誠齋詩集

陳翌亭詩 張鈔。

高如岱 洸西草堂集十四卷 詩八卷，文二卷，學習録四卷，此全集，已付梓。 學習録四卷 凡五百五十四條，張永禄序，稱「其學以知止爲重，以立本爲先，以反躬力行爲急。至於訂遺經之疑義，論古人之行誼，表先儒之潛德，不滯成説，而有以發前哲所未及。其目得之實，尤可驗也，蓋知之最深」云。著在全集内。 學習續録二卷 上卷多論經，論義者尤多，下卷多論諸子，并及二氏。《易》則非先天，《書》則考古文，諸子則黜陸、王而尊紫陽。所著甚博，所守甚正，誠爲有本之學。自跋云：「庚申歲兩兒逝去，無心整理，間有省發，蓄之於心。十餘年來所蓄既多，懼無所定其是非，乃手自録之，與張子錫祉相參。冀得明確，則荼苦餘生可以無恨。」是其虚懷若谷，亦無講學家勇於自信習氣。 知遠集 慊齋文録二卷 自序云：「余文自愧綿弱，以視古之作者不敢望其門户。所斤斤自持者，惟是言情必稱，而不敢越；紀事必實，而不敢誣；談理必審，而不敢襲云爾。」在全集内。 河干集三卷 門人鄭淑樸編輯，癸未至甲辰二十六年作。 南溪集一卷 鄭淑樸編，乙巳、丙午、丁未三年作。 鷦巢吟一卷 鄭淑樸編，戊申至甲寅。 雲水集三卷 前一卷鄭淑樸編，乙卯至己未；後二卷門人孫焌編，庚申以後作。四詩集俱在全集内。 易知集

宋嘉德 周易演義 見孫芝《周禮凝粹序》。又張學謙有《續周易凝粹》，序曰：「會廷夫子撰《周易凝粹》未竟而歿，前闕《乾》《坤》二卦，後闕《歸妹》十一卦，同學諸子咸以繼述屬余，余遜弗敢當，然竊有志也。道光戊戌冬乃涵泳《易》旨，謹續而補之。歷冬及春而畢，距夫子易簀之日蓋四十四年焉。」案，《演義凝

讀書存　粹》疑即一書，書未成名，亦未定耳。學謙尚有《尚書紹聞録》《詩經紹聞録》若干卷，皆發明師説，自成一家言。凡作者現存，例不入録，故附識於此。

見　周禮凝粹六卷　門人孫芝刊行。

孫玉庭　鹽法隅説

夏永清　閒中録益一卷　松鶴書屋録益一卷　日知録一卷

松鶴書屋隨筆一卷　記益一卷

鄭延順　讀左偶筆　田園存稿

喬發　蓑笠吟　卧游集

李澍盛　釋遺稿

李瑩　詩集説　縉雲山人詩集

王籍　四書課兒口授編

李大紹　衛生集

鄭勉　遺稿一卷

李書明　字學考略十卷王朝梧《四庫全書辨通通俗文字》一卷，宋王雰《字書誤讀》一卷，釋適之《金壺字攷》一卷，明吕坤《交泰韵》二卷，彭元瑞《詩韵异同辨》五卷。　李氏家譜存略一卷　白蘇陸三家詩選三卷

雨窗存稿二卷

陳貽發　企公堂偶存集一卷　蓼蘭齋吟稿六卷海康丁宗洛序，稱「其文節短韵長，詩亦語質而味醇，讀之直如空山流水，花發無心；朱弦疏越，餘韵鏗然」。

許鴻磐　尚書札記　吴逆始末一卷　方輿考證一百二十卷「總部」六卷，以下分省。　河源述一卷　金川考略一卷　泗州考古録一卷

參伍類存十六卷鴻磐原有《夜窗隨筆》《潁尾别集》《條記録》三書，汰而存其五，以成此本。　考古夷庚十二卷　影月譚　潁尾集　炳燭雜識　六觀樓詩文集　六觀樓古文選前集　六觀樓古文後集　六觀樓古文選外集序曰：「余曩選古文以爲《六觀樓》讀本，斷自漢始，自漢迄唐爲《前集》，自宋迄明爲《後集》，業有成書矣。因思莊、騷、《戰國策》皆文之最奇者，向雖俱有鈔本，尚乏决擇，欲拔其尤爲《外集》，而猶以爲未備也。復益以《管子》《孫子》《列子》《荀子》《韓非子》《吕子》，於是古文之外集以成。又患其瑣碎而無法紀也，必其結構完善、脉絡分明者始登於編，而零錦

碎玉别貯之《古香集》，而茲選不與焉。又恐其泛濫而無歸宿也，必其不遠乎人情，通達乎事理者始登於編。而荒誕之言與夫邪説之大悖乎吾道者，并汰焉。更取《九辨》以附楚騷，取《史記》《新序》《説苑》以附《國策》，共得百篇，至此而後盡文章之變，亦至此而後盡文章之奇。如游者然，或入深山大澤，睹其氣勢之閎，間孕毓之富厚，則使人志意瑰琦。或誤入武陵源，桃花流水，别有天地，則使人有怡曠之思。或望海上神山，樓間鳥獸皆作金銀色，而瑶卉琪花，爛然滿目，則飄爾有凌雲之想。或并長江大河，見其波濤洶涌，萬怪惶惑，則使人目眩神駭。或拏扁舟下巫峽，風雨冥晦，聽猿啼三聲，則使人魂銷而氣結。凡此境既不同，所以感人者亦异，要皆至變而至奇者也。若夫一木一石，可以供園亭之賞，而不足以成丘壑；斷港絶潢，祗以資挹注之用，而不足以泛舟航，均無取焉。至於荒怪之區，則荆榛之所蘩，鼪狖之所居，魑魅罔兩之所錯處，又豈游屐之所宜到哉？是編也，足以參文章之變，足以盡文章之奇，不以瑣碎混其法律，不以泛濫流於怪誕，亦若是焉已矣。合前、後集讀之，亦可以盡天下之大觀而無憾也夫。」

古香集　唐宋八家文選　序曰：「余少嗜昌黎文，肄舉業時嘗諷誦不去口。既釋褐，未即得仕，益得肆力於古，取《昌黎集》置案頭，每作文必心摹手追之，輒沾沾自喜，大言於衆曰：『世無昌黎，不當在弟子之列。』人咸嗤其妄。久之，讀書漸多，略窺古人之門户，檢素昔沾沾自喜者閱之，特摹擬剽竊，尚未得毛膚之十一，乃大怍。因取柳州、六一、東坡集讀之，喟然曰：『是皆我師。』始悔向者之妄，而知古人之難能，用是鈔四家爲主，輔集。縮手不敢，復作文遲之，久再執筆試之，歉歉然不足於心。因又取曾、王集讀之，亦皆莫能攀躋，益悔向者之妄，而愈知古人之難能。用是依茅氏例爲《八家文鈔》，尚未敢以爲定本。既而官走南北，遭逢坎坷，所謂未定本者，亦不審誰何携去，每思之悵然。今老矣，遇益蹇，再躓於家，困頓無復聊賴，思重鈔八家文以爲破鬱驅愁之借，而目眊指强，不能作楷字，取沈歸愚選本而抉擇之，更稍補所未録，得百七十篇。嗟乎！憶初讀《昌黎集》，忽忽且五十年，悵日月之已逝，慨白首之無成，又不禁潸然出涕以悲。雖然鑽仰者數十年，不能爲之而能知之，由法度以窮其變化，玩詞意以測其根基，審離合以辨其失得，若歷階級而窺堂奥，知八家文皆足式，而昌黎之道獨尊。因采厚庵在陸義門評語以糾沈氏之失，而間附以管窺蠡測之見。書成供之几上，焚香酹酒，視之心目之間似有坐於上、位於旁相視而笑者，於是乎書。」

唐文鈔　序曰：「宋子京謂唐文無慮三變，至昌黎爲極盛。余每韙其言，唐初四家文沿江左餘習，抽黄配白，絺句繪章，質磽味湆，如用一律，義無所取。開元以來文歸典雅，如燕公之頌、許公之贊、楊鳳翔之碑、吕東平之序，蔚然有復古之機。洎昌黎奮興元和之間，含咀『六藝』，轔轢《兩京》，如辰麗天，如岳鎮地。柳河東以雄才起而輔之，經環同適，服驂相得，唐之文遂敻焉絶後。嗣是，磨鉛舐毫之士競思自澤於古，有若杜樊川之峭拔、陸魯望之雋煉、孫可之之刻琢，皆辟夷走險，鏤腎鎪肝，不屑拾人牙慧一字，子京固未之論及。譬諸武事，昌黎將中權，燕、許等其前茅，此則後勁。韓、柳業有專鈔，此選則采諸唐文粹而或益之，自魏文貞、郭忠武、陸宣公等疏、狀外，期以鏟刮膚腐戛磨性靈爲宗。雖文無難易，惟其是，恐徒攻其易，且日流於軟熟不可振起，故吾寧取其難也。昌黎云『陳言務去』，戛戛其難，固入門第一關限。孫可之云『道人之所不道，到人之所不到』，是在不畏其難者爾。」

五代兩宋文鈔　序曰：「文自昌黎起衰後日漸陵夷，迄於五季，文敝質窮，玄黄失色。歐陽子起而振之，眉山蘇氏、南豐曾氏、臨川王氏相與羽翼之，宋之文章於是爲盛。然上視韓柳，固不逮矣。蓋宋文已近時趨，去古益遠，語言盡歸於平易，體製半裂於策論，間出一少欲刻煉之，宋子京而人或非之矣。至南宋屏斥藻繢，人騖理學，黜英華於性命，變詞章爲語録，間出一不受羈縶之，陳同甫而群且怪之矣。然其燉者則質任自然，語多心得，絶去摹擬剽竊之弊，此其可尚也。歐、蘇、曾、王已鈔，合韓、柳爲八家。兹鈔多采自《宋文鑑》，而益以南宋諸作，雖體貌不同，要皆關乎性情、經術、忠孝、節義之大，固非風雲月露，作色選聲，取悦人耳目者所可同日而語也。五代文本無可録，然世家英辟、文伯人杰不可遺也，故録三篇以弁諸宋文之前，亦可以識風會之轉關云。」

詞曲七種。

戴鑒 潑墨軒詩稿一卷 冷淘軒詩稿 潑墨軒詞稿一卷

李壯 蠖庵集

張學謙 詩書紹聞録 周易凝粹

陳鈞 四書講習録

李光時 思補齋稿

金鄉 嘉祥 魚臺

周

曾子 南武城。 十八篇 《漢書·藝文志·儒家》《隋志》「二卷，《目》一卷」。《唐志》、宋忠《崇文總目》、晁《志》并「二卷」。晁云：「凡十篇，視漢亡八篇，視隋亡《目》二篇，其書已見《大戴禮》。」宋范凌序略曰：「書述孝弟仁義。陰陽之説，與齊、魯《論》《家語》《禮記》等書相出入。班志有十八篇，今其存者十篇而已，不知餘八篇爲何等語，而脱亡於何時。《隋書》録二卷，與今本同，意其亡於魏晉之間也。」《書録解題》「十卷」，亦十篇，楊簡注，蓋每篇爲一卷也。又有宋汪晫輯本一卷，凡十二篇，今《四庫》著録即其本，頗譏其割裂武斷，以其猶存先賢佚文緒論，故過而存之。

漢

仲長統 山陽高平。 昌言十二卷録一卷 《隋志·雜家》《唐志》「十卷」，《宋志》「二卷」，《崇文總目》二「《昌言》三十四篇，十餘萬言」。今所存十五篇，分爲二卷，餘皆亡。謹案，《後漢書》本傳載《理亂》《損益》《法誡》三篇，唐魏徵《群書治要》卷四十五、馬總《意林》卷五并引之，馬所據猶十卷本也。

山陽先賢傳一卷 《新唐志·雜傳記》《舊唐志》有《兖州山陽先賢傳》二卷，署申長敖撰，疑即此書。而「仲」訛「申」，「統」訛「敖」。

張匡 山陽人。 韓詩章句 《後漢書·趙煜傳》。

劉表 山陽高平。 周易章句五卷 《隋志》、陸《序録》作「章句」，《唐志》作「注」，陸引《中經簿録》云「注《易》十卷」，《七録》云「九卷，《録》一卷」。唐李鼎祚《周易集解》《謙》《頤》并引劉表説，陸氏《釋文》於劉向、劉昞、劉瓛外引劉云「劉作某者十許條」，疑亦表書也。 荆州星占二卷 《隋志》《唐志》《宋志》作「荆州占」，無「星」字。按，《宋志》别有不知作者《荆州占》三卷，《隋志》有宋通直郎劉嚴《荆州占》二十卷，而無劉表此書。《唐志》别有劉叡《荆州星占》二十卷，數書似有舛誤，書皆不存，無從考正。 星經一卷、又星經三卷、上象占要略一卷、天文占三卷、天象占一卷、乾象秘占一卷、占北斗一卷 《宋志·天文類》。 海中占十卷 《宋志·五行類》。按，《星經》以下八種，隋、唐《志》皆無之。

王粲 山陽高平。 尚書釋問四卷 《隋志》云「梁有，亡」，《舊唐志》云「鄭玄注，王粲問田瓊」，《新唐志》云「王粲問田瓊，韓益正」。 漢末英雄記八卷 《隋志·雜史》云「殘缺，梁有，十卷」，《唐志》作「《漢書英雄記》十卷」，「書」字蓋誤。《舊唐志》又題「王粲等撰」，「等」字似衍文。今《四庫存目》有一卷，乃後人依托。 **去伐論集三卷** 《隋志·儒家》云「梁有，亡」，《唐志》「伐」作「代」，誤。 **集十一卷** 《隋志》《唐志》「十卷」，《宋志》、晁《志》「八卷」。晁云：「粲著《詩賦論議》垂六十篇，今集有八十一首。」按，《唐志》十卷今亡兩卷，其詩文反多於史所紀二十餘篇，蓋疑有增羼也。

魏

王弼 山陽高平。 **周易注六卷、略例一卷** 陳《録》《隋志》「《周易》十卷，魏王弼注；《六十四卦》六卷，韓康伯注；《繫辭》以下三卷，弼又撰《略例》一卷」。《唐志》「王弼《注》七卷」，別著「王弼、韓康伯《注》十卷」。《宋志》題「《周易上下經》六卷」，下誤脱「王弼注」三字，別著《略例》一卷。陸《序録》引《七志》云「《注易》十卷」。案，各家著録云「七卷」者，兼《略例》也；云「十卷」者，兼韓《注》《繫辭》也。焦氏循《周易補疏叙》曰：「東漢末以《易》學名家者稱荀、劉、馬、鄭，劉謂景升表。表之學受於王暢，暢爲粲之祖父，與表皆山陽高平人。粲族兄凱爲劉表女婿，凱生業，業生二子，長宏，次弼。粲二子既誅，使業爲粲嗣。然則，王弼者劉表之外曾孫，而王粲之嗣孫即暢之嗣玄孫也。弼之學蓋淵源於劉，而實根本於暢。宏字正宗，亦撰《易義》。王氏兄弟皆以《易》名，其所受者遠矣。」 **周易大演論一卷** 《舊唐志》。《新唐志》作「《大衍論》三卷」。按，新、舊志皆別有「大衍論三卷」，乃唐玄宗撰，恐《舊志》所題是也。 **易辨一卷** 《宋志》。 **周易窮微一卷** 《山東通志》云：「按，《館閣書目》有王弼《易辨》二卷，其論《象》論《象》，亦類《略例》意。」即此書也。又言「此書已亡，至晉永和間得之，王羲之承詔録藏秘府，世莫得而見」云。 **論語釋疑三卷** 《隋志》、陸《序録》、《唐志》「二卷」。 **老子道**

德經注二卷 《隋志》、陸《序録》《宋志》、陳《録》。《崇文總目》作「一卷」。按，陳《録》云：「世所行《老子》分《道德經》爲上、下卷，此本《道德經》且無章目，當是古本。」據此，陳所收弼《注》是一卷，與《崇文目》合。陳《録》仍題「二卷」，蓋傳寫之誤。

玄言新記道德二卷 《舊唐志》。《新唐志》作「新記元言道德」。按，此即《道德經注》而异其名耳。

老子指例略二卷 《新唐志》。《舊唐志》不載作者姓名，《宋志》「一卷」，云「不知作者」。陸《序録》云「弼又作《老子指略》一卷」，當即此書。

老子略論一卷 晁《志》「凡十有八章」，一本作二卷，本傳作《道略論》」。

道德略歸一卷 《宋志》。按，指《例略》《略論》《略歸》三種，恐即一書。

集五卷録一卷 《隋志》云「梁有，亡」，《唐志》無録。

晉

王宏 弼兄。

易義 卷未聞，陸《序録》張璠《集解》二十二家之一。

欒肇 高平。

周易象論三卷 《隋志》。《舊唐志》作「易論一卷」，陸《序録》引張璠序亦作「易論」，《新唐志》作「通易象論一卷」。

論語釋疑十卷　論語駁序二卷 《隋志》《唐志》作「釋十卷駁二卷」，張守節《史記正義》引作「論疑釋十卷」及「語駁虛二卷」，陸《序録》止有「釋疑十卷」。按，《隋志》「駁序」當依張引作「駁虛」，張引「疑釋」當從《隋志》作「釋疑」。又司馬貞《史記索隱》引作「論語義」，蓋約言之，非其書名。

集五卷録一卷 《隋志》云「梁有，亡」，《新唐志》無録，《舊唐志》有「欒肇集二卷」，蓋即「欒肇集五卷」之誤。按，欒肇字永初，《隋志》《史記正義索隱》題「晋尚書郎」。皇侃《論語疏》引江熙所集十三家題「晋廣陵太守」，皆云「高平人」。陸《序録》引張璠《易集解序》題「晋太保掾，尚書郎」，而云「太山人」，恐誤。

虞溥 高平昌邑。 注春秋經傳 《晋書》本傳。隋、唐志不著録卷，亡。 江表傳五卷 《唐志·雜史》。《新唐志·雜傳記》別有三卷，重出且誤耳。《隋志》不著録，《舊唐志》作「虞甫撰」，誤。 集二卷、録一卷 《隋志》「梁有，亡」，《唐志》無録，《舊唐志》《虞傳》《新唐志》作「虞浦」，皆誤。

虞槃佐 高平。 孝經注一卷 《隋志》《唐志》。陸《序録》作「虞槃佑」，云「東晋高平人」。按，《唐志·雜傳类》別有虞盤佐《孝子傳》一卷，則作「佐」是也。槃、盤一字。

郗鑒 高平金鄉。 集十卷、録一卷 《隋志》《唐志》無録。 郗太尉爲尚書故實三卷 《隋志》《唐志》。不知何人所編，以其記鑒事附係於此。《唐志》作「郗太尉爲尚書令故事」。

郗愔 鑒子。 集四卷 《隋志》云「殘缺，梁五卷」，《唐志》有《郭愔集》五卷。按，晋無郭愔，疑即「郗」誤。

郗超 愔子。 集九卷 《隋志》云「梁十卷」，《唐志》「十五卷」。

王沈 高平。 釋時論 本傳。按，隋、唐志有《王沈集》五卷，《隋志》次《齊王攸集》下，蓋晋陽王處道之集也。志先有《魏書》四十八卷，題「司空王沈撰」，故不復書官。

五代宋

檀道鸞 高平金鄉。 **續晋陽秋二十卷** 《南史·檀超傳》《隋志》《新唐志》作「晋春秋」。按，孫盛有《晋陽秋》，道鸞蓋續其書，《隋志》是也。

唐

郗純 金鄉。 **集六十卷** 《唐志》。

宋

張肅 金鄉。 **觸鱗集** 無卷數，馬端臨《經籍考·别集》引晁无咎序云：「公之曾孫大方出公遺稿曰：『《觸鱗集》蓋公爲太宗御史時所上疏議，多至數十章，皆切當世之務。』」《通考》「鱗」作「麟」，誤。《舊志·人物》以爲出晁氏《讀書志》，亦誤。

滿中行 金鄉。 **昌邑集二十卷** 晁《志》。按，以上二人《舊志》《縣志》以爲金鄉人，考馬、晁原書無明文，姑仍之。

晁補之 鉅野人，卜居金鄉。 **太極傳五卷、因説一卷、太極外傳一卷** 《宋志》。按，晁《志》、陳《録》、《太極傳》并作「六卷三種」，皆晁説之書。公武自記其家著，定不誤，《宋志》誤耳。 **左氏春秋傳雜論一卷** 《宋志》。其文載《鷄肋集》卷四十、卷四十一，又見《濟北文粹》卷二、卷三，《宋志》「一卷」，蓋單行本也。 **廣象戲圖一卷** 《文獻通考·子部》《通志·諸子類》有「樗蒲廣象戲格一卷，晁補之撰」，當即一書。**无咎題跋一卷** 今存，明東吳毛晋訂。**重編楚辭十六卷** 晁《志》、陳《録》。**續楚辭二十卷、變離騷二十卷** 《宋志》、晁《志》、陳《録》。**鷄肋集七十卷** 晁《志》、陳《録》。今《四庫》本前有元祐九年補之自序，後有其弟謙之跋，凡古賦騷詞四十有三，古律詩六百三十有二，表、啓、雜文六百九十有三，蓋補之手葺於前，兼之裒合於後，故其中有元祐以後作。《宋志》「鷄肋集一百卷」，又別出《晁補之集》七十卷，百卷疑未定之本，七十卷當即謙之所定矣。**緡城集八卷** 《通志·別集》。**濟北文粹二十一卷** 《晁氏宗譜》云：「今存《雜著》一卷，《春秋左氏傳雜論》二卷，《西漢雜論》三卷，《唐書雜論》一卷，《舊唐書雜論》四卷，《五代雜論》一卷，《策問》三卷，《書》《記》《序》《雜説》共六卷，明歸安韓敬、新安胡潛、武林陸運昌、洪吉臣、陳紹英、談以訓等校閲。」**晁无咎詞一卷** 陳《録》。今《四庫》本六卷，乃明毛晋所刊本，題曰「琴趣外篇」，而分爲六卷，與陳《録》不合。按，補之居金鄉，明見《鷄肋集》，《嘉祥縣志》亦有《補之傳》，并有《王禹偁傳》。徒以嘉祥割自鉅野，牽扯及之，非有確據，故備録補之書，而禹偁所著不敢濫登。

元

馬紹 金鄉。**詩文** 盧文弨《補遼金元藝文志·別集》《元史》本傳云「數百篇」。

明

周允中南莊詩 宋弼《明山左詩鈔》。

周濟川允中子。　淶濵詩鈔宋鈔。

周濟用濟川弟。　南齋謾稿　西齋樂府　燕臺集以上三種并見《縣志》，宋鈔。　邢州稿　白石稿　金陵雜咏　鄖中稿以上五種見《縣志》。

李燧文稿《縣志》。

胡汝桂　讀易雜言　河圖解　當璣録

孫庚　渠陽詩稿《縣志》。

周永春　政紀纂要四卷《明志·正史》。　禮垣諫草　殿諍録　絲綸録　撫

遼疏稿　扶遼公移　尋邊大略　兵機秘纂《縣志》。

秦士奇以上金鄉。　冷雲居稿宋鈔。

曾承業嘉祥曾子六十二代孫。　曾子全書三卷編輯曾子遺文《主言》一篇，卷一；《修身》《事父母》《制言》上、中、下、《疾病》《天圓》七篇，卷二；《本孝》《立孝》《大孝》三篇，卷三。《四庫·儒家存目》。

韓尚性　詩古文稿《魚臺志·文行傳》云「所著甚富」。

樊圃集《魚臺志·清尚傳》云「著作裒集」。

王四聰　織履草詩集《縣志·事功》。

馬觀光 以上魚臺。　四書守約　閎書《縣志·文行傳》作「古文宏書」。　古今事實紀聞 家傳。

國朝

周鉉 永春子。　集《金鄉縣志》云「多所著述」。

尚天佑　永懷集《縣志》。

楊淮　從戎草《縣志》。

徐克岐　錦心齋文集《縣志》。

高昌仁詩文《縣志》云：「詩五十餘首，古文數篇。」

周氏　孫吳司馬法注疏 不知作者名，《金鄉志·周一德傳》云：「髫齡時見其先人所著《孫吳司馬法注疏》，欣然曰：『此萬人敵也。』遂弃帖括，肄技勇。」

周一德　火龍陣總論「人物」。　雪山老人詩 張鵬展。國朝《山左詩續鈔》。

周世璽　讀禮纂要《孝義傳》作「書纂要」。　歷代帝王年譜　諸儒姓氏譜《孝義傳》作「先儒姓氏譜」。　杞園詩稿　和陶集　自怡集《縣志》。

薛裔昌　鶴溪治譜　松園紀略　括南輿頌集《縣志》「此非自作」。

郭廷珍　四書隅《儒林傳》作「偶」。　同然集《縣志》又云「有經、書諸稿」。

周天錫詩　張鈔。

蕭梅　樂志堂詩集「孝義」，張鈔。

劉苞麗詩　張鈔。

李翩秋　影山房詩稿　張鈔。　秋影山房詞一卷　山陰李堯棟序稱其「幽深窈眇之思，跌宕纏綿之致，既已得之於天，而又深知篤好，故能登姜、史之堂，入蘇、辛之室」。金溪楊謨序稱其「清裁亮節聞天下，而篤於倫紀，故形之言者多纏綿愷惻之思」。

朱熙詩　張鈔。

李仁樹　馴鶴園詩稿　張鈔。

周沚　住雲庵集　張鈔。

周堅　古香山房詩　張鈔。

尋紹舞　濂亭稿　「人物」。

尋紹益　言行彙纂切要

李安都　治家格言

李汶　東溪遺稿

周廷森　史記集評

李庭禧　塞游日記一卷　嘉慶年庭禧游熱河作，安丘張柏恒序，稱其「簡明典要，能萃《熱河志》《日下舊聞》諸書，而嚴其去取，間復參以近事，附爲詩歌，駸駸乎具文章之大觀，爲記乘之正鵠」。

止軒詩文鈔　以上金鄉。

曾貞豫詩　盧鈔。

曾衍槦　近聖居集　盧鈔。

張丕吉　皇華偶記一卷　「文苑」，張鈔。　文集三十卷詩四卷　《縣志》。

梁肅　十畝園稿　張鈔。

梁心恒詩　張鈔。

馮繩祖　四書講意《縣志》。

曾文進　對山堂草　張鈔。

吴憲尹　澮溪雜字

曾興烈詩　張鈔。以上嘉祥。

朱之玉　魚臺縣志　順治九年修，《縣志·事功》。

屈軼生　理學名言　南華金剛經解　詩文雜集《縣志·耆碩》

馬淑均　四書講義《縣志·文行》。

韓蓋　怡亭詩草《縣志·文行·韓彪傳》。

劉廷紹　春園摘録《縣志·文行》。

謝欽寶春草

馬呈麟　松溪詩集一卷

馬邦玉呈麟子。　漢碑録文四卷　金石寓目紀三卷　古意絶存一卷　懷績堂詩文集詩二卷，文二卷。

馬星房邦玉子。　騶山漫録二卷　詅痴符一卷以上魚臺。

濟寧直隸州志卷九之二

藝文志 二

碑目

志之有金石也，爲援據以補史傳之闕也，疆域、沿革、職官、名氏皆籍以考訂焉。各郡邑志，金石專立一門，或别爲題名，以徵博雅。吉金、樂石皆文章也，二而一者也。《前志》「碑考」附「古迹」，今依《明志》，「碑記」入「藝文」，列「書目」之次。志乘之作，非徒道古也，故《濟州金石志》别爲成書。兹編則仍舊而書其略，合《前志》「補遺」，按時代以次書云。

《前志》云：「漢碑之存於今者可屈指計，而濟州之所存者有五，亦雄矣。其文日就漫漶，山陽張氏所以有《濟州學碑釋文》之作，頗稱精核。」然漢碑之在濟州者正不止此，雖已亡失，志古者不得而遺之。且今普照寺階一石刻車馬形，或疑是畫像殘碑；又寺門壁中有石側刻『至元某年移此』數字，或以爲范式碑，安知亡失者不復出也？故廣采趙氏、洪氏、婁氏諸書，以補張氏釋之所未備，而唐宋元明之碑不計存否亦并附焉。

漢

謁者景君墓表 元初元年。

惟元初元年五月丁卯，故謁者任城景君卒。嗚乎！□□國喪淑臣，朝失貞良。同□□□吏無□□□□瞻，學者靡□□□□□□□紀德□□。生有爵號，殁□其功。□□即辭云：

惟君束修，仁智□興。門□發政，然□□□爾□□□□風。兼體□□，明哲幽通。言信行篤，謙廉允躬。□不□□不嶟人□勇匪石，外和内公。疾遁曲□詭隨□□□□□□

□□□通□□義命粟肅以□理政治，孝親忠君，□嘉命挽□敬應□□□□□□股肱耳目。□□□□彈□到任，茹剛吐柔。五官功曹，骨鯁之臣。□□嚴□□祖之貞史任之直公□浩清。辟州從事，□邦之雄。喧動萬里，州郡位升。察舉孝廉，百國之宗。能文綉□於□心□□□光□帝廷。□□□□□問股肱。龍升鳳翔，進退□便□□公劉姿□□□□□益□昌□□□□逝□□降幸。百遼失氣，京師鄂驚。

皇帝賻□□□大□□□其福□□□□□興□軌□端剖符北海□□所□□□□□□□寇攘□□而有□昌兮□□孔□曰□兮曰□□□□無傷兮异色□艾知命亡兮不□百□□□兮□□□□□□□兮更去□□是其□兮□動後昆芳□將兮□□□□□永昌兮紀此銘。見《隸釋》。

歐陽修曰：「右《景君碑》，尤磨滅，惟『謁者任城景君』數字尚完，其餘班班可見者皆不能成文，故其年世、壽考、功行、卒葬莫可考也。蓋漢隸今尤難得，其磨滅之餘可惜爾！熙寧二年十月晦日山齋書。」《集古録》。

歐陽棐曰：「右隸書，不著書撰人名氏，文字訛缺，其首曰『惟元』，『元』下缺二字，蓋其年號也。又曰『謁者任城景君卒』，其餘雖時有完者，不可考矣。」《集古録目》。趙明誠曰：「右《謁者景君表》，其額題『漢故謁者任城景君卒』，其他文字磨滅，時有可讀處，皆斷續不成文矣。『元初』，安帝時年號也。此在漢時石刻中殘闕爲甚，特以安帝以前碑碣存者無幾，不可弃也，故録之。」《金石録》。洪适曰：「《謁者景君碑》，隸額一行，有穿碑十六行，行二十九字，『皇帝賻』高出三字。」《隸續》。右《故謁者景君墓表》，隸額「景君任城人以安帝元初元年卒」，石磨滅可讀者纔數句，碑陰有諸生服義者十五人，即立碑之人也。東都自路都尉始見墓闕，蓋表阡銘壙之濫觴也。有文而傳於今，則自景君始。其分行布字已井井有法，題首七字，波勢清逸，有八分之體，惟「皇帝賻」三字特出於志文之上。齊葬穆妃，議立石志，王儉以爲非《禮經》所出。元嘉中顔延之輩爲之，遂相祖述爾。梁任昉作《文章緣起》又云「墓碑自晉始」，予考酈氏《水經》所載漢刻已爲不少，後魏與齊、梁時相先後也，豈碑碣多在北方，南人未之見乎？然《郭林宗傳》云：「林宗既葬，同志者立碑，蔡邕爲其文，謂盧植曰：『吾爲碑銘多矣，惟郭有道，無愧色。』」史稱王儉晉宋以來故事、儀典諳憶無遺，每博議引證，先儒無能异者，范書所載豈不知之？今漢人墓刻猶存數十百碑，其云始於晉、宋，非也。碑以「枓枉」爲「糾枉」，「鄂驚」爲「愕驚」。《隸釋》。

景君碑陰

諸生服義者

義士北海劇張敏，字公輔；弟子濟北茌平甯尊，字伯尊；弟子山陽南平陽方京，字孟平；弟子濟北茌平吴良，字威賢；弟子齊國臨淄宋成，字子賓；弟子齊國臨淄劉封，字漢輔；弟子魯國卞吕昌，字永興；弟子樂安高宛牟龍，字文世；弟子清河靈劉翼，字仲禹；弟子清河靈孟訢，字輔公；弟子清河靈孟福，字叔道；弟子魏郡庁公田朗，字季持；弟子魏郡内黄景茂，字元愷；弟子山陽湖陆尹倉，字升進；弟子山陽湖陆董舊，字元夜。見《隸釋》。

趙明誠曰：「右《謁者景君碑陰》，其前題云『諸生服義者』，又云『義士北海椽張敏字公輔弟子濟北茌平甯尊』，凡十五人，皆完好可讀云。」《金石録》。洪适曰：「右《景謁者碑陰》，義士一人，曰『北海張敏』，碑中若有『剖符北海』字，其文斷續難考。餘人皆稱弟子，則傳道受業之人也。墓之有碑，所以紀功述德，昭垂後世者也。一時賓客，因以刻名其陰，托之不朽爾。今景君之碑淪碎不復成章，而碑陰諸人姓名略無刓缺，物之不可預期如此。」《隸釋》。顧藹曰：「《謁者景君碑陰》首行題『諸生服義者』五字，疑是郯令景君。闕題名，趙氏、洪氏皆以爲《謁者碑陰》，碑亡無考，姑闕其疑。」《隸辨》。

郯令景君闕銘 元初五年。

惟元初四年三月丙戌，郯令景君卒，以五年二月□□□□序。君存時恬然無欲，樂道安貧，信而好古，非法不言。治歐陽《尚書傳》。祖父河南尹，父步兵校尉，案門徒上録三千餘人。明明側陋，遠近照聞。□司聘請，流化下邳。未極考績，續母弃之子無隨没俯就。禮畢，故府復請，司空、太常博士并舉高經，君爲元。假涂郯□姦耶。洒心澄激清静，英書衮嘆聿□黄耇，終始無愆。被病喪身，歸于幽冥。祖載之日，游魂象生。元路皆□，朱草□□。達巷方軌，涕泣霣□。諸生服義，百有餘人。乃刻此石，紀□行□見□懷德聞自嘆吟。千秋萬世，□□□□爲□□考積德□□□□堂壇羅□闕□野魂而有靈□無□。

歐陽修曰：「右《景君石郭銘》，余既得前《景君碑》，又得此銘，皆在任城，不知一景君乎？將任城景氏之族多耶？文字磨滅不可考，故附于此。熙寧三年正月朔旦山齋記。」《集古録》。歐陽棐曰：「《景君石椁銘》附其文曰：惟元初四年三月丙戌景君卒，以五年二月葬。又曰：司空、太常博士舉高經，君爲其元。其後遂曰以病喪身。蓋文多訛缺，此其粗可見者也。皆在任城。」《集古録目》。按：《集古録》及《集古録目》皆以《郯令景君闕銘》附《謁者景君碑》後，而名之曰《景君石郭銘》。詳考《隸釋》，固非一碑也，故移于此。《前志》。

趙明誠曰「右《郯令景君闕銘》」云云。按：漢人爲景君刻銘，本欲傳於不朽，而不著其族系名字，何哉？」《金石録》。洪适曰：「右《郯令景君闕銘》。諸生服義者所立，景君歷下邳、郯兩邑，以安帝元初四年卒。墓有雙石闕，其一刻此文，在濟州任城縣南。景君三世傳歐陽《尚書》，高第編牒至三千人，公卿皆以爲明經舉首，亦顓門之耆儒也。碑既不載其名，《儒林傳》唯有廣漢景鸞，乃治《齊詩》《施氏易》者。范氏網羅疏略，蓋不止一郯令也，惜哉！『弃』即『弃』字，『寘』即『冥』字。」《隸釋》。

山陽麟鳳碑 永建元年。

洪适曰：「右山陽麟鳳瑞像，右鳳而左麟，其下各刻一贊，其陰又刻銘，辭皆小篆，兩旁有隸字，其篆云『永建元年秋七月饗。時山陽太守河内孫君見碑不合禮，掾龔造新刻瑞儀、麟鳳』，其銘辭曰：『漢盛德中興，即政二年，辛酉之蔀，首歷六十□，青龍起蟬嫣。三月季春，爰易立石，順禮典文，九九應度數，萬世常存。』」《爾雅注》：「單閼」音「丹遏」，一音「蟬嫣」。永建二年歲在丁卯，故此碑用「蟬嫣」字，米元章《畫史》云：「此圖半篆半隸，麟一角上高，如足翹，如惡馬；鳳高冠尾長，甚可怪也。以詩題之曰：非篆非科璞已雕，形容振振與蕭蕭。曾因忠厚方周德，坐想訏謨覽舜韶。漢德已衰還應孽，魯邦既弱不爲妖。虛齋自是驚人玩，不勝雄狐遂怒鵰。漢碑有麟鳳者不特此一碑，元章時未之見耳。」《隸續》。按：《隸辨》云「碑在濟州。」

北海相景君銘 漢安二年。

惟漢安二年仲秋□□，故北海相任城景府君卒，歍歔哀哉！國□□寶，英彥失疇。列宿虧精，晚學後時。于何穹倉，布命授期。有生有死，天寔爲之。豈夫仁哲，彼𣩵不遺。於是故吏諸生相與論曰：上世羣后，莫不流光□於無窮，乖𢡱耀於書篇。身歿而行明，體亡而名存。或著形像於列圖，或䡾頌於管弦。後來咏其烈，竹帛叙其勳。乃作誄曰：伏惟明府受質，自天孝弟。淵懿帥禮，蹈仁根道。核藝抱淑，守真㫺白。清方剋己，治身寔淥寔剛，乃武乃文。遵考孝謁，假階司農。流㥁元城，興利惠民。强衙改節，微弱蒙恩。威立澤宣，化行如神。帝嘉厥功，授目符命。守郡益州，路遐攣親。躬伯遜讓，夙宵朝廷。建英中讜，拜秩東衍。𤨏追嘉錫，據北海相。部城十九，䢵鄰字。鉏歸向。分明好惡，先目敬讓。殘僞易心，輕黠逾竟。鴟梟不鳴，分子還養。元二鰥寡，蒙祐以甯。蓄道循㥁，□祉以榮。紛紛令儀，明府體之。仁義道術，明府膺之。黃朱邵父，明府三之。台輔之任，明府宜之。吕病被徵，委位致仕。民咸思慕，遠近搔首。農夫醳耒，商人空市，隨轝歆淚。奈何朝廷，奪我慈父？去官未旬，病乃困危。珪璧之質，臨卒不回。歔作欷。賈絶。奄忽不作違。孝子憏悼，顛倒剥摧。遂作不。勉痛，永潛長歸。州里鄉黨，隕涕衷哀。故吏忉怛，歔欷伫佪。四海冠蓋，驚慱傷褢。大命作所。期，寔惟天□。明主設位，明府不就。臣子欲養，明府弗留。歍歔哀哉！

𤔔曰：考積幽穸，□□□兮。□□□□，翔議即兮。再命虎將，綏元二兮。規英櫫謨，主忠信兮。羽衛藩屏，撫萬民兮。□□□□，恩□□兮。宜參鼎轃，□榦楨兮。不永麋壽，奏臣子兮。仁敦海外，著甘棠兮。□石勒銘，□不亡兮。」見《隸釋》。

歐陽修曰：「右《北海相景君銘》。其碑首題云『漢故益州太守北海相景君銘』，其餘文字雖往往可讀，而漫滅多不成文，故君之名氏、邑里、官閥皆不可考。其可見者，云『惟漢安二年北海相任城府君卒』，『城』下一字不可識，當爲景也。漢功臣景丹封櫟陽侯，傳子尚，尚傳子苞，苞傳子臨，以無嗣絶。安帝永初中，鄧太后紹封苞弟遽爲監亭侯以續丹後。自是而後，史不復書，而他景氏亦無顯者。『漢安』，順帝年號也。君卒於順帝時，蓋與遽同時人也。碑銘有云『不永麋壽』，余家集録三代古器銘，有云『眉壽』者，皆爲『麋』，蓋古字簡少通用，至漢猶然也。治平元年四月二十九日書。」《集古録》。歐陽棐曰：「右隸書，不著書撰人名氏。景君任城人，嘗爲北海相，終於益州太守。碑文歷歷可見，而不著君之名字，蓋北海故吏諸生之所立也。漢安二年立，在任城。」《集古録目》。趙明誠曰：「右《北海相景君碑》，在濟州任城縣。景氏在漢世爲任城人，今有三碑尚存，余皆得之，此碑最完。」《金石録》。洪适曰：「《北海相景君碑》，篆二行，碑十七行，行三十三字，穿居其中，在第八字之下，其三行各廢兩字。碑中屢稱明府，獨『伏惟明府』一句，其『明府』字平闕，『𤔔曰』亦平闕。」《隸續》。右《漢故益州太守北海相景君銘》，篆額濟州，任城有景氏三碑，皆不著其名字。景君嘗屬司農，宰元城，刺益部，相北海，以順帝漢安二年卒。其前已有「誄曰」，其後有「𠖥曰」者，亂省其乙也。其文曰「宜忝咢𩊚」，字書無「𩊚」字，當是借作「拂」，取輔拂之義。趙氏有碑陰載故吏，自「都昌台邱暹」而下十九人，皆作「修行」，漢隸「循」「修」二字頗相近，恐是借用爾，予蓋未見也。碑以「倉」爲「蒼」，以「溸」爲「柔」，以「衙」爲「禦」，以「醳」爲「釋」，以「恒」爲「慟」，以「麋」爲「眉」；「質」即「質」字，「孌」即「戀」字，「恖」即「惡」字，「叓」即「奔」字，「褱」即「懷」字，「奔」即「弃」字。《隸釋》。亟齋張弨曰：「景君此銘皆韵語叙事，其云『皛白清方』，『皛』音『皎』，顯也，即皎潔之意。『元二鰥寡』，漢碑重字例作小二，不書『二』字，全文有云作『元二』者，非。『孝子憉惶』，察《説文》無此二字，乃憉惶之借作爲涕泪交流之意。『澎』又正作『滂』，《漢書》有『滂潪流』既可作証佐。『勊』即『克』字，『𣪠』即『繫』字，『悳』即『德』正字。此照行謄寫，凡值圓竅三行各離隔兩字，非文字之缺也。此碑書法亦與他碑小异，漢隸原有數種也。《隸釋》原云未見碑陰，今增出附後。」《濟州學碑釋文》。趙崡曰：「此碑殘缺幾不成文，考《集古録》，蓋自歐陽永叔時已然。而都玄敬乃録其全文，止缺三十字，不知何據。玄敬又云『家藏汉碑不完者皆以隸釋足之。』此是耶。王元美曰：『隸法自古雅，但益州部當言刺史，不當言太守。』額曰『銘辭』，曰『誄』，亦屬未妥，東京作者往往如是。』而碑中眉壽作『麋壽』，歐公以爲古字通用，良是。」《石墨鐫華》。

北海相景君碑陰

故中部督郄都昌羽忠，字定公。按，《釋文》「郄」作「郵」。故門下督盗賊劇騰頌，字叔遠。○故門下議史平昌蔡規，字中舉。按，《釋文》「中」即「仲」。○故門下書佐營陵孫榮，字世榮。○故門下書佐淳于逢訢，字□成。○故騎吏劇晉麟，字敬石。○故吏朱虛孫徵，字武□。按，《釋文》云「武達」。○故吏營陵薛逸，字伯踰。○故吏營陵□鴻，字中□。《釋文》云「慶鴻」，「中」即「仲」。○故吏都昌吕□，字孟□。《釋文》云「吕福，字孟尻」。○故吏都昌張暘，字元。《釋文》云「强暘，字元暘」。○故書佐都昌羽質，字□傚。《釋文》作「孟傚」。○故書佐朱虛鞠欣，字君大。

○故書佐平壽淳于闓，字久宗。○故書佐營陵徐曾，字曾華。○故書佐都昌張肜，字翖甫。《釋文》「翖」作「彤」。○故書佐淳于孫悝，字元卓。○故書佐營陵鍾顥，字□寶。《釋文》云「槐寶」。○行義劇張放，字公輔。《釋文》「放」作「敏」。○故書佐劇乘禹，字陌度。《釋文》「陌」作「伯」。○故書佐東安平閬廣，字廣宗。《釋文》「閬」作「閻」。○故書佐劇已政，字世堅。○故書佐淳于孫晄，晃字。字威光。○故修行都昌台邱遅，字世德。○故脩行都昌董方，方字。字秀芳。《釋文》皆作「芳」。○故脩行營陵留尗，赤字。字漢興。○故脩行都昌冀遷，字漢久。○故脩行營陵是盛，字護宗。○故脩行營陵□遲，字武平。《釋文》云「多遲」。○故脩行營陵臨照，字景燿。《釋文》「燿」作「耀」。○故脩行都昌張駭，字臺卿。○故脩行營陵淳于登，字登成。○故脩行營陵顔理，字中理。「中」即「仲」。○故脩行營陵水邱郃，字君石。《釋文》「郃」作「邰」。○故脩行都昌呂興，字世興。○故脩行都昌逢進，字世安。○故書佐劇徐德，字漢昌。○故書佐𦑗姚進，字元豪。下注云「行三年服者凡八十七人」。○故書佐𦑗邴鍾，字元鍾。○故書佐都昌張翼，字元翼。○故脩行都昌張耽，字季遠。○故脩行劇中□，字季遠。《釋文》云「中香」。○故脩行平壽徐允，字伯允。《釋文》「徐允」作「侯允」。○故脩行淳于趙尚，字尚卿。○故脩行都昌段音，字世節。○故脩行都昌齊晏，字本子。○故午營陵是遷，字世達。○故午營陵留敏，字元成。○故午淳于董純，字元祖。○故午營陵繐良，字世騰。○故午朱虛炅詩，字孟道。○故午都昌台邱遷，字孟堅。《釋文》「遷」作「遅」。○故小史都昌齊水，字文達。《釋文》「史」作「吏」。○故小口都昌張亮，字元亮。《釋文》云「小吏」。○竪建□□。《釋文》云「虎碧」。惟故臣吏慎終追遠，諒闇沈思，守衛墳園，闕仁。綱禮修陵成，字立樹列。既就聖典，有制三載，《釋文》作「義」，闕二字，《釋文》作「五究」。當離墓側，永懷□□。《釋文》作「靡既」。文洪氏缺「依」，《釋文》補。不缺，《釋文》作「可」。三《釋文》作「以」。義闕，《釋文》作「割」。志，乃著遺辭，以明厥義。魂靈瑕顯，降垂嘉祐。見《隸續》。

趙明誠曰：「右《景君碑陰》。按《後漢書・百官字》注，河南尹官屬有循行一百三十人，而《晉書・職官志》州縣吏皆有循行。今此碑陰載故吏都昌台邱遅而下十九人，皆作

『脩行』，他漢及晋碑數有之，亦與此碑陰所書同，豈『循』『脩』字畫相類，遂敔訛謬邪？碑陰又有故午營陵是遷等六人名姓，莫知其何官。又台邱不見於姓氏書，惟見於此者兩人云。」《金石録》。洪适曰：「右《景北海碑陰》三列，故中部督郵、故門下督盗賊、故門下議史各一人，故門下書佐二人，故騎吏一人，故吏四人，故書佐十五人，行義一人，故脩行十九人，故午六人，故小史二人。第三列姓名之下又云『行三年服者凡八十七人』，末以兩行刻四言韵語十八句。修脩二字，隸法只争一畫，書碑者好奇，所以從省借用。趙云故午者莫如其爲何官，按《百官志》載郡縣吏屬自曹掾之下有書佐、有循行、有幹、有小史，此碑故午六人，在循行、小史之間，隸文『幹』字其旁從工、從干，或從一從午，蓋『幹』字省文。《婁壽碑》『朱爵司馬』亦官名也，省『爵』爲『即』，『脩』字皆省作『攸』，亦此之類。嗚呼！三年齊斬，天下之通喪也。西都以日易月，群下化之，短喪廢禮，薛宣謂『三年服少能行之者，兄弟相駁』，睽乖异同。翟方進續母既葬三十六日，除服視事。薛、翟二公當時皆在相位，降及東都，上下一律，安帝始聽大臣二千石刺史行三年喪，不四年復斷。威宗嘗聽刺史二千石行三年喪，不五年亦斷。見之碑碣，司隸魯峻以母喪乞身，從議郎，則解組居廬，僅行於下僚爾。繁陽令楊君、上虞長度尚以叔父憂，西鄂長楊弼以伯母憂，思善侯相楊著以從兄憂，廣平令伸定以姊憂，皆解官而歸，趙圉令有兄之喪則不應司徒府之梓。當其時，二千石已上不行三年之服，而令、長小下闕頁。」《隸釋》。婁機曰：「《景北海碑陰》凡三列，後一列下云『行三年服者凡八十七人』，西漢皆以日易月，故斬杖執禮者必特書之。蓋當時孝子所不能爲，而施之於師資恩地爲可尚也。」《漢隸字源》。顧絳曰：「《北海相景君碑并陰》，八分書，今在濟寧州儒學，漫漶。」《金石文字記》。朱彝尊《漢北海相景君碑并陰跋》：濟寧州儒學孔子廟門列漢碑五，其制各殊，北海相景君碑其一也。地志不載何年立，以予考之，元天歷間幽州梁有字九思，曾奉敕歷河南北，金石刻三萬餘通，上進類其副本爲二百卷，曰《文海英瀾》。于濟得漢刻九于泗水中，葛邏禄乃賢寄以詩云：泗水中流尋漢刻，泰山絶頂得秦碑。閲歐陽、趙氏著録，斯碑本在任城，其移置于學，必天歷間矣。碑辭漫漶，其陰旁右壁，工以不能椎拓辭，予留南池三宿，强令拓之。題名有督郵、督盗賊、議史、書佐、騎吏、吏、行義、修行、午、小史、豎。其云『午』者不載于《續漢書·百官志》，即趙氏亦不知也。《廣韵》詮邱字稱漢複姓，凡四十有四。引何承天《姓苑》，漢有司隸校尉水邱岑，而斯碑有修行水邱，郃，瞽陵人。又有修行都昌台邱暹、故午都昌台邱遷，則在四十四姓之外，亦足資异聞也已。」《吉金貞石志》。

張弨曰：「右《景君碑陰》，其每名書法不盡一例，首或止稱官名，或稱門下某官，或止稱故吏等，想因人而用也。次其地名，次則其姓名與字耳。至若借用及省文字，漢碑亦多如此。故《隸釋》跋語云『趙氏有碑陰載故吏自都昌台邱暹而下十九人，皆作脩行，漢隸循、脩二字頗相近，恐是借用』。又婁機《漢隸字源》二十八韵內『翰』『幹』字下收『午』字，注云『《景北海碑陰》故午六人，在循行、小史之間，隸文幹字其旁從人從干，或從上從午，今作午蓋是幹字省文，與即爲爵、攸爲脩之類同』。又『干』字注云『《司馬整碑陰》諸曹修行二十四人，諸曹干十三人，在書佐、小史之間，蓋是以修爲循，以干爲幹，皆省文也』。又有朁姓名麟者，案《説文》『朁』上從二、旡，與『先』不同；下從日。七感切，音『僣』，俗作『僣』。今俗訛改作『昝』，即此姓也。『尗』當是『尗』；『尻』，與居切，同『即』；尻，『處』正字也。『繻』即『繻』字。名字第三列下有『行三年服者八十七人』二行十字末後有銘二行十八句，句四字，叶韵，共七十二字，參考舊本乃幾經審視而後得者。凡辯别此等漫漶之處，須用精屯密察，然後見之。若少不加意，則去古遠矣。拓工每圖省紙，下方與末尾不肯及，人益易忽，并標出以告後之君子。」《濟州學碑釋文》。顧藹曰：「『尗』即『赤』字，漢尚赤，故名赤，而字漢與。亟齋以爲當是『芥』字，非也。」同上。

牛運震曰：「右《北海相景君銘并陰》，高六尺，闊二尺二寸，後五寸五分，字徑九分，額字徑一寸六分，陰字徑七分，在濟寧州孔子廟戟門東側西向。」《金石圖》。

敦煌長史武斑碑 建和元年。

建和元年，大歲在丁亥二月辛巳朔二十三日癸卯，長史同下闕。
敦煌長史武君諱斑，字宣張。昔殷王武丁克伐鬼方，元功章炳，勳臧王府，官族分析，因以爲氏焉，武氏蓋其後也。商周假藐，歷世壙遠，不隕其美。漢興以來，爵位相踵，□朝忠臣。君幼□顔閔之楙質，長敷游、夏之文學，慈惠寬□，孝友元妙，苞羅術蓺，貫洞聖□。慱兼□□，耽綜典籍。□□□純，求福不回。清聲美行，闡形遠近。州郡貪其高賢，□□請以□□歲舉，□翼紫宫；□□詔除，光顯玉室。有□於國，帝庸嘉之。掌司古□，領校秘鄭，研□幽微，追昔劉向、辯賈之徒，比□萬矣。時戎□□匡正一□□朝廷惟憂□□有司□□舉君斑。到官之日，□癘吏士，哮虎之怒，薄伐□□□□□□□□□并百姓賴之。邦域既甯，久勞于外，當還本朝，以叙左右。以永嘉元年□月□日□遭疾，平□哀□，於是金鄉長河間高陽史恢等追惟昔日同歲郎署，感□爲自古在昔先聖與仁□□興替□□人存生榮死哀，是□萬年伊君遺德□孔之珍故□石銘碑以旌明德焉。其辭曰：於惟武君，允德允恭。受天休命，積祉所鍾。其在孩提，岐嶷發踪。謙□守約，唯誼是從。孝深凱風，志潔羔羊。樂是□□，恬此□光。孳孳臨川，窺見□庿。庠仰箕首，微妙元通。□然清邈，□□□□，□□升□，爲帝股肱。扶助大和，萬民□蒙。顯宗□□，史官書功。昊天上帝，降兹鞠凶。晻忽徂逝，□□□□。不享□耇，大命□□。百遺惟□，后帝感傷。學夫喪陁，士女悽愴。□表金門，令問不忘。垂□後昆，萬載歎誦。尚書丞沛國蕭曹芝、□宣成武令中山安憙曹伸□□豐令下邳良成徐崇□□故陳留府丞魯國魯□□□防東長齊國臨淄□紀伯允書此碑。嚴祺字伯曾。見《隸釋》。歐陽修曰：「右《斑碑》者，蓋其字畫殘滅，不復成文，其氏族、州里、官閥、卒葬皆不可見，其僅見曰『君諱斑』耳。其首書云『建元年大歲在丁亥』而『建』下一字不可識，以《漢書》考之，後漢自光武至獻帝以建名元者七，謂建武、建初、建光、建康、建和、建寧、建安也。以歷推之，歲在丁亥，迺章帝章和元年，後六十一年桓帝即位之明年改本初，二年爲建和元年，歲又在丁亥，則此碑所闕乃建和元年也。碑文闕滅者十八九，惟亡者多而存者少，尤爲可惜也，故録之。治平元年四月二十日書。」《集古録》。歐陽棐曰：「又不著撰人名氏，『嚴祺字伯曾』，隸書。君名斑，字宣下一字缺。敦煌人。碑以建和元年立，其文字磨滅，姓名、鄉里、初得其彷彿，而官爵事迹皆不可復知矣。」《集古録目》。趙明誠曰：「右《敦煌長史武斑碑》，歐陽公《集古録》云：『《漢斑碑》者，蓋其字畫殘滅，不復成文，其氏族、官閥、卒葬皆不可見，其可見者君諱斑爾。』今以余家所藏本考之，文字雖漫滅，然猶歷歷可辨，其額云『漢故敦煌長史武君之碑』，知其姓武，而官爲敦煌長史也。碑云『君諱斑，字宣張。昔殷王武丁克伐鬼方，元功章炳勳藏王府，官族析分，因以爲氏』，知其名字與氏族所出也。又云『永嘉元年卒』，知其卒之年月也。」《金石録》。洪适曰：「右《故敦煌長史武君之碑》，隸額，在濟州任城。武君名斑，字宣張，從事梁之猶子，吴郡府丞開明之元子，執金吾丞榮之兄也。以沖帝永嘉元年卒。碑者後三年同舍即史恢、曹芝六人所立，字小石損。」《隸釋》。婁機曰：「建和元年立，在濟州任城縣東。漢多門生故吏爲立碑，惟武斑、柳敏二碑則同舍爲之。《集古録》作《漢斑碑》，以不知其姓氏也。」《漢隸字源》。

武氏石闕銘 建和元年。

趙明誠曰：「右《武氏石闕銘》云，建和元年太歲在丁亥三月庚戌朔四日癸丑，孝子武始公、弟綏宗、景興、開明使石工孟季、季弟卯造此闕，直錢十五萬；綏宗作師子，直四萬。開明子宣張，仕濟陰，年二十五。曹府君察舉孝廉，除敦煌長史，被病云殁，苗秀不遂。嗚呼哀哉！士女痛傷。武氏有數墓在任城，開明者仕吴爲吴郡府丞；綏宗名梁仕，爲郡從事；宣張名斑，皆自有碑。」《金石録》。按，銘辭乃武氏墓道石闕，非爲一人而立，姑以其年次之於此。《字源》云：「建和元年立，在濟州」。《前志》。

吴郡丞武開明碑

趙明誠曰：「右《吴郡丞武開明碑》云，『君字開明』，而其名已殘闕。又云『永和二年舉孝廉，除郎謁者，漢安二年遷大長秋丞、長樂太僕丞。永嘉元年喪母去官，復拜郎中，除吴郡府丞。壽五十七，建和二年十一月十六日遭疾卒』。其可見者如此，其他磨滅不能盡讀。按：《後漢書志》大長秋丞一人，秩六百石，本在宦者。又長樂少府位在長秋上，及職吏皆宦者。又有大僕二千石，在少府上丞六百石。據志所載中宫及長樂宫官屬，皆以宦者爲之。而以史傳及漢魏石刻參考，如大長秋、少府之類皆雜用士人。今武君以孝廉爲郎謁者、郎中、吴郡府丞，皆非宦者之職。然則兩宫官屬，蓋亦雜用士人也。」《金石録》。《武開明碑》在濟寧州。陸《通志》。

從事武梁碑 元嘉元年。

官壽殘失，威宗建和元年開明爲其兄立闕，刻其成行，攄騁技巧，委蛇有章。垂示後嗣，萬𡊮不亡。其辭曰：「懿德元通，幽旨明兮。隱居靖䨴，休曜章兮。樂道忽榮，垂蘭芳兮。身殁名存。闕四字。」見《隸釋》。趙明誠曰：「《武梁碑》云『故從事武掾諱梁，字綏宗。體德忠孝，岐嶷有异。治《韓詩》，闕幘傳，兼通《河》《雒》、諸子傳記』。又云『州郡請召，辭疾不就，安衡門之陋，樂朝聞之義』。又云『年七十四，元嘉元年季夏三日遭疾隕靈』。其後有銘云：『懿德云通，幽以明兮。隱居靖處，休曜章兮。樂道忽榮，垂蘭芳兮。身没名存，傳無疆兮。』其他刻畫皆可完讀，文多不盡録。碑在濟之任城，余崇寧初嘗得此碑，愛其完好。後十餘年再得此本，則闕其最後四字矣。」《金石録》。洪适曰：「右《從事武君碑》，在濟之任城。武君名梁，以威宗元嘉元年卒，孝子仲章等立此碑。《輿服志》古者有冠無幘，秦後稍稍作顔題。漢文乃崇其中爲屋，未冠童子幘無屋者，亦未成人也。此碑及《武榮碑》皆有闕幘傳講之文，蓋謂其未冠之年已能傳道講學也。武君屢辭辟召，不窺權門。逾七望八，爵秩不躋，故銘文無可鋪叙。而其後云『孝子孝孫，躬修子道。竭家所有，選擇名石，南山之陽。擢取妙好，色無斑黄。前設壇墠，後建祠堂。良匠衛改，雕文刻畫，羅列成行。攄騁技巧，委蛇有章』。若曰松楸、窀穸之事，不應辭費如此。此碑長不半尋，廣纔尺許，既無雕畫技巧，亦非羅列行，其辭决不爲碑設也。詳味之，似是指石室畫像爾。」碑中「貮」即「貳」字，「遭」即「遭」字，「禫」即「壇」

字，「碑」即「墠」字。《隸釋》。

武梁祠堂畫像

伏戲倉精，初造工業。畫卦結繩，以理海内。○祝誦氏無所造爲，未有者欲，刑罰未施。○神農氏用宜教田，辟土種穀，以振萬民。○黄帝多所改作，造兵□、□□裳、立宫宅。○帝顓頊高陽者，黄帝之孫而昌□□子。○帝俈高辛者，黄帝之曾孫也。○帝堯放勛，其仁如天，其知如神，就之如日，望之如雲。○帝舜名重華。○夏禹長於地理，□泉□陰隨□□退爲肉刑。○夏桀 自伏戲下桀是一段。 ○管仲○齊桓○曹子劫桓○魯莊公○□侍郎□專諸炙魚刺殺吴王。吴王○荆軻○樊於其頭○秦武陽 秦王 自管仲至齊王是一段。○闕二人名。 豫讓殺身以報知己。闕一人名。 ○齊王無鹽媿女鍾離春，自豫讓至無鹽是一段。○梁高行○奉金者○使者 闕一人名。 胡妻○秋胡義姑姊○姑姊兒○衛將軍 自梁高行至衛將軍是一段。○闕一人名。 使者○長婦兒○梁節姑姊○捄者○姑姊其室失火，取兄子往，輒得其子，赴火如亡，示其誠也。○闕二人名。 後母子○前母子○齊繼母○京師節女○怨家攻者 自使者至怨家攻者是一段。○藺相如趙臣也，奉璧於秦。秦王○范且 闕二人名。自藺相如至范且是一段。○曾子 □□孝吕通神明，貫感□祇，著乎朱方，後世凱式，□□無綱。○子騫後母弟 子騫父 閔子騫□母居喪□移子騫□寒御□失□○老萊子，楚人也。事親至孝，衣服斑連嬰兒之態，令親有驩。君子嘉之，孝道大焉。 萊子母 萊子父○丁蘭二親終後，立木爲父，鄰人假物，郭乃借與。自曾子至蘭是伏戲下一段。○霧士 縣功曹 是豫讓下一段。○闕一人名。 榆母○渠父 刑渠哺父○永父 董 千乘人也。○章孝母朱明 朱明弟 朱明妻○李氏遺孤○忠孝李善○休屠像 騎都尉 自榆母至騎都尉是梁高行下一段。○闕一人名。 義將羊公 乞漿者○湯父 巍湯□孝□葬□者○孝孫□孝孫□父 自羊公至孝孫父是梁節姑下一段。見《隸釋》。

趙明誠曰：「右《武氏石室畫像》五卷，武氏有數墓在今濟州任城，墓前有石室，四壁刻古聖賢畫像。小家八分書題記姓名，往往爲贊于其上。文詞古雅，字畫遒勁可喜，故盡録之以資博覽。」《金石録》。洪适曰：「右《武梁祠堂畫像》，爲石六，其五則横分爲二。梁高行、藺相如二段又廣於它石所畫者，古帝王、忠臣、義士、孝子、賢婦，各以小字識其旁，又爲之贊文者。其事則《史記》《兩漢史》《列女傳》諸書，合百六十二人。有標題者八十七人，其十一人磨滅不可辨。又有鳥獸、草木、車蓋、器皿、屋宇之屬甚衆。《水經》云『金鄉有司隸校尉魯恭冢，冢前有石祠，自書契以來忠臣、孝子、貞婦、孔子及七十二弟子之形像皆刻之四壁』，今此碑已無闕里聖賢，知其非魯君石祠中物也。又云『鉅野有荆州刺史李剛墓，其石室三間，四壁雕刻爲君臣官屬、龜龍麟鳳之文、飛禽走獸之像』，今此碑不畫四靈，又知其非李剛石壁也。趙德夫雖云『嘗得魯君石室所刻』，而題其所藏碑則云『武氏石室畫像』，其説云『武氏有數墓在濟之任城，墓前有石室，四壁刻古聖賢像』。趙君東人，當知其實而不能辯此畫爲武氏誰人冢。前者金鄉、鉅野皆隸山陽，與任城接境，必是東州阡壟，當是競有此製。予按：任城有從事掾《武梁碑》，以威宗元嘉元年立，其辭云『孝子仲章、季章季立，孝孫子僑躬修子道，竭家所有，選擇名石南山之陽，擢取妙好，色無斑黄。前設壇墠，後建祠堂。良匠衛改，雕文刻畫，羅列成行。攄騁技巧，委蛇有章』，似是謂此畫也，故予以『武梁祠堂畫像』名之。後之人身履其壤，會能因斯言以求。是先儒説三皇五帝者不一，太史公采《大戴禮》甹少昊而不録，經傳皆云帝顓之後，黎爲祝融，蓋高辛之火正也，惟莊子以祝融氏與戲農胥同辭。《白虎通》既依《史記·五帝》之序，遂以戲、農、祝融爲『三皇』。至論『五行』，則又以祝融爲南方之神，初非通論。此碑以祝誦爲祝融，而介於戲、農之間，則《白虎通》之説也。《帝王世紀》稱上古聖人牛首蛇身之類，亦猶孔子四十九表所謂龜脊虎掌，世之言相者有犀形、鶴形之比也，俗儒作圖譜，遂有真爲异類之狀者。此碑所畫伏戲自要以下若蛇，然亦非也。碑以樊於其爲樊於期、秦武陽爲秦舞陽、醜女爲媿女、凱式爲楷式、斑連爲斑爛者，即嗜字。㚇即劫字，滌即漿字，巍即魏字。」《隸釋》。右《武梁祠堂畫記》，自伏羲至夏桀、齊公至於秦王、管仲至于李善，及萊子母、秋胡妻、長婦兒、後母子、義漿、羊公之類，合七十六人。其名氏磨滅與初無題識者又八十六人，得之括蒼梁季珩。始予聞建康寓客有此碑，嘗托連帥方務德訪之，未至而書已成，方亦刻郡齋，地遠歲久，殆將亂真也。《隸釋》。石碑圖下卷，范史《趙岐傳》云，岐自爲壽藏圖，季札、子産、晏嬰、叔向四像居賓位，自畫其像居主位，皆爲讃頌。以獻帝建安六年卒，皆在荆州古郢城中。漢人圖畫於墟墓間，見之史册者如此。《水經》所載則有《魯恭》《李剛碑碣》，所傳則有《朱浮》《武梁》。此卷雖具體而微，可使家至而入皆見之。畫繪之事，莫古於此也。魯恭即魯峻，《隸續》。朱彝尊《漢武梁祠碑跋》：「右《漢從事武梁祠堂畫象》，傳是唐人拓本，舊藏武進唐氏，前有提督江河淮海兵馬章，後有襄文公順之暨其子鶴徵私印。漢自趙岐營壽藏圖，晏平仲、羊舌叔譽、東里子産、延州來季子四象，紀之史册。此外如朱浮、魯恭、李剛、魯峻、董蒲、范皮諸祠墓畫象刻石者匪一，惟梁祠人物最多。」洪适《隸續》具摹其形，古帝王、忠臣、義士、孝子、賢婦凡一百六十有二人。今是册存者僅帝王十人、孝子四人而已。由黄帝至舜圖，皆服冕。禹手操掘地之器，冠頂鋭而下卑，殆《士冠禮·郊特牲》所云「毋追」者，是睹此可悟聶崇義《三禮圖》之非。桀以人爲車，故象坐二人肩背，《隸續》所摹失其真矣。每幅上下四旁有小字，分書題識、姓名，或間作韵語。趙明誠稱其「字畫遒勁」，史繩祖謂其「筆法精穩，可爲楷式」，觀者但覺墨光可鑒，元氣渾淪，謂爲唐本當不虚也。」《金貞石志》。

顧藹曰：「愚按：畫象中所題魯莊公，『莊』字不避明帝諱，似非武梁祠堂所刻，當從《金石録》題『武氏石室畫象』可耳。後漢明帝諱莊，故若莊周、莊助皆改爲『嚴』，諸碑『莊』字亦從變體，或爲『庄』，或爲『㽵』『壯』，惟此作『莊』，不著年月，其在明帝前乎？《金石録》未定武氏何人，《隸釋》以《武梁碑》有『後建祠堂』云云，遂定『武梁祠堂畫象』。武梁卒於桓帝元嘉元年，恐未必是也。」《隸辨》。

郎中王政碑 元嘉三年。

君諱政，字季酺。漢中太守之孫，從事掾之第三子也。姿履□□，□穆之憯。愛敬以事生，哀慼以送終。奉□□□歐陽《尚書》，研典賁侁□□□上□□□□童冠聿集。承義方□□□□□□□□□□□□郡端右州辟從事□□衛上先公□□□有羔羊之潔，霖申棠之欲。不訾已，好是正直。仰不□□，□□□□。守防防東長威闞雙行帥下以儉，決訟明，民霖□□滛佚革弭，閭里□□，風化宣流，家□□施。舉孝廉，除郎中，三署馳名，見者宗，當豐人爵，登彼□□神命□□□□罕脩仁不□卒從氛暴，年五十，以元嘉三年春正月戊寅□□□。既歿而不　於是門徒、士夫　君□□咸有□□，乃相與立石表行，以後，其辭曰：於□明君，□方□白。時言樂笑，曲徑不由。□職左公，事君謇諤，退食虪私逶馳允仁慈□□□讓忘□□清潔已惟德之宅，有嘉厥聲。令聞孔碩，養□俟□□□夕階□不□□□□□□以勒銘，□昭厥德。見《隸續》。

歐陽修曰：「右《王君碑》，文字磨滅不成文，而僅有存者，其名字、官閥、卒葬年月皆莫可考。惟其碑首題云『漢故郎中王君之銘』，知爲漢人，姓王氏而官爲郎中爾。蓋夫有形之物必有時而弊，是以君子之道無弊，而其垂世者與天地而無窮。顔回高卧於陋巷而名與舜、禹同榮，是豈有托於物而後傳也？豈有爲於事而後著耶？故曰『久而無弊者道，隱而終顯者誠』，此君子之所貴也。若漢王君者托有形之物，欲垂無窮之名，及其弊也，金石何异乎瓦礫也？治平元年四月晦日書。」《集古録》。歐陽棐曰：「《郎中王君碑》，隸書，不著書撰人名氏。碑石剥缺，其間可見者曰『季輔漢中太守之孫』，餘不復可讀。而其額曰『漢郎中王君銘』，故知其姓氏、官閥耳。」《集古録目》。《天下碑録》：「《漢中郎王政碑》在任城縣，墓前。」見《隸釋》。按，《隸釋》應作「郎中」。《前志》。洪适曰：「《王政碑》」，隸額二行，文十二行，行三十字。右《漢故郎中王君之銘》，隸額，在濟州。王君名政，字季酺。歷州從事、防東長，察廉除郎，其壽五十，以威宗元嘉三年正月戊寅卒。門徒士夫相與立此石。字雖殘闕，尚多可讀者。歐陽云『磨滅不復成文，名字、官閥、卒葬年月皆莫可考』，蓋察之不詳耳。小歐陽以爲其字季輔，趙氏以爲光和元年立，皆非也。碑云『有羔羊之潔，無申棠之欲』，鄭司農注《魯論》云『申棖蓋孔子弟子申續』，《家語》『申續字周』，《史記》『申棠字周』，此碑所用有自來矣。」碑以『賁』爲『墳』，『慼』即『感』字，『𢇍』即『絶』。《隸續》。

郎中鄭固碑

延嘉元年。○此碑插入地尺許。乾隆戊戌，定海藍嘉瑄提出，然猶未全。

君諱固，字伯堅，蓍君元子也。含中和之淑質，履上仁□□□。孝友著乎閨門，至行立乎鄉黨。初受業於歐陽，遂窮究于典籍，膺游、夏之文學，襄冉季之政事。弱冠仕郡吏、諸曹、掾史、主簿、督郵、五官掾功曹，入則腹心，出則爪牙。忠臣衛上，清以自修。犯言謇愕，造膝佹辭。加以好成方頹，推賢達善，逡遁退讓，當世以此服之。朔后珍瑋，以爲儲舉。先屈計掾，奉我□貢。清眇冠乎群彦，德能簡乎聖心。延熹元年二月十九日詔拜郎中，非其好也，以疾錮辭。未滿期限，從其本規，乃遘凶愍，年卌二其四月二十四日遭命隕身，痛如之何！先是，君大男孟子有楊烏之才，善性形於岐嶷，□□見於𠫊耗，年七歲而夭，反大君夫人所共哀也。故建闕，作輯。共墳，配食斯壇，以慰考妣之心。琦瑶延以爲至德，不紀則鐘鼎奚銘？昔姃□□武弟述其兄綜□□□□行於蔑陋，獸𨸏敢忘？乃刊石以旌遺芳，其辭曰：

於惟郎中，寔天生德。頤親誨弟，雯恭竭力。教我義方，導我禮則。傳宣孔業，佗世幙式。從政事上，忠以自勖。貢計王庭，華夏歸服。帝用嘉之，顯拜殊特。將從雅意，包斯自得。乃遭氛灾，隕命顛沛。家失所怙，國闕，作亡。忠直。俯哭誰訴，卬□焉告？嗟嗟孟子，苗而弗毓。奉我元兄，修孝罔極。魂而有靈，亦歆斯勒。見《隸釋》。

歐陽修曰：「右《郎中鄭固碑》，文字磨滅，其僅可見者云云，其餘殘闕，不復成文。又有『逡遁退讓』之語，『遁』當作『循』，『錮』當作『固』，疑漢人用字多假借。又疑『以疾錮辭』，謂疾已堅固，若云以疾篤辭，賢者詳之。治平元年四月十二日書。」《集古録》。歐陽棐曰：「《郎中鄭固碑》，漢隸，無書撰人名氏。」《集古録目》。趙明誠曰：「右《郎中鄭君碑》，賈誼《過秦論》云『九國之師遁巡而不敢進』，顔師古曰：『遁音千旬反，流俗書本巡字，誤作逃，讀者因之而爲遁逃之義。潘岳《西征賦》云「遁逃以奔竄」，斯亦誤矣。』今此碑有云『推賢達善，逡遁退讓』，詳其文意亦是逡巡之義，然二字決非一音，蓋古人用字與後世頗异，又多假借，故時有難曉處，不知顔氏何所據遂音『遁』爲『逡』乎？」《金石録》。洪适曰：「右《漢故郎中鄭君之碑》，篆額鄭君名固，威宗延熹元年卒，固以曹掾事其郡將。而云『犯顔謇諤，造膝詭辭』，漢人用事不拘凝如此。《秦紀》引賈生云『九國之師逡巡遁逃而不敢進』，《陳涉世家》則删『逡巡』二字，班史又作『遁巡』，故顔師古讀『遁』爲『逡』，而詆潘岳用遁逃爲非。《游俠傳》『逡逡有退讓君子之風』，此云『逡遁退讓』，蓋用《史記》語。歐陽『遁爲循』，趙又惑於顔注，予謂皆當讀如本字。碑以『愕』爲『諤』，以『佹』爲『詭』，以『錮』爲『固』，以『幕』爲『模』，『貭』即『質』字，『猷』即『獨』字，『旱』即『曷』字，『敢』音『憺』，『薄』即『簿』字。『古』原是『一』字，『册』即四十字，古碑多用之。」《隸釋》。《鄭固碑》篆額二行，有穿，文十五行，行二十九字，行間方若棋局。《隸續》。婁機曰：「《郎中鄭固碑》在濟州任城縣學。」見《漢字隸源》。顧炎武曰：「《郎中鄭固碑》，八分書，今在濟寧州儒學。其文有去『逡遁退讓』者，『逡巡』之异文也。《管子》『桓公蹴然逡遁』，《漢書·平當傳》『贊逡遁有耻』，《叙傳》『逡遁致仕』，《周禮·司士》注『王揖之，皆逡遁』；既，復位』，《儀禮·士昏禮》《大射禮》《公食大夫禮》注『辟逡遁』，《鄉射禮》注『少退，少逡遁也』，《聘禮》注『辟位，逡遁』，又『三退，三逡遁也』，又『辟位，逡遁』，又『辟於其東面位，逡遁也』，又『退爲大夫降，逡遁』，《士喪禮》注『辟，逡遁辟位也』，《特牲饋食禮》注『辟位，逡遁』，《禮記·玉藻》注『免逡遁而退著屨也』，皆同此文。顔之推《匡謬正俗》曰：賈誼《過秦論》『九國之師遁巡而不敢進』，遁者蓋取循聲，以爲逡字，當音七均切。然余考之古書，亦多不同，如『晏子巡遁而對』，『晏子逡遁對曰』。《漢書·萬章傳》『章逡遁其懼』，《外戚傳》『逡循固讓』，皆以下字爲循。而此碑乃漢書，《禮》注又以遁爲巡。又如《莊子》『忠諫不聽，蹲循勿争』，《靈樞經》『黄帝避席，遵循而却』，《亢倉子》『荆君北面遵循稽首』，又逡遁之异文。而《王莽傳》

『俊儉隆約，以矯世俗』，師古曰：俊音千旬反，退也。其字從『彳』，則又逡之异文也。楚辭《九章·思美人》『遷逡次而勿驅兮』，《漢書·公孫弘傳》『有功者上，無功者下，則群臣逡』，皆作『逡』。碑又書『姚』爲『妛』，與《堂邑令費鳳碑》同，而《玉篇》云：『妛，必媚切，女名。』此又後人之解也。漢人書有《遁甲開山圖》，《雲麓漫鈔》曰：『世所傳《遁甲書》，甲既不可隱，何名爲遁？』因引此碑證爲『循甲』，言以六甲循環推數也。今按，『遁』字古人以代『巡』字者多，當是『巡甲』。《太元經》云『巡乘六甲，與斗相逢』。此碑上有一大孔，漢碑多如此。劉熙《釋名》『碑，被也』，此本王莽時所設也，施轆轤以繩被其上以引棺也。臣子追述君父之功，美以書其上，後人因焉，故建於道陌之頭顯見之處，名其文，就謂之碑也。此後漢時人所見云爾，不知周時固有碑矣。《檀弓》『公室視豐碑』注云『豐碑，斫大木爲之，形如石碑。於椁前後四角樹之，穿中於間，爲鹿盧，下棺以繂繞』，《正義》曰：「繂即紼也，鑿去碑中之木，令空，於空間著鹿盧，鹿盧兩頭各入碑木以紼之。一頭繫棺緘，以一頭繞鹿盧。既訖，而人名背碑負紼末頭，聽鼓聲，以漸却行而下之。」《喪大記》『君葬用輴四綍二碑，大夫葬用輴二綍二碑』，又曰『凡封用綍，云碑負引』，注云『樹碑於壙之前後，以紼繞碑間之鹿盧挽棺而下之，此時棺下窆，使挽者皆繫紼而繞，要負引舒縱之，備失脱也』。用紼去碑者，謂縱下之時也，此劉熙所指葬時施鹿盧下棺之碑也。《聘禮》『賓自碑内聽命』，又曰『東面北上，上當碑南』，注云『宫必有碑，所以識日景、引陰陽也。凡碑引物者，宗廟則鹿牲焉，以取毛血。其材，宫廟以石，窆用木』。《祭義》『君牽牲既入廟門，麗於碑』，注云『麗，繫也，謂牲入廟繫著中庭碑也』。《雜記》『宰夫北面於碑南，東上』，此注家所指在宫廟之中一爲賓揖之碑，一爲麗牲之碑者也。碑之字本從石，窆用木者取其便於事也。其見於西漢人之書者，《淮南子》『盧敖見若士遁逃乎碑』。注曰『匿于碑陰是也』。孫何《碑解》曰：『何始寓家於潁，嘗適野，見荀陳古碑數四，皆穴其上，若貫索之爲者。間故起居郎張公觀，公曰：此無足异也，漢去聖未遠，猶有古豐碑之象耳，後之碑則不然矣。』予見漢碑皆高不過今之三尺餘，可用以麗牲；以木爲之，可用以引棺。今既失其穿中之制，而碑之高大乃無限度，與古人之碑名同而體异也。』」以上俱《金石文字記》。朱彝尊《郎中鄭固碑跋》：「己酉之春，泊舟任城南池之南。步入州學，見儀門旁列漢碑五，左二右三，《郎中鄭君固碑》其一也。碑文全漫漶不可辨識，舍之去。明年冬，同昆山顧寧人、嘉定陸翼王觀北平孫侍郎藏本，文有『逡遁』字，寧人謂是『逡巡』之异文，退而引《三禮》注以證之，且博稽《晏子春秋》作『巡遁』、《漢書》作『逡循』、《莊子》作『蹲循』、《靈樞經》《亢倉子》作『遵循』，又謂『逡遁』之异文，筆之《金石文字記》。以予考之，《集韵》『逡』『遁』『俊』三字牽連書之，均七倫切，音義則一。《説文》釋『辵』字云『乍行乍止也』，『遁』字雖音徒困切，而配之以『辵』，當讀如『足縮縮如有循』之『循』，以爲假借則可，不得謂之异文矣。寧人作《音論》，惜《集韵》不存，未知是書尚存天地間，故於諸書疑義未盡晰爾。」《曝書亭集》。張弨曰：「《鄭君碑》下十字一段今已不存，想因斷裂截去，幸《隸釋》載此全文，猶爲完璧，不然亦如尉氏令之碑不可究竟矣。淇氏之有功於後世，不甚大哉？」顧藹曰：「予家有拓本尚完，此碑斷裂蓋未久也。」《濟州學碑釋文》。牛運震曰：「右《郎中鄭固碑》，高四尺二寸，闊二尺，后六寸，字徑一寸一分，額字徑一寸五分，在濟寧州孔子廟戟門西側東向。碑已亡其下半，雍正六年李鯤録，舊誤鵾。化鵬於泮池左發地得之，移置碑傍。下截高六寸，闊一尺四寸。」《金石圖》。按：右碑插入地中尺許，每行尚有九字。乾隆戊戌又六月，定海藍嘉瑄瘦竹始出之，校洪氏《隸釋》所載，每行尚少三字。其右下角缺，以李鯤所得殘石在明倫堂艮隅合之，仍未足也。《前志·補遺》，今移此。

執金吾丞武榮碑 靈帝時，不知年。

君諱榮，字含和。治《魯詩經韋君章句》，闕幘傳，講《孝經》《論語》《漢書》《史記》《左氏》《國語》，廣學甄微，靡不貫綜。久斿大學，藐然高厲，鱻於雙匹匹字。學優則仕，爲州書佐、郡曹史、主簿、督郵、五官掾功曹、守從事。年卌六，汝南蔡府君察舉孝廉，□□郎中，遷執金吾丞。遭孝桓大憂，乇守元武，慼感字。哀悲惟，加遇害氣，遭疾隕靈，□□

□□。君即吴郡府卿之中子，敦煌長史之次弟也。廉孝相承，亦世載德。不忝□□，□□命□，不竟台衡。蓋觀德於始，述行於終。於是刊石勒銘，垂示無窮。其辭曰：天降雄彦，資才卓茂。仰高鑽堅，允文允武。内幹三署，外□沛旅。□勒乇守，舊威□武。旗旗絳天，雷震電舉。敦耀赫然，陵惟哮虎。當遂股肱，□之元輔。天何不吊，降此□咎。瘜乎我君，仁如不壽。爵不副德，位不稱功。咸襄傷愴，遠近哀同。身没□□，萬世諷誦。見《隸釋》。

歐陽修曰：「《武榮碑》文字殘闕，不見其卒葬年月，又不著氏族所出，惟其碑首題云『漢故執金吾丞武君之碑』云。治平元年五月六日書。」《集古録》。歐陽棐曰：「《武榮碑》，漢隸，不著書撰人名氏。」《集古録目》。洪适曰：「右《漢執金吾丞武君之碑》，隸額，在濟州。武君名榮，吴郡君名開明，敦煌君名班。榮之亡在靈帝初，漢興魯申公爲《詩訓故》，齊轅固、燕韓嬰皆爲之傳，又有『毛氏之學』，故曰『詩分爲四』。申公授瑕丘江公，韋賢治《詩》，事江公，傳子玄成，皆至丞相。孫賞以《詩》授哀帝，至大司馬。《魯詩》有『韋氏學』，此云治『魯詩經韋君章句』者此也。『闕幘』者，未冠幘之稱，語在《武梁碑》中。『鱻』古『鮮』字，『鱻於雙匹』者，鮮雙寡匹也。」《隸釋》。顧絳曰：「《執金吾丞武榮碑》，八分書，無年月，今在濟寧州儒學，殘缺。」婁機《漢隸字源》曰：「碑言遭桓帝大憂，哀隕而亡，當是靈帝時也。」王宏撰曰：「碑額『漢故執金吾丞武君之碑』十字作陰文，凸起，他碑所無。」《金石文字記》。朱彝尊《執金吾丞武君碑跋》：「《武君榮碑》在濟寧州學儀門。漢制執金吾一人、丞一人，月三繞行宫外，戒司非常水火之事，秩六百石。緹騎二百人，輿服導從，光滿道路，光武嘗嘆曰『仕宦當作執金吾』，而樂府古歌辭稱『陛下三萬歲，臣至執金吾』，蓋中興以後官不常置。榮之本末，惜碑文已漫滅，年月無考，僅存其廓落焉爾。」《曝書亭集》。張弨曰：「《武君碑》并後辭僅二百七十四字，其間叙述寥寥，字體又小，故碑後空處將半。隸額更作陽文黑字，亦漢碑之變體者。辭内『歎』即『歎』，『仁如不壽』之『如』作『而』。顧藹曰：『漢碑額作黑字者甚多，載於洪氏《碑式》。』今汶上縣有《衛尉卿衡方碑》亦然，不獨此碑也。」《州學釋文》。

顧藹曰：「其文十行，行三十一字。」《隸辨》。牛運震曰：「右《執金吾丞武榮碑》，高六尺三寸，闊二尺二寸，厚六寸，字徑九分，額字徑二寸二分，在濟寧州孔子廟戟門西側東向。」《金石圖》。

司隸校尉魯峻碑 熹平三年。

君諱峻，字仲嚴，山陽昌邑人。其先周文公之碩胄□□伯禽之懿緒，以載于祖考之銘也。君則監營謁者之孫、修武令之子。體純龢之德，秉仁義之操。治《魯詩》，兼通《顔氏春秋》，博覽群書，無物不栞。學爲偯宗，行而士表。漢□始任，佐職牧守，敬恪恭儉，州里歸稱。舉孝廉，除郎中謁者、河内大守丞。喪父如禮，辟司徒府，舉高第，侍御史，東郡頓仕令。視事四年，比縱豹産，化行如流。遷九江大守，闕，作除。殘酷之刑，行循吏之道，統政，闕，作五載。穆若清風，有黄霸召信臣在穎南之歌。以公事去官，休神家衖。未能一期，爲司空丞《釋文》作「王」。暘所舉，徵拜議郎、太尉長史、御史中丞。延熹七年二月丁卯，拜司隸校尉，董督京輦，掌察羣寮。蠲細舉大，榷然疏發。不爲小威，以濟其仁；弸中獨斷，以效其節。案奏□公，彈絀五卿。笄夏祗肅，佞穢者遠。遭母憂，自乞。拜議郎：服竟還，拜屯騎校尉，以病遜位。守疏廣止足之計，樂於陵灌園之契，閉門靜居，琫書自娱。年六十一，熹平元年□月癸酉卒，明年四月庚子葬於是。門生汝南干闕，作商。、沛國丁直、魏郡馬萌、渤海吕圖、任城吴盛、陳留誠屯、東郡夏侯宏等三百廿人追惟在昔，游、夏之徒作謚「宣尼」，君事帝則忠，臨民則惠，乃昭告神明，謚君曰「忠惠父」。息叡不才，弱冠而孤，承堂弗構，斨薪弗何。悲蓼莪之不報，痛昊天之靡嘉。頫企有紀，能不號諐，刊石叙哀，其銘曰：

巗巗山岳，礌落彰較。棠棠忠惠，令德孔爍。命□時生，雅度宏綽。允文允武，厥姿烈逴。内懷温潤，外撮强虐。督司京師，穌然清邈。當闕，作還。緄職，爲國之榷。匪究南山，遐邇忉悼。凡百君子，欽謚嘉樂。永傳啻齡，晚矣昀昀。見《隸釋》。

戴延之《西征記》曰：「焦氏山北數山，有漢司隸校尉魯恭冢。冢前有石祠、石廟，四壁皆青石隱起，自書契以來，忠臣、孝子、貞婦、孔子及弟子七十二人形像，像邊皆刻石記之，文字分明。」見酈道元《水經注》。

歐陽修曰：「右《魯峻碑》，文字粗完，故得其遷拜次序頗詳，以見漢官之制如此。惟云『遭母憂，自乞，拜議郎』，又其最後爲屯騎校尉，而碑首題云『漢故司隸校尉忠惠父魯碑』，二者莫曉其義。治平元年四月二十三日書。」《集古録》。歐陽棐曰：「右隸書，不著書撰人名氏。峻字仲嚴，高平昌邑人。官至屯騎校尉，以病去位。門生干商等追謚曰『忠惠父』。碑以熹平中立，在今濟州。」《集古録目》。趙明誠曰：「右《司隸校尉魯峻碑》，酈道元注《水經》引戴延之《西征記》云云。今墓與石室尚存，惟此碑爲人輦置任城縣學矣。余嘗得石室所刻畫像，與延之所記合。又其他地里書如《方輿志》《寰宇記》之類皆作『峻』，惟《水經》誤轉寫爲『恭』爾。」《金石録》。洪适曰：「右《漢故司隸校尉忠惠父魯君碑》，隸額，在濟州任城縣。魯君名峻，歷郎中謁者、河内丞、侍御史、頓丘令、九江守、議郎、太尉長史、御史中丞、司隸校尉。遭母憂，自乞，拜議郎。服竟，還，拜屯騎校尉。靈帝熹平元年卒，明年葬，門生丁直等三百二十人謚之曰『忠惠』。其子歆立石作銘。《水經》亦載此碑，但誤以爲名『恭』爾。歐陽公云峻遭母憂，自乞拜議郎。又最後爲屯騎，而碑首題以司隸，二者莫曉。予嘗考漢代風俗相承，雖丁私艱，亦多以日易月，鮮有執喪三年者，故元初詔書始聽大臣二千石行三年喪。至建光元年復禁，不許李翊去官二交，故銘文頌其『考憂釋紼，時則有居，憂不釋紱』者矣。肅宗時越騎校尉桓郁以母憂乞身，詔公卿議，皆以郁身爲名儒，學者之宗，可許之，詔聽以侍中行服。後其子焉爲太子太傅，以母憂自乞，聽以大夫行喪。二公纏陟屺之痛，皆避劇就閑，與魯君以議郎行喪同。漢人所書碑志，或以所重之官揭之，司隸權尊而秩清，非列校可比，亦猶馮緄捨廷尉而用車騎也。《周官》注云『義』『儀』二字古皆音『俄』，《詩》以『實惟我儀』叶『在彼中河』，『樂且有儀』叶『在彼中阿』，《太元》亦以『各遵其儀』叶，不偏不頗。《左傳》音『蛾析』作『蟻』，徐廣音『檥舡』作『俄』。漢碑凡『蓼莪』皆作『蓼儀』，此碑又作『蓼義』。《銘》詩『焕矣灼灼』，俱易『火』以『日』。『令得孔鑠』，又復從『女』。若『堂堂』作『棠棠』，則它碑亦有之。碑以『栞』爲『看』、『縱』爲『踪』、『斨』爲『忻』、『緄』爲『衮』、『畜』爲『億』。『偄』即『儒』字，『緢』即『細』字，『㓞』即『潔』字，『珏』即『琴』字，『詹』即『嗟』字，『虗』即『虐』字。」《隸釋》。《魯峻碑》，隸額兩行，有穿，文十七行，行七十二字。《隸續》。《天下碑録》云：「蔡邕書。」見《字源》。朱彝尊《漢司隸校尉魯君碑跋》：「右《魯君碑》，熹平二年四月立。隸書，額穿其中，文一十七行。本在金鄉山墓側，趙德甫撰《金石録》時已輦置任城縣學，至今存焉。相傳是蔡中郎書，惜其文不入集中。石久崩剥，僅識其百一而已。」《吉金貞石志》。張弨曰：「按，洪氏《隸釋》在歐陽《集古録》、趙氏《金石録》之後，故其跋語參考甚詳，且前列全文，尤爲獨得。原本字畫，悉依各碑隸體，以楷法謄寫，恐人難辨，又將原行數移動，更難對勘。彼書欲傳各碑正迹，固應如此。今本碑隸體俱在，即以作準，故釋文俱當用楷書，其後有注者仍用本文以存古義，如《史》《漢》音釋之例。前注未及者并爲增出，以便今讀。『㠯』即『以』字，又即『已止』之『已』，『愘』即『恪』正字，『大守』即『太守』，『㪘』即『穆』，『街』即『巷』，『暘』即『暢』。『弸』音『崩』；『㟳』即『花』正字，通作『華夏』；『廿』音入俗作『念』，非；『督』即『睿』本字；『析薪弗何』之『何』即俗用『擔荷』字，《説文》正作『儋何』；『頫』即『俯』正字，『碣』即『磊』字；銘内『穆然清遐』，本入聲，音『莫』；『遐邇忉㤞』，叶音讀『忉鐸』。《隸釋》原未載碑陰題名，亦增出，附後。」《濟州學碑釋文》。顧藹曰：「汝南干商見於碑陰，洪氏誤釋『干』爲『邢』，其謂以『栞』爲『看』亦誤，『栞』即古『刊』字，《史記·夏本紀》『九山栞旅』，又『山行栞木』，『刊』皆作『栞』。」又曰：「趙氏、洪氏皆云《水經注》亦載此碑，而誤以『峻』爲『恭』。今按，《水經注》所載乃石壁畫像，非此碑也。《金薤琳琅》云『鄭夾漈謂此碑書於蔡邕』，考徐浩《古迹記》及他字書，未聞邕嘗書此，不知鄭氏何所據也。」《隸辨》。按，南原之辨甚細，足正諸家之訛，則恭或别是一人，而石壁殘畫像仍宜以「恭」標目，不得竟屬之峻也。第相沿既久，姑仍其目而附識於此。《前志》。

魯君碑陰

故吏河内夏管懿幼遠，千。○故吏九江壽春陳龔伯麟，五百。○故吏九江壽春任琪孝長，五百。○故吏東郡頓邱許踰伯逈，五百。○門生沛國譙丁直景榮，千。○門生勃海蒿成吕圖世階，千。○門生東郡濮陽段敦登高，千。○門生汝南召陵干商朝公，五百。○門生南陽新野魏顥文臺，五百。○門生平原般路龍顯公，五百。○門生平原西平昌壬端子行，五百。○門生陳留尉氏胡嵩永高，五百。○門生陳留尉氏胡昱仲表，五百。○門生濟陰定陶樺真子然，五百。○門生任城樊兒雄大平，五百。○門生平原樂陵路福世輔，三百。○門生魏郡斥邱李牧君伯，三百。○門生魏郡繁陽壬輔子助，三百。○門生任城任城周普妙高，三百。○門生任城任城吴盛子興，三百。○門生勃海量合梁熔叔節，三百。○右上層。○門生河東蒲反李□□時，三百。○門生河東蒲反陽成□文智，三百。○門生汝南汝陽鄭立□□，三百。○門生東郡臨邑夏候宏孟松，二百。○門生東郡博平孫謙□□，二百。○門生東郡樂平邢顥□□，二百。○門生東郡樂平邢□□□，二百。○門生魏郡内黄馬萌子□，二百。○門生魏郡犁陽壬□少□，二百。○門生汝南隱强尹棱超□，二百。○門生汝南灅强尹顥叔□，二百。《釋文》「叔」作「淑」。○門生勃海南皮劉扶節□，二百。○門生勃海南皮劉盛典□，二百。○門生河間阜城東鄉晨子□，二百。○《釋文》「城」作「成」。○門生河間阜城東鄉恭公□，二百。○門生平原西平昌劉丕景高，二百。○門生平原般張謙伯讓，二百。○門生陳留尉氏夏統子思，二百。○門生濟陰乘氏許仁伯德，二百。○門生濟陰離狐周維元興，二百。○義士梁國甯陵史强强梁，二百。右下層。

顧絳曰：「《司隸校尉魯峻碑并陰》，八分書，今在濟寧州儒學。」《金石文字記》。張弨曰：「右《魯君碑陰題名》，《隸釋》原未載此，想亦如《景君碑》之跋語所云『蓋未見也』。今照本碑謄出，但洪公在數百年之前其碑文應尚完好，此時則有斷裂漫滅者，只得缺之。至凡碑題名書法，亦不一例。此碑每名之意則有六層，首故吏、門生等，是屬下之稱也。次河内、九江、東郡等，是各人籍貫之郡名也。次夏、壽春、頓丘等，是各邑名也。次管懿、任琪、許逾等，是各姓名也。次幼遠、孝長、伯迥等，是各表字也。次千、五百等，是各出助工錢數也。古人之舉事詳悉如此，較今之列名者殊遠。恐近時未諳古制，歸咎於碑字難辨，特爲標出，可隨前例讀之，自無阻滯。即斷缺處，亦可意會爲某等字樣，可俟後補。若去之，則不成文理矣。附注：『蒲反』即『蒲坂』，『兒』姓即『倪』姓，古字原從省文也。」《濟州學碑釋文》。顧藹曰：「洪氏《隸續》載《魯峻碑陰》九十有一人，書姓氏而不名，與此不合。其跋語云『藏碑者以爲《魯君碑陰》，雖無所據，度其石之廣，適與《魯碑》合』，蓋洪氏誤以他碑之陰爲此陰也。」同上。牛運震曰：「右《司隸校尉魯峻碑并陰》，高八尺五寸，闊三尺，厚七寸，字徑一寸二分，額字徑二寸二分，陰字徑八分。在濟寧州孔子廟戟門東側西向。」《金石圖》。

魯峻石壁殘畫象

祠南郊，從大駕出時　小史騎持幢　持駙馬小史幢弔　帳下騎 畫象未録。　駙馬　帳下騎持　大車帳下騎　鈴下　鮮明騎　爲騎　解明騎持弓　木𡰪騎　鈴下　解明騎

書像未録。　鷹士生　奏曹書佐主簿車　騎史僕射　子魯　升　君爲九江 荀子。　邽子斂 資。　太守時　子　庄子慮　功曹史渠　縣子期　襄子璛　梁子魚　子景伯　子象

商子木 平字　樊子遲　求子斂　左子行子　襄子魚　顔子柳　公子虛　彦

子思　子匽　叔子其　冉子産　駟子言　顔子路　夫子高 見《隸續》。

右《魯峻石壁殘畫象》二百，并廣三尺，崇二尺。《水經》云：「金鄉山司隸校尉魯君冢前有石祠、石廟，四壁皆青石隱起，自書契以來忠臣、孝子、烈婦、孔子及七十二弟子形象，象邊皆刻石記之。」此石上下三横，首行一榜云「祠南郊，從大駕出時」，次有大車、帳下騎、鮮明騎、小史騎，凡十六榜。大車之上一榜三字，上兩字略有左畔偏旁，似是「校尉騎」字。車前兩旁解明八騎，步於中者四人。鈴下三十餘騎如魚鱗然，列兩横車之後。後有駙馬二匹，帳下一騎，小史持幢四騎。次横，鷹士一人，有榜。奏書佐主簿車各

一榜，有車馬、騎史僕射二騎。鈴下二騎，各有榜。第三横，冠劍接武十有五人，人一榜，闕里之先賢也。次石上横兩榜云「君爲九江太守時」，車前導者八人，後騎石損其半。少前一榜云「功曹史」，導有車馬，車前二騎榜滅。中横但刻雲氣，下横十有六人，形象標榜，與前石同。《後漢志》「大駕鹵簿，五校在前」。按：《魯峻碑》嘗歷九江太守，終於屯騎校尉，從駕南郊，乃屯騎之職。藏此者不知爲何人碑，既有「九江」標榜，又有「屯騎」職掌，更有先賢形象，定爲魯峻石壁所刻，其誰曰不然？考《孔子家語》《史記·七十子傳》，郉子斂名巽，梁子魚名鱣，商子木名瞿，左子行名郢，縣子期名成，樊子遲名須，顔子柳名辛，冉子産名季，顔子路名無繇。叔子其者叔仲會也，《史》作「子期」。子魯者，姓冉名儒。子象者，姓縣名亶。子景伯者，子服何也。唐劉懷玉作《孔聖真宗録》，以子服景伯在七十子之間。求子斂疑是漆雕哆，《地皇侯録書》「七」作「來」，《韓敕碑書》「漆」作「淶」。漆雕哆字子斂，恐此「求」字是「漆」之省文。縣子期《史》作「子祺」，姓駟者恐是「壤駟赤」。子偃恐是言游，如顔子思、襄子魚、襄子孺數人，姓氏分明，與史家异同。魯棖，《史記》作「申棠」，《家語》作「申續」，《檀弓》以申詳爲「顓孫子張之□家，不能次以爲兩地。音聲如此，則傳聞异辭，無足疑者。又二石，長過於此。其一之上横畫圖人物，如《武梁畫象》，主坐客拜，侍於前後者六；又主客三人列坐，侍者四。中横三車，如《雍丘令書》，一車導騎二，一車兩人在前，一車一人在後。屋下之人，三五賓王。三車有標榜，皆湮滅。下横十七人，如前石所圖聖門高弟，人亦一榜，一字不可認。其一則上横七騎，皆右馳；中横二車，一有一導騎，一則倍之；末有五人在屋下，二稚子在屋上。下横兩軿車，皆駕以一馬，人一車，有導騎二。末有五人在屋下立，皆有榜，惟四導騎者上下各一字，粗可認，上曰「君」，下曰「郎」。魯君再爲郎，豈謂是乎？以其冠劍、人物絶類九江石壁所畫，疑此二石亦是魯四壁者。汪聖錫家有此碑。《後漢志》「列侯會耕祠，導從中有鮮明卒」，米氏《書史》朱浮墓石壁人物有鮮明隊，或者不能細認先賢姓字，但見有鮮明數榜，遂謂是「朱浮墓壁畫象」，非也。予前書以《功曹史門下督殘畫》爲朱浮墓中物，亦非也。碑以「鮮」爲「鮮」，以「僮」爲「憧」，以「鳶」爲

「薦」。《隸續》。按：前注「子張」之下當有「子」字，又「家不能次」四字，恐有誤。《前志》。

郎中馬江碑 建寧元年。

君諱江，字元海者，濟陰乘氏人。□□□之長孫，湯官丞之元子。其先帝顓頊翳嬴之後，世在趙國，賜號馬服，因遂氏焉。暨于君身，乾靈特挺，岐嶷有度，元然清妙。長有令稱，通《韓詩經》。贊業聖典，左書右琴。明於光上之術，顯於君臣之道。郡將平原高君深昭其德，以和平元年舉孝廉，除郎中。謙虛接下，冠名三署。昊天不□，遭離□癘卒世。元嘉三年正□失貞幹，仕喪儀宗，於是盟執遼醜，縞素來赴，慘痛號咷者不可勝數矣。夫人寃句曹氏，終温淑慎，咸曰女師，年五十五，建寧三年十二月卒。君中弟字文緒，位主簿、督郵。志行□期，落落自有大節。年卅二早世短折。故塋迫芒，兆告斯土，先君之庚地□處還敞□□□□□神。東看祖禰，西眷舊廬。皇神仿佛，爰□□居，乃□碑銘勒厥勳，其辭曰：

鑠鴻德，赫含光。□天爵衛紫□聲□著于周京。榱桷存，其人亡。□□□□□藏。顧几莚，凄襄傷。嗟詩云，感凱風，嘆寒泉，惟梓乘。□靈□期□□□裔永克昌。殁不朽，久彌章。

趙明誠曰：「右《漢郎中馬君碑》，文字殘缺，所可見者『字元海』而已。又云『其先賜號馬服，因遂氏焉』，又云『以和平元年舉孝廉，除郎中。謙虛接下，冠名三署』，案：舊作「三省」，葉本從《隸釋》作「署」。又云『年四十，元嘉三年正月卒』，又云『夫人年五十五，建寧三年十二月卒』，其他不可考究矣。」《金石録》。

洪适曰：「右《漢故郎中馬君之碑》，篆額馬君名江，威宗和平元年爲郡將高君所薦，入補執戟之列，元嘉三年卒郎位，無可紀之事，惟載其同寮醜類縞素遠來之衆爾。此碑字體古拙，而行間疏密不等。其間載建寧三年夫人曹氏卒，蓋相去十七年矣。又載其弟文緒年三十二早世，當是因夫人卜兆以馬君共塋，又同時改厝共季，故作碑并言之。石有斷缺，不能詳考。其云『東看祖禰，西眷舊廬』，可見其瘞以昭穆也。碑中『仕喪儀』字，『仕』讀爲『士』，『遼醜』讀爲『寮醜』，『仿佛』讀爲『髣髴』。」《隸釋》。《字源》云「在濟州」，今濟寧州。《隸辨》。按，宋濟州治鉅野，未知果在今州境否。《前志》。

青山郡碑 建寧三年。

右碑在嘉祥縣，今無。

尉氏令鄭季宣碑 中平三年。

君□□字季宣，□娉君之孫。□君□度和□淑□□五□之□□□□□□□□文□□□

□□□□□□□□有趙宣□□振□□吳札之高□□□□□□□□□□□□挹□㠯□

□□□□□□東□□守欽□□以備禮昭陽□可躍□□□□□□□□□□行父貞忠節

□□□□□□季□□觀國之光飢□□帝□□□奇□□□□□□□□□□□臣死夜在

公于斯□□□□□□□賊雲會威□□□□我□□□□□□□□□□□□□季四月

□□□□□社□□馮殄黨□□□遠近□車□折駕賊□□□□□□□□□□□乾剮之

□辨□□□□□□其旅共□天□□□東鄙□□侵掠如豹□□□□□□□□□□□爾

乃□□□□□□舍揝九刑而□□□□政□□叺偋□□□□□□□□□□□以耕養慰

存□叟鰥獨靡困□續既□□□□□□虞放鵃沙□□□□□□□□□□□□就洿熬□

□恭穢□□□遺則不□□□□□穆□之中神人協□□□□□□□□之□□□或之宮

弦調並□仁義交□□可謂□□五萁□□□□者也當□□□儀鴻□□□□□□□□春

秋五十有七中平二季四月辛亥□兮□□□□之路無軏□□□□□□□□□輿施來

□弱睽孤其三季四月辛酉□葬故吏□□嵒欲子車之殉□□□□□斬縗方□咨父事君慕

衛鼎之不泯悤粵人之□□追頌君德伐石銘碑擿□蘇□□□□□令間□無□其辭曰：

堂堂惠君明□□聲□□□□□□□□帝□□□□君我城討賊□□如雷如霆既克有定
丕心則寧民□賴祉□□□□□□□迹□顯奕世□□厥成伊産□繼岱宗之靈喬嶽隕□景
命不□□□□□□□□
□□□石休有□ 見《隸續》。

趙明誠曰：「右《尉氏令鄭君碑》，云君字季宣，聘君之孫，而其名已殘缺。其他字畫，時有可識處，皆斷續不成文理。略可見者，『年五十有七，卒於中平二年』。而碑陰題『尉氏故吏、處士人名』，知其爲尉令爾。」《金石録》。洪适曰：「右《漢故尉氏令鄭君碑》，篆額穹，碑多有裂，文字半湮晦，少成章句。有其字而亡其名，官閥略不一見，僅存卒葬年月。其中數十言載殄賊侵掠事，前稱有『吳札之高』，末叙『故吏欲子車之殉』。碑陰姓名，却班班可考。其間奇字，如書『飢』作『[illegible]』，『夙』作『[illegible]』，一『[illegible]』字未詳。碑有『放鵃』之句，上下文刓滅不可考。『鵃』與『雕』同音，鶻鵃是鳩名，恐是用趙簡子放鳩事。」《隸續》。

鄭季宣碑陰

議郎家衆□　故孟津都尉□處元□　關内侯張□□詩　故方城長毛武□□　故孝□
□□眈□虞　故從□□□堂□康　故從事□又故從事一人　從事楊光子□　故從事
宗□仲□　故五官椽□　故五官椽邯鄲□□□　故守令吕嵩仲　故□□任□□　故
督郵邯鄲敬□　故督□邯鄲璣元□　今司空椽　處□□□□德源　處士□謙□真
處士□□□德　處士□□□子朝　處士邯鄲□□□　處士吕林□□　處士吕瓚□□
處士□楚□政　處士□□□元　處士□又闕一人　故吏□□□真　故吏邯鄲□盛伯
故吏邯鄲謀孝起　故吏□□子　□□祭酒□敷□寸　□□掾邯鄲瑾子恩　門□
□曹史李□□正　主簿□　主簿□彪叔□　□□□邵訓□張　□□□□史□□□□禮
主簿□　□□張□□□□□讓□□　□□□□□祺□□　門下史邯鄲睦□甯　門下
史□□元□　記室史辛□□□　主記書佐□　主記書佐□　門下書佐丕《釋文》作「王脩」。

□□□　記室書佐侯瑾□□　録事書佐李規方政　記室□□陳英元艾　騎吏丁□瑋
珪　騎吏田□元戒　騎吏馮艾子茂　直事干樊　順伯叙　直事干陳瑚彦臺　直
事干張超子與　直事干楊邵景□　直事小史□□□□○直事小史枩
□番子　直事小史荆□后融○門下小史陳勛子勤　□音伯字　見《隸續》。

洪适曰：「右《鄭季宣碑陰》，以八篆横刻其上，曰『尉氏處士、故吏人名』。上下凡四横，其中『都郵邯鄲璣』名字之下，細書四字『今司空掾』。末有直事干四人，亦是以『干』爲『幹』，語在《景北海司馬整碑陰》。最後空十餘行，有一行刻字，似是造碑者所識。」《隸續》。宋婁機《漢隸字源》標題曰：「《尉氏令鄭季宣碑》，中平三年立。名已殘缺，季宣，字耳。碑以『翫』爲『飢』，『夙夜在公』之『夙』即『夙』字，『放鴝』之『鴝』與『雕』同音，鶻鵃是鳩名；『棊』即『棋』字，『縩』即『縩』字。碑陰横刻篆八字於上，曰『尉氏故吏、處士人名』。」見《學碑釋文》。顧藹曰：「《鄭季宣碑》載洪氏《隸續》，此書流傳絶少，亟齋所未見，故止録今存四十三字、趙氏跋語十九字、婁氏《字源》七字而已，今爲録入以補其闕，但洪氏謂『書飢爲翫』則失考據。按，《説文》『飆，讀若載』，《玉篇》『翫、咨、伐、切，始也』，《尚書》『九載績用弗成』，晁公《古文尚書》載作『翫』字；又《石鼓文》『酋車飢道』《音訓》云『飢古文載』。蓋隸書從『凡』者皆書作『几』，故誤以爲飢耳。其爲『鴝雕同音，鶻鵃是鳩名，恐是用趙簡子放鳩事』，亦誤也。按：《書古文訓》『放驩兜于崇山，驩兜作鴝吺』，今碑文『放鴝』上有『虞』字，其爲『驩』字無疑。亟齋所録四十三字，以『虞』爲『兵』，字迹漫漶，亦以意度之耳，當從《隸續》爲是。」顧藹曰：「《鄭季宣碑陰》亦載洪氏《隸續》，上下凡四横，今止存一横。『故方城長毛良』，洪氏誤釋爲『毛武』。『故孝』下『眈』字，亟齋誤釋爲『群』；『元珪』誤釋爲『元璣』，其餘所釋比洪氏多十字，蓋洪氏止見拓本，而亟齋得見石刻也。」張弨曰：「按：趙氏跋語所載諸句，迄今五百年來碑上俱不可得。婁氏注語乃散見各字之下，碑上亦多亡失，惜洪氏《隸釋》未載，故無全文。以予癸丑歲先至所見及己巳歲復來拓時，甫十七年，又漫漶數字，若不亟爲表識，恐剥落殆盡。兹仿洪氏之例，就其所存者書之，正面得四十三字，見于趙、婁者又二十六字。因破碎不堪，不成文句，并難依原碑行款。幸碑陰完好，故轉向外頂有垂虹三條，正與曲阜《孔宙碑》相似。其橫刻篆文八大字，一筆不缺。圓竅下列人名二十行，亦井井可見。乃照依原位詳作《釋文》，得一百字，缺者止少半。嘗聞古碑凡存數字者即可寶愛，今所得一百六十九字，尤宜珍重。又察此碑甚大，可與《魯君》相等，其列名亦必有二三層，此所存祇上一列，下半埋入土者，應尚有字。儻得博雅君子掘起增搜，升高重立，是所厚望焉。謹爲叙述，引之于前，俾閲者知原委云。」五月 原相連者接書，各見者隔書。

勛　我　壽考之駕畔　侵掠如　攸與　兵放鶬沙　之中神人　五十

能惠者也當　丂　之路無　所乖欲子車　恩　人　君　堂　賴 以上今存者四十三字。　君

字季宣，聘君之孫，年五十有七卒於中平二年。以上見趙氏跋語十九字。　亂　殁夜在公

基　緌 以上見婁氏《字源》者七字，重者不録，共六十九字。

尉氏故吏處士人名 入字橫書。　故郡　故孟　關内侯張　故方城長毛良　故孝　郡

故從事　堂永康　故從事　伯　故從事　從事楊光子容　故從事宗昌仲父　故

五官椽　故五官椽邯鄲　元　故守令吕嵩仲嵩　故守令任　故督郵邯鄲敬　故督郵

邯鄲元璣　今司 此名下有「今司」二小字，下缺言故爲督郵今遷官司某事也。　處士邯鄲　德源

處士　謙謙直　處士　子德　處士　子朝 以上存者一百字，缺者照例計其方位，當是四十九字。

右題名意止三層，是最簡之一例，與《魯君景君碑》俱不同，蓋祇列官秩與姓名及表字三項爾。以上俱《學碑釋文》。

顧絳曰：「《尉氏令鄭君碑》，八分書，今在濟寧州儒學。祇存數字，碑陰列故吏處士人名尚完。」《金石文字記》。牛運震曰：「右《尉氏令鄭季宣碑》，并陰高四尺，闊三尺，厚七寸，字徑一寸二分，陰字徑一寸二分，陰額字徑一寸五分，在濟寧州孔子廟戟門東側，陽面附墻，碑陰西向。」《金石圖》。

不其令董恢闕

漢故卒其令董君闕

《天下碑録》：「《漢童恢墓雙石闕字》在任城縣南七里，一云漢故不其令童君；一云童恢，琅邪人。」見《隸釋》。○洪适曰：「右《不其令董君闕》，《碑録》云『濟州任城有《童恢墓雙石闕字》，一云童恢琅邪人，一云漢故不其令童君』。《東漢·循吏》有《童恢傳》注云：『《謝承書》作僮种。』兩姓异同，史氏固有所疑矣。初未嘗見此闕，遂以『董』爲『童』，與宗均相類，當以碑爲正。前書《地理志》不其屬琅邪，注云『其音基』。范史《王景傳》云『八世祖琅邪不其人』，《郡國志》『東萊郡有不期侯國，故屬琅邪』。恢宰邑有异政，爲青州所舉』，則恢爲令時不其已不隸琅邪矣。《志》作『不期』，誤也。《傳》云：『恢字漢宗，琅邪姑幕人。辟公府，除不其令，舉尤异，遷丹陽太守，暴疾卒。』其爲令在楊賜罷相之後，則恢蓋靈帝時人也。但恢嘗守丹陽而闕不書者，或是如王稚子之類有兩闕而互見之歟？此闕刻一冢，冢上三物植立若木葉然，二男拜于前，其後有一婦人、二稚子，又有六婦人魚貫于後。冢旁有一大樹，其下有一馬立于木下，及馬後者各一人，馬前有數物如鷄，鶩之壯者。」《隸釋》。《碑圖》云：「右《不其令董君闕》，所畫者子孫展墓之狀，有僕馬休于松楸之下，所題八字，其左復有四五小字不可辨。《碑録》所載《董君雙石闕》，于此蓋其一也。其一則云『童恢琅邪人』，隸文『童』字『廿』下著『童』，《碑録》及范《史》誤去其『廿』。張騶云『嘗見《不其令》一碑數百言，其字大小如《防東尉》，當是彼一闕也』。」《隸續》。

少傅何君碑

不知年。○《天下碑録》云：「在任城縣墓下。」見《隸釋》。

任城府君頌

不知年。鄭氏《通志》云：「在濟州。」

督郵斑碑

督郵諱斑，字子翁。司吾君少子，尚書之小弟。□翁稟中和之正氣，攬生民之止。捈舍仁義之□，愼終亐追遠，尚德乎歸厚。敦濟濟集門字□乘時而苟求甘儒家無□□□從政之得亡□嘖意五菉遂悉色之。握樞運棋，要道氏綜百□貪請□顯雲光，匡化衛君，卓有殊踪。及左國爲曹史、督郵，固□六藝虞精孔流渠柔字。遠而邇叺思又新自同寒苦，服麤□，蹈寬大，襜然淡亮，有似老氏。非凡所識賢□可具書家眾善之報，實謂永壽。掌文懷寶，道審當□賈顏氏遇諸嗟秩我字。吉士與此爲疇刑藏□此，共發憤猛，刊石勒銘，傳之亐後，其辭曰：昂昂子翁，如珪如璋。樂古眈道，思散緯經。□楝染秕謬□録仲夏賈霜。隱儀厚士□靈真身潛名顯斿精大元鳴呼□！見《隸釋》。○洪适曰：「右《督郵碑》云諱斑，字子翁。司吾君之子，尚書君之弟也。碑無額，故不得其姓。石既碎落，故不得所終。司吾者，侯國，屬下邳。碑有與『顏氏爲疇』之句，又有『少字小弟』之稱，《銘》云『仲夏賈霜』，必不幸早夭者。『嘖志五菉』，『嘖』當讀爲『賾』，『要道氏綜』，『氏』當讀爲『是』也。」

膠東令王君廟門斷碑

二。○在明倫堂東北隅壁間。

自王氏之先出□季□九世□□乃復聞聲。□衆勝邯鄲之圍，强□其爵者曰侯曰王。景逑□溺而濡足，至孝昭二年□夏甫舉孝廉，逑□令□噲，字叔恭，博士徵陽□已後□亐京師者五世□陽太守自高平就學。□宗亶道者率困而後□季勃海府丞次子尚書郎□茂舉孝廉，爲譙令，去官□仇牧之忿奮不顧難名□弱弟居荒亂之中□鯨□爲郡功曹去官家拜□令□所宰莅，馳化如神。□辰也，季册有一，黄初五□張氏衬亐先姑仰堂宇□□念鼎足爰建時雝□□□□式不魏后，實天所授。兆發屯□□□如舊□周服從此龍光，文好俎豆，武侯鷹揚。□十朱旗乃舉，席卷三□，充成帝宇□路□□逸民□□逸民，匪雕匪琢，□哲□□有處，顯允君子，或默或語，□光隆前□伊漢中葉，皇極不建，□我□漢□騁□車東帛有戔□庶績咸喜。咨爾陽□維□亢□允□匪□攸居□□王所□空彝倫攸□冲質□祚炎□中微□人□得□□□□□□劉克□有馥其馨□時□哉宜

□帝庭内營機密□軌□乎出□赫如□榮，身殁名立，永場德□顯□用□康將和□門剖符□景□來世饗。○洪适曰：「右《漢故膠東令王君之廟門》，隸十字爲額。予新獲此全碑，其中白紙相去數字許，如石斷裂之狀。上段十八行，是叙事之文；下段少一行，是四字韵語，判然非一碑，必是二石毁缺，好事者匣而一之。藏碑之家隨行翦貼，故文意錯亂，不可曉解。其所叙有兩人舉孝廉者，有一博士召者，有丞勃海者，有爲太守、爲尚書郎、爲譙令、爲部功曹者。其一人名字可辨曰『喻，字叔恭』，下云『凡所宰莅，馳化如神。年四十一，黄初中卒』。韵語有『身殁名立，及剖符』字，蓋爲最後之人張氏祔于先姑，疑其匹也。勃海丞尚書郎則其子也，所謂上世有邯鄲之功者，秦之王翦也。云『初云□□魏后實天所授』，繼云『文好俎豆，武侯鷹揚。朱旗乃舉，克成帝宇』，則其人仕於魏初也。中云『伊漢中業，皇極不建』，又云『冲□祚炎□中微』，又云『仇牧之忿，奮不顧難』，則是述其先世前朝之事也。碑云『葬于京師者五世』，所叙既非一人；又載婦姑相祔，而以廟門題其額，必是昭穆宗兆者。碑雖有『景武』『孝昭』冲質之文，却有『魏后』『黄初』之字，而題額以『漢』者，豈膠東是其祖廟没於漢者乎？碑以『喜』爲『熹』、『奮』爲『奮』，『顧』即『顧』字，『𢬵』即如『赫』字。」《隸續》。○婁機曰：「碑在濟州。《金石録》以『膠東』爲『膠水』，雜之漢刻中。《隸續》云：『中有魏后實天所授之語，豈膠東是其祖廟，没於漢，故題以漢云？』」《漢隸字源》。《膠東令王君廟門碑》，見洪氏《隸續》，不言碑所在。婁氏《字源》謂在濟州。按：宋濟州治鉅野，亦不知碑在濟州何處也。今濟寧州學舊有漢碑五，在戟門内門之西北大成殿西皆下，有右樹根空，以片石搘拄，與樹相銜不可脱，其來久矣。鐵橋李子東琪有金石之癖，一日徘徊其下，疑此石有异，洗之，無所有。其内向一面不可見，探手辨之，覺有文，遂以紙墨摹之，得隸書二十餘字。稽之洪氏書，知其爲《膠東令碑》，較《隸續》所載叙其世系「有葬于京師者五世」，及「太守自高平就學」之語。按：高平故治在今鉅野、金鄉之間，與任城爲脣齒，豈太守以前居京師，以後居高平，而廟因在任城耶？婁氏云碑在濟州者，以任城爲州屬邑而統稱之耶？抑本任鉅野而移于此耶？不可考矣。鐵橋之尊人浩齋。名鯤，字化鵬，《金石圖》誤

「鯤」爲「鵾」。

雍正六年得《鄭固碑》缺石於泮池中，郃陽褚千峰《金石經眼録》載其事，牛空山《金石圖》亦云：『鐵橋好古，善隸，能繼家學，復得此片石爲承歡之助，士林中傳爲美談。康熙時淮陰張力臣曾撰《濟州學碑釋文》，而未見此石，續而釋之自在我鐵橋矣。』乾隆乙未夏四月秀水盛百二跋。」《柚堂文集》。

漢平狄將軍淮揚朱鮪墓石廟畫象

在金鄉城西三里，今曰「石室」，《水經》作「石廟」。

石室壁上鐫人物衣冠、罍缶甑竈之類，或負攜掬摳之狀，沈括《夢溪筆談》云：「今之衣冠，非古。朱鮪石堂所刻，衣冠真漢制也。」《金鄉縣志》。

漢畫象石刻

在州西北普照寺大殿階砌中，現移漁山書院。

孔繼涵曰：「右刻乾隆戊戌錢唐黄小松易搨以見贈。按：漢人刻象故多載洪氏書，中此刻石無甚殘剥，似是一馬駕一車，車輪甚古，猶存楺木之意。輪間有苓有斑，上有蓋，後一人從似負弓矢者。但車大馬小，車方蓋，卑不稱耳。前馬頗類《六經圖》之『淺駟』箋所謂『淺薄金甲』者也。祠堂壁象則應是遣車後所負，乃明弓矢歟？畫外有廓，必非一幅止也。」《前志》「無石」二字似倒，今改正。○朱鮪，漢陽人。王莽地皇三年與王匡等起兵，比入南陽，號新市兵，皆自稱將軍。更始立，以鮪爲大司馬，入長安封爲膠東王。鮪以爲非劉宗不受封，乃徙爲左大司馬，與李通、王常等鎮撫關東。與赤眉戰，敗。光武即位，鮪以伯升被害時預其謀，又諫更始無遣蕭王北征，遂堅守洛陽不肯降。初，岑彭爲朱鮪校尉從擊王莽，揚州牧李聖殺之。定淮陽，鮪薦彭爲淮陽都尉，至是帝令彭説之，鮪乃降，拜平狄將軍、封扶溝侯，後爲少府，傳封累世。《後漢書》。

兖州刺史班孟堅德政碑

建和十年。○按水經注三碑當在鉅野縣界。《前志》。

金鄉長侯成碑 建寧二年。

君諱成，字伯盛，山陽防東人也。其先出自豳岐，周文之侯封鄭，鄭其仲賜氏曰侯。厥裔宣多以功佐國，要盟齊魯，嘉會自邠，因以爲家焉。漢之興也，侯公納英濟太上皇于鴻溝之厄，謚曰「安國君」。曾孫酺，封明統侯。光武中興，元霸爲臨淮太守，擁兵從光武平定天下，轉拜執法右刺姦、五威司命、大司徒公，封於陵侯。枝葉繁茂，或家河湄，或邑山濟，君則上黨太守之弟。幼履慈孝之德，長抱忠謇之操。治《春秋經》，博綜書傳，以典籍教授，孳孳履真。安貧樂道，忽于時榮。敬上接下，温故知新。翹節建志，冠于群倫。孝友内著，仁義外宣。郡請置主簿、督郵、五官掾功曹守，金鄉長即家假印綬君，介心如石，不易其志。刺史嘉其高名，辟部東平泰山治中從事，君叡輿養神。聖人制命，曰仁常存。今胡不然，喪此國偉？君年八十一，建寧二年歲在己酉四月二日癸酉遭疾而卒。嗚呼哀哉！於是遐邇士庶，祈祈來庭，集會如雲。號哭發哀，泣涕汍瀾。將去白日，歸彼元陰。同盟必至，縞素填街。存有顯名，終有遺勛。魂兮有靈，嘉斯寵榮。於是儒林衆儁，惟想形景，乃樹立銘石，以揚淑美。其辭曰：於穆君德，姿履正平。乾皇所挺，應符如生。耽藝樂術，恬忽世榮。虚位禮請，介然不傾。壽非南山，不俟河清。梁木圮頹，鴻儀摧零。昆嗣切剥，哀慟感情。乃銘乃勒，億載永甯。按：《曝書亭集》跋碑末尚有「夫人延熹七年疾終」數字。

兖州刺史茂陵楊叔恭碑 建甯四年。

兖州刺史河東薛季像碑 熹平五年。

高平郡後漢沇州刺史治大城東北有金城，城内有兖州刺史河東《薛季像碑》，以郎中拜剡令，甘露降閣。熹平四年遷州，明年甘露復降殿前樹。從事馮巡、主事華操等，相與褒樹表勒棠□次。西有兗州刺史茂林《楊叔恭碑》，從事孫光等以建寧四年立。西北有東泰山成人《班孟堅碑》。建和十年，尚書右丞、拜兗州刺史從事秦潤等等刻石頌德，咸列焉。《水經注》。

古司馬城鐵碑

隸書。○在金鄉縣東南四十里，漢浮陽侯司馬耀所封也。《天下碑目》。洪氏《隸釋》云《王純碑陰》有任城孫□□與金行世。舉吏張元殘碑題名碑，門生任城某名□□□；《韓敕碑陰》有故兗州從事任城吕育、季華及番君舉王子松、謝白威、高伯世。又故少府任城樊府君韓豹，字伯尹。○《韓敕孔夫子廟後碑陰》有故苦令任城吕馥叔羊、第臨中季羊、兗州從事任城樊何榮詔公、任城王子松、魯王元宗、任城吕株仲儀。○《前志·雜綴》，移附於此。

魏

范式碑

青龍三年。○乾隆戊戌新出。《前志》并詳「補遺」，今并録。

君諱式，字□□□□□□□功存有夏，寶曰御龍。□胙商周，世昭其隆。晉主夏盟，有士會者。光演宏謨，翼崇霸業。錫邑命族，□爲范氏，則其後也。君稟靈醇之茂度，體元亮之殊高。徽猷懿恭，明允篤恕。九德靡爽，百行淵備。宏道耽藝，恢韜墳籍。探嘖研幾，罙深不入。若乃立德，隆禮樹節。寶真志諒，足以弼國。篤友足以輔仁，用能昭其洪懿。聲充宇甸，接華彦於汝墳，潤祜甃於荆漢。超管鮑之遐踪，信靈評乎炳焕。是以□化泉流，芳□鴻奮。燿仁闈於權與，濟俗侔乎皇訓。羣公偉焉，弓旌盈路。再讓考□□三府，舉高第侍御史，拜冀州刺史，糾剔瑕慝，六教允施。翰飛肅與鷹揚，興荆□□軌□，帝□其勳，遷廬江太守。擬泰和以陶化，昭八則以隆治。彌□宏略，惠訓亡倦。□□協□□□齊□□清源之深閟，寶疏氏之字順。以疾告辭，韜光潛耀，詠琴詩以甯□□□□□□□□其猶充洽外内，實紹德之奥藪，而義民之淵表也。未亮三事□□□終□□

□□□□常山相暨子汜孫而允嗣𠀾繼。粵青龍三年正月丙戌，縣長汝南薛□□□□□□感靈𡊮之不饗，思隆懿模，以紹奕世，乃興縣之碩儒咨典謨之中□同宗□□□之冑，昭告祖考，俾守厥祀。本支著宣融之祚，人神協休茂之慶焉，禮也。於是鄉□□士計掾翟循，州部泰山從事史翟邵等僉以爲，君雖燀名載籍，光颺前列，而靈墳亡□，儀問靡述，遂相與略衣舊傳，昭撰景行，銘邨樹墓以聲百事。其辭曰：於昭土德，實唐之允。誕表靈和，蹈覘履信。窮神周覽，祏道之訓。邁德徽猶，鴻漸□奮。穢彼夲毗，寶此醇懿。以文會友，以仁翼□。敷化濟殖，羣生以遂。永言孝思，民之攸塈。如何昊天，不信其執。明德不報，允肶亡紀。爰輯訓典，詢爾髦士。育兹隸㭋□，以永遐祉。詒厥孫謀，燿于萬祀。見《隸釋》。○金鄉有范巨卿冢，名件猶存。《水經注》。○歐陽棐曰：「《范式碑》，隸書，不著書撰人名氏。文字斷缺，其字及鄉里皆不可見。魏青龍三年長薛名缺。爲之立廟建碑，在金鄉。」《集古録目》。○趙明誠曰：「右《范式碑》，《法書要録》云『蔡邕書』。今以碑考之，乃魏青龍三年立，非邕書也。」《金石録》。○《天下碑録》：「《漢廬江太守范式碑》，在濟州任城縣西南四十里大頂山南。」見《隸釋》。○按：大頂山今在嘉祥。《前志》。○洪适曰：「右《故廬江太守范府君之碑》，篆額，在濟州任城。魏明帝青龍三年縣長薛君、鄉人翟循等所立。范君名式，字巨卿，山陽金鄉人。仕漢至廬江太守。《傳》書張邵、陳平子、孔嵩三事甚詳，至治郡則云『有威名』而已。此碑辭勝而事寡，雖曰『略依舊傳，昭撰景行』，但云『篤友是以輔仁，超管鮑之遐蹤爾』，未足以光揚盛德也。《傳》云爲『荆州刺史』，而碑作『冀州』，以新野之事證之，則碑誤也。此碑雖不及延康黄初四刻在魏隸它碑中可取耳。唐李嗣正作《書後品》乃云：『蔡公諸體，惟《范巨卿碑》風華艷麗，古今冠絶。』甚矣！藻鑒之繆也。『嘖』即『頤』字，『㭋』即『赫』字，『頤』似當作『賾』。」○《碑目》：「《范式碑》在州治内，蔡邕書。」見《天下名勝志》。○范氏墓在嘉祥縣南二十五里，《一統志》云：「墓碑移置濟寧州學。」陸鈛《通志》。○曹曰瑚云：「《廬江太守范式墓碑》，濟寧州學，今無。」《名碑總目》曰：「瑚，嘉興人，朱竹垞先生弟子。」○按：《通志》以爲在濟州學，久失之矣。乾隆戊戌六月二十六日，膠西崔儒視於學西南龍門坊水口石岸下得碑額，篆書十字，云「故盧江太守范府君之碑」，次日移置戟門《鄭固碑》之傍。據土人云，故老相傳明末建龍門埋入地中，其碑身聞爲民間擣衣用，懸賞購之，未能。《前志》。○孔繼涵《范式碑額拓本書後》：任城學宫舊多漢人碑刻，今存者五。乾隆乙未之夏，李鐵橋東琪得《王君廟門斷碑》於大成殿西階下柏樹根間。戊戌之夏，膠西崔墨雲儒視得《故廬江太守范府君之碑額》於學宫西南龍門池水口石板之下。吾友盛君秦川皆郵以寄示，且語繼涵云：『故老傳聞，明末建龍門曾瘞漢碑於此，惜今斷，僅獲其額。』而所謂龍門者，鄭與僑《濟上名園記》有曰『西圃北直城西襟堞前抱儒學，廣可五十畝，故大參西圃郭公所築也。門題『城西老圃堂』扁，灌息公之孫重熙、重杰兩文學闢講堂，建號舍，多士課習其中。陳太常旭窗、王璽卿坦山、汪水部孺石，遞主之，士以得與爲榮，因顔其堂曰『龍門大社』，故今猶有龍門坊在池北，呼『龍門水口』』矣，碑雖不可卒得。洪氏《隸釋》載其文且跋曰：『《傳》云爲荆州刺史，而碑作冀州，以新野之事證之，則《碑》誤也。』考《傳》云舉州茂才，四遷荆州刺史。《碑》云舉侍御史，拜冀州刺史，殆《傳》紀其末授而《碑》書其初拜歟？又《傳》云卒於官，而《碑》云『以疾告辭，韜光潛耀』，則《碑》爲异爾。《碑》又有『常山相暨子汜孫，而允嗣罔繼』語，特其上字有缺失，不能驗悉，而《傳》云一名汜，疑亦有誣錯焉。古物多不自秘，每出爲經史證左，何時爲好事者一旦得之，而先生復以寄余，據之核洪氏之書以考史傳，其樂更不知何如也。」

荆州刺史度尚碑 永康元年。

石碑在湖陵荒野，宋政和壬辰巡檢王當世遷於官廨，劉宗儀立之使星亭。《通志》。

太尉滿寵碑，隸書 在金鄉縣墓前。

晋

金鄉長薛君頌碑，在縣東，今無。《縣志》。

趙明誠曰：「右《薛君碑》，在今濟州金鄉縣。其額題『故金鄉長汝南薛君之頌』，云君諱詣，字公謀。其他文字皆完好，驗其辭，蓋縣長德政爾。《頌》雖無建立年月，而有『吴寇未耀威海隅』之語，知爲晋碑也。」《金石録》。

隋

大業磚刻

右近出濟州北鄉土中，「大隋大業三年遵德鄉故人郭雲銘」，凡十四字。《前志》。

唐

任城令元清德頌 調露二年二月。

八分書，無撰人姓名。見《金石録》。

任城尉韋公惠愛記 乾元二年五月。

苗藏緒撰，正書，無姓名。同上。

唐贈東平郡太守□□府君神道之碑

石碑在城北三十里耿務村南官道旁，甚高厚，斷爲三段。篆額四行十六字，字徑二寸許。碑之八分書，字徑寸許。磨滅不可識，僅隱隱見數人字而已。《前志》。

橋亭記

開元二十六年在泮池東列第一。

將仕郎守尉游芳篹文，朝散郎行尉華容縣開國男琅琊王子言書。唐再受命，能事備於開元，乃十有三年告成於岱。空四格。翠華之往也，則北巡濟河；空四格。王軑之旋也，則南指陳宋。故空三格。行宫御路，次夫任城焉。陽門橋者，跨泗之别流，當魯之要術。初隨時以既濟，因大駕而改功。觀其壅川爲池，因地設險，削金堰於空三格。馳道，甃石門以飛橋。夾以朱攔，揭以華表。炳若星漢，拖如虹霓。蓋空十格。乘輿乃以陽朝，即六龍，翊萬騎。聲明紀律，文物比象，迴空四格。御覽於洲渚，駐空七格。天蹕於川梁。先時望君之來也，則金繩以界之，鐵鎖以扃之。厥後榮空七格。君之顧也，則浚池以廣之，築館以旋之。經始兹宇，惠而不費。當儲峙之末，有芻栗之餘。散之則人原落人字，今叙入。獲壹錢，鳩之則動以千計。請爲亭館，以壯橋池，故鄉耆老白於吏，邑吏謀於府，因人之欲得，事之宜鼛鼓，不勝工力，徒兢辯爲。層構在水之陽，壓鮮原以迴出，流古墉而却倚。危欄巇巇，反宇峩峩。藝摇烟潭，岌若飛動。南軒虚明以晃朗，北室懿濞而清泠。自堂徂亭，邐迤幽徑。上覆藤筱，前臨芰荷。憑高伫目，萬象皆見。夫河南之勝有三，橋亭得其一。梁園有梁王之迹，圃田有僕射之陂。平池曲榭，美則美矣，豈與夫島嶼開合，林嶂蔽虧。滂薄大荒，吐納霞景。晝橋南度，像清洛之規；虚館肇臨，叶滄洲之趣。有是夫！有是夫！任，風姓之國也。謡俗古遠，其太昊氏之遺。人富而教之，合於《魯頌》。當太平無事，而朝野多歡。不然者，此池何以得花縣之名？吾寮何以得仙舟之目？不其猝而時則有若？邑大夫滎陽鄭公延葉，信昭盈缶，道契虚舟，禮樂之行，仁德歸厚。丞范陽盧瓚、主簿平昌孟景、尉琅琊王子言、尉河東裴迥，皆士林英華，學府金碧，能勤在公之節，無廢會友之文。嘗授簡於芳以爲之記，會芳有公車之召，請俟於异時。金鄉尉潁川韓郃卿舍於裴氏，言於衆曰：「激子之讓斯文，以諸公在此，諸公之意也。」予何辭焉？因命秉燭，俾芳操翰，夜而成記，翌日遂行。開元二十六年秋七月旬有四日云。大唐開元廿有六年閏八月五日建。通直郎行芳與縣尉王日雲篆額。○張弨曰：「右《橋亭記》，游芳撰文，王子言隸書，王日雲篆額『任城縣橋亭記』六字。開元二十有六年閏八月立，乃唐碑之佳者，趙氏《金石録》載之，予兩次撫搨，附作《釋文》。碑内『軟』音『副』，『乘』音『乘』，『㠯』即『以』，『反』字即『坂』字，『廿』字音入俗讀『念』，非。至於空格多寡，皆指君上及服御之類差等也。可知唐詩書碑之規制，溯自開元，至今已及千年。雖幸未損，亦漸漫漶，當移列門下以蔽風雨，不至剥落焉。」

高乾式爲亡考妣造像碑

天寶十三載。○在城北興文鎮佛寺内。

按，碑中爲佛像，文凸起右行，云「維天寶十三載歲次甲午十一月壬戌朔二十四日建立」，左行云「心主高乾式爲亡考妣敬造神碑一所，上爲國王，下及師僧、父母七世先亡、見存眷屬同登正覺」五十餘字，其餘人名甚多。佛像下皆刻小兒形，亦凸起而無首。聞碑向在洿池中，居人每見群兒戲月下，逐之并入水，竭其池得碑，移入寺。又見群兒從寺門出，遂琢其首，怪乃絶。《前志》。

唐六棱碑

寶歷二年。在普照寺。

壯觀石刻

在明倫堂前。

唐李白在任城所書碑，元至正初永豐里人馮氏得此石于沛中，置以爲家寶。元末扑于草萊，明天台邵公移置學宫。

李白書「壯觀」二字，在太白樓下。乾隆甲申大修，泥於壁内樓下正間北壁坎内。按：金鄉縣學徐州放鶴亭皆有石刻，云鈎摹於此者。○按，金四川巴州亦有此石刻。

唐于志寧草書庾子山枯樹賦石刻

舊在金鄉學内，成化某年知縣盛德修學得之土中，僅存其歌。及「唐貞觀四年，燕國公書」九字，今無。

唐贈歙州刺史葉慧明碑 開元五年。

趙明誠曰：「《唐歙州刺史葉慧明碑》，韓擇木撰，并八分書。開元五年七月。」《金石録》○顧絳曰：「《唐贈歙州刺史葉慧明碑》，江夏李□□國子監太學生□□□八分書『開元五年七月』，今在金鄉縣。此爲葉法善之父。本傳，法善括州括蒼人，三世爲道士，皆有攝養、占卜之術。高宗聞法善名，徵詣京師。法善自高宗、則天、中宗殆五十年嘗往來名山，數詔入禁中，盡禮問道。然排擠佛法，議者或譏其向背，以其術高，終莫之測也。睿宗即位，稱法善有冥助之功。先天二年，拜鴻臚卿，封越國公，仍舊稱爲道士，止於京師之景龍觀。又贈其父爲歙州刺史，年一百七歲卒。其叙葉氏云『聃季食沈，子高封葉』，則當式涉反，今人讀爲枝葉之葉者非也。又其文曰『情隋地深』，當作『隨』而省爲『隋』。」《金石文字記》。○王澍曰：「按，慧明，葉法善之父。法善三世爲道士，有攝養、占卜之術。睿宗即位，稱法善有冥助之功，拜法善鴻臚卿，封越國公，又贈其父爲歙州刺史。碑所謂『有開必先大啓聖猷』者，是出撰文，書碑名字俱泐。隸法清痩，頗類《御史臺精舍碑》，不合東漢筆法。然僕之所惡于今之爲隸者，正以不得漢人風骨，徒以襲其形貌耳。此碑風骨爽勁，正喜其于漢人之外别樹赤幟，何必公相沿襲、千手一同乎？」竹雪題跋。○趙德甫《金石録》第五卷目《葉慧明碑》下注：「韓擇木撰，并八分書。」今此碑分書頌類擇木，然前款撰文者載江夏李□□碑書載國子監太學生，明是兩人，非出一手。又『江夏李』三字尚存，决知非韓所撰。書碑名姓俱泐，然德甫既誤以兩人爲一人，焉知所謂韓撰木者不亦爲一時率爾誤書者乎？同上。

唐有道先生葉公碑，李邕書。在金鄉縣治內，今無。

按，當是李邕所撰文，《縣志》誤以爲李邕書也。邕，江都人，而工部《八哀詩》稱「江夏」。《前志》。按，此疑即《葉慧明碑》前撰文，明明言江夏，李似即邕也。曰「有道先生」，或推尊之辭也。

宋

佛頂尊勝陀羅尼經碑，正字

右碑在城東之南井集北。八楞，楞闊三寸許，出土三尺，上有頂如杆。向南刻佛像一小方，文自東直面刻起，首云「大宋國□州任城縣住持」，下半入土。六面皆刻經，空北與東北兩面。經中有「静覺」及「儀風某年」等字，或云唐《静覺寺碑》者，非也。

八分字碑 未詳年。

指南碑 子夏山人王文翰書。

右宋碑，在張家橋東程家樓莊。三十年前人猶及見大牛入土中，今使人訪之，不可踪迹。物之隱見有時，姑志之以俟來者。《前志》。

宣聖廟碑 宋大觀元年隴西李浩書，胡世將記。

其碑陰云：「宣聖廟原在邑城之中，傳聞碑刻甚多，緣歲遠湮没。大定辛卯東魯聶侯宰是邑，創建新廟將落成，一夕雷雨大作，有巨碑四踴土而出，遂遷於廟中。餘碑多剥落，惟兹全璧，且字體端楷，腕力遒勁，學者多宗之。」

棲霞阡表元焦雲

從墓碑趙孟頫書，今無。

金宏法寺重修戒牒碑

大定六年任城主簿閻時升記。

濟州學壁石刻詩

明昌六年。○王安石作，党懷英書。見《詩録》。

是文乃先生所珍重者，余幸獲二册，不敢自私，令傳之濟庠，廣諸同人，使古迹重新耳目，庶不負先生托相之意，同志者幸勿視爲故紙弃之可也。時康熙歲次辛未季春望後九日之罘于子湞介庵氏識於濟水旅邸。

《濟州學碑釋文叙》：「東漢隸書碑版皆出名公巨卿之手，如蔡中郎、鍾太傅而下，例不著書撰人姓氏。流傳千古，不獨奉爲文字之典型，并可補史傳之不足，而正其訛誤也。惜今世所存寥寥，惟有曲阜廟門與濟州學舍各立數通，爲海内罕覯者。予家淮陰，幼承庭訓，捧觀舊藏才本，輒蚤夜臨摹。强仕後遍歷五夜，入秦晋、巴蜀，聞古碑則必力求，亦嘗探險僻、披荆榛，所見僅得一二，終不能過是。至癸丑歲，同東吴顧亭林先生出都，恭謁闕里，既才諸碑，便經濟州，又各得數紙。倏以嚴寒遄歸，嗣是冉冉至老，偃息家園凡十七載。己巳春閏，阜城多子玉巖固邀北行，檥舟南池之岸，先尋吾鄉馬子素菴，旋携兩兒一孫急訪諸碑，相與槃桓三日。幸植風景清和，古柏交蔭，予以皤然一老撫摩審視，督施榻具，不禁大笑稱快焉。時司鐸兩先生以從衡文在郡，適晤于子介菴、陳子柏臺，晨夕周旋授粲，誠意外之契合，因向予曰：『我輩嘗憾諸碑漸次漫漶，子其釋之叙之，欲專刻一册爲吾庠世寶，并作《藝文志》之冠冕。』予唯唯而别。仲夏抵阜，淹晋三秋，命家兒以洪氏《隸釋》郵至。初冬入都，更搜諸書考訂，纂成一卷，以漢碑五通居前，以唐《橋亭記》次之，以党書王詩并和韵附之。按：此漢碑釋文雖本之洪氏，但參以愚意者有二：其一爲洪本皆用隸體，若以隸釋，終屬蒙昧，今悉用楷法，庶一見了然。其一爲洪本移碑行以就書格，遂損去缺字，無從稽察。今各依本碑字數，使原行相對，可推測互見，即隨各式刊刻。書本亦不爲大，則尋丈之全碑，斂歸咫仞，尺還具體，乃仿古之良法，非敢私意造創。會質之朱竹垞太史，亟以爲是，贊而成之。庚午春仲緘書以寄二子，二子必喜予之既踐前言，同持展視，以就諸碑對較，斯楚楚可讀。復廣之四方，使盡人可讀，則東漢以來之法物，焕然重新耳目，而濟庠諸君表彰之功，恒與金石并垂不朽矣。亟齋迂叟、張昭力臣氏撰并書。」

吾家亭林先生嘗作《唐師》一篇，云：「精心六書，信而好古，吾不如張力臣。」然其著述不少概見，今睹是篇，始信斯語。潘恬庵先生欲刻而傳之，使讀碑者有所考證，郵至京師，求余校勘。惜洪氏《隸續》未經載入，爲補其闕，九原可作知亦稱快也。康熙庚寅三月南原居士顧藹識。

予弱冠從先兄存齋於吾州學宫見漢碑之陰有淮陰張力臣題名墨迹，先兄指以視余，曰：「好古君子，今人中不易得也。」後康熙己丑春於孫德輿案頭見力臣手書之《釋文》一册，得之如獲拱璧，恐其湮没，欲刻而傳之，特郵囑南原先生精爲校定以補其闕、正其訛。癸巳，余承之天長南原，亦司鐸儀真，距僅百里，相會輒津津道及。閲五年始克付梓，人深幸此書之傳，而獨以先兄之不獲見爲可痛也。康熙戊戌七月齊寧恬菴潘兆遴跋。

泰和元年碑

前半截去，未詳姓氏。《海栗山房記》：「在鐵塔寺大殿後門基址下。」

開堂疏碑

明昌六年党懷英隸書。

照公禪師塔銘　明昌七年趙渢銘，党懷英隸書。在普照寺。

大金濟州任城縣李氏塋碑　明昌六年。○在小郝村，今名嘯河，誤。《前志》。

鄉貢進士黄晦之撰，潁川陳度書丹，贈大中大夫、前知汝州軍事、輕車都尉、虢略郡開國伯食邑七百戶、賜紫金魚袋致仕楊師復篆額。

金故贈中順大夫贈濟州刺史李演碑　貞祐四年。○在泮池東第三西向。

崔禧記，趙秉文正書，潘希孟篆額。文見《藝文志》。

元

李白酒樓四面碑　至元三十年癸巳，在太白樓後。

唐沈光記，元揚桓小篆。「揚」從「手」不從「木」。按，碑爲小篆，漁洋《秦蜀驛程記》謂爲「大篆」，當是記憶之誤。《前志》。

濟州郡侯冀德方重建大成殿碑　至元三十年。○在泮池東弟二西向。

李謙記，楊桓隸書。○舊卧地，乾隆丁酉冬重立。《前志》。

郭景仁濟州修學後碑　元貞二年。○在泮池東第四。

李謙記，楊桓篆額，耶律有尚正書。

知州李宗武建尊經閣碑 大德三年。○在尊經閣前西第二東向。

陳儼記，楊桓正書并篆。

任城二賢堂碑 延祐三年，在太白樓。

曹元用記，張楷書，任城馬玉、王瑞立石。

大德十一年加封至聖文宣王制詞并記碑 延祐七年，戟門前。

曹元用記，并書。詞云「出高堂閣復手，輔惟良篆」。

達魯花赤万脱脱木兒從祀繪塑碑 皇慶元年。○在泮池東次第五西向。

陳儼記，趙璧正書。

知州張仲仁修學碑 元統三年。○在明倫堂前東階第二。

濮陽辛明遠記并書。

知州偰朝吾重修尊經閣碑 至元三年。○在尊經閣前西第一。

眉山王宜振記，尚甘澍書，張起巖篆。

二賢祠碑 至正三年，在太白樓。

汪澤民記。

知州蔡思中重繪賢像碑 至正四年。○在泮池西第四。

學正孔克亮記，訓導馬驥、直學宋口等立石。

濟寧路總管王德修重修學碑 至正十三年。○在泮池西第二。

衍聖公孔克堅記，劉謙書，胡祖廣篆。

濟寧路達魯花赤昇嘉納修學碑 至正二十四年，在泮池西第一。

衍聖公孔希學記，方伯謙書，史銓篆。

明

方克勤重建西齋記 洪武八年。○在明倫堂東北隅壁内第三南向。

夏侯霽記，律啓原書。

重刻郭有道墓志銘《金鄉縣志》，不詳所在。

明天啓年，吴郡彭城手摹跋云：「蔡中郎自稱作銘『如有道者，於心無愧』，此銘此書誠峻絶也，惜善藏墨刻者不多覯。向在王弇州齋中得一帙，勢若龍飛鳳舞，又若快劍長戟，森嚴相向。假旬日雙鈎摹贋，雖不獲其原刻，仿佛得其神骨云。」

行軍司馬敕碑

永樂十八年，今無。

太白樓下有「永樂十八年正月二十日，敕行軍司馬樊敬往守濟寧，操撫十萬壯士，指揮以下除授總兵官亦聽調，違令斬首」。行軍司馬其重如此。《歸震川集》。

魯王府摹刻定武蘭亭帖

王穉登跋：「宋高宗南渡，携《定武石刻》以行，至揚州忽入於井。宣德四年東陽何公爲運使，得之井中，遂携歸焉。此本即趙松雪所謂『纔損五字，石中至寶』者。」右石康熙中有州人某得之兖州魯王府基土中，輦之以歸。今聞又轉入某氏，不可得見矣。按，何氏石明末時爲東陽令强取以去，東陽人追而奪之。其石見在東陽，此《魯府帖》當即何氏拓本重摹者。《前志》。

知州蔣資修學碑

宣德六年。○在明倫堂前西二列第二。

魯府伴讀莆田黄謙記，楊翊書，蘇黄采篆。

知州王敔創建文昌祠碑

宣德八年，在祠前東。

宋球時舉撰，楊翊書。

漢灌嬰墓碑　正統六年。○在城東三十里。

單邑王舜耕文。

知州陳亮修學碑　正統六年辛酉。○在明倫堂前西第二列第一。

寧陽許彬記，王彥成書，孔彥縉篆。

知州王彥成重修文昌祠碑　正統十年，在祠前西。

孔彥縉撰，裴侃書，劉翀篆。

知州傅霖重修大成殿碑　正統十三年，碑陰有「大成殿上梁」文。○在殿前東第二。

長樂陳瑄記，趙輔書，狄瓛篆。

永通河閘碑　成化十一年乙未。○在耐牢坡。

商輅記，俞欽書，蔣琬篆額。

進士題名碑　成化十三年。○在明倫堂前東一列第二。

知州孫蕃立，劉珝撰，錢溥書，楊浩篆。

勉諸生詩碑　成化十三年。○在明倫堂西北隅第二。

提學按察司僉事畢瑜。

去思碑　成化二十二年丙午。○在明倫堂前西二列第三。

盧瀚撰，李鎧書，李愍篆。

工部主事莫驄修學碑　弘治二年。○在明倫堂前西一列第一。

莫驄記并書，衍聖公孔宏泰篆。

次韵勉諸生詩　弘治五年。○在明倫堂前西北隅第三。

提學按察司副使沈鍾。

蘭谷

門箴　依《前志》書。

舊在大成殿前，乾隆丁酉修學改爲杏壇石欄。按，《舊志·王通傳》：「通號蘭谷，有《蘭谷集》，明初人。」《前志·文苑》：「未知是否。」又弘治初鄭文炳有《蘭谷論》，當爲此而作。然徒論蘭而已，無關考據，故不録。

老人星圖碑 弘治十一年。○在城東高廟蘇莊雙忠祠。

題跋云：「余家藏《老人星圖》，滇南湛然道人之筆。昔從先君子宦游貴竹時所得，於今五十餘年矣。近聞道人近百歲，畫品益入妙，如斯圖已自奇絕不凡，因伐石刻之，與四方君子共焉，抑以幸同躋壽域云。弘治十一年春正月初吉敕封承德郎、南京吏部文選清吏司主事、前宣聖廟司樂八十翁濟□□□識。」

碑高二尺，寬八尺，在祠檐下。雙廟者，灌嬰及壽亭侯也。灌家即在其旁數武，有宣德年碑，爲貴州參議李睿立。睿之孫承祖曾官吏部主事，細玩跋語，當即吏部之父。又《王春傳》有與李司樂、劉長葛「共修耆英會」之語，蓋即其人，惜其名不可考矣。《前志》。

游太白樓記 正德十五年。○在太白樓。

巡按御史瑞陽熊相撰。

五帝三王周公孔子四配贊碑 嘉靖二年。○在戟門前西南向。

巡撫盧陵陳鳳梧贊。

知州張寰建名宦鄉賢祠碑 帖文。嘉靖二年，舊在崇聖祠前，今在杏壇東。

方正學先生神位又記一通 嘉靖四年。○二碑在文昌祠。

明世宗御製敬一箴碑 嘉靖五年。

明世宗御書四箴及心箴石刻五 嘉靖七年。

經筵講章石刻五 嘉靖七年，舊在敬一亭内，今移入尊經閣内壁間。

劉天和治河始末碑 嘉靖十四年。

邵元吉記，在南池南涯。今無，庚寅年猶在。

總河李如圭修學碑 嘉靖十六年丁酉，在大成殿西第二。

劉澤記，莆田王俊書，郡人孟易篆。

總河于湛建啓聖祠碑 嘉靖十七年戊戌。○舊在祠前，今在杏壇前西第一。

莆田王俊記，靳學顔書，呼相儒篆。

總理河道題名碑 嘉靖十七年。○碑陰有隆慶時翁大立隸書《四思堂箴》。

總河于湛記。

右碑在河院署大堂之左。按，記云「碑在東亭」，不知何時移此。又據潘公季馴云：「陳平江以未爲《河督碑》無名氏，金碑有之，恐非原刻矣。」《前志》。

龍頭二字碑 嘉靖十九年庚子，在戟門前西東向。

真吾子撰，海嶠山人書，梧岡山人立石。

總河周用詹瀚建龍章閣碑 嘉靖二十四年，舊在崇聖祠前，今在杏壇前東。

鄆城樊維祖記。

總河詹瀚建諸生肄舍碑 嘉靖二十六年，舊在崇聖祠前，今在杏壇前西第二。

郎中王九思記，馮熊書，吴崇文篆。

太白傳 嘉靖三十一年壬子。○在太白樓。

方元焕草書。

公舉崔雲鶴入鄉賢祠碑 帖文。嘉靖二十五年，舊在崇聖祠前，今在杏壇前西。

總河王士翹修尊經閣碑 嘉靖四十一年。○在尊經閣前東第二。

靳學顔記，于錦書，楊賢篆。

總河王士翹修學碑 嘉靖四十三年。○在尊經閣東第一。

浮梁金達記，靳學顔書，楊賢篆。

遺愛堂碑　嘉靖四十四年，在明倫堂西，爲吾崖王公士翹梧岡、陳公堯作，今移報功祠下。鄭真記。

玉皇閣東鄭敬齋郡伯詩石刻　或云敬齋即鄭真，見《詩録》。在石佛寺。馬一龍書，字負圖，號孟河，溧陽人。嘉靖丁未進士，南京國子監司業。《書史會要》云：「一龍作手縣腕運肘，落筆如飛，自謂懷素後一人。然評者謂其奇怪，爲書法一大變。」《書畫譜》。《前志》。

總河翁大立修學碑　隆慶四年。○在明倫堂前。鄭真記，靳學顔書，楊賢篆。

玉皇閣平江伯祠碑　萬曆五年丁丑。應天府尹程嗣功記，禮部祠祭司郎中闞成章書丹，工部主事分司余毅中篆額，藩府典儀程良清立石。按：玉皇閣在今龍神廟西三官廟後，本名三元宫，内有嘉靖四十五年三元宫碑，又有隆慶辛未水府三官廟碑。《前志》。

知州宋祉修學碑　萬曆十三年。○在泮池西第三。學正留敬臣記并書。

濟寧道高尚志修學碑 萬曆十五年丁亥。○在明倫堂前。于若瀛記。

重立總理河道題名碑 萬曆十八年庚寅。○在河院署大堂之西又東壁間。有《黄河圖》載潘公説《吴下章草》刻石，未詳年。總河潘季馴記，新安羅文瑞書。

魁字碑 萬曆二十五年。○在大成殿後北向。王時泰書并贊，碑陰有王文翰「指南」二字。○知州萬民命立石。

知州劉嗣傳修學碑 萬曆三十五年。○在大成殿前東第一。于若瀛記，文星高書。

臨山谷書大江東詞石刻 在嘉祥縣。馬應龍書。按，應龍字伯翔，上元人，明嘉靖時嘉祥令。

總河曹時聘修學德政碑 萬曆三十五年。○在戟門外西階下南向。于若瀛記。

知州唐世柱修學碑萬曆四十二年。○在大成殿前西第一。楊洵記，廩生楊聲遠書。

國朝碑記，一總河楊方興修學碑任有鑒記，在戟門外東階下南向。一重修學記舉人鄭與僑、任孔昭、生員楊仲、陳宸法、房曰梧、楊蘇林、鄭師尹、楊再震修。○在明倫堂前。○一書院石坊胡若琦及子餘録立，其書院今爲青華洞石坊，「書院」二字頗有筆法，今委於義學內。○一總河靳輔修學記靳輔記，周金然書并撰。○尊經閣前東第三。○一大成

按：《前志》列。

講德書院碑王天眷記。○在學校報功詞艮隅，又有兵河道葉方恒、運河同知任璣《協修學宫小記》石刻，在左右壁上。○一會碑在杏壇內東壁間。○一補修西廡東垣泮池橋記知州姚永煦撰，學正蘇學軾書，訓導郭元樞篆，在重立總督河道題名碑總河靳輔記。○在河院署大堂之左。○一四忠祠泮池西第五。○一同愛堂太上感應篇石刻劉汶泥金書，子柏摹勒上石，存劉氏。○一忠義孝弟節孝碑在學西舊忠義孝弟碑祀徐標、李燭、任民育、楊佩，州人潘兆遴記。○在學宫祠內，今移忠義祠下。○一無名氏節孝祠下。祠前，今在

石刻趙子昂摹杜少陵像巡漕御史仁和沈廷芳勒石。○在南池少陵祠內東壁。

石刻「子欲修真，要在性情。子欲延齡，謹之在身。感天載地，物我同春。藥食資養，妙用和平。憂思喜怒，耗爾元神。身閑心静，寢卧安清。恒能愛重，松柏齊森。一定之見，斯稱大人。」○石在南池金龍山神廟東側，高四尺，寬二尺許，字大如碗，行楷精妙，迹類宋人。其陰爲後人别刻他文，乾隆乙酉因修廟失去。所見者李氏《海粟山房》拓本。

○一隸書徐幹中論治學篇

在尊經閣下。吴江陸瓚書，藍應桂跋：「漢人隸法唐宋以後失傳，元人楊桓以篆隸名一時，或猶議其即用篆法爲隸，其他無論矣。吴江蘆墟陸先生爲何義門高弟，曾在三禮館，與望溪、穆堂兩公最契合，生平篤嗜尤在隸書，臨《華山碑》至三百餘本，其專且勤如是。今廉使朗夫公常出其家藏手澤見示，有所書《中論》《治學篇》，不特筆法之妙，而《中論》是篇其啓迪後學不淺，所當家置一通者也。時修濟學適成，因請之廉使公刻石尊經閣下，石凡十五枚。學故有漢唐碑及楊桓碑，先生此石蓋超元人而上與漢人相頡頏，有目者自不以予言爲謬也。乾隆四十三年夏定海後學藍應桂識。」

濟寧直隸州志 卷九 五十

濟寧直隸州志卷九之三

藝文志 三

詩録 上

○《前志》所載及分附各卷者，與三縣志存，并搜訪遺稿，精而選之，或統附一題，或并歸一人，或以時代爲序。州人士所作，不必盡州事，所以存獻也。作者、爵號已詳「人物」，不再書。存者不與，體例宜嚴也。下卷及文録并倣此。

明

劉 翀

太白樓

原題《白樓風月》，十景之一。○郡城城上有高樓，李謫仙人此地游。四幕青天金氣肅，入窗凉月素光浮。吟驅風景來詩筆，醉捲江湖人酒甌。一自騎鯨飛去後，危欄依舊水東流。

王 通

天井閘

原題《天井銀濤》，十景之一。○長江滚滚自東來，峽口奔流去不回。錦纜乍牽人似簇，鐵關初啓浪成堆。朝天勢涌晴川雪，動地聲轟白晝雷。萬國舟艘皆入貢，五雲北望是蓬萊。

楊士奇

望濟寧　疏翠輕紅水岸迂，漁家遠近映菰蒲。高城前望晴雲下，却記行程是半途。

于若瀛　三首

謁曾子廟　大賢不可見，是處有遺宫。一貫傳心遠，千年廟貌崇。層巒環霽色，古木冷秋空。此日遥瞻拜，依稀魯確風。

高將軍歌　序：「將軍曹人也，慷慨有勇略，往倭寇屬國時，曾上書直陳利害，當上意方欲以兵事寄之，尋以病歸，與余别數年矣。己亥來濟，寓鐵塔寺，與談時事，激烈憤惋，令人髮欲指，惜其用不究才而以病廢也，輒爲此歌。」○將軍年方五十强，雙眸炯炯如電光。揚麾色擁飛霞赤，拔劍氣吐高天蒼。榆關兵氣薄東海，出救朝鮮彌七載。將士從征不奏勛，推轂謂有將軍任。將軍一疏叫天閽，侃侃微言動至尊。部下横行五百士，争能角技何桓桓。天子臨軒求大將，將軍自負不多讓。于時厲士將出關，誓不功成不西向。豈料雄心一病銷，五百之士氣沮喪。歸來數畝足耕耘，栖老南華一片雲。羊祜輕裘難蔽膝，孔明羽扇不禁氛。偶來蕭寺寓古殿，數載分攜今始面。相逢乍喜還乍悲，可憐肝膽誰能見。憂國憂時意氣同，談天之舌捲雄風。執手相看不忍去，挑燈忽已星河曙。嗟哉壯志安足酬？從來李廣未封侯。《弗告集》。

夏過普照寺　火宅炎蒸極，無消此日長。偶來依梵宇，時復禮空王。貝葉翻床静，曇花拂座香。雪山趣大海，坐惹塔雲凉。○石上趺跏坐，香臺啜茗餘。共持無上咒，回向未來初。院窅疑靈鷲，山空響木魚。洞虚何所見，不見即如如。《弗告堂集》。○《前志·古迹》。

陳伯友

雲峰上人　二首選一。○自入禪關後，方知世路迷。弃刀立解脱，合掌證菩提。水動潮音響，日高竹影低。偶過接數語，慈渡若堪攜。

登太白樓

昨約漁樵伴，同來訪舊游。開樽重結社，懷古一登樓。日淡湖烟白，天高木葉秋。跨鯨人已去，惆悵想風流。

楊士聰

凶年四吟

崇禎庚辰辛巳感時而作。○累年皆赤地，無怪民窮蹙。釜甑既生塵，爨烟絕比屋。三旬鮮九食，瓶空那得穀。漉槐收澀實，（自庚辰秋，州人漉槐子爲食，味苦澀。）剥榆露白木。（向剥榆皮爲食，今春市中至鬻榆麪，每斤價銀三分，榆樹皆剥盡。）楊柎罄寒林，（二月采白楊花爲食。）草根殫邃谷。（澤中掘茅根爲食，每斗價至一錢四五分。）一家先後亡，寂爾無人哭。已分作捐瘠，曷辭委溝瀆。所恨息未絕，同類饜其肉。（辰冬流民食人肉，巳年春乃至親屬相食，有死未及瞑已被食者。）良吏括倉庾，辛勤爲饘粥。久饑始一餐，焉能拯枵腹？相將赴冥途，止爭遲與速。（濟城内外粥廠約十餘處死饑。）尋常井閭中，每憂逢不若。小竊類螟螣，大奸乃鯨鱷。（首事盧張等皆富室爲之。）焚燒作生涯，殺戮爲娛樂。（賊陷魯橋、南陽等大鎮，焚房舍數萬區，殺死商民以百萬計。）遠鎮既攻陷，近村恣驅掠。（賊焚各州縣村落無算。）奮擒或抵罪，（兗西一帶有招撫之令，擒賊者多抵罪。）强撫先頒爵。（招撫令下，渠賊各授守備，給劄黄蓋腰金，公然與縣官交際，其聚掠如故。）脅虜黨日繁，（鄆、巨各縣有不與賊通者，賊即洗蕩其村落，仍以殺賊聞官。）狂騁力寧薄。多金捐不問，（賊以多金，各處鑽營。）巧諜如媒妁。士伍通寒暄，庸弁葬溪壑。起事已修隙，（賊報平日仇者，殺戮更慘。）勢張更兼弱。（謂自相吞并。）生齒累百萬，狼籍就鋒鍔。何堪縱虎翼，乃至恬魚鑊。徙薪空多算，誰肯受良藥？（死寇。）名將重威信，過師從枕席。平日少撫練，臨戎增嘆嘖。賊焰既以熾，調發雜主客。强者大猙獰，弱者不任革。緣村掠民蓄，如駝識水脉。馬牛擇肥健，女婦相與夕。少抗輒被戮，孰操自完策？貧無立錐者，更復遭奇厄。談笑借汝首，聊以充斬馘。所過聞哭聲，過後餘蕭索。望賊多不戰，醉飽以酣適。（死兵。）殺運殄生人，輕繁如蠓蠛。兵荒已半死，豈堪罹病孽。春來漸多疫，什九劇綿惙。蠢凶既草萎，良謹或蘭折。道路續新哭，親屬累死别。甚至數口家，俄看無遺子。村木踴高值，匠者踪幾絕。（時有製一棺工價至十五兩者，木價可推矣。）貧民無葬力，委弃空痛結。横尸在通衢，端爲烏鳶設。腐胔每隨風，亂骨俄森雪。上帝本至仁，民生豈盡滅？祇憂閻浮世，化作丹丘血。死疫。

鄭與僑 十首

夏五序

甲申寇陷燕都，分頭南下，拷掠之慘，所在騷然。濟人被難在五月初，詩以傷之，悲湯火也。坤輿失厥職，六鰲群跳舞。遥天下黑雲日月無復睹。夏五苦炎蒸，酷烈猛於虎。徘徊復徘徊，有懷不敢吐。掩關常太息，開卷友上古。皎皎許張節，上與三光伍。此意殊寥寥，誰能窺其廡？更端披丹青，群芳爛書譜。大冬與嚴雪，凡卉總朽腐。所見松與柏，挺挺不受侮。更有幽谷香，世外得自主。遐哉吾思肖，書蘭不書土。

哭楊㒰岫宫諭

乾坤有正氣，秉賦良非偶。同此七尺軀，如何獨不朽？風霜厲以繁，歲月悠且久。時勢有遷流，疇能善所守？惟我宫諭公，生爲仁者後。庭訓勤而嚴，得之天復厚。一鳴早驚人，石渠窮二酉。洊陟侍從班，樹人更芟莠。憎彼抱葉蟬，聳身將閽叩。彈指剪大憝，直名雄赳赳。傷哉皇祚移，寧累不爲誘。朔氣散流氛，日月嘆豐蔀。避世遠塵囂，獨向江瀆走。羨彼方外土，公所寓之村名方外土。延陵姑尚友。痛哭讀《離騷》，悲歌飲醇酒。肝腸瘁以裂，熱血傾數斗。箕尾與天游，捐軀謝陽九。自云行遁身，埋骨與札耦。青山到處逢，何必洸之右。孝子有達節，素旟返故阜。英魂在寥廓，應不隨廣柳。意訪木上樓，肝膈柑對剖。日月曾幾何，後死徒增醜。令威不返鄉，華表頻頫首。公自題小像有「稔擬他年化鶴歸」之句。引紼動哀號，北風正咽口。易名知何時，萬古太常手。古人友可諡，文貞僭爲取。諡者行之迹，惟公無愧忸。

讀苦節篇序

岱峰周翁爲其嫂甘淑人刻也。淑人女孫爲余子婦，其家門事習知之。夫節婦之難，難在撫孤；淑人之難，難在無孤之可撫，更難在所撫之非其孤。余咏其事，獨於此三致意焉。欽之，抑難之也。〇門外多凄風，掩關點歐史。傷哉五代間，置君如棋爾。朝梁暮已唐，泚顔不知耻。長樂爲首凶，無异倚門妓。身雖歷顯榮，厥心死久矣。瀛海艷王封，穢名人羞齒。皎皎從一節，今乃在簪珥。我讀苦節篇，揮泪莫能止。淑人字於周，庭階森前子。温漿沃寒石，畢竟异毛裏。撫育心劬勞，中外譽始起。所天閫峴山，波濤騰漢水。謗書利如刀，相將栖泗沚。造化真小兒，良人畢於此。廣柳返洸原，鸞影無依倚。結茅傍長君，容身尺有咫。諸嗣復食貧，饔飧誰爲理？梵梵三十年，謀生賴十指。苦節不可貞，能貞節方美。平心吊忠良，幾人敢方軌？所見蘇子卿，窮廬彌自矢。相對猶狂群，嚙雪傲凶否。天地皆震動，恤躬無錯履。卒之獲生全，芳名百祀紀。母也節同奇，後先可相比。叔氏壽以言，言言無糠秕。余復爲此詞，彝好弗能已。并詔二心臣，毋輕墮泥滓。豈徒愧笄流，抑且類塗豕。

贈傅節母

大夫有髯剛如戟，未可碌碌輕一擲。大冬嚴雪期凌寒，草木尚有松與柏。洸泗瀠洄大嶧高，山川靈秀産英豪。處士氣吞會稽月，（揚文學定國。）太守舌濺廣陵濤。（任太守民育。）虞鮮化碧中丞血，（徐總制標。）延陵石畔學士咽。（楊宮諭士聰。）何物地靈孕多奇，更有閨貞堪競烈。閨中出邵字傅郎，齊眉十載稱未亡。堂有白頭膝黄口，一髮千鈞自主張。茹蘗咀冰苦復苦，歌鵠要與陶嬰伍。白雨青燈三十年，歷盡霜雪難更數。庭前玉樹喜凌霄，養志承歡緑袖飄。爲念文章堪不朽，殷勤壽母微歌謡。小人有母留侯裔，芳心視此真投契。采風下里虚無人，千里叩閽曾奮袂。我與傅子有同心，北堂奇節可并欽。景行惟賢師是母，莫將七尺任浮沉。高山流水前修在，孝子守身善自愛。吻毛休博鏡中羞，徒令往哲笑吾輩。

寡婦哀

從聞寡婦不夜哭，此語深文未敢服。懷恩原無間晨昏，凉雨凄燈更慘目。憶昔白洋晚泊舟，狂飆雹怒雜黄流。漁艇商舶集深港，命酒徵歌各遣愁。獨有一舟聲悲慟，裂膽摧肝驚客夢。哀哀不斷亂寒風，細聆知是凰泣鳳。堂上白頭有嬴姑，膝前黄口日需餔。一髮真是引千鈞，九死難堪萬種荼。鄰舟婦女競相勸，且自收聲近夜飯。世事有經復有權，何妨别船覓繾綣。寡婦聞言復大號，良心恩愛等天高。皇天縱有摧頹日，不使怒心逐游濤。逋客於此發深省，拍案擊壺咽還哽。古來廊廟多碌碌，詎意艱貞任舴艋。曉戒舟人莫過灣，登舟一叩節烈顔。寡婦傳言休浪譽，咏舟歌鵠總等閑。聽罷舳艫散滿澤，摇摇盡是利名客。瀝丹惟有匹婦心，水自濺黄盧飛白。

哭任嶧嵐序

嶧嵐守維揚，兵臨城下，志在必死。四月二十四夜，有星如斗墮於厨前，公曰：「事不諧矣。」遣散諸妾，城陷亟走衙中，卸甲胄，易冠裳，挺身受刃，烈哉！○星隕鶴城夜，黄堂血泪枯。從容酬國難，慷慨善身圖。鬚鬢留男子，冠裳著大夫。廣陵濤日吼，疑是烈臣呼。

哭任烈女序

女適劉，夫早亡，咏黄鵠者七年矣。隨父官揚，父殉難，女亦自縊。嫁而仍稱女者，以從父也。○孤鸞悲獨舞，雙鹿喜隨游。堂上抗顔舌，膝前殉趙樓。屋梁憐皎月，水際嘆浮漚。是父與之子，英魂堪并留。

哭劉烈女

任太守甥也，適陳母隨至揚，一時雙縊。○盈盈方十五，風厲散朝霞。節比冰霜冷，名同日月遐。一堂三世痛，萬事九京嘉。拈筆不堪賦，繞庭惜落花。

乙未過維揚哭任嶧嵐太守

熱血飛空已十年，此回應作碧光傳。政聲素與龔黄并，義膽究同張許懸。來岸樓臺栖舊燕，盈堤花柳叫新鵑。芳魂不逐風烟散，萬古高留日月邊。

讀楊文學定國帶血吟

風雨間關一劍寒，哭天無泪口空乾。魯連蹈海方稱士，王蠋懸枝逭計官。效死寧甘存鬢髮，貪生只恐玷衣冠。胸前佩得崇禎字，地下從龍心亦安。

楊洵

南池

二首選一。○青蓮浣筆處，千載尚寒流。堤繞孤城晚，臺荒烟郭秋。龍蛇波欲動，象緯夜仍浮。爲問鯨飛去，何年到十洲。

靳學顏 十三首

夏日同鼎山兵憲太白樓作

青蓮學士絳闕仙，黄冠山人知其賢。飛舄相從還解珮，登樓命酒復談元。逸調自非當世用，清名空使今人憐。黄塵滄水千年變，雉堞翬樓映芳甸。嶧陽淑氣暖芝塵，大壑晴光摇日觀。豊碑積蘚織成紋，睥睨流雲舞如綫。使君斧鉞駐蒼冥，地主尊罍開曲燕。觴羽飛馳竹葉寒，冰檠細瀉水晶丸。不用徵歌向燕趙，駐看作賦擬雄原。凌虛豈辭登頓苦，赤日行空詎知暑。振衣思馭清泠風，濡毫似灑陰山雨。憑高野望延，形勢鬱芊芊。列膝紛綉錯，九衢藹鱗聯。鱗聯綉錯河山美，綺樹文禽相對起。鶴外帆檣裊夕陽，花裏驂騑儼流水。別有亭臺宛轉通，虹梁雀舫日迎逢。傍臨羽客濯纓石，下瞰蛟人織錦宫。蒹葭杳杳滄洲邃，荷葉田田綠波媚。菡萏爭舒萬頃霞，雲芝競挺千章翠。霏微聞妙香縹緲，度靈吹此時四睇。墟烟静玉繩明滅，臨天井烏鵲不翔。清漢流黿鼉，欲抱幽沙暝。主稱壽千歲，客云夜未央。德將不至醉，使君何慨慷。霜威指顧生秋色，霄寒思攬重裘襲。爲嘆高雯鷹隼來，至今大澤龍蛇息。

安居東望濟城

平楚蒼然見十里，驅車西出桃花底。郡中樓閣作霞城，湖上人家錦爲水。對此披襟宜進觴，胡爲遠行自悲傷。啼鶯百轉唤人醉，垂柳千條覆苑長。即今已是花如霰，何處春光似故鄉？

眺城南門

澤國浮烟斂，臺門野望開。樓銜征雁斷，山繞夕陽來。形勝古如此，河流長不回。暮天對摇落，秋思轉悠哉。

清華堂

夏日婆娑處，清華水木鄉。身閑不闕暑，境寂若聞香。洞户生陰靄，蘿幃引晝涼。夕陽滿清聽，流吹遠林塘。

城固

沃野溝塍麗，芳塵生事煩。壬秋森夏氣，一水上春痕。花落雲生渚，鶯歌麥秀村。此中頻借問，莫是小桃源。

釣臺　二首。○誰信孤踪客，休官萬事輕。荒臺横泗水，高枕閲任城。夢不關風浪，身方寄太平。臨淵終日在，那有羡魚情？干主真無策，明農又薄收。西風吹短褐，落葉伴垂鈎。時去羞兒女，呼來任馬牛。所嗟國士遇，益覺此生浮。

曠然亭　不意洸之曲，茅亭背郭城。開簾青鳥至，隔水白雲生。射獵看兒輩，琴尊待友朋。猶尊日多事，得不負元情。

人日扶病上半卷樓　自罷尚書始，歸來漁父歌。元情流水澹，春色倚樓多。懶是稽康右，園應仲蔚過。青雲連睥睨，紫氣接山河。人日修新社，王風衍太和。故鄉還美俗，病若貢生何。

拙園　城闉近於咫，經年只閉關。春深林鳥亂，却怪主人還。

游兩城諸山　飛流曲磴倚層霄，白□青藜動野飆。南下長濤紅日涌，北來一雁素書遥。吹笙石上人如玉，濯髮天津鵲作橋。身外浮雲看不足，無邊霜葉晚蕭蕭。《前志·山阜》。

九家詩　虹梁裊裊帶荒陂，青冢纍纍似九疑。石馬有魂嘶夜雨，金凫無羽泛洪池。當年應下牛山泪，落日空留挂劍枝。試一投祠向冥漠，白楊無數起悲颸。《前志·山阜》。

病起詣普照寺詩　積陰涸重陸，澤氣含夕霏。隕籜凄無語，僧廬各掩扉。龍象渺變現，儔侣漸依稀。過從既云鮮，機事信已微。寡營欲易足，慮冲罕所違。至人無去就，喧寂相因依。損己累自遣，謝物使情腓。奚必綰囊鉢，始云返初衣。一往四十載，三十九年非。是非俱莫辨，於此入無機。《明城集》《前寺·古迹》。

陳宸誦

南池懷古分得露字

南池雨初歇，我來訪鷗鷺。到門聞清音，幽鳥鳴高樹。陰沉積翠合，一折蒼苔路。池館澹夕陽，空明花晞露。緬焉發遥想，延佇竹深處。憶昔杜少陵，扁舟曾一渡。秋水一篇詩，地以人益著。人去已千載，池水清如故。蒹葭横白雲，蒼荒日欲暮。懷古不忍歸，且就北堂住。堂空夜月白，詩魂自來去。

鄭文炳

登太白樓

城上高樓依水隈，荒凉棟宇半塵埃。何時芳草天涯盡，每歲春風燕子來。采石江流千古恨，沉香亭著一時才。追思往事真堪吊，倚盡斜陽未擬回。

鄭　真

登太白樓

白也高樓霄漢上，行人相望幾朝昏。斯文元氣未長往，大塊浮名故自存。千秋爲主鑒湖客，一斗難招采石魂。寥寥風雅幾時作，安得起君執手論。

韓洪愈

南池詩

夾池凝碧柳，香結采菱船。鐘磬鄰初地，星河接遠天。波光閑浴鷺，秋色老吟蟬。境會仍蕭瑟，誰分子美氈。用杜韵。

趙洙清

禊日南池

任城三月獨懷古，麻鞋蹀躞吟杜甫。榆莢飛盡沈郎錢，春風楊柳黄金縷。毵毵長條百戰留，鳴鳩聲中春無主。酒人參差立寒塘，汩没繁華泪如雨。

戴　流

蜀山湖泛舟

湖達蜀山處處清，彩船如蟻水雲横。滿天白羽千群聚，十里烟光一帶明。水氣冷於秋氣冷，菱歌聲亂棹歌聲。晚來漁岸依稀火，澤國人家畫不成。

夜泊石佛寺

漁唱斜陽晚，何干佳氣葱。人眼沙磧浦，船畏石尤風。白月凉輕袂，紺雲挂遠蓬。閣鈴聲夜渡，東岸有琳宫。

葛　繪

題柳莊武城書屋

樂道安貧養性情，緑楊深處遠功名。閑携稚子花間笑，醉與詩翁月下行。半畝曉塘雲影白，一欄春雨藥苗青。葛巾藜杖林泉遍，誰識東門老邵平。《前志·隱逸》。

趙　弼

感興詩

四首。

素王久不作，孟某亦以徂。吾道遭薄蝕，狂秦煨燼餘。寥寥數千載，莫能辨魯魚。天意固有在，趙宋奄方輿。濂洛闢閩間，挺然生真儒。六經炳如日，聖道真坦途。遂使後來者，踴躍得所趨。鄙哉南華生，以道爲空虚。○長松出澗阿，風聲聞十里。枝結千歲巢，根浸百尺水。玄冥駕嚴冬，獨茂霜雪裏。伊昔初生時，不殊荆與杞。而今已干霄，萬木皆仰視。妾顔比蘭蕙，不共群卉處。妾心若金石，不隨歲月徙。昔有班婕妤，哀怨秋風起。亦有陳夫人，寂寞長門裏。獲寵貴白璧，失意如敝屣。我願君子心，永保念終始。共賦白頭吟，偕年無怨訾。○我昔上泰山，飄然似生翼。登之臨絶頂，徘徊覽八極。遂目天壤外，悠然豁胸臆。長嘯倚天門，清風生兩腋。翱翔數仙人，顧我笑而揖。再拜求長生，揚言非所職。立身須壯年，君親宜努力。俯首味斯言，服膺矢無失。仙人謝我回，凌風去無迹。

過直沽

戊寅三月二十六，舟艤直沽岸頭宿。微雷驅雨灑長空，夾河草木增新緑。須臾黑雲滃墨天地昏，雷雹電掣霹靂奔。陰風怒捲白波立，猛雨只疑滄海翻。并岸千艘尾相接，飄散中流亂飛蝶。檣傾楫摧俄頃間，人隔陽侯真一葉。舟中之人悲啼號，舟師渠亦倉皇無所爲，大緶百夫挽到岸，因就大樹牢盤維，舟中之人纔歡悦。買魚沽酒候明發，酒酣耳热争笑呼，忘却風濤命懸髮。我聞光武興漢思蕪蔞，夷吾佐霸心檻車。嗚呼！安不忘危古有訓，庸作歌詩記直沽？并《前志·雜綴》。

王清 衛人。二首。

鴛鴦海詩

落日龍荒覘鹵還，劍光直射斗牛寒。少年氣節應無敵，肯負平生一寸丹。

寄衣

兩捧天書鎮百蠻，却因兵敗不生還。飄飖身世輕如葉，磊落襟懷重似山。半夜愁吟珠海月，幾回夢墜鬼門關。憑君獨有衣相寄，爲我招魂宇宙間。《前志·人物·忠節》。

國朝

劉汶 二首。

種烟行

新穀在場欲糜爛，小麥未播播已晚。問何不斂復不耕，汲水磨刀烟上版。頗聞此物性酷热，禦寒塞外差可説。華人久服肺病多，至尊惡之等檮杌。愚民廢農偏種烟，五穀不勝烟直錢。豈知穀賤饑可飽，忍使良田滋毒草？往者歲歉難舉炊，誰家食烟能療饑？

贈杜去病詩

身健無塵事，懷開有好顔。半瓢輕緑蟻，一杖飽青山。客以和相狎，天容老得閑。新詩饒野趣，退谷白雲間。○《前志·雜綴》引潘在兹云：「去病不知何許人，善飲，年八十餘能浮大白。徒步訪友百里外，常以椰瓢藤杖自隨。」

王天眷 四首。

秋日樓居晚眺 己丑時阻寇在粵。○無計遣愁去，客懷與病深。殘暉隨鳥下，瘦葉觸風吟。報國無他策，思親空此心。家鄉雲萬疊，北望泪涔涔。○豈不曰歸去，凭欄倍悵然。酸風吹秃節，密雪點蒼鬢。水瘦遠山際，天低去雁邊。鶴峰宛在目，坡老迄今傳。

粵歸志喜 辛卯。○萬里殊方外，鄉心折壯游。乍歸頻索醉，有句幾登樓。瘴氣千山雨，寒星一葉舟。感時書未上，恤緯助深愁。

信天翁 南海有水鳥，不與群鳥同。群鳥争食魚，時時執其中。巧覷寒立雨，貪飧飽掠風。貪者弃其餘，半落水之叢。巧者失之詭，或反脱其噍。此鳥傍水隈，恬淡以爲衷。豈無臨淵羡，匪於衆争雄。所弃與所失，倘來以不窮。衆鳥食且飽，此鳥腹亦充。一飲復一啄，各能得所終。失原塞上馬，得亦楚人弓。遭風大海上，茫茫任轉蓬。吁嗟！宦路回頭那可問，知我惟有信天翁。節改。

劉　洪 四首。

雨灾紀事 己丑六月十一日，怪雨怖人，洲暴溢。一夜傾倒天河翻，城中爽塏水過膝。東家屋陊西墻頹，連鄰通里靡不悉。婦嬰坐瓮僅得援，什器隨流那敢恤。頗聞壓溺相牽屬，廬落十已敗六七。上無苫蓋飯絶炊，下窮欲飲井莫繘。四鄉彌望浪稽天，洞庭彭蠡將無匹。假令水落業無禾，況乃水落未可必。宿堤詎有王子贛，翻車徒費勤民術。行號巷哭難拯汝，百歲老翁駴稱術。仰惟圓蓋公且明，凡民性命荷陰騭。遽爾降罰疇速辜，三閭呵壁將焉詰？我家中壘傳五行，水不潤下乃狂猘。再思厥咎無所歸，冤魄何嘗更雜畢。沉雷填填勢未已，黑雲挾雨翻風乙。安得媧皇爲積灰，腐儒感事聊攄筆。

後雨灾詩 自維六月雨，城中半沈竈。七月月上弦，乃復見泥淖。下弦雨繼作，徒涉又稍稍。方謂八月來，氣肅水可耗。月朔再入夜，雨集誰能料。連雷鮮徐聲，交電無停照。砰如呂梁翻，洼如瞿塘鬧。再經井邑改，極望湖湘浩。四隅有大豬，衆水所從導。豬盈失其歸，渙漫斯爲暴。往者豬四隅，今則豬突奧。小雨且不支，何况天河倒。辟如病壅塞，杯水將無佼。治病當治本，舍本難爲巧。斯民久露處，晝饑夜苦盜。捍患如救火，仁者宜憂悼。氣候已白藏，龍雷迹應掃。如何恣淫威，厥沴天所詔。天命不假易，百爾惟心禱。作詩懼招尤，庶幾仁者告。

雨雹行爲任城牧姚載熙予告作

翼翼良苗滿阡陌，十風五雨隨時節。任城外內歡動天，我道今年恐無麥。未及四月雲氣紅，雷奔電激驅狂風。勢如萬馬下長阪，倏忽雨雹聲連空。廣四十里厚數寸，嘉禾委地成枯蓬。東南尚可北尤劇，婦子啼泣呼天公。旁人怪我言頗驗，問我何由得先見？豈知人事關天心，覘往察來同左券。往時任城年屢荒，夏秋遍地飛旱蝗。饑民逐日煩賑貸，鬻兒不足供糟糠。自從姚牧下車後，無事之福民相忘。蝗不爲災歲漸熟，野無菜色家有倉。三年陰食父母恩，道路不解歌循良。昨者姚牧乞休去，我忽聞之驚且懼。任城安堵曾幾時，卧理猶堪活黎庶。奈何予告不復留，請看天灾异朝暮。嗚呼！能吏世豈無？能吏得民名已誤。但願再逢姚牧來，不思今日甘棠樹。以上并《衛園集》。

過潘學士北墅看荷追感

二首選一。〇可惜林廬結構纔，主人已去藕花開。欹危尚坐平原石，綽約全辜金谷杯。豈有野鷗明白水，但留老鶴步蒼苔。百年夢幻增傷感，何用鄰家聞笛來。

仲永檀

二首。

贈孝童王鈞詩

鈞字允平，子如凝，乾隆壬午舉人。〇吁嗟王孝童，孤踪逾萬里。豈不憚艱險，遠游良有以。父兮客不歸，追省承母旨。跋涉訖桂林，相見驚且喜。計日反故園，哀鴻報失恃。飲泣不敢言，爲父强自起。誰知鞠凶頻，若考喪如妣。骨立滯遐方，仰天慟欲死。不死亦何爲，奉櫬歸桑梓。傷心古道傍，日暮蠻烟紫。血泪滴湘江，蕩蕩入淮水。所賴死者靈，猶來竟無止。昔去深瞻望，今來空岵屺。滄海有變更，此恨無窮已。嗚呼世上人，疇獨非人子。胡乃廢蓼莪，千古惟王氏。

劉母胡節婦

隴上青青幾樹松，寒霜飛動翠雲重。老親入土棺方蓋，稚子成名髮尚封。一片冰心真皎潔，百年亮節自從容。程嬰氣迸包胥泪，盡在華陽玉女峰。

于驥逸

普照寺

乘暇輒來此，幽懷愜所尋。鳥移雙樹動，鹿睡一溪深。坐久捐塵累，談空見佛心。疏鐘與寒磬，一一眷清吟。

楊來鳳

前題

城隅古寺雪初晴，天外遥峰積翠横。幸值拈花㢘點石，敢言吃棒破疑城。定回經院聆霄磬，偈散香臺度早鶯。却憶坐來名利盡，浮生平日不勝情。贈雪居禪師。

李壯

前題

廣庭梧竹勝，静境積清陰。妙偈空中散，天花座上深。因兹眺聽處，解我鬱陶心。爲示曹溪語，耐堪永夜尋。三首《前志·古迹》。

楊通睿《前志》「楊」作「王」。

上巳太白樓送别黄心甫

春宴戊樓迴，城高萬柳攢。關河塵路渺，舟楫野塘安。京洛鴻書急，江淮蝶夢寛。杯空難去住，夕日下遥灘。

楊通俶

題徐文長四聲猿　落筆乃如此，何能不數奇。繁聲無限意，都寄一聲悲。《山左詩鈔》。《前志·雜綴》。

李　楨

觀漢碑詩　崔嵬雉堞啓重關，學舍荒凉禮殿閑。孔壁已傾塵半掩，漢碑猶在字將殘。庭槐入夏當檐緑，野蘚經春上砌斑。鐫石至今餘古意，摩娑竟日不知還。《前志·碑考》。

張爲經　以下并增輯。

謁孟廟　廟貌蒼松裏，停車謁我師。孔顔心脉續，仁義日星垂。自昔王侯弃，於今草木知。岩岩氣猶在，瞻拜肅容儀。

張淑渠　四首。

聖泉　仙槐掩映處，快睹醴泉初。靈液流仁澤，文瀾溢聖居。源通洙泗遠，香泛藻芹舒。應倩如椽筆，嘉祥次第書。

异槐　泮池鳩工後，枯槐秀發初。祥爲使君慶，春滿聖人居。根傍醴泉潤，枝連壇杏舒。黄花催就試，早晚報賢書。《前志·學校》。

題郡齋　老屋大於斗，依然處士廬。何曾留案牘，原不礙琴書。冬氣沉魚婢，霜華艷木奴。同人清賞罷，小憩學跏趺。

小園　養花天氣半晴陰，有客携壺過翠岑。樹裏彈棋人不見，一林香雨點衣襟。《上黨詩草》二首，增輯。

潘淑葛

南池集杜句 杖藜登水榭，月朗自明船。局促看秋燕，笳簫急暮蟬。白波吹粉壁，黄鵠摩蒼天。雲卧衣裳冷，偷存子敬氈。用杜韵。

陳心澡 五首。

南池 南郭訪南池，芒鞋踏錦陂。來當新雨後，恰值晚來時。膽小詩難就，興豪酒不辭。靈風飄幟幌，掃地拜荒祠。○虚碧斜陽裏，依然進小船。閣頭懷主簿，花底憶青蓮。勝地猶終古，詩魂欲化烟。蟬聲經夕咽，似與話當年。○再過題詩處，徘徊小檻東。渾身修竹影，滿面芰荷風。烟景隨時隔，奇文异代同。待吟秋水句，開取舊紗籠。○池館緑侵階，虚窗四面開。誰能移凈石，共我坐深苔。悠忽片雲過，蕭疏一磬來。幽懷良未已，相釀且銜杯。○曲折疏欄裏，空亭草木香。鳥啼青翠落，人語碧山凉。記寫丘遲錦，詩盛李賀囊。行行不妨緩，月影上池塘。

戴沂

晚秋泛蜀山湖 九月衣單製薜蘿，消愁魯酒倚高歌。數叢菰米沉寒水，幾處霜風折敗荷。嘹嚦聲凄雲外雁，汀洲秋老岸旁莎。木蘭蕩漾斜陽晚，又見歸樵帶笠過。

戴孫緯

春日泛舟蜀山湖集唐 上巳餘風景，崔護。輕舟愛水鄉。孫逖。鳥飛千點白，白居易。山路九峰長。孫逖。接縷垂芳餌，杜甫。停杯泛小觴。李賀。幽哉宿山口，盧綸。誰與訪高陽？李靖。

史本 八首。

八墓詩 披榛出東郭，細雨洒荒丘。時讀殘碑字，感深古木秋。上書止佞佛，執法剪豪流。一片白楊影，北風吹暮愁。楊副都浩。弓冶傳清緒，才華著昔時。九齡蘭谷論，廿載峴山碑。宛水蘇兵困，天雄荷帝知。空憐堂構在，仰止有餘悲。鄭太守文炳及子太守真。吁哉兩城墓，寂寞傍河洲。當日避新鄭，而今餘故丘。孤松寒結露，石馬夜鳴秋。大雅無時作，山高水自流。靳少宰學顔。平郊十里外，廷尉有高墳。不避江陵相，來參越水軍。老成欽國士，方正著奇勳。酹酒皇華道，西山起暮雲。王大理湘。吾郡于襄敏，西秦有直聲。二書皆不報，一志未能行。氣節凌山岳，文章達帝京。豐碑垂奕祀，松柏自菁菁。于中丞若瀛。兄弟九人耳，青年孤且貧。潛心窺理窔，立志作名臣。疏泄鹽城水，法援瓜渚民。只今原上草，猶放廣陵春。楊大參洵。絲綸欽永貴，來拜太常塋。石獸卧荒草，金章標令名。直言斥璫豎，密策護邊城。每讀名臣傳，東林恨未平。陳太常伯友。買棹安居鎮，荒原葬尚書。忠魂碧血泪，皎月青磷虚。戍壘碑堪碎，泉臺恨有餘。蕭蕭楊葉落，風雨沸丘墟。徐尚書標。○《前志·陵墓》。

孫擴圖

秋柳 四首選一。○惟爾鍾情綰别離，愁心動與九秋期。朝雲暮雨無多日，洗露梳風又一時。濯濯誰憐人宛在，依依不待我來時。深閨未覺添憔悴，試取菱花驗鬢絲。

高如岱 二首。

赴省試留别詩 乍晴天氣曉來新，岳路高低半白雲。携手好隨秋色去，亂蟬聲裏獨思君。○過眼浮雲一笑輕，峼湖秋月向人明。只愁雁過蘆汀晚，一種羈懷不可平。

鄭　勉

太白匡山讀書歌

我聞李太白，生在青蓮鄉。長庚一入夢，墮地生光芒。縱橫劍術忽弃去，大匡之山讀書堂。或云匡廬峰，懸崖瀉瀑布。噴珠濺玉間，中有讀書處。潯陽旌旃誤空名，迫脅樓船從此去。今我歷下游，峼華恣幽賞。云此有匡山，書聲猶遺響。紛紛傅會何足論，令我慨然發遠想。男兒讀書貴卓犖，俗儒章句苦穿鑿。咿喔雛生孝婢聲，口角流涎矜浩博。太白謫仙人，所讀是何書？倜儻常懷魯仲連，狂歌自比楚接輿。知我者何人？天台賀季真。但識汾陽中令君，何曾知有高將軍。即今流傳詩萬首，英雄神仙無不有。撼搖出岳驚雷霆，書生咋舌掩耳走。可憐頭白歸何暮，令人常憶讀書處。雲迷霧鎖風雨侵，終古山靈爲呵護。我歌未終心茫然，拔劍起舞復長嘆。任城酒樓空頹垣，荒烟蔓草浣筆泉。仙人騎鯨何處不到來，何必峨眉之下廬山巔。

戴　鑒

太白樓歌

開元詞客雄三唐，詩篇燦若雲錦張。揮毫落筆古希有，至今光焰參天長。鯨魚鼓鬣跋浪起，鷙鳥舉翮凌風翔。酒星被謫偶住世，游經齊魯慨以慷。任城城南古城角，溝洫秋水菰蒲荒。金貂換酒曾醉此，勝境何异青蓮鄉。錦袍烏帽動神采，朱欄粉壁生輝光。樓頭相伴有賀監，仙耶人耶神軒昂。鑒湖一曲足娱樂，胡乃來此尋酒狂。吟魂醉魄互糾結，英靈聚合天一方。憑高吊古百感集，粉堞畫角聲悲凉。河流渺渺日慘澹，鴻飛肅肅天雨霜。倚樓披髮横短笛，雙眸醉眺秋雲黄。

陳廣年

四首。

前題

季真手把一杯酒，仙人謫落爲吾友。高歌那見鬼神泣，當權誰籲風雲走。興酣搔首問青天，忽看明月墜樓前。便邀明月來對飲，清風自至不用錢。天上洒星光天邊，地上原來生酒泉。合教君王放還山，不忍宫中睹艷煽。又不肯低眉折腰事權奸，何如崟崎磊落、放浪形骸，使我暫得開心顔。世人但稱錦綉篇，誰知卓識高居巔。豈惟能識汾陽賢，君平與世兩相弃，山公接籬從倒顛。祇有君恩忘不得，蒼梧痛哭悲湘猿。噫吁戲！未有任城原有月，月照白樓幾圓缺。重瞳已逝英皇杳，此是古今遠離别。騎鯨客去幾經春，留得游踪娱後人。只今惟有青天月，長見謫仙顔色新。

鄉村竹枝辭

八首選二。〇瓜園夏潦夢全枯，不怕東君秋索租。連日牙人來叩户，滿村豐打淡巴姑。〇白小如珍入饌香，追思往事嘆滄桑。隣家兒子纔三尺，捕得黄魚五尺長。

貞女行

吉安安福縣，縣有上西鄉。鄉中劉氏女，秀姑乃其名。厥父曰朝丹，少小訓義方。孝思出天性，貞姿非勉强。進退有禮節，聰慧更异常。自然工針綫，餘事能文章。遭家胡不造，稚齒罹閔凶。叶虚王切。十齡喪所怙，三載母繼亡。煢煢依祖母，應門無弟兄。叶虚王切。左手以刺綉，右手以縫裳。日織棉一匹，月織絲一箱。祖母卧床蓐，肥甘飲宴享。叶虚良切。越當及笄歲，許字嚴家郎。嚴郎名紹祖，里居同一方。才貌既相匹，門第原相當。上有祖母命，中有媒妁通。叶他王切。女蘿附青松，枝葉得所托。青松折高柯，狂飆何太惡。秋霜凋芳蕙，嚴冰催速朽。親迎將届期，中復喪其偶。風雲忽變色，寡鵠雲中悲。一號痛絶地，泉路思追隨。舉家各搶攘，紛紜前致辭。祖母髮垂白，與子相因依。未成嚴家婦，死節非所宜。如何徒自戕，而不顧恩慈？浪浪泪雙垂，聞言意遲迴。千鈞在一髮，徒死竟何爲？遲迴復遲迴，黽勉進粥糜。女意少少解，褰修漸漸來。祖母授諸姑，异語相探窺。姊輩不曉事，絮絮勸擇配。叶蒲枚切。决絶謝良媒，一縷手自持。人生重大義，明言豈可欺？寶劍心一許，終挂墳樹枝。何况百年約，天地皆聞知。封髮毁玉顔，鍵户與長嘆。孤燕春風苦，秋蛩夜雨寒。茶毒懷百憂，荏苒年三旬。雍正十二載，祝融乍司晨。脱我黄金釧，鬻我碧玉環。問我伯與叔，選我弟與昆。立孫奉祖母，卜北葬雙親。既報罔極德，還終從一義。願言歸阿姑，井臼晨昏侍。本謂牽紅絲，鹿車期同挽。何意賦于歸，隻影獨婉娩。飛鳥若爲旋，浮雲若爲住。觀者盈道傍，行者止中路。不聞相嘆傷，嘖嘖有餘慕。高高青草墳，蕭蕭白楊樹。自製冰雪詞，來告良人墓。無妻終爲殤，爲君續弱息。有母無人事，代君盡子職。生不同衾裯，死當踐家室。拜姑上堂階，姑心劇悲哀。不見我兒子，新婦從何來？入廟修婦禮，阿姑忍色喜。老姥今有婦，兒子今有子。孝笋不出籜，高節凌青雲。古井深百尺，到底無波瀾。樹枝未連理，根已結九泉。何必儀兩髦，始得稱婚姻。西江傳軼事，炳烺發奇文。我將金筆録，翻入朱絲弦。一彈再三嘆，洋洋世共聞。此響無時歇，此事千秋新。《玉鑰齋集》。

仲承述

贈宋牧仲

復見山公啓，功真造化參。黄金空薊北，白雪滿江南。德業瞻喬岳，文章播管弦。小儒慚負笈，奇字擬重探。

仲藴錦

潘學士園

北郭潘氏園，地僻無車馬。庭角俯城隈，結茅松柏下。賦閑名其堂，意致何瀟灑。朝來春水明，時逢垂釣者。

陳貽發

太白樓 二首。

一涉青蓮迹，千秋此酒樓。詩魂何處覓，風月至今留。

北野村舍

緑樹層陰護小村，茅亭迥不近塵喧。濕雲遮處橋無路，好鳥啼時月有痕。一髮遠山青到眼，半篙秋水緑當門。愛聽野老桑麻話，沽得醇醪引滿樽。《夢蘭齋集》。

潘呈念

八景詩

《前志·卷首》。○行宮春樹□宮雲杳靄出城東，遠樹迷離野望通。不是六龍曾駐輦，閭閻那得醉春風。○嶧岫晴雲□樓角城闉對遠山，川原繚繞畫圖間。晴雲就裏偏多事，朝看飛來暮又還。○南池荷浄□城隅秋水思依依，菱熟蒲荒藕正肥。假使杜陵人健在，一樽還泛晚涼歸。○西葦漁歌□秋水蒹葭路不分，尋常清吹遏寒雲。散人住此渾聽慣，祇怕驚飛鷗鷺群。○白樓晚眺□金龜換酒足風流，誰識當年此勸酬。我欲樓頭憑寄訊，青天月照幾時秋。○墨華泉碧□消息華清嘆陸沉，白衣蒼□目無心。何如一勺墨泉水，天寶年來流到今。○鳳臺夕照□突兀高臺水一方，夕陽無限好漁莊。百年誤作風花主，舊事何人説鳳凰。○麟渡秋帆□計程千里赴幽燕，一片征帆帶遠天。楓葉蘆花秋色裏，舟人指點獲麟川。

王思志

有感

襁褓遭凶憫，先人弃諸孤。伯婦方三歲，余惟時呱呱。母氏安苦節，撫兒謹事姑。雖有期功親，顛危不能扶。薄田數十畝，無人多荒蕪。薪水勞晨昏，績紡計有無。歷盡飢寒苦，撫兹不肖軀。長求義方訓，就傅謁諸儒。於今三十年，歲月忽已徂。名自列下第，行不著鄉閭。豈其收末路，轉令悲前途。家貧親已老，此後空憂虞。

陳麟祥

浣筆泉

蘚蝕殘碑枕廢池，人云此是謫仙祠。遥思四海飄流日，正值兩京傾覆時。唐室中興由薦士，先生餘事乃工詩。木蘭只道才名好，再造有功猶未知。

鄔敬典

任城咏古效顔延年五君咏體　五首選三。○魏君伯應

君伯富五經，蕩胸吞雲夢。賞賜快攀龍，論難景吐鳳。桃李羅門墻，雅頌供吟諷。千秋白虎通，琳琅逾球貢。○鄭仲虞均

鄭公樂恬淡，懸車養性真。榮禄辭高爵，廉節感天倫。白衣錫隆號，黄髮褒大君。故里風徽著，悠悠泗水濱。○何劭公休

劭公高群儒，經緯羅萬卷。帷幄納藎言，羽翼春秋傳。鳳翥避矰繳，南金精百煉。樊里暝暮雲，山色徒葱蒨。

洪作棟

前題　選二。○魏陽元舒○陽元器深沉，宅相久自負。風塵孰識真，青眼必結綬。劍佩貌堂堂，領袖冠朝右。功名富貴間，豁達誠大受。○吕伯雍忱

吕君覃精思，篆隸披竹素。字林上五篇，説文補章句。隸華富圖書，琴堂譜韶濩。二編校李澄，高山競仰慕。

周一德　以下金鄉。

過留侯墓　樹木森森紫陌溪，留侯墓上草萋萋。游仙不爲長生計，識破弓藏鳥盡機。

周岐

陽山雪霽　山雲迷曉騎，雪後見晴巒。樹色銜朝曙，沙痕帶宿寒。塵空岩壑净，天朗石屏寬。四望無人徑，烟嵐深處看。

張桂楹

過朱鮪墓　高壠春莎合，長林晝影寒。空堂鳴燕雀，斷壁辨衣冠。白水功名盡，赤符事業殘。欲詢當日意，夕霧已漫漫。

李庭禧

穆家峪 數家籬落亂山中，日向西沉水向東。游子不知天色晚，停鞭聊避馬頭風。《塞游日紀》。

曾貞豫 以下嘉祥。

幸魯恭紀 洙泗清源浚，尼防紫氣高。親師隆典舉，訪道聖躬勞。魯殿看儀鳳，殷階集舞翿。禮成歡子姓，况復沛恩膏。

曾衍樆

御賜省身念祖匾額志恩二律 聖主文明炳日華，宸章特賜老臣家。肅瞻咫尺天顏近，感佩九重睿製嘉。御墨香分仙堂露，璽書紅映紫薇花。幾年選匠今成額，共慶新恩焕舊衙。九五龍章頒里門，小臣何以報君恩。省身恐墜先賢業，念祖重勞天語温。家世千秋昭聖澤，榮光百代繼雲孫。班聯子姓同瞻拜，惟有無疆祝至尊。

馬呈麟 以下魚臺。

雜詩 二十七首選一。○却金凛四知，吾愛楊伯起。弗聞錢通神，但知墻有耳。衾影兩不愧，此心如白水。冥行慕蘧瑗，關西稱夫子。《松溪集》。

馬邦玉

伏羲陵前石畫像 風雨太昊陵，邐迤陵前路。泉流漫白沙，山色隱寒樹。村落高復低，寓目即成趣。道旁石幾笏，於中得奇遇。光怪發瑰琦，磅礴封雲霧。諒非近代碣，竟無識者顧。見此爲下車，摩挲頓驚怖。方可尺有餘，高可約以步。三方有鎸鏤，一方頗平鋪。左方鎸龍形，蜿蜒真氣注。有庖升龍氏，墳典昔所布。正面鎸二像，冠笄儼各具。相向身尾交，羲媧圖相副。二皇繼治同，誰云聖人惡。右方刻長人，蛇身僅掩胯。仰首戴大圓，連環近交互。太極生兩儀，卦畫從此措。昔人云包羲，龍身尚太素。形狀自古傳，此圖應非誤。渥赭帶日華，曾青沐甘澍。石是冶煉餘，衆疑天工鑄。渾無斧削痕，疑有鬼神護。聖哲久已往，此石何能固。閱歷千萬年，屹立無顛撲。幸哉托荒僻，鄙弃任婦孺。日暮牛羊眠，歲寒冰霜冱。莫能名其器，誰復知其故。所以保其真，不至失其度。倘置都會間，氈拓日剥蠹。雖得貴游憐，磨滅良足懼。試觀周石鼓，奔波舉國騖。秦漢刻石存，敲拓每相污。乃知貴知希，微言至理寓。兹移陵廟中，識者共奔赴。反恐經表章，石刻難久住。古制留山陂，顯藏亦有數。遥情結混濛，尚論且爲賦。

詩録 下

○歷代至國朝，各郡邑諸名人并僑寓及宦游者所作也。選輯《前志·藝文》并各卷所類附者十之三，采録增補者十之七。

唐

杜　甫 二首。

與任城許主簿游南池

秋水通溝洫，城隅進小船。晚凉看洗馬，森木亂鳴蟬。菱熟經時雨，蒲荒八月天。晨朝降白露，遥憶舊青氈。

對雨書懷走邀許主簿

東岳雲峰起，溶溶滿太虚。震雷翻幕燕，驟雨落河魚。座對賢人酒，門聽長者車。相邀愧泥濘，騎馬到階除。

李　白 ○《前志》三首，增三首。

贈任城盧主簿潛

海鳥知天風，竄身魯門東。臨觴不能飲，矯翼思凌空。鐘鼓不爲樂，烟霞誰與同。歸飛未忍去，流泪謝鴛鴻。

對雪奉餞任城六父秩滿歸京

龍虎謝鞭策，鵷鸞不司晨。君青海上鶴，何似籠中鶉。獨用天地心，浮雲乃吾身。雖將簪組狎，若與烟霞親。季父有英風，白眉超常倫。一官即夢寐，脱屣歸西秦。竇公敞華筵，墨客盡來臻。燕歌落胡雁，郢曲迴陽春。征馬百度嘶，游車動行塵。躊躇未忍去，戀此四座人。餞離駐高駕，惜别空殷勤。何時竹林下，更與步兵鄰？

離濟寧泛舟北行

楊柳娉婷緑，荷花旖旎紅。魚游華蓋底，人在鑑湖中。大白沽春酒，輕衣受晚風。龜蒙與鳧嶧，只隔片雲東。

金鄉送韋八之西京

客自長安來，還歸長安去。狂風吹我心，西挂咸陽樹。此情不可遣，此别何時遇？望望不見君，連山起烟霧。

贈范金鄉

二首。「鄉」一作「卿」。○君子枉清盼，不知東走迷。離家未幾月，絡緯鳴中閨。桃李君不言，攀花顧成蹊。那能吐芳信，惠好相招攜。我有結緑珍，久藏濁水泥。時人弃此物，乃與燕石一作「珉」。齊。拂拭欲贈之，申眉路無梯。遼東慚白豕，楚客羞山鷄。徒有獻芹心，終流泣玉一作「血」。啼。祗應自索漠，留舌示山妻。○范宰不買名，弦歌對前楹。爲邦默自化，日覺冰壺清。百里鷄犬静，千廬機杼鳴。浮人少蕩析，愛客多逢迎。游子睹嘉政，因之聽頌聲。

王勃

平山廟

一躋平山廟，恍憐潔婦人。守節惟勤紝，存貞豈污金。煌煌雲下月，皎皎水中冰。浪泊千金體，香流萬古名。

宋

朱子

三首。

題萊蕪侯廟 春服初成麗景遲，步隨流水玩清漪。微微吟罷歸來晚，一任輕風拂面吹。

題三省門 曾子尚憂三省失，自言日用省身功。如何後學不深察，便欲傳心一貫中。○用功事上寔根源，三省真傳入道門。理即是心隨事顯，事能盡理始心純。

晁端友

宿濟州 此濟州在鉅野。○霜林落照亂栖烏，千里嚴程今半途。鸖栗荒風人不寐，卧聽羸馬齕殘芻。

晁補之

答十五叔父任城相會見詩 太華玉蓮甘適口，我欲求之青壁斗。昆侖有睹睹大宛，何异學射中途還。平生傲世予南阮，臧否未容留齒間。七賢遠迹冥鴻上，咸也復幸青雲賞。歸來濁酒厭獨傾，疲馬却走指任城。紅桃白李晚寂寞，黄菊獨暴秋陽榮。謫仙酒樓餘舊址，明月年年飄桂子。不見山東故小吏，斗酒雙魚誰共喜？慟哭窮途自古難，不應更待雍門彈。瓜田今歲初自墾，柴車後日復誰攀？東阿下望有歸意，且爲子建留魚山。

文天祥 三首。

過濟州 借問新濟州，徐鄆兄弟國。昔爲大河南，今爲大河北。屯雲四萬里，平原望不極。百草盡枯死，黄花自秋色。時時見桑柘，青青雜阡陌。路上無行人，烟火渺蕭瑟。車轍紛縱横，過者臨岐泣。積潦流交衢，霜蹄破荆棘。江南寒未深，銅爐獸花赤。焉知行路人，鐵冷衣裳濕。○宋濟州治鉅野，金徙治任城，謂之新濟州。元至元六年己巳，又徙鉅野，至十五年戊寅又還治任城。文山於十六年己卯入燕，所謂新濟州，正指任城。《岳通志》謂「鉅野」，非。《前志》。

發魚臺作　晨炊發魚臺，碎雨飛撃面。團團四野周，冥冥萬象變。疑是江南山，烟霧昏不見。豈知此中原，今古經百戰。英雄化爲土，飛雪灑郊甸。天寒欲日短，游子泪如霰。《前志》有《過汶陽作》。

汶陽道中　積雨不肯霽，行路如涉川。青氈纊我後，白氈覆我前。我欲正衣冠，兩手如糾纏。飛沫流被面，代我泣涕漣。鴻雁紛南翔，游子入北燕。平楚渺四極，雪風迷達天。昔聞濟上軍，又説汶陽田。我今履其地，吊古愴蒼烟。男兒欲了事，長虹射寒泉。汶陽，今泰安。《前志》并録，仍存之。

顔延之

秋胡詩　九首録一。○椅梧傾高鳳，寒谷待鳴律。影響豈不懷，自遠每相匹。婉彼幽嫻女，作嬪君子室。峻節貫秋霜，明艷侔朝日。嘉運既我從，欣願自此畢。

謝文琮

題靈應侯廟　閔雨餘三月，禱之奚不勤。自官以徂廟，官寮咸駿奔。陰雲從北來，溟渤欲并吞。風伯逞豪强，一扇四紛紛。火雲復得意，烈日不可存。谷苗枯欲死，農夫愁莫分。太守號牧民，如何誠不聞！閏五月初十，齋戒絶膻葷。三鼓走青山，精意求其伸。寧應夙有靈，意已達諸神。雷電驅雲師，風雨來逡巡。是夕大滂沛，盈尺遠近均。不待大守至，惠澤沾斯民。斯民蒙侯恩，何以報其仁。大守脱罪戾，何以謝穹雯？謹躬詣祠下，再拜陳其因。仰戴神明威，悃愊詞不文。

陳　良

題惠濟公廟　巨靈此地簇群山，中有神祠倚翠巒。風轉曲岩無虎嘯，雨生幽井有龍蟠。烟嵐掩映朝陽曙，古木陰森夏景寒。爲愛林泉歸意懶，臨行上馬更重看。

王禹偁

寄金鄉張贊善

年少辭榮自古稀，朝衣不著著斑衣。北堂侍膳侵星起，南畝催耕冒雨歸。種竹野塘春笋脆，采蘭幽澗露芽肥。伊予自是徒勞者，未得回尋舊采薇。《小畜集》。

石延年

題金鄉縣張氏園亭

亭館連城敵謝家，四時園色鬥明霞。窗迎西渭封侯竹，地接東隣隱士瓜。樂意相關禽對語，生香不斷樹交花。縱游約會無留事，醉待參横落月斜。

金

党懷英

和濟倅劉君作

川流爲潴鉅野闊，水色天容兩開豁。山隨水遠勢奔騖，駿馬西來銜轡脱。山前雲水散不收，坐看水末來歸舟。秋容澄明納萬象，畫本寂然横雙眸。謫仙曾來釣烟磧，想見夕陽寒影隻。騎鯨去作汗漫游，只有荒臺壓澄碧。臺邊昨夜西風來，倦游羈宦心悠哉。豈無瓊艘百柂載春色，是中可以忘形骸。宦居得秋况不惡，高吟何遽悲摇落。君不見，中郎詩翰憶湖山，秋色正滿連雲閣。

紇石刊

題李太白酒樓

太白樓空四百年，才名高似月横天。謫仙遺意憑誰論，付與春風一醉眠。

劉正奉

贈邑令聶天佑

古縣河分泒，舟航泊渡津。鬧荷翻緑蓋，美膾切霜鱗。原野雲禾秀，烟村溪叟淳。女修織紝巧，男務耨耕勤。慎勿刑威重，宜寬惠愛均。勉哉賢令尹，善政在憂民。

元

柳貫

曹子貞記馬氏墓文書後

馬服君家百世支，城陽高冢尚巍巍。眼明喜見祁連象，心惻如逃即墨圍。霜降露濡增感慨，水原木本繫瞻依。

嘗聞珠玉驪山出，地下何曾發弩機。○《待制文集》：「任城馬塋歷唐、宋、金數百年，松檟茂鬱，由子孫世世有人也。予聞而感之，爲賦此章。」

貢奎

濟州

舊濟知何處，新城又作州。危橋東去驛，高堰北行舟。市雜荆吴客，河分汶泗流。人烟多似簇，聒耳厭喧啾。

趙孟頫

太白樓

城迥當平野，樓高屬暮陰。謫仙何俊逸，此地昔登臨。慷慨空懷古，徘徊獨賞心。嶧山明望眼，百里見遥岑。

趙文輝

前題　火冷昆明棟宇新，笑談應覺半天聞。坐邀采石江頭月，卧看徂徠頂上雲。寓意自知非嗜酒，傷心誰與共論文。騎鯨一去今何處，雲海茫茫澹夕曛。

于欽

前題　清泗繞任城，何年謫仙游。人間失酒星，落月惟空樓。騎鯨八極表，鳴鳳三千秋。此俊不可得，雲山生暮愁。

楊敬德

前題　繫纜任城下，登樓古堞邊。遠山低緑樹，平野接青天。身世無何酒，神游不計年。憐才今昔意，汶月向人圓。

陳剛中

前題　昔聞李太白，山東飲酒有酒樓。我今登樓來，北風吹髮寒颼颼。太白天酒仙，人間不可留。金光絳氣九萬里，翩然而上騎赤虬。左蹴大江濤，右翻黄河流。手攀北斗招摇柄，瓊田倒瀉銀灣秋。銀灣吸乾日月液，蟾驚兔走黄姑愁。太白方悠然，掀髯送汀鷗。炯如曉霞一點映秋水，紅痕微涌玉波浮。太虚變化如蜉蝣，仙今何在不可求。惟有胸中燦爛五色錦，化爲元氣包神州。我欲起仙從之游，安得羽翮飛上昆侖丘？

李絅

前題　憶昔騎鯨躍九天，飄然誰識翰林仙。來生唐室三千劫，去醉任城幾百年。寓酒忘懷元有意，調羹承寵豈無緣。倚欄莫話長庚夢，閑看飛鴉落照邊。

張養浩

前題　高城蘸雲根，聊可慰心迹。長風萬里來，如對騎鯨客。監州好事者，樹此樓與石。隆鼻號金仙，更長漫嗟惜。

曹元用　二首。

前題　斗酒淋漓宫錦袍，登樓獨記醉詩豪。騎鯨一去知何在，萬古文名日月高。

太白一去不復留，任城尚有崔嵬樓。樓頭四望渺無際，草木黄落悲清秋。皇嶧插天摩翠壁，汶泗遥遥展空碧。争奇獻秀百千態，作意隨人來几席。諸老高會秋雲端，金碧照耀青琅玕。談笑不爲禮法窘，酒杯更比乾坤寬。飲酣意氣横今古，玉山傾倒忘賓主。謫仙人去杳何許，异代同符吾與汝。誰能跨海爲一呼，八表神游共豪舉。《陪冀右丞諸公宴集》。

周　權

前題　大羅仙人李太白，秋水疏蓮浮玉色。笑傲玉堂金馬中，詩酒猖狂天子客。飄飄豪氣秋風起，登樓曾醉山東市。放蕩形骸宫錦袍，榮華富貴東流水。酒酣揮灑翻河筆，險語能令鬼神泣。至今光焰照塵寰，一字堪賞雙白璧。我來懷古空凄愴，風月千年尚無恙。何時想見昆侖丘，汗漫從游九天上。

過魯橋詩　泗河汩汩流青銅，魯橋突几横長虹。驚波蕩潏石門怒，石門空洞如弛弓。風霜剥蝕勢欲壓，亂石齒齒填深洪。南連淮楚九地厚，東導齊魯群流通。商賈貿遷百貨阜，來帆去棹紛奔衝。車輪彭鐺鏗聲急，馬蹄蹴踏塵影紅。我游天京偶經此，一見淳俗真堯封。扁舟膠涸守連日，欲去未去心忡忡。嗟予行役浪自苦，颯颯吟鬢將秋蓬。摩挲殘碣討遺迹，搔首躑躅斜陽中。銜杯一洗胸芥蒂，浩歌目送吴天鴻。《前志·川澤》。

明

劉基

登太白樓

小徑紆行客，危樓舍酒星。河分洸水碧，天倚嶧山青。昭代空文藻，斯人竟斷萍。登臨無賀老，誰與共忘形？

李化龍

謁曾子祠

遺廟崇嚴古道邊，長松磥砢午風前。不緣力學勤三省，安得成名首衆賢。苗裔趨庭依冕黻，士人立馬薦山泉。耘瓜臺上徘徊久，惆悵違親已二年。

張魯唯

謁仲子祠

仲子秉剛德，雄名四海聞。一朝自得師，步趨良已勤。如彼渥洼姿，頓就天閑群。鬼神生死間，參悟亦復久。結纓同易簀，二子真畏友。不逐蕭艾榮，肯隨草木朽。我來拜遺像，興感及今時。薊北方籌敵，淮南又苦饑。安得率爾人，奮袂報所知。嘆息一灑泪，濟水空瀰瀰。

徐九章

仲廟

裘馬翩翩志友生，千年意氣恍班荊。拜瞻遺像趨供藻，仰止高山肅見羹。遠浦蒼茫雲樹合，晴波款乃櫓帆輕。應知制賦才何限，神運挽輸速帝京。

連標

曾廟

乘驄過魯甸，持斧振齊風。曉日登臨處，巋然曾子宫。松杉禋祀遠，俎豆歲時同。伏謁崇祠下，香生白簡中。

吴寬

濟寧夜泊　嗚嗚畫角語城頭，溟色蒼茫倚舵樓。古戍烟生人已散，長河夜月水空流。异鄉信美非吾土，他日重來是舊游。千里鄉心孤枕上，可能今夜夢刀州。

屠隆

太白樓　使君千騎擁神州，宴客青蓮舊酒樓。柳夾層城斜日晚，花藏曲塢暗泉流。嗚笳戍鼓催朱鷺，促席飛觴近白鷗。已訪寒山台嶺外，不妨野服對閭丘。《高納軒使君招飲》。

莫如忠

前題　縹緲層樓霄漢隈，南城山色鏡中開。不知仙馭游何處，長擬星辰謫上台。林杪鶴巢珠樹遍，日邊鯨負海濤來。秦碑魯殿俱銷歇，未覺浮名勝酒杯。

徐渭

前題　城上高樓接大河，城南池沼繞朱荷。千秋供奉飛杯地，一夜徐州上水歌。露冷秋蛾爭彩燭，川長風荻亂金波。客中行樂無過此，前夕中秋何處過。

王畎

前題　金天精氣化長虹，神游八表無留踪。醉挽嫦娥向水底，騎鯨蕩倒馮夷宫。吟魂浩蕩無定著，散作酒星落城角。城角猶存舊酒樓，碧瓦朱甍凌清秋。俯瞰長河走飛練，波濤洶涌東南流。我老登臨慨今古，天地沉淪一抔土。前代衣冠掃電空，謫仙去後吾誰與？有時典却千金裘，有時牽出五花馬。呼兒換去杯酒來，醉睨乾坤極瀟灑。有時把酒問青天，青天有月自何年？有時把酒問明月，明月在天幾圓缺？玉井蓮開十丈花，此段幽閑向誰説？我欲思君去不還，白雲長漠連青山。七十二峰在咫尺，皐繹岩嶂相迴環。左迴環，右挹抱，惟有雲山頗同調。脱巾爛醉夕陽西，獨拍欄干發長嘯。

祝允明

前題

昔聞董糟丘，嘗爲李白天津橋南造酒樓，人間二字不可見，惟有杰句挂余心。肺爛爛，珊瑚鈎，長安風沙往不得，南歸再卧蘇臺秋。泊舟濟陽城，買酒銷客愁。登樓拜先生，進爵澆黄流。知章不語先生笑，飛花亂撲過樓頭。金陵更無鳳凰游，岳陽莫將黄鶴留。鄉關浮雲蔽落日，題詩却寄施湖州。余爲先生牛馬走，湖州乃是賀老儔。西塞山杜若洲，與爾相期釣鰲去，千年江海同悠悠。《寄施湖州》。

李如圭 二首。

前題

閑訪謫仙迹，危樓瞰水邊。探奇東魯地，省咎夜郎天。飲酒欣佳益，承恩羡少年。騎鯨聲息斷，徒負月華圓。

游浣筆泉

濟上清泉地，名賢自昔游。豪吟須浣筆，縱飲却登樓。樹色千村暮，烟光一澗秋。野亭聊寓意，懷古有餘愁。

何出光

晚從南池登太白樓

四首。○杜老南池過，復登太白樓。誰將黄鶴景，移向習家游。樓月漁磯滿，池雲雉堞浮。兩賢豈有意，千載一相酬。

○大雅名天壤，危樓自古今。津橋尋勝迹，梁月見長吟。畫棟丹青落，殘碑歲月深。詩狂與酒興，异代有同心。○燈火滿城頭，傳喧止酒樓。座同工部客，醉與謫仙游。野望迷齊魯，平臨見斗牛。夜闌歸未得，殘月在汀洲。○棟宇千年在，風烟四望新。曾無華表鶴，空説謫仙人。捉月身成幻，如泥意頗真。醉中有閬苑，不必外風塵。○少陵清况拓池頭，池上復瞻太白樓。李杜當年共漂泊，山川今日藉風流。池蓮總寄曲江興，樓月猶懸天寶愁。詩聖酒仙何處所，獨留淺渚泛輕鷗。《俱王後軒工部》。

劉芳譽　三首。

泗河泛舟　暇日探幽勝，扁舟泛泗河。短檣牽細柳，凉月照疏荷。野曠蒼烟合，沙明白鳥多。何當脱塵鞅，長得伴漁簑。

南池待月　向夕天風起，飄飄吹客衣。傍橋艤雀舫，款月坐漁磯。樹杪含烟遠，荷香沁露微。煩襟應盡滌，嗒爾竟忘歸。

浣筆泉　浣筆經千古，涓涓水自流。龍泫分碧漢，兔穎落清秋。入夢花應謝，凝烟墨若浮。芳踪何處覓，明月滿滄洲。

李　迥

西湖　渺渺登湖望不窮，畫船咿啞夕陽中。千峰突起嶙峋碧，一鑒清涵瀲灧紅。鴉背浮金歸古戍，雁行如字寫晴空。玉簫吹徹游人醉，千里荷香送晚風。

張耀樞

湖干日晚　人踏湖上雲，鳥浴湖邊水。人倦鳥亦還，目斷湖烟紫。《前志·川澤》。

黄克纘　三首。

濟寧堤上望太白樓　十里城堤柳色青，白雲漠漠水泠泠。長河劃斷中原地，牛壁分來大火星。鸜鵒何能逾濟瀆，檣烏常自傍沙汀。謫仙去後樓空閉，疑是當年醉未醒。

地月孤明。

濟上送客長蘆　與君同調復同征，春雁春雲萬里情。大地關河雙劍倚，暮天風雨一樽傾。行邊柳色青官舍，夢裏鐘聲下帝城。客路離懷應自見，可憐兩

嘉祥官署山亭　山勢峨峨百雉開，迎風避暑上高臺。憑欄西向長河望，已有先秋爽氣來。

龔　勉　四首。

太白樓　名勝争傳太白樓，旅懷冬霽愜初游。風清萬里寒雲净，日落千村暮靄浮。把酒濟流城下繞，釣簾岱色席間收。醉餘不覺清狂甚，直欲乘槎入斗牛。

梅參知、陸水部招飲南池　任城饒古迹，南池更悠然。杜子昔來游，盛事垂詩篇。予今適旅寓，幸逢地主賢。匪徒桑梓誼，良有夙昔緣。招我池上飲，兹值風日妍。空林落晚翠，曲沼凝寒泉。聽歌共浮白，秉燭復談元。歡娱竟忘去，不覺更漏傳。

夏日黄水部見訪留飲南池　晝永暫休衙，忽枉故人駕。倒屣歡相迎，惜别經朱夏。小設古南池，良晤且乘暇。荷香清可挹，槐陰緑堪籍。徙倚池上亭，俯檻泉流瀉。披襟滌薰風，寄興揮玉斝。未盡平生言，斜日倏已下。水面來晚凉，願言聊卜夜。尊酒進莫辭，明月滿臺榭。

董其昌

贈曹嗣山總河　三首。○警水勤明主，匡時得上公。業從專鉞久，恩向錫圭崇。清濟蓮花府，黄流瓠子宫。十年驅節地，重入指揮中。○蒼玉與朱斿，高牙

擁上游。已分周二陜，盡護漢諸侯。龍顙藏弓地，魚鱗轉餉舟。應還補天手，一解廟堂憂。○禹功猶在眼，漢策若爲紛。似鵲填何補，其魚嘆豈聞。中臺今省月，寶鼎欲敲雲。一片征南石，兼書白鄭勛。

潘季馴　二首。

登太白樓

供奉城南舊酒樓，名懸天地幾千秋。亦知信美非吾土，聊爲前賢續勝游。杯酒平分蒼岱色，席間遥控大河流。獨憐廿載成虚度，纔一登臨又白頭。

偶憩蓮亭有感

白頭仍作池亭主，猶記當年緑鬢游。老馬漫誇能識路，中流應畏不維舟。荷翻珠露終須墮，花實蓮房詎可留。聞道東籬黄菊在，一辭塵海即丹丘。四治河出爲嘉靖乙丑年。

汪邦桂

和太白樓作

經年無暇一登樓，兩過重陽何處秋。黄菊頻催元亮去，青蓮尚共季真游。漕通百萬飛狂溜，水擊三千挽逆流。嘆此生靈塗白骨，天戈亟下剪旄頭。崇禎乙亥九月十八日。

梁有譽

登太白樓

天寒霜雪繁，日没城上樓。樓中謫仙人，玉女娱清秋。金龜换美酒，醉脱鷫鸘裘。玩弄清玉塵，長揖謝王侯。我來千載後，萬壑風飀飀。聞昔有丹鳳，不與凡鳥儔。朝食玉山禾，夕宿昆侖丘。銜圖將獻誰，鳴聲鏘琳球。始知空田雀，飲啄徒啁啾。營營嗤青蠅，楚楚嘆蜉蝣。詰看黄河水，滔滔萬古流。

何如寵

南池　堤繞層城水繞廊，憑虛臺榭俯滄浪。春風桃李千門錦，秋月芙渠一院凉。工部才名詩草在，水曹詞賦筆花香。年來好事真成假，莫厭風流索酒狂。

胡瓚

和前作　供奉仙班玉殿廊，新詩爲寄墨淋浪。自憐寂寞分曹冷，誰解炎蒸直閣凉。嘉樹敢忘宣子譽，碧荷猶映令君香。雄名漫説塵工部，檢點平生只酒狂。

謝肇淛　二首。

游南池　高歌擊筑酒如澠，天末西風濟水冰。候雁一聲秋嶂月，寒星數點夜船燈。池邊岸幘歸山簡，草裏殘碑吊杜陵。失路相臨且沈醉，坐看北斗拂觚棱。

南旺挑河行　堤遥遥，河瀰瀰，分水祠前卒如蟻。鶉衣短髮行且僵，盡是六郡良家子。淺水没足泥没骭，五更疾作至夜半。夜半西風天雨霜，十人八九趾欲斷。黄綬長官虬赤鬚，北人騎馬南肩輿。伍伯先後恣訶撻，日昃喘汗歸籧篨。伍伯訶猶可，里胥怒殺我。無錢水中居，有錢立道左。天寒日短動欲夕，傾筐百反不盈尺。堤傍濕草炊無烟，水面浮冰割人膝。都水使者日行堤，新土堆與舊岸齊。可憐今日岸上土，雨後仍作河中泥。君不見，會通河畔千株柳，年年折盡官夫手。金錢散罷夫未歸，催築南河黑風口。《前志·川澤》。

薛應旂

南旺夜行泊濟寧　長安六月東歸客，黑馬溝前夜放船。楊柳月侵湘竹簟，芰荷風動水晶簾。未酬禹穴藏書計，都憶匡山種杏田。可奈塵途猶寄迹，滄浪空賦濯纓篇。

左懋第

浣筆泉

太白樓方下，重尋浣筆泉。先生今已矣，高致自蕭然。詩出驚狂客，人豪擬魯連。文章貴峻潔，兹水濯青蓮。

南池

别離三載餘，試問著何書？人遠當門静，池清慮亦虚。夙違剡水棹，今見子雲廬。古道存佳句，民艱以望余。《别楊皃岫同年》。

殷雲霄

前題

太白樓高春水多，南池春老白蘋波。白蘋波上風還雨，欲采芙蓉將奈何。

吴國倫

前題

瀑水侵階上，危亭背郭開。地向秋陰古，軒空海色來。分荷移小艇，取石坐深苔。誰能共心賞，懷古正徘徊。

沈朝焕

前題

壁水倒晴嵐，亭虚一鏡涵。斷崖遺句在，勝賞昔游耽。蒲長浮深碧，潭空照蔚藍。吟詩何水部，時過欲抽簪。《贈陸湛源使君》。

劉榮嗣

二首。

前題

已與囂塵隔，稍從汗漫游。都忘樹間響，但覺坐來幽。野色聲中變，雲光意外秋。寂喧殊自領，對此倍悠悠。《秋日南池賦得蟬噪林逾静》。○又《觀風亭》詩○小憩山亭日欲斜，自將活水試新茶。輕香續續來庭院，不斷風吹楝子花。

朱　卿

前題　嬉游今日好，恰值艷陽天。殘杏飄紅雨，新荷長碧錢。徘徊雕檻外，踪迹小亭前。乘興南池飲，青旗自柳烟。

黄中色

前題　杜甫南池舊，浮光鏡不殊。岸迴官柳細，橋斷野亭孤。鷗狎親漁艇，天青逼酒壺。坐來酒興洽，懷古意踟躕。

屠應峻

登太白樓　當時不見謫仙人，城上高樓空復春。勢極中原臨岱岳，境非吾土异三秦。遥憐避世東方朔，生有相知賀季真。斗酒狂歌自今古，志存删述與誰論！

王世貞

前題　昔聞李供奉，長嘯獨登樓。此地一回顧，高名百代留。白雲海色曙，明月天門秋。欲覓重來者，潺湲濟水流。

劉　麟

前題　暇日閑登太白樓，樓前洸水漾波流。新詩得句揮銀管，美酒盈樽泛玉甌。村落人家分遠近，陂塘魚鳥自沉浮。何當唤起騎鯨客，搔首天風吟未休。

邵　寶

前題 百尺高樓當勝地，突起城陰迥如寄。會聞昔日仙人游，不見仙人吟且醉。醉中直與天地忘，吟餘但覺風雲避。西南鉅野東洙泗，收攬飛流入幽思。翺翔八極何所歸，遺踪聊托任城吏。鬼神應護登臨篇，父老更誇流寓志。十年想像纔能至，素壁題名似投刺。滄浪渺渺波茫茫，時有清風蕩空翠。我呼仙人聞不聞，憑闌獨作千秋醉。

陸 深

前題 夜郎一去幾千秋，尚有任城太白樓。身後功名空自好，眼前汶泗只交流。當年狂客心偏戀，近代風人誰與儔。拍碎闌干呼不起，月明風細憶神游。

任城題楊直夫 闇 泉香書屋 水紋花氣鬥精神，疑是成都賣卜人。傳得一區楊子宅，藥苗閑洗雨中春。

歸有光

清明濟上 瀛州三月雪中行，千里寒風到濟寧。道上女郎斜插柳，始知今日是清明。

朱德潤

飛虹橋 任城南畔長堤邊，橋壓大水如奔湍。閘官聚水不得過，千艘銜尾拖雙牽。非時泄水法有禁，關梁夜閉防民奸。日中市貿群物聚，紅氍碧碗堆如山。商人嗜利暮不散，酒樓歌館相喧闐。太平風物知幾許，耕桑處處增炊烟。明朝北上别旅叟，叟持清尊求贈言。欲圖豐駢真未暇，爲君寫作康衢篇。《前志·川澤》

陳夢鶴 三首。

春日泊火頭灣 開棹移曹井，迴灘向火頭。人家懸岸口，烟爨隔溪流。寒盡春堤柳，湖平野渡舟。迷津誰欲問，江海愧浮鷗。

視工永通　茲聞何年創，漕分濟水潨。地形天設險，禹迹古人功。疏鑿重經始，名標舊永通。萬方供正賦，航海屬登豐。

仲家淺夜泊　聞水經行處，扁舟向晚通。岸雲縈柳暗，漁火射波紅。地説南州近，人傳仲子風。徘徊中夜起，彈劍意無窮。并《前志·川澤》。

沈　愷

憶任城　春風一渡魯陽水，夜月三登太白樓。安得狂如四明客，金龜换酒散春愁。

朱應登

濟寧別翟體和　君家原上好松柏，小樹亦可干雲霄。百年喬木自春色，千里行人過魯橋。爲别莫歌南浦句，相期還向北宸朝。秋來江上多歸雁，應有書緘慰寂寥。

羅鹿齡

過任城寄于水部　相逢席未暖，伐鼓又南征。柳暗迷修渚，雲垂失近城。使君雙綬好，歸客片帆輕。一濯滄浪水，徒深戀别情。

陳子龍

汶濟雜詩　涓涓流石路，離别在南池。地脊如天黨，山根足雨師。牛羊龍女宅，松柏禹王祠。爲有朝宗道，川符貢不遲。

劉士曠

萬里孤忠骨未寒，千秋兩眼泪難乾。高皇有士留楊子，中國何人問虱官。渡口濤聲獨擊楫，江頭髮影尚衝冠。招魂濟上聽鸛鴿，莫是南枝越鳥安。

王孫蕃

讀帶血吟

吴王臺上露花寒，北望威陵血不乾。豺虎空迷燕地月，乾坤獨醒晋朝官。呼天魂結原頭草，顧劍風催髮上冠。誰使至尊殉社稷，孤臣遺恨在長安。

曾棨

寓鐵塔寺謝王薛二太守

二首選一　○寂歷孤城外，高樓戍鼓鳴。葉聲霜後落，僧影月中行。一榻禪房静，孤燈客思清。疏鐘一百八，猶似上陽聲。《前志·古迹》。

孟陽

重過康莊驛

汶上初弦月，康莊兹再行。孤心天外繫，白髮道邊生。雪草交湖迹，風沙鬥馬鳴。遥憐清濟色，未肯濯塵纓。《前志·驛遞》。

黄堂

金狀元墓

百戰風雲一睫空，獨遭顛沛見從容。策名喪亂文兼武，效死封疆勇作忠。鼙鼓無聲奔萬馬，劍花有恨泣雙龍。泉臺若遇陳和尚，談笑應誇節義同。嘉靖壬子十月。○《前志·陵墓》第三句缺一字，今酌改。

彭鯤化

別山陽父老　來時騎竹去投錢，珍重緡民滿道前。豈把愁鄉成樂土，那將苦井變甘泉。五年渾是家爲縣，兩舄誰言令是仙。別後無能酬父老，祝天長願賜豐年。

秦士奇

鷄黍城　千古論心地，山陽汝水頭。相看明月夜，猶似漢時秋。

薛瑄　二首。

過楊伯起却金處　誰能介性抱和衷，笑却黄金暮夜中。千載如知臺下路，蕭蕭松柏自清風。

魚臺分司　翠竹紅榴掩映間，柏臺清晝鳥聲閑。情知物理相關處，心與乾坤一樣寬。

王尚玨

焚書臺詩　峨峨鬢舍東，奕奕高臺峙。蒼翠鬱藤蘿，突兀倚城雉。金鄉故平衍，一簣何由爾。或云焚書時，餘燼之所累。斯語本無藉，荒誕尤可鄙。公理與輔嗣，實爲此邦士。至今城北隅，著書有餘址。安知非後人，封築寓仰止。卓哉徐與邵，更名表仁里。劉尹構高軒，講文詔後起。遠挹陽岫雲，近映壽溪水。故迹想遺風，前賢猶可企。作詩語邦人，豈爲游觀美。徐容齋，元人；邵二泉，明人。《前志·學校》。

周儒

登萌山

九十九山撼赤城，長風吹浪白霞生。夜深乘月看黄鶴，對面青山繞郭行。

婁奎

前題

我本天台人，山水稱淵藪。生平性頗僻，愛山如愛酒。華岳數萬丈，摩空逼牛斗。五筍屹天南，瑶臺羅邑右。天柱與烟霞，眼中無匹偶。寒明矗兩岩，相對參前後。芙蓉千朵强，不暇云某某。擲地作金聲，賦落公孫手。春風壯勝游，一步一回首。挾策來嘉祥，奇峰相結紐。大者老龍驤，小者群馬走。蜿蜒趄且伏，崢嶸九十九。愛山復得山，恍疑逢故友。揪髯發長嘯，獨立山頭久。

易登瀛

前題

山城積翠鬱崔巍，况有孤亭别島開。叠叠晴巒圍几席，家家烟火擁樓臺。千年禮樂遺風在，百里弦歌此日才。露冕行行慚我拙，相期努力效涓涘。《貽朱茂宰》。

吕維祺

前題

停驂憩翠峨，花輕醉扪蘿。游興人初倦，坐憐春已過。問農知稼穡，啼鳥帶弦歌。博得人間笑，客忙忙爲何？

鄭英

澹臺山

一林黄葉半天秋，山自嵯峨水自流。多是主人歸未得，無邊風月許誰收？

朱應遇

節婦吟 爲于守卿女作○古道日以邈，柏舟獨遺芳。偉哉于氏婦，抗志媲共姜。引經非矯激，聊以寫盡傷。夫病不復蘇，此日誓俱忘。皦爾白駒志，凜然金石腸。日月懸炯炯，江海流泱泱。貞魂永不磨，彤管生輝光。

周 詔

一寄亭 顧瞻亭北景，咫尺有横山。盤石封蒼蘚，高峰聳翠鬟。色呈春雨後，氣靄夕陽間。但欲耽清趣，何辭日往還。

李 輔

前題 山外復有山，峰巒逞奇特。一番晚雨過，蒼翠饒顔色。公餘試登覽，坐看雲生石。臨風發長嘯，滿懷春拍拍。

陳鳳梧

南武山 南武山連舊武城，巍然廟貌拜先生。道聞一貫傳心遠，經述三綱立教明。啓手墳猶封馬鬣，耘瓜臺尚記鴻名。萊蕪祠下重瞻仰，沂水春風聽鳥鳴。時修祠墓并厘正配享從祀。

章 拯

謁曾廟詩 嘉祥九十九山青，岱岳西南第一屏。宜有儒宗鍾間氣，惜無遺胄飲芳馨。弦歌久廢武城邑，格致惟存大學經。孤冢祇應東向魯，千秋於此妥公靈。嘉祥諸山宗岱，而曾則宗孔，宜東向。

姚思仁

前題

武城漭沆舊臺荒，閟祀長臨大道傍。伏臘村翁空里社，東南文物足冠裳。天垂象緯虹猶赤，地劃經文玉自黄。誰謂賢關那可到，自憐堂奥得迴翔。

鄭汝璧

前題

山城一望路不賒，曾子祠堂落日斜。俎豆從容論薦棗，隰原回合漫耘瓜。烟横闕里縈三水，峰拱尼防儼二華。悵望千年吟眺處，依然雲樹亂鳴鴉。

陳魯

二賢祠重修爲陳郡伯作四十韵

汶水兼洸泗，東西會一川。靈分諸郡脉，淑萃衆山泉。北繞形如帶，南流勢若弦。文章關秀色，直遂泄真源。故老堪輿溺，今人輔頰傳。城垣盤地勢，樓閣映星躔。賀監曾任守，長庚舊止賢。正當歡飲處，恰是共吟軒。塑像稱宜爾，瞻容尚宛然。仰觀移日月，俯視洞雲烟。離照通江渺，瀾光射眼前。奎婁侵畫藻，嶧岱插青蓮。旺氣高鄒魯，文明耀海寰。固云昌運係，尤爲盛名懸。貴客矜詩聖，遐方慕酒仙。遥臨時駐馬，肅禮日維船。企仰催揮翰，羹墻與接筵。芳踪留萬祀，同樂已千年。歲久經風雨，塵埋謝粉鉛。有懷徒悵望，無計共留連。不禁雙眶濕，應來四海憐。乾坤冥主宰，否泰暗循環。良牧一朝到，疲隳百廢全。登臨生浩嘆，展拜發精虔。卜吉求能匠，問囊出俸錢。齊民心共悦，當道志同堅。鼇坐騈楠梓，津泥取兑乾。鑿胎兼美木，和絮復香綿。敷就衣冠古，裝成金碧鮮。嬉顔堪對語，莊貌類逃禪。達峙宣尼舍，密親杜甫氈。既新詩酒地，宜續咏吟箋。勝事歸歌頌，能聲被管弦。旅酬樽再滿，尚友月重圓。政暇揮雄筆，情豪綴大篇。聚星須有賦，游客豈無聯。逸興賀同調，長材李并肩。尤期懷煉石，入待補蒼天。大厦扶霄壤，賡歌讓後先。人文皆不偶，胥駕闡峰巔。

國朝

朱彝尊

謁仲子祠

光岳鍾青帝，明禋配素王。世家猶不泯，俎豆儼成行。力養嗟何及，長貧更可傷。如聞琴瑟在，千載感升堂。

吕宫

前題

舟行過仲里，仰止覲先賢。廟古松杉色，庭虚鐘鼓懸。英風師百世，遺澤頌千年。時見滄桑變，猶聞薪火傳。功名易銷歇，道德獨長綿。裕後多名俊，箕裘信纘前。

談天佑

前題

宣聖時巡代帝行，特教賢哲護車旌。石門尚想勞人戆，荷蓧猶聞稚子迎。既有素王持正印，可無英士翼宗盟。升堂入室猶親見，蘋藻虔將仰止情。

沈荃

前題

十年三度來過此，喜見先賢廟貌新。奕世衣冠知澤遠，故交賓主劇情親。高雲翠嶂邾城暮，短楫青楓泗水濱。何日天涯重把臂，還將溪藻肅明禋。《次顧西巘韵》。

王賡言

前題

有勇知方志果成，聖門從此重干城。心傷負米三年養，願遂乘桴萬里行。政事不甘諸子後，車裘深重友朋情。升堂何日隨公入，洙水源長泗水清。

張若溎

重過濟上贈楊聖喻　紅蓼灘頭映白蘋，桃源有路迥非秦。不將麈尾還王謝，且自清言學晋人。

陳廷敔

仲家淺望嶧山作　言過仲家淺，仲廟河水傍。嶧山對廟門，百里來青蒼。影連初日動，勢接春水長。遥岑插天漢，空翠分崖岡。不睹泰山尊，争長雄東方。欻吸亘南戒，逶迤趨西疆。豁然去欲無，林巒鬱廻翔。掩映仲子廟，千祀堂相望。我兹在川上，漾舟涉微茫。前浦行修途，未登洙泗堂。生不逢孔子，日月依末光。扣弦問漁父，夕照明滄浪。

徐釚

舟過任城追悼鄭確菴孝廉　龍卧江湖歲月遷，思君泪落酒壚邊。每憐飄泊三千里，曾話滄桑四十年。折戟沉沙駒過隙，題襟著屐草如烟。幾回重到南池路，愁殺難逢老鄭虔。

徐駿偉

冬深過天井閘　漕挽東南急，征徭齊魯艱。泥沙高覆屋，冰雪凍盈川。豈不懷民力，何由竭地泉。村村烟火寂，灑涕辦夫錢。

魏麟徵

觀挑河　汶流出自岱谷中，引與青泗波浮空。漕渠勢扼咽喉雄，底績不讓宣房宫。百泉飛瀉如長虹，河堤持節來巨公。疏鑿兼令黍地豐，大挑小挑農隙工。畚捐雜接

謁宗聖祠 作述千秋後，無憂屬大賢。冠童春與共，口體味還全。得正誠何憾，開宗況有傳。吾生慚眷志，一拜一潸然。

楊績勳

前題 南武山前路，巋然曾子祠。几筵陳俎豆，童冠肅威儀。一貫誰能唯，斯文信在茲。緬懷江漢語，萬世仰宗師。

金　牲

前題 睟容端冕几筵開，仿佛黌宮釋奠來。黃紙謄文尊制詔，青衿襄事潔樽罍。禮儀職忝祠官供，紹述功期賢裔恢。先子當年愚魯得，于今莫負育英才。《奉命祭告敬題三省堂》。○四首選一。

韋謙恒

前題 城南南望氣蕭森，大地迴環第幾層。手足至今完百代，精英終古鎖深林。山空似有琴聲應，樹老還聞鶴唳音。七尺崇隆憑吊處，儒宗孝道總堪欽。《謁宗聖書院》。

楊受廷

前題 南武山陽曾子居，蒼蒼松柏蔭階除。耘瓜臺畔秋風起，蕭索寒林落葉餘。○曾聞一貫接心傳，忠恕兩言啓後賢。泗水武城掩映處，《孝經》一卷炳中天。《丁卯仲春過南武山曾子故里》○四首選二。

方大猷

傾土籠，凍積冰雪万隆冬。沾手塗足繭且重，濟川城繞西南東。閘高水激泥沙衝，饑寒并力日夜攻。岸傍催鼓聲隆隆，渠開轉餉資兵戎。臘月垂盡後當終，還家有粟纔舂𦤎。

鄧汶

觀漢碑詩

炎漢貞珉最超卓，屹立聖門欣所托。云自民間泥草中，輦至宫墻稱鼎岳。吴下儒生來縱觀，摩娑久之還眙愕。鋭首圜身製作奇，伊昔風規完大樸。俎豆尊彝相與列，球圖琬炎共昭灼。土花綉碧閟晶瑩，神鬼護持風雨濯。我思漢人不可見，漢文在兹宛如昨。惜哉漫滅句讀艱，龍蛇隱靈蟲鳥剥。殘鈎剩畫捐鋒棱，篇章桀蝕類雕琢。斷續不論歲月深，以意爲推苦追索。東西兩京多巨裁，或者神理實沈博。細參莫契成言辭，精心細推擬崖略。岐陽石鼓既貿迷，之衆詛楚盡踳駁。嶧山煨燼祖龍碑，焦先岩下虚瘞鶴。惟斯競美良足欽，千秋鴻寶當陽推。

方耕

前題

云亡人自漢何年，勛閥猶憑片石傳。筆氣空愁摹易損，蠡痕惟恨讀難全。典型尚幸存庠序，陵谷遥應變墓田。不朽得無微藉此，爲詢翁仲久茫然。《前志·碑考》。

余甸

十七日

楚弓得失總憑虚，隔歲心情兩不殊。獨有蒼蒼頭盡白，相隨減却一疲驢。予以去歲此日策蹇抵濟寧任，連家人、行李共三駝，遠近傳笑，目以「三閭大夫」。今被逮，減去一駝。○又有

吴樫

四首。

問余近事者，詩以答之。四首存一。積年善病小樓栖，誰識張秋有子堤。不問水濱問彼岸，風飛可使牛馬齊。康熙六十年十一月沙灣口决，六十一年二月再决。此時余尚卧病小樓，未嘗待罪究、寧也。

贈玉露庵方丈徹也

滇南一老把漁竿，垂釣悠悠濟水寒。鉢底毒龍嘗戲狎，座中猛虎共盤桓。香林合沓生幽意，佛閣嵯峨足壯觀。萬里勝因非偶爾，此身滿願奉金欄。○誅茅伐莽闢兹山，大禪宗風齊魯間。胸次本來無一物，眼前妙用有千般。黄花匝地開心印，翠竹當軒破祖關。飛錫浮杯俱是幻，曲欄長倚笑閑閑。○當機立拂或擎拳，顯示西來意現前。東郭曙光開佛唱，泗濱晴靄接爐烟。鷄冠花放新鮮句，雀舌茶參冷淡禪。五百一期雲似滿，不知將法與誰傳。○業識銷磨下劣根，承師密印感慈恩。未妨游戲同流俗，自有操持護本原。一息不循生成路，萬緣全民聖凡門。古今物我皆如是，何處相容稱獨尊。《前志·古迹》。

厲　鶚

二首。

仲家淺即日

荒陂野水漫縱横，一片斜暉萬柳明。仲子祠前滴秋翠，鳧雲嶧雨晚來晴。《樊榭山房集》。

拜杜少陵祠

太息杜陵叟，空垂萬古名。文章羈旅賤，身世腐儒輕。勝地迹猶在，荒池風自清。迎神有新曲，讀罷一含情。祠爲椒園所創，有碑甚工。

馮英廉

題杜文貞公畫像詩

丹山之桐枯而鳳鳥孤飛，玉山之禾死而麒驥常飢。飢不能與駑駘共櫪，孤不能與鴟鳶同栖。萬事升沉向誰論，今古茫茫付長恨。君不見，杜夫子，稷契臯夔良可比，功業勛名在何許？耒陽城外三尺墳，東陽手中一幅紙。嗚呼！東陽手中一幅紙。

桑調元

宿濟寧

舟車天下會，旁午濟寧州。轉漕還南去，看山自北游。清圓明月夕，衰白鬢華秋。此地堪吟醉，青蓮剩酒樓。《五岳集》。

杭世駿　七首。

舟次石佛寺前同人醵錢買醉酒後有作　四首選二。○野塘新漲亂縱横，客裏開尊對暮城。秋到酒邊頻作達，凉生鷗外各尋盟。下弦月似初三夜，擊楫歌傳第一聲。共喜明朝鄒嶧近，片帆好作看山行。○年華如水去駸駸，清酒含愁自酌斟。遍静天空秋月冷，育王城近暮雲深。偷將開士拈槌法，付與才人擊鉢吟。十載津梁苦行役，打包吾欲叩珠林。

濟寧竹枝詞　五首。○金龍祠近浪潜消，郭外條條白板橋。八閘帆檣千樹柳，就中秋士最無聊。○石佛寺前秋水平，石佛寺後秋草生。老僧只愛秋色好，夜夜登樓看月明。○澹鮮庵外水周遭，纜繫清楓一樹高。日暮凉波動魚蕞，小船收網賣銀刀。○丁字簾前郎賣茶，三叉灣口妾撈蝦。日暮得錢同取酒，墻頭紅壓佛桑花。○紅綿熨貼唾絨堆，翠葉玲瓏綫㕓開。一哄市前陳骨董，行人争買土宜來。

趙執信　五首。

太白酒樓歌　高樓勢與泰岱平，樓邊夜夜輝長庚。仙人猶似戀陳迹，長援北斗東南傾。當年賀監早相識，長安論詩青眼明。金龜换酒定何許，酒家恨不傳其名。任城地好富水木，憑高縱飲神崢嶸。當時我若接杯斝，豈復于公爲後生。今來隔水望丹雘，棟雲檐雨紛縱横。君不見，少陵詩臺留魯郡，秋草蕪没飛流螢。又不見，曹王陵墓磽礉北，殘松積蘚荒碑亭。雪泥鴻爪半澌滅，雄名空自馳風霆。文章故是身外物，敢與麯蘖相争衡。文章殉人酒殉己，此論雖創堪服膺。舒州杓，力士鐺，公昔與之同死生，我亦欲與尋前盟。重來大醉捶黄鶴，吾言不食星辰聽。

昭陽湖行書所見

四首。○湖上人家無賴秋，門前水長看魚游。當窗莫曬西風網，時有行人來纜舟。○白波如沸浸溝塍，禾黍菰蘆互作層。掉入青蒼前路夕，半規秋月起魚罾。○屋角參差漏晚暉，黄頭間緝綠蓑衣。倦來枕石無人唤，鵝鴨如雲解自歸。○微子山頭隱晚霞，濕雲濃壓峭帆斜。迴風忽皺平湖水，雨立船頭看浪花。

金吉金

原名農。

任城南浦荷花

二首。○萬柄荷花八面生，紅襟翠袖亦風情。玲瓏水殿前頭去，人語不聞聞雨聲。○白板小橋通碧塘，無欄無檻鏡中央。野香留客晚還立，三十六鷗世界凉。

萬光泰

七月七日濟寧守閘

乾隆壬戌。○齊南秋早冷殘荷，太白樓前又一過。乞巧人家喧月露，遄歸客子阻風波。三年陳迹蟬聲晚，雙閘清陰柳色多。莫便盈盈怨相隔，黄姑猶自恨明河。《柘坡居士集》。

錢之青

三首。

濟寧道中

二首。○細雨平堤長綠蕪，烟村鵝鴨亂群呼。漁人指點汪洋水，萬頃膏腴一片湖。○鴻雁哀鳴氣未蘇，水田一望碧菰蘆。誰陳澤國污萊狀，并入流民鄭俠圖。

南旺湖

繫纜長堤散碧林，風帆雲樹接湖陰。黛青一抹浮天岫，雪白雙飛掠水禽。岸草汀花俱識面，蒓絲菰米即歸心。烟波處處堪漁釣，南望滄江深更深。

錢　棻

南旺道中　關河歷歷暮雲愁，行到無邊烟樹秋。堤岸平分千棹影，神祠空對萬山流。遥看不盡滄浪興，緩步真同縹渺游。無數人家依亂水，明霞短芰滿汀洲。

顧　藹

柳待堂　先生種柳繞書堂，柳待先生枝未長。去馬沙堤始歸去，半天高影弄鵝黄。潘恬庵兆遴宅，詳「名勝志」。

盛百二

柳待堂追和前韵　農家秋野讀書堂，老樹柴門秋水長。走馬沙堤非我事，歸與不待柳絲黄。○丁酉二月三日，同孫適齋明府過訪次前韵贈潘敬堂。○不圖今日得升堂，深喜前賢士澤長。古柳難尋三徑在，秋來擬看菊花黄。明府，恬庵外孫。

王爾鑒

宿魯橋寺　魯橋静夜絶塵氛，别有幽情迥出群。不斷風烟籠古寺，無名花草散清芬。門環泗水千潭月，檻繞鳧山一片雲。懊惱浮名移我志，三更鐘磬幾層聞。

王道亨

灾賑　乾隆癸卯冬月。○前年苦浮潦，黄流復漫溢。此地當下游，田廬半飄溺。今年久不雨，麥秋望已失。湖田稍低窪，頗已秀而實。高者間有收，十不得六七。吁嗟三歲來，貧民半飢惄。長吏心惻然，救荒總乏術。仰荷宵旰憂，頻經下綸綍。今兹更截漕，三十萬餘石。分半貯東昌，亦以助不給。振窮昔所聞，闓澤古無匹。蒿目語吾民，緩急本不一。少壯猶自可，煢獨意彌迫。計口爲給予，理應先老疾。其次則婦孺，一一遞相及。庶令普優沾，毋致向隅泣。所慮蠹役奸，冒濫冀乾没。爾民各自愛，花名勿虚捏。刺史宣德意，豈能遍户説。濡毫爲此辭，聊以記顛末。《前志》共三首，今存二。

姚惇德

清明日登太白樓遂過南池詩　更有南池在，閒携此重尋。到門紅雨亂，夾徑緑陰深。一夕行游地，千秋仰止心。叢祠餘俎豆，誰并拂冠簪。《前志·古迹》。

蜀山湖觀荷詩　二首。○官閣閑乘興，陂塘好放舟。晴光波影亂，凉氣藕花秋。酒欲共携賞，圖應作卧游。隔溪漁唱起，時和榜人謳。○去去不知遠，輕舠貼水平。路穿花徑入，岸轉柳堤迎。把蓋成攲坐，支笻得小行。招提塵境絶，雲外暝鐘清。

四月六日游馬場湖遂登縉雲山　一葉明湖泛，重尋物外心。人疑游月窟，地似入山陰。日薄天光合，凉深雨意侵。尚餘登眺興，散策步前林。

程敏政

硯瓦溝詩　一派泉聲出澗長，千秋猶帶墨華香。源流色正分玄武，删述功深仰素王。湘水有魚還識字，滎河無馬復呈祥。稽疑欲借圖經看，斷巷徘徊又夕陽。

詹　潮

開河逦南即事詩　憶昔長垣昏墊日，曾經沉璧奠張秋。梁山忽斷陶祥路，鉅野還浮曹濮舟。千里民居今底定，十州麥隴近全收。黄陵岡塞河循舊，黑馬溝深水自流。

于鵬圖

秋日城西堤上望湖詩

萬柳背城齊，郊原手裏携。遠山當水翠，晚路入雲迷。湖近游魚去，溪平過燕低。不禁秋欲暮，落日大荒西。

石麟

秋日湖上詩

澄湖如練彩霞開，日落霜酣雁字迴。幾處棹歌喧野浦，却驚一片白雲來。

周大樞

陪諸父泛舟任城西湖詩

從父作牧古任城，謂十叔父道浚。心迹雙與湖山清。公餘出郭覽勝概，蘭舟載客烟波行。一門叔父韡棣萼，談笑揮麈清風生。湖光瀲灩接天碧，此地亦以西湖名。漕河北去藉蓄泄，帆檣隔岸飛交横。人家掩映出垂柳，西南數岫青峥嶸。十項琉璃瑩見底，細藻裊裊縈圓萍。縱横魚蕍繞千尺，層舠出没飛鳧輕。水仙萬蓋擎碧玉，窈窕羅襪凌波明。紅妝翠袖來雜遝，欲語不語争逢迎。古來牧守有宴賞，往往携妓司杯觥。官箴即今允度越，絲竹閴寂無歌聲。未妨河朔暫避暑，碧筩象鼻還争傾。半酣憑艦看舉網，玄鯽撥刺鮮宜羮。荷香觸人雜酒氣，入座款款飛蜻蜓。惜無亭臺餖妙景，州人絶少登臨情。吴中虎丘一片石，士女終日吹簫笙。杭州西湖擅名久，勝地不獨跨山屏。固知淳樸俗易理，但恨負此清登浤。夕陽欲落催轉棹，紫翠萬狀連郊坰。塵襟暫滌不忍去，騎馬歸來月滿庭。

浣筆泉

寒泉一泓出觱沸，青蓮曾此留遺迹。想當筆落興酣時，亂繞蛟螭走霹靂。滌向清波放之入，頃刻屯雲黑千尺。我來吊古入庭宇，風雨青紅剥古壁。賀公杜老亦并祠，落日殘碑蘚可剔。摳衣再拜文章伯，顧視泉流如海立。

南池

身世渾如不定棋，當年杜老亦堪悲。嬴得文章千古在，翻令稷契一官遲。嗚蟬洗馬曾來地，菱熟蒲荒又幾時。蕭條已嘆同摇落，何况秋飈感客思。

張耀陛

西郊小阜

沿漢行未窮，相將凌孤阜。曠然生遠懷，興會依林藪。斜日抱寒城，輕烟濯新柳。莫辭問酤帘，慰我惟尊酒。

聶本立

登曠山

西山曉色正曈曨，一片湖光瀲灩紅。凌虚欲傍三江雁，振袂斜披萬里風。漁艇影横青靄外，岩花香繞翠微中。天地茫茫誰是侶，獨吹横笛對芳叢。

王純祖

曠山進香祠

梅子青青杏子黄，鷄豚社裡飲農忙。明朝浴佛傳佳節，相約迎神到上方。以上《前志·山川》。

盛金

留鶴亭

楚王此留鶴，遂以名其亭。鶴去不復返，亭亦隨攲傾。我來訪遺迹，烟水空冥冥。行行南池間，庭軒厰且宏。軒北杜公祠，蔚然松竹榮。登高謁遺像，骨瘦神逾清。緬懷千古上，高風如可承。吁嗟乎！貧賤固無論，富貴亦安憑？後人胡去取，斯文乃常貞。不見少陵已死幾千載，至今祠宇猶崢嶸。《浣香集》。

盛楓

四首。

南陽湖

郵籤十日到南陽，漁市村村似越鄉。歸路人疑滄海近，望家山共白雲長。驚雷出峽寒源動，遠浦迴潮徹夜涼。盡道侵晨須放鷁，輕風那得送危檣。○篷窗竹影自飄摇，東海音書久寂寥。逆浪魚龍春浩浩，翻風蒲葦日蕭蕭。還家舊約思菖葉，潑眼新愁入柳條。已是思歸眠不得，更聞戍鼓徹中宵。《前志·川澤》。

重過南池

飄蕩河濟間，孤行常惻惻。菖蒲復如劍，重至南池側。萬緑張翠帷，新荷好顏色。清泠合泉細，澹沱林烟織。前游忽似夢，塵面更拂拭。重是名賢踪，顧瞻長嘆息。景物豈异古，殘碑已剥蝕。猶幸未消磨，及此尚登涉。亭臺始締構，門徑不可識。昔來沉醉處，聊記雙槐北。劇飲少年場，夜漏下幾刻。醉後相扶將，踉蹌任顛蹋。沉淪十餘載，身世無一得。荏苒遂華髮，蹉跎空旅食。可堪佳賞地，幾度成追憶。浮雲東南馳，歷歷歸飛北。憂來不可斷，惆悵情何極！

石佛寺玉皇閣

金碧礙諸天，憑虚意豁然。群峰朝靄散，幾樹午陰圓。高下林間屋，東南郭外田。麥秋方此日，槐下正如年。穲稏猶栖畝，樵蘇不滿船。蒲葵連舍北，欅柳夾門前。汲井清泉冷，捫碑緑字鮮。繞檐鴉不噪，傍砌鶴初眠。落蕊驚園東，生香試渚蓮。羈孤愁浪迹，容與羡安禪。不少青雲客，何如玉局仙。翻經慚脉望，我欲事丹鉛。《前志·古迹》。

盛錦

題杜文貞公新祠

浣秋游迹寄南池，先馬鳴蟬感昔時。遇主名高《三禮賦》，懷人心折《八哀詩》。鑄同賈島應呼佛，綉比平原合買絲。遺貌仰瞻如舊識，爲曾親拜草堂祠。沈椒園侍御肖公像，配以許主簿。

陳樹華

南池用清江楊恪勤公韵

訪友任城道，南池得暫留。亭幽渾忘暑，樹密已含秋。勝迹垂千載，開吟起百憂。四明齊李杜，主簿亦名流。

潘本佶

八景詩

《前志》卷首。○行宫春樹○碧甍丹檻渺參差，八里城西駐蹕時。一斷春寒描不出，雨中鳳闕輞川詩。○嶧岫晴雲○浮嵐隱隱削銀屏，際曉芙蓉矗杳冥。擬倩風姨披絮帽，晶盤直涌佛頭青。○南池荷浄○菱熟蒲荒不記秋，叢祠香散藕花幽。竹深荷浄依然在，争似當年丈八溝。○西葦漁歌○淺水平堤鴨鴨浮，柳郵三五畫家秋。櫓聲咿啞月初上，短笛蘆根何處舟。○白樓晚眺○自謫仙班不再留，至今杰閣俯清秋。憑欄忽憶東坡語，葉葉風帆過酒樓。○墨華泉碧○史編遺恨軼長庚，獨向荒祠識舊名。去不掉頭元太晚，出山何似在山清。○鳳臺夕照○百尺臺高夕照斜，邨名前此誤風花。朝陽自是丹山鳳，莫賦孤鳧與落霞。○麟渡秋帆○柳梢低揚渡頭風，白夾青蓑落照中。更向峭帆亭上望，鄉心一一數歸鴻。

查慎行 四首。

獨游南池

外吏無交舊，歸人簡應酬。烟波宜獨往，風雨感重游。遠影千帆暮，孤亭萬樹秋。多情天井泒，日夜向南流。

自汶上至濟寧作

本業抛農務，群情遂貿遷。刈藍多用染，屑草半爲烟。樹藝非嘉種，膏腴等廢田。家家坐艱食，那得屢豐年。

南陽鎮

五丈溝東望，陂湖極渺茫。楊椿支兩畔，綫溜走中央。古市秋來廢，平田潦復荒。船船載漁具，聊復免流亡。○一帶山形墮，周遭地勢坳。老堤崩泐石，欹屋落苦茅。是處添新淺，何年咏樂郊？最憐晨失業，牛犢飽芻茭。

黄叔琳

題范張祠

道交金石盟，世交雲雨態。緬懷范張祠，寥廓生長喟。分聯生死間，氣感幽冥際。抗義砥狂瀾，五常峷天地。東京獨行高，兩賢絶攀跂。數年踐久要，貫存逝。不見故人容，但通死友志。魂魄墜宿冥，衣冠來夢寐。嗒焉忽驚號，傷哉闕唅醧酒停驂至。拜母肅升堂，孺子延欣侍。古歡鷄黍餘，一夕千秋事。生别莽關河，肫誠襚。素車黯西奔，應期及窀窆。執紼告長辭，形離神豈背。刋折一寸心，送入三泉内。死者更何須，生者真無愧。憑棺聽數言，今古同揮涕。真氣激頹頑，詎在榮封瘞。淳風一谷風道久敝。張陳悼凶終，蕭朱悲晚替。塵途意氣交，御杯示肝肺。利害輒掉頭，生死二傳，鬚眉儼英粹。不論陳平子，妻孥護喪匱。不問孔仲山，把臂憐忻悴。吾嗟鳴鳥哀，那可計。兩賢卓清標，羊左應堪繼。俯視車笠徒，徵逐争膻膩。當時千里交，兹土同堂祭。逡巡委蒿萊，良宰勤修治。東緍杰士多，感式青雲義。潔醴薦肴蔬，陶陶舊風致。九原如復生，萬祀存高契。

孫才衡

前題

古人重死友，一日貞百年。道義所素結，情逾金石堅。精誠相感召，足以徹九泉。我昔讀漢史，遐哉慕兩賢。巨卿與元伯，炳炳照青編。軼事每三復，齒頰生芳鮮。北來逐衣食，載筆滯緡川。遂得訪遺迹，荒碑尚巋然。祠堂没塵草，鄉里缺豆籩。沈侯有懿好，躬爲名教先。雅志表獨行，舊址築新椽。神迎汝水畔，靈妥陽山前。春秋薦蘋藻，如睹鷄黍筵。高風不可繼，憑吊空雲天。

蔣陳錫

前題　我承簡命來東土，村農娓娓談鷄黍。范張一事偶流傳，何必今人不如古。酒酣嘆息平交行，金石綈袍同臭腐。王貢蕭朱比盍簪，陳雷管鮑如肺腑。自謂同心利斷金，相誇標榜忘爾汝。凶終隙末反掌間，富貴風雲成怨府。吁嗟乎！朋友義氣并天親，聖訓煌煌列第五。死生然諾判須臾，膠漆蓬麻均樂苦。胡爲獨讓范巨卿，千里結言無舛忤。埋尸停柩托妻孥，高義於今著齊魯。下車把臂孔仲山，導騎相迎衢卒伍。勝迹庸行本平常，貧賤之交不可侮。吾聞儒者術最尊，合志同方難悉數。青松白水在山林，平生肝膽知誰許。稍節。

沈廷芳　九首。

戊辰元日得樹齋端居　堪笑步陳迹，重來作使星。三朝欣却軌，一室好横經。萱茂懷南國，鴻飛向北庭。卷書復長望，九十九峰青。

太白樓　自飲謫仙後，誰携狂客尊。寒天憑檻望，勝地此樓存。烟樹闗河迥，人家冰雪繁。獨餘懷古意，殘碣手空捫。

南池使院　玉壺花下記青春，不道春來倚醉頻。一片蒹葭兩行樹，雙橋長憩獨吟人。○杜公祠額題榮光，亭翼穹碑歲月長。鳳翥鸞翔相對峙，文孫墨寶繼先皇。○三月十三日迎鑾桃源，蒙賜杜甫祠額，勒石亭内，右有聖祖御書碑亭。

南池宴集　四首選二。○任城好春色，多勝屬南池。高柳色如染，繁花香滿枝。風光晴更曬，日影暖方遲。喜作客中主，歸艎雨過時。○追歡當暇日，良友恰相逢。芳草無情緑，香醪何事濃。聽歌徵曲部，溯舊寄吟筇。流憩不知倦，林間報曉鐘。

上已日南陽道中同花村兄熬生天池作　六首選三。○獨山湖外見遥岑，山下烟波無限深。白鳥亂飛紅略彴，綠陽如薺隔湖心。○闡南闡北柳痕齊，掩亂風前燕子低。打鼓發船趁朝日，一川烟景波平堤。○小橋流水是誰家，緗杏捎檐一樹花。記否十三亭畔路，鬧紅枝底夕陽斜。

施閏章

戊戌春過任城劉水部楊憲副南池招飲

雨中騎馬到南池，懷古荒亭酒數卮。雜樹背城垂綠水，穠華當座覆殘碑。飛來戲蝶侵衣坐，何處黃鸝送客遲。劇想芙蕖勝紅錦，蘭舟重訂濯纓期。

姚鼐　二首

太白樓

李白任城住，于今九百秋。青天東海月，長爲挂南樓。三月楊花雪，餘春客濟州。憑闌空汶水，相憶下滄洲。

濟寧城東酒樓憶亡友馬牧儕

汶河垂柳萬枝輕，把酒高樓對馬卿。十四年來兩行泪，春風重過濟州城。

盛大士

濟寧舟次

高柳動涼思，衰荷生遠香。水浮人影碧，岸迴夕陽黃。客路秋將半，愁心夜漸長。篷窗欹枕卧，飛夢到江鄉。

太白樓

謫仙痛飲狂歌地，畫棟層軒水面開。百戰風流餘草木，千年春色抱樓臺。筵前積靄青徐出，坐上飛帆吴楚來。逆旅古今皆涕泪，何如此際一銜杯。

宋聚

前題

我昔在髫年，知有謫仙人。少壯讀所作，天才氣凌雲。潯陽紫極宫，往歲聞佳句。采石青山頭，前月拜荒墓。夜宿檐下雲，秋弄江上月。何如任城樓，狂飲興豪發。況有任城宰，具酒復知音。酒酣溢八極，世事徒駸駸。內子香閨夢，伯禽嬌且啼。人間火宅謾煎逼，正是玉山傾倒時。散披紫綺裘，倒著白接䍦。銀臺金馬直一吐，方瀛絳闕行將去。仙之酒杯失，遺基樓觀雄。垣表暗題咏，石榴海柏森西東。謫仙人，今何在，汶水梟山暗蒼靄。手揮玉鞭騎玉鯨，應在浮雲九洲外。仙人魂魄茫氛氳，望之不見矧可親。

明朝我亦玉京去，

願謁蓬山賀季真。

汪琬

前題 先生本非狂，古之天人也。至今矚遺像，丰采猶瀟灑。憶當供奉時，才譽傾朝野。高標南山松，駿氣西極馬。勛名不能羈，況乃富貴假。一醉詩百篇，吐納皆大雅。呟然鐘吕鳴，餘子悉喑啞。游戲酒中人，夫豈沉湎者。遺址任城隅，千年構廣厦。隱隱面層巒，鱗鱗俯萬瓦。尊醞時見酹，碑文每爭打。神爽游八極，乘雲儻來下。

程盛修

前題 第一風流在此間，仙人高躅許誰攀？空聞鶴唳詩難和，遥見鴻飛去不還。酒醉文章留宇宙，英豪喜怒對湖山。德禽公子平陽女，賀老同游意氣閑。

鄺堯齡

前題 謫仙人去已千秋，河水依然盡日流。滿地濕雲生紫閣，半天晴雨落滄洲。名從白雪空詞苑，興到青山買酒樓。遥憶賀公能醉客，任城遺像至今留。

李中素

前題 漕堤環危樓，水氣千里白。早春宜薄醉，新釀動枯鬲。高臺柳杪平，生意雜桑麥。積雪露人烟，青黃出阡陌。乃逢鄭先輩，確菴。攜觴且淆核。饑腸發雄譚，辨晰到因革。却指座上笑，供奉猶岸幘。下臨南池嘆，拾遺尚落魄。且爲置新悲，還與傷昔厄。供奉倜儻才，所志近劍俠。開口脱寒酸，天人想眉睫。拾遺古諳練，世味特捫索。拈示到細微，往往泥促迫。兩公匪章句，有論必褒刺。觀其寄意中，每任天下責。使能久廊廟，一一奮羽翮。縱酒士所傷，豈屑稱詩伯。何意千古來，止目爲詞客。筆墨掩經綸，徒資俗人惜。悠悠不足道，嚴武固英杰。崎嶇依故人，曾未破資格。子儀昔急縛，親被解驂澤。如何再造時，坐視潯陽厄。遂令兩公懷，徒傷天地窄。賤貧苟未達，身在已哽咽。況復時代遥，安肯更體貼。徒餘朽椽瓦，材語滿碑石。惟我與諸君，長吟振遺迹。

嚴純孫

前題　何年供奉此登樓，落日曾明紫綺裘。石闕蘚滋唐迹在，女墻花發魯門秋。朔鴻半度皆南向，泗水中分自北流。浪迹不堪頻望遠，空將詞翰付沉浮。

秦松齡

前題　文章舊日留東國，風采於今重古臺。秋水不知供奉去，暮春猶爲祕書來。唐碑漫滅孤烟斷，魯殿滄凉幾雁迴。我亦江南詞賦客，夕陽登眺一徘徊。

翁照

前題　許賀曾陪作勝游，至今猶自仰風流。少陵往矣留詩碣，太白依然在酒樓。我後千年生也晚，人多百感況於秋。惟餘一片當時月，夜夜還來挂上頭。《賜書堂集》。

盛熙祚

前題　危樓俯城闕，斜日身流丹。勝事聞天寶，多情説賀蘭。馬場秋水闊，鳧嶧晚峰寒。緬想狂歌客，乘風跨紫鸞。《春草亭飲稾》。

王元樞

前題　秋色圍城郭，高樓盡已攀。壥連原上樹，村帶雨中山。我憶孤臣迹，時看落日間。可憐大河水，不舍下長灣。

王達尊

前題　攬古頻思汗漫游，況逢勝地數名流。乾坤氣象歸詩筆，風月情懷寄酒樓。客舫烟波雙槳夢，晚山雲樹一簾秋。登臨忽動飄零感，歷落青衫雪滿頭。次翁作韵。

計　東

前題　有唐三百年，詩家各林立。其中最魁杰，子美與太白。兩賢俱薄命，遭逢同鬱悒。麻鞋走寒灰，幾月官禁掖。樂府奉荒淫，沈醉自韜匿。洎乎困末路，依人給衣食。何期千載後，聲光轉輝赫。任城介中原，自古爲望邑。兩公盛年時，先後來作客。白也主季真，意氣劇相得。金魚爲換酒，痛飲盡一石。甫也遇許簿，小艇泛溝洫。旅况頗寒酸，青氈憶家室。游迹至今存，題詩滿碑勒。酒樓壓城樓，睥睨傍危壁。遠眺見湖山，烟波蕩胸臆。南池接河流，夾岸垂楊碧。菡萏吐清芬，花葉燦如拭。池樓互相映，兩賢屹相匹。悠哉懷古心，沈吟爲太息。恩知難俱陳，逸興陶永日。置酒池亭間，朋好任所適。飛觴互勸酬，諧笑恣往復。我聞舌河朔，高會必三伏。更爲碧筒飲，清凉却炎燠。爲歡迨良朋，醉歸已及夕。池邊浣花翁，樓上竹溪逸。風流未消亡，魂魄猶可即。何以脱相贈，琅玕雙彩筆。我將繼遺徽，著作反麗則。誰非右文時，文章寶華國。持此報淵源，庶幾展萬一。酒醒立中宵，天漢當空出。原題《兼南池》。

邵長蘅

前題　十日九日春風顛，十村九村桃花鮮。客行雖苦差不惡，日斜歇馬任城邊。任城高樓對芳樹，相傳太白昔游處。當時六逸隱徂徠，少年豁達酣馳暉。往往登樓弄杯盞，當窗萬里天風迴。皀嶧刳作鸕鷀杓，南湖便醱葡萄醅。偶然乘雲去，謁帝游蓬萊。却逢四明客，呼作謫仙才。孔韓裴張各雲散，此間陳迹空蒿萊。杜陵野老亦到此，南池森木荒清泚。我來弔古已千年，殘碑謬誤聊逌爾。樓中不見古時人，樓下仍流古時水。回首望太山，一氣青霿霴。金泥玉檢俱塵埃，七十二君復誰在。落日沉吟動客愁，城樹漠漠春烟浮。行路誰知我心憂，徘徊愴惻涕横流。君不見，李白杜甫雄壓百代終荒邱，何況擾擾蟻蠓與蚍蜉。明朝匹馬更北去，且脱鷫裘付酒樓。

孔毓璘

前題　勝地如相引，頻登太白樓。隔橋明夜火，傍岸宿漁舟。短笛吹殘月，寒砧擣暮秋。謫仙呼欲出，携酒奠城頭。

沈心

前題　時維四月雲物清，桃花泛過濟水平。獨登樓上客子樂，忽仰天際長庚明。遠游异縣迹相類，狂吟曠代心久傾。可惜今無孔巢父，手拂素壁空題名。

南池杜文貞公祠詩

微山横影縈蠶絲，延就亭畔黄流遲。春秋詩國柘古縣，風流結想開寶時。逍遥野服樂游衍，後先李杜曾來兹。迄今太白飲酒處，危樓城上連雲甃。高文小篆記狂醉，四明仿佛迴仙姿。鳴蟬洗馬感晨露，少陵短律題南池。粼粼碧玉漾荇藻，斜陽烟蔓眠殘碑。阿連到此問故迹，坐令憑弔增嗟咨。身奉筒書適齊魯，錦衣綉斧青驄馳。公廨却喜住詩境，柳陰隱約波通祠。遥遥懷古意不盡，雅騷會萃真吾師。日服灰丸六腑暢，夜看金字雙眸奇。精誠交通要有自，一生低首無窮期。前修墨點後世璽，此間何以闢崇祠。吉日鳩工結棟宇，大書榜額騰蛟螭。飯顆戴笠太憔悴，元綏鞶帶昭官儀。瓊漿蜜勺肅頂禮，瓣香露魄其格思。歌闋迎神送神曲，冥契心事巫人知。惟公瑶華佩至道，方寸忠愛靡忘遺。朝廷九門動征伐，妻孥一室傷流離。唐虞稷契本景運，耒陽牛肉千秋悲。浣花溪遠緬曩昔，欲就草堂難乞資。如何清吟出偶耳，曠代相感興華麗。丈夫垂世豈寂寞，奚必飛伏論雄雌。名區架構兩擅勝，翛然逸韵酒與詩。南來尺素剖魚腹，得聞盛舉權且疑。長貧那惜倒捧橐，施手便已光文陴。對床聽雨尚違願，草木可敬愁天涯。閉門覓句我送老，嘗藉膏馥充朝飢。混茫真宰函象妙，末學詎易窺藩籬。小船秋水入幽夢，杜鵑聲急空江湄。《孤石山房集》。

德保 二首。

前題

城上危樓聳碧空，謫仙登眺仰高風。酒豪曾共知章醉，詩價群推子美同。絡繹帆檣洸水畔，迷漫烟柳嶧山東。南池咫尺頻相望，吊古情深晚照中。

南池杜祠即事次韵

南池垂勝迹，數日小淹留。水印藤蘿月，樓開烟壑秋。詩魂招客咏，古貌寫心憂。徙倚雕欄外，澄懷曲水流。

王士禛 四首。

明湖即席賦送聖企聖美還濟寧兼寄聖宜詩

任城南望暮雲邊，二妙還歸下瀨船。海右亭中人似昨，水西橋畔晚多烟。明湖素色清流集，荷浦寒波去意牽。且進蓮塘今夕酒，數聲漁笛起凄圓。○明湖秋社雅游頻，何异蘭亭禊暮春。杖策偶來招隱士，臨流翻欲送歸人。柳生對酒歌成雪，邱子譚詩筆有神。歸遇中郎相問訊，十年此會足沾巾。《山左詩鈔》。○《前志·雜綴》。

南池

開元陳迹去悠悠，猶有城南舊酒樓。吴語曾呼狂太白，洛陽何必董糟丘。龜皂縹渺當窗出，汶泗滄茫繞檻流。眼底無人具賓主，任城烟雨可憐秋。○南池風景地，微雨墊巾來。盡日聞蟬語，無人共酒杯。一亭楊柳暗，四面芰荷開。萬里橋西宅，新經蜀國回。

方　交 二首。

前題 自古有南池，如何唐始著。秋雨冷菰蒲，是憶青氈處。○當年許主簿，附驥亦不朽。底事宦游人，不飲詩人酒。順治己亥過濟寧州作。

尤　侗

前題 東道恒流滯，南池得遇過。清陰生古木，小雨長新荷。此老游不再，今人詩更多。酒樓呼太白，應共爾悲歌。

王世膺

前題 花留未了紅，草散無窮碧。藉坐杜陵池，哦詩度秋隙。

朱元鼐

前題 倚檻長吟北斗回，參差樹影拂空階。虛亭遥夜無群動，風雨聲從池上來。

顧大申

前題 遲日迴晴郭，春陰策馬來。荒池明水積，深柳傍高臺。畫壁丹青合，風簾鳥雀開。謝公游屐遠，不復掃莓苔。○紆徑行人少，春風爛漫花。遥天横獨鶴，急鼓亂浮槎。院静游絲落，亭空翠竹加。此來岩壑隱，漫解憶京華。四首存二。

沈世燕

前題　十年尋舊約，千里到南池。鳥語無人徑，蟬鳴向晚時。涼風生爽籟，芳樹倚清漪。坐久不知暑，香殘老杜祠。

葉方恒

前題　詩到少陵空宇宙，任城猶説古南池。一時興會成遺迹，千載風流有斷碑。翠柳烟中鶯語换，碧荷雨後酒香吹。行人駐馬知何限，更憶西秦泛渼陂。

蔣士銓　三首。

前題　先生不僅是詩人，薄宦沈淪稷契身。獨向亂離憂社稷，老將歌哭壓風塵。諸侯賓客時相忌，信史文章自有真。一飯何曾忘君父，荒祠鳥雀況荆榛。○二老同龕孰與争，長庚猶傍女墻明。江山舊迹今如是，李杜前身或再生。畫戟香濃開燕寢，碧廊陰重放蟬鳴。六年碑字新苔長，還許詩人念客卿。題《沈椒園南池凝香圖》。○池館涼波古雪堆，平鋪枕簟就高槐。階前乳竇玲瓏瀉，檐際風帆轉側開。别墅旌幢鴻介迹，虚堂燈火古人才。汴州雲樹風流在，重爲三賢上吹臺。

孔繼汾

前題　杜陵人去南池古，半面臨堤列數家。苔蘚淺深隨砌滿，竹枝高下傍籬斜。夏雲橋畔新經雨，秋水城隅昔泛槎。渚外斜陽寒照處，一雙白鷺隱蒹葭。

翁方綱　三首。

前題　我懷申后孫，每繹齊魯故。未得於兹土，瞻拜培與固。昨者兖南樓，高臺曠遐晤。開元一詩老，古意初有賦。大海奮鵬鯨，中天響韶濩。遂令萬萬古，無敢躡其步。濟城瞰河渠，星横渺東注。浩浩迴長瀾，砥柱義誰溯。池環屋三楹，篆爇香一炷。豈知昔趨庭，時來暫游寓。偶於許簿筵，聊咏秋蟬句。水光緑皺中，長流若人住。海岱接淮徐，青天撥雲霧。不比瀼東西，江峽蓄餘怒。淵平禮樂鄉，歌誦想風度。我來薦蘋藻，叩戶升堂阼。一寸忠孝心，千秋風雅路。試語後學人，操持意焉務。誰謂細論文，角弓尋嘉樹。咫尺浣筆泉，問楫如何渡。

題唐拓武梁祠畫象詩

渴懷此册十五秋，羅江日日談揚州。任城萬古光怪發，黄子獲此信有由。我作重營武闕記，四十四幅珍琳球。趙湖洲本不可見，今已遠傲洪與婁。不圖如斯舊紙墨，神光直與元氣侔。甫十四版石理泐，歷世萬載倉精流。蜀帖右軍勞想像，楚宫屈子馳冥搜。孰知朱查二詩老，來共聶阮經籤抽。眉山史家著隸格，定庵衛博嘗訪求。張尚書本武陽本，依稀尚有寒具油。此册裝潢無乃是，黄子剔石功應酬。氈蠟誰知在何代，作繪恐是元嘉不。石經未立前一紀，残珪繼璧如圖疇。何况庭幃與軫蓋，不時彝鼎追商周。多少題觀再三嘆，賤子夙得摹雙鈎。晴窗不敢以手拭，蒼茫咫尺來星斿。但無横斜小隸勢，已眩萬丈珠光投。郵詩羅江兼語桂，眼福賀我石墨樓。

浣筆泉

太白浣筆時，已非今日水。我今浣筆來，恍晤當時李。此泉豈易觀，冷然一泓耳。人自分去來，泉寧識所以。吾觀太白才，未易升斗擬。當其濡墨時，雲霞生十指。寸管力萬鈞，海涌群峰峙。測之涓者流，僅此尺與咫。恐有星宿光，直澈虚無底。融結復上蒸，墨花交筆髓。千載凝不散，至今猶未已。後來李洞輩，山東説才子。峨眉大半雪，格調徒爲爾。近日托仙才，中條有狂士。亦及石帆亭，得聞菩提旨。未知迦葉拈，勺水喻奚似。今古文字香，須人爲料理。太白筆何在，即此泉水是。長嘯扣石欄，此才當出矣。水風吹衣急，一片溪雲起。

劉　浦

前題 蘚蝕殘碑枕廢池，開元吟客剩荒祠。空庭古柏吹風入，秋草寒泉落日時。誰采澗毛修冷祀，我沽村酒讀遺詩。唐宫漢寢無人記，獨有才名過處知。丙申初春客任城，過浣筆泉慨嘆成詩，茫茫天海，知我者誰？因題於祠之壁。庶幾三先生有靈，其能賞音乎？○木蘭山人劉浦荻江氏題。

沈啓震 二首，以下至史載皆前題。

源分泗水闢方池，坐列三賢葺舊祠。人地廢興原有數，主賓今古宛同時。新移竹影亭前畫，細辨苔痕壁上詩。樽酒落成兼送别，高情留與後來知。○生面重開對緑池，登樓再拜謁遺祠。徒因筆墨傳多事，未必鬚眉似昔時。明月相邀同飲酒，暮雲有約共論詩。鏡湖更憶歸舟客，一瓣心香祇自知。

祝雲棟 二首。

濡染淋漓水一池，文人樂事緬遺祠。即看雪印高踪處，宛見泉飛逸興時。紀政賀廳曾有記，招游許簿昔留詩。細論此日同樽酒，春樹暮雲慰故知。○愛古深情潑墨池，頓教遺迹振新祠。文章伯仲餘三友，風雅後先印一時。聯坐歡邀天上月，揮毫競和壁間詩。木蘭過客休惆悵，一曲陽春四海知。

鄧再馨 二首。

纔過蓮亭訪墨池，清環竹柏露叢祠。文章光焰超千古，賓主東南盛一時。散步空庭初霽雪，閑尋短碣遞吟詩。當年樽酒何須憶，濟水城隈遇故知。○如椽彩筆浣芳池，愛古增修大雅祠。潤浥江花留舊夢，芳含謝草溯當時。荒城久下高人榻，素壁頻題旅客詩。寄語木蘭休感喟，天涯隨處有相知。嘉慶丁巳春。

梁上國 二首。

纔吟秋水識南池，又覯名泉拜古祠。天下奇才迸此地，夢中彩筆想當時。溯源學海殷懷古，持鼓雷門愧賦詩。獨有賓朋游賞意，珍留鴻爪結新知。○泗水移香滿碧池，余采泗源香芹種池中，俱長發。溪毛聊以薦荒祠。上頭題咏饒崔顥，到眼丹青悵伯時。壁間《浣筆泉圖》，黄小松作，小松嘗欲兼泐太白像以配蓮亭之杜。李伯時《太白圖》，宋宣和內府所藏，見《元遺山文集》。曠代客來均有感，謂木蘭山人。一年人住可無詩？心胸自愜靈源沁，敢侈澄波照四知。

阿林保

謫仙遺迹剩荒池，合祀於今拜古祠。蓋世才名猶在耳，斯人重聚復何時？難尋縹緲神山路，誰補蒼茫客恨詩。愧我毫端塵未浣，空憑流水寄心知。

高三畏

移署來從洗研池，又因浣筆拜崇祠。風塵到處堪稽古，楮墨隨緣各及時。仙侶或歌賓共主，藎臣尚憶史爲詩。荻江漫嘆音誰賞，流水高山自有知。

管幹珍

謫仙人去剩空池，剔蘚疏泉認古祠。宦迹已沉靈武後，筆花猶及盛唐時。入門合進臨波酒，立石重摹出土詩。撫景漫增興廢感，好將觴咏記新知。

王秉韜

浣筆依稀晉墨池，鋤荒理穢復修祠。名臣忠愛傳千載，聖治光昌又一時。景仰溯從汶水派，低回重憶盛唐詩。即今殘碣琳琅立，莫問當年知不知。

裴奉辰

梦華亭子傍清池，浣筆人傳太白祠。三峽雄才放歌地，四明遺老未歸時。朱蘭碧水題殘碣，秋草空庭拓舊詩。我亦楚狂笑疏拙，茫茫天海敢求知。

王　都

寒烟冪歴映清池，楚客曾經禮舊祠。葉落空階人去後，酒餘小院月來時。誰將壯志重題柱，漫説佯狂更賦詩。細咏木蘭秋草句，迄今豪邁得相知。

王　祁

開元嘉話記泉池，賓主風流共此祠。半畝方塘雲過處，一庭清影惟來時。樓高登眺同搔首，水碧蒼茫自咏詩。獨有文章千古事，其中冷暖許相知。

陳蘭森

河水源流故有池，泉開浣筆闢叢祠。風雪餘墨人千古，仙聖同龕祀一時。勝地從今頻集宴，殘碑自昔紀題詩。漫言興寄形骸外，大雅欣逢盡舊知。

史　載二首。

緑樹陰陰景色幽，風流千載墨華浮。至今池上蒼苔月，猶憶輕狂過酒樓。○捧硯何如此地游，金龜解佩飲千甌。醉來笑把雲天意，閑染波光傲五侯。

陸秉時

嘉樹堂在浣筆泉南胡若琦别業。濟水清和日，梁園燕會時。疏狂流俗笑，真率故人知。滿座皆詩客，閑情只酒卮。東君珍重意，歸路莫言遲。

于　煊

前題 樾陰藹庭際，天涯彦會時。高談揮玉麈，雅調拍金絲。此地渾忘我，他年相憶誰？少焉新月上，素影滿清卮。

胡餘禄

前題 孤況寄天地，江湖一酒卮。何如濠濮想，常作竹林期。題句愧司馬，飛觴醉習池。溯迴遺筆在，風雅即吾師。《前志·古迹》。

吴錫麒 八首。

太白酒樓歌 玉京下飛謫仙人，樓頭一醉三千春。錦袍烏帽歸何處，綉棋雕題空自新。雪花如掌穿窗牖，安得一杯常在手？白雲樓角水樓前，倒看青天插北斗。高吟白也詩，動我長相思。古時月比今時好，照見狂歌被酒時。書生兀兀摇柔翰，安得隨君游汗漫。縱博壺邀玉女投，行沽佩解金龜换。倚闌日暮遥相望，雲車風馬紛翱翔。嵩阿把臂丹丘隱，鑿曲論心賀老狂。東風吹開烟漠漠，軟蕩琉璃春一箔。縹緲凌虚誇自鼉，蒼茫對而招黄鶴。黄河如酒從西來，那不壘麯成槽臺。十千莫論尋常債，三百須傾美滿杯。君恩遼遠沉香隔，异域飄流夜郎謫。人生頃刻异悲歡，此地依稀戀魂魄。持觴灎灎招酒星，相歡莫放今朝醒。蕩胸直接滄波闊，洗眼同收岱色青。萬古才名孰能敵，但有此樓須此客。聽松前度隱居笙，乘月他年羽衣笛。回首青山風雪間，謝公顔色可追攀。騎鯨請送仙人去，汶水城南彎復彎。

南池謁少陵祠 玉露悲秋客，麻鞋泣血臣。古今惟作者，忠愛見詩人。舊日南池路，祠堂芳草春。不須嘲飯顆，憔悴爲風塵。

仲家淺 皀雲吹欲落，嶧雨晴不飛。萬柳緑無次，高低隱斜暉。其上仲子廟，俯瞰漁家磯。廟前曬破網，墻上堆蓑衣。云是其子姓，百代猶相依。慚余負米人，輕自離庭闈。願言欣懷抱，不見劍佩歸。天暝水風大，月上人影稀。安得農丈人，鶏黍慰我飢？

濟寧竹枝詞 二首。○夾河楊柳緑生烟，八閘估檣高接天。郎心去似下閘水，妾意愁如上閘船。○妾家矮屋青漆欄，門外棗花日日看。不解湖心采菱曲，只唱林中打棗竿。

杜文貞公遺像 兵戈滿目感時危，瘦骨高顴心自悲。千里麻鞋豺虎險，一身飯顆鳳凰飢。君臣正氣存風雅，妻子空山哭亂離。廣厦萬間徒有願，更無人寄草堂資。

任城舟夜讀蔣伯生因培。烏目山房詩題贈 風波愁旅客，無復奏清琴。一卷開今夕，千秋賞此心。雲停親舍近，花落婿鄉深。正憶燒燈處，寒蘿颯颯吟。○直欲千杯酒，因君駐畫橈。任城一夜笛，風雨送瀟瀟。亦有江南夢，相隨紅板橋。爲傳詩句去，明月唱歸樵。

文　孚 四首。

南池懷古 涼秋逢短簿，森木助長吟。陳迹依然在，高風尚可尋。詩緣忠愛厚，官爲亂離沈。澹澹南池水，如聞扣柮音。○荷風香兩岸，遥憶倒尊辰。千載稱詩聖，孤身作旅人。干戈天地窄，關塞友朋親。定有經時策，無由達紫宸。

登太白樓 曠世論交濟水邊，銜杯聊喜醉神全。寄身江海無非俠，落筆雲烟總是仙。六逸久隨詩社散，一樓長爲酒人傳。殘碑已斷名難朽，莫道鴻踪是偶然。○半月停驂駐小齋，高樓乘興一開懷。山隨岱色分齊魯，帆帶湖光下泗淮。廢寺尚披前代瓦，荒村猶卧故宫槐。無情最是斜陽裏，斷續漁歌傍水涯。刻石城樓諸作，某人存者未録。

倭什佈

麟冢 原題《麟冢幽踪》，嘉祥四景之一。○魯郊當日嘆麟來，瘞瑞千秋骨未灰。炳炳常應懷孔筆，振振不獨美周才。雲山東去龍爲洞，烟水西來鳳作臺。伫見四靈揚聖治，何嫌寂寞掩蒿萊。

胡儼

雪岩松屋讀書歌 高人讀書雲共閑，閑雲長在青山間。蒼松種來幾千尺，雪爲蓋兮松爲關。松關高出白雲表，海日流光溪月曉。嵐氣穿簾翡翠低，泉聲澈澗藤蘿裊。千岩萬壑通窈冥，小窗虛幌月冷冷。高吟倚戶動金粉，幽處篝燈尋茯苓。自從擢秀登天路，藉藉才華冠多士。秋曹列戟理邦刑，剛不吐兮柔不茹。一朝飛剡薦賢勞，萬里雲霄一鶚高。鸚鵡洲邊青雀舫，黃鶴樓前宮錦袍。化行千里湖山外，不負調和當鼎鼐。晏寢晨興燭影紅，馬蹄曉踏花陰碎。幾回飛夢繞龜蒙，雪屋依然松雲在。嗚呼！松爲棟梁雲爲雨，謝公久矣東山起。

陳鍾英

南陽夜風 湖光若被疾風妒，雪浪排空捲雲樹。琉璃破碎亂星火，滅没漁燈逐烟霧。指顧乾坤澒洞中，潛龍養晦長鯨怒。一夜突過蛟螭窟，馮夷擊鼓舟人怖。曩來耳目抑何庸，瀾翻石走非其故。浮槎幾欲問真源，蒼蒼莽莽迷前渡。

葉棠

過魚臺舊治 琴堂粉署半成溪，一片菰蒲綠正齊。還認當年趨侍處，幾行枯樹暮鴉啼。

陸東筠

韓貞女咏

男兒志在千秋展鴻略，愛惜羽毛筋骨鑠。責之巾幗良獨難，韓家有女真奇卓。蚤年隔幔牽紅絲，父與阿翁千金諾。歲在戊辰書無年，煑土爲糧木爲酪。可憐弱質貌如花，終朝和泪强吞嚼。父爲翁言携婦歸，翁哭何以支藜藿？翁爲父言待歲稔，父悲余病風中籜。相悲相哭唤奈何，計割紅顔换餺飥。貞女聞之心骨驚，失聲長慟鬼神愕。人生一字志已堅，何堪再易芙蓉幕。父兮天兮哭不膺，炎日可令霜雪作。夜半枕畔落紅綃，翻然一笑欣有托。肯降失足投濁流，一夜貞軀化孤鶴。稍節

任質淳

金鄉尋烈婦山木吟

山有何兮木與石，木有何兮枝與葉。人有何兮身與命，命有何兮義爲重。妾義重如山，妾命輕如葉。身是連理枝，死爲望夫石。絶粒三旬飢不僵，取義不計身存亡。石可爛，木可朽，一任高山平爲塗，吁嗟此義不能無！

劉　墉

魚臺楊節婦詩

慷慨捐軀易，貞恒事最難。不圖斯世見，直使此心安。白璧千年在，青燈五夜寒。茹荼原不負，鳳誥更龍蟠。爲楊華妻田氏作。

賓光鼐

前題

堂前鶴髮親，膝下雪色兒。與君長訣别，執手從此辭。沃水洗鉛華，明鏡不復窺。黽勉事姑嫜，無异君在時。熒熒書幃燈，丸熊濟其疲。有子既成立，龍章表門楣。辛苦數十年，亦已白髮垂。庭前女貞木，百尺高無枝。行之爲枯槽，弦以寡婦絲。一弦寒蛩寂，再弦林烏悲。愁雲遏空行，悲風動地吹。何如白頭吟，妙麗空文辭。

陸以莊

前題

海岱有高門，潭潭振閭里。巾幗奇節標，歷歷皆可紀。緬昔得所天，挽車相吉士。婉變眉初齊，佐讀繼寸晷。黄鵠忽分飛，中道弃連理。誓同地下游，藐孤尚依倚。一髮延千鈞，艱辛從此始。卵翼拊育之，暗室凄風雨。軋軋晝紡聲，琅琅夜課子。十年不下樓，廿年不出户。吞水自知寒，茹荼自知苦。松筠本夙根，盤錯終無悔。况有子克家，紆青復拖紫。芝蘭茁庭階，開顔見色喜。誰言一尺泉，百折終到海。誰言晦死魄，經天復光彩。正氣塞兩間，有恨自可補。節孝豈能泯，皦皦照萬古。綽楔表雙烏，允矣女宗許。歌詩播清芬，采風執筆俟。

屈軼生

南陽雜咏

六首選三。○浮雲收盡幾重山，點點青螺繞翠鬟。野徑無人聲寂寂，疏林深處白烏還。○昨夜秋潭起豢龍，漫天風雨暗西東。漁翁信宿烟波裏，捉得金鱗酒不空。○嚴子灘頭罷釣綸，桃花潭下漾游鱗。一聲款乃烟波静，兩岸楓林三月春。

王謙志

獵湖

荷葉參差兼茁稠，獨山湖外采蓮舟。相携小婦收菰米，抵得農家一半秋。

陳泩

過舊城

碌碡場空積水平，蕭蕭楓葉作秋聲。斷鴻不隔遥天影，帶得殘陽過舊城。

仇兆鰲

寄泗山劉公祖代守寧波

明山新太守，霅水舊分符。惠政羊公石，清風賀監湖。花香朝判事，酒緑夜開壺。甘露祥鸞集，繽紛入畫圖。

馬得楨

金莎曉行

長途憚晚宿，爽氣肅晨征。村暝微通照，雲深不礙行。山光向馬白，草色上衣明。滯策崎嶇道，泥泥露欲迎。

馮振鴻

湖陵

原題「湖陵秋波」，魚臺八景之一。八首選一。○烟波曠渺渺，劉項昔争雄。不見旌旗色，惟餘蘆荻風。斜横飛鷺白，倒影落霞紅。好趁清秋泛，塵襟一洗空。

沈德潛

舟行魚臺同倪稼咸吴均士賦

荻蕭兩岸景凄迷，一路舟行傍大堤。黄土墻邊春店酒，緑陽村裡午時鷄。篷窗點筆親風雅，

時校勘唐宋人詩集。水檻看山認魯齊。賴有同袍相慰藉，鄉心不用八行題。

陳周璜

獨山湖客趙漁郚家

豈有桃源可再游，湖山佳處便勾留。烟籠樵徑堪旋馬，水落漁梁喜飯牛。曲港摘花春釀酒，疏窗款月夜登樓。紅塵飛盡無人到，兩岸寒蘆一葉舟。

朱　嵇

題金鄉李孝靖馴鶴圖

更踏一峰翠，置身天半樓。乾坤入虚牖，湖海憶孤舟。戀闕驚時序，端居負壯游。龍門當日望，憑檻水空流。

馮雲鵬

晉高平檀君磚歌贈胡寄雲少尉

高平檀君四字磚，隸畫方整文不全。其上尚有夜令字，左側尚有太康年。此四字者缺首尾，人地完好忘其偏。鄒邑徐氏得全甓，一十九字題兩邊。藥肆作硯人不惜，胡君一拂聲價宣。余亦借拓數十紙，旋歸趙璧心留連。香尉窺余有摯愛，留心瓦礫尋郊阡。果得四字如拱璧，作書馳贈心怡然。鄒嵫同屬高平國，得此人傳地亦傳。借重檀君結三友，高風古誼凌雲烟。

壬辰兩字磚歌

壬辰兩字磚不全，考之亦係太康年。太康八年字離失，二月七日干支傳。壬騎龍背是貴格，星平家有此說。土沙不蝕苔不蝕。未遇知音未肯出，斷垣頹垜沈荒烟。寄雲拾得復持贈，高平檀君結後緣。欲將陶旐留深意，細拂壬辰兩字磚。覆書云：「賤造正壬辰年生，但未見貴顯耳。」

徐　蔚

太白酒樓

城闕巍峨枕巨川，風流供奉仰青蓮。登樓看到西湖月，騎馬乘來春水船。千古不關詩酒興，幾人能以吏稱仙。憑欄想見凌雲氣，咳唾珍珠落九天。

孔慶鎔

讀李烈婦楊氏傳

慘抱孤鸞恨，呼號失所天。此心同白日，矢志殉黃泉。不爲慈姑累，全憑伯姒賢。曇花悲一現，零落感芳年。〇少小能明義，無慚聖主褒。香魂催杜宇，春夢醒蒲牢。古雪心原潔，貞松節本高。他年鴛冢上，應有鳳翔翺。

丁宗洛

前題

鳳折鸞孤影，天傾地陷時。早將之死矢，豈復以生爲。慘迫吞金鍱，倉皇變玉姿。家人雖密護，冥路急相追。困頓何知苦，防閑反恨遲。義邀天只諒，道賴伯兮持。烈婦對其姑曾有如只一子，奚敢死？今伯孝似賢，存殁皆可無憾云云。白石窮難轉，青山老不移。可憐推吻頷，或尚未衿縭。烈婦曾以刃刺吻，以頭創地，皆爲人扶救未死，時纔十九歲。袁子才先生因其女十九歲孀居，有句云「猶是人間未嫁時」。瞑目渾先死，同心即唱隨。波平精衛海，血漬杜鵑枝。神入騰輝婺，魂羞恤緯嫠。人間香作字，雲表燦蟠螭。兩姓增榮耀，千秋樹令儀。貞珉長不泐，幼婦更新詞。

譚爲紹

黄蘅洲司馬徐樹人刺史賴仁宅別駕同登太白樓圖 三人己卯同年同官任城。○李

賀當年此舉杯，高樓千古倚城隈。荷花解語君應醉，難得宫袍并騎來。倪迂點綴畫圖開，雲錦天孫手自裁。如此溪山好詩句，鏡湖風月謫仙才。

王瑋慶

題嘉禾圖 己亥。○刺史秉六條，古爲九州牧。善政首愛民，遺事徵往牘。徐州百里嵩，甘雨隨車軸。滄州令狐熙，嘉禾繞庭屋。和氣相感召，豐稔天降福。巍巍我

徐公，稅駕濟水曲。膏澤沐齊民，地寶涌千斛。惠風扇隴畝，駢枝茁嘉穀。一莖雙穗生，百畝萬户足。八穀天上星，有芒占歲熟。上瑞繪成圖，比櫛積金粟。露冕彰循良，應賜

三公服。轉眼五馬馳，龔黄紹芳躅。
麥秀歌雙岐，更爲神君祝。

濟寧直隸州志 卷九 九十二

濟寧直隸州志卷九之四

藝文志 四

○文録 上

○《前志》列漢、魏人作，具載史傳。且仲長統、王粲諸人爲山陽郡高平人，在任城未屬高平以前，其文之無關州事者可略也。三縣藝文并采録補輯，其以類摘附各卷者不再書。

金

翟師軻

重修伏羲廟記

竊以蒲民思虞舜之風，終完複廟；冀俗想陶唐之化，竟列嚴祠。矧此名區，近乎聖域。封連雷澤，訪巨迹以非遥；境接任城，望遺墟而不遠。鄉稱諫議，果多簪笏之家；里號舍人，固有冠裳之胄。地擅桑麻之利，善實易爲；世推禮義之方，德惟務報。慚有知于豺獺，本曷可忘；念爰伏於犧牲，教無不被。規知賢哲，審其爲祖于人；訓服詩書，詳此象天而治。事名能辨，探端緒於結繩；物象克明，究源淵于畫卦。間因交易，愈思書契之功；時或畋漁，皆知網罟之力。尚何處穴，咸懷棟宇之恩深；不復茹毛，悉感庖厨之化妙。至有風檐烟瓦，安敢後於神居；鼎肉鬻魚，諒難忘于時祭。乘震既司於春令，在東作者孰不推尊；執規亦主於仁恩，望西成者誰非敬仰。重念文籍之生，非廟貌之華麗不足以報其德；烹飪之始，非社火之明備不足以酬其恩。於是翟鯨、翟偁、翟彬，率先相議；趙謹、趙儀、趙儉，拔地欣從。任堅與翟浩之徒，亦皆發願；劉信及碑陰之衆，罔不齊心。各出孔方，同求郢匠。擢田園之杞梓，争施棟梁；牽牧舍之車牛，競輸礱石。杵聲雷動，翕基五尺之階。工役子來，遽備四鋪之殿。門儀斫削，皆爲丹雘之文；鴟尾泮緣，盡用琉璃之飾。然當時之艱食，亦指日以僝功。自明昌之改元，方謀其始；迨乙卯之嗣歲，共樂其成。又況是廟之興，其來也久。從南北兩山之下，在昔三遷；自東西百步之間，於今再徙。山楶藻棁，朝飛岱岳之雲；刻桷丹楹，暮潤魯郊之雨。遂使南鄰范嶺，不獨彰古廟之名；東郡梟山，又益大故宫之勢。得永安於聖像，無使塵昏；亦頗慰於靈心，式昭響應。母慈父義，潛推福善之誠；甌酒豚蹄，甚愜酬恩之義。翟經者，能順兄翟佺之教命，始終勉力。用費出入，一無私隱，以至事畢。一日來俾予爲文，予以族兄之故，不敢以鄙謬固辭，輒諾而爲之記。承安二年九月十六日記。

元

趙衡正

惠濟公廟記

萌山之南少西，歷四堠許，有地隱然若屺廓者，焦城也。其西崀然，靜若抹黛，壓諸峰而南邁者，青山也。山之右脅，若擁若導，若拱若揖，其侈然端跨於林霏晻曖之中者，惠濟公之祠也。若乃叱咤風雲，呼吸雨露，袪炎暘而埽魃孽，蘇焦枯而沃生意，俾泉石草木、山川人物咸沾潤澤者，神之威靈德惠也。神應之迹，其來久矣。廟左有《漢建寧元年碑》，碑毀無考。左立《晉永安頌》，文字剥落難辨。惟宋金諸刻，悉著其感通，而於神之本始所出則未詳也。至前宋淳化《三門記》、崇寧《封牒》已稱「崇祐廟」，特封寧應侯，初不知起封何代也。宣和增封惠濟公，《牒》稱「古焦王」。予嘗考之《搜神記》，神本神農氏之後，封於焦，其後以國爲氏，地在弘農陝縣。晋《永安碑陰》多焦姓者，雖遷徙未詳，竊意山陽集城是其苗裔所居也。嘗聞之，生有聖智，没爲神明，在人則爲聰明正直之資者，在神即有雨暘變化之功，所以扼山谷、飾洞府，膏潤一方百姓，至靈極變而莫可測也。大德五年夏五月，旱。大中大夫、濟寧路總管睦公使知事宋鐸請禱於神，汲水半瓶，負至壇，次日果大雨。明年三月復不雨，農艱播種，公乃請祠祈之，雨遂盈尺，東作遍野，隴畝無隙。六月中旬，禾稼吐秀；復苦旱，即命經歷王明來祈，應時雨澍，歲乃有秋。公曰：「不葺祠宇，曷謝神庥？」檄嘉祥縣達魯花赤伯岳解、嘉祥尹劉慇、主簿兼尉楊仲明、典史王楫董其役，經始於是年十二月，落成於明年三月。伯岳解等請立石以紀其事，因予居萌山，素知神之詳，義不得辭，乃爲贅説，明神之本始大概云。噫！人之禱神，神之應人，悉本心之至誠。果能格神，自一身推之而及乎上下日用事物之際，夫何難格之有？是則書，大德二年己亥三月戊辰朔記。稍節。

重修青山惠濟公廟記

蘇若思

至正元年春，若思來主嘉祥縣簿，偕前政瞻拜祠下，遍讀漢、晋、宋、金碑刻，知頌美神之靈驗、歷代封號、爵秩與夫先後時官禱雨輒應之文。述已該備，兹不庸贅。越明年春，又偕今監縣哈剌不花縣尹劉敬，縣尉杜禎、典史王昇屢嘗瞻拜祠下。時或小旱，來禱祀，每輒應，甫下山而雨沛然者數矣。衆於是興嘆，念昔前人頌美以詔於後者，信不我誣。然兹縣也，環境皆山，山之隙，厥田上腴，漫爲平原，無溪壑險阻以妨地利。雨暘時若，則良穄嘉穀侵繞半山。上時或雨澤少，則苗稼易枯，蓋山田亢爽，澤易竭也，不有神惠，屢告饑矣。二年秋，又城守土官及鄉社閑官、儒士、道流、釋子、耆老衆數百人咸會，欲行報祀焉。於是牲醴奠饗，神人胥悦，縣尹劉敬詣衆告曰：「敬等承乏撫字，弗稱是懼。然宣上德澤，事神保民，與民同休戚者，是土官之責也。況神之澤是邑，非今一日。官民報祀雖不廢，奈廟宇歲久，日就廢壞，棟宇傾墊，檐瓦飛墜，上雨旁風，神像剥落，無以安威靈，實爲闕典。幸今連歲告稔，可不捐有餘以答神休？」言未訖，衆皆舉欣，曰：「願爲趨事，若鄉之號南豐者。」時則有守衡水縣尹王惟正、蒙古字教授王伯顔察兒、耆老李伯直、劉亨等，或伐材，或運甓，或輸粟，工執藝事不謀而至者甚衆。正廟在昔濟寧路，總管鄧公亦因前廢燒青琉璃爲飛走狀，輦送而來，欲飾神宇，事未集而公化去。今爲添覆新甍，足成其志。諸神廟門觀壞者，徹故而作以楹，計者二十有奇。窗牖几案，咸與規制。神像衣冠，金碧絢爛，奂然更新。作不逾時，迄事以告。恪恭其事，究心殫力，尹爲之倡，每旬朔率僚屬必一再至，故其事易集也。然誠歸徵於陰相之功，蓋精誠有孚，則在乎人。切惟神宇在蒼山林樾間，石崖峭矗，嵌岩巃嵸。窟雲晴出，池光夜流，所以能興雲沛雨，神得憑藉者，則在此耳，宜乎幽靈之所奠宅也。今觀廟宇巋然，丹雘翬飛，翹出乎亓落杳藹之处。當其日薄西山，餘光横照，喬木掩映，紫翠重疊，非有神焉幹維於冥漠之中，曷以致然？三年冬十有一月，衡水縣尹王惟正、蒙古字教授王伯顔察兒復以廟成詣予而告曰：「吾鄉之民屢獲豐年，伊神之力。有人民社稷、境内山川而主奉祀者，則在有官君子。今監縣，西鄆人；縣尹，高唐人；縣尉、典史，俱濱州人。子又在府治，距廟一舍里餘，幸感官府能因政暇，克盡事神保民之道，俾時豐人和，田野無事，幸已甚矣！考之在昔，漢、晋、宋、金，迄今數百年矣。歲月相去雖邈，時官祈年之效，具刻金石，森列昭布，炳然照人，豈獨專美於前，而使今日無聞也？且衆官俱歷三年有成之效，相繼將告去，不勒石彰著，吾輩又將何以告我後人？今磨崖功訖，揭虔報德，子其爲我文之。」予嘉其心誠辭確，故不復讓。既叙其成廟之績，又作送神、迎神樂歌以遺邑人，俾聲於庭，以侑牲璧焉。詞曰：

神胡爲兮山之幽，栖靈岩兮蓄清流。沛時雨兮如膏，多稼穡兮盈疇。官報祀兮如在，惠我民兮不窮。以愛雲爲車兮氣爲馬，暢威靈兮無外。撃鐘兮考鼓，靈皇皇兮來下。牲甚肥兮蘭藉，雜蕙肴兮桂醑。民欣欣兮阜康，豐穰穰兮樂土。右《迎神》。俯故宫兮來委蛇，駕飛龍兮載雲旗。風颯颯兮木蕭蕭，來無方兮人莫知。鼓坎坎兮巫屢舞，忽洋洋兮接神語。歆以享兮精誠，暫相羊兮容與。眷兹土兮成豐年，收元功兮儼欲旋。倏雲收兮雨歇，山青青兮水潺湲。右《送神》。

明

楊定國

寄鄭惠人書

前在揚城，厚邀寵渥，以舉目蕭蕭之際，周全賴有故人。此之爲緣，洵非今世。前三月間渡江南行，煩使遠護，得以物色小兒於姑蘇，復歸京口。又蒙長公款留，重來邗水，再圖晤言。恰值親臺盤查公出，時事戒嚴，未能久候，遂同舍甥如皋諸生妻生可衡買舟東行。而高兵四掠船隻，所在洶洶。比至丁堰，喘息未定，高兵東潰之信已確，急避於洋莊港中，僅以身免。旋聞揚城之變，閣部殉節，任公捐軀，驚心裂臆，即詢親臺消息，知催運高郵，免於鋒鏑，吉人天相，信不虛也。弟準於初十日渡江，探小兒信。緣前日離揚就皋，小兒通不之知，今若不一尋覓，童子或恐痛極。謹先令舍侄士琦親赴海安，恭候動定，兼報南行之期。家山千里，异地傷心，可告語者止我二三兄弟，今存亡離合，杳不可問。每一念至，輒欲忘生。自今以後，又不知究竟何如。一心有苦，舉筆血迸。嗚呼！親臺想在，相信莫逆中也。《帶血吟》百首，手録寄覽。書生報國，原無他長，緩則托之語言，急則授以性命。親臺知我，尚其鑒之。山川修阻，魚雁爲艱。此後七尺未卜死所，恐此日楮墨便成永訣矣。妹夫妻文星、甥男妻可衡及弟家口，一切寄托。親臺長者，想不以生死存亡易念也。

鄭與僑

帶血吟小引

《日月争光集》

有明養士近三百年，甲申之難，攀髯而上者僅二十餘人。至疆場捍禦之臣，身殉社稷，衛公景瑗、周公遇吉、徐公標三人而外，竟自寥寥。摇尾拖頭，背連踵接。嗚呼！光岳氣分，士無完節，斯亦臣工之羞也。楊生定國，身伏草莽，志存王室，初蹈魯連之海，繼懸王蠋之枝，英英之氣，殆有倍難於盡節諸公者。彼以大臣而身當國難，分無可逃，此以處士而迹滯家修，實有可逭。乃一死自誓，百折不回，使人知詩書禮樂之場，猶有慷慨激烈之士，斯又儒林之光矣。《帶血吟》原有百首，畢命時曾手書一册，并詩筒見寄。緣其族人賺取而去，遂至銷沉，余懊恨者久之。丁酉游閩，於王生洲先生處偶獲此稿，雖僅三分之一，然寧宇剛腸介節，已與日月争光，手録以傳，一以報知己，一以彰累朝養士之休，其於世風未必無小補云。至其死事顛末，楊官諭别有傳，兹不復贅。

寧宇丁酉五月間寄余書，間關流離，言之甚悉，至「緩則托之語言，急則授以性命」，寧宇許國之忠，業已告我矣。丙戌五月之事，真不食其言哉！余録而傳之，使天下後世知寧宇忠肝義膽，秉之有素，從容慷慨，殆兩兼之。昔人云「開篋泪滿臆，爲見故人書」，余五内崩裂，曷能以已？鄭與僑手記。

濟寧遺事記弁言

郡必有乘，取其載也。或數十年而一修，或數百年而一修，搦管之人未必三長，果擅從後論前，不過憑諸耳目之近。夫眼界易窮，耳輪難恃，挂一漏萬，又何疑乎？濟於古爲任城，《舊志》修自弘治辛亥，典確詳明，允稱信史。迨萬曆己酉重加修輯，載筆者有陳壽之癖，筆削多拂輿論，往事無徵，良可浩嘆。己酉迄今又數十年，陵遷谷變，物换星移，可述而志者又復種種，倘俱聽其銷沉，後有作者，何所資以爲編摩之具？不揣固陋，取睹記所及蓄而藏之，非敢自侈考鏡之林，亦因不賢者識其小者，等於塗説巷譚云爾。濟州戊巳老人識。

自撰志銘

戊巳先生者，濟人也。生於萬曆己亥正月之六日，時未立春，命宫仍坐戊戌，遂爲戊巳老人自號，抑自署其無用耳。按《家乘》，族出桓公，桓公子武公隨平王東遷，族遂繁于滎陽。宋避金人之亂，徙家楚之黄岡，有祖壽二於洪武間隨軍北征，於永樂五年隸籍濟寧衛，此濟族所自始也。壽二生友才，友才生興，興生贈户部主事通，通生文炳，文炳生真，父子俱登進士，官知府。真生八子，長文學公道立，道立生侯選縣尉公履名，履名生二子，長諱耕，是爲先生之父，蜚聲黌庠間，於萬曆甲辰秋蚤逝，先生時方五周，隨母張依外祖以居。先生雖世族，清白傳家，縣尉公止分田二百餘畝，母盡讓仲，獨書二笥謹護之，曰：「兒熟此，可得飽。」十歲就外傅，經書皆默誦，三年不出一語，師知其异，亦不强之使言。十五歲文漸成，小試輒冠軍。泰昌庚申補弟子員，天啓癸亥餼於庠；丁卯，總河、大司空南樂李公延以訓其孫；崇禎壬申，都水郎姑蘇汪公延以訓其子。撫寧翟公以府丞來理運務，篤念年誼，設館下帷，遂登賢書，出通州張湛生先生之門。丁酉試南宫，楊方壺太史擬魁選，與主司言相磯，遂袖卷以出。戊寅壬午，濟有戎馬事，先生以城守著勞，總河、大司空題叙，部覆優選。甲申，寇陷燕京，其黨郭升將至濟寧，大夫議迎之，托先生草表，先生辭。同紳中有李姓者迫先生，先生正色曰：「古止有世草降表李家，未聞有世草降表鄭家。」大家色沮，事乃止。賊黨至濟，大肆酷拷，先生倡鄉人殲之，遂徙維陽。當路者嘉乃績以司理官，先生平反滯獄一百六十三人。四閲月，又值滄桑之變，先生奉母旅食者三年。總督張存仁官以嘉湖道，洪承疇官以鎮江推官，俱婉辭不就。丁亥秋旋里，家如懸磬，以硯田養親，負米南北，洎如也。己酉春遭母喪，庚戌十二月啓文學公合葬新壟，先生曰：「子職盡矣，他何冀焉？」自是無營無競，任運而已。大都先生爲人，親族睦鄰，常有以自下，至義所不可亦不輕爲詭隨，人以此愛先生，抑以此憚先生。且性喜讀書，自少至耄，手不釋卷。亦時有著述，義取自適，不輕示人。至十歲而終，先生名與僑，字惠人，別號菏澤，晚曰確菴，又號戊巳老人，門下多士遂稱之爲「貞白先生」云。有子有孫有曾孫，讀書敦禮，俱能綿書香一脉；女與孫女俱配令族。先生曰：「生無可稱，歿安得銘？雖然銘者名也，名爲實賓，據實而傳之，几杖亦自有説。」因自銘曰：嗚呼先生，生於戊巳，舉於丙子，遷於甲申，官於邗水。么麽微軀，五朝覆只。乙酉丙戌，海濱江涘。丁亥歸來，萱榮梓里。既報二人，夕死可矣。脉脉游魂，應知所矢。嗚呼先生，死而後已！

鄭仲子傳

余六歲而孤，追念先君子，僅在恍惚間。今咸孫失怙，甫三歲，欲記其父之音容，必不可得，因粗述其概，使孺子有成，見余文或如見其父也。仲子名廕，字再拳，生於維揚，因號之曰鶴城。其母孫氏，余副室也。余納氏於崇禎壬午仲冬，年方十五，至甲申之正，男遂孕。三月寇陷北都，流及東省，余決意南遷避之。諸眷已發，獨氏尚留鄉。兵覺，擁門不得出，因與氏約余先行，伺便來接。余初抵潁，再適揚，浼任太守發舟迎氏。舟至淮南，北之勢成，不可復達矣。氏知余在揚，令父覓獨輪車以針密縫其裏衣詭計出城，登車南邁，晚至新店，不知所往。父母勸之回，輒欲自沉。父更覓小舟，以前夜至南陽，登岸求火。户啓，任太守之弟樂寰及家人鄭邦志在焉，原遣以迎氏，約爲前導者也。次日仍登車，五日達徐。再换舟，五日達揚，蓋十月之十有六日至十一月朔之八日膺遂生。計途中兵擾盜訌，舟摇車覆，母子俱得無恙，殆有天幸云。嗣是，余以督輔疏用，令長男叙奉老母及各眷駐京口，留氏爲余主中饋。乙酉三月，老母偶病，氏聞之，力請侍疾，因渡江。僅閱月，揚城被屠，氏與男獲全，於五月遷武林，十一月回高郵，丁亥十二月回濟寧。計兒自孕及歸里，五歲間往返五千餘里，波濤之險，兵燹之驚，盜賊之擾，九死一生，甫得抵家。戊子正月出痘，二月出疹，壬辰隨余至燕，冬回，入鄉塾讀書。辛丑九月，爲娶余同進楊蒼舒之女完婚。壬寅十二月初四日，孫奬貞生。乙巳正月二十五日以患痘殁，膺哭之痛，脅下隨有積塊。二月二十六日咸孫生，膺稍慰。然奬孫四歲儼若成人，猝然而夭，愛幼終不勝其痛。長也時序兒，因江、薛兩家相訟詞牽在府，膺於四月内往候長兄，及回，鼻孔流血不止。冬抱病入試，試題不撤，薑食尚能成章，得青其衿。余在秦聞之，遣人送金錢、衣服之類甚厚。緣兒時及婚配，俱以粗糲給之，原許游泮後衣食方與長兄同裁之，抑勵之也。丙午五月杪，余回里，膺迎之城門。余見其血不華肉，面黧而乏光彩，默自念曰：「兒病深矣。」至七月痢作，八月序兒赴試省城，以染瘧畀回，膺見兄病狀，一驚轉劇。十一月内厭家中喧闐，養病於孫業修侄婿書舍。丁未元日，多作肴果，遇親友即款之。時總河盧公代白公總督山陜，邀余往，因徙兒於家。於戊申三月廿八日西發，膺送之濟安橋，苦命之回，氣色忽變，惝怳若失。嗚呼！孰知此日生離，竟成死别也。余至長安，遣一僕回，訊其病勢。閏四月朔不起矣，將絶，指陳後事，永訣家人，靡不周悉。懸筆寫書遺余，旋曰：「徒取老人眼泪耳。」擲筆而瞑，時年二十有四。長男哭之病，厚其含殮。余於初秋之十六日辭盧公而東行，至沔池得訃音。八月朔十日抵家，寡婦孤孫拜於堂下，肝腸寧斬寸斷哉！膺身中，面晰白，唇如塗脂，目炯炯有光，挽强善射。衣履几榻之屬，必整必潔。更能籌畫家計，和睦親鄰。且天性孝友，事祖母及余無忤言，無逆色。敬兄長及嫂如父母，撫兩侄如所生。當永訣時，懇其兄曰：「兄有兩男，弟止一子，當以一子見繼。」兄允其請。於其殁也，復作文告之。嗚呼！兒死之年，余已七十矣。孫氏別無子女，幸孫枝一葉，九鼎一絲，异日成立，當從筆墨見父生面，視余之夢寐恍惚則有間矣。庚戌又二月八日。

鄭貞童傳

貞童鄭洸儲，余孫也。生於崇禎庚辰九月朔五日，生而聰慧端凝，不苟啼，亦不苟笑。時余母張太孺人孀居者四十餘年，撫余成，撫余子成，得一童甚稱意，因錫乳字曰「稱」。設乳媬榻於卧側，顧復維勤。童周歲後即知敬禮太孺人，凡飲食過期即詢主者，遇臧獲輩私竊鹽米即密報太孺人，内外嚴憚如家督焉。老僕席元日負童於室，市果餅啖之。一日摩弄其陰，童大罵，手批其頰，往白太孺人曰：「彼奴也，安敢戲主？」自是與絶，再進果餅，咸擲弃矣。童之乳媬新寡，童昵之甚。及三年以改適意私與童語，童即趨太孺人榻前曰：「孫今晚請從太母眠。」問其故，曰：「乳欲嫁人，婦人再近男子，非良婦也，不願隨之。」此後乳媬求一面亦不可得，亦隨配人去。壬午季冬，戎馬生郊，僕人誤傳城陷，童曰：「公安在？請來共死一處可也。」亂定，童神情惘惘，已變症矣。甲申寇陷北都，余携眷南徙，有女孫中道啼飢，童慰之曰：「時當逃難，安能如在家時？待到村落，索食未晚也。」行至穎州，買舟赴淮，正泛洪澤湖，劉良佐兵艘驟至，童曰：「洪流中安所避之？」一驚而絶，幸同人孟玉尺帶有抱龍丸，投而得蘇，前病經此更深矣。再至揚，速其父製巾服，父問何爲，曰：「吾翁爲官，吾爲公孫，焉有公孫露頂赤體進衙宇者？」入署之日，雲巾儒服，尊長咸拜，儼若成人。居一月，太孺人携之渡江，余閉門送之，登輿四拜而行。余當此慘然不樂，蓋家運中衰，不宜有此佳兒。閲歲徙武林，或經烈日，或冒嚴霜，但見朱笠箭服者即惝恍若失，病遂中膏肓，至乙酉七月十四日糞血而殁。殁之夕，遍訣家人，獨以余滯江北未見爲恨，時年六歲矣。葬西湖岳墓之旁，價買方有松家地一區。按童生崇禎庚辰之九月，殁南都改元之七月，是終始於明也。且因兵得病，因兵得還，因兵得死，受長養者六年，竟捐軀以殉國，不謂之貞可乎？山明水秀，魂魄以安，岳家父子當以小友呼之，視若祖之苟全性命於亂世，真有愧色也！

辛卯暮春。

楊士聰

與左蘿石論寄囤漕米書

頃者得晤台光，未悉所談，旋至會議。公所聞張秋之陷甚確，楊勉齋已奔東昌，吴震峌不知所在，賊勢至此，可爲寒心。總臺張玉老已發兵將出城，又且申嚴保甲諸事漸有頭緒，作急做來或可固圉而禦外侮。如寄囤一事，有不容不細商之年翁者，此事奉有明旨，萬不可已。第軍機在呼吸之間，有難膠柱而無變者。明旨所云「寄囤原爲沿河州縣凍阻，料不過三五十隻」，不謂船至千隻、糧至七十餘萬也。亦謂「各船凍阻，在從容暇豫之日搬運入城」，不謂賊在百里，内外而招集萬餘不可知之人數十日之久負米入城也。襄陽之陷，乃僞作解銀入城，彼不過百餘人耳。一旦發難，無所措手，此萬餘負袋之人，作何稽察？作何盤詰？萬一細作竄入其中，入而不出；或預藏奸械于城中，袒臂一呼，前後響應，兵已在外，無人救禦，不惟敝城爲東平之續，而七十萬漕糧付之一擲矣。况漕舟散在一二百里之外，賊即攻掠，猶有到不到之處。若使聚於一城而爲賊所垂涎，勢必并力攻城，據爲己有。今官兵與賊之强弱，乃年翁所深知者，或有不測，使賊扼咽喉重地而雄據七十萬糧米，此憂在國家，非第一城之生靈已也。弟意宜稍緩寄頓之事，使張玉老一意辦賊，以濟寧之固守、我兵之戰勝爲漕船屏蔽，賊必不敢越之而南。稍俟劉鎮兵集，賊勢大阻，乃議寄頓，即多添數萬人負米入城，坦然無可慮者。事急矣，年翁從國家起見，必求謀出萬全，斷不以漕米早入一日爲弛擔竣事之時。惟裁度而審處之，幸甚！

請蠲賑疏

崇禎癸未，臣州濟寧，突於二月二十八日狂風起於西北，昏霾障空，内函烟焰，火星飛舞，殷殷有聲，落墜房屋。始自北門邵家街，火勢陡熾，折而東，又折而南，折而西，將神廟、民居焚毁殆盡。火到之處，相隔尋丈，狂烟怒生，甚至合抱巨槐，火從中出，頃刻即爲灰燼。自午至亥，焚過城隍等廟、紳衿民房數萬餘間，人畜遭焚者不可勝計，劫灰遍地，號哭震天。雖鎮道督率兵丁力救，而風火相搏，不可嚮邇。迨火熄向曙，而滿城已悉爲瓦礫矣，煢煢孑遺，露處枵腹。伏乞皇上軫念咽喉重地，灾變异常，照殘陷地方起存錢糧盡行蠲免，仍破格賜之賑恤，庶窮黎藉以少蘇。部覆：奉旨蠲免本年錢糧。

太白酒樓賦

若夫隴郡，謫仙鑒湖。碩德六逸，久羈一官；暫息杖履，相從壺觴。其即酒曜森臨，糟丘峻陟；華構仰崇，碧落俯逼。既相地以鳩材，復捐緡而集力。欻巍峨以凌空，若軼超於异域。日泛灩以周旋，或沉冥而自得。出一時之特創，遂千古以爲式。聳杰觀以攸寧，留榮造於何極。乃至代移時异，山遷河改。草没塞基，烟荒宿壘。井幹委塵，摘星削彩；花萼飄零，景陽安在？訪青蓮之依托，憶鯨驂於滄海。何故址之就湮，正新營之有待。微頹則績計繕完，更建則制增宏塏。井藻之色稍渝，赭堊之工旋速。則有霞連綺户，雲擁丹梯；翬檐高揭，雕角森齊。楹楹月敞，棟宇虹栖。名賢署額，過客留題。廣筵張設，尊酒提携。或停軒而頻涉，或飛旆以暫稽；或簪裾之環列，或科跣之偶躋；或嘯吟以亢爽，或薌澤以沉迷；或歡欣以駘蕩，或塞默而愀凄。當其登眺情殷，激昂興劇，仿佛餘靈，翹瞻前迹，莫不吊古憑高，由今溯昔。落落酒人，迢迢星客；往事仍傳，清辭寄策。嘆才華則旌彼澹逸，驚寵遇則羨厥烜赫；侈逍遥則湖海覺寬，痛謫仙則乾坤爲窄。幾欲會生平於窗牖，招英爽於坐席。顧影而貪與流連，捫壁而可以呼索。乃若侵睥睨於古堞，攬熙穰於囂塵。青嵐以東西交赴，緑蕪以南北平連；近則南池籠樹，遠則旺湖浸天。擊轂摩肩者塞路，聯舷接尾者盈川。至如雨夕風晨，月晴雲霽，露色涩空，霜華凝砌，萬室水邊，千村烟際。山蒼蒼而射眸，雲鱗鱗以作勢；乍徙倚以從容，暫凭臨而息憩。鵲噪春以同聲，鶴警秋而孤唳；湖涵虚以飛清，霞分光而驟逝。意淡宕以自怡，神縹渺而超詣。譬御風之泠泠，若乘舟而不繫。爾乃蹈徂徠之遐躅，挹夜郎之愁心。狎貴璫於厮養，借昭陽而進箴；怵危情於蜀道，激悲感於湘陰。弃一官而若屣，恐入山而不深；鑒勛名於罔罪，何叛逆之能侵？曾履屯而表節，亦觸景而結吟；必同符於异代，乃曠世而知音。綺裘可以不御，緑蟻可以頻斟；睹巍然之如故，嗟伊人之已沉。彼自有以壽兹樓於不朽，庸詎惟是土木之數尋。辭曰：軒宇嵬嵬，城之上兮。風雨千年，彌增壯兮。峙彼崇垣，臨空曠兮。誰實構之，相歡暢兮？惟賀及李，交揖讓兮。星映長庚，擅高唱兮。齟齬於時，至淪放兮。樓以人傳，觸感愴兮。依依高山，景所向兮。苞竹茂松，愜永望兮。

安居西湖記

徐　標

濟西十八里許有村曰安居，余維桑里也。襟漕河，固二汶南下者，爲今運道。濱河有湖曰馬場，古任城之西湖也。潴水濟運，以防膠舟。萬曆間，中丞潘公建斗閘三、壩口一，以備蓄泄。湖心最深處，俗謂之大坡底，尤淵潭叵測，經旱不涸。周迴四十餘里，瀇瀁潎灩，莫得其際，但見烟水茫茫而已。岿然水居者不一而足，里人喜漁隱，則卜築於此。累土爲垣，翦茅爲屋，率婦子或携友人笭箵其中。而鶴汀一艇，蘆渚一絲，則極快事也。有臺曰鳳凰，相傳有鳳游於此，因以爲名，理或然也。袤延僅里許，高不滿數丈，峭然屹立。樹木陰翳，禽鳴嘈雜，豐草蓊葱間蜿蜒一徑，可捫蘿而上。上有大士祠二楹，僧舍數椽，不甚修潔，足供香花耳。壁多名人題咏，墨迹淋漓，惜半爲苔没已。祠前隙地，趺坐可容十餘人。登高小憩，放飲狂歌，不啻麟洲蓬島也。長河瀠洄如帶，糧艘賈舶，銜尾而進；樓船書舫，檣烏比櫛。簫鼓笙管之音，與款乃聲并奏，響籁徹空，遂爲游覽者一助焉。北浮蜀峰，若螺髻然。泰岳、徂徠，遥插天外，可仿佛得之空曠。彭疃諸山環峙於西，蒼巒紫巘，起伏嵬峨。澗壑嵐霧，時復繚繞湖干。堤之東，參差雉堞，掩映波心。而太白酒樓、少陵池館，古迹悠然，則任城治也。普寺疏鐘，金塔清梵，每於夜半聞之客舟。縉雲兩城犬牙相錯，皋嶧遠岫，且獻青焉，宛列一畫障也。南則余里，與永通、賈氏諸淺在焉。余里稱巨鎮，鎮未詳厥始，嘗考金、元斷碑，謂余里瀕濟河，舟車輻輳，蓋亦勝國儲次也。里有泉，出三聖殿之陽，余因額曰「聖泉」，滃然而溢，達之四野。里人臨流而構，或引以種樹溉花，或匯以畜魚植荷，而桔槔取之，亦可以灌園蔬，余甚愛之。據湖之南，營小築如水閣，下設净几，客訪僧過，可容膝，上則列古今名人集及諸清玩也。三徑幽窈，松竹蕭疏，而前爲興龍池，則閩漳徐隆台先生題。池有洲，菊籬梅塢，桃李間之。飛來雙鶴，時鳴時舞，與余最狎，則所謂鶴洲者耳。川上建覽勝樓，計級五，計門十有四，仍敞其巔以恣曠覽。於是西湖之勝，余收取爲較奢。朝則日出烟消，鳶翔鴨睡，有浥露之輕紅、迎旭之淺緑；慕則返照歸鴉，落霞孤鶩，有拖影之銀漢、分光之玉繩。晴則野色芬菲，澄泓開鑒，天青幔卷，草碧雲舒，埒虢國之妝；雨則群岡欲暝，密樹空濛，菡萏濺珠，芰菱瀉翠，恍西子之顰。若夫四序遞至，景候各殊，既物換而形勝，亦觀改而瞬變。每見沙暖蘋新，水融魚躍。鷗鷺喑喑，或與鳴鳩啼鶯婉轉相和。柳陰鋪茵，凉生近浦；藕花漲錦，香散遠灘，采蓮之曲扣舷者，喧焉如市。白露横空，紅蓼接岸，蒹葭中征雁一聲，菰蒲裏鐵笛三弄，客此者動蒓鱸之思。玄霜栗冽，宿鳥驚寒，深雪迷漫，蓑翁獨釣，雖景物衰颯而隱隱漁磯，淡烟數縷，亦發山陰之興。至於微波忽動，曲織成紋，如纖縠輕盈；洎而陽侯噴礴，濁浪排涌，又如神龍之出没；空明浩渺，一望皎然，如玻璃映射。倏而流光簸蕩，的灼耀目，又如金蛇之烱爍。此則風姿月韵，流轉於四時朝暮之間，蘇子所云「取之無禁，用之不竭，造物者之無盡藏也」。然則兹湖也，萃千山之秀，撮萬有之奇。盡態極妍，洞心豁目，洞庭、彭蠡何多讓焉？湖上人不知幾易，曾不肯以筆傳，即游者偶矚之，未殫其妙，亦未易以筆傳。余家湖南，與湖習久矣，手可指，目可親，心可會，口可言，而筆亦有不能盡者，則亦摹其概云爾。

太白樓賦

長庚岳降兮李青蓮，蜕俗騎鯨兮飛上天。適我東國兮六逸稱賢，維友賀老兮乘馬如船，携手銜杯兮灑灑而遷遷。城有謫仙之崇樓，下有浣筆之名泉。

我爲登樓兮呼太白，霞爛錦袍兮渺莫即。星精皎皎兮銀河碧，海飆習習兮林巒赤。疇爲主兮疇爲賓？所云光陰兮百代之過客；鸕鷀杓兮鸚鵡鐺，安得太白兮共死生？梁王臺蘚兮但有啼鶯，白雲處處兮湘水何情？襄陽小兒兮拍唱無聲，倒著接羅兮花下誰醒？人去樓空兮酒洌泉瑩，我思太白兮酹酒爲盟。緬黄樓聞笛兮已懷之五百年之後，於兹幾變陵谷兮又何能觴咏其左右？俯瞷南池兮宛森木鳴蟬之舊，渭樹江雲兮抑尊酒論文之覯。東眺則防尼葱鬱，蒙繹龍嵸，徂徠紫氣，沂泗漴漴，繞杏壇之闕里，存魯殿之遺踪，太白凭欄兮徜徉童冠之春風。西眺則麟甸穠芳，弦歌餘響，窈洞清凉，漆園曠朗。臨汪汪千頃之長湖，披十里荷香之薦爽，太白興酣兮羽衣蹁躚而勝賞。南眺則堂間秀楚，野入青徐，森森百川兮映帶，蒼蒼群岫兮縈紆。萸萸兮草没鄭莊之宅，霏霏兮烟織灌冢之墟，太白兮擊劍沽酣兮解金魚。北眺則緑水明，秋東樓夜醉，崋嵂兮岱嶂巉岩，縹渺兮神降幻异。縠城西照兮石馬苔封，樊壘晴嵐兮曈彭環翠，太白兮嘯歌咳唾兮紛珠璲。乃若虹橋通漢，香閣凌霄，旌旗拂柳，簫鼓盈艘；鶴唳珠宫之金塔，鷗浮天井之銀濤。溪明沙净兮村樵，蘭汀蓼浦兮相招。朝暉暮靄兮飄瀟，書聲琴韵兮幽騷，想與四明之狂兮應何如笑傲以陶陶。仰止太白兮歷千載，樓頭風月兮今仍在，蒼狗白衣兮瞬夕改。荏苒居諸兮不我待，好水好山兮仿佛太白之磊磊。吟風敲月兮開尊，而對漁舟之款乃。

南池賦

唐崇李杜，則兩日月也。爾時高適刺兖州，賀知章令任城，李甫爲任尉，兄宰中都，故李杜嘗往來吾魯。於濟有太白樓，下有南池，子美與許主簿舊游處，世代屢遷，乃署曰「古南池」，識杜也。樹木陰森，花香鳥語，低回其際，想見當年。每與楊朝徽登白樓，游南池，對景陶情，遣懷舒興，輒弗忍去，約爲賦以紀之。池未詳厥始，亦從未有賦者。南池之名稍遜白樓，不知可易爲杜池否？予既賦白樓，請朝徽首唱《南池賦》，予次之。復固命予，泚筆勉成，就繩大匠云。

自二儀定位，兩丸迅跳。幻泡忽湮，化生浮杳。聿臧縠之殊觀，遂彭殤之互吊。惟達人其不朽，如得天而久照。眷我任國，五獄一抔。泓然衣帶，八海一漚，曾何闕乎坤岫？乃有感於千秋，曰君子之至止，疑聲氣之相求。匪地則靈，抑人之杰。彼子美兮蘭馨玉潔，用拙而小築幽栖，哀時而沾巾嗚咽。興逸則呼酒登臺，詩成則燦花瑩雪。身雖困而道尊，性則怡而神悦。悦伊人之宛在，賡白露之蒹葭。眄高踪於烟水，想遺韵於虹霞。景事依依兮如覯，襟度浩浩兮猶賒。當其新流活，野芳發；濯苔紋，漸石髮。黄鳥嚶嚶其鳴，綠蘋有苾其辞。或沐浴而憩東皋，或修禊而觴青樾。酣四美以盤桓，洋洋乎懶雲之窟。已而夢闌靈運，一枕羲皇；清颸解愠，茂陰分凉。綠篠娟娟而含翠，紅蕖冉冉而流香。碧溜濺鮫珠之萬斛，牙檣挂錦幔於千航；矚魚蝦泳喩乎荇藻，飲何朔而牾求羊。迨序颯金商，露瀼銀漢，木蕭蕭而欲下，月皎皎其有燦。菱熟凫汀，蒲荒茝岸；野猿嗷而塞鴻嗷，石鯨吼而砌蛩亂。籬菊寄傲於陶潜，蒓鱸結思於張翰。旋且草斷蓬枯，瓊花飛六。水腹告堅，竹爐湯燠。寒沙梅影之横斜，霜瀨松聲之謖謖。嘘暖馥於雲溪，披鶴氅於仙谷。行樂挂山陰之席，奚囊爛壩橋之篷。時乎岫暝龍興，濤激砰砰，沛若宿海之傾，轉若灔澦之崩。斯池也，若吞沆瀣而溢滄溟，則攬袂携貙生以恒升。時乎狂颶怒騷，萬竅刁刁，望若浙江之潮，聽若廣陵之濤。斯池也，若奔猊踅馬，巨鹿戰鏖，則吸川大嚼而奏雲璈。時乎流光織縠，空明沉璧，秀靄輕容，蒼嵐欲滴。斯池也，如武陵之桃源，若睹胡麻之迹。泛斯池也，如蘇子赤壁之游，忘東方之既白。吾嘗載稽古昔，昆明鞠旅，囂屯牛渚，亦何裨止戈之武？太液流連，粉黛争妍，亦何取解語之蓮？金波涌汴，夷門鳥散，尋與艮岳而胥轉。扶摇而南，有天池焉，大鵬之所徙也，搶榆枋而莫擬。王母西極有瑶池焉，諸仙子之所居也，更茫茫其不可問。維兹南池兮，固造物之罔盡。偕杜若李以翱翔兮，豈用之竭而取之禁？

靳學顔

重修石佛閣序

老氏自其教著於世，後之爲其言者燦於繁星，浩乎川海，而微析乎芒毫。要之其旨，所實無爲，但一言有爲，則非其旨矣。其言曰「以正治國，以奇用兵，以無事取天下」，取天下無事，而况於治？治天下且無事，而况於自奉其身？宜乎其都碧虚爾，其室清冷爾，其動息冲漠爾，其往來、上下、有無、希夷之間爾。爲之徒者，索之有無而不可得也。宜思遵用其道，求所謂若綿若存之術，逍遥乎無窮之門，冥寞乎太史之宅。其下則宜岩息而泉飲，草木其食，以從事乎專氣致柔、毋勞毋搖之説，此其超然也。夫不思遵用其道，而徒張其教，崇麗其居處，皆其教所不得爲者。而於以栖其體貌，游其真靈，功罪其司柄而曰「以裨聖人之治」，吾惑焉。其徒之言曰：「夫人之有善，司功者紀之，有賞。有不善，司罪者紀之，有責。華之以秩禄，威之以雷霆，其應如響也。」由是而夫人之眩其説者，有一善則揭然以自表，恐其不見知也。有不善則曲文以求媚，惴乎恐其即發而責之者也。嗚呼！此又其教之所不屑言，而不意其無爲之旨至於多事如此。爲其徒，方賴是以憑藉其居處、衣食，其業殆遍天下，毋能廢焉，何也？蓋聖人之治亦無爲也，先德而後禮，禮衰而政，政失而刑，刑而有不懲，有不及焉，窮矣。窮而有不究，不得不約之以鬼神，故《易》著「自天祐之」，以證善祥；《傳》有「神明殛之」，以懲不惠。即其書亦已，嘗曰「天網恢恢，疏而不漏」，今人有善而不食其報，與不善而逃其責者，人必仰而呼曰「天乎！天乎！」，天何見哉？由是而貌之以玉顔，服之以珪衮，列之以部曹，以張其教矣。彼欲張其教，不得不振其司柄，不得不崇麗其居處，使夫人之遲其報者，瞻依之、跼蹐之，而希冀乎其中，曰「庶有答我也」，而善益力。逃其責者，曲媚之、紛若之，肅然有惕於其念，曰「幸我宥，毋敢再也」，而悔益深，此固非聖人之治之所及。使夫聖人之治至於繼刑而不窮者，則有在於此，謂之曰「有裨可矣」。雖然以其所不屑言者猶足裨於治，則其所謂精微者可從識矣，此亦足以見其大也。吾儒或言天，或言上帝，亦猶其徒曰玉皇云爾。濟寧石佛閣瀕河，觀曰「元帝廟」，不詳肇自何年。至正二年曾一修之，迨我敬皇帝之十三年遣監臣賫金增建玉皇閣，其後歲久剥圮，不稱伊使。去年道士吴存禮募工復修，杰然表巨觀焉。而一方之有求者相率而造，將亦有如吾所云者矣。存禮礱石，祈言爲紀其績，予嘉其秉忠而能迄於有成，因書此貽之。存禮，學老氏者，不暇扣其所藴，要之其言不外乎其徒者。

濟寧衛指揮題名記

衛北視臨、德，南視徐、邳，當襟帶咽喉之地，而提數旅之衆爲一巨軍。其設官則長帥，爲指揮，自昔能於官者代有其人，而名隨世往，無得稱已。頃屬楊君沂主衛事，肇建斯典，樹石衛堂之左，列今昔同官者姓名，得若干人，而備鑒戒、風庶僚焉。乃以鄒君臺介於余爲之題其端，余曰：「知務哉！

匪惟自振，將繇振人也。」自我明聖祖統一區夏，分王至戚，大封异姓有功之臣，以世世計。公、侯、伯而下則指揮也，抗其爵以三品制之，禄視卿大夫，雖其去公、侯、伯有間矣，然辨賢用能，推轂授鉞，分閫寄，參督府，被麟綰玉，典禮則一，唯其人不唯其官。嗚呼！報其功至與至戚者埒，且二百年有優無替，恩至隆也。不知食其報者，亦有如至戚體念其所親者否乎？欲爲爲之，欲行成之，唯其人耳，非有禁制之也。不知其分閫參府而麟服玉章也者，果有不私其躬，亦如上之待之不宥其官者否乎？昔王彦，章武人也，目生平不識書，余每悲之，而好諷其言。今習俗痼人也，雖識書者不免語之以名，不竊笑則悠然若春夢，無涉休咎。然不知夫名亦足珍也，王者握名之柄，則雋杰爲之役；處士敦名之實，則萬乘爲之屈。今夫生而文吏持議繩之以贏宿，其爵禄没而輿論論之，史若志因類而飾其事頌之，至於子孫且有餘波，非名實尸之乎？則兹樹之石亦其一已，何則？懸鑒于市，靡不照焉；擊鐘在朝，靡不聞焉；揭名於政事之堂，群會之采靡不指焉。視爾前，慮爾後，形諸人，反諸己，果足畏也。雖然，不亦有肅然警、皤然圖者乎？用是而同德比義，以名相砥礪，非和衷之誼所由出乎？夫庶僚和衷，國之植也，家之庇也，故曰「匪以自振，將繇振人，知務也哉」！

洸曲記

洸水蓋汶支流，由堽城會蛇眼、金綫諸泉，經薛家口而南分流而西，負郭占其一灣焉，故曰「洸曲」。

夫園志者，志園所有，及吾得而主焉者也。若乃吾不得而主之而得而有焉者，則二水是已。《詩》曰：「惟其有之，是以似之。」志曰：夫二水，吾不能志其大矣。東吾斷自孫村閘，吾得而有夫泗焉；北吾斷自薛家口，吾得而有夫洸焉。夫二水經釣臺而南，緣石堤而西出觀瀾口，以與汶水合也，則所謂官漕者也。彼其中非仕鷁則商艦，非鉦鐃牙纛者之眩於名，則吴越滇蜀者之矜於利，各有求者也。吾且不得而置舟其中，尚安得而有之乎？唯釣臺以北，吾乃可以言有，彼仕與商者，固未有厭囂投寂，鼓棹而一來者，何者？非其道者所謀，且亦不暇故也。故吾於斯二水也，彼仕與商者既不得以共之，是吾所與共有。夫二水之所有者，則惟二水之間行道之人，罟師、田父、樵人、牧竪焉而已耳。然罟師志漁，田師志穫，樵人志薪，牧豎志肥瘠彼其耳目日彷徨焉，心日憧憧焉，率欲虛往而實歸，以務足其志，曾不計牛後之爲辱、負擔之爲勞、沾塗之爲苦、而没溺之爲患也。雖有惠風朗月、清陰佳候之足以爲娛，非其志之所存，則亦奚以是而爲有無者哉？乃吾則無所求於世，而以日以年往來乎其中，既不漁穫與薪與肥瘠焉，志又不若仕與商者之有所眩而矜，而二水之所有，非吾有之而誰有與？凡吾之所有者，有諸造化而不係於物，含之以性靈，納之以神襟，而不爲耳目者之役。既得以固有，而人莫之我奪，又得以與人，而未始有窮，雖欲不居，吾誰與讓已？自吾游於斯也，蓋數以問溪上老人。老人曰：「數十百年來，固未有不以行道、不罟不田、不樵不牧而游斯者。」不以是數者而於斯游者唯吾，而因以古來固可知已。且彼仕與商與數人者之有所求也，謂足以善其生也。假使吾舍吾之適，以此而易彼焉，而吾尚不願。則使彼仕與商數人者舍彼之事，而能我以彼而易此焉？彼將曰：「吾何以善吾生耶？」其必不願又可知已。噫！吾不意吾不善吾生一至於斯也。

拙園記

巧拙之存夫人也，謂非性生，吾不信也。吾生而一無所能，凡百謀爲無一不出於拙者，拙則宜，不拙則不宜；出於拙則安，不出於拙則不安。竭謀而圖之，畢力以赴，䩄然自謂適，無餘巧矣，然竟趣於拙也。謂非性生，得乎數歲而學爲儒即拙於儒，已而學爲吏即拙於吏。吏最拙，又最久，自始任以至今，無一日不思罷。罷且隱矣，即又拙於隱，門庭之積釁，日糜糜焉而罔寧也。追呼之與酬，駔儈之與狎，讒慝之與接，名勢之與矜，此數者皆非隱者之所有事，而吾隱乃若此焉。追惟吾嚮者之爲吏也，日期以數晷事事，而以數十晷自逸。此數十晷者，非民事有急，即貴游，且輟謝之不以易吾節。然吾猶病夫數晷者之事事也，輒大慨息曰：「吾何以一官，日以數晷絆吾身也？」彼其時，視不得去其官，猶虎兕之靮其足，鴻鵠之編其羽，未足以方也。而乃今則然也，謂非命耶？嗟乎！既拙於性，又拙於命，吾拙成矣。吾隱也，以灌園爲事，園斥鹵無所收，即又拙於種植。吾無所名吾拙，於是志吾園曰「拙園」。少進則爲屋葺茆而衡其門，志之曰「養拙」。吾既珍吾拙，若人世之珍其巧也，惟恐其不至是，安得以不養乎？又少進爲堂，堂以陶志之曰「任拙」。吾無奈吾拙，何也？任之而已矣。又少進爲室，志之曰「夢拙」。晝之所爲，夜之所夢，而不能造次離也。又少進爲亭，亭曰「忘拙」。吾曩猶有羨於人之巧，既而厭弃之，又既而巧吾之拙，謂世人之巧莫吾拙若也，即百巧不易吾一拙。乃今芒乎昒乎，并其拙者而忘之矣。不知拙之爲我與，我之爲拙與？魚相忘於江海，猿玃相忘於林木，賈相忘於貨，士大夫相忘於名勢，吾相忘於拙，蓋都與之化矣。

于若瀛

總河曹公興學記

濟當水衡高處，析流南北爲漕，距黄河二百餘里，設總河大臣督理之，嘉隆間或革或復。今上御極，河漸多事，近且廢總漕歸總河。萬曆辛丑決蒙墻，凡兩易總河大臣不得治，仍議分河與漕如舊，俾專力於河。甲辰，李少保公至，塞蒙墻，黄河由朱旺口而東流。亡幾，復决太行堤，自飛雲橋穿夏鎮匯吕蒙湖泛濫矣。朱旺口復淤，往稱腴壤者漭漭成巨浸，悉可駕余皇施罛，豐、沛、魚、棠當全溺，靡所依，闔地爲廬皆亡去。即濟水衡高亦灌，逾南陽漸及於鄆。少保公丁内艱，不及理，於時議代者，非素深知河不克任，乃疏公上，蓋以公素爲濟監司治河者也。制曰「可」。公曩爲濟監司，潔己繩屬，裁冗剔蠹，大遺愛於濟，皆呼爲「曹青天」。濟父老子弟聞公來，咸以手加額，比屋設曹青天位迓之，歡聲若雷。公既至，乃慰父老子弟曰：「若毋虞水及鄆，第未策流之所以横者，吾爲若策矣。」若操舴艋委其身於河，審地卑阜，洞朱旺口所以再闢再淤之故。」計工八十萬金錢，條疏以上，允其請。更假以便宜，鳩工胼胝，不半載而河成。黄既東，曩所謂「漭漭巨浸可駕余皇施罛」者，復露爲腴壤受播矣。其靡所依闔地爲廬亡去者還，而管家男即畝，女即紡，獲高枕而食，所在有矣。公乃去供億之不式以恤無歲者，又令有司緩徵，毋過苦。已而集諸生曰：「濟素稱獻國，往吾爲監司時貢士多登額，今稍稍遜昔日矣。且學宫傾圮，將何以群弟子而經義督策之？」於是捐金檄劉侯修學，侯奉公德意，亦捐奉，倡衆庶民子來。既落成，諸生咸感奮，自修礱石，紀公嘉惠後學盛舉。問言於余，余曰：「公，河臣也，急在河則胼胝，且亡暇，而暇及學宮。嘉靖中，有梧崖王公者捐俸葺廟學，又移城之德勝樓於後，與尊經閣翬飛相映，工未竣，遷去。梧岡陳公繼至，詢其未竟者續之。僉謂王經始，陳落成，皆有功於廟學，不可忘也。乃於學旁得隙地，剷茅爲屋三楹，貌祀之曰『二老堂』。夫二老，亦河臣也。於時徐、呂間河流湯湯無恙也，亡動衆大役也，帑藏充也，暇也。猶合兩公共成之，今視昔何若矣？黄河之患，南之嚙陵寢，北之蕩城郭，東之於中，不受則旁溢，而餉艘每歲銜尾一至，河不潤無以達京師。又帑藏空，靡所取給，河臣且數易矣。凡談及河事者輒吐舌不能收，以歸於必不得之數。而公處之以暇豫，不半載而功成，又捐俸興學不少後，則嘉惠後學一念，較王、陳兩公不更篤，而其功不更偉與？他日二老堂且參公而三矣。」公諱時聘，登辛未進士，真定之獲鹿縣人。其總河也，潔己繩屬，裁冗剔蠹，亦無异爲監司時，兹不具述，述其所以興學者如此，而系之辭。辭曰：於惟河宗，應漢而東。潛行分源，淪蒲入葸。孟門大溢，疏爲彭澧。呂梁既發，王氣攸鍾。邇卜爲崇，匪梁崩壅。惟公乘載，璧馬罔庸。郡泛旋陸，水伯順恭。於時之隙，以覆黌宫。髹雘撤坊，甍宇聿豐。奮彼羽籥，俗敦化崇。無德不報，有施且隆。河行教敷，疇戮其功。千百斯年，感奮攸同。

劉　槩

正學書院記

尚書工部都水君楊世安，浙産也。少有文名，分司於濟，濟多士從之游，君亦善誘後進，無忝師席。於郡城之坤隅建正學書院，門外植兩棹楔，東扁曰「光明」，西扁曰「正大」，規畫分明，布置端軌，輪焉奂焉，君乃筮日告成。

鄭　真

遺愛堂記

自古聖帝明王膺圖建極，必有名世之佐，依乘風雲，贊調元化，以成雍熙無爲之治，皆關天地貞元之會。遇氣運隆盛之期，間世而一僅見者，夫豈偶然乎哉？嘉靖甲子夏初，梧岡陳公奉簡命以司空二卿兼御史中丞來總河政，駐節於濟。甫逾期，有詔遷司寇二卿，蓋以梧岡公老成儀型，求置之左右隆其倚毗，實以啓沃勵翼屬之也。公起家進士，歇歷中外餘三十年，所至并置樹芳軌，振肅綱紀，宣布愷悌，位望日崇而惠教益洽。時聖天子應運中興，方隆唐虞之化，而梧岡公砥節勵行，忠耿執法，淹習典章，敏達詳練，海内以名世碩輔爲公期待。兹榮履新任，必榮階孤卿爲國家之楨幹，於蒼生之望有大慰焉。稽公之駐濟也，彰善禁慝，風清弊絶，尤加意教化。率作士類，勞翼獎勸，勉以蹈德履仁，期於大成，且恤其急難，周其匱乏，俾肆力進業。由是士風丕變，人文彬彬矣。復置學田若干頃畝，以備埽除賑恤之需。遠近頌德，士林風聲。故於其行也，濟之士庶感慕無已，僉謀肖公像而俎豆之。先是，梧崖王公以御史中丞視河駐濟，政治民安，雅意於文教。未修學官，殿廡經閣、門堂齋舍咸繕葺而載新，丹青輝焕，登其堂如入孔室，景行仰止，泰山滄海之思油然以興。又於學後建崇樓於城之巔，以應三台。是歲甲子例舉鄉試，次年舉子偕計上南宫，濟之材登進爲盛，其轉移陶植固有所自也。梧崖公以進士徙貳卿而去，濟士德公之深，求以永其澤，乃順輿志肖像而祀諸學宫，已告成事矣。衆乃因梧岡公有大造於風教，爰像公於學，與梧崖公并祀於一堂，豈非德盛化深，使人戀戀有餘思耶？郡學博楊君時輝、石君玹偕諸生白駒、劉珍、韓原道、張時叙、周一夔、王洧輩謁鄉大夫鄭真爲文，記石昭示不朽。真惟濟自建有視河行臺，蓋將幾及百年矣，名臣巨公相望先後，而梧崖、梧岡二公相繼以至，皆恢拓學舍，推尚風教，講德考業，斯道大明。二公勛庸、政迹、彝常，簡册當自有書，而化民成俗，此皆其大致也。且其風節氣概，實相輝映。其像於學宫，時獲瞻仰光霽而頌德祝禧，於以見二公之澤斯民不徒其發政之宜人，而士民之所以有懷於不忘者，又有在於恩澤拊循之外矣。而梧岡公爽朗剛毅，醖藉宏深，忠信定乎内，正直修乎朝；介潔慎乎官，惠利施乎下。方隆宸衷，倚注忠勤，益抒行且流光弈世，垂功竹帛，所謂爲名世之任，依附昌期，參天地之化，關隆盛之運者，非與真因衆志受簡而書諸石。梧崖公名士翹，安福人。梧岡公名堯，通州人，皆嘉靖間名進士。法在備書，俾後有所考云。嘉靖四十四年八月吉旦。

胡汝桂 金鄉。

金鄉唐烈婦記

烈婦唐氏，邑人唐恩善女，庠生王思賓妻也。王生疾，唐氏禱於神，願以身代。隆慶六年十月二十一日，王生卒，唐氏以衣質錢具棺斂，輒不飲食。母知其意，謹防之。至十二月十八日，紿母曰：「年節近，母可暫歸，視吾父母。」信之歸，移時來則唐氏已縊死柩旁矣。邑人哀而奇之，縣令、學官、鄉大夫士皆爲文以祭，仍頌其事於詩者、文者、句聯者。余悼風化之久湮，羨彝倫之有在，效《邯鄲辭》紀實以詔來世，其辭曰：天道裂，日月缺。地道裂，江河決。人道裂，節義滅。天樞地維，統繫人極。彝倫罔忒，乾坤寧謐。三才兼任，丈夫是宜。窈窕淑女，渺渺其身。巍巍吾道，獨寄斯人。自古有死，無信不立。聖言如符，女心如結。歷觀往史，咏彼柏舟。哀姜哭市，杞崩城隅。剋面剺耳，引頸用刀。坐臺俟水，抱樹而燒。伊惟烈婦，德茂等倫。皎皎日月，浩浩乾坤。連理比目，景星慶雲。化爲祥風，驅埽塵氛。俯彼鬚眉，甘心馮道。禽獸同歸，豈特跖盜。南朝節義，侍郎一人。我朝靖難，半爲良臣。痛彼綱常，揮泪沾襟。生賤死貴，誰知道聞。欲爲丈夫，來視茲文。有不發奮，是無良心。

辛吉

金鄉王烈婦墓志

嘉靖二十四年五月七日，邑少年王尚仁死，越四日其妻高氏爲尚仁死焉。辛子聞而嘆曰：「嗟哉高氏，而乃至此也！」既爲詩二章以表之。會今年上巳，縣衣冠李君數十人伐山爲碑，屬余記其事。夫烈婦有碑，風教存焉。而高氏又余母黨女也，遂不獲以不文辭。碑曰：高氏，歲貢生高克己之女。生而聰慧，質性閑雅。七歲知孝讓，每聞父母之訓即唯唯焉，守而弗失，凡族親見者甚异之。比十五適王尚仁，克慎婦道，載纂女紅。孝舅姑，宜夫婦，鄉曲俱稱曰賢。無何，祖姑氏洪卒，舅氏王君鑒又相繼卒，其夫尚仁鬱鬱抱憂，積而成疾。高氏日供湯藥，寢食俱廢，且焚香祝天，願減己年以贖之。至嘉靖二十四年五月内，尚仁疾益篤，高氏父克己往問之，尚仁泣而謂曰：「吾之疾日甚，不可醫也已。吾視公之女當必以死殉我，可謹防之。」至初七日晚，尚仁氣絶，高氏昏而復覺，哭之盡哀。次日，向夫柩前再拜而誓曰：「君生無子，吾當從君於地下耳。」家人知之，晝夜防甚密。其姑李氏亦涕泣以勸，高氏跪而答曰：「若有子，我何自愚如此也。」其姑無以應，但飲泣而已。越十一日，度不獲自縊，乃舉止言笑，舒緩如故，家人防頗懶。至四鼓時，因人寢熟乃潛入房中自經，姑李氏覺而尋之，已無救矣。死之日年甫十九，尚仁二十二歲，夫婦僅四年而已。嗚呼！死生之際亦大矣，高氏以少艾之年，事君子之日又甚淺，夫未亡而信其死之决，父母宗族卒不能止焉。孔子曰「匹夫不可奪志也」，高氏得非其人哉！高氏父克己持躬飭行，温恭有則，鄉評甚與焉。則高氏在家庭習與性成，所謂預培其正節者蓋有自云。

郭東藩 金鄉。

范張祠記

金鄉縣故有范張祠在春城堌者，乃即浮屠氏之舊宇撤去佛像，以二君處其中，故其地尚有關侯廟在焉。前此相傳鷄黍村有遺址，蓋未嘗躬拜其祠下，《郡志》載「范君墓在嘉祥縣南二十五里大鼎山前，蒼莽蒿目」，今皆不可考矣。金鄉既以「鷄黍」名其村，又以名其社，流風薰被，蓋千萬歲如一日也。若范蔚宗稱列《獨行》之紀述范君事尤諄諄祈嚮焉，顧其鄉祠湮没，使好古君子無從謁禮，從學士人靡所瞻依，予每私竊慨嘆焉。然春城堌不列通衢，前祠未入祀典，宜其一廢而無復興之者。夫士太上立德，其次立功，其次立言，皆有禆世教，義得食報於鄉。若二君之精誠義氣，注結流通，若有鬼神以通其機，實非賢智可方其軌。然正氣在兩間，即化育流行，物與無妄，第染僞習，偷始肝膽而燕秦也。維倜儻瑰瑋之士，真純精一，不失故吾。故其軼行卓絶，异地皆然。以事君則爲抗節殺身之忠，以事親則爲投魚扼臂之孝，以兄弟則爲洒血刻印之誠，以夫婦則爲斷腕把玦之節。其視二君之鷄黍爲歡，冕纓見夢，及撫棺一痛，即恬然就窆，均之能脱形骸、齊死生、動天地。若其條貫而合符節者，五倫有二理乎？如二君即所謂太上之立德者，非耶？當之食報，宜矣。專祠之建，詎可已乎？予謀於東關廂適中之所，度其四達而爽塏者畫地一區，諗諸二三同志，乃邑庠生吴守智、胡汝槐、郭東井、郭金城、省祭張漢臣、承差郭戟，各捐資儲，則協力鳩工。以戊寅年二月上浣之吉先建正廳，表以崇門，周以長垣，漸次修治，務底成績。先是大中丞汝南汝泉趙公奉揚今上休命，憑軾周覽，痛抑靡文，所有撫厘事宜，悉皆面諭條舉，夙蠹一清，視故事身居坐鎮、文移遥制者奚啻徑庭耶？乃道經所謂黍村者，訪問遺墟，懷古興思，遂援筆爲建祠之檄。比檄下，會祠工業有成緒矣。縣具由以報，即以祀典議上，公爲可其議，春秋隨「二丁」之後，仍著爲令，又量發公儲助之。邑侯商丘知江楊公乃委任責成，時時省視，功遂告竣。是祠之興，予雖仰企芳烈，激中有素，成此夙志，向非有六中丞之命，與我邑侯之加意，恐噓噓焉信疑相半矣，烏能輒收功效？抑道義之軌，靈眖有感召者與？予又聞鄭之圃澤多賢，東里多才，其風所趨异也。故聞鼙鼓之聲者，奮鷹揚之志；聆清南之奏者，想韶頀之音。觀視之足以移人，猶負陽舉足而求景與迹也。今二君之祠既成，儀型昭矣，又恐拜祠下者不能睹記其行事，并録《獨行傳》勒之廳壁，以便觀覽。此後當必有翻然興起者，詎曰供宴游、資具瞻云乎哉？予姑志其始末，列其姓氏，用告後人，俾率由無替。若大中丞之景賢厚俗、我邑侯之舉廢崇德，顧俟大君子載筆紀之，使觀風者有所采録云。

曾繼祖　嘉祥。

曾氏永思碑

永思碑者何？述祖德、紀國恩、叙世澤，艱難之自以貽諸後之人者也。

自祖據南徙，世居吉豐木塘。大父粹携父昊於嘉靖丙戌始北徙，至予之身才三世耳。幼丁閔凶，中遭構奪，蓋不絶者如綫焉。卒以藐躬奮於顛越，脱彼梟吻，莫我燕謀，豈予一人力哉？實惟天祐賢哲，國崇典章。公論既歸，餘燼載燃，繹思厥初，亦大惟艱哉！《詩》曰「永言孝思」，予懼後之人馮其寵靈，席其晏安，而思之不永也。爰書其概而系之以銘，銘曰：

於皇鼻祖，授玉於鄫。因失國土，去邑爲曾。篤生萊蕪，武城斯興。逮我宗聖，絶學乃承。世濟其美，厥有聲稱。西漢之季，據也南徙。家彼吉豐，遠我林杞。歷代推恩，光厥宅里。豈無顯錫，不及曾氏。迨我世廟，先民是程。儒臣獻議，博詢遺氓。嘉靖丙戌，我祖東行。授以章甫，如魯諸生。更十三稔，上章有赫。命服斯皇，世恩奕奕。共儕顔孟，祀守無斁。遭家不造，父母見擯。大父鞠生，我方二齡。既及一紀，大父隕星。多人窺伺，凌我伶仃。尚賴大母，扶我之幼。辯彼詐欺，完我世胄。曾不四年，大母離疚。嗟嗟小子，三世一身。孑然孤立，黯然茹辛。呼天籲地，含酸愴神。天應有知，恤我淪泯。再逾一載，冢子乃娠。緬維此時，身病子弱。强敵環向，志勞心懼。章奏屢勤，馳驅靡托。癸酉之春，衮也不悛。冒我世廕，攘臂而前。奪我林户，據我土田。逼我廬舍，誓難共天。惟時構難，懔懔煢煢。卧薪嘗膽，矢志陳情。早秋報吉，携家上京。朝排閶闔，夕謁公卿。詞可激石，道路爲傾。朝命既下，事有攸責。臺諫交章，公道斯白。縱衮通神，一喙莫益。彼既竄歸，予方完璧。聖眷既渥，長子備員。嗣奉林廟，重守豆籩。光復舊物，於今廿年。追思往事，時爲泫然。慮我後人，知未忘顛。爰陳訓詞，示亡極焉。我聞世家，鮮克由禮。陵德以蕩，滅義以侈。遠悖家學，上乖國紀。安享厥成，罔恤厥始。用勤貞珉，藏之廟坻。思之思之，孫孫子子。

高斗光 嘉祥。

爲祖母守節撫孤乞恩旌表疏

臣祖高汝梧，係本邑庠生，食廩二十餘年。晚娶臣祖母李氏，生臣父爵，甫周歲而臣祖病殞，又數月而臣祖母李氏復殞。維是臣父未離襁褓，怙恃雙失，呱呱之聲徹日夜不輟，臣門之不絶者如綫耳。幸有臣庶祖母王氏者，毅然撫孤爲己任，乳哺臣父，無异己出。先是王氏誕一女，纔數月，因臣父之奪其乳也，遂殤矣。而王氏毫無愠色，視臣父益親，保護益謹。嗣後雖家計日索，四壁蕭條，虀齏自甘，佐以紡績，終不以貧窶易初志也。拮据二十餘年，臣父始入庠。又三十餘年，臣始登科。方欲修甘旨報劬勞，無奈日薄西山，臣通藉未浹歲而王氏已告終矣。計矢志之年二十一歲，底卒之年八十三歲，中間六十載飲蘗茹荼，艱苦萬狀，臣父每與臣道及，未嘗不歔欷相向也。夫守節世豈乏人，然在家温食厚者猶易，而在釜塵甑懸者則難之難矣。雖臣邑紳士曾經公舉，臣鄉按臣曾行旌奬，然非得明綸表揚幽芳，終屬埋没，臣恐無以慰先人於地下也。查得《大明會典》内一款：凡民間寡婦三十以前夫亡守志，五十以後不改節者，旌表門閭。臣祖母王氏正與例合。又查得崇禎元年刑部郎中奇樑祖母張氏、兵部辦事進士林增志祖母陳氏，俱以貞操仰荷宏恩，微臣之事實與相同，而臣祖母王氏艱苦更爲异常，懇乞皇上仁普錫類，允臣自備建坊，庶有以光泉壤而廣風厲。犬馬私衷，當益圖報高厚於萬一矣。

國朝

劉汶

陳言　學於古訓乃有獲，凡天、地、人之道古人皆已言之矣。厭陳而喜新，則所學必非道，謹摭前賢名論切於修齊治平、世世可施行者約爲九篇，名曰《陳言》。一、敬天。太極者，天地之本也；天地者，人之本也。太極生天地，天地生祖宗，祖宗生祖考，祖考生吾身，是之謂一本。知吾身生於祖考，故敬祖考，敬祖考則愛伯叔兄弟矣。伯叔兄弟，祖考之子孫也。知吾祖考生於祖宗，故敬祖宗，敬祖宗則愛九族矣。九族，祖宗之子孫也。知吾祖宗出於天地，故敬天地，敬天地則愛兆民矣。兆民，天地之子孫也。天、地、人皆出於太極，太極者，誠也，天、地、人之性也。故君子不敢不誠，天下至誠，以天下爲一家，以萬物爲一體，知本故也。二、誠身。修身之本在乎立誠，立誠之本在乎知天，天命一誠而已矣。誠於心謂之忠，誠於事謂之恕，誠於君臣則君仁臣忠，誠於父子則父慈子孝，誠於兄弟則兄友弟恭，誠於夫婦則夫義婦聽，誠於朋友則信。以誠感人，人亦以誠應之。以不誠感人，人亦以不誠應之。誠而不應，誠未至也。誠至而不應，誠未久也。誠至矣，久矣，雖有不應者鮮矣。彼自有過，吾何忝焉？吾誠吾身，勿之有悔。三、務學。德者天所命，不學則不成。才者天所生，不學則不正。務記誦，工文辭，非學也。學於經可以畜其德，學於史可以廣其才，學於師友可以正其心，學於衆人可以益其智。秦漢以來不讀書而成大業者，學於衆人者也，非不學也。然無經史以涵養之，無師友以匡弼之，故智術有餘而心不正，德不修才不廣，治道不如古也。稍繼之以學問，然後賢才用，國祚長，漢、唐、宋、明是也。馬上得之，安事詩書？其膏肓之疾與！四、樹人。管子曰：「百年之計數(樹)人。」周子曰：「師道立，則善人多。」爲國家樹善人，其必由師乎？行修經明，有德有才，乃可以爲師矣。得其人以爲太學師，不遷其官，不兼他職，學校之制使自爲之。重實行，戒虛談，攻經史，黜詞賦，十年之間成材者衆矣。太學之選分布天下，爲郡縣師，三十年之間良士不勝用矣。相繼百年，必有聖賢出焉。朝廷正而天下治，豈不盛哉？五、取人。取人以德行，天下皆尚行。天下皆尚行則風俗成，王道興；取人以文辭，天下皆尚辭。天下皆尚辭則風俗漓，王道衰。取人以阿諛，天下皆尚諛。天下皆尚諛，國將爲墟，故君子貴德。孝弟，德之本也。孝弟之行信於朋友，而不忠於君，未之有也。舉爾所知，古之道也。六、用人。人有五德，德有五才。睦族愛人，重農厚俗，仁之才也。聽訟如流，用兵如神，義之才也。法度修明，典章有經，禮之才也。明敦通達，多數善計，智之才也。敦樸良實，不詐不欺，信之才也。仁者可使司養，禮者可使司教，義者可使司罰，智者可使司工，信者可使司財，使之當其能，厥功乃成。用之達其才，厥功乃隳。善用人者就其所長，毋使其所不足。順其所樂，毋强其所不欲。久其任，厚其禄，寬其約束，使自擇其屬。功成則賞，事敗則戮，不以譽言而加寵，不以毀言而加辱。七、養民。天下大矣，人人而養之，雖堯舜猶病焉。重農事，擇大吏，恤富民，其知治體乎天下之食資於農，農民賤而勞者也。上不貴重其事，則人以農爲耻。智者通輕俠，愚者爲奴僕。農民少，土地荒，一人耕之，十人食之，能無貧乎？課吏以農事爲首，然後農務修；上農不加刑焉，然後農民勸。漢舉孝弟力田，得重農之一端者與？大吏欲其廉而静，吏不廉則富民殃，富民殃則貧民無所庇；吏不静則富民擾，富民擾則貧民無所資。物之不齊，天道也。限民田，抑兼并，徒空言耳。王莽行王田，天下大亂，戒之哉！無輕廉吏，廉吏下民之父；無剥富民，富民貧民之母。八、教民。禮以導善，刑以懲惡。刑者，型也，懲其非禮使復於禮，爲民儀型也。刑於禮不相應，是罔民也。守禮者陷於刑，民不好禮矣。悖禮者免於刑，民不畏刑矣。進不好禮，退不畏刑，雖周公制作，孔子振鐸，焉能格其心乎？禮雖多，五倫盡之。依五倫以制禮，依五倫以制刑，《禮書》《刑書》，五章而足矣。禮欲易，易則易行；刑欲簡，簡則易避。躬行以先之，申命以曉之，明信以守之。禮不變，刑不濫，然後民知向方焉。九、循分。理一而分殊，天子理天下，王侯治國家，卿大夫奉其職，庶人善其身，分有定也。越其分，出其位，是謂悖天。悖天者不祥，順天者昌。立其誠，不沽其名；改其過，不虞其禍；寡其欲，不求其福，天降之以百禄。

劉　洪

送趙豐原于京宰臨潼序

西安之東有劇縣曰臨潼，漢之新豐也。驪山踞其陽，温泉出焉。四方之賓使東、西行者，幢旗杠蓋，塵堁織路。又去會府僅兩舍，自將軍、貴人以至伯長、群吏，提携其戚屬兒婦人，馳軒車，策文駟，環連繹絡來浴於泉者告至告去不絶耳。縣宰自秋中以後，辨明而出，乘絶足之馬，領身手之卒，俯仰於郊勞，致館牲餼、芻稿之間。既暮，麗譙鼓籠銅，猶敞南門不得歸。歸乃張燈具，饌治文書，丁夜而罷，至明日又然，繄其難也。然其通敏者亦緣此坐得聲譽，往往最其治行以去。嗟夫！守令之於民，疾痛疴癢不殊左右手之於肩股而抑搔之也。今也牽拂其左右手，俾執削洗庖爨之事，窮日盡氣不得休則倦而大齁耳，知肩股何物哉？然則州縣不送迎，當永著爲令，庶幾專乃務，而後可以責其善治焉耳。則夫拾遺、補闕之起自州縣者，曷不言與？吾友趙君豐，原教城武六年，以外計卓异遷是縣。豐原，古君子也。其氣静，其守定，其沉毅果敢可屬大事，其爲縣必能知先後緩急，而專用力於民之疾痛疴癢，顧毋乃不肯屑屑於其所爲難者乎？曾子固曰：「古之道，無所用於今也。」曷姑與從事焉？庶最其治行而入居拾遺、補闕之地，以其所難者告吾君，不亦可乎？

準提庵記

濟寧東北隅準提庵者，比丘尼德明之所創建，其先明保定總督鶴洲徐公標之别業也。屬明季九鼎崩淪，毒螫群飛，豺虎構難，公仗鉞畿輔，屹然金城。而蝥賊内訌，贊其凶焰，遂使元老輿尸，義骨膏刃，裹革之願斯展，養素之懷弗伸。花林藥嶼，黯然緑春。閑館曲池，鬱其朱夏。雖非逍遥之園，賣供官税，詎异平泉之石，半屬監軍。會德明在險抗節，歸誠苦空。公夫人張氏檀那願宏，奉爲梵住，曰：「司馬殉國，德明抱貞，大小同揆，道俗推敬。明之息心於斯也，庶雲壑松桂不蒙愧譏，菩薩諸天并大歡喜耳。」德明者，寧陽王氏女，夫曰周君晋文，保姓維舊，受廛於膠，一尊一章，皤鬢在室。明仰則奉盤，耦則舉案，烏哺之孝益隆，鷄鳴之好彌篤。宗姻式其柔嘉，鄉里稱其淑慎。無何，百六丁運，戈鋋照野，龔邱萬姓化爲沙蟲。先城未墮，晋文捍陴夜歸，謂明：「旦久乖絶，子奄被疾，或有脱理，故來一訣，累子二親，死則已矣，生圖相見。」既而晋文就俘，君舅喪殞，明竄身奔命，事存送亡，婦職不隳，惟禮所在。已而呱呱遺腹載生，旋殤，明仰天呼曰：「天忍奪吾子乎？」栖之梁間，十旬不敗，觀者驚叱，以爲罕稀。然而族豪婪婪，産利是睨，輈張憑陵，殆無虚晷矣。容輝夢想，非無秦掾之詩；書札浮沉，屢入殷侯之手。白狼河遠，浮雲黯西北之樓；青鳥音乖，孔雀矯東南之翼。姑既云亡，明乃捨俗，自龔來濟，蔭附於靳夫人者五年，而後徐夫人施兹祇洹焉。明鍵樞繩坐，屏弃塵缘，清唄流霜，法鼓警夜，雖烟爨屢闕而勤誠弗衰。他如俗尼捉鉢，淫姏藴香，紛如騶儈之行，怙於孤鳥之俎，承其面者或悔厥心，通項皆殷，若撻諸市。於是善信皈依，人天持護，範堂規殿，非由覬覦。傾廪輸裝，迥無執惜。鸞音龍步，欻爾光明。寶蓋金花，棼其瑩麗，信此州之福地。女釋之名德也，自謀始以至斷手於今二十餘年矣。孝廉潘君恬庵念兹庵之根起，悼司馬之節概，而又重以名德之請，曰：「八十老優婆夷無所顧念，唯是區區之義，耿耿弗忘。苟能求文章者，爲我一二其詳，則幻化之軀如弃涕唾。」余維苾蒭之徒，視諸热缘渴愛，即苦海昏衢，不异縱復。截耳盟心，剺面旌信，三空之旨，何有何無？故欲列之婦行，則名不副於真。如但叙禪修，則事復嫌其漏略。爰記庵變創所由，而以明之欲傳永永者，參錯詞表，俾其弟子知飆流有自，亦將感興於斯文焉。《前志·古迹》。

潘應賓

重修南洲祠仲氏書堂記

在濟城南六十里魯橋鎮有南洲祠，祀先賢衛公仲子，載《州志》，莫詳權輿。閲程太守《碑記》，知重修於明嘉靖間，時溧陽馬孟河司業舟過，題詩鐫碑，至今傳爲名拓。郡泉大夫傅泉劉君以仲氏之子姓肄業於斯也，故又扁曰「仲氏書堂」云。余比歲假歸，養疴南山别業，距兹地十二里，而强時驅車過之，止見殘垣斷礎，崩剥苔蕪中。詢之翰博顯武仲君，云：「祠之廢也，在萬曆中葉。作室底法，堂構弗肯。時余小子宰且㞐㞐從，諸巨公多持志乘訪遺迹，以備顧問者，余亦惟赬顔咋舌，弗克應。今又辱明問，豈敢吝囊橐以緩修復？」余躍然起曰：「我國家重道崇儒，亘古莫京。曩者『宸翰之錫』四字，争光兩曜，先賢有靈，當爲忭舞，興廢舉墜，正在斯時，吾子之仔肩固宜爾也。然賢迹載諸郡牒，實爲桑梓生色，寧僅一姓私事乎？吾輩誦法聖賢，均有垣墉塗塈之責焉，當不容以不敏辭。且琳壇梵制，創闢一弓地尚奔會遐邇，衣冠濟濟，豈甘爲緇黄竊笑乎？」仲君再拜曰：「善。」遂次其一時之語冠諸簡首，爲同人前驅，且將藉手以復仲君之命。康熙四十六年丁亥六月記。

潘兆遴

祭古墓文

在鐵塔寺南，春夢樓後墻下有井一眼。康熙乙酉夏，重造茲樓，因加浚甃，旁得古墓。六月六日，爲文而祭之曰：惟康熙四十四載，祝融乘時。我宅甃井，重穿舊基。深將逾丈，涓涓澌澌。旁有幽穴，惟君之居。白石爲蓋，垣則磚纍。厥首位坎，厥足向離。寬僅盈尺，長五倍之。中有頭顱，依稀體支。無棺無椁，一碗一瓷。君諱奚字，君姓阿誰？何年靈耀，何代形萎？想君少小，亦具雪姿。想君丁壯，亦誇豐肌。兒女臨穴，諒亦漣洏。親戚會葬，諒亦涕洟。黄泉潛寐，歲往月推。白日重見，惟有骷遺。我營生壙，在城之陲。千秋萬歲，應不殊茲。君爲我鑒，我爲君悲。化臺既毁，故物莫追。奉君之骸，盛以新瓻。遷葬西郭，悠久爲期。瀕行修饋，敬薦蔬粢。楮錢既焚，厥奠維醨。成毁有數，豈免遷移。君勿恫怨，長夜永綏。《前志·古迹》。

井中得錢數文曰「熙寧」「紹聖」「政和」，北宋物也。曰「至大」「皇慶」，元物也。

趙惟翰

雙奇傳

饒陽李氏女，其父老農也。年十五歸趙姓之繼子良璠，時良璠年甫十三。李氏以未識婦道，失舅姑歡，經半載逐歸母家。然於七出無所犯，夫臨别囑勿改適，父母意回當復聚。李氏遂矢志靡他，苦節自守。次年良璠迫於父母命，復娶楊氏，李氏未之知也，其父母亦匿不以告。微探其志，志不可奪。厥後聞楊氏已婚，心大戚而守節如故。迨翁卒，爲持服急欲奔喪，爲父母所阻，不果。李氏至此乃誓必一死，無再生心，告其父曰：「我死必舁歸趙，趙氏三尺土乃安宅也。」其父不得已，鳴於官。當是時良璠之娶楊氏已六年矣，李氏歸，置楊氏於何地？紛紛之論起。然楊氏實賢淑，聞李氏之節，久憐而欲歸之。潛伺姑意未及發，及知李氏以死誓，大爲婉傷，跪請姑命，姑亦爲感動，惻然有憐悔心。余莅兹邑已四載，凡遇孝子節婦輒樂爲揄揚，况此二婦之心，實有足多者，遂許復合，以成其志。楊氏大歡，請於姑，親迓李氏歸，相接如姊妹禮。李氏亦感其賢，相得無間也。夫賢媛貞女自古有之，兩美相逢而奇益著。今李氏本農家子，其於古昔訓義當非所熟聞，而乃硜硜大節，有古烈女風，斯已奇矣。然楊氏或溺於嫡庶之説，且得以大婚爲詞，又孰從而屈折之，顧委婉請命，俾李氏離而復合，雍雍然作閨中伯仲，不更軼倫多奇哉？天下之辱身敗節，視去帷如敝屣，抑或妒忌性成，兩兩相厄，政復不少，聞二婦之風，亦可以少愧矣。因請於當路，題額以旌之，且爲傳其事以風世云。時乾隆三十年乙酉春月。

孫擴圖

蘭河院禁派秸料記

吾州自紳士至於庶民，均有切骨之累，曰「派納運河秸料」一事，蓋閱數十年來無所告訴者矣。夫河員於冬月平價購辦秸料，以預運河之需，例也。州縣派民納，非例也。派納而并供各衙門薪燒之秸，尤非例也。始而力田之農，與有田五畝以上之紳士，派每畝斤。既而采派并行，則肆工、市賈皆在派中，兼之胥役奉行不善，交納本色則十倍，秤收折納錢文則一母十子。夫胥役坐制小民之命固已，即紳若士，或貧徹骨，萬難措辦，不得已而出於告訴之途者，亦必目之爲刁、爲劣，卒之一無得免。不佞自歸田後，即親受其累，三訴三斥，案牘可稽。夫紳士與工賈亦無論已。嗟彼良農，銀米已完而追呼如故，旱潦有赦而私派不休，此何理也？豈意忽遇清風之拂，遽沾甘露之和，有如我督河院蘭老公祖之莅任濟寧也。維皇帝之四十有八年夏五月，以行河務重俾公開府於東灡，安黄運績著旗裳有日矣。公起家山右名儒大賢也，以命世濟時、振綱肅紀爲己任。其清如秋，其仁如春，其令如山，其才如海。歷任善政，更難僕數。而嚴禁派料一事，致令我濟之人感極而泣，即此以知我公謀國之遠、愛人之深，而獨秉千鈞之力，濟以一塵不染之操，實難得而可懷也。先是，公歷守令、監司，日用所需，無不市價平買。其歷濟也，以料爲薪之常局遂不得行，因而年例之科派亦暫得止。於是有呈請、批示、立案之舉，公乃慨然下教，嚴行禁止。行道、行州，一如紳士之求，州牧、王侯亦深知其累，悉陳顛末，不隱不遺，并乞永遠立案，而公復切批而詳示之。時不佞方老病卧床，紳若士或來告者曰：「藍老公祖，衆母也，州人永福矣。且不寧惟州之人，凡隣河之縣罔不然。」不佞乃强起，手加於額曰：「有是哉？信如是，何以使窮鄉僻壤人皆聞，何以俾數十百年案不磨？而我公之澤與濟之水而俱長乎。」則皆曰：「請以公之教勒諸石，并勒州之稟，而紳士姓名列於下，樹諸黌宫，禮也。」不佞喜曰：「得之矣。」即扶病而記其事，乾隆四十九年歲次甲辰閏三月記。

議越南國號疏

孫玉庭

臣於三月十九日接軍機大臣字寄諭旨：阮福映夷使京守候數月，如其回稟，到時願以「安南」錫號，即令該夷使來京，或懇求另錫嘉名。一面由四百里具奏，一面派員伴送該夷使進，倘仍以南越瀆請，將該夷使暫行留住，由五百里馳奏，候旨遵行等因。欽此。兹於三月二十五日據太平府知府王撫棠遞到阮福映回稟，仍將請封南越舊表墾臣轉奏，稟内剖辨。南越之請，係承先世舊稱，并無他思，并稱屢接督臣照會，從未斥其南越之非。意謂指駁出自臣意，不令上達天聽。而安南舊名則不欲沿襲，以混其世守，察其情詞委曲宛轉，實冀早膺恩命，俾奠藩封。若知駁回係稟命朝廷，似不致再以南越瀆請，臣思阮福映甫得富春，已遣使航海輸誠。及全有安南，又遣使叩關請命，其迹頗爲恭順。倘或心存叵測，亦不在語言文字之間。而中國之於外夷，受其納款，不過示以羈縻，惟在邊疆武備修明，即足以資威鎮。聖主明見萬里，斷不因此小節却其表貢，阻外夷向化之心。然南越稱名既於義未協，駁飭在前，斷不便俯從其請。以臣愚昧之見，合無仰懇皇上天恩，將阮福映國號錫以「越南」二字，則百越之南本外夷之域，既不與兩廣地名漫無區别，阮福映先有越裳古地，繼有安南，於肇錫嘉名之中仍存其舊，彼即欲飾詞再瀆，亦已理屈詞窮。臣再四思維，欲於國家體制得

宜，而又不致稍開邊釁，故不揣冒昧，具摺密陳。如邀聖恩采擇，
諭旨特頒，臣奉旨後即照會阮福映令夷使等起程北上謹奏。

議洋盜投首疏

竊照本年閏六月間，督臣那彦成於審辦各盜匪内奏明，有被盜擄脅服役，不甘殺賊投首之夏河南等，驗有才具可用，及起意爲首殺賊之人，酌量補給外委或額外外委、馬步名粮，即令跟隨緝捕。欽奉諭旨：賊中投首之人，當訪查明，確果係良民被盜擄脅，不甘從賊因而殺賊獻功赴官投首者，自應加之拔擢。若本係盜匪或因窮蹙來歸，則其平素所犯劫掠傷人之罪不知凡幾，即其悔罪自新，亦不過貸其一死，已屬法外施仁，豈可令其濫膺恩賞乎等因，仰見皇上大公至正，於網開一面之中，仍寓明罰敕法之意，臣實不勝欽服。查粤東洋盜近因沿海各屬查拿接濟消贓之犯，獲辦頗多。盜匪在洋掠食較難，漸有窮蹙之勢，嗣因袁阿明、林亞發等先後投首，經督臣分別賞給頂戴、銀兩，入伍歸農安插，會列臣銜具奏，并聲明袁阿明一案，賞費銀兩自行捐給。此後盜匪投首，每名賞銀十兩，請於捕盜經費内開銷，尚未奉到諭旨。現在續報投首之盜接踵而至，亦係查照袁阿明之案一例辦理。臣查盜犯投首，欽奉諭旨，應查明是否實係良民及本係盜匪分別辦理。現在所辦各起投首之盜，并未分晰確查，且於事理實有未臻妥善之處，如賞費一項，每盜一名需銀十兩，計海盜不下數萬，若盡行招撫，非數十萬兩不可。即將捕盜之費全充賞費亦屬不敷，而捕費更用何項？此經費爲難也。袁阿明、林亞發先後投首，其十一起内惟曾亞發、馮亞連、李會宗、李幅生等四起，據稱殺死賊目、賊首、賊夥十一名，餘俱并未投賊。即曾亞發等所殺之賊，是否確係盜犯，無從查其底裏。且洋匪詭譎异常，或竟殺死被擄難民，捏爲賊目首級，亦無從查考，此殺賊投首未可盡信也。各屬稟報盜匪投目，多係購覓綫人設法招致始肯來投。在盜匪雖係窮蹙而自官招之，究屬非體。況又概加賞賚，遂致外間有盜匪非真悔罪，特因貪利而來。官吏意在邀功，不惜重金爲市之，議雖係浮言，難箝衆口，是又偏重招撫，致興謗讟也，然此猶其小焉者耳。此等盜犯既無恒産，又無恒業，免罪回籍之後，仍然衣食無資，狼子野心，復萌故智，因之勾結匪類，狼狽爲奸，小則鼠竊，大

則糾搶，是海中之盜暫見稍減，岸上之盜日益滋多。迨至官司勾捕，仍致下海爲盜，此亦勢所必然，殊與海疆邊地大有關係。且該犯等橫行海面，所犯劫掠傷人之罪不知凡幾，甚至搶劫炮臺、汛地，焚掠瀕海村莊，計其罪凌遲斬梟尚不足以蔽辜。今則准其投首，概置不問，而爲賊頭目者又加之以重賞，榮之以頂戴，居然高出齊民之上，以致民間有「爲民不如爲盜」之謡。又如兵丁操演、捕盜，備嘗辛苦，欲拔一外委未可即得，乃稔惡之盜匪則唾手而得千把、頂戴，予以候補，亦不能禁兵丁之怨望，此則上關國體，下失兵民之心，至於廢法更無論矣。臣愚以爲，剿撫兼行之計，莫若堅壁清野之謀。沿海各路斷其接濟，厚集官兵、丁壯於緊要口岸嚴密堵禦，各處炮臺加派官兵，實力把守。如遇匪船乘潮而至，過炮臺則用炮轟擊，近海岸則兵壯堵拿。如逃竄出洋，則舟師分路兜捡，勿使遠遁。日久消磨，海道自可漸臻寧謐。即有實係窮蹙來歸者，仍應欽遵諭旨分別查辦，方爲妥善。此事雖係督臣主政，但臣先未見，及業經會銜具奏，實屬冒昧。今既知事理未協，何敢緘默？曾與督臣再三辯論，意見不同，不得不據實陳奏，伏乞皇上聖明睿鑒。再臣因事關海疆重務，是以由四百里馳遞，合并聲明謹奏。

拱極亭記

吴謐

蓋聞亭者，停也，身之所停，心亦於此安止焉。兹之爲斯亭也，而以拱極名何居？曰：「是亭也，山峙其後，殿聳其前，而禮斗諸君子北面拱立，於此瞻彼斗極，則虔共之念肅然而動焉，此拱極之所由名也。」壬申夏，予嘗與友人鄭君矢石、黄君永聞、聶君爲霖輩游泳其間，清風徐來，好鳥弄舌。花香入座，緑景拂闌。蔭喬木而乘晚凉，暢幽懷而發清嘯，樂可知矣。予因叩亭之所由建，乃知即鄭君、黄君、聶君等與諸同志共輸資財而爲之也。諸君即欲立碣以記其事，顧以文索諸予，予不獲辭，遂笑而許之。今歲春，諸君將立石而轉疑若謂其无可志也，予曰：「不然，青華洞本吾濟名勝之區，復得是亭以峭立於山陰，覺山與洞因之而增秀，殿宇樓閣因之而生色。而風雨雪月之夕，望之若畫圖，皆是亭爲之助也，烏可不志？」於是乎書。乾隆十八年季春吉日。

高如岱

書學習録續後

學問之道固由思而入矣，不宣之於口、筆之於册，弗明弗確也。宣之於口、筆之於册，而後可質之於人，則是非得失又有可明辨者焉。予自弱冠而學，曾有《學習録》以備遺忘，兒輩每爲之繕録。及庚申歲，兩兒相繼逝去，遂無心整理。讀書涉世，間有省發，蓄之於心而已。然自十餘年來，所蓄既多，懼無以定其是非，今得張子錫祉館於北村，相距密邇，乃盡出其所蓄，手自録之，舉以相參，冀得明且確，則荼苦餘生亦可以無恨矣。又嘗服膺諸葛孔明之言：「違覆而得中，猶弃敝蹻而獲珠玉。」同志之士見此册者，有能指其偏而正其失，則雖以此爲「敝蹻」可也，又何執焉？

書戴誠齋文集

右《誠齋遺文》二卷，余爲編次，令兒繕寫藏之，蓋生平志學略見於此矣。我友天賦超曠，榮利無所慕。初好邵氏學，後折衷於周、程，造詣日密。與朋友處，一以講道勸義爲事。其論學諸書，詳陳切究，具見苦心。至閑文雜記，往往陟巘探幽，不由蹊徑，蓋性之所樂，有不容强焉耳。讀而味之，真猶古鐘磬不諧里耳而翛然塵外者也。嗚呼！志雖高，不及於用；學雖深，無聞於時。自他人觀之，誠可謂迂拙矣。然寧爲迂拙之身，而不肯易以從俗，此吾友所以不可及也歟！昔安敬仲於劉靖修没後稱私淑，而舉其遺文示門人曰：「吾每閲一過，於經必有新得。」彼第以詩文視之，奚啻千里？誠齋往矣，今有爲之敬仲者乎？則亦可知余言之不謬云。

許鴻磐

明旭窗陳公早朝圖記

古之圖畫不妄作，忠孝廉節或寄丹青以寓意。吾濟明太常寺卿旭窗陳公繪其早朝小像，具冠裳，執笏垂紳，望闕廷而趨，殆寓進思盡忠之忱。其八世孫貽準，余友也，屬余作記。按《明史》，公萬曆二十九年進士，由行人歷官太常寺卿，初拜御史，即劾罷河南巡撫李思孝，嗣是數有建白。所陳四事，皆時務之急。天啓四年，楊漣疏陳大閹魏忠賢二十四罪，公亦抗疏論之。閹私人御史張樞劾公黨附東林，褫職。崇禎初，擬更起用，而公卒。事具《明史》本傳，不復覼縷。嗚呼！明自世廟後日就凌遲，神皉怠荒，股肱惰而萬事墮，熹童而騃，大枋歸巨璫，毒焰熏天，正氣銷鑠殆盡。公於此時攄忠款，刷紀綱，糾大慝，欲挈墜緒而起之，每讀史至此，輒慨然想見公之爲人。今睹斯圖，其翚翚之神、懇懇之誠，岳岳岩岩之概，猶隱然見諸眉宇間，且圖之傳也尤足异公。此圖繪於京師，其家人固稔知之，經甲申之亂，漂泊失所在。迨國朝嘉慶九年，其九世孫其殷遇諸闤闠中，審其標籤所題，知爲公像，奔告其族叔貽準始購歸。嗚呼！公没且二百年，而瑰偉之迹久湮塵坋者復見於世，聞者奇其遇，謂數存其間，詎知公之靈爽如光岳之在蓋壤，呵護於兵燹之餘，提携於流落之後，若以手授物，付厥後人，是乃忠義所發揚，豈關升沉之數哉？其殷爲庚寅科舉人，名貽謀。之子貽準，乙酉拔貢生。其弟貽標，某科舉人。其族弟貽發，某科舉人。其子熙曾，又於某科領鄉薦。公庇蔭其後裔者至遠且厚，陳氏之子孫對公之像即思公之所以立身、所以事君，繩其武乃衍其澤，陳氏之門必更大振起，庶不負公於冥漠中以圖見畀之意。公諱伯友，字中怡，旭窗其號也。

魯南廢人傳

廢人者，古任城男子也。以痴廢，以拙廢，訖以病廢。廢生五年，知辨四聲，八歲延師教之，讀頗不痴。總角操觚，學爲文，巧思浚發，亦未嘗拙也。年十九爲諸生，二十一歲試冠一軍食餼，二十三領鄉薦，二十五成進士，廢固不痴不拙。迨三十六作縣令，歷郡丞、直隸州牧，而痴與拙并見。其痴奈何？初任淮，屬令遽於河干杖郡守家奴，繼忤漕督，意或諷之，往謝，佛然曰：「曲在彼，何謝爲？」其爲政寧得罪於監司，不得罪於百姓。丁父憂，服闋由指揮以郡丞官安徽，其痴一如爲宰時。廢熟於律，上游任以聽斷，遇事動折衷經義，上官每笑可之。有府倅某嗜進取者奉爲步趨，見廢輒嘆，請之則曰：「君誠古人，惜受書毒太深耳。」廢笑曰：「書顧有毒哉？即有之，亦遂黄屬，可醫熱中病。」某變色去。久之調直牧，卒以痴去官。其拙奈何？卑疵而前，纖趨而言，固仕宦恒態，廢逗譳弗能作便熟語，又不解道諛人，轉喉輒偕𠑽不相入，嫉軟媚習，佬僝其容，司馬安之徒見之多憎其面目。以拙濟痴，固難結歡喜緣，廢慳其難而弗能改。廢既用痴拙降官，徒以老母在需禄養不獲已。更宦游中州，時已六十餘，同列皆邈爾少年，咸笑而遠之。一署陽翟，丁憂去，遂誓墓不復出。其疾奈何？在安徽時，嘗棹敝艇由皖口赴南豫，江風夷左股，過聽庸醫針加劇，治之百端卒不能起跪，因自號「魯南廢人」云。廢不痴於記誦，而痴於學，自署其小閣曰「六觀樓」，聚書其中，經史諸子及名人集誓遍讀之，寒暑疾疴，未嘗去手口，恨魄弱不能盡省記。以國朝版圖邁千古，妄思裒諸載籍，成方輿巨部，浮沉世故，未遽成。壯歲務華藻，抽黄妃白，求所謂沉博絶麗之文，已而舍去。妄思追古作者，嘗謂宋文近時趨，宜溯而上之，泛濫於漢唐諸家，而以扶風昌黎爲宗。五十外既不多作詩，大約於杜、韓、蘇略窺門户。詩文脱藳輒抹撥，蓋以爲不足存也。廢不拙爲文而拙於治生，家故少有，以仕而貧，在官時不分外取民一錢，又以爲儻來物，弗甚顧惜，任兄弟耗去。且喜赴人之急，每質囊篋以應其求，坐是大困。自中州歸，無一隴之田、一椽之瓦，漫游江左，無所合用，筆耕自活，有代爲歌《行路難》者，廢瞿然曰：「莊子云：『罹外刑者金木訊之，罹内刑者陰陽食之。』吾或有陰陽之患，將内訟以終其身，稍怨尤重益余罪。」用是處之晏如。甲申廢年六十八，不知尚廢居幾何時，行將檢廢紙，修廢業，成廢書，以完廢志。

廢之子不讀書，恐其不知乃翁之所以廢也，作《廢人傳》以示之。

鄭墨泉詩集序

説詩之途有二：一主乎學，一主乎才。執學之説，則徒以徵引爲工，其弊也撏扯塗抹，而詩之意亡。執才之説，則專以性靈見巧，其弊也鄙陋纖仄，而詩之體壞。二者均譏，而才固其要焉者也。詩非鈍根人所能工，故以才爲主，而以學輔之，是之謂大雅之才。墨泉之詩以才勝者也。或曰：「墨泉詩一韵叠押，百出不窮，似其學較勝。」然余非，謂：「墨泉之絀於學也，譬之田舍翁擁巨萬資而不思所以生之者，惟闕地藏焉，財多亦奚以爲？聞見雖富，苟非有才以驅策之，則堆垛不化，掉運不靈，烏能投之所向？無不如志若斯也，故曰以才勝。」今觀集中所載，除諸斷語外，如《答汝衡四十五戲作》《修月風虹》《九迴腸》《展重陽》等篇，或自叠其韵，或叠他人韵，顛倒往復，不能自止。由險得夷，因難見巧，動而愈出，復而不厭，如萬斛之泉一導焉，而莫可遏也；如健鬥之將，一日數十合，而勇尚可賈也。令讀者如游武夷曲，如走山陰道，覽之不盡，而應接之不暇也，皆才爲之也。嗟乎！詩學之蕪甚矣，二弊均譏，而世之所謂才人，則滅弃學問者居多。嘗見浮華者流，粗辨四聲，腹未貯數卷之書，目未竟一家之集，僅取時流所刊稿，拾其牙後餘慧，輒自號名士。甚則恣爲輕薄，下儕於里巷兒女子所謳歈，且作詅痴符，朝吟而夕鋟板焉，刷印數百紙張示同人，識者目笑，存之以爲裹藥補壁之用，若此者不可勝數。墨泉與學者論詩曰：「斷無染袁子才習氣。一染之如油著麪。洗滌不能出。」斯言也，真隤波一砥也。墨泉以絶世才而能自植其才如此，則其學可知，故能供其驅遣，且定其志。趨有才而不專，倚夫才而有以盡其才，此吾所謂大雅之才，非世俗之所謂才者也。或又以集中古體過儉爲憾，余曰：「奚憾焉？夫古、近體，均詩也，皆所以言志而達情也。《東野集》無近體，墨泉多近體，各用所長，各勒一家，讀者惟取其工，底事斤斤體制間爲？」余總評其詩曰：「香山之自在，玉溪之豐腴，東坡之跳脱，劍南之流麗，奄有四子而自爲墨泉一人之詩。」九京可作，應以予爲知言。嗟乎！余奔走南北，接詩人無慮百餘輩，而卒無如墨泉者，用是益嘆其才之難，而善用其才之爲尤難也。道光八年五月二日序。

周　格　金鄉。

馬義烈女祠記

前明崇禎甲申三月，流寇殘京師，海内如沸，凡蟻聚之衆莫不乘機肆其攻掠，東南所至，蹂躪無完土。金鄉以蕞爾邑瀕水陸之衝，勢在不保。是月十六日，有妖賊翻天鷂者屯騎西門外，佯稱闖官安民。時人情汹汹，罔知所措，幾欲啓關延之，是無异率赤子而揖餒虎也。義烈女者，初不詳所自，以被擄置前行，忽揮守者揚言曰：「狂賊給汝，速閉門，勿取屠戮。」語未訖，賊怒，手刃之濠邊。於是城上益嚴備，炮矢争發，賊尋驚潰去，全城賴以無恙。嗟乎！義烈一閨中弱質耳，乃能取義成仁若此，詎不可與古豪杰争烈哉？念今生齒不啻萬計，其享有鑿井耕田之樂者，實皆義烈片言所賜。夫惠加一鄉，尚將式閭而思報，况以死留千百世之生者乎？且忠臣義士自古爲難，平居談節義，臨難毋苟免，甚至背君親而不顧者比比皆是。獨義烈女顛沛之次，至性觸發，奮不惜身，寧以肝腦塗地，毅然破賊狡謀，不忍吾城陷於危亡，而秦越視之，是之謂義也，是之謂烈也。顧可聽其湮没而焄蒿勿講歟？國朝康熙壬申，義烈女之死已五十年，父老及見者猶往往追道救城事，且揮涕曰：「恨向當喪亂，藁葬匆匆，即今欲求抔土所在，已湮没不可得矣。」一時聞之，咸相咨嗟嘆息，不能釋諸懷抱。爰謀所以祀之者請於官，就春三月建祠西城外，取義烈女捐生之時於捐生之處也。越七年，復議勒石以垂不朽，吾謂：「是舉也，以崇德，以報功，以勵俗，三善兼焉。」稱爲義烈，蓋私謚云。」贊曰：誰謂乃慘，芳流彤管。誰謂身死，名生青史。高高上天，道義擘之。烈烈白日，綱常明之。刑屬六四，德參二五。一腔熱血，照耀千古。

李春蕃 金鄉。

副總戎胡公平寇記

公諱鑒，一字素本，世居南陽。賦性倜儻，稟資穎异，遍讀群書，游邑庠，稱名士。於辛巳年李青山、張文等叛聚衆二十萬人，阻運劫糧，破城殺焚，殘不忍言。公奮志請纓，從大司馬張公屢建血功，數四題奏，蒙欽依游擊，加銜副總，公直澹漠焉。會甲申年大物改革，南北鼎峙，而無知輩從中惑亂發難，攻城掠民，居兖之西東者尤甚。公因目擊心愴，慨然以數邑性命爲己任，遂捐資倡義，秣馬勵兵，身親二十餘戰。賊衆聞公之名皆膽落，始盡大潰焉。曹、單、鄒縣數邑安全，皆公之賜也。此即晉爵錫券，於分曰宜，况兩朝徵聘者，屢見告焉。而我公道冠鶴服，樂留侯子房高風，飄然遠遁，士民共報德無由，聊具實績勒碑頌功，以志不朽云。

梁肅 嘉祥。

重修關帝廟記

兩間浩氣，附正人之剛大以流行；萬古經常，賴神聖之匡扶而振耀。夫婦之愚所向慕，罔不瞻依；賢奸之衆盡輸誠，誰爲變化？仰維尊聖，緬想當年。耿耿孤忠，炎炎壯烈。魯經一部，道接素王。漢鼎三分，義尊赤帝。紫髯求婚而不許，名讋東吴；阿瞞避鋭以思遷，威行華夏。雖運逢末劫，白衣肆虺蝮之傷；而代有寵褒，玉藻賁山龍之會。監兹海宇，丕著聲靈。惠我山陬，更饒神异。嚴孤城之保障，氣壯風雲；蕩四境之陰氛，光澄日月。春秋崇報，宰官修祼祝之儀；伏臘祈禳，里社有膻薌之薦。但以殿基逼仄，難容絳節寶幢，兼之廟貌泐頹，豈耐淫霖狂颸。燕泥污几案，慚成甌脱之荒區；蛛網罥榱櫨，空憶鼎新之盛事。爰有邑庠郭誼，心傷板蕩，奮倡義之先聲，志擴規模，兼締緣於大衆。雖假十方之協濟，仍歸一力之支擎。屈指運籌，厥材備矣；鳩工改建，不日成之。架文木以作虹梁，要使肯堂肯構；琢蒼玉而成虬柱，豈曰苟美苟完。列曹無不莊嚴，步廡快其宏敞。彩闥啓而威光滿壁，恍聞赤兔嘶風；綉裳新而香焰充帷，儼睹青縈達旦。儒士仰瞻座下，雅稱夫子有文章；緇流膜拜墀中，敢道伽藍仍衛護。游觀者悉改容而思敬，尸祝者益滌慮以圖新。精魄交通，自協乎雨暘寒燠；福田廣種，何憂乎疾疫灾危。采貞石而志同人，將使九十餘山之民居共荷帡幪於不朽；慶宏圖而占大壯，更偕億萬斯年之國祚永歌苞茂於無疆。時康熙五十七年戊戌六月吉旦。

文録 下

唐

李　白

任城廳壁記

風姓之後國爲任城，蓋古之秦縣也。一作「秦之古縣」。在《禹貢》則南徐之分，當周成一作「成周」。乃東魯之邦，自伯禽至於順當作「項」。公三十四當作「三」。代遭楚蕩滅，因一作「國」。屬楚焉。炎漢之後更爲郡縣，隋開皇三年廢高平郡，移任城於舊居，邑乃一作「雖」。屢遷，井則不改。魯境七百里，郡有十一縣，任城其衝要。東盤琅邪，西控鉅野，北走厥國，南馳互鄉。青帝太昊之遺墟，白衣尚書之舊里。土俗古遠，風流清高，賢良間生，掩映天下。按，《元和郡縣志》魯郡州境東西三百三十一里，南北三百五十三里。管縣十一：瑕丘、金鄉、魚臺、鄒縣、龔丘、乾封、萊蕪、曲阜、泗水、任城、中都。今新、舊《唐書》所載只十縣，以貞元中割中都入鄆州故也。地博厚，川疏明。漢則名王分茅，魏則天人列土，所以代變豪侈，家傳文章。君子以才雄自高，小人則鄙樸難治。況其城池爽塏，邑屋豐潤。香閣倚日，凌丹霄而欲飛；石橋橫波，驚彩虹而不去。其雄麗坱圠有如此焉。故萬商往來，四海綿歷，實泉貨之橐籥，爲英髦之咽喉。故資大賢，以主東道。製我美錦，不易其人。今鄉二十六，戶一萬三千三百一十七。帝擇明德，以賀公宰之。公温恭克修，儼碩有立。季野備四時之氣，士元非百里之才。撥煩彌閑，剖劇無滯。鏑百發克破於楊葉，刀一鼓必合於桑林；寬猛相濟，弦韋適中。一之歲肅而教之，二之歲惠而安之，三之歲富而樂之，然後表衿向訓，黃髮履禮。耒耜就役，農無游手之夫；杼軸和鳴，機罕鞶蛾之女。物不如化，陶然自春。權豪鋤縱暴之心，黠吏返淳和之性。行者讓於道路，任者并於重輕。扶老攜幼，尊尊親親。千數百年，再復魯道，非神明博達，孰能與於此乎？白探奇東蒙，竊聽輿誦，輒記於壁，垂之將來，俾後賢之操刀知賀公之絕迹者也。

孫　逖

送康若虛赴任金鄉序

昔太史公涉汶泗，登鄒嶧，以觀孔氏之遺風。康子之吏於是邦，有以見古人心矣。況大君出豫，將事升中之禮；有司擇人，俾佐泰高之邑。利在求舊，急於使能；位卑才難，亦可宗也。夫强學者義之用，工文者義之本，明識者智之府，令名者德之輿。子曰「凝四德以侍百事」，如農之既勤，若射之有志。行無越思，往無不利。彼游刃於理劇，固恢恢乎有餘地矣。初，余以朋友之故，謫居荒服，憔悴湘汾、縉雲，不調明時，殆將十載。是舉也，所謂理舊污，續常職，信有國之令典，知若人之晚成。五月鳴蜩，載驅翹翹。贈之維何，折彼桑條。餞之維何，席彼秀萋。炎雲在天，景風拂野。時燠方熾，吾子勉之。請各賦詩，以無忘平生之好。

沈光

李翰林酒樓記

有唐咸通辛巳歲正月壬午，吴興沈光適任城，題太白酒樓。夫觸强者醌紙而不發，乘險者帖荼而不進。潰毒者隱忍者而不能就其針砭，搏猛者持疑而不能盡其膽勇。而復視其强者弱之，險者夷之，毒者甘之，猛者柔之，信乎酒之作於人也如是。翰林李公太白，聰明才韵至今爲天下倡首，業述匡救，天必賦之矣。致其君如古帝王，進其臣如古藥石。揮直刃以血其邪者，摧善轂以輦其正者，豈憑酒而作也？憑酒而作者，强非真勇。太白既以峭訐矯時之狀不得大用，流斥齊魯，眼明耳聰，恐貽顛踣，故狎弄杯觴，沉休麯蘖耳。一淫雅目混黑白，或酒醒神健，視聽鋭發，振筆著紙，乃以聰明移於月露風雲，使之涓潔飛動。移於草木禽魚，使之妍茂騫騰；移於邊情閨思，使之壯氣激人，離情溢目；移於幽岩邃谷，使之遼歷物外，爽人精魄；移於車馬弓矢，悲憤酣歌，使之馳騁决發，如睨幽并，而失意放懷，盡見窮通焉。於戲！太白觸文之强，乘文之險，潰文之毒，搏文之猛，而作狎弄杯觴、沉休麯蘖，是真築其聰，翳其明。醒則移於賦咏，宜乎醉而生，醉而死。予徐思之，使太白疏其聰，决其明，移於行事，强犯時忌，其不得醉而死生也。當時骨鯁忠赤，遞有其人，收其逸才萃於太白，至於齊魯，結構凌雲者有限。獨斯樓也，廣不逾數席，瓦缺椽蠹，雖樵兒牧豎過亦指之曰：「李白嘗醉於此矣。」

周

重修宣聖廟記

蘇善隱

觀夫元氣廣大，其中有精，創天地以分形，孕聖賢而紀物。文籍既著，神明乃彰。故有寒暑、晦明、風雨、霜露，萬物得以爲生；有仁義、忠信、禮樂、慈愛，萬民得以爲善。民善則萬物寧，物寧則萬民遂。化成天下，其在兹乎？夫子運繼千年，聖隆三古。蒼龍繞其室，見資始於潤膏；五星降其庭，實孕靈於燭照。生知之德既備，觸類之應如神。其闡教也近而深，其研理也隱而顯。語形器之表，則稱高稱堅，不可得而鑽仰；極禮樂之微，則無聲無臭，不可得而聞見。性與天道，陰隲下民。正褒貶而賊亂消，宗仁孝而淳樸返。位非九五，萬國之化洽，健順之德協；生爲逢掖，四海之風靡，君臣之制備。隨迎莫究，淺深應機。仁者見之謂之仁，智者見之謂之智。真無形之衡璣，乃不夜之日月。所謂德均覆載，其斯之謂歟？夫如是，則豈以軒冕爲隆，恓皇爲替？列國不遇，曾微喜形之數；千載封王，彌光久大之效。陳蔡爲幸，富哉言乎！涵如海兮養如春，揚淇輝兮播芳烈。豈止仁登十哲，山成九仞而已哉？法地則天，有國是仰。清廟嚴宇，率土具瞻。然而道有隆污，時經金革，斯邑之廟，殆存餘基。茨蔓延及危垣，虺蜮羅於敗砌。雖欲反袂拭面，又念不爲胡成。竊用感傷，遂圖經費。先抽己俸，用勸衆心。洵敬教之心，遂擬議而發。高厚大小，荒以度之；歲月日時，勤以兼之。力役止於公人，繩墨資乎良匠。締構斯起，宏麗可觀。忽見棟宇之隆，有叶雷天之象。爛然翕艴，突爾岧嶢。設像圖真，終天如在。怡然處黙，儼同不令而行；黯若凝神，狀似無聲之樂。四科列而星拱，群賢繪而雲集。必有明靈，咸臻盛會。冥宏至教，允協後生。俾其見善則遷，克念作聖。事父者盡孝，事君者皆忠，大矣哉！有以見安土治民，窮高極遠。通天下之志，成天下之務，非夫至德至神，其孰能與於此？噫！七情遂以向方，五教挹而無竭。人能弘道，首振儒風。屬以日月貞明，乾坤交泰。崇儒是務，樂善斯得。復啓大周之運，載揚忠厚之風。聖教覃敷，彝倫攸叙。倒載之戈戢矣，如砥之道漸矣。所期天長地久，上丁之祀無窮；本固邦寧，下武之基永泰。善隱幼虧變允，長漸親仁。三隅罔類於疏通，百體鮮符於順正。未能寡過，有忝庶官。三年雖歉於足民，一日難免於必葺。不敢假手，恐有愧辭。謬效文爲，莫繼外孫之作；止於辭達，敢忘先聖之言。爰勒貞珉，粗留實録。廣流軌範，萬古延洪。時顯德三年丙辰歲夏四月癸亥朔二日甲子記。

《舊志》《前志·學宫》記文甚多，今登其一，餘附「學校」，本卷并詳「總叙」。

宋

李頌 任城主簿。

重修廳壁記

郡齋舊址，乃鉅野之廨宇也。頃自周室肇興，魯侯叛命，六飛薄伐，孤壘蕩平。天子乃迴法駕，儼環衛，考三壤之成賦，欲萬邦之作乂。以其大兵之後，厥俗未濟。斯地扼數州之要害，斯民據聚盗之泉藪。化之則從風者少，劾之則挂網者多。由是宸襟屢謀，明詔乃下。爰廢兹邑，聿建是州。寇攘浸衰，城壘方堵；局促有同於晋儉，經營靡及於衛臧。雖露冕褰帷，無廢六條之政教；而上棟下宇，不揚五馬之威風。剖符載易於數朝，視事繼仍於舊宇。我大守譙公之下車也，一之歲，視民之所疾苦者，除之；吏之不簿入錢穀者，乂之。奸之巨蠹者，夷之；猾之太暴者，芟之。一境於是乎以寧。二之歲，犯回律者，正之；冒時禁者，繩之。孝弟者，奬之；潔廉者，用之。黎人於是乎知勸。三之歲，茂才者，舉之；异等者，揚之；墨綬之吏、居官之治理者，旌之。鄰邦於是乎仰化。公知化之克修、事之既簡，因追《大壯》之義，欲興必葺之功。且曰：「凡治州或刺郡者，以化民爲先，致理爲務，豈特飾臺榭亭宇悦心意耳目哉？然則舊政因循，廳事湫隘。廳者，聽也，將欲聽郡政而牧黎民。事者，功也，將欲崇化功而敷六察。若怠傛功之用，良辜共理之心，矧玆樂郊，攸同浩壤。土賦貞墳，草木條繇。鄉號獲麟，旁接濰沮之會；水鄰浮磬，遥分海岱之圻。秦争漢，略獵其功；晉伐楚，侵漁其利。驗九州之别，濟河密惟兖之封；稽十藪之名，大野乃降婁之分。苟儉不中禮，陋如之何？則何以壯我劇郡，爲王甸服哉？」于是凡百官舍，咸命隆修。群司奔馳，百工鳩揆。準繩圬墁者雷動，剖劂板幹者風馳。周廊迴合以虹申，峻宇坱圠而烟聚；層城之樓閣相望，勝地之臺池聿興。麟趾應聖之鄉，居然丕變；馬頰名河之境，焕若維新。郡容既嚴，公庭有翼。命有司敬其事以落之，燕僚屬修其禮以臨之，召樂工合其奏以娯之，發侑幣厚其意以將之。若乃鞅掌在公，朝夕聽政。决盈庭之訟，敷求瘼之言。法令既明，吏士咸肅入其門者，莫不祗畏。又若怡神無事，宣德以詩。歌有道之風，涌如泉之思。酬和無厭，賓僚計協。涉其級者莫不敦穆。豈比夫崇飾峻宇，輪奂雕楹，徒爲燕息之所、娯樂之地而已哉？抑公之爲政也，化暴戾之俗，復禮義之風。申刑制之嚴，弭萑苻之盗。有士民詣闕之請，有朝延借治之稱，有行路游揚之頌，具美咸在，此不能盡書。下吏承命爲文，不遑牢讓。如紀貞珉，俟才之杰者。時大宋建隆四年八月一日建。將仕郎、守任城縣主簿李頌撰文。

金紫光禄大夫、檢校司徒、使持節濟州諸軍、濟州刺史兼御史大夫、上柱國、彭城縣開國男、食邑三百户曹翰。

按，《宋史·曹翰傳》於濟州事實不詳，鉅野治元時已徙，碑新出土中，故《鉅野志》不載。

王禹偁

故商州團練使翟公墓志銘

公諱守素，字昭儉，濟州任城人也。宋乾德以後知鳳翔府事，朝議以趙保忠歸鎮夏臺，可息經費求其監護，無易公者，遂再往焉。公承上戢下，頗叶便宜。改石州，駐泊上，以公馳驅且久，齒髪漸高，俾歸郡封，以均勞逸。在郡周歲，方將拜章，乞骸骨老田里，以淳化三年八月五日遘疾，終於官舍，享年七十一。娶張氏，封清河郡君，先公而終。子二人，長某早亡，次繼恩，右班殿直。孫若干人，長惟德，商州衙内部指揮使。四年四月某日，葬於開封府某縣某鄉某里，禮也。公歷四朝，事八主，檢校官自常侍至太保，兼官自監察至大夫，階自銀青至光禄，勛自武騎衛至上柱國，爵自縣男至郡侯，食邑自三百户至一千户。惟公謙和畏慎，慈惠恭謹，積此八者終身不衰。嘗莅大郡，臨劇務，無留事，無敗獄，以矜嚴訓軍旅，以持重守邊防。出疆有專對之才，行師無失律之咎。世之稱諳練時務者，公實首焉。凡治商於郡事尤簡，蓋國家優賢養老，且休息之。而早夜孜孜，未始懈怠，若初筮仕者。每斷一大辟，雖罪狀明白，了無所疑，亦必委細諮詢，遍乎僚友，以至再三，而後用法。復能不忤物，不近名，奉詔條外，不求赫赫之譽。知屬吏過失，未嘗面言，必因公宴引數十年前事曰：「某人嘗爲某過，得某罪。」旁指曲諭，微警戒之，周旋縝密，率多此類。故能四十年間無纖芥之過，始全身於亂世，終立事於清朝。語侯伯間，未易可得；考終牖下，不亦休哉！某左官商山，實公之副，熟聞履行，得以直書。銘曰：官二千石，世禄之厚，公能守兮。齒七十二，人生之壽，公能有兮。委質明代，保無咎兮。歸全幽宅，光有後兮。

金鄉張氏重修園亭記

晁補之

濟爲州治鉅野，下土草木不殖，其西北無山，東南五十里乃有山，而金鄉其東邑，故緡城地云。嘗鑿山得金，因爲金鄉。縣凡平土淺山無金，此山乃有金，知其地氣與澤并异。凡九穀果蓏，土有宜，有不宜，此咸宜。若松檜梅篠，遷乎其地而不能爲良者，植此皆良，又不可知也。以余兒時所聞見，其俗饒美，大家率輕作業，樂善而好士。游客晨夜相面背於門庖，無息烟，然不倦。又好爲園圃游樂事以相尚，而非爲利。張氏其甲也，其先世豐人，太宗時侍御史肅，字穆之。以敢言不苟合，四十謝事，爲王黄州所畏，始起家而顯者也。御史子畋，字無逸。高介有父風，亦早弃世。初，壞田作此園，佳木异卉錯置，竹萬竿，出郭門而望，秀色横野。其陽金梭嶺，陰賀溝，起伏异狀。其外莽蒼無際，目極可喜。無逸得此，因忘仕宦。而故張公安道、石公曼卿皆與往來良厚。園有亭，先春張公客游愛之。石公爲宰，每醉而忘返也，皆有詩留亭上。兩公前輩偉人杰士，不妄以詩與人也，蓋六十七年矣。前此無逸子孝綽、孝基、孝孫亦善士好客，能修其先業，猶及與余先大夫游。聞先大夫稱焉，不知園幾時廢。而元符中余南歸，始自鉅野遷此邑，并嶺行溝上，秋稼離離，雉鷩起焉。前館無遺址，桃李不復在，獨兩老檜離立穀壠間。風雨摧剥，蒼皮白枝，龍虎攫拿而上數十尺。下馬牛嶺，北望南武、七日諸山，或斷或續，屏列遠陸如畫。其南數百皀雁飛集，鳴唼聲回。望白水明滅，桑野間意甚樂之，順塗而咏，吾居不可以易此也。因買地築室，距百步，時至其地，捫檜坐石，至於日入。悵然惜兩公之迹將泯，而恨無逸之不復見也。而其孫大方從余游，久乃語之，大方愀然有間曰：「此固張氏地，請復焉。」未數歲則築垣移植如其故，徑楹旁午，草木扶疏矣。且嘗三亭曰「先春」，其舊名也。曰「樂意」，曰「生香」，因曼卿之詩也。又礱三石來，言曰：「其一求文以記其事，其二請書兩公詩與記，俱傳也。」余欣然曰：「吾里俗衰，不有君子何以使復善？且爲近市利，日不足鋤犁腹飽，則載粟入都，市買土宅，士無邑居，故吾里之爲士者微。今子獨能羞而反之，不致求贏餘，既异俚俗意，而憂世家之墜。念祖父之所嘗游，晋公才士之迹至此而俱熄也。」慨然圖復之，又欲因文以傳尤异，余何愛不爲子記之？亦稍稍化吾里。持家猶子，豈但數過？相羊樂飲無人之境，以忘吾老，如是而已也。

金

崔禧

故應奉翰林文字贈濟州刺史李公碑記

勇而易發，此强悍者之喜爲也，然臨難畏死者有之。柔而不武，此仁賢者之常行也，然見義捐生者有之。蓋人之忠節，皆先由乎取舍之明，不在乎辭氣之剛與柔也。平居之時，從容自得，至於行義之美，孰不有是言哉？負勢而直往，肆忿而輕死，直恃勇也。倉卒之變，利害動撓，保身毀節，向之剛猛皆血氣所使，安足恃哉？其有天資純固，涵養精熟，煦然常有温粹之容；低首斂氣，退然似不足不幸。而與禍會，則明誠審决，義不内顧，雖狂鋒虐焰樂爲之。就是豈前弱後勇哉？惟其所蓄之深，有激則奮，必將絶世驚俗，凛然爲天下之英烈，是可重也。然則節義者，士之所素學，以爲名教大法，豈若世間淺淺之徒，但苟合偷生者耶？其爲有國家者之旌賞也，宜矣。粤貞祐之初，兵久不解，賊騎南下，攻圍係戮，肆毒侵淫，二年正月至於濟。郡人李演以前應奉翰林文字墨衰居此，因之率其兵爲備禦三日，賊不能得。并召其黨大年於城下，勢不敵，城陷，公被執。彼固疑其衣冠也，曰：「若非李應奉乎？」蓋賊中素聞其名，意欲得而使之也。公承問，曰：「然。」賊使之跽，曰：「大官可得也。」公曰：「我進士第一人，重有禄位，汝何禽畜，吾豈爲汝使哉？」賊忿擊其脛，碎之，終不屈。繼加以刃，至死猶罵云。嗚呼！懿哉！是其仁者之真勇歟！已而賊退，朝廷遣使宣撫山東，廉得其實，奏請加贈。上意矜恤，繸以濟州刺史之章，仍令勒碑致祭。淵乎聖慮！其知所先務矣。時平亂定，惟在曉人以逆順之理，而起其忠義之氣。今賞典首及死節之士，其於驅策將士，深得其鼓舞之術也。臣禧承命拜手爲之銘曰：君子所守，惟義之爲。威武不屈，死生不移。世教舉此，以爲常理。此而不知，安足爲士？英英李公，初以文稱。循常謹慎，衆未謂能。孰知其中，慨有事在。志吞萬兵，氣蓋四海。狡雛雖鷙，甚玩而輕。奸鈇雖憯，視之猶生。高節終完，素心不愧。聖主嘉賞，忠魂猶慰。鉅野茫茫，黄流湯湯。樹碑其側，名與之長。

元

李　謙

前濟州達魯花赤冀侯頌

史稱良吏，所居民富，所去見思，自非惠利及人、締結其心，能然乎？古之言吏治者，必於龔黄召杜，然考其治績，不過勸農桑，明教化，興利除害而已。而人之戴之，自有不容已者。監濟州冀侯既去任逾年，州之吏民狀其治績，圖建不朽，以申思戴之情介，前永嘉縣尹崔禧以文爲請。按：侯自至元二十一年由沛縣達魯花赤來爲州達魯花赤，朝語謂達魯花赤監莅者也，所在官府皆設焉，位居官僚之右。至之日，適新漕始通，使傳旁午，舟車交集，民夥事劇，倍他日。侯操割應手，他人未易辦者，率優爲之。農隙親循保社民間，户力强弱，參考得實，列爲等差。凡有力役，必按籍均及之。農不失時，商不廢業，遠方聞之，向慕來歸者不可勝計。人有訐訟，必諄切誨諭，俾知義理所在。情有不可耐，始深治，痛繩之，人知所懲而獄訟衰止。久之，郡廓廓無事，則致力學館，延東平文儒楊演來主師席，招子弟秀民開導誨誘，賴以作成者甚衆。公退，躬率僚吏，執經考義，日改月化，貪鄙之心革去，吏風翕然一變。其遇師儒也，爲之買田宅，爲之給僮僕，禮意周至，始終如一。初，漕渠既通，朝命設江淮漕運司，以州廨爲治所。侯以爲公署所以布治，僑寓民居，可暫不可久。且陛級不崇，無以示衆，乃即任城故署創立州廨，爲公堂、爲幕次、爲吏舍，門宇嚴肅，庫庾成列。不費於官，不病於民，而厥功告成。城南數里曰趙村，當驛塗衝要，其地湫隘，歲夏秋之交，積潦所潴，率數月不得通。侯倡其議，築甬道三十里，行者免揭厲之苦。市西有地卑污，人謂之黄土灣，霖潦之際，居民數被漂没。爲雇役夫，迹訪故渠，疏導填閼，水出城達隍中，居者賴之以安。郡之廟學在前代爲最盛，金季之兵，鞠爲灰燼，惟柱礎存焉。國初爲郡者創立小殿，累政因循苟簡，未暇更葺。至是大其基横，因故柱礎爲大成殿五間，顯賁輪奐，一新郡人耳目。春秋暨朔望，身率僚屬，釋菜致奠，備極誠敬，雖風雨寒暑曾不少懈，其敬教勸學如此。以至增葺岳祠，所以備水旱雩宗，非以徼福也。横堂于春暉園，所以宴享賓客，非以娱己也。至其律己以嚴，待人以恕，其臨事也守正不撓，其見義也勇於必爲，又非餘人所能及者。二十八年，被詔徵爲監察御史，百姓遮道請留，馬爲不得前。既久，耿耿在人，彌不能忘，相與伐石頌德，雖史傳所稱古之循吏何以加兹？侯名德方，字正甫，濮之朝城人。讀書明於義禮，既冠擢曲阜達魯花赤，終更徐沛，所至以政績著聞。頌曰：惟王啓監，厥亂爲民。化職爾宣，令由爾申。一夫得情，千室鳴弦。付授非才，民何賴焉？以下有闕文。

陳儼 秘吉監著作郎。

重修李白酒樓記

濟州古任城也，任城古秦縣也。廢興相尋，城復於隍。人非而鶴亦非，邑改而井不改。所謂李白酒樓，又突兀在目中，孰謂世之閲人多者，獨魯靈光邪？抑太白不亡者存，固不與物之成壞相與隆替也邪？至元乙酉冬十有一月，予與客登其上，諸峰東來，出没於烟雲之表者，凫也，繹也。波濤汹涌，與聞上下者，汶也，泗也。日麗沙明，川摇天動，海岱之偉觀横陳，青徐之勝概叠飣，樓之美於是爲最，方太白之觴之也。騁心游目，是迭爲尊俎，閑酬酢物，所謂「落月滿屋梁，猶疑照顔色」。隱在吾目，俯仰之間，去爲傳舍，沈光謂「瓦缺椽蠹」者，宜無迹可尋。今樵兒牧豎，又知指名，曩之凌霄香閣俱爲烏有先生，衹有樓中風月無恙耳。客揖予曰：「是可記。」予曰：「古今蘧廬也，倏來倏往，等陳迹耳。彼無所寄，記將安施？雖然，予爲汝妄言之，汝亦妄聽之。奚夫達人大觀，蓋能齊物我，一修短，遺世而立於獨也。議者謂太白狎弄杯觴，沉溺麯蘖，正恐貽顛躓耳。太白風塵表物也，豈若是芒乎？死生得喪，如晝夜相代乎前，要亦順受其正而已，尚奚托之而逃哉？使生之不辰者，皆築聰翳明而淪於濡首，則其禍不至於滔滔之烈不熄也。昌黎公讀《醉鄉記》云：『吾悲醉鄉之徒不遇也。』予於太白亦云。」客曰：「太白游於方之外，子索於方之内，子束於教，惡乎知？」予曰：「彼亦一是非，此亦一是非，其有辯乎？無辯乎？太白不可作，吾誰與期？」乃作歌招之，凡登樓飲酒者請歌此以酹。歌曰：公昔去兮乘龍，窅雲氣兮蓬萊宫。襟青霞兮佩明月，横四海兮焉窮。濟水兮無波，泰山繚兮鬱嵯峨。思故國兮神游，恍臨風兮浩歌。醉而生兮醉而死，曩孰非兮今孰是。千鍾百榼兮彼且奚適，操一瓢兮吉其止。擘春風兮折瓊芳，援北斗兮斟桂漿。浩冥冥兮徙倚以望，歸來歸來兮舉我觴。

太白酒樓賦

張　頠　導江。○元三氏教授。

惟風姓之苗裔兮，爰資始於宓羲；分徐方以啓土兮，乃任國之攸基。稽成周之邦域兮，屬東魯之封内；逮季任之處守兮，至戰國而猶在。既郡縣之遂更兮，仍舊號曰任城；顧漢世之多賢兮，緊白衣之垂名。余登樓以四望兮，慨山川之不改；溯沂泗之清泠兮，盼梟嶧之杳靄。伊誰架兹棟宇兮，謂太白之曾游；時賀令之稱賢兮，微斯人其誰儔？想勸酬之歡樂兮，恍英靈之在目；鏘玉佩之陸離兮，美荷衣之被服。傷孔孟之不可作兮，嘆中行之莫與；眷耦耕荷蕢之爲倫兮，庶幾超絶而可語。指謫仙以相謂兮，冀青眼之夙開；取狂客以表名兮，亦曠世之英才。觀史氏之稱述兮，固莫知其志也；世溷濁而獨清兮，宜高標之不可幾也。托餔糟而混迹兮，匪慕晋人之風流；寧塗泥之曳尾兮，竊自比於莊周。仰青山之峻嶒兮，觀鏡湖之渺漭；朝欲攀其美木兮，夕欲擘其宿莽。仰浮游於太虚兮，疑藹雲而乘風；將駕景而凌烟兮，追高躅而奚從。倚朱欄而悵望兮，天慘慘其無色；俯清流而鼓枻兮，空盤桓而反側。亂曰：我思昔人，神飛馳兮；古今一息，胡俾我底兮？往過來續，逝者如斯兮！

任城二賢祠堂記

曹元用　尚書省右司員外郎。

士大夫當以氣爲主，氣盛者神完，守固無施不可。以匹夫之微，任將相之重，忠回人主，勇奪三軍，舉天下無足以撓其中者，氣使之然也。苟無所養，從政則惑，交戰則衄。爲孱弱，爲柔佞，薾爾消沮，其克己自存者幾希。是故孟子誨人必以集義、養氣爲事，斯千萬世之法言也。若唐之賀季真、李太白，揆以時輩，亦可謂有氣者矣。季真清談風流，援筆成章，世傳以爲寶。爲集賢學士，逆知天寶之亂，黄冠而歸山陰。太白才氣英特，歌行之文，横被千載，夐乎未有及者。初見玄宗，嘗論世事，帝甚重之，手爲之調羹，詔供奉翰林，後以奴使貴臣力士遭讒而出。二賢尚氣如此，而其所養可知也。倘約以禮而制以義，得行其道，功烈未易量也。惟其意與時乖，放懷乎觴咏，狹天地而隘古今，翱翔物表，浩乎自得。或者乃病其驁誕不羈，豈知二賢哉？初，季真爲任城宰，太白作《廳壁記》述其善政，今任城有二賢堂及太白酒樓。按沈光《酒樓記》：「唐咸通辛巳歲所作惟『二賢堂』，不知構於何時，在任城縣治東北者，故中書右丞冀公爲州時所築也。後易縣治爲驛舍，則其處污穢不足以妥靈揭虔。濟州判官趙義甫乃於南城之巔，東太白樓百步更築堂以像二賢，落成於延祐三年四月丁酉。義甫勇於爲善，廉勤不苟。又後州治築室二十二楹，塑周濂溪等十儒於州庠。兩廡費不資，公帑優游而集，同知濟州事趙吉甫、吏目靖明叔、吴君璋皆詳雅吉士，相與協謀，僉贊以底於成。」嗚呼！當唐天寶開元間，握大權以享富貴者不可勝紀，今則雲收冰釋，磨滅無聞。二賢於任城過游之地，綿亘數百年而人祠祀未已，誠敬如在，蓋養於中者厚及於外者溥也。會義甫等以碑文見屬，因爲作《享神辭》，俾歌以祀。其辭曰：任之城兮神所游，民世沐兮神之休。山川鬱兮風物秀，神兮神兮應久留。神之文兮如天，氣浩汗兮如川。傳膾炙兮萬口，炳日星兮千年。神之靈兮煜煜，駕清風兮挾明月。羌并轡兮儼來，臨顧我任城兮和以悦。景美兮時康，肴醴兮芬芳。神之樂兮洋洋，福我民兮無疆。

李國鳳 中書左丞。

移濟寧路治記

至正八年正月十有四日，上御明仁殿，右丞相臣朵兒只、左丞相臣太平，平章臣、教化臣、定住臣韓嘉訥，右丞臣忽都不花、左丞臣思誠，參政臣福壽、臣思立等言：濟寧路當河水衝，其爲民害甚久。且大臺臣屢言其當徙，已嘗遣中書省斷事官臣曲實帖木兒與僉山東道廉訪司事臣姚埴、濟寧路總管臣别魯沙議，謂宜徙濟寧路於濟寧，徙鉅野縣於城北邢家務，濟寧可權罷去録事司，宜并於鉅野，驛置宜徙於鄆城，學校、倉庫、軍士鎮守之在路者宜與治俱徙，城市之民貧不能自徙者，可量給中統鈔二千錠以相其役。臣等敢昧死以聞。上曰「可」。署既下，以章佩監卿臣鼎賢帖木兒督視之，臣别魯沙以二月十五日率其僚屬與民俱東，乃二日至濟州，即州爲治，民遂奠居。未幾，别遷河間鹽司轉運使上選可治濟寧者，三月一日乃以前江東廉訪副使吕魯爲總管，臣魯以四月八日陛辭，五月乘傳就道，六月一日視政。凡所設施，一體上心。勞來移集，撫綏惸羸。刮垢剔蠹，民賴蘇息。豪猾讋栗，善良自遂。利害興止，朝不遑夕。威惠并著，流聲京師。越明年正月，上嘉其爲政有兆，遣使錫金、織綺、彩繒各一，且獎且勸。時守若令同受賞者凡十九人，天下以爲榮。國鳳伏居田間，適際盛事，竊嘆曰：「自漢而下，此典舉不一再，乃今復睹，何幸如之！」既而達魯花赤穆理直以幕僚張良佐具移路顛末，求文勒石。鳳惟河之爲患非一世矣，當金季河嘗分流，北趨清河，南接淮以入海，濟嘗被害，來邑於兹。天朝初，興河并於南，北流遂涸，濟以無事，還治鉅野。今甫百年，患復如故，雖曰天時，亦係人事。蓋河决不南已廿餘年，水監、河防唯務堤障，取土築北，北决亦甚，因循導引，以至今日。徙邑以避，有不待智者而後决，蓋盤庚遷都至煩，三書强聒而民乃信。今陛下憂民之心誠切周至，去民墊溺，就民饒沃，民翕然遄往如歸，以獲嘉靖。慎擇牧守，復畀濟以賢侯，既安其生，又樂其業。於戲！天地之德，其有量哉！則爾民之所以圖報效於上者，宜何如耶？吕侯，字子唯，京兆人，故翰林侍讀學士，謚「文穆」，諱專善之孫。文穆實衛國許文正公衡高第弟子，其淵源爲有自云。

汪澤民 兖州知州。

二賢祠記

濟州古任城也，有太白樓，二賢祠蓋新遷，以祠唐李翰林、賀賓客。賓客嘗爲任城令，翰林寄家東魯，二賢素相知，今立祠固其所哉！考譜傳，唐開元中李白游雲夢至齊魯，天寶初至長安，太子賓客賀知章一見賞其文，呼爲謫仙人，言於玄宗，詔供奉翰林。尋懇求還山，復之齊魯焉。或傳於任城造酒樓，其居在酒樓前，邑人以重名望其里而加敬。客金陵有《寄東魯二稚子》詩，徵辭玩意，或人之傳不誣。開元十三年，賀公禮部、集賢兩命光寵，後遷太子賓客，授秘書監。天寶初，請還鄉里，敕賜鏡湖而歸，史傳不載爲任城令。翰林稱其宰邑三歲，再復魯道，竊聽輿論記之於壁，傳多疏訛，當以記爲信。然二賢初見長安，賀公已遷賓客，是作令時猶未之識也。且辭退俱在天寶初，任城之會其當斯時與？亦莫可考矣。以賓客之賢而知翰林，翰林識汾陽王於行伍間，知鑒若此。至於杯觴取適，豈尋常昏嗇麯蘖是托之倫耶？宜乎去已久而奉祠不衰也。樓據南城，前瞻凫嶧，周覽闤闠，汶泗合流，帶乎城闉。南北舟車雲集輻輳，過者罔不企慕慨嘆而去。祠舊在任城縣治，縣治改驛館，祠遷南城，東距太白樓百步。後又益爲三楹，扃鐍洒埽，亦既嚴飭。至正二年壬午，雙泉楊公文書訥持節副憲山東，道出任城，謁祠慨然曰：「昔之酒樓迹固堙廢，今樓名太白，使客燕賞於此，而祠顧居西偏，弗稱神栖。」乃命知州蔡君遷祠於樓左，濟寧總管劉侯開之亟叶厥謀，像設儼如，采繪絢如，面勢尊崇，是宜是稱。工既畢功，蔡君以郡侯命屬澤民爲之記。嗟夫！二賢之進退久速不同，其傲睨人寰，脱屣軒冕一也。神游人表，豈獨眷眷於斯樓乎？後之人仰止高風，無以致嚮往之誠，直因其宦游居息之地而并祠之耳。雙泉公可謂能尚賢者也，家世濟美，先中丞夏國襄愍公勛庸忠藎，照耀簡册。公又以清操偉才歷臺憲，向任山東僉事，建尼山書院，勉進學徒。今是舉也，將俾夫拜祠下者肅然如在，足以消其皇皇聲利之心，是亦廉頑立懦之意。劉侯名承祖，治郡廉能著聲。蔡君名思，參政逢原之子，知所敬尚，咸可書也。濟、兖故魯郡，今爲隣州，澤民承乏於兖，睹兹盛美，遂不辭而書。

泰定丁卯瑞麥圖記

泰定丙寅冬，李侯文晦守濟。明年夏，瑞麥生，而劉氏大器之别墅爲尤异，穗有岐而至四五者。衆欲上聞，侯拒之，劉氏乃圖藏於家。侯後擢御史，終閩海憲副，大器亦卒。後又十八年，侯之子國鳳從劉氏子木得是圖，不忍堙没弗傳，濟人將勒諸石，徵説於余。竊惟休徵嘉瑞，其類非一，景星慶雲之昭乎天，甘露醴泉之溢乎地，朱草靈芝之産乎宫室，蓋必有由以致之，非偶然者。若夫禾麥之瑞，所關尤重。八政食爲先，孰有過於是哉？《思文》之詩曰：「貽我來牟，帝命率育。」《臣工》之詩又曰：「於皇來牟，將受厥明。明昭上帝，迄用康年。」蓋麥之成先於五穀，可以占豐穰，可以濟乏匱，是故詩人兩言來牟，推原所自，必歸乎上帝之賜而嘆美不已也。李侯治政致祥，不有厥善，久而彌章。有子以文雅稱，余嘉其志，作《瑞麥圖説》。侯名絅，濟南人。至正癸未歲春三月朔書於兗州之寓舍。

白守忠

前題

余方居憂中，客有携《瑞麥圖》見示，一莖至五穗或三四穗。詢所自，考其年實李公文晦治濟州時也。嗟夫！灾祥之來，皆人所致，必人事順於下，而後天道應於上。惟我聖元，以神化化，凡下公能宣而布之、敷而誕之，此其感召之著乎？箕子曰「雨暘燠寒風」，時之各得其叙，則庶草蕃廡，此豈特庶草之蕃廡乎？成王曰「至治馨香，感於神明」，此豈感於神明者乎？子思曰「致中和，天地位焉，萬物育焉」，此豈非中和之所致乎？蓋公愛物之仁，出於誠一，是以人樂其德，神降厥祥。嗚呼！此豈人力之所能哉？後公歘歷臬府，入拜御史，終閩海憲副，時去濟已十餘年矣。而濟人追慕不已，爲立遺愛、去思二碑，則其德化及人之深可知矣。公平昔與先父爲最厚，余撫卷不覺泣下，因謂客曰：「與其傳諸圖，曷若勒諸石以示悠久，俾世之瘝厥職者有所監戒焉。」至正癸未夏五望書於晚翠亭。

趙之敔 濟寧路學正。

嘉祥縣達魯花赤碑

聖元統有天下，立治道成治功者，非一人一身之所能備，必須百工分職，授政以理之。至於路、府、州、縣各設守令，以操刑賞之柄，或慮其難治，仍選蒙古人一員，謂之達魯花赤，彈壓其上，守令以次咸聽命焉。生民之休戚，治政之美惡，實係達魯花赤之賢不肖，非清明勁烈、果毅能斷者不足以任此職，惟我監邑公誠能稱其職矣。公蒙古人，小字伯岳解。至元丙戌，受鐵古公主懿旨，愛先鐵木兒駙馬鈞旨，管領本投下打捕鷹房種田户達魯花赤。至元庚寅，祗受敕牒，充豐縣達魯花赤。至元貞乙未，敕授進義副尉，改除嘉祥縣達魯花赤。公之爲人剛正而睿明，忠誠而廉幹。下車之日，諭皂隸人曰：「敢以私害公，强凌弱，侵漁百姓而利己者，必不恕。」人觀其辭色俱厲，莫不惕若。尤謹家法，内外悄寂，無敢喧嘩，門無請托饋獻者。其左右人每嘀嘀若不敢前，公謂人曰：「此輩治之不嚴，或借勢以作弊。」入市買物毫髮不敢少其直。因朔望拜祝於宣聖廟，顧其闕略，請議於同僚：「夫學校宣明教化，作養人材，吾輩不爲振舉，則無以副朝廷崇儒重道之意。」悉皆聽從，遂藉民力，兼出己俸，創構兩齋，重修明倫堂，焕然爲之一新。招誘民之俊秀者，寬其户役，激勵勸勉，使有所歸向，文風翕然大變，可謂知爲教之本矣。及於東岳城隍神祠俱加增修，創建三皇、義勇、武安王廟。在邑耆年人等狀公政迹，達於憲司，雖未蒙升選，而亦知公之廉慎，每有難事，屢遣委問。大德七年，壽張縣開河告發水站官吏不公，即遣公審問其情，據法迎刃節解，不旬日而事乃畢。使情僞告服其辜，人稱明决，無偏頗不平之怨。大德癸卯，邑人前宿州吏目陳安政、知事張祚、提領李琛、仇益、教諭王伯祥以狀抵予曰：「我監邑公自元貞而歷大德，在任九載而終無一毫之弊，願刻一石以紀公之政績，使後來者有所景慕爲何如哉？」予前忝縣教，素知公之惠政，義不可辭，許歸刻焉。嗚呼！歷觀古今之爲政，貪者必殘，廉者必仁，如形聲影響之必然。蓋貪則不足，不足則凡可以力取者，雖以一己害天下不顧也。廉則不苟，不苟則雖一介之輕，不義則不取也，又安肯害物以益己哉？公臨嘉祥，於是九載，僅得温飽，體無餘衣，室無餘財，五事備而民不擾，方之漢唐循良之吏，不可得也，故宜書之。大德七年癸卯冬十二月吉。

明

焦竑　翰林院修撰。

曾志序

孔子訂「六藝」以垂萬世，《易》《詩》《書》《春秋》皆因古人之纂述稍稍删次之而已，其自言惟《論語》《孝經》《戴記》爲詳。《孝經》爲曾子而作，《論語》成於曾子之門人，《戴記》《學庸》二書表章於宋，又曾子以授之子思者也。由此觀之，孔子之學惟曾子得其宗，豈誣也哉？當時三千七十子之流，聰明才辨者非少也，而獨曾子之魯得之。此無异故，蓋《中庸》等耳，乃君子得之以時其中，而小人得之以恣其無忌憚之爲，則受之者其器异也。孔、曾之時，逆知後世之小人有自詭於《中庸》者矣，故綢繆於仁義禮樂之文，諄復於孝弟忠信之行，一以微言相授受其憤悱也。深則入之，必易磨礱也，至則居之必安，非曾子弘毅之器，何足以當之？不然，道之未得而務灑落，古人之形迹將蕩然無復可守之矩度，而移游茫昧，反易爲浮誕惰縱者之所托，在聰明才智者往往然矣。此學道者，非斷乎以曾子爲宗不可也。我朝稽古右文，孔氏及顔、孟之後皆被延世之賞，舊矣。曾氏子孫自漢都鄉據南游豫章，嘉靖初下詔訪求，乃得之，今并稱「四氏」，列於世官，何其盛也！三氏向有志以紀世系，暨累朝恩禮之盛，曾氏獨闕。裔孫博士承業請於直指姚公，力成之，而問序于余。余聞公侯之世，必復其始。矧夫統一聖真，而身繼往開來之重者乎？然則曾氏之顯融光大，乃理之常，而非遭逢聖世，亦孰能成之？夫原本道術，以載國家崇儒重道之美，余之職也，乃不辭而爲之序。

顧鼎臣

昆山人，吏部右侍郎。

爲崇植先賢系胄以隆道化疏

竊惟堯舜禹湯、文武周公之道，傳至孔子而大明，其德與功垂之萬世，直與天地同其高厚矣。孔子傳之曾子，曾子傳之子思，子思傳之孟子，不惟心相授受，且筆之於書，以詔後世，泄天地之精藴，揭宇宙之綱維，匯六經之淵源，埽百家之蹊徑。考之《論語》《中庸》《孟子》所載，如一貫之旨、正心修身之學、中和位育之功、性善誠明之説、王霸義利之辨，微言妙道，不一而足，直所謂「爲天地立心，爲生民立命，爲往聖繼絶學，爲萬世開太平」者。然則，曾子之功豈小補哉？暴秦坑焚之後，道學不明。漢司馬遷稱良史，其序《孔門弟子列傳》但曰「孔子以曾參能通孝道，故授之業，作《孝經》」而已。唐韓愈竊附於聖人之徒，其序道統之傳，直以孟子接孔子，他尚何説哉？良由《大學》《中庸》二書混於《戴記》篇中，不與《論語》并顯，學者莫知其爲學之權輿而討論之，是以時君、世主徒知推尊顏、孟，而忽曾子、子思。自唐迨宋，猶列曾子於「十哲」之後，子思則杳無聞焉。宋仁宗始表章《學》《庸》二書，而程子灝、程子頤、朱子熹諸儒更相發明，溯流窮源，使天下後世曉然，知道統授受之功，曾子爲大，而子思次之。咸淳三年，由是始升曾子，次配享於顏子，躋於孟子之上，而「四配」之位始正，是萬古不易之論也。我太祖高皇帝御極之初，首詔孔氏子孫襲封衍聖公，并世襲知縣，并如前代舊制。景泰間因修顏子、孟子廟，特置世襲翰林院五經博士各一人，以主祀事，此恭仁皇帝稽古右文之盛舉也。夫曾子傳道之功，優於顏子，而孟子私淑於曾子、子思，今顏、孟子孫皆世襲翰林院五經博士，而曾子之後獨不得沾一命之榮，豈非古今之闕典也哉？當時典禮守土之臣，曾無一言及此者，豈以曾子子孫散在四方，歷世久遠，譜系不明，恐有冒濫之弊？臣嘗考春秋之時，莒人滅鄫，太子巫仕魯去邑爲曾，然則曾子去受姓之祖甚近也。後世凡曾姓者，孰非曾子之子孫乎？又訪得正德年間，今都御史錢宏任山東按察司僉事，巡歷至嘉祥縣，謁曾子祠墓，因今有司訪求附近編氓中曾姓者，得一農夫於深山中，貌甚樸野，詢之果曾子之後也。不知當時錢宏何不請於朝，而復使之淪没耶？必以其人鄙陋，不可厠于衣冠之列故耳。臣愚以爲，先王興滅繼絶，崇德報功，其意甚廣，其道甚遠，不當因其子孫無賢而遂已也。臣自入仕以來，見三氏子孫來朝輒有感於衷，耿耿不忘，幾三十年。茲者，恭遇皇上厘正孔廟祀典，一洗前代陋規，重勞聖駕臨幸國學，躬身釋奠之禮。臣謬以章句之儒，得一預俎豆之事，欣榮鼓舞，不能自已。乃敢陳其愚見，仰瀆宸嚴。夫亦數千載未備之典，必有待於今日歟！乞敕内閣禮部議擬，取自聖裁，准照景泰年間顏、孟二氏事例，訪求曾氏子孫相應者一人，授以翰林院五經博士，世世承襲，俾守曾子祠墓，以主祀事。斯文幸甚！奉聖旨，禮部：看了來説。

先賢仲子贊

汪邦柱 工部都水主事。

魯仲子，鍾靈祉。爲熊羆，非虎兕。骨不凡，性特駛。挾剛腸，斷柔指。得歸依，自孔氏。勸之學，奮然起。劍何爲，舞近俚。服先王，佩義理。敦詩書，親圖史。言雍容，行逶迤。游澤宫，問泰時。射徐升，飲緩跬。坐春風，侍蔬水。一堂席，四方趾。世滔滔，俗靡靡。拯者誰，吾師是。講習餘，轍環始。躬執輿，問津使。沮溺耕，荷蓧耜。隱者招，非相訾。晨門譏，伯寮毀。力猶能，肆諸市。有命焉，其如彼。絶陳糧，飛匡矢。調宫商，應角徵。彈琴歌，釋鞭弭。爲栖栖，無暇晷。久道塗，困行李。浮海從，公山止。中牟叛，南子否。禱有諸，對曰誄。所不知，闕未俟。種種疑，赧欲泚。頂門針，當下捶。磨不磷，涅豈滓。抱經綸，攄底裏。各盡言，毋吾以。爲國忙，遂率爾。救饑饉，壯甲鞞。勇知方，氣非鄙。問成人，戒偏倚。忠爲胎，信作壘。集諸長，衹剩技。文禮樂，淘糠秕。溯羲皇，暨姚姒。説夏商，慨宋杞。莠亂苗，朱惡紫。意肫肫，言纚纚。一蔽存，全體疵。玉石磋，骨角剞。嘐潛銷，野奚累。羽既括，鏃益砥。去末學，相倍蓰。舍雄鷄，共雌雉。瑕無衣，鳳有枳。和不流，中不倚。而强與，升堂矣。權門張，公室圮。畏行行，寢不軌。小邾奔，挾要侈。千乘盟，無足恃。獄訟繁，多利觜。折片言，噬乾胏。彌子瑕，人中傀。媚是狐，柔則婢。食珍羞，衣紈綺。竊君靈，弄國璽。方之吴，幾伯嚭。進殘桃，驕上軹。寵一衰，終朝褫。欲攀援，甘言詍。正士妻，佞婦姊。托蒹葭，依葛藟。清濁分，界淇洧。却衛卿，遠瓸痔。聖後先，道一揆。夢周公，見几几。攝魯相，權不骫。乿政教，與撫敉。拒萊兵，懾奸宄。文馬驕，女樂被。敝馬裘，并貉臯。無忮求，何憾耻。賦白華，思修瀡。事二親，少脯酏。不擇地，爲禄仕。蒲三年，民樂只。治田疇，廣儲庤。樂蠶桑，絶庚癸。風還淳，俗化詭。庭無人，户有卮。淪肌膚，洽骨髓。追其去，喪考妣。數稱善，庸盡美。涉湘江，度鄂涘。印峨峨，綬纍纍。擁旌旄，乘騄駬。哀劬勞，嘆岵屺。昔者貧，不我俾。突無烟，釜未庀。今食前，列鼎簋。難下咽，爲甘旨。安得長，承歡跪。負升斗，展肩頹。壽千齡，日百里。仰白雲，頻顧諟。藜藿悲，痛没齒。孝竭力，忠忘己。

無貳心，質既委。通鬼神，了生死。臨大難，整冠履。中庭哭，惡容已。謂惡言，不入耳。傷聖心，不在此。性命交，存亡視。道脉孤，擔荷弛。何人斯，忍舉匕。概生平，難備紀。善速遷，義急徙。聞斯行，告則喜。豁賜知，聆曾唯。左冉牛，右孔鯉。辯魯魚，別亥豕。三千徒，七十士。及門者，何比比。若而賢，誰堪擬。大聖廡，亞聖第。儼步趨，相拱峙。惟其有，所以似。岱蒼蒼，泗瀰瀰。星軺停，錦纜艤。望郊原，問桑梓。卞有沱，濟有汜。來無垠，去莫抵。走賢愚，驅遐邇。采汀蘭，摘沼芷。潔藻蘋，薦筐錡。拜遺像，瞻故址。百世師，千秋祀。云誰思，魯仲子。

陳堯 南通州人，總河。

先賢仲子祠記

余讀《孔子世家》載孔子弟子自顔閔而下，身通「六藝」者七十二人，皆一時英才也。又皆出於齊、魯、鄭、衛之國，而得聖人爲之依歸，相與考德問藝，談説先王文物，彬彬然盛矣。吾意孔子聖人也，其所爲教，必有幽深奥妙、絶人駭世之談。諸子賢人也，其所爲學，亦必驁奇炫博，出乎人倫物理之外者。及觀《魯論》中稱説，孔子之教不過曰：文、行、忠、信，詩書執禮。諸子之學，亦惟守其師説，精思力行，各就其質之所近，斐然成章而已。吾今乃知聖人之道，無甚高遠，而其教易行也。昔者子路號稱高第弟子，孔子不稱其仁，而稱其可治千乘之賦。雖子路之志亦在於使民有勇而知方，此皆今之白面書生，操觚搦管，指爲武人之長材，俗吏之所爲而不甚難之者。乃孔門師弟子方且從容問難，謂經世之務不出乎此，譬諸大羹、玄酒，名爲至味，非所以適口而利用養生，舍此而無由也。然則政事之學，豈可以不講歟？今天下日多事矣，歲惡民流，盜賊蜂起，賦繁役重，杼軸其空。邇者徐沛之間，黄河變遷，郡邑爲壑，魚鱉入市，鷄犬上屋，浮骸載道，萋苴滿目。又漕渠阻絶百十餘里，此猶扼人咽喉，絶其食飲，其勢誠急而不可須臾緩也，豈非一大變哉？當是之時，安得子路之才而治之？吾聞子路治蒲，孔子之入其境，野無蒿萊，民多强毅。入其郛，高城深池，外寇不侵。登其堂，問其政，紀綱秩秩如也。孔子曰：「善哉由也！可與治民矣。」夫子路治蒲之政，即孔子前日與之從容問難者，初非有驚奇炫博、絶人駭世之談也。然則學聖人者，豈以立异爲哉？濟寧南四十里許有仲家淺，仲氏子孫居之，至今五十九世矣。舊有仲子祠，乃治水諸御史大夫與諸工部尚書郎爲之葺治，付其後人守之，以奉蒸嘗者。顧繫牲之碑，闕焉無文，於是工部主事葉君以蕃謁余爲記。余惟春秋之世，若三桓在魯，諸田在齊，皆以大夫而擅人主之權，奪公家之利，氣勢赫盛矣。乃苗裔錯沉，譜系放失，即三尺之墓、半畝之宫亦蕩爲游塵，莫可踪迹，不知幾何年矣。獨子路之賢，天篤其祜，今其雲孫若煦、若呵又皆博學，補弟子員，得以衣冠守其故宇。歲時伏臘，牲酒馨香，歌詩習禮，饗獻不忒。是雖朝廷崇祀之典，已配食於先師之廟，其桑梓之鄉，觀望尤重，豈不大有光耀歟？余有感於孔門人才，隨試輒效，視今之縱談心性、漫無實際者何如也？遂書之記。嘉靖四十四年己丑秋八月吉。

王守仁

伯安，餘姚人，新建伯。

太白樓賦

歲丙辰之孟冬兮，泛扁舟余南征；凌濟川之驚濤兮，覽層構乎任城。曰太白之故居兮，儼高風之猶在；蔡侯導余以從陟兮，將放觀乎四海。木蕭蕭而亂下兮，江浩浩以無窮；鯨敖敖而涌海兮，鵬翼翼而承風。月生輝於采石兮，日留景於岳峰；蔽長烟乎天姥兮，渺匡廬之雲松。慨昔人之安在兮，吾將上下求索而不可；蹇予雖非白之儔兮，遇季真之知我。羌後人之視今兮，又烏知其不果？吁嗟太白，奚爲其居此兮，余奚爲其復來？倚穹霄以流盼兮，固千載之一哀。昔夏桀之顛覆兮，尹退乎莘之野；成湯之立賢兮，乃登庸而伐夏。謂鼎俎其要説兮，維黨人之擠詬；曾聖哲之因時兮，夫焉前枉而直後。當天寶之末代兮，淫好色以信讒；惡來妹喜其猖獗兮，衆皆狐媚以貪婪。判獨毅而不顧兮，爰命夫以僕妾之役；寧直死以顱頷兮，夫焉患得而局促。開元之紹基兮，亦遑遑其求理；生逢時以就列兮，固雲臺麟閣而容與。夫何飄泊天之涯兮，登斯樓乎延佇；信流俗之嫉妒兮，自前世而固然。懷夫子之故都兮，沛余涕之湲湲；廟堂之偃蹇兮，或非情之所好。惟不合於斯世兮，恣沉酣而遠眺；進不遇於武丁兮，退吾將顏氏之簞瓢。奚黼蘖其昏迷兮，亦夫子之所逃；管仲之輔糾兮，孔聖與其改行。佐璘而失節兮，始以見道之未明。睹夜郎之有作兮，橫逸氣以徘徊；亦初心之無他兮，故雖悔而弗摧。吁嗟其誰無過兮，抗直氣之爲難；輕萬乘於褐夫兮，固孟子之所嘆。曠絶而相感兮，望天宇之漫漫；去夫子其千祀兮，世益隘以周容。媒婦妾以馳騖兮，又從而爲之吮癰；賢者化而改度兮，競規曲以爲同。卒曰：嶧山青兮河流瀉，風颼颼兮澹平野。凭高樓兮不見，舟楫紛兮樓之下。舟之人兮儼服，亦有庶幾夫子之踪者。

王　畎山陰知縣。

漢丞相潁陰侯灌嬰墓記

歷代君臣陵墓，遍諸九域，而於史傳，考無詳載，蓋因而因之也。或專乎山川之美，或殉乎地輿之葬，或襲乎封爵之邑，因之者然也。世變時遷，巨陵高冢存乎地上者可數。若丞相墓，略無所據，恒聞故老有言：陽春發暉，風日條遠時，有烟氣覆於冢上，世傳「灌冢晴烟」，祇今爲郡城之景咏，爲鄉曲之地名，古稱「灌冢村」，亦因而因之也。屬濟寧城東去舍許，山川邈遠，土壤沃饒，有墓在焉。予按文考公乃古諸侯斟灌世裔，因國得姓，疑昔者受封之地耶。公諱嬰，號昌文君。從漢高帝滅項羽，功封潁陰侯，官至太尉，提兵誅諸吕氏有功。文皇帝即位，甲子三年冬十一月拜丞相，甲子四年冬十二月卒。丞相歿後，去今千有餘年矣。其窆石封樹，零落殆盡。居民私其地耕種於上，牛眠兔走，牧唱樵歌，踐踏幾平。草烟禾露，晝暝夕曛，蒼莽荒虚，至於如此。且丞相攄大節，恢大志，臨大政，爲一代之名臣，得無以爲忠孝勸？凡今之人，未嘗加以少睞。正統六年春，鄉彦李睿者，爲貴藩右參議，父壽禄翁卒於嶺南，舁棺歸葬故土，而與丞相墓阡陌相連。參議感悼不已，欸然泣下，顧謂左右曰：「五百年後，吾其誰與？」遂完祖塋，然後纍丞相墓，增土一丈九尺，廣其地百四十步，種樹築垣，遹顯是績。時郡太守金華陳公友直、同知州事江夏王公彦成、州判會稽任公澤蘭、常熟金公鼎聞之，復相語曰：「舉廢務，興故事，乃士君子之當然，況我輩職於斯郡，盍爲之？」復增享堂十二楹，石鼎一，石几一，使居民以時祀之，庶無忝於厥後。方將鑱石，征南大司馬、兵部尚書王公奏撫鎮蠻夷，保守地方，貴藩乏員，部臺重臣推參議公有守有爲，升貴藩憲副，朝廷遣官至，膺命遂行，實正統六年秋七月十二日也，故立石以記之。頌曰：鹿走中原逐其踪，我公拔劍來相從。六年五載奏成功，匡扶天子騎黄龍。君臣會際將攸同，江山鞏固梯航通。誰其之子騁豪雄，無良諸吕專王封。出師左次勒兵鋒，妖氛厲瘴遂滅空。文皇嗣位官優崇，黼黻朝端殫厥衷。吁嗟元命鞠罹凶，猛氣銷沉落長虹。蒼天浩浩曷穹窿，白楊摻摻來霜風。雕弓漆盾埋蒿蓬，墨陽銅匭潛幽宫。洸河西畔波冲融，嶧山東距石龍嵸。豐碑峨峨夕陽中，長留天地垂無窮。

國朝

高　裔

素侯。○宛平人。

書潘允慎家傳後

濟寧潘生應賓，以其祖允慎家傳乞言，於庸行外有衝擊流寇、脱祖母於死地及奮身蹈火出其兄於燔薪二事。嗚呼！明至懷宗末土崩魚爛，一壞不可支，蓋由人主孤立，無公忠憂國、慷慨任事之臣，因循蠹壞，以至此極。夫賊初起，不過流亡啟困饑民，以數輩貪頑凶竪倡之，其勢易張，其黨亦易散。而中樞庸暗、督師專制者畏懦蹙縮，惟務苟且，羈縻武臣，養賊脅上殘民，於是四海騷然鼎沸，上下傾壞，雖有智者不能與謀。昔張獻忠由中原轉寇楚屬，每數十騎薄嚴城下，守令即率僚佐開門，匍匐迎道左，愚民震栗喪氣，千百羅跪，賊數十人次第呼而戮之，未呼無一人起立者。而賊性凶殘嗜殺，吏雖降服，或猶榜笞、索金幣，甚者割剥耳鼻爲娱笑。使能如允慎挺身殺賊，縱不克，勢不過死。而允慎固保身與親，泰然而無患也。嗚呼！國家大事既去，在事諸臣，視宗社傾覆如秦越人之肥瘠，持禄避事，以官爲傳舍。且構門户、快恩怨、争利權、肆欺罔，山崩川竭，禍在旦夕，而把持益牢，雖欲不亡，豈可得乎？雇工村嫗受主人值，勞苦趨事，怒則數罵棰楚，一旦其家棟宇傾頽，主人將壓覆，亦且呼而避之，太息而哀悼。國家以厚禄高位愛禮士大夫，其相報至於如此，豈非天命退終？故多生亡國之材，使恣於民上，而天下士之忠孝强立有才實者，必使槁項黄馘而不得一試與？嗚呼！豈不悲哉？

王士禎 阮亭。○新城人。

任民育楊定國傳

任民育，字厚生，濟寧州人。居泗水上，家世業農。民育始讀書爲儒，年二十六補諸生，中天啓甲子鄉試。民育雖書生，居嘗俶儻，好奇計。崇禎戊寅墻子路之警，總河侍郎周鼎北援臨清，以運判馮元飈署濟寧道事。城守雅知民育，引參軍事。會閹人高起潛軍至，所部丁志祥縱兵大掠，元飈捕斬數人，起潛大恚，責取濟寧不用援兵狀。元飈以問民育，決計與之，濟寧以安。壬午大兵再下山東，及濟寧，民育城守益力，遂去而攻兖。當路知民育有將帥才，於是淮撫史可法以通州請保撫，徐標以監軍請，吏部惎之，授潁州知州。潁數被兵，民多保聚，人自爲守。民育至，更團結部署，身任師帥。兵事之隙，問民疾苦，三月潁大治。甲申流寇犯闕，鳳督馬士英南奔，民育輿櫬於庭，集衆誓死守金陵建國。史可法以閣部督師揚州，乃舉民育知府事。未幾，高杰、黄得功争揚州，戰於城外。軍中失得功，可法將以黄蜚乙邦才兵攻杰，民育力言不可，乃止。翌日知得功間道歸營，其能斷大事皆此類也。杰爲許定國所殺，麾下自河南竄歸，願隸督府，可法不納，民育言得此勁旅，外可以拒敵，内可以制四鎮，納之便，弗聽。亡何，我兵大至，民育乘城守禦，日夜綦嚴。而可法守舊城衛，允文守新城，事權不一。會天雨城圮，遂入之。民育緋衣坐堂，皇天兵至，諭降民育，不可，飲刃死，揚人聞之皆泣下。先一日，星隕於署，櫪馬皆驚，民育自分必死，散遣諸妾，惟寡女適劉氏者與一女留署中，至是俱縊死。幕客陳美、僕文道等五人皆從死，妾姚氏本揚人，投水死。三子鍾華、鍾蘭、鍾崧走匿民間，得免。楊定國亦濟寧人，遠祖浩，成化中爲太學生。會帝幸佛寺，浩遮道上書諫，帝嘉納，即爲回輦，由是名聞天下。歷官至都御史。定國少補州學生，甲申本朝定鼎，以户部侍郎王鰲永招撫山東，檄至濟寧，士大夫議歸附。定國弃其家，附舟南下，趣金陵，依故濟守王孫蕃。孫蕃是時爲御史，用事未幾，孫蕃出按江西，寄家杭州，定國從之杭。金陵不守，我兵徇浙西，潞王迎降，魯王監國於越，畫江而守。定國杖策渡江，上謁授行人司行人。未幾，江上師潰，定國一夕呼酒痛飲，闔户雉經以死。貧不能歸葬，其子某殯於僧寺。○論曰：予以順治庚子理揚州，士大夫爲予述民育事甚烈。民育畢命處在太守廳事西，遍血凝碧，陰雨猶仿佛可見，時距其死十六年矣。會修郡志，民育死節事略而不書，予懼其無傳也，得楊諭德士聰所述任揚州始末，略次爲傳。定國與民育生同里，先後死義，因牽連書之。

張伯行 敬庵。○儀封人。

仲夫子祠堂碑記并銘

剛，天德也。天德勝，則人欲退且消焉。故聖人作《易》，於陽剛則爲正、爲善、爲君子，陰柔反是。况仲夫子之學於孔子，以兼人之勇，造升堂之域，秉天德而加以聖學者哉！歷代以來設庠序，崇師儒，自國學以及天下之府、州、縣、邑，當春秋二仲，釋奠於至聖先師，則仲夫子固亞於「四配」而居「十哲」之列，蓋其浩然之氣至大至剛，可以扶天常，可以植人紀，可以羽翼乎道統，可以干城乎名教。雖千秋萬世之久，四海九州之廣，异其時，异其地，而其尊崇祀享之典不得而异焉。乃若仲子後裔之世襲翰博，國初已有恩賚。迨今上崇儒重道，光已美備。其修建祠宇，歲時致祭，則展報本追遠之思，動春露秋霜之感，尤仁孝之不能自已者。然吾嘗誦《詩》矣，《大雅》之《思齊》曰：「惠於宗公，神罔時怨，神罔時恫。」是豈徒烹熱膻薌、洞洞屬屬以薦之之謂哉？夫惟克紹厥德，世濟其美，而後怨恫泯而黍稷馨也。今既爲仲夫子之後，而建祠承祭，勿替引之，以視天下之人之入文廟而瞻禮執書卷而嚮往者倍有加焉。則仲夫子剛大之氣，足以配義道而塞天地者。生則全受於天，學則稟承乎聖，傳之永遠，則啓佑於子孫。而入其門，登其堂，仰瞻其榱桷，近省其几筵簠簋，固可僾然見乎其貌，肅然聞乎其聲矣。爰爲之銘曰：直如弦，死道邊。曲如鈎，封公侯。嗟哉百練鋼，化作繞指柔。仲夫子，義是徙。游聖人之門，惡言不入耳。洪泓婞阿□聞風而興起。惟能有剛德，匪石□其泐從□□□□□祠亦修飭。子子孫孫，捧盈執玉。□□□□□□之勇於爲義而慓然於永□。

高珩

念東。○新城人。

王少司空夢吟集序

予與魯源先生同舉於鄉，蓋三十餘年矣。其後隱見南北，若春鴻秋燕往往相違。今歲聚首京邸，而後喜可知也。宇棟相隣，琴樽數接，予造謁疏慵，賓朋闃寂，每詠出門無所詣，動即到君家之什，莞然自笑。素心晨夕，雖浩浩車騎之地，固不減靖節南村也。偶於爇香罷弈之暇慨然而語曰：「我輩釋褐登朝，亦已二十餘年矣。不佞碌碌，一無所成。先生二十年中，歷中外，出處崖略，可得聞乎？」先生娓娓述之，兼以詩一帙見示，予卒業焉。乃知始而乘軺，繼而持斧。建節大藩，納言卿寺。牒甫參乎仙李，詩旋賦乎陔蘭。南極五嶺翡翠之鄉，北抵三關句注之塞，莫不有車轍馬迹焉。而長鯨封狐之毒，內外險易之變，流行坎止，噩夢空花，惝恍回眸，蘧蘧欲覺。舉少年時橫金躍馬、蔡澤飛揚之意，亦復味同嚼蠟。且云「長卿今倦游，將從化人游」矣，予乃囅然而笑曰：「先生雖有是言，不佞未之許也。向與先生定交時，年皆未逾壯。先生恂恂而恭，言呐呐不出諸口，望而知爲厚德君子也。夫厚者地德，而可以承天庥，此德之輿、福之墉，而風人之所宗也。今讀先生之詩，其風肆好，其采綺綉，五色錯而成章，七寶嚴而爲飾，洋洋乎大國風矣。而忠孝之懷，性命之旨，復犁然有當於人心，此何可止以兩制八座、二十四考中書盡之耶？然而槃槃之器，如萬斛舟所載，尚未及半，鼎衡大受，將焉避之而可乎此？固不俟端策命卦而知之矣。但不知投大遺艱之後，戴星問夜，日不暇給，尚能復唱《陽關》否？即令退食之暇，不廢嘯咏，把筆晴窗，偶招油素，其將爲《車攻》《天保》《元和》《淮雅》之篇乎？抑仍爲《步虛》之詞、《大洞》之咏，擒八會靈女而叶八琅神璈乎？先生定能自審矣。予行將挂冠矣，如風燭可延，尚可俟先生於功成致政之後，共作支許游。追理此語，或不減巴山夜雨也。」相與一笑而起，因筆之。康熙壬子中秋既望。

盛百二

素川。○秀水人。

聖泉記

聖泉者，濟州泮池所出之泉也。濟州城三面繞府河，河爲泗之别流，東來絶洸而西注於馬場。《水經注》：洸水者，洙水也，洸、泗相入，得通稱矣。則濟州之泉，要皆洙、泗之脉而又出於泮宫，故曰聖泉也。《水經注》：巫縣東北三百步有聖泉，謂之孔子泉。義無所取，不如名此之切也。泮池之泉，未之前聞，曷始乎？始乎今上龍飛之四十二年仲夏也。曷爲而始也？蓋泮池之不修百餘年矣，頽垣斷桷，上雨旁風，有兔葵燕麥之嘆。刺史鄰墀藍使君下車之始，即謀所以新之，乃任巨費，鳩工庀材，非旦夕可辦。州又南北水陸之要津，往來賓客，青雀銅烏，銜尾上下，冰泮以後，無時無之。郊迎致館，饔飧芻茭，日不暇給。守兹土者又類不滿三歲則遷，未暇及此。使君莅兹五載，漸摩之久，人服其教，吏從其令。州故屬兖郡，昨歲丙申始直隸於布政司，領三縣事。事與民更始，遂謀於鄉之士大夫，使君先捐俸爲倡。自大成殿以及櫺星門之外，輪奂改觀，金碧輝映，於是泮池之瓦礫、榛莽亦治而去之。有泉涓涓出焉，清冽以甘，權之重於他水十之二，於是州之老幼聚觀，以爲人文蔚起之兆，皆使君振興學校所由致。不特百年之耳目一新，而醴泉出於泮宫，尤自古未有。嘗考濟寧之泉見於《圖經》者四，惟太白、浣筆泉最知名，今兹泉出而浣筆不能專美矣。抑更有异，池西枯槐輪囷枝秃，不知幾何年，忽倏肄穎發，扶疏繽紛，蔚爲美蔭，豈除舊更新，草木亦效其靈耶？夫天與人常相須，興舉廢墜，人也；泉自無而有，木已枯而茂，天也。天亦未嘗不因乎人。國家道淳化洽，邁越往古，不屑言祥瑞。然感應之理，莫知其然。使君謙讓不德，以爲是節督臺省雅化之休徵，更推本於聖天子有壽考作人之瑞應。屬百二爲記，附之志乘，以告來者。若夫歌咏盛事，應官諧商，尚有望於大雅君子焉。乾隆四十二年歲次丁酉五月。

書宋節母事

濟寧宋節母林氏，年十八歸國子生宏鎮爲繼室，三年而夫與翁姑相繼殁。前母所遺男子三：景泗、景汶、景沂，女子一。母初來時，長者十歲，幼者方襁褓，視之如所生。母自出者景澄及景淮，景淮遺腹也，翁又遺庶生女一。當是時，内無期功之親，煢煢孤子，竭力營喪葬，皆如禮。延師訓諸子，典質物以供修膳，夜則自爲督課，爲小姑及子女婚嫁如一，并出自紡績之餘。持家三十年，業轉以饒，鄉里稱女中丈夫。向余與修《濟州志》，凡守節過三十年例得登。早知母苦節，然志文從簡，勢使然也。甲午余主任城講席，景澄來從游，時時道母德甚詳，請余爲傳，以備家乘。惟是母今年五十有四，康强如三四十時，耄耋期頤，天之壽母者正未有艾。懿德徽音，美不勝書，未可以論定，姑記其五十以前之事云。景澄今爲濟寧州學博士弟子，他日飛聲藝苑，所以顯揚其親者自不止此，將拭目俟之。乾隆丙申至日書。○宋孺人，予之外曾祖母也，幼時猶及見之。雙目失明，卒於嘉慶十四年，壽八十有七。馮德馨記。

書鄭確菴殘稿後

確菴先生著述甚多，而零落四散，初無定本。余自修《濟志》，据摭搜訪，取資不少矣。及志成，聞城東四十里仲氏尚藏有殘稿三册，乃其手迹，急浼人求之，爲水潦所阻，月餘始至。於元進士得一人焉，曰羅曾；於節女得一人焉，曰薄氏。薄氏者，李氏侍女也。李氏侍女二人，一曰陳，有寵，薄遠不及焉。及主翁殁而矢守以終身，爲撫其子女者，則薄也。先生爲作記，又系之贊，以其恩輕報重，謂豫讓較量於國士衆人之間，其識出薄氏下。噫！當代興之際，高爵厚禄，甘爲《二臣傳》中人者不少，先生以一孝廉抱經世之才，終西山之志，其亦猶是也，蓋亦隱然自謂歟？又有手改其家《寧國公墓志》云「先自湖廣黄岡還濟寧」，亦《舊志》所不及也。又，州有孔門弟子鄭子國祠。《鄭氏譜》云「闕里人」，然考鄭氏，宋封朐山侯，於曲阜不協。而先生《游淮偶記》云：「海州有朐山在州境，亦古縣名。」始知鄭譜之附會。人人著述皆如確菴修志，何艱之有？獨怪康熙癸丑修州志時，先生偏不與其事，反若有待於今日，豈有數乎其間耶？戊戌中秋歸册仲氏而書其後。

藍應桂

薌墀。○定海人，知州。

濟寧州署延慶樓記

蘇文忠云：「在官之舍宇，蓋有所從受而傳之無窮，非獨以自養也。若欹仄腐壞，轉以相付，不敢擅易一椽。」此何義焉？觀文忠之言，官舍之不治自古而然。濟州在元爲路，明初爲府，統十二邑，國朝雍正中曾爲直隸州，今又復其舊。蓋地當水陸之衝，河帥、軍門之所駐，在山左最爲繁劇，故建置規模非他州比。聞康熙中聽事堂圮者十年，官數易，皆葺蓬茨以臨事，錢塘潛竹吴公始重興之。夫公爾忘私，古訓也。以傳舍視聽事，得謂之公乎？比者桂林書巢胡公曾爲修整重建三堂，特高明爽塏，所謂「崇禮堂」是也。堂之東葺「涵碧舫」以會賓客，又於東南隙地建「觴白軒」與「皆春堂」，而更代之際僅存棟宇，戶牖疏櫺，毀敗無餘。余復修而葺之，易「觴白」爲「漱芳書屋」，又於其巽隅建文昌閣焉。由崇禮堂之西序，循廊而南折而西，有齋焉，曰「有文」，亦胡之所創，甚卑隘，余廣而崇之。又西南則射圃，建亭曰「志正」，由是向之敝陋者，無不改觀。惟崇禮堂後燕寢之所，棟折榱朽，猶前明之遺，乃斥其舊而重構焉。并架木爲樓，可以遠眺望，與崇禮堂相稱也，顏之曰「延慶」云。蓋自翠華屢幸，必有慶典，所謂「一人有慶，兆民賴之」者非乎？臣子奉職宣勞，所謂「受王嘉師，咸中有慶」者，不當自勉乎？又本先人敝廬之舊額，今以顏此樓者，私之已，不若公之人以傳之無窮。繼此而至者，尚同我志，而勿視爲傳舍焉，則與有慶矣。

胡德琳

書巢。○桂林人，知州。

觴白軒記

崇禮堂之東南三十步有隙地焉，己丑之冬，堂既落成。明年三月春和，又嘗退食之處於隙地，且爲賓至燕飲之所。相傳賀監曾爲任城令，觴太白於酒樓，故以「觴白」名之云。按，新、舊《書》本傳未有爲任城令之據，即太白之《任城縣廳壁記》但云賀公，亦未嘗以爲賀季真也。然太白少時故僑寓於此，父客曾爲任城縣尉，而又爲令，作記則其主賓歡洽，觴咏酬唱也，固無不可，何必季真哉？惟州向爲府，任城寔爲倚縣，則州治非縣治也。曹元用《二賢祠記》謂舊「縣治元時改爲驛舍」，今州治東北有馬厩，而軒正直其南，則去當時之縣治當亦未遠，且第勿深考，姑借以寓景慕之意云爾。至太白記所謂「撥煩彌閑，剖劇無滯」，余甚慚於賀公，而賢豪長者稅駕於此，或以余爲可教而惠顧之，豈無有謫仙其人者乎？明月高時，臨風歌處，未許此翁千古，每讀朱竹垞《太白樓祠》，不能無望於四方君子之惠我也。

方苞 靈臯。○桐城人，禮部右侍郎。

建曾子祠記

雍正三年春，苞赴京師，道濟寧，友人楊三炯以兖郡丞督漕駐此，始到官，寓署之西偏，曰：「此曾子故居也。聽事處即正廟前，吏者以署隘，遷主於西城樓而宅之。又於隙地治燕私之齋，余將就其址構數楹迎主定祀，且延師召諸生講誦於此，俾衆著於先賢之遺迹，而不敢廢焉。舍故廟而別祠，恐後之人狃於前事而不能保也。」秋九月以書來請記，曰：「工訖矣，余嘗謂道一而已，而聖賢代興，其操行之要與所示學者入德之方，則必有爲，前聖所未發者。《詩》《書》《易》《禮》，深微博奥，非積學者不能遍觀而驟入也。至孔子，則所言皆平近顯易，夫人可知，而『六經』之旨備焉。至曾子傳《大學》，揭慎獨之義，俾學者隨事觸物而不容自欺，所以直指人心、道心之分，而開孟子所謂『幾希』之端緒，乃前之聖人所未發也。其自稱曰『吾日三省吾身』，即慎獨之見於操行之實者耳。夫見廟而思敬，過墓而知哀，苟有人心者，莫不然也，況入先賢之宫而有漠然無所興起者乎？諸生誠切究夫省身慎獨之義，則知功利之溺心，詞章之蠹學，而慨然有志於遠且大者。而後之吏者自惟燕私之居，則務廣而無窮，而先賢祀享、諸生講誦之地盡取而不留一區，其必有不得於心者矣。」此三炯之志也。

沈廷芳

南池杜文貞公祠記

惟濟寧州爲唐任城縣，城南有南池，杜文貞公與許主簿游處。自公題詩池上，後之人爲堂、爲齋、爲亭、爲榭、爲庖厨、爲湢室，横以石梁，蔭以嘉木，聿爲名勝，誠重其迹也。按史公壯游齊趙後，以獻賦授官。薊北蠢動，遂陷賊中。既羸服奔行，在拜左拾遺，疏救房琯，出爲華州司功，弃官客秦州，召補京兆功曹，不赴。嚴武鎮蜀，始表爲節度參謀、檢校工部員外郎。武薨，離蜀，由夔之衡，竟卒耒陽。平生游歷半天下，數嘗寇亂，官處下位，流落江湖，而一飯不忘君國，可謂初終挺節，皭然不汙，與日月争光者矣。其自比稷卨，宜哉！公詩詣絶古今，代稱詩聖。先民謂詩人以來未有如公者。即《南池》一篇，乃游齊趙時作，後世誦其詩，履其地，尚遲回不忍去，則所以追崇公者宜何如耶？乾隆九年，廷芳承旨視漕山東，弭節池上，踐公遺躅，益慕其爲人。顧游觀盛美，而祠祀闕如，乃與知州王君爾鑒葺城隅舊宇，肖像其中，配以主簿，作《神弦歌》祠公，遂稽元代謚典，顔曰「杜文貞公祠」。十二年冬，重來視漕，載瞻祠廟，歲月未幾，漸就頽圮。爰度基址，鳩工庀材，堂廡具成，丹雘初飾，則移公像安焉。更繪儒服小像，笠子麻鞋，刮石左壁，諏吉揭虔，肅展牲醴。公之神靈，庶幾其妥。於時州之大夫、寮吏暨士人、老民，罔弗協志，僉拜祠下曰：「祉哉！公魂若或戀兹，矧在忠愛，宜垂顯刻，以昭後勸。」乃書樂石而繫以詩曰：南池一泓，氣接岱宗。洸泗郴匯，英靈所鍾。唐邑任城，簿公官此。爰棹方舟，爰燕國士。翳惟先生，昕夕幽探。一觴一咏，以雅以南。歷千餘載，厥澤活活。森木弗翦，堂皇闓達。我持寵旌，遥集先生。祠成齋祓，祀事孔明。惟神在天，陟降兹地。佑我邦人，毋俾憔悴。肅瞻其儀，風閃靈旗。愾焉餘慕，行祖文師。附《杜文貞公祠歌》：

吹瓊簫，擊椆鼓。燦金支，樹葆羽。齊延望，神來下。彷彿兮公之來游，若桂旗兮搴中流，神靈有無兮胥肅穆。風蕭蕭兮雲漠漠。《迎神曲》。

四月維夏當令辰，升桂堂兮布綺茵。瑶席設兮椒漿陳，屢起舞兮進拜頻。歌公詩兮志伸，昔憂國兮哀蒸民，今福我民兮綿千春。《侑神曲》。

森木烈兮石齒齒，清一碧兮足春。水神來駐兮衆心喜，潔牲醴兮奏笙簧。閟堂宇兮徂中唐，神將歸兮白雲鄉。復將陟兮下大荒，願萬祀兮報祀，無我違兮來享。《送神曲》。

請賜杜甫祠額札子

欽惟皇上，治臻上理，學集大成，羲畫重新，萬世咸遵乎碩畫；堯文丕煥，九州被化於同文。教以孝而勸以忠，恩施溥被；報有功而崇有德，典禮叠頒。凡屬先代名賢，靡不榮邀表著。謹按史書所載，胥稱杜甫爲賢。永矢孤忠，丕行亮節。才堪登用，比稷契以何慚；學有指歸，豈陰何之可企？卷帙長流於天地，猶生文光；聲名昭揭於古今，允稱詩史。唯一飯不忘乎君國，斯千秋永勵夫臣工。惟是東郡登臨，剩有講堂十笏；南池憑吊，曾無享宅一區。地經歷任漕臣，借爲行館；臣幸叠膺使命，用設專祠。定精爽之式憑，庶流風之未墜。念崇祀攸關巨典，必趨事之加虔。而先賢宜被榮施，謹陳情而上達。伏乞呈上，恩頒御筆，錫之匾額，用永焕乎湖山。俯念先賢，功在斯文，俾增輝於俎豆；璇題高拱，儼日月之照臨。寶翰昭垂，有風雷之擁護。則百爾之士，咸深觀感之思；於萬斯年，永沐文明之化矣。

謝賜杜甫祠額札子

臣於乾隆十三年三月初十日拜賜御書唐臣杜甫祠「藎臣詩史」四字匾額，於二十日到濟望闕謝恩訖。欽惟我皇上日新盛德，天縱多能，廣錫忠誠。典祀聿光筵，几誕敷文教。曩賢均被褒嘉，凡沐浴絲綸，具蒙揚闡。竊惟唐臣杜甫，忠根乎愛，至情惟戀朝廷；史寓於詩，裁體實符風雅。臣以宜崇秩享爲立專祠，人因共勵廉頑得瞻法範。爰陳詞以上，請邀宸翰之寵頒。彩絢天毫，燦五緯三辰之色；馥飛寶墨，萃六文八體之精。撫御額而恭懸，蔭之華棟；立翠珉而敬勒，翼以高亭。伏見麗日照回，矞雲捧護。鸞翔鳳翥，太平萬歲宇當中；螭繞龍蟠，咫尺九重天在上。群工拜頌，益勉藎忱；兆姓歡呼，俱深感奮。詎特聖朝盛典，洵稱歷代宏模。粵稽義畫以來，惟皇上御書爲第一；歷溯《葩經》，而後獨臣甫詩句號無雙。乃萬幾猶念遺徽，荷恩榮之特表；而四字真該大節，藉天語以彌彰。從此玉榜長輝，東鰈西鶼，齊仰正心歸聖學；金題永鎮，岱宗濟瀆，更傳聖迹在名區。所有恭縣御額、敬立御碑日期，俟工竣，另摺恭報，謹先恭謝天恩，伏祈睿鑒，臣無任感激虔悚之至。

吴璥 松圃。○錢塘人，總河。

重修古南池記

濟寧城南瀕運河，檣帆往來，不絶如織。城左有南池，因隍爲之，廣十餘畝，中植荷芰，環以亭榭，跨以石梁，周圍桐柳榆槐不下百十本。每當春夏之交，緑陰滿地，葱翠撲人。池北有祠，祀唐杜文貞公。相傳少陵曾與許主簿游南池，即其地。其東南隅有太白樓，翼然臨城上。考太白曾游任城，時賀知章爲任城令，觴供奉於此，後人因以名樓，并設二賢像。夫池雖當城市間，而地曠景幽，饒有林泉之趣。亭臺花木，得波光瀲灧，與層樓飛閣上下相輝映，時一俯仰，輒不禁悠然作濠濮間想，洵勝地也。我聖祖仁皇帝、高宗純皇帝，鑾輅南巡，每幸南池暨太白樓，璇題勒石，褒美前賢，焕然滿目。然則斯池與樓不獨名勝甲州郡，位置踞通津，而以古名臣所遺留，屢邀宸賞，士大夫游覽之餘，孰不景仰天章，緬懷芳躅，低徊之不能去？歷歲既久，園亭傾圮。嘉慶乙亥春，余奉命塞睢州决口。既蕆事，與前總河李公鴻賓倡議捐廉繕葺，運河兵備使洪範郡丞章承斐等亦欣然樂輸，繼又得新任總河李公逢亨共勷其事，爰庀材鳩工，閲數月告竣，光景爲之一新。是爲記。

粟毓美 樸菴。○渾源人，總河。

新設河標五營義學碑記

國家科目之制，凡兵丁之子弟皆得應舉，用廣翹材擢秀之途，一洗前明重文輕武之陋習，以歸於三代同風，一道良規，甚盛典也。況我皇上以文德承基，以武功定國，自龍飛以來雖在材官技擊之家，莫不爭自濯磨，期見用於世。爲天子守官者，可不選其俊，拔其尤，教育而成全之，以上副壽考作人之化哉？余於道光乙未之夏蒙恩命擢督河東，宣防之餘，校本標兵士，試弓刀則尚有堅勁之力，按騎射則猶多縱送之能。因檄管下副將等頻加訓練，而時時自閱之，以考其成。又念其子弟中非無可教之材，而兵食有常多無力延師，以資造就，恐或入於游手好閑，而無所檢束者。時即有設義學以廣訓迪意，因以疏瀹事急赴豫中，未暇也。迨是歲之冬，葭岸霜清，河流順軌，乃舉俸錢二千二百貫，飭濟寧州牧發典肆，收什一之息，并令其約劑以爲久遠計。使運河道司其入，使副將率所屬司其出，凡師儒修脯、諸生膏火皆爲定其成數，不足則歲復分俸以濟之。於州城之東北隅、西北隅、東南隅及四關，設立義學五所，命其名曰「敦仁」，曰「興義」，曰「觀禮」，曰「明智」，曰「履信」，延士之端重有品節者爲之師。一時從而受業幾及百人，他日果有明慧秀特、杰出儔類者，當送入任城書院，使肄業而應科舉，以無負盛時頒列明條之至意。即使兵丁之子恒爲兵，亦將使之坐作有節，少長有禮，申之以孝弟之義，則士氣伸登之於仁讓之途，則兵心一。孔子曰：「善人教民七年，可以即戎矣。」雖持戟之士，何不從名教中來耶？古之謀將帥者曰：「説《禮》《樂》，敦《詩》《書》，即在偏霸之邦，亦必示之以禮，示之以義，示之以信。三年而後，用之執干戈以衛社稷者流，猶不可以不學如是。況其子若弟果有成材，可儲之以爲甲第中人也哉。」余昔自守令以至官楚臬，任豫藩，皆立有義學章程，令齊民廣沾風教，雖未能盡化樗櫟爲菁莪，而秀穎之流往往間作，亦嘗著有成效焉。今則防河而無治地之責，未敢於民間越俎也。或守土之官聞風而起，廣設學舍，以時存肄，使弦歌之聲達於四境，此實古君子學道愛人之事，良大夫其有意乎？是又冀以武營之義學爲之倡矣，因原創始之由而書其事於石。

沈淵 金鄉知縣。

馬義烈女論

從來以弱女子而行事光日月，精誠動天地，偉然與烈丈夫等，蓋亦宇宙間氣之所出哉！如欒羊子妻之死於賊，節也；曹娥之求父尸而死，孝也；王陵之母知漢必興，而不惜一死，以成子之義，忠且智也。是三者，皆名教之宗，天性之至，故史策傳之，歷代尸祝之。至今婦孺道其事，每咨嗟涕洟而不能已。況乃忘身以救一方民，不畏慘戮而成大義，若金鄉縣城之西北隅廟祠義烈女，豈不振古爲烈耶？余莅金鄉三日，閱城至祠處，詢之父老，爲言當日寇賊薄城下，義烈女不惜殺身以救全城事，且流涕曰：「向微義烈女，則吾民之祖若父其死於賊而爲無主之魂久矣，尚能保有子孫，田其田，廬其廬，親戚、墳墓綿延不絶，以致今日哉？則今之祀此祠，方愧無以報義烈女之德於萬一也。」其稱「義烈女」也，直邑民私謚之，志不忘耳。余曰：「有是哉？義烈女誠天之所間生，以生爾金邑之人者乎！」嗟嗟！義烈女死矣，而金人生矣。然惟金人生矣，而義烈女雖死猶生矣。義烈女以一人之死，而生千萬人。義烈女不惜一時之死，而自奕奕然生於千萬年，則皆天之爲也。夫純乎天，爲剛健篤實，非義乎？爲高明光大，非烈乎？語曰「烈士徇名」，義烈女何知有名哉？彼自遺名而成烈，則烈士愧矣。夫以烈士較義烈尚有愧，況儼然鬚眉男子而顧利忘義、臨難苟免？則雖生之日，猶死之年，可勝嘆哉？且夫死或重於泰山，或輕於鴻毛，召忽之死，孔子輕之，直謂其「匹夫」「匹婦」，經於溝瀆而莫知，以其死曾無益於家國也。昔童汪錡之死，魯人欲勿殤，孔子曰：「能執干戈以衛社稷，雖欲勿殤，不亦可乎？」蓋聖人惟以濟世爲重，故不貴徒死，而貴死之有以澤物。假令以義烈女之死事而生孔子之世，豈不亟爲稱道者哉？若義烈女者，金邑人廟而祀之，歲祀而瞻仰之，曰：「此義烈女也，匪特其志貞，抑亦其德溥，與日月争光，與天地不朽，可也。以視樂羊子妻之節、曹娥之孝、王陵之母之忠且智，倘所云易地皆然者與？」余故特表而論之，以俟夫良史之采掇，俾《烈女傳》中有義烈女焉，亦斯邑人之所禱祀而求者矣。

李　松　關中人，嘉祥知縣。

貞烈鹿令姑傳

姑姓鹿氏，名令姑，邑之忙生里人也。其父世耀，世本農夫。生女令姑，能諳大義。秉天地之正氣，分山川之精英。貞潔幽閑，不待學而始至剛明智慧，自其性而已。然父母愛若掌珍，娣姒欽爲閨範。方其少也，淑女爭稱。及稍長焉，賢媛有譽。藍田種於鄉里，赤繩繫乎高郎。厥名惟冲，爰中東床之選；待年而嫁，尚虛西閣之迎。既有百年之盟，自是三生有幸。詎高郎命促，忽埋玉以興嗟；鹿女心驚，遂折釵而兆夢。貞鸞未駕，其何意於雙飛；寡鵠獨悲，偏傷心於失偶。玉仍在璞，寧知價重連城；珠未離淵，自可光還合浦。或云另覓佳婿，人擬乘龍；姑曰之死靡他，茅可包鹿。乃乘二親之往吊，竟投一繯而自經。阿母歸來，恨無招魂之紙；伊姑奔至，痛乏續命之絲。慨學道風微，大節難期於女子；而弦歌化邈，餘韵猶存夫彼姝。容顏未識於生前，安知誰氏之子；神魂相逢於地下，當云見此良人。徒以抱痛於求凰，遂致甘心於化蝶。成仙無藥，誰憐奔月之娥；思婦有花，孰覓返魂之客。忙生閘畔，鵑啼紅雨於黃昏；南旺湖邊，鮫泣素珠於滄海。允矣不相，展也常存。嘉乃芳踪，即爲屢申憲案；格於成例，未能一達宸聰。恐其就湮，因爲立傳。既慰幽魄，且昭來兹。詞曰：吁嗟之子，貞烈有數。生未同室，死不异路。連理枝深，同穴心素。香與蕙消，影偕梅度。金石志堅，牛女星聚。名教堤防，彝倫黻黼。千載丹心，一抔黃土。毖彼下泉，以永終古。

鄒之彦 安慶人。

烈婦滿氏傳

烈婦滿氏，山東嘉祥人。祖以廩生游太學，父不盈，邑庠生。滿年十六歸同邑杜養樸，杜故世儒家也。滿閑於教訓，起居出入以禮。中饋之暇，則習女紅，曰：「此婦功也，曷敢曠歲？」庚申，翁杜觀光以明經教授安慶府，跋涉且千餘里。滿偕其夫請於翁姑，得隨行。蓋翁姑垂老，冀昕夕視養爲慰耳。明年辛酉，翁倦勤謀歸，而饘不繼，居官舍，未果行。至十二月，夫樸偶染疫，滿廢盥櫛，侍湯藥，久之益篤。滿請於天，願以身代，竟日夜匡倚鷄骨，黝而不怠，翁若姑皆改容起敬。滿察夫無生理，涕泗交頤，爲夫易衣履畢，拜床下，向夫叩頭者四，夫竟不起。入夜，翁姑痛極，兼以理喪，具勞瘁。滿獨乳其子女，俾寢熟，解衣帶自經於棺傍，家人莫覺也。向曉翁姑來視始見，爲之慟絶。滿時年二十二歲，遺一女方二周，一子僅八月。贊曰：烈婦之見於載籍者多矣，然或有所激，未有信心若斯者也。夫死矣，子女依依，翁姑方起敬，必能終志無激也。而死者尚燠，生者已灰。一燈熒熒，兩骸忽忽。嗟乎！烈哉！方其拜床下也，明終也，曰「此吾畢命日也」；其乳二孤也，志絶也，曰「此吾永訣日也」。慷慨從容，即丈夫者亦且難之。嗟乎！野乘勿替，彤管攸芬。吾於滿氏，無遺憾矣。

倭什布　長白人，嘉祥知縣。

辯秋胡廟説

魯秋胡廟不知所自始，明濟寧趙教授記云：「其象若王者，人曰是魯秋胡廟也。又謂胡妻邵之族居於鄉，凡歲旱邵之後裔率田畯禱於廟罔不應時雨，故咸呼邵姑廟云。」噫！何其言之謬也。邵氏守正不移，克明大義，以其夫不孝無義忿激沉淵，可爲烈矣。彼秋胡者，居乏鄉曲之譽，仕無勛業足紀，何所見而祀之者哉？且夫夫婦和而後家道成，陰陽和而後雨澤降，彼夫婦乘戾至此，可謂凶矣。如曰祀邵則男其像，而女其祀若或有知，亦必不歆。而謂聿著靈應，能致雲雨，有是理乎？草野愚氓既不足以知此，士君子復附會其説，良可嘆也。今將毁厥像，正厥名，以昭勸懲。而相沿已久，僉謂祈雨有驗，苟起而更張之，得毋疑其不可？閑嘗思之，凡一介之士，苟存心利世於人，心有所濟意，此上下千古必有聰明正直歿爲神明憑附焉，以專濟斯民者，請易其額曰「顯應」，以順民願，不亦可乎？夫能興山川之雲沛、及時之澤，以穀我士女，則廟而祀之宜也。或旱魃爲虐，禱祀不靈，徒假木偶之衣冠，而反導民以邪僻之行，則毅然毁之，斯爲快舉，何不可之有哉！

濟寧直隸州志卷十之一

雜稽志 上

按：各郡邑志不廢「雜記」，蓋無專門可附而兼佐齊諧之説者也。《前志·雜綴》各條仍以類移入各卷。其無可附載及「藝文」内未并登者，兼旁采諸書，增輯爲「雜稽」上卷。而以《前志·仙釋傳》合雜綴之足廣見聞者爲下卷，各標其目，以便覽觀。

漢

武氏石室曾子畫象贊

曾子質孝，以通神明。貫感神祇，著號來方。後世凱式，以正撫綱。

唐

麟臺碑銘

元和五年冬十一月表，微以滑之從事使乎鄆，停驂訪古，經獲麟之舊壤，感先聖之不遇，徘徊周道，乃作銘曰：二儀既闢，三象乃垂。聖道堙鬱，人心不開。上無文武，下有定哀。吁嗟麟兮，孰爲來哉？周雖不綱，孔子實聖。詩書載刪，禮樂大定。懲惡勸善，反邪歸正。吁嗟麟兮，克昭符命。聖與時合，化行位尊。苟或乖戾，身窮道存。於昭豐邑，栖皇孔門。吁嗟麟兮，孰知其昏？運極數没，德至時否。楚國浸廣，秦封益侈。墻仞迫厄，崎嶇闕里。吁嗟麟兮，靡有攸至。世治則麟，世亂則麇。出非其時，麇鹿同群。孔不自聖，麟不自神。吁嗟麟兮，夫復何云？

李白金鄉薛少府畫鶴贊

高堂閑軒兮，雖聽訟而不擾。圖蓬山之奇禽，想瀛海之縹緲。紫頂烟艶，丹眸星皎。昂昂欲飛，一作眝眙。霍若驚矯。形留座隅，勢出天表。謂長嘯于風霄，終寂立于露曉。凝玩益古，仰察逾妍。舞疑傾市，聽似聞弦。儻感至精以神變，可弄景而浮烟。《前志·藝文》。

方與尉守令尚文樊忠義功德碑銘

天地將分兮盤古生焉，濁氣爲地兮清氣爲天。三皇出世兮玉帝其間，周秦相禪兮唐祚數傳。釋道儒教兮齊致，如鼎三足兮無偏。公志言兮虔心，轉金鎰兮數千。舍財物兮無邊，永不朽兮萬年。合家稽首兮佛前，祈福壽兮世世，立碑刻石兮流傳。忠義，字本立，武寧軍副使樊元信子。本立子三：德亮、德安、德平。

宋

封青山君爲寧應侯敕

惟神自漢，建寧夙紀。靈德逮我，永泰始賜。命書祠名，孔昭爵號。未建郡奏，來上民言。著稱水旱，有祈雨暘無爽，其加侯秩，以侈神休。用享乃誠，永澤兹土。可特封寧應侯。

温仲舒澹臺子章服贊

不由徑行，其直可貴。不私見人，其公可畏。擊蛟既勇，毁璧且義。紀號益封，旌厥賢士。

金

党懷英篆書王安石詩

烏石〇烏石岡邊繚繞山，柴荆細路水雲間。拈花嚼蕊常來往，只有春風似我閑。紅梨〇紅梨無葉庇花身，黄菊分香委路塵。歲晚蒼官才自保，日高青女尚横陳。省中〇萬事悠悠心自知，强顔於世轉參差。移床獨向西風裏，卧看蜘蛛結網絲。興國樓上作〇松篁不動翠相重，日射流塵四散紅。地上行人愁暍死，那知高處有清風。竹溪党懷英篆書石版，金明昌六年四月旦日普照寺沙門智照立石，金移砌學門，兩壁各二。山陽張力臣弨《和濟州學壁石刻詩韵叙》云：「濟州學壁四石，各刻七言絶句，前注竹溪党懷英書，乃《王荆公集》内詩，刻本俱載，因用古篆法，人不盡識，遂溷稱爲『竹溪堂詩』，非也。昔李太白隱泰山下，居竹溪『六逸堂』，党即泰安人，故書其地名。按党字世杰，爲金明昌時翰林修撰，博學，工篆、隸，此屬其偶書王詩，未及原題并署名字。初爲普照寺僧立石，更不知何時移來，遞傳莫辨耳。予以己巳閏三月同阜城多子玉巖過此，乃詳釋以告于子介庵、陳子柏臺，歸舟各和原韵。又簡家弟毅文同和，并書附之。」〇舟居讀罷約登山，旋訪名詩石壁間。尋繹籀文同屬和，勞勞自笑不曾閑。何期復出倦游身，幸過滄浪一滌塵。意外更逢東海士，携持珍味雜然陳。登州于子介庵設具見餉。前探名碑似舊知，嚴寒逼我遽參差。兹來坐卧連終日，十七年間鬢已絲。前以癸丑過此。酒樓遥望緑陰重，下瞰南池芍藥紅。轉賴後人頻點染，幽尋隨處寓高風。阜城多玉，巖時珍和韵。喬木陰森似在山，古碑片片出其間。撫摩讀遍蒼虬字，好月迎人歸路閑。一舟羈泊不由身，斂迹尋幽欲避塵。尤喜同人搜訪密，縱横楮墨案邊陳。時函齋搜拓漢隸碑。春去今宵了未知，只疑花雨落參差。無聊坦步溪深處，戲看邨童弄釣絲。〇雲影陰陰柳影重，新荷纔放石榴紅。眷懷樓樹今何在，佳咏依然見素風。檢討張毅文鴻烈和韵。牡丹時侯到符山，家園堂名。遥憶游踪濟水間。党字王詩摹且和，誰人好古似兄閑。自笑飄蓬五岳身，桃花深處絶風塵。著書敢擬龍門史，一任兒童笑在陳。金石遺文世罕知，漏痕釵脚盡參差。秦碑無字君須補，不羨尋常好色絲。阜城東北翠微重，馬首誰憐夕照紅。魚蟹可知袁浦足，芙蓉秋月薜蘿風。袁公路昔駐節淮口，故名「袁浦」，兄之園亭在焉。《前志·古迹·金石》。

元

趙惟賢濟寧總管張仲仁禱雪詞

天灾流行達魯坰，河缺不雨乖天經。下民怨咨誰爲聆，公惟戰栗猶震霆。尊俎告潔黍稷馨，神爲歆享垂幽靈。堅冰忽開密雪零，污田可蓺蘱麥清。黔首安堵邦底寧，他年上考動闕廷。餘地游刃新發硎，我來捉筆書此銘。賢侯之德炳日星，禱于河冰合忽開。詳記文。

知州李宗武去思碑歌詞

岱宗偃蹇東北馳，洋洋濟水來坤維。桑麻町疃桃李蹊，孤城如塊河之湄。吴歈越吟走京畿，千艘萬艘日泊之。有酒如淮肉如坻，揮汗成雨袂成幃。綏若若兮印纍纍，中有郎官擁旌旗。手操直筆山不移，貪泉不敢污以私。形和聲和風雨時，禾黍油油蝗退飛。日月逝無不可羈，一嘯一諾三年期。來時竹馬喧童兒，去日長虹裊花枝。吏民笑語今始知，使君使君實不痴。臺草不惜華衮辭，增秩賜金乃其宜。我今貌瘁文益衰，作歌粗記民之思，他年會續甘棠詩。

明

李天植耘瓜圖贊

陟彼瓜田，栖遲方甸。莫莫綿綿，曰蕁與蔓。薫之蓘之，鳥集其冠。誤斬其根，勞而不怨。孝哉曾子，青史所贊。

焦竑紀宋都魁墓

濟水東會於汶，元築堽城壩引入天井，而洸、沂、泗與濟會，今其名尚著。舊未有橋，司空郎畢公瑜創爲之，竪之綽楔，書曰：濟川落成之日，冢嗣適生，即以名之。後登第，官翰林。時河流泛溢，運道爲梗，公日敝敝奋鍤間。一夕，有緋衣絳幘者稱宋都魁某見夢曰：「河堤太逼，吾宫區區，祠園將爲行路，奈何？」公寤，亟索堤旁志石，丹書炳然，乃築堤而封其故墓，爲文以祭。匝歲，前緋衣絳幘者復見夢曰：「願爲公後，以報詰朝。」而仲子生，是爲濟時。已復登第，繼公爲河臣，是時距宋幾百餘年，而相感應如一日，何奇也。成化以來，濟之俎豆公父子者不輟，歲萬曆丙戌，綽楔葺於邵公伯悌，而規制湫隘弗稱。公耳孫侍御公以督鹺至，慨然興嘆，出贖鍰，飭材庀工，增高而拓其未備，焕然一新。乃率文武官屬若士民落之，而屬予爲記。司空名瑜，成化丙戌進士，翰林庶吉士，官提學僉事。濟川，弘治壬戌進士，翰林編修。濟時，正德辛未進士，工部都水司郎中。侍御名三才，嘉靖己丑進士，湖廣道御史。撮其年月、世次爲文以記之者，侍御同籍琅琊焦竑也。

宋拯州學文昌祠記詩草

惟孝友爲百行宗，惟神以之淑厥躬，惟廟祀宜垂無窮。任城居魯封域中，東隣洙泗濡休風，孝友信義比屋同。

用新清廟依芹宫，礎以珉石柱以松。檐甍爛日贔以崇，巽隅遠地充以隆。神之格思雲溟濛，叱咤風伯鞭靈䨓。旅陳籩豆及笙鐘，佾備葆翿彈絲桐。始振以玉聲金終，神尸醉飽神無恫。錫爾髦士福祉鴻，蹌蹌濟濟期登庸。陟顯躋要肩夔龍，接武上班明光宫。

總河萬恭報功祠祭文

維隆慶六年歲次壬申六月乙卯朔越三日丁巳，皇帝遣總理河道、提督軍務、兵部左侍郎兼都察院右僉都御史萬恭致祭于報功祠之神曰：兹者漕河横溢，運道阻艱，特命大臣總司開浚。惟神功存運道，廟食明時。凡前事之不忘，即後人之表式，是用遣官備申祭、告所望。鑒兹重計，紓予至懷。急靖洪瀾，估成群役，俾運諸以通濟，永康阜于無疆。謹告。

楊撫方正學先生祭文

維嘉靖四年歲次乙酉七月甲申朔越初十日辛卯，鄉晚學生楊撫謹以庶羞之奠，致告于正學方先生神位前，曰：於戲！自濂洛關閩之響熄，正學之不明於天下也百餘年。先生自成童游潛溪之門，即能上師周孔，不欲以顔閔以下者自居，毅如也，廓如也，卒之致命，遂志以節義善其身，以文章淑諸后。言論政事今可考者，諸不詭於道，充所至謂之孔門之遺賢，非歟？惟兹任城先生，所嘗講學焉者。湖風山月，光霽如故，而先生之迹日就榛莽，是可慨也。撫景仰而心師之久矣，欲起先生於九原而不可作也。既爲位以招之，復率諸生以拜之。於戲！俎豆於前，而或有慨嘆者興於后焉，焉知非先生者波及之邪？人心未死，道脉猶新，惟神其相之，敢告。

漕運指揮僉事湯節青山廟禱雨銘

青山之巔，有廟巋然。惠澤瀰瀰，濟利綿綿。官者謁禱，靡間後先。節顓奔謝，匪媚匪慼。禾稼敷秀，亦通漕船。綴詞鑱石，神德遠傳。尚冀孚惠，祚國永年。

嘉祥縣許儆城隍廟祈雨文

維萬曆十二年歲次甲申七月乙亥朔越六日庚辰，文林郎、知嘉祥縣事許儆、署儒學教諭事廖惟俊、訓導胡從智、徐光燦、典史宋廷，暨闔學生員、父老致禱于本縣城隍之神，曰：民之所戴者天，而行天之化者神也。一邑之廣，庇民錫福，興雲致雨，匪神之號將焉禱耶？儆自莅任以來，罪戾頻仍，忝竊禄位，既不能爲民祈福，又不能爲民捍患，恒兢兢内訟，懼神之罰。然敬神之心未嘗敢懈，于屋漏憂民之心亦未嘗敢忽于窮閻也。兹秋禾將成，雨澤愆期，萬口嗷嗷，垂首待斃。吾神覆視生靈，寧忍槁死于一旦哉？粤古憂民者，嘗自責自艾，甘霖即降，儆罪過奚啻一二？惟神鑒照，果愧官箴，當罰其牧民者，而蘇小民之困；罪其守土者，而回下土之灾。則變熯暘爲沾濡，轉荒歉爲豐穰，黔黎獲更生之慶，而吾神茂育之仁將申錫于無疆矣。神不爲卑職憐之，獨不爲萬姓憐之乎？不爲萬姓憐之，獨不爲天之宗子憐之乎？儆率諸父老，哀號匍匐，待罪階下，惟神鑒之。尚饗！

解縉魚臺王應隆雲岩松屋銘

蒼蒼雲岩，植植松屋。顯祖聞孫，緒兹幽獨。惟忠惟孝，顯祖身教。亦有訓言，聞孫是教。凛若冰崖，顯祖似之。爛然天輝，聞孫引之。子子孫孫，於千億年。因物警悟，徵於斯文。

魚臺縣劉志仁重修思白亭贊

繼前縣延安白夢山後，魚人爲白建碑。贊云：昔謂循良，共致理平。上壽國脉，下篤民生。皇惠下民，簡迪仁英。命綏魚黎，治時塾煢。經濟宏猷，小試於行。化治澤流，百度維貞。績奏天官，入覲王明。天子曰俞，毋久外縈。匡予不逮，其司諫衡。魚人聞命，舉皆怦怦。曰公達矣，奈遠吾甿？載勒之頊，載翼之亭。用敷永思，慰我臺嬰。惟公淵德，亭其可名。一邑之私，九圍之程。凡我有位，視此刻銘。是彝是訓，千載流聲。

胡后傳

明宣宗皇后姓胡氏，諱善祥。世爲州右族，曾祖守儀，福建侯官縣丞。祖文友，娶鍾氏，生榮，即后父也。榮生二子，長安次瑄，女七，后於次爲三。長諱善圍，洪武初爲女官，給事掖庭，頗見任使。官榮錦衣衛百户，榮雖職居爪牙，而立心仁厚，處事詳雅，人謂有長者風。永樂初遇例免官，將北還，留寓斗門橋之官舍。一夕夢元冠羽衣之神謂曰：「毋過爾鬱鬱，尋當大顯。」翌日，后誕焉，實洪武三十五年四月初十日也。既長，天性貞一，容止莊重，有卜數者云：「此女當大貴不可言。」榮心异之。永樂十五年，詔選皇太孫妃，臺官奏后星直魯地，命太監黄炎馳驛至魯，后與選焉。先是，后獨居小樓，旦日啓户，有紅白氣自户出，絪緼繚繞，彌月不散。里閭聚觀，以爲奇瑞，已而果驗。仁宗皇帝嗣位，册爲皇太子妃。宣宗登極，立爲皇后，正位中宫。授父榮光禄卿驃騎將軍、中軍都督府僉事，兄安府軍前衛指揮僉事，弟瑄府軍前衛百户。宣德間，海内宴安，車駕頗事游幸，后每乘間規諷，無媚順態。居常服食侍從，澹如也。後以無嗣多疾上表請避位，從之。敕諭禮部曰：「比皇后胡氏自罹多疾，不能恭承祭養，重以無子，因懷謙退，上表請間。朕念夫婦之義，拒之不從。而懇辭再三，益加惓切。已從所志，就間别宫，其稱號、服食、侍從悉如舊。」后退居長安宫，事黄老清静之説，遂更立貴妃孫氏爲皇后，事在國史。越十八年薨，謚爲「静慈仙師」，時正統八年十一月初五日也。公主二，長即順德大長公主，歸駙馬石璟；次永清公主，未歸卒，祔后葬玉泉山之陽。英宗皇帝即位，敕禮部曰：「昔我皇考臨御之日，母后胡氏讓位於我母后孫氏，皇考已從所志，就間别宫。厥後母后胡氏遺榮慕道，益尚清虚，優游有年，以至令終。朕於時幼冲，不敢固違其志，已尊謚『静慈仙師』。而凡祭葬之儀，亦惟是稱，皆所以成其志也。朕今思之，母后之志雖成，而爲子之心終有未盡爾。禮部會群臣仍議上皇后尊謚，令所司修葺陵寢如制，蓋欲因其志之所安而致尊崇，庶幾於禮於情兩盡而無憾也。」於是禮部尚書姚等議上尊謚爲「恭讓誠順康穆静慈章皇后」。《前志·陵墓》記胡榮墓下。

諸祖金鄉柏風臺歌

探禹穴兮懷禹兮，陟洛水兮思洛兮，上鳳臺兮憶鳳凰兮。偉哉！先生之風，一何長兮。

俞顯劉猛將軍廟歌

蝗東飛，東州處處清苗稀；蝗西下，西州禾盡餘赤野。民皇皇，爲蝗哀，蝗之爲烈真皇哉！將軍掌蝗氣雄岸，千群梵字一繩貫。廣陵有馬棱，我蝗自遠竄。中年有魯恭，我蝗自四散。或朱軒而鵂鶹，或高冠而沐猴，我蝗聊復從若游。○注云：蝗背有孔，神嘗貫之以繩，不使妄爲害。顥，字日絲，明季秀水人。《野廟九歌》之一。盛百二《柚堂筆談》，《前志·壇廟》。

國朝

巡撫方大猷宗聖廟鳳樹贊

文王之世，鳳鳴岐岡。二千餘載，乃栖宫墻。文明之兆，盛世之祥。飲風吸露，若欲飛揚。雲山環峙，禮樂相將。鳳兮鳳兮，聖道光昌。

夏敬秀聖泉頌

其體淵淵，靈泉伏渟。脉發惟人，時出由聖。百年聖化，淪浹心性。百里聖居，洙泗流并。毓秀任城，瀕宫瑞應。如醴斯醇，如玉斯瑩。旁有枯槐，條榮葉迸。被此涓涓，芹藻交映。閉者忽開，悴者忽盛。邦家之光，人文之慶。濟濟從公，來游載咏。浚之疏之，清溶視聽。有本不涸，惟虚無競。復其見心，蒙以養正。聖人立極，曰惟主静。希聖淵源，統於克敬。止水湛如，太極涵泳。齊沐日新，澄心此鏡。

兗寧道余甸讞語

審得故御史王道新存日，愛小僧王石浦聰慧，令其還俗，視同己子，爲婚娶分産，與己子王審序爲兄弟。石浦無子，先道新早世，所遺財産自宜歸王審、王晼兄弟。乃突有秦茂陵即所稱王茂陵者，係王宅馬夫之子，自幼跟隨石浦。石浦身故，遺妾宋氏守其舊業，茂陵欺瞞嫠婦，蒙蔽王審，暗將土田陸續盗賣，漸且居然冒認爲石浦之子，無非垂涎石浦田業，遂謂他人父以攘之。王審兄弟以圉人厮養，不得冒宗攫産，是以屢控各衙門，經今十年。無如秦茂陵聽信主唆馬金鑾等硬證互訐，其設心以爲賣王姓之田宅，與王姓構訟，勢在有利無害，是以歷年以來將石浦遺業盗賣殆盡。其間皆被貪詐棍徒或利其價輕，而乘機偷買；或虚立文契，而并未交銀；或扛帮告訐，而以無銀契券爲酬資；或漸押文約，而于事後找銀爲著實，種種皆出馬金鑾主使。王審曾控前撫憲蔣批行查審，蒙批據詳：王茂陵係王石浦之義男，但當日石浦身故之時，設令道新將茂陵逐出，石浦之妻妾每年量給衣食，則尺土寸椽茂陵不得過問。且王氏産業輒敢擅自盜賣，頓忘受恩故主，公然訐訟數年，人之無良，一至於此。將來房屋之或賣或贖，悉惟王審兄弟作主。取領退各狀具報繳等因，煌煌在案，於五十五年五月二十五日批發，歷歷可查。在承審衙門，不能仰體上憲秉公批斷之意，每每懷私遷就，有始無終，或制於情勢，莫與剖析；或查問雖明，而不爲歸結，甚至妄出意見，枉斷不公。如滋陽令竟將田地若干畝給一手本，著令練總劉奇耕種，尤屬悖謬。夫田土尺寸皆有著落，乃將有主之産各憲斷定者，視爲虞芮閑田，給令旁人耕種，無怪乎王審屢控不肯休也。本道據控前來爲之徹底窮究，因主唆馬金鑾潛逃，經本道將伊子馬天眷枷號，諭以：爾父一日不出，此案一日不清，天眷一日不放。并拿劉奇，勒令交清前院斷明各項田業。未及半月而衆咻之紛紛，盜買者一一退出，可知向來之瓜分，悉由馬金鑾等唆使，而承問官吏數年皆在昏黑中也。除將各項退出田産斷還王審、王畹分受共有，鄉官時震所買各契田土，查在前院未斷之先五十五年五月以前所買者，准其得業。其在既斷之後，仍復串買者一契五十六畝七分、一契二十五畝五分、一契二十七畝一分，俱著退還王審管業。在律：軍民人等將争競不明田地朦朧投獻，内外官豪勢要之家私捏文契典賣者，投獻人充軍，田地給還應得之人。受投獻家長并管莊人參究治罪。法律昭然，各宜凛惕。如違，先嚴拿管莊人究處查追。其王茂陵脱逃未獲，候拿到日治罪。餘犯拖累年久，概行省釋，立案爲據。康熙六十一年九月二十九日。《前志·藝文》。

方苞代諭諸生會課檄

蓋聞風教之興，士能宿道而民胥效焉。文章者，道藝之餘也。而即末以窺其本，十可四三。某自陳力河壖，學殖荒落，而少所講肄，未能盡忘。茲承乏鄒魯之鄉，竊欲觀于國風，魯多君子，况近聖人之居，而漸其流澤者乎？今以某月某日與諸生期于州學舍，合堂陳藝，各盡所長，俾得寓目焉。《望溪集》。

《前志·藝文》。

陸耀禁製衣傘示

照得潢池煽亂，事出非常，桴鼓不驚，福由天幸。既塵氛之迅掃，宜作息之相安。乃聞爾民巷議街談，欲爲本道銘衣製蓋，此既功令所不許，抑亦薄德所難堪。況木道任异親民，職非守土。方聞警信，徒切隱憂，無片善之可稱，寧一籌之能展。如遂貪天爲力，昧己俯從，將使閉閤自省，何以爲心？出入都市，何以爲顔？合亟出示禁止，爲此示仰濟城百姓將議製衣傘等事一概停罷。於戲！金城鞏固，各懷忠義之忱；玉燭宣明，共沐休和之澤。深宜慶幸，矢作良民，毋得故違，重吾不德。特示。《前志·藝文》。

博士曾毓墫家誡

出嫁之女，降服期年，雖曰古禮，乃漢儒附會，相沿已久，習而不察，不惟情理未允，實深違悖聖言。今已詳細考核，刻石于宗聖府中，并記載譜中，勿庸贅敘。吾家之女應從夫家之便，吾家之婦爲其父母必服三年，余所遵者。孔子曰：「子生三年然後免于父母之懷。」又：「父母之喪無貴賤，一也。」又曰：「三年之喪，自天子達于庶人，三代共之。」聖賢之書并未指明嫁女降服，今若竟服期，則與古禮之「上爲生身親母服杖期，下爲己生長子斬衰三年」，輕母重子，一同出乎天理人情之外矣。

董大方張公殲虎記

嘉祥小青山麓有虎焉，人傳自金鄉來者，一時途之人驚相告曰：「有虎有虎，在山之隅。」或信之，或疑之，或信且疑者半。俄見里人無少長自山以西嘻嘻然操兔罝、呼群犬而來，以爲是物之可以網羅得也。比至虎咆哮而起，聲振山谷，其氣上浮若白虹之貫日，須臾捕數人，無异猫之捕鼠然。於是犬相與垂首曳尾逃匿深谷中，人弃兔罝而奔于石岩之中。途人望之却走，或栖于水，或伏于塹，無不相顧錯愕，駭然變色。嗚呼雄哉！語云「山有猛虎，藜藿不采」，果驗。已而邑令聞之，從容策馬以行，顧從者而言曰：「余觀君子之制凶人也，緩制之，則可以驅除而無難；急制之，使窮而無所之。于是凶人之計狡而氣盛，則其焰益烈，故其勢益鴟張，而卒不可制。非惟不可制，且肆其反噬，而有中傷不可測之害，今余于虎亦云。」既行，去虎所里許，欲俟其定，設檻械之。虎須臾由小青山下南行，令尾之。虎徐馳至郭家村，入一室中，令率從者持弓矢、荷戈矛從事，須臾乃殲。至晡，邑令歸，諸生咸揚言以賀，令曰：「諸里人之力也。」諸生曰：「不然，竊聞之，天下爪牙威烈之物，往往攻擊之不勝而後反爲其所傷者，莫不起于攻擊之太驟，而無所以勝之之術。當虎咆哮小青山時，亦既氣凌萬夫，以故衆志奪焉，是以張皇奔潰，而計無所之。迨吾師至而故緩追之，緩之而終至于必勝者，何也？以其不急于攖虎之怒，而從容馴致，則其氣又蓋乎虎之上矣，此所以須臾殲之不難也。若里人者又愚乎哉，何力之有焉？」邑令起辭，諸生乃揖而去。邑令爲誰？姓張氏，諱太昇，遼東人。時順治七年十二月十三日也。

梅公爕王力區詩

梅鼒，字公爕，杭人。王棟時，字力區，武進人。蘇人胡餘禄，號吉修，延力區共筆硯，寓南關沙河西岸太和橋南之溯白園。庚戌九月邀諸友賞菊于齋舍，在座者沈仲喬喬梓、陸中秋乘時諸人。公爕詩云：瑟瑟金風菊漸黄，謫仙樓畔叩書堂。頻年作客情難訴，三歲懷人願始償。絳帳弦歌聞白雪，烏衣門第擅青箱。劇憐賓主稱相得，清韵潘郎瘦沈郎。○力區詩云：經過凌虛太白樓，馬頭頻望暮烟收。坐憐促膝黄花澹，人許談心緑蟻稠。風雅遠傳清白吏，壺觴近狎醉鄉侯。不嫌歸路崎嶇晚，衰柳風吹兩鬢秋。○又贈潘敦履兄弟詩：廿載重逢話舊新，各驚無恙各傷神。心摇斗室尊前夜，夢曳江天别路人。飽憶存亡談似絮，饑驅去住鬢如銀。客中愛我多昆季，三徑時開過每頻。三月正當三十日，客來洗爵坐花茵。登堂共挹縹緗氣，拜石仍澆塊壘人。文苑塤篪添异響，德門蘭桂茁芳辰。唯予交在寒暄外，歲歲裁詩不厭頻。

僧郢子詩

萬年少壽祺托濟寧僧郢子澄瀚求常州鄒臣虎之麟畫題一偈云：畫畫者誰寄者誰？一爲居士兩爲僧。江山筆墨渾間事，何日同參最上乘。又跋云：

「海内如萬道人，不可不爲之畫，傳此畫者又不可少郢子。郢子能詩善書，其遺稿惜不存。偶記正月十七日别余行江南一絶云：昨霄觀罷上元燈，又欲尋山過秣陵。騎馬乘船都不似，飄然誰識六朝僧。」宋犖《筠廊偶筆》。

松陵集

古松陵即今吴江，濟寧劉濟民來爲邑令，謂《松陵集》爲其邑故物，而人未之見，授儒士盧雍校勘，捐俸刻之。劉爲政不減古人，其刻是集，豈直私於一邑哉？蓋將公之天下者也。都穆《松陵集跋》。弘治壬戌九月。

孔石村畫訣

孔衍栻，字石村，尚任從子。貢生，官濟寧訓導。有《題畫詩》一卷，顔介子曰：「石村先生性淵静，以畫名，獨闢蹊徑。遇得意處，輒題短句，往往有致。除訓導，到官即歸，年八十九乃卒。」所著《石村畫訣》云：「古今畫家，用水渲染，不易之法也。渴筆烘染，古人未闢此境。余幼師石田，一樹一石，必究其用意處，久之似稍有所得。因静心自思，筆筆石田，終在古人範圍。乃窮日夜之思，忽結别想，偶以渴筆烘染，似覺别有意趣，脱却俗態。久乃益精，幸不爲鑒賞家所鄙，實由苦心，未忍自泯，因書《畫訣》藏篋中，以俟同志。」按《畫訣》十則：一曰立意，二曰取神，三曰運筆，四曰造景，五曰位置，六曰避俗，七曰點綴，八曰渴染，九曰款識，十曰圖章。其「渴染」一則云：「墨少著水，重磨。用秃湖款，不著水，即蘸焦墨，先用别紙試，微潤輕拂畫上，筆筆匀可染二三次。惟無筆痕爲妙，頗有秀色，凡點葉、樹，俱用渴筆，實染雙鈎葉白者不染，房舍有瓦草處染，無瓦草處空白，室内人物、器具俱空白，周圍俱用渴筆剔清。每一石止渴染皴處，石頂空白，石根宜重染，大山、平坡皆然。遠山先用炭爲輪廓，外用渴染，漸與天氣相接。遠山空白，山根用渴染。坡水、溪江俱用平直筆密細畫去，有聚有散，俱用渴染托出。雲烟斷續須輕染，漸漸不見乃妙。非有定體，惟畫者自裁。有墨畫處，此實筆也。無墨畫處以雲氣襯，此虚中之實也。樹石、房廊等皆有白處，又實中之虚也。實者虚之，虚者實之，滿幅皆筆迹到處，却又不見筆痕，但覺一片靈氣浮動於其上。」其論如此。此石村變化前人之法，所謂「遺貌而取神」者也。據《山左詩鈔》。〇以上四條《前志·藝文》。

盛金登鳳凰臺懷古詞

鳳凰臺上憶吹簫：山色空濛，秋風蕭颯，荒臺立，盡斜陽。嘆盛衰强弱，一例云亡。欲問定哀桓景，剩幾處，野冢垂楊。把酒吊他霸業，烟水蒼凉茫茫。今來古往，空只見平湖，一葉漁航。笑浮名浮利，都付黄粱。争似文人慧業，歷千秋，日月同光。君不見南池北樓，酒聖詩狂。

盛金秋日登鳳凰臺眺馬場湖詞

望湘人：上高臺，凝睇十里澄鮮，平湖朗徹如鏡。孤鶩飛來，落霞散去，一色長天相映。何處歌聲？短蘆蕭颯，暗藏漁艇。耐秋風，菡萏殘紅，却共蓼花清冷。應識伊人宛在，奈蒹葭霜老，扁舟難認。只衰柳荒堤，畫出晚秋風景。蒼烟暮，相思萬縷，便折芙蓉誰贈？恨一幅泠泠空波，隔斷天涯芳信。以上《前志·山川》。

朱彝尊登太白樓詞

祝英臺近詞：女墻低，官柳暮，俯首眺齊魯。泠綴苔錢，斷碣眠方礎。最憐酒釃花濃，好春閑度，更誰解，金魚換取。啓塵户，遥見十里帆檣，催人動津鼓。翠杓多情，容我醉方去。待他明月高時，臨風各處。也未許，此翁千古。《前志·古迹》。

蔣士銓三十二歲初度泊濟寧州詞

醜奴兒令：年光得得匆匆去，二十黄州，三十蘇州，懶去重登太白樓。青山黄閣傳何事？半爲閑愁，半爲忙愁，聽雨江湖易白頭。　膝前長跪嘶潘令，感上心來，悲上心來，那得高堂笑口開。停舟沽酒團欒飲，婦拔荆釵，妹拔金釵，周膝今朝却是齋。

十景

《舊志》：東岳春雲、西湖夕照、青廟林泉、白樓風月、梵宫金塔、天井銀濤、嶧山聳翠、泗水涵清、灌冢晴烟、何墳古木，并爲十景。見《萬曆志》，《前志》改爲八景，詩列卷首，今移入「藝文·詩録」。其咏《舊志》十景詩并選録入之。餘摘句附存。明劉翀：一、陰連日觀千峰雨，晴絢天門五色霞。二、鴉背浮金歸古堞，雁行如字寫晴空。三、長日緣陰喧鳥雀，深春靈雨起蛟龍。《西湖夕照》詩見《兖州府志》，與明李迥《西湖詩》前半同，《前志》兩存之。

吴樫知州李順昌石刻像贊

燕山之秀，冀地之英。牧州五載，丕著仁聲。文教是崇，忠節是旌。饑貧是賑，則壤是清。催科以緩，撫字惟勤。却金暮夜，折獄如神。軍儲供億，勿擾勿侵。緝逃弭盜，閭閻載寧。特祠聿建，以妥神靈。鬚眉宛在，彌久彌新。

沈廷芳書巡漕題名記後

余既作《題名記》，濟寧知州事王君爾鑒將伐石立碑於院之前，故有石横亘道左，余以爲舊碑之仆地者耳。覘之，則未刻石也。乃舁入院中，令工礱之。石修六尺有九寸，廣二尺有五寸，厚如廣之半而殺焉。質理稍粗，尚適于用，遂刻文於茲石焉。或曰：「此明潘宫保季馴所留。」或曰：「順治初，河帥有楊侍郎方興者常樹碑，茲其遺構。」而院中有厮役年八十餘，龍鐘執灑掃，見茲石嘆曰：「异哉！小人居守於斯五十年矣，憶康熙三十九年冬十月雪霽時，夜方半，聞門外邪許聲，自河南岸來。須臾訇然，如數萬鈞物從空而下。急出視之，忽有巨石覆殘雪中，四顧岑寂，寒月在天，一時傳爲异事。今乃爲大夫刻文碑耶？」余聞之愕然，計其年，余尚未生也。役名隆福，姓趙氏，頗謹愿，其言當有足信者，因并書之。《前志》附「題名」。

傅澤洪徹也和尚塔銘

突如來，杳然去。自在心，無所住。到處青蓮，霏玉露。咦！無其人在此，形骸何處。閑往閑來，非散非聚。究竟涅槃，無罣礙故。

僧明玥濟州紀游詩

○謁先賢仲子祠○光岳鍾青帝，明禋配素王。世家猶不泯，俎豆儼成行。力養嗟何及，長貧更可傷。如聞琴瑟在，千載感升堂。○李太白酒樓○謫仙縱飲狂歌地，畫棟層軒面水開。短碣詩篇還睥睨，千年春色自樓臺。檐前積靄青徐出，眼底飛帆吴楚來。長笑古人皆逆旅，何如天際一銜杯。○重登太白酒樓○青蓮勝迹復來游，重上城南舊酒樓。吴語曾呼狂太白，洛陽何羡董糟頭。烟雲縹緲當窗過，文浪滄茫繞檻流。眼底無人誰是伴，枝頭好鳥可同儔。○明玥，康熙年間關中涇陽人李氏，號菊圃，二號卧廬、孤拙道人。有《遨游詩草》六十四卷。游踪遍天下，卒隱於成都開元寺，人皆稱爲「浣花溪西卧廬公」。序云：鼎州宦門之子，家世簪纓。少時爲名諸生，而逃於禪。年八十餘仍以詩鳴，又名其集曰《陶世心語》，所作皆精於經疏，邃於性理，篤於人倫，憂國愛民之心，時見於楮墨間，蓋畸人也。惜其著作湮没於荒剎中，未行世。保郡閬中學官萬紫山藏有鈔本，聞輯《濟志》，因其有《濟州紀游詩》，請選附之。○又，集中附叙李杜詩曰：朱注《年譜》云：「天寶三載，少陵在東都，太白以力士之詔放還，亦游東都。少陵贈詩有『脱身金閨』之句，當在此時。少陵與太白相從賦詩，始於天寶三四年間，前此未聞相善也。太白生於武后聖歷二年，少陵生於睿宗先天元年，白長少陵十三歲。少陵於開元十九年游剡溪，白與吴筠同隱剡溪在天寶三年，相去十三載，斷未相值也。後少陵下第游齊趙，在開元二十三年，考李白其時不在齊趙。及因賀知章薦召入金鑾，在天寶三載正月，時少陵在東都葬范陽太君，未嘗晤白於長安也。是年八月，白被放，客游梁宋，始遇少陵於東都。觀少陵後寄白二十韵有『乞歸遇我』語，可見黄、蔡諸注俱不確。」少陵與太白相别當在天寶四載之秋，故云「秋來相顧尚飄蓬」。又李集有魯郡石門别杜訪，亦在秋時也。《冬日有懷李白詩》顧宸注云：「此詩在天寶四年冬，諸家俱謂李白未宦時作者，非也。」白至齊魯凡兩次，初去雲夢之齊魯，居徂徠山竹溪而入吴，此在天寶三年前明皇未召見時。後至洛陽，游梁淮泗而再入吴越，此在天寶三年後翰林既放歸時也。少陵懷李白在天寶四年冬，此時白正在東吴。其後《春日懷李白詩》云『江東日暮雲』，當屬五年之春。《送孔巢父詩》題云『游江東兼呈李白』，亦五年春也。」○李集有《堯祠贈杜補闕詩》，段成式謂「即杜子美」，非。少陵遇白時尚爲布衣，其授拾遺在至德乾元間，且補闕、拾遺官銜不同，未可傅會也。○濟上因南池酒樓諸名勝題咏甚夥，故并附録其説以備參考。

濟寧直隸州志 卷十

濟寧直隸州志卷十之二

雜稽 下

魏夫人 晋司徒魏舒女也，名華存，字賢安。少好道，静默恭謹，讀老莊、「三傳」「五經」、百氏，無不該覽，味真耽元，欲求冲舉。服胡麻散、茯苓丸，吐納氣液，攝生頤静。常欲别居閑處，父母不許。年二十四適南陽劉文静，字幼彦，生二子曰璞、曰瑕。夫人心期幽靈，精誠彌篤。二子粗立，乃隔離室宇，齋於别寢。將二月，忽有清虚真人王君與群仙來降，授以《太上寶文》等經。文静物故，值天下凶荒，夫人撫養内外，旁救窮乏。知中原將亂，携二子渡江。璞爲庾亮及温太真司馬，後至安城太守，瑕爲陶侃從事郎中將。二子既成立，夫人因得冥心齋潔，累感真靈，凡住世八十三年。成帝咸和九年，王君復與東華青童來，與夫人成藥兩劑，服之七日，太乙元仙遣飆車來迎，夫人乃托劍化形而去，徑入洛陽山中。十六年颜如少女，於是龜山九虚太真金母、金闕聖君、南極元君共迎夫人白日升天，授以金札玉文，位爲紫虚元君，領上真，司命南岳，夫人使治天台大霍山洞。唐蔡偉《後仙傳》，見《太平廣記》。

魏道人 隆字道崇，任城人。道門推爲領袖，貞觀九年召至京師，後還潤州，居丹陽縣九靈山。山距丹陽東北五十里有桃花澗、仁静觀，隆竟終於此，葬馬迹山。崇文館學士胡楚賓爲之銘。《舊志》下同者省注。

安山主 敖亨字虚明，任城人。先是有汴僧福安居任城寶相寺，倚樹而化，亨其後身也，人皆呼爲「安山主」。年十三受戒具，師事鄭州普照寶和尚，苦行有年。一日于雲堂聞打扳聲，霍然證入，遂呈偈曰：日面月面，流星閃電。若更遲疑，面門着箭。咄！寶公深契之。後出世，五坐道場詔往慶壽寺，復主少林法席。金興定三年己卯寂逝，闍維時焰如蓮花，目晴不壞。兒時圓珠隱額，至是爍然飛去。《通志》。

妙靖真人

洞春居任城之極真觀，俗姓田，肥城農家女。歸同村孫氏，自合巹，其家數多妖弗寧，以新婦不利逐之，無所適。距村十數里有槐如幄，横生澗脅，臨不測之淵，妙靖居其上數月，風雨不及，虎狼蛇蝮不能逼。嘗竄隱於民家，凡八年不言不笑，汲水執爨，無不爲，惟日啖棗數枚而已。首未嘗櫛沐，髮上叢合，高尺餘，其端旋結如雲，人因目爲「髮冠仙師」云。元世祖召至京師，見便殿，厚賜遣之。厥後每言人休咎，若出無心，往往奇中。監察御史鄭某病羸，妙靖食以所食棗遂差。公卿大夫過倅饋贈者接武于門，有圖其像而祀之者。楊州富人劉伯淵爲築室任城西南，名極真觀。其得道由天授，始爲婦時，夢游大川，值縞衣女仙乘舟招曰：「若能從我游乎？」遂欣然諾之。女仙抽簪畫水化爲梁，因登舟，舟移而寤，遂與親故絶，自稱「寶花城主人」。或訪以養生，則曰「寡食」；訪以修身，則曰「謙退」。素不知書，一旦抽筆書曰：「縛住心猿，消甚言説。功滿昆侖，才顯孤月。」至老形癯而顔色黄以明，脉絡皆見，顱若嬰兒柔且陷。寢所時有光，冬祈寒則盆冰水而浴，日以爲常。恒閉關匡坐，或卧游物外，浹晝夜乃起，自號「洞春」。有司上其道行朝廷，易其觀曰「極真萬壽宫」，封「悟元參化妙靖真人」，命下而卒，年八十五，延祐某年月日也。其高弟子曰陳志海。據《張養浩集》。

海上老人

王士能，自言海州人，生元至正甲辰，至明成化癸未年一百二十歲。嘗師雲台山异人，得攝形煉氣之要。學成來居濟寧，日惟啖棗數枚，或菜數莖，飲食少許而已，白髮而童顔。事聞，召見賜寶鏹遣歸。諸公有見之者，問所以壽，對曰：「無術也，第不茹葷、不娶妻、不識數、不争氣耳。」士能本無姓名，人呼爲「海上老人」。憲宗召見，因館指揮王瑄家，遂冒王姓，稱王士能。既還濟，仍館于王氏十餘年。去游海上，不知所終。《歷城志》：「海上老人，不知姓字。髮如銀絲，顔如渥赭，雙眸澄澈，左手嘗握而不開，日進生果三枚，水一勺而已。洪武過濟，永樂間復至。成化乙巳，濟南衛指揮朱顯奏聞，賜名王士能。」按《前志》云：「《歷城志》本陸釴《山東通志》，濟南、濟寧往往沿誤，依《舊志》存之。」

無塵上人 釋文净，目有异光，夜讀書暗室，几筵灼灼如火。妙契《大乘》，顯標宗旨，號「無塵上人」。一日静坐，自此不語，能前知，問焉不答。間出一二言，必奇中。有一生以事叩之，亦不答，生桴繫其首，終不顧。城西北隅有普照寺千佛閣，歲就壞，文净欲易爲萬佛閣，計費巨億。初未嘗言，亦未嘗募，人翕然争輸，二年工成。閣三層，複廊重溜，飛檐風鐸，爲一城杰構。敕賜新、舊《藏經》若干卷，藏閣上。東北爲禪室，翠柏蒼松，脩然絶塵，結趺其内，或日一糲食，或三四日不食，如是三十年。每坐屏息，不聞聲。正德中，預示化期，沐浴端逝，僧臘九十。

遠塵子 許樹勛，字伯捷，萬曆時州學武生。好道，常行歌于市，人不識也。所居室懸一聯云：在家出家，居塵遠塵。自號「遠塵子」，遁迹東海之清峰。一日忽歸，遍辭鄉黨，謂家人曰：「斂必以素，所雲游衣或恐不潔，易之。」三日樹勛忽至家，索故衣亟爲焚之，衣着火即飛去。後有自青峰來者云：「許常來往山中。」始知其尸解云。著有《睁眼夢記》。《許氏譜》

無瑕禪師 濟人，孫姓。早歲在俗，即好爲苦行，嘗隨一僧代之肩土修塗，數年而後竣。一旦弃妻子爲沙門，謁大士普陀，歷浙東、西名區巨刹，至京口住錫金山朝陽洞。三十年坐卧一敝衲，或半月絶食，或經旬入定，都不知山下事。州人楊士聰于崇禎庚辰過金山訪之，無瑕自云初不知書，亦無所從學，邇頗涉諸内典，揮毫作字，蓋定生慧也。又數年復過金山，無瑕以所著《戒定慧説》相示，語語透宗，又云：「近日齒更生，髮轉黑，目竟夜視，光不瞬可。經月趺坐不卧。」丙戌示寂常州天寧寺，俗壽九十餘，僧臘五十九。其子亦爲僧，稱「離垢禪師」，名普修。久居嶺南，戒律精嚴。年八十始自羅浮北歸，至州城南精舍二歲，州人爲建大生庵於東郭外，未成而化去。

印明僧

澄瀚，字郢子，一字印明濟。以自幼爲僧，妙解三昧，啓口了澈。年十五博通經律，出游吴越，參諸大和尚，住天台國清寺者十年。乙酉兵起，避入深谷，草木蓊蔚，不審南北。忽遇一人，箨冠毳衣，卧松根下，擁丹爐趺坐，叩之不答，既瞠目曰：「此絶境爾，何由至？」澄瀚述亂離狀，求指歸路，因曰：「子嘉靖四十年入山，花開落七十度矣，不知今何世爾。欲歸可左旋三峰，右渡四洞也。」貽以竹一枝、苓一片，曰：「持此不饑，杖此不恐。」澄瀚欲再問，已聳身高巘，如飛鳥逝矣。從其言得歸寺。數年至濟上，結茅净業，以禪悟爲宗，好賦詩，一句一字，竟日推敲不厭。州人楊通久，其中表兄弟，唱和頗多。尋又渡江至常州，游天中二室，客宋氏園。一歲忽病，嘆曰：「吾當終濟上，今不及矣。」吟曰：「一瓢一笠隨緣度，何事殷勤説故鄉？」遂化。

默僧

性默，亦曰默僧。淮之睢寧人，本姓武，名元默，號吉公。少爲儒，試不利，弃去。入三茅山，習青烏術，并能書畫琴奕。豪俠自喜，中年失偶，不娶。甲申後入劉藥生、王總戎幕，參軍機，因不合披緇入雲台山。丁亥之海上，望氣占有楚變疾，走宿遷，以達於濟，後果驗。既又南之金陵，北走太行。庚子來濟，與王道新善夜坐，或達旦不寐，叩之不答。庚寅春在嶧，一日忽曰：「越此宿即赴安樂國矣。」治酒别故人，次日閉目不語，及午其徒澄源曰：「師棘矣，豈無爲弟子示？」性默張目曰：「死便埋我。」遂逝，卒年七十一。王道新《默和尚傳》。按《前志·雜綴》引鄭確菴記云：「少好劍術，崇禎末諸豪結壘淮壖，長山劉孔敬亦在其中，默僧往依之，孔敬與劉澤清仇，遘變，遂祝髮自名性默。能琴，習繪事，精牛眠術。甲午來濟州，縉紳皆與之交。丙申游金陵，丁酉游山右。澤州有村，百里無井，僧云某處有泉，如其所指，鑿之果得，水甘而洌。庚子後回濟，赴褚氏之招。卒于嶧。」

踏冰和尚

不知何許人，順治五年携一徒來北闗真武廟。赤脚露頂，破衲藍縷，托鉢市中，夜坐琉璃燈下，口喃喃不知其何誦，亦不見其卧也。每嚴冬取巨冰履，竟日如是。數載謂其徒曰：「我明午當歸，可爲具浴。」浴畢，登神几坐曰：「三日後從火化，葬諸水可也。」遂逝。其徒依遺命，烟起聚空爲僧形，向西久之乃没。因投之洸水，隨流去。

李一足 或云徐人，或云趙人，以講道自河南來，踪迹無定。銓元説劍，詩酒自豪，與陳扆銘輩結社甚歡。久之，一夕言别，沐浴而終，同社葬之東郭。順治八年，其故人韓叔夜遇之許州，詢其行止，則曰：「吾在任城多契友。自此入南山，不復返矣，子爲我謝之。」韓不知其死也。一日見扆銘于雍丘，言其事，始知其尸解。陳扆銘《崇樸齋集》。

金剛不壞身 吴氏，濟寧人。適松江唐氏，性極剛暴，獨好佛，年四十三皈依冰鎧禪師。持長齋，晝夜誦《金剛經》，不下樓者六年。忽告人曰：「吾某日去矣，《經》云『金剛不壞身』，三年若果不壞，經方靈驗。」遂説偈曰：「風捲雲霧散，明月碧團團。了然無罣礙，池内現金蓮。」遂命削髮，趺坐而逝。越三載啓龕，果不壞，頂髮長半寸。提督梁某遂爲漆身，建庵供養，顔曰「坐化」。事在康熙初。靈隱晦山和尚《現果隨録》。

行融僧 字徹也，雲南臨安人。臨濟，三十一世國師天目玉林和尚高弟，康熙十五年自燕來濟，至玉露庵邂逅監寺慰亭和尚，道同願合。時不過茅茨數椽，矢志創一十方招提，遴有德者居之，不作子孫計。不數年成大殿及兩廡、方丈禪堂，既又成大悲閣。親買木於漢陽，未歸，庵中被火，僧舍十餘間片時皆燼，而大殿及方丈巋然獨存。鐘板按時自鳴者月餘，一時無不稱异。前後三十餘年，信從皈依者甚衆。年七十四托云訪友湖南，不知所終。雍正中衆爲建塔，葬其衣履於庵中，按察司副使傅澤洪爲之銘。有《語録》若干卷，奉敕頒入藏中。《前志·采訪》。

曾廣生 不知何許人，或云本增廣生弃去，遂以自號。逢异人贈以空青洗目，視地如琉璃，於地中得《石匣丹經》，遂以成道。其妻不弓足，偶過碗肆，肆人潑水於道，其妻褰裳過之，露其足，肆中人大笑。妻歸以告廣，廣剪紙作一犬、一兔袖之，异日復過其處，揮令袖犬逐兔入肆，大毀其碗，不可禁。知廣之爲也，求爲收之回，視其碗故無恙也。有井在門東，人呼爲「曾廣井」，水能愈疾。采訪，下同。

顔和尚

滋陽顔村人。傴僂行，不畏寒暑。居州之玉露庵，食餑餑，噉少許弃之以食病者，輒愈。出門操餺飥以從者滿路，求其一齒不可得。一日歸家，具湯叩頭，求母浴。母不得已强浴，是日母無疾卒，顔亦不知所終。

史老

嘉祥人。宣德間修道焦城之牛山小洞中，有大蛇護洞口。山下平疇數頃，募人種粟，收穫洞内，每逢雨雪取飼群鳥。一日下山，謂人曰：「吾爲某醫牛去。」去不反，後有人見於太和山中，旋失去，不知所之。今山下田猶名「史老灣」。《縣志》。以上《前志·仙釋》。

朽骨感恩

魏任城王章薨，如東漢平王禮葬。及喪出，聞空中數百人泣聲，送者言：「昔亂軍殺傷者皆無棺椁，王之仁惠，收其朽骨，死者感於地下焉。」王子年《拾遺記》。

蓋苗請賑

元仁宗時，濟寧歲饑，單州判官蓋苗字耘夫，大名元城人，白郡府未有以應。會池邑亦以饑告郡府，遣苗至户部以請，户部難之。苗伏中書堂下，出糠餅以示曰：「濟寧民率食此，况不得此食者尤多，豈可坐視不救乎？」因泣下。時宰大悟，凡灾者咸獲賑焉。兗州府《舊志》。

魏公夢兆

晋魏舒嘗詣野王，主人妻夜産，俄而聞車馬之聲，相問曰：「男也？女也？」曰：「男，書之十五以兵死。」復問：「寢者爲誰？」曰：「魏公。」舒後十五載詣主人，問生兒何在，因條桑爲斧傷而死，舒自知當爲公矣。

醫兔缺

魏咏之生而兔缺，相者謂當富貴。年十八聞荆州刺史殷仲堪帳下有名醫能療之，貧無行裝，謂家人曰：「殘醜如此，用活何爲？」遂賫數斛米西上投仲堪，醫曰：「可割而補之，但須百日進粥，不得笑語。」咏之曰：「半生不語，而有半生亦當療之，况百日耶？」仲堪處之别室，令醫善療之。咏口不語，惟食薄粥。《前志·列傳》，今附記於此。

索湘决獄

索湘，字巨川，滄州鹽山人。宋開寶六年進士，爲鄆州司理參軍。濟州有大獄，連逮千五百人，有司不能决，湘受詔按鞫事，乃白。

朱書辟鼠

晋高平劉柔夜卧，鼠嚙其左手中指，以問盧人淳于智，智曰：「是欲殺君而不能，當爲君使其反死。」乃以朱書手腕横文後三寸作「田」字辟，方一寸二分，使露手以卧，旦有大鼠伏死手前。見《晋書》。《柚堂筆記》。

魯橋龍潭

萬曆十六年六月十六日，魯橋南黑龍潭忽黑雲突起，萬里晦冥，怪風震蕩，飄飄而北，至王莊房屋盡毁，大樹皆拔。由濟寧城東二十里外，似有尾拖地者，過處禾黍皆泥，一里寬，如碾壓狀，幹粒皆碎。至二十里鋪，若有龍繞騰而上。同上。

響馬

濟之南門西有數人假舍居，自言大鹽商也。其父頗老，有子二三人。居年餘，其子皆娶婦，街坊人有借輒予，于財絶不愛惜，人皆德之，以故濟之市猾及游手之徒甚或青衿輩多與之往來。每一出則半月或二十日回，回則携厚資而歸街，人頗亦疑之，然莫可得而踪迹也。天啓辛酉之夏，沙溝路忽有響馬數人截一過商，劫其資，沙溝守備某聞變，挺戈躍馬而往追。及盗與戰，所領士兵環顧莫敢赴，守備奮勇直前，力斬一人，尚有四人圍守備在其中，與之死鬥。已將危，守備大呼曰：「我死，衆兵無生理，何不前？」衆土兵始擁而夾攻，賊内外不能顧，守備遂又斬其二，縛其二，乃知即濟寧之南門西鹽商也。居濟已二三年，起其室，凡數箱金銀杯盤及緞綾之類甚多，而銀亦不資，蓋久爲盗者。爲河南之尉氏人。自非守備勇敢，其害且無已時也。己未之九月，有八人自北携囊槖而南，至濟投一店。早飯即有捕役數人尾而思擒之，蓋逋盗也。盗覺，即携刀而逃，有逐之者即殺，人莫敢近，殺數人。至濟東之十里營，有濟之捕役王姓者率鄉夫二三十人執之，盗反向一呼，衆皆退，乃捉王而剖其心，衆皆散去。遂歡歌至東南四十里外，由九曲店而南至一周家莊，換血衣，飽食，乘夜渡白馬河而去，不知所之。方盗之發於南關也，適游擊在武場操練，而殺人者即在百步之外，乃率兵入城，故盗得從容逸去。

僧侮御史

錢蓘，字懋登。云蔣恭静公瑶爲御史時，南行舟泊石佛閘，有一野僧，狀甚潑野，大肆駡詈。舟人膚訴以告公，公不聞，少頃復駡詈如初。舟人復以告公，假寐不應，即命放舟。次日，一主事亦泊舟，其僧亦以侮公者侮之，遂棰楚，僧詣奏被逮，詢之乃國族也。後問公所以忍者，公曰：「以一僧而妄侮我輩，必有所恃，可輕與較哉？」楊園《近古録》。

太白逸詩

曹石倉《名勝志》有李太白《離濟寧泛舟北行》詩：楊柳娉婷緑，荷花旖旎紅。魚游華蓋底，人在鑒湖中。太白拈春酒，輕衣受晚風。龜蒙與凫嶧，只隔片雲東。此詩《太白集》中無之，且唐時亦未有濟寧之名，收之誤矣。秀水朱芸《杉亭雜抄》。

李白父

《舊唐書》李白父曾爲任城尉，《新書》無之。而白有《對雪奉餞六父秩滿歸京》之作，恐即其叔父也。秀水周錦《硯餘齋偶録》。程朗仲，新安人。生而慕道，破産苦身不悔。忽有仙人憑之，自稱唐供奉李太白筆，爲詩文非凡俗語，書亦精，真草無定，又善書，自云從王右丞學乩，用銅尺，横長二尺，從長尺有咫，竅從之兩端而載筆焉。兩人微以指掖之以作書畫，游移墨池中，悠然想見古人用筆運腕之妙。又前于袁小修齋問予姓字，極服予之詩。歸謂不録《清平詞》三絶爲是，又書丹於石，作真書《首楞嚴經》一部。予聞爾，稽首言曰：「太白仙去千餘年，而以筆墨金石爲人間作佛事，蓋文人之業，以仙懺之；仙人之業，以佛懺之，其精進何有窮時？又聞有死而後仙者，其法曰

『太陰煉形』。太白死而歸依浄土，是亦佛法中之太陰煉形也，益愧予之神其詩文書畫之淺耳。觀朗中書《楞嚴經》自度度人，其亦曰有此破産苦身不悔之志，豈惟作仙游而佛焉可也？」竟陵書謫仙事。按，《舊志》在「仙釋」，與州似無涉，且非傳體，豈朗仲亦嘗居於此耶？姑附於此。

忠孝判官

元祐二年，廣州推官楊府君緯卒，喪未還也。其侄洵一日晡時昏然而醉，見判官矣，主人間忠臣孝子、義夫節婦事。「從容竟夜，人但見洵拜且自言也。將行，有二紫衣人留語曰：「府君好范山下石台，何不即彼立祠？」洵忽寤，謂衆人曰：「適廣州府君乘馬從徒而來，洵拜迎。既坐，神色脩然如平生，曰：「我爲忠孝義節叔父至此。」衆悲駭，因呼工爲像，工拙，而像惟肖人，益以爲神。《鷄肋集·楊府君墓表》。

星宿降身

胡夢麟《甲乙剩言》云：「胡孟弢嘗於任城客邸遇一人，豐頤長髯，頭著青幘，身披布衲，手提一扇來謁胡。胡與之言，則道流也。須臾拉胡上太白樓，下瞰南池，遠眺洸水，劃然長嘯，有如鳳音。因相與對坐，道人曰：『倉卒無以爲娱，聊與君飲。』遂袖出一盤，如赤玉，徑八寸許，光瑩可愛。又出二杯，則琥珀也。胡意安所得酒饌乎？未幾以盤向空言曰：『取無魂饌來。』忽見鹿脯滿盤，杯中紅香撲人矣，心益大駭。既飲而杯復滿，脯亦不見增減，道流更言曰：『明月在酒，清風滿衿，不有歌舞，多負佳客。』因向南招之，頃之有白鶴一雙自南而來，下集客前，相對鳴舞。胡不覺五體投地，曰：『凡夫不知聖賢，願知此身昔所從來，今何底止，幸一爲指示。』道人曰：『人有星宿降身，有菩薩出世身，有真心再來身，有山川孕靈身，有鬼神托見身，汝是匡廬山伯。來所從來，止所從止，後當自驗。吾言乃天地之秘，未敢盡泄。』胡因歷以在朝諸大寮問，則目趙相公是天目上真，張相國是旌陽顯化，陳相是參水猿，沈相國是南溟公，孫太宰是金天上相，孫少宰是文昌司命，楊尚書是司禄，褚侍郎是司命，左相范尚書是貴相，馮侍郎是畢月烏，劉侍郎是江伯，曾侍郎是南岳副司命，石尚書是武曲星，李侍郎是北地主者，沈侍郎是優波羅尊者，蕭尚書是折威星，吕侍郎是尾火虎，徐侍郎是營室，束總憲是左執法，李臨淮是次將，李寧遠是上將軍。胡欲更問諸公，忽聞窗外大聲曰：『盗道多言，有翅不騫。』道人曰：『余過矣，余過矣。』遽起長别，不知所之。余笑曰：『可惜此問答，只成得天上一新縉紳耳。何不問胡元瑞以上應少微庶幾解俗乎？』」《舊志》。

靈哥

祝世禄《异林》記靈哥事，海内傳誦殆百年矣。景泰天順間，日溢於耳，邇年多不信之，然聞見猶繁，不勝登載。亦有言其已泯，或言其本由假托者，然謂其散泯有之，盡以爲僞恐不然。予兒時則聞諸先人，且其物性軟媚，往往欲人纏綿締結，托爲朋友。景泰中有雲間張璞庭來，成化間有吾鄉韓彦哲皆與交密。張士山右一學職，爲先公言，先人京師謁之，設酒對酌，坐間爲張至家探耗。頃刻已來，言其居室之詳，及其所見某家人、聞何語言、見何動作，報以無恙。張筆於藉，後按驗之，無錙銖爽也。頗與張言其身事，謂在唐時與同輩學道山中甚久，師後以二丹令餌之，戒餌後無入水。既各吞之，皆躁甚，腑臟若烈焰焚炙，彼不能忍，竟入水即死。予則堅忍，後復自凉，乃獲成道。迄今張尋其言似謂其師乃吕公，而二物者似一猴一鹿，已則猴也。韓初以歲貢赴銓，時祈兆於彼，得驗。具言韓當宦游吾地，後韓果同知德州，與之相去不遠。每事必諏之，無不響答。其所處在濟寧南六十里魯橋閘旁民家，一室不甚宏密，外設香火，帷幕其内。凡答祈者自帷中言，聲比嬰兒尤微，殆類蜂蠅。每尊重人稱仕者爲大人，舉子爲進士公，士庶或曰官人，太率甚謙遜而善媚。往往先索取土宜禮物，揖而言之，或辭以無，則曰：「某物在某箱篋某包襆有若干分，給以惠何不可也？」往往皆然，故人驚奉之至。語禍福或不盡驗，或曰：「其物已往，今其家造僞耳。」蓋初降時，因其家一婦人，凡飲食動静皆婦密事之，與之甚昵，非此婦不語食。或謂亦淫之，似亦有采取之説。此婦殁後，家仍以婦繼之，然不知其真也。又聞之，先朝因旱潦嘗令巡撫下有司迎入京師，托之祈禳，其物亦處於驛舫。比至京，不肯入城，强之不從，因問：「既來何不一入覲天顔？」答云：「禁中獒狗异常，我不可入。」竟默然歸。人以是益疑爲猴狐之類云。《舊志》。〇按：今壽張相傳有張相公者，事亦類此。

神醫療目

陳益修爲諸生時，倜儻多大節，嘗自言曰：「富貴利達，何足重人？吾儒所重者，磊落光明，俯仰無慚耳。」州城外有關聖真君廟，梓潼廟舊址也。素湫隘，清真寺在其後。有楊生花者欲毁廟拓其寺，明崇禎癸未州人重修廟宇，生花等以創建非法訴當事，遂糾黨毁基。益修義形於色曰：「何物生花，敢毁神乃爾？真君廟遍天下，數椽地何足惜？吾輩不言侮神之罪逾生花矣。」乃控當事，刻日興工，生花銜之。一日益修偶行城南，生花聚衆拉之，捶棍交下，咆哮搏擊，髮鬚盡禿。將雙目盡刳，拔出其根，塗以礦灰，觀者如堵，咸爲咋舌，生花等又以倭刀攪目數番。散去，迨夜忽蘇，見一神人衣金補緑綉衣，手持酒杯，外青内白，命曰：「勿怖，我救子，飲此酒可活。」遂咽之，倏兩便下血盆餘，心神稍定。次夜見一唐巾藍衣，飄若仙流，排闥而入，促之起曰：「吾醫子。」手擊腦後痛甚。又云：「腦中死血傾盡，方可生。」於是雙目噴血如注，而頭疼頗止。再次夜，見一老一嫗，先食以杏，繼以李，澀酸殊甚，曰：「爾無眸，有羊眼爾，吞之眼可生。」遂捧二眼吸而入腹，至曉呼其婦曰：「天曙。」婦駭异，急起視之，兩目炯然矣。迨明年，甲申流寇至濟，衆倡義殲賊，生花被誅，距益修刳目僅八月耳。神之報施，何其速與！

遇女不亂

江寧秀才徐九功，兄九經、九疇，正德癸酉同中鄉試，九功遂取書厨焚却，曰：「留些有餘與後人。」一日飲友家，夜歸月明徑静，見南門河中突出一女子，姿容妖冶异常，同行里許。九功在上桴橋南岸敲門而入，登樓開窗，再现月色。忽女從樓窗而入求合，九功嚴拒之，曰：「汝妖物也。」女取筆書几云：「吾非妖物，乃與君有緣耳。」後日魯橋相會，復從窗中去。及兄九疇選鄒平縣知縣，九功送母就養，路經魯橋，值流賊阻路不敢行，暫借民居，權住數日。忽沂州兵備顧英玉先生過，乃九功社友，又二兄同年也。識其僕，問所從來，入拜其母。主人乃一民兵，點禦流賊已誤三卯，顧之令嚴，犯一卯該責四十，主人自料有死而已，哀懇徐母救之，英玉先生遂免其責。主人願以閨女酬謝活命之恩，九功見女之貌，乃南門所遇之女，地又是魯橋，堅不肯受而去。英玉先生作《九功傳》，有「遇女不亂」之語，乃指此事。

鬼頭王 正統間，金陵指揮王敏無子，以運把總至京過濟寧，買一妾色美而賢，内外宗姻咸愛敬之，生一子。未幾，夫與正室相繼死，妾治家教子，極有法度。既而子襲官，復爲把總，部運北上，懇請其外家所在，但言嫁時年幼，已忘之矣。妾之歸王氏者三十餘年，早起必梳沐於榻上帷幕中，至老愈嚴肅。子婦晨省，立於户外，伺其自出，然後敢前謁拜。近侍有二婢，亦未嘗見其梳沐也。一日晨興頗遲，二婢立榻前忽風動帳開，乃見一無頭人持髑髏置膝上，妝飾猶未竟。見二婢，倉惶舉髑髏加頸，不及，身首俱仆。婢驚呼子婦入，則固一枯骨也，人因呼其子爲「鬼頭王」。

金鄉貞姑 廟本在平山，禱雨輒應。有元時夏主簿碑記，明嘉靖時金鄉柳園村民邵氏修宅，掘地得碑，即夏主簿《平山記》也，重爲立廟，萬曆時復新之。平山之碑本在嘉祥，忽潛移於金邑，且在邵氏宅，咸以爲神。○又相傳秋胡義不再娶，曾并祀之，輒有風雷之變，因爲專祠云。《前志·廟祠》。以上俱《前志》。

記前生 濟寧邵士梅自記前生爲寧海州人，纖細不爽。後以己亥進士爲登州教官，因親至所居訪其子，爲謀生計，且教之讀書爲諸生。又自知官止縣令，遷吴縣知縣，即辭疾歸。其妻早卒，邵知其再生館陶某氏，俟其髫而聘之，復爲夫婦。王貽上《池北偶談》。

縊婦復生 康熙丙寅歲，濟寧人王申嘗進香武當山，歸爲妻言岑岳奇麗之狀，既與衆將再往。妻欲偕行，王難之，妻恚自縊。乃斂畢，哭而去。比至河南，見妻愬路旁树下，曰：「吾候且數日矣。」其夫大懼，衆曰：「吾等百餘人，即鬼復何所畏？」途中起居飲食都無他异。事竣歸家，開櫬視之，空中無人。同上。

南氏女仙 嘉善徐季方岳《見聞録》：向闞生東魯之任城人也，弱冠擅文譽，就有司試輒高等。讀書南池旁，遇一女子絶姣，與之狎既久，人皆知之。舉止應對，宛然閨秀，詢其所來，曰：「妾天上謫仙，當與子爲夫婦。」其戚友咸以妖魅疑之，請道士驅遣，絶無懼色，曰：「勿逐妾，第恐緣盡分首，再合期遥耳。」幾及三載，出一編授生曰：「妾与君有宿世之緣甚久，今當暫歸，此編乃修煉工夫，君可習之，另圖良晤。」贈以詩云：「濟水流長未盡歡，小山招飲月初圓。好留顔色重相見，再向南池續舊緣。」倏忽不知所往。生思慕成疾，幾至不起。因簡習編中工夫，漸愈亂。後隨一武弁客淮上，娶南氏女，視之與前所遇無纖毫异，詢以前語則惘然，「好留顔色」「再向南池」，一一皆驗。「小山招飲」，應娶南氏於淮安。合巹在十五，應「月初圓」，非謫仙而何？《説鈴》。

艾秀才

吕庶常順祖一夕欲請仙，無符法，即作一啓焚之，而仙至矣。云艾姓，原居濟州南鄉，一秀才耳。隨書一詞云：醉逐東風飄，雲水茫茫千水遥。離山島，過溪橋，幽齋將到。清露梧桐，明月驚宿鳥。一更静，萬籟俱消，談心不覺天將曉。自後屢至。一日同鬼谷子來，遍推諸生命造。又一日吕洞賓至，其詞云：蓬萊院風境蕭疏，花自開，鳥自呼，嘆人生何自悟？由是聞風問道者甚衆，獨喜先生與邵嶧暉二人駕乩，否則不至。問其故，曰：「二子天真洒落，無凡心塵慮，可與忘機也。」

鐵帽過河

楊臨溪方伯賢，少讀書東角樓，夜聞城河中相語云：「明日有戴鐵帽人過河替我。」次日果有一人戴釜過河，方伯力止之。及夜，又聞河中語：「今教楊布政又遲我不得替矣。」

任公禱雨

任任之先生孔當初到陽曲，值大旱，士民有請乩仙者，云：「非任公親禱小五台山不可。」先生乃步入山，一雨三日，風烈烈不休。先生露頂叩頭，即風恬雨息。晋人神其事，刻於石。

承舍驢

濟寧人某充總河，承舍有一驢，日行五百里，往返京師僅五日耳。中有白毫長五寸，行駛則挺出，一日拔去，鞭策不復前。

卜科甲

黄在之先生敬璣德詣文學，名滿當時。一日有推命者謂先生曰：「君科甲中人，官亦顯。」既而曰：「奈鄉會定於子午、卯酉、辰戌、丑未，與貴造不利耳。」

座中或竊議之。及順治丙戌再行鄉試，先生果高魁，丁亥再行會試，先生中二甲，可云神驗。

貞觀錢 順治庚子，吾里惟中式陳正之先生心渠一人。先是，重陽日先生與同人登李狀元墓，中有一人曰：「吾輩有中者，登台必遇一物以存驗。」先生得一貞觀錢，同人曰：「貞者，正也；正觀者，觀政也。」是夜同人俱夢二仙女，提燈問曰：「孰是陳爺？令我遠接。」以上俱《史外傳逸》。

潘氏女仙 國初徐州諸生陸杼赤過濟云：「吾徐請仙降乩者，稱濟寧宦門潘氏以死殉夫，殁爲仙官，適奉帝命過此，煩寄語吾家耳。」詢以禍福則不答，家人恐動吾父傷感，終秘不以告。後在金鄉屢屢降乩，且索爲立後。侄悉涵仁孝，竟以己孫命新爲嗣。○近閲《列朝詩》閏集第六《神鬼門》，録曹縣王五雲士龍、徽鑒堂《玉海詩》内載：先姊於崇禎丙子年七月初一日赴乩七言律詩一首，有「跳出塵埃赴玉鄉，瓊樓深處叩穹蒼」句，追憶吾姊生時略通文意，頗精星命，吾父未教以詩，豈殁後忽通音韵耶？幽明之事，終未敢深信耳。先姊生於萬曆甲辰四月二十一日丑時，四柱甲辰、乙巳、辛丑、己丑，時在東門大街路南宅。盡節於天啓丁卯四月二十一日，享年二十有四。姊丈周君諱鑒，行三，卒於五月初三日，相距十一日。姊丈病篤，先姊語曰：「吾不死不足以瞑汝目，不先汝死亦不足以明吾志。」故從容捐生云。周貞環贈王道元詩：跳出塵埃赴玉鄉，瓊樓深處叩穹蒼。繁華總是無根草，寶月方知碧海長。有處秋聲鶴唳語，無愁菩化兔園香。勞君祝我三生句，拭筆猶描紫翠堂。○潘兆遴《知非瑣言》。

寶山 黄洸洲先生維祺慕長生之學，易簀時口長短句有「悶，悶，悶，寶山空回千古恨」之句。常云：「人身爲形山，山中有至寶，故名曰『寶山』，人但不察耳。」曾爲我批點《性命圭旨》一部，又曾題其堂曰「留餘」。壬寅四月閲宋周密《癸辛雜識外集》，云：「馬碧梧格言曰：『留有餘之功以還造化，留有餘之禄以還朝廷，留有餘之錢以還百姓，留有餘之福以還子孫。』」洸洲殆欲留福以還子孫云。以上并《知非瑣言》。

拐仙降乩

萬曆甲午吕鳴寰先生正音將科試，問之乩卜。拐仙李祖降云：「州內中二人。」及榜發，則先生與潘虞廷也。又贈先生詩云：五年一夕喜奇逢，草舍茅庵樂意濃。白髮故人中夜到，大家醉飲笑東風。乙未北上，經東平，因大風晝晦，因止北郭老叟家。見一室縣李仙像，神采如生，忽忽心動，欲得之，叟云：「自高、曾世世傳奉，有以五百金求之，余不與也。」遂别去。後五年，一夕關門獨坐，忽有老翁至，絶是畫中人，延入談心，飲以清醪。老翁出丹藥以贈，問其來處，曰：「北郭醫痂人來。」叩其姓名，不答，忽去，旋踪之不可得，而贈詩之言驗矣。甲辰又過東平，則叟已物故，像在頹垣積土中，急尋之，失去下半。因帶入都，旋得高苑教諭。付畫手補之，畫者惡其目有神，以舌舐之，先生怒，别屬王生以古色紙裝潢，今子孫世保之。《吕氏家記》。

智井

亢父城旁有智井，乾隆乙亥曾有好事者浚之，偕五六人執炬縋而下，有隧道旁通，翼以石欄，有志石。不知其深淺，度可以至城內，欲窮之。聞有聲，懼而出，以石覆之，今當復堙矣。邢漢冲録。

陶姑庵

濟州城南卧佛寺之南陶姑庵，有尼僧自幼父母令出家，刻苦自治，每一念非禮，則引錐自刺，血流以敗絮拭之。臨終召其弟侄付以後事，群見一篋，封鐍甚密，以爲當有私財。及發之，則盈篋悉絮血也。遂語其故，且曰：「出家甚不易，人有子女，切勿輕令出家也。」言畢而卒。尼俗姓陶，人遂名其庵云。《柚堂續筆》。

誦經明目

李鯤，字化鵬。幼時因痘瘍而左目盲，及長性嗜金石，收藏鐘鼎圖書、碑版文字甚富，工行、草、隸、篆。乾隆二十九年六十有四，忽疽發背，而右目亦盲。所藏有鄉前輩于中丞若瀛所書《白衣大悲五印心陁羅尼經》石刻，至是晨起必焚香諷誦，不少怠。明年十二月二日方夙興禮拜，左目復明，迄今年七十有七，猶能作行書、楷。王梅生録。

硯銘　辛卯過集慶堂，見舊硯若緑端狀，背有銘，乃吾濟天長令恬菴潘公所記，云：「栗亭硯，少陵所開，宋荔裳繼之，予又繼之。此在端溪之上，遠呈清供，或不河漢其言耳。同年卯君馮公牧秦州，以此寄予，予即摘其札以爲銘。高年兄弟如時晤几席間矣，因憶廿年前晤萊陽宋觀察。孫梅亭睹此硯，有句云：古硯秦州有栗亭，吾家故物總凋零。大馮獨贈千秋寶，小宋同分一字銘。試墨何須誇雪浪，濡毫端不讓金星。杜陵老去山川在，好向潘江訴五丁。」統録於此，以志物之轉移各有定數，前輩交情別具古道耳。史本硯記。

耳中歌聲　金鄉貢士王永印任沾化訓導，能詩，善風雅。有异疾，時聞耳中作歌舞，又爲更改詩句。每戲弄之，卒以致死，其遺詩斷句人膾炙之。唐豹巖云、李鐵橋記。

棕神　天井閘金龍四大王廟配享有晏公、蕭公，《濟南志》云：「相傳江中有棕繩二，號大棕、二棕。許旌陽偶過江，食柿，弃其餘柿，遂借爲目愈逼許，當舟而現。許倉猝無以禦，取法印擊之，中額。兩棕得印稱正神，一稱晏公，一稱蕭公，處處祀之。」王枚生記。

義僕　鄭與僑僕席元，相從與僑三十餘年，不耐瑣屑事，獨明於大節。甲申四月，流賊入濟城，元速與僑出避，獨以身周旋，保其室廬。及與僑南遷，元携妻子從。妻意憚行，遂弃之夏邑。與僑憐其年四十而僅一子，至穎上遣之歸。歸則泪下不去睫，每入主廬則撫心大號，三日而死。徐釚《南州草堂集》參《遺事記》《鄭與僑傳》摘去，補録。○又陳宸誦僕田秀，從宸誦入揚州，被槍死。任民育僕鄭邦志、許登進、文道同殉難。楊振宗僕宜城，負振宗幼子出奔得全。皆已附載於前。而忠義不以貴賤殊，故志鄭僕而特以類叙之。

古道照人　明經張延英，字德穎。有同學甲、乙兩生，素交善。甲廩膳，乙應補。甲病，乙朝夕往探之。甲病卒，乙躍而喜，聞者鄙之。乙復娶其妻，英深斥其非。乙不服，訴於學使徐公鐸，褫其衣。瀘溪令孫鏡率同里紳士表延英廬曰「古道照人」。陳揆若録。

鶴集園樹

孫寄圃相國幼讀書，其婦翁張太守亦暢園中。甲午夏日，有芝一本生於齋舍，有鶴上齋前樹上。園中宿桂齊花，隨于午未聯捷。見史紅亭録。此相國出身之始，非徒科名之瑞也。以上俱《前志》。又考《明志》，靳學顔書齋産芝草，一本兩岐，是年鄉學第一。濟上文物之邦，靈秀所鍾，當有接踵而起者乎？

附記

《山東通志》載北魏正始元年濟州獻嘉禾。按：魏自明元帝泰常八年改濟州治碻磝，至正始元年，凡八十二年矣。正始之濟州，與今無涉。

《前志·公署》記馬廠後云：小飯置在雲路坊東，鵓鴨置在南門橋下，今廢。又云：冰窖一在税課局南，屬州；一在小南門西，屬衛，今無。皆本《舊志》，但小飯置等名不知所謂，附記之，故典未可去也。

《前志》援引各書，間有訛誤，即改正之，不再贅叙。川澤門之會通橋在城東南，鄭與僑《楊家壩議》誤以「會通」爲「通濟」。於「董園」見「園亭」。誤以「通濟」爲「會通」。鄭中憲真《學碑記》見「學校」。及陳太常伯友《通濟橋記》見「泉源」。可証，或亦偶爾筆誤耳。唐濟州在今茌平，《舊志》載唐孫逖濟州刺史裴公名耀卿，河東聞喜人《德政碑》，非今濟州也。晋張輔、棗據，南北宋申恬、北魏席法友、王翊莅任，皆非今地。金劉焕史作任丘尉，因《兖志》《舊通志》所載，故并附存而辨之。

地名今無考者曰窜車灣、曰吕原鄉、曰郗江源、曰千秋里，證以陵墓碑碣，吕原斷入嘉祥。自漢至晋之高平人，如王粲、仲長統諸人，《前志·例言》謂應入「僑寓」，而仍列「人物」，因州領三縣，并以山陽人屬金鄉也。井里比連，固不必分畛域也。近人黄敬璣、黄維祺、喬世臣、劉淇輩皆僑寄也，今世爲任人。并從《前志》入「人物」。

嘉樹無忘，亦好古之意也。故浣筆泉南有胡氏嘉樹堂，楊二酉《南池記》老柏數十本，城隍廟古柏、大槐，灌冢祠唐槐，又嘉祥惠濟公廟拗榆皆千百年物云。巡漕沈廷芳《得樹齋》詩注云：「齋有老槐二株。」《前志·學校》：大成殿前古槐一株，一幹平引，自西北而東南，長數丈許。天矯之勢，宛若游龍。下有古井，亦不知其所始。後因歲久，朔望瞻拜，懼爲所壓，截去數枝，頓失舊觀。明陳魯《濟庠异槐詩》：盤旋根節不凡材，長向芹宫卧講臺。翠葉巧當紗帳護，黄花平對錦緗開。纔如屈蠖隨風舞，忽似蟠龍帶雨回。千載清華垂陰遠，三株却笑向塵埃。州人張淑渠《咏枯槐復生》詩，見「藝文」。方大猷《宗聖廟鳳樹贊》，見「雜稽」。近西五里瞥鄉民呈明古樹四株，皆大椿也。小南門外清真寺內有古楷一株，運河西

禮拜寺有古柏二株。

宋姚鉉、周起、蔡齊知濟州通判，正史無明文，依《舊志》書。金孛术魯氏阿魯罕與紇石烈氏胡剌爲二人，《前志》合爲一人，誤。

張璠《漢紀》：山陽太守薛勤喪妻不哭，將殯臨之曰：「幸不爲夭，復何恨哉？」及王龔妻卒，龔與諸子并杖行服，時人或兩譏焉。附龔列傳，今移記於此。

《前志》引張璠《漢紀》，又「雜綴」引《正訛雜記》言：釋門歸塔，喪禮全備，但少斬衰。婦人意在正异端之侈靡，而語近諧謔。又引《曝書亭集》題跋，記濟寧祀魏忠賢，逆祠之建，惡作俑者耳。無關掌故，并删之。

高平郡非高平縣，漢桃縣非任城桃鄉，宋濟陽非漢任城，閔子、端木子非任人。于中丞賜祭而無謚，《前志·例言》辨之甚詳，并見《志原》。康熙四十四年，草橋僧際普跪接聖駕。時巡視南河，駐濟上，僧持盆草以獻曰：「此一統萬年青也。」賜「慈燈寺」三字匾額，金經二部。《碑記》：寺建於乙酉歲秋，告竣於丙戌仲春，監工者知州吴樫也。巡撫趙世顯撰文，鹺使王廷倫書丹，兖州知府吴頤篆額。際普，浙之嘉興人。卓錫濟上施茶湯，掩骸骨，收焚字紙，募建仁和橋。雍正三年郡人郎中張如緒碑記作「錦雲」，想即際普字也。是年州人李經六、王玉卿、李節之同修，僧人爲慧宗云。

前知州李順昌多惠政，今李公祠久圮，尚有吴樫作《畫像贊》石刻，今載「雜稽」。祠有碑無字，後人流寓於濟者磨其字將鬻於市，州人見而止之。清白子孫而頑愚無知，良可慨矣。知州商丘楊嗣曾於北關外立何邵公先生《故里碑》，道光庚寅閏四月。前知州王鎮道光十年修横壩，加築新壩，及牛頭又修河堤、青山橋，創建漁山考院。州人有《德政碑》，至今感之。後任登萊道，

宦迹存者不與，故附記之。

四忠祠皆明末濟人而殉節者。國朝徐萬寧、沙允清二人今祀昭忠祠，僅有二人木主。《舊志》房星、惠世溥二人已與「四忠」入忠義祠。「四忠」向有專祠，久未修復，可於武廟東配房安設龕主，且與昭忠祠附近奉祀亦便。附記忠節之朱錦已設主於城隍廟之東齋，惟劉文燦詳請入祀，無文卷可稽，或爲私祠，或與朱將軍并祀，惜其未逮也。濟上文姓爲信國公後人，有族譜可徵，應請祠祀。又明副將吴道泰，崇禎末土賊之亂，與其子陣亡同殉者。有守備許某其子同許佚其名，當采訪補之。今忠義祠皆州人應請并入昭忠祠。又任民育諸人之幕丁同殉節者，均應附祀。詳「人物」及「雜稽」。○《任民育傳》從死者五人，原本止有幕一、僕三。考幕友陳美與其妻對縊死，或并爲五人也。鄭與僑《倡義記》戰没者三人，金鄉周永康陣亡，部下死者四人，姓名皆佚，并宜訪求補書。

道光庚子修城垣，山長許印林見道旁舊砌二石，皆元至正年碑，移置城隍廟之齋房。詳「陵墓」。

前運河同知黄小松司馬《小蓬萊閣金石文字》原板久湮没，偶於書估家得之，缺若干篇，亦購索而獲争拓者，一時紙貴。又畫稿數幅，有《達摩血影石》，友人楊石卿携之去。又前運河道陸朗甫耀小像一幅，勒石未果。濟人李東璧珣，明府司馬外孫也，故濟上遺墨存者尤多。又集鐘鼎文壽字一百二十，子孫字九十九，皆久行於世者。運河同知德暢亭司馬所藏蔣伯生明府《兵農器八伯生銘》，其柄内有漢勾兵一，楊石卿拓而識之，後藏州署，今以歸馮集軒明府。魚臺馬邦玉《懷續堂稿》有漢碑二、詩一，自昌邑聚移來漢

碑一角，審視正側及陰。以日月考之，據《水經注》定爲建寧四年從事孫洸等爲沇州刺史楊叔恭立，記以詩，一爲永元刻石題辭云：漢孝和帝時永元七年九月辛卯朔作堂八年二月十日戊戌刻石立墻，追書建初逮孝章。迄今石裂遺道旁，伏羲陵前湖陸城北凫山之陽。嘉慶丙子十月朔日，舁石置舍之西廂，己卯九月始得全石合之，文共七行。溯刻石到今千八百歲，睹器懷人思茫茫。節録。

普照寺土中埋大炮甚多，道光己亥冬登郡籌備海防，調五位輦之。以往每位一千二三百斤至六七百斤不等，尚存大小一百七十九位，後又續調若干位。間有前明「崇禎年製」字樣，蓋當時糧艘兼海運，防倭寇，存濟寧衛指揮署也，或即鑄於寺中。明人陳宸銘《藏經閣記》可証。見後。〇又唐幢一，移玉露庵，汪孟慈太守記。

黄小松畫有《晉陽山拓碑圖》，許印林山長自晉陽拓碑而歸，適見於市，亟售之。又於浣筆泉上得殘石，上刻一「金」字，印林定爲漢畫所存之字，余問：「有一字漢刻乎？」印林曰：「中岳廟前石人頂有一『馬』字。」余云：「兩美合則『金馬』也。」語未畢，適有墨客自中州來，將「馬」字至千里之應，不逾晷刻，印林并裝而與之。

有樊二黑者，爲今祀生樊萬春之叔，素爲推車子御，固其家法也。樊子祠告成，文一飛河帥書額云「仁知傳心」，余謹擬楹聯云：學稼兩言，原爲斯民籌樂利；逾溝三刻，允宜吾道作干城。

諸先賢祠皆就城關尼庵改建，佛像奉於普照寺大樓上下。尼僧年老無所歸，亦移於城外寬大庵觀并居。曹子祠本西來觀也，陳子祠本崇興庵，鄭子祠本慈雲庵也。東門外重喜庵道士，乃曹子後人，移置佛像，欣然助之。陳子祠舊在古柳樹村，常夜夢「古柳高風」四字，敬書爲祠額。崇先哲，逐游民，費省而事易集，州人士皆樂從之。

西城門内，向二神像廟傾而露處，祭而埋之，愚民大駭，故諸佛皆移奉焉。

《前志·育嬰堂條約》有留嬰龕懸空高挂爲暗弃小兒者，而設今城外隙地，每有遺弃夭殤之兒，貧民剥取衣褌，或代掩埋之，猶無害也。若仍弃之地上，則以飼狼犬矣，亦可用此法隨時查看瘞埋，并責成隣約稽察之。○以上八條徐宗幹《斯未信齋雜記》。

漕河經始官無定制，明初或以工部尚書侍郎、侯伯都督運河。自濟寧分南北界，或差左、右通政少卿或都水司屬分理，又差監察御史等巡視。成化、弘治間，或以工部，或以都御史駐劄濟寧。國朝康熙十六年以後，曾移駐清江浦。雍正七年，濟寧清江分設總河駐濟寧者，專管山東、河南黄、運兩河，加兵部尚書、都察院右都御史銜。十年添設副總河，旋罷。嘉慶年間仍添副總河，道光年添京員，學習期滿，分别奏留、補用府廳。○濟寧道原管南河，兖東道駐壽張，管北河。設東兖分巡道，駐沂州。國朝康熙五年裁兖東道，六年裁濟寧道，另設南北河都水分司分理河務。九年復設濟寧道，兼管南北河道，罷分司。十五年兼分巡，十七年將東兖所并夏鎮滕嶧河道盡屬濟寧道。五十七年又裁東兖道，駐沂州，歸并濟寧道，改銜兖寧。雍正九年兼管曹、東二州，改銜曹東河道。兖州另設兖莒沂道，十一年以曹州屬兖沂道，以東平屬濟東道，專設河道。十二年改督理通省運河道，不兼分巡。乾隆元年加兵備銜，换給關防。明宣德初設都水郎中，又除都水司主事二員，一駐寧陽，管泉源；一駐濟寧，管閘座。正德三年裁寧陽分司，以濟寧分司帶管。嘉靖二十年復設寧陽分司，專管泉務。三十四年裁南旺主事，以泉主事帶管。隆慶三年并濟寧閘務於寧陽，改稱南旺分司，仍駐濟寧，從此兼管泉、閘務。國朝因之，康熙九年添設滿分司，爲二員，十四年并裁。○明嘉靖四十五年設閘河同知，管理新河，駐濟寧，後改運河同知。國朝乾隆四十二年，换兖州府同知管州屬河務、關防。以上并據《前志·題名》所載河道官制，今「職官志」改爲表。州乘以守牧爲主，故補書於此。《前志》河員别爲題名，載明于湛、潘季馴。《總河題名記》言河漕利弊甚詳，附於漕渠篇。後又王國楨《運河道題名記》、國朝靳輔《總河題名記》兼論治黄，并節其略附之。金祖静、姚立德《河道題名》、沈廷芳《巡漕察院題名》祇論紀載姓氏、勒石之由，故未録。

明永樂十八年，遣行軍司馬提馬步兵十萬守濟寧，正德以後定遣都御史奉敕行事。隆慶四年，加提督軍務銜，轄南、北直隸、河南、山東各兵備道，皆聽調遣。天啓二年，總河陳道亭題設營兵三千，以中軍統之。六年，總河李從心改副總兵。崇禎九年，總河周鼎題設中軍守備一員。十四年，總河張國維提督徐、臨、通、津四鎮，防護漕運，增馬步兵三千名，濟寧兵備道以參政副使等官奉敕行事。嘉靖間添設河道副使，兼管鹽法。○曹、沂二道管河，濟寧、魚臺舊屬沂道，後改設濟寧道，專司河務。《前志·兵防》附存備考。

魯男子未必有其人而有其故居，曾子居費縣而嘉祥有其遺迹，蓋地志多附會，應劭《風俗通》、酈氏《水經注》、李吉甫《元和郡縣志》皆不能免，其由來久矣。必欲追而正之，其誰信？《前志·小序》。

自二氏以象教，而琳宫、紺宇遍於天下矣。然勾踐以黄金鑄范蠡，而令國中朝之，固在二氏未興以前。其學以清静無爲爲本，而其爲教則主於以鬼神之福善禍淫勸懲斯民，不用刑罰而天下自治，亦猶殷人尚鬼之遺意也。雖見屏於儒者，而古迹具存，弗可廢也。《前志·小序》。○元劉敏中《神霄萬壽宫記》述女僧妙清傳之守净，守净傳之慧秀劉氏，任城人。未録其文，附記於此。又張養浩《極真萬壽宫記》女僧妙靖已節附「雜稽」，或疑「妙靖」即「妙清」，非。一在憲宗已未，一在延祐時。《前志》云。○明陳宸銘《重修藏經閣記》略云：普照寺大雄殿後高閣五楹，净公無塵和尚創自洪武初，正統間賜釋經一藏。萬曆戊子毁於火，庚子年重修，建後科第奮盛。僧古澄名妙湛，徒衆請經金陵，庋貯閣上。後五十年用兵以來，戎器興作，皆集寺中，冶鑄之光霞飛電麗，金鍼之聲霆震雷轟，邑人士禁足不敢入寺者十餘年。後僧正定然住持貞一灑掃潔除，孟君肅陽等重修之。○金趙渢《普照寺照公塔銘序》云：師諱智照，姓禹氏，泰安奉符人。上皓公禪會，皓公出一句偈云：「枯木生花日。」師曰：「寒灰發焰時。」皓足成云：「元微都及盡，何似眼如眉。」一日謂師曰：「汝霜墜果熟時也。」付偈曰：「黄龍正派涌波濤，走電奔雷意氣高。雲洞何人着精采，好將鈯斧振吾曹。」師得傳衣偈曰：「鷄足山中藏不定，此回拈出更新鮮。展開不費纖毫力，免得黄梅半夜傳。」大定二十九年至濟上，至明昌六年八月十二日示偈云：「濟水灘頭厭世歸，黄粱夢裏漸成非。轉身不守虚明地，懶看庭前片月暉。」言訖端坐而逝。嗣法三人曰宗能、廣慶、智寶，落髮弟子八人曰祖顯、祖正、祖了、法祐、廣安、祖義、廣琛、廣珍。《塔銘》曰：堂堂照公，僧中之英。脱離情識，超出死生。傳持之餘，與大佛事。莊嚴道場，修建長利。煌煌金文，照映寶輪。於無相中，以法施人。了人了己，嚴然示寂。我銘其塔，永世楷式。○明王梓修《鐵塔寺記》略云：修於萬曆九年八月，越明年工竣。是歲秋，風來自東南，晝幾晦。俄而巨雷起塔下，有火如斗，隨之如是者再。翻騰震突，乘風雲西北而去。塔比前加級二頂，銅質金章，四周垂以風鐸。塔前有層樓，蓋懸鐘處，并修葺之。倡議者少府龔某。○明許彬《重建樓記》略云：郡治東南舊有鐘樓，宋勝國時所遺。元至正十三年重修，至明天順四年巡按山東御史康驥、李勝、都帥狄瓛倡捐，管操州同知郝瓛監修。銘曰：八音之宗，厥美惟鐘。大而能受，虛中有容。肖形於天，體道之盅。旋蟲乃懸，樓閣凌空。華鯨遄發，大音鏗訇。達聞四境，高徹九重。攝調二氣，節宣八風。祛除灾沴，肸蠁登豐。政令齊一，民用和同。荒氣所在，百神致恭。於萬斯年，聖治日隆。我作銘詞，昭示無窮。○董允璐《玉露禪林大悲閣記》：禪林始爲息愚、麗元二師所肇，延慰亭禪師監寺焚修，名曰「玉露」，此康熙七年事也。某月澈也和尚從金臺返，適過其地，郡守廖柴坡同紳士袁西湖、孟馭乾、劉五興等留以卓錫。未幾有都寺張季起、監寺法徒寧千之及子法震捐買寺後朱景元一則地七畝五分，衆人同副寺李整庭等助修殿廡。戊辰夏，余抵武昌訪故人，適澈也先一日至，以濟上不産木植，托鉢於斯。旋因風鶴忽驚，萑苻震動，與澈也寄迹一小庵，主僧逐客亟甚，於是衝濤冒險，從賊壘中買舟過彭蠡湖，投南陽太守張士佺。捐金勸助，得巨木數百株，便艘浮至濟濱，至九月朔興工。白子美夫婦造像，閻集、閻調兄弟捐金五百，閱期年而閣成，法弟子庚水、西樹、德宗徵余紀其事。今春正月復創藥師殿，總河董倡捐成之。○知州吴樫《與澈也詩》自稱法弟子超茂，相傳吴公喪子，至庵禮懺意甚悲，澈也曰：「此本非公子，明年某月日生者真公子也。」至期果然，公遂皈依佛法。詩見「藝文」。河道傅澤洪作《衣履塔銘》，并詳「雜稽」。○劉淇《準提庵記》略：比丘尼德明所創建，先明保定總督徐標别業也。詳載德明貞節，入庵始末與俗不同，故其文入「藝文」文録。《明志》以后妃、帝系列「人物」之前，《舊志》無專門，《前志》改爲「封建」，居「職官」上，今以「封建」入「方輿」，而《胡后傳》列「雜稽」焉。

《前志·人物》：唐伊慎，兖州人。注云或非任城人。按，唐以魯郡爲兖州，領十縣，其一任城，或紀載之未詳也。仍應補録。鄉賢沙澄註編修，曾歷官尚書，應采訪傳志補傳。

明魚臺人韓化《崇明寺記》：唐高宗儀鳳四年修，名棲霞寺，至嘉靖九年河決淪没。二十六年省祭，滿鎧兵憲金清移其碑復修之。萬曆八年滿尊義、滿繼業，十一年秦尚智、朱淮、秦尚義重修。又《洞源觀記》：創於元至正年，倉副奚桱施地道人王臣重修。萬曆二十四年曹謙等修。又邑人張修《大覺寺記》：創于唐中宗三年，萬曆年楊茂源重修。

國朝廩生曹士煌《棲霞寺記》：唐碑文曰「大唐方與縣故棲霞寺」，略云：「前臨鄆邑，星弩開五色之疆；却背沙丘，天孫標九河之鎮。」又有「圓泉隱映，密邇猴池」等語，其餘莫辨。邑侯劉與本村趙氏重修，雍正四年孟夏記。

六安武生晁載典輯《晁氏遷徙譜》云：「歸來園東眷，五世府君補之之園也。府君自密州乞祠，得主管南京鴻慶宫，買田故緍城，葺歸來園，自號『歸來子』。自有記，與淵明侶云。」○任城積善堂西眷之堂也，真州事推官宗愿之配黄夫人，大觀元年以年九十一得封壽光縣太君。其子中詢作堂以奉之，取制書之文曰「積善」。《鷄肋集》有《積善堂記》。○東眷可譜者，皆吏部郎中、知泗州補之之後。泗州居金鄉，金季之亂，子孫徙衛之輝州。泗州曾孫四人：長彰，次林，次德，次聚。林始遷鄆城，其孫源遷嘉祥土山橋，爲嘉祥之晁。中眷宗諒後世名章者，亦居嘉祥。○鄆城之十五世名榮者遷濟寧，孫慶餘復由濟寧遷曹縣。二十一世名英者，由鄆城仍遷嘉祥土山橋。二十三世名光先者，亦由鄆城遷嘉祥薛家莊，故嘉祥有三派。嘉祥之晁始遷者，東眷十二世，其後十六世名繼遠，二十一世名綗崇，先後遷於濟寧，故有濟寧之晁。二十二世名雲者，遷於金鄉。二十六世名奉汪者，亦遷金鄉，故有金鄉之晁。嘉祥十七世文昇繼祖子素行端謹，壽百歲，萬曆二十年知縣朱應遇請給冠帶，表土山橋曰「百歲里」。十九世東溟時之次子字禹門，年十六補諸生退居，樂志孝友，著於鄉邦。舉介賓，薦德行思，給訓導銜。二十二世明姬綱忠子也，字望周，寬厚好施，舉農官，給八品頂戴，巡撫旌其門曰「盛世天民」。二十年九十六卒。二十三世世紳，紹姬弟四子，字念曾，以孝友稱。舉鄉飲賓，給八品頂戴。二十四世孟遠字源長，世紳長子，歲貢生，以親年高不赴選舉，舉大賓。卒年八十三。以上采訪，續至「人物」，「僑寓」止載晁補之，未詳，補書於此。

濟寧衛傅氏明封誥曰：「昔者聖王之治天下也，必資威武以安黔黎，未嘗專於文而不演武。朕特仿古制，設武職以衛治功。受斯任者必忠以立身，仁以撫衆，智以察微，防奸禦侮，機無暇時。能此則榮及前人，福延後嗣，而身家永昌矣。敬之勿怠！天順七年十二月二十二日。」○傅保兒永樂五年調濟寧衛左所，侄顯子震以軍功襲衛指揮使。萬曆元年傅岩、三年傅巍、四十三年傅汝霖，皆襲職。《職官志·衛職所》遺，補書之。

魚臺馬翁以子貴封郎，偶偕同人請乩，云：「夜贈三百銀，足踏一鷄籠。」皆不解，翁笑曰：「言之恐爲諸君嗤耳。」衆强之，翁曰：「吾少經離亂，流落緑林中。一日入院，聞哭聲，穴窗視之，見媪與婦人泣甚哀。余徑問之，大驚，余曰：『無恐也，吾不忍乘危也。』媪曰：『吾子負某豪銀三百，子没，豪令惡奴逼責，將以婦償，明朝永訣矣。』余出携銀三百復入置牖上，曰：『銀至矣。』媪問姓名，不告而去。當時暴客公行，無少顧忌，余多所排解，凡良善之家約弗入。巨宦某，衆入其室，見女如玉藏帷中，衆約攫物畢共狎之，且携以去。余乘衆不覺，急覆鷄籠，謂女裹被入，余踏其上，左執燭，右持械以麾衆。逾時覓女所在，余曰：『吾見其出久矣。』其踪迹之，弗得，乃出，余後衆而逸。」同人聞之嘆服，乃知其食報之由。采訪人物固以輿論爲證，而有隱德爲人所不知者，又未可以鄉人皆惡之而遽削之也。後人顯貴者，自身心有過人之處，宜録之，非有趨附之見存也。

高如岱著有《癸巳泣血記》《庚戌悲思詩》，類非泛泛題咏之作，搜采未獲，應訪求補之。

《前志·藝文》碑記或仍選入本卷，或節略附於各門，所遺而未采者已撮記於前。其尤多者唯學宫、祠宇及名勝南池、太白樓之類，雖未録其文，仍於各卷内著名作者及最工者，名氏不敢湮没也。其詩録未登者，太白樓如徐鈫、楊通久、陳宸銘、王湘、于若瀛、劉淇、周大樞、德保諸作。又靳學顔《歸自洸園涵虚閣》兩詩，又吕一經《題龍門社壁》、潘呈念《聖泉詩》、李佩斗《釋迦寺湛公房詩》，或采録已多，或自有專集行世，固無取乎獺祭也。但恐去取未當，仍書其目，以質大雅。其據原本删改者，黄堂《金狀元墓詩》，王天眷《信天翁詩》去二十四句，楊通《普照寺閣詩》十四韵存四韵，王爾鑒《過魯橋詩》易九字，黄作次聯云「策名喪亂文雖缺，效死封疆總是忠」，今改「策名喪亂文兼武，效力封疆勇作忠」。又曾棨《鐵塔寺》二首存一，王通、劉翊《十景詩》各十首存一，沈廷芳《南池宴集》四首存二，《南陽道中》六首存三。又金石門多時珍、張鴻烈和張弨《咏党懷英石刻詩》八首，同弨詩入「雜稽」。未選各詩，或并入附記。東育村貽發《夢蘭齋稿》，詩甚夥，選其一二入「藝文」。其佳句如《浣筆泉》「可憐芳草人眠處，正是寒泉日落時」；《登南城樓》「經柳低垂新漲裏，亂帆斜挂夕陽邊」，《南池》「歷盡平生零落境，空餘幾卷性靈詩」。孫適齋擴圖《秋柳詩》四首，用漁陽韵者一，自用韵者三，詩録選其一。又全韵詩三十首，有專集行世，不備録。○靳肇佶《勉子弟》有句云「荆花一樹凋零半，嫩葉柔條好護持」；靳肇偘《咏志》有句云「痴愚終作奇男子，機變甘輸小丈夫」，皆得「興觀群怨」之言。○金鄉李春林翩《秋影山房》六十餘闋，今録其《秋柳疏影》一闋：斜風澹月，悵玉關萬里，孤吹聲徹。幾點寒鴉，滿樹秋烟，絲絲總是愁絶。纖腰老去憑誰惜？欲起舞，婆娑遂怯。想六朝，一井悲凉，怨損舊時眉睫。長憶春堤繫馬，故人折贈處，香絮吹雪。酒醒帆遥，水驛山程，劍佩飄然天末。而今又見蕭疏影，頓觸起，那回初别。向陽離，續紛紜，付與晚蟬低説。

朱彝尊《贈金陵鄭簠詩》有句云：「任城學宮闕里廟，羅列不少漢人碑。簠也幽尋遍摹拓，羲娥星宿摭無遺。

浣筆泉題壁，木蘭山人劉浦號荻江，名人次韵者紗籠滿壁，然不知爲何許人。偶讀仲承述詩稿，有《送劉荻江入蜀從軍詩》，注云：「名滿一，黄陂縣人。『滿一』即『浦』字之訛。」

《前志》之修，距今數十年，而亥豕尚多。如明鄭真《遺愛堂記》闕文共十八字，脱一字。又「雅意」誤「惟意」，「文教」誤「文廟」，「風教」誤「聖教」，今俱補正，一篇之多沿訛如此。此外如故址山陽脱「陽」字，「學校」《尊經閣記》「矧」誤「弘」、「賢」誤「殿」；「社學」「十五」處脱「十」字；《講德書院記》「川靈」誤「州靈」，「慨」誤「既」；金鄉忠義祠脱「孝弟」字，魚臺「殿廡」誤「殿廢」；饒公書院「饒夢燕」誤「馮振鴻」，禹王廟運河同知王有容上脱「同知」字，平山廟「嘉祥」誤「嘉魚」，魚臺禹王廟南陽脱「陽」字之類，校書如掃落葉，成書以後隨時翻閲，隨時刻補，庶無錯簡。

濟寧直隸州志卷末

志原

古書序目皆以爲末篇，後人移置簡端，非古也。方志歷事修纂，則彌繁矣。近偃師武虛谷億撰《安陽縣志》，惟《新序》冠前，别立「志原」殿諸卷末，以括《舊序》，酌古準今，庶幾可法。《濟志》自明迄今凡六修，莫《志》不傳，胡《志》未梓，而二《序》聿存，其餘四《志》完書具在。今防武例掇其序目，各自爲篇。三屬《縣志》、兖郡舊治均淵源所系，亦并述之。

《濟寧州志》十三卷，明弘治初濟寧分司、成化辛丑進士無錫莫驄伯良纂。其書見《明史·藝文志》，蓋志乘之佳者。而萬曆時已不得其完本，惟胡瓚《泉河史》載其《序》，《舊志》録之。《濟志》裒然成編，自斯《志》始。

《序》曰：「志不易作，江文通有是説也。然苟畏難而弃不問，彼郡邑之事日就湮没，謂非守土觀風者之責哉？弘治戊申，余視水濟上，自以咨諏王事，古使臣之職，因索《志》

觀之，將卧游山川之勝，而尚友先達以自鑒。奈何百年之間，抄本僅存，編帙散失，不無遺憾。適同年劉大節以壽州守上計過濟，相與討論體要，芟補詳略，未就而大節謫戍海州，不果。又明年，州守祥符傅皓以余使還有日，請終其事，乃延學徒六七輩，就余官舍旁搜群籍，紬繹舊緒，比事屬辭，皆要不越大節規範，余則粗加隱括。其間書成，而瓜期及矣。夫才不逮古人，而顧欲爲古人難爲之事，於匆遽之頃，亦詎能無憾如前日者乎？然歷代之史，率采志紀以是之難。孔子修《春秋》，亦因《魯史》筆削焉。後之君子毋吝爲我潤色以成完書，俾濟州之學士、大夫覽山川之勝與夫忠義孝友之雋偉，悚然而興，慨然而奮乎千百世之上，豈曰『無補』云乎？」鈎山莫驄撰。

《濟寧州志》八卷，明萬曆三十七年欽差管河水利兼濟寧等處兵巡道、山東提刑按察司副使王國楨編，兖州府運河同知劉芳譽、泇河通判李充元輯，濟寧州知州張嘉謨、唐世柱校，定陶縣知縣陸典定叙，共秉筆修纂者則濟學生員朱夢得、張維屏也。其《凡例》云：「郡志修於弘治辛亥時，屬草創簡略未詳，矧去今百有餘祀，舊板殘缺，舛訛莫辨。凡山川之葱鬱，人文之浚發，風土俗尚之變遷，户口貢賦之增減，與夫官師履歷、廨署祠宇之類，不及時修輯，將日就湮没，采風者安所稽考乎？兹承纂修，慨編帙之散失，懼能言之無徵，乃謁蹶趨事，盡心旁搜。或考群籍，或質耆舊，宗之故典而不滯，通之新制而不拘。簡者益之，弃者舉之，略者詳之，誣者正之。援古証今，分門别類。矢志秉公，編爲實録。雖云撰述之拙，庶不至文獻之無徵矣。今定爲八卷，第一卷《地理志》，子目十一，曰『沿革』，曰『星野』，曰『疆域』，曰『形勝』，曰『山川』，曰『城池』，曰『橋梁』，曰『鎮店』，曰『村莊』，曰『土産』，曰『風俗』。第二卷爲《學校志》，子目五，曰『文廟』，曰『祭器』，曰『堂齋』，曰『書籍』，曰『社學』。第三卷爲《建置志》，子目七，曰『公署』，曰『鋪舍』，曰『樓閣』，曰『街巷』，曰『武備』，曰『壇宇』，曰『雜祠』。第四卷爲《田賦志》，子目四，曰『户口』，曰『田土』，曰『貢課』，曰『徭役』。第五卷爲《秩官志》，子目六，曰『河道部院』，曰『濟寧道』，曰『工产分司』，曰『運河廳』，曰『濟寧州』，曰『學職』。第六卷爲《人物志》，子目十二，曰『后妃』，曰『帝系』，曰『列傳』，曰『名宦』，曰『鄉賢』，曰『科貢』，曰『誥敕』，曰『忠義』，曰『孝節』，而『女德』次焉；曰『隱逸』，而『耆德』附焉；曰『流寓』，曰『叢談』。第七卷爲《遺迹志》，子目四，曰『古迹』，曰『景致』，曰『祥异』，曰『冢墓』。第八卷爲《藝文志》，子目二，曰『碑記』，曰『詩賦』。」

《序》曰：「萬曆己酉奉命備兵濟上，夙夜殫心，求可以厘宿弊、惠軍民者行之。材弗克逮，欲訪《舊志》以徵文獻於先哲，久而始獲謄藁若干紙，未克成書。逾歲少暇，因延二三謀野之士，搜刷幽隱，裒輯逸散，編劘成帖。大都參之《圖經》以志疆域，本乎《一統》以志建置，師厥《禹貢》以志田賦，徵諸士庶以定官師，協於鄉評以采人物，稽之典籍以綜藝文。立義以審制，修詞以審式，據實筆削，無一訛漏。《舊志》有《小叙》，而逐款無斷語。余更叙以表其概，斷以綴其說，非樂爲著文詞，載繁穢，要以感時觸事，以寄箴規而備觀戒耳。稿凡再易，迄三月終克就緒。議者云『當序以識歲月』，余謂：『志即史也，志以紀郡邑之事，史以紀天下之事。定是非、別善惡，以公勸懲者，史也；考俗尚、驗政治，以備采摭者，志也。史以嚴萬世之大閑，志以存一時之公論。大閑立而僭竊不敢逾，公論明而邪議不能惑。志有資於史也，大矣！此吾夫子『不足徵』之嘆所以發也，此郡邑之志以緩而實急也。顧纂修在今，法鑒在後。後之人無能纘承休美，振起陵夷，即日親圖史何益？是惟酌時宜、緣物變，遵爲典常，而不混其迹；運以新法，而不失其原。濟上地廣賦重，厥初已然，近之版圖登耗視昔何懸絶耶？則以此思仁，而澤可下究矣。名公偉績，後先輝映，甘棠遺愛，峴山留芳者，可以徘徊而瞻顧焉，則以此思政，而職可克稱矣。濟之民風昔稱醇樸，今者告訐公行，刁頑成俗，則以此思化，而俗可臧矣。山川孕靈，代生賢哲。荒丘故祠，百世興思。或建勛業於當時，流清風於千古。出處不同而道歸一致，則以此思賢，而世可風矣。聖天子作人弘化，賓興盡制，志不朽焉。賢不肖得無可指而議乎？則以此思懼，而節可勵矣。如是豈特文獻之徵實，惟風教之隆兹，殆非徒刻者也。昔李吉甫作《元和郡國志》，謂『爲政者執此可以治天下』。噫！是編也，後之君子恕其妄而察其愚，則於斯郡臨政之實，未必無小補云。賜進士第山東按察司副使濟寧兵河道禹都翼廷王國楨撰。」

又《序》曰：「濟在國初於兖屬等邑耳，永樂辛卯始浚復。勝國時餉道實用濟丞潘叔正言，則今會通一綫經州城而南者是已。叔正一州倅，能爲國家建石畫垂永利，然則官胡可以卑膴論也？且非獨爲國利也，濟自是商舶流通，文物浸盛，而汶、泗諸水得交匯縈繞其間，靈氣秀鍾，人文蔚起，即概諸兗屬，莫敢望焉。惟是紛奢之習頗爲耗蠹之資，而占販之羸不勝絡繹之擾。居恒以聲華詫境外而枵中實，甚所爲砥柱其頹風而節縮其物力，是又在上之人耳。濟之爲濟，此其大較已。濟故有志，歲久殘剥存者不能什一。往州侯督修者屢矣，而竟未能就。歲己酉，晋寧王公以兵憲督河濟上，振綱肅紀，惟修廢爲孳孳，諸所興厘，無不暢洽人心。睹州志缺，乃檄州侯推擇博雅堪載筆者，得朱、張兩生而授簡焉。會州侯以覲行，而郡司空大梁劉公、關中李公相繼視事州中，共董其成，定陶尹陸公實定其叙。凡數月而竣，爲圖七，爲卷八，爲志亦八。既成帙，公輒手一編示不佞而問序焉。不佞則竊以今之志，即古列國史也。顧古史多世其官，其籍俱在，且所紀者獨君卿大夫言動之一端耳。今且舉山川風俗、人物兵防之類而兼收之矣，乃其籍則安所受之。故志之難，難於詳也。古史有專職而鮮避忌，故以世子之重、公卿之貴，得執簡以擬其後。今一操筆而非其所嚴事，則其所親昵惴惴恐不能自免，即玉石且因而糅矣。故志之難，難於直也。非詳則胡以徵，非直則胡以勸，無爲貴志矣。且今之官其地者，固非其素習也。風土謡俗常苦不及察，即久之而察矣，廢置沿革常苦不及行，幾何不蘧廬其官也者。姑無論他，即欲畫一奇以比於叔正輩，得乎？假令至而旋察，察而旋行，按方域於几筵，造合轍於戶内，自非考衷於志其道無繇者，則志所關豈淺鮮也？故曰『前事者後事之師』，又曰『不習爲吏，視己成事』，殆謂是歟？《濟志》之廢幾百餘年，兩生起，縫掖搜羅於散佚之後，譬之徵事鴻蒙、問途襄野，豈不戛戛乎其難哉？昔馬遷之《史》不嘗見詆於班倩，然後之持議者卒不優固，於遷則以遷創始之難，而固出於歆、向諸人之後，其綴拾易也。今以百年茀廢之典，丘里目攝之餘，而一旦補苴其後，衮鉞其中，即略吾猶以爲直，而矧其爲詳爲直也。若此則兩生之勤，信有足述者矣。然尚微王公烏睹此？而非劉公又孰與成之？雖然，竊聞之『大聲不入里耳，而《折揚》《黄荂》則嗑然而笑』，夫不佞今者則猶然里耳也。能必所入之爲大聲，所恃博物君子持衡掞藻，青黄而黼冕之。以爲兩生元晏，則幸有當事者在矣。任城楊洵撰。」

《濟寧州志》十卷，國朝康熙十二年修。掌修者兗州府濟寧州知州甲午舉人射洪、廖有恒，校修者濟寧州儒學學正庚子舉人雩化趙自立，分修者濟寧州監生楊通、生員李佩斗、戴沂、姜遇主、鄭序、張耀台、楊通俊。其《凡例》有八：一、州志創自弘治辛亥，至萬曆己酉，兵憲王公病其簡略乃增修之，然己酉所修亦未能詳核而不簡略也。如玄宗以前因革、制度、禮樂、兵食茫無考據，即人物亦晨星寥寥。辛丑之書蕪滅已久，六十年來嘆己酉之簡略者，不啻其嘆辛亥也。康熙壬子奉旨續修，屬迫歲暮，未遑授簡。念惟前書徵同杞宋，義遠董南，何容膠柱？兹役起癸丑初夏，越蕤賓之望，末五旬而竣事。綜以六綱，厘爲十卷。存舊者十之五，而有損益；增新者亦十之五，而加研核。其視前書較有補罅救紕之苦心，而文獻殘缺者終不敢不闕文相仍，烏在其免於簡略也？一、志之欲詳也。凡山川、土田、民俗、兵制之屬皆在所必紀，即在所必詳。顧歷代土疆，分合無定，而名號有易置，城邑有遷變，山川有屬殊，生齒有登耗，財用有增減，俗尚有淳漓，兵防有緩急，文物有盛衰，皆不可不詳者。惟詳則今昔事勢瞭然指掌，故曰「監往知來」，觀於今而往可知也，觀於今而來可知也，非必曰摹仿龍門、蘭臺而後爲志。然讀《史》《漢》而知志之貴於詳也，蓋志之體有不可不詳者也，以云竊取毋乃僭？一、大綱既定而節目以類從焉。條理秩如，不容有紊。星野灾祥，非談天於虛也，統之於疆輿，而人事亦在其中。營制衛屯，事之大者也，附於官秩，不惟其事惟其人。且衛屯在昔即兵農合一之意，今之屯丁無關兵制，自更設城守益覺疣贅，僅以運兑而已。濟寧衛故有志，諸屯越在四縣已載志中。而臨清衛屯俱環處州之封域，壤地綉錯，反無可稽。然該衛去籍於此有深意，或云載入《州志》，則清丈爲更難，殆又一説也。至若貤封、恩蔭，悉附學校，從人材興起之地，思國恩榮被之由，勉奮功業，知當不詑籍古力矣。舊書於細目前點綴數語，各爲引端，今改裁爲「六叙」，統舉綱領，分冠於篇。一、《前志》中列有帝系、后妃，考后妃止胡后爲州人，其任城太妃、元順聖后及漢魏王侯以封爵著者，俱於濟無涉。又諸傳中，「宦游」錯見於「人物」「爵號」，全録其本傳，連幅累牘，殊覺不倫，舛錯繁蕪，往往多有。今於胡榮墓下附見宣后，其以封爵見者，止録勛號，削事狀。至淆訛者，咸爲厘正。一、族姓始於五帝，派分支别，原其所自，疇非神明之胄？第漢魏迄今，譜牒紛糅，涇渭莫判。至如聖賢苗裔，自「四氏」外，嫡系真傳，求其可徵可信者，厥惟艱哉！濟故有仲子後已久，而又有居濟數族，咸爲賢裔，然未載其《舊志》。夫濟之距洙泗百里而近，宜爲聖賢之所栖迹。緬懷先哲，何忍輕置逆億？爰述賢迹，摭爲一則。葉龍隗駿，夫亦所好則云爾也，蓋亦比於愛烏愛樹者也。一、任城人物若吕虔、魏應，世皆知之，而前書不載，其可類推者多矣。且志之難也，於古每失在疏，於後輒患在蕪，其亦有不得不然者乎？第論人於紀載，有必傳之人，有姑傳之人。必傳者自爲傳者也，姑傳者或爲傳者也。

是非别如黑白，不能使必傳之人不傳也；毁譽移於愛憎，亦不能使姑傳之人必不傳也。核行徵實，微顯闡幽，一以論定爲斷。雖奇節异能，不以同時而干諛佞之譏，豈非其慎歟？然列傳中者恒列事以見人，未有有人而無其事者也。事見而人與俱見，即其人之自爲不泯，與事之自爲不泯者也。人見而事不與之俱見，即其人之不能自爲不泯，而有使之不爲或泯者也。六十年中，老成淪謝，典刑莫存，冥搜博訪，蓋難之難也。雖然，以邑人而述邑事，非難也。鄉之善者好之，不猶是善善意乎？而操觚者於此有恕心焉，有懼心焉。恕則譽之，善者又從而益善之。懼則懼夫譽浮於善，而又懼夫譽善者之僅流爲譽也。持之以恕，嚴之以懼，善不如其人，人不如其善，勿取也，故善善者與人爲善者也。《春秋》之旨惡惡，嚴夫知《春秋》之嚴於惡惡也，則《春秋》之善善爲可知矣。一、是書之成，僅逾匝月，録於前書者有限，爲期既迫，不克周履四封，搜采遐逸，絓漏之憾，實所未免。若王粲、何休之宅，蔡中郎書、范巨卿碑俱不得其遺迹所在。亟付梨棗，尤深浩嘆。一、經始草創，無所因依，則爲力倍艱。諸生家擅青箱，研精史籍，故能揮汗疾書，用襄盛典。如鄭生職「疆輿」，姜生核「田賦」，李、張二生董司「官秩」「學校」，戴、楊三士撰次「人物」「藝文」，功勤於分掌，勞萃於群力，以奏成之篇值簿書之隙，略事攟摭，俾無戾於體裁，似較前書加詳核矣，然非敢自附於詳核矣。噫！後有作者，由後視今，何异由今視昔？庸詎知今日之詳核，不更爲後世之簡略也耶？其第一卷爲《疆輿志》上，子目十：曰「建置沿革」，曰「星野」，曰「境至」，曰「城池」，曰「形勝」，曰「山川」，曰「公署」，曰「鋪舍」，曰「橋梁」，曰「閘座」。第二卷爲《疆輿志》下，子目十四：曰「壇壝」，演武場附，曰「祠廟」，曰「樓閣」，曰「街巷」，曰「市集」，曰「鎮店」，曰「邨莊」，曰「土産」，曰「風俗」，曰「四時俗尚」，曰「灾祥」，曰「古迹」，曰「陵墓」，曰「園亭」。第三卷爲《田賦志》，子目四：曰「户口」，曰「田畝額徵」，曰「賦役舊款」，曰「見行賦役」。第四卷爲《秩官志》，子目十：曰「河道部院題名」，曰「濟寧道題名」，曰「工部分司題名」，曰「運河分府題名」，曰「濟寧州知州題名」，州同知、判官、吏目附，曰「學職」，曰「名宦」，曰「王侯勛號」，曰「營制」，曰「衛屯」。第五卷爲《學校志》，子目十：曰「文廟」，曰「堂齋」，曰「祭器」，曰「書籍」，曰「學田」，曰「社學」，曰「賢迹」，曰「科貢」，曰「武科」，武職、薦舉、吏椽附，曰「貤封」，曰「恩蔭」。第六卷爲《人物志》上，子目一：曰「仕業」。第七卷爲《人物志》下，子目十二：曰「忠節」，曰「孝子」，曰「義士」，曰「貞烈」，曰「文苑」，曰「篤誼」，曰「隱逸」，曰「流寓」，曰「耆德」，曰「仙釋」，曰「方技」，曰「雜紀」。第八卷、九卷、十卷爲《藝文志》，凡文二卷、詩一卷。《前志·雜綴》引潘兆遴《正訛雜記》云：「濟寧《新志》成於康熙癸丑，條理秩然，文質煥發，較《舊志》實讓後來。但彼時飛檄督催，不五旬而造成，以故絓漏舛訛未能盡免。秉筆者於事後曾向余言之，猶有餘恨。如元扎忽兒解見《元史·宰相年表》，武宗元年二年官右丞，其墓在州城西三里，有《題名碑》及石器可考，今志中失載。貤封内某以子貴，贈承德郎、常州府通判事屬烏有，鄭鷺墀亦曾向余正之。寧夏巡撫于公若瀛卒於官，予祭未予葬、謚，今傳云「予葬，崇禎十五年賜謚『襄敏』」，余甥于法先乃公曾孫，常言此事，甚覺不安。應補應削，是所望於後之操觚者。○鄭《序》、《史外傳逸序》云：《州志》所載，大抵皆名流、哲匠、輶軒所題咏，不盡出於土著。其書始於弘治辛亥，已久湮滅無存。迨萬曆己酉重修，徵同杞宋，義遠董南，不能無譏焉。至康熙癸丑之役，余亦分輯授簡，迫於急就，成書編纂不無遺憾。先君子有《州志存真》一册，即《遺事記》頗稱明備，惜無有梓而懸之國門者。乾隆三十五年，知州胡德琳書巢重修《濟寧州志》，未脱稿而擢升東昌守，後任樊踵成之，今無傳本，蓋未梓行也。卷數、例目無考，其梗概見於胡自序。

《序》曰：余自庚辰奉檄山東，歷濟陽、歷城二邑，并以修志爲己任。己丑之秋，由歷下擢知濟州，簡核《州志》，訪之縉紳之傳聞，云志始於前明弘治，莫水部頗稱典確詳明，惜不可得見。萬曆己酉重修者，簡陋之極，體裁又復不備。州人鄭確庵謂秉筆者有陳壽之癖，是非不慊於人心，則不可得而知已。國朝康熙十二年，廖公柴坡奉檄纂修，剋期於五十日内，其時太迫，然集衆材分任以成書，較之己酉之志，彬彬乎稱明備矣。顧當時與其役者有確庵之公子，頗不能自專。確庵復遠游，及歸而志已成矣，於是别作《州志存真》以藏於家。迄今已及百年，其間政事、地域之沿革，宦迹、人物之日新，不及今采訪，傳疑傳信，其勢必至不可稽考。而莅任之時猶以《歷志》自隨，謀付剞劂，至於

《州志》尚謝未遑。越明年暮春，乃集一二同志商確兹役，而訪求鄭氏《存真》一書，久之始得，蓋所謂《濟寧遺事記》是也。又稽之碑記之文，增多金、元、明職官百數十人。又博考諸史及河渠、地理、金石之書，凡《舊志》之缺者補之，冗者删之，以期至於詳明簡核而後已。乃開局未三月，余復蒙恩擢守東昌，西渠樊君繼之，自秋徂冬，爰始畢業。夫余之志濟陽也，寒暑再易；志歷城也，遲以三年，未有如《州志》之速者也。考核潤色，二者猶不能無憾焉。雖然爲九成之臺者，基於尋丈之址；適千里之途者，始於咫尺之步。後有作者，踵事增修，以是爲始基焉，或庶幾矣。庚寅季冬桂林胡德琳撰。

《濟寧直隸州志》三十四卷，乾隆四十三年修，裁定者賜博學鴻詞出身、山東按察使、原品致仕仁和沈廷芳；總修濟寧直隸州知州定海藍應桂；纂輯者《四庫》館纂修、翰林院編修歷城周永年，任城院長、前濟南府淄川縣知縣秀水盛百二；參訂者山西潞安府知府郡人張淑渠，浙江錢塘縣知縣郡人孫擴圖，直隸繞陽縣知縣郡人趙維翰，歲貢生、候選直隸州州判郡人陳符，部郎、留東候補直隸州知州定海藍嘉瓚；校對者十六人：仁和孫振，膠州崔儒視，濟南張政，秀水盛世承，盛世選，盛世逢，盛濤，仁和杭光晋，歸安潘鷺，定海藍嘉璋，郡人王綏祖，潘呈念，許迪，李東琪，王駿姿；采訪者二十五人：邢羽文，种治冀，仲耀麟，李炘，史本，秦燦，孔繼昇，程典，寇發枝，鄭自昇，秦依車，孫世瑞，呂桐，鄭德淳，李鐘沛，王兆麟，師廷棟，靳肇煌，楊瑄，王繼祖，廖翼乾，王淑愚，王如愚，李瀚，孫廷標，皆郡人也。總修胡、藍并列，以胡《志》未梓行而州改直隸，藍修此《志》因其舊稿。卷首仍追列胡銜，沈之裁定、周之纂輯亦由追書，非三人實與斯役也，語詳藍《序》中。其《凡例》二十有二：一、濟州自昔爲名郡，每有名公巨卿、山人墨客之題咏，今皆附見各門。恭維聖祖仁皇帝、今上皇帝數次巡幸，聖製獨多，洵足爲山川生色，俱敬録卷首，而碑版賜額、聯句亦備載焉。一、山左《安丘志》最爲有名，前有《總紀》一卷，今仿其例，亦先之以「紀年」，一州之大事皆爲提綱挈領。而「灾祥」亦附焉，惟象緯、星變不載。一、任城之屬於高平太守也，在劉宋之時。任城之改爲高平郡也，在北齊天保七年。以後若自漢至晉之高平縣故城，在今鄒縣，自屬山陽郡，與任城無涉。故仲長統、張儉、王粲、檀憑之、王宏皆山陽之高平人也，檀道濟則宋之高平金鄉人，而《舊志》以入「人物」，誤矣。然高平與任城爲唇齒，僑寄别業或亦在焉，故州境有王粲墓，今以入「僑寓」。至范諷，齊州人；江盰，濟陽考城人，舊皆誤入，并删去。一、後魏齊州部治碻磝，唐之濟州即濟陽郡治盧縣故城，并在今茌平。其時任城郡自屬兖州，至五代之濟州治鉅野，而任城始屬焉。《舊志》載唐孫逖《濟州刺史裴公德政碑》，與今濟州無涉，故去之。一、漢元帝封廣川王子良爲桃侯，乃信都之桃縣。高帝時張越以騎都尉從定燕、代，用車騎將軍封任侯，是廣平國之任縣。師古曰：「任，晋邑。鄭皇頡奔晋爲任大夫。」《舊志》以爲任城桃鄉，則誤矣。一、宋之諸王封濟陽郡王及濟國侯者，徽宗之子棫、沂靖惠王之子竑；諸臣封濟國公者有張俊、周必大、虞允文，《舊志》亦皆載之。然宋之濟陽郡治在鉅野，而其時封號不過虛名，與漢之任城在東平封境之内者有别，不得强附也，亦删之。一、丁賦爲百姓利害所係，宋慶曆中程文簡爲三司使，有司以夏秋沿納之物、名、件煩碎，請合歸一名以省帙，鈔文簡以仍舊爲便。若没其名，异日不知者，或再敷鹽麯則致重複矣。國初承前代之制，條目頗煩，至今日已酌歸簡易。而乾隆三年或請删去賦役不經之名，如花絨、黄蠟、角弓之類，奉旨仍舊開載，同一深意也。今於前明及順治十四年經制、條例、名目悉載無遺，又《府志》所編有互异者亦兩存，以備後人之考據云。一、運河，元人於天井分水，明人改於南旺，至今仍之。又運河同知所司者并在州管轄之内，今物詳焉。然凡河渠之書專主漕運者居多，今則并詳。一、州之水利，民生休戚所關也。或以古有今無，紙上空談，何异刻舟求劍？不知古河之所以淤，而漸即爲平地者，皆水利不修之故。若并舊迹而去之，後人雖欲尋求，其可得也？且志以道古，非如吏胥之造憲綱册也。《舊志》總述山川不過數頁，今增爲二卷云。一、學宫漢碑舊所存凡五，新得者膠東令及范氏殘碑二。按之《金石録》諸書，尚不止此，安知不復出耶？且州境古碑不少，今别立「碑目」一門，凡唐、宋、元、明及今諸碑亦附之。一、瓦硯溝舊在「古迹」，以爲夫子墨池也，此爲附會無疑，故但見於「河渠」。一、《州志·職官》自宜從知州始，然任城自漢爲國，後爲郡，元明則爲路、爲府，皆有臨民之責者也，與知州雖品秩有崇卑，要爲一體，不得遺之。若夫歷任河院、河道，則不敢以入職官也。一、聖門弟子，《史記》自爲列傳，不以入《儒林》，有深意也，今以附諸祠之後。至閔子、端木子，本非任人，不得以後世子孫徙此而引爲州人也。無祠可附，竟不載入。一、科目存乎選舉，而其人之本傳仍不得遺，《舊志》略去，或僅著支干，不及年號，眉目何在？今皆爲補之。一、宦迹之循良，人品之純粹，日久自有定論，故不爲生者立傳，惟節婦不在此例。一、凡名宦、人物之傳之見於史者，并以史傳爲主，而以志參之。史無者則用《舊志》，《舊志》無而見於他書，則注其出處，以示徵信。其爲諸紳士録送者，則注「采訪」二字。一、烈女，《舊志》先後無次，今先録《萬曆志》，次《舊志》，《舊志》無者采之《山東通志》及《兖州府志》。凡新增已旌者以旌表之年爲先後，未旌者以始守節之年爲先後，若未詳年者則附於後焉。一、《舊志》間有失實，如于中丞若瀛惟賜祭而已，無謚，乃云「賜葬，謚襄敏」；某通判之父未有封贈，而云「贈常州通判」；又徐標《安居西湖記》「鳳凰臺有鳳凰游此故名」，「藝文」改曰「風化臺」，而删去「鳳凰游」句；「任城閘」訛爲「在城」，今皆改正，其引據各詳本條。一、康熙時知州吴檉《牧濟嘗試録》凡賦役、倉儲、水利、堤防源委、利弊，言之甚詳，不特一州之治譜，而亦天下吏治之金針也，故采之特多。一、前明崇禎丙子，孝廉鄭與僑有《濟州遺事記》，當癸丑修志之時，秘而不出。鼎革之際，名宦、人物、事迹今賴以有考焉。一、《濟志》明弘治中莫驄修者已不傳，閲《明史·藝文志》知爲十三卷。歷年既久，其事宜增。乃《萬曆志》僅八卷，康熙癸丑之志僅十卷，今增爲三十四卷，仍苦見聞未廣，絓漏之譏正亦不免，姑以俟之君子。一、搜羅采訪，大是不易，難以刻期。如碑考剞劂已完，而《范式碑》始出土。或遠方郵寄稽遲，或檢閱未周，至後始得者，皆別爲「補遺」，在本卷之後。一、三邑之《志》惟魚臺爲乾隆二十年所修，汶上則康熙中所修，而嘉祥則一百二十餘年未經措手。今始有事纂輯，未有成書，又采訪無人，幸有兗州府《新志》賴以資取焉。其目則卷首恭列聖製，卷一「紀年」，卷二至卷六皆「輿地」，子目十三：曰「沿革」，曰「分野」，曰「形勝」，曰「境至」，曰「街衢」，曰「里社」，曰「風俗」，曰「物産」，曰「山阜」，曰「川澤」，泉源、橋社附，曰「丁口」，曰「地畝」，曰「賦役」。卷七卷十皆建置，子目六：曰「城池」，曰「官署」，倉廒附，曰「學校」，義學、書院、文社附，曰「兵防」，曰「驛遞」，馬政、站地附，曰「壇廟」。卷十一至十七皆「古迹」，子目七：曰「故址」，曰「宅里」，曰「名勝」，曰「亭館」，曰「寺觀」，曰「陵墓」，曰「碑考」。第十八則「封建」也，「題名」也。卷十九則「職官也」，卷二十則「選舉」也，卷二十一、二十二則「宦迹」也，卷二十三至二十五則「人物」也，卷二十六至二十八則人物之「儒林」「文苑」「忠節」「孝義」「隱逸」「僑寓」「仙釋」「方術」也，卷二十九、三十則「列女」也。卷三十一至三十三則「藝文拾遺」也，卷三十四曰「雜綴」，終焉。

《序》曰：《濟志》自明以前莫考，弘治時有莫水部所撰十三卷，至萬曆中王公國楨重修，似未嘗知有莫《志》者，宜其簡陋矣。國朝康熙癸丑重修之本，較王《志》實勝，然於民生利病及賦役、水利、兵農數大端未嘗着意，即人物事迹見於《兖州府志》者尚遺漏而莫之采，安問其他。至唐以前之濟州與今濟州無涉，運而不分，則考核之疏已略見矣。又元初於州置都漕運使，至正時曾置中書分省。明季全城殉賊，出於縉紳士庶，其功何可没也？若此者皆一州之大事，尚不爲之大書特書，曷貴乎有志哉？夫當時文獻未爲無徵，尚且如是，則年遠事淹，不更難乎？曩桂林胡公莅州之始，慨然以筆削爲己任，延名宿，徵書籍，擇采訪，會集資斧，開館於庚寅之夏，草稿初成，遂擢東昌守。又三年，余自歷城遷此，意欲續胡公未竟之志，案牘勞勞，未暇及之。往者翠華東幸，升州直隸，於省領縣三，禮部徵取志乘，其勢自不能已。於是彙集紳士，移檄三邑，重爲開局。昔胡公首事時，聘請致仕山東廉使仁和晚芝沈公爲之續裁，舊淄川令秀水柚堂盛君、今四庫館纂修、内翰歷下林汲周君爲之副。至是盛君適主任城講席，一時紳士咸翕然以爲兹事非山長莫屬，君亦不能辭。經始於去歲之秋，迄於今春杪，采訪徵引者比舊稿增三之一，而三邑之事以類附焉，凡爲卷三十有四。惟時方重修學校土木之工，三年而成，即繼以志乘，不敢以弩末辭。梓既成，叙其本末以質之紳士，當亦鑒余之苦心也。乾隆四十三年初夏，奉政大夫濟寧直隸州知州浙東定海藍應桂序。

《濟寧直隸州志》三十四卷，乾隆五十年知州吴縣王道亨總修，山東濼源書院長、前濟南府淄川縣知縣令秀水盛百二補輯，任城書院長、候補知縣歸安沈升嶠、濟寧直隸州訓導、掖縣張成度參校。其《凡例》二十有五，同藍《志》者十有九，同而少异者二，新增者三，今録其异者：一、任城之屬於高平也，在劉宋之時；任城之改爲高平郡也，在北齊天保七年。以後若自漢至晋之高平縣故城，在今鄒縣，自屬山陽郡，與任城無涉。故仲長統、張儉、王粲、檀憑之、王宏皆山陽之高平人，檀道濟則宋之高平金鄉人。而《舊志》以入「人物」，因任城曾屬高平且誤以郡爲縣也。猶郜國本任城，而濟南之濟陽縣亦有郜城，且有郜王冢，以濟州濟陽郡而誤也。三邑之志未爲詳確，又采訪乏人，幸有遂寧張文端公、山陰金公之兖州《舊志》，及覺羅普公之《新志》足資采取。又如金源之澤州、高平之趙，豈可誤以爲魏、晋山陽郡之高平，而以入金鄉？「人物」以劉宋之王徽爲王粲同時同邑人，以宋晁氏之墓爲晁錯，亦爲删正一二焉。一、曾子所居、子游爲宰之武城，本在今費縣，潘稼堂太史曾極論之，附《曾子世家》。然嘉祥曾子之迹相傳已久，又五經博士現居嘉祥，豈可推而遠之？猶襄陽城北二十里之南陽與河南南陽府，并有隆中故址，不妨兩存。一、金鄉縣有槖縣故城，《後漢書·地理志》臣瓚曰「音拓」，《高祖功臣表》槁祇侯陳鍇，師古「音公老反」，一表一志自相背馳而不悟。今以《水經注》爲主，而《功臣表》附焉，以存疑也。一、運河自通濟閘以上入汶上縣境，而其西岸猶屬嘉祥，况南至王家口，北至袁家水口，皆運河同知所轄，不得以地非州屬而截去之也，故悉仍藍《志》之舊云。其目則全同藍《志》，無所更易。蓋此《志》之修，距藍《志》告成甫七年，藍《志》屬縣爲汶上、嘉祥、魚臺，至是則易汶上而金鄉矣。重修之意，惟去汶上增金鄉耳。歷時既近，載筆未更，是以鮮有補正。

《序》曰：地理之要，在於封圻。而封圻之要，在於山川。《禹貢》九州皆以山川定其經界，「九州有時而移，山川千古不易」，此夾漈鄭氏之言也。夫九州其大焉者，虞夏之交已不盡同，至於郡邑并遷，方隅易位，可勝言哉？余於戊戌之歲蒙恩遷濟州，先是升州直隸於省，割兖州府之汶上縣、嘉祥、魚臺屬焉。前刺史定海藍公因重府、州志，以三邑附入之，削劂甫畢，而余至矣。越明年，復以汶上還兖州，而割金鄉來屬，於是封圻之域，轉瞬已爲陳迹，且職官遷移、人文科第，月异而歲不同，則改修烏能已？夫山川千古不易，是矣。竊疑山則静而有常，川則不然。即如州境與三邑，在昔皆爲濟水南支之所徑，及求其故迹，已莫可考。嘉祥置自金之大定，城池已小爲改移。魚臺始於唐，自元和四年至今，雖云僅一徙，未可信爲然也。金鄉始於東漢，酈道元當北魏時已有故城之目，則今日之金鄉安保即元魏之故址乎？金鄉本以山名邑，今山已入於鉅野之境，猶幸《水經注》在，迹其濟水所徑，証以漢時朱鮪石室，而後知金鄉爲漢之東緡，夾漈之言洵不誣也。又嘗論之古地理之書，惟詳於山川、疆理、沿革而已，今志不能不兼人物，其難等於作史。是非允當，考據詳明，誠非易事，而封圻爲之首，猶未易言也。是志權輿于桂林胡公，旋以遷去未付梓。又十年，藍公始成之，余自慚固陋於兩公，無能爲役。然培山陵者易爲高，浚江河者易爲深，又竊以自幸也。余自任事以來，洪河再決，泛濫州境，金鄉、魚臺幾爲澤國。自州城以南抵黄林莊，袤延三百餘里，茫無畔岸。幸聖天子軫念民瘼，截漕蠲賑，修築堤防，不惜百萬帑金，登之衽席。於是哀鴻之民免於溝壑，守土者免於罪戾，如慶更生。特魚臺自丙子歲以水患徙治，不及三十年，又厄于水，復有議再徙者。由此推之，則以後之沿革又烏能預料乎？是所望於後之載筆者。乾隆五十年知濟寧直隸州事東吴王道亨序。

濟寧既轄三縣，三縣之志，《濟志》所取資也。述三縣志：

《金鄉縣志》創始於明萬曆七年，邑令商丘楊楫，其秉筆者爲邑人胡汝桂。國朝康熙十二年邑令傅廷俊修之，五十一年邑令沈淵重修之，成十六卷，書皆不存。其存者，乾隆三十三年邑令王天秀屬邑人孫巽之所撰也。凡「星野」「疆域」「山川」「灾祥」「建置」「古迹」「風俗」「方社」「賦役」「學校」「典禮」「秩祀」「兵防」「封爵」「官職」「選舉」「宦迹」「人物」「列女」「藝文」，厘爲二十卷。邑人孫巽序。

《嘉祥縣志》，明萬曆間邑令南郡龔仲敏創之，國朝順治九年邑令遼左張太昇修之，邑人董方大實任其事。乾隆四十三年邑令長白倭什布重修之，爲卷四，爲綱八：曰「方輿」，曰「建置」，曰「食貨」，曰「祀典」，曰「職官」，曰「選舉」，曰「人物」，曰「藝文」。爲目五十一：「星野」「疆域」「形勢」「山川」「井泉」「池碙」「橋梁」「古迹」「墳墓」「寺觀」，是爲《方輿志》。「城池」「公署」「縣治」「學校」「書院」「倉場」「鋪舍」「坊牌」，是爲《建置志》。「里甲」「户口」「田賦」「祭田」「學田」「風俗」「土産」「鹺政」，是爲《食貨志》。「先賢祠」「神廟」「壇壝」，是爲《祀典志》。「職官」「世職」，是爲《職官志》。「科目」「貤封」「鄉賓」，是爲《選舉志》。「儒林」「人物」「名宦」「孝義」「列女」「仙釋」，是爲《人物志》。「敕誥」「詔疏」「序記」「書説」「銘傳」「贊詩」，是爲《藝文志》。其《凡例》云「體制全仿《舊志》」，然則此目襲、張所同也。邑令倭什布序。

《魚臺縣志》，順治九年邑人朱之玉所修者久佚，康熙三十年邑令馬君續修，乾隆二十九年邑令雁門馮振鴻又修之，即今所存者是也。「輿地」「山水」「災祥」「建置」「舊迹」「賦役」「學校」「祀典」「職官」「選舉」「人物」「列女」「藝文」，凡十三門，卷亦因之。别爲首卷，恭紀皇恩，復爲末卷以存「雜志」。「疆界」「沿革」「形勝」「風俗」「物産」，統於「輿地」。「漕渠」屬於「山水」，「星野」附於「災祥」，「官績」「封爵」歸「職官」。「鄉飲」「封贈」隸「選舉」。「雜志」區爲四目：曰「紀事」，曰「叢説」，曰「辨訛」，曰「補遺」。邑令馮振鴻序。

濟之未改直隸也，與三縣同屬兖郡，《兖志》亦所取志也。述《兖志》。

《兖州府志》四十卷，康熙二十三年知府遂寧張鵬翮因明穀山于文定公慎行所纂重加修輯，時濟寧州知州趙鍾華、金鄉縣知縣張泰來、嘉祥縣知縣羅興泰、魚臺縣知縣沈鉉吉同閲，濟寧州學正孟鏐分校。

《兖州府志續編》二十卷，康熙五十八年知府山陰金一鳳因張《志》續修，惟「田賦」「户役」三門就前編補入，餘與張《志》

各自爲書，相輔而行，體例最善。時濟寧州知州趙之鶴、金鄉縣知縣王之琦、嘉祥縣知縣宋躬璧、魚臺縣知縣金虞廷參閱。

濟寧直隸州志　卷末

客有游於濟河之間者，問余曰：「子歷官必修志，毋乃務不急之務乎？抑爲名也？」曰：「知州知此州，知縣知此縣，不讀志，何以知？不修志，何以知其所不知？避好名之名而安於無知，吾弗爲之矣。」客曰：「《武城志》胡以未修？《泰安志》胡以修而未全？《高唐志》子自編輯，《濟州志》又何以集衆人爲之？」曰：「武城頻年河溢，救民命之不暇，而言掌故、問風俗洵不急之務也。泰岱名山，紀載宏博，前人考訂極詳，唯在續舊增新，非可以他邑例。《高唐舊志》，殘編止剩一二，州境幅員不廣，且無山川。有近年新修《東昌郡志》可徵，祇須稽核文案，旁采諸書以補之。地偏政簡，終日手一編可也。濟州則山左一大都會，兼河渠、漕運而統轄三邑，古今人物繁盛，非集思廣益不可。凡事任己則隘，恃人則泛，要必因地制宜，隨時變而通之，而後有成，非獨修志也。」曰：「《州志》之修始於庚子春，何以遲之？而後設館遲之又久，而後采訪及稿已定，何以不即付剞劂，而又將携之遠行？」曰：「若作室然，基址結構必有以始之，雕鏤潤色必有以終之，成局在胸而後鳩工庀材焉，則不至徒費而無益。及棟梁宋桶悉備，非一手一足之所能經營也。於是廣求大匠，審曲面埶，斧斤齊作，工將畢矣。主人不過而問焉，雖公輸子不能代斫也。」客唯唯而退曰：「曠日持久，虛縻益多，恐其築室於道謀耳。」余自辛丑冬攝兖郡，壬寅春適濟南，夏中入都，秋復東旋，其間返濟上者四，屢往志館，與許印林同年、楊漱芸孝廉諸君時參論之。馮集軒大令爲余同鄉姻婭，先後任兖屬曲阜，同官山左將二十年。集軒修《濟南志》方竣，南歸過濟，濟去兖咫尺，本其舊游地，諸父老皆願挽留與參校焉。至癸卯春而全稿粗具，余奉簡任西川，置之行篋，由魯而齊、而衛、而秦、而蜀，未嘗離左右。及抵保寧郡任，公餘隨時編次，集諸吏于庭，繕校無虚日。甫逾月，復奉恩命分巡閩中，梯之千山，又將航之萬水，凡四年行二萬餘里，五易稿而後成書。道謀之誚，吾知免矣。間嘗閱《保寧郡志》，湘南黎雲屏觀察於道光元年所修，板已散佚，搜訪得之，補其闕者若干。瞻草堂於閬苑城中，畫象思賢，依然天井采蓮之地；懷太白於巴州山下，壯觀遺墨，無异酒樓浣筆之書。保郡閬中縣治東有工部草堂，劍關思賢樓有李、杜畫象，巴州山下有白書「壯觀」二字，與濟城樓石刻同。國初創修《濟志》之廖公柴坡爲川北射洪人，而近年總纂《保郡志》之史梅裳明府即濟州人。余由濟州官蜀中，而成《濟志》。延閬中萬廣紫文山含暉，率諸生徒王運昌等分門繕校并鈔胥。典吏李廷榮、劉興元等，又皆保郡也。司文卷者商山芝、王鏡寰、劉克敬、王兆岐、劉奉璋、仲祉亭、劉紹曾、王長清，并州人，附書之。癸卯十月九日署四川川北道知保寧府事升任福建汀漳龍道徐宗幹跋。

咸豐七年丁巳拾壹月建修奎文閣，典籍卓甫、周樹立書真，文元堂監修。